国家出版基金资助项目

⑩

秦岭昆虫志

双翅目

总 主 编　杨星科
本卷主编　杨　定　王孟卿　董　慧
副 主 编　薛万琦　陈汉彬　王新华
卜文俊　刘广纯　张春田
吴　鸿　陈　斌　霍科科

世界图书出版公司
西安 北京 上海 广州

图书在版编目(CIP)数据

秦岭昆虫志. 10, 双翅目 / 杨星科等主编. —西安:
世界图书出版西安有限公司, 2017.12
ISBN 978 - 7 - 5192 - 3105 - 7

Ⅰ. ①秦… Ⅱ. ①杨… Ⅲ. ①秦岭—昆虫志②双翅目
—昆虫志—秦岭 Ⅳ. ①Q968.224.1

中国版本图书馆 CIP 数据核字(2017)第 290798 号

书　　名	**秦岭昆虫志　双翅目**
总 主 编	**杨星科**
本卷主编	**杨　定　王孟卿　董　慧**
责任编辑	**郭　茹　冀彩霞**
装帧设计	**诗风文化**
出版发行	**世界图书出版西安有限公司**
地　　址	**西安市北大街** 85 **号**
邮　　编	710003
电　　话	029 - 87214941　87233647(**市场营销部**)
	029 - 87234767(**总编室**)
网　　址	**http://www.wpcxa.com**
邮　　箱	**xast@wpcxa.com**
经　　销	**新华书店**
印　　刷	**陕西博文印务有限责任公司**
开　　本	787mm × 1092mm　1/16
印　　张	81.5
字　　数	1560 **千字**
版　　次	2017 **年** 12 **月第** 1 **版**　2017 **年** 12 **月第** 1 **次印刷**
国际书号	ISBN 978 - 7 - 5192 - 3105 - 7
定　　价	580.00 **元**

内容简介

本志为《秦岭昆虫志》第十卷。双翅目是昆虫纲中较大的类群之一，与人类关系密切，包括重要的农林害虫、卫生害虫和家畜害虫，其捕食性和寄生性天敌，以及植物的传粉昆虫，在维持生态平衡方面具有重要的作用。本书介绍了双翅目昆虫的一般形态、分类、生物学及经济意义，系统记述双翅目昆虫 46 科 472 属 1273 种，其中包括 21 个新种、2 个中国新纪录属和 24 个中国新纪录种；编写了分科、亚科、属、种的检索表，各属均有文献出处、模式种、属征、分布和重要属种的生态习性等；各种均有文献出处、鉴别特征、国内外(省内外)的分布，以及重要种类的生态、寄主、经济意义等。科后附有参考文献。

本志可供从事昆虫学、寄生虫学研究及植物保护、森林保护及卫生防疫工作的人员参考。

《秦岭昆虫志·双翅目》编委会

主　编　杨　定　王孟卿　董　慧

副主编　薛万琦　陈汉彬　王新华　卜文俊　刘广纯　张春田
　　　　吴　鸿　陈　斌　霍科科

编　委　（按姓氏笔画排序）

丁双玫　卜文俊　于　腾　王　宁　王　亮　王　勇
王　强　王心丽　王玉玉　王丽华　王孟卿　王俊潮
王剑峰　王新华　毛　萌　史　丽　付文博　朱雅君
华亚琼　刘广纯　刘文彬　刘若思　刘思培　刘晓艳
闫振天　许雯婧　孙冰皎　苏立新　杜　晶　李文亮
李　军　李　竹　李　洋　李轩昆　吴　鸿　宋　超
冷瑞新　张　晓　张春田　张俊华　张莉莉　张婷婷
张魁艳　陈小琳　陈汉彬　陈　斌　杨金英　杨　定
赵　喆　修江帆　侯晓晖　侯　鹏　姚　刚　徐　骏
席玉强　唐楚飞　梁厚灿　黄俊浩　崔维娜　康泽辉
董奇彪　董　慧　蒋晓红　韩晓静　焦克龙　蔡云龙
薛万琦　霍　姗　霍科科

参加编写单位

中国科学院动物研究所　中国农业科学院植物保护研究所
中国农业科学院草原研究所　中国检验检疫科学研究院
上海出入境检验检疫局　北京出入境检验检疫局
北京自然博物馆　深圳市中国科学院仙湖植物园
南开大学　沈阳大学
沈阳师范大学　重庆师范大学
中国农业大学　浙江农林大学

《秦岭昆虫志·双翅目》编辑出版委员会

序

秦岭是我国最古老的山脉之一，在我国生物地理上占据着重要地位。它是我国南北气候的分水岭，环境的复杂性成就了生物的多样性，因此受到了世界的高度关注。关于秦岭的生物资源、区系组成、分布格局等，植物和大型动物都有较为系统的研究和显著的成果，《秦岭植物志》《秦岭动物志》陆续问世，而无脊椎动物研究却一直属于空白。

杨星科研究员长期从事昆虫区系的研究，先后组织开展过多次大型科学考察，并且都有很好的成果以专著、考察报告等形式展现给大家，为我国的昆虫多样性研究做出了实质性的贡献。2013 年，他利用在中国科学院西安分院、陕西省科学院工作的机会，积极争取项目支持，团结全国同行，全面开展秦岭地区昆虫资源的考察。通过 3 年的野外工作，在大家的共同努力下，完成了《秦岭昆虫志》这部 12 卷册的巨著。《秦岭昆虫志》所包括的种类是原已知种类的 2 倍，编写完全按照志书的规则，不同阶元都有鉴别特征及检索表，属、种都有科学引证，在保证种类准确性的同时，为大家提供了更为广泛的信息，文后附有详细的参考文献，有力地保证了《秦岭昆虫志》的质量和水平，使这套志书具有很高的科学价值和应用价值，我相信这套志书的出版必定会对我国乃至世界昆虫多样性研究产生深远的影响。

生物多样性研究，直接关系到生物资源的合理开发与科学利用，关系到生态系统的平衡与可持续发展，关系到友好型生态环境的建设。我国地域广阔，地形复杂多样，生物多样性极为丰富。但是，我国昆虫资源家底远不清楚，昆虫多样性研究与国际相比相差甚远。如何改变这种现状，在需要国家政策支持的同时，更需要我们同行的共同努力。《秦岭昆虫志》的完成与问世，为我们大家起到了很好的示范与引领作用。

随着全球化的发展态势，世界各国、不同地域之间的各种交流、来往、贸易、物流等出现新的模式和高频次现象，这也给我们带来巨大的挑战。首先是生物安全问题，随着贸易往来、物流循环、人员交流的不断增长，外来入侵生物的入侵形势严峻，农林生产及生态环境的安全威胁加大；其次是生物产业作为未来战略新兴产业，对生物资源的挖掘与开发日趋强化，生物资源的研究与保护已不仅仅是一个科学问题。这些都关系到我们国家的经济与社会发展战略。昆虫是生物界最大的家族，蕴藏着巨大的资源，摸清昆虫资源家底，不但可以有效应对外来生物入侵，破解生物安全的威胁，同时也可以对我国生物资源的保护和利用做出实质性的贡献，这是我们科技工作者义不容辞的责任和义务。我衷心希望我国昆虫界的同仁们，在国家建设科技强国战略的指引下，大家齐心协力，共同努力，把我国昆虫多样性研究推向一个新的水平，真正服务于国家战略需求！

这或许是《秦岭昆虫志》带给我们的启迪吧！

是为序！

中国科学院院士

中国科学院上海植物生理生态研究所研究员　尹文英

2016 年 11 月于上海

出版前言

秦岭自西向东，横贯我国中部，是长江、黄河两大水系的分水岭，西起甘肃临洮，东抵河南鲁山，东西长达500km，南北宽140～200km，地处北纬32°5′～34°45′，东经104°30′～115°52′。秦岭西部比较陡峭，海拔较高，一般在2000～3000m；东部比较舒缓，海拔较低，一般在2000m以下。它是古北区和东洋区的分界线，同时为亚热带、暖温带的分界线，亚热带常绿阔叶林的分布北线。该地区具有从一种自然地理条件向另一种自然过渡、从一种地质构造单元向另一种构造单元过渡的特性。同时，秦岭作为我国大陆青藏高原以东的最高山地，它又具有自己独特的垂直景观带谱。正因为秦岭山地地理位置的特殊性，使得其物种多样性非常丰富且具较强的区域特异性，一直是生物分类学和生物地理学研究的热点区域。然而，之前对该地区昆虫区系研究多较为零散，缺乏系统的专著。

1997年，中国科学院生命科学院生物技术局设立“关键地区生物资源综合考察及其评价”重大项目，并于1998～1999年由项目主持单位组织考察秦岭西段和甘肃南部地区。在此研究基础上，形成了2005年出版的《秦岭西段及甘南地区昆虫》这一专著。该书对于秦岭西部地区的昆虫类群的系统研究有着重要意义，推动了对该区生物多样性的研究，也让更多的人认识到了秦岭地区的重要性。然而，由于其工作多集中在秦岭西部地区，对秦岭中、东部地区的调查较少，未能反映整个秦岭地区昆虫的全貌。为了全面系统地评价和利用秦岭昆虫资源，我们在陕西省财政厅科技专项经费的支持下，在陕西省科学院的大力帮助下，从2012年开始，再次进行了为期3年的野外调查工作，在借鉴秦岭西段研究结果的基础上，重点加强了秦岭中、东部地区的调查工作。参加野外工作的包括陕西省动物研究所、西北农林科技大学、陕西师范大学、中国科学院动物研究所、南开大学、浙江大学、河北大学、中国农业大学、中南科技大学等十多家单位，计120多人次，共获得昆虫标本50余万号，进一步完善了秦岭地区昆虫多样性资料，为编写《秦岭昆虫志》奠定了良好基础。

《秦岭昆虫志》按照《中国动物志》的编写体例进行编写，顺序上参照六足动物的系统关系；各目按照系统发育关系，以科为单元进行编写，科下各属按照系统关系排序，属内各种以种名的首字母顺序编排，各阶元都有鉴别特征和检索表，属、种都有科学引证，文后附参考文献。为了准确体现各位专家的劳动，除了《秦岭昆虫志》编委会外，各卷都有本卷的编委会，各科作者署名紧跟其后。

《秦岭昆虫志》共分为十二卷：第一卷由廉振民教授主编，包括无翅昆虫、蜉蝣目、蜻蜓目、襀翅目、蜚蠊目、等翅目、螳螂目、革翅目、直翅目、竹节虫目；第二卷由卜文俊教授主编，包括半翅目异翅亚目；第三卷由张雅林教授主编，包括半翅目同翅亚目；第四卷由花保祯教授主编，包括啮虫目、缨翅目、广翅目、蛇蛉目、脉翅目、毛翅目、长翅目；第五卷鞘翅目（一）由杨星科、葛斯琴研究员主编，包括步甲科、龙虱科、牙甲总科、隐翅虫总科、金龟总科、花甲总科、丸甲总科、长蠹总科、吉丁甲总科、叩甲总科、郭公甲总科、扁甲总科、拟步甲总科等；第六卷鞘翅目（二）由林美英博士主编，包括暗天牛科、瘦天牛科和天牛科；第七卷鞘翅目（三）由杨星科、张润志研究员主编，主要包括叶甲总科（除去天牛类）、象甲总科；第八卷鳞翅目由薛大勇研究员、韩红香和姜楠博士主编，包括大蛾类；第九卷鳞翅目（二）由房丽君研究员主编，包括蝶类；第十卷由杨定教授、王孟卿副研究员和董慧博士主编，包括双翅目；第十一卷由陈学新教授主编，包括膜翅目。十一卷共记述了秦岭地区六足类4纲27目334科3325属7496种，其中包括1个新属、27个新种、12个中国新纪录属、34个新纪录种、42个陕西新纪录属、260个陕西新纪录种。需要说明的是：鳞翅目小蛾类已由南开大学李后魂教授主编先期出版，我们这次没有组织重新编写；另有部分目、科因为国内没有专家研究，因此没有办法编写。为了弥补缺憾，系统总结陕西秦岭地区已知昆虫种类，同时也便于读者使用，由唐周怀研究员、杨美霞博士主编，完成了《陕西昆虫名录》，作为本志的第十二卷。

目前，《秦岭昆虫志》即将付梓。该项目成果的获得，是全国广大同行通力合作、共同努力的结果，凝聚了昆虫分类学者忠诚于神圣事业的集体智慧。项目主持单位、《秦岭昆虫志》编委会对各卷主编的辛勤劳动和各位专家的全力支持、无私奉献表示衷心的感谢！对大家的科学精神表示敬佩！

在项目立项初期，白明博士在项目建议书的起草、成稿等方面做了大量工作；张雅林、廉振民等多位教授提出了许多宝贵意见；陕西省财政厅教科文处在项目申请和审批方面给予了诸多指导和帮助。在项目执行过程中，陕西省动物研究所领导给予了全力的支持，唐周怀研究员对野外工作给予了多方面的协调和帮助。

在本志编写过程中，尹文英院士、印象初院士、康乐院士分别给予了不同程度的鼓励、支持、指导和帮助，特别是尹文英院士在大病初愈的情况下欣然为本志写序，让我们深受鼓舞和激励！

在本志的统稿过程中，杨美霞博士付出了巨大的劳动，崔俊芝女士和郭明霞同学在文字整理、格式修改、学名审核等方面做了大量的工作。本书的出版，得到了世界图书出版有限公司的鼎力支持，特别是薛春民先生的全力支持与帮助，责任编辑同志亦付出了的艰辛的努力和辛勤的劳动，终使本志得以顺利出版。

我们谨借此对以上相关单位和个人，以及在项目执行和出版过程中提供帮助和做出贡献的同志表示衷心的感谢！

由于我们的水平所限，本志的错误和缺憾在所难免，诚望大家不吝赐教！

《秦岭昆虫志》编委会

2017年10月于古城西安

Preface

Through the middle China from the West to the East, the Qinling Mountains provide a natural boundary between the Yangtze River and the Yellow River, the two major river systems in China. Located around the latitude 32°5′ – 34°45′N and the longitude 104°30′ – 115°52′E, they stretch from Lintao, Gansu Province in the west to Lushan, Henan Province in the east, with the length of 500km from west to east and the breadth of 140 – 200km from north to south. The west part of the Qinling Mountains is considerably steep, with higher elevations of 2000 – 3000m, while the east part is comparatively gentle, with lower elevation generally below 2000m. The Qinling Mountains are generally accepted as the boundary between Palaearctic and Oriental Regions, subtropical and warm temperate zones, as well as the north line of distribution of subtropical evergreen broad-leaved forests. This region is characterized by transition from one natural geographical condition to another and one geological structure unit to another. Furthermore, the Qinling Mountains, as the highest mountain in the east of the Qinghai-Tibet Plateau, have their own unique vertical landscape spectrum. Because of the special geographical location of the Qinling Mountains Range, it is rich in species diversity and has strong regional endemism, which constantly makes it research hotspot both for taxonomy and biogeography. However, the study of dipster fauna in this area is fragmented and still lacks systematic monographs.

In 1997, the Biotechnology Bureau of the Chinese Academy of Sciences established a major Project of "Comprehensive Survey and Evaluation of Biological Resources in Key Regions". In 1998 – 1999, the presider of this project investigated the western part of Qinling range and southern Gansu. On the basis of these expeditions, a monograph entitled *Insect Fauna of Mid-West Qinling Range and Southern Gansu* was published in 2005. This book is of great significance for the systematic study of insects in the western Qinling region. It has promoted the study of biodiversity in this region and made more people realize the importance of Qinling region. However, since its work is mainly concentrated on the west part of Qinling, there are little surveys in the mid-east part, which hardly reflects the true state of the insect fauna of the entire Qinling Mountains. In order to comprehensively and systematically evaluate and utilize the insect resources of the Qinling Mountains, funded by special expenses of Science and Technology Project from the Financial Department of Shaanxi Province, as well as the help from Shaanxi Academy of Sciences, we have carried out a three-year field survey since 2012. Based on the expedition results of the western region, we have paid more attention to the eastern part of the Qinling Mountains during the investigations. More than 120 researchers from over 10 institutions participated in the field work, including Shaanxi Institute of Zoology, Northwest A & F University, Shaanxi Normal University, Institute of Zoology, Chinese Academy of Sciences, Nankai University, Zhejiang University, Hebei University, China Agricultural University, Central South University of Forestry and Technology etc. Over half million insect specimens were collected, which would greatly improve the biodiversity data of insect fauna in the Qinling region and lay a good foundation for the compiling of the monograph *Insect Fauna of the Qinling Mountains*.

The compiling style of *Insect Fauna of the Qinling Mountains* is mainly in accordance with *Fauna Sinica*, and the sequence is based on the systematic relationship of the hexapod system. The compiling of each orderis according to the phylogenetic relationship and one family is taken as a unit. Below the family, the sequence of each genus is also according to the phylogenetic relationship, while below the genus, the arrangement of species is in alphabetical order. each species is sorted according to the first letter. Each category is accompanied by identification feature and identification key, and each genus, as well as each species has scientific citation. At the end, references are attached. In order to accurately reflect the work of every specialist, apart from the Editorial Board of *Insect Fauna of the Qinling Mountains*, the Editorial Board for each volume is also provided, and the authors for each family immediately follow the family name.

There are totally 12 volumes for *Insect Fauna of the Qinling Mountains*. Volume Ⅰ is edited by Professor Lian Zhenmin, and includes apterygot insects, Ephemeroptera, Odonata, Plecoptera, Blattodea, Isoptera, Mantodea, Dermaptera, Orthoptera and Phasmatodea. Volume Ⅱ is edited by Professor Bu Wenjun, and includes Hemiptera-Heteroptera. Volume Ⅲ is edited by Professor Zhang Yalin, and includes Hemiptera-Homoptera. Volume Ⅳ is edited by Professor Hua Baozhen, and includes Psocoptera, Thysanoptera, Megaloptera, Raphidioptera, Neuroptera, Trichoptera and Mecoptera. Volume Ⅴ (Coleoptera Ⅰ) is jointly edited by Professor Yang Xingke and Ge Siqin, and includes Carabidae, Dytiscidae, Hydrophiloidea, Staphylinoidea, Scarabaeoidea, Dascilloidea, Byrrhoidea, Dryopoidea, Buprestoidea, Elateroidea, Cleroidea, Cujoidea and Tenebrionoidea. Volume Ⅵ (ColeopteraⅡ) is edited by Dr. Lin Meiying, and includes

Vesperidae, Disteniidae and Cerambycidae. Volume Ⅶ (Coleoptera Ⅲ) is jointly edited by Professor Yang Xingke and Zhang Runzhi, and includes Chrysomeloidea (except Cerambycid-beetles) and Curculionoidea. Volume Ⅷ (Lepidoptera Ⅰ) is jointly edited by Professor Xue Dayong, Dr. Han Hongxiang and Jiang Nan, and includes large moths. Volume Ⅸ (Lepidoptera Ⅱ) is edited by Professor Fang Lijun, and includes exclusively butterflies. Volume Ⅹ is edited by Professor Yang Ding, Associate Prof. Wang Mengqing and Dr. Dong Hui, and includes Diptera. Volume Ⅺ is edited by Professor Chen Xuexin, and includes Hymenoptera. There are totally 4 classes, 27 orders, 334 families, 3325 genera and 7496 species of Hexapoda recorded in the 11 volumes of this series, including one new genus and 27 new species. For the new record, there are 12 genera and 34 species from China, as well as 42 genera and 260 species from Shaanxi Province. It should be noted that the contents of Microlepidoptera have been published previously by Professor Li Houhun, Nankai University, therefore, we haven't rewritten the same context. Besides, due to the unavailability of suitable specialists, some insect groups unavoidably are not covered in this series. In order to make up for this defect and systematically summarize the known species of insects, as well as make convenience for the readers, the book *Insect Fauna of Shaanxi Province*, was jointly compiled by Prof. Tang Zhouhuai and Dr. Yang Meixia, which will be the twelfth volume of this series.

Currently, 12 volumes have been completed and are ready for publication. The achievements should be addressed to the cooperation and collective intelligence of numerous entomologists throughout China. The project presiding institution and the editorial board are highly appreciated with all specialists' hard work, full support and unselfish dedication!

During the initial stage of the program, Dr. Bai Ming had contributed a lot to the drafting of the research proposal. Prof. Zhang Yalin and Prof. Lian Zhenmin had proposed many valuable comments. The Financial Department of Shaanxi Province had given a lot of guidance and helps during the application process and final approval of the program. During the conduction of the program, the authority of Shaanxi Institute of Zoology had given a full support to the research. Prof. Tang Zhouhuai had made a lot of coordination and assistances in the fieldwork.

In the preparation of this series of books, Academicians Yin Wenying, Yin Xiangchu and Kang Le had provided various degrees of encouragement, supports, guidance and help! In particular, Prof. Yin Wenying readily consented to write the preface even though she had just recovered from a severe illness, which really made us encouraged and inspired!

In the process of drafting preparation, Dr. Yang Meixia had paid a great labor. Mrs. Cui Junzhi and Miss Guo Mingxia had done a lot of work in word polishing, format adjustment, and terms checking. While, the publication of this series have obtained great support from World Publishing Corporation, especially Mr. Xue Chunmin. The executive editors have also made a lot of hard work.

We would like to express our heartfelt gratitude to the above-mentioned institutes and individuals, as well as those not mentioned above but provided various assistances in the implementation period of the program, drafting preparation and publication.

Due to the limitations of our expertise, there are inevitable mistakes and shortcomings in this series. We sincerely expect you to enlighten us with your instruction!

Editorial Board of *Insect Fauna of the Qinling Mountains*

前　言

双翅目 Diptera 是昆虫纲中四个最大的目之一，包括蚊、蠓、蚋、虻、蝇等。该类群属于完全变态类昆虫，成虫仅有一对发达的膜质前翅(翅偶尔退化或无翅)，后翅特化为平衡棒，口器刺吸式、刮吸式或舐吸式。其适应性较强，种类和个体的数量很多，习性复杂多样，有植食性、腐食性、捕食性、寄生性、吸血性等。本类群与人类关系非常密切，包括一些重要的或危险性的农林害虫、卫生害虫和家畜害虫及一些有益的天敌昆虫和植物的传粉昆虫。

关于陕西秦岭地区双翅目的研究，曾展开过一些工作，主要体现在以下三个方面：一是对部分个别地区或自然保护区的综合科学考察，如秦岭西段昆虫考察(2004 年)、平河梁林区的昆虫及其多样性研究(2008 年)、黄柏塬自然保护区的综合科学考察(2009 年)、牛背梁保护区地面昆虫多样性研究(2013 年)、牛尾河自然保护区综合科学考察(2014 年)等，都涉及到双翅目昆虫的部分类群；二是双翅目部分类群的专项调查，如吴元钦等“陕西省虻类调查”(1983 年)、霍科科等对秦岭食蚜蝇的系统研究(2003 年至今)、石淑珍等“陕西蠓类调查”(2009 年)、陈汉彬等“陕西省秦岭蚋相调查”(2009 年)等，比较系统地总结了该类群的记录种类；三是国际同行对本地区双翅目的研究工作。这些都不同程度丰富了陕西秦岭地区双翅目区系内容，为《秦岭昆虫志·双翅目》卷的编写奠定了一定的基础。但是，对双翅目系统调查、全面研究尚有欠缺。中国科学院 1997 年至 1998 年组织的秦岭西段的昆虫多样性调查，共记录了秦岭地区双翅目 18 科 201 属 522 种，秦岭中段、东段涉及很少。2012 年，由陕西省动物研究所承担的“陕西秦岭地区昆虫资源及多样性调查”，历时 3 年，重点对秦岭中段、东段地区昆虫进行了系统调查，同时对秦岭西段进行了补点考察，使整个秦岭地区昆虫多样性的调查资料得到进一步完善，双翅目昆虫多样性得到极大丰富。

我们受《秦岭昆虫志》编委会委托，从 2012 年开始组织国内有关专家编写《秦岭昆虫志·双翅目》卷册，得到中国科学院、中国农业科学院、南开大学等30余家单位的相关专家、学者和科技人员的大力支持与积极参与，共采集双翅目昆虫标本20万号，历时5年顺利完成《秦岭昆虫志·双翅目》一书。本书介绍了双翅目昆虫的一般形态、分类、生物学及经济意义，系统记述双翅目昆虫46科472属1273种，其中包括21新种、2个中国新纪录属和24个中国新纪录种；编写了分科、亚科、属、种的检索表，各属均有文献出处、模式种、属征、分布和重要属种的生态习性等；各种均有文献出处、鉴别特征、国内外(省内外)的分布，以及重要种类的生态、寄主、经济意义等。科后附有参考文献。

本项研究得到《秦岭昆虫志》项目的主持单位陕西省动物研究所和《秦岭昆虫志》编辑委员会的大力支持和关注。在本志编写过程中，不少朋友、同行及老一辈昆虫学家都给予了各方面的帮助和鼓励，唐楚飞、侯鹏、李轩昆、丁双玫、席玉强、张晓、康泽辉等人为本书的编写和统稿工作付出了辛勤的劳动，在此深表谢意。

由于水平有限，书中难免有不足之处，恳请读者批评指正。

杨　定

2015年9月19日于北京

目　录

总　论

各论

总 论

杨定[1] 王孟卿[2] 董慧[3]
(1. 中国农业大学昆虫学系，北京 100193；2. 中国农业科学院植物保护研究所，北京 100081；3. 深圳市中国科学院仙湖植物园南亚热带植物多样性重点实验室，深圳 518004)

双翅目 Diptera 属于完全变态类昆虫，是昆虫纲中四个最大的目之一，包括蚊、蠓、蚋、虻、蝇等。仅有一对膜质前翅(偶尔翅退化或无翅)，后翅退化为平衡棒，口器吸收式为其主要识别特征。它们适应性较强，种类和个体的数量很多，食性复杂多样，有植食性、腐食性、捕食性、寄生性等，与人类关系密切，包括一些重要的或有危险性的农林害虫、卫生害虫、畜牧害虫及一些有益昆虫的天敌和植物的传粉昆虫。

一、形态特征

(一)成 虫

1. 头 部(图 1，2，3)

头部一般呈球形或半球形，活动自如，与胸部明显分开，小的成虫颈部(cervix)与胸部相连。

复眼(eye) 1 对，较大，位于头部两侧，其大小和形状有变化，有时有短细毛。许多类群复眼雌雄异型，雄性为接眼式(holoptic)，复眼在额区相接，有时复眼在颜区接近或相接；而雌性为离眼式(dichoptic)，在额区宽地分开；有时雌雄复眼均为接眼式，如舞虻科的驼舞虻亚科 Hybotinae。复眼由许多小眼面(facet)组成，背部或前部的小眼面有时会扩大。眼蕈蚊科和粪蚊科复眼在触角之上愈合，形成眼桥(eye bridge)。

单眼(ocellus) 3 个，位于头顶正中央小的单眼三角区(ocellar triangle)内或稍突起的单眼瘤(ocellartubercle)上。有的类群仅有1~2个单眼，有的类群如大蚊科则无单眼。

头顶(vertex)　位于额之后的区域包括单眼三角区及其以后的区域。高等虻类和蝇类单眼三角区有1对发达的单眼鬃(ocellar bristle)，单眼三角区后有1对单眼后鬃(postocellar bristle)；头顶两侧一般有1~2对明显的顶鬃(vertical bristles)，若有2对时，位于外面的称为外顶鬃(outer vertical bristle)，位于里面的称为内顶鬃(inner vertical bristle)。

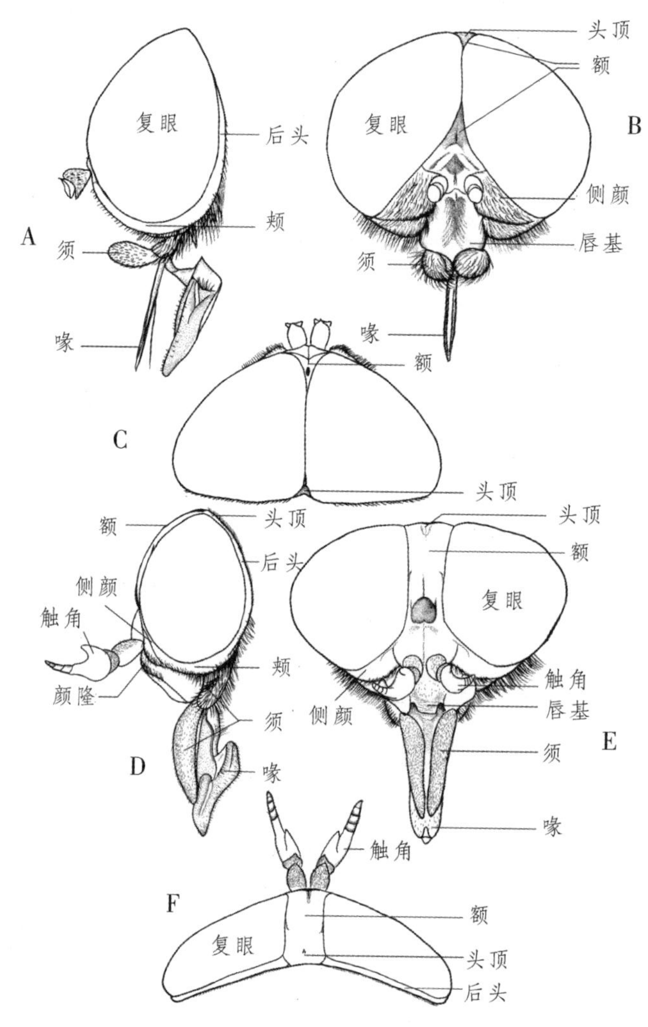

图1　虻 *Tabanus* sp.　头部

A-C. 雄性头部；D-F. 雌性头部；A, D. 侧面观；B, E. 前面观；C, F. 背面观

额(frons)　位于触角窝与单眼三角区之间的区域。当复眼在额上长距离相接时，额不明显且仅在单眼三角区前和触角基部后露出窄小的三角区。长角亚目和短角亚目额一般无明显的鬃，仅舞虻总科额两侧偶尔有鬃。蝇类额可区分为中间的间

额(interfrontalia, frontal vitta, interfrons),或称中额(mesofrons),以及两侧的侧额(parafrontalia, parafrons),又称眼眶(orbit)。间额与侧额之间有不明显的界线,间额上的鬃称为间额鬃(interfrontal bristle),侧额上的鬃称为侧额鬃(parafrontal bristle),又叫颜眶鬃(orbital bristle)。蝇类有缝组 Schizophora 在触角基部上方有一倒"U"形的缝,称为额囊缝(ptilinal suture),是成虫羽化时翻出的额囊缩入头内后留下的缝,在额囊缝和触角窝之间新月形的骨化区,称为新月片(lunule)。

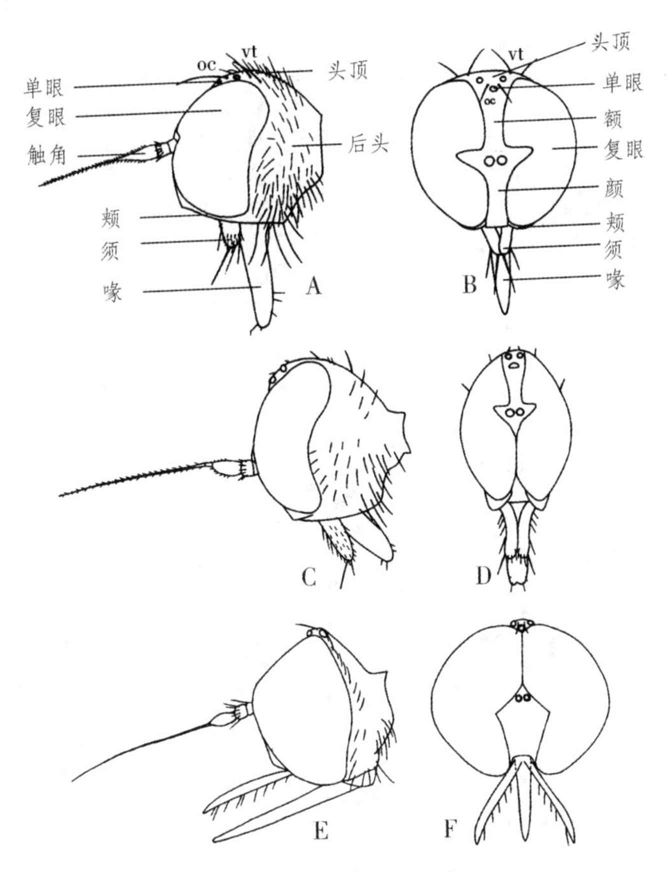

图2 头部(仿杨定、杨集昆)

A-B. 河南平须舞虻 *Platypalpus henanensis* Saigusa *et* Yang; C-D. 黑腿显肩舞虻 *Tachypeza nigra* Yang *et* Yang; E-F. 长板驼舞虻 *Hybos longus* Yang *et* Yang;A, C, E. 侧面观; B, D, F. 前面观;oc. 单眼鬃; vt. 头顶鬃

颜(face) 位于额前缘与口前缘之间的区域。当复眼在颜区接近或相接时,颜明显比额窄,或仅露出上下小的三角区。低等虻类颜正中央有发达的唇基,高等虻类和蝇类唇基较小或退化。颜两侧稍隆突,称为侧颜(parafacialia)。蝇类颜堤上常有粗大的鬃,称为髭(vibrissa)。

颊(gena) 位于复眼下缘与口器边缘之间的区域,宽度变化比较大,有时很窄或不明显。

后头(occiput) 位于头顶和复眼后缘以后的区域,高等虻类和蝇类沿复眼后缘多有成排前弯的鬃。

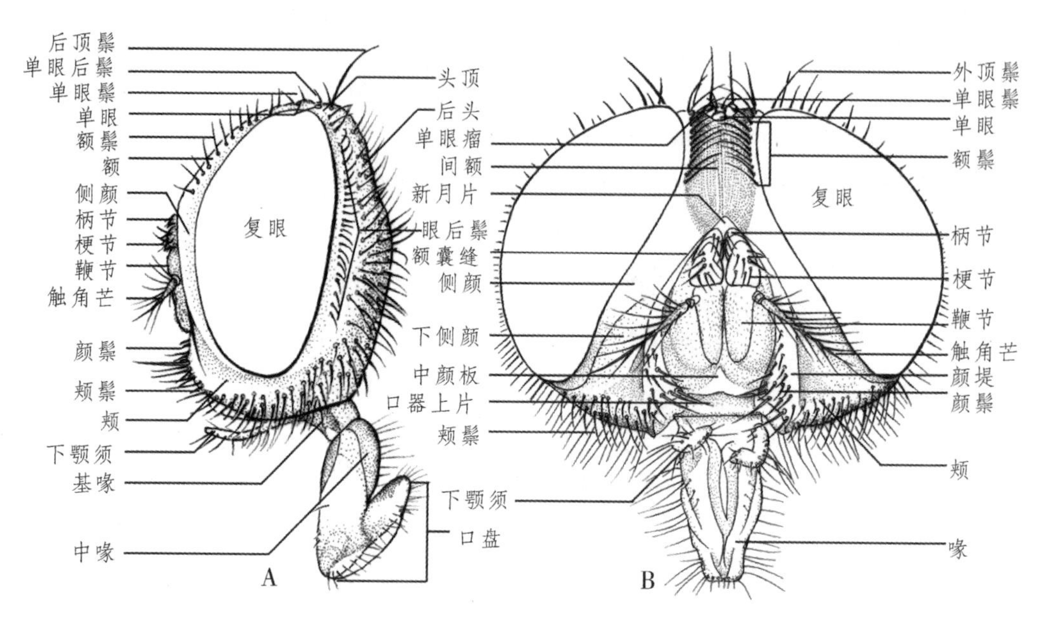

图3 家蝇 *Musca domestica* (Linnaeus) 头部

A. 侧面观；B. 前面观

触角（antenna）（图4） 由柄节（scape）、梗节（pedicel）和鞭节（flagellum）3 部分构成。触角基部第 1 节称柄节，第 2 节称梗节，其余部分称鞭节。有瓣蝇类和一些无瓣蝇类梗节背面或后背面有纵向裂缝，称为触角裂缝（antennal seam，antennal cleft）。鞭节长短和形状变化很大。长角亚目鞭节细长，分节明显，形状比较一致；有丝状、念珠状、环毛状、锯齿状、栉状等类型。短角亚目鞭节一般基部较粗，明显向末端变窄，节数少，分节不明显，末端刺状，称为端刺（stylus）。芒角亚目鞭节由粗大的 1 节（第 1 鞭节）和细长的触角芒（arista）构成；触角芒多位于第 1 鞭节基部背面，通常分 3 节，基部前 2 节很短，第 3 节细长。隐芒蝇科无明显的触角芒。低等虻类中鹬虻科的部分种类、伪鹬虻科的种类、高等虻类中舞虻科的部分种类和长足虻科的种类的触角形状同蝇类，为芒角。触角芒通常分 2 节，偶尔 1 节；触角芒形状多样，有短毛状、羽状、栉状和裸状等。

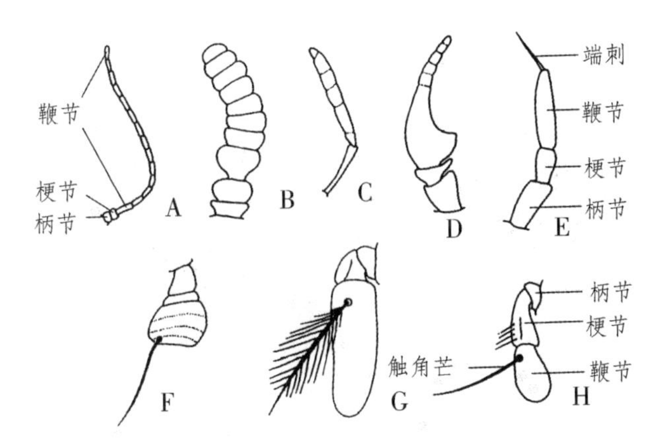

图4 触角（仿 Borror）

A. 菌蚊（*Mycomya* sp.）；B. 毛蚊（*Bibio* sp.）；C. 水虻（*Stratiomys* sp.）；D. 虻（*Tabanus* sp.）；E. 食虫虻（*Asilus* sp.）；F. 水虻（*Ptecticus* sp.）；G. 丽蝇（*Calliphora* sp.）；H. 寄蝇（*Epalpus* sp.）

口器（mouthparts）（图5，6，7） 近管状，属于吸收式，取食液体食物，通称为喙（proboscis）。包括舐吸式和刺吸式两种类型。双翅目昆虫大多数类群的口器属于舐吸式，喙较粗短，有肥大肉质的唇瓣；而一些类群如蚊科的口器属于刺吸式，有细长的口针。喙的长短和粗细有变化，蚊科的种类和一些具有访花习性的类群如大蚊科、蜂虻科和舞虻科的部分种类喙很细长，为头高的数倍。喙由上唇、舌、上颚、下颚和下唇构成，上颚和下颚是成对的，而其余是单一的。

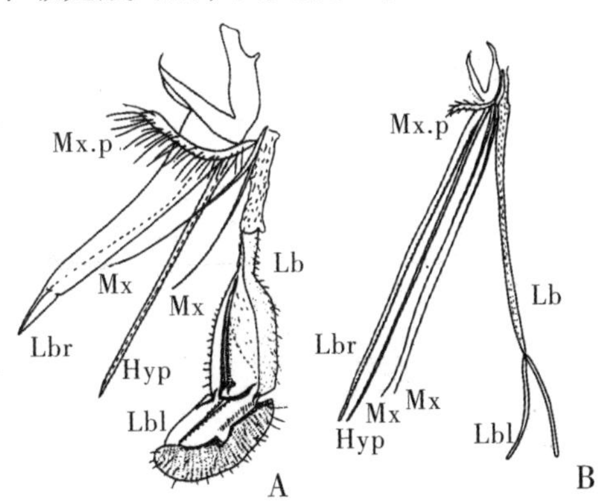

图5 口器，侧面观（仿 Chvála）

A. *Rhamphomyia sulcata*（Meigen）；B. *Empis pennipes* Linnaeus；Hyp：舌；Lb：下唇；Lbl：唇瓣；Lbr：上唇；Mx：下颚；Mx. p：下颚须

上唇（labrum） 构成喙的背壁。一般较粗长，与喙等长，骨化强，末端呈尖刺状。

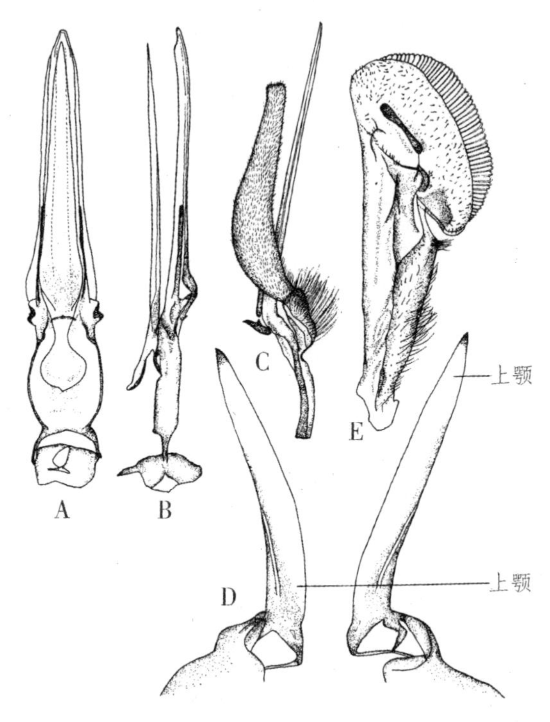

图6　金色虻 *Tabanus chrysurus* Loew　雌性喙（据 Nagatomi & Soroida, 1985 重绘）

A. 喙背面观；B. 喙侧面观；C. 下颚侧面观；D. 上颚背面观；E. 下唇侧面观

上颚(mandible)　位于上唇后的前侧方，通常为扁片状，但蚊科为细长的口针。仅雌性有功能性的上颚，雄性上颚多退化或完全消失。

舌(hypopharynx)　为细长口针，几乎与上唇等长，骨化强，紧密地附着在上唇下面，内含唾液道(salivary canal)。

下颚(maxillae)　位于上唇后的后侧方，为一对细长的口针，几乎与上唇等长，由基部的轴节(cardo)和端部的茎节(stipes)组成。在茎节上着生有下颚须(maxillary palpus)，长角亚目下颚须多为5节，短角亚目多为2节，芒角亚目多为1节。

下唇(labium)　构成喙的腹壁。由基部的后颏(postmentum)和端部的前颏(prementum)组成，前颏末端具有吸盘状的唇瓣(labellum)，唇瓣上通常有唇瓣环沟(pseudotrachea)。唇瓣有时呈细长形，无唇瓣环沟。

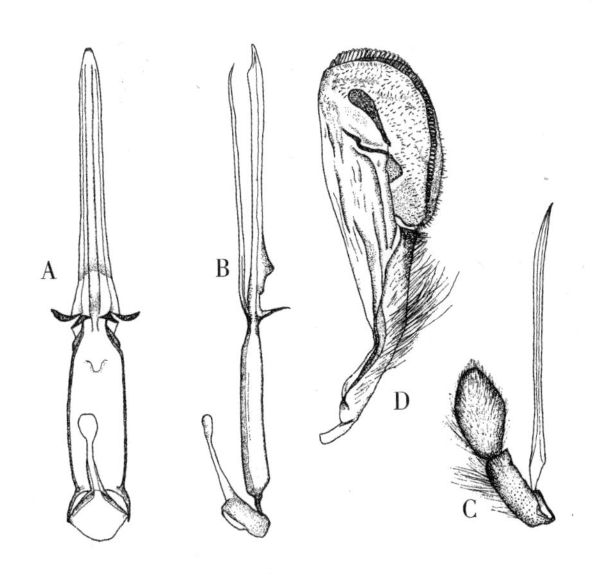

图 7 金色虻 *Tabanus chrysurus* Loew 雄性喙（据 Nagatomi and Soroida，1985 重绘）

A. 喙背面观；B. 喙侧面观；C. 下颚侧面观；D. 下唇侧面观

2. 胸 部(图 8，9，10)

胸部由前胸、中胸和后胸构成，3 部分愈合紧密，前胸和后胸较小，中胸相当大而且是构成胸部的主体，这与中胸有发达的飞行器官有关。

前胸(prothorax) 前胸背板(pronotum)较小，是位于中胸背板前的狭窄骨片。长角亚目的一些科如大蚊科的前胸背板较发达，而大多数虻类和蝇类的前胸背板的后侧部在中胸背板的前侧角形成稍突起的肩胛(humerus，humeral callus)，或称为前胸背板后叶(postpronotal lobe)。前胸侧板(propleura)位于肩胛与前足基节之间，前胸腹板(prosternum)与前胸侧板一般分开，但有时侧向扩展与前胸侧板愈合形成基节前桥(precoxal bridge)。

中胸(mesothorax) 中胸背板(mesonotum)包括盾片(scutum)、小盾片(scutellum)和后背片(postnotum)。盾片最大，位于前胸背板与小盾片之间，通常稍突起；盾片被横的盾间缝分成缝前盾片(presutural scutum，或称为前盾片 prescutum)和缝后盾片(postsutural scutum)，有瓣类盾间缝完整，无瓣类盾间缝中部不完整；盾片的后侧角为翅后胛(postalar callus)。长角亚目盾片前侧从肩胛至翅基有狭窄的侧背片(paratergite)，而虻类和蝇类盾片从肩胛至翅基的前侧区凹陷，称为背侧片(notopleuron)。小盾片位于中胸盾片之后，较短小，近三角形或半圆形突起。后背片(postnotum)位于小盾片的后下方，包括正中的中背片(mediotergite)和两侧的侧背片(laterotergite，pleurotergite)。后小盾片(postscutellum，subscutellum)位于小盾片与中背片之间，通常凹而不明显，但寄蝇科的后小盾片很发达。

中胸侧板(mesopleura) 前后上下分为 4 块骨片。前上方为中侧片(mesopleuron，或称为上前侧片 anepisternum)，前下方为腹侧片(sternopleuron，或称为下前侧片 katepisternum)，后上方位于翅基下为翅侧片(pteropleuron，或称为后上侧片 anepimeron)，后下方为下侧片(hypopleuron，或称为下后侧片 katepmeron)。

后胸(metathorax) 后胸背板(metanotum)因退化而不明显，后胸侧板(metapleuron)为位于下侧片后、平衡棒与后足基节之间的狭窄骨片，有时愈合形成基节后桥(postcoxal bridge)。胸部有 2 对气门分别位于中胸和后胸。前气门(anterior spiracle)属于中胸的呼吸器官，位于前胸与中胸的交界处中侧片前上角。后气门(posterior spiracle)属于后胸的呼吸器官，位于平衡棒前下方的膜上。

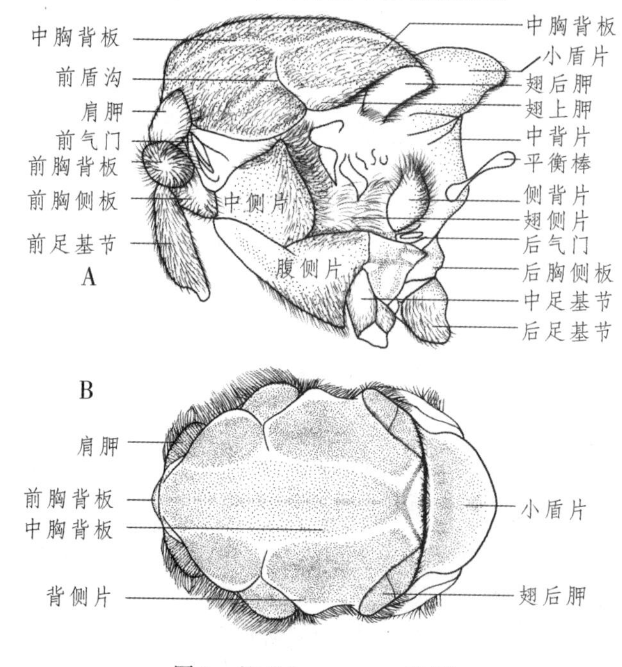

图 8 虻 *Tabanus* sp. 胸部

A. 侧面观；B. 背面观

蝇类和高等虻类胸部有发达的鬃，具有大的分类价值。肩胛有肩鬃(humeral bristle，h)。盾片中部一般有 4 列纵鬃，中间 2 列为中鬃(arcostichal bristle，acr)；外侧 2 列为背中鬃(dorsocentral bristle，dc)，位于缝前的称为缝前背中鬃(presutural，dc)，位于缝后的称为缝后背中鬃(postsutural，dc)；中鬃的列数在高等虻类和无瓣蝇类中变化比较大，例如长足虻科中鬃一般为 1 ~ 2 列，有时中鬃完全缺失，缟蝇科中鬃多达 12 列；盾片两侧内方有翅内鬃(intraalar bristle，ia)；盾片前侧缘位于肩胛后有肩后鬃(posthumeral bristle)，盾缝前有缝前鬃，缝后翅基上方有翅上鬃(supraalar bristle，sa)；背侧片有背侧鬃(notopleural bristle，npl)；翅后胛有翅后鬃(postalar bristle，psa)；有时盾片后部位于小盾片前有发达的中鬃，为小盾前鬃(prescutellar bristle，prsc)。小盾片一般有 2 对小盾鬃(scutellar bristle，sc)，位于基部的称为小盾基鬃(lateral scutellar bristle，lsc)，位于端部称为小盾端鬃(apical scutellar bristle，ap sc)。

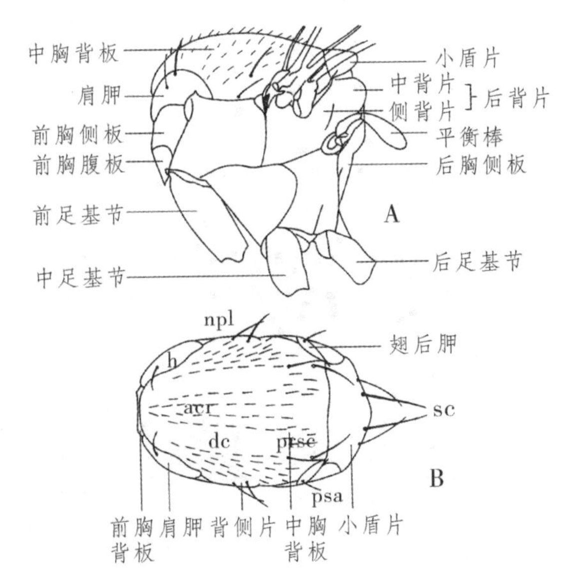

图9 河南平须舞虻 *Platypalpus henanensis* Saigusa *et* Yang 胸部（仿杨定、杨集昆）

A. 侧面观；B. 背面观；acr：中鬃；dc：背中鬃；h：肩鬃；npl：背侧鬃；prsc：盾前鬃；psa：翅后鬃；sc：小盾鬃

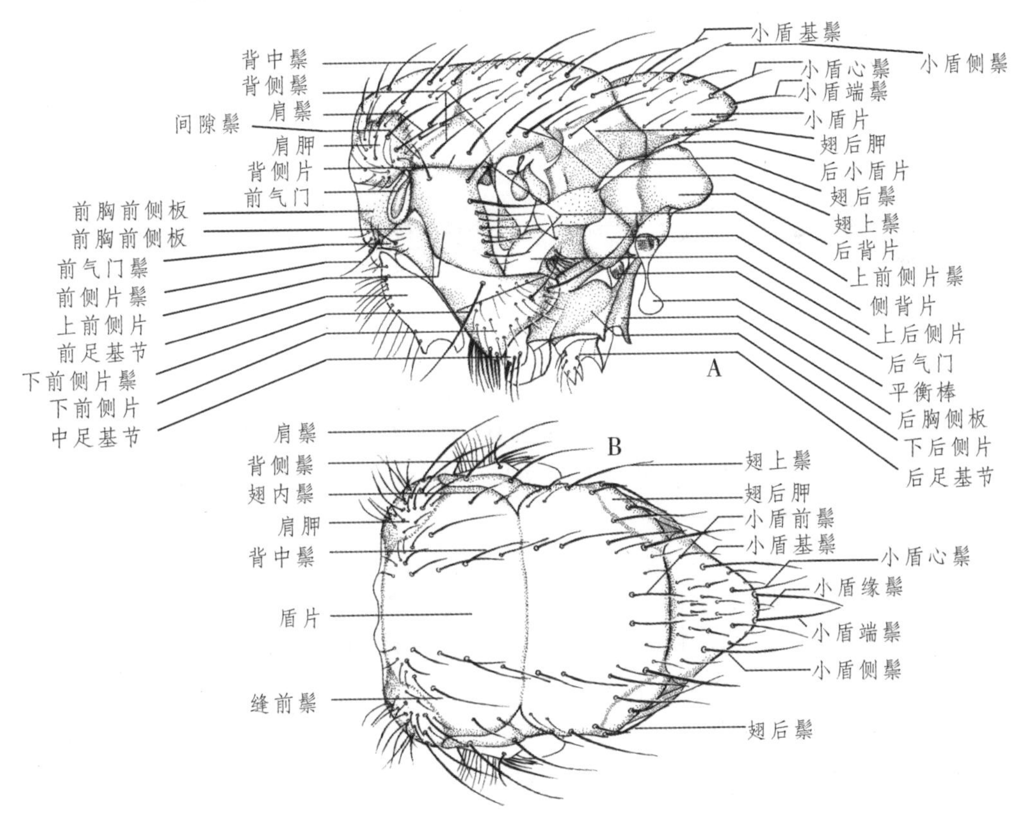

图10 家蝇 *Musca domestica*（Linnaeus） 胸部

A. 侧面观；B. 背面观

翅(wing)(图 11) 双翅目昆虫前翅通常发达，膜质，但有时翅退化或无翅。许多类群翅常有翅痣(pterostigma, stigma)，位于第 1 径室端部内，但长角亚目翅痣位于第 1 径脉端部，翅痣大小、形状及颜色深浅有变化，常用于区分种类。个别类群翅出现特化，如网纹科翅面有类似脉的皱褶(secondary fold)，网翅虻科翅端部有多余的横脉(supernumerary crossvein)，食蚜蝇科有伪脉(false vein, spurious vein)。翅基部后有分离的瓣，外与翅相连的称为翅瓣(alula, axillary lobe)，内与胸部相连的称为腋瓣(calypter, squama)。翅瓣和腋瓣一般较小，但有瓣蝇类的翅瓣和腋瓣很发达。

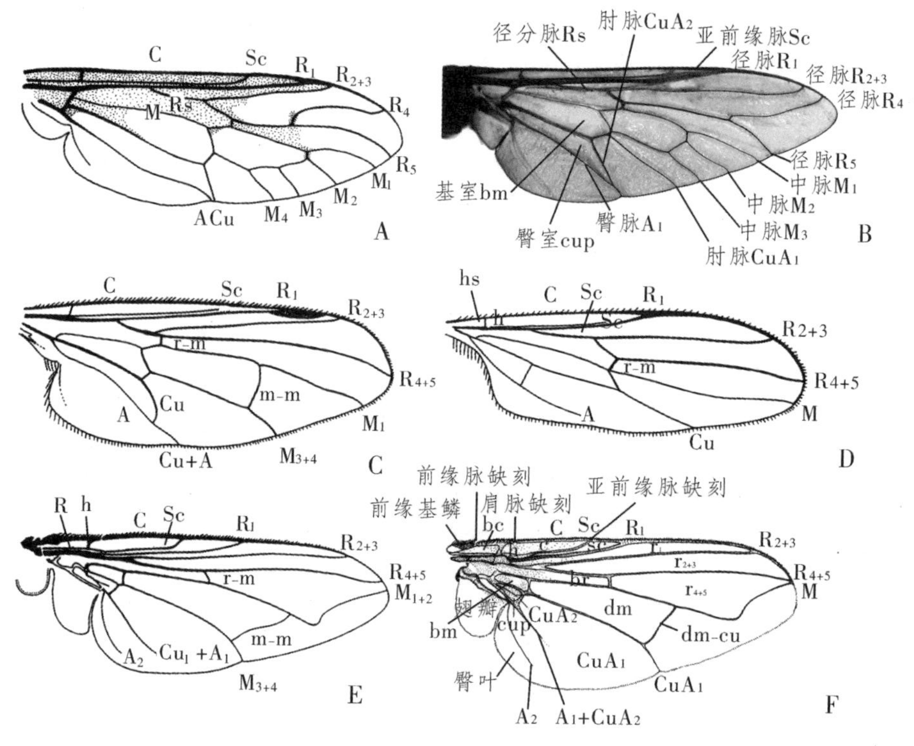

图 11 翅（A 仿杨定、永富昭，C－D 仿杨定、杨集昆，E 仿范滋德）

A. 双突臭虻 *Coenomyia bituberculata* Enderlein; B. 虻 *Tabanus* sp.; C. 长板驼舞虻 *Hybos longus* Yang *et* Yang; D. 河南平须舞虻 *Platypalpus henanensis* Saigusa *et* Yang; E. 蝇类; F. 家蝇 *Musca domestica* (Linnaeus)

前缘脉(costa, C) 是第 1 条纵脉，位于翅前缘，伸达翅端，有时环绕整个翅缘，有时终止在翅中部或翅中部之前。无瓣蝇类前缘脉基部通常有 1～2 处(偶尔 3 处)膜质化的中断，称为前缘缺刻(costal break)。

亚前缘脉(subcosta, Sc) 是第 2 条纵脉，位于前缘脉后，基部粗，有时与前缘脉基部几乎愈合，端部较细，末端终止于翅前缘；有时端部退化或游离，末端不伸达翅前缘，有时与 R_1 愈合。

径脉(radial vein, R) 是第 3 条纵脉，前面分出的一条为第 1 径脉(R_1)，通常较长，超过翅半；后面分出径分脉(Rs)，Rs 主干长短及其分支变化较大，端分 2 支，即第2、3合径脉(R_{2+3})与第4、5合径脉(R_{4+5})；R_{2+3}和R_{4+5}有时又分支。长角亚目低等类群R_{2+3}和R_{4+5}均分2支，Rs有5支；蝇类大多数科R_{2+3}和R_{4+5}不分支，各仅有1条；虻类大多数科R_{2+3}不分支，仅R_{4+5}分2支；长角亚目一些科如粪蚊科Rs仅一条。

中脉(medial vein, M)　是第4条纵脉，通常有3条，即第1中脉(M_1)、第2中脉(M_2)和第3中脉(M_3)。大多数蝇类中脉仅1条。偶尔中脉基部退化或消失。

肘脉(cubitus, cubital vein, Cu)　是第5条纵脉，分为前支(CuA)和后支(CuP)，CuA又分成前肘脉CuA_1和后肘脉CuA_2两支，CuP是一条很弱的脉，靠近CuA_2。蝇类CuA_2很短，向后横向弯，形成短的后肘室(postperior cubital cell)，或称为臀室(anal-cell)。

臀脉(anal vein, A)　是第6条纵脉，翅最后的纵脉，分为第1臀脉A_1和第2臀脉A_2两支。A_1发达，而许多科A_2退化。蝇类A_2与CuA_2愈合。末端游离不伸达翅后缘；有时臀脉退化或完全消失。

基室(basal cell)　位于翅基部中间的2个翅室，其长短变化较大，第1基室多长于第2基室，有时短于第2基室或与第2基室等长；第2基室与盘室一般分开，偶尔愈合。

盘室(discal cell, discal-median cell, d-m)　位于翅中部M与CuA_1之间较大的翅室，向翅缘伸出2~3条脉；盘室有时消失。

臀室(anal cell)　位于第2基室之后的翅室。长角亚目臀室为开放式；短角亚目臀室长，一般在翅缘附近关闭，但舞虻科臀室较短，在翅缘之前或翅基部关闭，长足虻科臀室很短小，在翅基部关闭。有些科臀室退化或消失。

平衡棒(halter)　位于后胸，是退化且高度特化的翅；它的功能是在飞行中保持平衡。平衡棒由基部(base, scabellum)、柄部(stem, pedicel)以及棒部(knob, capitulum)3个部分组成。平衡棒基部具有很多的感觉器官，包括声音感觉器(chordotonal organs)、希氏乳突(Hicks'papillae)以及钟状感觉器(campaniform sensilla)，这些感受器可以感受平衡棒在飞行时所受复杂的力。褶蚊科平衡棒基部有一个特别的突起，称为前平衡棒(prehalter)。平衡棒柄部有时具有成排的鬃，与前翅C脉以及其他主脉上的鬃相对应，如大蚊科、粗脉毛蚊科、瘦腹蝇科。平衡棒的棒部为球状，常由形状的大细胞组成。在飞行的过程中，平衡棒与翅反向约180°，以与翅相同的频率进行上下的机械振动，并与翅展平面成30°角。当虫体倾斜或偏离航向时，平衡棒的振动就会随之发生变化，并且把这种变化信息及时传递给脑，以调整虫体的姿态和航向。

足(leg)(图12, 13, 14)　由基节、转节、腿节、胫节和跗节组成。前中后有3对发达足，为步行足，长短与形状变异较大。一些科如大蚊科和瘦足蝇科足很细长。有时前足特化为捕捉式，如舞虻科中螳舞虻亚科前足与中后足宽的分开，前足基节延长，腿节明显加粗，腹面有成排的齿和鬃，胫节有1~2排短细腹鬃；偶尔中足特化类似捕捉式，如舞虻科的平须舞虻属*Platypalpus*；偶尔后足也特化类似捕捉式，如舞虻科的驼舞虻亚科。一些科如长足虻科和扁足蝇科足明显分雌雄二型。

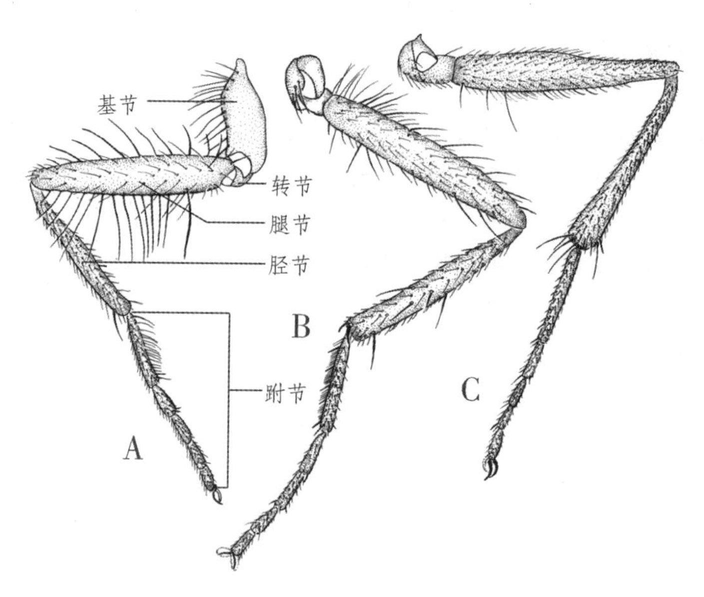

图 12 家蝇 *Musca domestica*（Linnaeus） 足

A. 前足；B. 中足；C. 后足

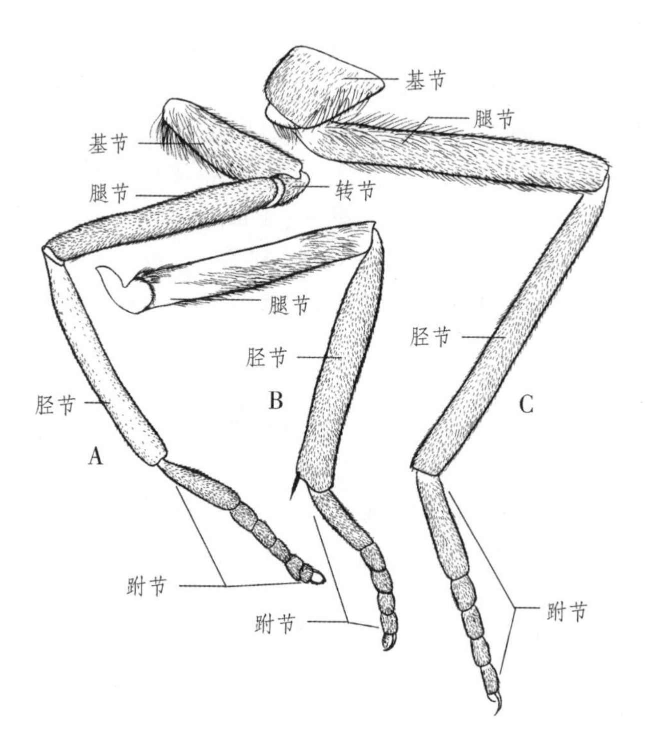

图 13 虻 *Tabanus* sp. 足

A. 前足后面观；B. 中足前面观；C. 后足前面观

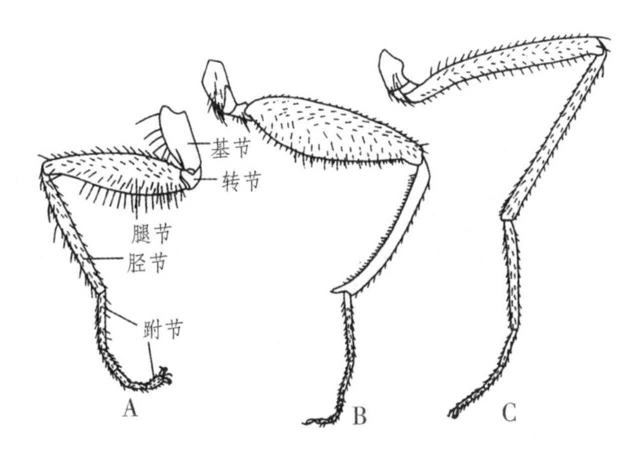

图 14 河南平须舞虻 *Platypalpus henanensis* Saigusa *et* Yang 足（仿杨定、杨集昆）
A. 前足；B. 中足；C. 后足

基节(coxa) 较粗短。有时前足为捕捉式，前足基节相当延长，如舞虻科螳舞虻亚科前足基节几乎与腿节等长。

转节(trochanter) 很短，位于基节与腿节之间。

腿节(femur) 又称股节。细长，一般较粗大。腿节有时明显加粗，如舞虻科螳舞虻亚科前足腿节明显加粗，平须舞虻属 *Platypalpus* 中足腿节明显加粗，驼舞虻亚科 Hybotinae 后足腿节通常加粗，有强腹鬃或腹刺。

胫节(tibia) 细长,有时后足胫节端部明显加粗，如舞虻科阿舞虻亚科 Atelestinae 和小室舞虻亚科 Microphorinae。大蚊科和虻类一些原始的科胫节末端有单一或成对的距(spur)，前中后足的距多不同。

跗节(tarsus) 有 5 节，仅瘿蚊科和蚤蝇科有时节数减少。长足虻科雄性跗节常特化，延长或缩短，或有附属物。基跗节(metatarsus，basitarsus)或称为第 1 跗节(first tarsomere)，为跗节最基部的 1 个节，长短与粗细通常有变化。舞虻科喜舞虻属 *Hilara* 雄性前足基跗节明显膨大，有特殊的丝腺(silk gland)，与交配行为有关。

前跗节(pretarsus)(图 15) 由 1 对爪(claw)、1 对爪垫(pulvillus)和 1 个爪间突(empodium)组成。爪有时延长或退化，有时具齿。爪垫为瓣状突，位于爪下，有时退化和消失。爪间突一般呈细长的刚毛状，位于两爪之间，有时为短宽的瓣状，类似爪垫，如毛蚊科和低等虻类。

高等虻类和蝇类足上有发达的鬃，其数量和着生位置是分类的重要特征。鬃根据着生位置可区分为前鬃(anterior，a)、后鬃(posterior，p)、背鬃(dorsal，d)和腹鬃(ventral，v)，背鬃和腹鬃又可分别区分为前背鬃(anterodorsal，ad)和后背鬃(posterodorsal，pd)、前腹鬃(anteroventral，av)和后腹鬃(postero ventral，pv)。

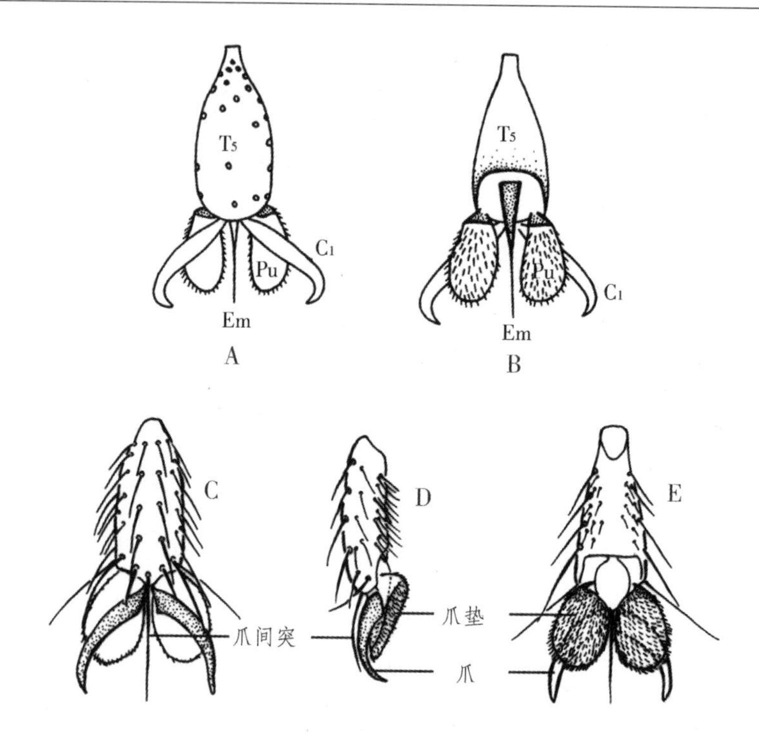

图 15　第 5 跗节和前跗节

A－B. 长板驼舞虻 *Hybos longus* Yang *et* Yang（仿杨定、杨集昆）；C－E. 家蝇 *Musca domestica*（Linnaeus）；A. 腹面观；B，D. 背面观；C. 侧面观；Cl：爪；Em：爪间突；Pu：爪垫；T_5：第 5 跗节

3. 腹　部（图 16，19A，22，25）

腹部呈粗长的筒状，基部粗且向后逐渐变窄，基部有 1～2 节常退化或愈合，有 5～8个可见节。雌性端部第 3～4 节缩小成套筒状产卵器。腹部有的很细长，如大蚊科、豪蚊科、褶蚊科、蜂虻科的姬蜂虻属、食虫虻科的瘦腹食虫虻亚科；偶尔腹部基部呈细窄的柄状，如蜂虻科的姬蜂虻属、食虫虻科的瘦腹食虫虻亚科。有的腹部直或稍向下弯曲，有时强烈向下弯曲；有的类群如大蚊科等不少种类雄性腹端明显膨大，向上弯曲，而长足虻科和许多蝇类的种类的雄性腹端明显向下钩弯。有 7 对气门位于腹部第 1～7 节上，第 8 节无气门。

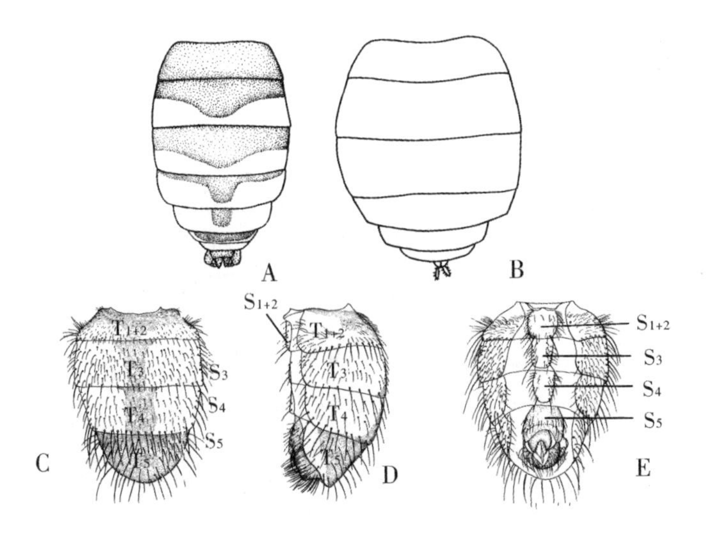

图 16 腹部

A－B. 双突臭虻 *Coenomyia bituberculata* Enderlein（仿杨定、永富昭）；C－D. 家蝇 *Musca domestica*（Linnaeus）；A，C－E. 雄性；B. 雌性；A－C. 背面观；D. 侧面观；E. 腹面观

雄性外生殖器（male genitalia）（图 17，18，19B，19C，20，21） 双翅目昆虫雄性外生殖器结构复杂多样，有对称型与不对称型以及旋转型与非旋转型之分。雄性外生殖器一般左右对称，有时左右不对称，如舞虻科的驼舞虻亚科群及长足虻科；许多虻类的雄性外生殖器为旋转型，如食虫虻科和舞虻科的部分种类、蜂虻科大多数种类及长足虻科所有的种类。

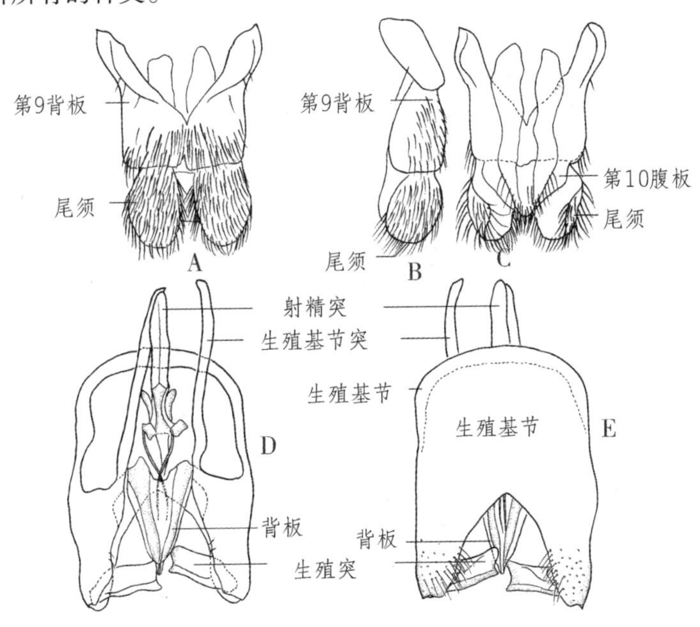

图 17 虻 *Tabanus* sp. 雄性生殖器

A. 雄性第 9 背板和尾须背面观（male tergite 9 and cerci，dorsal view）；B. 雄性第 9 背板和尾须背侧面观（male tergite 9 and cercus, dorso-lateral view); C. 雄性第9背板、第10腹板和尾须腹面观(male tergite 9, sternite 10 and cerci, ventral view); D. 雄性生殖体背面观(male genital capsule, dorsal view); E. 雄性生殖体腹面观(male genital capsule, ventral view)

第9背板(tergite 9) 又称生殖背板 epandrium。第9背板发达，近方形。长角亚目有时第9背板与第9腹板愈合成环状，有或无明显的缝分开。短角亚目有时第9背板后缘明显凹缺，或深裂完全分开，如舞虻科第9背板发达分为左右二半背片，基部窄的相连，有时左右半背片完全分开。芒角亚目第9背板短宽而后缘凹缺，呈马鞍形。舞虻总科和芒角亚目第9背片端侧角特化成各种各样形状的突起，称为背侧突(surstylus)(或称背针突、侧尾叶)，有时背侧突与生殖背板有关节。

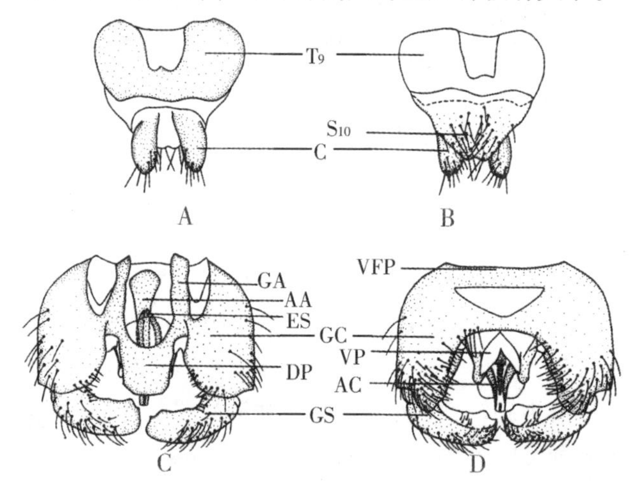

图18 双突臭虻 *Coenomyia bituberculata* Enderlein 雄性外生殖器(仿杨定、永富昭)
A. 第9~10背板和尾须背面观; B. 第9背板、第10腹板和尾须腹面观; C. 生殖体背面观; D. 生殖体腹面观; AA: 阳茎内骨; AC: 阳茎; C: 尾须; DP: 阳茎鞘背板; ES: 射精突; GA: 生殖基节突; GC: 生殖基节; GS: 生殖突; S_{10}: 第10腹板; T_9: 第9背板; VFP: 生殖基节愈合部; VP: 阳茎鞘腹板

尾须(cercus) 又称肛尾叶。位于第9背板末端中央。有1对，属细长型。舞虻科中雄性外生殖器不对称类型的左右尾须形状有时也不一样。尾须有时基部愈合而末端分离，有时完全愈合成1个骨片。

生殖基节(gonocoxite, basistyle) 又称生殖突基节、生殖基片。是主要的抱握器官，通常位于第9背板下。生殖基节上的端突称为生殖突或生殖刺突(gonostylus, dististyle)。长角亚目第9背板与发达的第9腹板愈合成环时，生殖基节位置后移，与第9腹板愈合或分开。左右生殖基节在背面通常宽或窄的相连，有1对指状向前伸的生殖基节突(gonocoxal apodeme)，左右生殖基节基部在腹面分开或愈合。短角亚目的舞虻总科和芒角亚目(蝇类)生殖基节和生殖突完全退化或消失。

阳茎复合体(aedeagal complex) 蝇类阳茎复合体结构很复杂，主要包括阳茎内骨(phallapodeme, aedeagal apodeme)、射精突(ejaculatory apodeme)、基阳茎(basiphallus)、端阳茎(distiphallus)和阳基侧突(paramere)。基阳茎后方常有阳茎后突

(epiphallus)相连，阳基侧突位于基阳茎两侧，左右各 1 对，分别称为前阳基侧突(pregonite)和后阳基侧突（postgonite)。低等虻类阳基侧突愈合形成阳茎鞘包围着阳茎，而水虻总科阳茎复合体结构简单，阳茎鞘与阳茎愈合。

第 9 腹板(sternum 9) 又称下生殖板 hypandrium。下生殖板相对于生殖背板来说一般较小，位于生殖基节基部下。当生殖基节在腹面愈合时，下生殖板也消失。长角亚目有时下生殖板很发达，与第 9 背板愈合成环形。短角亚目舞虻科有发达的下生殖板，长足虻科第 9 腹板小而窄，通常近长条形，基部部分或完全与第 9 背板愈合。芒角亚目第 9 腹板不发达，呈横向的“U”形。

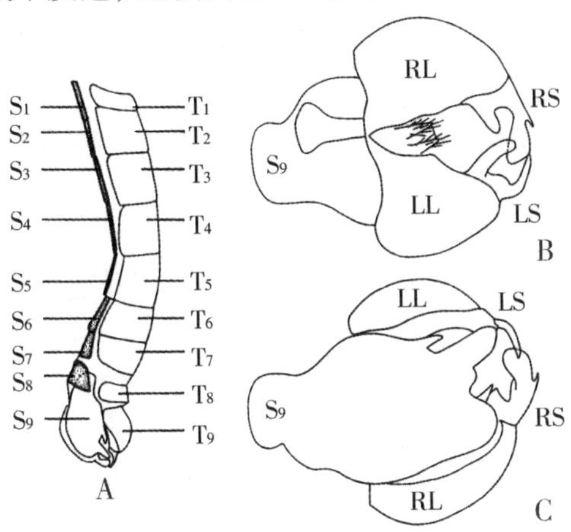

图 19 湖北驼舞虻 *Hybos hubeiensis* Yang *et* Yang 雄腹部和雄外生殖器（仿杨定、杨集昆）

A. 雄性腹部侧面观；B. 雄性外生殖器背面观；C. 雄性外生殖器腹面观；Ce：尾须；LL：第 9 背板左背片；LS：左背侧突；RL：第 9 背板右背片；RS：右背侧突；S_1-S_9：第 1 ~ 9 腹板；T_1-T_9：第 1 ~ 9 背板

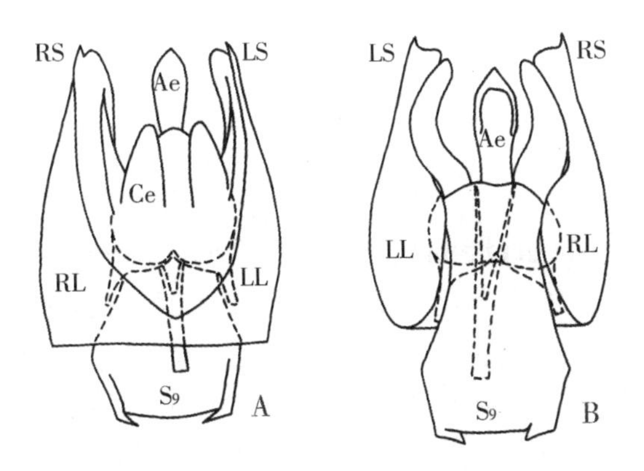

图 20 柄驼舞虻 *Syneches* sp. 雄性外生殖器（仿杨定、杨集昆）

A. 背面观；B. 腹面观；Ae：阳茎；Ce：尾须；LL：第 9 背板左背片；LS：左背侧突；RL：第 9 背板右背片；RS：右背侧突；S_9：第 9 腹板

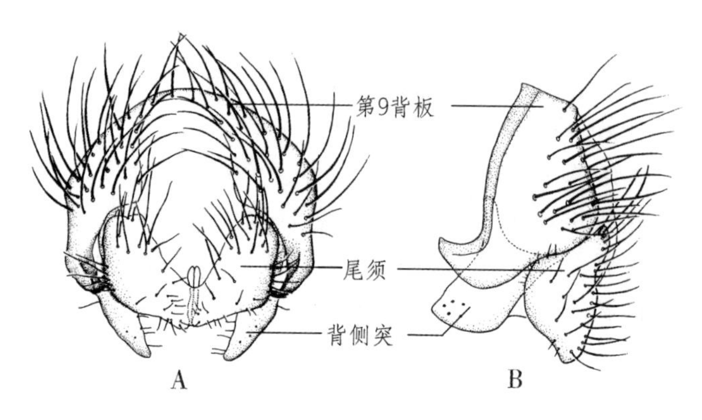

图21 家蝇 *Musca domestica*（Linnaeus） 雄性外生殖器
A. 后面观；B. 侧面观

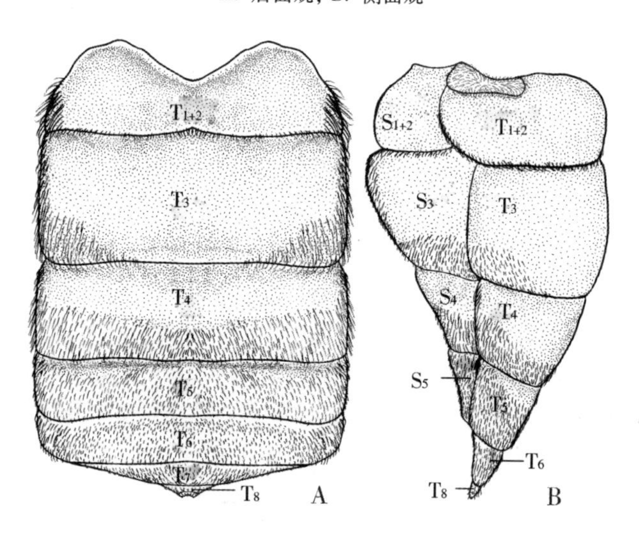

图22 虻 *Tabanus* sp. 雌性腹部
A. 背面观；B. 侧面观

雌性外生殖器（female genitalia）（图23，24，26） 雌性腹部一般向后逐渐缩小变尖，有9个可见节，第10节退化近膜质，末端有1对细长且向后水平伸出的尾须。雌性外生殖器结构简单，由端部的3~4节组成。高等虻类部分科第9背板分裂成1对骨片，其上着生有刺突。蝇类雌性腹部有5~6可见节，腹端第6(7)~10节一般显著向后缩小变尖，缩入前腹节内，形成大部膜质的套筒状产卵器；偶尔也强烈骨化，适于穿刺。

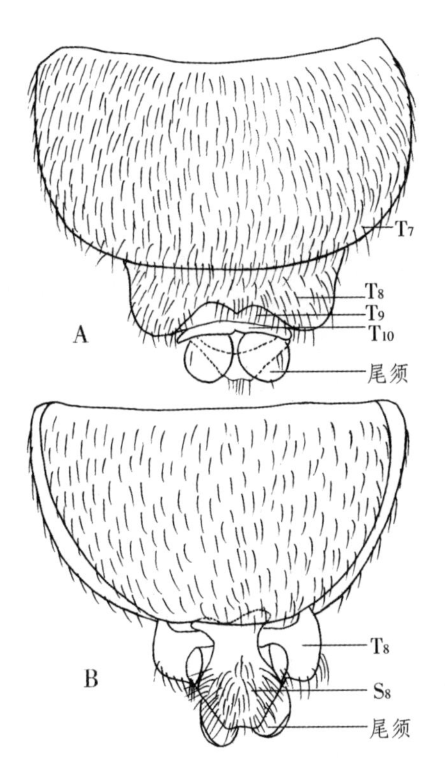

图23 虻 *Tabanus* sp. 雌性外生殖器

A. 背面观；B. 侧面观

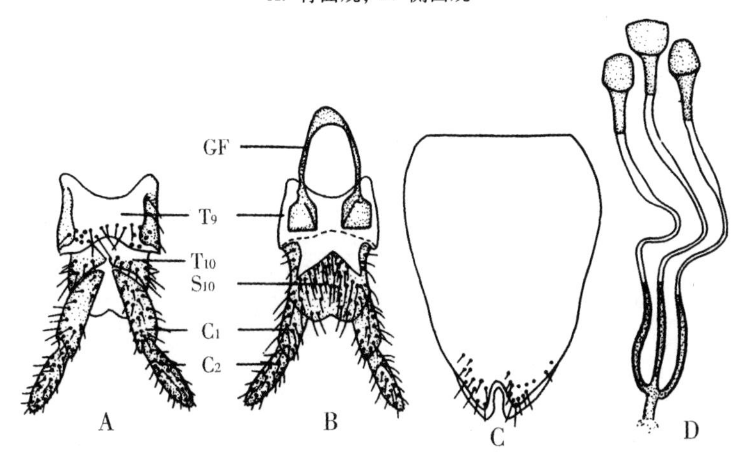

图24 双突臭虻 *Coenomyia bituberculata* Enderlein 雌性外生殖器（仿杨定、永富昭）

A. 第9~10背板和尾须背面观；B. 生殖叉、第10腹板和尾须腹面观；C. 第8腹板腹面观；D. 精囊；C_1：尾须第1节；C_2：尾须第2节；GF：生殖叉；S_{10}：第10腹板；T_9：第9背板；T_{10}：第10背板

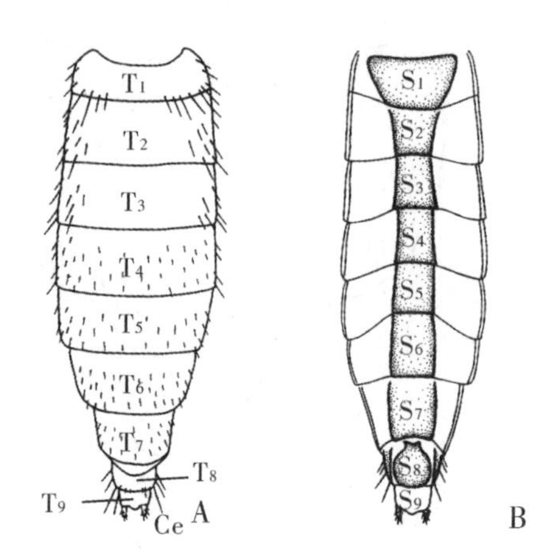

图 25　长板驼舞虻 *Hybos longus* Yang *et* Yang　雌性腹部（仿杨定、杨集昆）

A. 背面观；B. 腹面观；Ce：尾须；S_1-S_9：第 1～9 腹板；T_1-T_9：第 1～9 背板

雄性生殖系统（male reproductive system）（图 27A）　包括 1 对精巢（testes）和 2 条输精管（vas deferens）。输精管与射精管（ejaculatroy duct）相连，射精管开口于阳茎，通于体外。射精管基部有 2 对附腺（accessory gland）。

雌性生殖系统（female reproductive system）（图 27B）　包括 1 对卵巢（ovary）和 2 条与卵巢相连的输卵管（oviduct），后者与阴道（vagina）相连，末端开口于雌性生殖孔。阴道基部背方有 1～3 个受精囊（spermatheca），端部有 1 对附腺。受精囊通常为 1 个骨化的球形囊，有时为膜质的球形囊，而有时呈细长的管状。受精囊一般有 2～3 个，有些类群仅有 1 个，如舞虻科。

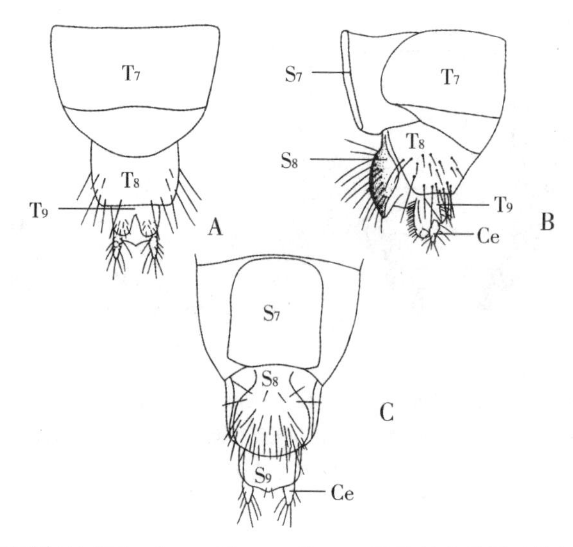

图 26　长板驼舞虻 *Hybos longus* Yang *et* Yang　雌性外生殖器（仿杨定、杨集昆）

A. 背面观；B. 侧面观；C. 背面观；Ce：尾须；S_7-S_9：第 7～9 腹板；T_7-T_9：第 7～9 背板

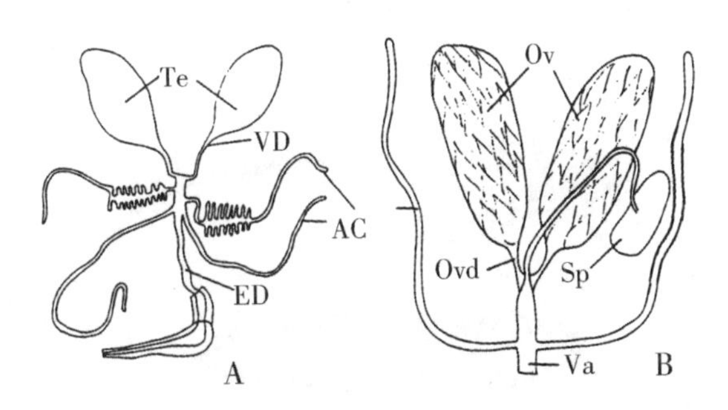

图 27 *Empis tessellata* Fabricius 生殖系统（仿 Smith）

A. 雄性生殖系统；B. 雌性生殖系统；AC：附腺；ED：射精管；Ov：卵巢；Ovd：输卵管；Sp：受精囊；Te：精巢；Va：阴道；VD：输精管

(二)幼 期

卵(egg) 呈长卵圆形或纺锤形，卵壳表面光滑或有刻纹。

幼虫(larva)(图 28) 体呈细长的筒状，胸部和腹部均无足，属于无足型。有一些类群体型特殊，如网蚊科头胸部愈合，体外观似分 6 节，腹有吸盘；缨翅蚊科幼虫体略侧扁，腹部 1 ~8 节腹面各有 1 对细长伪足；拟网翅蚊科幼虫体背腹扁平，腹部 1 ~7节侧生伪足；蚊科和幽蚊科幼虫胸部的 3 节愈合为膨大球形，明显比其他节宽。有一些类群如食蚜蝇科、水蝇科等腹部末端有长的呼吸管。双翅目幼虫根据头部的发达程度可分为 3 种类型：全头型(eucephalic)，半头型(hemicephalic)，无头型(acephalic)。长角亚目的幼虫属于全头型，幼虫头部发达完整，具有骨化的头壳，口器发达。短角亚目的幼虫属于半头型，幼虫头部不完整，部分缩入胸部，口器有些退化。芒角亚目的幼虫属于无头型，幼虫头部不明显，口器退化，仅有 1 ~2 个口钩。

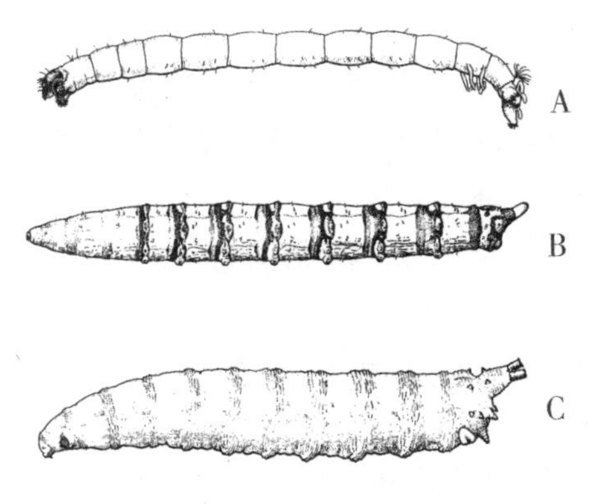

图 28 幼虫（仿 McAlpine）

A. 摇蚊(*Chironomus* sp.)；B. 虻(*Tabanus reinwardtii* Wiedemann)；C. 果蝇(*Drosophila melanogaster* Meigen)

蛹(pupa)(图 29) 蚊和虻类为裸蛹，成虫羽化时蛹从背面纵裂，属直裂类。而蝇类为围蛹，蛹被包在幼虫最后一次蜕皮形成的外壳内，成虫羽化时蛹壳前端呈环状裂开，属环裂类。

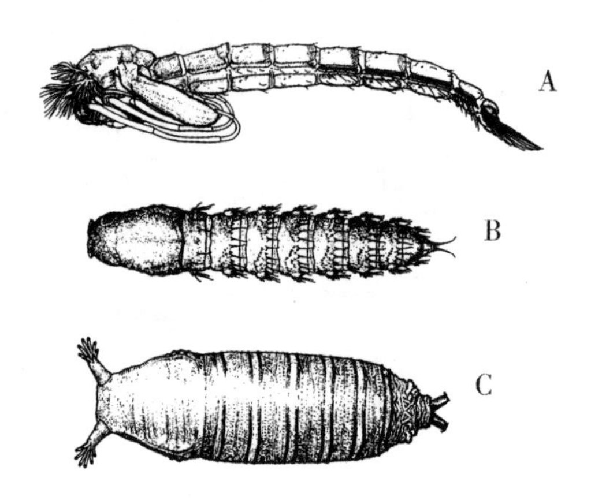

图29　蛹（仿 McAlpine）
A. 摇蚊（*Chironomus* sp.）；B. 窗虻（*Scenopinus* sp.）；C. 果蝇（*Drosophila melanogaster* Meigen）

二、生物学及经济意义

（一）生物学

双翅目属于完全变态类昆虫，有卵、幼虫、蛹和成虫 4 个虫态。幼虫一般有 3 ~ 4 个龄期。大多数为两性生殖，卵生，少数胎生。双翅目昆虫的习性复杂，成虫和幼虫的食性和生活环境通常不同，大多数种类喜欢潮湿的环境。成虫一般自由生活，多在白天活动，少数在黄昏和夜间活动；幼虫多生活在隐蔽的环境中。

1. 栖居习性

双翅目昆虫在栖居习性方面分化较大，有陆生生活、水生或半水生生活、水面生活、潮间带生活 4 种类型。

（1）陆生生活　双翅目昆虫大多数种类属于陆生生活，许多种类在成虫和幼虫期均为陆生，成虫多在植物表面和地上活动，幼虫在地被物下、石块下或土中生活。有的种类生活在树皮下或树洞中。蝇类有的种类在鸟类和哺乳动物体外寄生，以吸食血液为生。

（2）水生或半水生生活　许多双翅目昆虫的幼虫属于水生，生活在溪流、湖泊、沼泽、池塘、稻田、鱼塘等环境中。河流和湖泊岸边浅水区生活的种类一般较多，有的种类生活在河和湖底的泥中。水蝇科有些种类甚至生活在盐湖、温泉和油池中。

(3)水面生活 有一些虻类和蝇类成虫生活在水面上，如舞虻科的喜舞虻属 *Hilara* 的全部种类和水猎舞虻亚属 *Rhamphomyia* (*Megacyttarus*)的大部分种类成虫在水面上滑行飞翔，寻找飘浮在水面上的猎物，一旦发现猎物马上猛然攻击，抓住猎物飞向上空。他们在水面上滑行的速度因种而异，多数种类在池中和河流平的水面上活动，极少数种类在悬崖流水形成的垂直或倾斜水面上活动。

(4)潮间带生活 在海岸上生活的昆虫中双翅目最多，在种类和数量上均占有明显的优势。摇蚊科、大蚊科、长足虻科、舞虻科、蝇科、花蝇科、粪蝇科、水蝇科、小粪蝇科、粪蝇科、扁蝇科、鼓翅蝇科、圆头蝇科等类群的一些种类生活在海岸潮间带潮湿或干的沙丘上。长足虻科有的种类生活在海边溅浪区的石头上。

2. 食 性

双翅目昆虫的食性复杂多样，有腐食性、植食性、捕食性、寄生性等。大多数种类的成虫取食植物汁液、花蜜作为补充营养，但有些种类如蚊、蚋、蠓、毛蠓、虻和部分蝇类成虫则吸食人畜血液，甚至传播各种传染病。

腐食性 许多双翅目昆虫幼虫为腐食性，取食各种腐烂的动植物的残体或粪便，在降解有机质中起着重要的作用。如蝇科幼虫生活在动物粪便及腐烂有机物中，成虫常群集在人畜粪便及食物上；花蝇科幼虫多数属腐食性，取食腐败的植物质或动物质；丽蝇科幼虫多生活在动物尸体、腐肉或粪便中；麻蝇科幼虫取食干肉、咸鱼等动物尸体；粪蝇科、小粪蝇科、蜣蝇科幼虫为粪食性。瘿蚊科的腐食性幼虫主要生活于树皮下、腐败的植物和真菌中，有的专食小麦叶锈病孢子。

植食性 许多双翅目昆虫幼虫为植食性，如部分瘿蚊、实蝇、潜蝇等蛀果、潜叶或作虫瘿等，为农林的重要害虫。寄主植物和危害方式多种多样。瘿蚊科植食性幼虫危害植物的花、果实等，很多能造成虫瘿，如麦黄吸浆虫、麦红吸浆虫；实蝇科许多种类危害柑橘、苹果、梨、桃等，幼虫植食性，生活于叶、芽、茎、果实、种子及菊科的花序内，有的造成虫瘿，有的潜入叶内，成虫多聚集在植物的花、果实和叶上；潜蝇科危害多种豆科植物，幼虫潜叶为害，残留上下表皮，造成各种形状的隧道，有不少危害农作物的种类，如豌豆潜叶蝇；秆蝇科多数钻蛀草本植物的茎，有的种类是农作物的重要害虫；花蝇科植食性的种类是重要的地下害虫之一，球果花蝇属 *Strobilornyia* 的幼虫为害松柏球果；蝇科泉蝇属 *Pegomyia* 危害竹笋、菠菜、甜菜等蔬菜作物，芒蝇属危害稻、粟。

捕食性 有些为捕食性，如食虫虻科、舞虻科、长足虻科以及食蚜蝇科、瘿蚊科和水蝇科的部分种类等。丽蝇科的一些种类捕食白蚁、蚂蚁或蝗卵，食虫虻科的成虫、幼虫均为肉食性，捕食小型昆虫等，虻科幼虫为肉食性，捕食小动物，舞虻科和长足虻科多捕食蚊蝇等卫生害虫，瘿蚊科一些种类幼虫捕食蚜虫、介壳虫和蜗牛等。

寄生性　有些为寄生性，如头蝇科、寄蝇科、蜂虻科等，是重要的天敌昆虫。丽蝇科有的种类寄生蚯蚓或蜗牛，寄蝇科幼虫多寄生于鳞翅目的幼虫和蛹中，也寄生于鞘翅目、直翅目、半翅目等；头蝇科幼虫寄生叶蝉和飞虱的若虫。狂蝇科、皮蝇科和胃蝇科幼虫寄生在脊椎动物体内，虱蝇科和丽蝇科部分种类幼虫在鸟类和哺乳动物体外寄生，吸食血液。

吸血性　蚊科、蠓科、蛾蠓科、蚋科、虻科、鹬虻科、蝇科的部分种类为重要的吸血性双翅目昆虫，但多雌性吸血，雄性大多数系非吸血性，而以植物液汁为营养，但家蝇类的吸血种类雌雄性均吸血。虻科雌性成虫善飞，主要刺吸哺乳动物的血液，如牛虻等；蚊科成虫在黄昏和夜间活动，雄蚊取食花蜜及其他物质，雌蚊刺吸人、畜血液，可传播疾病，是重要的卫生害虫。

3. 群飞习性

群飞是指昆虫在迁移或交配时所发生的成群飞舞的现象。双翅目许多科的昆虫有群飞的习性，如蚊科、冬大蚊科、颈蠓科、毫蚊科、细蚊科、摇蚊科、瘿蚊科、蚋科、虻科、鹬虻科、舞虻科和食蚜蝇科等。一些双翅目昆虫如短角瘿蚊 *Anarete* 和许多蚋等喜欢在中午前后光照强的几个小时群飞，另外一些则喜欢在早晨或傍晚弱光条件下群飞。弱光条件下的群飞取决于光照强度的变化，在热带低纬度地区，群飞时段非常短而且定时；在高纬度地区时间较长，不定时。虻科经常只在早上群飞，其他的一些类群早上的飞行群体小或者干脆不飞。群飞还受到天气情况以及风向和风速的影响。据 Knab 对尖音库蚊 *Culex pipiens* Linnaeus 群飞行为的研究结果表明，有风的情况下，群飞的蚊子会群集在背风的位置，风从南面来时，群飞群一直在草堆的北面，并且所有的蚊子都头朝向南。

一个群飞群可能由数个乃至成千上万的个体组成，但是不同的种对群飞的地点有不同的选择。群飞的昆虫从离群飞地点(一般有群飞标志物存在)或远或近距离范围内向中心集中。群飞标志物大体上有一个明显的地形因素，或与周围背景成明显反差，可能是湖边，道上，树冠，树枝端部的下方，森林中大树遮盖下的空地，牛身上，一堆牛粪上，一个突出的叶子上，等等。

舞虻科中的北方舞虻 *Empis borealis* Linnaeus 的群飞地点能保持多年并且每年吸引类似数量的群飞个体，猎舞虻属的种类 *Rhaphomyia marginata*（Fabricius）和 *R. maculipennis*也有类似现象。据 Toft（1989）检测，一种荒漠蜂虻的群飞地点同样可以保持3 年之久，在两年多的时间内，群飞群大小和高度类似。当然也有一些其他双翅目昆虫的群飞地点延续多年的例子。

典型的群飞群是由同一种类的个体组成，甚至在一些多个种共存的环境中还是保持着这种专一性。有时候非常近似的种，如库蠓 *Culicoides nubeculosus* Meigen 和雷氏库蠓 *Culicoides riethi* Kieffer 以及约氏短角瘿蚊 *Anarete johnsoni*（Felt）和它的姐妹种，同时同地围绕完全不同的群飞标志物飞行。有时即使 3 个种同时围绕同样的群飞标志物飞行，各自的群飞群，由于不同的种在不同的高度和位置，也是明显的各自独立的。不同属的种类，如淡腹蓝带蚊 *Uranotaenia alboabdominalis* Theobald 和一种曼蚊 *Mansonia fuscopennata*（Theobald），同时在同一地点不同的高度群飞。但 *Psorophora confinnis*（Lynch Arribalzaga）和 *Psorophora ciliate*（Fabricius）两个种的混合群飞却是一个非常特殊的现象。

几乎所有的群飞群的组成个体以雄性为主；在前面所述的大多数的例子中都是这样。Gibson 关于一种摇蚊 *Spaniotoma minima* 的试验：新释放的未交配的雌雄个体建立一个雌雄性比大致为 1 的群飞群，但是群飞开始后个体很快交配，交配后的雌性便会离开这个群飞群。因此，性比很快发生很大变化，从原来的差不多相等到后来的雄性占绝对优势。冬大蚊 *Trichocera*、摇蚊 *Chironomus*、细蚊 *Dixa* 也有交配过的雌性不再回来的现象。虻 *Tabanus bishopi* 交配后的雌性个体以不同的方式飞入，但是不会被雄虫所拦截。冬大蚊 *Trichocera* 的种类偶尔也有较小的仅有雌性的群飞群。一种蠓 *Ceratopogon* sp. 明确为雌性群飞群，也曾有人记载埃及伊蚊 *Aedes aegypti formosus* 两性混合的群飞群。舞虻科中群飞的类型，根据不同的种类，由以雌性为基础的到以雄性为基础的群飞群都有。北方舞虻 *Empis borealis* Linnaeus 的群飞群主要由雌性构成。

4. 拟 态

一种生物模拟另一种生物或模拟环境中的其他物体从而获得好处的现象叫拟态或称生物学拟态。这一现象广泛存在于双翅目昆虫中，卵、幼虫（若虫）、蛹和成虫阶段都可出现拟态。所模拟的对象可以是周围物体或生物的形状、颜色、化学成分、声音、发光及行为等，但最常见的拟态是同时模拟被拟对象的形与色。拟态对昆虫的取食、避敌、生殖等有着重要的生物学意义。典型的拟态系统由拟态者、模拟对象和受骗者共同组成。三者应有一定程度的同域性和同时性，有些拟态系统则只有拟态者和模拟对象组成。双翅目不少类群的昆虫有明显的拟态现象。模拟蜂类，以食蚜蝇科和蜂虻科最为典型，它们不仅模仿周围物体或生物的形状、颜色，一些行为也和被模拟对象有很大的相似性。食蚜蝇和有刺膜翅目昆虫的生物气候学之间有很大的相关性。除食蚜蝇和蜂虻以外，还有不少类群有明显的拟态现象，如大蚊科、虻科、水虻科、食虫虻科、瘦足蝇科、眼蝇科、胃蝇科、狂蝇科和皮蝇科等类群的一些种类。瘦足蝇科部分长足的种类模拟姬蜂科 Ichneumonidae，其前足与同域分布的姬蜂触角形态和颜色近似。它们通过向前挥动前足来拟态相应蜂类的触角。瘦足蝇科还有部分种类模拟蛛蜂 *Pompilidae*。有些双翅目类群模拟蚁类，如水虻科、瘦足蝇科、鼓翅蝇科、小金蝇科和小粪蝇科。其中，除小粪蝇科拟态蚂蚁的类群为无翅型，其他科均通过翅斑和行为拟态蚂蚁。实蝇科有的种类模拟蜘蛛，甲蝇科外观类似甲虫。双翅目昆虫的拟态大多属于贝氏拟态。

5. 趋光性

双翅目昆虫中一些类群具有趋光性，如大蚊科、摇蚊科、毛蚊科、虻科、鹬虻科、水虻科、舞虻科、长足虻科、水蝇科、小粪蝇科等。摇蚊科和大蚊科中趋光的种类较多，而其余科仅部分种类有趋光性。因此可以用灯诱的方法采集摇蚊和大蚊。

6. 雌雄异型现象

同种昆虫的雌雄个体除生殖器官的结构差异外，在大小、颜色、结构等方面也常有明显差异，这种现象叫雌雄异型现象。双翅目昆虫中雌雄异型现象比较常见。长角亚目的蚊科、蠓科和摇蚊科触角雌雄异型明显。雄性蚊触角鞭节环毛比雌性蚊明显长而密；雌性蠓触角端部5鞭节延长，不同于基部的鞭节，雄性蠓触角鞭节环毛长近羽状，仅端部3～4鞭节延长；摇蚊雄性一般触角鞭节节数比雌性多，环毛发达近羽状，雌性环毛稀短。大蚊科的栉角大蚊亚科雄性触角栉状，而雌性近锯齿状或丝状。海生型摇蚊 *Pontomyia* spp. 主要分布于西太平洋，雌虫的翅和3对足退化而成为蠕虫状，而雄虫翅足正常。蚋科复眼明显的雌雄异型，雌性的复眼中等大小(离眼式)，小眼面小而数目多；而雄性的复眼(接眼式)下半部小眼面小，而上半部小眼面大。

短角亚目和芒角亚目昆虫头部复眼雌雄异型较常见，雄性复眼为接眼式，额窄或不明显，而雌性复眼为离眼式，额宽。长足虻科雌雄异型现象尤其典型，除复眼外还体现在触角第3节、翅及足不同的形态上，在这些部位上，雄性往往具有特别的结构。比如长喙长足虻 *Conchopus poseidonius* Takagi 雄虫翅 m-cu 横脉周围出现明显的黑斑块，一些短跗长足虻 *Chaetogonopteron* spp. 雄性后足第2跗节末端有浅色附肢。一些金长足虻 *Chrysosoma* spp. 和异长足虻 *Diaphorus* spp. 等的雄虫也有类似的特化现象，比如足的某一部分宽大、扁平或多毛等。

双翅目有一些类群成虫雌雄食性明显不同，具有不同类型的口器，如蚤蝇 *Termitophilomyia zimbraunsi* 和 *Mesopathusa modesta*。内部器官有时也表现出雌雄异型现象，如库蠓 *Culicoides variipennis* (Coquillett)雌虫的唾腺明显比雄虫的复杂得多：雄虫的每一个唾腺都只由1个简单的梨形体构成，并且在羽化3天后就开始萎缩；雌虫的唾腺大而复杂，每个腺体都由1个主腺和4个附腺构成，并且雌虫的唾腺在羽化后继续增长，在需要的时候分泌一种具有抗凝血作用的物质，有助于吸血。

7. 翅退化现象

双翅目昆虫许多类群的翅常呈现出不同程度的退化现象，如大蚊科、瘿蚊科、菌蚊科、眼菌蚊科、摇蚊科、长足虻科、舞虻科、蚤蝇科、水蝇科、小粪蝇科等类群的一些种类。翅退化大体可分为 5 个主要类型，即短翅型(brachypterous)、狭翅型(stenopterous)、小翅型（micropterous)、弱翅型(subapterous)和无翅型(apterous)。短翅型即翅端部钝圆，明显退化，无法飞翔，但翅脉很清晰；整个翅长一般短于腹部(除了腹部极短的昆虫类群)。狭翅型即翅很窄，无法飞翔，翅脉简化，但仍较清晰。小翅型即翅退化为身体小的附属物，形状不规则，只能看到边缘翅脉。弱翅型即翅极弱小，未完全发育，脉序不清晰，翅面仅几条纵折。无翅型即翅完全消失，只在基部留有一个小的翅瓣。部分无翅型个体翅基部具有起感觉作用的鬃。

翅退化现象主要是由其特殊的生存环境造成的。双翅目经常出现翅退化的生存环境包括高海拔或高纬度环境、岛屿或海洋环境、地面或地下环境、共生或寄生环境等。为何双翅目在这些生存环境中容易出现翅退化呢? 对于高海拔、高纬度的双翅目而言，一个重要原因是气候的限制，因为在低温环境下昆虫的翅振很难达到飞行所需的速度，这时翅的作用就很小；当然很多种类也可能是为了在低温环境下保存能量而放弃飞行能力；而寒冷干燥的空气，较低的气压和风速，雪的覆盖程度，较短的暖期等都会对山地昆虫翅的退化起到促进作用。岛生昆虫无翅则可能是为防止被风吹入海里而形成的适应形式，翅退化的个体在这样的环境中更容易生存。除了生活在岛屿和寄主上的短翅型双翅目昆虫外，翅退化的类群基本上都生活在较隐蔽的小环境里。在这些环境中，要想逃避天敌，发达的跑跳能力比飞行能力更重要。如果形态的某种改变，例如翅的退化能使其更快地逃离危险，那么这种改变就会在自然选择的作用下被保留下来。生活在膜翅目昆虫和白蚁巢中的双翅目雌虫通常是没有翅的，这也是其适应生存环境的一种典型表现。此外，双翅目昆虫出现翅退化现象很可能在进化上具有一定优势，即无翅型的雌虫以牺牲飞行能力为代价产生的膨腹现象可以提高生殖力，这对于任何物种来说都是极具吸引力的。

8. 双翅目昆虫的天敌

双翅目昆虫的天敌很多，主要有鸟类(包括家禽)、两栖动物、天敌昆虫(捕食性及寄生性昆虫)、螨类、蜘蛛、病原微生物(病毒、细菌、真菌、原生动物、寄生线虫)和少数食虫性植物等，它们取食或寄生于双翅目昆虫的卵、幼虫、蛹或成虫，使其染病。天敌大致可分为如下 3 类。

(1)病原微生物

双翅目昆虫的病原微生物有病毒、立克次体、细菌、真菌、原生动物和线虫等。与双翅目昆虫有关的原生动物类型很多，有鞭毛虫纲的鞭毛虫、肉足纲的变形虫、晚孢子虫纲的新簇虫和球虫以及丝孢子虫纲的微孢子虫等，其中以微孢子虫在防治上最为重要。

寄生性线虫主要寄生于蚊、蚋、摇蚊、蝇等，包括垫刃总科、索科和小杆总科。索科线虫寄生于摇蚊和蚋。小杆总科新线虫属的2个种 *Neoaplectana bibionis* Bovien 和 *N. affinis* Bovien寄生毛蚊。一种新线虫 DD-136 和细菌复合体用于鸡舍，可防治厩肥中的家蝇等。DD-136 还可与苏云金杆菌的 β 外毒素制剂混用防治大蚊。

立克次体有侵染蚊的 *Wolbachia* 属和肠立克次体属 *Enterella*、大蚊微立克次体 *Rickettsiella tipulae* 以及摇蚊微立克次体 *Rickettsiella chronomi*。

双翅目昆虫的病毒有核型多角体病毒、虹色病毒、昆虫痘病毒、质型多角体病毒等。

昆虫痘病毒感染埃及库蚊、蚋、窄摇蚊、毛摇蚊和摇蚊，虹色病毒寄生沼泽大蚊、盐泽黑伊蚊、伊蚊、蚋、蠓、幽蚊和大蚊，小球病毒伊蚊密核病毒感染伊蚊，果蝇西格马病毒感染果蝇，水泡性口膜炎病毒感染黄猩猩果蝇。

病原真菌有白僵菌、绿僵菌、拟青霉、多毛菌、赤座菌、虫霉等。拟青霉属的玫烟色拟青霉 *Paecilomyces fumosoroseus* (Wize) A. H. S. Br. & G. Sm. 寄生于柞蚕饰腹寄蝇及家蝇的蛹，绿僵菌属的金龟子绿僵菌 *Metarhizium anisopliae* (Metchnikoff) Sorokin 可寄生于蚊的幼虫。蝇单枝虫霉 *Entomophthora muscae* (Cohn) Fresen. 可产生 β 外毒素，一般寄生于苍蝇及粪蝇体上，在国外已经商品化生产。

病原细菌主要是芽孢杆菌。日本的森田芽孢杆菌 *Bacillus moritai* 对家蝇具有特异的毒杀作用，日本将此菌作为防治卫生害虫的制剂正式投入生产。森田芽孢杆菌除可防治家蝇外，对厩蝇、金蝇、果蝇也有致病性。苏云金芽孢杆菌 *Bacillus thuringiensis* Berliner 能感染双翅目的几个科。1979 年，武汉生产了该菌的以色列变种，产品名称为“孑孓灵”。从库蚊中分离的球形芽孢杆菌 *B. sphaericus* 对蚊子幼虫感染力颇强。苏云金杆菌产生的 β 外毒素家蝇蛆和埃及伊蚊感染力强。苏云金芽孢杆菌的以色列变种*B. thuringensis* var. *israelensis* 对蚊幼虫毒性很高，据报道，对包括库蚊、伊蚊、按蚊、蓝带蚊幼虫有高度毒性。苏云金变种、戈尔斯德变种、肯尼亚变种、杀虫变种及多涡变种的 13 个品系的苏云金变种对带蚋 *Simulium vittatum* (Zetterstedt) 幼虫有一定毒效。近年来，苏云金杆菌有商品销售，有些变种或菌株已用于蝇、蚊幼虫的防治，如以色列变种。在石家庄，将苏云金杆菌拌入饲料中喂牛，牛粪中很少滋生家蝇。

(2) 寄生性天敌

寄生于双翅目昆虫的天敌多是小型昆虫，种类多。在蝇蛹中寄生的膜翅目昆虫多达 80 余种，鞘翅目有 10 余种，其中造成蝇蛹自然寄生率和蝇蛹死亡率较高的寄生性天敌我国已知 30 余种。经实验室和释放证明，蝇蛹俑小蜂 *Spalangia endius* Walker、丽蝇蛹金小蜂 *Nasonia vitripennis* (Walker) 对家蝇、丝光绿蝇和住区型常见蝇类有明显防治效果。一些寄生蝇类也寄生双翅目，如麻蝇、寄蝇等。寄生性鞘翅目如寄生性隐翅虫寄生于在土壤中生活的双翅目围蛹内，但在其中的裸蛹外取食。隐翅虫 *Batyodma ontarionis* Cassy 在欧洲寄生于甘蓝种蝇 *Hylemyia brassicae* (Bouche) 的蛹，是其重要天敌。寄生螨类寄生于蚊子，绒螨科的幼螨也寄生双翅目。

天敌昆虫大多属于膜翅目，被广泛利用的是寄生蜂。膜翅目蜂可寄生虻科的牛虻、鹿虻。小蜂总科的许多种都可寄生双翅目。小蜂科主要寄生双翅目的蛹，大腿小蜂属初寄生于双翅目的麻蝇科，有些种类为寄蝇的重寄生；截胫小蜂亚科寄生舌蝇科 Glossinidae，重寄生于寄蝇科；角头小蜂亚科是双翅目实蝇科、舌蝇科、家蝇科、麻蝇科的原寄生，重寄生于寄蝇科；小蜂亚科寄生双翅目的芒角亚目以及木虻科。俑小蜂科寄生家蝇、寄蝇、花蝇的围蛹。四节金小蜂科大部分寄生于隧道内的双翅目幼虫，如潜叶蝇以及植物茎及嫩枝内的其他双翅目幼虫。少数长尾小蜂科寄生于蝇的蛹，角头小蜂亚科重寄生寄蝇，蚜小蜂科、巨胸小蜂科、广肩小蜂科和扁股小蜂科也寄生于双翅目昆虫。姬小蜂科姬小蜂亚科 *Sympiesis* 属外寄生于双翅目，啮小蜂亚科 *Tetrastichus* 属内寄生于双翅目的卵、幼虫或蛹。姬小蜂科的稻苞虫姬小蜂能重复寄生蚤蝇类。旋小蜂科的稻瘿蚊长距旋小蜂 *Neanastatus cinctiventris* Girault 寄生于稻瘿蚊蛹。潜蝇姬小蜂寄生潜蝇。巨胸小蜂科为蝇类的重寄生蜂。赤色大腿小蜂 *Brachymeria pulchripes* Holmgren 寄生于大头蝇 *Chrysomya megacephala* Fabr. 之蛹。细蜂总科的缘腹细蜂科寄生双翅目的卵，锤角细蜂科多寄生于双翅目幼虫体内。广腹细蜂科多寄生瘿蚊科害虫，广腹细蜂 *Platygaster error* Fitch 主要寄生于小麦吸浆虫，稻瘿蚊黄柄黑蜂 *Platygaster* sp. 寄生于稻瘿蚊幼虫体内。姬蜂科和茧蜂科寄生双翅目眼蕈蚊、瘿蚊、食蚜蝇的幼虫和蛹。潜蝇反颚茧蜂 *Symphya agromyzae* Roh. 寄生某种潜蝇。食蚜蝇姬蜂 *Diplazon laetatorius* Fabricius 可产卵在食蚜蝇卵内或幼龄幼虫体内，直至寄主蛹期，姬蜂羽化外出。家蝇金小蜂寄生于家蝇之蛹，台湾曾由檀香山输入利用于除蝇工作。稻螟赤眼蜂寄生沼蝇科的一些种类。广赤眼蜂寄生于食蚜蝇科的虫卵中。

稻瘿蚊的天敌主要是寄生蜂，寄生于卵和幼虫的黄柄黑蜂、单胚黑蜂；外寄生于幼虫和蛹的斑腹金小蜂 *Obstusiclava oryzae* Rao、稻长距旋小蜂 *Neanastatus oryzae* Ferriere、黄斑长距小蜂 *N. grallarius* Masi 等。上述几种寄生蜂对抑制稻瘿蚊的发生数量起着重要的作用。小麦吸浆虫，有麦红吸浆虫和麦黄吸浆虫两种，在国内已发现多种天敌，其中以寄生蜂为最主要，麦红吸浆虫幼虫寄生蜂在国内普遍发生的有 2 种，即宽腹姬小蜂 *Tetrastichus* sp. 和尖腹黑蜂 *Platygaster error* Fitch，在上海、河南、陕西、四川等地都有分布，而且寄生率一般较高。麦黄吸浆虫幼虫寄生蜂在湖北天门一带有 2 种，青海发现 5 种。

(3) 捕食性天敌

双翅目昆虫的捕食性天敌主要有昆虫、蜘蛛、螨类、两栖类、甲壳类和部分鱼类。双翅目昆虫的捕食性天敌昆虫主要有蜻蜓目、双翅目、半翅目、膜翅目、鞘翅目的一些种类。所有的蜻蜓都是肉食性的，捕食蚊、蚋、虻、蝇等害虫，还捕食寄蝇等益虫。蜻蜓成虫捕食善飞的蝇、蚊，稚虫也是肉食性的，主要以蚊子的幼虫孑孓为食。黄色异箭蜓捕食蝇和虻，色蟌科的红痣绿河蟌 *Mnais maclachlani* Fraser 捕食小型蚊虫，扇蟌

科扁胫扇蟌 *Copera annulata* Selys 捕食蚊虫等。早在 19 世纪末，国外曾用蜻蜓防治蚊虫，有些双翅目如食虫虻、长足虻、舞虻、幽蚊等也捕食蚊和蝇等。粪蝇科成虫捕食蕈蚊、毛蚊、蚋及花蝇等小型双翅目害虫，巨蚊属的 *Toxorhynchites brevipalpis* Theobald 和 *T. amboinensis* (Doleschall)捕食一些库蚊，摇蚊捕食蚋。蠓科幼期捕食摇蚊卵及幼虫，蚊科和大蚊科捕食水生双翅目，蕈蚊科捕食成虫。半翅目天敌昆虫有水生的仰泳蝽科、蝎蝽科、负子蝽科、划蝽科的某些种类，捕食库蚊和按蚊等蚊虫的幼虫，姬猎蝽科捕食瘿蚊。水生鞘翅目也捕食蚊子。大隐翅虫 *Creophilus maxillosus* Linnaeus 对家蝇卵和幼虫有偏嗜性。膜翅目中，蚁科军团蚁亚科的种栖于厕所附近捕食蛆类。叶蜂科、角胸泥蜂科、茧蜂科也捕食双翅目；刺胸泥蜂亚科猎捕家蝇科、花蝇科、麻蝇科、木虻科等双翅目成虫。此外，在吸浆虫成虫羽化期尚有捕食成虫的蚂蚁、舞虻以及蜘蛛等，稻田的蜘蛛也捕食成蚊。两栖类动物有蟾蜍和蛙，捕食蛆、蚊、蝇；黑眶蟾蜍和蟾蜍吞食蛆；稻田里的泽蛙捕食蚊；虎纹蛙捕食蛆、蝇；弹琴蛙捕食蝇、蚊；沼蛙捕食蝇。虾和桡脚类动物捕食库蚊幼虫。有些螨类也捕食双翅目，巨螯螨科的家蝇巨螯螨 *Macrocheles muscaedomesticae* (Scopoli)捕食家蝇的卵和幼虫。栖息于水中营自由生活的小螨类，其成螨、若螨在水中捕食摇蚊和孑孓。

鱼类捕食双翅目长角亚目的一些种类，如蚊及摇蚊幼虫。捕食摇蚊和孑孓的鱼很多，如捕食摇蚊的鱼类有鲤鱼、金鱼、鲦鱼、丽鱼等。20 世纪末，在国外利用的鱼类主要是食蚊鱼 *Gambusia affinis* (Baird *et* Girard)。当前利用的食蚊鱼主要有 2 亚种：绿食蚊鱼和可氏食蚊鱼。许多国家用食蚊鱼防治孑孓，在美国防治四斑按蚊和库蚊。在美国，食蚊鱼 *Psorophora columbiae* (Dyar *et* Knab)在水稻田防治蚊虫是有效的，和 *Lepomis cyanellus* (Rafinesque)一起用效果更好。1982 年，食蚊鱼用来控制 *Culex quinquefasciatus* Say，现在在美国加利福尼亚州仍在应用它消除蚊子。另一种原产南美的鱼 *Poecilia reticulate* Peters，主要用来控制蚊 *Culex quinquefasciatus* Say，这种鱼后被引进到印度、印度尼西亚、中国，用来控制传播丝虫病的蚊子。在美国加利福尼亚州，丽鱼科的 3 种鱼 *Tilapia zillii* (Gervais)，*Oreochromis mossambica* (Peters)，*Oreochromi hornorum* (Trewavas)使蚊子种群得到控制。在东非索马里，用当地的罗非鱼可以控制传播疟疾的蚊子。用鱼类治蚊是可行的，既发展了养鱼业，又达到治蚊灭病的目的。在国内，利用的本地鱼有斗鱼、麦穗鱼、黄颡鱼、鲤鱼和草鱼。我国主要有两种吃蚊斗鱼，即叉尾斗鱼和原尾斗鱼。浙江曾在稻田养鲤鱼消灭孑孓，对库蚊达到防治效果，对按蚊的防治效果则稍差。

（二）经济意义

双翅目昆虫与人类关系非常密切，包括一些重要的或危险性的农林害虫、卫生害虫和畜牧害虫以及一些害虫的天敌和植物的传粉者。双翅目昆虫的经济意义与其食性直接相关，而在大部分科中，有些种类是植食性，而有些种类为腐食性，还有一些是捕食性等。因此，通常会出现一个科中有的种类是害虫而另一些种类则是益虫。

如潜叶蝇科、花蝇科的大部分种类是害虫，而瘿蚊科、食蚜蝇科的一部分种类是害虫而另一部分种类是益虫。

1. 害　虫

(1)农林害虫

双翅目昆虫包括重要的农林害虫，许多种类的幼虫危害作物的根、茎、叶、花、果实，导致农林产品的产量下降，品质降低，甚至造成严重的灾害，成为重要的或危险性的农林害虫。危害农林作物的双翅目约有16科150种，主要是瘿蚊科、花蝇科、潜蝇科和实蝇科4个科的昆虫。其他科的害虫种类较少，包括大蚊科、毛蚊科、摇蚊科、眼蕈蚊科、秆蝇科、食蚜蝇科、蝇科、粪蝇科、茎蝇科、水蝇科、禾蝇科、日蝇科等类群的植食性种类。

按照危害部位，双翅目中的害虫可以分为地下害虫和地上害虫，而后者又可以结合为害特征分为潜叶类害虫、卷叶害虫、枝梢害虫和花果类害虫。

地下害虫　危害农林作物地下部分的双翅目主要为花蝇科的幼虫，统称为地蛆，又称根蛆。其成虫常在花草间活动，幼虫危害播种的种子、幼苗的根、幼茎及插条的愈伤组织等，花圃、盆花也有发生。其中危害最大的是地种蝇属 *Delia*，常见的种类有种蝇 *Delia platura* (Meigen)(又名灰地种蝇)，为世界性害虫，分布国内各地，食性杂，除危害棉、麻、蔬菜外，还危害苹果、梨等果树。其他的地下害虫还有萝卜蝇 *Dalia floralis* (Fallén)、小萝卜蝇 *Delia pilipyga* (Villeneuve)、葱蝇 *Delia antigua* (Meigen)(又称蒜蛆)，以及眼蕈蚊科的韭菜迟眼蕈蚊 *Bradysia odoriphaga* Yang *et* Zhang (又称韭蛆)。

潜叶性害虫　潜叶蝇类害虫是指双翅目中的幼虫潜食植物叶片的一类害虫。潜叶蝇类害虫多属于潜蝇科。植物叶片受害后，叶片上出现灰白色弯曲的线状蛀道或上下表皮分离的疱状斑块。潜叶蝇种类很多，我国危害农作物的潜叶蝇类害虫主要有美洲斑潜蝇 *Liriomyza sativae* Blanchard、南美斑潜蝇 *Liriomyza huidobrensis* (Blanchard)和豌豆潜叶蝇 *Phytomyza horticola* (Goureau)以及花蝇科的菠菜潜叶蝇 *Pegomya hyoscyami* (Panzer)等，其中以美洲斑潜蝇发生面广，危害较重。

卷叶害虫　枣瘿蚊 *Dasineura* sp.，又叫枣叶蛆，枣蛆。属瘿蚊科，分布全国各种枣产区。幼虫危害大枣和酸枣的嫩叶，危害盛期，嫩叶卷曲成筒，被害叶一般枯黑脱落。

枝梢害虫　危害林木树梢及幼茎的双翅目主要为瘿蚊科，其危害特点是在危害部位形成虫瘿，造成枝芽、梢枯死。危害比较严重的有柳瘿蚊 *Rabdophaga* sp.、椒干瘿蚊 *Asphondylia* sp.、云南松脂瘿蚊 *Cecidomyia yunnanensis* Wu *et* Zhou 等。

花果类害虫　危害针叶树球果的10余种花蝇均属花蝇科的球果花蝇属 *Lasiomma*。实蝇科的橘小实蝇 *Bactrocera dorsalis* (Hendel)的成虫将卵产于果皮下，幼虫孵化后即钻入果实内锉吸取食，造成烂果、落果，直接危害果蔬生产并对出国贸易造成重要影响。橘小实蝇目前在我国局部地区发生，被列为二类进境植物检疫危险性害虫。

按照危害的作物来分，在我国造成危害的双翅目昆虫分为如下几类。

小麦害虫　在我国危害小麦的害虫已知者百余种，而对生产影响较大的重要双翅目类群主要有麦秆蝇和小麦吸浆虫。小麦吸浆虫曾是我国长江和黄河流域的主要产麦区的毁灭性害虫，20 世纪 50 年代，已基本控制；但近几年来在中部平原的局部麦区，吸浆虫的发生有回升趋势。在我国主要有两种小麦吸浆虫：麦红吸浆虫 *Sitodiplosis mosellana* Gehin，麦黄吸浆虫 *Contarinia tritici*（Kirby）。麦吸浆虫属瘿蚊科，麦吸浆虫为世界性害虫，广布于亚洲的、欧洲的、美洲的主要小麦栽培国家，并且除美洲只有麦红吸浆虫外，在欧、亚大陆都是红黄两种吸浆虫混生，但是亚洲一般以红吸浆虫为主。黄河流域以北直达新疆，麦秆蝇发生较为普通，但常以内蒙古、河北和山西北部等春麦区受害最重。

水稻害虫　我国稻区常见危害水稻的蚊类有稻瘿蚊 *Pachydiplosis oryzae* Wood-Mason、稻摇蚊 *Chironomus oryzae* Matsumura。蝇类有稻秆蝇 *Chlorops oryzae* Matsumura、小灰毛眼水蝇 *Hydrellia griseola*（Fallén）及多种稻水蝇蛆。

玉米、高粱、谷子害虫　粟芒蝇 *Atherigona biseta* Karl，又名双毛芒蝇，俗称谷蛆。属双翅目蝇科。粟秆蝇主要分布于我国东北、华北、西北、内蒙古等地的谷子产区。尤以降水较为充沛或水肥条件较好的产谷区为害较重。

绿肥作物害虫　萍摇蚊。绿萍上的摇蚊种类很多，主要有萍二带摇蚊、萍黄摇蚊、褐摇蚊与绿摇蚊，均属双翅目摇蚊科。它们幼虫称萍丝虫，咬食绿萍，还能取食其他水生植物。

竹子害虫　对竹子造成危害的双翅目害虫主要有江苏泉蝇 *Pegomya kiangsuensis* Fan，属于双翅目的花蝇科，幼虫蛀食竹笋，使大量竹笋腐烂。另外毛笋泉蝇 *Pegomya phyllostachys* Fan，其幼虫在衰弱竹笋中为害，使被害笋不能成竹。

草坪害虫　危害草坪的双翅目害虫主要为大蚊科、秆蝇科、潜蝇科等类群的昆虫。大蚊 *Holorusia praepotens*（Wiedemann）属双翅目大蚊科，分布于我国南方潮湿且灌溉充分的草坪。幼虫取食草根及土中的腐殖质等，导致草坪出现少量不规则的褐色斑块。我国危害草坪的秆蝇类害虫主要是麦秆蝇 *Meromyza salatrix* Linnaeus、瑞典秆蝇 *Oscinella frit* Linnaeus、稻秆蝇 *Chlorops oryzae* Matsumura。潜蝇类害虫常见的有潜叶蝇科的豌豆潜叶蝇 *Phytomyza horticola*（Goureau）、水蝇科的小灰毛眼水蝇 *Hydrellia griseola*（Fallén）、花蝇科的菠菜潜叶蝇 *Pegomya hyoscyami*（Panzer）等。

另外，随着国际贸易以及国内农林业的发展，人们对检疫性有害生物的认识在逐步提高。在检疫性害虫中，实蝇、潜蝇、瘿蚊等同样为重要的类群。

实蝇科　实蝇类害虫在世界植物检疫中占有重要地位。全世界已知实蝇有 500 属 4500 余种，主要分布在热带和亚热带地区，中国约 600 种。目前，对农林业具重要经济意义的实蝇种类约为 100 种。这些危害水果和蔬菜的实蝇大部分属于实蝇亚科 Trypetinae 的果实蝇属 *Bactrocera*、腊实蝇属 *Ceratitis*、寡鬃实蝇属 *Dacus*、按实蝇属 *Anastrepha*、绕实蝇属 *Rhagoletis* 5 个属。实蝇以幼虫在果实内部取食为害，可引起细菌感染等，造成落果或整个果实腐烂；成虫在果皮表面产卵，形成卵孔，可引起细菌感染。该类蝇属能以卵、幼虫、蛹和成虫随水果、蔬菜等农产品及其包装物、土壤、交通工具等进行远距离传播。2007 年，我国农业部颁布的《中华人民共和国进境植物检疫性有害生物名录》中收录的有害昆虫包括果实蝇属 *Bactrocera* Macquart、枣实蝇 *Carpomya vesuviana* Costa 等 10 类实蝇类害虫。重要的检疫性实蝇种类包括地中海实蝇 *Ceratitis capitata*（Widedmann）、南美按实蝇 *Anastepha fraterculus*（Wiedemann）、苹果实蝇 *Rhagoletis pomonella*（Walsh.）、蜜橘大实蝇 *Tetradacus tsuneonia*（Miyake）、柑橘大实蝇 *Tetradacus citri* Chen、橘小实蝇 *Bactrocera dorsalis*（Hendel）等。

瘿蚊科 包括高粱瘿蚊 *Stenodiplosis sorghicola*（Coquillett）和黑森瘿蚊 *Mayetiola destructor*（Say）。高粱瘿蚊主要危害栽培和野生的高粱属植物，成虫产卵于正在抽穗开花的寄主植物的内稃和稃壳之内，当幼虫孵出后即取食正在发育的幼胚汁液，造成瘪料、秕粒。以休眠幼虫随寄主的种子进行远距离传播。黑森瘿蚊为小麦的主要害虫，是国际检疫对象之一。其初孵幼虫潜藏叶鞘内侧，吸食茎部或叶鞘组织汁液，致使心叶不能抽出和拔节；传播方法除以成虫作近距离迁飞外，还可以围蛹随同麦秆外运而蔓延；低湿、低温、大风及大雨会使初孵幼虫大量死亡。

潜蝇科 美洲斑潜蝇 *Liriomyza sativae* Blanchard 主要以幼虫浸食叶片组织，破坏叶组织造成危害，成虫也会刺破叶片吸取汁液，在叶片上造成很多白色失绿点，影响叶片的光合作用。美洲斑潜蝇主要靠寄主和繁殖材料、切条、带叶瓜果、豆类或作为瓜果铺垫、包装物的叶片或蛹随盆栽植株、土壤、交通工具等进行远距离传播。

(2)卫生害虫

双翅目中的蚋、白蛉、蚊、蠓、摇蚊、虻和蝇等类群是非常重要的医学卫生害虫。

蚋俗称刨锛，吸血异常凶猛，在许多地区发生的高峰季节刺叮骚扰人很严重；刺叮人后，会使人感到奇痒难忍，随之局部红肿，抓破后易感染溃疡，敏感者可引起局部或全身性皮炎。蚋除刺叮骚扰给人类造成危害外，同时又是人类和动物多种疾病的传播媒介，在热带非洲、中美洲、南美洲等地蚋是盘尾丝虫病的传播媒介，盘尾丝虫病会导致人眼睛失明。

白蛉口器细长，吸血并传播疾病，为重要的医学卫生害虫。中华白蛉是我国黑热病的传播媒介，同时还传播人及动物的各种利什曼病、白蛉热及白蛉皮炎等。

蚊虫不仅骚扰吸血，而且传播多种严重疾病。疟疾是全世界最重要的多发病之一，也是过去危害我国人民的严重疾病。嗜人按蚊 *Anopheles anthropophagus* Xu *et* Feng、中华按蚊 *An. sinensis* Wiedemann、微小按蚊 *An. Minimus* Theobald 和大劣按蚊 *An. Dirus* Peyton *et* Harrison 是疟疾的主要媒介。淡色库蚊 *Culex pipiens pallens* Coquillett 和致倦库蚊 *Cx. pipiens quinquefasciatus* Say 是班氏丝虫病的主要媒介，嗜人按蚊

An. anthropophagus Xu *et* Feng 和中华按蚊 *An. sinensis* Wiedemann 是马来丝虫病的主要媒介。我国已知的蚊传虫媒病毒病有流行性乙型脑炎和登革热(登革出血热)，前者的主要媒介是三带喙库蚊 *Cx. tritaeniorhynchus* Giles，后者的媒介是埃及伊蚊 *Aedes aegypti* (Linnaeus)和白纹伊蚊 *Ae. albopictus* (Skuse)。在国外，蚊虫还传播一些其他的虫媒病毒病，其中特别重要的有黄热病、东马脑炎、委内瑞拉马脑炎和西马脑炎等。

蠓在我国北方俗称"小咬"，在四川被称为"墨蚊仔"，而四川与湖北交界处则称为"蠓子"。部分蠓类刺吸人畜血液，传播疾病危害人畜。在蠓类活动的高峰季节，吸血蠓的刺叮可引起人畜的皮肤过敏性和继发性皮炎，如昆士兰瘙痒症等。

此外，少数摇蚊成虫作为某些病原体的携带者，会导致哮喘等过敏疾病。一些蝇类是人类疾病病原体的重要机械性传播者，主要是痢疾和伤寒；其次是生物性传播疾病，其中最重要的是舌蝇属 *Glossina* 的种类传播锥体虫导致睡眠病。

(3) 畜牧害虫

双翅目昆虫中包括一些畜牧业的大害虫，如蚊科、蚋科、蠓科、虻科等类群的种类，通过直接刺叮吸血和间接传病进行危害，可造成巨大经济损失。牲畜被蚋刺叮后，会出现烦躁不安，逐渐消瘦，严重时可引起大批牲畜死亡，引起肉类产量大幅度下降，皮毛质量下降；蚋虫除刺叮骚扰，同时是动物多种疾病的传播媒介，可传播牛、马、羊、鸡、鸭等畜禽类丝虫病和血孢子虫病，严重时也能使大批畜禽死亡。雌虻在牧区大量出现，追袭人畜，造成很大骚扰，造成肉和奶类减产，还生物性传播牲畜的恶丝虫、羊丝虫、泰氏锥虫和变形原虫，家畜和野生动物的马传贫病毒、牛疫病毒、孢子虫、焦虫和锥虫等疾病，机械传播野兔热和炭疽等人兽共患病。此外，一些双翅目昆虫可使家畜得寄生虫病，如胃蝇科的幼虫在马、驴、骡的胃内寄生；狂蝇科的幼虫寄生在家畜鼻腔和颅窦中黏膜上，引其鼻疽病；皮蝇科的幼虫寄生牛马皮下，老熟幼虫穿过皮肤，落地化蛹，皮革因幼虫穿孔而受损失；虱蝇科成虫寄生在家畜和兽类的体上，吸食血液，是危害马、牛、羊的害虫。

2. 益　虫

(1) 中性昆虫

某些水生双翅目幼虫可滤食自然界水体中的微生物及生物体残片，是水质净化的重要参与者。在人工净化污水的体系中，至今还没有主动的人为应用，存在于净化体系中的多是其他生境中双翅目昆虫的定殖。他们多定殖在河底具有过滤作用的沙砾间隙中，取食其中的细菌、真菌及其他微生物，抑制其快速生长，而防止其阻塞沙砾间隙，失去过滤作用，据报道这类双翅目有蚋科和毛蠓科幼虫。

另外，许多双翅目幼虫为腐食性，取食各种腐烂的动植物残体或粪便，在降解有机质中起着重要的作用，具有重要的生态意义。按照其食性可分为食粪类、食腐肉类、食腐败植物类、食菌类以及食海藻类腐食性双翅目。

食粪者 粪食性双翅目昆虫可降解大型脊椎动物的排泄物，对畜牧业有宜，但由于在分解动物粪便的同时，也会传播动物和人类的病原微生物，所以总体来说还是弊大于利的。典型的例子就是家蝇 *Musca domestica* Linnaeus，其幼虫是重要的粪便分解者，但同时也是传播感染人类的细菌和寄生物，是重要的卫生害虫。主要的粪食性双翅目昆虫有鼓翅蝇科、粪蝇科、蝇科、花蝇科、小粪蝇科及冬大蚊科。

食腐肉者 主要类群有丽蝇科、麻蝇科、冬大蚊科、酪蝇科、小粪蝇科等。食腐肉的双翅目除了具有重要的生态意义外，在法医学应用上也有重要的作用。如在动物尸体中，腐食性双翅目幼虫的变化是连续的，考虑到外界环境因素就可以确定尸体死亡的时间。

食腐败植物者 取食腐败植物的双翅目种类多且种群数量大，在原始森林中是重要的分解者。在各种生境中均有分布(树皮下，树洞中，树汁的分泌孔中，树的心木中，树根中，落叶层中，腐败的果实和花中)，有些具有很强的适应性，可适应不同的生态位和环境，如蚤蝇科 *Megaselia giraudii* (Egger)、*M. rufipe* (Meigen)及 *M. scalaris* Loew 的幼虫，而另一些仅限于特定的环境，如蕈蚊科 *Mycetobia pallipes* Meigen、角蛹蝇科 *Aulacigaster leucopeza* (Meigen)仅生活在树汁的分泌孔中。

食菌者 食菌的双翅目昆虫可分为两类，一类为专食性，指仅取食菌丝体，或仅取食菌体的繁殖器官(如孢子等)，而另一种则全部取食。一般来说，随着幼虫的生长或真菌菌落的衰败(由于真菌生长的基质，如木材、树叶或粪便的变化而引起的衰败)，食菌的双翅目食性也会发生变化，并不是始终如一的。主要的食菌双翅目有毫蚊科、大蚊科、蛾蠓科、蠓科、殊蠓科、眼蕈蚊科、瘿蚊科、粪蚊科、蚤蝇科、扁足蝇科、食蚜蝇科、圆头蝇科、日蝇科、广口蝇科、小花蝇科、缟蝇科、小粪蝇科、酪蝇科、寡脉蝇科、果蝇科、秆蝇科、厕蝇科。

食海藻者 主要是指取食搁浅于海滩上海藻的双翅目昆虫，包括扁蝇科、鼓翅蝇科、花蝇科、日眼科、小粪蝇科、粪蝇科。

(2)天敌昆虫

双翅目作为昆虫的捕食性和寄生性天敌在自然界中是相当普遍和非常重要的，其地位是仅次于膜翅目的天敌昆虫，在害虫的生物防治方面有很大的利用前景。除常见的寄蝇和食蚜蝇外，食虫的双翅目我国已知有40余科，就其食性来说可分为捕食性和寄生性天敌昆虫，也有些科则兼具有捕食性和寄生性。

1)捕食性天敌昆虫

长角亚目大蚊科、菌蚊科、网蚊科、蠓科、瘿蚊科部分种类为捕食性；短角亚目直裂类有拟食虫虻科、鹬虻科、臭虻科、食木虻科、虻科、木虻科、肋角虻科、剑虻科、窗虻科、舞虻科、长足虻科、食虫虻科(大多捕食)；短角亚目环裂类有食蚜蝇科、尖翅蝇科、斑腹蝇科、秆蝇科、叶蝇科、尖尾蝇科、广口蝇科、粪蝇科、水蝇科、丽蝇科、蝇科及花蝇科(部分捕食)。

一些国家曾引入蚊科巨蚊属来灭蚊，例如自1931年从印度尼西亚的爪哇把色谱巨蚊 *Magarhinus splendens* Wiedemann 引入斐济岛后取得一定成效。鹬虻科金鹬虻属 *Chrysopilus* 一些种类是有益的，如云斑金鹬虻 *C. nubeculus* Macquart 幼虫在阿尔及利亚取食蝗虫卵；锈金鹬虻 *C. ferruginosus* Wiedemann 幼虫在印度和菲律宾群岛则生活在腐烂的植物根茎中，是香蕉象甲 *Cosmopalites sordidus* Germ. 和甘蔗象甲 *Rhobdocnemis obscura* Bsd. 等幼虫的重要捕食性天敌。

2) 寄生性天敌昆虫

寄生性双翅目昆虫长角亚目有蠓科、摇蚊科；短角亚目直裂类有小头虻科、网翅虻科、蜂虻科(大多寄生)；短角亚目环裂类有头蝇科、眼蝇科、蜣蝇科、隐芒蝇科、寄蝇科、蚤蝇科及麻蝇科(后两科大多寄生)。

隐芒蝇科寄主为绵蚧科的害虫，美国自1888年引入加州后在一些地方起了很大的作用，但由于同时引入了更有效的澳洲瓢虫而大为逊色，此后又引到智利等一些国家去。网翅虻科塞网翅虻属 *Symmictus* 的幼虫则寄生于蝗虫体内，如南非的 *S. costatus* Loew 寄生于群居蝗 *Locusta pardalina* Walker。突颜蝇则对蝽类寄生较多，并有一定的抑制作用，毛足蝇 *Trichopoda pennipes* (Fabricius)内寄生于绿蝽 *Nezara* 和缘蝽 *Anasa*，贪佳蝇 *Clytiomyia helluo* Fabricius 寄生于扁盾蝽 *Eurygaster*，中华突颜蝇 *Ectophasia sinensis* Villeneuve 则寄生于二星蝽属 *Stollia*。

3. 传粉昆虫

大约2/3的种子植物是由昆虫传授花粉的。植物为昆虫提供含糖50%的花蜜、含蛋白质15%～30%的花粉，以及其他有用的物质。传粉昆虫的种类繁多，双翅目占28.40%，其种类仅比膜翅目少，位居昆虫纲第2位。长角亚目的大蚊科、瘿蚊科、摇蚊科、蚋科、蠓科等部分种类为传粉昆虫。根据对现生虻类的生物学研究结果以及对化石种类的功能形态分析，短角亚目直裂类中已知10个现生科和1个绝灭科的一些种类具有访花和取食花粉(蜜)的习性，即虻科、水虻科、伪鹬虻科、穴虻科、原棘虻科(绝灭类群)、拟食虫虻、小头虻科、网翅虻科、蜂虻科、舞虻科、长足虻科。小头虻科、网翅虻科、蜂虻科和舞虻科的一些种类有很长的喙管，可吸食筒形花基部的蜜汁。访花虻类多以花蜜为食，也有以花粉和花汁为食的。短角亚目环裂类的访花昆虫主要有食蚜蝇科、丽蝇科、眼蝇科、花蝇科、蝇科、麻蝇科、寄蝇科、鼓翅蝇科等类群的种类，其中以食蚜蝇科最为典型。眼蝇和花蝇善于取食花蜜，并以花粉作为蛋白质来源，它们体表生长的毛刺便于携带花粉。该类昆虫具有发达的色视觉，对花色选择能力很强。花的颜色和昆虫的视觉是相互选择、互相适应的。大部分双翅目昆虫喜欢黄色的花，但也有少数例外。如少数蝇类为花色浅而无光彩的独活属、常青藤属、冬青属等属的植物传粉。除了颜色以外，传粉植物分泌的化学信息物和昆虫的嗅觉也相互适应。大多数双翅目昆虫喜欢吲哚气味，而部分蝇类喜欢腐臭味。

(三)系统分类

双翅目为昆虫纲第 4 大目，目前已知 180 余个现生科和 15.30 万余个现生种。作为昆虫纲中极为进化且特化的一个类群，它的单系性表现得非常明显，其共近裔特征包括:下唇衍化为喙；前后胸小，与中胸愈合成一体而不能自由转动；前翅翅脉简单，后翅退化为平衡棒；雄虫缺第 8 腹气门；幼虫无足等。关于双翅目在昆虫纲中的系统地位一直存在着不同的观点，其高级阶元的分类和系统演化问题尚未完全解决。

1. 双翅目的起源

关于双翅目昆虫的起源问题目前主要存在 3 种观点。古昆虫学家们多认为双翅目起源于长翅目的一些灭绝类群(Blagoderov, Lukashevich & Mostovski, 2002)。双翅目与长翅目是姐妹群，它们是单系的(Mickoleit, 1971; Hennig, 1981)；在晚二叠纪出现小蝎蛉科 Nannochoristidae 时，两目开始分化。二叠纪的长翅目化石科 Permotipulidae 和 Robinjohniidae 的脉序与双翅目长角亚目的脉序极其相似。特别是蚊蝎蛉科 Bittacidae 的祖先 Robinjohniidae，具有与大蚊科同源的基部窄的翅和细长的足。而比较流行的观点则认为长翅目中的 Permochoristidae 是双翅目的直接祖先，该科后翅逐渐缩短并伴随着前翅补偿性的加宽，可能最终演化出双翅目长角亚目最古老的一个科 Grauvogeliidae。Boudreaux(1979)提出双翅目应该与蚤目为姐妹群，而长翅目则是双翅目 + 蚤目的姐妹群；Wood 和 Borkent(1989)也认为小蝎蛉科 Nannochoristidae 是双翅目或双翅目 + 蚤目的姐妹群，理由是小蝎蛉科、蚤目和双翅目均具有长叶片状、原始具齿的内额叶，均无外额叶。也有许多学者认为双翅目和捻翅目共有的平衡棒是对 Halteria 单系性最有力的支持，是同源进化的结果；且两目产卵器均消失、无下唇内叶和精包。此外，Whiting 等(1997)运用分子证据对完全变态类昆虫的系统关系进行分析，在其得出的 18S 和 28S rDNA 的分子系统进化树中，双翅目和捻翅目均处于姐妹群的地位。

2. 双翅目的分类与系统发育

双翅目昆虫高级阶元的分类一直存在分两亚目或三亚目两种对立的分类系统。

两亚目系统把双翅目分为长角亚目 Nematocera（包括广义的蚊类）和短角亚目 Brachycera（包括虻类和蝇类）。三亚目系统则把双翅目分为长角亚目 Nematocera（包括广义的蚊类）、短角亚目 Brachycera（仅包括虻类，或称为直裂亚目 Orthorrhapha）和芒角亚目 Aristocera（仅包括蝇类，或称为环裂亚目 Cyclorrhapha）。由于虻类最高等的类群舞虻总科与蝇类界线模糊，所以近年来国际上倾向于使用两亚目的分类系统。

长角亚目是双翅目中比较低等的类群，包括蚊、蠓、蚋等。触角多呈丝状，一般有 6 节以上；翅脉复杂，较为原始。现今已知有化石记录的长角亚目有 70 余科，其中有近 50 个科为灭绝科。长角亚目最早的化石记录是中生代中三叠纪早期的灭绝科 Grauvogeliidae。Hennig（1973）最早运用严格的支序分析的方法将长角亚目分为 4 个次目（图 30A），即大蚊次目 Tipulomorpha、蛾蠓次目 Psychodomorpha、蚊次目 Culicomorpha 和毛蚊次目 Bibiono-morpha；他认为大蚊次目是最原始的类群，包括毫蚊科和大蚊科（含烛大蚊科和沼大蚊科），被 Hennig 称为多脉类 Polyneura，与其余的双翅目寡脉类 Oligoneura 构成姐妹群。Wood 和 Borkent（1989）根据通过对成虫、幼虫的形态特征演化分析提出了分七次目的系统（图 30B），即大蚊次目 Tipulomorpha、毛蚊次目 Bibionomorpha、极蚊次目 Axymyiomorpha、网蚊次目 Blephariceromorpha、蛾蠓次目 Psychodomorpha、褶蚊次目 Ptychopteromorpha 和蚊次目 Culicomorpha。Krzeminski（1992）根据翅脉的特征提出了一个完全不同于前人的长角亚目系统演化关系。在他提出的系统发育关系中，大蚊科和毫蚊科依旧是姐妹群但并不在基部，他认为长角亚目里最原始的是颈蚊次目 Tanyderomorpha，而毛蚊次目 Bibionomorpha + 殊蠓次目 Anisopodomorpha 是短角亚目的姐妹群。由于他提出的系统关系仅依据翅脉特征，故其结论有局限性。Oosterbroek 和 Courtney（1995）基于幼虫、蛹和成虫形态特征的支序分析（图 31），认为褶蚊次目 Ptychopteromorpha 和蚊次目 Culicomorpha 比较原始，而大蚊科和毫蚊科系统位置接近，属于高等蚊类。这一观点的成立与否同样有待验证。

广义的短角亚目包括直裂类和环裂类两大类。直裂类通称为虻类，较低等；多中至大型，触角较短，一般 3 节，鞭节形状变化大，低等虻类鞭节一般分亚节，但节间不十分明显，末端有细的端刺或触角芒；高等的虻类有明显的鬃。虻类多捕食性和腐食性种类，部分具植食或寄生习性；虻科种类以及鹬虻科和伪鹬虻科部分种类吸血传病，为人畜的害虫。目前已知的虻类不到 30 个科，其中大部分均有化石记录，此外还发现了 10 余个灭绝科。低等扩类大多类群开始出现于侏罗纪。最早出现的是已灭绝的 *Gallia alsatica* Krzemiński *et* Krzemiriska，2003，该属种与长角亚目灭绝科 Grauvogeliidae 产自同一层位。虽然触角未知，但根据其他特征判断应属于鹬虻科中极其原始的类群。环裂类通称为蝇类，体小到中型，粗壮，多毛和鬃；触角 3 节，具触角芒；口器舐吸式。该类分为无缝组 Aschiza 和有缝组 Schizophora 两大类，后者义分无瓣类 Acalypteratae 和有瓣类 Calypteratae。环裂类是双翅目中最进化且最分化的类群，目前已被描述的现生科超过了 80 个。该类起源较晚，中生代的化石记录很少，最早的环裂类出现在早白垩世。

Woodley（1989）把广义的短角亚目可分为 4 个次目（图 32），即食木虻次目 Xylophagomorpha、水虻次目 Stratiomyomorpha、虻次目 Tabanomorpha 和蝇次目 Muscomorpha。一般认为最原始的短角亚目类群爪尖突垫状，触角多节不具芒，翅脉较为复杂。Woodley(1989)在汇总前人观点，对短角亚目进行系统分析的时候，依旧未敢妄下断言，而是认为这四个次目间的关系目前还是很模糊的，每一次目的自近裔特征太明显，很难确定彼此间的亲缘关系。Nagatomi(1992)则提出食木虻总科 Xylophagoidea 是最原始的类群，原因在于其幼虫头部强烈骨化，不能收缩；雌虫尾须两节，第一节简单(后侧部或后腹部不膨大)；胫节矩式 1-2-2(少数 2-2-2)(此特征仅指食木虻科，PantOphthalmidae 不在此列)。Wiegmann 等人(2003)根据分子和形态证据确认短角亚目分为四个次日的系统，其中食木虻次目 Xylophagomolphha 和虻次目 Tabanomorpha 的关系很近，蝇次目最进化，但最原始是水虻次目一支还是食木虻次目 + 虻次目一支仍不能从支序图上得到答案。

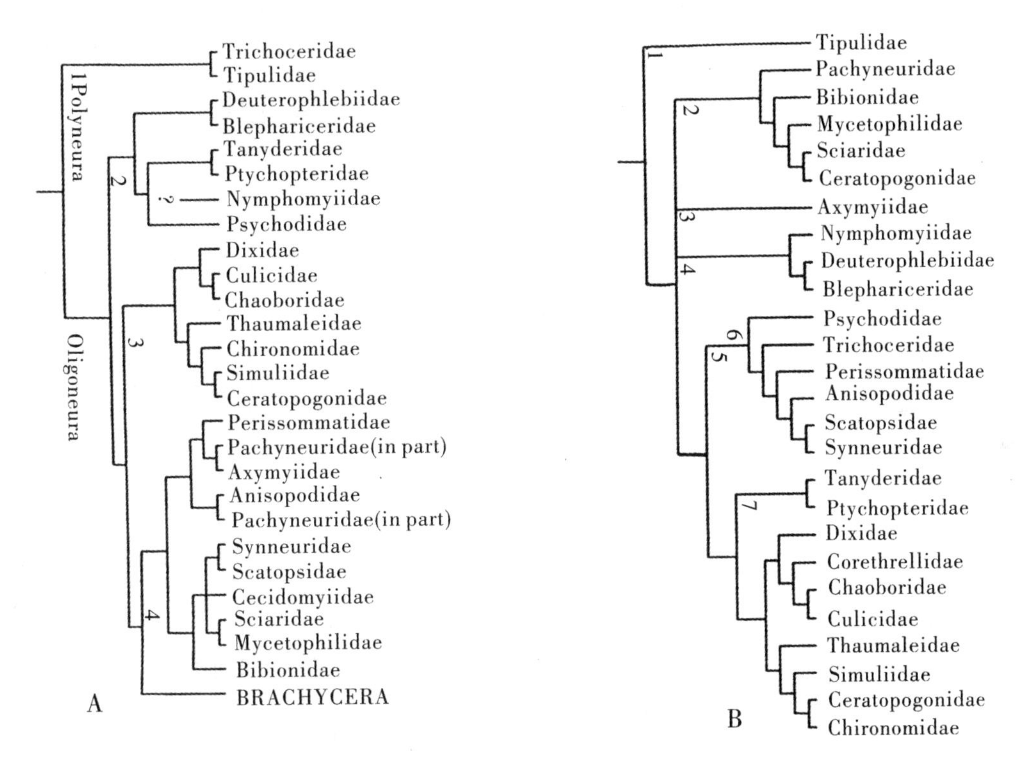

图30 长角亚目系统发育支序图

(A. 据 Hennig, 1973; B. 据 Wood & Borkent, 1989)

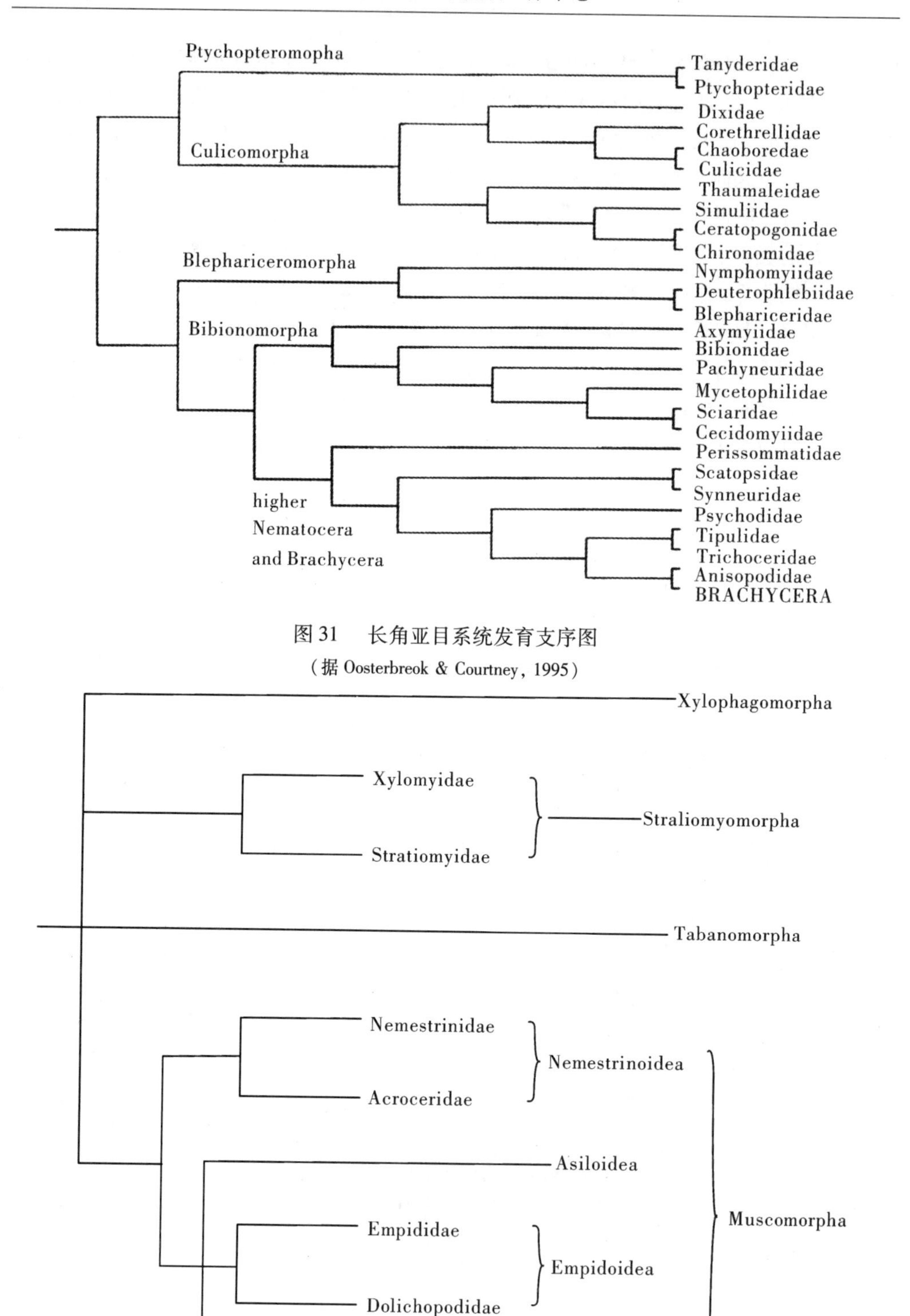

图 31 长角亚目系统发育支序图

（据 Oosterbreok & Courtney, 1995）

图 32 短角亚目系统发育支序图

（据 Woodley, 1989）

各　论

秦岭双翅目昆虫区系非常丰富。本书对陕西秦岭地区的双翅目昆虫进行了较为全面的记述，共计46科472属1273种，其中包括21个新种、2个中国新纪录属和24个中国新纪录种。

分科检索表

1. 触角6节以上；下颚须4~5节。幼虫全头型；裸蛹，羽化时直裂（**长角亚目 Nematocera**）…… 2
   触角5节以下；下颚须1~2节。幼虫半头型或无头型（**短角亚目 Brachycera**）…… 11
2. 中胸背板有"V"形沟；足细长…… 3
   中胸背板无"V"形沟…… 4
3. 喙长，有鼻突…… **大蚊科 Tipulidae**
   喙短，无鼻突…… **沼大蚊科 Limoniidae**
4. 无单眼…… 5
   有单眼…… 9
5. 翅有10~11条脉伸达翅缘；前缘脉环绕翅缘…… **蚊科 Culicidae**
   翅最多有7条脉伸达翅缘；前缘脉终于翅端附近…… 6
6. 翅有6~7条脉伸达翅缘；前缘脉在R4+5末端下无缺刻…… 7
   翅有2~4条脉伸达翅缘；前缘脉在R4+5末端下有缺刻…… **瘿蚊科 Cecidomyiidae**
7. 触角短，约与头等长…… **蚋科 Simuliidae**
   触角长，至少为头长的2倍…… 8
8. 中脉明显2条；径脉伸达翅缘的不多于2条…… **蠓科 Ceratopogonidae**
   中脉明显1条；径脉有3条伸达翅缘…… **摇蚊科 Chironomidae**
9. 爪垫和中垫无或退化…… 10
   爪垫和中垫均发达…… **毛蚊科 Bibionidae**
10. 复眼背面相接…… **眼蕈蚊科 Sciaridae**
    复眼左右远离…… **菌蚊科 Mycetophilidae**
11. 触角第3节分节不明显或具端刺；雄性第9背板非马鞍形，下生殖板非"U"形。幼虫半头型；裸蛹，羽化时直裂（**直裂类 Orthorrhapha**）…… 12
    触角第3节较粗大，背面具触角芒；雄第9背板马鞍形，下生殖板"U"形。幼虫无头型；围蛹，羽化时环裂（**环裂类 Cyclorrhapha**）…… 20

12. 爪间突垫状 …… 13
    爪间突刚毛状或完全缺如 …… 17
13. 唇基强烈隆突 …… 14
    唇基较平 …… 16
14. 后胸气门后有鳞形片；雌性尾须有 1 节 …… 15
    后胸气门后无鳞形片；雌性尾须有 2 节 …… **鹬虻科 Rhagionidae**
15. 下腋瓣很大；触角鞭节非肾形，多节，无触角芒；前缘室开放 …… **虻科 Tabanidae**
    下腋瓣小；触角鞭节肾形，有亚端生的触角芒；前缘室关闭 …… **伪鹬虻科 Athericidae**
16. 后足胫节有距；第 4 后室关闭；翅脉位置不前移；盘室大 …… **木虻科 Xylomyidae**
    后足胫节无距；第 4 后室开放；翅脉位置前移；盘室小 …… **水虻科 Stratiomyidae**
17. 臀室远离翅缘较远处关闭，有时退化 …… 18
    臀室开放或在翅后缘附近关闭 …… 19
18. 第 2 基室和盘室分开；体无金绿色 …… **舞虻科 Empididae**
    第 2 基室和盘室愈合；体一般金绿色 …… **长足虻科 Dolichopodidae**
19. 第 2 基室端部有 4 个角；身体有粗鬃 …… **剑虻科 Therevidae**
    第 2 基室端部有 3 个角；身体一般无粗鬃 …… **蜂虻科 Bombyliidae**
20. 无额囊缝或新月片（**无缝组 Aschiza**） …… 21
    有额囊缝或新月片（**有缝组 Schizophora**） …… 24
21. 翅无中室 …… 22
    翅有中室 …… 23
22. 翅端尖，有横脉和小的基室 …… **尖翅蝇科 Lonchopteridae**
    翅端钝圆，无横脉和基室 …… **蚤蝇科 Phoridae**
23. 头不特别大 …… **食蚜蝇科 Syrphidae**
    头极大 …… **头蝇科 Pipunculidae**
24. 翅有下腋瓣（**有瓣类 Calyptratae**） …… 25
    翅无下腋瓣（**无瓣类 Acalyptratae**） …… 31
25. 下侧片无鬃或有不成列的鬃；翅侧片无毛或鬃 …… 26
    下侧片有成列的鬃；翅侧片有毛或鬃 …… 28
26. $Cu_1 + A_1$ 不伸达翅后缘；M_{1+2} 端部弯曲 …… 27
    $Cu_1 + A_1$ 伸达翅后缘；M_{1+2} 端部直 …… **花蝇科 Anthomyiidae**
27. $Cu_1 + A_1$ 长于 A_2，A_2 不弯曲 …… **蝇科 Muscidae**
    $Cu_1 + A_1$ 短，A_2 强烈向前弯曲 …… **厕蝇科 Fanniidae**
28. 后小盾片不明显 …… 29
    后小盾片发达，呈垫状 …… **寄蝇科 Tachinidae**
29. 外肩后鬃位置比沟前鬃高或在同一水平高度上；背侧片仅有 2 条鬃（极少有 3 条鬃）；前胸基腹片无毛 …… **麻蝇科 Sarcophagidae**
    外肩后鬃位置比沟前鬃低；背侧片常有 4 条鬃；前胸基腹片一般具毛 …… 30

30. 前胸侧板中央凹陷具毛 ………………………………………… **丽蝇科 Calliphoridae**
　　前胸侧板中央凹陷无毛 ……………………………………………… **鼻蝇科 Rhiniidae**
31. 喙短 ……………………………………………………………………………… 32
　　喙很长,膝状弯曲 ……………………………………………………… **眼蝇科 Conopidae**
32. 前缘脉完整;亚前缘脉通常与 R_1 明显分开,终止于翅前缘 …………………… 33
　　前缘脉不完整,有缺刻;亚前缘脉不完整,不终止于翅前缘 …………………… 39
33. 第 1 后室末端窄或关闭;腹部和足细长 ………………………… **瘦足蝇科 Micropezidae**
　　第 1 后室开放,如狭窄,则腹部短;足不细长 ………………………………………… 34
34. 部分或全部足胫节有端背鬃 ………………………………………………………… 35
　　足胫节无端背鬃 ………………………………………………………………………… 37
35. 小盾片小,不盖住翅和腹部 ………………………………………………………… 36
　　小盾片很大,盖住翅和腹部,外观类似甲虫 …………………………… **甲蝇科 Celyphidae**
36. 臀脉长,伸达翅后缘;后顶鬃平行或分歧;触角第 2 节极少有背鬃 ……… **沼蝇科 Sciomyzidae**
　　臀脉短;后顶鬃汇合或交叉;触角第 2 节有背鬃 ……………………… **缟蝇科 Lauxaniidae**
37. $Cu_1 + A_1$ 不曲折成一角度,臀室无尖的端角;R_1 无毛 ……………… **鼓翅蝇科 Sepsidae**(部分)
　　$Cu_1 + A_1$ 曲折成一角度,臀室有尖的端角;R_1 常有毛 ………………………………… 38
38. 第 1 径脉常有毛,若无毛则第 1 后室端不窄 ………………………………… **蜣蝇科 Pyrgotidae**
　　第 1 径脉常无毛;第 1 后室端窄或关闭 …………………………… **广口蝇科 Platystomatidae**
39. 前缘脉仅有 1 个缺刻位于亚前缘脉末端附近 …………………………………………… 40
　　前缘脉有 2 个缺刻位于肩横脉和亚前缘脉末端附近或仅有 1 个缺刻在肩横脉上 ………… 43
40. 无臀室 ………………………………………………………………………… **秆蝇科 Chloropidae**
　　有臀室 …………………………………………………………………………………………… 41
41. 后足跗节不短粗 ………………………………………………………………………………… 42
　　后足跗节短粗 …………………………………………………… **小粪蝇科 Sphaeroceridae**(部分)
42. 有鬃 ……………………………………………………………… **潜蝇科 Agromyzidae**(部分)
　　无鬃 ………………………………………………………………………………… **茎蝇科 Psilidae**
43. 亚前缘脉端部不直角前弯 ……………………………………………………………………… 44
　　亚前缘脉端部直角前弯;臀室有尖的端角 …………………………………… **实蝇科 Tephritidae**
44. 有明显触角芒 …………………………………………………………………………………… 45
　　无明显触角芒,仅在第 3 节背端角可见 1 个小刺 ……………………… **隐芒蝇科 Cryptochetidae**
45. 后顶鬃分歧 ……………………………………………………………………………………… 46
　　后顶鬃汇合或平行 ……………………………………………………………… **叶蝇科 Milichiidae**
46. 有臀室 ……………………………………………………………… **潜蝇科 Agromyzidae**(部分)
　　无臀室 ……………………………………………………………………………… **水蝇科 Ephydridae**

一、大蚊科 Tipulidae

刘启飞[1]　李彦[2]　李涛[3]　杨定[4]
(1. 福建农林大学植物保护学院，福州 350002；2. 沈阳农业大学植物保护学院
沈阳 110866；3. 高碑店市农业技术综合推广中心，高碑店 074000；
4. 中国农业大学昆虫系，北京 100193)

鉴别特征：体有小至大型，体细长，通常呈灰色、黄色、褐色至黑色等，个别较艳丽。头端部延伸成喙，其末端背中央常有鼻突。唇瓣位于喙的末端；下颚须有 4 节，且末节较长，一般长于其余各节之和。复眼明显分开，无单眼。触角通常有 13 节，鞭节多为圆筒形，基部多膨大，有时呈锯齿状或栉状。前胸背板较发达；中胸背板发达，中胸盾片有"V"形横沟。足细长，基节发达，转节较短，胫节有或无端距。翅狭长（个别种类部分或完全退化），基部较窄，形成翅柄；有 9～12 条纵脉伸达翅缘，其中臀脉 2 条（A_1、A_2）；基室较长，至少为翅长的一半；除尖头大蚊属 *Brithura* 外均无 Sc_1，Sc_2 终止于前缘脉。腹部长，雄性端部一般明显膨大，通常具 2 对生殖刺突，即生殖叶和抱握器；雌性末端较尖，个别短缩。幼虫体呈长筒形，有 11 节，包括 3 胸节和 8 腹节。半头型，大部分缩入前胸内，触角仅 1 节，无单眼；头后部有纵裂，背面 2 个，腹面 1 个。体末端呈截形，具 1 对圆形气门，围绕有 3 对指突。

生物学：大蚊卵期通常 6～14 天，幼虫经历 4 个龄期，蛹期一般为 5～12 天，成虫期很短，整个生活史最短的有 6 周，最长的可达 5～6 年。大多数种类一年一至两代，多以卵或幼虫越冬。幼虫生活环境多样，陆生、水生或半水生。大多为腐食性，取食环境中的落叶、朽木等植物腐殖质以及藻类、菌类等；部分种类取食植物地下部分；少数种类捕食性。成虫基本不取食；飞行一般比较缓慢，少数种类有群飞习性。

分类：全世界已知 38 属约 4500 种，中国已知 18 属近 500 种，陕西秦岭有 5 属 23 种。研究标本保存在中国农业大学昆虫博物馆和西北农林科技大学昆虫博物馆。

分属检索表

1. 触角鞭节光裸无毛或仅有极短的毛 ………………………………………………… 2
　触角鞭节基部有明显触角毛轮 ………………………………………………………… 3
2. 足股节端部无刺突，部分种雄虫鞭节基部向下有结节状突 …………… **裸大蚊属 *Angarotipula***
　足股节端部有黑色梳状刺突，R_{2+3} 和 R_{4+5} 相向弯曲，使 R_{2+3} 室中部变窄。部分种鞭节中部向下膨突 ……………………………………………………… **棘膝大蚊属 *Holorusia***

3. 头顶有尖锐瘤突，雄虫翅前缘有突起 ………………………………… **尖头大蚊属 *Brithura***
　头顶无尖锐瘤突，翅前缘无突起 ………………………………………………… 4
4. Rs 短，M_1 室无柄或仅有短柄………………………………… **短柄大蚊属 *Nephrotoma***
　Rs 长，M_1 室柄长 …………………………………………………………… **大蚊属 *Tipula***

1. 裸大蚊属 *Angarotipula* Savchenko, 1961

Tipula (*Angarotipula*) Savchenko, 1961: 347. **Type species**: *Tipula tumidicornis* Lundstrom, 1907.

属征:体呈黄褐色或黑色。触角无触角毛轮，鞭节第 2 ~ 10 节短，呈圆柱状或基半部向下膨大呈结节状。腹部为黄色或黑色，背板中央常有 1 条黑色或褐色纵带，第 9 背板后缘为黑色，两侧通常有刺状突起。生殖叶棒状或后缘端部膨大呈近似三角形；抱握器通常有长喙。

分布:古北区，东洋区，新北区。全世界已知 15 种，中国已知 7 种，秦岭地区有 1 种。

(1) 尖突裸大蚊 *Angarotipula laetipennis* (Alexander, 1935) 陕西新纪录(图 33)

Prionocera laetipennis Alexander, 1935: 131.

鉴别特征:头部为黄色。触角有柄节和梗节，呈黄色；鞭节第 1 节呈柱状，黄色，比柄节略长，第 2 节至端部第 2 节基部呈结节状，最顶端 1 节短柱状，第 2 节基部和端部黄色，鞭节其余部分为黑色。胸部前胸背板黄色，中部黄褐色。中胸前盾片褐黄色，有 4 条颜色稍深的褐色带，中间 2 条带被 1 条极细的黑褐色带分开，前盾片侧缘黄色。盾片褐黄色有两块大的深褐色斑。足基节和转节黄色；股节褐黄色，端部褐色；胫节黄褐色，端部褐色；跗节黑褐色。胫节距 1-1-2。翅浅黄色，c 室黄色，Sc 室黄色，翅痣褐黄色。腹部背板黄色，中央有 1 条连续的黑色带，端部背板颜色较暗。雄性外生殖器第 9 背板棕黄色，后端中部略纵凹，后缘宽“V”形凹缺，后缘黑色，两侧各有 1 个长的刺突。生殖叶扁平，顶端向后弯折，后缘近端部向后膨胀成叶状突。抱握器细长，在中部弯折外侧有一黑色骨化叶突，内侧下方有一短的钝刺突。

采集记录:1♀，佛坪大古坪，1216m，2014. Ⅷ. 24，卢秀梅灯诱。

分布:陕西(佛坪)、福建、四川、贵州、云南。

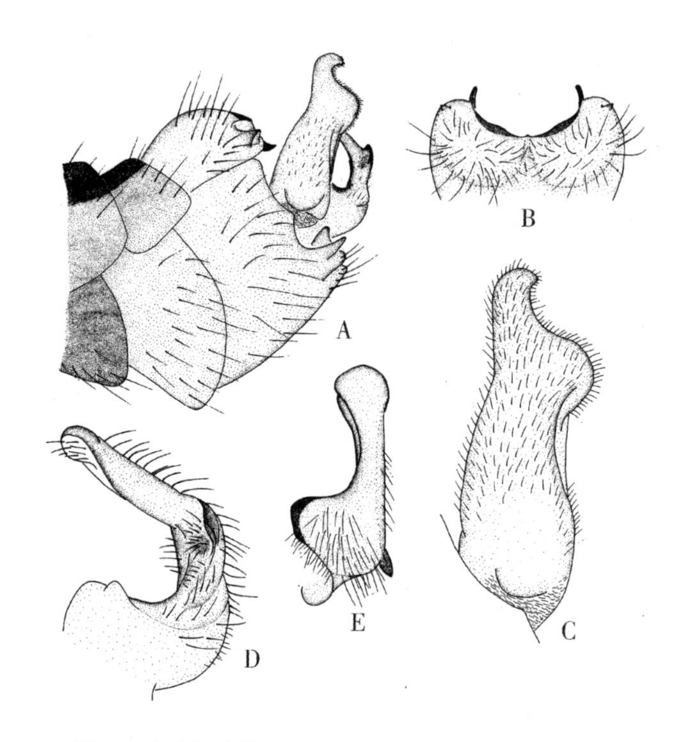

图 33 尖突裸大蚊 *Angarotipula laetipennis* (Alexander)

A. 雄虫腹部末端侧面观(male abdomen terminalia, lateral view); B. 第 9 背板背面观(tergite 9, dorsal view); C. 生殖叶侧面观(lobe of gonostylus, lateral view); D. 抱握器侧面观(clasper of gonostylus, lateral view); E. 抱握器后面观(clasper of gonostylus, posterior view)

2. 尖头大蚊属 *Brithura* Edwards, 1916

Brithura Edwards, 1916: 262. **Type species**: *Brithura conifrons* Edwards, 1916.

属征:体粗壮，头顶有尖锐锥状突起，触角有明显触角毛轮。侧背瘤突大，背面常有银色微毛。部分种的雄虫翅前缘对着翅痣处向外突出，大多数有 Sc_1，雌虫翅前缘不突出，无 Sc_1，Rs 剧烈弯曲。

分布:古北区，东洋区。全世界已知 18 种，中国已知 12 种，秦岭地区有 1 种。

(2) 双突尖头大蚊 *Brithura nymphica* Alexander, 1927 陕西新纪录(图 34)

Brithura nymphica Alexander, 1927: 1.

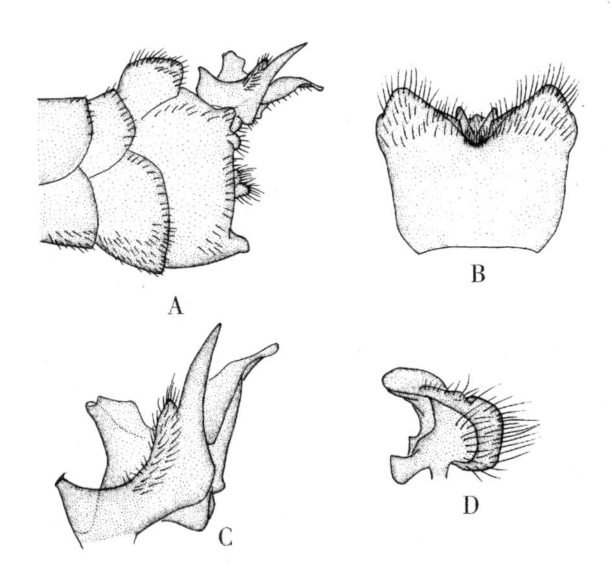

图 34 双突尖头大蚊 *Brithura nymphica* Alexander

A. 雄虫腹部末端侧面观(male abdomen terminalia, lateral view); B. 第 9 背板背面观(tergite 9, dorsal view); C. 生殖叶侧面观(lobe of gonostylus, lateral view); D. 抱握器侧面观(clasper of gonostylus, lateral view)

鉴别特征: 头为黄褐色。喙红褐色,鼻突褐色。头顶和后头黑褐色。头顶瘤突钝。触角柄节红褐色,梗节为稍浅的红褐色,鞭节灰黄色。胸部亮黄褐色。前胸背板灰黄色,中部黑色。前盾片有 3 条褐色纵带。小盾片亮褐色,两侧缘银白色。背侧区浅黄色。胸部侧板暗黄褐色,侧背瘤突背面银白色。足基节和转节为黄褐色;股节黄色,端部黑色;胫节黄色,端部褐色;跗节黄褐色。翅浅褐色,翅前缘对着翅痣处不膨大。腹部背板黄褐色,外侧角白色。腹板褐色。雄性外生殖器第 9 背板后缘呈"V"形凹缺,中间有小突。第 9 腹板下缘端部突出成结节状。生殖叶外侧突基部宽,上缘中部凹陷,后缘向上伸出成刺状突起,内侧突与外侧突相似,后端刺略后弯。

采集记录: 4♂1♀,周至厚畛子,1278m,2014. Ⅷ. 16,卢秀梅灯诱;1♀,周至厚畛子,1278m,2014. Ⅷ. 17,李轩昆灯诱;1♂3♀,周至太白山,1648m,2014. Ⅷ. 17,卢秀梅灯诱;3♂6♀,佛坪大古坪,1216m,2014. Ⅷ. 21-23,卢秀梅灯诱;1♀,佛坪岳坝,1220m,2014. Ⅷ. 26,卢秀梅灯诱;1♂,榆林街坊村,1215m,2014. Ⅷ. 11,丁双玫采。

分布: 陕西(周至、佛坪、榆林)、北京、河北、河南、湖北、四川、贵州。

3. 棘膝大蚊属 *Holorusia* Loew, 1863

Holorusia Loew, 1863: 276. **Type species**: *Holorusia rubiginosa* Loew, 1863.

Ctenacroscelis Enderlein, 1912: 1. **Type species**: *Ctenacroscelis dohrnianus* Enderlein, 1912.

属征:体有中到大型，喙长，鼻突有或无。触角鞭节呈柱状或各节中部略突出呈锯状。足股节端部有梳状刚毛。翅腋瓣无毛，除前缘室和亚前缘室黄色或褐色外少斑纹。Rs 与 CuA_1 基部约等长，R_3 中部向下弯曲，R_{4+5}中部向上弯曲，使 r_3 室中间变窄。雄性外生殖器第 9 背板常有“U”形或“V”形凹缺，两侧或有长毛，第 8 腹板后缘端部常凹陷，两侧或有毛簇。生殖叶宽而短，抱握器细长，表面和端部多凹陷。

分布:除新热带区外各大动物地理区均有分布。全世界已知 118 种，中国已知 21 种，秦岭地区有 1 种。

(3) 变色棘膝大蚊 *Holorusia brobdignagia* (Westwood, 1876) 陕西新纪录

Tipula brobdignagia Westwood, 1876: 504.

鉴别特征:头部黄色。喙褐色，上缘褐黄色，有鼻突。触角褐黄色；胸部黄褐色；前胸背板黄色，中间黄褐色。前盾片黄色，有 3 个灰褐色纵斑，斑缘暗黄褐色，中斑被 1 条棕褐色细带分开，后端不明显。盾片黄褐色，两侧叶为广泛的灰褐色；小盾片暗黄色，两侧褐色；中背片褐色，中间有条很宽的黄色纵带。胸部侧板黄色，颈至翅基有条褐色细带。翅浅褐黄色，亚前缘室稍深的褐黄色。腹部棕褐色，背板中央有 1 条宽的褐黄色纵带。腹板黄色。雄性外生殖器第 9 背板后缘“V”形凹缺，侧叶无黄色长毛，仅有少量短毛；生殖叶端部圆钝；抱握器基部有小的隆突，前缘近端部有小凹陷。第 8 腹板后缘突出，后缘中间“U”形凹陷，两侧有长毛簇。

采集记录:2♂，佛坪大古坪，1216m，2014. Ⅷ. 23-24，卢秀梅灯诱；2♀，佛坪岳坝，1220m，2014. Ⅷ. 26，卢秀梅灯诱。

分布:陕西(佛坪)、湖北、河南、浙江、海南。

4. 短柄大蚊属 *Nephrotoma* Meigen, 1803

Nephrotoma Meigen, 1803: 262. **Type species**: *Tipula dorsalis* Fabricius, 1781.

Pales Meigen, 1800: 14. **Type species**: *Tipula dorsalis* Fabricius, 1781.

Pachyrhina Macquart, 1834: 88. **Type species**: *Tipula crocata* Linnaeus, 1758.

属征：喙短，约为头长的一半；额中等宽，有隆起的瘤突；雄性触角可达头胸长之和，而雌性约为头长的2倍，鞭节形状从近圆柱形到肾形，有软毛和触角毛轮。翅一般透明无杂色斑；翅痣颜色勉强可见到黑色；Sc_2 在 Rs 起源处进入 R_1，Rs 很短，直而斜，m_1 室无柄或仅有短柄，CuA_1 在 M 的分叉前进入 M。腹部细长。雄虫第9背板不与第9腹板完全愈合。生殖叶常肉质，或多或少呈平的叶状。雌性产卵器尾须长。产卵瓣比尾须短。

分布：各大动物地理区均有分布。全世界已知477种，中国已知89种，秦岭地区有5种。

分种检索表

1. 后头无色斑 …………………………………………………………………… 2
   后头有色斑 …………………………………………………………………… 3
2. 中胸前盾片具有3个深黑色纵斑，侧斑前端外弯，呈浅黑褐色 ………………………………………………………… **湖北短柄大蚊 *N. hubeiensis***
   中胸前盾片黄色有3个棕褐色纵斑，侧斑直，端部外侧无暗斑 …… **中华短柄大蚊 *N. sinensis***
3. 中胸前盾片有3个亮黑色纵斑，中斑前端有1块黄色楔形斑，深达中斑中部，侧斑直，外侧无暗斑……………………………………… **毛尾短柄大蚊 *N. hirsuticauda***
   中胸前盾片侧斑端部外弯 ………………………………………………… 4
4. 雄虫外生殖器抱握器喙基部至背脊突中部有1个鸡冠状突起 … **鸡冠短柄大蚊 *N. parvirostra***
   雄虫外生殖器抱握器外基叶端部钝 ………………………… **下突短柄大蚊 *N. hypogyna***

(4) 毛尾短柄大蚊 *Nephrotoma hirsuticauda* Alexander, 1924

Nephrotoma hirsuticauda Alexander, 1924: 597.

鉴别特征：头黄色。喙暗黄色，上缘端部和鼻突暗褐色；后头无其他暗色斑。触角柄节、梗节和基鞭节为暗橘黄色，鞭节黑色。胸部黄色。中胸前盾片黄色有3个亮黑色纵斑，都有绒黑色边缘；中斑前端有1块黄色楔形斑，深达中斑中部，侧斑直，外侧无暗斑。腹部黄色。雄虫第9背板后缘向下弯曲。

采集记录：1♂1♀，周至厚畛子，1278m，2014. Ⅷ. 16，李轩昆采；2♂1♀，周至厚畛子，1278m，2014. Ⅷ. 16，卢秀梅采；1♂2♀，周至老县城，2057m，2014. Ⅷ. 20，李轩昆采；2♂1♀，周至老县城，2057m，2014. Ⅷ. 20，卢秀梅采；1♀，华县高塘镇东岳村黄边沟，1070m，2014. Ⅶ. 07，张蕾采；1♂1♀，柞水甘沟服务站，1758m，2014. Ⅶ. 28，唐楚飞采；1♂1♀，佛坪岳坝，1220m，2014. Ⅷ. 26，卢秀梅灯诱；1♂，丹凤蔡川皇合村，1190m，2014. Ⅵ. 30，张蕾灯诱。

分布：陕西（周至、华县、佛坪、柞水、丹凤）、黑龙江、甘肃、宁夏。

(5)湖北短柄大蚊 *Nephrotoma hubeiensis* Yang *et* Yang, 1987 陕西新纪录(图35)

Nephrotoma hubeiensis Yang *et* Yang, 1987: 130.

鉴别特征:头部黄色,后头区有1个近三角形的浅褐色斑。复眼发达,呈黑色。触角柄节和梗节呈黄色,鞭节呈褐色,但基鞭节也呈黄色,其端部略带褐色。胸部黄色,前胸无明显斑纹。中胸前盾片有3块深黑色纵斑,侧斑前端外弯,呈浅黑褐色;盾片两侧各有1块深黑色斑,其前侧端缘呈浅褐色;小盾片呈黄褐色。后背片中央有1块暗褐色纵斑,其后紧接1块黑褐色横斑。腹部黄色,但各节背板中部及侧缘色深近浅褐色。

采集记录:1♂1♀,周至老县城,2057m,2014. Ⅷ. 19,李轩昆采。

分布:陕西(周至)、湖北。

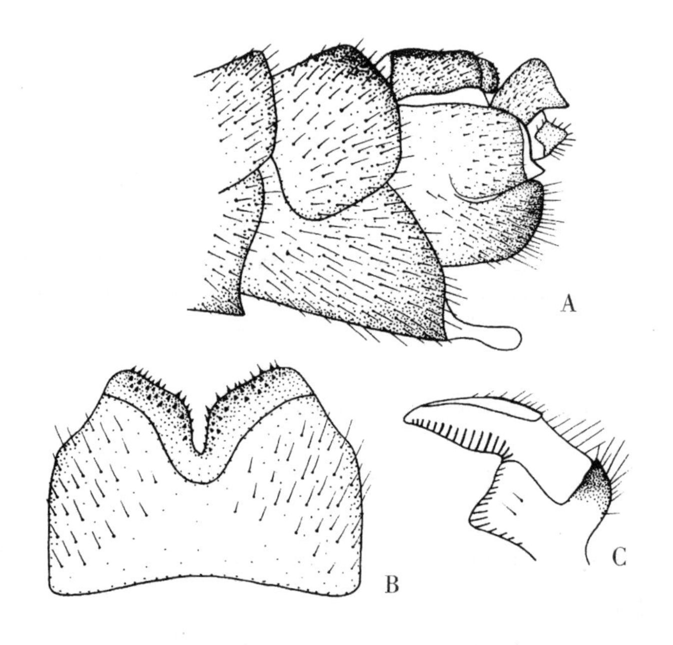

图35　湖北短柄大蚊 *Nephrotoma hubeiensis* Yang *et* Yang

A. 雄虫腹部末端侧面观(male abdomen terminalia, lateral view); B. 第9背板背面观(tergite 9, dorsal view); C. 抱握器侧面观(clasper of gonostylus, lateral view)

(6)下突短柄大蚊 *Nephrotoma hypogyna* Yang *et* Yang, 1990 陕西新纪录(图36)

Nephrotoma hypogyna Yang *et* Yang, 1990: 477.

鉴别特征:头黄色;喙和鼻突浅棕色;胸部黄色,但背面暗黄色;足黄棕色;翅浅灰黄色；腹部黄色。雄性腹端第9背板端缘隆突，中间略凹陷，两侧各有1个短小的角突。

采集记录：1♂，山阳土桥村，2014.Ⅷ.06，丁双玫采。

分布：陕西（山阳）、云南。

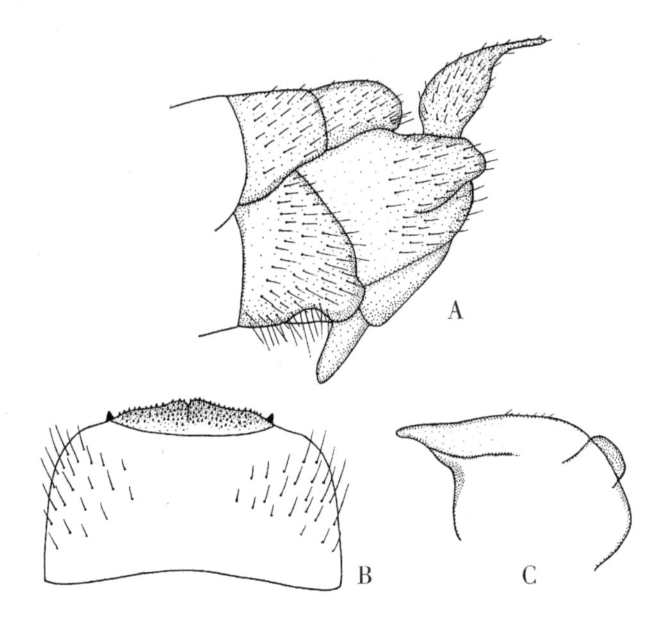

图36　下突短柄大蚊 *Nephrotoma hypogyna* Yang *et* Yang

A. 雄虫腹部末端侧面观（male abdomen terminalia, lateral view）；B. 第9背板背面观（tergite 9, dorsal view）；C. 抱握器侧面观（clasper of gonostylus, lateral view）

（7）鸡冠短柄大蚊 *Nephrotoma parvirostra* Alexander, 1924 陕西新纪录（图37）

Nephrotoma parvirostra Alexander, 1924: 600.

Nephrotoma immemorata Alexander, 1935: 139.

Nephrotoma serristyla Alexander, 1935: 226.

鉴别特征：体黄色，中胸前盾片有3个黑色纵斑，侧斑前端强烈外弯；翅白色透明，前缘室和亚前缘室略带黄色；雄性外生殖器第9背板后缘中央凹陷，两侧各有1个角状突；生殖叶瓣状，端部明显缩小；抱握器喙基部至背脊突中部有1处鸡冠状突起。第9腹板下缘有1个突起。

采集记录：1♂，洛南罗家沟，1062m，2014.Ⅶ.05，张蕾采。

分布：陕西（洛南）、黑龙江、湖北、重庆、四川；俄罗斯，蒙古，朝鲜，韩国，日本。

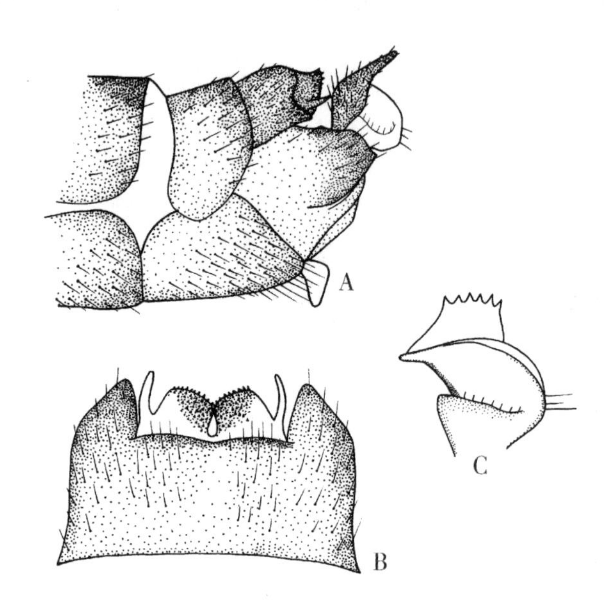

图 37　鸡冠短柄大蚊 *Nephrotoma parvirostra* Alexander

A. 雄虫腹部末端侧面观(male abdomen terminalia, lateral view); B. 第 9 背板背面观(tergite 9, dorsal view); C. 抱握器侧面观(clasper of gonostylus, lateral view)

(8)中华短柄大蚊 *Nephrotoma sinensis* (Edwards, 1916)(图 38)

Pachyrrhina sinensis Edwards, 1916: 268.

鉴别特征:头黄色;喙暗黄色;鼻突浅黄褐色;后头斑浅褐色,不明显;触角有 13 节,柄节、梗节和基鞭节均为黄色,其余鞭节呈双色,基部黑褐色,端部黄褐色,各节近端部膨大;胸部黄色;前胸背板暗黄色,两侧带浅褐色。中胸前盾片黄色有 3 个棕褐色纵斑,侧斑直,端部外侧无暗斑。盾片黑褐色,中间黄色;小盾片浅黄色,侧叶黄褐色。后背片中间浅黄色,两侧和后缘明显黄褐色。胸部侧板黄色,前侧片有浅红褐色斑,侧背片黄褐色。腹部黄色;背板侧缘具不连续的褐色带;雄腹端第 9 背板后端收缩,后缘中央有 1 对叶状钝突,上有细小刺突,两侧有小的突起。

采集记录:1♂7♀,周至老县城,2057m,2014. Ⅷ. 19-20,李轩昆采;2♀,周至厚畛子,1278m,2014. Ⅷ. 17,李轩昆灯诱;2♂,周至太白山,1648m,2014. Ⅷ. 17,卢秀梅灯诱;1♂,柞水营盘安沟桥,2014. Ⅶ. 31,唐楚飞采。

分布:陕西(周至、柞水)、黑龙江、湖北、重庆、四川;俄罗斯,蒙古,朝鲜,韩国,日本。

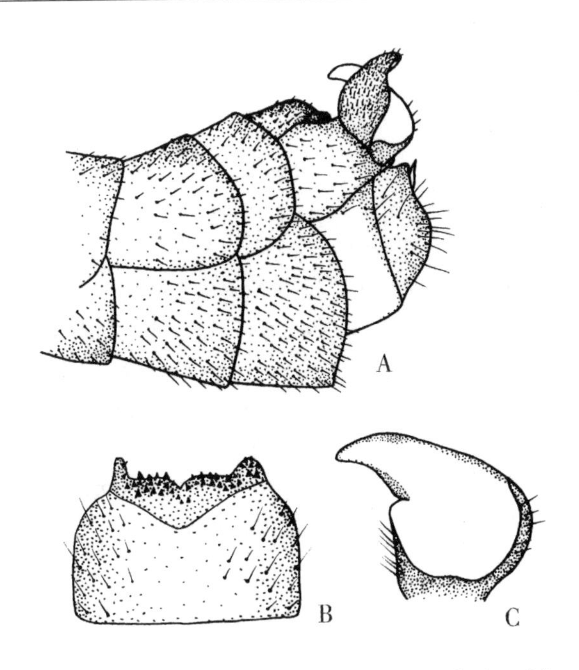

图 38　中华短柄大蚊 *Nephrotoma sinensis* (Edwards)

A. 雄虫腹部末端侧面观(male abdomen terminalia, lateral view); B. 第 9 背板背面观(tergite 9, dorsal view);
C. 抱握器侧面观(clasper of gonostylus, lateral view)

5. 大蚊属 *Tipula* Linnaeus, 1758

Tipula Linnaeus, 1758: 585. **Type species**: *Tipula oleracea* Linnaeus, 1758.

属征:触角 13 节，个别有 14 节，鞭节除首鞭节外，各节基部多膨大，且有轮毛 4~6根；前足胫节有端距 1 个，少数有 2 个，中足胫节有端距 1 或 2 个，后足胫节有 2 个；前翅有 2 条臀脉，且 A_2 通常较远离翅缘，A_2 室较宽；Rs 较长，起点远离 Sc_2 与 R_1 的交汇点；M 分 3 条，M_1 室具柄；CuA_1 或 m-cu 位于 M 分叉点之后。

分布:世界广布。全世界已知 40 亚属，约 2400 种(亚种)，中国已知近 300 种，秦岭地区现有 15 种。

分种检索表

1. 体较小(体长小于 15mm)，橘红色或橘黄色；雄虫外生殖器仅具 1 对生殖刺突，即抱握器；雌虫产卵器短缩（丽大蚊亚属 *Formotipula*） ………………… **赭丽大蚊 *T.* (*Formotipula*) *exusta***
   体小至大型，多灰色、褐色等；雄虫具 2 对生殖刺突，即生殖叶和抱握器；雌虫产卵器一般细长，个别短缩 ……………………………………………………………………… 2
2. 前翅翅室内具大量刚毛(绒毛大蚊亚属 *Trichotipula*) ………………………………………
   ………………………………………………………… **长叶绒大蚊 *T.* (*Trichotipula*) *mallophora***

前翅翅室内无刚毛 ………………………………………………………………………………… 3

3. 前翅腋瓣具毛 …………………………………………………………………………………… 4

前翅腋瓣光裸 …………………………………………………………………………………… 11

4. 中胸下前侧片具密毛；r-m 常位于 Rs 分叉点或附近，R_{4+5}基部不弯折，而与 Rs 呈一条直线；雄虫第 9 背板后缘无具刺中突（日大蚊亚属 *Nippotipula*） ……………………………………… 5

中胸下前侧片光裸，或仅具稀疏的毛；r-m 位于 R_{4+5}基部，R_{4+5}基部弯折，而与 Rs 不在一直线上；雄虫第 9 背板后缘具密被小刺的中突（尖大蚊亚属 *Acutipula*） ……………………………… 6

5. 喙无鼻突或鼻突很短；雄虫第 8 腹板后缘凹陷或具 3 个以上肉质附突；第 9 背板腹面中央常向后伸出一细长骨化突起；阳茎短小或末端钝圆 ……… **翘尾日大蚊 *T.* (*Nippotipula*) *phaedina***

喙具细长鼻突；雄虫第 8 腹板向后延伸，且裂为两叶；第 9 背板腹面无骨化中突；阳茎呈喙状缩尖 ……………………………………………………………………… **中华日大蚊 *T.* (*N.*) *sinica***

6. 前翅一致透明无斑 …………………………………… **宽刺尖大蚊 *T.* (*Acutipula*) *platycantha***

前翅多少具斑纹，在 Cup 室中部常具一灰色或灰褐色斑 ……………………………………… 7

7. 雄虫第 9 背板后缘中突末端明显分叉 ……………………………… **白木尖大蚊 *T.* (*A.*) *shirakii***

雄虫第 9 背板后缘中突近三角形、末端单一或仅具浅凹 ………………………………………… 8

8. 雄虫第 8 腹板后缘中部具 1 近方形延伸，沿腹板中线具黄色长毛缨；生殖叶宽大、近三角形 …
……………………………………………………………………… **北方尖大蚊 *T.* (*A.*) *sinarctica***

雄虫外生殖器不如上述 …………………………………………………………………………… 9

9. 雄虫第 8 腹板近后缘中央隆突且被毛丛；生殖叶似手套状；抱握器外基叶背缘浅凹、前后两端均具黄色刚毛丛 ……………………………………………………… **河南尖大蚊 *T.* (*A.*) *henanensis***

雄虫第 8 腹板简单或仅具毛丛；生殖叶长瓣状；抱握器外基叶背缘直或宽圆 ……………… 10

10. 雄虫抱握器外基叶较宽圆且其前端双齿状分叉并具 1 小丛黄色短刺状毛，后侧具密集黄色刺状毛丛 ……………………………………………………………… **双齿尖大蚊 *T.* (*A.*) *captiosa***

雄虫抱握器外基叶前部较细长且末端略向腹前方弯曲、缩尖，具少量分散的黄色刺状毛 ……
…………………………………………………………………………… **甘肃尖大蚊 *T.* (*A.*) *gansuensis***

11. 雄虫第 9 背、腹板愈合呈 1 个环（雅大蚊亚属 *Yamatotipula*） ………………………………… 12

雄虫第 9 背、腹板被膜质区分离 ………………………………………………………………… 14

12. 前翅褐色，盘区及端部中央局长椭圆形白斑；雄虫第 9 背板端部中央有一倾斜的指状突 …
…………………………………………………………………… **新雅大蚊 *T.* (*Yamatotipula*) *nova***

前翅几乎一致透明，仅前缘及肘脉附近加深；雄虫第 9 背板端部较平截或具分叉的中突 …
……………………………………………………………………………………………………… 13

13. 雄虫第 9 背板中央有 1 小的"U"形凹陷，两叶边缘截形；生殖叶宽大扁平瓣状 ……………
…………………………………………… **小稻雅大蚊 *T.* (*Y.*) *latemarginata latemarginata***

雄虫第 9 背板后缘具中突且分叉；生殖叶长瓣状，后缘中间有一指状突 ……………………
…………………………………………………………………………… **亚尖雅大蚊 *T.* (*Y.*) *subprotrusa***

14. 雄虫第 9 背板后缘三齿状，中齿较狭长，侧齿宽短，末端皆钝圆；第 8 腹板后缘具黄色长毛丛 ……………………………………………… **四黑普大蚊 *T.* (*Pterelachisus*) *tetramelania***

雄虫第 9 背板几乎完全被膜质纵向分为两叶，后缘具 1 个"U"形深凹；第 8 腹板腹面具大量黄色直立长刚毛 …………………………………… **长毛翡大蚊 *T.* *Vestiplex verecunda***

(9)双齿尖大蚊 *Tipula* (*Acutipula*) *captiosa* Alexander, 1936 陕西新纪录(图 39)

Tipula (*Acutipula*) *captiosa* Alexander, 1936: 7.

鉴别特征:头部呈灰黑色，有灰白粉末；胸部灰黑色且具灰白粉，但前胸背板深棕色，中胸前盾片具6条深褐色纵斑，胸侧灰黑色；前翅呈浅灰黄色、透明，沿翅弦的白斑较明显，m_1 室基部及两侧、bm 室近端部约 1/3 处各有 1 块白斑，CuP 室中部有灰褐色云斑。雄性第 8 腹板简单；第 9 背板中突近三角形，末端钝圆、具大量黑色小刺；生殖叶长瓣状，外缘较凸出、末端钝圆或较平截；抱握器喙细长，外基叶较宽圆且其前端呈双齿状分叉并具一小丛黄色短刺状毛，后侧具密集黄色刺状毛丛。

采集记录: 1♂，太白山斗母宫，1956. Ⅶ. 25，采集人不详。

分布:陕西(太白)、宁夏、甘肃。

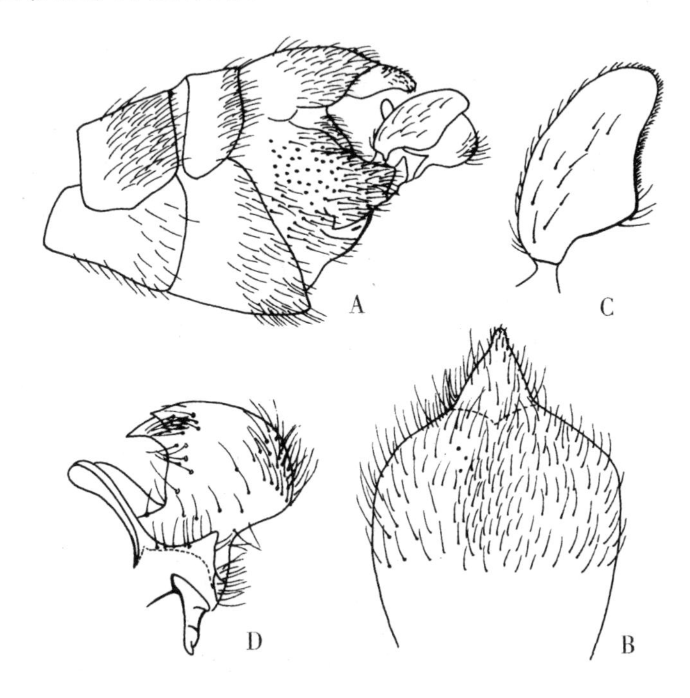

图 39　双齿尖大蚊 *Tipula* (*Acutipula*) *captiosa* Alexander

A. 雄虫腹部末端侧面观(male abdomen terminalia, lateral view); B. 第 9 背板背面观(tergite 9, dorsal view); C. 生殖叶侧面观(lobe of gonostylus, lateral view); D. 抱握器侧面观(clasper of gonostylus, lateral view)

(10)北方尖大蚊 *Tipula* (*Acutipula*) *sinarctica* Yang *et* Yang, 1993(图 40)

Tipula (*Acutipula*) *sinarctica* Yang *et* Yang, 1993: 97.

鉴别特征:触角鞭节呈灰黄色且各节基部呈褐色；翅灰黄色，沿翅弦有白色横斑，bm 室端部及 CuP 室中部各具 1 个浅灰褐色斑。雄虫第 8 腹板后缘中部具 1 近方形延伸，沿腹板中线具黄色长毛缨；第 9 背板中突较窄，末端细长；生殖叶宽大瓣状，近三角形；抱握器喙短呈锥状，外基叶宽大，背缘深凹呈直角状，前部呈反“F”形，近背侧具刚毛丛，后部长，末端钝圆且具刚毛丛。

采集记录：2♂，周至厚畛子，1278m，2014. Ⅷ. 16，李轩昆采；1♂，周至老县城，2057m，2014. Ⅷ. 19，李轩昆采；2♂，周至老县城，1796m，2014. Ⅷ. 20，卢秀梅采；1♂，丹凤庾岭镇寨子沟，1157m，2014. Ⅷ. 10，唐楚飞采；1♂，丹凤庾岭镇街坊村，1215m，2014. Ⅷ. 11，丁双玫灯诱。

分布：陕西（周至、丹凤）、吉林、北京、河北、山西、河南、宁夏、甘肃、四川。

图 40 北方尖大蚊 *Tipula*（*Acutipula*）*sinarctica* Yang *et* Yang

A. 雄虫腹部末端侧面观（male abdomen terminalia, lateral view）；B. 第 9 背板背面观（tergite 9, dorsal view）；C. 抱握器侧面观（clasper of gonostylus, lateral view）

（11）甘肃尖大蚊 *Tipula*（*Acutipula*）*gansuensis* Yang *et* Yang, 1995 陕西新纪录种（图 41）

Tipula（*Acutipula*）*gansuensis* Yang *et* Yang, 1995: 333.

鉴别特征：胸部褐色，胸侧黄色；翅浅灰色，沿翅弦的白色横斑不明显，bm 室端部和 CuP 室近中部各有 1 个浅灰褐色云斑。雄性第 8 腹板后缘平截，密被黄色长毛丛；第 9 背板中突近三角形，端部很细、侧扁，具黑色小刺；抱握器喙端部缩尖，外基叶前部较细长且末端略向腹前方弯曲、缩尖，近端部有 2 ~4 根黄色刚毛，沿背缘后方有少量成列黄色刚毛。

采集记录：1♂，周至太白山，1648m，2014. Ⅷ. 18，李轩昆采；1♂，丹凤庾岭镇，

604m，2014. Ⅷ. 13，丁双玫采。

分布：陕西（周至、丹凤）、河南、甘肃。

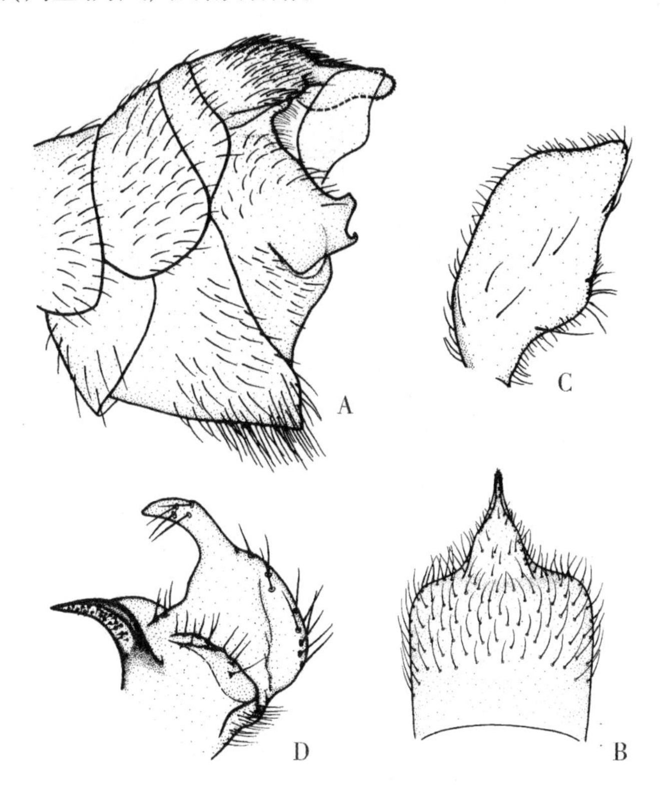

图 41　甘肃尖大蚊 *Tipula*（*Acutipula*）*gansuensis* Yang *et* Yang

A. 雄虫腹部末端侧面观（male abdomen terminalia, lateral view）；B. 第 9 背板背面观（tergite 9, dorsal view）；C. 生殖叶侧面观（lobe of gonostylus, lateral view）；D. 抱握器侧面观（clasper of gonostylus, lateral view）

（12）河南尖大蚊 *Tipula*（*Acutipula*）*henanensis* Li *et* Yang, 2010 陕西新纪录（图 42）

Tipula（*Acutipula*）*henanensis* Li *et* Yang, 2010：40.

鉴别特征：触角除前 3 节棕黄色外其余节为黑褐色；翅浅灰黄色，中室端部及肘室中部各具 1 个浅灰褐色斑。雄性第 8 腹板近后缘中央隆突且被毛丛；第 9 背板中突近三角形，末端缢缩且浅裂呈两叶、具黑色小刺；生殖叶前缘较直，端部缢缩、末端钝圆；抱握器喙较长，背脊隆起，外基叶背缘浅凹，前端略收狭，并向腹前方伸出 1 刺状突，后侧宽圆，前后两端均具黄色刚毛丛。

采集记录：1♂，周至太白山，1648m，2014. Ⅷ. 18，李轩昆采；1♂，柞水营盘镇，1181m，2014. Ⅶ. 31，丁双玫采。

分布：陕西（周至、柞水）、河南。

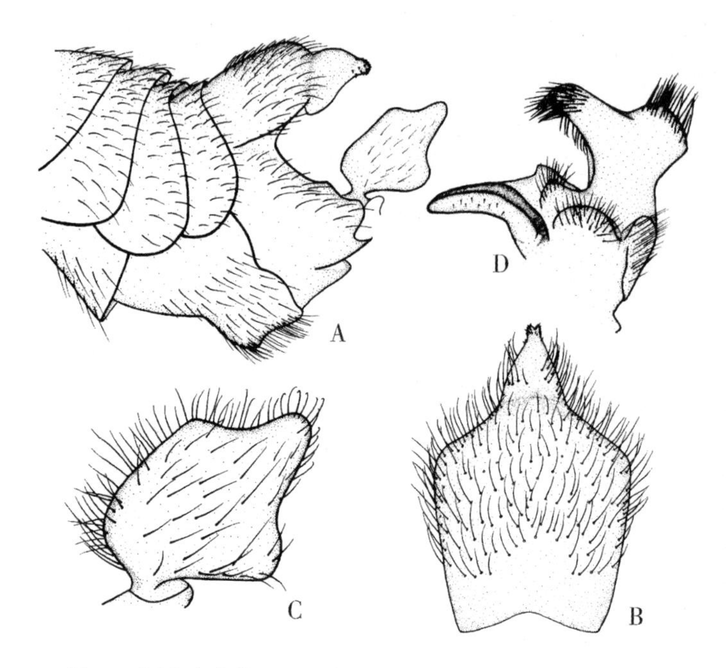

图 42 河南尖大蚊 *Tipula* (*Acutipula*) *henanensis* Li *et* Yang

A. 雄虫腹部末端侧面观(male abdomen terminalia, lateral view); B. 第 9 背板背面观(tergite 9, dorsal view); C. 生殖叶侧面观(lobe of gonostylus, lateral view); D. 抱握器侧面观(clasper of gonostylus, lateral view)

(13)宽刺尖大蚊 *Tipula* (*Acutipula*) *platycantha* Alexander, 1934 陕西新纪录(图 43)

Tipula (*Acutipula*) *platycantha* Alexander, 1934: 314.

Tipula (*Acutipula*) *stenacantha* Alexander, 1937: 7.

鉴别特征:翅呈浅灰色，透明。雄性第 8 腹板简单；第 9 背板中突简单，十分细长，末端具黑色小刺；生殖叶长瓣状；抱握器喙锥状，侧基叶短锥状，外基叶卵圆形，短于基喙，背缘及后缘具 2 个短刺突。

采集记录:1♂1♀，丹凤庾岭镇街坊村，1215m，2014. Ⅷ. 11，丁双玫灯诱。

分布:陕西(丹凤)、浙江、江西、福建、重庆、四川、贵州。

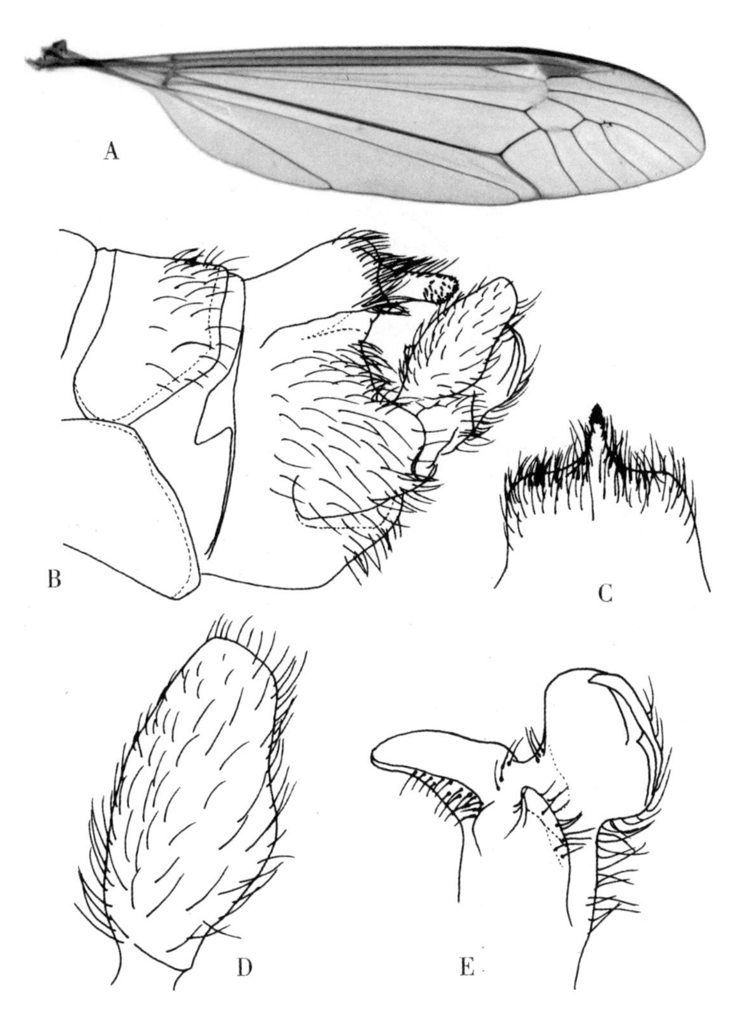

图 43　宽刺尖大蚊 *Tipula*（*Acutipula*）*platycantha* Alexander

A. 翅(wing)；B. 雄虫腹部末端侧面观(male abdomen terminalia, lateral view)；C. 第9背板背面观(tergite 9, dorsal view)；D. 生殖叶侧面观(lobe of gonostylus, lateral view)；E. 抱握器侧面观(clasper of gonostylus, lateral view)

(14)白木尖大蚊 *Tipula*（*Acutipula*）*shirakii* Edwards，1916 陕西新纪录(图 44)

Tipula shirakii Edwards，1916：258.

Tipula（*Acutipula*）*quadrinotata* by authors，not Brunetti：Edwards，1932：234.；[Misidentification].

鉴别特征：雄性体长 17～20mm，前翅长 20～28mm；雌性体长 22～25mm，前翅长 24～28mm。中胸背板前缘及侧缘黑褐色并延伸至小盾片后缘；翅呈浅灰褐色，有 3 个深色斑。雄性第 8 腹板后缘具 1 对毛丛；第 9 背板中突两侧平行，端半部深凹分叉；抱握器喙宽短、背脊隆起，外基叶呈 1 宽短板状突且前端缩尖，另有 1 长刺状外侧突。雌性第 8 腹板内腔具 1 对“C”形侧悬骨和 1 个小薄片状中悬骨。

采集记录:1♂，丹凤蔡川镇公路，1208m，2014. Ⅶ.02，张蕾灯诱。

分布:陕西(丹凤)、浙江、台湾、四川；印度。

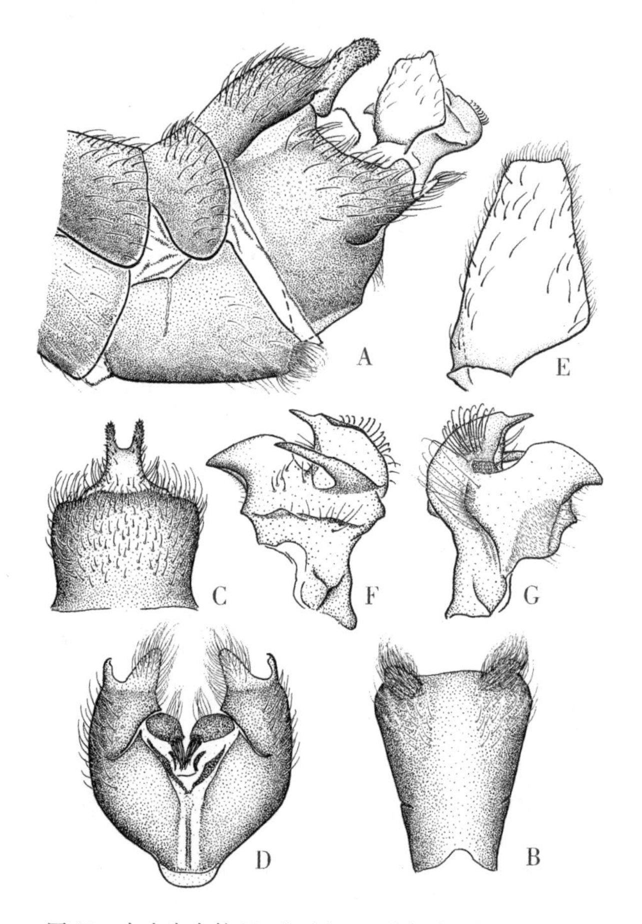

图44 白木尖大蚊 *Tipula* (*Acutipula*) *shirakii* Edwards

A. 雄虫腹部末端侧面观(male abdomen terminalia, lateral view)；B. 第8腹板腹面观(sternite 8, ventral view)；C. 第9背板背面观(tergite 9, dorsal view)；D. 第9腹板腹面观(sternite 9, ventral view)；E. 生殖叶侧面观(lobe of gonostylus, lateral view)；F. 抱握器侧面观(clasper of gonostylus, lateral view)；G. 抱握器内侧面观(clasper of gonostylus, mesal view)

(15)赭丽大蚊 *Tipula* (*Formotipula*) *exusta* Alexander, 1931 陕西新纪录(图45)

Tipula exusta Alexander, 1931: 341.

鉴别特征:头部黑灰色；喙灰色；鼻突短且钝；触角黑色，柄节端部颜色略浅，鞭节每节的几部略微膨大，下颚须黑色。胸部整体橘红色，没有斑纹。足黑色，基节和转橙色，腿节基部暗黄色。翅浅灰色，翅痣褐色，翅脉黑色，R_{1+2}完全退化，dm室呈五角形，m_1室柄部长度是m_1室长度的一半。平衡棒颜色较浅，端部黑褐色 a_2 室宽大。腹部全部橘红色。雄性外生殖器第9背板端部中央有1条较浅"V"形沟，两侧各有 1 个方形小齿；第 8 腹板没有附器；生殖基节向后成 1 个小叶；抱握器的喙端部较细，后面有 1 个指状突，喙的下面有 1 个三角形突起。

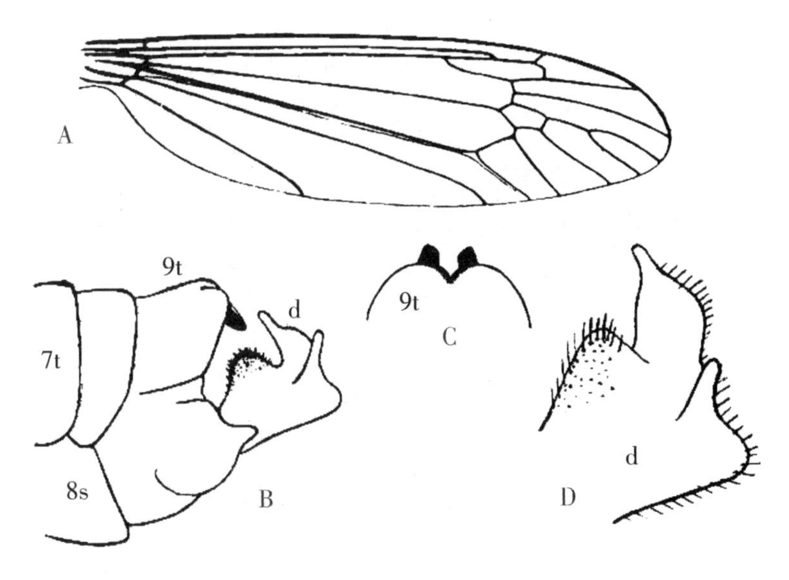

图 45　赭丽大蚊 *Tipula*（*Formotipula*）*exusta* Alexander（仿 Alexander，1931）

A. 翅（wing）；B. 雄虫腹部末端侧面观（male abdomen terminalia，lateral view）；C. 第 9 背板背面观（tergite 9，dorsal view）；D. 抱握器侧面观（clasper of gonostylus，lateral view）

采集记录：4♂18♀，长安南五台，1957. Ⅷ，李建正等采；8♂，秦岭五台，1951. Ⅶ. 25-26，采集人不详；2♂，周至楼观台，1951. Ⅴ. 24，采集人不详；1♀，户县涝峪，1951. Ⅶ. 07，采集人不详；1♂1♀，太白山蒿坪寺，1956. Ⅶ. 21，采集人不详；1♂，太白山蒿坪，1982. Ⅶ. 19，李晓林采；1♂1♀，太白山刘家崖，1951. Ⅷ. 21，采集人不详。

分布：陕西（长安、周至、户县、太白）、四川。

（16）翘尾日大蚊 *Tipula*（*Nippotipula*）*phaedina*（Alexander，1927）陕西新纪录（图 46）

Brithura phaedina Alexander，1927：174.

Tipula（*Nippotipula*）*phaedina*：Edwards，1931：77.

Tipula（*Bellardina*）*phaedina*：Alexander，1964：90.

鉴别特征：头顶瘤突发达，中部略凹；喙无明显鼻突；触角鞭节呈褐色；中胸背板有 4 条窄纵斑，中斑深褐色，侧斑棕黑色，盾片两叶各具 2 个相似的棕黑色圆斑；胸侧包括背缘膜质区深褐色。雄性第 8 腹板向后延伸，具附突；第 9 背板后缘平截而中部具窄凹，腹面具 1 侧扁中突；第 9 腹板基部沿中脊具 1 指状突起；生殖叶宽大，基部较窄，端部背侧方具 1 近三角形突出，端缘被 1 条沟分为内外两叶，外缘波状，内缘宽圆，内侧面近端部具1密被黑色小刺的近卵形区，近基部亦具数根黑色短刺，除端缘附近被毛稀疏；抱握器较小，接近"F"形，前端角黑色、缩尖，后端角钝圆，具4根长刚毛，后缘中部具一粗短指状毛瘤。

采集记录:1♀，宁陕火地塘，1985.Ⅶ.29，采集人不详。

分布:陕西（宁陕）、河南、湖北、广西、四川、贵州、云南；印度。

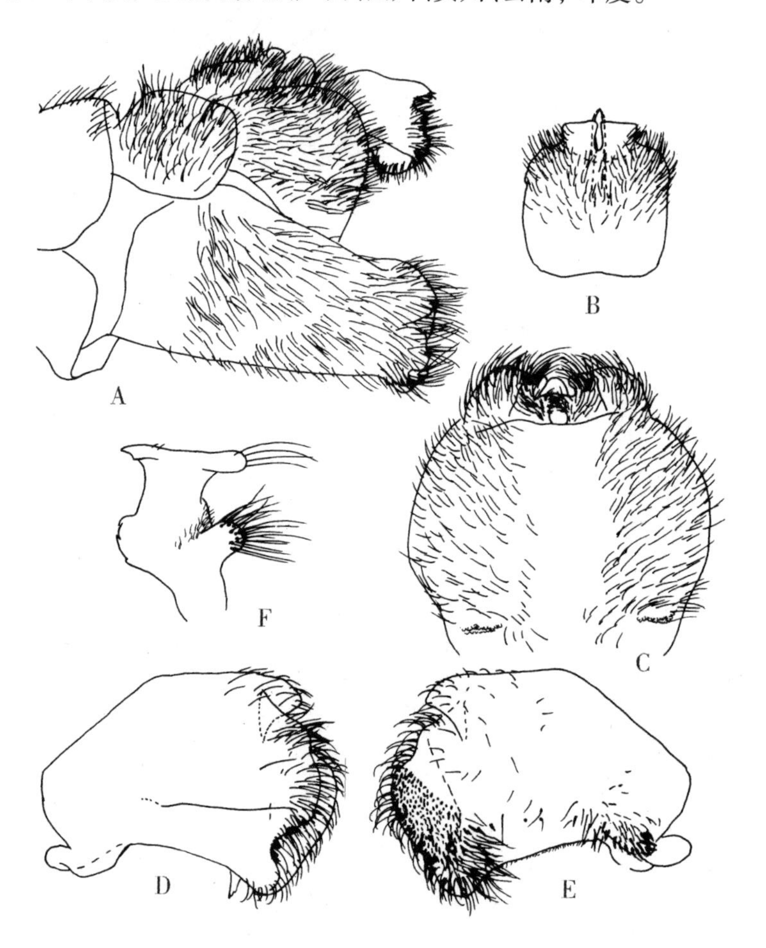

图46　翘尾日大蚊 *Tipula*（*Nippotipula*）*phaedina*（Alexander）

A. 雄虫腹部末端侧面观（male abdomen terminalia，lateral view）；B. 第9背板背面观（tergite 9，dorsal view）；C. 第8腹板腹面观（sternite 8，ventral view）；D. 生殖叶侧面观（lobe of gonostylus，lateral view）；E. 生殖叶内侧面观（lobe of gonostylus，mesal view）；F. 抱握器侧面观（clasper of gonostylus，lateral view）

（17）中华日大蚊 *Tipula*（*Nippotipula*）*sinica* Alexander，1935 陕西新纪录（图47）

Tipula（*Nippotipula*）*sinica* Alexander，1935：92.

鉴别特征:头顶瘤突发达；喙具明显鼻突；触角鞭节呈黑褐色，但首鞭节为棕黄色；中胸背板具6条深浅、大小不一的褐色纵斑，盾片两叶各具1大1小黑褐斑；胸侧灰白色，背、腹缘各具一条深褐色纵斑。雄性第 8 腹板向后方强烈延伸，端缘中部"V"形深裂呈两叶，各自末端钝圆，内侧缘光滑且具细密绒毛；第 9 背板端缘几乎平截，其中部腹向伸出 1 对短的黑色齿状突；生殖叶端缘中部及两侧角均微凸；阳茎短宽，末端呈喙状缩尖；阳基侧突略超过阳茎末端，端部钝圆；射精管十分短粗，长与精泵直径相当，近端部急剧缢缩。

采集记录：1♀，长安南五台，1980. Ⅴ. 15，陈彤采；1♂，周至楼观台，1951. Ⅴ. 24，采集人不详；1♂，周至楼观台，1962. Ⅷ. 18，李法圣采；1♀，周至田峪，1951. Ⅸ. 16，采集人不详。

分布：陕西（长安、周至）、北京、山东、河南、江苏、浙江、江西、福建、台湾、重庆、四川；朝鲜，韩国，日本。

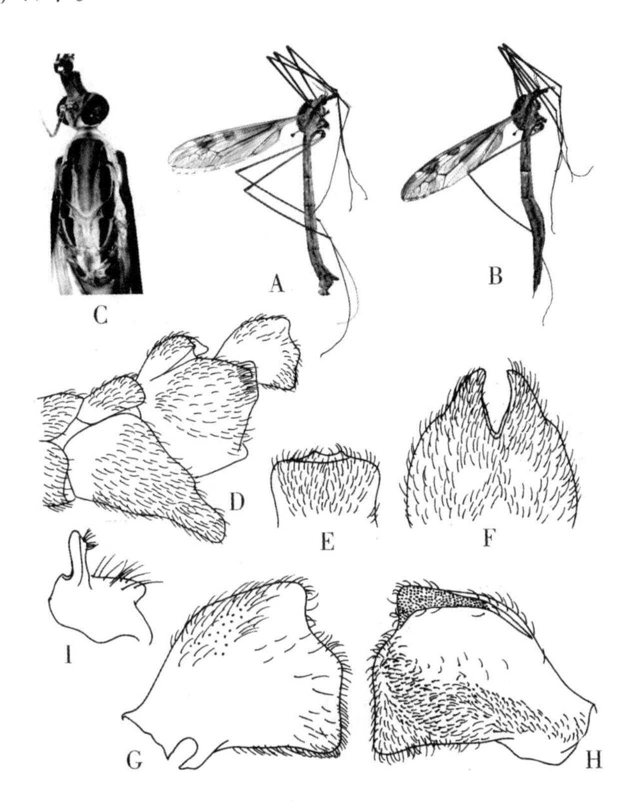

图 47　中华日大蚊 *Tipula* (*Nippotipula*) *sinica* Alexander

A. 雄虫侧面观（male habitus, lateral view）；B. 雌虫侧面观（female habitus, lateral view）；C. 头和胸背面观（head and thorax, dorsal view）；D. 雄虫腹部末端侧面观（male abdomen terminalia, lateral view）；E. 第 9 背板背面观（tergite 9, dorsal view）；F. 第 8 腹板腹面观（sternite 8, ventral view）；G. 生殖叶侧面观（lobe of gonostylus, lateral view）；H. 生殖叶内侧面观（lobe of gonostylus, mesal view）；I. 抱握器侧面观（clasper of gonostylus, lateral view）

（18）四黑普大蚊 *Tipula* (*Pterelachisus*) *tetramelania* Alexander, 1935 陕西新纪录（图 48）

Tipula (*Pterelachisus*) *tetramelania* Alexander, 1935: 125.

鉴别特征：喙褐色，鼻突细长；头顶棕灰色，具 1 条棕黑色中纵纹。触角长 4.50～5.00mm；柄节、梗节为灰黄色；鞭节为黑褐色，但首鞭节为黄褐色。前胸背板呈灰色；中胸前盾片灰色，有 4 条光亮的黑褐色纵斑；小盾片灰色，两叶各具 1 条亮褐色纵斑；小盾片黑褐色、光亮；中背片深灰色，具灰白色粉。胸侧黑灰色，且被灰色粉被，后基节较光亮；中胸侧背片黑褐色，光亮，局部具灰色粉被。足基节深褐色，具灰色粉被；转节黄褐色；腿节、胫节暗黄色，端部皆呈黑色；跗节黑色；胫节矩式 1-2-2；爪近基部具 1 个黑色小锐齿。翅棕灰色；柄部和前缘域浅棕黄色；翅痣深褐色；近基部、翅弦两侧各具 1 条不规则白色横斑；翅脉棕黑色；R_{1+2}完整；dm 室较小，五边形；m_1 室室柄明显长于 m-m；腋瓣光裸。平衡棒柄部灰黄色，球部褐色。腹部浅黄色，前 5 节背板具不甚明显的黑褐色侧纵斑及中纵斑，第 6～8 节为黑褐色，末节为黄褐色。第 9 背腹板由膜质分离。第 9 背板后缘为三齿状，中齿较狭长，侧齿宽短，末端皆钝圆。生殖叶狭瓣状，被黄色长刚毛。抱握器较大，后脊近基部凹陷、使其下方呈 1 个小尖突，基部向下后方呈 1 短突。生殖基节与第 9 腹板完全分离。第 8 腹板后缘具黄色长毛丛。雌虫腹部背板具明显黑色纵斑。尾须细长且直。

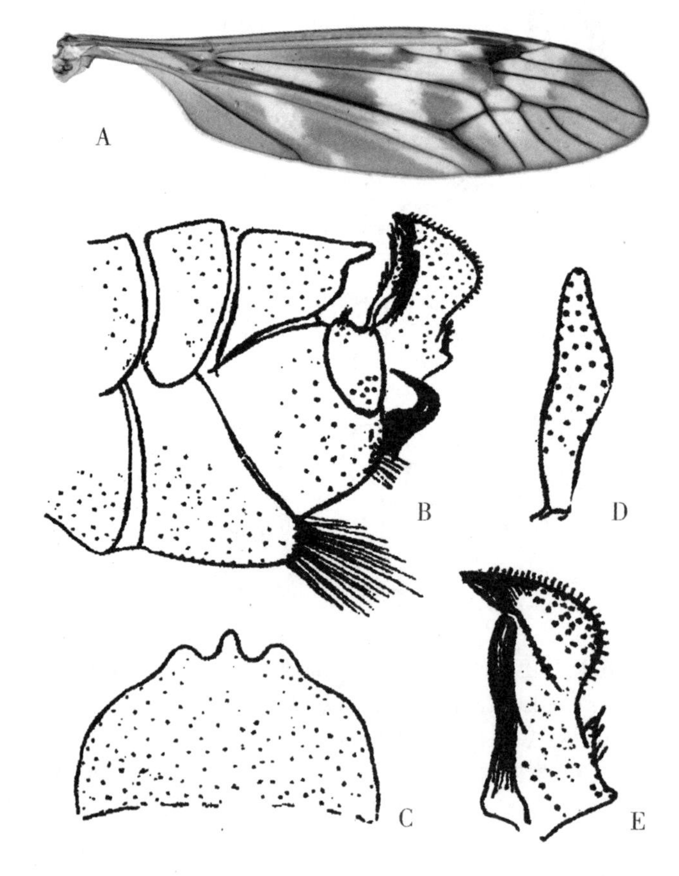

图 48　四黑普大蚊 *Tipula* (*Pterelachisus*) *tetremelania* Alexander

A. 翅(wing)；B. 雄虫腹部末端侧面观(male abdomen terminalia, lateral view)；C. 第 9 背板背面观(tergite 9, dorsal view)；D. 生殖叶侧面观(lobe of gonostylus, lateral view)；E. 抱握器侧面观(clasper of gonostylus, lateral view)。(B－E 仿 Alexander, 1935)

采集记录:1♂，太白山蒿坪，其余信息不详。

分布:陕西(太白)、浙江、四川。

(19)长叶绒大蚊 *Tipula*(*Trichotipula*)*mallophora* Alexander, 1936 陕西新纪录(图49)

Tipula(*Trichotipula*)*mallophora* Alexander, 1936: 325.

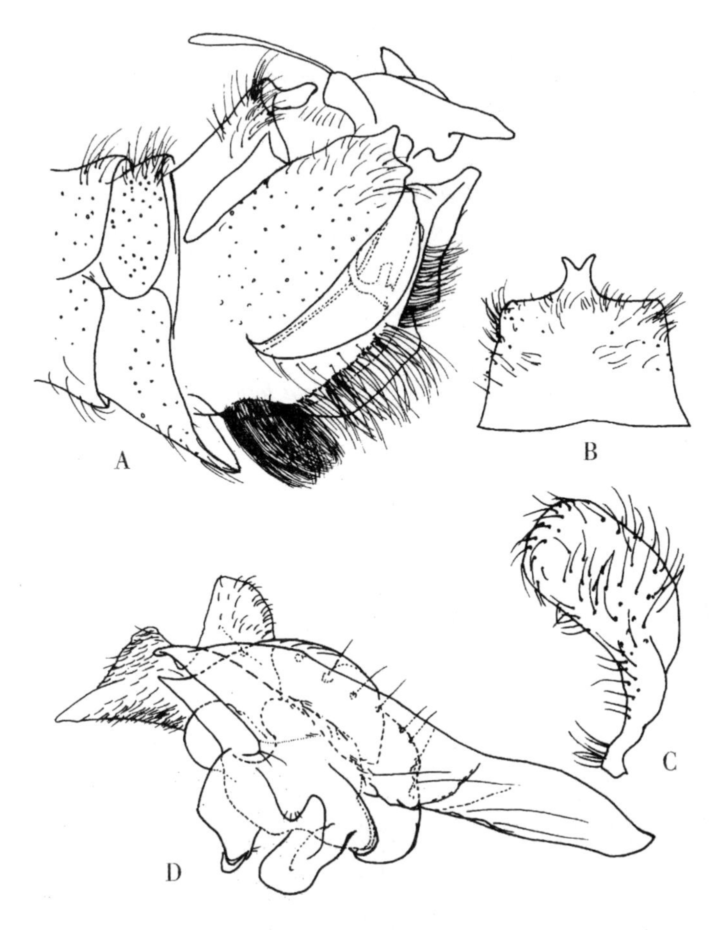

图49　长叶绒大蚊 *Tipula*(*Trichotipula*)*mallophora* Alexander

A. 雄虫腹部末端侧面观(male abdomen terminalia, lateral view); B. 第9背板背面观(tergite 9, dorsal view); C. 生殖叶侧面观(lobe of gonostylus, lateral view); D. 抱握器侧面观(clasper of gonostylus, lateral view)

鉴别特征:喙短粗，鼻突十分短小或缺如；胸部几乎一致深褐色，有一定光泽；雄性爪具中齿；翅浅黄灰色，端部及中部翅室密被黑色刚毛。雄虫第9背板后缘中部具一窄的二叉状突起、末端缩尖；第9腹板中央呈宽的膜质，两侧从前至后各具1簇白色长毛丛、1列向下的棕黄色长刚毛丛和1列较短的毛丛；生殖叶瓣状，末端钝圆。抱握器大且复杂，外侧叶前端缩尖呈黑色的喙，后端延伸呈长刀状；中侧叶缩尖呈一略短的基喙，背脊圆拱。

采集记录:1♂，宝鸡秦岭车站，1965.Ⅷ.18，周尧、路进生采。

分布:陕西(宝鸡)、四川。

(20)长毛蜚大蚊 *Tipula* (*Vestiplex*) *verecunda* Alexander, 1924 陕西新纪录

Tipula Verecunda Alexander, 1924: 606.

鉴别特征:头部呈浅灰黄色。中胸前盾片为灰色，且有4条深棕灰色纵斑；胸侧深灰色。翅灰白色且具褐色花斑，翅痣处具褐色眼斑。雄性第9背板几乎完全被膜质纵向分为两叶，后缘有1个"U"形深凹，下方具1对黑色骨化短锥状突；生殖基节完全与第9腹板分开；生殖叶较短小，近长椭圆形；抱握器近半圆形，喙黑色，尖锐突出，基喙短粗；第9腹板具1小的中突；第8腹板简单，但具大量黄色长刚毛。

采集记录:1♂，丹凤蔡川镇皇合村，1190m，2014.Ⅵ.30，张蕾灯诱。

分布:陕西(丹凤)、河北；俄罗斯，日本。

(21)小稻雅大蚊 *Tipula* (*Yamatotipula*) *latemarginata latemarginata* Alexander, 1921(图50)

Tipula latemarginata latemarginata Alexander, 1921: 128.

Tipula parvincisa Alexander, 1934: 311.

鉴别特征:头部呈灰黑色，密被灰白色粉被。喙黄褐色，较长；鼻突细长。触角柄节和梗节为褐色；鞭节逐渐由黄褐色变成黑褐色。胸部灰褐色，被灰白色粉被。前胸背板灰褐色；中胸前盾片上有4条深色纵纹；胸侧灰白色，被灰白粉被。足深褐色，基节、转节黄褐色，腿节和胫节末端逐渐成黑色，胫节矩式1-1-2，跗节逐渐由黑褐色变为黑色。翅较简单、透明，浅褐色，c室、sc室和翅痣为深褐色，翅痣靠前沿翅弦发白，dm室呈平行四边形。平衡棒基部黄褐色，柄部和端部黑褐色。腹部黑褐色，被灰白色粉被。雄性外生殖器第9背板端部变细，中央有1个小的"U"形凹陷，两叶边缘截形；生殖叶宽大扁平；抱握器宽大，分为两部分，前叶扁平，喙圆钝，前缘靠下位置有1翻折的小叶，后叶顶部有两个指状突，靠下有1个朝前的黑色指突。

采集记录:1♂，柞水广货街，1172m，2014.Ⅶ.26，唐楚飞灯诱；1♂，丹凤庚岭镇街坊村，1215m，2014.Ⅷ.11，唐楚飞采。

分布:陕西(柞水、丹凤)、吉林、辽宁、内蒙古、北京、河北、山西、河南、宁夏、新疆、浙江、安徽、湖北；俄罗斯，哈萨克斯坦，韩国，日本。

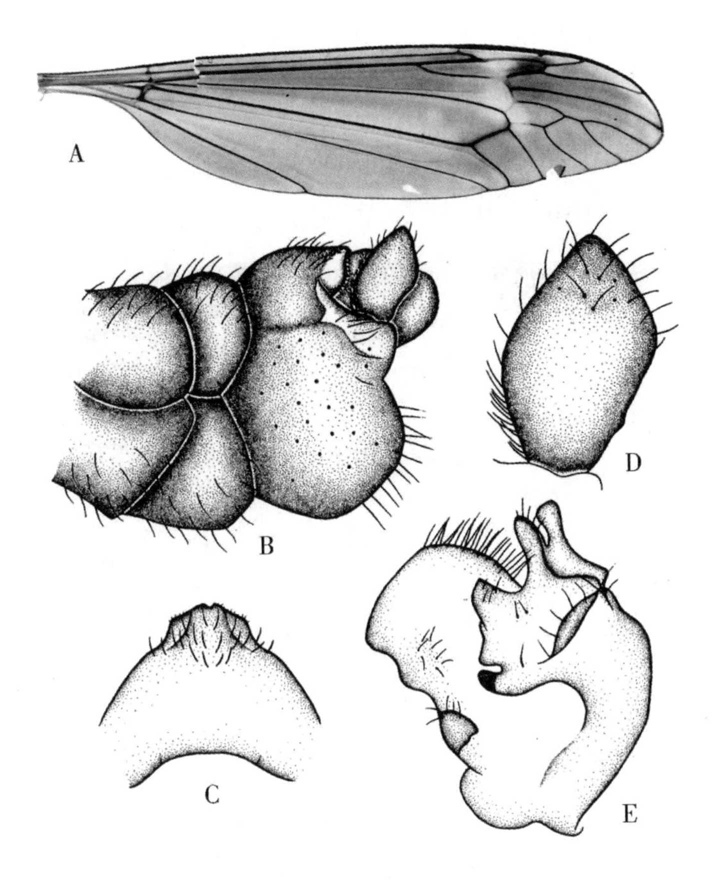

图 50 小稻雅大蚊 *Tipula* (*Yamatotipula*) *latemarginata latemarginata* Alexander

A. 翅(wing); B. 雄虫腹部末端侧面观(male abdomen terminalia, lateral view); C. 第9背板背面观(tergite 9, dorsal view); D. 生殖叶侧面观(lobe of gonostylus, lateral view); E. 抱握器侧面观(clasper of gonostylus, lateral view)

(22)新雅大蚊 *Tipula* (*Yamatotipula*) *nova* Walker, 1848(图 51)

Tipula nova Walker, 1848: 71.

鉴别特征:头部呈褐色,具灰白色粉被。柄节和梗节黑褐色,鞭节基部有3节黄褐色,剩下各节为黑褐色,轮毛和对应各节的节长几乎相等。胸部褐色,具灰色粉被。中胸前盾片具3条有暗边的灰褐色纵斑;盾片两叶各具2个略相等的褐色斑。胸侧近黄色,具白色粉被。足黄色,但腿节和胫节末端黑色,胫节矩式为1-1-2,跗节暗褐色。翅褐色,翅痣深褐色,翅痣前部、r室和bm室端部、dm室、r_{4+5}室白色,cup室、a_1室和a_2室透明发白。平衡棒暗黄褐色。腹部灰褐色或深黄褐色,具灰色粉被。雄虫第9背板与第9腹板弯曲愈合呈环状,背板端部中央有1倾斜的指状突;生殖叶卵圆形;抱握器宽大复杂,喙圆钝,后部有1叶较细弯曲,端部圆形,透明,其中上部着生1个倒刺状结构。

采集记录:2♂，周至黑河，2014. Ⅷ.16，卢秀梅采；1♂，柞水营盘镇筒喙象山，1080m，2014. Ⅶ.30，唐楚飞采；1♀，丹凤庾岭镇街坊村，1215m，2014. Ⅷ.11，唐楚飞采。

分布:陕西(周至、柞水、丹凤)、山西、河南、浙江、湖北、江西、福建、台湾、广东、海南、香港、四川、贵州、云南；韩国，日本，印度。

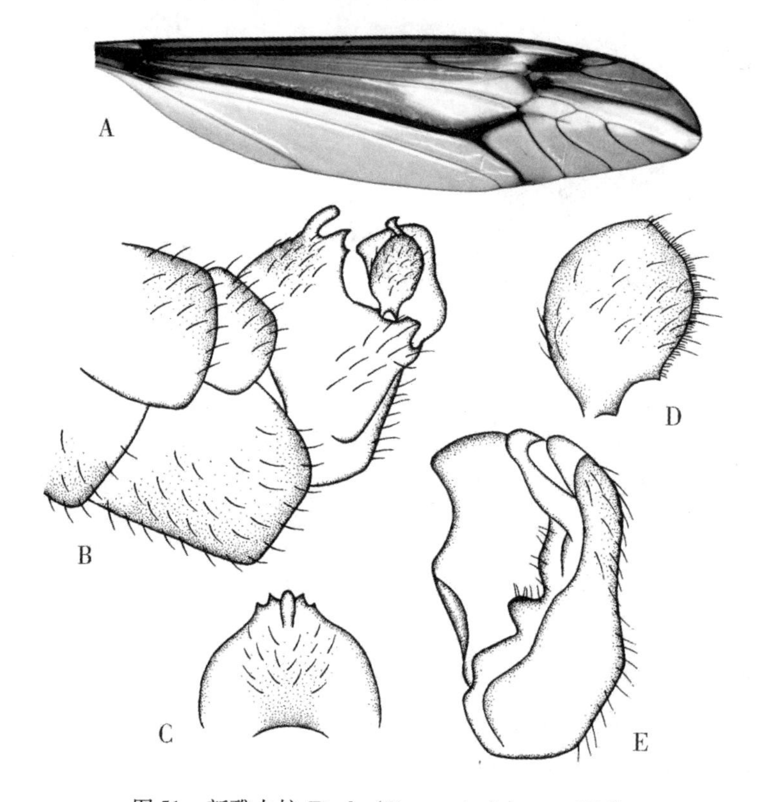

图51 新雅大蚊 *Tipula* (*Yamatotipula*) *nova* Walker

A. 翅(wing)；B. 雄虫腹部末端侧面观(male abdomen terminalia, lateral view)；C. 第9背板背面观(tergite 9, dorsal view)；D. 生殖叶侧面观(lobe of gonostylus, lateral view)；E. 抱握器侧面观(clasper of gonostylus, lateral view)

(23)亚尖雅大蚊 *Tipula* (*Yamatotipula*) *subprotrusa* Savchenko, 1955 陕西新纪录(图52)

Tipula subprotrusa Savchenko, 1955: 830.

Tipula amseli Mannheims, 1961: 310.

鉴别特征:头部呈灰黑色、密被白色粉被。喙黄褐色，较长；鼻突黄褐色，细长，明显。触角为黑褐色，柄节基部黄褐色；鞭节从基部到端部颜色逐渐加深，且每1节基部略微膨大，轮毛长度比对应的节长要长。胸部整体灰黑色，被白色粉被；中胸前盾片上有4条纵纹，中间两条较长，被1条黑色细纵纹隔开，两侧两条为黄褐色，并伴有纵向排列的毛；中胸小盾片灰黄褐色，中背片灰黑褐色，中央有1条颜色较深的纵纹；胸侧黄白色，被白粉被。足呈黄褐色，腿节和胫节末端逐渐成黑褐色；跗节黑褐色，爪黑色，呈齿状；胫节距式1-2-2。翅较简单透明，浅褐色，sc室和翅痣褐色，翅痣靠前沿翅弦发白，dm室近平行四边形，m-cu较短。平衡棒基部黑褐色，基部黄白色。腹部背板黑褐色，侧边缘白色，腹板除了第1腹板外皆为红棕色，第1腹板黄白色。雄性外生殖器第9背板后缘具中突且分为四叶，角状，两侧两叶比中间两叶低；生殖叶长瓣状，后缘中间有1指状突；抱握器分为两部分，前叶弯曲，基部向前伸出1个弯曲小叶，后叶相对较宽，骨化严重，靠近顶部有环状结构。

采集记录：1♂，周至，1951.Ⅴ.27，采集人不详；1♂，太白山刘家崖，1951.Ⅷ.21，采集人不详。

分布：陕西（周至、太白）、新疆、宁夏；俄罗斯，蒙古，哈萨克斯坦，土库曼斯坦，乌兹别克斯坦，塔吉克斯坦，吉尔吉斯斯坦，阿富汗。

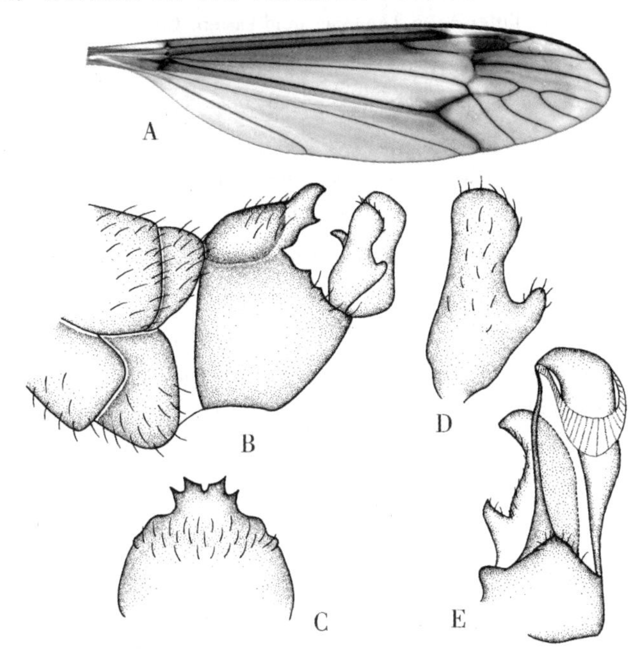

图52 亚尖雅大蚊 *Tipula*（*Yamatotipula*）*subprotrusa* Savchenko

A. 翅（wing）；B. 雄虫腹部末端侧面观（male abdomen terminalia, lateral view）；C. 第9背板背面观（tergite 9, dorsal view）；D. 生殖叶侧面观（lobe of gonostylus, lateral view）；E. 抱握器侧面观（clasper of gonostylus, lateral view）

参考文献

Alexander, C. P. 1921. Undescribed species of Japanese crane-flies (Tipulidae: Diptera). Part 2. *Annals of the Entomological Society of America*, 14: 111-134.

Alexander, C. P. 1924. New or little-known crane flies from northern Japan (Tipulidae: Diptera). *Philippine Journal of Science*, 24: 531-611.

Alexander, C. P. 1927a. The Oriental Tipulidae in the collection of the Indian Museum. Part 1. *Records of the Indian Museum*, 29: 167-214.

Alexander, C. P. 1927b. Undescribed crane-flies from the Holarctic region in the United States National Museum. *Proceedings of the United States National Museum*, 72(2): 1-17.

Alexander, C. P. 1931. New or little-known Tipulidae from eastern Asia (Diptera). Ⅸ. *Philippine Journal of Science*, 44: 339-368.

Alexander, C. P. 1934. New or little-known Tipulidae from eastern Asia (Diptera). XIX. *Philippine Journal of Science*, 54: 309-342.

Alexander, C. P. 1935. New or little-known Tipulidae from eastern Asia (Diptera). XXV. *Philippine Journal of Science*, 57: 81-148.

Alexander, C. P. 1936a. Schwedisch-chinesische wissenschaftliche Expedition nach den nordwestlichen Provinzen Chinas. 32. Diptera. 7. Tipulidae. *Arkiv for Zoologi*, 27A(17): 1-24.

Alexander, C. P. 1936b. New or little-known Tipulidae from eastern Asia (Diptera). XXX. *Philippine Journal of Science*, 60: 165-204.

Alexander, C P. 1937a. New or little-known Tipulidae from eastern China. Part 1. *Notes d'Entomologie Chinoise*, 4: 1-28.

Edwards, F. W. 1916. New and little-known Tipulidae, chiefly from Formosa. *Annals and Magazine of Natural History*, (8)18: 245-269.

Edwards, F. W. 1931. Some suggestions on the classification of the genus *Tipula* (Diptera: Tipulidae). *Annals and Magazine of Natural History*, (10) 8: 73-82.

Li, Y. and Yang, D. 2010. Species of the subgenus *Acutipula* Alexander from Henan, east-central China (Diptera: Tipulidae). *Zootaxa*, 2648, 32-44.

Savchenko, E. N. 1955. A review of the palaearctic crane-fly (Diptera: Tipulidae) species of the *Tipula aino* group Alex. *Zoologicheskiy Zhurnal*, 34: 822-836 (in Russian).

Savchenko, E. N. 1961. Crane-flies (Diptera: Tipulidae), Subfam. Tipulinae, Genus *Tipula* L., (part 1). *Fauna USSR*, *N. S.* 79, *Nasekomye Dvukrylye* [*Diptera*], 2(3): 1-487.

Savchenko, E. N. 1964. Crane-flies (Diptera: Tipulidae), Subfam. Tipulinae, Genus *Tipula* L., 2. Fauna USSR, N. S. 89, *Nasekomye Dvukrylye* [*Diptera*], 2(4): 1-503.

Walker, F. 1848. *List of the specimens of dipterous insects in the collection of the British Museum.* London, 1: 1-229.

Westwood, J. O. 1876. Notae Dipterologicae. No. 2. Descriptions of some new exotic species of Tipulidae. *Transactions of the Entomological Society of London*, 1876: 501-506.

Yang, D. and Yang, J. 1990. New species of *Nephrotoma* Meigen from China (Diptera: Tipulidae). *Acta Entomologica Sinica*, 33: 476-483.

Yang, D. and Yang, J. 1993. Two new species and a new subspecies of *Tipula* from China (Diptera: Tipulidae). *Acta Agriculturae Universitatis Pekinensis*, 19: 97-100.

Yang, D. and Yang, J. 1995. Four new species of Tipulidae from North China (Diptera: Nematocera). *Acta Agriculturae Universitatis Pekinensis*, 21: 332-336.

Yang, J. and Yang, D. 1987. The *Nephrotoma* species of Hubei Province (Diptera: Tipulidae). *Journal of the Huazhong Agricultural University*, 6: 130-137.

Young, C. W., Li, Y., Chu, W. and Fang, H. 2013. Review of *Acutipula* crane flies of Taiwan: with description of new species and immature instars (Diptera: Tipulidae: Tipulinae: *Tipula*). *Annals of Carnegie Museum*, 82 (2): 115-148.

二、沼大蚊科 Limoniidae

张晓 康泽辉 李洋 毛萌 杨定
(中国农业大学昆虫系，北京100193)

鉴别特征：体小至中型，个别种类为大型。体细长，为褐色至黑色或黄色有黑斑。喙短，无鼻突。口器位于喙的末端，下颚须一般为4节。复眼明显分开，无单眼。触角通常有14～16节，鞭节呈卵形，圆筒形或栉形。中胸背板发达，中胸盾片有“V”形盾间缝。足细长，基节发达，转节较短，胫节有或无端距。翅长(个别属部分或完全退化)，基部较窄，有9～12条纵脉，臀脉两条，Sc终止于翅前缘。腹部长，雄性端部一般明显膨大，生殖刺突通常分为内外两部分，雌性末端较尖。

生物学：沼大蚊的生活环境很广泛，全世界几乎所有的生境中都有沼大蚊分布，但大部分沼大蚊科都喜欢温暖潮湿的环境，尤其是枯枝落叶层较多、腐殖质较为丰富的水边；极少数昆虫生活在干旱的沙漠，寒冷的冬天或高海拔的山间。幼虫为陆生、水生或半水生，大多数为腐食性，少数种类为捕食性。沼大蚊成虫飞翔一般比较缓慢，基本不取食，少数种类的雄性有群飞习性。生活周期分为卵、幼虫4个龄期、蛹期及较短的成虫期，多数1年有1或2代。

分类：世界已知148属10 500余种，中国记录70属710余种，陕西秦岭地区分布4属4种。研究标本保存在中国农业大学昆虫博物馆(CAU)。

分属检索表

1. 翅M脉分3枝……………………………………………… **原大蚊属 *Eloeophila***
   翅M脉分2枝……………………………………………… 2
2. 翅R脉分3枝……………………………………………… **联大蚊属 *Symplecta***
   翅R脉分2枝……………………………………………… 3
3. 雄虫触角栉形……………………………………………… **栉形大蚊属 *Rhipidia***
   雄虫触角非栉形……………………………………………… **次大蚊属 *Metalimnobia***

1. 原大蚊属 *Eloeophila* Rondani, 1856

Eloeophila Rondani. 1856: 182. **Type species**: *Limnobia marmorata* Meigen, 1818.

属征:体呈褐色。触角有 14 节,黄色。翅宽,有点状、带状斑,bm 室有 1 条加横脉。第 9 背板缺刻两边各有 1 个近三角形叶突。

分布:古北区,东洋区,非洲区。世界已知 102 种,中国记录 6 种,秦岭地区分布 1 种。

(1)锯齿原大蚊 *Eloeophila serrulata* Alexander, 1932

Eloeophila serrulata Alexander, 1923: 120.

鉴别特征:头部黑褐色。触角柄节和梗节为褐色,鞭节有 14 节,为黄色,鞭节卵形圆柱形,向端部逐渐增长,触角毛轮约与各节等长。喙褐色,下颚须褐色。胸部褐色。足基节和转节褐色;腿节黄褐色,端部色深;胫节黄色有 1 距;跗节黄色,端部褐色。毛黄色。在翅基部、纵脉处、Rs 分支处、R_{3+4}分支、接近翅端处有较大不规则褐斑,在过 bm 室加横脉有 1 条纵向的脉贯穿整个翅。R_{2+3}约为 R_{2+3+4}的 1/3,bm 室加横脉大约位于 bm 室的一半处,m-cu 位于 dm 室 1/2 处。A_2 脉端部向下弯折。腹部褐色,第 9 背板后缘中间有一近似"V"形缺刻,两侧叶圆滑。外生殖刺突扁平,骨化强烈,端部有钩状。内生殖刺突被毛,端半部加宽,端部弯成 1 个细钩。基节突基部近长方形,中间变细,基半部较粗,端半部有渐粗,端部有骨化现象。阳茎无弯曲。

采集记录:2♂2♀,留坝紫柏山,2012. Ⅷ. 19,席玉强采。

分布:陕西(留坝)、四川。

2. 次大蚊属 *Metalimnobia* Matsumura, 1911

Metalimnobia Matsumura, 1911: 63. **Type species**: *Metalimnobia vittata* Matsumura, 1911.

属征:体为大型。触角有 12 鞭节。下颚须 4 节。翅长超过 10mm,大多有深褐色斑;R_1 末端横向弯曲,与 R_2 等长或稍长。雄性生殖突基节有较宽的腹中突,内生殖刺突大多分三叶。

分布:古北区,东洋区,新北区。世界已知 46 种,中国已知 9 种,秦岭地区分布 1 种。

(2)双束次大蚊 *Metalimnobia* (*Metalimnobia*) *bifasciata* (Schrank, 1781)(图 53)

Tipula bifasciata Schrank, 1781: 429.

Limonia xanthoptera Meigen, 1804: 56.

Metalimnobia vittata Matsumura, 1911: 63.

Limnobia avis avis Alexander, 1918: 444.

Limnobia avis flavoabdominalis Alexander, 1918: 445.

Metalimnobia (*Metalimnobia*) *bifasciata*: Mao & Yang, 2010: 2.

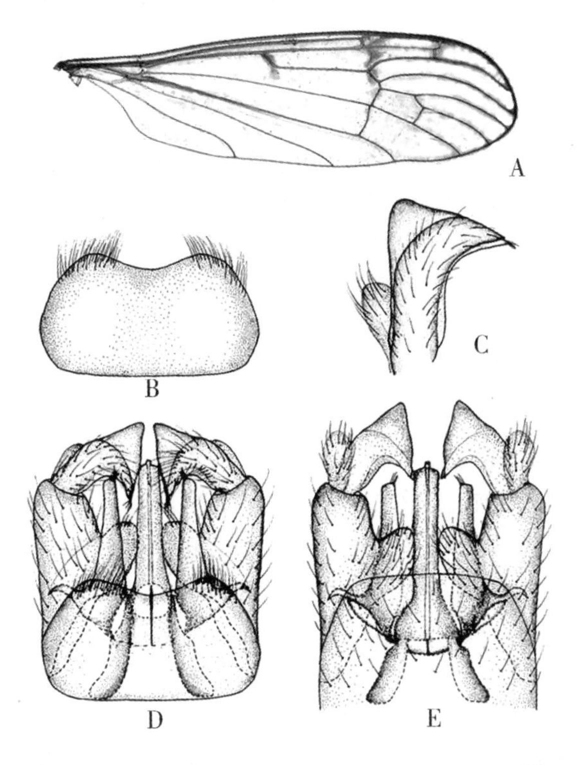

图 53　双束次大蚊 *Metalimnobia* (*Metalimnobia*) *bifasciata* (Schrank)(据 Mao and Yang, 2010)

A. 翅(wing); B. 第 9 背板背面观(tergite 9, dorsal view); C. 生殖刺突背面观(gonostylus, dorsal view); D. 雄性外生殖器背面观(male hypopygium, dorsal view); E. 雄性外生殖器腹面观(male hypopygium, ventral view)

鉴别特征: 头部黄褐色，中间部分为黄褐色。头顶有 1 条黑色中线。两眼之间有小瘤突。触角柄节和梗节为淡黄色，鞭节为黑褐色，呈卵形至圆柱形，端部各节加长，触角毛轮比各节长。喙及下颚须为褐色，具褐色毛。胸部黄色，前胸背板黄色，背面为褐色。前盾片有 2 条褐色条纹，二者之间有 1 条窄缝。盾片褐色，中间区域为黄色；小盾片和中背片黄色；侧板黄色，毛黄色，基节黄色；转节黄色，端部内侧黑色；腿节黄色，端部褐色；胫节黄色；跗节黄色，端部色深；毛褐色。翅黄色透明，沿着翅弦及 Rs 起点处有褐色斑纹，Sc_2 长于 Sc_1，dm 室小，m-cu 未达 dm 室。腹部背板 1 ~ 3 为黄色，背板 4 ~ 9 为黄褐色。腹板 1 ~ 4 为黄色，腹板 5 ~ 9 为黄褐色，后缘褐色；毛黄色。第 9 背板后缘中间凹陷，两侧叶突被毛。生殖突基节有 1 条宽的腹中突，外生殖刺突短且宽，呈靴状，背面有角状突起，在 2/3 处弯折，端部成尖角状。

内生殖刺突肉质，具长毛。阳基侧突柄部几乎为直的，内缘端部向内弯成1小沟，且有一些短毛。

采集记录:1 ♂，周至楼观台，1962.Ⅷ.08，杨集昆采。

分布:陕西(周至)、黑龙江、吉林、辽宁、河北、北京、山西、宁夏、湖北、贵州；蒙古，俄罗斯，日本，欧洲。

3. 栉形大蚊属 *Rhipidia* Meigen, 1818

Rhipidia Meigen, 1818: 153. **Type species**: *Rhipidia maculata* Meigen, 1818.

Ceratostephanus Brunetti, 1911: 271. **Type species**: *Ceratostephanus antennatus* Brunetti, 1911.

Arhipidia Alexander, 1912: 6. **Type species**: *Rhipidia domestica* Osten Sacken, 1860.

Monorhipidia Alexander, 1912: 6. **Type species**: *Rhipidia fidelis* Osten Sacken, 1860.

Conorhipidia Alexander, 1914: 117. **Type species**: *Rhipidia conica* Alexander, 1914.

属征:体小或中型，很少有大型。触角鞭节通常有12节，但有时较少；雄性触角鞭节或多或少加长，呈双栉形、单栉形或似栉形；雌性触角鞭节不发达，为锯齿状或简单。喙短于头长。R_{1+2}存在，R_2 通常存在，R_4 和 R_5 融合至翅缘，Rs 只有两纵脉分支达翅缘(R_3 和 R_{4+5})，M 两分支达翅缘。雄性末端一般有2根或更多喙刺。

分布:世界广布。世界已知220余种，中国记录21种，秦岭地区分布1种。

(3)长突栉形大蚊 *Rhipidia* (*Rhipidia*) *longa* Zhang, Li *et* Yang, 2014(图54)

Rhipidia (*Rhipidia*) *longa* Zhang, Li *et* Yang, 2014: 218.

鉴别特征:头部棕色，被灰白色粉。毛棕色。触角长约1.60mm。柄节和梗节棕黄色，第1~9节鞭节浅黄色，各节基部和栉枝棕黄色，其余各节鞭节棕黄色。第1节鞭节短而肥大；第2~9节鞭节各有2个栉枝，最长的栉枝位于第5节鞭节，约为对应鞭节长度的1.50倍；第10和11节鞭节加大；最后1节鞭节加长，超过倒数第2节鞭节。喙和下颚须为棕色，均具棕色毛。胸部棕色，被灰白色粉。前胸背板棕色，前盾片棕色到棕黄色；盾片、小盾片和中背片棕黄色，侧板棕黄色，有1条明显的棕色纵条纹从颈部延伸到腹部基部；毛白色；基节棕色；转节浅黄色；腿节黄色，端部棕黄色；胫节棕黄色，端部颜色加深；跗节棕黄色，毛棕色。翅灰白色，所有翅室均分布有浅灰色斑，翅前端具5或6个颜色较深、较大的斑，这些斑一般位于 Sc 室基部、Sc 室中部、Rs 起始处、Sc 分叉处、Rs 分叉处、R_1 端部。翅脉浅黄色，斑覆盖处颜色加深。Sc_1 端部约位于 Rs 中间处，Sc_2 靠近 Sc_1 端部，CuA_1 基部未达 M 分叉处。

平衡棒长0.70mm，白色，球部颜色略微加深。腹部棕色到棕黄色，毛白色。第9背板后缘中间凹陷，生殖突基节有1简单的叶突。外生殖刺突在长度的2/3米处弯曲，顶端突然变细呈刺状。内生殖刺突中等大小；喙突长，近顶端1/3位置具4根长喙刺。阳基侧突顶部加黑，顶端尖。

采集记录：5♂2♀，周至厚畛子，2009.Ⅴ.15，盛茂领采。

分布：陕西（周至）、浙江、福建、台湾、重庆、四川、云南。

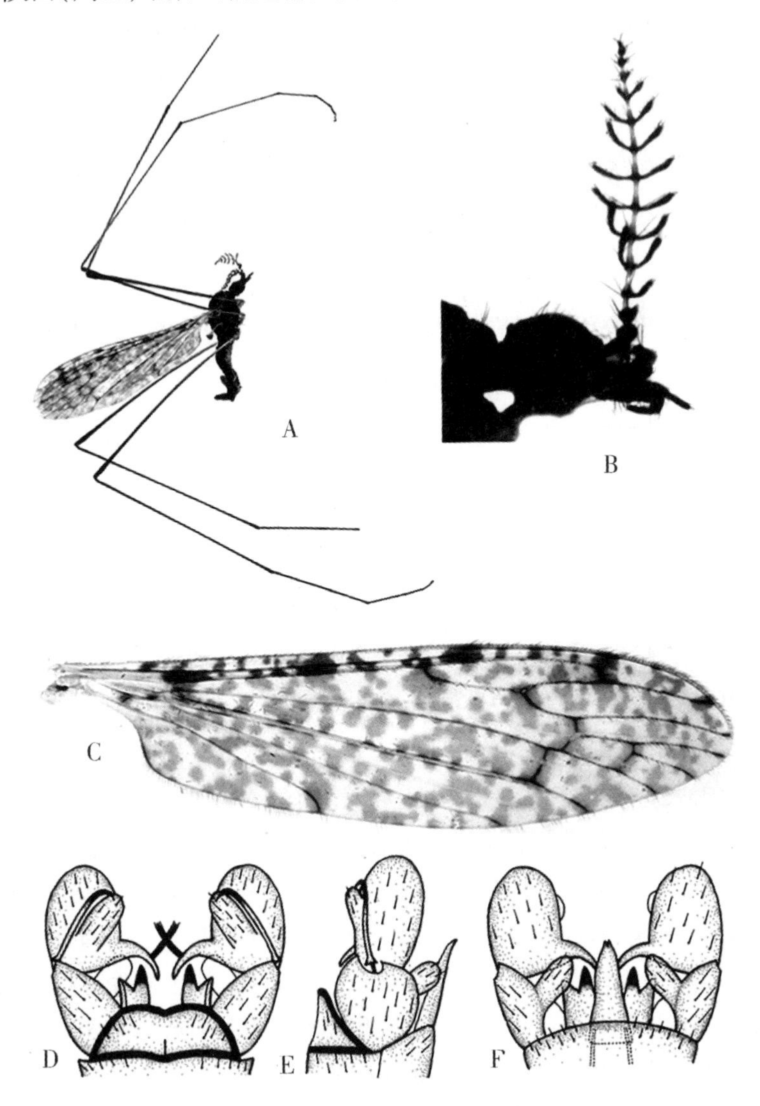

图54　长突栉形大蚊 *Rhipidia* (*Rhipidia*) *longa* Zhang, Li *et* Yang（据 Zhang *et al.*, 2014）

A. 雄性整体侧面观（male habitus, lateral view）；B. 雄性头部侧面观（male head, lateral view）；C. 翅（wing）；D. 雄性外生殖器背面观（male hypopygium, dorsal view）；E. 雄性外生殖器侧面观（male hypopygium, lateral view）；F. 雄性外生殖器腹面观（male hypopygium, ventral view）

4. 联大蚊属 *Symplecta* Meigen, 1830

Symplecta Meigen, 1830: 282. **Type species**: *Limnobia punctipennis* Meigen, 1818.

Helobia Lepeletier *et* Serville, 1828: 585. **Type species**: *Limnobia punctipennis* Meigen, 1818.

Idioneura Philippi, 1866: 615. **Type species**: *Idioneura macroptera* Philippi, 1866.

Kowarzia Thalhammer, 1900: 19. **Type species**: *Symplecta grata* Loew, 1873.

属征:触角有16节，鞭节呈梭形，各节基部具3～5根轮状毛。不具明显单眼瘤。r_3室具加横脉，A_2脉端部极弯曲，A_1与A_2末端的距离长于CuA_2与A_1末端的距离。

分布:世界广布。该属世界已知102余种，中国已知7种，秦岭地区分布1种。

(4)朝鲜联大蚊 *Symplecta* (*Symplecta*) *chosenensis* (Alexander, 1940)

Erioptera (*Symplecta*) *chosenensis* Alexander, 1940: 67.

Helobia mongolica Lackschewitz, 1964: 718.

鉴别特征:头部一致呈深棕色，有均匀的深棕色短毛。复眼大，腹侧相接，呈黑色。触角柄节呈圆柱形，长为其宽的2倍，棕色，具稀疏棕色短毛；梗节为圆锥形，基部较窄呈黄棕色，端部呈棕色，具稀疏棕色短毛；鞭节各节呈梭形，从端部到基部渐细，鞭节1～5节基部呈黄色，其他部分呈棕色，鞭节其他节一致呈棕色，各节基部具3～5根棕色轮状短毛。喙黄色，具棕色短毛。下颚须第1节细长，第2节较短呈梭形，第3节最短，第4节长卵圆形，下颚须一致呈棕色具棕色毛。胸部前胸背板呈棕色。中胸背板大部分呈棕色，仅盾片中后端及小盾片呈黄色，具稀疏棕色短毛；后背片呈棕色。胸部上前侧片，下前侧片靠端部1/2及下后侧片呈棕色，其他部分呈黄色，侧片光裸无毛。前足基节黄棕色，中足及后足基节黄色；各足转节呈黄棕色；腿节大部分呈黄棕色，端部有1小节呈棕色；胫节大部分呈棕色，端部有1小节呈深棕色；跗节一致呈深棕色；足上具均匀棕色短毛。翅透明，翅上多处具棕色翅斑，脉棕色。平衡棒柄部黄白色，棒部黄棕色，具棕色短毛。腹部背板一致呈深棕色，腹板大部分呈棕色，各节基部呈黄色，腹部具稀疏棕色短毛。

采集记录:1♂，周至老县城，1808m，2013.Ⅷ.12，李轩昆采。

分布:陕西(周至)、北京、内蒙古、甘肃、云南；捷克，芬兰，英国，立陶宛，波兰，罗马尼亚，斯洛伐克，俄罗斯，乌兹别克斯坦，吉尔吉斯斯坦，蒙古，朝鲜。

参考文献

Alexander, C. P. 1912. On the tropical American *Rhipidia* (Tipulidae: Diptera). *Bulletin of the Brooklyn Entomological Society*, 8: 6-17.

Alexander, C. P. 1914. The craneflies collected in Costa Rica by Dr. P. P. Calvert (Tipulidae: Diptera). *Journal of the New York Entomological Society*, 22: 116-124.

Alexander, C. P. 1918. Records of Japanese crane-flies (Diptera). *Annals of the Entomological Society of America*, 11: 443-449.

Alexander, C. P. 1923. New or little-known crane-flies from the Hawaiian Islands (Tipulidae: Diptera). *Proceedings of the Hawaiian Entomological Society*, 5: 249-251.

Alexander, C. P. 1940. New or little-known Tipulidae from eastern Asia (Diptera). XLI. *Philippine Journal of Science*, 71: 39-76.

Brunetti, E. 1911. Revision of the Oriental Tipulidae with descriptions of new species. *Records of the Indian Museum*, 6: 231-314.

Latreille, P. A., Lepeletier, A. L. M., Serville, J. G. A. and Guerin Meneville, F. E. 1828. Entomologie, ou histoire naturelle des crustaces, des crachnides et des insectes. Societe de Gens de Lettres, de Savans et dArtistes: Encyclopedie methodique [q. v.]. *Histoire naturelle.* Paris, 10(2): 345-833.

Mao, M. and Yang, D. 2010. Species of the genus *Metalimnobia* Matsumura from China (Diptera: Limoniidae). *Zootaxa*, 2344: 1-16.

Matsumura, S. 1911. Erster Beitrag zur Insekten-Fauna von Sachalin. *Journal of the College of Agriculture, Tohoku Imperial University*. Sapporo. 4: 1-415.

Meigen, J. W. 1804. *Klassifikazion und Beschreibung der europaischen zweiflugeligen Insekten (Diptera Linn.)*. Braunschweig, 1: 1-53, 1-152; 2: 1-6, 153-314.

Meigen, J. W. 1818. *Systematische Beschreibung der bekannten europaischen zweiflugeligen Insekten.* Aachen, 1: 1-61, 333 pp.

Meigen, J. W. 1830. *Systematische Beschreibung der bekannten europaischen zweiflugeligen Insekten.* Hamm, 6: 1-14, 1-401.

Philippi, R. A. 1866. Aufzahlung der Chilenischen Dipteren. *Verhandlungen der Kaiserlich-Koniglichen Zoologisch-Botanischen Gesellschaft in Wien*, 15: 595-782.

Rondani, C. 1856. *Dipterologiae Italicae Prodromus. Genera Italica ordinis dipterorum ordinatim disposita et distincta et in familias et stirpes aggregata.* Parmae [= Parma], 1: 1-228.

Schrank, F. von Paula 1781. *Enumeratio insectorum Austriae indigenorum.* Vindelicorum [Augsburg], 1-24, 1-548.

Thalhammer, J. 1900. Diptera. *Fauna Regni Hungariae*, 3, Arthropoda: 1-76 (in Hungarian and Latin).

Zhang, X., Li, Y. and Yang, D. 2014. A review of the genus *Rhipidia* Meigen from China, with description of seven new species (Diptera: Limoniidae). *Zootaxa*, 3764: 201-239.

三、毛蚊科 Bibionidae

李竹[1] 杨定[2]
(1. 北京自然博物馆, 北京 100050; 2. 中国农业大学昆虫系, 北京 100193)

鉴别特征: 体小到大型, 体长 0.30 ~ 13.00mm。身体一般粗壮而多毛, 体翅常呈黑褐色, 有的种类胸部或腹部橙红色或黄褐色。与其他长角亚目的触角不同, 除了长角毛蚊属 *Hesperinus* 外, 毛蚊科昆虫的触角一般短小, 呈念珠状, 节间连接紧密。下颚须一般较长, 有的长于触角。雌雄多异型, 雄性复眼大且相接, 雌性头部长, 复眼小, 远离。胸部隆突, 足较粗壮, 有的种类前足胫节有刺和距。腹部一般可见 9 节, 雄性腹端不同程度地向背面钩弯。

生物学: 卵成堆产于土中或腐殖质中, 一个卵块在孵化时往往相当整齐, 故幼虫和成虫均常成群出现。幼虫体长 6.00 ~ 24.00mm, 近圆筒形, 黄褐色; 体有 12 节, 第 1 节最长; 幼虫全气门式, 有 10 对气门。幼虫成群生活在距土壤表层几厘米的土壤中, 主要取食腐烂的植物组织, 在生态系统的循环中起着分解腐殖质的重要作用, 但如果大量滋生密度增大, 某些种类也危害植物的地下根茎及幼苗, 给农业生产造成严重危害。

分类: 世界已知 8 属 700 种, 中国已知 5 属 112 种, 陕西秦岭地区有 4 属 19 种。研究标本保存在中国农业大学昆虫博物馆(CAU)和北京自然博物馆(BMNH)。

分属检索表

1. Rs 分叉; 足简单 ······ 2
   Rs 不分支; 前足胫节具大端刺或端部具一圈刺, 中部具一到多排刺 ······ 3
2. R_{2+3}明显延长, 几乎与 R_{4+5}平行; 触角基部下的颜面中央有小洞 ······ **叉毛蚊属 *Penthetria***
   R_{2+3}短, 斜或垂直于 R_{4+5}; 颜面中央无洞 ······ **襀毛蚊属 *Plecia***
3. 前足胫节端部有一圈刺, 中部有一排或多排刺 ······ **棘毛蚊属 *Dilophus***
   前足胫节端部有一大端刺和一端距 ······ **毛蚊属 *Bibio***

1. 毛蚊属 *Bibio* Geoffroy, 1762

Bibio Geoffroy, 1762: 568. **Type species**: *Tipula hortulana* Linnaeus, 1758 (designated by Latreille, 1810 as "*Hirtea hortulta* Fabr."). Generic name Validated by I. C. Z. N. 1957, Opinion 441 and No. 1050 on Official List of Generic Names *in* Zoology.

Pullata Harris, 1776: 76. **Type species**: *Pullata funestus* Harris, 1776.

Hirtea Farbricius, 1798: 551 (nec Scopoli, 1763). No type designation.

Bibiophus Bollow, 1954: 209, 211 (as subgenus of Bibio Geoffroy). **Type species**: *Bibio clavipes* Meigen, 1818.

属征：头呈卵圆形，扁平。雄性复眼常被密毛，雌性复眼卵圆形，较小，多无毛。下颚须长度有变化，一般有5节。触角粗短，节数有变化，一般有10节；鞭节节间排列紧密，触角通常短于头部。胸部较隆起，一般密生绒毛。足中等长度，粗壮，后足一般长于前中足；前足腿节常显著膨大；胫节增粗或者不增粗，顶端前伸成1个粗壮、稍弯的刺，还伴生有1颗距；后足腿节和胫节末端常膨大，基跗节有些亦膨大；但雌性的后足腿节和胫节细长。翅颜色种间有变化；C结束于翅顶角之前，Sc和R_1存在，Rs不分支，Rs基段等于或长于r-m。腹部细长，9节，多毛；雄性外生殖器由1对两节多毛的抱握器组成，第2节弯曲，形状有变异；雌性腹末有尾须1节。

分布：世界性分布，但在热带地区种类较少，而在温带地区种类较多。全世界已知196种，中国已知67种，秦岭地区有13种。

分种检索表

1. 前足胫节细长，无特化增粗，端刺为胫节长的1/7～1/5 ……………… 2
   前足胫节特化增粗，端刺长为胫节的1/3以上 ……………… 3
2. 翅的CuA_1不伸达翅缘 ……………… **小距毛蚊 *B. parvispinalis***
   翅的CuA_1伸达翅缘 ……………… **双凹毛蚊 *B. biconcavus***
3. M_2和CuA_1都不伸达翅缘，或至少其中之一不伸达翅缘 ……………… 4
   M_2和CuA_1都伸达翅缘 ……………… 6
4. 翅的M_2和CuA_1都不伸达翅缘 ……………… 5
   翅的M_2伸达翅缘，但CuA_1不伸达翅缘 ……………… **棒角毛蚊 *B. claviantenna***
5. 前足胫节端距长，几乎等于刺长；各足基本为黑棕色 ……………… **钩毛蚊 *B. aduncatus***
   前足胫节端距短，约为刺长的1/3；各足腿节黄色，其他各节红棕色 ……………… **黄腿毛蚊 *B. flavifemoralis***
6. 前足胫节端距长，至少不短于刺长的3/4 ……………… 7
   前足胫节端距短，至多不长于刺长的1/2 ……………… 11
7. 在翅的横脉处有棕色渍斑 ……………… 8
   在翅的横脉处没有棕色渍斑 ……………… 9
8. 生殖突扁平状，分两叶 ……………… **双瓣毛蚊 *B. dipetalus***
   生殖突基部有棒状的瘤突 ……………… **楔毛蚊 *B. cuneatus***
9. 后足胫节明显膨大 ……………… **陕西毛蚊 *B. shaanxiensis***
   后足胫节膨大不太明显，只是稍稍膨大 ……………… 10
10. 各足腿节(包括腿节)以上黑棕，其他各节浅棕色，颜色分界明显；前足胫节的端距为端刺的3/4 ……………… **尖突毛蚊 *B. acerbus***
    各足各节黄棕色，颜色均匀，没有颜色的分界；前足胫节的端距约为端刺的长度 …………

……………………………………………………………………………… 尖裂毛蚊 ***B. acutifidus***

11. Rs 基段短，短于或近等于 r-m 的长度 ……………………………………………… 12

Rs 基段长，为 r-m 的 4 倍以上 ……………………………………… 红腹毛蚊 ***B. rufiventris***

12. 后足基跗节膨大或粗大 ………………………………………………… 甘肃毛蚊 ***B. gansuanus***

后足基跗节没有膨大现象，细长 ……………………………………… 粗胫毛蚊 ***B. crassinodus***

(1) 尖突毛蚊 *Bibio acerbus* Yang *et* Luo, 1989（图 55）

Bibio acerbus Yang *et* Luo, 1989: 147.

鉴别特征： 雄性头部黑色，复眼密被黑毛；触角 11 节，呈黑色，末端 3 节紧连。胸部为黑色，只有肩胛和翅基部为红棕色，其余为黑色。足基节、转节和腿节黑棕色，胫节和跗节黄棕色，但胫节末端和跗节后 3 节略带些黑色。前足胫节短粗，刺长，约为胫节长的 1/2，端距也较长，长约为刺长的 3/4；后足腿节基部 1/3 细，然后逐渐膨大，胫节从基部起即逐渐膨大，基跗节稍稍膨大。翅淡黄色；Rs 基段和 r-m 几乎等长，m-cu 连在 M 分支点上或分支点后一点的 M_2 上。外生殖器第 9 背板后缘有 1 个开口很大的"V"形缺口，第 9 腹板后缘中部有 1 很深的"U"形缺口；生殖突很特殊，基部较大，末端尖，其外侧中部有 1 个尖的突起，从侧面观几乎弯曲成直角。

采集记录： 1♂（正模），秦岭车站，1980. Ⅴ. 08，向龙成、马宁采；3♂（副模），同正模；1♂（副模），太白山，1983. Ⅴ. 20，采集人不详。

分布： 陕西（秦岭、太白）、河北。

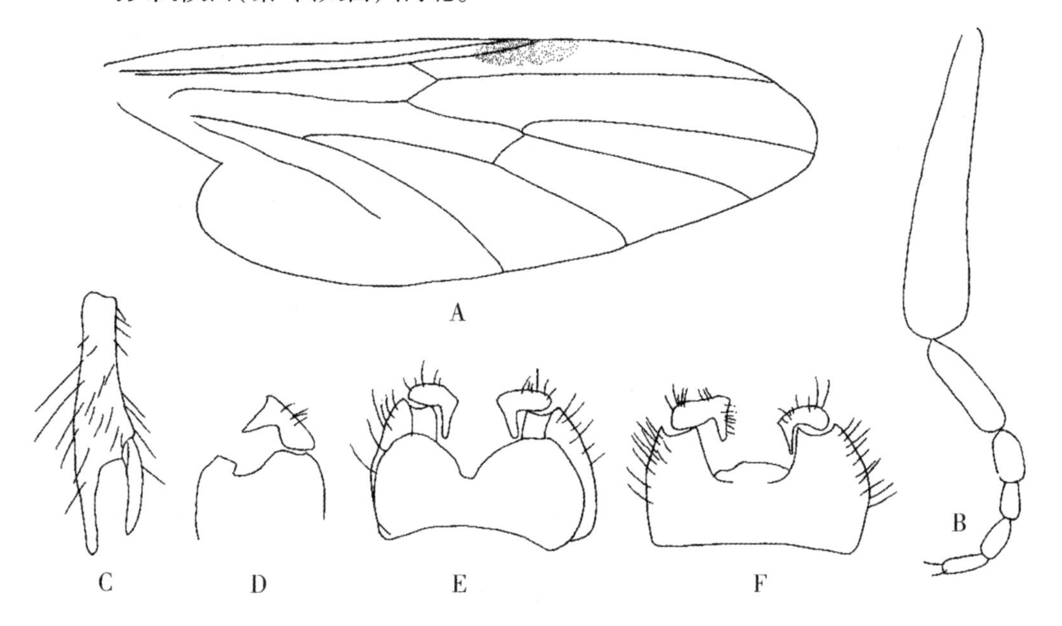

图 55 尖突毛蚊 *Bibio acerbus* Yang *et* Luo

A. 翅（wing）；B. 雄性后足胫节和跗节（hind tibia and tarsi, male）；C. 雄性前足胫节（fore tibia, male）；D. 生殖突侧面观（gonostylus, lateral view）；E. 雄性外生殖器背面观（male genitalia, dorsal view）；F. 雄性外生殖器腹面观（male genitalia, ventral view）

(2)尖裂毛蚊 *Bibio acutifidus* Yang *et* Luo, 1989(图 56)

Bibio acutifidus Yang *et* Luo, 1989: 147.

鉴别特征:雄性头部黑色，复眼被棕色毛；触角有 10 节，黑色，鞭节末节圆。胸部黑色发亮，肩胛带些棕色。足除基节、转节黑色外，其余基本为棕黄色。前足胫节短粗，端刺长，约为胫节长的 1/2，端距长，与端刺基本等长；后足腿节基部 1/3 细，然后逐渐增大，胫节从基部逐渐增大，基跗节稍膨大。翅淡黄色，翅痣暗棕色明显。Rs 基段约为 r-m 长的 3/4，m-cu连在 M 分支点上，M_2与 CuA_1 伸达翅缘。外生殖器第 9 背板后缘有 1 个“V”形缺口；第 9 腹板后缘中部亦有 1 个狭窄的“V”形缺口；生殖突较粗，末端不尖，边缘形成棱角边，中部强烈弯曲。雌性未知。

采集记录:1♂(正模)，南五台，1980. V. 15，周尧、向龙成采。

分布:陕西(长安)。

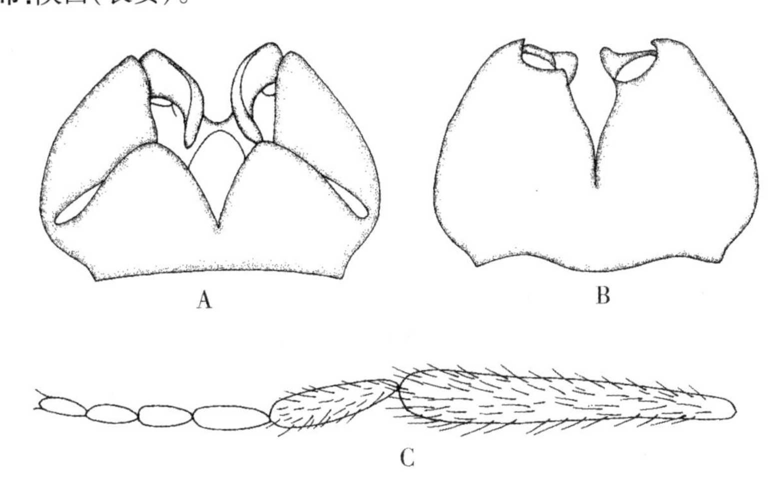

图 56　尖裂毛蚊 *Bibio acutifidus* Yang *et* Luo

A. 雄性外生殖器背面观(male genitalia, dorsal view); B. 雄性外生殖器腹面观(male genitalia, ventral view); C. 雄性后足胫节和跗节(hind tibia and tarsi, male)

(3)钩毛蚊 *Bibio aduncatus* Luo *et* Yang, 1988(图 57)

Bibio aduncatus Yang *et* Luo, 1988: 171.

鉴别特征:雄性头部黑色，复眼上密布垂直于复眼面的黑色毛。触角有 11 节，黑色，最末 4 节愈合。胸部背板包括肩胛和小盾片为黑色，发亮。除前足腿节、中足腿节棕色外，其余为黑棕色。前足胫节端距长，几乎等于刺长；后足腿节端半部膨大，胫节自基部即较宽，跗节正常。翅面呈均匀的浅黄色，前半部翅脉色深，棕色，后半部翅脉色很浅，与翅面同色，M_2 和 CuA_1 都不到达翅缘。外生殖器第 9 背板前缘内凹，后缘呈“M”形，中间形成1个较深的“V”形缺口，深达背板长的1/2；第9腹板前缘平直，后缘中部有1个浅而宽的“U”形缺口，仅为腹板长的1/6；生殖突细短，呈指状。雌性足有明显不同的两种颜色，前中足基节、转节和腿节为黄色，胫节和跗节为黑色；后足基节、转节黄色，腿节棕色，胫节及跗节全黑。

采集记录：12♂1♀，周至厚畛子，2010. Ⅵ. 19，盛茂领采；4♂，周至厚畛子，2009. Ⅵ. 23，盛茂领采。

分布：陕西（周至）、宁夏、浙江、江西。

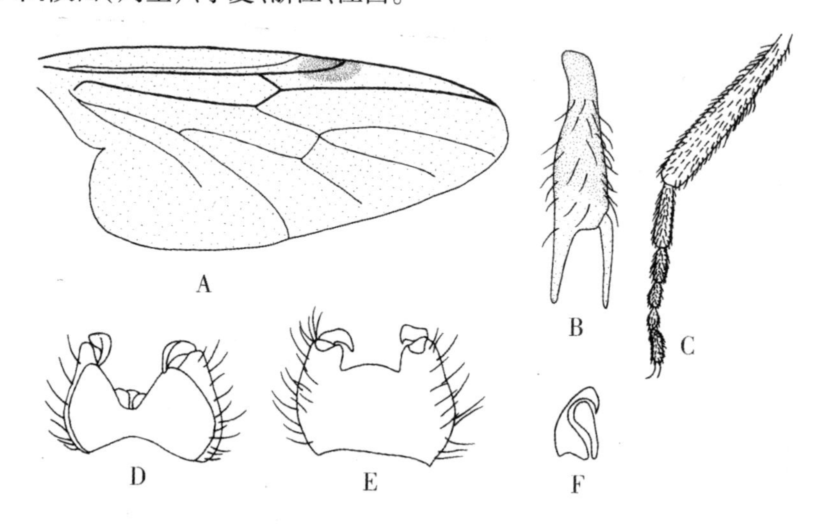

图 57　钩毛蚊 *Bibio aduncatus* Luo *et* Yang

A. 翅(wing); B. 雄性前足胫节(fore tibia, male); C. 雄性后足胫节和跗节(hind tibia and tarsi, male); D. 雄性外生殖器背面观(male genitalia, dorsal view); E. 雄性外生殖器腹面观(male genitalia, ventral view); F. 生殖突侧面观(gonostylus, lateral view)

(4) 双凹毛蚊 *Bibio biconcavus* Yang *et* Luo, 1989（图 58）

Bibio biconcavus Yang *et* Luo, 1989: 145.

鉴别特征：雄性头部黑色发亮，复眼黑棕色密被棕色短毛；触角有10节。胸部黑色发亮，肩胛略带棕色。各足基节、转节和跗节为黑色，腿节和胫节黑棕色，带红色。前足胫节细长，端刺较短，长约为胫节长的1/4，端距长约为端刺的1/2；后足腿节基半部细，其余向端部逐渐膨大。翅呈烟棕色，前缘部分色深；Rs 基段比 r-m 稍长，m-cu连在靠近 M 分支点的 M_2 上。外生殖器第9背板后缘近中部的两侧各有1处凹陷，前缘两侧亦各有1个“V”形缺口；第9腹板后缘中部有1个“U”形缺口，前缘平直；抱握器粗短，末端粗，不尖，中部略弯曲。雌性大部分特征与雄性相似，但后足胫节和跗节细长，没有膨大现象。

采集记录：1♂，周至厚畛子，2009. Ⅴ. 19，盛茂领采；2♂1♀，周至厚畛子，2009. Ⅴ. 26，盛茂领采；周至厚畛子，2009. Ⅴ. 12，盛茂领采；2♂，周至厚畛子，

2009. V. 05，盛茂领采；1♂（正模），太白山上白云，1800m，1933. Ⅵ. 07，太白山昆虫考察组采；1♀（配模），太白山蒿坪寺，1981. Ⅴ. 21，袁锋采；1♂（副模），太白山点兵场，1200m，1981. Ⅴ. 29，采集人不详；1♀（副模），太白山中山寺，1400m，1981. Ⅵ. 08，采集人不详。

分布：陕西（周至、太白）、云南、西藏。

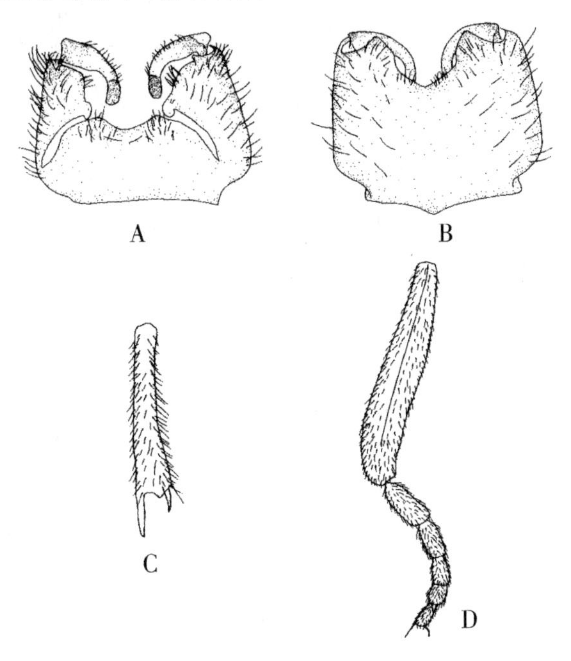

图 58　双凹毛蚊 *Bibio biconcavus* Yang *et* Luo

A. 雄性外生殖器背面观（male genitalia，dorsal view）；B. 雄性外生殖器腹面观（male genitalia，ventral view）；C. 雄性前足胫节（fore tibia，male）；D. 雄性后足胫节和跗节（hind tibia and tarsi，male）

（5）棒角毛蚊 *Bibio claviantenna* Yang *et* Luo, 1989（图 59）

Bibio claviantenna Yang *et* Luo, 1989：148.

鉴别特征：雄性头部黑色，复眼密被棕色毛，触角有 10 节，末 3 节不易辨认。胸部背板黑色发亮，肩胛略带红棕色。足红棕到黑棕色，前足胫节短粗，刺长，约为胫节长的 1/2，距长等于刺的长度；后足腿节后半部稍膨大，胫节和跗节正常，没有膨大现象。翅半透明，翅痣棕色；Rs 基段短于 r-m，m-cu 连在 M 分叉点上（有的个体位于分叉点稍靠前的位置）；CuA_1 不到达翅缘。外生殖器第 9 背板后缘有 1 个开口较宽较浅的"U"形缺口，第 9 腹板后缘中部有 1 个宽而浅的"U"形缺口；生殖突基部粗，末端尖，中部强烈弯曲，几乎成直角。雌性头部除喙管及触角的柄节、梗节为黄棕色外，其余为黑色；胸部呈棕黄色；足基节、转节和腿节为棕黄色，胫节和跗节为黑棕色，腹部黑棕色，其他特征类似雄性。

采集记录:1♀，长安南五台，1980. Ⅴ.18，陈彤采；1♀，同正模；1♂，周至厚畛子，2009. Ⅵ. 19，盛茂领采；1♂(正模)，秦岭车站，1980. Ⅴ.08，向龙成、马宁采；1♀(配模)，同正模；1♂(副模)，秦岭车站，1980. Ⅴ.08，向龙成、马宁采。

分布:陕西(长安、周至、凤县、宝鸡)。

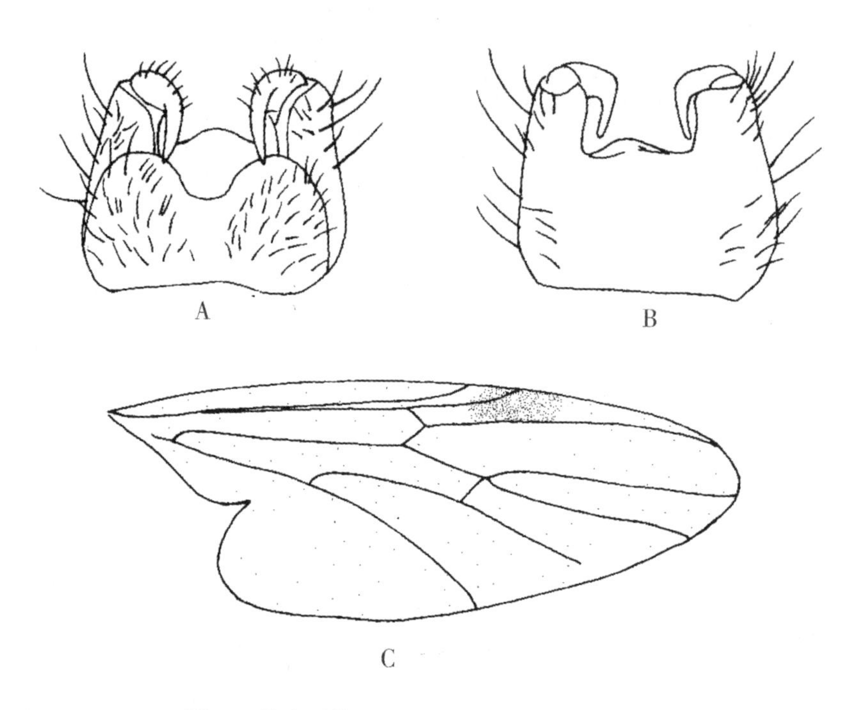

图 59 棒角毛蚊 *Bibio claviantenna* Yang *et* Luo

A. 雄性外生殖器背面观(male genitalia, dorsal view); B. 雄性外生殖器腹面观(male genitalia, ventral view); C. 翅(wing)

(6)粗胫毛蚊 *Bibio crassinodus* Yang *et* Luo, 1989(图 60)

Bibio crassinodus Yang *et* Luo, 1989: 149.

鉴别特征:雄性头部黑色，复眼红棕色被棕毛；触角有 9 节，最后 3 节紧密愈合。胸部背板黑色发亮，肩胛黄棕色。各足基节、转节和腿节为黑棕色，其余为棕色。前足胫节短粗，端刺长，为胫节长的近 1/3，端距小，长为端刺的 2/5；后足腿节及胫节均从基部逐渐膨大，基跗节细长，没有膨大现象。翅浅黄色近无色，翅痣，C、R、r-m 及 M_{1+2}基段黄棕色，余脉与翅膜同色。R_S 基段约等于 r-m 或略短些，m-cu 连在 M 分支点上。外生殖器第 9 背板前缘稍内凹，后缘有 1 个"V"形缺口；第 9 腹板后缘有 1 个方形缺口；生殖突基部粗，末端逐渐变细，中部弯曲。雌性很多特征与雄性相似，但中胸背板中部为黑色，有 3 条纵向的黑色斑块，背板两侧、后缘及小盾片为棕黄色。足除基节、转节、腿节为棕黄色，前足胫节端刺距棕红色外，其余为棕黑色；后足胫节细长，没有膨大现象。翅脉均为棕色。

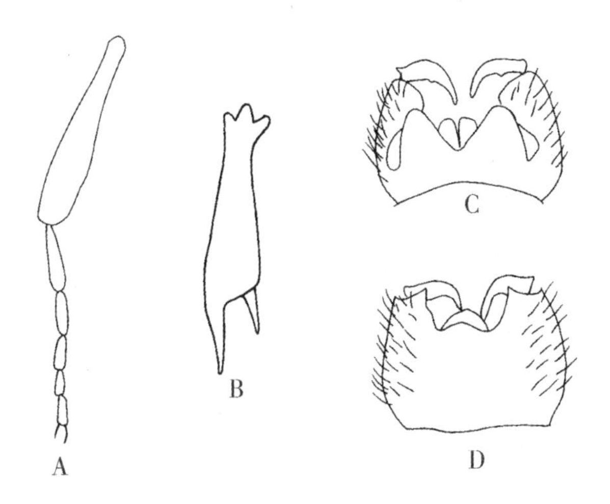

图 60　粗胫毛蚊 *Bibio crassinodus* Yang *et* Luo

A. 雄性后足胫节和跗节(hind tibia and tarsi, male); B. 雄性前足胫节(fore tibia, male); C. 雄性外生殖器背面观(male genitalia, dorsal view); D. 雄性外生殖器腹面观(male genitalia, ventral view)

采集记录:1♂，太白山蒿坪寺，1982. Ⅴ.22. 采集人不详。

分布:陕西(太白)、辽宁、甘肃。

(7)楔毛蚊 *Bibio cuneatus* Yang *et* Luo, 1989(图 61)

Bibio cuneatus Yang *et* Luo, 1989: 151.

鉴别特征:雄性头部黑色，复眼黑棕色被棕黑毛；触角有 10 节，黑色。胸部黑色，只有肩胛和小盾片边缘略带棕色，胸部密布棕黄色长毛。各足的基节、转节为黑色，其他各节为黄棕色、红棕色或黑色。前足胫节短粗，距长，和端刺几乎等长；后足腿节后半部膨大，胫节端部稍膨大，基跗节明显膨大。翅为浅棕色，在 Rs 基段、r-m及 m-cu 周围形成浅黑色渍状斑，Rs 基段稍短于 r-m，m-cu 连在 M_2 上，但很近 M 分支点。外生殖器第 9 背板后缘的缺口很深，呈"U"形；第 9 腹板后缘中部为半膜质，有 1 个浅的缺口；生殖突形状很特殊，基部形成 1 侧叶，较粗大，上面有些小的毛瘤，毛瘤上着生粗长的黑色毛，端部指状，末端向下弯曲。雌性特征似雄性，但触角 11 节，胸部除背板上有棕黑色条斑及小盾片棕黑色外，其余为黄棕色。后足胫节和跗节正常，没有膨大现象。

采集记录:1♂(正模)，秦岭车站，1980. Ⅴ.08，向龙成、马宁采；1♀(配模)，同正模；1♂(副模)，秦岭车站，1980. Ⅳ.25. 向龙成、马宁采；1♂(副模)，秦岭车站，1980. Ⅴ.08，向龙成、马宁采；27♂2♀，秦岭车站，1980. Ⅴ.08，向龙成、马宁采；2♂，秦岭，1980. Ⅴ.18，向龙成、马宁采。

分布:陕西(宝鸡、凤县)。

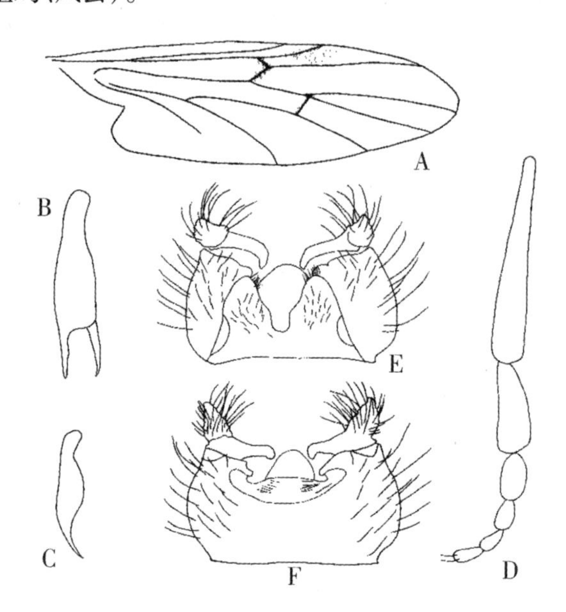

图 61 楔毛蚊 *Bibio cuneatus* Yang *et* Luo

A. 翅(wing); B. 雄性前足胫节背面观(fore tibia, male, dorsal view); C. 雄性前足胫节侧面观(fore tibia, male, lateral view); D. 雄性后足胫节和跗节(hind tibia and tarsi, male); E. 雄性外生殖器背面观(male genitalia, dorsal view); F. 雄性外生殖器腹面观(male genitalia, ventral view)

(8) 双瓣毛蚊 *Bibio dipetalus* Yang *et* Luo, 1989(图 62)

Bibio dipetalus Yang *et* Luo, 1989: 152.

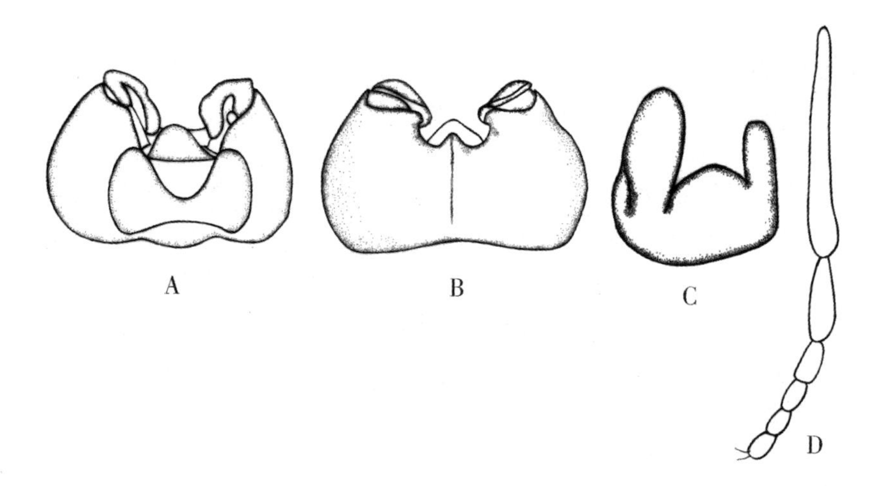

图 62 双瓣毛蚊 *Bibio dipetalus* Yang *et* Luo

A. 雄性外生殖器背面观(male genitalia, dorsal view); B. 雄性外生殖器腹面观(male genitalia, ventral view); C. 生殖突(gonostylus); D. 雄性后足胫节和跗节(hind tibia and tarsi, male)

鉴别特征:雄性头部黑色发亮，复眼棕色被棕色短毛。胸部背板和侧板为黑色，仅肩胛和小盾片边缘棕色。各足基本为黑色，稍带些红棕色。前足胫节短粗，端刺长为胫节的1/3，端距长，比端刺稍短，几乎等于端刺的长度；后足腿节基半部细，端半部膨大，胫节细长，仅在端部稍膨大，基跗节稍膨大。翅呈烟棕色，翅痣黑色明显，在r-m、Rs基段和m-cu周围有棕色渍斑。Rs基段短于r-m，m-cu连在M分支点上。外生殖器第9背板后缘中部有1个深的"U"形缺口，第9腹板后缘有1个近方形缺口；生殖突非常特别，扁平状，分两叶，其中内侧有1叶较粗大，外侧叶细小些。雌性未知。

采集记录:1♂(正模)，秦岭车站，1980. Ⅴ.08，向龙成、马宁采。

分布:陕西(凤县)。

(9)黄腿毛蚊 ***Bibio flavifemoralis* Yang *et* Luo, 1988**(图63)

Bibio flavifemoralis Yang *et* Luo, 1988: 1.

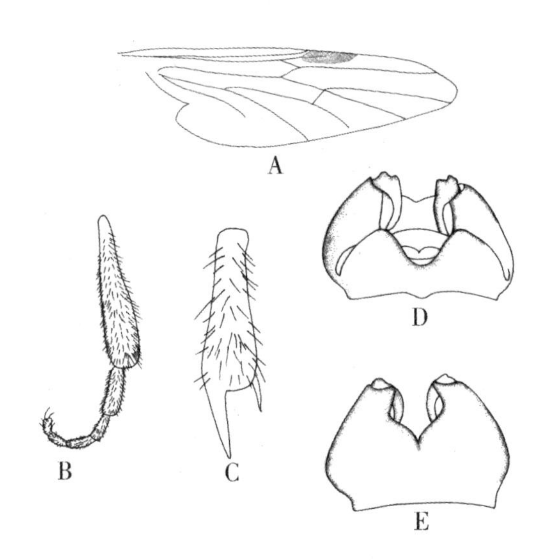

图63 黄腿毛蚊 *Bibio flavifemoralis* Yang *et* Luo

A. 翅(wing); B. 雄性后足胫节和跗节(hind tibia and tarsi, male); C. 雄性前足胫节(fore tibia, male); D. 雄性外生殖器背面观(male genitalia, dorsal view); E. 雄性外生殖器腹面观(male genitalia, ventral view)

鉴别特征:雄性头黑色发亮，胸部背板黑色发亮，只有肩胛和小盾片边缘棕色，背板上密生浅黄色长毛。足基节、转节与侧板同色，深红棕色，腿节棕黄色，其余各节红棕色。前足胫节短粗，端距长为端刺的1/3；后足胫节从基部起逐渐膨大，基跗节细长，没有膨大现象。翅呈浅棕黄色，前缘色深，Rs基段与r-m等长，M_2与CuA_1不伸达翅缘。外生殖器第9背板后缘有1个"V"形缺口，约深达背板的1/2；第9腹板后缘中央有1个"V"形缺口，在中部两侧向内凹入，前缘平直；生殖突基部较粗，中部略弯曲，末端稍变细。雌性腿节及以上包括基节和转节黄色，腿节以下为黑棕色。胸部背板全是黑色，只有肩胛缝处为棕色。

采集记录:5♂1♀，周至厚畛子，2010. Ⅵ. 19，盛茂领采；3♂，周至厚畛子，2009. Ⅵ. 19，盛茂领采。

分布:陕西(周至)、湖北。

(10)甘肃毛蚊 *Bibio gansuanus* Li *et* Yang, 2005

Bibio gansuanus Li *et* Yang, 2005: 720.

鉴别特征:雄性身体全亮黑色，触角有10节，末节小。胸部全黑，除了前足胫节的端刺和端距为红褐色外，其余全为黑色。前足胫节增粗，端刺为胫节长的1/3以上，端距为端刺的1/2；后足腿节和胫节基部到端部逐渐膨大，基跗节略膨大。翅呈烟褐色，Rs基段略短于r-m，m-cu连在M_2上，M_2到达翅缘。外生殖器第9背板后缘缺口浅而宽，呈方形；第9腹板后缘呈"V"形缺口，端缘弓弯呈双峰状，"V"形缺口底部钝圆；生殖突相向内弯，向端部渐细。雌性大部分特征类似雄性，但体色不同。全身大部分亮黑，只有前足腿节为黄色。各足的腿节膨大，尤其是前足腿节膨大最明显且为红黄色。

采集记录:3♀，周至厚畛子，2500～3000m，1999. Ⅵ. 22，刘缠民、贺同利采；2♀，周至厚畛子，2500～3000m，1999. Ⅵ. 21，姚建采；1♀，周至厚畛子，1500～2000m，1999. Ⅵ. 21，刘缠民采；1♀，佛坪凉风垭，2100～1800m，1999. Ⅵ. 28，刘缠民、胡建采。

分布:陕西(周至、佛坪)。

(11)小距毛蚊 *Bibio parvispinalis* Luo *et* Yang, 1988(图64)

Bibio parvispinalis Luo *et* Yang, 1988: 167.

鉴别特征:雄性体较大，体长超过10mm。头部黑色，触角黑色，有11节，末节短小。胸部黑色发亮多毛。足呈红棕色到黑棕色，前足胫节细长，端距相当于刺长的1/2；后足胫节宽扁，自基部起向端部逐渐膨大，跗节基本正常，稍稍膨大，粗长，其他跗节渐变短细。翅呈深烟棕色，前半部翅脉颜色深棕色，后半部翅脉色浅为棕色；CuA_1达不到翅缘。外生殖器第9背板后缘有1个开口较宽的"V"形缺口，背板后缘两侧形成近三角形骨片；第9腹板后缘向内收，后缘中部有1个较浅的"U"形缺口；生殖突短细，向端部变细。雌性大部分特征与雄性近似，但触角12节，头胸腹及足上的毛极短且稀疏，后足胫节正常，只在端部稍膨大。

采集记录:1♂，周至厚畛子，2009. Ⅵ. 08，盛茂领采；2♂，周至厚畛子，2009.

Ⅵ. 19，盛茂领采。

分布：陕西（周至）、安徽、浙江、湖北、江西、四川。

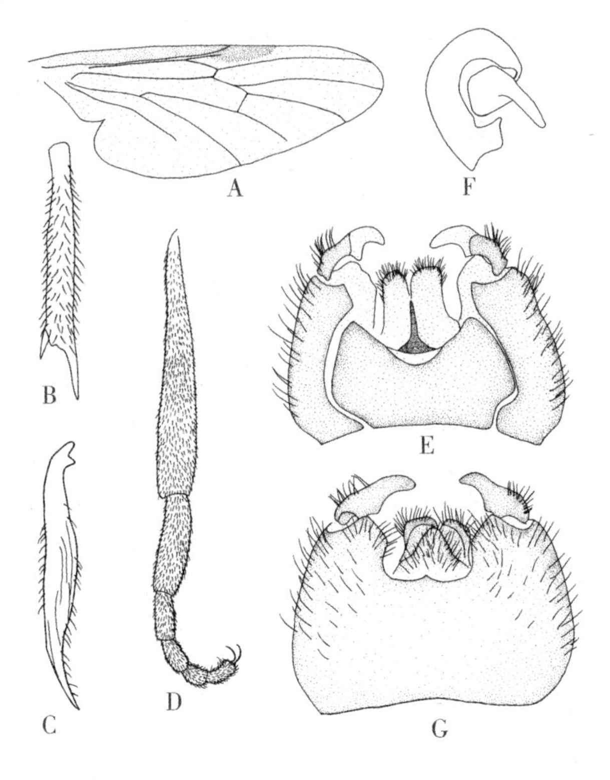

图 64　小距毛蚊 *Bibio parvispinalis* Luo *et* Yang

A. 翅（wing）；B. 雄性前足胫节背面观（fore tibia, male, dorsal view）；C. 雄性前足胫节侧面观（fore tibia, male, lateral view）；D. 雄性后足胫节和跗节（hind tibia and tarsi, male）；E. 雄性外生殖器背面观（male genitalia, dorsal view）；F. 生殖突（gonostylus）；G. 雄性外生殖器腹面观（male genitalia, ventral view）

（12）红腹毛蚊 *Bibio rufiventris* Duda, 1930

Bibio rufiventris Duda, 1930: 12.

Crapitula japonica Motschulsky, 1866: 183.

鉴别特征：雄性头部黑色，触角黑色，10 节。胸部背板和侧板黑色发亮，被长而密的黑色毛。足深红棕色有黑色长毛。前足胫节增粗，距短，约等于刺长的 2/5。后足腿节和胫节膨大，但跗节正常，没有膨大现象。翅呈烟棕色，前半部翅脉颜色深棕色，后半部翅脉色浅；Rs 基段很长，约为 r-m 长的 4～5 倍，m-cu 连在 M_2 上。外生殖器的第 9 背板近长方形，后缘有 1 个开口较宽而浅的凹陷；第 9 腹板后缘内收，后缘中部有 1 个较浅的“U”形缺口；生殖突向端部变细，中部稍弯曲，末端不尖。雌性与雄性特征近似，但是体色有很大差别：雌性胸部背板除了肩胛和小盾片黑色外，其他为红黄色，腹部红黄色，其他部分黑色；后足胫节不如雄性那样膨大，跗节细。

采集记录:5♂, 周至厚畛子, 2009. V.01, 盛茂领采; 12♂, 周至厚畛子, 2009. V.12, 盛茂领采; 27♂, 周至厚畛子, 2009. VI.08, 盛茂领采。

分布:陕西(周至)、黑龙江、辽宁、内蒙古、北京、河北、福建; 日本, 朝鲜。

(13)陕西毛蚊 *Bibio shaanxiensis* Yang *et* Luo, 1989

Bibio shaanxiensis Yang *et* Luo, 1989: 150.

鉴别特征:雄性头部黑色, 复眼黑色被黑毛; 触角 10 节。胸部黑色发亮, 肩胛棕色, 侧板深红棕色, 密被棕色长毛。足基节和转节与侧板同色, 深红棕色, 前足和后足腿节基部、端部和背腹处和跗节带黑棕色外, 其余为棕黄色。前足胫节短粗, 端距长, 几乎与端刺等长; 后足腿节和胫节从基部开始膨大, 基跗节稍膨大。翅浅黄色, Rs 基段短于 r-m, r-m 连在两 M 分支点上。外生殖器第 9 背板后缘有 1 个开口很大的"V"形缺口, 第 9 腹板后缘亦有 1 个很深的"U"形缺口; 生殖突细长, 末端不尖, 中部几乎弯曲成直角。雌性胸部除中胸背板及下侧板黑色外, 其余为棕黄色, 多具浅黄色短毛。足棕黄色, 仅第 2~5 跗节棕色。后足胫节及基跗节细长。

采集记录:1♂(正模), 秦岭车站, 1980. V.08, 向龙成、马宁采; 1♀(配模), 2♂(副模), 同正模; 4♀(副模), 秦岭, 1400m, 1973. X.09, 周尧采。1♀, 长白山白站, 1100~1150m, 1986. VII.02, 采集人不详。

分布:陕西(凤县)、吉林。

2. 棘毛蚊属 *Dilophus* Meigen, 1803

Philia Meigen, 1800: 20. **Type species**: *Tipula febrilis* Linnaeus, 1758.

Dilophus Meigen, 1803: 264. **Type species**: *Tipula febrilis* Linnaeus, 1758.

Cnemidoctenia Enderlein, 1934: 181. **Type species**: *Dilophus crassicrus* Lundström, 1913.

Dactylodiscia Enderlein, 1934: 181. 181. **Type species**: *Dilophus hiemalis* Becker, 1908.

Tridicroctena Enderlein, 1934: 181. **Type species**: *Dilophus africanus* Becker, 1903.

Triploctenia Enderlein, 1934: 181. **Type species**: *Dilophus tenuis* Meigen, 1818.

属征:雄性头部呈半圆形, 雌性头部较宽, 雄性复眼为接眼式, 大而圆, 密生绒毛; 雌性复眼小, 卵圆形。触角短而紧密, 有 10~11 节, 鞭节各节为扁平念珠状, 末端数节常紧连, 下颚须一般较短, 分 4 节, 第 3 节略增粗, 第 4 节长。胸部很隆起, 雌性前胸较发达, 中胸背板有两道隆起的脊, 其上有短刺, 刺的数目不同, 小盾片半圆形, 宽而短。足粗壮, 腿节膨大, 前足胫节端部有一圈刺, 中部有一到多排刺, 刺的数目及排列种间有变化。翅的 Rs 不分支, C 伸到 Rs 与 M_1 之间的 1/2 处。腹部 7~8节, 细长, 雄性外生殖器大而明显, 抱握器常粗而短, 末端不明显变细。雌性腹末变细，有尾须1节。

分布：世界性分布，但热带地区种类较多，温带地区种类少。全世界已知205种，中国记录12种，秦岭地区有1种。

(14) 黑脉棘毛蚊 *Dilophus nigrivenatus* Yang *et* Luo, 1989

Dilophus nigrivenatus Yang *et* Luo, 1989: 144.

鉴别特征：雄性头部及体为黑色，触角有13节，端部3节紧连，末节很小。前足胫节中部有4枚刺，其中3刺排列在一起，另一刺位于3刺之下，后足腿节稍加粗。翅呈烟褐色，翅脉黑色，翅痣明显，C终止于Rs与M_1之间的1/3处，Rs基段长约r-m的1/4，m-cu与两M分支点相连。外生殖器第9背板近长方形，宽为长的2.30倍，第9腹板后缘有1个梯形缺口，前缘平直，生殖突很短，末端部一侧突出成角。雌性大部特征与雄性相似。

采集记录：1♂2♀(副模)，秦岭车站，1980. V.08，向龙成、马宁采。

分布：陕西(凤县)。

3. 叉毛蚊属 *Penthetria* Meigen, 1803

Penthetria Meigen, 1803: 264. **Type species:** *Penthetria funebris* Meigen, 1804.

Threneste Wiedemann, 1830: 618 [nomen nudum].

Eupeitenus Macquart, 1838: 88 (1838: 84). **Type species:** *Penthetria atra* Macquart, 1834.

Crapitula Gimmerthal, 1845: 330. **Type species:** *Crapitula motschulskii* Gimmerthal, 1845.

Pleciomyia Brunetti, 1911: 269. **Type species:** *Penthetria melanaspis* Wiedemann, 1828 .

Parapleciomyia Brunetti, 1912: 446. **Type species:** *Parapleciomyia carbonaria* Brunetti, 1912.

属征：体大多黑色，有的种类中胸背板有部分或全部为赤黄色；身体一般多有黑毛，尤其在胸侧板、足和腹部的毛更多。复眼光裸无毛，复眼分为背面和腹面两部分，但两部分的分界线不是十分清晰；喙一般短，触角有9~12节，触角基部下方颜面形成1个深凹陷。足细长，多数种类后足胫节和基跗节稍膨大。翅多为棕褐色，Rs分两支，即R_{2+3}及R_{4+5}，R_{2+3}一般较长，几乎与R_{4+5}平行，CuP脉明显，大部分种类的翅痣不太明显。雄性外生殖器背腹较扁，第9背板不与第9腹板愈合，抱握器位于侧面，较粗大，中部常弯曲。雌性腹部较大，末端变细，有尾须2节。

分布：除了非洲区和澳洲区外，各大动物地理区都有分布。全世界已知30种，中国记录21种，秦岭地区有4种。

分种检索表

1. 中胸背板赤黄色，至少后半部赤黄色 ………………………………………… 2
   中胸背板全为黑色………………………………………… **陕西叉毛蚊 *P. shaanxiensis***
2. 中胸背板明显由 2 个颜色组成，前半部黑棕色，后半部赤黄色 ………………………… 3
   中胸背板包括小盾片全为赤黄色，只有肩胛黑棕色 ……………… **细足叉毛蚊 *P. simplicipes***
3. r-m 与 M_1 相连，后足胫节端部及基跗节膨大 ………………………… **泛叉毛蚊 *P. japonica***
   r-m 与 M_{1+2}相连，后足正常，没有膨大现象 ………………………… **摩氏叉毛蚊 *P. motschulskii***

(15) 泛叉毛蚊 *Penthetria japonica* Wiedemann, 1830（图 65）

Penthetria japonica Wiedemann, 1830: 618.
Plecia ignicollis Walker, 1848: 116.

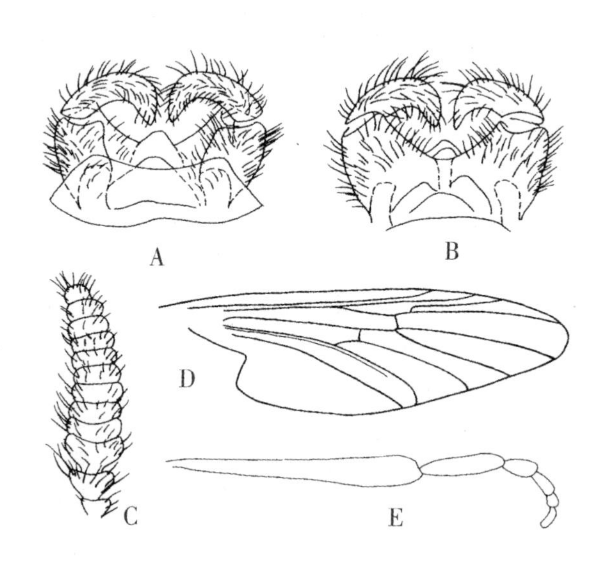

图 65 泛叉毛蚊 *Penthetria japonica* Wiedemann

A. 雄性外生殖器背面观（male genitalia, dorsal view）; B. 雄性外殖器腹面观（ditto, ventral view）; C. 触角（antenna）; D. 翅（wing）; E. 雄性后足胫节和跗节（hind tibia and tarsi, male）

鉴别特征：雄性头部和复眼为黑棕色，触角有 12 节，黑色，呈锥状。胸部侧板为黑棕色，背板前半部黑色，后半部红黄色，小盾片黑色。足黑棕色，后足腿节端半部和胫节端部明显膨大，基跗节膨大。翅呈烟棕色，翅痣不明显；R_{2+3}长，R_{2+3}平行于R_{4+5}，r-m连在 M_1 上，靠近两 M 分叉点。外生殖器第 9 背板梯形，后缘窄于前缘，后缘中间稍内凹；第 9 腹板也为近梯形，但后缘宽于前缘，后缘中部有个浅的“V”形缺口；生殖突短粗，末端尖，向内弯曲。雌性与雄性特征近似，但后足没有膨大现象。

采集记录：1♀，南五台，1980. Ⅴ. 15，周尧、陈彤采；1♀，太白山蒿坪寺，1981. Ⅴ. 21，袁锋采；2♀，秦岭，1980. Ⅴ. 07，向龙成、马宁采。

分布:陕西(长安、宝鸡、太白);日本,印度,尼泊尔。

(16)摩氏叉毛蚊 *Penthetria motschulskii* (Gimmerthal, 1845)(图66)

Crapitula motschulskii, Gimmerthal, 1845: 330.

Penthetria erythrosticta Yang *et* Luo, 1989: 142.

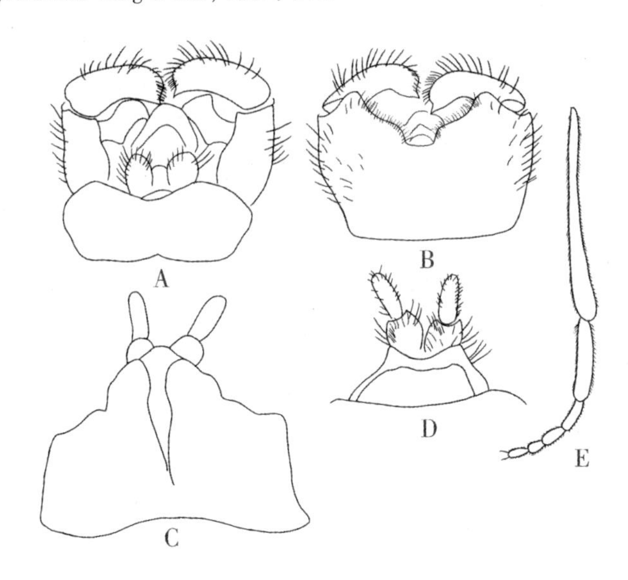

图66　摩氏叉毛蚊 *Penthetria motschulskii* (Gimmerthal)

A. 雄性外生殖器背面观(male genitalia, dorsal view); B. 雄性外殖器腹面观(male genitalia, ventral view); C. 雌性腹部末端背面观(female terminalis, dorsal view); D. 雌性腹部末端腹面观(female terminalis, ventral view); E. 雄性后足胫节和跗节(hind tibia and tarsi, male)

鉴别特征:雄性头部黑棕色,触角有12节,黑色,呈锥状。胸部背板前半部包括肩胛为黑色,呈楔形延伸到背板中央,后半部红黄色,小盾片黑色。足黑棕色,后足胫节没有膨大现象,只在末端稍稍膨大,基跗节长圆。翅呈烟棕色,R_{2+3}长,平行于R_{4+5},r-m连在M_{1+2}上,靠近两M分叉点。外生殖器第9背板近方形,后缘中部平缓内凹,前缘平直,长约为宽的2倍;第9腹板近方形,但后缘稍宽于前缘,后缘中部有个浅而宽的"V"形缺口,凹陷深度约为背板长的1/3,"V"形缺口底部形成一个"U"字形凹陷;生殖突短粗,基部和端部差不多等粗,稍向内弯曲,末端圆,但在端部内侧形成1个小的尖形突起。雌性与雄性特征近似,触角也为12节,但基部和端部等粗。

采集记录:3♂1♀,秦岭,1980.Ⅴ.08,向龙成、马宁采;秦岭,1♀,1973.Ⅹ.09-12,路进生、田畴采;1♀,秦岭,1980.Ⅴ.01,向龙成、马宁采;2♀,太白山刘家崖,1951.Ⅷ.18;1♀,华阴华山,1957.Ⅵ.16,采集人不详;1♀,佛坪大古坪,1269m,2014.Ⅷ.23,卢秀梅采。

分布:陕西(宝鸡、华阴、太白、佛坪)、黑龙江、内蒙古、山西、宁夏、甘肃、云南、西藏；蒙古，俄罗斯(西伯利亚)，日本。

(17)陕西叉毛蚊 *Penthetria shaanxiensis* Yang *et* Luo, 1989(图 67)

Penthetria shaanxiensis Yang *et* Luo, 1989: 143.

鉴别特征:雄性身体黑棕色，被很短的白色绒毛；触角有 12 节，呈锥状。背板盾中沟明显，小盾片端部有黑色亮点。各足棕色，正常，没有膨大现象，后足胫节和跗节圆，但不膨大。翅呈棕色，C 终止于 R_{4+5}末端处，R_{2+3}有些上下弯曲；Rs 分支点到 r-m 的距离约等于或稍长于两 M 分支点到 r-m 的距离。外生殖器第 9 背板为长方形，长大于宽；第 9 腹板后缘有弧形缺口，后有 1 个“V”形缺口，弧形缺口后缘的两侧腹板形成角突；抱握器较长，中部弯曲，端部逐渐变细。雌性许多特征与雄性相似。后足腿节端部略增粗，胫节细长。

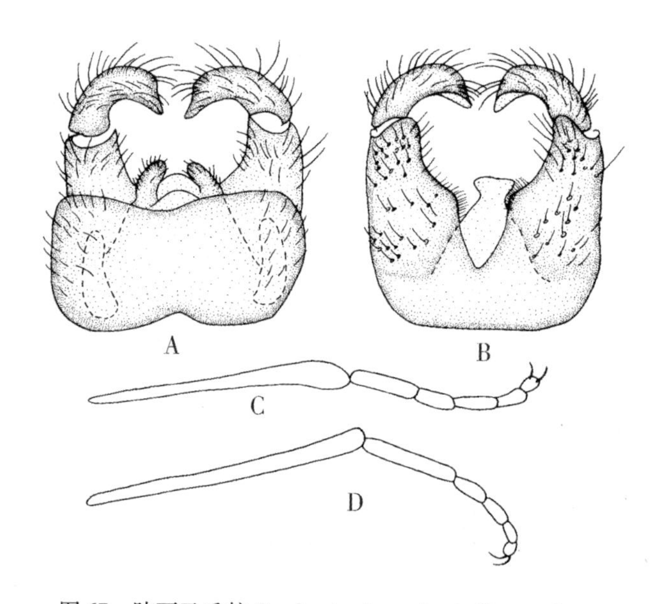

图 67　陕西叉毛蚊 *Penthetria shaanxiensis* Yang *et* Luo

A. 雄性外生殖器背面观(male genitalia, dorsal view); B. 雄性外殖器腹面观(male genitalia, ventral view); C. 雄性后足胫节和跗节(hind tibia and tarsi, male); D. 雌性后足胫节和跗节(hind tibia and tarsi, female)

(18)细足叉毛蚊 *Penthetria simplicipes* Brunetti, 1925(图 68)

Penthetria simplicipes Brunetti, 1925: 443.

鉴别特征:雄性头部黑棕色有灰白色粉被，复眼在额区相接，触角有 12 节。胸部侧板黄棕色有白色粉被，背板赤黄色，只有肩胛黄棕色，小盾片也为赤黄色。足黑棕色发亮，后足腿节端部稍膨大，但胫节和跗节细，没有膨大现象。翅呈烟棕色，翅痣不明显；R_{2+3}长，平行于 R_{4+5}，Rs 分叉点到 r-m 的距离约为 r-m 的长度，r-m 靠近两 M 的分叉点，有的个体的 r-m 正好位于两 M 的分叉点，有的个体的 r-m 稍靠后，连在 M_1 上。雄性外生殖器第 9 背板后缘窄，前缘宽，后缘两侧为 2 个近三角形的骨片；第 9 腹板后缘中部有 1 个较深的“V”形缺口；生殖突短粗，向内弯曲，基部和端部几乎等粗，只在末端有 1 个位于内侧的尖点。雌性与雄性特征相似。

采集记录:1♂，周至厚畛子，2010. Ⅶ. 07，盛茂领采；1♀，宁陕火地塘，2000. Ⅶ. 17，秦瑞豪采。

分布:陕西(周至、宁陕)。

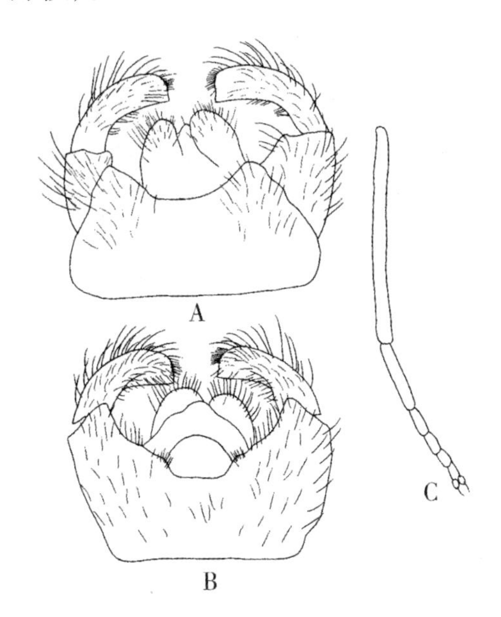

图 68　细足叉毛蚊 *Penthetria simplicipes* Brunetti

A. 雄性外生殖器背面观(male genitalia, dorsal view)；B. 雄性外殖器腹面观(male genitalia, ventral view)；C. 雄性后足胫节和跗节(hind tibia and tarsi, male)

4. 襀毛蚊属 *Plecia* Wiedemann, 1828

Plecia Wiedemann, 1828: 72. **Type species**: *Hirtea fulvicollis* Fabricius, 1805.

Rhinoplecia Bellardi, 1859: 19, 216. **Type species**: *Plecia rostrata* Bellardi, 1859.

Penthera Philippi, 1865: 603. **Type species**: *Penthera nigra* Philippi, 1865.

属征:此属种类的个体较小，一般不超过 10mm，体形也较纤细，可以分为红胸型和黑色型 2 个种团。在每个种团内，各种之间在外形上变化很小，但每个种类的雄性外生殖器的特征都非常独特。触角一般 9 ~ 12 节，胸部黑色或者部分为赤黄色到全赤黄色。足一般细长，常密生或长或短的黑色毛；后足除了部分种类后半部稍有膨大外，其他各节没有膨大现象。翅从透明到黑棕色，Rs 分成 R_{2+3}与 R_{4+5}两支，R_{2+3}短，与 R_{4+5}垂直或成1个锐角，CuA_1 垂直于翅缘。腹部第9背板、第9腹板及抱握器的形状变异很大，是分类最重要的特征，后缘两侧大多数形成或长或短的侧叶。雌性腹末细，尾须1节。

分布：世界广布，绝大多数种类分布在热带及亚热带地区。全世界大约有250种，中国已知28种，秦岭地区有1种。

(19)峨眉襀毛蚊 *Plecia emeiensis* Yang *et* Luo, 1989

Plecia emeiensis Yang *et* Luo, 1989: 61.

鉴别特征：雄性头部黑棕色有灰白色粉被，胸部背板大部分黑色，但肩胛及其后部、小盾片及胸侧板颜色稍浅，深棕色，背板和侧板有白色粉被，中盾沟明显。各足黑棕色，粗壮，除了各足腿节端部稍膨大外，其他各节正常，没有膨大现象。翅呈烟棕色，R_{2+3}较长，与 R_{4+5}成锐角，且一直伸达翅缘。腹部黑棕色有灰色粉被。雄性外生殖器第9背板长为宽的1/2，后缘略凹，但中央有1个小突，前缘中部凹；第9腹板后缘侧叶短，末端钝，中央有1个圆柱状突起，前缘略凹；抱握器的一侧强烈突出，末端较尖。雌性胸部肩胛和中胸背板后缘为棕红色，其他特征类似雄性。

采集记录：1♂，留坝光华山，1912m，2013. Ⅷ. 20，席玉强采。

分布：陕西（留坝）、北京、四川。

参考文献

Brunetti, E. 1925. Note on Oriental Bibionidae with descriptions of new species. *Records of Indian Museum*, 27: 443-450.

Duda, O. 1930. 4. Bibionidae. In: Lindner, E. (ed). 1930. *Die Fliegen der paläearktischen Region.* Schweizerbart, Stuttgart, 2(1): 1-75.

Hardy, D. E. 1973. Family Bibionidae. In: Delfinado, M. D. and Hardy, D. E. (eds.). *A catalog of the Diptera of the Oriental region. Vol.* 1. The University of Hawaii Press, Honolulu, p. 434-442.

Krivosheina, N. P. 1986. Family Bibionidae. In: Soós Á. and Papp, L. (eds.). *Catalogue of Palearctic Diptera. Vol. 4.* The Publication House of the Hungarian Academy of Sciences, Amsterdam, Netherland and Budapest, 319-330.

Luo, K and Yang, C-K. 1988. Notes on new species and new record of the genus *Bibio* Geiffroy from China (Diptea: Bibionidae). *Entomotaxonomia*, 10(3-4): 167-176. [罗科，杨集昆. 1988. 毛蚊属新种和新纪录（双翅目：毛蚊科）. 昆虫分类学报，10(3-4): 167-176.]

Li, Z and Yang, C-K. 2005. Diptera: Bibionidae. In: Yang, X-K (ed.). *Insect Fauna of middle-West Qinling Range and South Mountains of Gansu Province.* Science Press, Beijing. 719-723. [李竹，杨集昆. 2005. 双翅目：毛蚊科. 见：杨星科. 秦岭西段及甘南地区昆虫. 北京：科学出版社，719-723.]

Meigen, J. W. 1803. Versuch einer neuen GattungsEintheilung der europaischen zweiflugligen Insekten. *Mag. Hisecktenkd*, 2: 259-281.

Skartveit, J. 1995. Distribution and flight periods of *Bibio* Geoffroy, 1762 (Diptera: Bibionidae) in Norway, with a key to the species. *Fauna Norvegica Series B*, 42: 83-112.

Yang , C-K and Luo, K. 1988. Note on five new species of march flies from Hubei and Hunan. *Journal of Hubei University*, 1: 1-6. [杨集昆, 罗科. 1988. 湖北湖南的毛蚊五新种记述(双翅目:毛蚊科). 湖北大学学报, 1: 1-6.]

Yang , C-K and Luo, K. 1989a. Note on nine new species of Bibionidae (Diptera: Nematocera). *Acta Zootaxonomica Sinica*, 14(1): 55-65. [杨集昆, 罗科. 1989a. 毛蚊科九新种记述(双翅目:长角亚目). 动物分类学报, 14(1): 55-65.]

Yang , C-K and Luo, K. 1989b. New species and new records of march flies from Shaanxi, China. *Entomotaxonomia*, 11(1-2): 141-156. [杨集昆, 罗科. 1989b. 陕西省毛蚊的新种和新纪录. 昆虫分类学报, 11(1-2): 141-156.]

四、蚊科 Culicidae

付文博　闫振天　华亚琼　陈斌
(重庆师范大学昆虫与分子生物学研究所, 重庆 401331)

鉴别特征:蚊虫多数体型较小, 体型最大的如华丽巨蚊, 翅长可超过 10mm, 体型大小因种不同有较大差异, 也可存在较大个体差异。成虫喙细长, 口器刺吸式, 翅脉亚前缘脉止于前缘脉近翅端约 1/3 处, 纵脉 2 与纵脉 3 平行, 翅脉上和翅后缘具鳞, 足有鳞被, 触角分 15 节, 第 1 节窄小, 第 2 节膨大。幼虫头、胸、腹各部分明, 头有咀嚼式口器, 口刷发达, 自上唇两侧出生。胸部胸节已愈合, 明显比腹部宽, 触角生于头部两侧。蚊蛹是活动的被蛹, 形状从侧面看起来呈逗点状, 分成头胸部和腹部, 腹末端有 1 对扁平的尾鳍。成虫几乎和幼虫一样活跃, 不摄食, 但可在水中游动。靠连接胸部气孔的 1 对呼吸角呼吸。

生物学: 幼虫生活在水中, 多数幼虫通过口刷取食水体中微生物和悬浮物; 其他幼虫通过改进的口刷或抓握式上颚或下颚充当捕食者角色, 捕食其他蚊虫幼虫; 当食物缺乏或幼虫密度过大时有些种类幼虫通过同类相食竞争生存权。多数幼虫通过尾部的呼吸管伸出水面获得大气中的氧; 部分种类幼虫有特化的呼吸管从水生植物输气管获得氧; 也有少数种类通过特化的器官获得水体中的溶解氧。成蚊对水的温度和湿度敏感, 很多蚊虫生活在靠近地面几米以内的范围, 也有很多森林生活种类主要生活在树冠周围, 这种垂直分布主要和蚊虫的取养习性有关。雌蚊和雄蚊都取食植物液体, 雌蚊多数种类吸食动物血液(包括恒温动物和变温动物), 这和蚊虫卵的发育营养需求有关, 但有少数种类不吸食血液也可产卵, 还有少数种类不吸食血液。多数蚊虫一天的活动有规律, 在黄昏、夜晚、黎明和白天的活动各不相同。

分类: 全世界已知38属3543种，中国已知17属418种，陕西秦岭地区蚊虫区系5属25种。研究表明，陕西秦岭区系优势蚊虫有林氏按蚊 *Anopheles lindesayi*、帕氏按蚊 *An. pattoni*、羽鸟伊蚊 *Aedes Hatorii*、日本伊蚊 *Ae. japonicus*、三带喙库蚊 *Culextritaeniorhynchus*、淡色库蚊 *Cx. pipiens pallens*、致倦库蚊 *Cx. pipiens quinquefasciatus*、白胸库蚊 *Cx. pallidothorax*、骚扰阿蚊 *Armigeres subalbatus* 等种类。研究标本保存在重庆师范大学昆虫与分子生物学研究所昆虫标本馆内。

医学重要性: 雌蚊吸血，这不仅骚扰人类和动物生活，更主要的是它们传播病原微生物使人类和动物致病。蚊虫是最重要的医学昆虫类群，是人类的第一大动物杀手。

分属检索表

1. 小盾片弧形不分叶；腹部多无鳞 ······ **按蚊属 *Anopheles***
   小盾片分3叶；腹部多有鳞 ······ 2
2. 有气门鬃；翅脉臀前区上部有鬃毛 ······ **脉毛蚊属 *Culiseta***
   无气门鬃；翅脉臀前区上部无鬃毛 ······ 3
3. 无气后门鬃；跗节末端有发达爪垫 ······ **库蚊属 *Culex***
   有气后门鬃；跗节末端无爪垫 ······ 4
4. 头顶平覆宽鳞；喙带侧扁而略下弯；触角柄节、小盾片、中胸侧板及各足基节都有平覆宽鳞 ······ **阿蚊属 *Armigeres***
   无以上合并特征 ······ **伊蚊属 *Aedes***

1. 按蚊属 *Anopheles* Meigen, 1818

Anopheles Meigen, 1818: 10. **Type species**: *Anopheles Maculipennis* Meigen, 1818.

属征:雌蚊触须接近与喙等长，或至少为喙长的3/4；小盾片圆弧形，缘毛分布均匀；腹部无鳞片或鳞片很少。雄蚊触须末2节粗呈作棒状，并通常翘向侧面。幼虫有气门器而无呼吸管；腹节有掌状毛，但非花球状。

生物学:除少数种类滋生在水井、水桶及树洞等积水周围外，多数种类幼虫生长在天然积水周围，如稻田、沼泽、池塘等。多数种类的雌蚊刺吸动物血，兼吸人血，仅少数种类偏好人血。多以成蚊越冬，少数种类的幼虫和卵可以越冬。

分布:全球分布(除太平洋的岛屿群和孤岛外)，广布于全球的温带、亚热带和热带。世界记载近500种，中国已知62种(亚种)，秦岭地区发现4种。

医学重要性:按蚊属有些种是疟疾、淋巴丝虫病以及少数虫媒病毒的重要传播媒介，是人类疟疾的唯一传播媒介，具有重大的医学重要性。

分种检索表

1. 翅前缘脉全部暗色，或有白斑而其分割的包括亚缘脉的大黑斑不超过3个；雄蚊抱肢基节具2根亚基刺 …………………………………………………………………………………………… 2
   翅前缘脉具白斑，其分割的包括亚缘脉的大黑斑4个以上；雄蚊抱肢基节具4~5根亚基刺色 ………………………………………………………………………… **帕氏按蚊 *An. pattoni***
2. 后股中段有宽白环 ………………………………………………………… **林氏按蚊 *An. lindesayi***
   后股中段无宽白环 …………………………………………………………………………………… 3
3. 翅 $V_{2.1}$ 缘缨白斑较大，延伸到 $V_{4.1}$ 末端；第2腹节至第7腹节侧膜有"T"形暗斑 ……………………………………………………………………………… **中华按蚊 *An. sinensis***
   翅 $V_{2.1}$ 缘缨白斑较小，仅位于 $V_{2.1}$ 和 $V_{3.1}$ 末端之间；第2腹节至第7腹节侧膜无"T"形暗斑 ……………………………………………………………………………… **克劳按蚊 *An. crawfordi***

(1)帕氏按蚊 *Anopheles* (*Cellia*) *pattoni* Christophers, 1926

Anopheles pattoni Christophers, 1926: 871.

Anopheles (*Myzomyia*) *pattoni*: Feng, 1938: 178.

Anopheles (*Cellia*) *pattoni*: Stone *et al.*, 1959: 51.

鉴别特征：翅亚前缘脉有4个白斑或更多，足无白斑点，后跗节仅第5节全部为白色；雌蚊触须仅有3个白斑。幼虫头毛2~3有稀疏侧芒；8-C不分支；腹毛1-I分支呈扁针状。

采集记录：1♂6♀，华县高塘镇，1070m，2014.Ⅶ.07，付文博采；1♂16♀，旬阳白柳镇，621m，2014.Ⅵ.23，付文博采；8♀3♂，柞水凤凰镇，1026m，2014.Ⅵ.26，付文博采；8♂21♀，镇安云盖寺镇，1100m，2014.Ⅵ.20，付文博采；2♀，山阳城关镇，669m，2014.Ⅵ.27，付文博采；8♂14♀，丹凤蔡川镇，1200m，2014.Ⅵ.30，付文博采；2♂2♀，洛南巡检镇，1268m，2014.Ⅶ.05，付文博采。

分布：陕西（华县、旬阳、柞水、丹凤、山阳、镇安、洛南）、辽宁、北京、河北、山西、山东、河南、宁夏、甘肃、湖北、四川、贵州、云南。

(2)林氏按蚊 *Anopheles* (*Anopheles*) *lindesayi* Giles, 1900

Anopheles lindesayi Giles, 1900: 166.

Anopheles (*Anopheles*) *lindesayi* Giles, 1904: 123.

Anopheles lindesayi var. *maculata* Theobald, 1910: 1.

Anopheles (*Anopheles*) *lindesayi japonicus* Yamada, 1918: 689.

Anopheles pleccau Koidzumi, 1924: 97.

Anopheles (*Anopheles*) *lindesayi pleccau* Koidzumi, 1924: 485.

鉴别特征:后股中段有白环；深色；雌蚊触须全部暗色。胫节和跗节全为暗色。幼虫头毛 2-3C 为单枝；后胸毛 3-T 呈掌状；腹毛 1-I 呈非掌状。

采集记录:1♂1♀，华县高塘镇，1070m，2014. Ⅶ.07，付文博采；3♂3♀，旬阳白柳镇，621m，2014. Ⅵ.23，付文博采；18♂25♀，镇安云盖寺镇，1100m，2014. Ⅵ.20，付文博采；14♂13♀，山阳城关镇，669m，2014. Ⅵ.27，付文博采；2♂6♀，丹凤蔡川镇，1200m，2014. Ⅵ.30，付文博采；33♀，柞水凤凰镇，1026m，2014. Ⅵ.26，付文博采；4♂5♀，洛南巡检镇，1268m，2014. Ⅷ.05，付文博采。

分布:中国除黑龙江、吉林、青海、新疆外的各省(区)均有分布；俄罗斯，朝鲜，缅甸，印度，尼泊尔，巴基斯坦。

注:林氏按蚊曾记载 5 个亚种，中国有记载 2 个亚种。本研究发现，由于分布和海拔的不同个体差异较大，亚种不能成立。

(3)克劳按蚊 *Anopheles* (*Anopheles*) *crawfordi* Reid, 1953

Anopheles crawfordi Reid, 1953: 41.

Anopheles crawfordi Reid, 1953: 102.

鉴别特征:雌蚊触须 4 个白环均窄；中胸盾片两侧各有一明显的眼点。翅白斑窄；翅脉 $V_{2.1}$缘缨仅位于 $V_{2.1}$和 V_3 末端之间。径脉干区淡鳞和暗鳞杂生；V_6 仅有个 2 个暗斑；后跗节 1～4 仅有窄端白环。雄蚊触须节 3 有狭窄的基白环，节 4 和 5 背面大部淡色。幼虫胸毛 1-P 单支，头毛 2-C 单支；3-C 从基部作树状分支 30 以上；8-C分8～15支；第 3 腹节至第 7 腹节掌状毛暗色，叶片上有若干小的淡色斑点；腹毛 1～10 细弱。卵甲板窄，约为卵宽的 7.50%。

采集记录:1♀，镇安云盖寺镇，1100m，2014. Ⅵ.20，付文博采。

分布:陕西(镇安)、云南；越南，泰国，柬埔寨，马来西亚，印度尼西亚。

(4)中华按蚊 *Anopheles* (*Anopheles*) *sinensis* Wiedemann, 1828

Anopheles sinensis Wiedemann, 1828: 547.

Anopheles jesoensis Tsuzuki, 1902: 764.

Anopheles hyrcanus var. *sinensis*: Ho, 1930: 107.

Anopheles hyrcanus sinensis: Lu, 1957: 102.

Anopheles (*Anopheles*) *sinensis*: Ried, 1953: 10.

Anopheles (*Anopheles*) *chengfus* Ma, 1981: 65.

鉴别特征:翅前缘脉基部有散生淡鳞，$V_{5.2}$缘缨白斑明显；新鲜标本的腹侧膜有“T”形暗斑，雄蚊触须3 节，无基白环，抱肢基节背面有许多淡鳞。

采集记录: 7♀，旬阳白柳镇，621m，2014. Ⅵ.23，付文博；15♀，柞水凤凰镇，

1026m，2014. Ⅵ.26，付文博采；8♂3♀，镇安云盖寺镇，1100m，2014. Ⅵ.20，付文博采；5♀，山阳城关镇，669m，2014. Ⅵ.27，付文博采。

分布：中国；日本，朝鲜，越南，泰国，老挝，缅甸，印度，尼泊尔，柬埔寨，马来西亚。

医学重要性：中华按蚊特别是水稻种植区疟疾传播的主要或唯一媒介，中华按蚊也是马来丝虫病的重要传播媒介。

2. 伊蚊属 *Aedes* Meigen, 1818

Aedes Meigen, 1818: 13. **Type species:** *Aedes cinereus* Meigen, 1818.

属征：成蚊头顶具窄弯鳞，头后缘平覆宽鳞，触须短，雄性有3节。中胸盾片和小盾片有窄鳞，中胸侧板鳞簇不发达，有气门后鬃，亚气门区光裸无气门鬃，后跗指爪雌性有1对，雄性单个。侧背片有鳞，雄性腹节有多数刚毛，雌性腹有8节覆刚毛。阳茎特化成盘状或棒状，抱肢基节有背基内叶或并有端叶或两者都不发达，抱肢端节具多种形状，多数在末端或近末端有指爪，但无梳状宽刺。

分布：世界广布。全世界已知1000余种，中国记录129种，秦岭地区有8种。

分种检索表

1. 小盾片侧叶具窄鳞 …… 2
   小盾片侧叶平覆宽鳞 …… **白纹伊蚊 *Ae. albopictus***
2. 喙一致暗色；中胸盾片有明显的条纹或斑饰 …… 3
   喙腹面有淡色区；中胸盾片无斑纹 …… **刺扰伊蚊 *Ae. vexans***
3. 跗节有白环 …… 4
   跗节无白环 …… 7
4. 后足部分跗节同时具有基白环和端白环或端白斑，形成膀关节白环 …… **羽鸟伊蚊 *Ae. hatorii***
   后足部分跗节仅具有基白环 …… 5
5. 中胸盾片有金黄或黄色形成的完整或中断的正中纵线、亚中纵线等 …… 6
   中胸盾片无上述金黄或黄色纵线 …… **冯氏伊蚊 *Ae. fengi***
6. 亚气门区有鳞簇；后跗节通常1~4有基白环，节5或有白鳞 …… **日本伊蚊 *Ae. japonicus***
   亚气门区无鳞簇；后跗节仅1~3节有基白环 …… **朝鲜伊蚊 *Ae. koreicus***
7. 中胸盾片前部有1个完整或裂分为二的大银白斑 …… **侧白伊蚊 *Ae. albolateralis***
   中胸盾片无上述大银白斑 …… **云南伊蚊 *Ae. yunnanensis***

(5) 白纹伊蚊 *Aedes* (*Stegomyia*) *albopictus* (Skuse, 1894)

Cluex albopictus Skuse, 1894: 20.

Stegomyia scutellaris samarensis Ludlow, 1903: 138.

Stegomyia lamberti Ventrillon, 1904: 552.

Stegomyia nigritia Ludlow, 1910: 194.

Stegomyia quasinigritia Ludlow, 1911: 129.

Aedes (*Stegomyia*) *albopictus*: Edwards, 1917: 209.

Stegomyia albopicta: Reinert, 2004: 289.

鉴别特征:盾片有中央银白纵条，翅基前有1个银白色宽鳞簇；后跗节1~4有基部白环，第5跗节为白色。幼虫栉齿基部具细缝；尾鞍不完全；腹毛1~7通常分4支，2~7通常为单支。

采集记录:3♂6♀，旬阳白柳镇，621m，2014.Ⅵ.23，付文博采；1♂，柞水凤凰镇，1026m，2014.Ⅵ.26，付文博采；1♂2♀，山阳城关镇，669m，2014.Ⅵ.27，付文博采；2♀，丹凤蔡川镇，1200m，2014.Ⅵ.30，付文博采。

分布:中国；遍布东南亚，已扩散至除南极洲外的其他各大洲。

(6)刺扰伊蚊 *Aedes* (*Aedimorphus*) *vexans* (Meigen, 1830)

Culex vexans Meigen, 1830: 241.

Culex nocturnus Theobald, 1903: 159.

Culicada nipponii Theobald, 1907: 337.

Culicada minuta Theobald, 1907: 338.

Culicada eruthrosops Theobald, 1910: 299.

Culex arabiensis Patton, 1905: 663.

Ochlerotatus vexans: Edwards, 1917: 218.

Aedes vexans var. *nipponii*: Edwards, 1917: 219.

Aedes (*Ecculex*) *vexans*: Edwards, 1921: 322.

Aedes (*Aedimorphus*) *vexans*: Edwards, 1924: 372.

Aedimorphus vexans: Reinert, Harbach & Kitching, 2009: 700.

鉴别特征:跗节有基白斑，前足和中足股节前面呈褐色而杂生有淡色鳞，形成麻点。幼虫头毛6-C通常分1~2枝；栉齿长，末段形成1大中刺；呼吸管无刺区，指数不超过4.50。

本种记载有3个亚种，其中我国主要有指名亚种 *vexans vexans* 和日本亚种 *vexans nipponii*，前者的气门后区和亚气门鳞簇不相连，腹节背板无淡色中央短纵条；后者气门后区和亚气门鳞簇相连，腹节背板有淡色中央短纵条；幼虫区别在于前者的头壳有颗粒，后者无。两亚种之外还存在中间型。

采集记录:1♀，柞水凤凰镇，1026m，2014.Ⅵ.26，付文博采；6♂7♀，洛南巡检镇，1268m，2014.Ⅶ.05，付文博采。

分布:中国各省均有记录；世界广布。

医学重要性:曾从本种分离出东马脑炎、西马脑炎、鹭山、巴泰和乙型脑炎等虫媒病毒。

(7)侧白伊蚊 *Aedes*（*Finlaya*）*albolateralis*（Theobald, 1908）

Stegomyia albolateralis Theobald, 1908: 289.

Aedes（*Finlaya*）*albolateralis*: Barraud, 1934: 205.

Downsiomyia albolateralis: Reinert & Harbach, 2006: 33.

鉴别特征:中胸盾片前部白色区完整或分开成1对前端多少相连的大侧斑，侧板有翅前结节下鳞簇。雄性抱肢基节背基有1簇长短不等的尖卵形鳞片。幼虫呼吸管基部梳齿比末后的小。

采集记录:1♀，旬阳白柳镇，621m，2014. Ⅵ. 23，付文博采；3♀，柞水凤凰镇，1026m，2014. Ⅵ. 26，付文博采。

分布:陕西(旬阳、柞水)、福建、台湾、海南、广西、四川、贵州、云南；朝鲜，印度，尼泊尔，斯里兰卡，马来西亚，印度尼西亚。

(8)羽鸟伊蚊 *Aedes*（*Finlaya*）*hatorii* Yamada, 1921

Aedes hatorii Yamada, 1921: 70.

Aedes（*finlaya*）*hatorii*: Lacasse & Yamaguti, 1950: 166.

Collessius（*Collessius*）*hatorii*: Reinert, Harbach & Kitching, 2006: 101.

鉴别特征:喙一致暗色；后跗节1～4基节和节1～3末端有白环，第5节白色。幼虫胸毛1-M和1-T分别为略等长的两枝骨刺和棘刺，呼吸管毛1-S正常。

采集记录: 35♂39♀，旬阳白柳镇，621m，2014. Ⅵ. 23，付文博采；17♂24♀，柞水凤凰镇，1026m，2014. Ⅵ. 26，付文博采。

分布: 陕西(旬阳、柞水)、吉林、河南、浙江、湖北、福建、台湾、四川、贵州；日本，朝鲜。

(9)冯氏伊蚊 *Aedes*（*Finlaya*）*fengi* Edwards, 1935

Aedes（*Finlaya*）*fengi* Edwards, 1935: 131.

Aedes（*Finlaya*）*loi* Lien, 1969: 98.

Luius fengi: Reinert, Harbach & Kitching, 2008: 114.

鉴别特征:喙和触须为深褐色；中胸盾片有淡色纵线；后跗节仅1～2节，基部有明显白环；雄蚊小抱器刀叶呈苞叶状，基部无长刚毛；幼虫触角无刺，头毛6-C位于前端而2分支,5-C单支;栉齿一般有10~26个。

采集记录: 1♀,柞水凤凰镇,1026m,2014.Ⅵ.26,付文博采。

分布: 陕西(柞水)、安徽、浙江、江西、湖南、福建、台湾、广西、四川、贵州。

(10)日本伊蚊 *Aedes* (*Finlaya*) *japonicus* (Theobald, 1901)

Culex japonicus Theobald, 1901b: 385.

Aedes (*Finlaya*) *eucleptes* Dyar, 1921: 147.

Aedes (*Finlaya*) *japonicus*: Edwards, 1922: 465.

Aedes (*Finlaya*) *shintienensis* Tsai *et* Lien, 1950: 177.

Aedes (*Finlaya*) *japonicus shintienensis* Tsai *et* Lien, 1950: 623.

Hulecoeteomyia japonica: Reinert, Harbach & Kitching, 2006: 101.

鉴别特征: 触须和喙呈深褐色;触角梗节内面有小白鳞和褐鳞。无亚气门鳞簇。中股前面和背面近末端有白斑;后跗节1~3有白基环。幼虫头毛4-6C位于头的前端,几乎在同一横线上;胸毛7-T分支有细羽状侧枝,和6-M类似;呼吸管梳齿末有2个或几个远离,并位近末端。

采集记录: 11♂7♀,旬阳白柳镇,621m,2014.Ⅵ.23,付文博采;13♂20♀,柞水凤凰镇,1026m,2014.Ⅵ.26,付文博采;50♂38♀,镇安云盖寺镇,1100m,2014.Ⅵ.20,付文博采;1♀,山阳城关镇,669m,2014.Ⅵ.27,付文博采;4♂5♀,丹凤蔡川镇,1200m,2014.Ⅵ.30,付文博采;3♂7♀,洛南巡检镇,1268m,2014.Ⅶ.05,付文博采。

分布: 陕西(旬阳、柞水、镇安、山阳、丹凤、洛南)、河北、河南、浙江、湖北、江西、湖南、福建、台湾、海南、广西、四川、贵州、云南;俄罗斯,日本,欧洲,北美洲。

(11)朝鲜伊蚊 *Aedes* (*Finlaya*) *koreicus* (Edwards, 1917)

Ochlerotatus koreicus Edwards, 1917: 212.

Aedes (*Finlaya*) *koericus*: Edwards, 1921: 318.

Aedes japonicus var. *koreicus*: Ho, 1930: 127.

Hulecoeteomyia koreica: Reinert, Harbach & Kitching, 2006: 101.

鉴别特征: 喙和触须呈深褐色,有亚气门鳞簇;后跗节1~4节有白环。幼虫头毛4-6C位于头的前端,几乎在同一横线上,5-C分4~7支;胸毛7-T分支有羽状侧枝,和6-M类似;栉节26个以上,各齿末端圆钝而具缝,梳齿等距排列,末尾几个仅比它们之前的略大。

采集记录: 6♂7♀,华县高塘镇,1070m,2014.Ⅶ.07,付文博采;1♂,旬阳白柳镇,621m,2014.Ⅵ.23,付文博采;16♂10♀,柞水凤凰镇,1026m,2014.Ⅵ.26,付

文博采；11♂25♀，镇安云盖寺镇，1100m，2014. Ⅵ. 20，付文博采；1♀，山阳城关镇，669m，2014. Ⅵ. 27，付文博采；28♂53♀，丹凤蔡川镇，1200m，2014. Ⅵ. 30，付文博采；14♂20♀，洛南巡检镇，1268m，2014. Ⅶ. 05，付文博采。

分布：陕西（华县、旬阳、柞水、镇安、山阳、丹凤、洛南）、黑龙江、吉林、辽宁、内蒙古、河北、山西、山东、宁夏、湖北、四川、贵州；俄罗斯，朝鲜，日本，欧洲大陆。

（12）云南伊蚊 *Aedes*（*Finlaya*）*yunnanensis*（Gaschen，1934）

Finlaya yunnanensis Gaschen，1934：331.

Aedes（*Finlaya*）*yunnanensis*：Chen，1987：101.

Hulecoeteomyia yunnanensis：Reinert，Harbach & Kitching，2006：101.

鉴别特征：前胸后背片中部平覆褐色宽鳞，上缘和下部具白色鳞。中胸盾片有淡白色或白色纵条；有气门后区和亚气门鳞簇。腹节背板有完整白色基带，雄蚊抱肢基节腹内缘有狭鳞簇。幼虫头毛4～6都位近头前端，几乎在同一水平线上；梳齿接近等距分布；腹毛3-X分2支。

采集记录：3♀，洛南巡检镇，1268m，2014. Ⅶ. 05，付文博采。

分布：陕西（洛南）、四川、贵州、云南。

3. 库蚊属 *Culex* Linnaeus，1758

Culex Linnaeus，1758：620. **Type species**：*Culex pipiens* Linnaeus，1758.

属征：体型体色变化较大，爪末端有发达的爪垫。雌性有食窦甲。雄性肛侧片有刺冠。幼虫呼吸管毛1-S有3～7对，并于腹侧各排列成1行，或有7～14株在腹面排成1曲折行；2-S仅1对，生于末端背位。

生物学：幼虫孳生与池塘、稻田、沟渠、水坑、石穴、蹄印、树洞、竹筒以及各种容器等临时积水，食性杂，少数捕食性，如路蚊亚属。成蚊按栖性可分家栖和野栖两大类，雌性吸血，不同种类寄主偏向性不同。

分布：世界广布。全世界已有记载769种，中国已知83种，秦岭地区有11种（亚种）。

医学重要性：库蚊属不少种类是重要的蚊媒疾病传播媒介，在我国最典型的是流行性乙型脑炎病毒的传播媒介。

分种检索表

1. 有中胸下后侧鬃4根以上……………………………………………………… **贪食库蚊 *Cx. halifaxia***

无或有中胸下后侧鬃 1～2 根 ………………………………………………………… 2

2. 跗节有淡色环；喙有或无界限清晰的淡色环 …………………………………… 4
   跗节全暗；喙无界限清晰的淡色环 ……………………………………………… 7
3. 翅有黑白斑 ………………………………………………………………………… 5
   翅无黑白斑 ……………………………… **三带喙库蚊 *Cx. tritaeniorhynchus***
4. 分脉白斑包括前缘脉和亚前缘脉 ………………………………………………… 6
   分脉白斑包括前缘脉、亚前缘脉和纵脉 ……………… **小拟态库蚊 *Cx. mimulus***
5. 前后叉室基部各有 1 块较大白斑；中胸盾片鳞饰以淡黄色为主；雄蚊肛侧片基侧臂微较发达 …………………………………………………… **拟态库蚊 *Cx. mimeticus***
   前后叉室基部暗或有较小白斑；中胸盾片鳞饰以棕色为主；雄蚊肛侧片基侧臂微小或退化 …………………………………………………… **棕盾库蚊 *Cx. jacksoni***
6. 前中股节与各胫节前面有一条白色纵条伸达全长 ……………… **迷走库蚊 *Cx. vagans***
   非上述特征 ……………………………………………………………………… 8
7. 食窦甲侧杆显著地宽 ……………………… **尖音库蚊淡色亚种 *Cx. pipiens pallens***
   食窦甲侧杆显著地宽 ……………… **尖音库蚊致倦亚种 *Cx. pipiens quinquefasciatus***
8. 有中胸下后侧鬃 ………………………………………………………………… 10
   无中胸下后侧鬃 ……………………………………………… **林氏库蚊 *Cx. hayashii***
9. 头顶有淡棕色平覆鳞；食窦甲背齿 28～32 个；雄蚊抱肢基节亚端叶后部有一个有脉纹的叶片；齿脊发达，约 10 个以上 ……………………… **白胸库蚊 *Cx. pallidothorax***
   头顶正中密覆乳白色平覆鳞；食窦甲背齿 33～36 个；雄蚊抱肢基节亚端叶后部无具脉纹的叶片；齿脊仅有 3～6 个齿 ……………………………… **薛氏库蚊 *Cx. shebbearei***

(13) 贪食库蚊 *Culex* (*Lutzia*) *halifaxia* Theobald, 1903

Culex halifaxia Theobald, 1903: 231.
Culex multimaculosus Leicesters, 1908: 155.
Culex aureopunctu Ludlow, 1910: 195.
Culex vorax Edwards, 1921: 327.
Culex raptor Edwards, 1922: 275.
Culex halifaxia: Edwards, 1932: 191.
Lutzia (*Metalutzia*) *halifaxia*: Tanaka, 2003: 159.

鉴别特征: 成虫有中胸后侧下鬃 4 根以上，第 5～8 腹节背板橘黄色或有橘黄色端部宽横带。幼虫全面特化。

采集记录: 5♂2♀，镇安云盖寺镇，1100m，2014. Ⅵ. 20，付文博采。

分布: 中国除黑龙江、吉林、内蒙古、山西、宁夏、青海、新疆和西藏无记录外，其余各省均有分布；古北区，东洋区，埃塞俄比亚区，新热带区。

(14) 三带喙库蚊 *Culex* (*Culex*) *tritaeniorhynchus* Giles, 1901

Culex tritaeniorhynchus Giles, 1901: 606.

Culex biroi Theobald, 1905: 82.

Culex sunnorosus Dyar, 1920: 180.

Culex (*Culex*) *tritaeniorhynchus sunnorosus* Dyar, 1920: 98.

Culex (*Culex*) *tritaeniorhynchus*: Edwards, 1932: 204.

鉴别特征:头顶有竖鳞，暗而平齐，盾鳞暗棕呈花椒色；雄性触须第3节腹面有1行垂毛；雌性食窦甲齿呈纤维状；后股末端黑环很窄。幼虫7-1分2芒枝。栉齿末端圆而有缝。

采集记录:10♀，华县高塘镇，1070m，2014.Ⅶ.07，付文博采；5♀，旬阳白柳镇，621m，2014.Ⅵ.23，付文博采；4♀，柞水凤凰镇，1026m，2014.Ⅵ.26，付文博采；3♂41♀，镇安云盖寺镇，1100m，2014.Ⅵ.20，付文博采；1♀，山阳城关镇，669m，2014.Ⅵ.27，付文博采；1♀，丹凤蔡川镇，1200m，2014.Ⅵ.30，付文博采。

分布:中国除新疆和西藏未见记录外，其余各省均有分布；东洋区和古北区广布。

医学重要性:已证实该种是乙型脑炎的重要传播媒介，也是鸟疟原虫的自然传播媒介，可能是登革热病毒、基孔肯雅病毒和马来丝虫等病原的潜在寄主。

(15)棕盾库蚊 *Culex* (*Culex*) *jacksoni* Edwards, 1934

Culex (*Culex*) *jacksoni* Edwards, 1934: 542.

Culex (*Culex*) *fuscifurcatus* Edwards, 1934: 452.

Culex (*Culex*) *kangi* Lien, 1968: 235.

鉴别特征:分脉白斑仅延至亚前缘脉；前叉室和后叉室基部均有小白斑，但后叉室基部可无白斑。肛侧片基侧臂退化或完全消失。幼虫呼吸管有掉队很远的巨型简单梳齿或有特化的棘刺。

采集记录:1♀，华县高塘镇，1070m，2014.Ⅶ.07，付文博采；2♂2♀，山阳城关镇，669m，2014.Ⅵ.27，付文博采；1♀，丹凤蔡川镇，1200m，2014.Ⅵ.30，付文博采。

分布:陕西(华县、山阳、丹凤)；古北区，东洋区。

(16)拟态库蚊(斑翅库蚊) *Culex* (*Culex*) *mimeticus* Noé., 1899

Culex mimeticus Noé., 1899: 240.

Culex pseudomimeticus Sergent, 1909: 445.

Culex (*Culex*) *mimeticus*: Edwards, 1932: 205.

鉴别特征:分脉白斑仅延至亚前缘脉，前叉室与后叉室基部均有较大白斑；阳茎侧板背中叶呈指状突外伸。

采集记录:1♀, 华县高塘镇, 1070m, 2014. Ⅶ.07, 付文博采; 1♂1♀, 山阳城关镇, 669m, 2014. Ⅵ.27, 付文博采。

分布:中国除内蒙古、青海和新疆未报告外, 其余各省均有记载; 古北区, 东洋区。

(17)小拟态库蚊 *Culex* (*Culex*) *mimulus* Edwards, 1915

Culex mimulus Edwards, 1915: 284.

Culex mossmani Taylor, 1915: 181.

Culex (*Culex*) *mimulus*: Edwards. 1932: 205.

Culex (*Culex*) *confusus* Baisas, 1938: 216.

Culex neomimulus Lien , 1968: 239.

鉴别特征:幼虫栉齿端缝中刚刚可见1稍粗稍长的中央主刺; 分脉白斑一般伸达纵脉1, 偶伸达纵脉4。

采集记录:1♂, 柞水凤凰镇, 1026m, 2014. Ⅵ.26, 付文博采; 1♂, 镇安云盖寺镇, 1100m, 2014. Ⅵ.20, 付文博采。

分布:陕西(柞水、镇安)、河南、甘肃、江苏、安徽、浙江、湖北、江西、湖南、福建、台湾、广东、海南、广西、四川、贵州、云南、西藏; 越南, 老挝, 泰国, 缅甸, 印度, 尼泊尔, 斯里兰卡, 马来西亚, 新加坡, 柬埔寨, 印度尼西亚, 菲律宾。

(18)尖音库蚊淡色亚种 *Culex* (*Culex*) *pipiens pallens* Coquillett, 1898

Culex pallens Coquillett, 1898: 303.

Culex osakaensis Theobald, 1907: 439.

Culex comitatus Dyar *et* Knob, 1909: 34.

Culex (*Culex*) *pipiens* var. *pallens*: Ho, 1930: 166.

Culex (*Culex*) *pipiens pallens*: Ishii, 1969: 19.

鉴别特征:雄性尾器阳茎侧板腹内叶外伸部分宽而呈叶状, 背中叶末段平齐或圆钝。

采集记录:11♀, 华县高塘镇, 1070m, 2014. Ⅶ.07, 付文博采; 4♂5♀, 旬阳白柳镇, 621m, 2014. Ⅵ.23, 付文博采; 5♂1♀, 镇安云盖寺镇, 1100m, 2014. Ⅵ.20, 付文博采; 11♂15♀, 丹凤蔡川镇, 1200m, 2014. Ⅵ.30, 付文博采。

分布:陕西(华县、旬阳、镇安、丹凤)、黑龙江、吉林、辽宁、内蒙古、河北、山西、山东、河南、宁夏、甘肃、江苏、安徽、浙江、湖北; 日本, 朝鲜半岛。

医学重要性:该种是我国北方地区班氏丝虫病的主要媒介, 也是流行性乙型脑炎病毒的媒介之一。

(19)尖音库蚊致倦亚种 *Culex* (*Culex*) *pipiens quinquefasciatus* Say, 1823

Culex quinquefasciatus Say, 1823: 10.

Culex (*Culex*) *pipiens quinquefasciatus* Say, 1823: 141.

Culex fatigans Wiedemann, 1828: 10.

Culex goughti Theobald, 1911: 268.

Culicelsa fuscus Taylor, 1914: 699.

Culex aseyehae Dyar *et* Knab, 1915: 112.

Culex towns villensis Taylor, 1919: 836 (new name for *Culicelsa fuscus* Taylor, 1914).

Culex hensemaeon Dyar, 1920: 178.

Culex fatigans var. *nigrirostris* Enderlein, 1920: 51.

Culex (*Culex*) *quinquefasciatus*: Belkin, 1962: 195.

Culex (*Culex*) *pipiens fatigans*: Meng & Chen, 1980: 90.

鉴别特征: 与尖音库蚊的区别为该亚种阳茎腹内叶外伸部分长而宽，呈叶状，末端钝。与淡色库蚊区别为阳茎侧板背中叶末端稍尖。

采集记录: 3♀，华县高塘镇，1070m，2014. Ⅶ.07，付文博采；1♂1♀，旬阳白柳镇，621m，2014. Ⅵ.23，付文博采；4♂9♀，柞水凤凰镇，1026m，2014. Ⅵ.26，付文博采；2♂6♀，洛南巡检镇，1268m，2014. Ⅶ.05，付文博采。

分布: 陕西(华县、旬阳、柞水、洛南)、河南、江苏、上海、安徽、西藏；分布于全球热带和亚热带地区。

医学重要性: 致倦库蚊是我国班氏丝虫病的主要媒介，也被认为是登革热病毒和乙型脑炎病毒的潜在媒介。

(20)迷走库蚊 *Culex* (*Culex*) *vagans* Wiedemann, 1828

Culex vagans Wiedemann, 1828: 545.

Culex tipuliformis Theobald, 1901: 325 (nec Edwards, 1921).

Culex virgatipes Edwards, 1914: 126.

Culex exilis Dyar, 1924: 127.

Culex (*Culex*) *vagans*: Edwards, 1932: 211.

鉴别特征: 中股节、后股节及各胫节前面各有1淡色纵走条纹；后股腹面全淡；雄性肛侧片基侧臂长而弯；阳茎侧板背中叶末段膨大呈截形，形状特异。

采集记录: 5♂7♀，华县高塘镇，1070m，2014. Ⅶ.07，付文博采；2♀，旬阳白柳镇，621m，2014. Ⅵ.23，付文博采；2♂3♀，柞水凤凰镇，1026m，2014. Ⅵ.26，付文博采；3♂7♀，镇安云盖寺镇，1100m，2014. Ⅵ.20，付文博采；1♂，山阳城关镇，669m，2014. Ⅵ.27，付文博采；1♀，丹凤蔡川镇，1200m，2014. Ⅵ.30，付文博采；20♂24♀，洛南巡检镇，1268m，2014. Ⅶ.05，付文博采。

分布:除青海、新疆外,中国各省市广布;古北区。

(21)林氏库蚊 *Culex* (*Eumelanomyia*) *hayashii* Yamada, 1917

Culex hayashii Yamada, 1917: 67.

Culex (*Neoculex*) *hayashii*: Edwards, 1932: 135.

Culex (*Eumelanomyia*) *hayashii*: Sirivanakarn, 1971: 68.

鉴别特征:雄性触须约为喙长的4/5;幼虫胸、腹部有脂肪色素带,但第4腹节色淡。

采集记录:1♀,镇安云盖寺镇,1100m,2014. Ⅵ. 20,付文博采。

分布:陕西(镇安)、吉林、辽宁、北京、河北、山东、河南、江苏、安徽、浙江、江西、湖南、四川;俄罗斯,朝鲜,日本。

(22)白胸库蚊 *Culex* (*Culiciomyia*) *pallidothorax* Theobald, 1905

Culex pallidothax Theobald, 1905: 32.

Culex albopleura Theobald, 1907: 456.

Culiciomyia annuloabdominalis Theobald, 1910: 236.

Culex (*Culiciomyia*) *pallidothorax*: Edwards, 1932: 199.

鉴别特征:幼虫呼吸管短,自基部向中1/3处急剧膨胀,然后变细,其基径至少为端径的3倍;雄性抱肢基节亚端叶后部毛组中有1个有脉纹的宽叶片。

采集记录:1♂16♀,旬阳白柳镇,621m,2014. Ⅵ. 23,付文博采;10♂13♀,柞水凤凰镇,1026m,2014. Ⅵ. 26,付文博采;22♂23♀,镇安云盖寺镇,1100m,2014. Ⅵ. 20,付文博采;15♂6♀,山阳城关镇,669m,2014. Ⅵ. 27,付文博采;39♂42♀,丹凤蔡川镇,1200m,2014. Ⅵ. 30,付文博采;13♂14♀,洛南巡检镇,1268m,2014. Ⅶ. 05,付文博采。

分布:陕西(旬阳、柞水、镇安、山阳、丹凤、洛南);日本,越南,老挝,泰国,缅甸,印度,尼泊尔,斯里兰卡,柬埔寨,菲律宾,马来西亚。

(23)薛氏库蚊 *Culex* (*Culiciomyia*) *shebbearei* Barraud, 1924

Culex (*Culiciomyia*) *shebbearei* Barraud, 1924: 19.

鉴别特征:幼虫呼吸管指数约为4,基段1/3处仅稍微变粗;基径约为端径的2倍;抱肢基节亚端叶后部有1根窄片状毛。

采集记录:1♂3♀,柞水凤凰镇,1026m,2014. Ⅵ. 26,付文博采;2♂2♀,镇安云盖寺镇,1100m,2014. Ⅵ. 20,付文博采;3♂12♀,丹凤蔡川镇,1200m,2014. Ⅵ. 30,付文博采。

分布：陕西（柞水、镇安、丹凤）、江苏、安徽、浙江、湖北、江西、湖南、福建、广东、四川、贵州、云南、西藏；日本，越南，老挝，泰国，缅甸，印度，尼泊尔，斯里兰卡，柬埔寨，马来西亚。

4. 脉毛蚊属 *Culiseta* Felt, 1904

Culiseta Felt, 1904: 318. **Type species**: *Culex absobrinus* Felt, 1904.

鉴别特征：成蚊有气门鬃，无气门后鬃；翅径脉基部腹面有 1 群细毛；幼虫呼吸管毛 1-S 位于基部或亚基部。

生物学：本属在我国多发现在山林地区，多以成蚊越冬，西南地区的银带脉毛蚊在冬季仍能正常活动，且活动高峰在冬季。

分布：古北区，新北区，澳洲区，东洋区。秦岭地区发现 1 种。

医学重要性：多数种类嗜吸动物和人血。有些种类是鸟类疟疾和禽痘的传播媒介。

(24) 银带脉毛蚊 *Culiseta* (*Culiseta*) *niveitaeniata* (Theobald, 1907)

Pseudotheobaldia niveitaeniata Theobald, 1907: 272.
Theobaldia niveitaeniata: Barraud. 1924: 141.
Theobaldia kanayamensis Liu *et* Feng, 1956: 335.
Theobaldia sinensis Meng *et* Wu, 1962: 483.
Culiseta (*Culiseta*) *lishanensis* Lien, 1968: 6.
Culiseta (*Culiseta*) *niveitaenata*: Stone *et al.*, 1959: 457.

鉴别特征：中胸盾片暗色，有金色弯曲鳞形成的纵纹。中胸腹侧板鳞簇伸达前角。前足股节末段前面有白斑；跗节全暗。雄性抱肢基节有亚端叶，背基内叶上有 1 对粗长膝状刚毛，幼虫腹毛 3-X 单支或分 2 支。

采集记录：14♂20♀，洛南巡检镇，1268m，2014. Ⅶ. 05，付文博采。

分布：陕西（洛南）、河北、山东、台湾、四川、贵州、云南、西藏；印度，巴基斯坦。

5. 阿蚊属 *Armigeres* Theobald, 1901

Armigeres Theobald, 1901: 235. **Type species**: *Culex obturbans* Walker, 1860.

属征：头顶平覆宽鳞；喙带侧扁而下弯；触角梗节、中胸小盾片和侧板以及各足基节都有平覆宽鳞；无气门鬃，有或无气门后鬃；翅鳞正常。雄性抱肢端节具 1 列梳状指爪。幼虫触角毛 1-A 细小，单枝或偶分 2 枝；呼吸管无梳，1-S 有 1 对。

生物学：幼虫滋生在稀粪池、污水坑、竹筒、树洞以及人工容器积水。多数种类在白昼和夜晚都有刺叮活动。

分布：古北区，东洋区。秦岭地区发现 1 种。

医学重要性：本属多数种类吸取动物血液，但如骚扰阿蚊侵袭人体吸血。

(25)骚扰阿蚊 *Armigeres subalbatus* (Coquillett, 1898)

Culex subalbatus Coquillett, 1898: 302.
Culex obturbans Walker, 1860: 91.
Culex panalectoris Giles, 1901: 608.
Desvoidea obturbans: Hatori, 1919: 1057.
Armigeres obturbus: Barraud, 1934: 314.
Armigeres subalbatus: Lacasse & Yamaguti, 1950: 53.

鉴别特征：唇基光裸；中胸盾片大部覆盖稀疏铜褐色窄鳞，具侧白纵条，从盾端伸达翅基。雄性抱肢端节短，下压时不能伸达小抱器端刺基；小抱器仅具 2 个直刺。

采集记录：1♂，华县高塘镇，1070m，2014. Ⅶ. 07，付文博采；4♂11♀，柞水凤凰镇，1026m，2014. Ⅵ. 26，付文博采；2♂13♀，镇安云盖寺镇，1100m，2014. Ⅵ. 20，付文博采；10♂12♀，山阳白柳镇，621m，2014. Ⅵ. 23，付文博采；1♂2♀，山阳城关镇，669m，2014. Ⅵ. 27，付文博采；1♀，丹凤蔡川镇，1200m，2014. Ⅵ. 30，付文博采；2♀，洛南巡检镇，1268m，2014. Ⅶ. 05，付文博采。

分布：除黑龙江、吉林、辽宁、内蒙古、宁夏、青海和新疆外，中国其余各省都有记载；朝鲜半岛，日本，越南，泰国，缅甸，印度，斯里兰卡，柬埔寨，马来西亚，巴基斯坦，菲律宾。

参考文献

Barraud, P. J. 1924b. A revision of the culicinemosquitoes of India. Part 14. The Indian species of the subgenus *Culiciomyia* (Theo.) Edw., including one new species. *Indian Journal ofmedical Research*, 12(1): 15-22.

Barraud, P. J. 1934. *The fauna of British India, including Ceylon and Burma. Diptera. Volume 5. Family Culicidae. Tribes Megarhinini and Culicini*. Taylor and Francis, London. 1- 463.

Belkin, J. N. 1962a. *The mosquitoes of the South Pacific (Diptera: Culicidae). Vol. 1*. University of California Press, Berkeley and Los Angeles. 1-602.

Belkin, J. N. 1962b. *The mosquitoes of the South Pacific (Diptera: Culicidae). Vol. 2*. University of California Press, Berkeley and Los Angeles. 1- 413.

Chen, H-B. 1987. *The mosquito Fauna of Guizhou. Culicinae & Toxorhynchitinae. Vol. 1*. Guizhou peoplepress, Guizhou. 1-347. [陈汉彬. 1987. 贵州蚊类志. 库蚊亚科和巨蚊亚科. 上卷. 贵州：贵

州人民出版社，1-347.]

Christophers, S. R. 1933. *The fauna of British India, including Ceylon and Burma. Diptera. Vol. 4. Family Culicidae.* Tribe Anophelini. Taylor and Francis, London. 1-371.

Coquillett, D. W. 1898. Report on a collection of Japanese Diptera, presented to the U. S. Nationalmuseum by the Imperial University of Tokyo. *Proceedings of the United Stated National Museum*, 21: 301-340.

Dyar, H. G. 1920. A collection of mosquitoes from the Philippine Islands (Diptera: Culicidae). *Insecutor Inscitiae Menstruus*, 8: 175-186.

Dyar, H. G. 1924. A new Mosquitoes from Siberia (Diptera: Culicidae). *Insecutor Inscitiae Menstruus*, 12: 127-128.

Dyar, H. G. and Knab, F. 1909. On the identity of *Culex pipiens* Linnaeus (Dipter: Culicidae). *Proceedings entomological society of Washington*, 11: 30-38.

Dyar, H. G. and Knab, F. 1915. Notes on the species of *Culex* of the Bahamas. *Reprinted from Insecutor Inscitiae Menstruus*, 3: 112-115.

Edwards, F. W. 1914. New Culicidae from Borneo and Hong Kong. *Bulletin of Entomological Research*, 5: 125-128.

Edwards, F. W. 1915. Diagnoses of new Bornean Culicidae. *Bulletin of Entomological Research*, 5: 283-285.

Edwards, F. W. 1917. Notes on Culicidae, with descriptions of new species. *Bulletin of Entomological Research*, 7: 201-229.

Edwards, F. W. 1921. A revision of the mosquitos of the Palaearctic Region. *Bulletin of Entomological Research*, 12: 263-351.

Edwards, F. W. 1922. A synopsis of adult Oriental culicine (including megarhinine and sabethine) mosquitoes. Part 2. *Indian Journal ofmedical Research*, 10(3): 430- 475.

Edwards, F. W. 1924. A synopsis of the adult mosquitos of the Australasian Region. *Bulletin of Entomological Research*, 14: 351- 401.

Edwards, F. W. 1932. *Genera Insectorum. Diptera, Fam. Culicidae.* Desmet-Verteneuil, Brussels. 194: 1-258.

Enderlein, G. 1920. Die Culiciden-Fauna Madagascars. *Wiener Entomologische Zeitung*, 38: 48-52.

Felt, E. P. 1904. Mosquitos or Culicidae of New York State. *Bulletin of the New York State Museum (of Natural History)*, 79: 241- 400.

Gaschen, H. 1934. Description D'UN Nouvel Ades Du Yunnan. *Archives Des Instituts Pasteur D'Indochine*, 19: 331-335.

Giles, G. M. 1900. *A handbook of the gnats or mosquitoes, giving the anatomy and life history of the Culicidœ.* John Bale, Sons & Danielsson, Ltd, London. 1-374.

Giles, G. M. 1901. A plea for the collective investigation of Indian Culicidae, with suggestions as to moot points for enquiry, and a prodromus of species known to the author. *Journal of the Bombay Natural History Society*, 13(2): 592-610.

Harbach, R. E. 2007. The Culicidae (Diptera): a review of taxonomy, classification and phylogeny. *Zootaxa*, 1668: 591-638.

Harbach, R. E. 2011. Classification within the cosmopolitan genus *Culex* (Diptera: Culicidae): the foundation for molecular systematics and phylogenetic research. *Acta Tropica*, 120(1-2): 1-14.

He, Q. 1930. Study of the adult Culicids of Peiping. *Bulletin of the fanmemorial institute of biology*, 2(8): 106-175.

LaCasse, W. J. and Yamaguti, S. 1950. *Mosquito fauna of Japan and Korea*. Office of the Surgeon, Hq. 8th Army APO 343, Kyoto, Honshu. 1-213.

Lei, X-T. 1989. *The mosquito fauna of Sichuan, China*. Chengdu University of Science and Technology Press, Chengdu. 1-292. [雷心田. 1989. 四川省蚊类志. 成都: 成都科技大学出版社, 1-292.]

Lien, J. C. 1968. New species of mosquitoes from Taiwan (Diptera: Culicidae). Part 2. New species of Tripteroides, Orthopodomyia, Culiseta and Uranotaenia. *Tropical Medicine*, 10: 1-20.

Linnaeus, C. 1758. *Systema naturae per regna tria naturae, secundum classes, ordines, genera, species, cum characteribus, differentiis, synonymis, locis*. Impensis Direct. Laurentii SalVII, Holmiae. 1-620.

Lu, B -L. 1957. Chinese Mosquitos. *Chinese Journal of Zoology*, 1(2): 98-106; (3): 155-160. [陆宝麟. 1957. 我国的蚊类. 动物学杂志, 1(2): 98-106; (3): 155-160.]

Lu, B -L., Li, B-S., Ji, S-H., *et al*. 1997. *Fauna Sinica, Insecta Vol. 8, Diptera: Culicidae*. Science Press, Beijing. 1-884. [陆宝麟, 李蓓思, 姬淑红, 等. 1997. 中国动物志. 昆虫纲. 第8卷. 双翅目: 蚊科(上卷). 北京:科学出版社, 1-884.]

Lu, B -L., Xu, J-J., Yu, Y., *et al*. 1997. *Fauna Sinica, Insecta Vol. 9, Diptera: Culicidae*. Science Press, Beijing. 1-184. [陆宝麟, 徐锦江, 俞渊, 等. 1997. 中国动物志. 昆虫纲. 第9卷. 双翅目: 蚊科(下卷). 北京: 科学出版社, 1-184.]

Meigen, J. W. 1830. *Systematische Beschreibung der bekannten europäischen zweiflügeligen Insekten. Vol. 6*. Schulz-Wundermann, Hamm. 1- 401.

Meng, Q-H. and Chen, H-B. 1980. *Handbook identify Chinese Culex*. Guizhou people press, Guizhou. 1-138. [孟庆华, 陈汉彬. 1980. 中国库蚊鉴别手册. 贵州: 贵州人民出版社, 1-138.]

Reid, J. A. 1953. The *Anopheles hyrcanus* group in south-east Asia (Diptera: Culicidae). *Bulletin of Entomological Research*, 44: 5-76.

Reinert, J. F., Harbach, R. E. and Kitching, I. J. 2008. Phylogeny and classification of *Ochlerotatus* and allied taxa (Diptera: Culicidae: Aedini) based on morphological data from all life stages. *Zoological Journal of the Linnean Society*, 153: 29-114.

Reinert, J. F., Harbach, R. E. and Kitching, I. J. 2009. Phylogeny and classification of tribe Aedini (Diptera: Culicidae). *Zoological Journal of the Linnean Society*, 157(4): 700-794.

Say, T. 1823. Descriptions of Dipterous Insects of the United States. *Journal of the Academy of Natural Sciences of Philadelphia*, 3: 2-12; 16.

Sergent, D. E. 1909. Liste eds moustiques. de L'afrique du nord. *Annales de la Société Entomologique de France*, 78: 440- 448.

Sirivanakarn, S. 1971. Contributions to the mosquito fauna of Southeast Asia. XI. Proposed reclassification of *Neoculex* Dyar based principally on themale terminalia. *Contributions of the American Entomological Institute*, 7(3): 62-85.

Stone, A. Knight, K. L. and Starcke, H. 1959, *A synoptic catalog of the mosquitoes of the world (Diptera: Culicidae)*. Entomological Society of America: College Park, Maryland. 1-358.

Tanaka, K. 2003. Studies on the pupal mosquitoes of Japan (9). Genus *Lutzia*, with establishment of two new subgenera, *Metalutzia* and *Insulalutzia* (Diptera: Culicidae). *Japanese Journal of Systematic En-*

tomology, 9(2): 159-169.

Taylor, F. H. 1914. The Culicidae of Australia I. *Transactions of the Entomological Society of London*, 1913(4): 683-708.

Taylor, F. H. 1919. Contributions to a knowledge of Australian Culicidae. No. Ⅳ. *Proceedings of the Linnean Society of New South Wales*. 43(4): 826-843.

Theobald, F. V. 1901a. The classification of mosquitoes. *Journal of Tropical Medicine*, 4: 229-235.

Theobald, F. V. 1901b. *A monograph of the Culicidae or mosquitoes*. British Museum (Natural History): London. 2(8): 1-391.

Theobald, F. V. 1903. *A monograph of the Culicidae or Mosquitoes. Vol. 3*. British Museum (Natural History), London. 1-359.

Theobald, F. V. 1905b. New Culicidae from India, Africa, British Guiana, and Australia. *Journal of Economic Biology*, 1(2): 17-36.

Theobald, F. V . 1907. *A monograph of the Culicidae or mosquitoes. Vol.* 4. Britishmuseum (Natural History), London. 1- 639.

Theobald, F. V. 1908. First report on the collection of Culicidae and Corethridae in the Indian Museum, Calcutta, with descriptions of new genera and species. *Records of the Indian Museum*, 2: 287-302.

Theobald, F. V. 1910. *A monograph of the Culicidae or mosquitoes*. British Museum (Natural History), London. 1-646.

Tsuzuki, Z. 1902. Ueber die Ergebnisse meiner Malariaforschung in Hokkaido (Japan). *Zentralblatt Fur Bakteriologie Abteilung I Original*, 31: 763-768.

Walker, F. 1860. Catalogue of the dipterous insects collected at Makessar in Celebes, by Mr. A. R. Wallace, with descriptions of new species. *Journal of the Proceedings of the Linnean Society of London Zoology*, 4: 90-172.

Yamada, S. 1921. Description of ten new species of *Aedes* found in Japan, with notes on the relation between some of these mosquitoes and the larva of *Filaria bancrofti* Cobbold. *Annotationes Zoologicae Japonenses*, 10: 45-81.

五、蠓科 Ceratopogonidae

韩晓静　蒋晓红　侯晓晖
（遵义医学院，遵义 563000）

鉴别特征：体型微小，细长或短粗，体长多为 1 ~ 5mm。头橘形，较背部略低；复眼有 1 对，额宽在不同种间有差异；单眼退化；触角通常有 15 节，鞭节的节数和形态在不同属间有变异，触角上常着生感觉器；口器发达，约与头壳高度等长，雌性口器较雄性发达；触须通常分 5 节，第 3 节形态多变具感觉器。胸背稍隆起，前、后胸退化，中胸发达；翅膜质，可具毛、鳞或明暗不等的斑；各足跗节 5 节。腹部 10 节，尾端 3 节特化成外生殖器。

生物学:蠓科昆虫是完全变态昆虫，生活史经历卵、幼虫、蛹和成虫4个阶段，通常需要26天左右，但因种类及各期营养、温度、湿度等生长环境和条件的不同，各期发育所需时间也有所不同。每年发生代数1~4代不等。虫卵多产于富有有机质的潮湿土壤、水塘、树洞、水洼等处，成虫多隐蔽于洞穴、杂草等避光和无风的场所。该科中的库蠓属、蠛蠓属和细蠓属昆虫具有吸血习性，可骚扰人畜、传播疾病，还可作为病原体的宿主，是一类重要的医学昆虫。

分类:全世界已知134属6300余种，中国记录知39属1100余种，陕西秦岭地区有5属43种。研究标本保存在遵义医学院昆虫标本室。

分属检索表

1. 爪间突发达 …… 2
   爪间突退化或无 …… 4
2. 翅前缘脉约抵翅中部或略短，第2径室较短或不发达 …… **铗蠓属 *Forcipomyia***
   翅前缘脉超越翅中部，第2径室较长 …… 3
3. 阳茎中叶通常愈合，阳基侧突退化 …… **裸蠓属 *Atrichopogon***
   阳茎中叶为1对分裂骨片，阳基侧突愈合成弓状窄带 …… **蠛蠓属 *Lasiohelea***
4. 翅仅有1个短小径室，鞭节各节基部可有刻纹 …… **毛蠓属 *Dasyhelea***
   翅具有1~2个径室，触角各节均无刻纹 …… **库蠓属 *Culicoides***

1. 裸蠓属 *Atrichopogon* Kieffer, 1906

Atrichopogon Kieffer, 1906: 53. **Type species**: *Atrichopogon levis* (Coquillett, 1910).

属征:中、小型褐色蠓种，复眼小，眼面间有或无柔毛。触角有15节，雌性端部5节延长，末节多数具端突；雄虫端部3或4节延长，各短节有疏密不等的轮毛。触须5节或第4、5两节愈合，第3节具感觉器窝。喙长短不等，雌性上唇、大颚、小颚可具齿；雄性无齿。胸部背面具鬃毛，色泽一致或有浅色区、带。翅发达，前缘脉和径2室的末端均超过翅长之半，径1室短，径2室比较宽长，其长度为径1室长的2~3倍；径5室端部具明显的润脉叉；翅面大毛有或无，微毛遍布整个翅面。爪间突发达，爪端分叉或不分叉。腹部1、2节背板较发达，雌虫腹部第7~9节腹面可有赘生的突起，有1~2个受精囊；雄性尾器的抱器和阳茎中叶发达，阳基侧突退化，抱器基节仅具1个踝突。

分布:古北区，东洋区，非洲区，新北区，澳洲区。全世界已知513种，中国记录85种，秦岭地区有14种。

分种检索表

1. 复眼小眼面间有柔毛 …… 2
   复眼小眼面间无柔毛 …… 11
2. 雌虫尾部腹面有赘生突起 …… 3
   雌虫尾部腹面无赘生突起 …… 5
3. 雌虫尾部腹面有角状突，两侧各有2个双钩状突 …… **双钩裸蠓 *A. bidaculus***
   雌虫尾部腹面赘生突起非如上述 …… 4
4. 阳茎中叶结构复杂特异 …… **交织裸蠓 *A. intertextus***
   阳茎中叶结构简单 …… **窄须裸蠓 *A. tenuipalpis***
5. 小盾片粗鬃4根 …… 6
   小盾片粗鬃2或3根 …… 10
6. 触须第4、5节愈合 …… 7
   触须第4、5节分离 …… 8
7. 尾器第9腹板呈“V”形凹缘 …… **开裂裸蠓 *A. dehiscentis***
   尾器第9腹板浅弧形凹缘 …… **樟木裸蠓 *A. zhangmuensis***
8. 触须感觉器窝位于第3节端部 …… 9
   触须感觉器窝位于第3节中部 …… **北方裸蠓 *A. aquilonarius***
9. 阳茎中叶端突罐盖状并有1个深色斑 …… **川西裸蠓 *A. chuanxiensis***
   阳茎中叶中突短钝，近端部有1个色斑 …… **棕背裸蠓 *A. dorsalis***
10. 尾器第9腹板后缘呈弧状凹陷 …… **高坡裸蠓 *A. celsus***
    尾器第9腹板后缘平直 …… **游荡裸蠓 *A. solivagus***
11. 受精囊2个 …… **棕色裸蠓 *A. fusculus***
    受精囊1个 …… 12
12. 小盾片粗鬃4根 …… **壶状裸蠓 *A. ollicula***
    小盾片粗鬃6根 …… 13
13. 爪有基刺 …… **毡帽裸蠓 *A. pileolus***
    爪无基刺 …… **杰克裸蠓 *A. jacobsoni***

(1)北方裸蠓 *Atrichopogon aquilonarius* Yu *et* Yan, 2005

Atrichopogon aquilonarius Yu *et* Yan, 2005: 379.

鉴别特征：雌性翅长1.43mm，宽0.43mm。复眼为接眼式，小眼面间有短小柔毛。胸、腹一致棕色。触须5节，第3节中部膨大，感觉器窝位于中部膨大处。翅仅近端处有大毛。小盾片后缘有粗鬃4根。各足一致浅棕色。受精囊1个，卵形，有短颈，无刻点。殖下板呈半圆环形。

采集记录：1♀，周至花耳坪黑河，940m，2013. Ⅷ. 26，侯晓晖采；2♀，柞水牛背梁广货街，1100～2802m，2013. Ⅷ. 10，侯晓晖采。

分布：陕西（周至、柞水）、黑龙江。

（2）双钩裸蠓 *Atrichopogon bidaculus* Yu *et* Yan, 2001

Atrichopogon bidaculus Yu *et* Yan, 2001：124.

鉴别特征：雌性翅长 1.04mm，宽 0.42mm。复眼为接眼式，小眼面间有较细密柔毛。触角鞭节各短节类圆形，端部 5 节柱形。翅面大毛遍布而稀疏。腹部尾端中部有角状突，两侧各有 2 个双钩状突，1 大 1 小，其上有小的齿状突。受精囊 1 个，近颈处有透明小刻点。

采集记录：1♀，周至花耳坪黑河，940m，2013. Ⅷ. 26，侯晓晖采；1♀，凤县黄牛东河桥，1200～1600m，2013. Ⅷ. 21，侯晓晖采；3♀，眉县太白山蒿坪，1300～1800m，2013. Ⅷ. 23-24，侯晓晖采；1♀，宁陕旬阳坝，1300m，2013. Ⅷ. 12，侯晓晖采；2♀，宁陕火地塘林场，1420～2474m，2013. Ⅷ. 14，侯晓晖采；1♀，柞水牛背梁广货街，1100～2802m，2013. Ⅷ. 10，侯晓晖采。

分布：陕西（周至、凤县、眉县、宁陕、柞水）、海南。

（3）高坡裸蠓 *Atrichopogon celsus* Yu *et* Yan, 2005

Atrichopogon celsus Yu *et* Yan, 2005：368.

鉴别特征：雄性翅长 1.03mm，宽 0.35mm。复眼为接眼式，小眼面间柔毛较密。胸部棕褐色，腹部浅棕色。小盾片后缘有粗鬃 2 根。翅面无大毛。各足 1 致浅棕色，后足 TR 大于 3。阳茎中叶呈火山状隆起，顶端有 1 深色斑。

采集记录：1♂，柞水牛背梁广货街，1100～2802m，2013. Ⅷ. 10，侯晓晖采。

分布：陕西（柞水）、湖北。

（4）川西裸蠓 *Atrichopogon chuanxiensis* Yu *et* Yan, 2001

Atrichopogon chuanxiensis Yu *et* Yan, 2001：71.

鉴别特征：雄性翅长 1.05mm，宽 0.37mm。复眼为接眼式，小眼面间柔毛长而密。AR 1.05。小盾片后缘有粗鬃 4 根。翅面无大毛。各足浅棕色，后足 TR 2.78。阳茎中叶中突短，其端部似罐盖状并有 1 深色斑，两侧各有 1 弧形角质脊。

采集记录：1♂，柞水牛背梁广货街，1100～2802m，2013. Ⅷ. 10，侯晓晖采。

分布：陕西（柞水）、四川。

(5)开裂裸蠓 *Atrichopogon dehiscentis* Yu *et* Yan, 2001

Atrichopogon dehiscentis Yu *et* Yan, 2001: 77.

鉴别特征: 雄性翅长 1.37mm，宽 0.40mm。复眼为接眼式，小眼面间柔毛长而密。小盾片后缘有粗鬃 4 根。后足胫节端鬃 7 根。翅面无大毛。腹部第 9 腹板后缘"V"形深凹；第 9 背板宽，后缘弧形。阳茎中叶冠状，中突端部有一领状结构，环绕着圆钝的中突。

采集记录: 1♂，佛坪翠竹园农家乐，780～2200m，2013. Ⅷ. 25，侯晓晖采；1♂，宁陕平河梁，1265～2679m，2013. Ⅷ. 15，侯晓晖采。

分布: 陕西(佛坪、宁陕)、吉林、湖北、广东。

(6)棕背裸蠓 *Atrichopogon dorsalis* Tokunaga, 1940

Atrichopogon dorsalis Tokunaga, 1940: 273.

鉴别特征: 雌性翅长 1.17mm，宽 0.50mm。复眼为接眼式，近顶部的上 1/3 的小眼面间无柔毛，下 2/3 小眼面间有短小柔毛。触角 AR 1.80～1.90。小盾片后缘粗鬃 4 根。翅面大毛稀疏。腹部浅棕色，受精囊 1 个，类圆形，无颈。殖下板为窄带状。

采集记录: 1♀，宁陕火地塘林场，1420～2474m，2013. Ⅷ. 14，侯晓晖采；1♀，柞水牛背梁广货街，1100～2802m，2013. Ⅷ. 10，侯晓晖采。

分布: 陕西(宁陕、柞水)、黑龙江；日本。

(7)棕色裸蠓 *Atrichopogon fusculus* (Coquillett, 1901)

Ceratopogon fusculus Coquillett, 1901: 605.

Atrichopogon polydactylus Nielsen, 1951: 27.

Atrichopogon fusculus: Ingram & Maefie, 1922: 244.

鉴别特征: 深棕色，雌性翅长 1.58mm，宽 0.65mm。复眼为接眼式，小眼面间无柔毛。喙长约为头高的 2 倍，短于触须。小盾片后缘有粗鬃 4 根。翅面大毛多见于近端 1/2。后足 TR 2.67。受精囊有 2 个，椭圆形，略不等大，近基部有透明刻点，殖下板不全封闭。

采集记录: 1♀，留坝江口，900m，2013. Ⅷ. 18，侯晓晖采。

分布: 陕西(留坝)、黑龙江、河南、湖北、湖南、四川、贵州、云南；日本，爱沙尼亚，塞尔维亚，法国，英国，加拿大，美国，巴西，北欧。

(8)交织裸蠓 *Atrichopogon intertextus* Yu *et* Yan, 2005(图 69)

Atrichopogon intertextus Yu *et* Yan, 2005: 443.

鉴别特征:雄性翅长 1.42mm, 宽 0.48mm。复眼为接眼式, 小眼面间有柔毛。小盾片后缘有粗鬃 4 根, 中间 2 根最粗。翅面无大毛, 中叉柄短于径中横脉。腹部第 1 腹节背板有鬃 8 根, 两侧脊呈弧形, 脊外鬃每侧 7 根。尾器第 9 腹板后缘突起, 覆及阳茎中叶, 沿边缘有长鬃 1 列, 中部内陷成槽状; 第 9 背板后缘两端内曲成钩状突。抱器基节窄长, 踝突长而折叠; 抱器端节约为基节长之半。阳茎中叶形态特异, 近似桃状, 尖端伸出刺状突起末端膨大如帽; 阳基侧突结构特异, 愈合成 1 角质片, 其两侧成 2 个囊状突; 阳茎中叶和阳基侧突愈合。

采集记录:1♂, 周至花耳坪黑河, 940m, 2013. Ⅷ. 26, 侯晓晖采; 1♂, 凤县黄牛东河桥, 1200 ~ 1600m, 2013. Ⅷ. 22, 侯晓晖采; 1♂, 眉县太白山蒿坪, 1300 ~ 1800m, 2013. Ⅷ. 23-24, 侯晓晖采; 1♂, 宁陕火地塘林场, 1420 ~ 2474m, 2013. Ⅷ. 14, 侯晓晖采。

分布:陕西(周至、凤县、眉县、宁陕)、湖北。

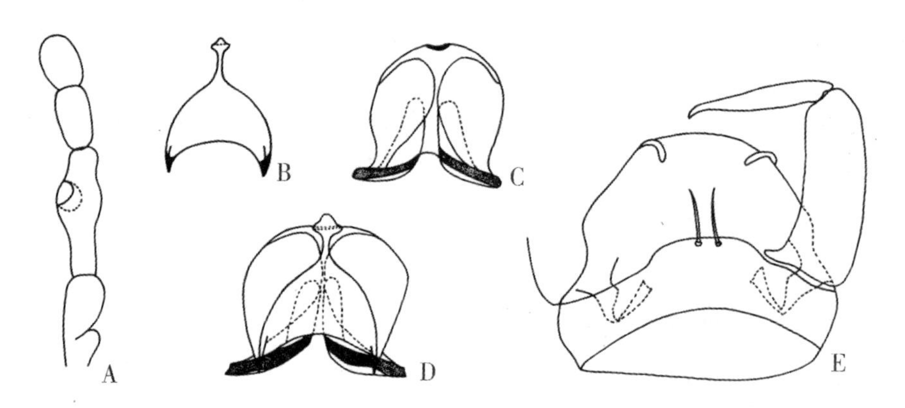

图 69　交织裸蠓 *Atrichopogon intertextus* Yu *et* Yan

A. 触须(maxillary palpus); B. 阳茎中叶(aedeagus); C. 阳基侧突(paramere); D. 阳茎中叶 + 阳基侧突(aed + par); E. 雄虫尾器腹面观(hypopygium, ventral view)

(9)杰克裸蠓 *Atrichopogon jacobsoni* (de Meijere, 1907)

Ceratopogon jacobsoni de Meijere, 1907: 212.

Atrichopogon flavellus Kieffer, 1913: 177.

Atrichopogon immaculatus Kieffer, 1917: 181.

Atrichopogon carernarum Edwards, 1924: 107.

Atrichopogon rarus Johannsen, 1946: 188.

Atrichopogon jacobsoni: Tokunaga & Murachi, 1959: 120.

鉴别特征:浅黄色蠓种。雌性翅长 1.60mm，宽 0.63mm。复眼为接眼式，小眼面间无柔毛。触角 AR 2.67。大颚齿细密，由基部至端部渐增大。中胸背面多细鬃。小盾片有粗鬃 6 根。后足胫节端鬃 9 根。受精囊 1 个，卵形，近基部有不明显刻点。

采集记录:1♀，眉县太白山蒿坪，1300～1800m，2013. Ⅷ. 24，侯晓晖采。

分布:陕西(眉县)、广西、广东、云南；越南，泰国，印度，斯里兰卡，马来西亚，柬埔寨，菲律宾，印度尼西亚，美国。

(10)壶状裸蠓 *Atrichopogon ollicula* Yan *et* Yu, 2001

Atrichopogon ollicula Yan *et* Yu, 2001: 41.

鉴别特征:棕褐色。雌性翅长 1.06mm，宽 0.45mm。复眼为接眼式，小眼面间无柔毛。触角 AR 2.71。小盾片后缘粗鬃 4 根。翅面较多大毛，沿各翅脉两侧为裸带。后足 TR 2.90。后足胫节端鬃 7 根。腹部浅棕色，受精囊 1 个，有短颈。

采集记录:1♀，佛坪翠竹园农家乐，780～2200m，2013. Ⅷ. 25，侯晓晖采；1♀，柞水牛背梁广货街，1100～2802m，2013. Ⅷ. 10，侯晓晖采。

分布:陕西(佛坪、柞水)、四川、云南。

(11)毡帽裸蠓 *Atrichopogon pileolus* Yu *et* Yan, 2001(图 70)

Atrichopogon pileolus Yu *et* Yan, 2001: 38.

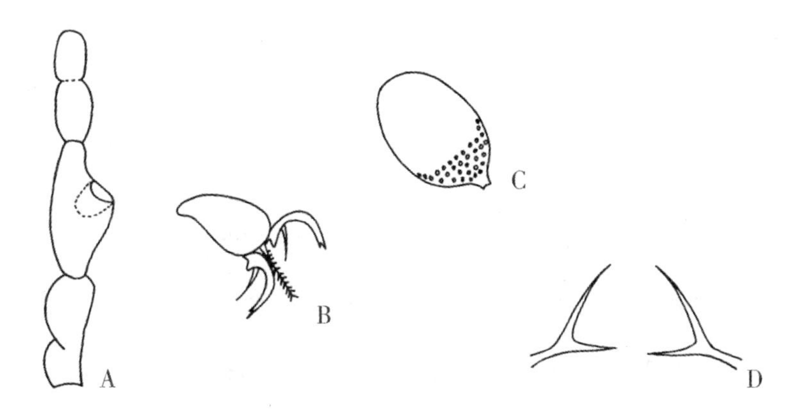

图 70　毡帽裸蠓 *Atrichopogon pileolus* Yu *et* Yan

A. 触须(maxillary palpus); B. 爪(claw); C. 受精囊(spermatheca); D. 殖下板(subgenital plate)

鉴别特征:棕色蠓种。雌性翅长 1.77mm, 宽 0.59mm。复眼为接眼式, 小眼面间无柔毛。小盾片后缘粗鬃 6 根。足一致呈浅黄色, 后足 TR 2.65。受精囊有 1 个, 呈长卵形, 角化深, 有窄细短颈, 近颈处有透明小刻点。殖下板为两细窄侧片。

采集记录:1♀, 宁陕平河梁, 1265～2679m, 2013. Ⅷ. 15, 侯晓晖采。

分布:陕西(宁陕)、云南。

(12) 游荡裸蠓 *Atrichopogon solivagus* Yu *et* Yan, 2005

Atrichopogon solivagus Yu *et* Yan, 2005: 373.

鉴别特征: 雄性翅长 1.12mm, 宽 0.30mm。复眼为接眼式, 仅复眼下 1/2 处小眼面间有柔毛。触角 AR 1.14。小盾片后缘中部有粗鬃 2 根。后足 TR 2.78。阳茎中叶中突圆钝, 顶端略卷曲, 两侧呈翼状突, 基拱高。

采集记录:1♀, 留坝紫柏山石板店, 1300～2699m, 2013. Ⅷ. 19, 侯晓晖采。

分布:陕西(留坝)、云南。

(13) 窄须裸蠓 *Atrichopogon tenuipalpis* Liu *et* Yan, 1996

Atrichopogon tenuipalpis Liu *et* Yan , 1996: 26.

鉴别特征:雄性翅长 1.07mm, 宽 0.40mm。小眼面间有较长柔毛。触须第 3 节呈棒状, 近端部有 1 个感觉器窝。胸部深棕色, 各足和腹部为浅棕色。小盾片后缘有粗鬃 2 根。尾器第 9 腹板后缘中央有 1 块丘状隆起。抱器基节窄长, 踝突短而尖; 抱器端节端部呈勾状弯曲。阳茎中叶呈帐门状。

采集记录:1♂, 眉县太白山, 620～3511m, 2012. Ⅶ. 17, 吕彬采。

分布:陕西(眉县)、四川、海南。

(14) 樟木裸蠓 *Atrichopogon zhangmuensis* Yu *et* Yan, 2001 (图 71)

Atrichopogon zhangmuensis Yu *et* Yan, 2001: 109.

鉴别特征:棕褐色。雌性翅长 1.55mm, 宽 0.61mm。复眼为接眼式, 小眼面间有柔毛。触须第 4、5 节愈合, 约与第 3 节等长。胸部一致棕褐色。小盾片后缘有粗鬃 4 根。翅面除基室外各翅室均有大毛, 近翅端部大毛较密。后足胫节端鬃 9 根。受精囊 1 个, 有短颈, 在颈部有不清晰刻点。殖下板小, 外缘呈方形。雄性翅长 1.75mm, 宽 0.57mm。复眼为接眼式, 小眼面间有柔毛。胸部棕褐色, 小盾片后缘有粗鬃 4 根。翅面无大毛。后足胫节端鬃 8 根。腹部棕色, 尾器第 9 腹板后缘浅凹; 第 9 背板明显短于抱器基节。抱器基节长为宽的2倍，抱器端节粗壮，略短于抱器基节。阳茎中叶冠状，肩突明显有皱褶，中突短而尖。

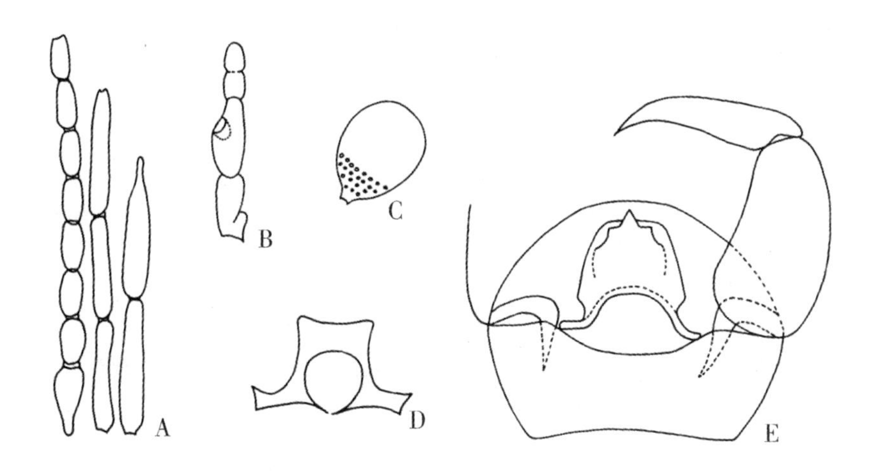

图71　樟木裸蠓 *Atrichopogon zhangmuensis* Yu *et* Yan

A. 触角(antennae)；B. 触须(maxillary palpus)；C. 受精囊(spermatheca)；D. 殖下板(subgenital plate)；E. 雄虫尾器腹面观(hypopygium, ventral view)

采集记录：1♂2♀，凤县黄牛东河桥，1200～1600m，2013.Ⅷ.21-22，侯晓晖采；1♀，眉县太白山蒿坪，1300～1800m，2013.Ⅷ.24，侯晓晖采；2♂2♀，留坝紫柏山石板店，1300～2699m，2013.Ⅷ.19-20，侯晓晖采；1♂1♀，宁陕平河梁，1265～2679m，2013.Ⅷ.13，侯晓晖采；1♀，宁陕火地塘林场，1420～2474m，2013.Ⅷ.14，侯晓晖采；3♀1♂，柞水牛背梁广货街，1100～2802m，2013.Ⅷ.11，侯晓晖采。

分布：陕西(凤县、眉县、留坝、宁陕、柞水)、西藏。

2. 库蠓属 *Culicoides* Latreille, 1809

Culicoides Latreille, 1809: 251. **Type species**: *Ceratopogon punctatus* Meigen, 1804.

属征：小型或中型蠓类，翅长0.80mm～2.00mm，中胸盾板有明显肩窝。雌性口器发达。触角第3节及部分鞭节有嗅觉器；触须有5节，第3节可有感觉器窝，或散在的感觉器。足无棘刺，第4跗节通常为筒状，爪短而等长，爪间突短小。翅面遍布微毛，并有数量不等的大毛，常有形态各异的色斑。翅脉发达，前缘脉较短，CR 0.50～0.70；有2个径室。雌性受精囊有1～3个。雄性尾器变化较多，通常第9背板较长，有发达的后缘侧突；第9腹板短，后缘中部或凹或凸；阳茎中叶完整1片，阳基侧突分离或愈合，形态变化较多。

分布：古北区，东洋区，非洲区，新北区，澳洲区。全世界已知1366种，中国记录330种，秦岭地区有12种。

分种检索表

1. 有发达的受精囊 1 个 …… 荒川库蠓 *C. arakawai*
   有发达的受精囊 2 个 …… 2
2. 复眼分离 …… 3
   复眼连接 …… 4
3. 翅中 1 室、中 2 室、中 4 室和臀室均有淡斑 …… 远离库蠓 *C. absitus*
   翅中 1 室、中 2 室、中 4 室和臀室均无淡斑 …… 新平库蠓 *C. xinpingensis*
4. 触须第 3 节有明显感觉器窝 …… 5
   触须对 3 节无感觉器窝 …… 11
5. 翅中 4 室中部有 1 个椭圆暗斑 …… 黑色库蠓 *C. pelius*
   翅中 4 室中部无暗斑 …… 6
6. 翅径 5 室除径端淡斑外无淡斑 …… 墨脱库蠓 *C. motoensis*
   翅径 5 室除径端淡斑有 1 个淡斑 …… 7
7. 翅中 1 室仅有 1 个长形模糊淡斑 …… 不显库蠓 *C. obsoletus*
   翅中 1 室有 2 个淡斑或淡色带 …… 8
8. 翅径 5 室的淡斑远离翅端缘 …… 野牛库蠓 *C. bubalus*
   翅径 5 室的淡斑邻近或邻接翅端缘 …… 9
9. 翅径 5 室端部淡斑明显 …… 条带库蠓 *C. tainanus*
   翅径 5 室端部淡斑不明显，为模糊淡斑 …… 10
10. 翅除径中、径端淡斑较明显外，其余淡斑均为迷糊淡斑 …… 苏格兰库蠓 *C. scoticus*
    翅仅径 5 室端部、中 1 室和中 2 室的淡斑为模糊淡斑 …… 兴安库蠓 *C. sinanoensis*
11. 翅中 2 室的 2 个暗斑分离 …… 刺螯库蠓 *C. punctatus*
    翅中 2 室的 2 个暗斑连接为 1 条暗斑带 …… 新替库蠓 *C. newsteadi*

(15) 远离库蠓 *Culicoides absitus* Liu *et* Yu, 1990

Culicoides absitus Liu *et* Yu, 1990:19.

鉴别特征：雌性翅长 1.48mm，宽 0.68mm。复眼为离眼式，小眼面间无柔毛，有上下额缝。触角嗅觉器见于第 3、5、7、9、11 ~ 15 节，AR 1.50。触须第 3 节近端部粗大，有 1 大而浅的感觉器窝。翅面具淡、暗斑，径中淡斑近长方形，覆盖第 1 径室基部和径中横脉，并向后延伸达中 2 室前缘，径端淡斑位于第 2 径室外侧，横跨第 5 径室，第 2 径室全暗；中 1 室、中 2 室、中 4 室和臀室近端部各有 1 个淡斑。翅面大毛遍布，基室无大毛。受精囊有 2 个，均发达，呈椭圆形，有颈；另有 1 退化小囊和角质环。

采集记录：1♀，凤县黄牛东河桥，1200 ~ 1600m，2013. Ⅷ. 22，侯晓晖采；1♀，眉县太白山，620 ~ 3511m，2012. Ⅱ. 16，吕彬采。

分布:陕西(凤县、眉县)、西藏。

(16)荒川库蠓 *Culicoides arakawai* Arakawa, 1910

Culicoides arakawai Arakawa, 1910: 411.

Culicoides sugimotonis Shiraki, 1913: 289.

鉴别特征:雌性翅长0.98mm, 宽0.56mm。复眼为离眼式, 小眼面间无柔毛, 有额缝。触角嗅觉器见于第3~14节, AR 1.42。触须第3节中部明显粗大, 感觉器聚中在第3节近端部大而浅的感觉窝内。翅面淡、暗斑显著, 淡斑多为小圆形, 自翅前缘的径端淡斑至后缘的中4室共有5个淡斑排列为梯形。翅面大毛密布, 基室无大毛。受精囊有1个, 发达, 呈延长的梨形。

采集记录:1♀, 周至花耳坪黑河, 940m, 2013.Ⅷ.26, 侯晓晖采; 1♀, 佛坪翠竹园农家乐, 780~2200m, 2013.Ⅷ.25, 侯晓晖采。

分布:陕西(周至、佛坪)、吉林、辽宁、河北、山西、山东、河南、江苏、上海、安徽、浙江、湖北、江西、湖南、福建、台湾、广东、广西、海南、四川、重庆、贵州、云南; 东南亚。

(17)野牛库蠓 *Culicoides bubalus* Delfinado, 1961

Culicoides bubalus Delfinado, 1961: 658.

鉴别特征:雌性翅长1.13mm。复眼为接眼式, 小眼面间无柔毛。触角嗅觉器见于触角第3节及11~15节。触须第3节稍粗大, 感觉器窝位于该节近端部1/3处, PR 3.20。翅有淡、暗斑, 翅基淡斑最大, 向后延伸至臀室基部; 径中淡斑覆盖径1室基部1/2和径中横脉, 径端淡斑形状不规则并覆盖径2室端部1/2, 径5室有1个远离翅端且不抵翅前缘的淡斑; 中1室中部和近端部各有1个淡斑; 中2室有3个淡斑, 其中近基部的2个淡斑相互连接; 中4室有1个淡斑; 臀室有2个近圆形的淡斑。翅面大毛见于近端部1/3, 基室无大毛。受精囊有2个, 均发达, 近球形, 有颈; 另有1个杆状的退化囊。

采集记录:1♀, 眉县太白山, 620~3511m, 2012.Ⅶ.16, 吕彬采。

分布:陕西(眉县)、台湾; 菲律宾。

(18)墨脱库蠓 *Culicoides motoensis* Lee, 1978(图72)

Culicoides motoensis Lee, 1978: 75.

鉴别特征: 雌性翅长1.33mm, 宽0.63mm。复眼为接眼式, 小眼面间无柔毛。

触角嗅觉器位于触角第 3 节及 11～15 节，AR 1.18。触须第 3 节稍膨大，感觉器窝小，位于节端部，PR 3.00。翅面有淡淡的暗斑，翅基淡斑大，形状不规则，向后延伸达臀室，径中淡斑覆盖 1 径室基部和径中横脉并向后延伸达中 2 室，径端淡斑位于第 2 径室外侧，第 2 径室端部 1/2 淡色；中 1 室无淡斑，中 2 室自基部伸达翅端 1 模糊带状淡斑；中 4 室和臀室各有 1 淡斑。翅面大毛见于近端部 2/5，基室无大毛。受精囊有 2 个，近球形，略不等大，具颈。雄性第 9 腹板后缘中部呈深的"V"形凹陷，第 9 背板自基部向端部略收缩，后缘中部有 1 小凹陷，无侧突。阳茎中叶宽近三角形，末端呈弧形突起，两侧叶分开较宽，阳茎拱呈圆弧形。阳基侧突基部向两侧分开，中部稍扩大并靠近，向末端则渐变细并向内侧弯曲。

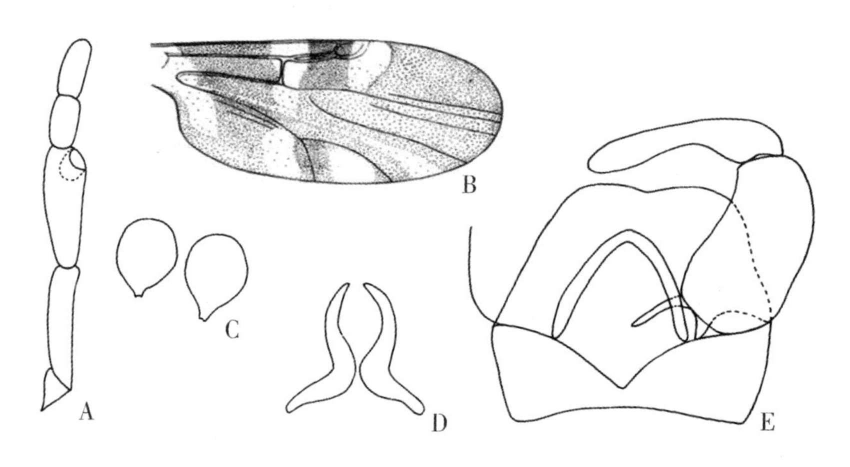

图 72 墨脱库蠓 *Culicoides motoensis* Lee

A. 触须(maxillary palpus)；B. 翅(wing)；C. 受精囊(spermatheca)；D. 阳茎中叶(aedeagus)；E. 雄虫尾器腹面观(hypopygium, ventral view)

采集记录：2♀，凤县黄牛东河桥，1200～1600m，2013. Ⅷ. 21-22，侯晓晖采；2♀，眉县太白山蒿坪，1300～1800m，2013. Ⅷ. 23-24，侯晓晖采；1♂1♀，眉县太白山七女峰，620～3511m，2012. Ⅶ. 16，吕彬采；1♀，留坝，585～2610m，2013. Ⅷ. 16，侯晓晖采；1♀，留坝江口，900m，2013. Ⅷ. 18，侯晓晖采；2♀，留坝紫柏山石板店，1300～2699m，2013. Ⅷ. 19-20，侯晓晖采；1♀，留坝桑园财神庙，1140～2603m，2013. Ⅷ. 16，侯晓晖采；1♀，宁陕平河梁，126～2679m，2013. Ⅷ. 15，侯晓晖采；1♀，宁陕旬阳坝，1300m，2013. Ⅷ. 12，侯晓晖采；1♀，柞水牛背梁广货街，1100～2802m，2013. Ⅷ. 10，侯晓晖采。

分布：陕西(凤县、眉县、留坝、宁陕、柞水)、西藏。

(19) 新替库蠓 *Culicoides newsteadi* Austen, 1921

Culicoides newsteadi Austen, 1921: 113.

Culicoides halophilus Kieffer, 1924: 404.

鉴别特征: 雌性翅长1.36mm, 宽0.62mm。复眼为接眼式, 小眼面间无柔毛, 有额缝。触角嗅觉器见于第3节及11~15节, AR 1.13。触须第3节中部稍粗大, 无感觉器窝, 感觉器散布于该节近端部1/3, PR 2.70。翅面淡、暗斑显著, 第1前缘暗斑向后延伸超过中2室的1/2, 第2前缘暗斑覆盖第1径室末端和第2径室基部1/3, 第2前缘暗斑的后缘有1较小的暗斑, 第3前缘暗斑位于第5径室中部; 中1室和中2室的暗斑相互连接, 形状不规则, 中1和中2脉端部各有1个小淡斑; 中肘叉基部暗色, 中4室有1独立的暗斑; 臀室近端部1/2的前缘有1个淡斑, 其余部分均为暗色区。翅面大毛见于近端2/3, 基室无大毛。受精囊有2个, 发达, 不等大。殖下板形态不规则, 内侧端部的突起近似凤头状。

采集记录: 1♀, 凤县黄牛东河桥, 1200~1600m, 2013. Ⅷ. 22, 侯晓晖采; 1♀, 留坝紫柏山石板店, 1300~2699m, 2013. Ⅷ. 20, 侯晓晖采; 1♀, 柞水牛背梁广货街, 1100~2802m, 2013. Ⅷ. 11, 侯晓晖采。

分布: 陕西(凤县、留坝、柞水)、黑龙江、辽宁; 俄罗斯, 日本, 英国, 法国, 挪威, 以色列。

(20) 不显库蠓 *Culicoides obsoletus* Meigen, 1818

Culicoides obsoletus Meigen, 1818: 76.

鉴别特征: 雌性翅长1.10mm, 宽0.52mm。复眼为接眼式, 小眼面间无柔毛。触角嗅觉器见于第3节及11~15节, AR 1.18。触须第3节中部稍粗大, 感觉器位于近端部的感觉器窝内, PR 3.25。翅面具淡、暗斑, 径中淡斑覆盖第1径室基部和径中横脉, 径端淡斑位于第2径室外侧, 第2径室端部淡色, 径5室端部有1个模糊的淡斑; 中1室和中2室端部各有1个模糊的带状淡斑, 中4室和臀室各有1个淡斑。翅面大毛见于近端部1/3, 基室无大毛。受精囊有2个, 均发达, 有短颈, 略不等大。

采集记录: 1♀, 周至花耳坪黑河, 940m, 2013. Ⅷ. 26, 侯晓晖采; 1♀, 宁陕旬阳坝, 1300m, 2013. Ⅷ. 12-13, 侯晓晖采。

分布: 陕西(周至、宁陕)、黑龙江、吉林、辽宁、内蒙古、山东、福建、四川、重庆、云南、西藏; 俄罗斯, 日本, 阿尔及利亚, 欧洲。

(21) 黑色库蠓 *Culicoides pelius* Liu *et* Yu, 1990

Culicoides pelius Liu *et* Yu, 1990: 19.

鉴别特征: 雌性翅长1.34mm, 宽0.64mm。复眼为接眼式, 小眼面间无柔毛。

触角嗅觉器见于第3节及11~15节。触须第3节近端部1/2处粗大，有浅而大的感觉器窝，感觉器密集其中。翅面淡,暗斑显著，径中淡斑覆盖第1径室基部1/2和径中横脉，径端淡斑覆盖第2径室近端部1/2，径5室有1块长形淡斑；中1室和中2室沿中2脉有相对应的2对淡斑；中4室有1大淡斑，在此淡斑中有1小暗斑。翅面有较多大毛，基室无大毛。有受精囊2个，均发达，近球形，有短颈，约等大；另有1个退化呈杆状的囊。

采集记录： 2♀，眉县太白山蒿坪，1300~1800m，2013.Ⅷ.23-24，侯晓晖采；1♀，宁陕火地塘林场，1420~2474m，2013.Ⅷ.14，侯晓晖采。

分布： 陕西(眉县、宁陕)、西藏。

(22)刺螯库蠓 *Culicoides punctatus* (Meigen, 1804)

Ceratopogon punctatus Meigen, 1804: 29.

Culicoides punctatus: Latreille, 1809: 252.

鉴别特征： 雌性翅长1.45mm，宽0.65mm。复眼为接眼式，小眼面间无柔毛，有额缝。触角嗅觉器见于第3节及11~15节。触须第3节中部粗大，无感觉器窝，感觉器散布于节中部稍后，PR 2.83。翅面淡，暗斑明显，第1前缘暗斑向后延伸达中2室前缘，第2前缘暗斑覆盖第1径室末端和第2径室基部，第2前缘暗斑的后缘有1个暗斑，第3前缘暗斑位于第5径室中部；中1室中部前缘有1个暗斑；中2室在中叉后缘和近端部的后缘各有1个淡斑；中1和中2脉端部各有1个小淡斑；中4室有1个独立的暗斑；臀室有1个位于臀脉中部的暗斑。翅面大毛见于近端2/3，基室无大毛。受精囊有2个，发达，不等大。殖下板内侧端部有1个指状突。

采集记录： 1♀，凤县黄牛东河桥，1200~1600m，2013.Ⅷ.21，侯晓晖采。

分布： 陕西(凤县)、黑龙江、吉林、辽宁、内蒙古、河北、山东、宁夏、甘肃、新疆、浙江、湖北、福建、四川、云南；俄罗斯，哈萨克斯坦，伊朗，土耳其，欧洲及非洲北部。

(23)苏格兰库蠓 *Culicoides scoticus* Downes *et* Kettle, 1952(图73)

Culicoides scoticus Downes *et* Kettle, 1952: 65.

鉴别特征： 雌性翅长1.03mm，宽0.48mm。复眼为接眼式，小眼面间无柔毛。触角嗅觉器见于第3节及11~15节，AR 1.10。触须第3节中部稍粗大，感觉器聚合于该节近端部感觉器窝内。翅面淡、暗斑不甚明显，除径中、径端有淡斑外，其余淡斑均为模糊淡斑。翅基淡斑大，向后延伸至臀室基部，径中淡斑覆盖径1室基部和径中横脉，径2室的近端部1/2被径端淡斑覆盖，径5室端部有1个小淡斑；中1室有2个淡斑；中2室自基部向端部延伸1条窄的淡色带，并在端部扩大，呈近三角形的淡斑；中 4 室和臀室各有 1 个淡斑。翅面大毛见于近端部 1/3，基室无大毛。受精囊有 2 个，均发达，椭圆形，无颈，不等大。雄虫第 9 腹板分裂为 2 板。第 9 背板短，后缘钝圆，侧突缺如。阳茎中叶端部短，呈柱状，两侧叶分开宽，阳茎拱高。阳基侧突分离，基部末端尖，中部稍扩大，端部稍变细，并向内侧弯曲呈钩状。

采集记录:2♂，眉县太白山蒿坪，1300～1800m，2013. Ⅷ. 23-24，侯晓晖采；2♀1♂，眉县太白山，620～3511m，2012. Ⅶ. 16，吕彬采；1♀，留坝紫柏山石板店，1300～2699m，2013. Ⅷ. 20，侯晓晖采；1♀，宁陕火地塘林场，1420～2474m，2013. Ⅷ. 14，侯晓晖采；1♀，柞水牛背梁广货街，1100～2802m，2013. Ⅷ. 10，侯晓晖采。

分布:陕西(眉县、留坝、宁陕、柞水)、西藏；英国，法国。

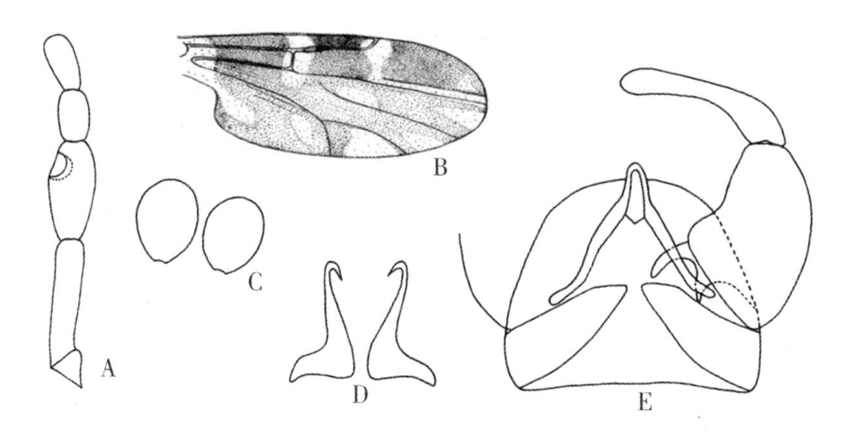

图 73 苏格兰库蠓 *Culicoides scoticus* Downes *et* Kettle

A. 触须(maxillary palpus)；B. 翅(wing)；C. 受精囊(spermatheca)；D. 阳茎中叶(aedeagus)；E. 雄虫尾器腹面观(hypopygium, ventral view)

(24)兴安库蠓 *Culicoides sinanoensis* Tokunaga, 1937

Culicoides sinanoensis Tokunaga, 1937: 331.

鉴别特征: 雌性翅长 1.23mm，宽 0.59mm。复眼为接眼式，小眼面间无柔毛。触角嗅觉器见于第 3 节及 11～15 节。触须第 3 节稍粗大，感觉器位于该节近端部的感觉器窝内，PR 3.60。翅面具淡色暗斑，翅基淡斑形状不规则，向后延伸达臀室基部，径中淡斑覆盖第 1 径室基部和径中横脉，径端淡斑位于第 2 径室外侧，第 2 径室端部 1/2 淡色，径 5 室端部有 1 模糊淡斑；中 1 室近基部和端部各有 1 模糊淡斑；中 2 室自基部向端部形成 1 窄而不明显淡斑带；中 4 室和臀室各有一淡斑。翅面大毛见于近端 1/3，基室无大毛。受精囊有 2 个，均发达，呈椭圆形，有短颈，略不等大。

采集记录:1♀，佛坪翠竹园农家乐，780～2200m，2013. Ⅷ. 25，侯晓晖采；1♀，宁陕平河梁，1265～2679m，2013. Ⅷ. 13，侯晓晖采；1♀，柞水牛背梁广货街，1100～2802m，2013. Ⅷ. 11，侯晓晖采。

分布:陕西(佛坪、宁陕、柞水)、黑龙江、吉林、辽宁;日本,俄罗斯。

(25)条带库蠓 *Culicoides tainanus* Kieffer, 1916(图 74)

Culicoides tainanus Kieffer, 1916: 114.

Culicoides maculatus Shiraki, 1913: 296.

Culicoides sigaensis Tokunaga, 1937: 322.

Culicoides kyotoensis Tokunaga, 1937: 329.

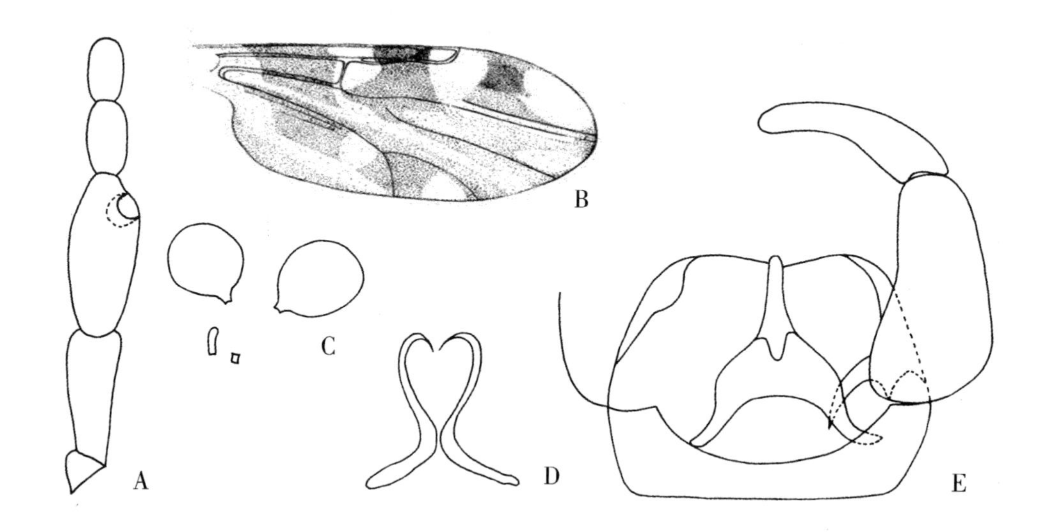

图 74 条带库蠓 *Culicoides tainanus* Kieffer

A. 触须(maxillary palpus); B. 翅(wing); C. 受精囊(spermatheca); D. 阳茎中叶(aedeagus); E. 雄虫尾器腹面观(hypopygium, ventral view)

鉴别特征:雌性翅长 0.93mm,宽 0.44mm。复眼为接眼式,小眼面间无柔毛。触角嗅觉器见于第 3 节及 11~15 节,AR 1.20。触须第 3 节稍粗大,感觉器窝位于近端部1/3处,PR3.00。翅具淡色暗斑。翅基淡斑大,形状不规则,并与中 2 室和臀室的淡斑连接,径中淡斑覆盖第 1 径室基部和径中横脉,并向后延伸与中 2 室的淡斑连接,径端淡斑位于第 2 径室外侧,第 2 径室端部淡色,径 5 室淡斑位于翅端;中 1 室近基部和端部各有 1 个淡斑;中 2 室自基部向端部形成 1 条形状不规则的淡色带,中 4 室有 1 个淡斑,臀室淡斑形状不规则。翅面大毛见于近端部 1/4,基室无大毛。受精囊有 2 个,近球形,有颈。雄虫第 9 腹板后缘中部凹陷宽而较深。第 9 背板宽,末端钝圆,后缘中部有浅凹,无侧突。阳茎中叶中部粗壮,端部呈棒状,两侧叶短,向两侧分开,阳茎拱低,约为阳茎中叶总长的 1/4。阳基侧突细长,基部向两侧呈“八”字形分开,中部靠近,端部变细,末端尖,并向内侧弯曲。

采集记录:1♀,周至花耳坪黑河,940m,2013.Ⅷ.27,侯晓晖采;1♀,留坝紫柏山石板店，1300～2699m，2013. Ⅷ. 19，侯晓晖采；1♀，佛坪翠竹园农家乐，780～2200m，2013. Ⅷ. 25，侯晓晖采；1♀，宁陕火地塘林场，1420～2474m，2013. Ⅷ. 14，侯晓晖采。

分布：陕西（周至、留坝、佛坪、宁陕）、山东、福建、海南、云南；印度尼西亚，日本，老挝，马来西亚，菲律宾，泰国，越南。

（26）新平库蠓 *Culicoides xinpingensis* Chu *et* Liu，1982

Culicoides xinpingensis Chu *et* Liu，1982：101.

鉴别特征：雌性翅长 1.08mm，宽 0.48mm。复眼为离眼式，间距小于 1 个小眼面直径，小眼面间无柔毛，有额缝。触角嗅觉器见于触角第 3～14 节，AR1.37。触须第 3 节明显粗大，感觉器聚合于 1 个较深的感觉器窝内。翅面除翅基淡斑外，仅有 2 个淡斑，径中淡斑不抵翅前缘，仅覆盖径 1 室基部 1/4 和径中横脉，径端淡斑位于径 2 室外侧，径 2 室全暗。翅面大毛密布，基室无大毛。受精囊有 2 个，均发达，呈椭圆形，有颈，等大。

采集记录：1♀，眉县太白山，620～3511m，2012. Ⅶ. 16，吕彬采。

分布：陕西（眉县）、云南。

3. 毛蠓属 *Dasyhelea* Kieffer，1911

Dasyhelea Kieffer，1911：5. **Type species：***Dasyhelea halophila* Kieffer，1911.

属征：体短小，被毛。复眼小，眼面间具柔毛。额片形态多样，雌性触角鞭节端部 5 节与基部 8 节差别不显著，通常有轮毛；雄性触角端部 4 节延长，鞭节各节刻纹明显；触须较细，通常第 1 节短小，第 3 节仅有少数分散的感觉器。中胸盾板无肩窝。翅宽，有微毛；翅面具大毛；前缘脉末端通常抵翅中，径 1 室常无，径 2 室有或无，开放或封闭；中叉脉无柄或有短柄；径中横脉斜短；臀脉直；臀角钝；翅瓣光裸；腋瓣常有细毛丛。足较细，无粗刺；后足第 1 跗节常为第 2 节 2 倍以上；爪小且等大；爪间突退化。雌性腹部短粗，第 9 节腹面角化的殖下板完整而多变；受精囊有 1～3个。雄性腹部较细，第 9 背板较长，其后缘侧突通常小或不发达；抱器基节短粗，端节细长；阳茎中叶宽，具成对端突；阳基侧突愈合成不对称的 3 条骨片。

分布：古北区，东洋区，非洲区，新北区，澳洲区。全世界已知609 种，中国记录 151 种，秦岭地区有 3 种。

分种检索表

1. 触角末节有端突 ……………………………………………………………… **稚嫩毛蠓 *D. subtilis***

触角末节无端突 ……………………………………………………………………………… 2
2. 胸背有 2 条浅色纵纹 ……………………………………………… 泸定毛蠓 ***D. ludingensis***
胸背无浅色纹……………………………………………………………… 漏斗毛蠓 ***D. chonetus***

(27)泸定毛蠓 *Dasyhelea ludingensis* Zhang *et* Yu, 1996(图 75)

Dasyhelea ludingensis Zhang *et* Yu, 1996: 203.

鉴别特征:雌性翅长 0.85mm, 宽 0.38mm。复眼间距约 1 个小眼面宽, 小眼面间柔毛长而密。触角鞭节各节无刻纹, 末节无端突。唇基片有鬃 8 根。肩部浅色, 有 2 条细短浅色纵纹。翅面大毛长而密, 沿翅脉两侧有裸带。殖下板不发达, 呈带状, 弧形, 后方具 4 根长鬃, 受精囊 1 个, 呈卵形, 颈部弯曲。

采集记录:2♀, 周至花耳坪黑河, 940m, 2013. Ⅷ. 26-27, 侯晓晖采; 2♀, 凤县黄牛东河桥, 1200 ~ 1600m, 2013. Ⅷ. 21-22, 侯晓晖采; 2♀, 留坝紫柏山石板店, 1300 ~ 2699m, 2013. Ⅷ. 19-20, 侯晓晖采; 1♀, 留坝, 585 ~ 2610m, 2013. Ⅷ. 16, 侯晓晖采; 21♀, 留坝江口, 900m, 2013. Ⅷ. 18, 侯晓晖采; 2♀, 留坝桑园财神庙, 1140 ~ 2603m, 2013. Ⅷ. 16, 侯晓晖采; 2♀, 宁陕平河梁, 1265 ~ 2679m, 2013. Ⅷ. 13-15, 侯晓晖采; 1♀, 宁陕火地塘林场, 1420 ~ 2474m, 2013. Ⅷ. 14, 侯晓晖采。

分布:陕西(周至、凤县、留坝、宁陕)、北京、山西、山东、河南、甘肃、江苏、安徽、浙江、湖北、江西、湖南、福建、台湾、广东、海南、香港、广西、重庆、四川、云南。

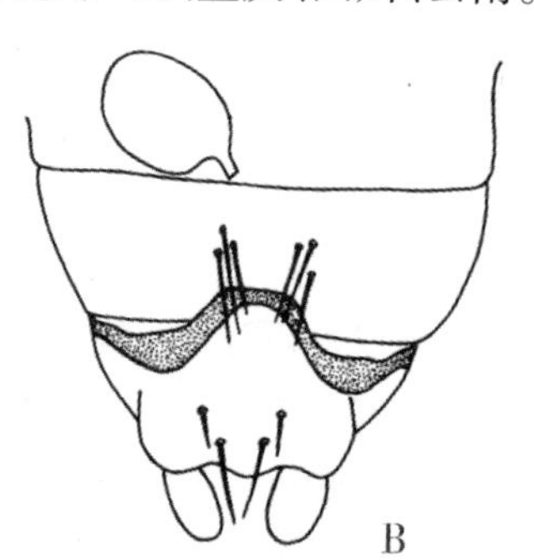

图 75　泸定毛蠓 *Dasyhelea ludingensis* Zhang *et* Yu

A. 触须(maxillary palpus); B. 雌虫生殖节腹面观(female genital segments, ventral view)

(28)稚嫩毛蠓 *Dasyhelea subtilis* Yu *et* Zhang, 2005

Dasyhelea subtilis Yu *et* Zhang, 2005: 170.

鉴别特征:雄性翅长 1.00mm, 宽 0.30mm。复眼间距约为 1 个小眼面宽, 小眼面间有柔毛。触角鞭节各节刻纹明显, 末节有细长端突。唇基片每侧有鬃 4 根。小盾片有粗鬃 8 根。平衡棒淡色，球顶棕色。翅面大毛密布，径脉止于翅前缘中点前。抱器端节为肘状，端部拳形，其长度约等于抱器基节之长，抱器基节内侧有 1 个钩状突。阳茎中叶具 1 对短宽端突，其端部呈钩状弯曲；阳基侧突不对称，中叶狭长。

采集记录:1♂，宁陕火地塘林场，1420 ~2474m，2013. Ⅷ. 14，侯晓晖采。

分布:陕西(宁陕)、上海。

(29)漏斗毛蠓 *Dasyhelea chonetus* Yu et Zou, 2005

Dasyhelea chonetus Yu et Zou, 2005: 279.

鉴别特征:雄性翅长 0.98mm，宽 0.31mm。复眼间距约为 1 个小眼面宽，小眼面间柔毛较密。触角鞭节各节刻纹明显，末节无端突。唇基片每侧有鬃 3 根。胸部一致棕褐色，小盾片浅色，有粗鬃 6 根。翅面除肘臀室外，大毛遍布，径脉止于翅前缘中点。第 9 腹板后缘中部显著隆起；第 9 背板后缘侧突发达，呈指状。阳茎中叶呈漏斗架状，端部钝，状似倒置三角块；阳基侧突不对称，中叶短而弯曲。

采集记录:2♂，周至花耳坪黑河，940m，2013. Ⅷ. 26-27，侯晓晖采；1♂，眉县太白山蒿坪，1300 ~1800m，2013. Ⅷ. 24，侯晓晖采；1♂，留坝，585 ~2610m，2013. Ⅷ. 16，侯晓晖采；2♂，留坝紫柏山石板店，1300 ~2699m，2013. Ⅷ. 20，侯晓晖采；1♂，留坝江口，900m，2013. Ⅷ. 18，侯晓晖采；1♂，宁陕旬阳坝，1300m，2013. Ⅷ. 13，侯晓晖采；1♂，宁陕平河梁，1265 ~2679m，2013. Ⅷ. 15，侯晓晖采。

分布:陕西(周至、眉县、留坝、宁陕)、上海。

4. 铗蠓属 *Forcipomyia* Meigen, 1818

Forcipomyia Meigen, 1818: 73, 75. **Type species**: *Tipula bipunctata* Linnaeus, 1840.

属征:虫体短钝多毛，足和翅常具纹鳞。复眼为邻接式，光裸或有柔毛。大颚有齿或无齿。触须通常有 5 节，第 4、5 节可部分或全部愈合，第 3 节有或无感觉器窝。触角有 15 节或减少。中胸盾板无肩窝。雌性爪间突发达。翅有或无大毛，有或无斑。径 1 室短小或缺如。受精囊有 1 个或 2 个。雄性尾器第 9 背板长短不等，其后缘常具 1 对侧突；阳茎中叶三角形或方形，可分叉；阳基侧突形状变化多，两侧常与抱器基节踝愈合。

分布:古北区，东洋区，非洲区，新北区，澳洲区。全世界已知 1156 种，中国记录 145 种，秦岭地区有 12 种。

分种检索表

1. 大颚有齿 ·· 2

大颚无齿 …… 8

2. 复眼小眼面间有柔毛 …… **灌丛铗蠓 *F. frutetorum***

复眼小眼面间无柔毛 …… 3

3. 有 1 个发达的受精囊 …… 4

有 2 个发达的受精囊 …… 5

4. 触须第 4、5 节部分愈合…… **巴河铗蠓 *F. bahelea***

触须第 4、5 节分离 …… **项角铗蠓 *F. monilicornis***

5. 触须第 3 节基部显著膨大，感觉器窝大而深 …… **尊贵铗蠓 *F. beatulus***

触须第 3 节略膨大，感觉器窝小 …… 6

6. 2 个受精囊形状不同，分别为球形和卵形…… **裸竹铗蠓 *F. balteatus***

2 个受精囊形状相同 …… 7

7. 殖下板桥拱状，两侧加厚 …… **粗野铗蠓 *F. psilonota***

殖下板桥拱状，两侧不加厚 …… **栗色铗蠓 *F. castanius***

8. 翅前缘有明显淡色区，径 2 室端部或外侧淡色 …… **丛林铗蠓 *F. bessa***

翅前缘无淡色区，翅面淡色无斑 …… 9

9. 后足一致淡色，无棕色斑 …… **寒冷铗蠓 *F. frigidus***

后足股节端部或胫节基部有棕色区 …… 10

10. 后足除跗节端部 1/2 棕色外，胫节基部棕色 …… **拜氏铗蠓 *F. bikanni***

后足股节仅端部 1/2 棕色，其余淡色 …… 11

11. 后足胫节有成行的宽鳞状鬃；阳基侧突分离 …… **短毛铗蠓 *F. ciliola***

后足胫节无成行的宽鳞状鬃；阳基侧突基部有角质干相连 …… **防城铗蠓 *F. fangchengensis***

(30) 裸竹铗蠓 *Forcipomyia balteatus* Liu *et* Yu, 2001

Forcipomyia balteatus Liu *et* Yu, 2001 : 40.

鉴别特征：雌性翅长 1.12mm，宽 0.53mm。复眼小，眼面间无柔毛。触须有 5 节，第 3 节基部 1/2 处膨大，有感觉器窝，第 4、5 节部分愈合。大颚齿细小，有 40 余枚。后足 TR 2.53。受精囊有 2 个，1 个呈球形，颈明显，另 1 个较大，呈卵形，颈不明显。

采集记录：1♀，留坝紫柏山石板店，1300～2699m，2013.Ⅷ.19，侯晓晖采。

分布：陕西（留坝）、重庆。

(31) 巴河铗蠓 *Forcipomyia bahelea* Liu *et* Yu, 2001

Forcipomyia bahelea Liu *et* Yu, 2001 : 39.

鉴别特征：雌性翅长 1.14mm，宽 0.51mm。复眼，小眼面间无柔毛。触须第 3 节中部明显膨大，感觉器窝位于近膨大部；第 4、5 节部分愈合。大颚齿细小，具 40 余枚。小盾片多鬃毛，粗细间杂，其中粗鬃约 20 根。翅面大毛密布，无斑。中足 TR 1.91。受精囊有 1 个，囊壁有刻点，深褐色，葫芦状，颈长弯曲。殖下板状如兔首，形态特异。

采集记录：1♀，留坝江口，900m，2013. Ⅷ. 18，侯晓晖采。

分布：陕西（留坝）、新疆。

（32）丛林铗蠓 *Forcipomyia bessa* Liu et Yu, 2001

Forcipomyia bessa Liu *et* Yu, 2001：86.

鉴别特征：雌性翅长 1.17mm，宽 0.54mm。复眼小，眼面间无柔毛，唇基片中部有 17 根鬃密集，纵向排列。大颚无齿。小盾片有 10 余根粗鬃。翅面大毛密布。径 2 室和径 5 室具大的淡色斑。各足股节端部、胫节基部为棕色，尤以后足色泽最深，其余部分均为淡黄色。受精囊有 2 个，呈卵形，不等大，无颈。殖下板窄细，呈环状。

采集记录：1♀，留坝紫柏山石板店，1300～2699m，2013. Ⅷ. 20，侯晓晖采。

分布：陕西（留坝）、云南。

（33）尊贵铗蠓 *Forcipomyia beatulus* Liu et Yu, 2001

Forcipomyia beatulus Liu *et* Yu, 2001：193.

鉴别特征：雌性翅长 1.91mm，宽 0.78mm。复眼小，眼面间无柔毛。触须第 3 节基部明显膨大，感觉器窝较大，位于膨大处；第 4、5 节分离，略等长。大颚齿细小，约 30 枚。小盾片布满粗、细鬃，其中粗鬃约 27 根。翅面大毛密布，径室端部 1/2 淡色，大毛形成浅色斑。各足第 1～3 跗节均有端刺 1 对。受精囊有 2 个，呈长卵形，有短颈。殖下板细窄，形成不完全的椭圆形环，侧臂细长。

采集记录：♀，眉县太白山蒿坪，1300～1800m，2013. Ⅷ. 23，侯晓晖采；1♀，留坝，585～2610m，2013. Ⅷ. 16，侯晓晖采。

分布：陕西（眉县、留坝）、西藏。

（34）拜氏铗蠓 *Forcipomyia bikanni* Chan et LeRoux, 1971

Forcipomyia bikanni Chan *et* LeRoux, 1971：729.

鉴别特征：雌性翅长 1.31mm，宽 0.61mm。复眼小，眼面间无柔毛。触须第 3 节基部膨大，感觉器窝较明显；第 4、5 节分离。小盾片粗鬃 10 根。前足、中足一致棕黄色，后足股节端部 1/2 和胫节基部 1/3 为棕色，其余为棕黄色。受精囊有 2 个，呈卵形，略等大，无颈。殖下板呈环状。

采集记录：1♀，周至花耳坪黑河，940m，2013. Ⅷ. 26，侯晓晖采；1♀，眉县太白山蒿坪，1300～1800m，2013. Ⅷ. 23，侯晓晖采；1♀，留坝江口，900m，2013. Ⅷ. 18，侯晓晖采；1♀，宁陕火地塘林场，1420～2474m，2013. Ⅷ. 14，侯晓晖采；1♀，柞水牛背梁广货街，1100～2802m，2013. Ⅷ. 11，侯晓晖采。

分布：陕西（周至、眉县、留坝、宁陕、柞水）、河南、广东、广西、四川；新加坡。

（35）栗色铗蠓 *Forcipomyia castanius* Liu *et* Yu, 2005

Forcipomyia castanius Liu *et* Yu, 2005: 680.

鉴别特征：雌性翅长 1.20mm，宽 0.56mm。复眼小，眼面间无柔毛。喙明显短于触须。触须第 3 节中部略膨大，感觉器窝小，位于中部；第 4、5 节分离。大颚短而宽，有细齿 18 枚，端部细而密，而后渐增大，小颚窄，呈锉状，上唇端钝，具纵脊，侧缘具刚毛。小盾片粗鬃有 12 根。受精囊有 2 个，卵形，短颈不明显，约等大。殖下板呈桥拱状。

采集记录：1♀，眉县太白山，620～3511m，2012. Ⅶ. 17，吕彬采。

分布：陕西（眉县）、四川。

（36）短毛铗蠓 *Forcipomyia ciliola* Liu *et* Yu, 2001（图 76）

Forcipomyia ciliola Liu *et* Yu, 2001: 96.

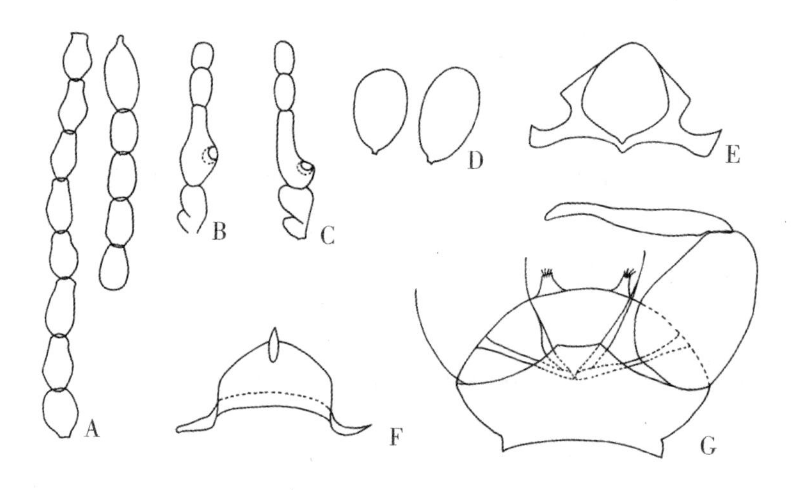

图 76 短毛铗蠓 *Forcipomyia ciliola* Liu *et* Yu

A. 触角（antennae）；B. 雌性触须（maxillary palpus）；C. 雄性触须（maxillary palpus）；D. 受精囊（spermatheca）；E. 殖下板（subgenital plate）；F. 阳茎中叶（aedeagus）；G. 雄虫尾器腹面观（hypopygium, ventral view）

鉴别特征:雌性翅长 1.33mm，宽 0.58mm。复眼小，眼面间无柔毛。触须第 3 节基部明显膨大，感觉器窝大，第 4、5 节完全分离。小盾片后缘有粗鬃 10 根。翅面大毛密布，沿翅脉无裸带，无斑。前、中足淡色，后足股节端部 1/2 为棕色，其余淡色，后足胫节有成行的宽鳞状鬃。受精囊有 2 个，呈椭圆形，球状，不等大。殖下板外缘轮廓近似菱形，端缘稍突。雄虫翅长 1.43mm，宽 0.50mm。触须第 3 节基部膨大，感觉器窝较明显；第 4、5 节分离。前、中足股、胫节一致淡色，后足股节端部 2/3 为棕色，仅基部淡色，胫节近基部 1/3 为棕色。阳茎中叶近似帽状，端部中央有 1 个尖突。阳基侧突不相连，细丝状，与抱器基节略等长。

采集记录:2♀，凤县黄牛东河桥，1200～1600m，2013. Ⅷ. 21-22，侯晓晖采；1♀，眉县太白山蒿坪，1300～1800m，2013. Ⅷ. 23，侯晓晖采；1♀，宁陕旬阳坝，1300m，2013. Ⅷ. 16，侯晓晖采；1♀，宁陕火地塘林场，1420～2474m，2013. Ⅷ. 14，侯晓晖采。

分布:陕西（凤县、眉县、宁陕）、西藏。

（37）防城铗蠓 *Forcipomyia fangchengensis* Liu *et* Yu, 2001（图 77）

Forcipomyia fangchengensis Liu *et* Yu, 2001: 111.

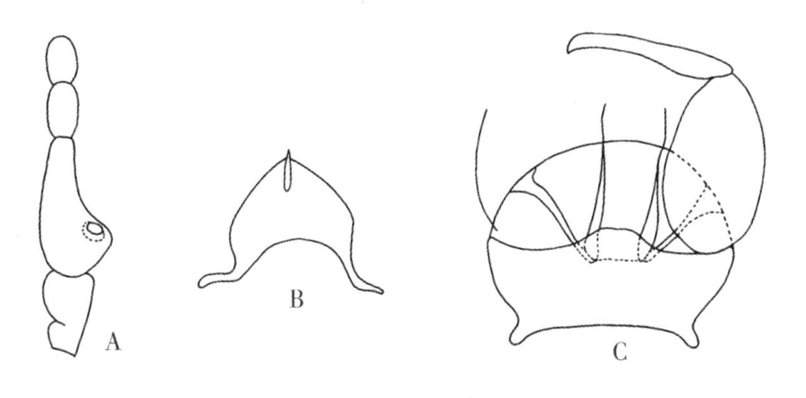

图 77　防城铗蠓 *Forcipomyia fangchengensis* Liu *et* Yu

A. 触须（maxillary palpus）；B. 阳茎中叶（aedeagus）；C. 雄虫尾器腹面观（hypopygium, ventral view）

鉴别特征:雄性翅长 1.01mm，宽 0.29mm。触须第 3 节基部的 1/2 膨大，感觉器窝细小，位于基部膨大处；第 4、5 节分离。后足胫节端鬃 8 根，有梳齿 11 枚。尾器第 9 腹板后缘中央略凸；第 9 背板呈半圆形，约为抱器基节长的 1/2。抱器基节长约为宽的1.50倍，抱器端节与抱器基节略等长。阳茎中叶盾状，中央有 1 个梭状突；阳茎拱较低。阳基侧突与抱器基节等长，基部状似分离，但有 1 条角化很弱的丝带相连，端部细丝状。

采集记录:1♂，留坝江口，900m，2013. Ⅷ. 18，侯晓晖采。

分布:陕西(留坝)、广西。

(38)寒冷铗蠓 *Forcipomyia frigidus* Liu *et* Yu, 2001

Forcipomyia frigidus Liu *et* Yu, 2001: 114.

鉴别特征:雌性翅长1.30mm,宽0.45mm。复眼小,眼面间无柔毛。触角鞭节基部各节近似瓶状,端部5节延长不明显。触须第3节基部1/2膨大,感觉器窝大,口孔小,位于基部,第4、5节分离。小盾片粗鬃18根。受精囊有2个,不等大,大的呈卵形,小的呈球形。殖下板拱门状,第9腹板后缘每侧具5枚钉状突起,其中3枚较大。

采集记录:1♀,凤县黄牛东河桥,1200~1600m,2013.Ⅷ.22,侯晓晖采;1♀,柞水牛背梁广货街,1100~2802m,2013.Ⅷ.11,侯晓晖采。

分布:陕西(凤县、柞水)、吉林、甘肃。

(39)灌丛铗蠓 *Forcipomyia frutetorum* (Winnertz, 1852)

Ceratopogon frutetorum Winnertz, 1852: 29.
Forcipomyia aethiopia Ingram *et* Macfie, 1924: 582
Forcipomyia frutetorum: Remm, 1967: 6.

鉴别特征:雄性翅长0.88mm,宽0.27mm。复眼小,眼面间有柔毛。触角AR 1.21。触须第3节基部的1/2膨大,感觉器窝小,位于近中部。小盾片后缘粗鬃7根。尾器第9腹板后缘中部深凹。阳茎中叶状似1对长颈鸟,近基部相连。阳基侧突与抱器基节踝愈合成弯月状。

采集记录:1♂,眉县太白山,620~3511m,2012.Ⅶ.07,吕彬采;1♂,留坝江口,900m,2013.Ⅷ.18,侯晓晖采。

分布:陕西(眉县、留坝)、吉林、辽宁、山东、江苏、安徽、浙江、江西、福建、广西、重庆、四川、云南;俄罗斯,日本,德国,阿尔及利亚,加纳,加拿大。

(40)项角铗蠓 *Forcipomyia monilicornis* (Coquillett, 1905)

Ceratopogon monilicornis Coquillett, 1905: 63.
Forcipomyia palustris Saunders, 1925: 269.
Forcipomyia monilicornis: Wirth, 1952: 145.

鉴别特征:雌性翅长1.06mm,宽0.51mm。复眼小,眼面间无柔毛。触须第3节基部4/5膨大,感觉器窝浅,位于中部;第4、5节分离,第5节细小。小盾片后缘有粗鬃11根。翅面大毛密布，无斑。受精囊有1个，球状，颈短。殖下板呈盔状。

采集记录：1♀，留坝紫柏山石板店，1300～2699m，2013.Ⅷ.20，侯晓晖采；1♀，柞水牛背梁广货街，1100～2802m，2013.Ⅷ.11，侯晓晖采。

分布：陕西（留坝、柞水）、黑龙江、甘肃、广西、四川；澳大利亚，蒙古，阿塞拜疆，欧洲，北美洲，非洲。

(41)粗野铗蠓 *Forcipomyia psilonota* (Kieffer, 1911)

Ceratopogon psilonotus Kieffer, 1911b: 337.
Forcipomyia indecora Kieffer, 1914: 269.
Forcipomyia psilonota: Ingram & Macfie, 1924: 546.

鉴别特征：雌性翅长0.92mm，宽0.44mm。复眼小，眼面间无柔毛。触须第3节细长，仅基部稍膨大，感觉器窝小，位于近中部，第4、5节部分愈合。大颚叶呈片状，具细齿32枚，小颚齿12枚。小盾片后缘有粗鬃10根。翅面密布大毛。后足胫节端鬃5根，梳齿有9枚。受精囊有2个，呈球形，有长颈，不等大。殖下板呈桥拱状，两侧加厚。

采集记录：1♀，周至花耳坪黑河，940m，2013.Ⅷ.26，侯晓晖采；1♀，眉县太白山蒿坪，1300～1800m，2013.Ⅷ.24，侯晓晖采；1♀，宁陕平河梁，1265～2679m，2013.Ⅷ.13，侯晓晖采。

分布：陕西（周至、眉县、宁陕）、福建、广东、四川；埃塞俄比亚，南太平洋地区。

5. 蠛蠓属 *Lasiohelea* Kieffer, 1921

Lasiohelea Kieffer, 1921: 115. **Type species**: *Atrichopogon pilosipennis* Kieffer, 1919.

属征：复眼小，眼面间柔毛有或无，触角有15节，雌性触角端部5节延长，雄性触角端部4节延长；触须有5节，第3节内侧有感觉器，感觉器窝有或无。口器发达，雌性的大、小颚端部有齿，雄性无齿；雌性食窦处有口甲齿若干，雄性通常欠发达或无。翅面大毛遍布，2个径室，第2径室狭长，末端抵达或略超过翅前缘中点。雌性有1个受精囊，殖下板发达。雄性阳茎中叶分裂成两角质侧片，阳基侧突为一角质窄条，成弓状内陷于第9腹节。

分布：古北区，东洋区，非洲区，新北区，澳洲区。全世界已知187种，中国记录66种，秦岭地区有2种。

分种检索表

阳茎中叶呈1对芭蕉叶状向两侧弯曲 ·································· **低飞蠛蠓 *L. humilavolita***

阳茎中叶两侧片向外侧作钩状弯曲，状似鸟喙 ································ 西藏蠛蠓 *L. tibetana*

(42)低飞蠛蠓 *Lasiohelea humilavolita* Yu *et* Liu, 1982(图 78)

Lasiohelea humilavolita Yu *et* Liu, 1982: 302.

鉴别特征：雌性翅长 0.92mm，宽 0.40mm。复眼小，眼面间无柔毛。触角 AR 1.90。触须第 3 节长而中部膨大，有浅感觉器窝，感觉器密集其内。大颚有齿 21～22 个，较粗壮，端部 5～6 齿略细小，其余 16 个较大而相等；另有 5～6 个不明显的短齿。口甲齿大，9 枚，尖长，基部呈波状连接。小盾片后缘有粗鬃 9 根，其中 3 根较细。翅面多大毛。受精囊有 1 个，呈球状；基部 1/2 角化弱，常内陷呈半球状。第 8 腹板处有蝠状角质增厚部与殖下板相对。雄性翅长 1.10mm，宽 0.34mm。触角 AR 0.96。触须第 3 节约等于第 1、2 节长度之和，其中部略膨大，内侧近端部感觉器密集，有浅感觉器窝。小盾片后缘有鬃 1 列 9 根，其中 3 根较细。翅面大毛较稀。尾器阳基侧突弓窄而深；阳茎中叶呈 1 对芭蕉叶状向外侧弯曲。

采集记录：2♀1♂，眉县太白山蒿坪，1300～1800m，2013. Ⅷ. 23-24，侯晓晖采；1♀，留坝江口，900m，2013. Ⅷ. 18，侯晓晖采。

分布：陕西(眉县、留坝)、甘肃、河南、安徽、浙江、湖北、江西、福建、台湾、海南、广西、四川、重庆、贵州、云南；马来西亚。

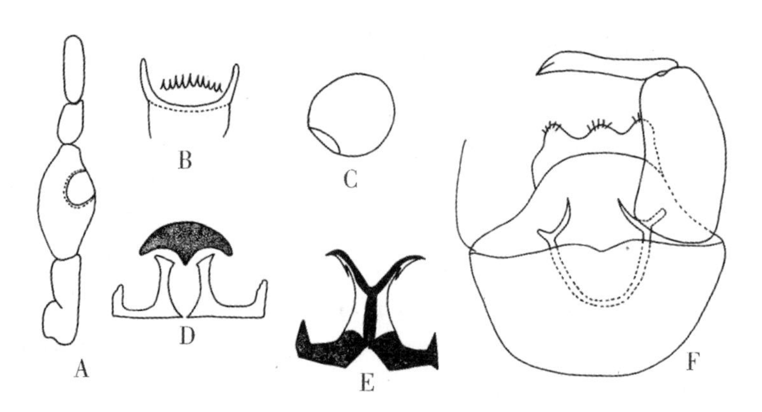

图 78 低飞蠛蠓 *Lasiohelea humilavolita* Yu *et* Liu

A. 触须(maxillary palpus)；B. 口甲(buccal armature)；C. 受精囊(spermatheca)；D. 殖下板(subgenital plate)；E. 阳茎中叶(aedeagus)；F. 雄虫尾器腹面观(hypopygium, ventral view)

(43)西藏蠛蠓 *Lasiohelea tibetana* Yu, 2005

Lasiohelea tibetana Yu, 2005: 738.

鉴别特征：棕色较大蠓种。雄虫翅长 1.52mm，宽 0.46mm。复眼小，眼面间无柔毛。触须第3节中部膨大，端部呈颈状，感觉器窝位于中部膨大处。口甲有1列不发达齿，12枚。小盾片后缘有粗鬃9根。后足胫节端鬃7根。尾器第9腹板后缘中央呈浅凹。抱器端节端部粗。阳茎中叶两侧片的端部尖而向外侧弯曲，基部相连。阳基侧突弓底缘略平，底缘内侧中央有1个突起。

采集记录：1♂，眉县太白山，620～3511m，2012. Ⅶ. 17，吕彬采。

分布：陕西（眉县）、西藏。

参考文献

Arakawa, S. 1910. On a new injurious "insect" (*Ceratopogon arakanae Mats*). *Konchu-Sekai*, 14: 411-414.

Austen, E. E. 1921. A contribution to knowledge of the blood-sucking Diptera, other than Tabanidae. *Bulletin of entomological research*, 12: 107-124.

Chan, K. L. and LeRoux, E. J. 1971. Nine new species of *Forcipomyia* (Diptera: Ceratopogonidae) from Singapore. *Canadian Entomologist*, 103(8): 729-762.

Chu, F-Y and Liu, S-Z. 1982. Two New Species of the genus *Culicoides* (Diptera: Ceratopogonidae) from Yunnan, China *Zoological Research*, 3: 101-103. [瞿逢迎，刘树忠. 1982. 云南省库蠓二新种. 动物学研究，1982，3：101-103.]

Coquillett, D. W. 1901. New Diptera in the U. S. National Museum. *Proceedings of the United States National Museum*, 23: 593-618.

Coquillett, D. W. 1905. New nematocerous Diptera from North America. *Journal of the New York Entomological Society*, 13: 56-69.

De Meijere, J. C. H. 1907. Studien iiber Siidostasiatische Dipteren. 1. *Tijdschrift voor Entomologie*, 50: 196-264.

Delfinado, M. D. 1961. The Philippine biting midges of the genus *Culicoides* (Diptera: Ceratopogonidae). *Fieldiana Zoology*, 33: 627- 675.

Downes, J. A. and Kettle, D. S. 1952. Descriptions of three species of *Culicoides* Latreille (Diptera: Ceratopogonidae) new to science, together with notes on, and a revised key to the British species of the *pulicaris* and *obsoletus* groups. *Proceedings of the Royal Entomological Society of London*(B), 21: 61-78.

Ingram, A. and Macfie, J. W. S. 1924. Notes on some African Ceratopogonidae-species of the genus *Forcipomyia. Annals of Tropical Medicine and Parasitology*, 18: 533-593.

Kieffer, J. J. 1906. Diptera. Fam. Chironomidae. In: P. Wytsman (ed.). *Genera Insectorum*, Fasc. 42: 1-78.

Kieffer, J. J. 1911a. Nouvelles descriptions de chironomides obtenus d' éclosion. *Bulletin de la Société d'Histoire Naturelle de Moselle* (*Metz*), 27: 1- 60.

Kieffer, J. J. 1911b. Les chironomides de (Tendipedidae) de l'Himalaya et d'Assam. *Records of the Indian Museum*, 7: 319-349.

Kieffer, J. J. 1913. Nouvelle étude sur les chironomides de l'Indian Museum de Calcutta. *Records of the Indian Museum*, 9: 119-197.

Kieffer, J. J. 1916. Tendipedidae (Dipt.). *Supplementa Entomologica*, 5: 114-117.

Kieffer, J. J. 1917. Chironomides d'Australie conservés au Musée National Hongrois de Budapest. *Annales Historico-Naturales Musei Nationalis Hungarici*, 15:175-228.

Kieffer, J. J. 1921. Sur quelques Diptères piqueurs de la tribu des Ceratopogoninae. *Archives de l'Institut Pasteur de l'Afrique du Nord*, 1:107-115.

Kieffer, J. J. 1924. Quelques nouveaux chironomides piqueurs de l'Europe centrale. *Archives de l'Institut Pasteur Algerie*, 2: 391- 408.

Latreille, P. A. 1809. *Genera crustaceorum et insectorum secundum ordinem naturalem in familias disposita, iconibus exemplisque plurimis explicata. Vol. 4.* Paris and Strasbourg, 399.

Lee, T-S. 1978. Diptera: Bitingmidges. *Economic Insect Fauna of China* (*Fasc.* 13). Science Press, Beijing. 75.; 李铁生. 1978. 中国经济昆虫志 第十三册 双翅目: 蠓科, 北京: 科学出版社, 1-124.

Liu, J-H, Yan, G and Liu, G-P. 1996. *The Bitingmidge from Hainan Island.* Military Medical Science Press, Beijing. 1-184. [刘金华, 严格, 刘国平. 1996. 海南岛的蠓类, 北京:军事医学科学出版社, 1-184.]

Liu, J-H, Yan, G and Liu, G-P, *et al.* 2001b. Forcipomyiinae of China (Diptera: Ceratopogonidae) II. The Genus *Forcipomyia* Meigen, *Fauna of China*. Magnolia Press, 3: 3-256.

Meigen, J. G. 1804. *Klassifikazion und Beschreibung der europäischen zweiflügeligen Insekten.* (*Diptera Linn.*). Erster Band. Abtheilung I. i-xxvii + 1-152, pls. 1-8; Abtheilung II: i-vi + 153-314, pls. 9-15. Braunschweig.

Meigen, J. G. 1818. *Systematische Beschreibung der bekannten europäischen zweiflügeligen Insekten. Vol. 1.* Aachen, 333.

Nielsen, A. 1951. Contributions to the metamorphosis and biology of the genus *Atrichopogon* Kieffer with remarks on the evolution and taxonomy of the genus. *Det Kongelige Danske Videnskabernes Selskab, Biologiske Skrifter*, 6(6): 1-95.

Remm, H. 1967. On the fauna of Ceratopogonidae (Diptera) in the Caucasus. *Tartu Riikliku Ulikooli Toimetised*, 194: 3-37.

Saunders, L. G. 1925. On the life history, morphology and systematic position of *Apelma* Kieff. and *Thyridomyia* n. g. (Diptera, Nemat. Ceratopogoninae). *Parasitology*, 17: 252-277.

Shiraki, T. 1913. Investigations on general injurious insects. *Taiwan Sotokufu Noji Shikenjo Tokubetsu Hokoku* (*Special Report of the Highest Governmental Agricultural Station of Formosa*), 8: 286-297.

Tokunaga, M. 1940. Chironomoidea from Japan (Diptera), XII New or little-known Ceratopogonidae and Chironomidae. *Philippine Journal of Crop Science*, 72: 255-311.

Winnertz, J. 1852. Beitrag zur Kenntniss der Gattung *Ceratopogon* Meigen. *Linnaea Entomologica*, 6: 1-80.

Wirth, W. W. 1952. The Heleidae of California. *University of California Publications in Entomology*, 9: 95-266.

Yu, Y-X, Liu, J-H, Liu, G-P, *et al.* 2005. *Ceratopogonidae of China* (*Insecta*: *Diptera*). Military Medical Science Press, Beijing. 1-1699. [虞以新, 刘金华, 刘国平, 等. 2005. 中国蠓科昆虫. 北京: 军事医学科学出版社, 1-1699.]

Yu, Y-X and Liu, K-N. 1982. Seven New Species of the genus *Lasiohelea* (Diptera: Ceratopogonidae) from China. *Acta Zootaxonomica Sinica*, 7(3): 300-311. [虞以新, 刘康南. 1982. 我国蠛蠓七

新种(双翅目:蠓科). 动物分类学报, 1982, 7(3): 300-311.]
Zhang, Z-C and Yu, Y-X. 1996. Two New Species of *Dasyhelea*(Diptera:Ceratopogonidae) from Sichuan, China. *Entomotaxonomia*, 18(3): 201-204. [张祖昌, 虞以新. 1996. 四川省毛蠓属二新种(双翅目:蠓科). 昆虫分类学报, 18(3): 201-204.]

六、瘿蚊科 Cecidomyiidae

焦克龙[1]　李军[2]　卜文俊[3]
(1. 天津农学院园艺园林学院植物保护系, 天津 300384; 2. 肇庆学院生命科学学院, 肇庆 526061; 3. 南开大学生命科学学院昆虫学研究所, 天津 300071)

鉴别特征: 成虫体小型, 体长一般为0.50~5.00mm, 个别种类达8.00mm; 身体纤弱, 呈白色、淡黄色、橙黄色、红褐色或黑褐色等; 复眼发达, 为接眼式或两复眼相互接近, 接眼式在头的背面由眼桥相连; 瘿蚊科仅广义鼓瘿蚊亚科 Porricondylinae 和瘿蚊亚科 Cecidomyiinae 无单眼, 其他亚科成虫通常具单眼; 下颚须通常3~4节或退化为1~2节甚至缺失, 具短刚毛; 触角细长, 丝状或念珠状, 脆弱易断, 有时其长度超过体长, 鞭节常雌雄异型, 由7~43个鞭小节组成; 雄虫鞭小节结中部会有各种程度狭缩, 可形成单结状、二结状或三结状, 雌虫的结部通常为圆筒状; 广义鼓瘿蚊亚科 Porricondylinae 和瘿蚊亚科 Cecidomyiinae 的鞭小节结部通常具瘿蚊科的特有结构——环丝, 雄虫环丝通常发达且复杂, 雌虫环丝通常简单; 胸部长与厚约相等, 中胸背板凸起; 多数种类具翅, 其翅通常膜质透明, 部分种类其上具斑点或呈其他颜色, 被毛和鳞片, 翅脉较退化且简单, 纵脉一般不多于5条, 少数种类翅退化; 足通常细长、脆弱且易断, 被覆刚毛和狭窄的鳞片; 基节明显, 胫节无端距, 跗节常为5节; 跗节爪通常发达, 骨化强烈并弯曲, 具单齿、双齿、多齿或无齿; 爪间突发达或退化, 密被毛; 爪垫通常细长棒状, 被毛, 一般短于爪; 腹部通常细长, 各腹节背板和腹板常具刚毛和鳞片; 雄虫抱器和雌虫产卵器形态各异, 常具各种饰变。蛹为离蛹, 通常为橙黄色、红褐色或黑褐色; 头部具头侧刚毛和乳突, 触角基常发达, 或具饰变; 胸部具前胸气门; 腹部渐细, 常具短刺。幼虫通常有3个龄期, 圆柱状或扁圆柱状, 常呈白色、黄色、橙色或红色, 由头壳、颈节、3个胸节和9个腹节组成, 其中头壳相对较小, 具1对触角, 口器退化, 由上颚和下颚片组成, 胸节和腹节上常具乳突和刚毛; 气门9对, 位于前胸和第1~8腹节两侧; 老熟幼虫体长一般为2.00~5.00mm, 多数种类前胸腹面具瘿蚊科的特有结构——胸骨片。卵光滑, 球状或椭圆状, 呈白色、黄色、橙色或红色。

生物学: 瘿蚊科昆虫一年一代或多代, 通常以幼虫在土中或发育场所越冬, 然后化蛹、羽化。瘿蚊的成虫期短, 常仅数小时至几天; 幼虫期相对较长。瘿蚊成虫多营两性生殖, 具趋光性, 有群飞现象, 可在蜘蛛网上悬挂栖息; 成虫期较长的种类可能通过吸取露水和花蜜来取食，较短的种类一般不取食。幼虫根据食性主要分为菌食性、植食性和广义捕食性三类，其中大多数种类为植食性，有许多是重要的农林害虫，严重危害农林果蔬生产。广义捕食性瘿蚊包括狭义捕食性瘿蚊和内拟寄生性瘿蚊，两者均是重要的天敌昆虫资源；菌食性瘿蚊幼虫取食腐生菌类、大型真菌的菌丝和腐烂的生物组织；一些种类取食枯枝落叶、朽木残梗和腐败物中的真菌，作为食物链中的一员，直接参与自然界的物质循环和能量转换过程，为生态环境的良性循环发挥一定的作用，还有一些种类危害栽培食用菌，常造成重大经济损失。因此，瘿蚊科昆虫是双翅目中在农业、园艺和林业等方面具有重要经济意义的一个较大的科。

分类:世界各大动物区均有分布。全世界已知700余属6000多种，中国记录70余属100余种，陕西秦岭地区分布11属15种。研究标本除特殊注明外，其余均保存在南开大学昆虫博物馆(NKUM)。

分属检索表

1\. 具单眼；足第1跗节长于第2跗节 …… 2
无单眼；足第1跗节明显短于第2跗节 …… 6

2\. 翅 M_{1+2}脉退化、几乎不可见 …… **长安瘿蚊属 *Changania***
翅 M_{1+2}脉明显、未退化 …… 3

3\. 翅具 M_{1+2}脉呈一支、不分支；R_5 脉远离 C 脉，与 C 脉不贴近，在翅端或翅端稍靠后处与 C 脉汇合 …… **皮瘿蚊属 *Peromyia***
翅 M_{1+2}脉明显分成两支；R_5 脉贴近 C 脉，明显在翅端前与 C 脉汇合 …… 4

4\. 雌雄触角分别具9~10、14个鞭小节；雄虫触角梗节不明显膨大 …… **树瘿蚊属 *Lestremia***
雌雄触角分别具8~10、6~9个鞭小节；雄虫触角梗节明显膨大 …… 5

5\. M_1 脉和 M_2 脉端半部明显不平行；雄虫触角鞭小节颈部极短、近乎不可见 …… **短角瘿蚊属 *Anarete***
M_1 脉和 M_2 脉端半部基本平行；雄虫触角鞭小节具明显的颈部 …… **垫瘿蚊属 *Conarete***

6\. 翅 Rs 脉显著，基部与其他脉一样强，M + rm 脉常弯曲；雄虫抱器基节腹面愈合；雌虫尾须通常2或3节 …… **钩瘿蚊属 *Claspettomyia***
翅无 Rs 脉，若有，则基部较其他脉弱，M + rm 脉常直；雄虫抱器基节腹面分离、不愈合；雌虫尾须通常1节 …… 7

7\. 雌雄触角分别具13~17、13~16个鞭小节；下颚须为1~3节；雄虫触角鞭小节为单结型，鞭小节基部着生的刚毛强烈后弯；雄虫抱器基节中基瓣向阳茎方向紧握 …… **艾瘿蚊属 *Rhopalomyia***
雌雄触角均具12个鞭小节；下颚须通常为4节；雄虫触角鞭小节为双结型，鞭小节基部着生的刚毛不强烈后弯；雄虫抱器基节中基瓣不紧握阳茎 …… 8

8\. 雄虫鞭小节基结与端结形状大小近乎相同，且均为卵圆状 …… **浆瘿蚊属 *Contarinia***
雄虫鞭小节端结梨状，基结卵圆状，且端结明显大于基结 …… 9

9\. 雄虫鞭小节端结具1圈环丝；雌虫产卵器可适当伸缩 …… **禾谷瘿蚊属 *Sitodiplosis***
雄虫鞭小节端结具2圈环丝；雌虫产卵器不可伸缩 …… 10

10. 雄虫抱器基节端部背面延伸出1个细长的、常具各种饰变的背端突；阳茎骨化成各种形状，通常基窄端宽，呈倒锥状 …………………………………………………… **端突瘿蚊属 *Epidiplosis***
雄虫抱器基节不具背端突；阳茎呈细长或粗短的管状 ………… **舌板瘿蚊属 *Coquillettomyia***

1. 短角瘿蚊属 *Anarete* Haliday, 1833

Anarete Haliday, 1833: 156. **Type species**: *Anarete candidata* Haliday, 1833.

Pseudanarete Kieffer, 1906: 342. **Type species**: *Anarete crassipalpis* Kieffer, 1906 [= *Anaretelacteipennis* Kieffer, 1906].

Microcerata Felt, 1908: 309. **Type species**: *Micromya corni* Felt, 1907.

Limnopneumella Enderlein, 1911: 195. **Type species**: *Anarete stettinensis* Enderlein, 1911.

属征:单眼2个。眼桥狭窄。下颚须3~4节。雌雄触角分别具8~10、6~8个单结状的鞭小节，梗节明显膨大；鞭小节结部通常具1~2轮排列不规则的长刚毛以及刺状感觉毛，颈部极短。具翅；R_5脉在翅约3/4处与C脉汇合；M脉在基部分支，M_{1+2}脉分支，其中M_1脉和M_2脉端半部明显不平行，M_{3+4}脉不分支。雄虫尾须分2瓣；肛下板不分瓣；抱器基节和端节均细长，其抱器端节近端部向内弯曲明显；阳基通常不明显宽于阳茎。雌虫产卵器不可伸缩；尾须2节，分2瓣。

分布:古北区，新北区，东洋区，澳洲区，新热带区。全世界已知38种，我国记录5种，秦岭地区分布1种。

(1)鸢尾短角瘿蚊 *Anarete iridis* (Cockerell, 1914)

Microcerata iridis Cockerell, 1914: 460.

鉴别特征:雄性翅长1.40~1.80mm；单眼2个；眼桥中部具1~2个小眼宽；下颚须4节；触角具6个鞭小节，梗节明显膨大；每个鞭小节结部所具长刚毛不超过所在节长度的2倍；翅长为宽的2.20~2.30倍；跗节爪内侧具4个细齿；尾须分为2个背腹向呈近三角形的瓣；肛下板短于尾须，端部背腹向呈三角形；抱器基节和端节均细长，其抱器端节近端部向内弯曲明显；阳基狭长，呈锥状，末端具短毛；阳茎细长，呈棍状。

采集记录:1♂，凤县秦岭火车站，1994.Ⅶ.24，卜文俊网捕。

分布:陕西(凤县)、青海；美国。

2. 垫瘿蚊属 *Conarete* Pritchard, 1951

Conarete Pritchard, 1951: 255. **Type species**: *Conarete crebra* Pritchard, 1951.

属征:单眼2个，有些种类单眼缺失。眼桥中部1～4个小眼宽。下颚须3～4节。雌雄触角分别具9、7～9个单结状的鞭小节，梗节明显膨大；雄虫鞭小节结部具完整或不完整的1轮排列规则的着生有1轮长刚毛的扇状毛轮及刺状感觉毛，并具明显的颈部。具翅；R_5脉在翅约3/4～4/5处与C脉汇合；M脉在基部分支，M_{1+2}脉分支，其中M_1脉和M_2脉端半部基本平行，M_{3+4}脉不分支。雄虫尾须分2瓣；肛下板不分瓣；抱器基节和端节均细长，其抱器端节近端部向内弯曲明显；阳基通常不明显宽于阳茎。雌虫产卵器不可伸缩，且相当短；尾须2节，分2瓣。

分布:古北区，新北区，东洋区，非洲区，新热带区。全世界已知12种，中国记录4种，秦岭地区分布1种。

(2)印垫瘿蚊 *Conarete indorensis* Grover, 1970

Conarete indorensis Grover, 1970: 141.

鉴别特征:雄性翅长1.46mm。单眼缺失；眼桥中部具1～2个小眼宽；下颚须4节；触角具8个鞭小节，梗节明显膨大；翅长为宽的1.90倍，R_5脉在翅约4/5处与C脉汇合；跗节爪内侧具2～3个强壮的齿；尾须分为2个呈大拇指状的瓣，肛下板约与尾须等长，端部背腹向呈三角形；抱器基节和端节均细长，其抱器端节近端部向内弯曲明显；阳基中部明显缢缩，端部呈指状；阳茎细长，呈棍状。

采集记录:1♂，周至板房子，1994. Ⅷ. 07，卜文俊灯诱。

分布:陕西(周至)；印度。

3. 树瘿蚊属 *Lestremia* Macquart, 1826

Lestremia Macquart, 1826: 173. **Type species:** *Lestremia cinerea* Macquart, 1826.

Cecidogona Loew, 1844: 324, as subgen. of *Lestremia*. **Type species:** *Lestremia carnea* Loew, 1844 [= *Lestremia cinerea* Macquart, 1826].

Lestremya Rondani, 1856: 213, missp. of *Lestremia*.

Lestremina Shinji, 1944: 175, missp. of *Lestremia*.

Lestremyia Shinji, 1944: 209, missp. of *Lestremia*.

属征:单眼2个。眼桥中部2～5个小眼宽。下颚须4节。雌雄触角分别具9～10、14个单结状的鞭小节，梗节不明显膨大；雄虫鞭小节结部具1～2轮排列规则的着生有1轮长刚毛的扇状毛轮以及刺状感觉毛，并具明显的颈部；雌虫鞭小节颈部极短。具翅；R_5脉在翅约4/5处与C脉汇合；M脉在基部分支，M_{1+2}脉分支，M_{3+4}脉不分支。跗节爪内侧具许多细齿。雄虫尾须分2瓣；肛下板分为两个细长的密被短毛的瓣；抱器基节和端节均细长，其抱器端节端部具1～2个端齿，如不具端齿则其抱器基节端部具 1 个细长的端瓣；阳基细长锥状。雌虫产卵器不可伸缩；尾须 2 节，分 2 瓣，端瓣圆。

分布：世界性分布，还存于法国和波罗的海的琥珀中。全世界已知 18 种，中国记录 2 种，秦岭地区分布 2 种。

分种检索表（雄性）

抱器端节具 2 个端齿；尾须略低于或接近于抱器基节端部 …………………… **灰树瘿蚊 *L. cinerea***
抱器端节具 1 个端齿；尾须明显高于抱器基节端部 …………………… **褐树瘿蚊 *L. leucophaea***

(3) 灰树瘿蚊 *Lestremia cinerea* Macquart, 1826

Lestremia cinerea Macquart, 1826: 173.
Lestremia fusca Meigen, 1830: 309.
Lestremia albipennis Waltl, 1837: 280.
Lestremia albipennis Meigen, 1838: 50.
Lestremia carnea Loew, 1844: 324.
Catocha sylvestris Felt, 1907: 5.
Lestremia dyari Felt, 1908: 311.
Lestremia franconiae Felt, 1908: 311.
Lestremia kansensis Felt, 1908: 311.
Lestremia declinata Kieffer, 1910: 232.
Zygoneura fenestrata Malloch, 1914: 233.
Lestremia floridana Felt, 1915: 226.
Lestremia garretti Felt, 1926: 265.
Lestremia vittata Vimmer, 1930: 28.
Catocha iwatensis Monzen, 1936: 45.
Lestremia intercalaria Mamaev, 1998: 1.
Lestremia albidipennis Gagné, 2004: 22 (new name for *Lestremia albipennis* Meigen, 1838).
Lestremia intercalaris Gagné, 2004: 22, missp. of *intercalaria* Mamaev.

鉴别特征：雌性翅长为 1.90～2.10mm，雄性翅长为 2.00～2.40mm。单眼 2 个。眼桥中部具 3～4 个小眼宽。下颚须 4 节，整体略长于头高。雌雄触角分别具 9、14 个鞭小节，梗节不明显膨大。雌雄翅长分别为宽的 1.90～2.10、2.50～2.70 倍；R_5 脉在翅约 4/5 处与 C 脉汇合。跗节爪内侧具许多细齿。雄虫尾须略低于或接近于抱器基节端部，分为 2 个指状瓣；肛下板分为 2 个细长的密被短毛的瓣；抱器基节和端节均细长；抱器端节其端半部向内弯曲明显并具 2 个端齿；阳基细长锥状；阳茎细长，呈棍状，其近端部略膨大，端缘圆。雌虫产卵器不可伸缩，具稀疏的刚毛；尾须 2 节，分 2 瓣，端瓣圆，基瓣侧面呈三角形，其长是宽的1.50倍，为端瓣长的 1.80 倍。

采集记录：1♀，留坝庙台子，1994.Ⅷ.03，卜文俊灯诱。

分布：陕西(留坝)；新西兰，美国(夏威夷岛)，智利，全北区广泛分布。

(4)褐树瘿蚊 *Lestremia leucophaea* (Macquart, 1826)

Sciara leucophaea Meigen, 1818: 288.

Catocha sambuci Felt, 1907: 5.

Lestremia setosa Felt, 1908: 311.

Lestremia occidentalis Felt, 1926: 265.

Lestremia inexpectata Mamaev, 1986: 65.

鉴别特征：雌性翅长为2.50~2.90mm，雄性翅长为2.10~3.20mm。单眼2个。眼桥中部具2~4个小眼宽。下颚须4节，整体长为头高的1.40~1.50倍。雌虫和雄虫触角分别具9、14个鞭小节，梗节不明显膨大。雌虫和雄虫翅长分别为宽的2.20~2.30倍和2.60倍；R_5脉在翅约4/5处与C脉汇合。跗节爪内侧具许多细齿。雄虫尾须明显高于抱器基节端部，分为2个指状瓣；肛下板分为两个细长的密被短毛的瓣；抱器基节和端节均细长；抱器端节其基半部明显比端半部膨大并具1个端齿；阳基细长锥状；阳茎细长，呈棍状，其近端部膨大不明显，端缘稍尖。雌虫产卵器不可伸缩，具稀疏的刚毛；尾须2节，分2瓣，端瓣卵圆状，基瓣侧面呈三角形，其长是宽的1.20倍。

采集记录：2♀，宁陕火地塘，1994.Ⅷ.14-15，卜文俊采。

分布：陕西(宁陕)；全北区广泛分布，新西兰，美国(夏威夷岛)。

4. 长安瘿蚊属 *Changania* Tseng, 1965

Changania Tseng, 1965: 147. **Type species**: *Changania choui* Tseng, 1965.

属征：下颚须4节。触角具7个单结状的鞭小节，梗节明显膨大；鞭小节结部通常具1~2轮排列不规则的长刚毛，颈部极短；末端鞭小节明显长于其他鞭小节，且呈不同于其他柱状鞭小节的扁棒状。具翅；R_5脉与C脉极为贴近且与之平行，在翅约11/12处中止且未与C脉汇合；M脉完全退化、不可见，Cu脉仅基部1/8可见。

分布：该属为单型属，仅分布于中国陕西，全世界已知1种，中国记录1种，秦岭地区分布1种。

(5)周氏长安瘿蚊 *Changania choui* Tseng, 1965

Changania choui Tseng, 1965: 147.

鉴别特征:下颚须4节。触角具7个单结状的鞭小节,梗节明显膨大;鞭小节结部通常具1~2轮排列不规则的长刚毛,颈部极短;末端鞭小节明显长于其他鞭小节,且呈不同于其他柱状鞭小节的扁棒状。具翅;R_5脉与C脉极为贴近且与之平行,在翅约11/12处中止且未与C脉汇合;M脉完全退化,不可见,Cu脉仅基部1/8可见。

采集记录:1(雌雄未知,标本编号Cec. 028),长安,周尧惠赠。标本保存在中国农业科学院植物保护研究所。

分布:陕西(长安)。

注:该种中文名在原始文献中写为"长安周氏瘿蚊",在本书中正式改为更加合适的"周氏长安瘿蚊",详情见Tseng (1965)。

5. 皮瘿蚊属 *Peromyia* Kieffer, 1894

Peromyia Kieffer, 1894: clxxv. **Type species**: *Peromyia leveillei* Kieffer, 1894.

Joannisia Kieffer, 1894: clxxv (nec Monterosato, 1884). **Type species**: *Joannisia aurantiaca* Kieffer, 1894.

Joanisia Enderlein, 1911: 196, missp. of *Joannisia*.

Joanissia Felt, 1911: 32, missp. of *Joannisia*.

Johannisia Enderlein, 1936: 62, missp. of *Joannisia*.

Camptoza Enderlein, 1936: 62. **Type species**: *Joannisia kiefferiana* Enderlein, 1911 [= *Joannisi fungicola* Kieffer, 1898].

属征:单眼通常3个,目前仅有1种单眼缺失。眼桥中部2~4个小眼宽。下颚须通常3~4节,若干种为2节。雌雄触角分别具8~11、12~13个单结状的鞭小节;鞭小节结部具1~2轮排列规则的长刚毛,其颈部明显长于结部。具翅;R_5脉远离C脉,与C脉不贴近,在翅端或翅端稍靠后处与C脉汇合;M_{1+2}脉呈一支、不分支;r-m脉无感觉孔。第9腹节背板内侧基部侧缘常形成骨化条带。雄虫尾须分2瓣;肛下板分为2瓣,弱化、不明显;抱器基节和端节均相对粗短,其抱器端节端部具端齿、或不具齿、或着生各种类型的毛,少部分种类抱器端节近端部分为两瓣;阳基常具各种饰变,并具腹片;阳茎弱化,不明显。雌虫产卵器不可伸缩;尾须2节,分2瓣。

分布:世界性分布,还存于波罗的海的琥珀中。全世界已知160种,中国记录1种,秦岭地区分布1种。

(6) 新墨皮瘿蚊 *Peromyia neomexicana* (Felt, 1913)

Joannisia neomexicana Felt, 1913: 160.

Peromyia carpathica Mamaev *et* Berest, 1990: 20.

鉴别特征:雄性翅长为0.80~1.10mm;单眼3个,眼桥中部具3个小眼宽;下颚须4节；触角分别具12个鞭小节；翅长为宽的1.80～2.20倍，R_5脉在翅端稍靠后处与C脉汇合；跗节爪不具齿；第9腹节背板内侧基部侧缘骨化并在中部间断形成2条骨化条带；尾须分为2瓣，端圆，被短毛；肛下板分为2瓣，弱化、不明显；抱器基节和端节均相对粗短；抱器端节呈椭球状，端部具1簇中等长度的长毛，不具端齿；阳基呈盾状，其端部具1个钝圆突，近端部背面具1对小圆突，并在基部具2个骨化腹片；阳茎弱化、不明显。

采集记录： 1♂，凤县秦岭车站，1994.Ⅶ.28，卜文俊采。

分布： 陕西(凤县)、黑龙江、内蒙古、河北、河南、四川；俄罗斯，日本，乌克兰，德国，美国。

6. 钩瘿蚊属 *Claspettomyia* Grover, 1964

Claspettomyia Grover, 1964: 198. **Type species**: *Claspettomyia octoclaspettii* Grover, 1964.

Pachylabis Panelius, 1965: 54. **Type species**: *Cecidomyza niveitarsis* Zetterstedt , 1850.

Claspittomyia Deshpande, 1982: 41, missp. of *Claspettomyia*.

Ustinepidosis Fedotova *et* Sidorenko, 2005: 99 (also as *Ustniepidosis*, p. 100). **Type species**: *Ustinepidosis korkishkoi* Fedotova *et* Sidorenko, 2005.

属征： 无单眼。下颚须4节。雌雄触角分别具10～11、13个单结状的鞭小节；雌雄鞭小节结部具1～2轮排列规则的长刚毛，并具带状环丝。具翅；R_5脉远离C脉，在翅端或翅端稍靠后处与C脉汇合；M脉通常退化，有的种类仅端部可见；Cu脉分叉。跗节爪2爪或3爪状。雄虫尾须和肛下板均分为2瓣；抱器基节极为粗短，或具各种饰变，其愈合腹面具1～3对骨化内突；抱器端节中部缢缩且向内弯曲明显，端部极为膨大，具端齿、不具齿、或具簇毛、或具端瓣等各种饰变；阳基两侧具1对钩状突，其端部合并或分叉；阳茎弱化、不明显。雌虫产卵器不可伸缩；尾须2节。

分布： 古北区，新北区，非洲区。全世界已知29种，中国记录8种，秦岭地区分布2种。

分种检索表（雄性）

抱器基节其愈合腹面着生鸟喙状、光滑的骨化短突；阳基侧突细长弯曲并分叉伸向两侧 ……………… **长角钩瘿蚊 *C. longicornis***

抱器基节其愈合腹面着生细长的、具锯齿的骨化长突；阳基侧突在端部向内合并 ……………… **锯齿钩瘿蚊 *C. serrata***

(7) 长角钩瘿蚊 *Claspettomyia longicornis* Jiang *et* Bu, 2004（图79）

Claspettomyia longicornis Jiang *et* Bu, 2004: 353.

鉴别特征：雄性翅长为2.50～3.20mm；眼桥中部具10～12个小眼宽；下颚须4节；触角具13个鞭小节；翅长为宽的2.40倍；R_5脉在翅端稍靠后处与C脉汇合；M脉通常退化，仅端部可见；Cu脉分叉；跗节爪2爪状，各爪端部具1小齿；尾须和肛下板均分为2瓣；抱器基节背腹面呈近矩形，其端缘近外侧1/4处向内凹陷，其端缘近内侧3/4向端部膨大，其愈合腹面着生鸟喙状、光滑的骨化短突；抱器端节由基部向近端部渐粗，其近端部背面具多毛的横向加粗的背端瓣，近端部腹面延伸成光滑的钝圆突，其端部光滑且不具饰变；阳基侧突细长弯曲并分叉伸向两侧；阳茎细长，呈棍状。

采集记录：1♂，凤县秦岭车站，1994.Ⅶ.28，卜文俊网捕；1♂，凤县秦岭车站，1994.Ⅶ.27，卜文俊网捕；4♂，留坝庙台子，1994.Ⅷ.01-04，卜文俊网捕。

分布：陕西（凤县、留坝）。

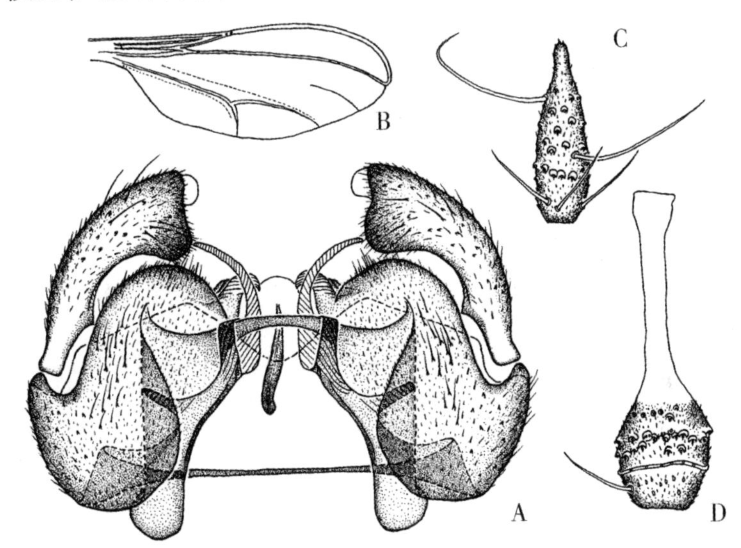

图79　长角钩瘿蚊 *Claspettomyia longicornis* Jiang *et* Bu（雄性）

A. 外生殖器背面观（genitalia, dorsal view）；B. 翅（wing）；C. 第13鞭小节（flagellomere 13）；D. 第5鞭小节（flagellomere 5）

(8) 锯齿钩瘿蚊 *Claspettomyia serrata* Yukawa, 1971

Claspettomyia serrata Yukawa, 1971: 77.

鉴别特征：雄性翅长为2.80～3.30mm；眼桥中部具8～9个小眼宽；下颚须4节；触角具13个鞭小节；翅长为宽的3.00倍；R_5脉在翅端稍靠后处与C脉汇合；M脉通常退化，仅中部可见；Cu脉分叉；跗节爪2爪状，各爪端部具1个小齿；尾须和肛下板均分为2瓣；抱器基节粗短，其愈合腹面着生细长的并在外侧具锯齿的骨化长突；抱器端节由基部向近端部渐粗，其近端部背面具多毛的背端瓣，近端部腹面延伸成光滑的、细长弯曲的喙状，其端部具呈簇的细齿；阳基侧突光滑且骨化较强，并在端部向内合并；阳茎细长，呈棍状。

采集记录:5♂，周至板房子，1994. Ⅶ. 28，卜文俊网捕。

分布:陕西(周至)、甘肃、福建；日本。

7. 浆瘿蚊属 *Contarinia* Rondani, 1860

Contarinia Rondani, 1860: 289, as subgen. of *Cecidomyia*. **Type species**: *Tipula loti* de Geer, 1776.

Eudiplosis Kieffer, 1894: XXVIII. **Type species**: *Contarinia sorbi* Kieffer, 1894.

Stictodiplosis Kieffer, 1894: XXVIII. **Type species**: *Contarinia picridis* Kieffer, 1894.

Contariuia Rübsaamen, 1906: 194, missp. of *Contarinia*.

Syndiplosis Rübsaamen, 1910: 284. **Type species**: *Syndiplosis winnertzi* Rübsaamen, 1910 [= *Harmandia petioli* Kieffer, 1898].

Atylodiplosis Rübsaamen, 1910: 342. **Type species**: *Diplosis acetosellae* Rübsaamen, 1891.

Doxodiplosis Kieffer, 1912: 1. **Type species**: *Doxodiplosis picridis* Kieffer, 1912.

Dryodiplosis Kieffer, 1912: 1. **Type species**: *Contarinia subulifex* Kieffer, 1897.

Navasodiplosis Tavares, 1920: 65. **Type species**: *Navasodiplosis camphorosmae* Tavares, 1920.

Sissudiplosis Mani, 1943: 44. **Type species**: *Sissudiplosis chatterjeei* Mani, 1943.

Bothriochloamyia Rao *et* Sharma, 1977: 237. **Type species**: *Bothriochloamyia orientalis* Rao *et* Sharma, 1977.

Contarinomyia Fedotova, 1991: 51. **Type species**: *Contarinia reaumuriae* Fedotova, 1991.

Achillinia Fedotova, 1992: 115, **Type species**: Contarinia *achilleae* Fedotova, 1992, as subgen. of *Contarinia*.

属征: 体黄色或浅白色。无单眼。复眼顶部连续。下颚须 3 ~4 节。雌雄触角分别具 12 个单结状、双结状的鞭小节；鞭小节均具 2 轮长刚毛，颈部明显；雄虫鞭小节基结与端结形状大小近乎相同，且均为卵圆状，且各具 1 圈发达的大环状环丝；雌虫鞭小节结部具 2 圈欠发达的带状环丝，其间有相对的两条纵向环丝相连。具翅；R_5 脉后1/3略向下弯曲，在翅端稍靠后处与 C 脉汇合；Cu 脉分支。各足跗节爪不具齿。雄虫尾须分 2 瓣，分瓣间宽阔凹陷；肛下板分 2 瓣，瓣间宽阔深凹；抱器基节相对抱器端节较为粗壮，抱器端节形状和向内弯曲程度在种间差异明显，具端齿；阳茎细长锥状，约与肛下板等长。雌虫产卵器可伸缩至极长，通常长于腹部其余部分的长度；尾须 1 节，分为 2 个相互靠近的细长锥状的瓣，其上具稀疏的长刚毛。

分布: 世界性分布。全世界已知 313 种，中国记录 4 种，秦岭地区分布 1 种。

(9) 麦黄吸浆虫 *Contarinia tritici* (Kirby, 1798)

Tipula tritici Kirby, 1798: 232.

Contarinia venturii (also as *bayeri*) Vimmer, 1936: 28.

鉴别特征:体姜黄色。雌体和雄体长分别为2.00mm(不包括产卵器)、1.50mm。复眼顶部连续。下颚须4节。雌雄触角分别具12个单结状、双结状的鞭小节;鞭小节均具2轮长刚毛,颈部明显;雄虫鞭小节基结与端结形状大小近乎相同,且均为卵圆状,且各具1圈发达的大环状环丝;雌虫鞭小节结部具2圈欠发达的带状环丝,其间有相对的两条纵向环丝相连。翅透明,长约为宽的2.20倍;R_5脉后1/3略向下弯曲,在翅端稍靠后处与C脉汇合;Cu脉分支。各足跗节爪不具齿。雄虫尾须分2瓣,其分瓣较宽圆,分瓣间宽阔凹陷;肛下板分2瓣,瓣间宽阔深凹;抱器基节相对抱器端节较为粗壮,抱器端节向内均匀略弯,具端齿;阳茎细长锥状,由基部向端部渐细,约肛下板等长。雌虫产卵器可伸缩至极长,最长可达腹部其余部分长度的2倍;尾须1节,分为2个相互靠近的细长锥状的瓣,其上具稀疏的长刚毛。

分布:陕西(秦岭)、黑龙江、吉林、辽宁、内蒙古、北京、河北、山西、山东、河南、宁夏、甘肃、青海、江苏、上海、安徽、浙江、湖北、江西、湖南、福建、四川、贵州;以色列,欧洲。

注:该种中文名也称"麦黄浆瘿蚊"。国内分布纪录见Jiao *et* Bu (2014)。

8. 舌板瘿蚊属 *Coquillettomyia* Felt, 1908

Coquillettomyia Felt, 1908: 398. **Type species**: *Mycodiplosis lobata* Felt, 1907.

Almatamyia Marikovskij, 1953: 135. **Type species**: *Almatamyia mirifica* Marikovskij, 1953.

Strobilodiplosis Möhn, 1955: 127. **Type species**: *Strobilodiplosis uvae* Möhn, 1955.

Pelodiplosis Möhn, 1955: 132. **Type species**: *Pelodiplosis umida* Möhn , 1955.

Picrodiplosis Möhn, 1955: 137. **Type species**: *Picrodiplosis caricis* Möhn, 1955.

Serratomyia Grover, 1965: 25. **Type species**: *Serratomyia mediospina* Grover, 1965.

Ancylodiplosis Gagné, 1973: 862. **Type species**: *Coquillettomyia bryanti* Felt, 1913.

Calliperodiplosis Grover, 1979: 85. **Type species**: *Calliperodiplosis indica* Grover, 1979.

Halteromyia Grover, 1979: 122. **Type species**: *Halteromyia quadrihaltera* Grover, 1979.

Coquillettomya Fedotova *et* Sidorenko, 2006: 134, missp. of *Coquillettomyia*.

Nescitodiplosis Fedotova *et* Sidorenko, 2009: 73. **Type species**: *Coquillettomyia bidens* Mamaev, 1973, as subgen. of *Coquillettomyia*.

Obviodiplosis Fedotova *et* Sidorenko, 2009: 73. **Type species**: *Karshomyia townsendi* Felt, 1912, as subgen. of *Coquillettomyia*.

属征:无单眼。下颚须4节。雌虫和雄虫触角分别具12个单结状、双结状的鞭小节;鞭小节均具2轮长刚毛,颈部明显;雄虫鞭小节端结梨状,基结卵圆状,且端结明显大于基结,端结中部常缢缩而呈近三结状,其鞭小节端结和基结各具2圈和1圈环状环丝;雌虫鞭小节结部具2圈欠发达的带状环丝。具翅;R_5脉后1/4向下弯曲明显，其末端与 C 脉汇合于翅端后，M_3 脉常较弱而近乎不可见，Cu 脉分成两支，具 PCu 脉，其与 Cu 脉近乎平行。各足跗节爪具基齿或不具齿，前足跗节爪常具基齿。雄虫尾须分 2 瓣，分瓣背腹向常呈指形或三角形，瓣端圆、稍尖或稍内凹，端外缘腹面着生较长的刚毛；肛下板简单，通常细长呈指状，长度在种间变化较大，端缘圆，端外缘腹面着生较长的刚毛；抱器基节细长或粗壮，其中基瓣膨大或突出不明显，其上常均匀被毛，其背面观常呈三角形、半圆形或残月形；抱器端节通常粗壮，其近中部或近端部常向内弯曲明显，具端齿；阳茎呈细长或粗短的管状，常骨化强烈呈黑色，其上常着生 1 对或多对骨化角状突或圆突，具各种饰变。雌虫产卵器短、不可伸缩，其尾须分 2 瓣，分瓣长圆形；肛下板简单，细长或粗短；第 9 腹节腹板常向外端部突出。

分布：古北区，新北区，东洋区，新热带区。全世界已知 42 种，中国记录 5 种，秦岭地区分布 1 种。

(10) 接齿舌板瘿蚊 *Coquillettomyia dentata* Felt, 1908

Coquillettomyia dentata Felt, 1908: 398.

Picrodiplosis caricis Möhn, 1955: 137.

Almatamyia pegeli Marikovskij, 1960: 183.

鉴别特征：雄性翅长为 1.80~2.30mm；复眼顶部连续；下颚须 4 节；雌雄触角分别具 12 个单结状、双结状的鞭小节；鞭小节均具 2 轮长刚毛，颈部明显；雄虫鞭小节端结梨状，基结卵圆状，且端结明显大于基结，端结中部常缢缩而呈近三结状，其端结和基结各具 2 圈和 1 圈环状环丝；雌虫鞭小节结部具 2 圈欠发达的带状环丝；翅透明，长为宽的 2.70~3.00 倍，R_5 脉后 1/4 弯曲明显，其末端与 C 脉汇合于翅端后，具 M_3 脉但较弱而近乎不可见，Cu 脉分成两支，具 PCu 脉，其与 Cu 脉近乎平行；前足跗节爪具基齿。尾须分 2 瓣，瓣间狭窄凹陷呈“V”形，分瓣呈指状，其端缘圆，端外缘腹面着生较长的刚毛；肛下板简单，呈指状，稍长于阳茎，端缘圆，端外缘腹面着生较长的刚毛；抱器基节较粗壮，近基部内侧背面着生的中基瓣膨大突出明显呈半球状；抱器端节较细长，短于抱器基节，由基部至端部渐细，其近端部 1/4 向内弯曲，其近中部至基部外侧被微毛，其近基部至端部外侧着生稀疏的短刚毛，具端齿；阳茎粗短，具饰变，明显短于抱器基节，其近端部两侧向端部方向伸出 1 对较长的骨化强烈的角状突，其近中部向内弯曲呈近 90°而使其端半部相对伸出并相互交叉。

采集记录：1♂，凤县秦岭火车站，1400m，1994. Ⅶ. 27，卜文俊灯诱；2♂，留坝庙台子，1400m，1994. Ⅷ. 02，卜文俊灯诱；2♂，宁陕火地塘，1640m，1994. Ⅷ. 12，卜文俊网捕。

分布：陕西（凤县、留坝、宁陕）、黑龙江、内蒙古、河北、甘肃、湖北、福建、四川、云南；俄罗斯，哈萨克斯坦，吉尔吉斯斯坦，乌克兰，美国，英国，德国，波兰，立陶宛，拉脱维亚，捷克。

9. 端突瘿蚊属 *Epidiplosis* Felt, 1908

Epidiplosis Felt, 1908: 406. **Type species**: *Epidiplosis sayi* Felt, 1908.

Gersonomyia Nijveldt, 1965: 42. **Type species**: *Gersonomyia filifera* Nijveldt, 1965.

Epdiplosis Shinji, 1944: 244, missp. of *Epidiplosis*.

属征: 雄性无单眼；复眼顶部连续；下颚须4节；触角具12个双结状的鞭小节；鞭小节具2轮长刚毛，颈部明显，端结明显长于基结，且前者在基部1/3处稍缢缩并具2圈发达的大环状环丝，后者具1圈发达的大环状环丝；具翅；R_5脉后1/3略向下弯曲，在翅端后与C脉汇合；Cu脉分支，PCu脉与Cu脉近乎平行。各足跗节爪均不具齿；尾须分2瓣，瓣间"V"形深凹；肛下板简单，端圆；抱器基节粗壮，其端部背面延伸出1个细长的常具各种饰变的背端突；抱器端节细长，多数种类背腹向呈"S"形弯曲；阳茎具各种饰变。

分布: 古北区，新北区，东洋区。全世界已知14种，中国记录10种，秦岭地区分布3种。

分种检索表（雄性）

1. 抱器端节较直，背腹向不呈"S"形弯曲，其近端部外侧具三角突；抱器基节背端突近基部具1根长刚毛，而近中部不具刚毛；阳茎所具的2根骨化角状突明显高于抱器基节背端突 ……………… **三角端突瘿蚊 *E. triangularis***
   - 抱器端节背腹向明显呈"S"形弯曲，其近端部不具三角突；抱器基节背端突近中部具长刚毛，而近基部不具刚毛；阳茎所具的骨化突明显低于抱器基节背端突 …………… 2
2. 抱器基节背端突向端部外侧延伸；阳茎具1对粗壮的、骨化的角状背端突 ……………… **双角端突瘿蚊 *E. bicornuta***
   - 抱器基节背端突向端部内侧延伸；阳茎背面具1个钟状骨化突 ……………… **钟端突瘿蚊 *E. campanulata***

(11) 双角端突瘿蚊 *Epidiplosis bicornuta* Li *et* Bu, 2006（图80）

Epidiplosis bicornuta Li *et* Bu, 2006: 81.

鉴别特征: 雄性翅长为1.10mm。眼桥中部8~9个小眼宽；下颚须4节；触角具12个双结状的鞭小节；鞭小节端结和基结各具2圈和1圈环状环丝，其端结明显长于基结；鞭小节均具2轮长刚毛，颈部明显。翅透明，长为宽的2.10~2.40倍；R_5脉后半部稍弯曲，在稍过翅端处与C脉汇合；Cu脉分支。各足跗节爪均不具齿。尾须分2瓣，瓣间狭窄深凹，瓣端圆；肛下板简单，较宽，端部稍平截，末端着生2根长刚毛；抱器基节相对抱器端节较为粗壮；抱器基节粗短，背面端部着生向端部外侧延伸的骨化背端突，向端部渐细，末端尖三角形，呈匕首状；抱器端节背腹向呈"S"形弯曲，基部宽，外侧被微毛，在基部1/3处骤细，骨化，光滑，近中部具2个毛窝，各着生1根短刚毛，在端部1/3处内弯，末端背面具端齿，腹面具梳状毛；阳基膜质，杯形或多边形，通常基部略尖，末端平截；阳茎骨化，基部尖细，向端部渐粗，呈锥状，末端喇叭口状，其背缘为1对侧伸的强烈骨化的角状突起，腹缘具1对小的强骨化的三角突，角突的基部具4个透明的感觉孔。

采集记录：1♂，宁陕火地塘，1994. Ⅷ. 15，卜文俊网捕；4♂，宁陕火地塘，1994. Ⅷ. 14-15，卜文俊网捕。

分布：陕西（宁陕）。

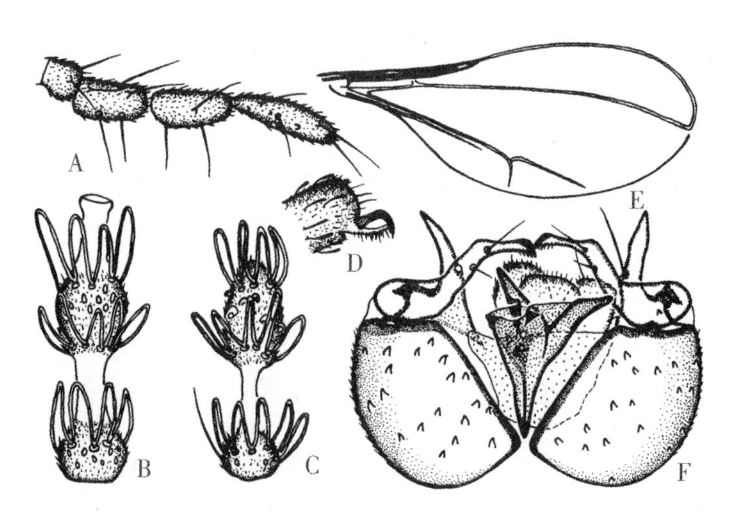

图80 双角端突瘿蚊 *Epidiplosis bicornuta* Li *et* Bu（雄性）

A. 下颚须（palpus）；B. 第3鞭小节（flagellomere 3）；C. 第12鞭小节（flagellomere 12）；D. 翅（wing）；E. 跗节爪及爪垫（Claw and empodium.）；F. 外生殖器腹面观（genitalia, ventral view）

（12）钟端突瘿蚊 *Epidiplosis campanulata* Li *et* Bu, 2006（图81）

Epidiplosis campanulata Li *et* Bu, 2006: 82.

鉴别特征：雄性翅长为1.10～1.30mm。眼桥中部9个小眼宽；下颚须4节；触角具12个双结状的鞭小节；鞭小节端结和基结各具2圈和1圈环状环丝，其端结明显长于基结；鞭小节均具2轮长刚毛，颈部明显；翅透明，长为宽的2.10～2.30倍；R_5脉后半稍弯曲，在稍过翅端处与C脉汇合；Cu脉分支。各足跗节爪均不具齿。尾须分2瓣，瓣间狭窄深凹，瓣端圆，端缘着生几根长刚毛；肛下板简单，较宽，端圆，末端着生2根长刚毛；抱器基节相对抱器端节较为粗壮；抱器基节粗短，背面刚毛较少，腹面较多，背面端部着生向端部内侧延伸的骨化背端突，向端部渐尖细，突起内弯，末端尖，呈牛角状，近中部着生1根刚毛，近端部无毛；抱器端节背腹向明显呈“S”形弯曲，仅基部外侧被微毛，在基部1/3处骤细，端部2/3光滑，略骨化，端半具2个大毛窝，各着生1根短刚毛，末端背面具端齿，腹面具梳状毛；阳基膜质，呈不规则的多边形，端缘钝圆；阳茎骨化，基部3/4锥状，向端部渐粗，端部向两侧各伸出1个尖角，骨化重，末端平直或圆凸，在近端部背面中央具1个骨化的钟状突起，末端钝圆或尖，中部具4个透明的感觉孔，排列不对称。

采集记录：2♂，宁陕旬阳坝，1994. Ⅷ. 16，卜文俊网捕。

分布：陕西(宁陕)。

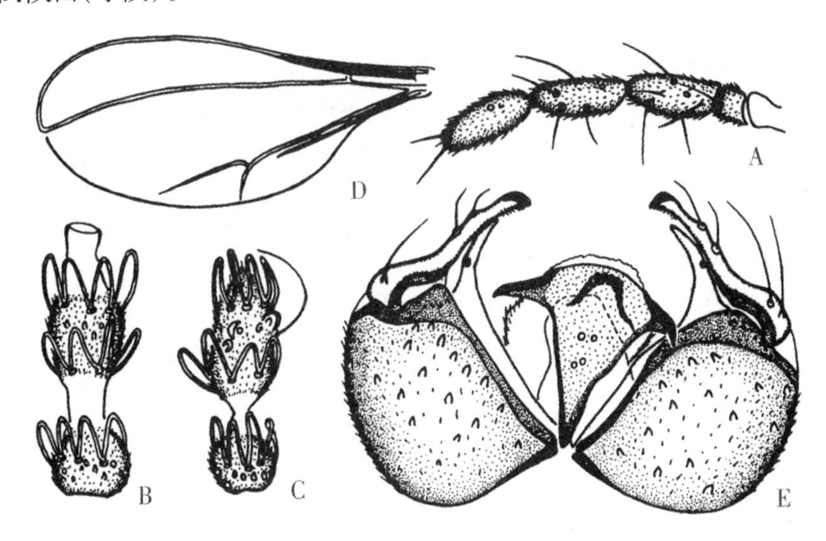

图81　钟端突瘿蚊 *Epidiplosis campanulata* Li *et* Bu (雄性)

A. 下颚须(palpus)；B. 第3鞭小节(flagellomere 3)；C. 第12鞭小节(flagellomere 12)；D. 翅(wing)；E. 外生殖器腹面观(genitalia, ventral view)

(13) 三角端突瘿蚊 *Epidiplosis triangularis* Mo *et* Liu, 2000

Epidiplosis triangularis Mo *et* Liu, 2000: 122.

鉴别特征：雄性体长为1.07mm。眼桥中部5~6个小眼宽；下颚须4节；触角具12个双结状的鞭小节；鞭小节端结和基结各具2圈和1圈环状环丝，其端结明显长于基结；鞭小节均具2轮长刚毛，颈部明显；翅透明，长为宽的2.30倍；R_5脉后半部稍弯曲，在稍过翅端处与C脉汇合；Cu脉分支；各足跗节爪均不具齿；尾须分2瓣，瓣间深凹，瓣端圆；肛下板简单，较宽，端部略凹陷；抱器基节相对抱器端节较为粗壮；抱器基节粗短，其背面端部伸出呈长指状的骨化背端突，背端突近基部具1根长刚毛；抱器端节较直，背腹向不呈“S”形弯曲，其基部2/3由基部向近端部渐细，近端部外侧具1个三角突，端部1/3明显缢缩，端部具端齿；阳基膜质；阳茎骨化，其基部两侧具2根极长的骨化角状突，其角状突近端部向背外侧弯曲。

采集记录:1♂，宁陕火地塘，1994.Ⅷ.15，卜文俊网捕。

分布:陕西(宁陕)、湖北。

10. 艾瘿蚊属 *Rhopalomyia* Rübsaamen, 1892

Rhopalomyia Rübsaamen, 1892: 370. **Type species**: *Oligotrophus tanaceticola* Karsch, 1879.

Diarthronomyia Felt, 1908: 339. **Type species**: *Diarthronomyia artemisiae* Felt, 1908 [= *Rhopalomyia pomum* Gagné, 1975].

Diathronomyia Coquillett, 1910: 532, missp. of *Diarthronomyia*.

Calopedila Kieffer, 1913: 49. **Type species**: *Rhopalomyia herbsti* Kieffer, 1903.

Misospatha Kieffer, 1913: 48. **Type species**: *Rhopalomyia globifex* Kieffer *et* Jörgensen, 1910.

Panteliola Kieffer, 1913: 49. **Type species**: *Rhopalomyia haasi* Kieffer, 1905.

Boucheella Rübsaamen, 1914: 93. **Type species**: *Cecidomyia artemisiae* Bouché, 1834.

Dichelonyx Rübsaamen, 1914: 94. **Type species**: *Cecidomyia foliorum* Loew, 1850.

Dictyomyia Tavares, 1919: 25. **Type species**: *Dictyomyia navasina* Tavares, 1919.

Navasia Tavares, 1919: 34 (nec Kirby, 1914). **Type species**: *Navasia santolinae* Tavares, 1919.

Navasiella Tavares, 1919: 93 (new name for *Navasia* Tavares, 1919).

Eudictyomyia Tavares, 1920: 55. **Type species**: *Rhopalomyia navasi* Tavares, 1904.

Rhopalomya Shinji, 1938: 1063, missp. of *Rhopalomyia*.

Misospatna Shinji, 1939: 588, missp. of *Misospatha*.

Phopalomyia Shinji, 1939: 588, missp. of *Rhopalomyia*.

Ropalomyia Shinji, 1939: 588, missp. of *Rhopalomyia*.

Calopedia Shinji, 1944: 323, missp. of *Calopedila*.

Mesospatha Shinji, 1944: 191, missp. of *Misospatha*.

Mesospathia Shinji, 1944: 29, missp. of *Misospatha*.

Mesospathi Shinji, 1944: 42, missp. of *Misospatha*.

Rhapalomyia Shinji, 1944: 162, missp. of *Rhopalomyia*.

Artemisiobia Kovalev, 1967: 102. **Type species**: *Artemisiobia globosa* Kovalev, 1967.

Calopedilla Gagné, 1994: 88, missp. of *Calopedila*.

Dracunculomyia Fedotova, 1999: 834. **Type species**: *Dracunculomyia kashkarovi* Fedotova, 1999.

Arenaromyia Fedotova, 1999: 588. **Type species**: *Arenaromyia caspica* Fedtova, 1999.

Absinthomyia (also as *Absinhomyia*). **Type species**: *Dracunculomyia bergi* Fedotova, 1999, as subgen. of *Dracunculomyia*.

Pupascleromyia (also as *Pupascleromtyia*) Fedotova, 1999: 844 [nomen nudum].

Seriphidomyia Fedotova, 1999: 841 [nomen nudum].

Polynomyia Fedotova, 1999: 846 [nomen nudum].

Seriphidomyia Fedotova, 2000: 1421. **Type species**: *Seriphidomyia butakovi* Fedotova, 2000.

Polynomyia Fedotova, 2001: 59. **Type species**: *Seriphidomyia tarbagataica* Fedotova, 2001, as subgen. of *Seriphidomyia*.

Yukawyx Fedotova, 2001: 954. **Type species**: *Dichelonyx ustjurtensis* Fedotova, 1999, as subgen. of *Dichelonyx*.

Pupascleromyia Fedotova, 2001: 1084. **Type species**: *Pupascleromyia iliensis* Fedotova, 2001.

属征:无单眼。复眼顶部连续。下颚须1~3节，若为3节，则第2、3节分节不明显。雌雄触角分别具13~17、13~16个单结状的鞭小节；鞭小节具2轮长刚毛，雄虫较雌虫颈部明显。具翅；R_5脉后1/3略向下弯曲，在翅端与C脉汇合；Cu脉分支。各足跗节爪具齿或不具齿。雄虫尾须分2瓣，瓣间宽阔凹陷，其分瓣圆；肛下板分2瓣，瓣间凹陷程度在种间差异明显，部分种类仅肛下板端缘微凹；抱器基节较粗壮，中基瓣紧贴阳茎并与其紧握，其背腹向由基部至端部渐细而呈近三角形；抱器端节粗短，其形状、膨大部位和向内弯曲程度在种间差异明显，具端齿；阳茎细长，呈柱状，略长于抱器基节中基瓣。雌虫产卵器可伸缩；第8腹节背板纵向延长；尾须1节，不分瓣，呈圆柱状，其上具稀疏的刚毛；肛下板相比尾须极小，不分瓣，呈细长棍状。

分布:世界性分布。全世界已知267种，中国记录4种，秦岭地区分布1种。

(14)吉艾瘿蚊 *Rhopalomyia giraldii* Kieffer *et* Trotter, 1900

Rhopalomyia giraldii Kieffer *et* Trotter, 1900: 233.

Rhopalomyia neoartemisiae Shinji, 1938: 317.

Rhopalomyia gossypii Monzen, 1955: 44.

鉴别特征:雌性体长为2.50mm，雄性体长为2.00mm。雌性翅长为2.20mm，雄性翅长为2.50mm。体棕黄色或棕色。复眼顶部连续。下颚须2节。雌性触角具14~15个单结状的鞭小节，雄性触角具14~17个单结状的鞭小节；鞭小节具2轮长刚毛，雄虫较雌虫颈部明显。翅透明；R_5脉后1/3略向下弯曲，在翅端与C脉汇合；Cu脉分支。各足跗节爪均不具齿。雄虫尾须分2瓣，瓣间宽阔凹陷，其分瓣宽圆；肛下板分2瓣，瓣间宽阔凹陷，其分瓣背腹向呈近三角形，端缘圆；抱器基节较粗壮，中基瓣紧贴阳茎并与其紧握，其背腹向由基部至端部渐细而呈近三角形；抱器端节粗短，由近中部向端部急剧渐细，呈鹰喙状，具端齿；阳茎呈细长柱状。雌虫产卵器可伸缩；第8腹节背板纵向延长；尾须1节，不分瓣，呈长圆柱状，其上具稀疏的刚毛；肛下板相比尾须极小，不分瓣，呈细长棍状。

采集记录: G to♂♀P(由采集虫瘿饲养出雌雄成虫和蛹，数量未知)，秦岭"Huo-Tria-Zaez", 1897.Ⅵ.11。

分布:陕西(户县)；俄罗斯(远东地区)，日本。

注:该种中文名也称"吉菊蒿瘿蚊"。标本采集地点"Huo-Tria-Zaez"根据《西藏自治区地名考(二)P. Giraldi在陕西采集植物地点的考证》一书中"Huo kia zae"的注释，可以有理由的考证为陕西户县郝家寨。详情见Gagné *et* Jaschhof (2014)。

11. 禾谷瘿蚊属 *Sitodiplosis* Kieffer, 1913

Sitodiplosis Kieffer, 1913: 49. **Type species**: *Cecidomyia mosellana* Géhin, 1857.

属征:无单眼。下颚须 4 节。雌雄触角具 12 个单结状、双结状的鞭小节；鞭小节均具 2 轮长刚毛，颈部明显；雄虫鞭小节端结梨状，基结卵圆状，且端结明显大于基结；雄虫鞭小节端结和基结各具 1 圈环状环丝；雌虫鞭小节结部具 2 圈欠发达的带状环丝。具翅；R_5 脉后 1/3 略向下弯曲，在翅端后与 C 脉汇合；Cu 脉分支，其分支脉相对较弱或近乎不可见。各足跗节爪均不具齿。雄虫尾须分 2 瓣，其分瓣背腹向呈近三角形；肛下板明显长于尾须，分 2 瓣，瓣间宽阔凹陷；抱器基节相对粗壮，抱器端节通常不长于抱器基节；阳茎较粗壮。雌虫产卵器可适当伸缩；尾须 1 节，分 2 瓣，其上具稀疏的刚毛。

分布:分布于古北区，后传入新北区。全世界已知 5 种，中国记录 2 种，秦岭地区分布 1 种。

(15) 麦红吸浆虫 *Sitodiplosis mosellana* (Géhin, 1857)

Cecidomyia mosellana Géhin, 1857: 21.

Diplosis aurantiaca Wagner, 1866: 82.

鉴别特征:体橙黄色或橙红色。雌性体长为 2.00 ~ 2.50mm（包括产卵器），雄性体长为 1.30 ~ 2.00mm。复眼顶部连续。无单眼。下颚须 4 节。雌雄触角，分别具 12 个单结状、双结状的鞭小节；鞭小节均具 2 轮长刚毛，颈部明显；雄虫鞭小节端结和基结各具 1 圈环状环丝；雌虫鞭小节结部具 2 圈欠发达的带状环丝。R_5 脉后 1/3 略向下弯曲，在翅端后与 C 脉汇合；Cu 脉分支，其分支脉相对较弱或近乎不可见。各足跗节爪均不具齿。雄虫尾须分 2 瓣，其分瓣由基部向端部渐细；肛下板明显长于尾须，分 2 瓣，其分瓣背腹向呈近三角形，瓣间宽阔凹陷；抱器基节相对粗壮，其中基瓣略突出；抱器端节相对细长，通常不长于抱器基节，其近基部向内弯曲明显，近端部至端部缢缩明显；阳茎较粗壮，明显长于肛下板，呈柱状，其近端部至端部渐细，端圆。雌虫产卵器可适当伸缩，最长可达腹部其余部分长度的一半；尾须 1 节，分为 2 个细长柱状的瓣，其上具稀疏的刚毛；肛下板不分瓣，呈 1 个小圆瓣。

分布:陕西（秦岭、陕西广布）、黑龙江、吉林、辽宁、内蒙古、北京、河北、山西、山东、河南、宁夏、甘肃、青海、江苏、上海、安徽、浙江、湖北、江西、湖南、福建、四川、贵州；古北区广布，后传入新北区并广布。

参考文献

Bu, W. and Li, J. 2001. On Chinese species of the genus *Anarete* Haliday (Diptera: Cecidomyiidae). *Acta Zootaxonomica Sinica*, 26: 369-373.

Bu, W. and Li, J. 2003. Diptera: Cecidomyiidae (1). 135-141. In: Huang, B. (ed.), *Fauna of Insects in Fujian Province of China*. *Vol. 8*. Fujian Science and Technology Publishing House, Fuzhou, 1-706. [卜文俊, 李军, 2003. 双翅目:瘿蚊科(一). 135-141. 见:黄邦侃. 福建昆虫志(第8卷). 福州:福建科学技术出版社, 1-706.]

Bu, W. and Li, J. 2009. Diptera: Cecidomyiidae. 73-82. In: Yang, D. (ed.), *Fauna of Hebei-Diptera*. China's Agricultural Science and Technology Press, Beijing. 1-863. (In Chinese, with English summary.) [卜文俊, 李军, 2009. 双翅目:瘿蚊科. 73-82. 见:杨定. 河北动物志(双翅目). 北京:中国农业科学技术出版社, 1- 863.]

Bu, W. and Zheng, L. 1993. New records of Lestremiinae from China (Diptera: Cecidomyiidae). *Acta Zootaxonomica Sinica*, 18: 497- 498.

Bu, W. and Zheng, L. 1994. On the genus *Coquillettomyia* Felt from China (Diptera: Cecidomyiidae). *Acta Entomologica Sinica*, 37: 353-358.

Gagné, R. J. and Jaschhof, m. 2014. A catalog of the Cecidomyiidae (Diptera) of the world. 3rd Edition. Digital Version 2. Available from (http://afrsweb. usda. gov/SP2UserFiles/Place/12454900/Gagne_2014_World_Cecidomyiidae_Catalog_3rd_Edition. pdf) (accessed 25 April 2014)

Jiang, Y. and Bu, W. 2004. A taxonomic study on the genus *Claspettomyia* Grover (Diptera, Cecidomyiidae). *Acta Zootaxonomica Sinica*, 29: 352-356.

Jiao, K. and Bu, W. 2014. Gall midges (Diptera: Cecidomyiidae) recorded from China during the period from 1900 to 2012, with faunistic comparison between China and Japan. *Japanese Journal of Systematic Entomology*, 20 (2): 201-215.

Kieffer, J-J. and Trotter, A. 1900. Description d'une cécidomyienouvelle de Chine [Dipt.]. *Bulletin de la Société Entomologiquede France*, 1900: 233-234.

Li, J. and Bu, W. 2002. A study of the genus *Conarete* Pritchard from China (Diptera: Cecidomyiidae). *Acta Entomologica Sinica*, 45: 221-225.

Li, J. and Bu, W. 2006. On the genus *Epidiplosis* Felt (Diptera: Cecidomyiidae) in East Asia, with descriptions of four new species. *Entomologica Fennica*, 17: 79-86.

Mo, T-L. and Liu, T. 2000. A new species of the genus *Epidiplosis* (Diptera: Cecidomyiidae) from China. *Entomotaxonomia*, 22: 122-124. [墨铁路, 刘涛. 2000. 端突瘿蚊属一新种记述(双翅目:瘿蚊科). 昆虫分类学报, 22:122-124.]

Monzen, K. 1955. Some Japanese gallmidges with the descriptions of known and new genera and species (Ⅱ). *Annual Report of the Gakugei Faculty of the Iwate University* 9: 34- 46, pls. 1-3.

Tseng, S. 1965. [Wheat blossom midge.] China Agriculture Press, Beijing. 1-188. (In Chinese.) [曾省. 1965. 小麦吸浆虫. 北京:中国农业出版社, 1-188.]

七、菌蚊科 Mycetophilidae

冷瑞新 黄俊浩 吴鸿
(浙江农林大学森林保护学科, 浙江 311300)

鉴别特征:菌蚊科昆虫通常胸部隆凸, 足的基节长, 胫节端距发达。大部分种类个体相当小。体常混杂着褐、黑、黄色。头部顶端比胸部前端低, 胸部通常厚而结实, 骨片的大小、形状和特点等变异大, 常被用作族和属间的区分特征。表被丰富, 有细毛、端部分叉或变细的鬃、具细而平伏或竖立的刚毛, 其性质和分布常被用于分类。翅多为长椭圆形, 翅脉清晰, 翅基的骨质区以黑色或白色为多, 翅膜密被微毛, 并至少在近翅端部纵向排列整齐; 长毛无或仅分布于翅膜的边缘及臀区, 翅脉上长毛有或无, 脉序通常有不同程度减少, A 脉长度多变, 用于分属。足基节延长而粗壮, 一些种的雌蚊前足跗节的第 2、3 节(偶尔为第 1、4 节)肿大; 跗爪结构简单, 常有一至数枚齿, 或有栉形基叶突, 爪间突大小变异大或缺如, 爪垫缺失。腹部通常基部窄一些, 近中部最宽, 雄蚊通常较发达, 雌蚊有 7 节不弯曲的生殖前节, 在腹部的刚毛分布上也能体现一些性二型特征, 产卵器相当简化, 但在大部分种类分种上能提供有用的特征。

生物学: 有关菌蚊的生物学尚缺乏系统的研究, 一些习性与其他双翅目昆虫相似。菌蚊构成了许多陆地双翅目区系的一个相当重要的部分, 在早春或晚秋数量可能很大。菌蚊遍布各地, 在温暖潮湿的地区很丰富, 特别是在潮湿的林地。白天成虫多聚集于潮湿阴暗的环境, 尤其在河边、森林里、灌木和蕨类丛中、树根下的孔洞中、潮湿陡峭处和啮齿类动物的洞穴中, 或悬于堆状物之上, 以及隧道口、树根处等地方, 又以林中小溪流边的石头下、树桩及树木根系孔洞内最为丰富。一些种类的个体数量则以具有丰富枯死木和稠密真菌群、庇荫的老林为最多, 一些种的雄蚊有时挤成一团, 渗出的树汁、蜜汁、腐烂植物的汁也能吸引其他一些种。多数种类的幼虫生活在肉质或木质的真菌上、枯死木表面或内部、黑暗处、鸟粪牛粪上或松鼠巢内, 有的幼虫主要或完全生活在洞中, 少数种类生活于菜地、树木下或水中, 靠真菌繁殖的种能在真菌寄主周围被发现, 另一些种类甚至能发生在苔原及山脉的树木线之上。

分类:全世界已知约有 5 亚科 150 属 3400 种, 中国记录 5 亚科 30 属 320 种, 陕西秦岭地区有 1 属 1 种, 均属于滑菌蚊亚科 Leiinae。研究标本保存在浙江农林大学昆虫标本馆。

梅菌蚊属 *Megophthalmidia* Dziedzicki, 1889 中国新纪录

Megophthalmidia Dziedzicki, 18893: 525. **Type species**: *Megophthalmidia zugmeyeriae* Dziedzicki,

1899 [=*Megophthalmidia crassicornis* (Curtis, 1837)].

属征:复眼长，单眼3只，侧单眼距离复眼眶超过其自身直径的2倍；触角适度压缩，除端部3节外，其余鞭节节长小于节宽。胸向上拱起，中背片短小，盾片宽；中背片光裸；侧背片具毛。C脉终于R_5脉与M_5脉之间，Sc脉短，终于R脉；Sc_2脉缺失，R_1脉不比横脉r-m短，但不超过横脉r-m的2倍，R_4脉缺失，横脉r-m几乎水平，M脉分叉点在R_1脉尖端正下方或超过R_1脉。后基节基部2/3光裸；后胫节具有很强的梳状结构。臀叶具少量的长毛。腹部端节向下弯曲，从侧面看像是位于第6腹节的正下方。

分布:全世界已知约15种。中国未有记载，秦岭地区发现1个中国新纪录种。

塔氏梅菌蚊 *Megophthalmidia takagii* Sasakawa, 1964 中国新纪录

Megophthalmidia takagii Sasakawa, 1964: 1.

鉴别特征:雄性成虫翅长2.50～2.70mm。头深棕色，头顶多小刚毛；触角棕色，适度压缩；口须土黄色。胸部棕色，前胸背板、前胸前侧具刚毛；中胸盾片多刚毛，小盾片具4根鬃。翅透明，C脉、所有R脉及r-m端半部棕色，其余脉弱，C脉超出R_5脉，达R_5脉和M_1脉之间6/10。足黄色，胫节、跗节略带棕色，前基节密被小刚毛，腿节多小刚毛。腹背板棕色，1～4背板基部黄色横带；1～4腹板黄色，其余腹板棕色，端节棕色。

采集记录:17♂，凤县嘉陵江源头，2000m，1999.Ⅸ.03，吴鸿采。

分布:陕西(凤县)、浙江；俄罗斯，日本。

参考文献

Amorim, Dde Sousa and Oliveira, SSiqeira. 2013. Types of Neotropical Mycetophilidae (Diptera) at the Natural History Museum collection, London. *Zootaxa*, 3726(1): 1-119.

Kerr, P. H. 2014. The *Megophthalmidia* (Diptera: Mycetophilidae) of North America including eight new species. *Zookeys*, 386: 29-83.

Sasakawa, M. 1964. Japanese Mycetophilidae V Description of three new species. *Transactions of the Kyoto Entomological Society*, 12(1): 1-4.

Wu, H. and Yang, J-K. 1990. Progress on the research on Mycetophylidae. *Journal of Zhejiang Forestry Colleague*, 7: 189-193. [吴鸿，杨集昆. 1990. 菌蚊科昆虫研究现状和展望. 浙江林学院报，7: 189-193.]

八、眼蕈蚊科 Sciaridae

徐骏 黄俊浩 吴鸿
（浙江农林大学森林保护学科，临安 311300）

鉴别特征：眼蕈蚊为小型暗淡的蚊类，眼蕈蚊科的主要特征是头部复眼背面尖突，左右相连形成眼桥，仅极少数物种分离。触角均为16节，鞭节形状多样；下颚须为1~3节。胸部粗大，足细长，足基节和胫距发达，3对足的端距多为1∶2∶2，前足胫节端部有胫梳排列成一横排或弧形扇状；翅脉较为简单并且固定，胫分脉Rs不再分支，其基部折成直角如一短横脉，径中横脉（r-m）则似与Rs相连的纵脉，中脉2条分叉，M柄细长或微弱。腹部筒形，雄虫外生殖器粗壮，生殖基节宽大而左右连接，生殖刺突则分开成铗状；雌虫腹部多膨大而端渐尖细，尾须2节，有阳道叉。

生物学：眼蕈蚊科昆虫分布广泛，甚至在寒冷的南极洲岛屿及炎热的沙漠地区都有分布记录，生活的最高海拔达到4000米，位于尼泊尔喜马拉雅地区。眼蕈蚊科喜阴暗潮湿环境，成虫全年活动，以各种虫态越冬，其中3~6月与9~11月之间虫量最多，为两个羽化高峰期。幼虫细长，头部黑亮而体色黄白。幼虫主要生活在真菌、枯死木、植物根茎上。有些眼蕈蚊的幼虫具有迁徙行为，主要见于眼蕈蚊属 *Sciara hemerobioides*（Scopoli，1763）、*S. militaris* Nowicki，1868等，曾有人观察到长100cm、宽15cm的眼蕈蚊幼虫迁徙纵队。幼虫危害较为严重，在农作物方面，危害黄瓜、番茄苗、马铃薯、韭菜、西洋参等；在园林植物方面，主要危害郁金香球茎、兰花、紫苏、仙人掌、龙血树等；对食用菌的危害尤其严重，香菇、平菇、茶树菇、竹荪、木耳等都是其危害的对象，可造成减产15%~30%。另一方面，一些眼蕈蚊则是益虫，如该兰花 *Lepanthes glicensteinii* Luer 只能通过迟眼蕈蚊 *Bradysia floribunda* Mohrig，2003进行授粉。

分类：全世界已知78属3200余种，中国记录33属402种，陕西秦岭地区有7属17种。研究标本保存在浙江农林大学昆虫标本馆。

分属检索表

1. 生殖刺突具端齿 …… 2
   生殖刺突无端齿 …… 4
2. 阳基骨化强烈，生殖刺突内侧鼓起具2~6根鞭状毛 …… **摩眼蕈蚊属 *Mohrigia***
   阳基未骨化，生殖刺突内侧无鞭状毛 …… 3
3. 生殖刺突中部凹陷，且背侧凹陷比腹侧深，形成倒“Y”形 …… **屈眼蕈蚊属 *Camptochaeta***
   生殖刺突中部未凹陷，生殖刺突背中部具延长的毛 …… **配眼蕈蚊属 *Peyerimhoffia***

4. 生殖器基节腹侧顶端具2或多根细长的毛，生殖刺突细长 ………… **突眼蕈蚊属 *Dolichosciara***
   生殖器基节腹侧顶端具1根细长的毛 ………………………………………………………… 5
5. 生殖刺突膨大，没有强壮端刺，具3根或多根短小且长短相近的刺 …… **强眼蕈蚊属 *Cratyna***
   生殖刺突简单，生殖基节顶端腹侧有1根长毛 ……………………………………………… 6
6. 下颚须3节，基节具1根毛（当具多毛时，前足胫节呈弧形胫梳，或生殖刺突内侧具长弯刚毛）
   ……………………………………………………………………………… **翼眼蕈蚊属 *Corynoptera***
   下颚须1～3节，基节具多毛（当仅具1根毛时，下颚须1～2节，前足胫节具排状胫梳）……
   ……………………………………………………………………………… **迟眼蕈蚊属 *Bradysia***

1. 摩眼蕈蚊属 *Mohrigia* Menzel, 1995

Mohrigia Menzel, 1995: 102. **Type species**: *Mohrigia hippai* Menzel, 1995.

属征：雄性眼桥窄，小眼面仅2～3排，有的种眼桥不完整；触角鞭颈轻微延长；下颚须2～3节，第1节具毛，具感受器；前足胫节近端部具马蹄形胫梳；生殖刺突端部或亚端部具齿，生殖刺突内侧具2～6根鞭毛，生殖基节具基叶，阳基强烈骨化，阳基内突从基部向顶端骨化，形成1条中央条带；阳茎相对较短（Menzel *et* Mohrig, 2000）。端齿基部具透明刺（Rudzinski, 2006）。

分布：古北区、东洋区。全世界已知10种，中国记录3种，秦岭地区记录1种。

（1）复摩眼蕈蚊 *Mohrigia composivera* Rudzinski, 2006

Mohrigia composivera Rudzinski, 2006: 457.

鉴别特征：雄性生殖刺突卵圆形，具不明显背叶，背叶具端齿，生殖刺突内侧具2～3根鞭状长毛。生殖基节具圆锥状基叶，基叶具10毛。阳基锥形，顶端金字塔状。阳基内突从基部向顶端骨化，形成1条中央条带，顶端具指状结构。生殖基节腹侧具长毛。下颚须3节，基节具1根毛。

采集记录：2♂，户县涝峪八里坪朱雀森林公园，2012. Ⅶ. 13，黄俊浩采。

分布：陕西（户县）、福建、台湾、云南、西藏。

2. 屈眼蕈蚊属 *Camptochaeta* Hippa *et* Vilkamaa, 1994

Camptochaeta Hippa *et* Vilkamaa, 1994: 1. **Type species**: *Corynoptera camptochaeta* Tuomikoski, 1960.

属征：雄性下颚须3节，第1节具毛；前足胫节近端部具马蹄形胫梳；生殖刺突中部凹陷，且背侧凹陷比腹侧深，形成倒"Y"形，生殖刺突具端齿，生殖刺突顶端和中间具1根或多根刺。

分布：古北区，东洋区，新北区，全北区。全世界已知52种，中国记录8种，秦岭地区记录1种。

(2)细屈眼蕈蚊 *Camptochaeta tenuipalpalis* (Mohrig *et* Antonova, 1978)(图82)

Corynoptera tenuipalpalis Mohrig *et* Antonova, 1978: 546.

Camptochaeta tenuipalpis: Hippa & Vilkamaa, 1994: 48.

鉴别特征：雄性下颚须3节，第1节具毛；前足胫节近端部具马蹄形胫梳；生殖刺突顶端缩窄，具端齿，生殖刺突顶端具1根端刺，生殖刺突中部具1根弯曲中刺。

采集记录：1♂，凤县黄牛铺镇东河桥，1516m，2013.Ⅷ.22，徐骏网捕；1♂，宁陕旬阳坝镇，1325m，2013.Ⅷ.12，徐骏网捕；1♂，宁陕平河梁自然保护区，2388m，2013.Ⅷ.13，徐骏网捕；1♂，宁陕火地塘林场，1985.Ⅵ.18，杨集昆网捕；3♂，柞水牛背梁自然保护区甘沟卫生服务区，1778m，2013.Ⅷ.10，徐骏网捕。

分布：陕西(凤县、宁陕、柞水)、内蒙古、浙江、福建、台湾、四川、云南、西藏；俄罗斯，日本，芬兰，瑞典。

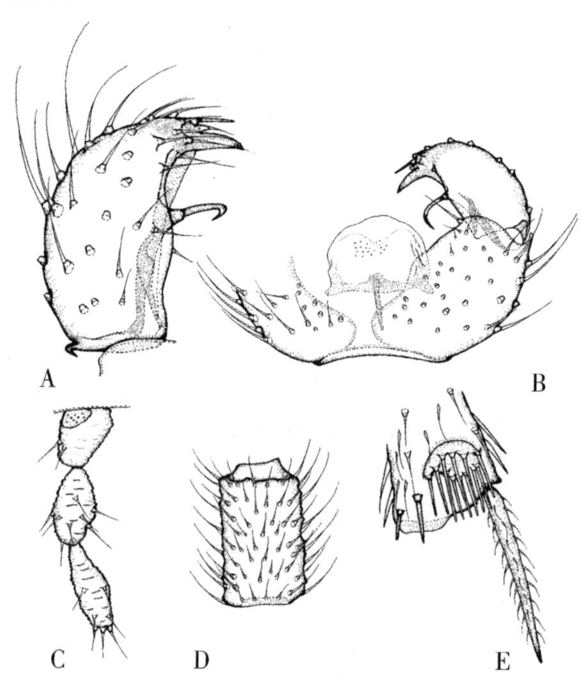

图82 细屈眼蕈蚊 *Camptochaeta tenuipalpalis* (Mohrig *et* Antonova)(雄性)

A. 左生殖刺突腹面观(left gonostylus, ventral view)；B. 雄外生殖器腹面观(hypopygium, ventral view)；C. 下颚须侧面观(palpus, lateral view)；D. 触角鞭节第4节侧面观(flagellomere 4, lateral view)；E. 前足胫节基部前侧观(apex of foretibia, prolateral view)

3. 配眼蕈蚊属 *Peyerimhoffia* Kieffer, 1903

Peyerimhoffia Kieffer, 1903: 198. **Type species**: *Peyerimhoffia brachyptera* Kieffer, 1903.

Cosmosciara Frey, 1942: 24, 29. **Type species**: *Plastosciara perniciosa* Edwards, 1942.

Plastosciara (*Peyerimhoffia*): Tuomikoski, 1960: 40.

Cratyna (*Peyerimhoffia*): Menzel & Mohrig, 2000: 268.

属征:雄性触角鞭节近圆柱形，鞭颈正常或稍微延长；下颚须1~3节；翅缘无毛，M、Cu、stM、r-m脉无毛；生殖刺突具大而弯曲的端齿，生殖刺突背中部具延长的毛，腹侧顶端无毛，阳基边缘具角。

分布:古北区，东洋区，新热带区。全世界已知14种，中国记录8种，秦岭地区记录2种。

(3)芬兰配眼蕈蚊 *Peyerimhoffia vagabunda* (Winnertz, 1867)

Sciara vagabunda Winnertz, 1867: 230.

Peyerimhoffia brachyptera Kieffer, 1903: 198.

Peyerimhoffia alata Frey, 1948: 72, 88.

Plastosciara (*Peyerimhoffia*) *brachyptera*: Tuomikoski, 1960: 40, 41.

Cratyna (*Peyerimhoffia*) *vagabunda*: Menzel & Mohrig, 2000: 285, 286.

Peyerimhoffia vagabunda: Vilkamaa & Hippa, 2005: 476.

鉴别特征:雄性下颚须具1个节，形状规则。生殖刺突向顶端变窄，背侧圆滑，端齿长度等于生殖刺突的宽，阳基边缘强烈弯曲硬化。

采集记录:1♂，户县涝峪八里坪朱雀森林公园，2012. Ⅶ. 13，黄俊浩采。

分布:陕西(户县)、黑龙江、山西、浙江；俄罗斯，芬兰，瑞典，意大利。

(4)疏毛配眼蕈蚊 *Peyerimhoffia sparsula* Shi *et* Huang, 2014(图83)

Peyerimhoffia sparsula Shi *et* Huang, 2014: 73.

鉴别特征:雄性触角鞭节近圆柱形，鞭颈正常或稍微延长；下颚须3节；翅缘无毛，M、Cu、stM、r-m脉无毛。生殖基节长于生殖刺突，生殖基节腹侧具稀疏毛，生殖基节中央区域具稀疏毛。生殖刺突狭长，具较稀疏毛，顶端具1个长且强壮的端齿。阳基边缘宽大，顶端平滑。第10腹节两侧各具1根毛。

采集记录: 1♂，户县涝峪八里坪朱雀森林公园，2012. Ⅶ. 12，施凯采。

分布:陕西(户县)。

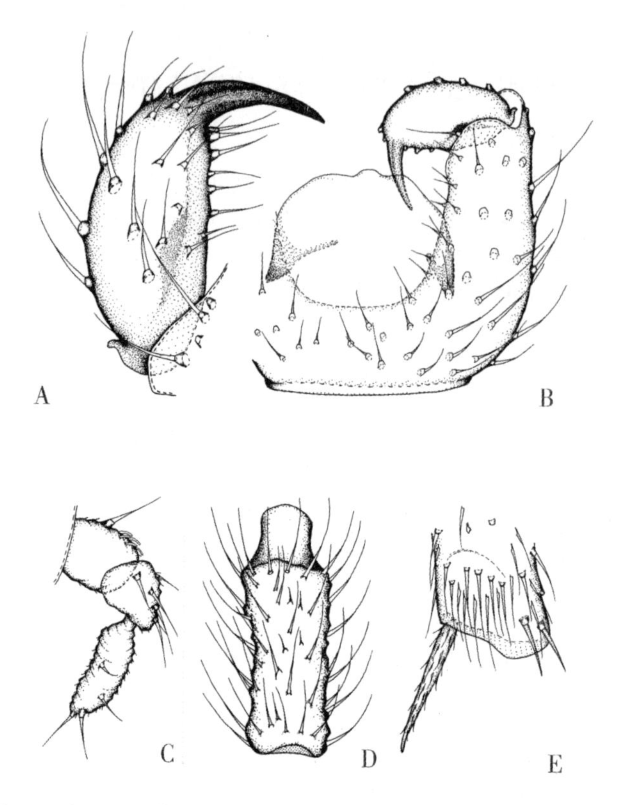

图 83 疏毛配眼蕈蚊 *Peyerimhoffia sparsula* Shi *et* Huang（雄性）

A. 左侧生殖刺突腹面观（left gonostylus, ventral view）；B. 雄外生殖器腹面观（part of hypopygium, ventral view）；C. 下颚须侧面观（palpus, lateral view）；D. 触角鞭节第 4 节侧面观（flagellomere 4, lateral view）；E. 前足胫节基部前侧观（apex of foretibia, prolateral view）

4. 突眼蕈蚊属 *Dolichosciara* Tuomikoski, 1960

Phorodonta Coquillett sensu Edwards：Edwards, 1925：534.

Dolichosciara Tuomikoski, 1960：107. **Type species**：*Sciara flavipes* Meigen, 1804.

Phytosciara（*Dolichosciara*）：Tuomikoski, 1960：37.

Phytosciara（*Phorodonta*）Antonova, 1977：109, 112.

属征：雄性触角鞭节轻微弯曲，鞭颈轻微延长；下颚须第 1 节具毛，具零星感觉器；M 和 Cu 脉具背毛；前足胫节近端部具一横排胫梳；生殖器基节腹侧顶端具 2 或多根细长的毛，生殖刺突细长。

分布：古北区，东洋区。全世界已知 15 种，中国记录 7 种，秦岭地区记录 4 种。

分种检索表

1. 生殖基节具基叶 …………………………………………………… **俄罗斯远东突眼蕈蚊 *D. ninae***

生殖基节无基叶 ………………………………………………………………………………… 2

2. 生殖刺突具多于10根直而粗壮的刺，刺长度几乎相等，生殖器基叶区域具毛 ………………
……………………………………………………………… **凹尾突眼蕈蚊 *D. scrobiculata***

生殖刺突具少于10根尖刺，刺长度不相等，生殖器基叶区域无毛 ……………………………… 3

3. 生殖刺突中上部肥大，具7~8根刺 ……………………………… **膨尾突眼蕈蚊 *D. tumidula***

生殖刺突细长，具4根刺 ………………………………………… **伪饰尾突眼蕈蚊 *D. subornata***

(5)俄罗斯远东突眼蕈蚊 *Dolichosciara ninae* (Antonova, 1977)

Phytosciara (*Phorodonta*) *ninae* Antonova, 1977: 113.

Phytosciara (*Dolichosciara*) *ninae*: Mohrig & Menzel, 1994: 179.

鉴别特征：雄性生殖刺突顶端狭窄，中部尖端凹陷处具14~18短刺，生殖器具大的基叶。

采集记录：1♂，留坝紫柏山石板店游客接待中心，2013. Ⅷ. 19，侯晓晖采。

分布：陕西(留坝)、山西、浙江、台湾；俄罗斯(远东地区)。

(6)凹尾突眼蕈蚊 *Dolichosciara scrobiculata* Shi *et* Huang, 2013(图84)

Dolichosciara scrobiculata Shi *et* Huang, 2013: 350.

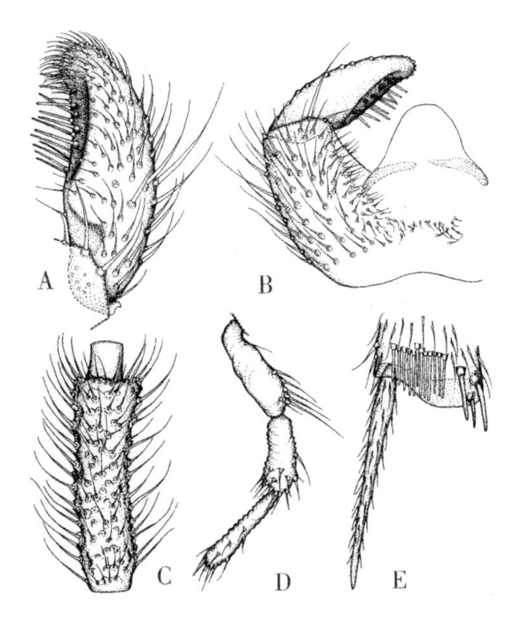

图84　凹尾突眼蕈蚊 *Dolichosciara scrobiculata* Shi *et* Huang (雄性)

A. 左侧生殖刺突腹面观(left gonostylus, ventral view)；B. 雄外生殖器腹面观(hypopygium, ventral view)；C. 下颚须侧面观(palpus, lateral view)；D. 触角鞭节第4节侧面观(flagellomere 4, lateral view)；E. 前足胫节基部前侧观(apex of foretibia, prolateral view)

鉴别特征:雄性生殖基节稍长于生殖刺突，生殖基节腹侧具密毛，腹侧尖端具2～3根极细长毛，生殖器基叶区域具稀疏毛。生殖刺突细长，向顶端变窄，中部尖端凹陷，顶端具密毛，凹陷处具10～16根细长的刺，长度基本相同。阳基边缘宽大于长。

采集记录:1♂，宁陕火地塘林场，2013.Ⅷ.14，徐骏采。

分布:陕西(宁陕)、福建、台湾、广西、贵州、云南。

(7)膨尾突眼蕈蚊 *Dolichosciara tumidula* Shi *et* Huang, 2013(图85)

Dolichosciara tumidula Shi *et* Huang, 2013: 354.

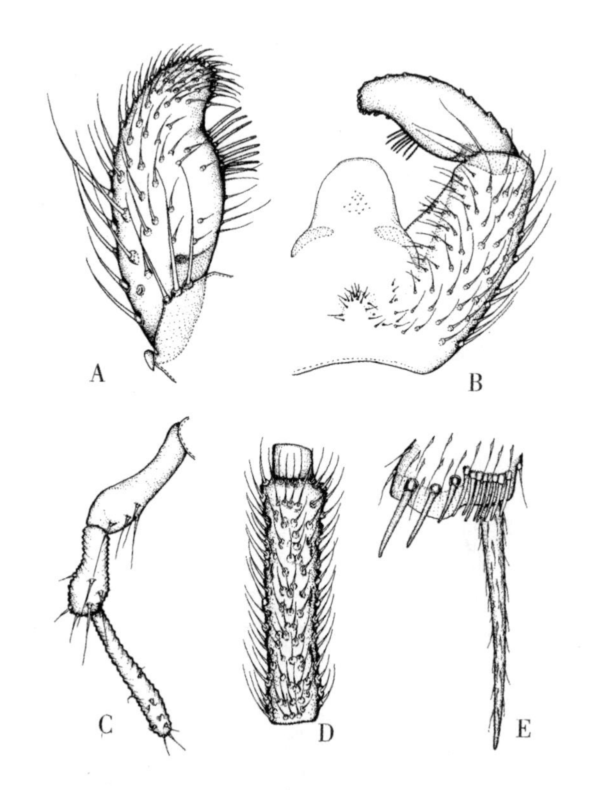

图85 膨尾突眼蕈蚊 *Dolichosciara tumidula* Shi *et* Huang (雄性)

A. 左侧生殖刺突腹面观(left gonostylus, ventral view); B. 雄外生殖器腹面观(hypopygium, ventral view); C. 下颚须侧面观(palpus, lateral view); D. 触角鞭节第4节侧面观(flagellomere 4, lateral view); E. 前足胫节基部前侧观(apex of foretibia, prolateral view)

鉴别特征:雄性触角鞭节轻微弯曲，鞭颈轻微延长；下颚须3节，基节具4根毛；M和Cu脉具背毛；前足胫节近端部具一横排胫梳；生殖基节长于生殖刺突，生殖基节腹侧具毛，稍密，腹侧尖端具3根细长毛，生殖器基叶区域具毛，稍密。生殖刺突稍弯曲，顶端变窄，中部尖端稍肥大，顶端具密毛，具7～8根刺，成一排。阳基边缘宽稍大于长。

采集记录:1♂，户县涝峪八里坪朱雀森林公园，2012. Ⅶ. 11，施凯采。

分布:陕西(户县)。

(8)伪饰尾突眼蕈蚊 *Dolichosciara subornata* Mohrig *et* Menzel, 1994

Dolichosciara subornata Mohrig *et* Menzel, 1994: 182.

鉴别特征:雄性生殖刺突近顶端具4根细刺，生殖器基叶区域具毛，阳基边缘长是宽的2倍。

采集记录:2♂，周至厚畛子，2009. Ⅶ. 28，盛茂领采。

分布:陕西(周至)；俄罗斯(远东地区)。

5. 强眼蕈蚊属 *Cratyna* Winnertz, 1867

Cratyna Winnertz, 1867: 167. **Type species**: *Cratynaatra* Winnertz, 1867.

Pseudosciara Kieffer, 1898: 194. **Type species**: *Pseudosciara pictiventris* Kieffer, 1898.

Plastosciara Berg, 1899: 78. **Type species**:*Plastosciara perniciosa* Edwards, 1922.

Decembrina Frey, 1942: 21. **Type species**: *Decembrina prima* Frey, 1942.

Dendrosciara Frey, 1942: 33. **Type species**: *Lycoria* (*Neosciara*) *corticalis* Lengersdorf, 1930.

属征: 雄性下颚须1~3节，下颚须具感觉窝，生殖刺突膨大，没有强壮端刺，具3根或多根短小且长短相近的刺。

分布: 古北区，澳洲区，新热带区，古北区，新北区。全世界已知61种，中国记载3种，秦岭地区分布1种。

(9)宽尾强眼蕈蚊 *Cratyna brevicaudata* (Yang *et* Zhang, 1989)

Lycoriella brevicaudata Yang *et* Zhang, 1989: 131.

Cratyna brevicaudata: Menzel & Mohrig, 2000: 270, 609.

鉴别特征:雄性下颚须3节，基节无明显的感觉窝且具7根毛；前足基节胫梳呈弧形排列。C、R、R_1 及 Rs 上具大毛，C 占 Rs 至 M_{1-2}间的3/5；生殖刺突端节短小粗壮，顶端细圆，密生细毛。

采集记录: 3♂，宁陕火地塘，1985. Ⅵ. 18，杨集昆采。

分布: 陕西（宁陕）。

6. 翼眼蕈蚊属 *Corynoptera* Winnertz, 1867

Corynoptera Winnertz, 1867: 177. **Type species**: *Corynoptera perpusilla* Winnertz, 1867.

Psilosciara Kieffer, 1909: 246. **Type species**: *Sciaramembra nigera* Kieffer, 1903.

Geosciara Kieffer, 1919: 203. **Type species**: *Geosciara alticola* Kieffer, 1919 [= *Corynoptera postpiniphila* Mohrig *et* Mamaev, 1992.]

Orinosciara Lengersdorf, 1941: 192. **Type species**: *Orinosciara brachyptera* Lengersdorf, 1941 [= *Sciaraminima* Meigen, 1818.]

属征:雄性下颚须通常 3 节, 很少有 2 节; 触角鞭节近圆柱形, 鞭颈短于鞭节宽; 翅缘无毛; 生殖基节没有基叶, 生殖刺突简单, 生殖基节顶端腹侧有 1 根长毛, 生殖刺突形状多样, 通常具刺。

分布:全北区, 东洋区, 新北区, 大洋洲区。它是眼蕈蚊科的一个大属, 全世界已知 200 余种, 中国记录 40 种, 秦岭地区分布 1 种。

(10) 长刺翼眼蕈蚊 *Corynoptera longispina* (Yang *et* Zhang, 1989)

Lycoriella longispina Yang *et* Zhang, 1989: 132.

Corynoptera longispina: Menzel & Mohrig, 2000: 223, 607.

鉴别特征:雄性下颚须 3 节, 基节粗, 具圆形感觉窝且具 4 根毛; C、R、R_1 及 Rs 上均具大毛, C 占 Rs 至 M_{1-2}间的 3/4; 前足胫节前段具弧形胫梳; 生殖刺突小而粗短, 顶端圆, 内缘中部具 1 个长刺, 顶端内弯具 1 个粗刺。

采集记录:1♂, 宁陕火地塘, 1985. Ⅵ. 18, 杨集昆采。

分布:陕西(宁陕)、浙江。

7. 迟眼蕈蚊属 *Bradysia* Winnertz, 1867

Bradysia Winnertz, 1867: 180, 181. **Type species**: *Bradysia angustipennis* Winnertz, 1867.

Dasysciara Kieffer, 1903: 200, 197. **Type species**: *Dasysciara pedestris* Kieffer, 1903.

Neosciara Pettey, 1918: 320. **Type species**: *Sciara coprophila* Lintner, 1895.

Fungivorides Lengersdorf, 1926: 122. **Type species**: *Fungivorides albanensis* Lengersdorf, 1926.

Lamprosciara Frey, 1948: 68. **Type species**: *Bradysia* (*Lamprosciara*) *pilistriata* Frey, 1948.

Paractenosciara Sasakawa, 1994: 673. **Type species**: *Paractenosciara longimentula Sasakawa*, 1994.

属征:雄性下颚须 3 节; 翅缘无毛, M, Cu, stM, r-m 脉无毛; 前足胫节前段具横排胫梳; 生殖刺突没有肉装突起, 生殖基节顶端腹侧有 1 根长毛。

分布:古北区，东洋区，新北区，新热带区，大洋洲区。全世界已知455种，中国记录131种，秦岭地区分布7种。

分种检索表

1. 生殖刺突具3根长刺 ………………………………………………… 2
   生殖刺突具刺多于3根或密生端刺 ……………………………………… 3
2. 生殖刺突长刺基部均有深色痣斑 ………………… **痣刺迟眼蕈蚊 *B. pustulispina***
   生殖刺突长刺基部无深色痣斑 ………………………… **留坝迟眼蕈蚊 *B. liubana***
3. 生殖基节中间具1个小突起 ……………………………… **周氏迟眼蕈蚊 *B. choui***
   生殖基节中间无小突起 ……………………………………………… 4
4. 生殖刺突密生短刺 ………………………………… **密刺迟眼蕈蚊 *B. spinellosa***
   生殖刺突无密生短刺 ……………………………………………… 5
5. 雄外生殖器粗大略圆，顶端具9根端刺 ……………… **秦岭迟眼蕈蚊 *B. qinglingana***
   雄外生殖器较小，顶端具粗刺少于9根 ……………………………… 6
6. 生殖刺突短棒状，近内缘具5根粗刺 ……………… **火地塘迟眼蕈蚊 *B. huoditangana***
   生殖刺突边缘不规则，顶端略弯突，具4根粗刺 ……… **宁陕迟眼蕈蚊 *B. ningshanana***

(11)痣刺迟眼蕈蚊 *Bradysia pustulispina* Yang *et* Zhang, 1989

Bradysia pustulispina Yang *et* Zhang, 1989: 137.

鉴别特征:雄性下颚须3节，基节具感觉窝且具7根毛；C、R、R_1 及 Rs 上均具大毛，r-m也具1根大毛，C 占 Rs 至 M_{1-2}间的2/3；前足胫节前段具横排胫梳；雄外生殖器具长毛，生殖刺突短小，内缘波曲，近中部的峰凸上具1对长粗刺，顶端内凸处具1根长刺，3根刺的基部均有深色的痣斑。

采集记录:1♂，宁陕火地塘，1985. Ⅵ. 18，杨集昆采。

分布:陕西(宁陕)。

(12)留坝迟眼蕈蚊 *Bradysia liubana* Yang *et* Zhang, 1989

Bradysia liubana Yang *et* Zhang, 1989: 136.

鉴别特征:雄性下颚须3节，基节仅具3根毛；C、R、R_1 及 Rs 上均具大毛，C 占 Rs 至 M_{1-2}间的2/3；前足胫节前段具横排胫梳；雄外生殖器近似卵形，密布长毛，生殖刺突短小，为生殖基节的一半长，顶端具1根粗刺紧密排列，其下方具1对长粗刺并向下斜伸。

采集记录:1♂，宁陕火地塘，1984. Ⅴ. 08，刘元采。

分布:陕西(宁陕)。

(13)周氏迟眼蕈蚊 *Bradysia choui* Yang *et* Zhang, 1989

Bradysia choui Yang *et* Zhang, 1989: 133.

鉴别特征:雄性下颚须 3 节，基节粗大，具不规则感觉窝且具 8 根毛；C、R、R_1 及 Rs 上均具大毛，C 占 Rs 至 M_{1-2}间的 4/5；前足胫节前段具横排胫梳；雄外生殖器较小，生殖基节中间具 1 个小突起，生殖刺突粗短棒状，顶端圆，密生短毛，具 6 根粗刺。

采集记录:1♂，宁陕火地塘，1985. Ⅵ. 18，杨集昆采。

分布:陕西(宁陕)。

(14)密刺迟眼蕈蚊 *Bradysia spinellosa* Yang *et* Zhang, 1989

Bradysia spinellosa Yang *et* Zhang, 1989: 133.

鉴别特征:雄性下颚须 3 节，基节较粗，具圆形感觉窝且具 4 根毛；C、R、R_1 及 Rs 上均具大毛，C 占 Rs 至 M_{1-2}间的 3/5；前足胫节前段具横排胫梳；生殖基节小而圆，生殖刺突粗短棒状，顶端钝圆，密生端刺直达内缘中部，外侧具长毛。

采集记录:3♂，宁陕火地塘，1985. Ⅵ. 18，杨集昆采。

分布:陕西(宁陕)。

(15)秦岭迟眼蕈蚊 *Bradysia qinglingana* Yang *et* Zhang, 1989

Bradysia qinglingana Yang *et* Zhang, 1989: 135.

鉴别特征:雄性下颚须 3 节，基节粗大，具大型感觉窝且具 8 根毛；C、R、R_1 及 Rs 上均具大毛，C 占 Rs 至 M_{1-2}间的 3/5；前足胫节前段具横排胫梳；雄外生殖器粗大略圆，基部横宽，生殖基节内缘毛均匀，生殖刺突很小，短粗而内弯，顶端具 5 根短刺，并生密毛。

采集记录:1♂，宁陕火地塘，1961. Ⅶ. 07，杨集昆采。

分布:陕西(宁陕)。

(16)火地塘迟眼蕈蚊 *Bradysia huoditangana* Yang *et* Zhang, 1989

Bradysia huoditangana Yang *et* Zhang, 1989: 134.

鉴别特征：雄性下颚须3节，基节粗大，具感觉窝且具5根毛；C、R、R_1 及 Rs 上均具大毛，r-m 也具3根毛，C 占 Rs 至 M_{1-2}间的4/5；前足胫节前段具横排胫梳；雄外生殖器较小，生殖刺突短棒状，顶端钝圆，密生细毛，近内缘具5根粗刺。

采集记录：1♂，宁陕火地塘，1985. Ⅵ. 18，杨集昆采。

分布：陕西（宁陕）。

（17）宁陕迟眼蕈蚊 *Bradysia ningshanana* Yang *et* Zhang, 1989

Bradysia ningshanana Yang *et* Zhang, 1989: 136.

鉴别特征：雄性下颚须3节，基节粗大球形，具明显的感觉窝，具1根长毛；C、R、R_1 及 Rs 上均具大毛，C 占 Rs 至 M_{1-2}间的6/7，r-m 也具4根大毛；前足胫节前段具横排胫梳；雄外生殖器近似倒梯形，生殖基节内侧的毛短小，生殖刺突不规则，顶端略弯突，具4根粗刺紧密排列，并具细毛。

采集记录：1♂，宁陕火地塘，1985. Ⅵ. 18，杨集昆采。

分布：陕西（宁陕）。

参考文献

Antonova, E. B. 1977. Obzor vidov roda *Phytosciara* Frey (Diptera: Sciaridae) palearkticheskoy fauny. *Trudy Biologo-Pochvennogo Instituta*, 46: 109-114.

Berg, C. 1899. Substitución de nombres genéricos. Ⅲ. *Communicaciones del Museo Nacional de Buenos Aires*, 1(3): 77-80.

Edwards, F. W. 1925. XXII. British fungus gnats (Diptera: Mycetophilidae), with revised generic classification of the family. *Transactions of the Entomological Society of London*, (3-4): 505-670.

Frey, R. 1942. Entwurf einer neuen Klassifikation der Mückenfamilie Sciaridae (Lycoriidae). *Notulae Entomologicae*, 22: 5-44.

Frey, R. 1948. Entwurf einer neuen Klassifikation der Mückenfamilie Sciaridae (Lycoriidae) Ⅱ. Die nordeuropäschen Arten. *Notulae Entomologicae*, 27: 33-112.

Hippa, H. and Vilkamaa, P. 2005. Cladistic analysis finds a placement for an enigmatic species, *Peyerimhoffia sepei* sp. n. (Diptera: Sciaridae), with a note on its spermatophore. *Zootaxa*, 1044: 49-55.

Hippa, H. and Vilkamaa, P. 1991. The genus *Prosciara* Frey (Diptera: Sciraridae). *Entomologica Fennica*, 2: 117.

Hippa, H. and Vilkamaa, P. 1994. The genus *Camptochaeta* gen. n. (Diptera: Sciaridae). *Acta Zoologica Fennica*, 194: 1-85.

Kieffer, J. J. 1898. Description dun nouveau genre et dune nouvelle espéce de Sciaride [Dipt.]. *Bulletin de la Société entomologique de France*, 9: 194-196.

Kieffer, J. J. 1903. Description de trios genres nouveaux et de cinq espèces nouvelles de la famille des Sciaridae (Diptères). *Annales de la Société Scientifique de Bruxelles*, 27(3): 196-205.

Kieffer, J. J. 1909. Description de deux nouveaux Sciarides nivicoles dAlgérie [Dipt.]. *Bulletin de la Société entomologique de France*, 14: 246.

Kieffer, J. J. 1919. Microdiptères d'Afrique. *Bulletin de la Société d'Histoire naturelle de l'Afrique du Nord*, 10(9): 191-206

Komarova, L. A., Hippa, H. and Vilkamaa, P. 2007. A review of the sciarids species of the genus *Camptochaeta* Hippa *et* Vilkamaa, 1994 (Diptera: Sciaridae) of the Altai fauna. *Far Eastern Entomologist*, 117: 1-9.

Lengersdorf, F. 1926. Die Sciariden des Naturhistorischen Museums in Wien. *Konowia*, 5(2): 122-129.

Lengersdorf, F. 1941. Dipterenfunde aus dem Gebiete des Großglockner. (Diptera: Petauristidae & Lycoriidae). 2. Folge. *Arbeiten über Morphologische und Taxonomische Entomologie aus Berlin-Dahlem*, 8(3): 192-194.

Mohrig, W. and Antonova, E. B. 1978. Neue palaearktische Sciariden (Diptera). *Zoologische Jahrbuecher Abteilung fuer Systematik Oekologie und Geographie der Tiere*, 105: 537-547.

Mohrig, W., Menzel, F. and Kozanek, M. 1992. Neue Trauermücken (Diptera: Sciaridae) aus Nord Korea und Japan. *Dipterological Research*, 3: 17-32.

Menzel, F. 1992. Beiträge zur Taxonomie und Faunistik der paläarktischen Trauermücken (Diptera: Sciaridae). Teil I. - Die Stroblschen Sciaridentypen des Naturhistorischen Museums des Benediktinerstifts Admont. *Beiträge zur Entomologie*, 42(2): 233-258.

Menzel, F. and Heller, K. 2004. Sechs Arten aus den Gattungen *Bradysia*, *Camptochaeta* und *Corynoptera* (Diptera: Sciaridae) nebst einigen Bemerkungen zur Nomenklatur europäischer Trauermücken. *Studia dipterologica*, 11: 335-357.

Menzel, F. and Martens, J. 1995. Die Sciaridae (Diptera: Nematocera) des Nepal. Himalaya. Teil I. Die blütenbesuchenden Trauermücken an Aronstabgewächsen der Gattung *Arisaema* (Araceae JUSS.). *Studia dipterologica*, 2 (1): 97-129.

Menzel, F., Mohrig, W. and Groth, I. 1990. Beiträge zur Insektenfauna der DDR (Diptera: Sciaridae). *Beiträge zur Entomologie*, 40(2): 301- 400.

Menzel, F. and Mohrig, W. 2000. Revision der paläarktischen Trauermücken (Diptera: Sciaridae). *Studia dipterologica Supplement*, 6: 1-761.

Mohrig, W. and Eckert, R. 1992. Trauermücken aus Naturhählen des Harzes, Deutschland (Insecta: Diptera: Sciaridae). *Mitteilungen aus dem Zoologischen Museum in Berlin*, 68: 295-298.

Mohrig, W. and Menzel, F. 1994. Revision der paläarktischen Arten von Phytosciara Frey (Diptera: Sciaridae). *Beiträge zur Entomologie*, 44 (1), 167-210.

Rudzinski, H. G. 2006. Beiträge zur Trauermückenfauna Taiwans. TeilⅣ: Gattungen *Lycoriella*, *Mohrigia*, *Chaetosciara*, *Scythropochroa und Pseudoaerumnosa* gen. nov. (Diptera: Nematocera: Sciaridae). *Entomofauna*, 29(23): 449- 476.

Rudzinski, H. G. 2008. Beiträge zur Trauermückenfauna Taiwans. Teil V: Gattungen *Dichopygina*, *Camptochaeta*, *Corynoptera* und *Keilbachia* (Diptera: Nematocera: Sciaridae). *Entomofauna*, 29 (23): 321-360.

Shi, K., Huang, J., Zhang, S. and Wu, H. 2014. Taxonomy of the genus *Peyerimhoffia* Kieffer from Mainland China, with a description of four new species (Diptera: Sciaridae). *Zookeys*, 382: 67-83.

Sasakawa, M. 1994. Fungus gnats associated with flowers of the genus *Arisaema* (Araceae) Part 3. Sciaridae (Diptera). *Japanese Journal of Entomology*, 62: 667-681.

Tuomikoski, R. 1960b. Zur Kenntnis der Sciariden (Dipt.) Finnlands. *Annales Zoologici Societatis Zoologicae-Botanicae Fennicae "Vanamo"*, 21(4): 1-164.

Vilkamaa, P., Hippa, H. and Heller, K. 2013. Review of the genus *Camptochaeta* Hippa *et* Vilkamaa (Diptera: Sciaridae), with the description of nine new species. *Zootaxa*, 3636(3): 476-488.

Vilkamaa, P. 2014. Checklist of the family Sciaridae (Diptera) of Finland. *Zookeys*, 441: 151-164.

Wu, H., Chen, X. Q. and Wang, Y. P. 2008. Two New Record Species and Genera of Sciaridae (Diptera) from China. *Entomotaxonomia*, 30(1): 53-56. [吴鸿, 陈晓青, 王义平. 2008. 中国眼蕈蚊科二新纪录属及二新纪录种. 昆虫分类学报, 30(1): 53-56]

Wu, H., Shi, K., Huang, J. and Zhang, S. 2013. Review of the genus *Dolichosciara* Tuomikoski (Diptera: Sciaridae) from China. *Zootaxa*, 3745(3): 343-364.

Xu, J., Vilkamaa, P., Shi, K., Huang, J. and Wu, H. 2015. Review of the genus *Camptochaeta* Hippa *et* Vilkamaa (Diptera: Sciaridae) from China. *Zoological Systematics*, 40(3): 315-327.

Yang, J-K. and Zhang, X-M. 1989. Nine new species of Sciaridae from Shaanxi (Diptera: Nematocera). *Entomotaxonomia*, 11(1-2): 131-139. [杨集昆, 张学敏. 1989. 陕西省眼蕈蚊科九新种(双翅目:长角亚目). 昆虫分类学报, 11(1-2): 131-139.]

Yang, J-K., Zhang, X-M., Yang, C-Q. and Liu, Y-X. 1995. Diptera: Sciaridae. In: Zhu Y-A. (ed.) Insects and Macrofungi of Gutianshan, Zhejiang. Zhejiang Science and Technology Publishing House, Hangzhou. 205-226. [杨集昆, 张学敏, 杨春清, 刘玉琇. 1995. 双翅目:眼蕈蚊科. 见: 朱延安. 浙江古田山昆虫及大型真菌. 杭州: 浙江科技出版社, 205-226.]

九、摇蚊科 Chironomidae

王新华　刘文彬　宋超　孙冰皎
(南开大学生命科学学院, 天津 300071)

鉴别特征:成虫微小至中型，多纤长脆弱，但大型的种类则较为粗壮，与蚊虫相似。体色多样，可有鲜明的色斑。体不具鳞片。头部相对较小。复眼发达，小眼面之间可生有小毛，无单眼。触角柄节退化几乎不可见；梗节发达，球状；鞭节丝状，雌雄二型，雄性触角鞭节长，多为 11 ~ 15 节，各节具若干轮状排列的长毛；雌性触角短，鞭节 5 ~ 8 节，无轮毛。口器退化:上唇及下唇均成简单的肉质叶，下唇两侧可见由 1 节组成的肥厚的下唇须，上颚完全消失，下颚可见退化的叶节和发达的 4 ~ 5 节的下唇须。前胸很小，前胸背板成窄领状；中胸盾片常具 3 条品字排列的纵中骨化带；后盾片常有 1 条纵中缝或中脊。翅狭长，覆于背上时常不达腹端。C 脉终止于翅顶附近，不环绕全翅；Sc 脉微弱；R 脉分为 R_1、R_{2+3}和 R_{4+5}支。翅多数透明一色，也可有由色素或密集的小毛组成的花斑。翅无鳞片，但翅面及翅缘可有毛。少数种类的翅变形，较为短宽，C 脉与 R 脉愈合成宽大的翅痣状构造。足细长，前足常明显长于中足和后足，并常举起摆动。中后足胫节端部多生有胫栉和1~2根胫距；跗节5节。腹部狭长，雄虫第9和第10腹节形成尾器，第9腹节背板端部中央常向后伸出成肛尖，第10腹节具1对分为2节的抱器，分别称为抱器基节和抱器端节。除摇蚊亚科抱器两节间不能弯曲外，其余亚科抱器端节可不同程度地向内弯折。抱器基节生有2对附器，称上附器和下附器。雌虫第9、10腹节退化，具尾须1对，一般具有2~3个骨化的受精囊。

生物学：成虫几不取食，或摄食少量含有糖分的液体。夜间有强趋光性，灯下常见。羽化后常有婚飞习性，雌虫一生一般只产一次卵，直接产于水面或水生植物上，卵期由数日至数周不等。幼虫期占据整个生活史的大部分时间，全部在水中度过(少数陆栖种类除外)。幼虫栖居生境多样。地理分布广泛，从热带到极地，从低地到海拔5600m的冰川积水中均曾有摇蚊幼虫的报道。蛹期一般较短，蛹可自由游泳，或栖于水底的巢筒中，只在羽化前浮出水面。羽化过程极短。摇蚊多以幼虫期越冬，温带地区每年多发生1~2代，有些种类每年可连续发生数代。北极地区的种类的发育至少需要2年，最长者可达4年。

分类：世界性分布。目前包括11个亚科405属6200余种，中国记录140余属约1000种，陕西秦岭地区有37属70种。研究标本保存在南开大学生命科学学院摇蚊学研究室。

分亚科检索表

1. 翅具M-Cu脉 ························ 2
   翅无M-Cu脉 ························ 3
2. 翅面覆毛，R_{2+3}脉常分支 ························ **长足摇蚊亚科 Tanypodinae**
   翅翅面无毛或至多在远端1/2处有少数毛，R_{2+3}脉不分支 ··········· **寡角摇蚊亚科 Diamesinae**
3. 抱器端节与基节愈合，前足第1跗节长于胫节 ························ **摇蚊亚科 Chironominae**
   抱器端节可动且常折于抱器基节内面，前足第1跗节短于胫节 ························ **直突摇蚊亚科 Orthocladiinae**

(一)寡角摇蚊亚科 Diamesinae

分属检索表

盾片瘤明显发达 ························ **波摇蚊属 *Potthastia***
盾片瘤不存在 ························ **北七角摇蚊属 *Boreoheptagyia***

1. 北七角摇蚊属 *Boreoheptagyia* Brundin, 1966

Boreoheptagyia Brundin, 1966: 420. **Type species**: *Heptagyia rugosa* Saunders, 1930.

属征：小型种类，翅长达1.80mm。触角羽状刚毛减少，以此特征区别于其他属种，且触角末鞭端鞭节为短棒状，有时看起来像雌虫的触角。复眼光裸或微毛，稍向背中部延伸，或不延伸。颞毛一般由内顶鬃、外顶鬃、后眶鬃和额鬃组成，缺少眼眶鬃。头顶宽阔，存在成对圆锥形或三角形的额瘤。幕骨基部微微膨大，或是从基部到顶部渐渐变窄，上缺少微刺。食窦泵的咽角骨为尖头的。前胸背板小叶从中间分开，后面存在或没有前胸背板鬃，前部存在前胸背板鬃，有时前胸背板鬃会延伸到部分小叶的中央。盾片宽且低，有时前伸至前胸背板"V"形刻痕上，上面覆盖浓密的刚毛。中鬃长，自前胸背板近缘处开始，于小盾片近缘处终止，有时则会在小盾片近缘处分叉。背中鬃分为1～3列或2簇，一簇靠近小盾片，另一簇则在肩部的区域。在上前侧片正中前方存在翅前鬃，有时则至盾侧沟的前方区域存在翅前鬃。小盾片上存在刚毛，存在前前侧片鬃。翅瓣上有或无刚毛。表层没有刚毛，但存在不规则的斑点。臀叶右边由轻微的弯曲。C脉正常，R_{2+3}脉并不很明显，末端终止于C脉的前方或前缘脉上，长度为R_1与R_{4+5}脉之间距离的1/3。FCu与RM脉的末端邻近。R_{4+5}脉上存在刚毛。翅边缘为完整的刚毛边缘。胫节上存在或没有浅色环。胫距比较短，一般短于胫节顶部的宽度。前足存在伪距，中足第1跗节存在伪距，后足第1、2跗节存在伪距。后足第1跗节存在或没有毛形感器。第4跗节心形，并且短于第5跗节。第9节背板宽阔，后部顶部微凹，在背部表面上存在或没有小肛尖。阳茎内突轻微骨化；阳茎叶膜质，有时上面存在刺或刚毛。抱器基节单一，中间区域平坦，或是基板较硬，且中间区域是由2片叶组成。阳茎叶内缘有或无小齿。背中存在或没有刚毛簇。腹内生殖突窄，长方形或三角形；腹内生殖突两侧的前方没有突起。抱器端节存在抱器端棘，抱器端棘有时存在于内缘。

分布：全北区，东洋区。世界已知23种，中国记录5种，秦岭地区发现1种。

(1) 短跗北七角摇蚊 *Boreoheptagyia brevitarsis* (Tokunaga, 1936)（图86）

Prodiamesa (*Monodiamesa*) *brevitarsis* Tokunaga, 1936: 528.

Boreoheptagyia brevitarsis: Makarchenko, 1981: 305.

鉴别特征：触角13节，肛尖缺失，抱器端节窄弧形。体长3.08～3.63mm。体黑褐色，触角和足褐色。第9背板长100.00～132.50μm，上有15～46根刚毛；肛尖缺；阳茎内突矩形，中阳茎叶细棒状；第9节腹板每侧具有7～17根刚毛。抱器基节简单，长232.50～255.00μm，基板发达，三角形；抱器端节窄弧形，长97.50～117.50μm，近中部的区域最宽，端部有1个抱器端棘。

采集记录：1♂，秦岭（凤县境），1994.Ⅷ.24，卜文俊采。

分布：陕西（凤县）、河南、四川；俄罗斯，日本。

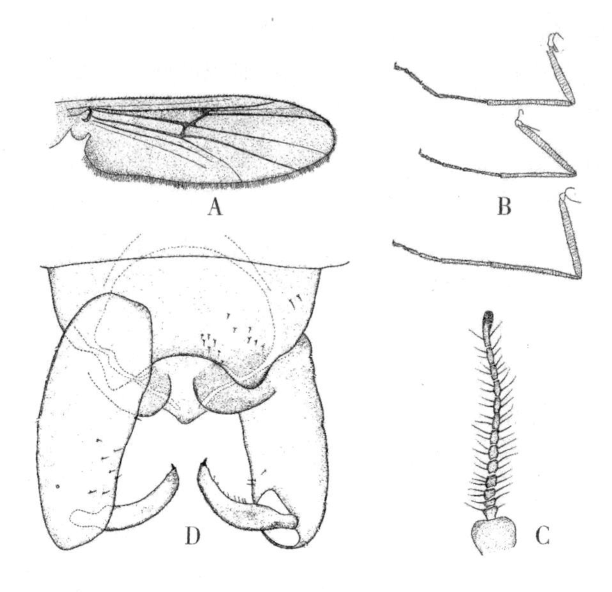

图 86 短跗北七角摇蚊 *Boreoheptagyia brevitarsis* (Tokunaga)
A. 翅(wing); B. 足(legs); C. 触角(antenna); D. 生殖节(hyppygium)

2. 波摇蚊属 *Potthastia* Kieffer, 1922

Potthastia Kieffer, 1922: 361. **Type species**: *Potthastia longimanus* Kieffer, 1922.

属征: 触角具 13 鞭节, 2 ~4 和末鞭节上存在毛形感器, 有时毛形感器也存在于第 1 及第 5 鞭节上。触角比为 1.50 ~2.50。复眼微毛。颞毛仅由外顶鬃和后眶鬃组成。缺少中鬃。背中鬃通常为 1 列。小盾片鬃多列。缺少前前侧片鬃。翅表层缺少刚毛, 斑点色浅。臀角伸长。前缘脉稍稍伸长。R_{2+3}脉末端在 R_1 脉到 R_{4+5}脉距离的 1/4 处终止。R_{4+5}脉上缺少刚毛。前足缺伪距, 中、后足第 1、2 跗节都存在伪距。后足的第 1 跗节存在毛形感器。第 4 跗节心形, 比第 5 跗节短。前足足比为 0.76 ~0.86。肛尖小, 上有或无刚毛。阳茎内突中度骨化或强烈骨化。腹内生殖突宽拱形。缺少阳茎基叶。抱器端节上存在较长的抱器端棘。

分布: 古北区。世界已知 5 种, 中国记录 2 种, 秦岭地区发现 2 种。

分种检索表

胸部具黄色区域, 肛尖根茎状 ………………………………………………… **盖氏波摇蚊 *P. gaedii***
胸褐色到深褐色, 肛尖三角形 ……………………………………………… **双角波摇蚊 *P. montium***

(2)盖氏波摇蚊 *Potthastia gaedii* (Meigen, 1838)(图 87)

Diamesa gaedii Meigen, 1838: 13.
Syndiamesa jintudecima: Sasa, 1990: 50.
Potthastia gaedii: Pagast, 1947: 491.

鉴别特征:触角 13 节; 肛尖根茎状, 上有微刺; 中阳茎叶末端粗棒状; 抱器端节内缘具有明显的锯齿。体长 3.08 ~ 5.33mm。胸、腹部褐色到深褐色, 胸部两侧有一些黄色区域; 触角褐色; 翅脉色浅; 足褐色, 有的腿节和胫节上有一些黄色部分, 有时则在第 1 跗节上。第 9 背板长 82.50 ~ 187.50μm, 上有 9 ~ 33 根刚毛, 末端中央凸出; 肛尖长 15.00 ~ 37.50μm, 基部宽 15.00 ~ 30.00μm, 端部宽 2.50 ~ 5.00μm; 肛尖根茎状, 上有微刺。阳茎内突宽矩形, 长 70.00 ~ 107.50μm; 中阳茎叶在端部极端膨胀, 呈粗棒状; 侧阳茎叶在端部变细尖; 横腹生殖突拱形。第 9 节腹板两侧具有 6 ~ 20根刚毛。抱器基节长 200.00 ~ 290.00μm, 基部和中央区域微弱; 抱器端节长 117.50 ~ 155.00μm, 在距离端部 1/3 处的内缘具有明显的锯齿。

采集记录:5♂, 周至板房子, 1994. Ⅷ. 09, 卜文俊灯诱; 7♂, 留坝庙台子, 1994. Ⅷ. 03, 卜文俊灯诱; 3♂, 宁陕火地塘, 1994. Ⅷ. 13, 卜文俊采。

分布:陕西(周至、留坝、宁陕)、浙江、湖北、四川、贵州、云南; 俄罗斯, 韩国, 日本, 比利时, 澳大利亚, 德国, 意大利。

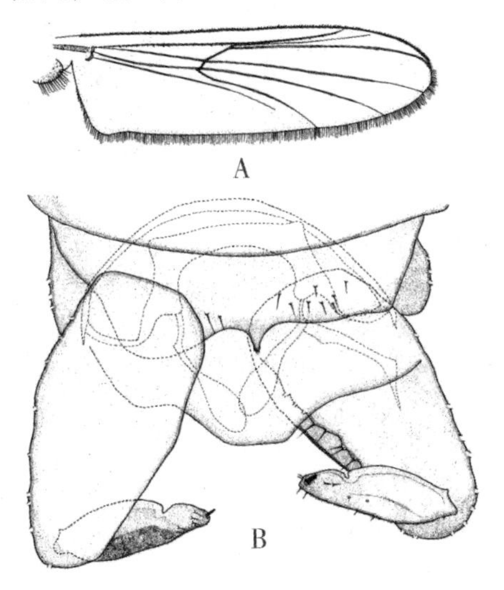

图 87　盖氏波摇蚊 *Potthastia gaedii* (Meigen)
A. 翅(wing); B. 生殖节(hyppygium)

(3)双角波摇蚊 *Potthastia montium* (Edwards, 1929)

Diamesa montium Edwards, 1929: 307.

Potthastia montium: Pagast, 1947: 493.

鉴别特征:体长3.93~6.03mm。触角13节；肛尖三角形，上有微刺；中阳茎叶端部膨大，侧阳茎叶端部钝圆；抱器基节中央区域存在明显的叶状结构。胸、腹部褐色到深褐色；触角、足褐色。第9背板长107.50~162.50μm，上有10~19根刚毛，末端中央部分凸出；肛尖三角形，长27.50~55.00μm，肛尖基部宽25.00~62.50μm，端部宽5.00~15.00μm，上面有微刺。阳茎内突拱形，长127.50~150.00μm，中阳茎叶柔软，粗棒状；侧阳茎叶末端圆；横腹生殖突长拱形。第9节腹板两侧具有10~26根刚毛。抱器基节长285.00~352.50μm，基板发达，中部区域存在明显的叶，上有很多短刚毛；抱器端节简单，长127.50~172.50μm，在背部有明显的脊，近端部最宽，末端着生1个长12.50~17.50μm的抱器端棘。

采集记录:2♂，秦岭，1998.Ⅵ.10，杨莲芳采；2♂，宁陕火地塘，1994.Ⅷ.15，卜文俊采。

分布:陕西(凤县、宁陕)、浙江、贵州；俄罗斯，韩国，日本，英国。

(二)长足摇蚊亚科 Tanypodinae

分属检索表

1. MCu脉位于FCu脉前方 …… **前突摇蚊属 *Procladius***
   MCu脉位于FCu脉上方 …… 2
2. 前缘脉超出R_{4+5}脉的距离至少与RM脉等长；偶具后背板鬃 …… 3
   前缘脉不超出R_{4+5}脉或超过R_{4+5}脉的距离短于RM脉长；无后背板鬃 …… 4
3. 具盾片瘤 …… **大粗腹摇蚊属 *Macropelopia***
   无盾片瘤 …… **那塔摇蚊属 *Natarsia***
4. 胫节具3或4个明显的黑色环；抱器端棘耳状；具上、中、下附器 …… **无突摇蚊属 *Ablabesmyia***
   胫节单色或仅具1个黑环；抱器端棘不同；有或无上和/或中附器 …… 5
5. 有生殖节附器 …… 6
   无生殖节附器 …… 7
6. 盾片瘤存在 …… **壳粗腹摇蚊属 *Conchapelopia***
   盾片瘤缺失 …… **流粗腹摇蚊属 *Rheopelopia***
7. 前缘脉末端超过、位于M_{1+2}脉上方或稍前方 …… **三叉粗腹摇蚊属 *Trissopelopia***
   前缘脉末端明显位于M_{1+2}脉前方 …… **拟麦氏摇蚊属 *Paramerina***

3. 无突摇蚊属 *Ablabesmyia* Johannsen, 1905

Ablabesmyia Johannsen, 1905: 135. **Type species**: *Tipula monilis* Linnaeus, 1758.

属征：体小到中型，翅长1.80～4.00mm。触角柄节棕色。末鞭节长是宽的4～5倍，基部平截，基部3/4为圆柱形，端部1/4逐渐变尖。触角端毛不明显，长与末鞭节的宽相同，从末鞭节末端发出。触角比为1.50～3.60。眼部有很窄的背中延伸，最窄处的宽度与3个小眼相等。内、外顶鬃多列；后眶鬃单列。下唇须第3节短于第2节。大部分棕色到深棕色；深色区域的色斑并不明显。盾片上有一些圆的凹陷位于中胸背疣周围。前胸背板发达，凸出于胸部之外，有10～25根前胸背板鬃。中鬃很多，双列，后方在前小盾片的凹陷处分开，与背中鬃融合；背中鬃很多，前端双列，后端单列。盾片突不明显。盾片浅棕到深棕色，后背板棕色。翅膜区覆盖浓密的被毛，翅斑多变。RM脉和MCu脉深色；前缘脉稍微超过，或者不到R_{4+5}脉处；MCu脉末端到达FCu脉处；R_{2+3}脉存在，并分叉；R_3脉末端不明显；R_{4+5}脉终止在M_{1+2}脉前方；Cu_1脉向下弯曲。臀角很发达。存在明显的色斑带，腿节有1～4个，胫节有3～4个，第1跗节有1～2个，其他跗节有1个。胫距很发达，深棕色；主齿长为胫距长的1/2，有5～8个侧齿。后足存在胫栉，但并不发达。爪较直，有大约4个基齿。爪垫缺失；爪间突长为爪长的1/2。腹部浅棕或深棕色，带有明显的色斑带。第8背板有或无后缘的刚毛。第9背板显著变窄，多毛。抱器基节基部轻微膨大，并向端部逐渐变窄，有明显的背部刚毛和内侧的刚毛簇。抱器端节比抱器基节稍长，细长，逐渐变尖；抱器端棘匙形，末端变宽活有亚端部刚毛存在。附器分化为多种形态；上附器直或微微弯曲，末端圆或尖；中附器多数比上附器短，但是某些种类也比上附器长；下附器退化成1个小突起。

分布：古北区，新北区，非洲区，澳洲区，新热界和东洋区。世界已知60种，中国记录10种，秦岭地区有3种。

分种检索表

1. 腹部第1～5背板黄色 ………………………………………………………………… 2
   腹部各腹节具环带 ………………………………………………… **环节无突摇蚊 *A. annulata***
2. 中附器弯曲，呈半圆形 ……………………………………………… **阿巴无突摇蚊 *A. alba***
   中附器长，不弯曲 ………………………………………………… **法无突摇蚊 *A. phatta***

(4)阿巴无突摇蚊 *Ablabesmyia alba* Chaudhuri, Debnath *et* Nandi, 1983

Ablabesmyia alba Chaudhuri, Debnath *et* Nandi, 1983: 902.

鉴别特征：体长3.09～3.78mm。头棕色；胸部棕色；腹部第1到第5背板黄色，第6到第8背板棕色，生殖节棕色；足为棕色；翅具色斑。第9背板直，后缘有12根刚毛。肛尖圆锥形。抱器基节长155～180μm，内侧边缘有膨大；抱器端节长160～185μm。抱器端棘长20～30μm。上附器长50～65μm；中附器长35～55μm。此种的上附器较粗，呈棍棒状；中附器弯曲，呈半圆形，长度略短于上附器；下附器位置相对靠下，与上附器和中附器没有重叠。

采集记录：4♂，周至板房子，1994. Ⅷ. 07，卜文俊灯诱；1♂，宁陕火地塘，1994. Ⅷ. 12，卜文俊灯诱。

分布：陕西（周至、宁陕）、四川、贵州、云南；印度。

（5）环节无突摇蚊 *Ablabesmyia annulata* (Say, 1823)（图 88）

Tanypus annulata Say, 1823: 15.

Ablabesmyia annulata: Roback, 1971: 378.

鉴别特征：此种翅具很多零散的色斑，上附器细长，端部略微弯曲；中附器下部弯曲，长度不到上附器长的一半；下附器位置居中，与上附器和中附器没有重叠。第9背板直，后缘无刚毛。肛尖圆锥形。抱器基节长 145 ~ 150μm，内侧边缘有膨大；抱器端节长 165 ~ 170μm。抱器端棘长 20 ~ 30μm。上附器长 45 ~ 50μm；中附器长15 ~ 20μm。

采集记录：10♂，周至板房子，1994. Ⅷ. 07，卜文俊灯诱。

分布：陕西（周至）；美国。

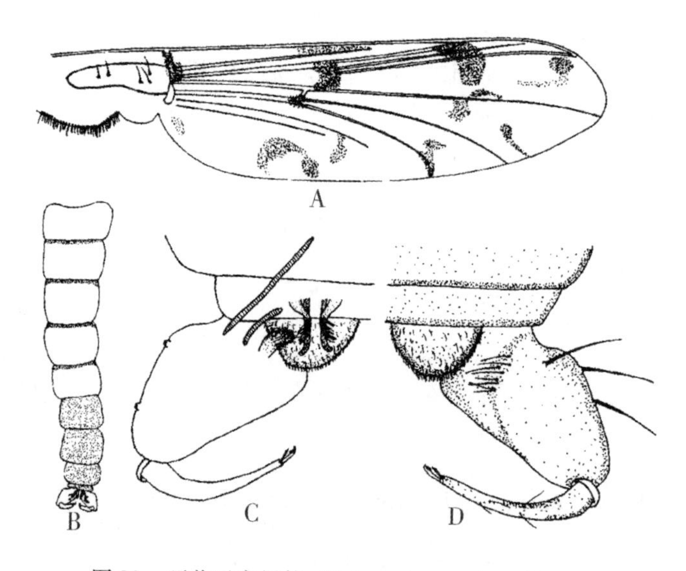

图 88　环节无突摇蚊 *Ablabesmyia annulata* (Say)

A. 翅(wing); B. 腹部(abdomen); C. 生殖节腹面观(hypopygium, dorsal view); D. 生殖节背面观(hypopygium, ventral view)

（6）法无突摇蚊 *Ablabesmyia phatta* (Egger, 1863)

Tanypus phatta Egger, 1863: 1109.

Ablabesmyia phatta: Fittkau, 1962: 433.

鉴别特征:体长2.93~3.80mm。头棕色;胸部几乎全为棕色;腹部第1到第5背板黄色,第6到第8背板棕色,生殖节棕色;足为棕色;翅具色斑。第9背板直,后缘无刚毛。肛尖宽而圆。抱器基节长140~190μm,内缘有膨大;抱器端节长150~200μm。抱器端棘长18~25μm。上附器长35~75μm;中附器长20~60μm。生殖节比(HR)为0.93~0.98;生殖节值(HV)为1.72~2.10。此种上附器细且直,端部圆钝;中附器细长,端部略弯曲,大于上附器长的一半;下附器位置靠上,几乎与上附器和中附器相重叠。

采集记录:1♂,周至板房子,1994.Ⅷ.09,灯诱,王新华采。

分布:陕西(周至)、甘肃、浙江、江西、福建、广东、广西、四川、云南;欧洲。

4. 壳粗腹摇蚊属 *Conchapelopia* Fittkau, 1957

Conchapelopia Fittkau, 1957: 317. **Type species**: *Tanypus pallidula* Meigen, 1818.

属征:中型种类,翅长约为3mm。触角柄节和鞭节均为棕色,末端的刚毛色浅,末鞭节基部非平截;基部是宽的3.00~3.50倍,基部到端部几乎等宽。触角比(AR)为1.90~2.50。眼部具末端变宽的背中延伸,最窄处宽度与3~4个小眼相等。内、外顶鬃及后眶鬃单列。胸部大部分浅棕到深棕色;通常存在色斑。前胸背板发达;凸出于胸部之外,有5~8根前胸背板鬃。中鬃很多,双列,从盾片瘤处分开,终止于小盾片区域;背中鬃双列,在前小盾片区不整齐;翅上鬃很多,多列;前前侧片鬃存在。盾片瘤明显,中胸背疣不明显。翅膜区覆盖浓密的被毛,有或无色斑。前缘脉稍微超过R_{4+5}脉,终止于M_{1+2}脉上方或前方;R_{2+3}脉明显;MCu脉与FCu脉很接近。臀角正常,圆形。腿节端部通常没有或偶尔具有色斑带。前足和后足跗节有大毛,中足并没有。胫距延伸,主齿长为胫距长的1/3~1/2,有8~11个侧齿;胫距表明光滑。后足存在胫栉,通常有8~11根。中足第3跗节端部有1簇大刚毛,约为5~7根。爪细长,末端尖,基部有刺。爪垫不明显或缺失。前足比约为0.80。浅黄色带有棕色或深棕色色斑,第1背板通常为浅黄色,第8背板没有侧刚毛。第9背板后缘中部凹陷,两侧有小突,小突多毛。肛尖宽,圆锥形。抱器基节长为宽的1.50倍,内侧中部凹陷,外侧有5~10个大刚毛。中附器很发达,长约为抱器端节的2/3,侧面有小毛。抱器端节很大,基部很宽,弯曲明显或中部弯曲呈90°,端部1/3处变尖;抱器端棘很长。阳茎内突明显;到达肛尖处,且末端膨大。

分布:古北区,新北区,东洋区,非洲区。世界已知48种,中国记录10种,秦岭地区有1种。

(7)间断壳粗腹摇蚊 *Conchapelopia triannulata* (Goetghebuer, 1921)(图 89)

Tanypus triannulata Goetghebuer, 1921: 69.
Conchapelopia triannulata: Michiels & Spies, 2002: 263.

鉴别特征:体长 3.12 ~ 4.73mm。头棕色;胸部几乎全为棕色,有一些色斑;腹部第 1 背板黄色,第 2 到第 6 背板各有 1 个条状色斑,色斑中间间断,第 7 到第 8 背板棕色,生殖节黄色;足为棕色;翅无色斑。第 9 背板内凹。肛尖圆锥形。抱器基节长 125 ~ 173μm,圆柱形;抱器端节长 145 ~ 188μm。抱器端棘长 15 ~ 20μm。此种腹部第 2 到第 6 背板各有 1 个中间间断的条状色斑;中附器二分叉,主枝具齿状侧齿,各侧齿长度相等,且几乎与侧枝等长。

采集记录:1♂,留坝庙台子,1994. Ⅷ.02,卜文俊灯诱。

分布:陕西(留坝)、福建、海南、贵州;德国,比利时,奥地利。

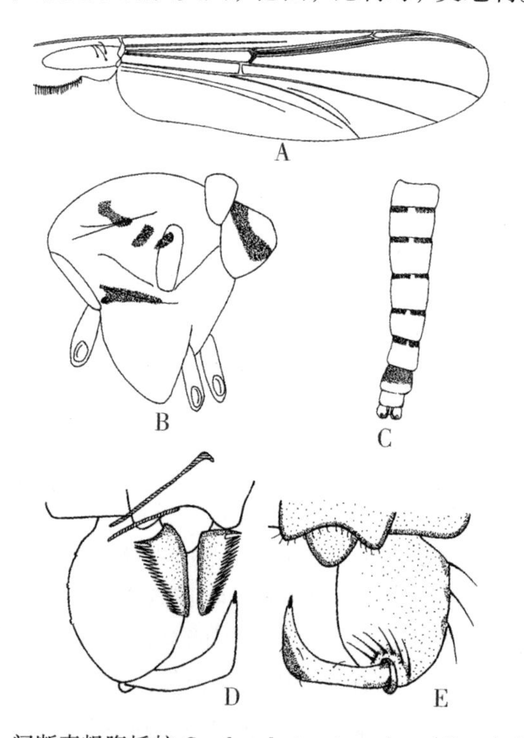

图 89 间断壳粗腹摇蚊 *Conchapelopia triannulata* (Goetghebuer)

A. 翅(wing); B. 胸部(thorax); C. 腹部(abdomen); D. 生殖节腹面观(hypopygium, ventral view); E. 生殖节背面观(hypopygium, dorsal view)

5. 大粗腹摇蚊属 *Macropelopia* Thienemann, 1916

Macropelopia Thienemann, 1916: 497. **Type species**: *Isoplastus bimaculatus* Kieffer, 1909 [= *Tanypus nebulosus* Meigen 1804].

属征:体大到特大型，翅长最长5.50mm。触角柄节和鞭节均为棕色。末鞭节长是宽的4倍，基部非平截，圆柱形，端部1/3逐渐变尖。触角比为1.50～2.50。头部棕色到深棕色。复眼不具虹彩，有较宽的背中延伸。内、外顶鬃以及后眶鬃多列。胸部大部分棕色到深棕色；有深色色斑。前胸背板发达，凸出于胸部之外，有15～30根前胸背板鬃。中鬃双列，在前小盾片区域多列；背中鬃和翅前棕很多，多列。前前侧片鬃，上前侧片鬃和后背板鬃存在。盾片瘤和中胸背疣存在且明显。翅膜区覆盖浓密的被毛，多数有翅斑。RM脉深色；前缘脉超过 R_{4+5} 脉很多，到达翅的顶端；FCu脉位于MCu脉前端；臀角很发达。前足和后足存在微弱的跗节大毛。胫距细长，刺状，主齿长为胫距长的1/3，有15～20个侧齿。胫距表面有许多小毛。前足和后足存在胫栉。爪细长，末端尖，背面基部1/2处有小刺。爪垫很小；前足比为0.65～0.80。第9背板后缘多毛，毛序不规则。肛尖宽，圆锥形。抱器基节细长，稍微内凹，呈圆柱形，长是宽的2.50倍，背面有许多短毛；下附器有货物。抱器端节粗壮，长为抱器基节的1/2，基部较宽，端部1/3处变窄。阳茎内突短，但是明显。

分布:古北区，新北区，东洋区和非洲区。世界已知17种，中国记录6种，秦岭地区有1种。

(8)代大粗腹摇蚊 *Macropelopia decedens* (Walker, 1848)(图90)

Tanypus decedens Walker, 1848: 22.

Macropelopia decedens: Roback, 1966: 119.

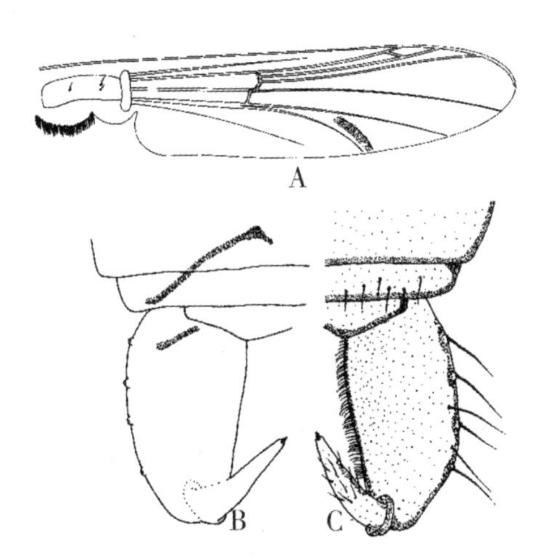

图90　代大粗腹摇蚊 *Macropelopia decedens* (Walker)

A. 翅(wing); B. 生殖节腹面观(hypopygium, ventral view); C. 生殖节背面观(hypopygium, dorsal view)

鉴别特征:体长4.80mm。体色全棕；翅具色斑，位于Cu脉末端。第9背板直，后缘有12根刚毛。肛尖圆锥形。抱器基节长230μm；抱器端节长116μm。抱器端棘长8μm。无下附器。此种可以由无下附器和体色全棕等特征与属内其他种区分。

采集记录:1♂，凤县秦岭，1994. Ⅶ. 30，扫网，纪炳纯采。

分布:陕西(凤县)；美国，加拿大。

6. 那塔摇蚊属 *Natarsia* Fittkau, 1962

Natarsia Fittkau, 1962: 151. **Type species**: *Chironomus punctate* Fabricius, 1805.

属征: 体中型，翅长2.70～3.50mm。触角柄节和鞭节均为棕色。末鞭节长是宽的3倍，基部非平截，端部1/3处突然变尖。触角比为1.70～2.00。棕色或深棕色；复眼不具虹彩，背中延伸较宽。内、外顶鬃及后眶鬃单列。胸部大部分棕色到深棕色；色斑不明显。前胸背板很发达，分离于盾片之上，有4～15根前胸背板鬃。中鬃很长，前端双列，后方多列；背中鬃和翅前鬃很长，数量多，多列。前前侧片鬃，上前侧片鬃和后背板鬃存在。盾片瘤和中胸背疣缺失。翅膜区覆盖浓密的被毛，多数有翅斑。RM脉脉深色且清晰；前缘脉超过R_{4+5}脉很多，终止在翅的顶端。R_{2+3}脉存在；FCu脉位于MCu脉之前；臀角很发达。足浅棕到深棕色。腿节端部和胫节基部有色斑环。胫距很大，稍弯曲，主齿长为胫距长的1/3，有8～9个侧齿；胫距表面有小刺，前足和后足存在胫栉。爪很小，稍弯曲，末端竹片状，基部有背刺。爪垫缺失。前足比约为0.70。第9背板后端无刚毛。肛尖很宽，圆锥形。抱器基节细长，圆柱形，长是宽的2倍，端部变细；背面有大刚毛。下附器缺失。抱器端节长是抱器端节的3/4，基部宽，端部2/3处弯曲并变窄。抱器端棘很短。阳茎内突短，但是明显；腹内生殖突末端弯曲。

分布: 古北区和东洋区。世界已知6种，中国记录2种，秦岭地区有1种。

(9) 秦岭那塔摇蚊 *Natarsia qinlingica* Cheng *et* Wang, 2006(图91)

Natarsia qinlingica Cheng *et* Wang, 2006: 63.

鉴别特征:体长3.60～4.25mm。头棕色；胸部几乎部全棕色，色斑不明显；腹部浅黄色，第2到第5背板前缘各有1个三角形色斑，第6到第8背板前缘各有1个圆形色斑，生殖节深棕色；足棕色，腿节端部有色带。翅斑位于RM脉附近。抱器基节长198～213μm；抱器端节长140～160μm，细长有略微弯曲。

采集记录:5♂，凤县，1994. Ⅶ. 30，扫网，卜文俊采。

分布:陕西(凤县)。

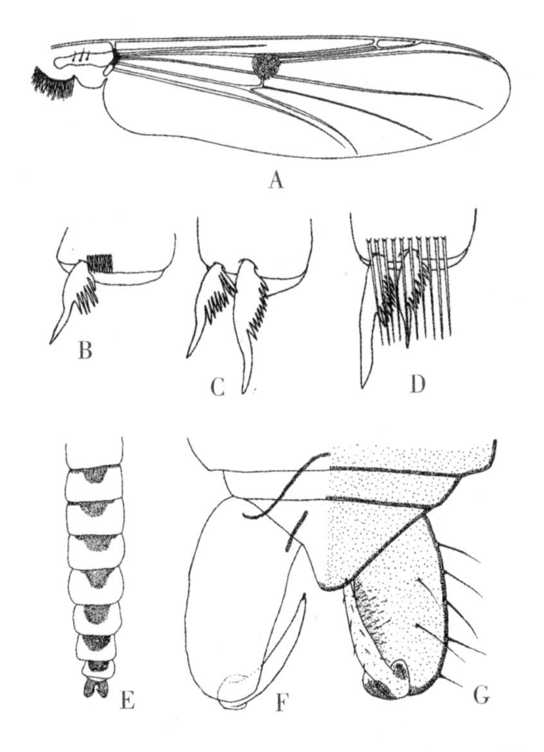

图 91　秦岭那塔摇蚊 *Natarsia qinlingica* Cheng *et* Wang

A. 翅(wing); B. 前足(fore leg); C. 中足(mid leg); D. 后足(hind leg); E. 腹部(abdomen); F. 生殖节腹面观(hypopygium, ventral view); G. 生殖节背面观(hypopygium, dorsal view)

7. 拟麦氏摇蚊属 *Paramerina* Fittkau, 1962

Paramerina Fittkau, 1962: 317. **Type species**: *Tanypus cingulata* Walker, 1856.

属征:体小到中型, 翅长 1.30 ~2.70mm。触角柄节和鞭节均为棕色。末鞭节长是宽的 3 倍, 基部非平截, 近圆锥形。触角比 1.30 ~1.60。头部棕色或深棕色; 口器和下唇须棕色或黑色。下唇须倒数第 2 节有 1 簇粗壮的大毛。背中延伸末端不膨大, 两边近平行。内、外顶鬃及后眶鬃单列。胸部大部分浅黄色到棕色; 有深色色斑。前胸背板退化, 有 1 ~4 根前胸背板鬃。中鬃双列, 后端分开, 到达前小盾片区域; 背中鬃前端双列, 后端多列; 前前侧片鬃, 上前侧片鬃和后背板鬃缺失。盾片瘤缺失; 中胸背疣存在但不明显有 6 ~8 根刚毛。翅膜区覆盖浓密的被毛, 多数无翅斑, 偶尔有浅色斑。前缘脉很短, 不超过 R_{4+5}脉, 终止在 M_{3+4}脉之前; R_{2+3}脉很弱, 与 R_1 脉接近; R_2 脉很短, R_3 脉末端很浅。MCu 脉位于 FCu 脉稍前方; RM 脉与 MCu 脉之间的距离约为 MCu 脉长的 0.50 ~1.00 倍。臀角圆钝。足浅棕色。前足胫节或跗节有时颜色稍深。中足第 4 跗节长不到第 5 跗节长的 2 倍。无跗节大毛。前足胫距末端有 1 簇 3 ~4 根的大刚毛。中足和后足的内胫距的主齿很长, 约为胫距长的 1/2, 有

2~3个侧齿；而外胫距很小，长度不到内胫距的一半，只有2个侧齿。后足胫栉很发达，有5~7根。爪细长，末端弯曲且尖，基部有刺。爪垫缺失。前足比约为0.80。腹部背板有特殊的色斑，有时有基部的宽条状色斑，有时背板为全棕色。第9背板经常无后刚毛，或最多有1~3根刚毛。肛尖小，圆锥形。抱器基节圆柱形，长为宽的2.50倍，内缘直，背面有大刚毛，内缘基部1/3处有密集的1簇短毛。下附器缺失。抱器端节细长，长至少是抱器端节得0.75倍，基部略微膨大，端部弯曲并变窄；阳茎内突长而明显；腹内生殖突末端弯曲且明显。

分布：新北区，古北区，东洋区，澳洲区。世界已知36种，中国记录8种，秦岭地区有1种。

（10）迪拟麦氏摇蚊 *Paramerina divisa*（**Walker，1856**）（图92）

Chironomus divisa Walker, 1856: 192.

Paramerina divisa: Fittkau, 1962: 332.

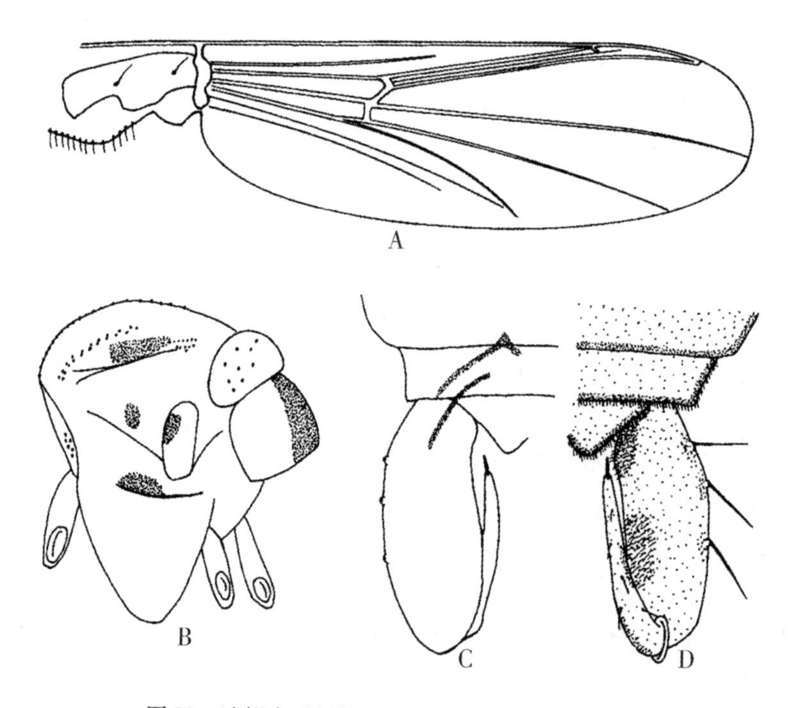

图92 迪拟麦氏摇蚊 *Paramerina divisa*（Walker）

A. 翅（wing）；B. 胸部（thorax）；C. 生殖节腹面观（hypopygium, ventral view）；D. 生殖节背面观（hypopygium, dorsal view）

鉴别特征：此种翅无色斑；胸部几乎棕色，有黑色色斑；足无色斑，可通过这些特征与属内其他种区分。体长2.50~3.05mm。头棕色；胸部几乎棕色，有黑色色斑；腹部黄色，生殖节黄色；足棕色。翅无色斑。第9背板后缘直，无刚毛。肛尖圆锥形。抱器基节长130～175μm，圆柱形；抱器端节长100～125μm。抱器端棘长10～15μm。

采集记录：♂，周至板房子，1994.Ⅷ.08，卜文俊灯诱。

分布：陕西(周至)、浙江、四川；日本，德国，英国，爱尔兰，法国，奥地利。

8. 前突摇蚊属 *Procladius* Skuse, 1889

Procladius Skuse, 1889: 283. **Type species**: *Procladius paludicola* Skuse, 1889.

属征：体小到中型，翅长1.90～3.50mm。触角柄节棕色。末鞭节长是宽的4～5倍，基部平截，圆柱形，端部1/4处逐渐变尖。触角顶毛的长度为末鞭节长度的1/3。触角比1.60～2.50。头部颜色多变。下唇须5节。复眼不具虹彩，背中延伸端部尖或两边近于平行；内、外顶鬃以及后眶鬃通常多列。胸部颜色与头部颜色相同；通常后部有浅色色斑。前胸背板退化；凸出与胸部之外，有前胸背板鬃。中鬃单列或双列，后方消失；背中鬃单列或不规则的双列。盾前鬃存在；前前侧片鬃，上前侧片鬃和后背板鬃通常缺失。盾片瘤缺失。有时存在中胸背疣。翅膜区有或无被毛，偶具翅斑。前缘脉超过R_{4+5}脉很多，到达翅的顶端；MCu脉位于FCu脉前端；R_{2+3}脉存在，并分叉；MCu脉和FCu脉之间距离与Cu_1脉等长。臀角发达。黄色，棕色或黑色。腿节端部和胫节端部有时有深色色斑环；跗节色浅。跗节大毛微弱或缺失。胫距细长，主齿长为胫距长的1/3～1/2，有3～10个侧齿，胫距表明光滑。后足存在胫栉。第1～4跗节有或无1～2个伪胫距。爪小，末端向下弯曲且尖，基部无刺。爪垫缺失。前足比为0.66～0.80。腹部通常有明显的色斑带，偶尔为单色。第9背板后缘有刚毛，单列或多列。肛尖宽，端部圆钝。抱器基节简单，长为宽的1.50倍，基部宽，端部1/2处逐渐变窄。下附器多毛，明显或不明显或缺失。抱器端节粗壮或细长，长为抱器基节的0.50倍。抱器端棘短且粗。阳茎内突和上附器明显；横腹内生殖突呈弧形。

分布：古北区，东洋区，新北区，非洲区，澳洲区和新热带区。世界已知77种，中国记录23种，秦岭地区有1种。

(11) 巴前突摇蚊 *Procladius barbatulus* Sublette, 1964(图93)

Procladius barbatulus Sublette, 1964: 121.

鉴别特征：体长3.18～4.13mm；头棕色；胸部盾片处有1个纵向条斑和2个椭圆斑，后背板和小盾片棕色，前侧片棕色；腹部第1～5背板棕色，第6～8背板深棕色，生殖节深棕色；足全为棕色；翅脉颜色很深，RM脉附近有圆斑第9背板直，后缘有

32~41 根刚毛。肛尖末端很宽，较平。抱器基节长 200~225μm，内侧边缘有很多小毛；抱器端节长 90~105μm，基部突起长 30~35μm，宽 20~25μm；抱器端棘长 16~20μm。

采集记录:1♂，凤县秦岭，1994. Ⅶ. 29，扫网，王新华采。

分布:陕西(凤县)、山东、云南、新疆；美国。

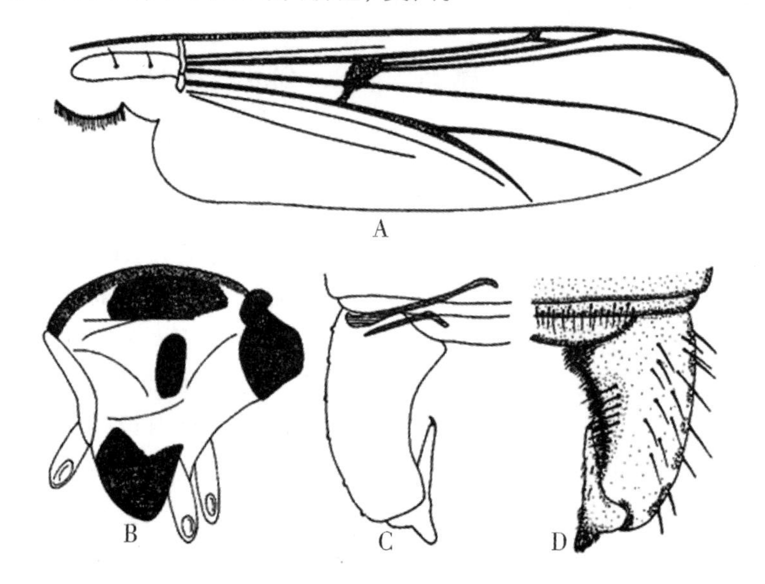

图 93 巴前突摇蚊 *Procladius barbatulus* Sublette

A. 翅(wing)；B. 生殖节腹面观(hypopygium, ventral view)；C. 生殖节背面观(hypopygium, dorsal view)

9. 流粗腹摇蚊属 *Rheopelopia* Fittkau, 1962

Rheopelopia Fittkau, 1962: 209. **Type species**: *Tanypus ornatus* Meigen, 1838.

属征:体中型，翅长约为 3.00mm。触角柄节黄色。末鞭节长是宽的 3 倍，基部非平截，端部逐渐变尖。触角比为 1.50~2.00。头部色浅。眼部有很窄的背中延伸，最窄处的宽度与 3~4 个小眼相等。内、外顶鬃单列或双列；后眶鬃单列。胸部黄色，有棕色色斑。前胸背板有感觉器官和 4~8 根前胸背板鬃。中鬃多数单列，后部双列；背中鬃单列，后端不规则的单列或双列。有或无前前侧片鬃。中胸背疣明显。翅膜区覆盖浓密的被毛，通常有翅斑。前缘脉超过 R_{4+5}脉；终止在 M_{1+2}脉处。R_{2+3}脉发达；R_3 脉末端位于 R_1 脉和 R_{4+5}脉之间。臀角圆钝。足色浅，腿节端部有明显的色斑带；胫节基部偶尔有色斑带。胫距有 6~9 个侧齿，主齿长为胫距长 1/2。中足第 3 跗节有刚毛刷；后足胫栉有 8~10 根；爪弯曲或者不弯曲，末端尖；爪垫存在或缺失。腹部第 1 背板色浅，第 2 到第 6 背板基部有色斑带，第 7 到第 8 背板几乎全棕。第 9 背板后端内凹，有不规则的刚毛，约 14~20 根。肛尖宽，圆锥形。抱器基节圆柱形，长是宽的2倍；内缘凹陷，外缘基部无大毛，端部有20～30根刚毛。中附器宽，多毛，卵形或方形，偶尔有指状侧突。抱器端节外缘偶尔膨大，弯曲呈90°，由基部到端部逐渐变尖。阳茎内突不分叉；横腹内生殖突端部尖。

分布：古北区，新北区，东洋区。世界已知12种，中国记录12种，秦岭地区有1种。

(12)欧流粗腹摇蚊 *Rheopelopia ornata* (Meigen, 1838)(图94)

Tanypus ornatus Meigen, 1838: 31.

Rheopelopia ornata: Fittkau, 1962: 221.

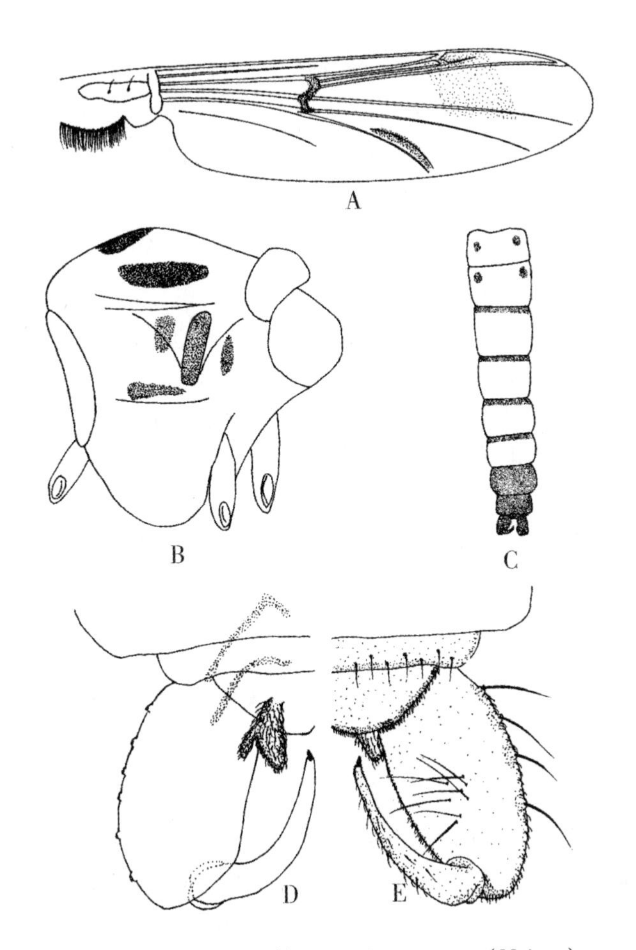

图94　欧流粗腹摇蚊 *Rheopelopia ornata* (Meigen)

A. 翅(wing); B. 胸部(thorax); C. 腹部(abdomen); D. 生殖节腹面观(hypopygium, ventral view); E. 生殖节背面观(hypopygium, dorsal view)

鉴别特征：体长2.88～4.70mm。头棕色；胸部具多处色斑；腹部第1到第2背板各有2个小圆斑，第3到第6背板各有1个窄的带状色斑，第7到第8背板棕色，生殖节棕色；足为棕色；翅具色斑。第9背板直，后缘有10~20，14根刚毛。肛尖宽而圆。抱器基节长160~210μm；抱器端节长130~170μm。抱器端棘长20~30μm。中附器具侧叶。

采集记录：1♂，凤县秦岭，1994.Ⅶ.26，灯诱，纪炳纯采。

分布：陕西（凤县）、天津、浙江、重庆、四川、云南；日本，欧洲。

10. 三叉粗腹摇蚊属 *Trissopelopia* Kieffer, 1923

Trissopelopia Kieffer, 1923: 178. **Type species**: *Trissopelopia flavida* Kieffer, 1923.

属征：体中到大型，翅长3.00~4.00mm。触角比1.90~2.00。头部复眼无毛；内、外顶鬃和后眶鬃排成1列，下唇须第2节末端有1簇粗的深色刚毛。也有第2和第3节均有粗刚毛者。胸部底色黄到棕色，有深的色斑带，前胸背板鬃3~9根，中鬃成两列顺序排列于色带之间，到达盾片前区域并与背中鬃合并。背中鬃排成1列，盾片瘤退化，中胸背疣存在。翅膜区棕色，覆盖浓密的被毛。翅长3.20~4.00mm。C脉稍超出R_{4+5}脉，R_{2+3}脉存在，R_3脉没有到达C脉，MCu位于FCu前，臀角比较发达。腋瓣具多数缘毛。足褐色，胫距梳状，主齿稍粗壮，与侧齿的长度相等或稍长于侧齿。侧齿3~14个。后足胫距不明显或退化。爪垫大。前足比0.59~0.71。腹部具条形或球形等不同的色斑带。第9背板裸露，没有成排的刚毛。肛尖很宽圆锥形。抱器基节粗大。前端内缘有1片短刚毛区，背面和后部有长且粗的刚毛。下附器退化。抱器端节细长，略有弯曲，基部宽。抱器端棘小。阳茎内突长，色淡但明显。横腹内生殖突尖呈三角形。

分布：古北区，东洋区，新北区和非洲区。世界已知7种，中国记录2种，秦岭地区有1种。

（13）柳毛三叉粗腹摇蚊 *Trissopelopia lanceolata* Cheng *et* Wang, 2005（图95）

Trissopelopia lanceolata Cheng *et* Wang, 2005: 19.

鉴别特征：体长4.15~4.35mm。头棕色；胸部棕色，色斑；腹部第1背板浅黄，第2到第5背板基部各有1个宽条纹，第6到第8背板几乎全部为棕色，生殖节黄色；前足深棕色，中后足棕色；翅无色斑。第9背板后缘无刚毛。肛尖宽短。阳茎内突长60~63μm。抱器基节长175~180μm；抱器端节长110~115μm。

采集记录：1♂，宁陕火地塘，1994.Ⅷ.14，纪炳纯扫网。

分布：陕西（宁陕）、四川。

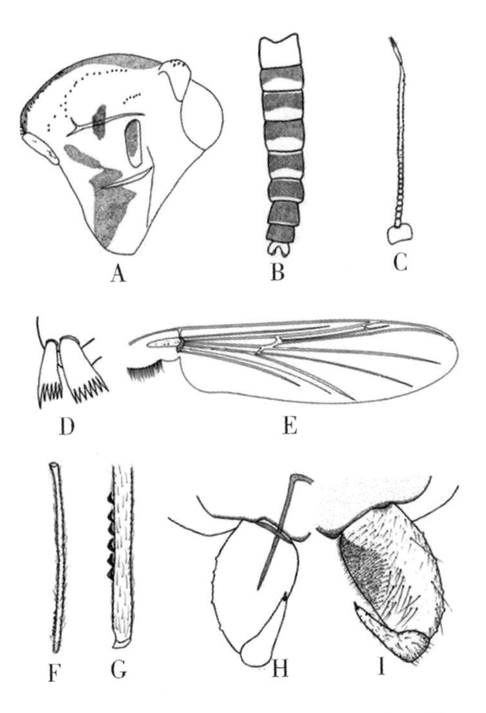

图 95　柳毛三叉粗腹摇蚊 *Trissopelopia lanceolata* Cheng *et* Wang

A. 胸部(thorax); B. 腹部(abdomen); C. 触角(antenna); D. 后足胫节(ti of hind leg); E. 翅(wing); F. 前足第1跗节(ta1 of fore leg) G. 叶状感觉毛(setae in leg); H. 生殖节腹面观(hypopygium, ventral view); I. 生殖节背面观(hypopygium, dorsal view)

(三)直突摇蚊亚科 Orthocladiinae

分属检索表

1. R_1 和 R_{4+5}脉短、粗，并与前缘脉融合成棒状结节，终止于翅的中部之前 …………………………………………………………………………………… **提尼曼摇蚊属 *Thienemanniella***
 R_1 和 R_{4+5}脉细、长，与前缘脉在翅中部之后分离 …………………………………… 2
2. 眼具毛(即眼毛超出小眼面) ……………………………………………………………… 3
 眼无毛或具细毛(即眼毛不超出小眼面) …………………………………………………… 7
3. 背中鬃弯，常着生在盾片的浅色区域 ……………………………… **环足摇蚊属 *Cricotopus***
 背中鬃直立，很少着生在盾片浅色区 ……………………………………………………… 4
4. 前胸背板密被刚毛；具中上前侧鬃和上前侧鬃 ……………………… **毛胸摇蚊属 *Heleniella***
 前胸背板仅具少数侧鬃；上前侧鬃上前侧鬃常缺失 ……………………………………… 5
5. 肛尖缺失 …………………………………………………………… **拟毛突摇蚊属 *Paratrichocladius***
 具肛尖 ………………………………………………………………………………………… 6
6. 触角具 1 根粗壮的亚端刚毛 ………………………………………… **施密摇蚊属 *Smittia***

触角无粗壮的亚端刚毛 ………………………………………… **趋流摇蚊属 *Rheocricotopus***

7. 翅膜区具毛，至少翅端区具毛 ……………………………………………………………… 8

翅膜区光裸无毛 ……………………………………………………………………………… 11

8. 抱器端节二分叉，抱器端棘非常长 ……………………………………… **布摇蚊属 *Brillia***

抱器端节不分叉，抱器端棘较短 ……………………………………………………………… 9

9. R_{4+5}和前缘脉的终点未达到 M_{3+4}终端处 ……………………… **拟矩摇蚊属 *Paraphaenocladius***

R_{4+5}和前缘脉的终点超过或与 M_{3+4}终端相对 ……………… **拟中足摇蚊属 *Parametriocnemus***

10. 第 2 后侧片、中胸上第 2 前侧片后缘、通常前前侧片及前胸背板背部均生有刚毛；部分肩鬃和或前小盾鬃披针形 ………………………………………………………… **沼摇蚊属 *Limnophyes***

胸部上述各部通常光裸无毛；盾片上不具披针形刚毛 ………………………………………… 11

11. 腋瓣至少有 1 根刚毛 ………………………………………………………………………… 12

腋瓣裸露 ………………………………………………………………………………………… 15

12. 爪垫宽垫状或梳状，至少为爪长的 1/2 ……………………… **伪直突摇蚊属 *Pseudorthocladius***

爪垫缺失、退化或很小，不足爪长的 1/2 ………………………………………………… 13

13. 后足胫栉缺失或退化为刺状刚毛 ……………………………… **苔摇蚊属 *Bryophaenocladius***

后足胫栉正常发育 ……………………………………………………………………………… 14

14. 第 9 背板具骨化的纵脊，无肛尖 ……………………………………… **肛脊摇蚊属 *Mesosmittia***

第 9 背板上无纵脊 ……………………………………………………… **心突摇蚊属 *Cardiocladius***

15. 爪垫缺失或退化。肛尖缺失或存在，肛尖存在时不从第 9 背板后缘伸出 ……………………
……………………………………………………………………… **伪施密摇蚊属 *Pseudosmittia***

爪垫明显;肛尖存在，从第 9 背板后缘伸出 ……………………… **叶角摇蚊属 *Camptocladius***

11. 布摇蚊属 *Brillia* Kieffer, 1913

Brillia Kieffer, 1913: 34. **Type species**: *Metriocnemus bifidus* Kieffer, 1909.

属征:中等大小，翅长可达 3.30mm。触角 13 鞭节，环毛发达，第 1 ~ 5 和 13 鞭节具毛型感器，触角沟始自第 3 鞭节；顶部具亚端毛；触角比为 0.26 ~ 2.80。复眼裸，或在复眼内缘小眼间具极少微毛，向背中部内突呈肾形弯曲；内顶鬃在近额缝处多列分布；下唇须长，第 3 节有或无钟形感器。前胸分两叶；背侧区具前胸背板鬃；盾片前缘不伸向或一般伸向前胸背板，无盾瘤；无中鬃，背中鬃单列至多列分布；具 1 根翅前鬃；小盾片棕呈多列分布。翅间质具大毛和明显刻点，具强刻点；臀角不显著，倾斜；C 脉末端超过 R_{4+5}长度约为 1/3 RM 脉的长度；R_{2+3}脉与 R_1 脉平行延伸，末端接近 R_1 脉(在日本布摇蚊中缺失或非常模糊)；R_{4+5}脉远离 M_{3+4}脉；RM 脉长，略弯曲；FCu 脉与 RM 脉相反；Cu_1 直或在末端稍下倾；除 R_{2+3}脉外，所有翅脉均具毛；腋瓣具完全缘缨。后足具胫栉，外侧胫距至少为内侧胫距的 2/3，具胫栉；无伪胫距；后足第 1 跗节具毛型感器；爪垫缺失；爪尖翘起。无肛尖；无阳茎刺突；横腹内生殖突细，两侧骨化突不明显至极为发达；抱器基节通常较细长，两边平行，或较短宽，近卵圆型；上附器发达，窄且长；下附器附着于抱器基节，末端略弯；抱器端节分为两叶，无端棘或片状刚毛，但外端叶具数根至十数根小刚毛。

分布：古北区，新北区，东洋区。世界记录16种，中国分布7种，秦岭地区有1种。

(14)日本布摇蚊 *Brillia japonica* Tokunaga, 1939(图96)

Brillia japonica Tokunaga, 1939: 306.

鉴别特征：触角比为0.60～1.00；腹部黄色，第2～5腹节1/3～2/3棕色，第6～8腹节几乎全为棕色或深棕色。第9背板具刚毛30～54根，呈明显左右两簇，中间有明显网纹；背板侧刚毛7～13根；横腹内生殖突长75～113μm，中央平或略呈拱形，两侧骨化突不明显；阳茎内突长70～100μm；抱器基节长210～250μm，上附器发达、伸长，中部略宽于基部和端部；下附器退化，仅在抱器基节下端内侧突起并具数排刚毛；抱器端节分叉，外叶长133～178μm，具6～10根微刺，无端棘。

采集记录：3♂，周至板房子，1994.Ⅷ.09，卜文俊扫网；1♂，凤县，1994.Ⅶ.30，卜文俊扫网。

分布：陕西(周至、凤县)、山西、山东、河南、湖北、福建、广西、四川；韩国，日本。

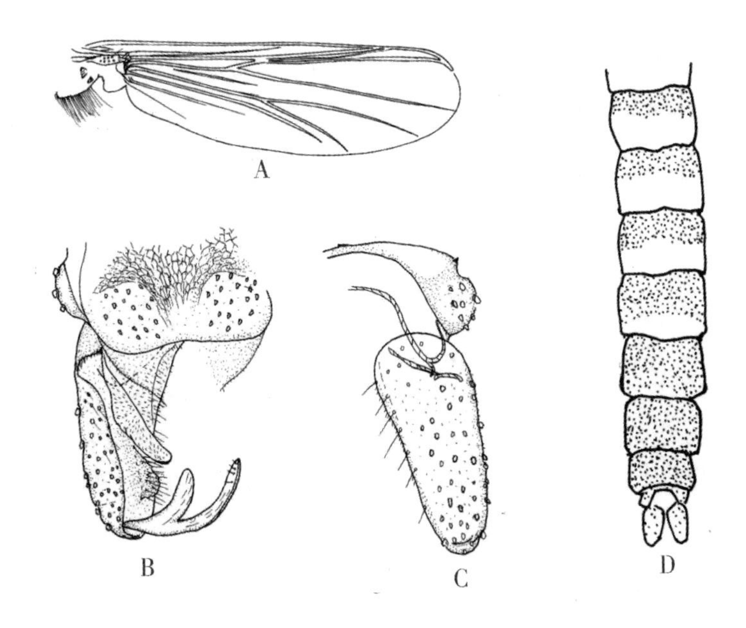

图96　日本布摇蚊 *Brillia japonica* Tokunaga

A. 翅(wing)；B. 生殖节背面观(hypopygium, dorsal view)；C. 生殖节腹面观(hypopygium, ventral view)；D. 腹部体色(abdomen)

12. 苔摇蚊属 *Bryophaenocladius* Thienemann, 1934

Bryophaenocladius Thienemann, 1934: 29. **Type species**: *Orthocladius muscicola* Kieffer, 1906.
Kuroyonyusurika Sasa, 1996: 317. **Type species**: *Tsudayusurika fudosecunda* Sasa, 1985.
Omuracladius Sasa *et* Suzuki, 1997: 315. **Type species**: *Bryophaenocladius saanae* Tuiskunen, 1986.

属征: 小至中等体型，翅长可达3mm。体色黄色至黑色。触角鞭节13节。触角比多数高于1，少数小于1或大于2。食窦泵相当短小，两侧平行，具短小的咽骨角。下唇须第3节多数无指状突和感觉棒。背中鬃粗大，单列至多列；前胸背板多数具鬃。中鬃强壮，匍匐，开始于靠近前胸背板的地方，通常双列，只在 *B. psilacrus* 中缺失；翅前鬃单列或双列，通常延伸至中上前侧片前面或水平；小盾鬃单列。膜上无鬃，多数在100倍的放大倍率下可轻易地观察到中等粗的刻点，少数在100倍的放大倍率下看不到。臀角不突出至突出，有时退化，前缘脉延长短至长；R_{2+3}末端位于R_1和R_{4+5}脉之间，Cu_1轻微弯曲；R和R_1总是具鬃，多数雌性的R_{4+5}脉具鬃；其他脉裸，腋瓣裸或具鬃。胫距非常发达，具非常发达但不分叉的侧齿；前足胫距最少是胫节端部宽的1.50倍；后足胫栉非常发达或缺失；中足少数具零散的胫栉。跗节伪胫距有时存在；爪垫退化或缺失。肛尖突出，透明，半圆形至近三角形，个别种类几乎无。腹内生殖突常凸形，有时具明显的开口处突起。阳茎内突强壮。阳茎刺突有时存在，由一些刺组成。下附器相当多样，有时具前面和后面2个叶。抱器端节通常明显宽大，抱器端棘强壮，亚端背脊通常缺失，少数存在。

分布: 古北区，新北区，新热带界，非洲区，东洋区。世界已知119种，中国记录38种，秦岭地区有3种。

分种检索表

1. 亚端背脊化 ………………………………………………………………………… 2
   亚端背脊突出 …………………………………… **拟裸须苔摇蚊 *B. parimberbus***
2. 肛尖短小，下附器小突状 ………………………………… **楔铗苔摇蚊 *B. cuneiformis***
   肛尖较长，下附器球形 …………………………………………… **黄苔摇蚊 *B. ictericus***

(15) 楔铗苔摇蚊 *Bryophaenocladius cuneiformis* Armitage, 1987 (图97)

Bryophaenocladius cuneiformis Armitage, 1987: 33.

鉴别特征: 体长1.78~3.43mm。体呈棕色。肛尖长20~38μm，宽18~38μm，长宽比为0.56~1.56。第9背板具8~13根鬃。肛节侧片具5~17根鬃。阳茎内突长80~117μm。横腹内生殖突长68~117μm。抱器基节长169~239μm。下附器小突状，具鬃。抱器端节长 86 ~ 117μm；抱器端棘长 8 ~ 16μm。阳茎刺突长43 ~ 58μm。

采集记录：2♂，周至板房子，1994. Ⅷ. 09，纪炳纯采；2♂，凤县秦岭，1994. Ⅶ. 27，纪炳纯采；1♂，宁陕旬阳坝，1994. Ⅷ. 17，纪炳纯采；5♂，宁陕火地唐，1994. Ⅷ. 13，卜文俊采。

分布：陕西（周至、凤县、宁陕）、河北、河南、甘肃、青海、浙江、福建、四川、云南、西藏；西班牙，缅甸。

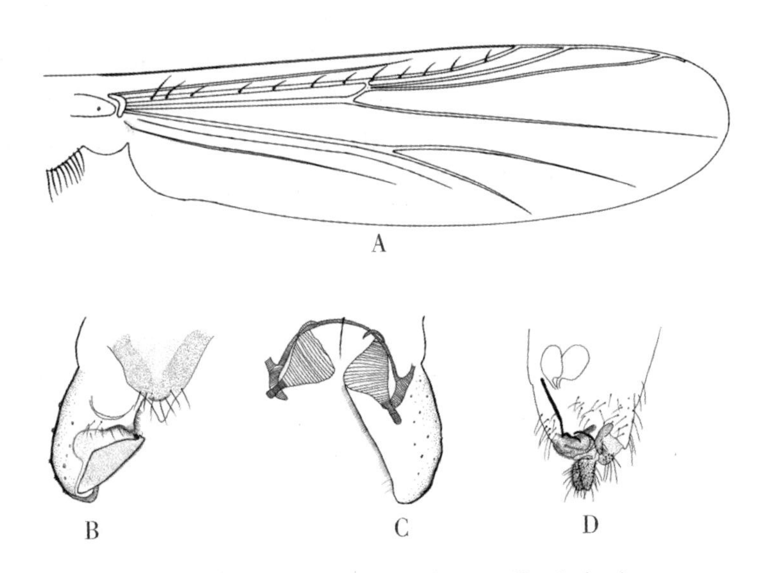

图 97　楔铗苔摇蚊 *Bryophaenocladius cuneiformis* Armitage

A. 翅（wing）；B. 雄性生殖节背面观（hypopygium，dorsal view）；C. 雄性生殖节腹面观（hypopygium，ventral view）；D. 雌性生殖节（hypopygium of female）

（16）黄苔摇蚊 *Bryophaenocladius ictericus*（Meigen，1830）

Chironomus ictericus Meigen，1830：253.

Bryophaenocladius ictericus：Ashe & Cranston，1990：161.

鉴别特征：体长 2.29 ~ 3.36mm。体深褐色。肛尖瘦长，长 31 ~ 72μm，宽 11 ~ 30μm，长与宽比为 2.00 ~ 3.80。第 9 背板具 10 ~ 14 根鬃。肛节侧片具 4 ~ 12 根鬃。阳茎内突长 92 ~ 121μm。横腹内生殖突长 77 ~ 118μm。抱器基节长 189 ~ 230μm。下附器球状，具鬃。抱器端节长 84 ~ 110μm；亚端背脊退化；抱器端棘长 7 ~ 14μm。阳茎刺突存在。

采集记录：1♂，凤县，1994. Ⅶ. 28，纪炳纯采。

分布：陕西（凤县）、河北、河南、宁夏、四川；奥地利，比利时，德国，英国，瑞典，瑞士。

(17)拟裸须苔摇蚊 *Bryophaenocladius parimberbus* Wang *et* Du, 2010

Bryophaenocladius parimberbus Wang *et* Du, 2010: 750.

鉴别特征:体长3.02~3.13mm。体黑褐色。胸部和腹部具带。肛尖瘦长，长为33~50μm，宽为10~18μm。第9背板具6~17根鬃。肛节侧片具4~7根鬃。阳茎内突长64~78μm。横腹内生殖突长74~95μm。抱器基节长200~221μm。下附器非常小。抱器端节强烈弯曲，长95~107μm；亚端背脊存在；抱器端棘长10~13μm。阳茎刺突长25~38μm。

采集记录:2♂，凤县，1994.Ⅶ.19，纪炳纯采。

分布:陕西(凤县)、河南。

13. 叶角摇蚊属 *Camptocladius* Wulp, 1874

Camptocladius Wulp, 1874: 159. **Type species:** *Tipula byssina* Schrank, 1803 [= *Tipula stercorarius* de Geer, 1776].

属征:小型种，翅长约2mm。触角13鞭节，毛形感器位于触角的第2、3鞭节和最末鞭节。触角比(AR)约为1。复眼裸露，复眼不具有背部延伸，具有内顶鬃2~4根，下唇须第2~3节末端具有感器。前胸背板完好，背中部无缺刻在裂缝处稍有分离。中鬃缺失，具少量单列背中鬃和翅前鬃。小盾片上具有单列的小盾片鬃。翅膜区无毛，刻点完好。臀角圆。前缘脉略有延伸；R_{2+3}脉终止于R_1脉和R_{4+5}脉中间；R_{4+5}脉止于M_{3+4}脉的背部末端；FCu脉远离RM脉，Cu_1脉弯曲强烈，An止于FCu脉。腋瓣无缘毛。足具伪胫距和小的爪垫，后足具毛形感器。肛尖完好，基部宽，顶端圆钝，表面具较多的小刚毛。阳茎内突延长具阳茎叶，并且横腹生殖内突具角状突起；阳茎刺突缺失；上附器圆，广布刚毛；下附器成双，背叶裸露，指状，腹叶小，多毛；抱器基节直，中部宽，顶端窄，无亚端背脊。

分布:古北区，新北区，澳洲区。世界已知1种，中国记录1种，秦岭地区有分布。

(18)污叶角摇蚊 *Camptocladius stercorarius* (de Geer, 1776)(图98)

Smittia (*Camptocladius*) *stercorarius* de Geer, 1776: 388.

Camptocladius stercorarius: Wang, 2000: 634.

鉴别特征:体长2.23~2.89mm。肛尖宽大，顶端圆钝，表面着生小刚毛；下附器光滑指状。胸部、头部、触角、足、腹部褐色，翅近似透明。第9肛节侧片有3~4根毛。肛尖长45～48μm，宽33～50mm。阳茎内突长93～108mm，横腹内生殖突长65～75μm，轻微角状突起。抱器基节长180～200μm，下附器光滑指状。抱器端节长88～100μm，亚端背脊位于抱器端节末端。抱器端棘长5～8μm。

采集记录:31♂，凤县秦岭，1994.Ⅶ.28，纪炳纯采。

分布:陕西(凤县)、吉林、河北、新疆、西藏；欧洲，澳洲，北美洲。

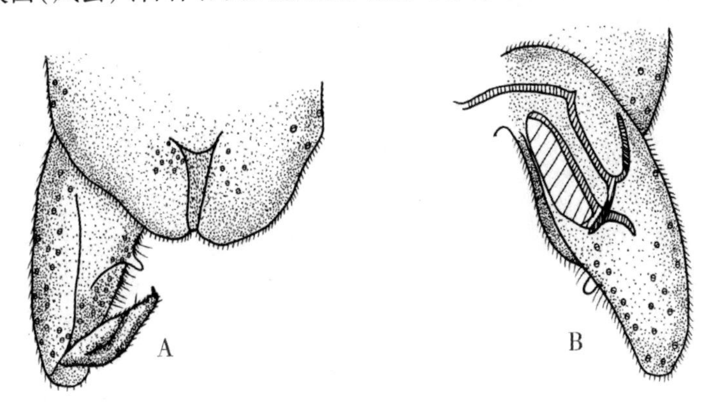

图98　污叶角摇蚊 *Camptocladius stercorarius*（de Geer）
A，B. 生殖节(hypopygium)

14. 心突摇蚊属 *Cardiocladius* Kieffer，1912

Cardiocladius Kieffer，1912：22. **Type species**：*Cardiocladius ceylanicus* Kieffer，1912.

属征:心突摇蚊属于中型摇蚊，翅长1.60～3.0mm。触角13鞭节，毛形杆器缺失或很弱，位于末鞭节；触角比0.75～1.44。复眼无毛，具较弱的背中突；具单列或双列的内顶鬃、外顶鬃和眶后鬃；额瘤通常存在；下唇须第3节膨大。前胸背板具粗壮侧缘毛，中鬃退化，背中鬃和翅前鬃单列或多列根，小盾鬃多列。翅面光裸无毛，具刻点；臀角强烈突出；无翅脉延伸；R_{2+3}脉终止于R_1脉和R_{4+5}脉中点处，端部逐渐消失；R_{4+5}脉终止于M_{3+4}脉远端；R脉具小刚毛，R_1脉具或无小刚毛，R_{4+5}脉无小刚毛；腋瓣具刚毛若干，通常多列。前足具1根长胫距，无侧棘；中足具1内1外2根短胫距，偶尔外胫距退化，具侧棘；后足常具1长1短2根胫距，偶尔短胫距退化，胫距具侧棘，除胫距外还有1个9～13根棘刺的胫栉；中、后足第1～3跗节各具1对伪距；毛形杆器后足第一跗节；第4跗节心形且短于第5跗节；爪垫退化。第9背板通常具粗壮刚毛若干；无肛尖和阳茎刺突；下附器变卵圆形或不规则形状，通常端部稍弯，表面粗糙，被覆刚毛；抱器端节常具1根亚端背脊。

分布:世界广布。世界记录19个种，中国已知2种，秦岭地区有1种。

(19)暗褐心突摇蚊 *Cardiocladius fuscus* Kieffer, 1924(图 99)

Cardiocladius fuscus Kieffer, 1924: 72.

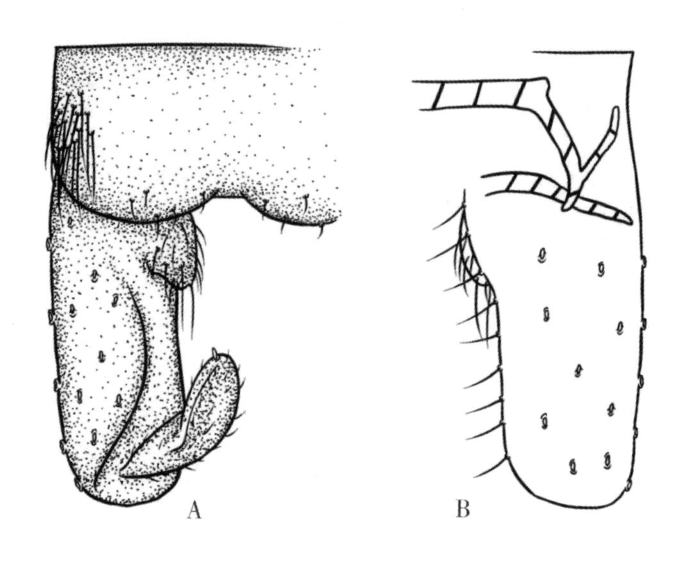

图 99 暗褐心突摇蚊 *Cardiocladius fuscus* Kieffer, 1924

A. 雄性生殖节背面观(hypopygium dorsal view); B. 雄性生殖节腹面观(hypopygium Ventral view)

鉴别特征:体长 3.68 ~3.73mm。第 9 背板着生 8 ~20, 14 根粗壮刚毛; 阳茎内生殖突长 75 ~83μm, 横幅内生殖突长 95 ~118μm, 形状平直, 具有一堆骨化突起。抱器基节长 300 ~380μm, 抱器端节长 145 ~195μm, 端部 1/2 处生有 1 条发达亚端背脊; 下附器形状不规则, 表面粗糙, 被覆许多长刚毛; 抱器端棘长 5 ~7μm。

采集记录:2♂, 周至板房子, 1450m, 1994. Ⅷ. 09, 卜文俊灯诱。

分布:陕西(周至)、甘肃、青海、福建; 俄罗斯(远东), 日本, 韩国, 土耳其, 黎巴嫩, 叙利亚, 欧洲, 北部非洲。

15. 环足摇蚊属 *Cricotopus* Wulp, 1874

Cricotopus Wulp, 1874: 159. **Type species**: *Chironomus tibialis* Meigen, 1804.

属征:体型不等, 小型至大型, 翅长至 4mm。足和背板通常有色斑间隔及明亮颜色的色环。触角 13 鞭节, 极少具有 6、8 或 10 鞭节, 环毛发达, 毛形感器位于触角的第2 ~3鞭节及 13 鞭节或者都位于第 1 鞭节(鞭节数量急剧减少)。触角末端不具末端毛, 触角比(AR)为 0.30 ~2.10, 通常 1.00 ~2.00。复眼多毛, 复眼具或不具有背部延伸, 颞毛单列或多列, 内顶鬃存在或缺失或者内顶鬃、外顶鬃分离, 额瘤极少存在，幕骨宽为基部的1/2。前胸背板侧叶完好，背中部有“V”形缺刻并且分离，前胸背板鬃存在或缺失。中鬃发生于前胸背板；背中鬃弯曲，常多列，翅前鬃单列至多列，翅上鬃存在或缺失，小盾片鬃常多列。后背板，后上前侧片，前前侧片偶尔具刚毛。翅膜区无毛，常具有的刻点，臀角完好较圆。前缘脉略有延伸；R_{2+3}脉终止于R_1脉和R_{4+5}脉中间或接近于R_1脉；R_{4+5}脉止于M_{3+4}脉的背部末端；FCu脉远离RM脉，Cu_1脉直或略微弯曲，极少具刚毛，R_1脉有毛或者无毛，R_{4+5}脉无毛。腋瓣具有缘毛。多数种足具色环，中足、后足极少具1根胫距，伪胫距缺失，毛形感器在中、后足第一遍存在或缺失于后足第1跗节，爪垫小、缺失。肛尖常缺失，如果存在非常小、尖，很少超出第9背板，常具刚毛，但是偶尔裸露。阳茎刺突缺失或存在(伪环足亚属)。上附器常存在，当存在时，常分化，扁平、圆状或驼峰状。下附器存在，形态多样，简单、叶状或被腹叶成对。抱器端节简化，亚端背脊狭窄并在顶端具有刚毛1~4根，抱器端棘存在或缺失。

分布：世界广布。世界记录222种，中国已知18种，秦岭地区分布5种。

分种检索表

1. 腹部背板具色带 …… 2
   腹部背板无色带 …… **蒙塔努斯环足摇蚊 *C. montanus***
2. 具下附器 …… 3
   无下附器 …… **三束环足摇蚊 *C. trifascia***
3. 无上附器 …… 4
   上附器半圆形 …… **三轮环足摇蚊 *C. triannulatus***
4. 第1、4背板白色条带，其他背板棕色 …… **轮环足摇蚊 *C. annulator***
   第1、2背板浅色条带，第3、4、5背板部分浅色条带，其余背板棕色 …… **双线环足摇蚊 *C. bicinctus***

(20)轮环足摇蚊 *Cricotopus annulator* Goetghebuer, 1927(图100)

Cricotopus annulator Goetghebuer, 1927: 52.

Cricotopus (*Cricotopus*) *annulator*: Hirvenoja. 1973: 202.

鉴别特征：腹部背板条带不一，第1、2背板具有浅色条带，第3、4背板前部、后部具有狭窄的浅色条带，第5背板前部1/2具有浅色条带，其余背板棕色；无上附器，下附器分叶；无肛尖。体长2.36~2.73mm；翅1.38~1.62mm；体长/翅长1.69~1.80；翅长/前足胫节长2.28~2.34。头部、胸部、触角均为棕色；翅浅棕色；前足、中足、后足腿节前部1/2浅黄色，胫节中部浅黄色。第9背板有10~14，11根刚毛；第9肛节侧片有3~5根毛。阳茎内突长45~53μm；横腹内生殖突长75~125μm；具角状突起。抱器基节长160~183μm。抱器端节长53~70μm；下附器分叶，其中1个多刚毛，指状，另外1个三角状，少刚毛刚毛数10~19根。抱器端棘长10~13μm。

采集记录:1♂，宁陕旬阳坝，1994. Ⅷ. 16，卜文俊采。

分布:陕西(宁陕)、辽宁、山东、河南、新疆、湖北、四川；亚洲，欧洲，北美洲。

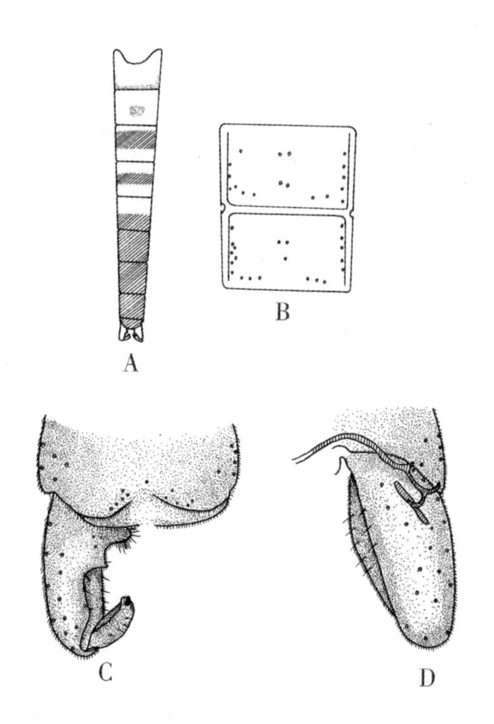

图100 轮环足摇蚊 *Cricotopus annulator* Goetghebuer

A. 腹部(abdomen)；B. 第3～4背板(tergite 3-4)；C，D. 生殖节(hypopygium)

(21)双线环足摇蚊 *Cricotopus bicinctus* (Meigen, 1818)

Chironomus bicinctus Meigen, 1818: 41.

鉴别特征:1、4背板白色条带，其他背板棕色；下附器简单，下附器长远大于宽；无亚端背脊。体长2.38～2.98mm；翅长1.42～1.87mm；体长与翅长之比为1.59～1.82；翅长与前足胫节长之比为2.26～2.82。头部、胸部、触角均为棕色；翅浅棕色；前足、中足、后足棕色，其胫节的中部具有明显浅黄色条带。第9背板有6～10根刚毛，第9肛节侧片有5～9根刚毛。阳茎内突长50～73μm；横腹内生殖突长85～95μm；具角状突起。抱器基节长223～266μm。抱器端节长85～110μm；无亚端背脊；下附器下稍有分化，下附器长远大于宽，顶端裸露，具长刚毛，刚毛数量为12～18根。抱器端棘长10～15μm。

采集记录:11♂，凤县双石铺，1994. Ⅶ. 31，纪炳纯灯诱。

分布:陕西(凤县)、黑龙江、内蒙古、天津、河北、山东、河南、宁夏、甘肃、新疆、浙江、江西、福建、广东、海南、广西、四川、贵州、云南。

(22)三轮环足摇蚊 *Cricotopus triannulatus* (Macquart, 1826)

Chironomus triannulatus Macquart, 1826: 202.

Cricotopus triannulatus: Thienemann, 1939: 9.

鉴别特征: 腹部第1背板白色条带,第2背板前部1/3白色条带,第3背板前部1/5白色条带,第4背板前部5/6白色条带,第5背板前部5/6白色条带,其他背板棕色;上附器半圆形;下附器中部具有分槽,且具有长刚毛。体长2.28~2.73mm;翅1.21~1.53mm;头部、胸部、触角均为棕色;翅浅棕色;前足、中足、后足棕色,其胫节中部具有明显浅黄色条带。第9背板有8~19根刚毛;第9肛节侧片有4~5根刚毛。阳茎内突长40~55μm;横腹内生殖突长85~115μm;具角状突起。抱器基节长140~163μm;上附器布满中刚毛,半圆形。抱器端节长53~68μm;下附器中部具有分槽,具有8~11根刚毛。抱器端棘长10~15μm。

采集记录: 5♂,周至板房子,1994.Ⅶ.10,纪炳纯灯诱;11♂,凤县双石铺,1994.Ⅶ.31,纪炳纯灯诱、扫网;7♂,留坝县,1994.Ⅶ.02,1400m,纪炳纯灯诱。

分布: 陕西(周至、凤县、留坝)、黑龙江、辽宁、内蒙古、天津、河北、河南、新疆、浙江、湖北、江西、广西、重庆、四川、贵州、云南;欧洲,北美洲。

(23)三束环足摇蚊 *Cricotopus trifascia* Edwards, 1929(图101)

Cricotopus trifascia Edwards, 1929: 322.

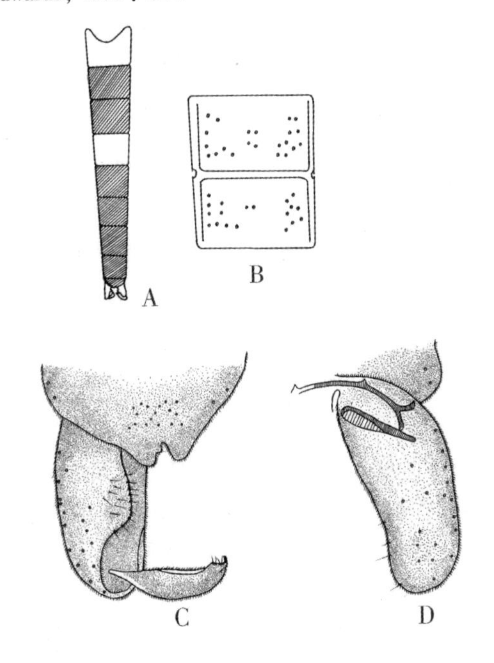

图101　三束环足摇蚊 *Cricotopus trifascia* Edwards

A. 腹部(abdomen);B. 第3~4背板(tergite 3-4);C、D. 生殖节(hypopygium)

鉴别特征:体长3.57~3.9mm，翅长1.75~2.18mm。体长与翅长之比为1.79~2.15；翅长与前足胫节长之比为2.47~2.51。头部、胸部、触角均为棕色；翅浅棕色；第1、4背板白色条带，其他背板棕色；前足、中足、后足棕色，其胫节的中部具有明显浅黄色条带。腹部1、4背板具浅黄色条带，第3、4背板侧刚毛数量8~19根；无上、下附器；第9背板有12~20根毛；第9肛节侧片有2~3根毛。阳茎内突长75~98mm；横腹内生殖突长105~143μm，具角状突起。抱器基节长240~265μm。抱器端节长110~155μm。抱器端棘长12.50μm。

采集记录:16♂，周至，1994.Ⅷ.08，卜文俊灯诱；14♂，凤县秦岭，1994.Ⅶ.27，卜文俊采。

分布:陕西(周至、凤县)、辽宁、新疆、浙江、湖北、广西、四川、云南；欧洲，北美洲。

(24)蒙塔努斯环足摇蚊 *Cricotopus montanus* Tokunaga, 1936

Cricotopus montanus Tokunaga, 1936: 29.

鉴别特征:抱器端节基部具有附属物，肛尖细长且顶端尖。体长2.74~3.40mm；翅1.95~2.25mm；体长/翅长1.40~1.51mm；头部、胸部、触角均为棕色；翅棕色；腹部背板无条带、前足、中足、后足胫节黄色，其余腿节、跗节为棕色。第9背板有8~18根毛。第9肛节侧片有3~7根毛。阳茎内突长65~112μm，横腹内生殖突长95~125μm，具角状突起。抱器基节长118~170μm，上附器小，近似三角状。抱器端节长85~108μm，具特殊的附属物，无抱器端棘。肛尖长38~48μm，裸露无毛。

采集记录:1♂，宁陕火地塘，1640m，1994.Ⅶ.14，卜文俊采。

分布:陕西(宁陕)、宁夏、甘肃、浙江、四川；俄罗斯，日本。

16. 毛胸摇蚊属 *Heleniella* Gowin, 1943

Heleniella Gowin, 1943: 116. **Type species**: *Heleniella thienemanni* Gowin, 1943: 116 [= *Spaniotoma* (*Smittia*) *ornaticollis* Edwards, 1929].

属征:体小型至中型，体长可达2.50mm。触角13节，毛形感器位于触角的第2、3和13节，触角顶端圆钝，常具有少量短的刚毛，触角比0.50~1.10。复眼被毛，并且略向背部延伸。内顶鬃，外顶鬃和后眶鬃数量较多且一般成多列。前胸背板发达，各叶前部结合紧密且密被毛。无中鬃；背中鬃数目较多且具有肩鬃；翅前鬃数目较多，与肩鬃有接触；前小盾片鬃数目较多，后部延伸至背中鬃前部延伸到盾片；小盾片鬃多列。前胸后背片前部几乎无毛。上前侧片、后侧片、和前前侧片的前部和中部偶有短毛。翅膜区无毛，但具有较多微小的点状突起；臀角略发达；前缘脉(C脉)具延伸，R_{2+3}脉伸至R_1脉和R_{4+5}脉的中部，R_{4+5}止于M_{3+4}脉的背部正对处，Cu_1脉弯曲，后肘脉和臀脉伸至FCu脉之外，R脉无毛或有少量毛，其余各脉无毛，腋瓣亦无长缘毛。后足外胫距缺失或长于内胫距的1/2，胫栉发达。后足的第1跗节具少量或不具有毛形感器。肛尖小或者无肛尖；腹内突通常突出，具有伸长的横腹内生殖突；阳茎刺突包含2~3条长的略弯曲的棒状结构。上附器缺失，下附器呈矩形或钝三角形，其上有长毛或短刚毛。抱器端节或粗或细，亚端背脊缺失，抱器端棘发达。

分布：古北区，新北区，东洋区。世界已知10种，中国记录2种，秦岭地区有1种。

(25) 黑翅毛胸摇蚊 *Heleniella nebulosa* Andersen *et* Wang, 1997（图102）

Heleniella nebulosa Andersen *et* Wang, 1997: 151.

鉴别特征：体长1.74~2.21mm。头部深褐色；触角浅黄棕色；胸部和腹部深褐色；足浅棕色；翅上具2块淡黑色斑。肛尖缺失，第9背板具9~18根短刚毛，肛节侧片具有4根长刚毛。阳茎内突长35~38μm，横腹内生殖突长63~70μm。阳茎刺突长55~60μm，由两根长刺和3根短刺构成。抱器基节长125~140μm，具有发达的三角形下附器。抱器端节48~50μm；抱器端棘长12μm。

采集记录：2♂，周至县板房子乡，1994.Ⅷ.09，卜文俊灯诱；1♂，留坝县庙台子镇，1994.Ⅷ.03，卜文俊灯诱。

分布：陕西（周至、留坝）、河南、浙江、福建、贵州、西藏；泰国。

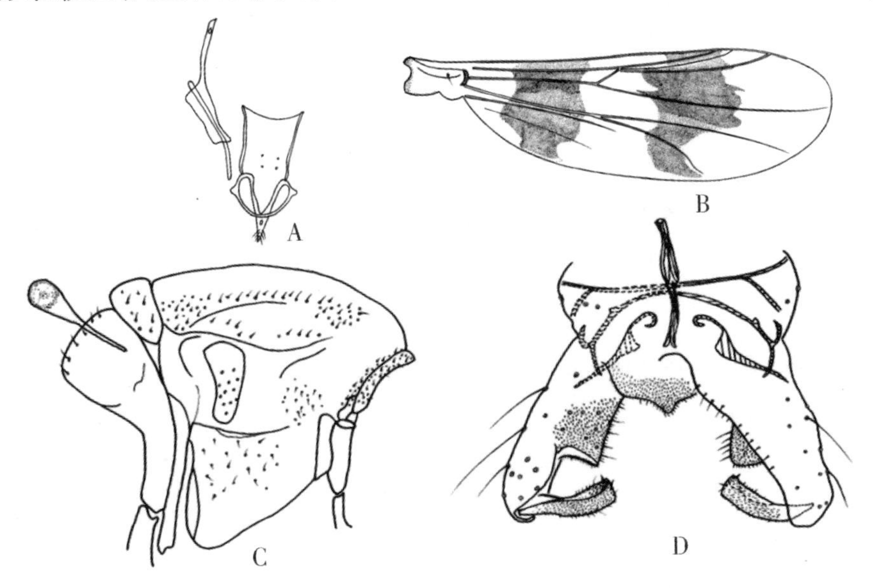

图102　黑翅毛胸摇蚊 *Heleniella nebulosa* Andersen *et* Wang

A. 食窦泵、幕骨和茎节（cibarial pump, tentorium, stipes）；B. 翅（wing）；C. 胸部（thorax）；D. 生殖节（hypopygium）

17. 沼摇蚊属 *Limnophyes* Eaton, 1875

Limnophyes Eaton, 1875: 60. **Type species**: *Limnophyes pusillus* Eaton, 1875.

属征: 体小型至中型，翅长0.30～2.40mm，体色由浅棕色到黑色。触角7～13鞭节，多数为13鞭节，毛形感器位于触角的第2、3节和最末节，在第4、5、6鞭节也常具有毛形感器。触角比0.30～2.80。下唇须在第3节具有1～2根感觉棒。前胸背板强烈发达，前部与盾片分离，背部有至少1根刚毛，后部最多有17根刚毛。一般具有中鬃，短且弯曲，背中鬃数目较少，单列或者多列，常具有披针形或者刀状的肩鬃和前小盾片鬃，翅前鬃单列，有些种类翅前鬃延伸到肩部，小盾片鬃单列。肩陷区突出。翅膜区无毛，具有粗糙的点状微毛，臀角退化，略微发达，少数种类成直角。前缘脉轻微延伸或者中度延伸；R_{2+3}脉终止于R_1脉和R_{4+5}脉中间，有些种类向R_{4+5}脉弯曲；R_{4+5}脉止于M_{3+4}脉终点的背部或上部；Cu_1脉强烈弯曲，FCu脉在RM脉的背部。伪胫距和爪垫缺失，感觉棒存在于中足第1跗节，有些种类后足及少数种类的前足也有感觉棒。腹部第9节密生刚毛，但一般较短，比微毛略长，“肛尖”由略发达到十分发达。阳茎内突强烈骨化，阳茎叶也十分发达，常骨化。阳茎刺突常十分发达。上附器缺失，少数种类中较发达；下附器在少数种类中缺失，发达或者略发达，常出现双下附器，略成三角形，少数种类下附器较大且较圆。抱器端节的形状在种内和种间都有变化，常具有发达的颜色较深的抱器端棘；亚端背脊明显，有些种类的亚端背脊会超过抱器端棘，也有一些种类抱器端棘缺失，颜色浅，或成毛状。

分布: 世界广布。世界记录92种，中国已知18种，秦岭地区有2种。

分种检索表

披针形肩鬃和前小盾片鬃总和超过13根，背部具刚毛 …………… **五鬃沼摇蚊 *L. pentaplastus***
披针形肩鬃和前小盾片鬃的总和不超过10根，背部不具刚毛 ……… **低尾沼摇蚊 *L. difficilis***

(26) 低尾沼摇蚊 *Limnophyes difficilis* Brundin, 1947 (图103)

Limnophyes difficilis Brundin, 1947: 36.

鉴别特征: 体长1.36～1.58，1.48mm。胸部具有大的背肩陷，上有1～2根披针形肩鬃，此外肩部还有1个小而圆的腹陷，前前上侧片鬃仅前部具有鬃毛。肛尖较低但突出，其末端具有或者不具有凹陷，上具有10～13根刚毛。第9肛节侧片有2～4根毛。阳茎内突长48～66μm，腹内生殖突长63～75μm。阳茎刺突发达，有1根逐渐变细的刺构成，长23～29μm。抱器基节长105～161μm，下附器背叶成指状，宽约

10～11μm。抱器端节长63～75μm，其近末端处最宽。不具有亚端背脊；抱器端棘长12～15μm。

采集记录：4♂，凤县，采集时间不详，卜文俊扫网；4♂，留坝庙台子乡，1994.Ⅷ.02，卜文俊扫网。

分布：陕西(凤县、留坝)、内蒙古、宁夏、广西、四川；欧洲。

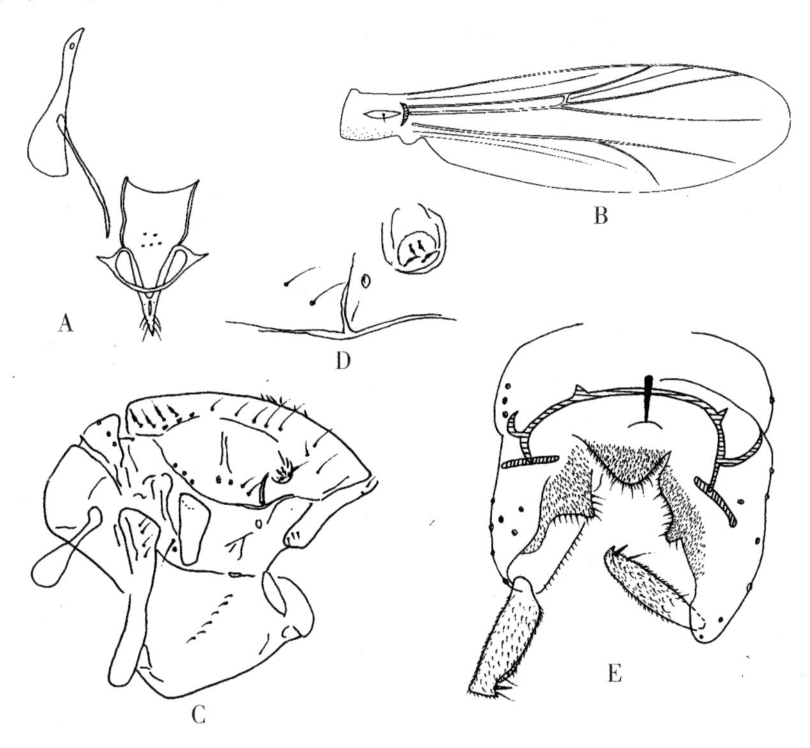

图103　低尾沼摇蚊 *Limnophyes difficilis* Brundin

A. 幕骨、食窦泵和茎节(cibarial pump, tentorium, stipes)；B. 翅(wing)；C. 胸部(thorax)；D. 肩陷区(humeral pit)；E. 生殖节(hypopygium)

(27)五鬃沼摇蚊 *Limnophyes pentaplastus* (Kieffer, 1921)

Camptocladius pentaplastus Kieffer, 1921: 791.

Limnophyes pentaplastus: Sæther, 1990: 86.

鉴别特征：体长1.97～2.45mm。除了上前前侧片具有刚毛以外，其背部和后部也具有刚毛，数目较多的披针形的肩鬃(9～26)和前小盾片鬃(7～18)，中鬃一般缺失或者最多2根，阳茎刺突包括中间的1根较弱的末端圆钝的刺和后部2根细刺。“肛尖”突出，末端一般具有缺口，上具有6～14根刚毛。第9肛节侧片有2～4根毛。阳茎内突长68～88μm，腹内生殖突长70～89μm。阳茎刺突阳茎刺突包括中间的1根较弱的末端圆钝的刺和两侧各1根细刺，长11～26μm。抱器基节长125～

157μm，下附器成略尖三角形。抱器端节由基部向末端逐渐变细，长 75～98μm。不具有亚端背脊；抱器端棘缺失或者成毛发状，11～14μm。

采集记录： 1♂，留坝县庙台子乡，1994.Ⅷ.03，扫网，卜文俊采。

分布： 陕西（留坝）、吉林、辽宁、北京、福建、四川；俄罗斯，日本，欧洲，北美洲。

18. 肛脊摇蚊属 *Mesosmittia* Brundin, 1956

Mesosmittia Brundin, 1956: 163. **Type species**: *Mesosmittia flexuella* (Edwards, 1929).

属征： 体小型，体长 1.00～1.80mm。触角 13 鞭节，毛形感器位于触角的第 2、3 节和第 13 节，其中第 2、3 节上的毛形感器较短而钝，触角比 0.80～1.80。复眼一般光裸无毛，不具复眼延伸；具有超过 10 根的头部鬃毛，包括 1～4 根细的分离的内顶鬃；幕骨相对较短，食窦泵较宽阔，具有短的角。下唇须第 3 节具有 1～3 根细长的感觉棒。前胸背板一般发达或强烈发达，与盾片的突出部分有极窄的接触，中鬃单列，长且粗壮，发生于前胸背板附近；背中鬃、翅前鬃和盾片鬃数目较少，单列；存在 1 根翅上鬃。翅膜区无毛，具有点状构造，臀角发达，前缘脉略有延伸（仅有几个特定种类延伸较强烈）；R_{2+3}脉终止于 R_1 脉和 R_{4+5}脉中间，R_{4+5}脉止于 M_{3+4}脉末端的背部相对处或近相对处，Cu_1 脉弯曲，臀脉较短，终止于近侧，R 脉具少量毛或者不具毛，腋瓣缘毛1～10根。第 9 背板中部具有隆起的拱形结构，边缘具有少量的细毛，不具有真正的肛尖，腹内生殖突直或略弯曲，阳茎内突具有三角形的阳茎叶；阳茎刺突基部发达，末端略延长或明显延长；抱器基节有时会出现延伸至抱器端节的着生处之外，上附器缺失，下附器退化或发达。抱器端节具有长的低的亚端背脊，其末端具有非常短的颜色浅的抱器端棘。

分布： 古北区，新北区，非洲区，新热带界，东洋区。世界已知 18 种，中国记录 5 种，秦岭地区有 2 种。

分种检索表

抱器端节末端不存在抱器端棘 ………………………………………… **无棘肛脊摇蚊 *M. apsensis***
抱器端节末端存在抱器端棘 ………………………………………… **侧毛肛脊摇蚊 *M. patrihortae***

（28）无棘肛脊摇蚊 *Mesosmittia apsensis* Kong *et* Wang, 2011（图 104）

Mesosmittia apsensis Kong *et Wang*, 2011: 890.

鉴别特征： 体长 1.95mm。翅长 1.10mm。头部深褐色；触角浅黄棕色；胸部深棕色；腹部浅黄色；足浅棕色；翅几乎透明。第 9 背板中部隆起部位具有 6 根缘毛，肛节侧片具有 6 根长刚毛。阳茎内突长 38μm，横腹内生殖突长 88μm，阳茎刺突长 37μm。抱器基节长 132μm。抱器端节短，长约 70μm；抱器端棘缺失。

采集记录：1♂，周至板房子乡，1994.Ⅷ.09，卜文俊扫网。

分布：陕西（周至）。

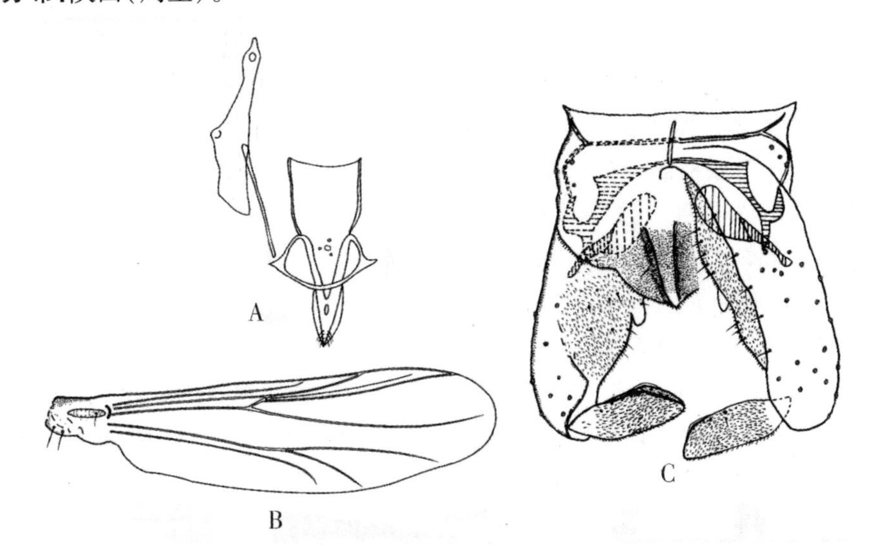

图 104　无棘肛脊摇蚊 *Mesosmittia apsensis* Kong *et* Wang

A. 食窦泵、幕骨和茎节（cibarial pump, tentorium, stipes）；B. 翅（wing）；C. 生殖节（hypopygium）

（29）侧毛肛脊摇蚊 *Mesosmittia patrihortae* Sæther, 1985

Mesosmittia patrihortae Sæther, 1985: 47.

鉴别特征：体长 1.84～2.18mm。头部深褐色；触角浅黄棕色；胸部和腹部深棕色；足浅棕色；翅透明。第 9 背板中部隆起部位具有 3～7 根缘毛，肛节侧片具有 4～7根长刚毛。阳茎内突（Pha）长 38～45μm，横腹内生殖突长 75～90μm，阳茎刺突长 28～38μm。抱器基节长 119～128μm。抱器端节成棒状，长约 62～70μm；具有低的亚端背脊，抱器端棘长约 5μm。

采集记录：3♂，周至板房子乡，1994.Ⅷ.09，卜文俊扫网；6♂，凤县，1994.Ⅶ.28，卜文俊扫网；1♂，留坝庙台子村，1994.Ⅶ.17，卜文俊扫网；1♂，宁陕旬阳坝，1994.Ⅷ.17，吕楠扫网。

分布：陕西（周至、凤县、留坝、宁陕）、吉林、天津、河北、山东、河南、江苏、湖北、广西、重庆、四川、贵州、云南；俄罗斯，日本，北美洲，南美洲。

19. 拟中足摇蚊属 *Parametriocnemus* Goetghebuer, 1932

Parametriocnemus Goetghebuer, 1932: 22. **Type species**: *Metriocnemus stylatus* Spärck, 1923.

属征:体小型至中型，翅长1.10~2.20mm。体色淡棕黄有暗色条带，或全身棕色。触角具13鞭节，有些种为8鞭节，触角沟始于第3鞭节，毛形感器位于触角的第2、3和13节，触角顶端无刚毛，触角比0.30~1.60。裸眼，具有长且两端平行的背部延伸。头部鬃毛发达，抵达头部中线处，内顶鬃，外顶鬃和后眶鬃单列。下唇须长，通常第3节与第4节等长，稍微短于第5节，第4节与第5节偶尔融合；第3节有2~6根针形感觉棒。前胸背板发达，各叶前部结合紧密且密被毛。中鬃很长，发生于前胸背板附近；背中鬃少许到多，单列到双列或3列；翅前鬃几根或数目较多，无翅上鬃；小盾片鬃横向单列，有些种在小盾片鬃前端具有少许短刚毛。翅膜区绝大部分具刚毛，少数种类仅顶部1/2具毛，或多或少具有明显刻点。臀角由中度发达，轻微发达到缺失。前缘脉(C脉)适度延伸。R_{2+3}脉延伸与R_{4+5}脉靠近或平行，或者延伸至R_1脉和R_{4+5}脉的中部；R_{2+3}脉止于R_1脉和R_{4+5}脉中间的距离不等，有时迅速消失。R_{4+5}止于M_{3+4}脉的背部正对处或者近相对处，当结束于近相对处时，前缘脉延伸到M_{3+4}脉的背部。Cu_1脉明显弯曲，后肘脉和臀脉伸至FCu脉之外。所有脉均有刚毛，R_{2+3}脉有时有刚毛，Sc脉，M脉，Cu脉，后肘脉和臀脉有可能无刚毛。腋瓣几乎没有或者有几根刚毛。肛尖缺失或存在肛尖，具有肛尖的种，肛尖形态由非常短到特别长，肛尖逐渐变细尖，或者顶端匙状；肛尖具有微毛，大部分顶端光裸，有时顶端有刚毛。腹内生殖突凹陷从圆滑到近似笔直；前缘突起发达到退化。具有阳茎内突或者偶尔缺失。阳茎刺突常由5~6根长刺紧凑形成，或由许多短刺聚集成2根长刺形成。抱器基节有形态多样的下附器，方形，圆形，舌状或者指状。抱器端节具有形态多样化的亚端背棘，形状为细长，圆形，尖锐或者近似三角形，很大或者不发达。

分布:全球性分布。世界共记录33种，中国已知7种，秦岭有1种。

(30)刺拟中足摇蚊 *Parametriocnemus stylatus* (Spärck, 1923)(图105)

Metriocnemus stylatus Spärck, 1923: 96.

Parametriocnemus stylatus: Pankratova, 1970: 263.

鉴别特征:体长1.84~2.90mm。触角比0.79~1.09。全身棕黄色到棕色。肛尖长45~98μm，宽15~80μm。第9背板具7~11根短刚毛，肛节侧片具有6~10根长刚毛。阳茎内突长33~45μm；横腹内生殖突长53~75μm。抱器基节长145~183μm。抱器端节65~75μm；抱器端棘长8~10μm。

采集记录:1♂，周至板房子乡，1994.Ⅷ.07，王新华灯诱。

分布:陕西(周至)、北京、江苏、福建、云南；日本，欧洲。

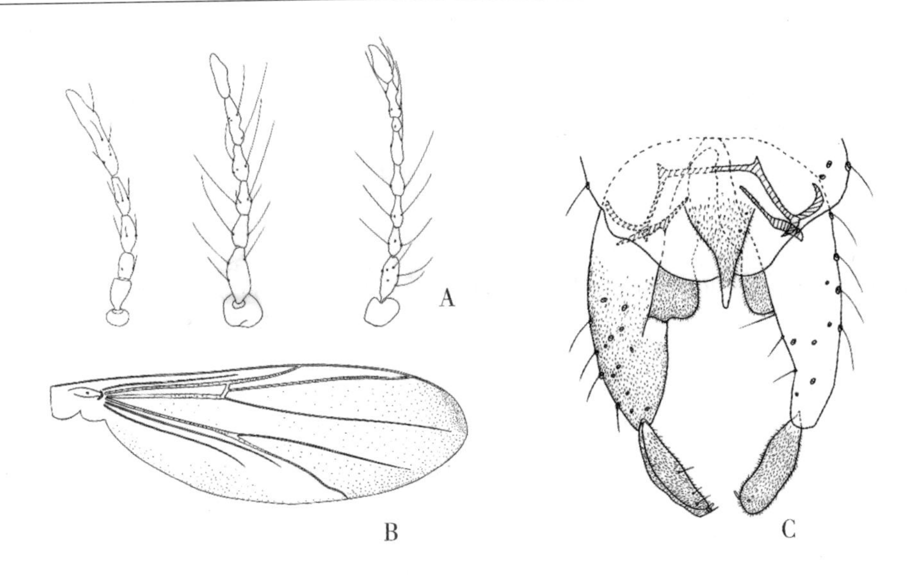

图 105 刺拟中足摇蚊 *Parametriocnemus stylatus*（Spärck）
A. 触角(antenna)；B. 翅(wing)；C. 生殖节(hypopygium)

20. 拟矩摇蚊属 *Paraphaenocladius* Thienemann, 1924

Paraphaenocladius Thienemann, 1924: 223. **Type species**: *Metriocnemus ampullaceus* Kieffer, 1923 [= *Chironomus impensus* Walker, 1856].

属征：体小型至中型，翅长 0.80～2.30mm。体色淡棕黄有暗色条带，或全身棕色。复眼光裸，具有相对长楔形的复眼延伸；头部鬃毛强壮，达到头部中线处；内顶鬃，外顶鬃和后眶鬃单列；下唇须长，通常第 3 节与第 4 节等长，稍微短于第 5 节，偶尔明显短于第 4 节。具有 2～5 根长针形感觉棒。前胸背板中度发达；有些各叶中间内侧变窄，不与前胸背板接触，前胸背板鬃少许，横向排列；中鬃很长，发生于前胸背板附近，形成中间排；背中鬃几根到一些，单列或通常不成列；翅前鬃通常数目多，无翅上鬃，小盾片鬃单列。翅膜绝大部分具毛或者翅膜顶部 1/2 部分具毛，具有明显刻点。臀角适度发达，轻微发达或缺失。前缘脉几乎不延伸或者适当延伸，终止于 M_{3+4}脉的相对近处或者正对处；R_{2+3}脉延伸与 R_{4+5}脉靠近或平行，延伸至 R_1 脉和 R_{4+5}脉的中部，相比 R_{4+5}脉末端，止于更接近 R_1 脉末端处，通常迅速消失在顶部；R_{4+5}脉止于 M_{3+4}脉末端的近相对处，有时止于 Cu_1 脉末端的相对处；FCu 脉明显超过 RM 脉；Cu_1 脉明显弯曲；后肘脉和臀脉伸至 FCu 脉之外。所有脉有时有刚毛，但是 Sc 脉，M 脉，Cu 脉，Cu_1 脉，后肘脉和臀脉可能无刚毛。腋瓣 2～16 根刚毛，很少无刚毛。肛尖短到非常发达；当肛尖非常发达时，基部三角形或者中部膨大，中部有刚毛和微毛，顶部光裸；顶部通常匙形，偶尔逐渐变细尖，或者两侧平行。当肛尖很短的时候，顶部常为圆形或者三角形且具有刚毛和微毛。肛节侧片通常具有大量刚毛。腹内生殖突凹陷圆润，前缘突起不明显到发达。阳茎内突前端通常钩状骨化。阳茎刺突由一些小刺聚集而成，偶尔阳茎刺突缺失。抱器端节节有发达下附器，呈圆形，正方形或者舌状。抱器端节具有形态多样的亚端背棘。

分布：世界性分布。世界已知 33 种，中国记录 4 种，秦岭地区有 1 种。

(31)强拟矩摇蚊 *Paraphaenocladius impensus* (Walker, 1856)(图 106)

Chironomus impensus Walker, 1856: 184.

Paraphaenocladius impensus: Strenzke 1950: 211.

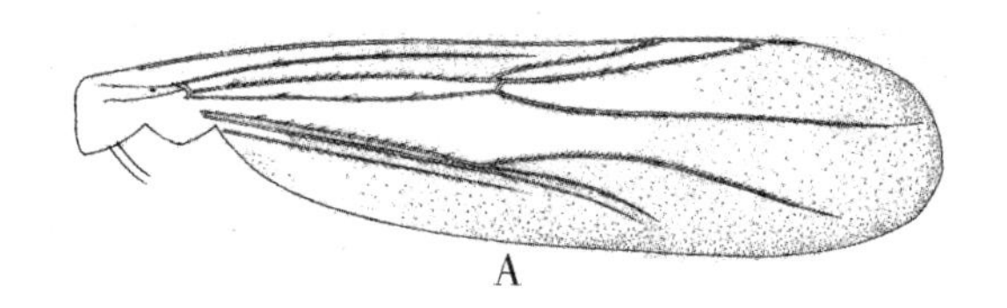

A

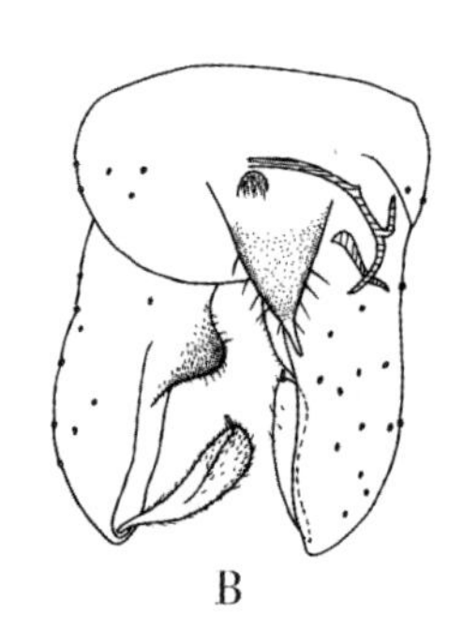

B

图 106 强拟矩摇蚊 *Paraphaenocladius impensus* (Walker)
A. 翅(wing); B. 生殖节(hypopygium)

鉴别特征:体长 1.80 ~ 2.24mm。腋瓣具有 3 ~ 10 根缘毛，m 室到 RM 脉间有 4 ~ 77 根刚毛，臀角有 1 ~ 16 根刚毛，Sc 脉和 M 脉通常具刚毛。这些特征可以将该种与本属其他种区分开。肛尖光裸，匙形尖端，肛尖长 13 ~ 33μm，宽 3 ~ 13μm。第 9 背板具 6 ~ 18 根短刚毛，肛节侧片具有 6 ~ 10 根长刚毛。阳茎内突(Pha)长 25 ~ 50μm；横腹内生殖突长 58 ~ 115μm。阳茎刺突长 8 ~ 13μm，由大约 20 根长刺构成。抱器基节长 138 ~ 173μm。抱器端节 62 ~ 78μm；抱器端棘长 8 ~ 10μm。

采集记录:2♂，凤县，1994. Ⅶ. 28-29，卜文俊灯诱。

分布:陕西(凤县)、山东、江苏、福建、广东、云南；日本，加拿大，美国，欧洲广布。

21. 拟毛突摇蚊属 *Paratrichocladius* Santos Abreu, 1918

Paratrichocladius Santos Abreu, 1918: 204. **Type species**: *Chironomus rufiventris* Meigen, 1830.

属征:体中型，不超过5.00mm，大多数小于4.00mm；翅长0.98~3.00mm，多数大于2.00mm；体黄色到黑褐色。触角通常13鞭节，两侧具发达的羽状毛；触角中列凹槽开始于第4鞭节，有时第2、3或4、13鞭节具感觉毛；触角比(AR)为0.29~2.96。复眼被毛，背中部略微延伸；头部颞毛单列的；内顶鬃有或无，当有时，与外顶鬃分离；幕骨距基部1/2处最宽；食窦泵的咽骨角尖形到圆形。前胸背板叶分离或中部愈合；多数种类肩陷明显；中鬃始于前胸背板；背中鬃竖立，且单列；翅前鬃单列，小盾片鬃单列或多列。翅膜区无毛；臀角圆形或向外伸长；前缘脉略微或明显延伸；R_{2+3}脉终止于R_1和R_{4+5}脉之间的中间位置；肘脉(Cu_1)略微弯曲；R_1脉无毛；R_{4+5}脉通常无毛，偶尔具1~2根刚毛；腋瓣具缘毛，有时缘毛数量较少。背板具稀少的刚毛，排列不规则，或排成前后横排。无肛尖；横腹内生殖突具发达的前缘突；阳茎刺突细针状或无；下附器指状，或双叶的，或圆形；上附器不发达，圆形；下附器顶端窄，有时向中部延伸，有时后边缘向下弯曲；抱器端节发达，具尖的亚端背脊。

分布:古北区，新北区，非洲区，东洋区，澳洲区。世界已知34种，中国记录15种，秦岭地区有2种。

分种检索表

下附器分叶 ……………………………………………………………… **黑拟毛突摇蚊 *P. ater***
下附器三角形 ………………………………………………… **斯柯拟毛突摇蚊 *P. skirwithensis***

(32)黑拟毛突摇蚊 *Paratrichocladius ater* Wang *et* Zheng, 1990(图107)

Paratrichocladius ater Wang *et* Zheng, 1990: 243.

鉴别特征:体长2.70~3.60mm。头部黑褐色，触角和下唇须褐色；足、胸部和腹部深褐色。肛节侧片具6~8根长刚毛；阳茎内突长65~80μm；横腹内生殖突宽100~195μm，具前缘突；抱器基节长185~238μm；上附器不发达，下附器双叶；抱器端节长78~108μm，具亚端背脊；抱器端棘长10~15μm。

采集记录:1♂，宝鸡，1302m，1994.Ⅶ.27，卜文俊灯诱。

分布:陕西(宝鸡)、吉林、辽宁、河北、山东、河南、宁夏、甘肃、四川、云南。

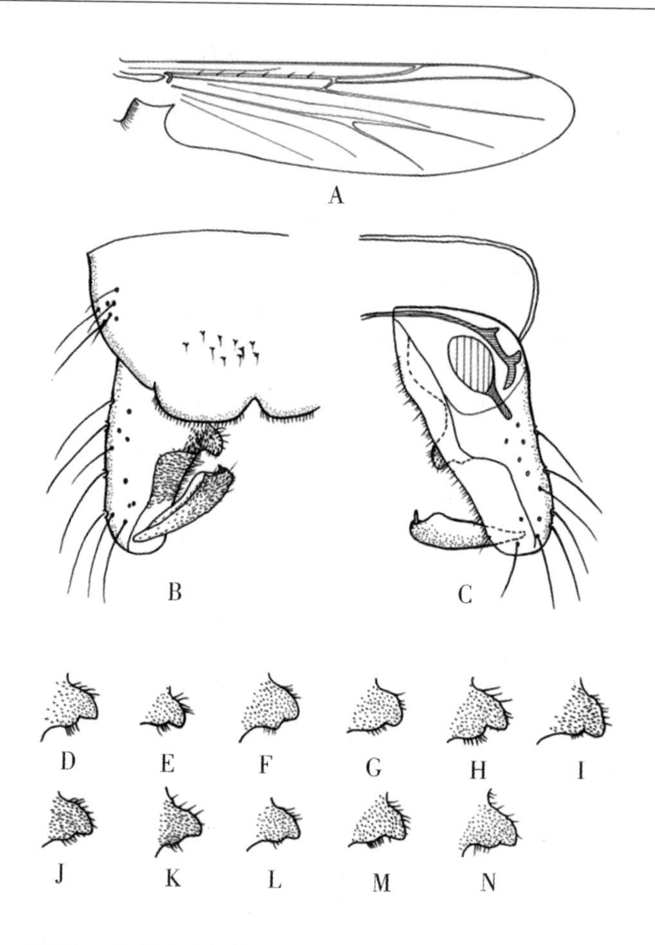

图 107　黑拟毛突摇蚊 *Paratrichocladius ater* Wang *et* Zheng

A. 翅(wing); B. 生殖节背面观(hypopygium, dorsal view); C. 生殖节腹面观(hypopygium, ventral view); D－N. 变化的下附器(shape of inferior volsella)

(33)斯柯拟毛突摇蚊 *Paratrichocladius skirwithensis* (Edwards, 1929)

Spaniotoma skirwithensis Edwards, 1929: 329.

Paratrichocladius skirwithensis: Pinder, 1978: 165.

鉴别特征:体长2.70～4.10mm。头部深褐色或黄褐色，触角和下唇须褐色；胸部褐色或深褐色；腹部黄褐色；足黄褐色。肛节侧片具6～8根长刚毛；阳茎内突长60～70μm；横腹内生殖突宽105～115μm，具前缘突；抱器基节长190～230μm；下附器发达的三角形；抱器端节长70～95μm，具亚端背脊；抱器端棘长13～15μm；生殖节比(HR)为2.20～2.70；生殖节值(HV)为3.10～4.40。

采集记录:1♂，宁陕，872m，1994.Ⅷ.15，卜文俊灯诱。

分布:陕西(宁陕)、吉林、宁夏、新疆、福建、四川、云南；俄罗斯(远东地区)，全北区广布。

22. 伪直突摇蚊属 *Pseudorthocladius* Goetghebuer, 1943

Pseudorthocladius Goetghebuer, 1943: 73. **Type species**: *Pseudorthocladius curtistylus* (Goetghebuer, 1921).

属征:体小型到中型, 翅长 1.00 ~ 2.60mm。触角 13 鞭节, 触角沟始于第 2、3 或 4 鞭节, 第 2、3、13 鞭节上有毛形感器, 尖端平直, 有时端部有大刚毛。触角比 0.20 ~ 1.40。前胸背板发达, 上有小刚毛, 中鬃始于近前胸背板处, 中鬃较长且直, 背中鬃起源与中胸背板前端, 前端单列到多列, 中部单列, 后端单列到两列, 翅前鬃较多, 从中胸背板前端到末端均有分布, 小盾片鬃是不规则的两列。翅面无毛。臀角发达, C 脉延伸明显, R_{2+3}位于 R_1 和 R_{4+5}中间, Cu_1 脉弯曲, 腋瓣缘毛有的种类多有的种类少。伪胫距和刺形感器缺失, 后足和中足有小刚毛, 爪垫发达, 梳子状, 而不是船桨状, 长度超过爪的一半。背板有分散的小刚毛, 第 2 ~ 4 背板前端后端有规则的数列小刚毛。肛尖三角形, 圆形或是突起, 有些种类发达, 有些稍退化, 有些种类缺失, 肛尖上有小刚毛, 边缘有大刚毛。阳茎内突发达, 横腹内生殖突前端有的稍微弯曲, 有的弯曲明显, 横腹内生殖突突起有的明显有的退化。亚端背脊有的发达有的退化。

分布:古北区, 新北区, 东洋区, 热带界。全世界已知 52 种, 中国已知 12 种, 秦岭地区有 1 种。

(34) 富士伪直突摇蚊 *Pseudorthocladius jintutridecima* (Sasa, 1996) (图 108)

Eukiefferiella jintutridecimus Sasa, 1996: 64.

Pseudorthocladius (*Pseudorthocladius*) *jintutridecima*: Yamamoto, 2004:82.

鉴别特征:触角比 0.25 ~ 0.96; 翅臀角发达接近直角; 第 9 背板无肛尖, 仅有 1 个圆形的突起, 其上着生 13 根粗壮的刚毛, 下附器圆形且位置较低, 后部与抱器基节成一定角度。

采集记录:1♂, 留坝, 1994. Ⅷ. 01, 纪炳纯灯诱。

分布:陕西(留坝)、福建、广东、四川、云南; 日本。

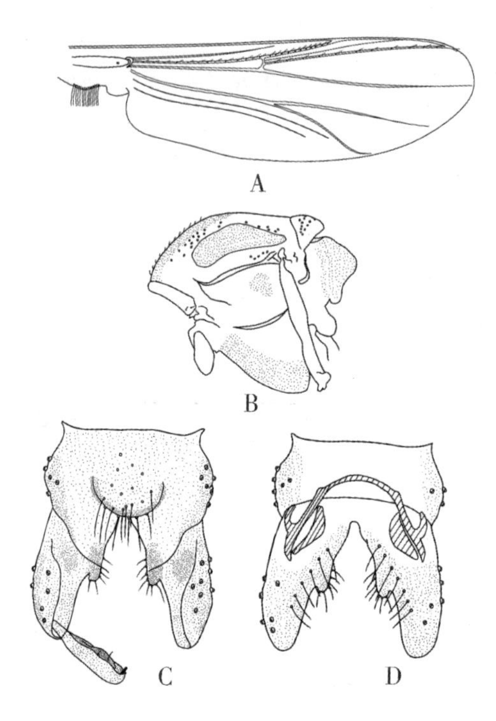

图 108 富士伪直突摇蚊 *Pseudorthocladiusj intutridecima* (Sasa)

A. 翅(wing); B. 胸(thorax); C. 生殖节背面观(hypopygium, dorsal view); D. 生殖节腹面观(hypopygium, ventral view)

23. 伪施密摇蚊属 *Pseudosmittia* Edwards, 1932

Pseudosmittia Edwards, 1932: 141. **Type species**: *Spaniotoma* (*Smittia*) *angusta* Edwards, 1929.

属征:个体小，翅长不超过 2mm。触角 13 鞭节；有羽状毛；从第 3 鞭节起有凹槽；毛感器存在于第 2、3、13 节上，触角顶部大多是圆的，有些是尖的；部分种在顶点下有粗壮的刚毛。触角比 0.15 ~ 2.00。眼椭圆，不延伸，裸露无毛。颞毛单列，0 ~ 10根内顶鬃，1 ~ 7 根外顶鬃，0 ~ 5 根后眶鬃，后眶鬃常无。幕骨基部肿大，顶部突然变窄；食窦泵延长。下唇须 5 节，第 3 节有 1 ~ 18 个披针状毛感器。前胸背板大多退化，偶有1 ~ 4根横向毛。中鬃 2 根，在中盾片上；背中鬃单列，3 ~ 24 根；翅前鬃 1 ~ 6 根；翅上鬃缺失；小盾片有 2 ~ 14 根单列毛。翅膜区无毛。臀角成直角、退化或缺失。前缘脉有些有延伸，不长；通常有伪脉延伸从前缘脉或 R_{4+5}脉顶端接近翅顶点；R_{2+3}脉在 R_1 脉和 R_{4+5}脉中间；R_{4+5}脉末端接近或远离或平行 M_{3+4}脉末端；Cu_1 脉强烈或轻微弯曲或直的；肘脉叉末端在 RM 远端；Vf 脉延伸超过肘脉叉，有些种顶点分叉；臀脉比 Vf 脉短。臂脉通常 1 根毛，R 脉、R_1 脉、R_{4+5}脉常无毛，偶有 1 ~ 4 根毛。腋瓣裸，臂脉基部 8 ~ 10 个钟形毛感器，3 个在刚毛下，10 ~ 12 个在臂脉顶端，亚前缘脉基部 1 个，R_1 脉基部 1 个。所有足胫距长且发达。后足胫栉发达，有 7 ~ 18

根毛。伪胫距在所有足的第 1 跗节到第 4 跗节顶端和第 1 跗节中部；第 1 跗节上无毛感器。爪垫小，退化或缺失。第 9 背板 3 ~ 33 根毛。肛尖在背板上，有些缺失；0 ~ 87um长；有些基部有刚毛，顶端有微毛；通常窄三角形，有时宽三角形，偶有圆形或窄条形。横腹内突直或者拱形，角状突偶有发达，有时不发达，大多退化。阳茎内突明显。阳茎刺突有单个盘状或者三角刺状或者刺状，有时有横排微毛；有时是完全硬化或基部和边缘硬化，使看起来像是裂成两半。阳茎刺突 5 ~ 47μm 长，偶尔能长达 94μm。抱器基节是抱器端节的2 ~ 3倍长。附器高度多样化；上附器缺失，凸起或发达；中附器单个或两个；下附器单个或有副叶。抱器端节形状多样化，有些有亚端背脊，有些有外角。抱器端棘单个，硬化，长 4 ~ 17μm。

分布：世界广布。世界已知 100 种，中国记录 10 种，秦岭地区有 1 种。

(35)三叉伪施密摇蚊 *Pseudosmittia forcipata* (Goetghebuer, 1921)(图 109)

Camptocladius forcipatus Goetghebuer, 1921: 87.

Pseudosmittia forcipata: Pinder, 1978: 94.

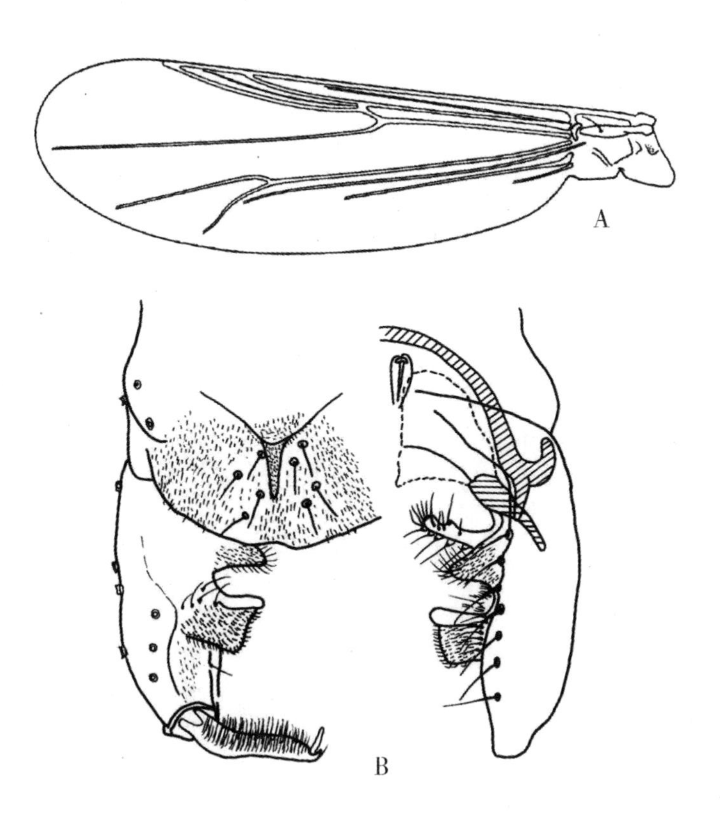

图 109 三叉伪施密摇蚊 *Pseudosmittia forcipata* (Goetghebuer)

A. 翅(wing)；B. 生殖节(hypopygium)

鉴别特征:体长1.42~1.85mm。头部、胸部深棕色，腹部棕色或深棕色，触角和足浅棕色。第9背板侧刚毛1~4根。肛尖长13~23μm。阳茎内突71~103μm；横腹内突长38~75μm，无角状突。阳茎刺突长18~25μm。抱器基节长105~130μm。上附器长15~25μm；中附器长20~30μm；下附器长15~23μm，宽15~23μm，上边有褶皱或锯齿的副叶，顶端钝圆，无毛。抱器端节长45~53μm，逐渐变窄，后半部分多毛，或整体多长毛；无亚端背脊。抱器端棘长7.50~12.50μm。

采集记录:2♂，凤县秦岭，1400m，1994. Ⅶ.29，卜文俊扫网。

分布:陕西(凤县)、吉林、辽宁、宁夏、甘肃、湖北、湖南、四川、贵州、西藏；泰国，欧洲，非洲。

24. 趋流摇蚊属 *Rheocricotopus* Thienemann *et* Harnisch, 1932

Rheocricotopus Thienemann *et* Harnisch, 1932: 135. **Type species**: *Rheocricotopus effusus* (Walker, 1856).

属征:体小到中型，翅长1.10~3.30mm。触角13鞭节，毛形感器在第2、3节或者2~4节和末节，触角比0.30~1.90。复眼被毛，无背中突，内顶鬃小，外顶鬃少，眶后鬃一般缺失，下唇须第3节有1~7个钟形感器。前胸背板非常发达，肩陷一般较大。中鬃开始于前胸背板。翅膜区上无毛，臀角发达或者退化，C脉没有或者适度延伸；R_{2+3}趋近于R_{4+5}脉，终止于R_1脉和R_{4+5}脉中间或趋近于R_{4+5}脉。Cu_1脉直或稍弯曲，Cu_2脉强烈弯曲，R脉有毛，腋瓣具5~12根毛。伪胫距缺失，中足的第1跗节基部1/3处有少量的毛形感器，爪垫非常发达。背板侧面和中部有很多毛，前部和后部毛的横向排列。肛尖很发达，第9背板有或者没有毛，阳茎刺突缺失，抱器基节无或有骨化突起。下附器非常发达，常分成两叶。亚端背脊退化或发达。

分布:东洋区，新北区，古北区，热带区和新热带区。世界共记录74种，中国记录24种，秦岭地区分布5种。

分种检索表

1. 抱器端节具亚端背脊 ……………… 2
   抱器端节无亚端背脊 ……………… **散步趋流摇蚊 *R. effusues***
2. 臀角退化 ……………… 3
   臀角发达 ……………… 4
3. C脉延伸不及R_{4+5}脉 ……………… **罗趋流摇蚊 *R. robacki***
   C脉延伸超过R_{4+5}脉 ……………… **缺失趋流摇蚊 *R. imperfectus***
4. 肩陷大、方形 ……………… **钢灰趋流摇蚊 *R. chalybeatus***
   肩陷小、椭圆形 ……………… **峨眉趋流摇蚊 *R. emeiensis***

(36)钢灰趋流摇蚊 *Rheocricotopus chalybeatus* (Edwards, 1929)(图 110)

Spaniotoma chalybeatus Edwards, 1929: 331.

Rheocricotopus chalybeatus: Lehmann, 1969: 354.

Rheocricotopus (*Psilocricotopus*) *chalybeatus*: Sæther, 1985: 82.

鉴别特征:体长 2.33～2.35mm, 翅长 1.15～1.28mm。头黑褐色; 触角黄褐色; 胸黑褐色, 小盾片棕褐色; 足黄褐色; 腹部黑褐色; 翅脉黄色。第 9 背板肛尖外露着 8～9 根毛; 肛尖侧片着 5 根毛; 肛尖锋利, 三角形; 抱器基节 155～180μm 长; 下附器三角形, 有指形突起; 亚端背脊为齿形凸起; 抱器端节 70～75μm 长。

采集记录:1♂, 凤县秦岭, 1994. Ⅶ. 27, 纪炳纯扫网。

分布:陕西(凤县)、辽宁、山东、甘肃、浙江; 蒙古, 俄罗斯, 日本, 欧洲。

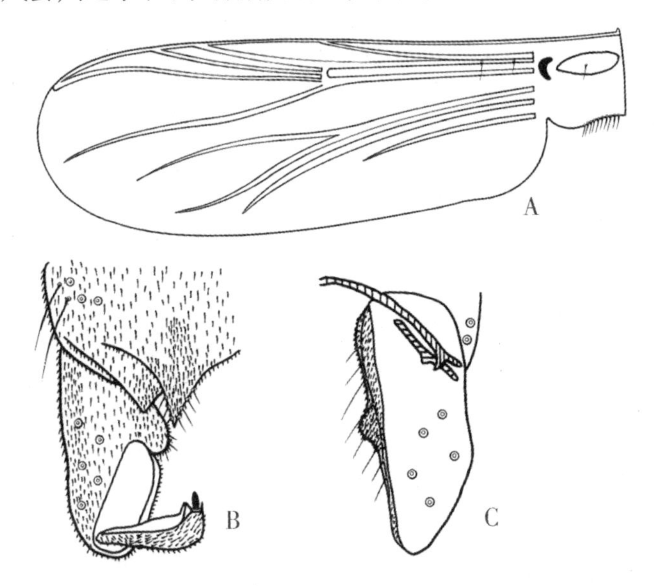

图 110 钢灰趋流摇蚊 *Rheocricotopus chalybeatus* (Edwards)

A. 翅(wing); B. 生殖节背面观(hypopygium, dorsal view); C. 生殖节腹面观(hypopygium, ventral view)

(37)散步趋流摇蚊 *Rheocricotopus effusus* (Walker, 1856)(图 111)

Chironomus effusus Walker, 1856: 180

Rheocricotopus effusus: Lehmann, 1969: 356

Rheocricotopus (*Rheocricotopus*) *effusus*: Sæther, 1985: 103.

鉴别特征:体长 2.38mm。头部复眼被细毛, 无背中突, 触角比 0.90～1.30; 胸部具有明显的肩陷, 肛尖发达具有侧毛, 亚端背脊为低的平滑的小卵圆形, 下附器三角形有指形突起。第 9 背板肛尖外露着 10～12 根毛; 肛尖侧片着 3 根毛; 肛尖锋利,三角形；抱器基节长 138 ~ 145μm；下附器三角形，有指形突起；亚端背脊为低的平滑的小卵圆形；抱器端节 73 ~ 76μm 长，生殖节比 1.89 ~ 1.93；生殖节值 1.72 ~ 1.85。

采集记录：1♂，宁陕火地塘，1994.Ⅷ.13，纪炳纯扫网。

分布：陕西(宁陕)、甘肃、浙江、福建、四川、云南；欧洲，北美洲。

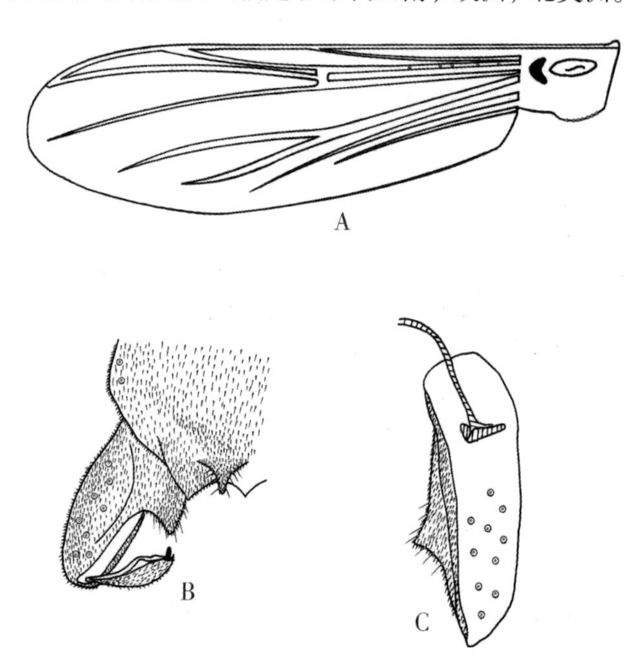

图 111 散步趋流摇蚊 *Rheocricotopus effusus* (Walker)

A. 翅(wing)；B. 生殖节背面观(hypopygium dorsal view)；C. 生殖节腹面观(hypopygium ventral view)

(38)峨眉趋流摇蚊 *Rheocricotopus emeiensis* Wang *et* Zheng, 1989

Rheocricotopus emeiensis Wang *et* Zheng, 1989: 311.

Rheocricotopus (*Psilocricotopus*) *emeiensis*: Wang, 2000: 639.

鉴别特征：体型小型，C 脉适度延伸；R_{2+3}趋近于 R_{4+5}脉，终止于 R_1 脉和 R_{4+5}脉中间。Cu_1 脉直或稍弯曲，Cu_2 脉强烈弯曲，R 脉缺失，肛尖短小。

采集记录：2♂，周至板房子，1994.Ⅷ.07，纪炳纯扫网。2♂，周至板房子，1994.Ⅷ.10，纪炳纯灯诱；2♂，留坝小留坝乡，1994.Ⅷ.04，纪炳纯扫网。

分布：陕西(周至、留坝)、新疆、福建、四川、贵州、云南。

(39)缺失趋流摇蚊 *Rheocricotopus imperfectus* Makarchenko *et* Makarchenko, 2005

Rheocricotopus imperfectus Makarchenko *et* Makarchenko, 2005: 126.

鉴别特征:体型较小，触角比(AR)为0.47，C脉适度延伸；R_{2+3}趋近于R_{4+5}脉，终止于R_1脉和R_{4+5}脉中间。Cu_1脉直或稍弯曲，Cu_2脉强烈弯曲，肩陷大且圆，中鬃缺失，肛尖三角形具10根侧毛，抱器端节具圆形亚端背脊。

采集记录：12♂，凤县秦岭，1994.Ⅶ.28-30，卜文俊扫网；1♂，宁陕火地塘，1994.Ⅷ.12，卜文俊扫网；1♂，宁陕旬阳坝，1994.Ⅷ.17，卜文俊扫网。

分布:陕西(凤县、宁陕)、宁夏、湖北；俄罗斯。

(40)罗趋流摇蚊 *Rheocricotopus robacki* (Beck *et* Beck, 1964)

Tricocladius robacki Beck *et* Beck, 1964: 204.

Rheocricotopus (*Psilocricotopus*) *robacki*: Sæther, 1985: 79.

鉴别特征:体型小型，触角比为1.14～1.24，较高，中鬃小且短，背中鬃8～14根，C脉适度延伸；R_{2+3}趋近于R_{4+5}脉，终止于R_1脉和R_{4+5}脉中间。Cu_1脉直或稍弯曲，Cu_2脉强烈弯曲，R脉有毛，腋瓣缘毛少，肛尖粗大，上附器三角形，亚端背脊三角形。

采集记录：1♂，周至板房子，1994.Ⅷ.10，纪炳纯扫网。

分布：陕西(周至)、新疆、江西、福建、贵州、云南、西藏；加拿大，美国。

25. 施密摇蚊属 *Smittia* Holmgren, 1869

Smittia Holmgren, 1869: 47. **Type species**: *Chironomus brevipennis* Boheman, 1865.

属征：体小型，翅长最长达3mm。触角具有13鞭节；触角沟始于第4鞭节，羽状毛粗壮，毛形感器位于触角的第2、3和13节，触角顶部为窄圆形，并具有强壮的顶毛。触角比(AR)大于1.00。复眼具毛，具有微圆形或楔形背部延长。头部鬃毛单列，内顶鬃比外顶鬃和后框鬃短。幕骨相对方形，接近顶端处扩大，顶端钩状；食窦泵窄，细长，具有短而强壮的角。下唇须无感觉棒。前胸背板中等发达，与盾片的突出部分分离，中鬃缺失，背中鬃、翅前鬃和盾片鬃数目较少，单列。翅膜区光裸无毛，但具有点状构造；前缘脉强烈延伸，有时达到翅的顶端；R_{2+3}脉位于R_1脉和R_{4+5}脉中间，R_{4+5}脉止于M_{3+4}脉末端的背部相对处或者远端，Cu_1脉强烈弯曲，只有当FCu脉远超过RM和Cu_1脉时，Cu_1脉笔直且很短。后肘脉和臀脉延长超过FCu脉。R脉有较少刚毛，其余脉光裸。腋瓣无缘毛。肛尖中等到非常长，肛尖逐渐变细，顶端圆润或细尖，基部具微毛，半透明到透明；第9背板在肛尖基部通常具有小刺。腹内生殖突内侧扩大，前缘突起从不发达到钩状，有时非常宽阔。阳茎内突宽阔，通常弯曲，阳茎叶大且骨化明显。阳茎刺突形式多种，有些呈单个大的刺状，有些由少量长棘刺形成，部分种类阳茎刺突缺失。抱器端节明显与基部分离，有时在抱器基节中部有轻微发达的附器。上附器缺失到非常发达，部分圆形；下附器指状到钩状，通常透明。抱器端节上通常有非常发达的亚端背棘。

分布：世界性分布。世界已知 83 种，中国记录 9 种，秦岭地区有 1 种。

(41)爱氏施密摇蚊 *Smittia edwardsi* Goetghebuer, 1932(图 112)

Smittia edwardsi Goetghebuer, 1932: 123.

鉴别特征：体长 1.71 ~ 2.24mm。肛尖短粗，基部微毛，顶部一半光裸细尖，肛尖长 43 ~ 63μm，宽 15 ~ 25μm。第 9 背板具 0 ~ 5 根短刚毛，肛节侧片具有 4 ~ 9 根长刚毛。阳茎内突长 48 ~ 58μm；横腹内生殖突长 83 ~ 103μm。无阳茎刺突。抱器基节长 138 ~ 160μm，下附器在抱器基节中部成向下指状突起，具有微毛。抱器端节 75 ~ 80μm，具有三角形亚端背棘；抱器端棘长 8μm。

采集记录：1♂，宁陕旬阳坝，1994. Ⅶ. 17，吕楠扫网。

分布：陕西(宁陕)、辽宁、甘肃、云南；美国，欧洲。

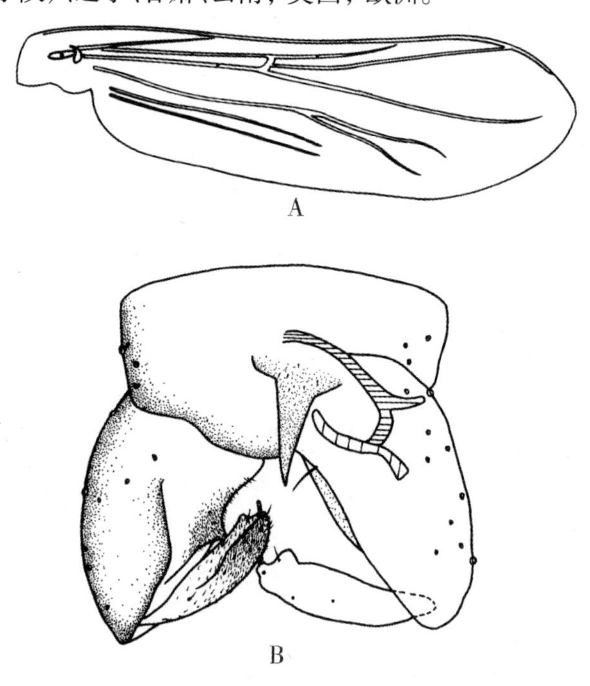

图 112 爱氏施密摇蚊 *Smittia edwardsi* Goetghebuer

A. 翅(wing)；B. 生殖节(hypopygium)

26. 提尼曼摇蚊属 *Thienemanniella* Kieffer, 1911

Thienemanniella Kieffer, 1911: 201. **Type species**: *Corynoneura clavicornis* (Kieffer, 1911).

属征:体小型，不超过2.50mm，大多数小于2.00mm；翅长0.64～1.38mm；体浅黄棕色至深褐色；翅透明至淡黄色；足浅黄色至深褐色。触角棒状，顶端具缺刻，顶端无环形的感觉毛；触角比0.20～1.20。眼小，肾形且被毛，无背中突；无额瘤；无内顶鬃和外顶鬃，有时具0～3根后眶鬃；幕骨长且窄；食窦泵发达且具不同形状的咽骨角；下唇须发达，5节，末节长是宽的8倍，有时第3节具1根感觉棒。前胸背板发达；无中鬃；具少数背中鬃、翅前鬃和小盾片鬃。翅膜区无毛；有臀角但不发达；棒脉由 R_1，R_{2+3}和前缘脉结合形成，不清楚的脉实际上是退化的 R_4 或 R_{4+5}，并且中脉分叉形成中脉叉；Cu_1 脉略微弯曲；棒脉通常是翅长的1/3～1/2，臀脉长一般超过肘脉叉；腋瓣无长缘毛。前足转节不具突起；后足胫节顶端略微膨大，但不明显，后足常具1长1短两根胫距，偶尔短胫距退化，除胫距外还有1个12～15根棘刺的胫栉，少数后足具1个“S”形棘刺；第4跗节长是第5跗节的1/2，第4跗节一般是近心形。第9背板发达，覆盖抱器基节大部，后边缘直或中部略微凹陷；腹内生殖突明显骨化；横腹内生殖突宽且直，两端具前突起；无肛尖，无阳茎刺突；阳茎内突粗短，前端弯曲；上附器一般发达圆形或三角形；下附器通常延伸，紧贴抱器基节；抱器端节窄，无亚端背脊。

分布:古北区，新北区，非洲区，新热带区，东洋区，澳洲区。世界已知50种，中国记录14种，秦岭地区分布2种。

分种检索表

上附器三角形，无下附器 ………………………………………………… **简单提尼曼摇蚊 *T. absens***

上附器不发达；下附器位于抱器基节底部 …………………… **银塔提尼曼摇蚊 *T. ginzanquinta***

(42)简单提尼曼摇蚊 *Thienemanniella absens* Fu, Sæther *et* Wang, 2010(图113)

Thienemanniella absens Fu, Sæther *et* Wang, 2010: 4.

鉴别特征:体长1.45～2.20mm。触角12鞭节，触角比0.25～0.28，头部褐色；胸部深褐色；腹部棕色；足黄棕色；翅几乎透明，棒脉淡黄色。第9背板后边缘直的，具2根长刚毛和5～6根短刚毛，肛节侧板无刚毛；上附器三角形，无下附器。横腹内生殖突长30～33μm，具发达的前突起；基腹内生殖突长40μm；阳茎内突弯曲，基部具突起，长50～55μm。抱器基节长83～110μm，端部具6根刚毛，内侧具许多粗刚毛。抱器基节直且简单，长 38 ~ 58μm；抱器端棘长 5μm。

采集记录:1♂，周至板房子，2896m，1994. Ⅷ. 07，王新华灯诱。

分布:陕西(周至)、浙江。

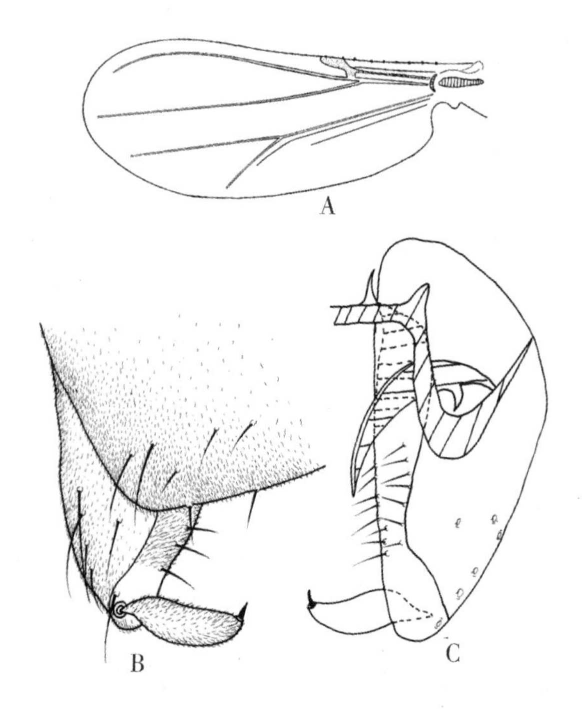

图 113　简单提尼曼摇蚊 *Thienemanniella absens* Fu, sæther *et* wang

A. 翅(wing); B. 生殖节背面观(hypopygium, dorsal view); C. 生殖节腹面观(hypopygium, ventral view)

(43) 银塔提尼曼摇蚊 *Thienemanniella ginzanquinta* (Sasa *et* Suzuki, 1998)

Corynoneura ginzanquinta Sasa *et* Suzuki, 1998: 17.

Thienemanniella ginzanquinta: Fu, Sæther & Wang, 2010: 11.

鉴别特征:体长 1.20 ~ 1.63mm。触角具 12 鞭节，触角比(AR)约 0.50。第 9 背板后边缘较直，肛节侧板无长刚毛；上附器不发达；下附器位于抱器基节底部，且呈钩状。横腹内生殖突长 30 ~ 38μm，具不发达的前突起；阳茎内突略微弯曲，基部具突起，长 30 ~ 33μm。抱器基节长 65 ~ 88μm，端部具 2 根长刚毛。抱器端节前端 1/3 处长有许多刚毛，长 30 ~ 43μm；抱器端棘长 8 ~ 10μm。

采集记录: 1♂，周至板房子，2896m，1994. Ⅷ. 10，王新华灯诱。

分布: 陕西(周至)、云南；日本。

(四)摇蚊亚科 Chironominae

分属检索表

1. 翅密被大毛；腋瓣无缘毛；RM 脉与 R_{4+5} 脉相互平 …… 2
   翅有或无大毛；若具大毛，则腋瓣具缘毛；RM 脉与 R_{4+5} 脉斜向平行 …… 3
2. 中足、后足胫栉愈合或有微小分离 …… **小突摇蚊属 *Micropsectra***
   中足、后足胫栉明显分离 …… **长跗摇蚊属 *Tanytarsus***
3. 触角 11 节 …… 4
   触角 10 或 13 节 …… 8
4. 前胸背板侧叶在背中部分离 …… **雕翅摇蚊属 *Glyptotendipes***
   前胸背板侧叶虽常有背中部缺刻但并不分离 …… 5
5. 下附器常较小，或缺失，只有微毛，无密生的刚毛 …… **拟隐摇蚊属 *Demicryptochironomus***
   下附器发育正常，常为圆柱状或球拍状，具密生刚毛 …… 6
6. 下附器强烈弯曲，常中基部窄，近端部呈棍状或二分叶 …… **二叉摇蚊属 *Dicrotendipes***
   下附器近圆柱状 …… **摇蚊属 *Chironomus***
7. 前腿节中后部具有倒生的刚毛 …… **倒毛摇蚊属 *Microtendipes***
   前足腿节中后部无倒生刚毛 …… 8
8. 中附器存在 …… **间摇蚊属 *Paratendipes***
   中附器缺失 …… 9
9. 翅膜质区具大毛 …… **明摇蚊属 *Phaenopsectra***
   翅膜区无大毛 …… 10
10. 第 8 背板前沿变窄，三角形 …… **多足摇蚊属 *Polypedilum***
    第 8 背板前沿不变窄，矩形 …… **狭摇蚊属 *Stenochironomus***

27. 摇蚊属 *Chironomus* Meigen, 1803

Chironomus Meigen, 1803: 314. **Type species**: *Chironomus plumosus* Meigen, 1803.

属征:体型中到大型。触角 11 节，触角比远大于 2.00；复眼光裸，明显向背中部平行延伸，通常有明显的额瘤(*C. obtusidens* 缺失)，下唇须 5 节，第 3 节近端部有感觉棒。前胸背板两侧叶在背中部有缺刻但并不分离(*Chaetolabis* 背中部有缝)，盾片未覆盖前胸背板，盾片瘤通常消失，中鬃单列或双列，起点靠近前缘，背中鬃 2 至多列，翅前鬃单至双列，小盾片鬃无序至双列。翅膜质部分没有刚毛，有明显刻点，臀叶钝圆至不明显，C 脉不延伸，R、R_1、R_{4+5} 有刚毛，腋瓣有缘缨。前足胫节有圆形鳞片，无距；跗节有或无毛；中后足胫节具有排列紧密的胫栉，有强壮的胫距，伪胫距缺失，中后足第 1 跗节前端 1/2 处具有毛形感器，爪垫简单，叶状，长度为爪的 1/2

至与爪等长。腹部背板有分散或密集的刚毛。第 9 背板在肛尖两侧延伸呈叶状，中部刚毛缺失。或者第 9 背板末端圆润，不延伸呈叶状，中部刚毛通常存在，上附器宽有刚毛或微刺，且有短的指向顶端或顶端中部的延伸。或者第 9 背板末端圆润，不延伸呈叶状，中部刚毛通常存在；上附器基部呈宽大叶状，具有刚毛和微刺，顶端呈光裸的加长的指状。或者第 9 背板末端圆润，不延伸呈叶状，中部刚毛通常存在；上附器基部小，不明显，有微刺，端部呈光裸的、变化多样的指状。

分布：世界性分布。世界共记录 303 种，中国已知 24 种，秦岭地区记录 3 种。

分种检索表

1. 腹部第 2 ~4 节仅在中央有小圆形色斑 ······································ **溪岸摇蚊 *C. riparius***
   腹部第 2 ~4 节中央色斑非圆形 ·· 2
2. 上附器延伸部分细 ·· **背摇蚊 *C. dorsalis***
   上附器延伸部分粗 ·· **萨摩亚摇蚊 *C. samoensis***

（44）背摇蚊 *Chironomus dorsalis* Meigen, 1918（图 114）

Chironomus dorsalis Meigen, 1818: 25.

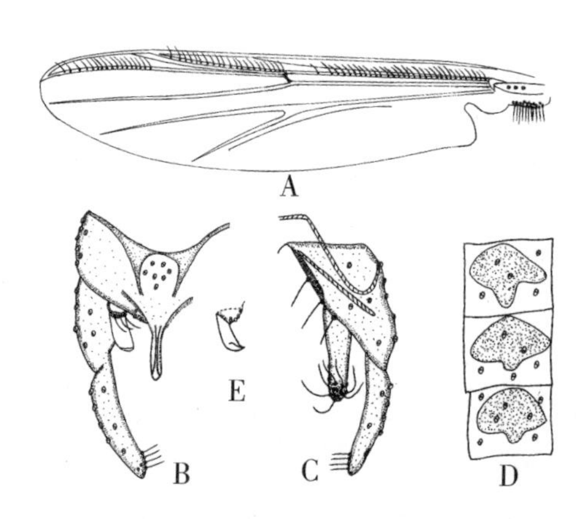

图 114　背摇蚊 *Chironomus dorsalis* Meigen

A. 翅（wing）；B. 生殖节背面观（hypopygium, dorsal view）；C. 生殖节腹面观（hypopygium, ventral view）；D. 腹部背板 2 ~4 节色斑形状（tergite 2-4）；E. 上附器的变形（superior volsella）

鉴别特征：翅无色斑，额瘤发达，长是宽的 1.50 ~3.00 倍，前足第 1 跗节无长刚毛，前足比大于 1.50，腹部 2 ~4 节有似蘑菇状色斑，第 9 背板中央有明显的圆形区域，上附器基部不明显，延伸部分似勺状。体长 4.20 ~6.18mm，翅长2.30 ~3.43mm。头部黄棕色、胸部棕色，腹部浅黄色，2 ~4 节有似蘑菇状色斑，足浅黄。第 4 背板中部具有 3 ~10 根长刚毛，肛节侧片具 3 ~8 根刚毛，肛尖细长，两端近乎平行，末端圆润；阳茎内突长112.50～175.00μm，横腹内生殖突长82.50～137.50μm。上附器基部较小，延伸部分两端平行，末端略尖，呈勺状，长50～80μm，宽17.50～27.50μm；下附器末端未达抱器端节中部，长125.00～157.50μm，具11～18根长刚毛，抱器基节长207.90～267.30μm；抱器端节长145～198μm。

采集记录：1♂，凤县秦岭车站，1300m，1994.Ⅶ.26，魏美才灯诱。

分布：陕西（凤县）、河北、湖北、湖南、广东、重庆、四川、贵州、云南、西藏；欧洲。

（45）溪岸摇蚊 *Chironomus riparius* Meigen, 1840

Chironomus riparius Meigen, 1840: 13.

鉴别特征：翅无色斑，额瘤发达，长是宽的2～4倍，前足第1跗节无长刚毛，腹部2～4节中央有圆形色斑，第9背板中央有明显的圆形区域，上附器基部宽阔，延伸部分似靴状，末端圆润，下附器末端长达抱器端节一半处。体长4.70～6.63mm，翅长2.53～3.63mm。头部、胸部棕色，腹部浅黄色，2～5节中央有圆形色斑，足浅黄，跗节关节处及第4跗、第5跗棕色。第9背板中部具有5～14根长刚毛，肛节侧片具3～6根刚毛，肛尖两侧近乎平行，端部稍膨大，末端圆润；阳茎内突长137.50～155.00μm，横腹内生殖突长95～150μm。上附器基部宽大，延伸部分似靴状，末端圆润，长60～115μm，宽25～35μm；下附器末端长达抱器端节中部，长125～190μm，具10～21根长刚毛，抱器基节长207.90～267.30μm；抱器端节长168.30～237.60μm。

采集记录：1♂，凤县，1994.Ⅶ.30，魏美才扫网。

分布：陕西（凤县）、天津、福建、重庆、云南；欧洲，北美洲，非洲，北极洲。

（46）萨摩亚摇蚊 *Chironomus samoensis* Edwards, 1928

Chironomus samoensis Edwards, 1928: 67.

鉴别特征：翅无色斑；额瘤发达，长约为宽的2～3倍；腹部2～4节有明显的横向近似卵圆形色斑；R脉、R_1脉、R_{4+5}脉上的毛较多，均在20根以上；上附器基部宽而平，延伸部分呈靴状，下附器端部长达抱器端节一半处。头部黄棕色，胸部棕色，腹部2～4节有明显的近似卵圆形色斑，足浅黄，跗节关节处及第5跗节棕色。第4背板中部3～17根长刚毛，肛节侧片具3～9根刚毛，肛尖中部细；阳茎内突长140～210μm，横腹内生殖突长77.50～137.50μm。上附器基部宽而平，延伸部分呈靴状，长77.50～132.50μm，宽15.00～37.50μm；下附器末端达抱器端节中部，长125.00～207.50μm，具10～19根长刚毛，抱器基节长205～297μm；抱器端节长170.00～257.40μm。

采集记录:1♂，留坝庙台子张良庙，1994.Ⅷ，02.纪炳纯灯诱。

分布:陕西(留坝)、内蒙古、北京、河北、山东、河南、宁夏、青海、新疆、江苏、浙江、湖北、江西、湖南、福建、台湾、广东、广西、四川、贵州、云南、西藏；日本，南亚。

28. 拟隐摇蚊属 *Demicryptochironomus* Lenz, 1941

Demicryptochironomus Lenz, 1941: 34. **Type species**: *Chironomus vulneratus* Zetterstedt, 1838.

属征:体小到大型，翅长1.30~5.00mm。胸部黑褐或绿色；色斑分离，褐棕色；腹部绿色触角11鞭节，触角比(AR)1.40~4.00。眼无毛，具两侧平行的背中突；具小额瘤；幕骨背部短，唇须发达。前胸背板中部不完全分离；小胸瘤存在或缺失；具前胸背板鬃、中鬃、背中鬃、翅前鬃和小盾鬃。翅膜区无毛；臀叶略突出；C脉不超出R_{4+5}；R_{2+3}脉末端接近于R_1脉末端，而非R_{4+5}脉末端；Fcu脉超出RM脉；R_{4+5}脉末端稍接近于M_{1+2}脉顶端；R脉、R_1脉及部分种R_{4+5}脉具刚毛；腋瓣具缘毛。前足胫端具短而圆的鳞状突；中后足具窄而分离的胫栉，胫距两枚；中足第1跗节具毛形感器；爪垫发达。肛尖细长，两侧平行或端部宽。肛节背板带"Y"形或"V"形、"U"形。上附器指状或球拍状，无或具小刚毛，或两叶状；下附器缺失。抱器端节与基节愈合，具中部收缩或呈香蕉状。

分布:古北区，东洋区，新北区，热带界，澳洲区。世界记录22种，中国已知9种，秦岭地区有2种。

分种检索表

第2~6背板具深棕色色斑……………………………………………… **光裸拟隐摇蚊 *D. minus***
背板黄绿色到棕色 ……………………………………………………… **缺损拟隐摇蚊 *D. vulneratus***

(47) 光裸拟隐摇蚊 *Demicryptochironomus minus* Yan, Tang *et* Wang, 2005(图115)

Demicryptochironomus (*Demicryptochironomus*) *minus* Yan, Tang *et* Wang, 2005: 4.

鉴别特征:第2~6背板具深棕色色斑；上附器退化成两个瘤状突起，各具1根顶刚毛，被小刚毛；下附器除1根顶刚毛外光裸无小刚毛；肛尖基部强烈收缩，具侧刚毛。体长3.85~4.18mm。胸黄棕色；足腿节黄棕色，胫节和跗节深棕色；腹部背板黄棕色，第2~6背板后部1/4具深棕色色斑，生殖节深棕色。第9背板后缘三角锥形，具16~26根大刚毛；第9背板侧刚毛3~5根；肛尖长65~90μm，基部收缩，中部膨大，具中肋，生小刚毛。上附器为两个瘤状突起，各具1根顶刚毛并密被小刚毛；下附器瘤状，具1根顶刚毛，无小刚毛。肛节背板带"V"形，阳茎内突长75~

93μm，横腹内生殖突长25～53μm。抱器基节长135～143μm，内边缘具6～7根粗壮大刚毛；抱器端节长153～170μm，基部1/3处膨大，向顶端渐细，内边缘具9～14根刚毛。

采集记录：3♂，周至县板房子，1994.Ⅷ.09，王新华采。

分布：陕西（周至）、浙江、贵州。

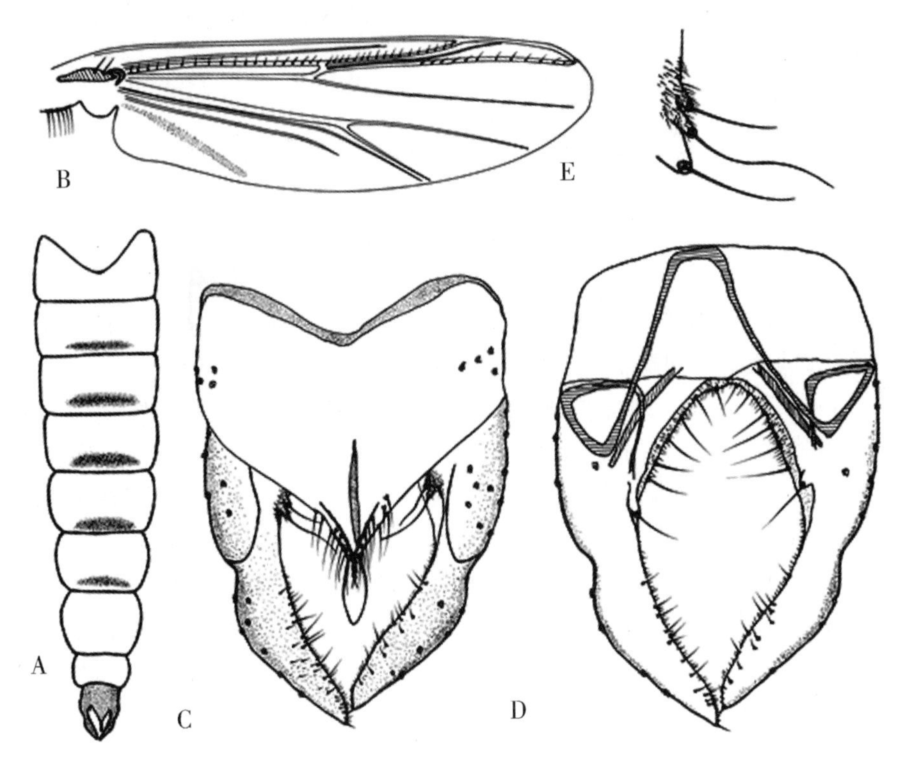

图115　光裸拟隐摇蚊 *Demicryptochironomus minus* Yan，Tang *et* Wang

A. 背板（tergites）；B. 翅（wing）；C. 生殖节背面观（hypopygium，dorsal view）；D. 生殖节腹面观（hypopygium，ventral view）；E. 上附器和下附器（superior & inferior volsella）

（48）缺损拟隐摇蚊 *Demicryptochironomus vulneratus*（Zetterstedt，1838）

Chironomus vulneratus Zetterstedt，1838：838.

Demicryptochironomus vulneratus：Lenz，1954－1962：222.

鉴别特征：体长3.33～4.30mm。胸黄绿色到深棕色；足浅棕色到深棕色；腹部背板黄绿色到棕色。翅R脉、R_1脉和R_{4+5}脉都具多根小刚毛。第9背板后缘肛尖基部具20～36根大刚毛；第9背板侧刚毛3～8根；肛尖两侧几乎平行，长88～105μm，基部宽10～20μm，顶部宽4～12μm，“V”形中肋伸向第9背板。肛节背板带“U”型，阳茎内突长75～112μm，横腹内生殖突长25～55μm。上附器顶端分叶，指状，基部具小刚毛，顶部具2~3根大刚毛；无下附器。抱器基节长107~137μm，内边缘具7~10根粗壮大刚毛；抱器端节长155~195μm，基部1/3处最宽，向顶端渐细，内边缘具19~25根刚毛。

采集记录：1♂，周至板房子，1994.Ⅷ.09，纪炳纯灯诱；2♂，宁陕旬阳坝，1994.Ⅷ.16，卜文俊扫网。

分布：陕西（周至、宁陕）、山东、河南、浙江、福建、贵州；俄罗斯（远东），印度，欧洲。

29. 二叉摇蚊属 *Dicrotendipes* Kieffer, 1913

Dicrotendipes Kieffer, 1913: 23. **Type species**: *Chironomus septemmaculatus* Becker, 1908.

属征：小至中型，翅长可达1.30~3.20mm。触角11鞭节，触角比1.80~4.00。复眼裸露，具两侧平行的背中突；额瘤多存在，小(2μm)至中等大小(28μm)，很少缺失；下唇须5节，基部1节轻微骨化，感觉棒少，聚集在第3节近端部。前胸背板窄，裸露，中部有缺刻。盾片不超过前胸背板；盾片瘤存在或消失。中鬃如果存在，排成两列，有些种的中鬃缺失或退化；背中鬃单列至3列，通常2列；翅上鬃1列，很少2列；翅前鬃2~7根；小盾片鬃单列至3列。翅膜区无毛，有明亮的刻点。臀角通常不明显。C脉不延伸；R_{2+3}脉的端部在R_1和R_{4+5}脉间1/3处；肘脉叉在RM脉近端。R，R_1和R_{4+5}脉上有刚毛。腋瓣具大量长缘毛。前足胫节无胫距，有圆的鳞状突，跗节有或无须状毛。中后足胫栉排列紧密，每一胫栉有两个长的胫距。伪胫距消失。中足第1跗节有毛形感器，通常在顶端，偶尔占据整个第1跗节，后足跗节有时也有毛形感器。爪垫简单，叶状，与爪等长。腹部背板有均匀分布的刚毛。肛节背板带短，很少到达背板边缘。肛背板中部刚毛少或无，顶端刚毛数量变化多样，有时数量很多，有时无。肛尖变异多，通常伸长，竹片状，有时基部外侧有突出，背侧和基部外侧通常有刚毛。上附器指状、圆柱状、近似三角形或脚型，常顶部膜状，常被微毛，极少光裸，并且端部常具强壮刚毛。中附器只在少数种类（澳洲）存在。下附器发育良好，端部棒状或分为二叉、三叉状，被覆多或少的强刚毛。抱器端节内弯，内边缘具长刚毛。腹内横生殖突变化多样，中部窄或宽，具圆或方的凸出部分。

分布：古北区，新北区，非洲区，新热带界，东洋区和澳洲区。世界共记录79种，中国已知10种，陕西秦岭分布1种。

(49) 塔马淡绿二叉摇蚊 *Dicrotendipes tamaviridis* Sasa, 1981（图116）

Dicrotendipes tamaviridis Sasa, 1981: 99.

鉴别特征：第9背板中部无刚毛；上附器足状；下附器细长，端部膨大。体长

2.94～3.60mm；翅长1.53～1.73mm；头部、胸部棕黄色；腹部前6节浅黄绿色，其余棕色；前足腿节黄绿色，胫节棕色，中后足腿节和胫节黄绿色，其余棕色。第9背板中部无刚毛；肛尖较细长，端部略膨大，生3～8根背部刚毛及6～8根侧刚毛；上附器足状，长63～75μm，宽43～50μm，具微毛，生有9～10根指向中部的小刚毛；下附器细长，长138～158μm，端部棒状，顶端中部有浅的凹痕，生约7根通常排成两列的弯曲长刚毛及1根腹部顶端小刚毛（VAS）。抱器端节长中部弯曲，端部内侧有5～7根刚毛。横腹内生殖突长25～45μm。

采集记录：1♂，留坝庙台子张良庙，1400m，1994.Ⅷ.02，王新华扫网。

分布：陕西（留坝）、辽宁、天津、河北、甘肃、湖北；俄罗斯，日本。

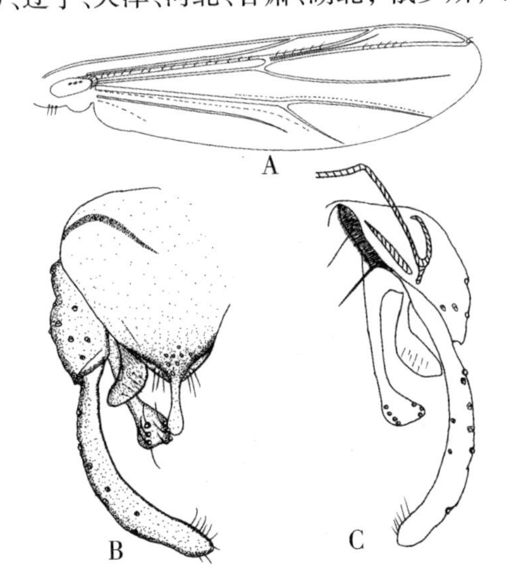

图116 塔马淡绿二叉摇蚊 *Dicrotendipes tamaviridis* Sasa

A. 翅（wing）；B. 生殖节背面观（hypopygium, dorsal view）；C. 生殖节腹面观（hypopygium, ventral view）

30. 雕翅摇蚊属 *Glyptotendipes* Kieffer, 1913

Glyptotendipes Kieffer, 1913: 7. **Type species**: *Chironomus verrucosus* Kieffer, 1911.

属征：中等大小，翅长可达3.50mm。触角11鞭节，触角比超过2.00。复眼裸露，具两侧平行的背中突；额瘤存在，通常发育良好；下唇须5节，靠近第3节顶端有几个感觉棒。前胸背板基部宽，中部窄，在背部分离呈"V"形缺口。盾片稍微超过前胸背板，无盾片瘤。中鬃单列至两列；背中鬃单列至多列；翅前鬃单列至两列；小盾片鬃无序至两列。翅膜区无毛，有明亮的刻点。臀域部分由更明亮的刻点。臀叶钝圆或不明显。C脉不延伸；R_{4+5}脉末端接近翅缘；R_{2+3}脉终止于R_1脉和R_{4+5}脉端部1/3处；肘脉叉与RM相对。R、R_1和R_{4+5}脉上有刚毛。腋瓣具大量缘毛。前足胫节无胫距，有圆的鳞状突，跗节通常有须状毛，有时长而稀少，有时短而密或者很少。中后足有相似的胫栉，每一胫栉有一长的胫距。伪胫距消失。中后足第 1 跗节端部 1/2 处有毛形感器。爪垫叶状，与爪的长度相当。腹部背板刚毛密，分布均匀，第 2 节或第 3 节至第 6 节有马蹄状斑痕。肛节背板带明显，中部愈合，背板中部刚毛形成椭圆形，端部刚毛短。肛尖基部窄，端部膨大，"T"形。上附器基部具有短的刚毛和微毛，向端部方向逐渐变细，呈光裸弯曲的指状，顶端钩状。中附器消失。下附器端部近似棒状，相对较短，不及肛尖顶端，遍布微毛，端部有很多刚毛。抱器端节与基节分隔明显，抱器基节内部边缘为刀锋状。腹内横生殖突宽圆，无凸起部分。

分布：古北区，新北区，新热带区，东洋区。世界共记录 34 种，中国已知 8 种，秦岭地区分布 1 种。

(50) 德永雕翅摇蚊 *Glyptotendipes tokunagai* Sasa, 1979（图 117）

Glyptotendipes tokunagai Sasa, 1979: 8.

鉴别特征：额瘤明显；肛背板条带明显，第 9 背板中部有刚毛，并且有未封闭的黑色条带包围，条带与肛背板条带接触；肛尖中部细，端部钝圆；抱器端节端部略缢缩。体长 3.23 ~ 5.00mm；翅长 2.32 ~ 7.03mm；背板侧刚毛 3 ~ 6 根；上附器指状，长 90 ~ 135μm，基部具微毛，指向中部的刚毛，端部呈光裸的牛角状；下附器细长，长 145 ~ 203μm，端部略宽，具长的弯刚毛。抱器基节长 250 ~ 360μm。抱器端节端部略缢缩，长 190 ~ 320μm。

采集记录：1♂，凤县，1994. Ⅶ. 29，卜文俊扫网。

分布：陕西（凤县）、河北、河南、湖南、福建、贵州、云南；俄罗斯，日本。

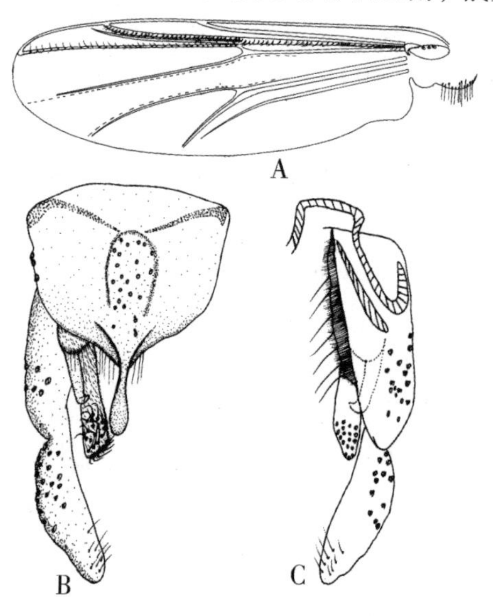

图 117 德永雕翅摇蚊 *Glyptotendipes tokunagai* Sasa

A. 翅（wing）；B. 生殖节背面观（hypopygium, dorsal view）；C. 生殖节腹面观（hypopygium, ventral view）

31. 小突摇蚊属 *Micropsectra* Kieffer, 1909

Micropsectra Kieffer, 1909: 120. **Type species**: *Tanytarsus* (*Micropsectra*) *inermipes* Kieffer, 1909.

属征:翅长0.88～4.50mm。体色黄、绿或棕色、具橙色、棕色或褐色的色带。触角13节，触角比0.32～1.50。复眼光裸或具极少微毛，背中侧延伸。具额瘤(极少缺失)。下唇须发达。前胸背板叶中部分离；小盾片超过前胸背板，盾片瘤缺失；中鬃1～2列13～24根；背中鬃单列9～22根；翅前鬃2～6根；翅上鬃缺失；小盾片单列6～11根。翅膜区具刻点，远端2/3处或翅覆盖刚毛。C脉末端接近M_{3+4}顶端，R_{2+3}不明显；臀叶略发达，腋瓣无毛。前足胫节胫距有或无；中后足胫栉连续或分离不明显，无胫距，极少胫栉具1个胫距。爪垫小。肛尖长，到肛尖末端逐渐变窄或肛尖平行远端变圆(极少有缺口)，肛尖具1对长肛脊，无短刺。上附器形状变异较大，常呈长条形或圆形，经常长有微毛。指附器长或无。下附器修长，圆筒状远端卷曲或顶部弯折，或细长而弯曲。中附器长或短，常弯曲具远端刚毛。

分布:世界性分布。目前世界已知120种，中国记录16种，秦岭地区分布1种。

(51) 双齿小突摇蚊 *Micropsectra bidentata* (Goetghebuer, 1921) (图118)

Tanytarsus bidentata Goetghebuer, 1921: 172.

Micropsectra bidentata: Albu, 1980: 293.

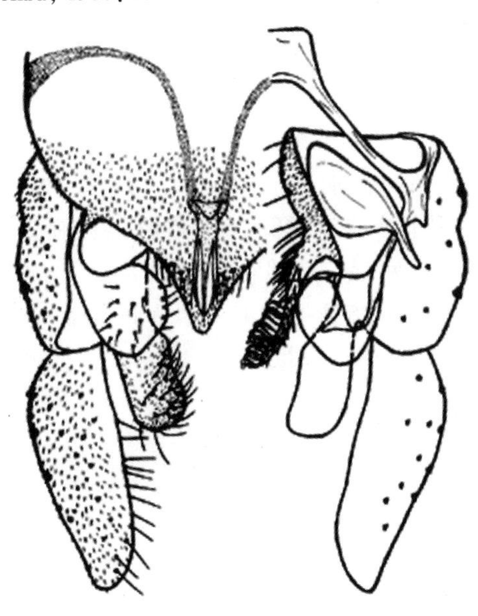

图118　双齿小突摇蚊 *Micropsectra bidentata* (Goetghebuer)

生殖节(hypopygium)

鉴别特征:前额瘤缺失，上附器圆形状，指附器较短，未及上附器内测边缘。中附器具柳叶或勺型侧叶。肛尖宽大，呈三角形。肛尖侧脊平行。上附器基部略窄于上附器远端。胸部具色带。体长 2.80～4.20mm。翅长 1.80～2.90mm。体长与翅长之比 1.44～1.73。翅长与前腿节长之比为 1.83～2.54。胸部黄绿色，后胸背板棕色，棕色色带有或无。腹部黄绿色或1～6节浅白色，7～9节黄绿色。肛尖三角形，基部两侧分别有6～10根刚毛。侧齿存在。"V"形肛尖背板带，肛尖侧脊平行。阳茎内突长50～104μm，横腹内突40～76μm，无侧突。上附器圆形，背侧刚毛8～12根，内侧缘刚毛4～6根，腹侧基部三角形突起出具1根刚毛。指附器较短，未及上附器内侧边缘。中附器具柳叶形侧叶。

采集记录:2♂，留坝，1994.Ⅷ.01，纪炳纯扫网。

分布:陕西(留坝)、吉林、内蒙古、天津、河南、宁夏、甘肃、湖北、四川、贵州、云南、西藏；欧洲。

32. 倒毛摇蚊属 *Microtendipes* Kieffer, 1915

Microtendipes Kieffer, 1915: 70. **Type species**: *Tendipes abbreviatus* Kieffer, 1913 [= *Microtendipes chloris* (Meigen, 1818)].

属征:中到大型，翅长1.70～4.70mm；体绿或棕色；色斑棕色。触角13节，触角比(AR)为1.03～2.90。头部眼无毛，具两侧平行的背中突；无额瘤，唇须5节。前胸背板分离，无小胸瘤；具前胸背板鬃、背中鬃、翅前鬃和小盾片鬃，中鬃无或少于5根。翅膜区无毛，具小斑点；臀角发达；无C脉延伸，R_{2+3}脉末端接近于R_1脉末端；FCu脉超出RM脉；R、R_1和R_{4+5}脉具小毛；腋瓣具长缘毛。前足腿节中部具两排倒生的刚毛；前足、中足、后足胫节具1根胫距，中足第1跗节上具毛形感器；爪垫短小，只有爪的1/2长。第9背板端部具刚毛；肛尖形态多变，一般呈楔形或两侧平行或端部膨大呈圆形；上附器钩状，具小毛；下附器形状多样，多指状，常密布刚毛；某些种类具小瘤状中附器，上具细刚毛；抱器端节细长，呈椭圆形，内缘端部具长刚毛，多分布在靠近端部1/3处。

分布:古北区，新北区，东洋区，非洲区，澳洲区。世界记录58种，中国已知9种，秦岭地区有3种。

分种检索表

1. 肛尖锥形 …… 2
   肛尖两端平行，端部圆滑 …… **平截倒毛摇蚊 *M. truncatus***
2. 腹部第1～4背板浅绿色，腹部第5～8背板黄绿色，生殖节棕色；前足腿节和前足胫节深棕色 …… **黄绿倒毛摇蚊 *M. britteni***

腹部黄色；前足胫节棕色，足其余部分黄棕色. …………………… **科菲倒毛摇蚊 *M. confinis***

(52)黄绿倒毛摇蚊 *Microtendipes britteni* (Edwards, 1929)

Chironomus (*Microtendipes*) *britteni* Edwards, 1929: 399.

Microtendipes britteni: Pinder, 1978: 128.

鉴别特征:体长3.45~2.14mm。头部黄色；胸部:盾片黑色，小盾片深棕色，第2后侧片棕色；腹部第1~4背板浅绿色，腹部第5~8背板黄绿色，生殖节棕色；前足腿节的端部及前足胫节深棕色，中足、后足各节相接处具色环，足的其余部分为黄色。第9背板后缘具13根长刚毛。肛尖长30~75μm，肛尖短小，近似三角形，呈锥状。阳茎内突长28~70μm，横腹内生殖突长38~60μm。上附器钩状，端部尖状，长100~125μm，基部具1根长刚毛，中部具3~7根背刚毛。下附器指状，长95~120μm，具20~25根刚毛。抱器基节长118~230μm；抱器端节长113~163μm，内边缘具10~12根长刚毛。

采集记录:10♂，周至，1994.Ⅷ.03，卜文俊灯诱。

分布:陕西(周至)、辽宁、北京、天津、山东、浙江、广东、贵州；日本，阿尔及利亚，欧洲。

(53)科菲倒毛摇蚊 *Microtendipes confinis* (Meigen, 1830)(图119)

Chironomus confinis Meigen, 1830: 253.

Microtendipes confinis: Pinder, 1978: 128.

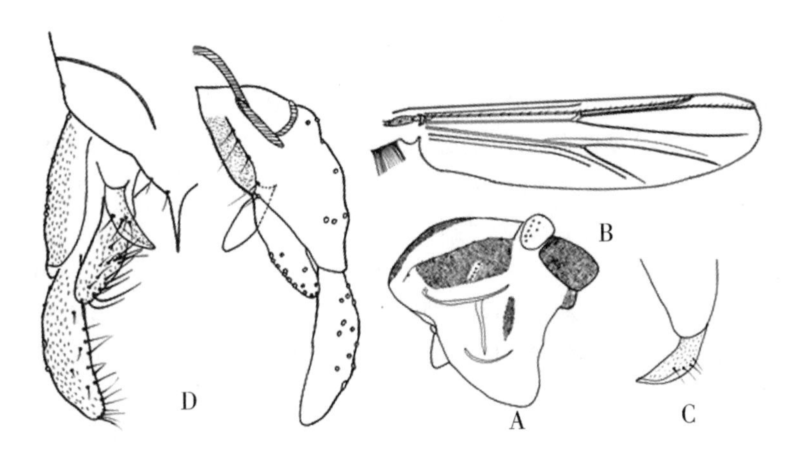

图119　科菲倒毛摇蚊 *Microtendipes confinis* (Meigen)

A. 胸(thorax)；B. 翅(wing)；C. 上附器(superior volsella)；D. 生殖节(hypopygium)

鉴别特征:体长3.78~4.70mm。头部黄色;胸部的盾片后背板、前上前侧片第2片均为棕色;腹部浅绿色,生殖节棕绿色;前足胫节棕色,足的其余部分为黄色。第9背板后缘具4根长刚毛。肛尖长55~63μm,肛尖短小,近似三角形,呈锥状。阳茎内突长25~40μm,横腹内生殖突长38~58μm。上附器钩状,端部尖状,长95~118μm,具3~4根背刚毛。下附器指状,长105~130μm,具20~24根刚毛。抱器基节长208~220μm;抱器端节长140~163μm,内边缘具10~13根长刚毛。

采集记录:4♂,周至,1994.Ⅷ.07,卜文俊灯诱。

分布:陕西(周至);欧洲。

(54)平截倒毛摇蚊 *Microtendipes truncatus* Kawai *et* Sasa, 1985

Microtendipes truncatus Kawai *et* Sasa, 1985: 18.

鉴别特征:体长2.98~3.70mm。体周身浅黄色。第9背板后缘具4根长刚毛,中部具6根刚毛。肛尖呈细长筒型,端部平截,长40~50μm。阳茎内突长25~48μm,横腹内生殖突长50~75μm。上附器卵状,长63~88μm,具3根背刚毛,基部1根长刚毛。中附器瘤状,具1簇细刚毛。下附器指状,长80~105μm,具25根刚毛。抱器基节长150~183μm;抱器端节长135~163μm,内边缘端部1/3具10根长刚毛。

采集记录:13♂,周至,1994.Ⅷ.07,卜文俊灯诱。

分布:陕西(周至)、福建、云南、贵州;日本。

33. 间摇蚊属 *Paratendipes* Kieffer, 1911

Paratendipes Kieffer, 1911: 41. **Type species**: *Chironomus albimanus* Meigen, 1818.

属征:小型至中型,翅长1.20~3.08mm;体浅深棕色至黑色;足棕色,某些种类前足胫节浅黄色或具浅黄色环;翅有或无翅斑。触角13节,触角比(AR)为0.75~1.95。头部眼无毛,具两侧平行的背中突;无额瘤,唇须5节,第3节唇须具2~3个毛感器。前胸背板分离,无小胸瘤;盾片不或仅轻微延伸过前胸背板;背中鬃6~14根、翅前鬃2~5根和小盾片鬃5~17根,中鬃3~13根。翅膜区无毛,具色斑;臀角不发达;无C脉延伸,R_{2+3}脉延伸至R_1脉与R_{4+5}脉之间;FCu脉与RM脉走向相反;常仅R脉具小毛,某些种类C脉,R_{2+3}脉的基部及R_{4+5}脉末梢1/2处具小毛;腋瓣无或具少量长缘毛。前足胫节无鳞片,具1个距;中、后足胫节具距;中足第1跗节具少量毛感器;爪垫细长。第9背板中部有或无刚毛;肛尖形态多变,一般细长或膨大;上附器短小,基部膨大,中部成钩状,具刚毛;中附器圆筒状,上具大量细刚毛;下附器短小,密布刚毛;抱器端节短小,圆筒状,端部膨大,内缘端部具刚毛。

分布:古北区,新北区,东洋区,非洲区。世界已知38种,中国记录6种,秦岭地区有 2 种。

中国间摇蚊属分种检索表

翅具腋瓣缘毛 …………………………………………………………… 白间摇蚊 ***P. albimanus***
翅无腋瓣缘毛 ………………………………………………………… 裸瓣间摇蚊 ***P. nudisquama***

(55) 白间摇蚊 *Paratendipes albimanus* (Meigen, 1818) (图 120)

Chironomus albimanus Meigen, 1818: 40.
Paratendipes albimanus: Townes, 1945: 29.

鉴别特征: 体长 3.70 ~ 5.88mm。头部黄色，下唇须棕色，触角棕色；胸部棕色；腹部棕色；足浅黄色，前足胫节棕色。第 9 背板后缘具 16 根刚毛，中部无刚毛。肛尖端部膨大，长 40 ~ 70μm。肛节侧片具 2 根刚毛。阳茎内突长 40 ~ 96μm，横腹内生殖突长 70 ~ 90μm。上附器钩状，长 40 ~ 70μm，外侧具 5 ~ 7 根刚毛，内侧具 2 根刚毛。下附器短小，长 72 ~ 104μm，密布刚毛。中附器基部柄状，端部生多数长毛。抱器基节长 186 ~ 208μm；抱器端节长 146 ~ 160μm，端部内边缘具 11 根长刚毛。

采集记录: 2♂，周至，1994. Ⅷ. 11，卜文俊灯诱。

分布: 陕西(周至)、河北、河南、宁夏、甘肃、浙江、湖北、四川、云南；日本，黎巴嫩，美国，欧洲广布。

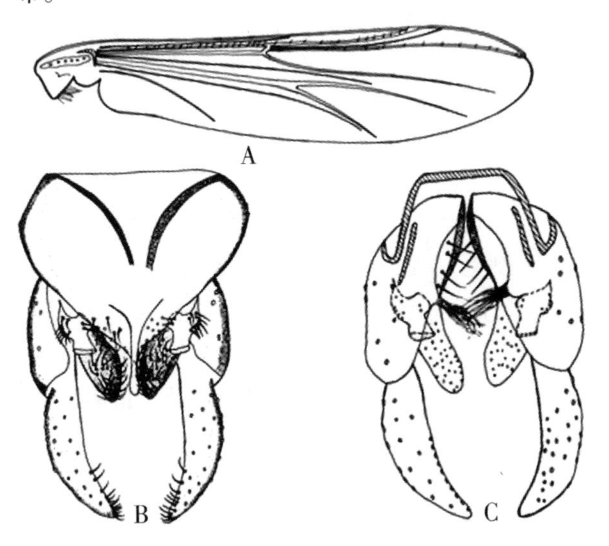

图 120　白间摇蚊 *Paratendipes albimanus* (Meigen)
A. 翅(wing); B. 生殖节背面观(hypopygium, dorsal view); C. 生殖节腹面观(hypopygium, ventral view)

(56)裸瓣间摇蚊 *Paratendipes nudisquama* (Edwards, 1929)

Chironomus (*Paratendipes*) *nudisquama* Edwards, 1929: 396.
Paratendipes nudisquama: Cranston, 1989: 258.

鉴别特征:体长2.16~2.54mm。体黑褐色。第9背板中部具3根长刚毛, 后缘具12根刚毛。肛尖短小, 圆筒状, 长30~34μm。肛节侧片具3根刚毛。阳茎内突长40~50μm, 横腹内生殖突长34~60μm。上附器钩状, 长40~56μm, 宽18~20μm, 外侧具3根刚毛, 内侧具2根刚毛。下附器短小, 端部膨大, 长44~60μm, 密布长而弯曲的刚毛。中附器基部柄状, 端部生多数长毛。抱器基节长100~134μm; 抱器端节长60~82μm, 端部内边缘具8根长刚毛。

采集记录:8♂, 凤县, 1994.Ⅶ.24, 卜文俊扫网。

分布:陕西(凤县)、青海、福建; 欧洲。

34. 明摇蚊属 *Phaenopsectra* Kieffer, 1921

Phaenopsectra Kieffer, 1921: 274. **Type species**: *Chironomus leucolabis* Kieffer, 1915.

属征:中到大型, 翅长2.08~3.00mm; 体棕色; 足浅黄色。触角13节, 触角比(AR)1~3。眼无毛, 具两侧平行的背中突; 无额瘤, 唇须5节。前胸背板分离, 无小胸瘤; 具前胸背板鬃、背中鬃、翅前鬃和小盾片鬃。翅膜区具斑点, 具大毛; 臀角不发达或无; 无C脉延伸, R_{4+5}脉延伸至翅顶端, FCu脉走向与RM脉方向相反; R、R_1和R_{4+5}脉, R_2有或无小毛; 腋瓣具短缘毛。前足胫节具1个巨大的圆形鳞片, 上具或无短小的距; 前、中、后足胫节具胫栉, 中足胫栉有或无胫距, 后足胫节具0~2根短小胫距; 伪胫距缺失; 第1跗节上具毛形感器; 爪垫短小。第9背板中部具刚毛; 肛尖细长, 两侧平行或端部略膨大; 上附器钩状, 基部具刚毛, 近端部具1根长背刚毛; 下附器指状, 常密布刚毛, 端部常具1~2根长刚毛; 无中附器; 抱器端节细长, 形态多变, 常呈棒状, 内缘端部具刚毛, 多分布在近端部; 横腹内生殖突倒"U"状, 无突出。

分布:古北区, 新北区, 新热带区, 澳洲区, 东洋区。世界已知14种, 中国记录1种, 秦岭地区有1种。

(57)黄明摇蚊 *Phaenopsectra flavipes* (Meigen, 1818) (图121)

Chironomus flavipes Meigen, 1818: 50.
Phaenopsectra flavipes: Sasa & Kikuchi, 1986: 22.

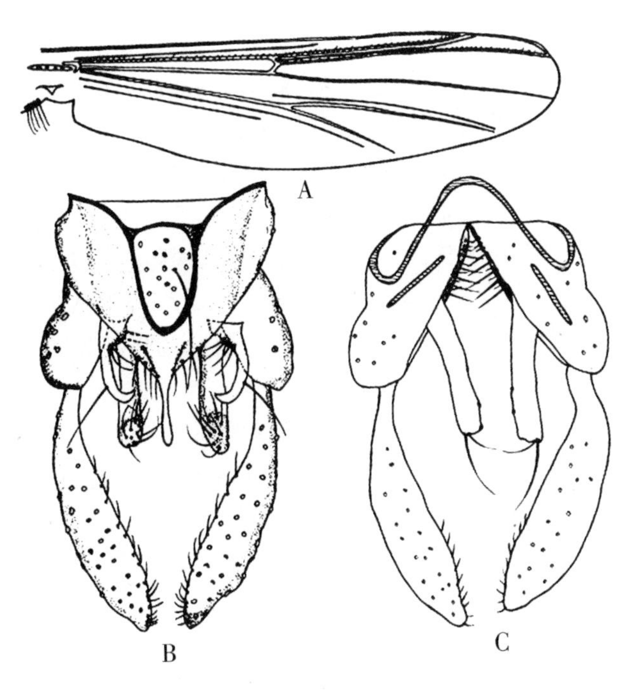

图 121　黄明摇蚊 *Phaenopsectra flavipes* (Meigen)

A. 翅(wing); B. 生殖节背面观(hypopygium, dorsal view); C. 生殖节腹面观(hypopygium, ventral view)

鉴别特征:体长 3.75～4.53mm。翅无色斑，体深棕色。第 9 背板中部 17 根长刚毛，后缘具 8 根刚毛。第 9 背板中部 17 根长刚毛，后缘具 8 根刚毛。肛尖端部膨大，球状，长 75～105μm。肛节侧片具 3～6 根刚毛。阳茎内突长 99～122μm，横腹内生殖突长 25～32μm。上附器钩状，长 80～100μm，宽 20～30μm，基部具 4 根长刚毛，近端部外侧具 1 根长刚毛。下附器指状，长 120～140μm，具 8 根长刚毛，端部具 1 根长刚毛。抱器基节长 155～175μm；抱器端节长 225～250μm，端部内边缘具 16 根刚毛。

采集记录:1♂，留坝，1994. Ⅶ. 29，卜文俊扫网。

分布:陕西(留坝)、北京、新疆、湖北、贵州、云南；日本，黎巴嫩，加拿大，美国。

35. 多足摇蚊属 *Polypedilum* Kieffer, 1912

Polypedilum Kieffer, 1912: 41. **Type species**: *Polypedilum pelostolum* Kieffer, 1912.

属征: 触角鞭节多 13 节，偶具有二型现象，鞭节 5 节。前胫节端部鳞片发达，中后足各具有两个分离的栉，其中 1 个栉具有长的距，爪垫二分叉。第 8 背板向基部逐渐缩小呈三角形。抱器端节内缘刚毛长均匀分布。体小型到大型，翅长0.70～3.50mm。体色淡或黑，翅具翅斑或呈褐色，足有时具各种黑色环。鞭节多数 13 节，偶尔 6 节，触角毛发达或退化(短且稀)。触角比(AR) 0.20～3.50。复眼光裸，背中部具边缘平行的突起。额瘤缺失，若存在则小。下唇须5节，第3和4节端部具感觉器。前胸背板叶背部稍窄，两前胸背板中部稍分离，前胸背板鬃存在或缺失。盾片达到或稍超过前胸背板，盾片瘤常缺失。中鬃长，2列；背中鬃长，1至多列；翅前鬃1至多列；小盾片鬃1至多列；翅上鬃、前前侧片鬃和上前侧片鬃缺失。翅膜质部分无毛或具有许多大毛（毛翅多足摇蚊亚属和部分三突多足摇蚊亚属），具有中等或大的刻点。臀叶弱或发达。前缘脉不延伸，达翅端部；R_{2+3}常逐渐消失或达R_1和R_{4+5}脉间1/3处；FCu与RM相对或多数远离。R_1和R_{4+5}具有少或多数毛，偶尔光裸。腋瓣缘毛两个或多数毛，偶尔光裸。前足胫节鳞片三角形具刺或椭圆形端部圆。中后足胫节前栉宽阔无距，后栉细长具长距，两栉分离。爪垫典型二分叉。常具细长毛。第8背板前端逐渐变小，三角形。肛节背板色带弱基部未愈合；或发达基部愈合；包围肛节背板中刚毛。肛节背板中部具有分散摆列的或围成椭圆形的长毛，与肛尖两侧弱的毛相分离。第9背板后端圆或尖，有时平截。肛尖多半细长到宽阔偶尔缺失。上附器多变，基部常多具长毛和微毛，钩状突起光裸或基部1/2具微毛，指状部常有或无侧毛；有时指状突起缺失，仅具球拍状基部；基部也可能退化为具2～3根长刚毛小突起。中附器缺失。下附器边缘平行或端部棒状，背腹常具微毛，端部常具长刚毛指向后方。抱器端节形状和长度多变，与抱器基节相连处窄；抱器端节内缘刚毛长，均匀分布不成簇。

分布：世界性分布。世界已记录约470种，中国已知约80种，秦岭地区分布11种。

分种检索表

1. 肛节背板后缘肛尖两侧具侧突 …… 2
   肛节背板后缘肛尖两侧具无侧突 …… 3
2. 肛节细长，边缘平行 …… **单带多足摇蚊 *P. unifascium***
   肛节宽阔或基部细端部膨大 …… **亚牟多足摇蚊 *P. yammounei***
3. 上附器基部长小于宽，内缘常具长刚毛，具角状突起 …… 4
   上附器基部长大于宽，上附器后缘端部具1到多根刚毛，上附器突起从端部内缘伸出指向内侧 …… 10
4. 额瘤发达，上附器外侧无刚毛，抱起端节粗短，端部钝 …… **步行多足摇蚊 *P. pedestre***
   瘤缺失或不发达，上附器外侧具或无刚毛，抱器端节长或粗短 …… 5
5. 翅具斑 …… **鲜艳多足摇蚊 *P. laetum***
   翅无斑 …… 6
6. 上附器突起在中部弯曲成直角，呈“L”形 …… **浅川多足摇蚊 *P. asakawaense***
   上附器突起均匀弯曲，呈“C”形 …… 7
7. 上附器内缘中部具2根刚毛 …… **筑波多足摇蚊 *P. tsukubaense***
   上附器内缘刚毛位于基部或近端部 …… 8
8. 腹部第2～4节褐色，后缘具浅色的三角形区域 …… **白斑多足摇蚊 *P. edensis***
   腹部全为褐色或除生殖节外全为褐色 …… 9

9. 上附器基部宽，侧毛位于突起基部 …………………………… 冲绳多足摇蚊 *P. benokiense*
   上附器基部窄，侧毛位于突起中部或远端 ……………………… 白角多足摇蚊 *P. albicorne*

10. 上附器端部指向后方 ……………………………………………… 膨大多足摇蚊 *P. convictum*
    上附器端部不指向后方 …………………………………………… 细铁多足摇蚊 *P. surugense*

(58)白角多足摇蚊 *Polypedilum albicorne* (Meigen, 1838)(图 122)

Chironomus albicornis Meigen, 1838: 401.

Polypedilum albicorne: Pinder, 1978: 37.

鉴别特征: 具肩鬃，体色深褐色，触角比(AR)为 1.00～1.35，前足比为 1.32～1.55。体长 2.58～3.43mm，翅长 1.65～2.28mm。体长与翅长比为 1.35～1.69，翅长与前腿节长比为 1.94～2.24。头部褐色，胸部深褐色到黑色，足除前足跗节褐色外全麦秆色，腹部深褐色。肛节色带发达，基部愈合。肛节背板中刚毛 12～17 根；肛节侧板具刚毛 2～5 根。肛尖长 63～93μm，从基部逐渐变细，边缘平行。阳茎内突长 73～100μm，横腹内突长 40～55μm。上附器长 70～95μm，基部覆有微毛，内缘具刚毛 2～3 根，基部 1/3 处外侧具刚毛 1 根。下附器长 80～98μm，具 7～11 根强烈分叉的口向刚毛，端部具 1 根刚毛。抱器基节长 138～180μm。抱器端节长 150～178μm，内缘具 3～5 根分叉的刚毛，端部具 1 根刚毛。

采集记录: 1♂，周至板房子，1994.Ⅷ.09，卜文俊灯诱；凤县秦岭，1♂，1994.Ⅶ.29，卜文俊灯诱；留坝庙台子，1♂，1994.Ⅷ.04，卜文俊灯诱；宁陕旬阳坝乡，1♂，1994.Ⅷ.17，卜文俊扫网。

分布: 陕西(周至、凤县、留坝、宁陕)、河南、宁夏、福建、云南；北美洲，欧洲。

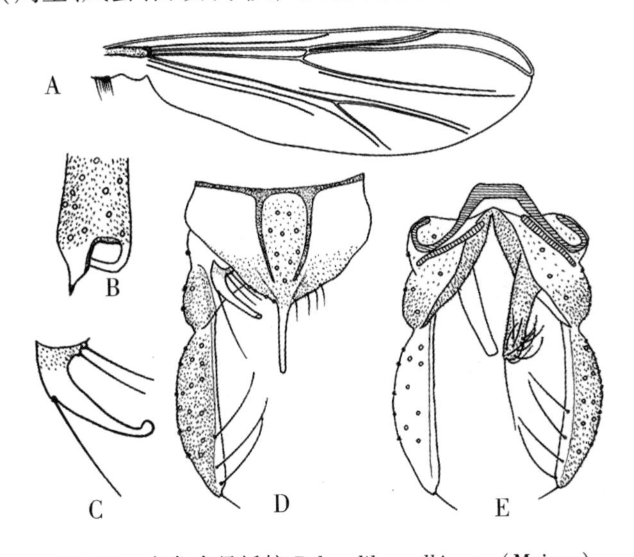

图 122　白角多足摇蚊 *Polypedilum albicorne* (Meigen)

A. 翅(wing)；B. 前足胫距(spur of fore leg)；C. 上附器(superior volsella)；D. 生殖节背面观(hypopygium, dorsal view)；E. 生殖节腹面观(hypopygium, ventral view)

(59)浅川多足摇蚊 *Polypedilum asakawaense* Sasa, 1980(图 123)

Polypedilum (*Polypedilum*) *asakawaense* Sasa, 1980: 34.

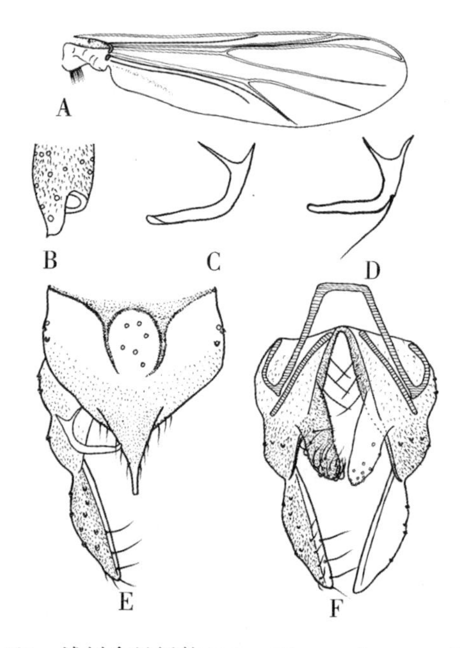

图 123 浅川多足摇蚊 *Polypedilum asakawaense* Sasa

A. 翅(wing); B. 前足胫距(spur of fore leg); C, D. 上附器(superior volsella); E. 生殖节背面观(hypopygium, dorsal view); F. 生殖节腹面观(hypopygium, ventral view)

鉴别特征:上附器在中部弯成直角，肛尖两侧具侧毛。体长 2.73 ~ 3.50mm，翅长 1.50 ~ 1.98mm。体长与翅长比为 1.63 ~ 1.96，翅长与前腿节长比为 1.85 ~ 2.11。头部褐色，鞭节深褐色或黑色。胸部黄褐色，上前侧片和后侧片变深，平衡棒褐色。腿除前足胫节基部 1/3 处褐色外，其余部分黄色。腹部褐色。肛节色带发达，基部愈合。肛节背板中刚毛 5 ~ 9 根，肛节侧板具刚毛 3 ~ 5 根。肛尖长 55 ~ 65μm，三角形，从基部逐渐变细，具侧毛。阳茎内突长 85 ~ 105μm，横腹内突长 43 ~ 63μm。抱器基节长 138 ~ 163μm。上附器细长光裸，中部弯成直角，外侧无刚毛或偶具 1 根刚毛。下附器粗壮，长为 60 ~ 83μm，向端部逐渐变细，具 15 ~ 22 根口向刚毛。抱器端节长 105 ~ 143μm，内缘具 3 ~ 4 根长刚毛，端部具 1 根刚毛。

采集记录:6♂，周至板房子，1994. Ⅷ. 07-10，卜文俊灯诱；1♂，宁陕火地塘，1640m，1994. Ⅷ. 12，卜文俊灯诱。

分布:陕西(周至、宁陕)、河南、浙江、湖北、广东、四川、贵州。

(60)冲绳多足摇蚊 *Polypedilum benokiense* Sasa *et* Hasegawa, 1983

Polypedilum sp. (Benoki-yusurika) Sasa *et* Hasegawa, 1983: 328.
Polypedilum benokiense: Sasa & Hasegawa, 1988: 231.

鉴别特征:上附器侧毛从基部伸出，上附器细逐渐弯曲，肛尖边缘平行，但触角比(AR)低且抱器端节的形状不同。体长为2.65~2.97mm，翅长为1.55~1.78mm。体长与翅长之比为1.60~1.81，翅长与前腿节长之比为2.38~2.61。体几乎呈均匀深褐色，腿黄褐色。肛节色带发达，基部愈合。肛节背板中刚毛10~13根，肛节侧板具刚毛3~4根。肛尖长60~65μm，从基部逐渐变细，边缘平行。阳茎内突长75~100μm，横腹内突长33~50μm。抱器基节长118~138μm。上附器长75~83μm，基部内缘具3~4根刚毛，基部1/4处具一侧刚毛。下附器长78~88μm，端部稍膨大，具8~10根分叉的口向刚毛和1根端刚毛。抱器端节长128~135μm，内缘具4~5根长的分叉的刚毛。

采集记录:1♂，周至板房子，1994.Ⅷ.10，卜文俊灯诱。

分布:陕西(周至)；福建，日本。

(61)白斑多足摇蚊 *Polypedilumed edensis* Ree *et* Kim, 1981

Polypedilum edensis Ree *et* Kim, 1981: 161.

鉴别特征:此种可通过上附器基部呈三角形及腹部颜色很容易与其他种类区别。体长为2.28~3.58mm，翅长为1.03~1.60mm。体长与翅长之比为1.89~2.23，翅长与前腿节长之比为1.96~2.18。头褐色触角深褐色。胸部褐色，后胸背板和前前侧片深褐色，平衡棒黄色。足黄色。腹部2~4节褐色，后缘具三角形的淡色区域；腹部第5~7节褐色，后缘具淡色横带，腹部第8到生殖节均呈深褐色。肛节色带发达，基部愈合。肛节背板中刚毛5~10根，肛节侧板具刚毛2~5根。肛尖长54~58μm，细长，从基部逐渐变细且边缘平行。阳茎内突长68~95μm，横腹内突长28~45μm。抱器基节长123~150μm。上附器长63~83μm，基部高内缘具根刚毛且内部覆有微毛，外侧缘具2根刚毛。下附器长75~95μm，具5~8根分裂的口向根刚毛，端部具1根刚毛。抱器端节长125~148μm，内缘具4根长刚毛，端部具1根刚毛。

采集记录:2♂，留坝庙台子，1400m，1994.Ⅷ.03，卜文俊灯诱。

分布:陕西(留坝)、山东、浙江、广东、海南、四川、贵州、西藏；韩国，日本。

(62)鲜艳多足摇蚊 *Polypedilum laetum* (Meigen, 1818)

Chironomus laetus Meigen, 1818: 30.
Polypedilum laetum: Goetghebuer, 1928: 90.

鉴别特征:根据上附器基部的形状和翅斑的特征很容区别此种。体长4.03mm，翅长2.38mm。体长与翅长比为1.69，翅长与前腿节长比为2.42。头、腹部和足褐色。胸部深褐色或黑色。肛节背板中刚毛7根，肛节侧板具刚毛5根。肛尖88μm，细长且边缘平行。阳茎内突140μm，横腹内突长65μm。抱器基节长205μm。上附器长105μm，基部近方形，内缘具3根长刚毛，远端突起逐渐弯曲，在中部具一侧刚毛。下附器长110μm，向端部逐渐变细，具6根口向刚毛，端刚毛1根。抱器端节长140μm，内缘具5~6根长刚毛，端部具1根刚毛。

采集记录:1♂，凤县秦岭，1994.Ⅶ.03，纪炳纯灯诱。

分布:陕西(凤县)；欧洲，北美洲。

(63)步行多足摇蚊 *Polypedilum pedestre* (Meigen, 1830)

Chironomus pedestris Meigen, 1830: 246.

Polypedilum pedestre: Kieffer, 1921: 73.

鉴别特征:可通过足与腹部颜色区别此种。体长4.16~4.64mm，翅长2.11~2.54mm。体长与翅长比为1.79~1.97，翅长与前腿节长比为1.94~2.00。头深褐色。胸部深褐色到黑色。前腿节远端2/3和胫节深褐色；跗节第1和2节近端部褐色；跗节第2节远端1/2，跗节第4节远端1/2和跗节第5节褐色；其余部分黄色。中后足全为黄色。腹部第1~5节黄色，第6~9节深褐色。肛节色带发达，基部愈合。肛节背板中刚毛12~17根；肛节侧板具刚毛4~5根。肛尖长80~160μm，从基部逐渐变细。阳茎内突长106~143μm，横腹内突长50~68μm。抱器基节长223~244μm。上附器101~127μm，基部覆有微毛，基部内缘具1~3根刚毛，上附器突起的外侧中部具1根刚毛。下附器长154~191μm，具18~25根分裂的口向刚毛，端刚毛1根。抱器端节长113~158μm，内缘具3~5根长刚毛，端刚毛1根。

采集记录:9♂，周至县板房子，1994.Ⅷ.07、09、10，卜文俊灯诱。

分布:陕西(周至)、北京；东亚，北美洲，欧洲。

(64)筑波多足摇蚊 *Polypedilum tsukubaense* (Sasa, 1979)(图124)

Microtendipes tsukubaense Sasa, 1979:17.

鉴别特征:上附器细长，内缘具2根长刚毛。体长2.70~3.60mm，翅长1.50~2.23mm。体长与翅长比为1.56~1.83，翅长与前腿节长比为1.86~2.31。几乎全为淡黄色或黄色。肛节背板中刚毛8~18根；肛节侧板具1~4根刚毛。肛尖长40~53μm，端部稍膨大。阳茎内突长70~93μm；横腹内突长40~53μm。抱器基节长130~175μm 。上附器长75~90μm，稍向内侧弯曲，突起内缘中部具2根刚毛，端部外侧 1/3 处有 1 侧刚毛。下附器长 125 ~ 150μm，中部最粗，具 10 ~ 14 根口向刚毛，端部具 1 根刚毛。抱器端节长 133 ~ 188μm，内缘具 5 ~ 8 根长刚毛，端部具 1 根刚毛。

采集记录:6♂，周至板房子，1994. Ⅷ. 07-10，卜文俊灯诱；1♂，凤县，1400m，1994. Ⅶ. 27，卜文俊扫网；5♂，留坝庙台子，1400m，1994. Ⅷ. 01-04，卜文俊灯诱；5♂，宁陕旬阳坝，1994. Ⅷ. 17，卜文俊扫网；宁陕火地塘，1994. Ⅷ. 15，卜文俊灯诱。

分布:陕西（周至、凤县、留坝、宁陕）、河南、浙江、湖北、福建、广东、海南、云南；日本。

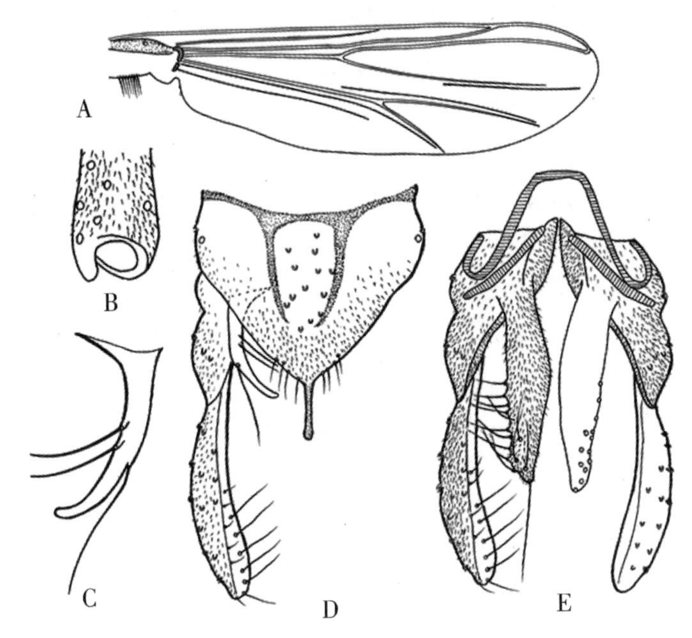

图 124　筑波多足摇蚊 *Polypedilum tsukubaense*（Sasa）

A. 翅（wing）；B. 前足胫距（spur of fore leg）；C. 上附器（superior volsella）；D. 生殖节背面观（hypopygium，dorsal view）；E. 生殖节腹面观（hypopygium，ventral view）

（65）单带多足摇蚊 *Polypedilum unifascium*（Tokunaga，1938）

Chironomus（*Polypedilum*）*unifascium* Tokunaga，1938：335.

鉴别特征:翅斑特征，肛尖细长，边缘平行，很容易区别此种。体长1.83 ~ 2.50mm，翅长 1.00 ~ 1.53mm。体长与翅长比为 1.53 ~ 2.13。翅长与前腿节长比为2.07 ~ 2.50。头和胸部褐色，平衡棒黄色。腹部第 1 ~ 5 节黄色或黄褐色，腹部第 6 ~ 8 节褐色或深褐色。足基部大都褐色，远端 1/4 具 1 个黄色环；前胫节褐色，中胫节黄色，后胫节除基部 1/3 黄色大部分褐色；所有的跗节褐色。肛节背板中刚毛 3 ~ 9 根；肛节侧板具刚毛 1 ~ 3 根。肛节长 48 ~ 63μm，细窄、从基部逐渐变细到边缘平行，肛尖侧突长 8 ~ 15μm。

阳茎内突长55 ~ 90μm，横腹内突长20 ~ 43μm。抱器基节长88 ~ 118μm。上附器球拍状，内缘具3根短刚毛，端部外缘具1根长刚毛。下附器长55 ~ 88μm，具15 ~ 20根口向刚毛，端刚毛1根。抱器端节长98 ~ 128μm，内缘具5 ~ 6长刚毛。

采集记录：14♂，周至板房子，1994. Ⅷ. 09，卜文俊采；凤县秦岭，2♂，1994. Ⅶ. 26，纪炳纯灯诱；5♂，留坝庙台子，1994. Ⅷ. 03，纪炳纯灯诱。

分布：陕西（周至、凤县、留坝）、辽宁、山东、福建、台湾、广东、海南、广西、贵州；日本。

(66)亚牟多足摇蚊 *Polypedilum yammounei* Moubayed, 1992

Polypedilum (*Tripodura*) *yammounei* Moubayed, 1992: 201.

鉴别特征：翅斑特征，肛尖宽阔，触角比低，易于与本亚属其他种区别。体长为2.10 ~ 3.60mm，翅长为1.43 ~ 2.10mm。体长与翅长之比为1.39 ~ 1.88；翅长与前腿节长之比为2.17 ~ 2.82。头深褐色。胸部黄褐色到深褐色。足黄褐色到褐色，腿节近端部具淡色环。腹部黄褐色到褐色。肛节背板中刚毛6 ~ 18根；肛节侧板具刚毛2 ~ 3根。肛尖长3 ~ 88μm，肛尖侧突13 ~ 33μm。阳茎内突长65 ~ 100μm；横腹内突长25 ~ 53μm。抱器基节长103 ~ 163μm。上附器长球拍状，端部膨大，内缘具5 ~ 6根短刚毛，端部具2根长刚毛。下附器长95 ~ 140μm，具8 ~ 13根刚毛。抱器端节长120 ~ 193μm，内缘具5 ~ 7根长刚毛。

采集记录：1♂，周至板房子，1994. Ⅶ. 10，卜文俊灯诱；1♂，宁陕旬阳坝，1994. Ⅷ. 16，卜文俊扫网。

分布：陕西（周至、宁陕）、宁夏、甘肃、湖北、四川、云南、西藏；黎巴嫩。

(67)膨大多足摇蚊 *Polypedilum convictum* (Walker, 1856)

Chironomus convictus Walker, 1856: 161.

Polypedilum convictum: Goetghebuer, 1928: 92.

鉴别特征：体长为2.59 ~ 3.43mm。翅长为1.48 ~ 1.89mm。体长与翅长之比为1.57 ~ 2.05。翅长与前腿节长之比为1.81 ~ 2.28。上附器端部向内凹入，端部具突起指向后方，突起上具1根刚毛。除前跗节淡褐色外其他部分淡黄色到黄色。肛节色带中等发达，基部愈合，包围肛节背板中刚毛。肛节背板中刚毛5 ~ 14根；肛节侧板具2 ~ 4根刚毛。肛尖长49 ~ 70μm，从基部逐渐变细，然后两边平行。阳茎内突长78 ~ 81μm；横腹内突长28 ~ 42μm。抱器基节长120 ~ 143μm。上附器长34 ~ 57μm，端部具微毛向内凹入，端部外侧具1个突起，突起上具1根刚毛；基部内缘具1 ~ 3根刚毛。下附器长78 ~ 94μm；具14 ~ 19根口向刚毛和1端刚毛，近端部稍膨大分成2叶。抱器端节长109～148μm。

采集记录：2♂，凤县秦岭，1994.Ⅷ.26，纪炳纯灯诱；8♂，留坝庙台子，1994.Ⅷ.01，纪炳纯灯诱；7♂，宁陕火地塘，1994.Ⅷ.12，纪炳纯灯诱；2♂，宁陕旬阳坝，1994.Ⅷ.17，纪炳纯灯诱。

分布：陕西(凤县、留坝、宁陕)、河南、湖北、福建、广东、海南、贵州、云南；日本，欧洲，非洲，北美洲。

(68)细铗多足摇蚊 *Polypedilum surugense* Niitsuma，1993(图125)

Polypedilum (*Polypedilum*) *surugense* Niitsuma, 1992: 700.

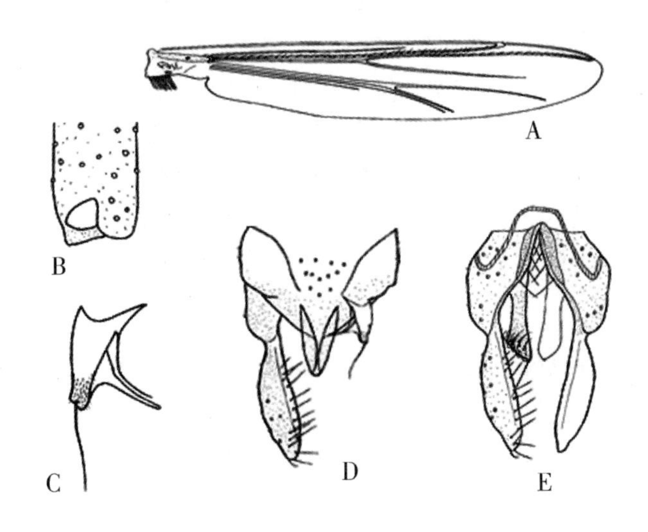

图125　细铗多足摇蚊 *Polypedilum surugense* Niitsuma

A. 翅(wing)；B. 前足胫距(spur of fore leg)；C. 上附器(suprior volsella)；D. 生殖节背面观(hypopygium, dorsal view)；E. 生殖节腹面观(hypopygium, ventral view)

鉴别特征：体长为2.86～3.94mm。翅长为1.48～2.27mm。体长与翅长之比为1.74～1.93。翅长与前腿节长之比为1.88～2.68。肛尖宽阔，上附器内突细、尖。头部黄褐色，触角褐色。胸部黄色，小盾片和平衡棒淡色。足除前跗节外其余部位黄褐色。腹部黄色或淡黄色。肛节背板中刚毛10～12根，肛节侧板具2～4根刚毛。肛尖长73～99μm，宽阔向端部逐渐变细。横腹内突长36～60μm。抱器基节长146～172μm。上附器长44～57μm，后端突起强烈具突起的踵，端部具微毛，上附器内缘具0～1刚毛，端部具1根长的端刚毛；内突长33～44μm，端部细尖。下附器长91～120μm，近端部膨大，具12～18根口向刚毛和1根端刚毛。抱器端节长147～182μm。

采集记录：8♂，凤县，1994.Ⅷ.26、27、29，纪炳纯灯诱；1♂，留坝庙台子，1400m，1994.Ⅷ.02，纪炳纯灯诱。

分布:陕西(凤县、留坝)、湖北、福建、海南、贵州、云南;日本。

36. 狭摇蚊属 *Stenochironomus* Kieffer, 1919

Stenochironomus Kieffer, 1919: 44. **Type species**: *Chironomus pulchripennis* Coquillett, 1902.

属征:中型,翅长 1.46~2.50mm。体浅黄色至深棕色;足具色环;翅具色斑。触角 13 节,触角比(AR)0.73~1.89。眼无毛,具两侧平行的背中突;无额瘤,唇须 5 节。前胸背板分离,无小胸瘤;背中鬃 12~41 根、翅前鬃 4~16 根和小盾片鬃 22~43 根,中鬃 11~19 根。翅膜区无毛,具色斑;臀角发达;无 C 脉延伸,R_{2+3}脉延伸至 R_1 脉与 R_{4+5}脉之间;FCu 脉超出 RM 脉;R、R_1 和 R_{4+5}脉具小毛;腋瓣具长缘毛。前足胫节具 1 个鳞片,无距;前足第 1 跗节短于胫节;中足、后足胫节具距;爪垫细长。第 4 背板端部具刚毛,中部具长毛;肛尖形态多变,一般细长或膨大;上附器短小,一般指状,具长刚毛;下附器长条状,内缘密布刚毛;无中附器;抱器端节细长,2/3 处膨大,内缘端部具刚毛。

分布:古北区,新北区,东洋区,非洲区,新热带,澳洲区。世界已知 88 个种,中国记录 13 种,秦岭地区有 1 种。

(69)印拉狭摇蚊 *Stenochironomus inalemeus* Sasa, 2001(图 126)

Stenochironomus inalemeus Sasa, 2001: 11.

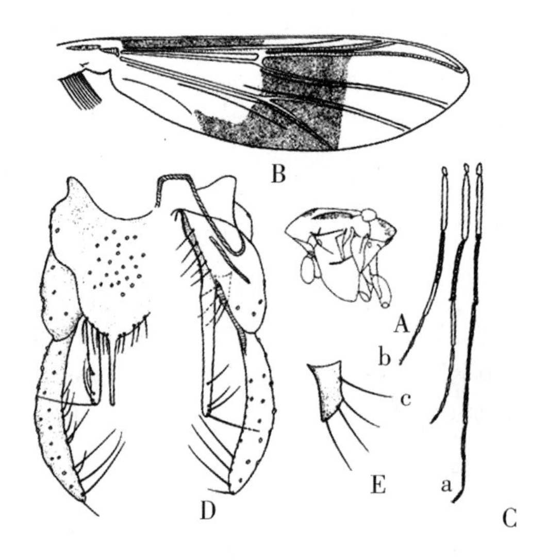

图 126 印拉狭摇蚊 *Stenochironomus inalemeus* Sasa

A. 胸(thorax); B. 翅(wing); C. 足(a. 前足; b. 中足; c. 后足)(legs: a, fore; b, mid; c, hind); D. 生殖节(hypopygium); E. 上附器(superior volsella)

鉴别特征:体长2.86~4.48mm。腿节端部1/8处、各足胫节及前足各跗节棕色，足其余部分浅黄；翅中部具色带色斑。第9背板后缘具10根长刚毛，中部具20~24根刚毛。肛尖细长，两端平行，长82~106μm。肛节侧片具3~4根刚毛。阳茎内突长56~80μm，横腹内生殖突长30~40μm。上附器短小，指状，长20~42μm，具3~4根长刚毛。下附器条状，长172~180μm，端部具3根长刚毛，中部具1~2根刚毛。抱器基节长168~190，172μm；抱器端节长180~236，206μm，端部变窄，内边缘端部1/2处具3根长刚毛和8根短刚毛。

采集记录:1♂，周至，1994.Ⅷ.10，卜文俊灯诱；1♂，凤县，1994.Ⅷ.01，卜文俊灯诱；1♂，留坝，1994.Ⅶ.29，卜文俊灯诱。

分布:陕西(周至、凤县、留坝)、福建、广东、四川；日本。

37. 长跗摇蚊属 *Tanytarsus* v. d. Wulp, 1874

Tanytarsus v. d. Wulp, 1874: 88. **Type species**: *Chironomus signatus* v. d. Wulp, 1858.

属征:翅长1.40~3.50mm。体色多变，浅黄色、绿色、棕色、黑色；色带黄色到黑色，常分离或愈合。触角13节。触角比0.17~2.20。复眼光裸，并伴有背中部延伸。前额瘤缺失或较大。下唇须正常。前胸背板退化，前胸背板叶中部分离。小盾片超过前胸背板；背板瘤缺失。前胸背板鬃缺失；中鬃1~2列6~20根；背中鬃单列5~15根。翅上鬃缺失，翅前鬃0~2根；小盾片鬃2~15根。翅膜常覆盖刚毛，翅远端更为密集，有时刚毛局限在远端区域。C脉不延伸；R_{2+3}脉末端处R_1和R_{4+5}脉的1/2处。R_{4+5}末端与M_{3+4}顶端较远；RM脉接近FCu脉。臀叶不发达。前足胫节顶端具长胫距。中后足胫距具分离的胫栉，常具胫距。抓垫缺失或发达。肛尖背板带分离，部分愈合“Y”形。肛尖侧脊有或无，侧脊中间常伴有成组的微刺。上附器形状多样:椭圆，四边形，狭长形，延伸型，半圆形。指附器常延伸甚至超过上附器边缘，或缺失。下附器略弯曲，很少远端成椭圆形或球形。中附通常器短，有时很长但很少弯曲。

分布:世界广布。全世界已记录361种，中国已知38种，秦岭地区有1种。

(70)细长跗摇蚊 *Tanytarsus ejuncidus* (Walker, 1856)(图127)

Chironomus ejuncidus Walker, 1856: 155

Tanytarsus ejuncidus: Reiss & Fittkau, 1971: 104.

鉴别特征:体长2.20~3.30mm，翅长1.42~2.00mm。体色黄绿色，触角浅棕色；复眼黑色；“V”形肛尖背板带，中部分离。肛尖宽，具圆末端，平行肛尖侧脊，中部具2~5根，侧面4~6根刚毛。上附器肾形32~50μm，3~5根外侧刚毛，1~2

根内侧刚毛。指附器逐渐变尖，仅延伸至上附器内侧边缘。中附器短 10～36μm，具 10 个顶端侧叶。下附器 56～90μm。抱器端节 94～140μm。

采集记录:1♂，周至，1994. Ⅷ. 10，卜文俊灯诱；1♂，凤县，1994. Ⅷ. 26，卜文俊灯诱。

分布:陕西(周至、凤县)、北京、天津、山东、宁夏、湖北、江西、福建、广东、四川、云南；欧洲，北美。

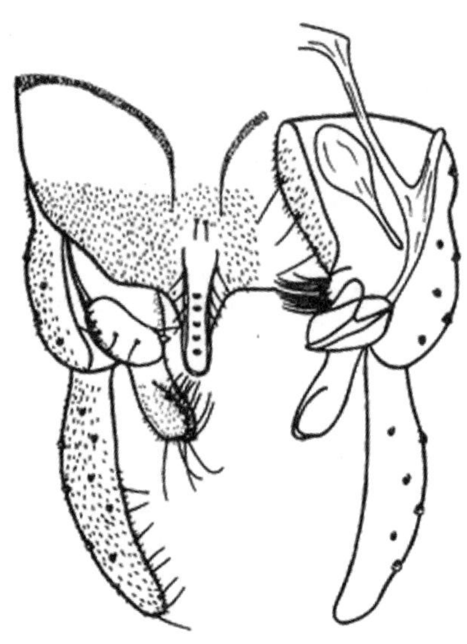

图 127 细长跗摇蚊 *Tanytarsus ejuncidus* (Walker)
生殖节(hypopygium)

参考文献

Armitage, P. D., Cranston, P. S. and Pinder, L. C. V. 1995. *The Chironomidae Biology and ecology of non-biting midges*, Chapman and Hall, 1-572.

Ashe, P. and O'Connor, J. P. 2012. A World Catalogue of Chironomidae (Diptera). Part 2. Orthocladiinae. *Irish Biogeographical Society*, National Museum of Ireland, Dublin, 1-986.

Brundin, L. 1956. Zur Systematik der Orthocladiinae (Diptera: Chironomidae). *Reports from the Institute of Freshwater Research*, Drottningholm, 37: 5-185

Cheng, M. and Wang, X-H. 2006. *Natarsia*, Fittkau (Diptera: Chironomidae: Tanypodinae) from China. *Zootaxa*, 1111: 59-67.

Du, J. and Wang, X-H. 2010. Three new species of *Bryophaenocladius* Thienemann, from oriental China, with inconspicuous inferior volsella (Diptera: Chironomidae). *Acta Zootaxonomica Sinica*, 35(4): 750-755.

Fu, Y., Sæther, O. A. and Wang, X-H. 2010. *Thienemanniella* Kieffer from East Asia, with a systematic review of the genus (Diptera: Chironomidae: Orthocladiinae). *Zootaxa*, 2431: 1- 42.

Kieffer, J. J. 1913. Nouvelle etude sur les Chironomides de l'Jndian Museum de Calcutta. *Records of the*

Indian Museum, 9: 119-197.

Kong, F., Liu, W. and Wang, X-H. 2011. *Mesosmittia* Brundin from China (Diptera: Chironomidae). *Acta Zootaxonomica Sinica*, 36 (4): 890-895.

Li, X. and Wang, X-H. 2014. New species and records of *Metriocnemus* s. str. van der Wulp from China (Diptera: Chironomidae). *Zookeys*, 387: 73-87.

Li, X., Lin, X. and Wang, X-H. 2013. New species and records of *Parametriocnemus* Goetghebuer from China (Diptera: Chironomidae). *Zookeys*, 320: 51-62.

Lin, X-L., Qi, X., Zhang, R-L. and Wang X-H. 2013. A new species of *Polypedilum* (*Uresipedilum*) Oyewo *et* Saether, 1998 from Zhejiang Province of Oriental China (Diptera: Chironomidae). *Zookeys*, 320: 43- 49.

Liu, W-B., Lin, X-L. and Wang, X-H. 2014. A review of *Rheocricotopus* (*Psilocricotopus*) *chalybeatus* species group from China, with the description of three new species (Diptera: Chironomidae). *Zookeys*, 388: 17-34.

Makarchenko, E. A. and Makarchenko, M. A. 2011. Fauna and distribution of the Orthocladiinae of the Russian Far East. In: Wang, X and Liu, W. (Eds). *Proceedings of the 17th International Symposium on Chironomidae*, 107-125.

Qi, X., Lin X-L. and Wang, X-H. 2012. A new species of the genus Microtendipes Kieffer, 1915 (Diptera: Chironomidae) from Oriental China. *Zookeys*, 212: 81-89.

Sæther, O. A., Ashe, P. and Müray, D. A. 2000. Family Chironomidae. In Papp, L. *et* Darvas. B. (ed.) Contributions to a Manual of Palaearctic Diptera (with special reference to the flies of economic importance). Press, Science Herald, Budapest, 4: 113-334.

Walker, F. 1856. *Insecta Britannica*, *Diptera. Volume 3*. Reeve *et* Benham, London, xxiv, 1-352.

Wang, X-H. 1999. A Bio-systematic study on Chironomidae from China (Diptera). [Thesis for the partial fulfillment of the Doctor of philosophy degree]. Museum of Zoology, Department of Zoology, University of Bergen. Norway.

Wang, X-H. 2000. A revised checklist of Chironomidae from China (Diptera). In: Hoffrichter, O. (ed.). Late 20th century research on Chironomidae. *An anthology from 13th international symposium on Chironomidae*. Shaker Verlag Achen, 629- 652.

Wang, X-H. and Ji, B-C. 2001. Diptera: Chironomidae. 405- 408. In Wu, H. and Pan, C-W. (ed.). *Insects of Tianmushan National Reserve*. Science Press, Beijing, 1-764. [王新华, 纪炳纯. 2001. 双翅目:摇蚊科. 405- 408. 见:吴鸿, 潘承文. 天目山昆虫. 北京:科学出版社, 1-764.]

Wang, X-H. and Ji, B-C. 2003. Diptera: Chironomidae. 43-65. In Huang, B. K. (ed.). *Fauna of Insects in Fujian Province of Chinavol.* 8. Fujian Science *et* Technology Press, Fujian, 1-170. [王新华, 纪炳纯. 2003. 双翅目:摇蚊科. 43-65. 见:黄邦侃. 福建昆虫志. 第 8 卷. 福建科学技术出版社, 1-706.]

Wang, X-H., Zhang, R. L., Guo, Y. H., Tang, H. Q., Liu, Z. and Yan, C. C. 2000. The History, Status Quo and Future Prospects of Chironomid Study in China. In: Ferrington, LC. (ed.). *Proceedings of the XV International Symposium on Chironomidae*. The University ofminnesota Press, Minneapolis, Minnesota. 342-356.

Wang, X-H., Tang, H-Q., Zhang, R-L., Guo, Y-H., Yan, C-C., Liu, Y-D., Cheng, M. and Qi, X. 2005. Diptera: Chironomidae. 384-393. In: Yang, M-F. and Jin, D-C. (ed.). *Guizhou*

Dashahe Kunchong. Guizhou People's Press, 1-607. [王新华, 唐红渠, 张瑞雷, 郭玉红, 闫春财, 刘跃丹, 程铭, 齐鑫. 2005. 双翅目:摇蚊科. 384-393. 见:杨茂发, 金道超. 贵州大沙河昆虫. 贵阳:贵州人民出版社, 1- 607.]

Yan, C-C., Jin, Z-H. and Wang, X-H. 2008. *Paracladopelma* Harnisch from the Sino-Indian Region (Diptera: Chironomidae). *Zootaxa*, 1934: 1-29.

Zhang, R-L. and Wang, X-H. 2004. *Polypedilum* (*Uresipedilum*) Oyewo and Sæther from China (Diptera: Chironomidae). *Zootaxa*, 565: 1-38.

十、蚋科 Simuliidae

修江帆[1]　侯晓晖[2]　陈汉彬[1]

(1. 贵州医科大学, 贵阳 550004; 2. 遵义医学院, 遵义 563000)

鉴别特征: 它系一类小型短足双翅昆虫。成虫略呈驼背, 体色多暗褐、红棕或灰白。触角 2 +7、2 +8 或 2 +9 节, 短于头部。上颚发达。触须 5 节, 第 3 节具有感觉器。雌虫离眼式, 雄虫接眼式, 上眼面大, 下眼面小, 无单眼; 中胸盾片无"V"形缝; 足短拙, 基跗节长。后足基跗节有或无跗突, 跗节 2 有或无跗沟。翅室无褶痕的网系, 具强壮的前域脉, 包括前缘脉(C)、亚前缘脉(Sc)、和径脉(R), 中脉 M_2 和肘脉 Cu_1 之间具褶痕(假脉), 肘脉无柄。腹节第 1 背板演化为 1 个具长缘毛的基鳞(basal scale)。幼期孳生于流动水体的附属物上。蛹大多具半裸型茧, 胸部两侧具 1 对鳃器, 鳃器由形状各异、数量不等的呼吸丝排列组成。幼虫体呈圆筒状, 后部膨大, 头前具头扇 1 对, 触角通常分 3 节并连接端感器(apical sensillum), 前胸具愈合的单腹足, 后腹节具肛骨和后环。气门退化, 属周气门型。

生物学: 卵、幼虫和蛹称幼期或叫水生期, 滋生于流动水体, 通常栖附于水生植物、枯枝落叶、岩壁、石块、桥桩等不同基物上, 借具后环的小钩抓住由涎腺分泌粘着在基物的丝垫上, 行尺蠖式的圆形运动方式移动身体。以掳食式摄食。影响幼虫发育的主要因素有温度、光照、水质以及水中的生物种群等, 其中, 尤以温度最为重要。雌蚋除少数自育型(autogenous)外, 多数在白昼户外吸血, 属野栖外食型。吸血雌蚋通过反复吸血和产卵繁衍后代, 胃血消化和卵巢发育同步进行。除少数蚋种营孤雌生殖, 大多营有性生殖。雄虫寿命较短, 交配后常在几天内死亡, 雌虫一般可存活 2 ~3 周或更长。

医学重要性: 蚋类与医学关系密切, 吸血蚋种通过侵袭骚扰, 刺叮吸血降低宿主体力, 影响人畜正常生活, 造成经济损失。重者作为人畜多种疾病病原体的传播媒介, 严重影响人类和禽畜的健康和安全。其重要传播疾病包括人盘尾丝虫病、家畜盘尾丝虫病(河盲症)、欧氏曼森线虫病、禽鸟住白细胞病等。

分类:全世界已知26属46亚属2151种，中国发现6属16亚属333种(陈汉彬等，2015)，陕西秦岭地区有1属4亚属14种，包括2新种，研究标本存放于贵州医科大学生物学教研室(GMU)。

分族分属检索表

雌　虫

1. 翅径分脉(Rs)通常分叉，其叉室长于径，前缘脉仅具毛而无刺；中胸前侧缝宽而浅，前部不完整；中胸下后侧片短；后足基跗节通常无跗突和跗沟(原蚋族 Prosimuliini) ………………… 2
   翅径分脉(Rs)不分叉，前缘脉具毛和刺；中胸前侧缝窄而通常完整；中胸下后侧片长；后足基跗节通常具跗突和跗沟，偶不发达(蚋族 Simuliini) ………………………………………… 4
2. 触角2+7节；喙明显短于唇基的1.50~2.00倍；翅Rs脉简单 ……………… **吞蚋属 *Twinnia***
   触角2+9节；喙明显长于或约略与唇基的长度相等；Rs脉末段分叉………………………… 3
3. 头仅稍窄于胸；触角鞭状；体色通常暗褐；生殖板纵长，内缘骨化……… **原蚋属 *Prosimulium***
   头明显窄于胸部的1.30~1.40倍；触角念珠状；体色红棕或铁锈色；生殖板短，后缘宽截，内缘仅中部骨化 ……………………………………………………………………… **赫蚋属 *Helodon***
4. 触须末节明显长于第4节；后足基跗节有明显的跗突，偶副缺，第2跗节有深或浅的跗沟 ……………………………………………………………………………… **蚋属 *Simulium***
   触须末节与第4节约略等长；后足基跗节无跗突或跗突不发达，第2跗节无跗沟或仅具小跗沟 ……………………………………………………………………………………… 5
5. 中胸侧膜光裸；后足基跗节无跗突，第2跗节有跗沟 ………………… **畦克蚋属 *Sulcicnephia***
   中胸侧膜具毛；后足基跗节无跗突或仅具小跗突，第2跗节无跗沟 … **后克蚋属 *Metacnephia***

雄　虫

1. 翅径分脉(Rs)分叉，偶简单，前缘脉具毛而无刺；中胸前侧缘宽而浅，前部不完整；中胸下后侧片宽且明显大于高；后足基跗节无跗突和跗沟(原蚋族 Prosimuliini) …………………… 2
   翅径分脉(Rs)简单，前缘脉具毛和刺；中胸前侧缝窄且通常完整；中胸下后侧片长明显大于高；后足基跗节通常具跗突和跗沟(蚋族 Simuliini) ……………………………………… 4
2. 触角2+7节；喙短，约为唇基的1/2长；生殖腹板板体基部侧缘具弧形凹陷………………… ……………………………………………………………………………… **吞蚋属 *Twinnia***
   触角2+9节；喙稍长于或与唇基约略等长；生殖腹板非如上述 ……………………………… 3
3. 体色暗黑；触角鞭状；生殖腹板横宽，蹄状，侧面观通常具明显的唇状腹中突 ……………… ……………………………………………………………………… **原蚋属 *Prosimulium***
   体色铁锈色；触角念珠状；生殖腹板较长，非蹄状，侧面观无唇状突 ……… **赫蚋属 *Helodon***
4. 后足基跗节跗突发达(希蚋亚属例外)，第2跗节有深或浅的跗沟 …………… **蚋属 *Simulium***
   后足基跗节无跗突或仅具小跗突，第2跗节无跗沟或仅具小跗沟 ……………………………… 5
5. 中胸侧膜具毛；后足基跗节无跗突或仅具小跗突，第2跗节无跗沟；生殖肢端节圆锥状，具细

短端刺 …………………………………………………………… **后克蚋属 *Metacnephia***
中胸侧膜光裸；后足第 2 跗节有跗沟；生殖肢端节靴状，具粗长端刺 ……………………………………………………………………………… **畦克蚋属 *Sulcicnephia***

蛹

1. 茧编织疏松而粗糙，偶紧密；腹部骨化；端钩特发达（原蚋族 Prosimuliini） …………………… 2
   茧编织紧密或疏松；腹部除后部外通常膜质，端钩通常不发达（蚋族 Simuliini） …………… 4
2. 呼吸丝 16 条，通常由背、侧、腹 3 条主干发出，排列为 8 +4 +4；腹节 3、4 背板和腹节 5 ~7 腹板具长刺毛而无叉钩，端钩长刺毛状 ……………………………………… **吞蚋属 *Twinnia***
   无上述合并特征 …………………………………………………………………………… 3
3. 呼吸丝 13 ~16 条或多达 100 条，如 13 ~16 条时，则由 3 ~5 个短茎发出呈树状排列…………………………………………………………………………………… **原蚋属 *Prosimulium***
   呼吸丝约 35 条，由基部分 3 ~5 个短茎发出，或者由 1 个短粗茎发出 100 ~200 条细丝 ……………………………………………………………………………………… **赫蚋属 *Helodon***
4. 呼吸丝 10 ~150 条，呈树状分布；后腹节具发达的锚状钩，端钩长而直 ……………………………………………………………………………… **后克蚋属 *Metacnephia***
   无上述合并特征 …………………………………………………………………………… 5
5. 呼吸丝 10 ~16 条；端钩短；茧靴状，具长领，完全覆盖蛹体 ………… **畦克蚋属 *Sulcicnephia***
   综合特征非如上述 ……………………………………………………………… **蚋属 *Simulium***

幼　虫

1. 亚颏顶齿大，通常复合型，间有或无小齿，或明显集中向前分 3 组；偶无头扇（原蚋族 Prosimuliini） …………………………………………………………………………………………… 2
   亚颏顶齿通常简单，不分组，或退化排列于亚颏前缘；头扇通常发达（蚋族 Simuliini）……… 4
2. 无头扇；肛板“Y”形 ………………………………………………………… **吞蚋属 *Twinnia***
   有头扇；肛板“X”形 ………………………………………………………………………… 3
3. 头色淡；额斑明显；亚颏中齿长于侧齿 ……………………………… **原蚋属 *Prosimulium***
   头色暗；额斑不明显；亚颏顶齿变化大 ……………………………………… **赫蚋属 *Helodon***
4. 亚颏前部缩小；后颊裂伸达亚颏后缘 ………………………………………………………… 5
   亚颏前部不缩小；后颊裂一般未伸达亚颏后缘，如伸达，则顶齿的中、角齿突出 ……………………………………………………………………………………… **蚋属 *Simulium***
5. 上颚端部具简单毛；第 3 顶齿特别发达、粗长，至少长于梳齿；亚颏前缘平或均凹；顶齿锯齿状 ……………………………………………………………………… **后克蚋属 *Metacnephia***
   上颚端部具分裂刺毛；顶齿中度发达，与梳齿约略等长；亚颏前部变窄，略呈亚三角形，前缘中部凸出，顶齿很小 ………………………………………………… **畦克蚋属 *Sulcicnephia***

1. 蚋属 *Simulium* Latreille, 1802

Simulium Latreille, 1802: 426. **Type species**: *Rhagio colombaschensis* Fabricius, 1787.

属征:成虫触角 10～11 节。触须末节细长。中胸侧膜具毛或光裸。翅前缘脉具毛和刺，经分脉(Rs)简单，肘脉 Cu_2 弯曲。后足基跗节通常具跗突，偶副缺。第 2 跗节通常有跗沟，偶副缺或很不发达。爪简单或具基齿。雄虫生殖肢、生殖腹板和中骨因亚属和种而异。蛹体壁通常色淡，膜质，呼吸丝 4～32 条，通常丝状，少数种类膨大而成棒状或球状。后腹节有或无端刺。茧拖鞋状，鞋状或靴状，有或无前中突和侧窗。幼虫具头扇。亚颏齿 9 个，排成一行，中齿和角齿突出或不突出。后颊裂形状各异，少数可伸达亚颏后缘。肛板"X"形。肛鳃简单或复杂，腹乳突存在或副缺。

分布:世界性分布。世界已知 37 亚属 1645 种，中国已发现 15 亚属，秦岭地区已发现 14 种，其中包括 2 个新种。

分种检索表

雌　虫

1. 径脉基具毛 ………………………………………………………… 2
   径脉基裸 ………………………………………………………… 6
2. 中胸下侧片具毛 ………………………………… 绳蚋 ***S.*（*G.*）sp.**
   中胸下侧片裸 ………………………………………………………… 3
3. 中胸盾片具 3 条琴弦状暗纵条；生殖板内缘末端延伸形成细弯钩状突 ……… 4
   无上述合并特征 ………………………………………………………… 5
4. 后足基跗节基 1/2 黄 ……………………… 马维蚋 ***S.*（*W.*）*equinum***
   后足基跗节基部暗，中 3/5 黄 ……………… 沼泽维蚋 ***S.*（*W.*）*lama***
5. 生殖板蚕豆状，具腹突 ………………… 五条蚋 ***S.*（*S.*）*quinquestriatum***
   生殖板三角形，无腹突 ……………………………… 秦氏蚋 ***S.*（*S.*）*qini***
6. 中胸侧膜具毛 ……………………………… 装饰短蚋 ***S.*（*S.*）*ornatum***
   中胸侧膜具毛 ………………………………………………………… 7
7. 爪简单中胸侧膜具毛 ………………………………………………… 8
   爪具亚基齿 ………………………………………………………… 11
8. 第 7 腹节具 1 对亚中长毛丛 ……………………… 红色蚋 ***S.*（*S.*）*rufibasis***
   第 7 腹节无成对亚中长毛丛 ………………………………………… 9
9. 生殖板端内角喙状 ……………………………… 黔蚋 ***S.*（*S.*）*qianense***
   生殖板端内角圆钝 ………………………………………………… 10
10. 生殖板端内角具延伸的条状膜质突；生殖叉突柄末端膨胀 ……………
    ……………………………………………… 衡山蚋 ***S.*（*S.*）*hengshangense***

生殖板无膜质条状端突；生殖叉突柄末端正常 …………………… **柃木蚋 *S.*（*S.*）*suzukki***
11. 第7腹节具叉状长毛丛 ………………………………………… **粗毛蚋 *S.*（*S.*）*hitipannus***
第7腹节无叉状长毛丛 ………………………… **长板蚋，新种 *S.*（*S.*）*longplateum* sp. nov.**
※ 秦岭纺蚋 *S.*（*S.*）*qinlingense* sp. nov 的雌虫未发现。

雄 虫

1. 径脉基具毛 ……………………………………………………………………………………… 2
径脉基裸 ………………………………………………………………………………………… 3
2. 中胸侧膜具毛，生殖肢基节短长，超过细短的端节2~3长 …… **马维蚋 *S.*（*Wilhelmia*）*equinum***
中胸侧膜裸；生殖肢基节和端节正常，略约等长 ………………………………………………
……………………………………………… **秦岭纺蚋，新种 *S.*（*Nevermannia*）*qinlingense* sp. nov.**
3. 中胸侧膜具毛 ………………………………………………………… **装饰短蚋 *S.*（*S.*）*ornatum***
中胸侧膜裸 ……………………………………………………………………………………… 4
4. 生殖腹板马鞍形，光裸 …………………………………………… **五条蚋 *S.*（*S.*）*quinquestriatum***
生殖腹板非马鞍形，具毛 ……………………………………………………………………… 5
5. 生殖肢基节具长而尖的弯刀状基内突 ………………………………………………………… 6
生殖肢基节无基内突或仅具小突起 …………………………………………………………… 7
6. 生殖腹板后缘具齿 …………………………………………………………… **秦氏蚋 *S.*（*S.*）*qini***
生殖腹板后缘无齿 ………………………………………………… **衡山蚋 *S.*（*S.*）*hengshangense***
7. 生殖肢基节无基内突 …………………………………………………………………………… 8
生殖肢基节具小的锥状基内突 ………………………………………………………………… 11
8. 生殖腹板腹面观呈壶形 ………………………………………………………… **黔蚋 *S.*（*S.*）*qianense***
生殖腹板非壶形 ………………………………………………………………………………… 9
9. 生殖腹板长板状，长度约为端宽的4倍长板 ……………… **蚋新种 *S.*（*S.*）*longplateum* sp. nov.**
生殖腹板亚长方形，长度不超过端宽的1.50倍 …………………………………………… 10
10. 生殖腹板侧缘亚平行 ……………………………………………… **粗毛蚋 *S.*（*S.*）*hitipannus***
生殖腹板板体基部收缩，端部扩 …………………………………… **双齿蚋 *S.*（*S.*）*bidentatum***
11. 生殖肢基节基内突仅具弱刺毛 ………………………………………… **红色蚋 *S.*（*S.*）*rufibasis***
生殖肢基节基内突具粗齿 ……………………………………………… **柃木蚋 *S.*（*S.*）*suzukki***
※ 沼泽维蚋 *S.*（*W.*）*lama* 和待定种绳蚋 *S.*（*G.*）sp. 的雄虫尚未发现。

蛹

1. 呼吸丝10条 ………………………………………………… **五条蚋 *S.*（*S.*）*quinquestriatum***
呼吸丝4条，6条或8条 ………………………………………………………………………… 2
2. 呼吸丝4条；茧具背中突 ……………………… **秦岭纺蚋，新种 *S.*（*N.*）*qinlingense* sp. nov.**
呼吸丝6条或8条 ……………………………………………………………………………… 3
3. 呼吸丝6条 ……………………………………………………………………………………… 4

呼吸丝 8 条 …… 10

4. 呼吸丝膨胀成囊状 …… 马维蚋 ***S.*（*W.*）*equinum***

呼吸丝丝状 …… 5

5. 茧前部具网格状结构 …… 6

茧前部无网格状结构 …… 7

6. 茧具高领；无侧窗 …… 秦氏蚋 ***S.*（*S.*）*qini***

茧无领；具侧窗 …… 衡山蚋 ***S.*（*S.*）*hengshangense***

7. 茧具侧窗 …… 粗毛蚋 ***S.*（*S.*）*hitipannus***

茧无侧窗 …… 8

8. 中对呼吸丝从上对呼吸丝茎的亚基部发出 …… 红色蚋 ***S.*（*S.*）*rufibasis***

中对呼吸丝从总茎发出 …… 9

9. 中对呼吸丝无茎 …… 黔蚋 ***S.*（*S.*）*qianense***

中对呼吸丝具短茎 …… 柃木蚋 ***S.*（*S.*）*suzukki***

10. 呼吸丝排列成 2 +3 +3，额毛 3 对，后腹具锚状钩 …… 待定种绳蚋 ***S.*（*G.*）sp.**

综合特征非如上所述 …… 11

11. 茧简单；呼吸丝成对排列，均具短茎 …… 装饰短蚋 ***S.*（*S.*）*ornatum***

茧前部具网格状结构；呼吸丝上排亚中排非如上述 …… 12

12. 呼吸丝排列成 4 +4 …… 长板蚋，新种 ***S.*（*S.*）*longplateum* sp. nov.**

呼吸丝排列成 4 +1 +1 +2 …… 双齿蚋 ***S.*（*S.*）*bidentatum***

※ 沼泽维蚋 *S.*（*W.*）*lama* 的蛹尚未发现。

幼　虫

1. 后腹有腹乳突 …… 2

后腹无腹乳突 …… 3

2. 亚颏侧缘无齿；后颊裂端尖 …… 绳蚋 ***S.*（*G.*）sp.**

亚颏侧缘具齿 …… 秦岭纺蚋，新种 ***S.*（*S.*）*qinlingense* sp. nov.**

3. 上颚第 3 顶齿粗大，3 个梳齿均等长；亚颏顶齿短钝；后颊宽大，箭型 …… 马维蚋 ***S.*（*W.*）*equinum***

综合特征非如上所述 …… 4

4. 上颚前顶齿长为中，后顶齿的 1.00 ~ 1.50 倍 …… 装饰短蚋 ***S.*（*S.*）*ornatum***

上颚前顶齿长度依次递减 …… 5

5. 腹节背板具亚中背突和黑刺毛 …… 五条蚋 ***S.*（*S.*）*quinquestriatum***

腹节背板无亚中背突和黑刺毛 …… 6

6. 触角第 2 节有次生淡环 …… 7

触角节无次生淡环 …… 9

7. 头扇毛 32 支 …… 长板蚋，新种 ***S.*（*S.*）*longplateum* sp. nov.**

头扇毛 36 ~ 60 支 …… 8

8. 肛鳃每叶具 8 ~ 10 个次生小叶 …… 红色蚋 ***S.*（*S.*）*rufibasis***

肛鳃每叶具 4 ~ 7 个次生小叶 …… 铃木蚋 ***S.*（*S.*）*sazulii***

9. 腹部具肛前刺环 …… 10

腹部无肛前刺环 …… 11

10. 亚颊侧缘毛 7 ~ 8 支；后环具 74 ~ 78 排钩刺 …… **黔蚋 *S.*（*S.*）*qianense***

亚颊侧缘毛 6 支；后环具 92 ~ 98 排钩刺 …… **衡山蚋 *S.*（*S.*）*hengshangense***

11. 后颊裂深，伸达接近亚颊后缘，拱门形，端圆 …… **粗毛蚋 *S.*（*S.*）*hitipannus***

后颊裂中度深，亚箭形或法冠形，端尖 …… 12

12. 头扇毛 40 ~ 46 支；后环钩刺 86 排 …… **双齿蚋 *S.*（*S.*）*bidentat***

头扇毛 53 ~ 60 支；后环钩刺 96 ~ 102 排 …… **秦氏蚋 *S.*（*S.*）*qini***

※ 沼泽维蚋 *S.*（*W.*）*lama* 的幼虫尚未发现。

1.1 绳蚋亚属 *Gomphostilbia* Enderlein，1921

(1) 绳蚋 *Simulium*（*Gomphostilbia*）sp.（图 128）

鉴别特征：雌虫生殖板亚三角形，生殖叉突后壁膨大具内突，无外突。后足胫节具亚基黑斑，基跗节 2/3 黄，端 1/3 黑。蛹呼吸丝 8 条，排列成 2 +（3 + 3）。下丝组初级茎明显短于中、后丝组的初级茎，茧具背中突。幼虫亚颏侧缘毛 4 支，后颊裂亚箭型，长约为后颊裂的 2.50 倍。胸、跗腹具棕带，后腹第 7 ~ 8 节具棕斑。肛板前后壁约等长。

采集记录：1♀，5 蛹，7 幼虫，周至钓鱼台，1415m，2008.Ⅷ.04-05，修江帆采；2 蛹，3 幼虫，周至老县城，1800m，2008.Ⅷ.06，修江帆采。

分布：陕西（周至）。

讨论：本种有待发现雄虫，方可确定其分类地位。

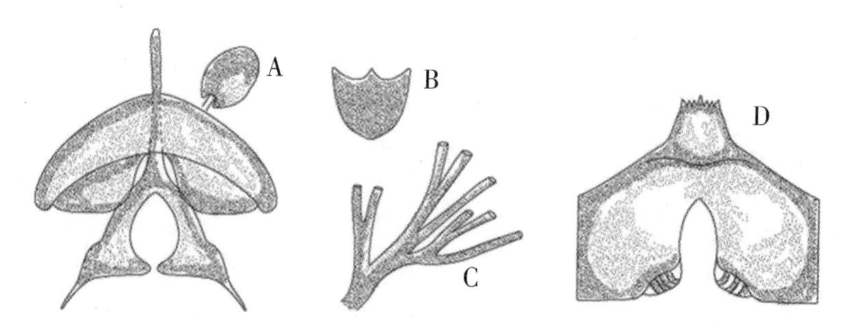

图 128 绳蚋 *Simulium*（*Gomphostilbia*）sp.

A. 雌虫尾器腹面观（famele genitalia，ventral view）；B. 茧腹正面观（cocoon，ventral view）；C. 呼吸丝（filaments of pula）；D. 幼虫头部腹面观（larval capsule，ventral view）

1.2 纺蚋亚属 *Nevermannia* Enderlein，1921

(2)秦岭纺蚋，新种 *Simulium* (*Nevermannia*) *qinlingense* Xiu *et* Chen, sp. nov.(图129)

鉴别特征:生殖板基缘中凹，后缘平直；茧具发达背中突；幼虫上颚缘齿具附齿列。后腹具附骨和肛前刺环。后颊裂小，长约为后颊桥的0.80。

形态概述:雌虫未知。雄虫体长3.20mm，翅长2.30mm。头上眼具17纵排和17横排大眼面，触角鞭节长为第2鞭节的1.40倍，触须节3~5长度比5.30:4.90:10.60，拉氏器长为第3节的0.21，食窦光裸。胸中胸盾片棕黑，灰粉被，密覆黄色毛。中胸侧膜和下侧片光裸。各足基节和转节中棕；股节淡棕，但中、后足股节端1/4略棕；胫节中棕；跗节除后足基跗节和第2跗节基部黄白。前足基跗节细长，约为其他的9倍；后足基节膨大，端宽，长约为宽的3.30倍。翅亚缘脉和径脉基具毛。腹基端棕，具棕黄色长缘毛。生殖肢端节靴状。生殖腹板亚长方形，端侧角圆，基缘中凹，端缘平直，其臂强骨化，向内弯。中骨板状，端部分叉，阳基侧突具15个大刺。

蛹:体长3mm。头、胸部疣突，头毛3对，胸毛6对，均简单。呼吸丝4条，长于蛹体，成对，具短茎，背对外丝比其他3条丝粗长。腹部钩刺和毛序正常。茧编织紧密，前缘增厚，具发达的背中突。

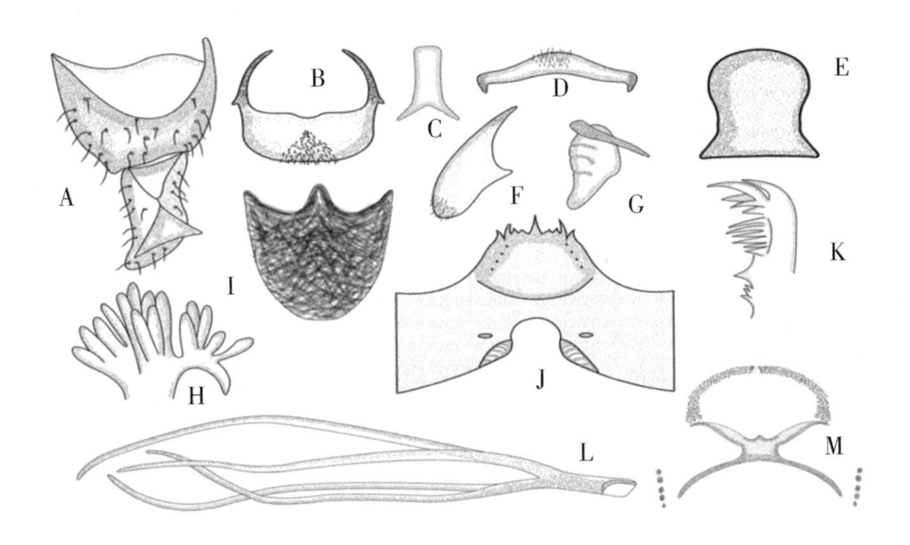

图129 秦岭纺蚋，新种 *Simulium* (*Nevermannia*) *qinlingense* Xin *et* chen, sp. nov.

A. 雄虫生殖肢腹面观(coxite and style ofmale, ventral view); B. 生殖腹板腹面观(ventral plate, ventral view); C. 中骨腹面观(median sclerite, ventral view); D. 生殖腹板端面观(ventral plate, end view); E. 第10背板腹面观(tergum 10, ventral view); F. 生殖腹板侧面观(ventral plate, lateral view); G. parameres; H. larval anal gills; I. 茧腹面观(cocoon, ventral view); J. 幼虫头部腹面观(larval head capsule, ventral view); K. 幼虫下颚(larval mandible); L. 呼吸丝(filaments of pula); M. 幼虫肛板(larval anal sclerite)

幼虫:体长约5mm。后腹具色斑，头斑阳性，头扇毛约40支，触角节1~3比值

6.30∶7.50∶4.20。上颚具 1 个大缘齿和附齿列，亚颏中、角顶齿突出，侧缘毛 4 ~ 5 支，后颊裂小型，槽口状，长约为后颊桥的 4/5。胸、腹体壁光裸。肛鳃每叶具 4 ~ 6 个指状小叶。肛骨前臂长约为后臂的 4/5，肛前具刺环。后腹具附骨，后环 82 排，每排具11 ~ 14个钩刺，腹孔突发达。

采集记录：♂（正模），从蛹孵化，制片，含相联系的蛹及和和茧，2008. Ⅷ，周至钓鱼台山溪水草（N. 33°20′，E 108°02′），1400m，修江帆采；2 ♂（副模），4 蛹，3 幼虫，周至钓鱼台，1400m，2008. Ⅷ. 04-05，同正模。

分布：陕西（周至）。

讨论：本新种幼虫后腹具附骨，茧具发达的背中突，具有这一合并特征的至少有 3 种，即报告自台湾的油丝纺蚋 *S.*（*N.*）*yushangense*、马来西亚的 *S.*（*N.*）*caudisclerum* 和产自湖南的张家界纺蚋 *S.*（*N.*）*zhangjiajiense*。新种与 *S.*（*N.*）*yushangens* 主要区别是呼吸丝约等长，与 *S.*（*N.*）*caudisclerum* 则为足色迥异，与 *S.*（*N.*）*zhangjiajiense* 主要区别是幼虫亚颏侧缘毛、肛鳃小叶和后环钩刺排数有明显差异。

种名词源：新种以其模式产地命名。

1.3 短蚋亚属 *Odagmia* Enderlein，1921

（3）装饰短蚋 *Simulium*（*Odagmia*）*ornatum* Meigen，1818

Simulia ornatum Meigen，1818：290.

Odagmia ornatum：Chen & Cao，1982：82.

Simulium（*Odagmia*）*ornatum*：An，1989：185.

Simulium（*Simulium*）*ornatum*：Crosskey *et al.*，1996：428.

鉴别特征：生殖叉突后臂无膜质内突；生殖腹板亚端部膨大；蛹 4 对呼吸丝具短茎；幼虫触角第 2 节具 2 个次生淡环。

采集记录：2♀3♂，7 蛹，11 幼虫，户县，1130m，2008. Ⅷ. 02，修江帆采；2 蛹，太白县蒿坪，1177m，2013. Ⅷ. 13-20，侯晓晖采。

分布：陕西（户县、太白）、吉林、辽宁、山西、四川、贵州、云南；广布于欧洲大陆，中亚，中东，直至俄罗斯西伯利亚。

讨论：装饰短蚋是一个多型种，其形态变异幅度大，已报告近 30 个同义词。经检查我国各地标本，也发现同样的情况，尤其是足的颜色、呼吸丝的分布形式及基茎的长度都有变异。其分类地位尚待进一步通过细胞学和分子生物学的方法进行研究。

1.4 蚋亚属 *Simulium* Latreille, 1802

(4)双齿蚋 *Simulium* (*Simulium*) *bidentatum* Shiraki, 1935

Odagmia bidentatum Shiraki, 1935: 34.

Simulium (*Gnus*) *bidentatum*: Takaoka, 1976: 393.

Gnus bidentatum: Chen & Cao: 1982:387.

Simulium (*Simulium*) *bidentatum*: Zhang & Wang, 1991: 478.

鉴别特征:雄虫后足基跗节末端膨大，生殖腹板板体基部收缩，端部扩大；蛹茧靴状，前部具网格状领；幼虫后颊裂深，法冠形。

采集记录: 4♂，3 蛹，10 幼虫，户县，1130m，2008. Ⅷ. 02，修江帆采；1♂，2 蛹，4 幼虫，宁陕县，1700m，2008. Ⅷ. 10，修江帆采；4 蛹，1 幼虫，太白县蒿坪，1177m，2013. Ⅷ. 13-20，侯晓晖采。

分布: 陕西(户县、太白、宁陕)、黑龙江、辽宁、山西、青海、福建、四川、贵州、云南；日本，韩国。

讨论:本种系由 Shiraki(1935)根据日本的雌性标本而命名，此后，Bentinck(1955)、Ogata *et al.*(1956)和 Orii *et al.*(1969)分别对其他虫期进行了补描述，Takaoka(1976)复作详细的再描述。采自我国各地的标本与日本标本的形态特征基本相符，但后者雄虫中足股节的颜色大部棕黑，仅基端部黄色，而我国标本则中足股节大部棕黄，仅端部黑色。蛹呼吸丝明显短于蛹体。

(5)衡山蚋 *Simulium* (*Simulium*) *hengshanense* Bi *et* Chen, 2003

Simulium (*simulium*) *hengshanense* Bi *et* Chen, 2004: 569.

鉴别特征:生殖板舌形，具长条状透明端内突，内缘远离，生殖叉突柄端部扩大，后臂具钩状外突，生殖腹板亚梯形，具乳头状腹中突，阳基侧突每侧约具 20 个粗刺。蛹茧具短领，编织疏松，前缘具网格状结构和前侧窗，幼虫后颊裂法冠形。

采集记录:2♀5♂，4 蛹，7 幼虫，宁陕县，1700m，2008. Ⅷ. 10，修江帆采。

分布:陕西(宁陕)、湖南。

讨论:本种近似秦氏蚋 *S.* (*S.*) *qini* Cao, Wang *et* Chen, 1993，但后者雌虫生殖板形状，生殖叉突无外突，翅径脉基具毛，雄虫生殖腹板后缘具齿，蛹胸毛 3~5 支，茧具高领，幼虫后颊裂箭形等，与本种有明显差异。

(6)粗毛蚋 *Simulium* (*Simulium*) *hirtipannus* Puri, 1932

Simulium (*Simulium*) *hirtipannus* Puri, 1932: 509.

鉴别特征：雌虫第7腹节具叉状长毛丛；生殖板亚梯形，内缘远离。雄虫生殖腹板板体长方形，具腹突。蛹呼吸丝3对均具短茎；幼虫后颊裂深，伸达接近亚颏后缘。

采集记录：3♀6♂，5蛹，6幼虫，宁陕县，1700m，2008.Ⅷ.10，修江帆采。

分布：陕西（宁陕）、浙江、福建、广东、贵州、西藏；印度。

讨论：Puri（1932）根据印度的两性成虫和蛹标本作了本种的原描述，章涛等（1991）根据福州标本对其幼虫进行补描述。采自我国的标本与原描述基本符合，但足色略有差异。本种与日本的 *S. kyushuense* Takaoka, 1978 颇相似，但后者雌虫第7腹节腹板无叉状毛丛，幼虫后颊裂伸达亚颏后缘，可资鉴别。

（7）长板蚋，新种 *Simulium*（*Simulium*）*longplatum* Chen *et* Xiu, sp. nov.（图130）

鉴别特征：雌虫体长2.50mm，翅长约2.10mm。头窄于胸，额黑，具若干短黑毛，额指数7.00∶5.50∶6.60；额头指数7.00∶27.70，唇基棕黑，覆灰白粉被。触角2+9节，柄节和梗节黄，余部黑。触须5节，节3～5的比值为5.10∶5.00∶10.30，拉氏器长约占节3的1/3。小颚具13内齿，15外齿。食窦后缘具10个小疣突。中胸盾片棕黑，覆黄白毛。前部具灰斑，小盾前区具黑毛。足大部黄，除后足股节端1/4，前组胫节端1/3，后足胫节端1/6，中足基跗节端1/5，后足基跗节端1/4和第2跗节端1/2为棕黑色，后足基跗节长约为最宽处的5.50倍。跗突和跗钩均发达。爪具小的亚基齿。翅亚缘脉具毛，腹背第2节黄，余棕黑，生殖板亚三角形，端内角圆钝，生殖叉突后臂具骨化侧突。雄虫头部上眼具13纵排、15横排大眼面。唇基黑，具灰粉被和黑短毛。触角鞭第1节约为第2节2的1.70倍，触须第3～5节的长度比1.40∶5.10∶8.20，第3节膨大，拉氏器长约为第3节的1/2。胸近似雌虫。生殖肢基节略长于端节，生殖肢端节基1/3膨大，具端刺。生殖腹板长板形，腹面观端部具齿，阳基侧突每侧约具10个强刺，中骨板状。蛹体长约2.60mm。头、胸体壁黄，密覆疣突，头毛3对，胸毛6对，呼吸丝8条，长约为体长的1/2，排列成4+4，上丝组中对无茎。第8腹节具刺栉，后腹具端钩。茧鞋状，前缘具网格。幼虫体长约5mm。头斑阳性，头扇毛约32根，触角3节，节比为4.70∶6.10∶3.60。第2节具1个次生淡环。亚颏中，角齿发达，侧缘5根。后颊裂深，长为后颊桥5～6倍。胸、腹体壁光裸，肛鳃每叶7～10个指状小叶。肛骨前臂长约为后臂的1/2，腹乳突副缺。

采集记录：♀（正模），从蛹孵化，制片，含相联系的蛹及和和茧；3♀（副模），1♂，6蛹，3幼虫，2008.Ⅷ，周至（107°45′E，33°20′N），1779m，宁陕秦岭山溪水草（108°45′E，45°22′N），1277m，修江帆采。

分布：陕西（周至、宁陕）。

讨论：本种成虫生殖器和蛹与双齿蚋 *S.*（*S.*）*bidentatum* Takaok *et* Davies（1996）和谭氏山蚋 *S.*（*S.*）*tanae* Xue（1996）颇相似，但新种的雌虫生殖叉突后臂具骨化侧突，雄虫生殖腹板呈特殊的长板状等特征可资鉴别。

种名词源:新种的雄虫生殖腹板形状呈长板状，以其进行命名。

图 130　长板蚋，新种 *Simulium* (*Simulium*) *longplatum* Chen *et* Xiu, sp. nov.

A. 雌虫拉氏器(female sensory); B. 雌虫食窦腹面观(female cibarium, ventral view); C. 雌虫外生殖器腹面观(female genitalia, ventral view); D. 雌虫爪(female claw); E. 雄虫生殖肢腹面观(coxite and style ofmale, ventral view); F. 生殖腹板腹面观(ventral plate, ventral view); G. 生殖腹板侧面观(ventral plate, lateral view); H. (median sclerite); I. 茧腹面观(cocoon, ventral view); J. 茧侧面观(cocoon, lateral view); K. 呼吸丝(filaments); L. 幼虫肛腮(larval rectal gill); M. 幼虫触角(lavral antenna); N. 幼虫肛环腹面观(larval anal sclerite, ventral plate)

(8)黔蚋 *Simulium* (*Simulium*) *qianense* Chen *et* Chen, 2001

Simulium (*Simulium*) *qianense* Chen et Chen, 2001: 208.

鉴别特征:雌虫食窦后部约具 40 个疣突。雄虫中骨长板状，端缘具深中裂隙。蛹呼吸丝的上对外丝明显较其余 5 条粗壮。幼虫具肛前刺环。

采集记录:4♀3♂, 6 蛹, 12 幼虫, 周至钓鱼台, 1415m, 2008. Ⅷ. 04-05, 修江帆采; 2 蛹, 太白县蒿坪, 1177m, 2013. Ⅷ. 13-20, 侯晓晖采。

分布:陕西(周至、太白)、贵州。

讨论:本种近似台湾蚋 *S.* (*S.*) *taiwanicum*, 但二者生殖腹板、中骨、蛹呼吸丝和幼虫后颊裂的形状有明显的差异。本种与昌隆蚋 *S.* (*S.*) *chamlongi* 也很相似，但后者雌虫食窦后部疣突少，中足胫节全暗，蛹头部和前胸无疣突，幼虫肛前无刺环，可资鉴别。

(9)秦氏蚋 *Simulium* (*Simulium*) *qini* Cao, Wang *et* Chen, 1993

Simulium (*Simulium*) *qini* Cao, Wang *et* Chen, 1993: 96.

鉴别特征：生殖板舌状，后缘凹入；生殖腹板横宽，梯形。

采集记录：2♀1♂，4蛹，3幼虫，宁陕县，1700m，2008. Ⅷ. 10；3蛹，1幼虫，太白县蒿坪，1177m，2013. Ⅷ. 13-20，侯晓晖采。

分布：陕西(宁陕、太白)、山西、四川。

讨论：根据本种生殖板的特殊形状，生殖叉突后臂无外突。生殖肢端节基内突特长及亚梯形的生殖腹板以及蛹茧靴状等综合特征，易于与其他近缘种相区别。

(10)五条蚋 *Simulium* (*Simulium*) *quinquestriatum* (Shiraki, 1935)

Stillboplax s-striatum Shiraki, 1935: 27-33.
Simulium (*Simulium*) *quinquestriatum*: Anonyn, 1974: 191.

鉴别特征：雌虫中胸盾片具5条暗色纵纹，生殖板具腹突。雄虫生殖腹板马鞍状。呼吸丝10条，成对排列，基段不膨胀。

采集记录：6♀3♂，4蛹，5幼虫，宁陕县，1700m，2008. Ⅷ. 10，采集人不详。

分布：陕西(宁陕)，辽宁、江西、福建、台湾、广东、广西、四川、贵州、云南、西藏；日本，韩国，泰国。

讨论：五条蚋最早系由Shiraki (1935)根据台湾的成虫标本以*Stilboplox S-striatum*命名。Orii *et al*. (1969)和Takaoka (1977)根据日本标本对其幼期进行了补描述，Takaoka (1979)重新描述了模式产地的所有虫期。本种与台湾也有记载的*S. grisescens* Brunetti, 1911极为相似，二者雌、雄成虫和蛹的特征几乎无区别。但后者的幼虫尚未发现。根据Takaoka (1977, 1979)的记述，本种的台湾和日本幼虫标本，均显示幼虫腹部有密集的单刺毛并在第1~8节每节具1对亚中背突，但在我国大陆标本包括海南标本均未见这一特征，其间是否属于分类地位的差异或是地理变异，尚有待进一步研究。

(11)柃木蚋 *Simulium* (*Simulium*) *suzukki* Rubtsov, 1963

Simulium suzukii Rubtsov, 1963: 525.
Simulium (*Simulium*) *suzukii*: An, 1989: 188.

鉴别特征:生殖肢端节基内突具发达的粗齿，生殖腹板后缘凸出；呼吸丝均具明显的短茎。

采集记录: 4♀3♂，6 蛹，12 幼虫，周至钓鱼台，1415m，2008. Ⅷ. 04- 05，修江帆采；1♀2♂，1 蛹，2 幼虫，太白蒿坪，1177m，2013. Ⅷ. 13-20，侯晓晖采。

分布: 陕西(周至、太白)，江西、台湾、广东、香港、四川、贵州、云南；俄罗斯(西伯利亚)，日本，韩国。

讨论:根据 Crosskey (1997)的意见，过去日本报告的 *S.* (*S.*) *ryukyuense* Ogata，1966 和 *S.* (*S.*) *tuberosum* Bentinck，1955 均为本种的同物异名。

(12)红色蚋 *Simulium* (*Simulium*) *rufibasis* Brunetti，1911

Simulium (*Simulium*) *rufibasis* Brunetti，1911：285.

鉴别特征:雌虫第 7 腹节腹板具亚中长毛丛；生殖肢端节基内突仅具弱刺毛；中对呼吸丝从上对丝茎发出。

采集记录: 1♀2♂，3 蛹，2 幼虫，周至钓鱼台，1415m，2008. Ⅷ. 04-05，修江帆采；3♀1♂，5 蛹，2 幼虫，宁陕县，1700m，2008. Ⅷ. 10，采集人不详；3♀6♂，5 蛹，6 幼虫，宁陕县，1700m，2008. Ⅷ. 10，采集人不详；1 蛹，太白县蒿坪，1177m，2013. Ⅷ. 13-20，侯晓晖采。

分布:陕西(周至、宁陕、太白)、辽宁、湖北、江西、福建、台湾、广东、海南、四川、贵州、云南、西藏；日本，韩国，越南，泰国，缅甸，印度，巴基斯坦。

讨论:红色蚋系由 Brunetti(1911)根据印度单雌标本而记述。此后，Puri(1932)、Takaoka(1977)对其他虫期做了描述，经检查我国各地标本对照国外资料，形态学上存在某些差异，但根据本种雌虫第 7 腹板具亚中长毛丛和蛹呼吸丝的特殊排列方式，并不难鉴别。

(13)马维蚋 *Simulium* (*Wilhelmia*) *equinum* Linnaeus，1758

Culex equinum Linnaeus，1758：1603.

Simulium equimum：Wu，1940：83.

Wilhelmia equinum：Takahasi，1998：65.

Simulium (*Wilhelmia*) *equinum*：Crosskey，1988：482.

鉴别特征:中胸盾片具银白肩斑；中骨马蹄形。蛹呼吸丝粗壮，囊状。幼虫后颊裂亚箭形。

采集记录: 1♀3♂，4 蛹，6 幼虫，宁陕县，1700m，2008. Ⅷ. 10，修江帆采。

分布: 陕西(宁陕)，华北、东北和西北地区各省区及山东省；英国，西欧至东西伯利亚。

讨论: Linnaeus(1758)原描述将本种置于库蚊属(*Culex*)下，直至 21 世纪初叶，Patton 和 Evans(1929)才将它归入蚋科。由于其形态变异较大，出现了诸多同物异名，包括安继尧(1996)记载的依瓦亚种 *S. E. ivachentzove* Rubtsov, 1956。本种是北方习见蚋种，具有医学重要性。其呼吸丝特征突出，鉴别时不易混淆。

(14)沼泽维蚋 *Simulium* (*Wilhelmia*) *lama* Rubtsov, 1940

Simulium (*Wilhelmia*) *lama* Rubtsov, 1940: 4167.

鉴别特征: 后足胫节基部超过 1/2 黄色；生殖叉突后臂膨大部形状特殊。
采集记录: 4♀，周至钓鱼台，1415m，2008. Ⅷ. 04-05，修江帆采。
分布: 陕西(周至)；蒙古。
讨论: 沼泽维蚋迄今仅发现雌虫，其突出特征是后足胫节和基跗节大部色淡，生殖叉突后臂膨大部形状特殊，可资鉴别。

参考文献

Adler, P. H. and Crosskey, R. W. 2010-2014. World blackflies (Diptera: Simuliidae): A comprehensive revision of the taxonomic and geographical inventory. Clemson University. Available at: http://entweb. Clemson. Edu/blackfly invetory. pdf. 2010, 1-112; 2011, 1-117; 2012, 1-119; 2013, 1-120; 2014, 1-121.

Chen Han-bin and An Ji-yao. 2003. The blackflies of China. Beijing: Science Press, 1-448. [陈汉彬，安继尧. 2003. 中国黑蝇（双翅目:蚋科）. 北京:科学出版社，1-448.]

Chen Han-bin *et al.*, 2015. Chinese blackflies (Diptera: Simuliidae). Guizhou Science and technology Press, Guiyang, 596. [陈汉彬. 2015. 中国蚋科昆虫（双翅目:蚋科）. 贵阳:贵州科技出版社，1-596.]

十一、鹬虻科 Rhagionidae

张魁艳[1]　董慧[2]　杨定[3]
(1. 中国科学院动物研究所 北京 100101；2. 深圳市中国科学院仙湖植物园 深圳 518004
3. 中国农业大学昆虫系 北京 100193)

鉴别特征: 小至中型(体长 2 ~ 20mm)。体细长，有毛而无明显的鬃。雄性复眼一般相接，背部小眼面扩大；雌性复眼宽的分开。唇基发达，强烈隆起，侧颜较窄。大多数种类触角鞭节仅较短的 1 节，呈锥形、近方形或肾形，有 1 条不分节的长芒；

少数种类鞭节较长，多节。喙发达肉质；须 1 ~ 2 节。翅前缘脉环绕整个翅缘；Rs 柄较长，R_{4+5}分叉，R_5 终止于翅端或其后，M_2 存在；盘室位于翅中央，有时不存在，臀室在翅缘附近关闭或开放。胫节矩式 0-2-2，0-2-1，0-2-0；爪间突垫状。雄性腹端下生殖板存在而生殖基节分开，或下生殖板不存在而生殖基节在腹面愈合；生殖基节背桥存在，生殖基节前突细长；有阳茎鞘。雌性尾须 2 节，有 3 个精囊。

生物学：幼虫长筒形，可见 11 节。前端尖，后端较粗大。头部细长，大部缩入前胸。第 1 ~ 6 或 1 ~ 7 腹节腹面有条形突；末节有叶状或瘤形突。两端气门式。幼虫捕食性，生活在潮湿富含有机质的土中。肾鹬虻属 *Symphoromyia* 的雌性有吸血习性。

分类：全世界已知 26 属 750 种，中国已知 8 属 122 种，陕西秦岭地区分布 3 属 6 种。研究标本除注明外保存在中国农业大学。

分属检索表

1. 体无金黄毛 …… 2
   体有金黄毛 …… **金鹬虻属 *Chrysopilus***
2. 触角第 3 节较大，肾型 …… **肾角鹬虻属 *Symphoromyia***
   触角第 3 节较小，近方型 …… **鹬虻属 *Rhagio***

1. 金鹬虻属 *Chrysopilus* Macquart，1826

Chrysopilus Macquart，1826：403. **Type species**：*Rhagio diadema* Fabricius，1775 [= *Chrysopilus aureus* (Meigen，1804)].

属征：体通常被金黄色或白色的毛。雄虻复眼通常在额上相接，偶尔很窄地分离，背部小眼面扩大；额明显长，而颜较短，触角大致位于头部下部 1/3 或 2/5 处。雌虻复眼显著宽的分开；位于触角处的额宽稍大于或小于复眼宽，额向前稍变窄；额短，而颜长，触角大致位于头部上部 2/5 处。唇基较小，背方明显远离触角基部，背方延伸达颜的 1/2 或 3/5。雄虻颜近梯形。侧颜较宽，多无毛，偶尔具毛。颊不明显。须 1 节，与喙等长，较直，偶尔短于喙；有时扁宽。触角柄节和梗节短小，大小几乎相等；鞭节几乎与梗节等宽，偶尔稍宽大，宽于梗节，近卵圆形或锥形；触角芒很长，着生在鞭节末端，与鞭节之间无分界线。亚小盾片很弱或不明显。侧背片外部与内部均具毛。胫节矩式 0-2-1。翅 sc-r 可见；Rs 较长，着生处近肩横脉，R_{2+3}端部明显前弯曲且较接近 R_1；第 1 径室狭长，开口较窄；R_5 终止于翅末端后；臀室端部通常具柄。雄性腹部可见 7 个明显的节。雄性外生殖器生殖基节在腹基部愈合；第 9 腹板缺失；第 10 背板存在。雌性腹部基部 4 ~ 5 节较宽大，第 6 ~ 9 节显著细窄，各节大部露出而可见。

分布：世界性分布。目前已知 347 种，中国记录 45 种，秦岭地区有 2 种。

分种检索表

胸部黄褐色至黄色，中胸背板有 3 条宽的暗色纵斑 ……………… **三斑金鹬虻 *C. trimaculatus***
胸部褐色至黑褐色，中胸背板和小盾片一致烟黑色 ………………… **周氏金鹬虻 *C. choui***

(1)周氏金鹬虻 *Chrysopilus choui* Yang *et* Yang, 1989(图 131)

Chrysopilus choui Yang *et* Yang, 1989: 243.

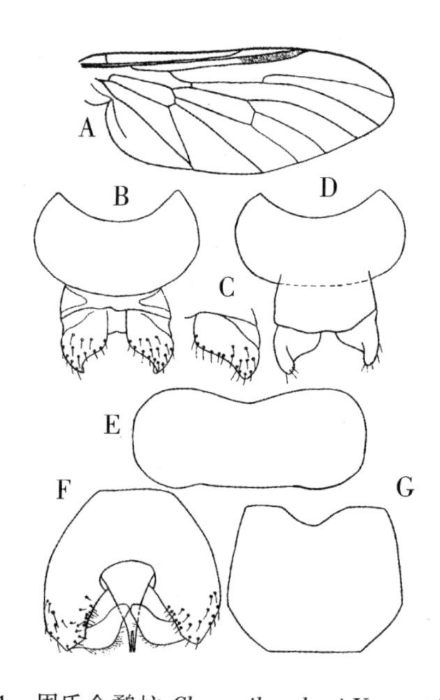

图 131 周氏金鹬虻 *Chrysopilus choui* Yang *et* Yang

A. 雄性翅(male wing); B. 雄性腹部第 9 ~ 10 背板和尾须，背视(male tergites 9-10 and cerci, dorsal view); C. 雄性尾须，背侧视(male cercus, dorso-lateral view); D. 雄性第 9 背板、第 10 腹板和尾须，腹视(male tergite 9, sternite 10 and cerci, Ventral view); E. 雄性第 8 背板(male tergite 8); F. 雄性生殖体，腹视(male genital capsule, Ventral view); G. 雄性第 8 腹板(male sternite 8)

鉴别特征: 头部黑色，有灰白粉被。头部的毛淡黄色，但侧颜下部有黑毛。触角暗褐色；柄节裸，梗节有黑毛，鞭节有淡黄毛。喙和须暗褐色，有黑毛。胸部褐色至黑褐色，有灰白粉被；中胸背板和小盾片烟黑色。胸部的毛淡黄色；中胸背板中侧部和后部有金黄色的倒伏毛，前侧缘有一些黑毛；小盾片整个被黑毛。足黑褐色，但胫节黄褐色；除第 1 跗节淡黄色外，其余跗节褐色至黑褐色。翅白色透明；翅痣黄褐色，长，伸达翅的边缘。腹部褐色至暗褐色，有灰白粉被；背面烟黑色。腹部的毛黑色和淡黄色，但第 1 ~ 4 背板有白色或金黄色的倒伏毛。雄性第 9 背板宽明显大于长，后部圆；尾须端部尖，后缘倾斜；生殖基节愈合的腹面前部区域近直；生殖突明显弯曲，端部圆。

采集记录: 1♂，长安太乙宫，1956. Ⅵ. 26，杨集昆采；1♂，太白山中山寺，

1956.Ⅶ.27，周尧采。

分布：陕西（长安、太白）、甘肃。

(2) 三斑金鹬虻 *Chrysopilus trimaculatus* Yang et Yang, 1989（图132）

Chrysopilus trimaculatus Yang *et* Yang, 1989: 245.

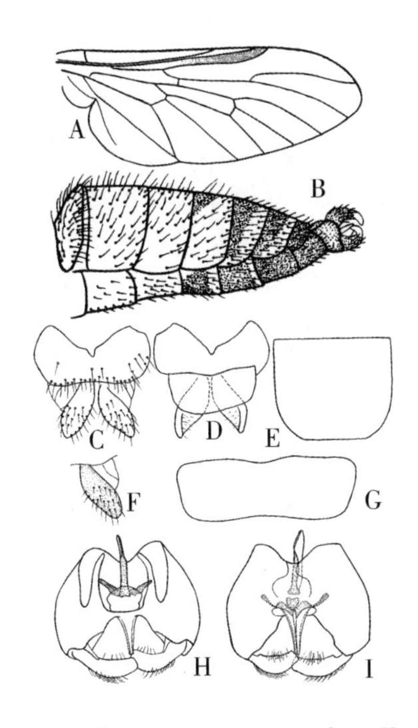

图132　三斑金鹬虻 *Chrysopilus trimaculatus* Yang *et* Yang

A. 雄性翅（male wing）；B. 雄性腹部侧面观（male abdomen, lateral view）；C. 雄性第9～10背板和尾须背面观（male tergites 9-10 and cerci, dorsal view）；D. 雄性第9背板、第10腹板和尾须腹面观（male tergite 9, sternite 10 and cerci, ventral view）；E. 雄性第8腹板（male sternite 8）；F. 雄性尾须背侧面观（male cercus, dorso-lateral view）；G. 雄性第8背板（male tergite 8）；H. 雄性生殖体背面观（male genital capsule, dorsal view）；I. 雄性生殖体腹面观（male genital capsule, ventral view）

鉴别特征：头部黑褐色，有灰白粉被。头部的毛淡黄色，但单眼瘤有黑毛。触角黄色；柄节裸，梗节被黑毛，鞭节被淡黄毛。触角芒暗褐色。喙和须黄色，有淡黄毛。胸部黄褐色至黄色，有浅褐粉被；中胸背板有3条宽的暗色纵斑；小盾片有些暗。胸部的毛淡黄色；中胸背板和小盾片有许多金黄色倒伏毛。足黄色；跗节暗褐色，但第1跗节（除端部外）淡黄色。足的毛黑色；基节和腿节有淡黄色毛。翅有些带褐色；翅痣长，褐色（或暗黄色），伸达翅的边缘；脉褐色至暗褐色；M_2的基段长为m横脉的0.30倍。腹部黄色至暗黄色，有灰粉被；第2～4背板（或低4～6背板）基部暗；第4～6腹板和第7～8节有些暗。腹部的毛淡黄色，长。雄性第9背板长大于宽，前部有1个明显凹缺；尾须长，带状；生殖基节腹面愈合部前端有1个明显凹缺；

生殖基节突长，端部稍汇聚。

采集记录:2♀，甘泉清泉沟，1971. Ⅶ. 27-Ⅸ. 12，杨集昆采。

分布:陕西(长安、甘泉)、北京、山西、宁夏、甘肃。

2. 鹬虻属 *Rhagio* Fabricius, 1775

Rhagio Fabricius, 1775: 761. **Type species**: *Musca solopacea* Linnaeus, 1758 .
Leptis Fabricius, 1805: 69 (unjustified new name for *Rhagio* Fabricius, 1775).

属征:雄性复眼在额相接，但有时窄地分开。雌性复眼明显分开，额有些两侧平行，近中单眼和触角基部处稍加宽，额宽显著小于复眼宽。额明显长，而颜显著短；触角位于头部下部1/3处。唇基长，背方延伸有些接近触角基部，两侧与侧颜之间有深沟。侧颜较窄，有时稍加宽。颊不明显。触角柄节和梗节小，大小几乎相等；鞭节小而窄于梗节，近锥状；触角芒很长，着生在鞭节末端，与鞭节之间无分界线。须一节，端部大致向末端变尖，背方有些拱突。亚小盾片很弱。侧背片外部具毛。胫节矩式为0-2-2。后足基节具前下突。翅sc-r可见；Rs着生点处位于基室中部，有些远离肩横脉；R_{2+3}端部弱弯曲，末端有些接近R_1，第1径室狭长，开口较窄；R_5终止于翅末端后；臀室窄的开放或关闭。雄腹部可见6~7个明显的节。雄性外生殖器第9腹板和第10背板存在。雌性腹部基部5节较宽大，第6~8节显著细窄，各节大部露出而可见，第9节有时少许露出。

分布:古北区，新北区，东洋区，新热带区。目前全世界已知185种，中国记录60种，秦岭地区有3种。

分种检索表

1. 翅中部无纵斑 ………………………………………………………………………… 2
   翅中部有2个纵斑 …………………………………………………… **周氏鹬虻 *Rh. choui***
2. 触角黑色，鞭节黄色；翅白色透明，弱带黄色，前缘域淡黄色；翅痣暗黄色 …………………
   ……………………………………………………………………………… **黑端鹬虻 *Rh. apiciniger***
   触角黑色；翅近白色透明，有褐色端部和后缘褐色；翅痣暗褐色 ………………………………
   …………………………………………………………………………… **陕西鹬虻 *Rh. shaanxiensis***

(3)黑端鹬虻 *Rhagio apiciniger* Yang, Zhu *et* Gao, 2005(图133)

Rhagio apiciniger Yang, Zhu *et* Gao, 2005: 727.

鉴别特征: 头部黑色，有灰白粉；额中央有1个大的亮黑斑。头部的毛淡黄色，上后头和单眼瘤毛黑色。侧颜有淡黄毛。触角黑色，鞭节黄色。喙黑色，有黑毛；须黑色，有黑毛。胸部黑色，有灰白粉。胸部的毛黑色，前胸侧板有淡黄长毛，中胸背板有部分淡黄毛；小盾片毛长，淡黄色。侧背片外部有淡黄毛。足黄色；前足基节黄色，中后足基节黑色；转节褐色；前足腿节端半浅黑色；跗节暗褐色，中足基跗节基部暗黄褐色。足的毛黄色；基节的毛淡黄色，后足基节前端有黑毛；中足足腿节基半有部分淡黄毛。翅白色透明，弱带黄色，前缘域淡黄色；翅痣暗黄色，狭长，末端伸达翅缘。腹部黑色，有灰白粉。腹部的毛大部分黑色，第1背板的毛淡黄色。

采集记录：1♀（正模），宁陕火地塘雅雀沟，1600～1700m，1998. Ⅶ. 28，陈军采（IZCAS）。

分布：陕西（宁陕）。

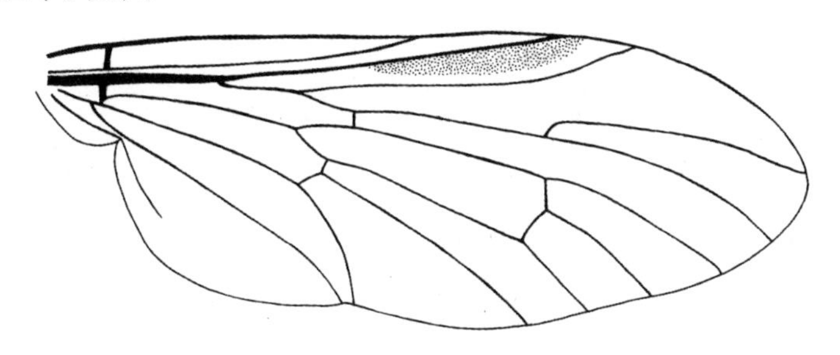

图133　黑端鹬虻 *Rhagio apiciniger* Yang, Zhu *et* Gao
雌性翅（female wing）

（4）周氏鹬虻 *Rhagio choui* Yang *et* Yang, 1997（图134）

Rhagio choui Yang *et* Yang, 1997：205.

鉴别特征：头部黑色，有灰白粉被。头部的毛淡黄色；单眼瘤和后头上部有黑毛；侧颜有淡黄色长毛。触角柄节和梗节黑色；鞭节黄褐色至褐色；触角芒暗褐色。喙暗褐色，有淡黄色毛；须黑色，有淡黄色毛。胸部黑色，有灰白粉被；中胸背板有3个明显的暗色纵斑，纵斑在盾间沟中断。中胸背板和小盾片被黑毛。足后足胫节和跗节残缺暗褐色至黑色；基节与侧板同色；前足腿节端部、中足腿节端部和基部、后足腿节的基部和端部黄色；胫节黄色（除前足胫节端部外）；中足第1跗节黄色。足的毛黑色，但基节的毛淡黄色，腿节部分的毛淡黄色。翅白色透明，中部有2个纵斑，端部有些浅黑色；翅痣黑色，很长，伸达翅的边缘；脉褐色至暗褐色；臀室不开口。平衡棒黄色。腹部黑色，有灰白粉被。腹部的毛淡黄色，但背面有些黑毛。雄性第9背板宽大于长，前部有1个“V”形凹缺；第10腹板端部尖；尾须短宽；生殖基节突有些汇聚；生殖突粗，稍弯。

采集记录：1♂（正模），长安，1980. Ⅴ. 15，周尧、向龙城采；副模1♀，同正模；2♂，长安，1980. Ⅴ. 15～18，采集人不详。

分布：陕西（长安）、北京、河北、宁夏。

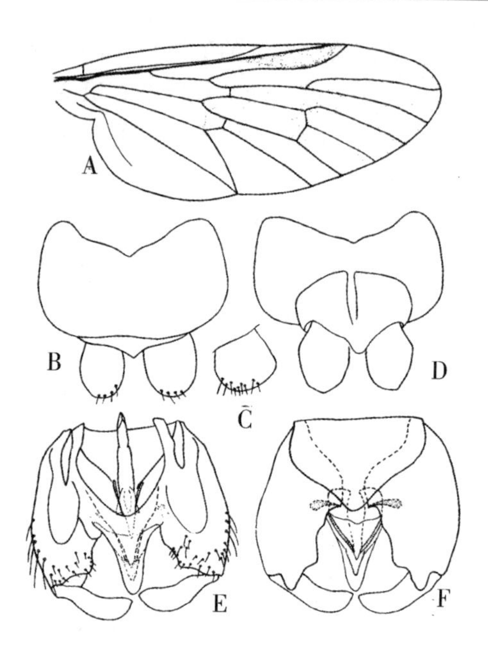

图 134 周氏鹬虻 *Rhagio choui* Yang *et* Yang

A. 雄性翅(male wing); B. 雄性第9~10背板和尾须背面观(male tergites 9–10 and cerci, dorsal view); C. 雄性尾须背侧面观(male cercus, dorso-lateral view); D. 雄性第9背板、第10腹板和尾须腹面观(male tergite 9, sternite 10 and cerci, ventral view); E. 雄性生殖体背面观(male genital capsule, dorsal view); F. 雄性生殖体腹面观(male genital capsule, ventral view)

(5)陕西鹬虻 *Rhagio shaanxiensis* Yang *et* Yang, 1997(图 135)

Rhagio shaanxiensis Yang *et* Yang, 1997: 235.

鉴别特征: 头部暗褐色至黑色，有灰白粉。头部的毛淡黄色，但后头上部和单眼瘤有黑毛；额和唇基裸；颊有黑毛；侧颜有淡黄毛。触角黑色，毛主要黑色；触角芒暗褐色。喙和须暗褐色至黑色，毛黑色。胸部黑色，有灰白粉被；中胸背板有3条暗色纵斑，中纵斑被1条浅黄色线分开；小盾片中后区暗黄色。中胸背板和小盾片被黑毛；前胸侧板和侧背片的前部被淡黄毛。足黄色；基节黑色，与侧板同色；转节黄褐色；后足腿节黑色，基部和端部黄色；胫节黄褐色，端部暗褐色；跗节暗褐色。足的毛黑色，但基节和前中足腿节腹面的毛淡黄色。翅近白色透明，有褐色端部和后缘褐色；翅痣明显，长，暗褐色。腹部黑色，但第1~4背板黄色，侧缘和中部黑色；第1~4腹板黄色，第2~4腹板有黑色中纵斑。腹部的毛黑色。雄性第9背板宽等于长，端部窄，端缘凹缺，基缘有1块明显的“V”形凹缺；第10腹板端部尖；尾须扭曲，渐窄。

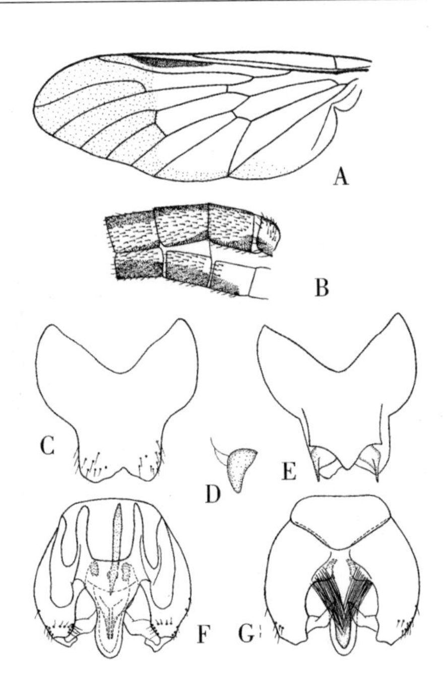

图 135 陕西鹬虻 *Rhagio shaanxiensis* Yang *et* Yang

A. 雄性翅(male wing); B. 雄性腹部基部侧面观(basal portion ofmale abdomen, lateral view); C. 雄性第 9 背板背面观(male tergite 9, dorsal view); D. 雄性尾须背侧面观(male cercus, dorso-lateral view); E. 雄性第 9 背板、第 10 腹板和尾须腹面观(male tergite 9, sternite 10 and cerci, ventral view); F. 雄性生殖体背面观(male genital capsule, dorsal view); G. 雄性生殖体腹面观(male genital capsule, ventral view)

采集记录:1♂(正模), 洋县, 1981. Ⅴ.03, 向龙城采。

分布:陕西(洋县)、宁夏、甘肃。

3. 肾角鹬虻属 *Symphoromyia* Frauenfeld, 1867

Symphoromyia Frauenfeld, 1867: 496. **Type species**: *Atherix melaena* Meigen, 1820.

属征:雄虫复眼在额上相接或很窄地分开; 上额和下额呈三角形, 即使复眼在窄的分开时, 额近中部最窄。雌虫复眼明显宽的分开, 额在触角处的宽度大于复眼宽; 额在头顶处最宽, 向前稍变窄, 而近触角处向前变宽。额较短, 而颜较长。唇基裸或稀被毛, 唇基强烈隆起且具长的侧沟。雄性唇基背方伸达颜的 2/3 或 4/5 处。雌性唇基非常发达, 很长, 背方伸达触角基部之间。侧颜宽, 无毛。雄性颊明显, 雌性颊较宽。须 2 节; 雄性下颚须有长而密的毛, 雌性下颚须形状在种之间有变异。触角柄节通常长于梗节。雄性柄节显著膨大且延长, 有长而密的毛, 而雌性柄节稍膨大而延长, 毛短; 梗节很短小。鞭节肾形, 具 1 条亚背位的长芒。中胸背板中后缘有狭窄的前小盾片, 发达程度有变化。亚小盾片较狭窄。侧背片外部被毛。胫节矩式0-2-1; 后足基节有前下突。翅 sc-r 可见; Rs 着生点有些接近肩横脉; R_{2+3}与 R_1 末端有些接近，第1径室较狭长，开口窄；R_5伸达翅末端稍后；臀室在翅缘窄的开放。雄性腹部可见6~7个明显的节。雌性腹部可见5个明显的节，露出的细窄端节部分很短。

分布：全北区。世界已知39种。中国记录6种，秦岭地区分布1种。

(6)粗肾角鹬虻 *Symphoromyia crassicornis* (Panzer, 1806)(图136)

Atherix crassicormis Panzer, 1806: 10.

Symphoromyia crassicornis: Nagatomi & Kanmiya, 1969: 190.

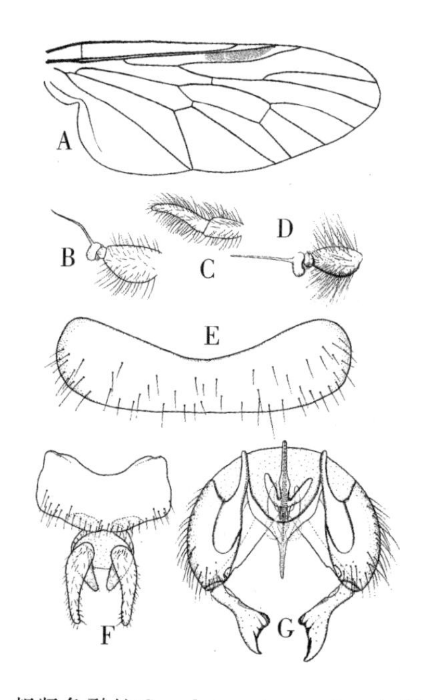

图136 粗肾角鹬虻 *Symphoromyia crassicornis* (Panzer)

A. 雌性翅(female wing); B. 雄性触角内面观(male antenna, inner view); C. 雄性下颚须(male palpus); D. 雄性触角外面观(male antenna, outer view); E. 第8背板背面观(tergite 8, dorsal view); F. 第9~10背板和尾须背面观(tergites 9~10 and cerci, dorsal view); G. 生殖体背面观(genital capsule, dorsal view)。D-G据Nagatomi (1969)重绘

鉴别特征：头部深褐色至黑色，有浅灰粉被。头部的毛黑色，但后头下部和颊部分被淡黄毛。触角柄节和梗节深褐色至黑色，被黑毛；柄节很膨大，长大于宽；鞭节深黄色至褐色，裸。喙黑色，主要被黑毛；须黑色，被淡黄毛和黑毛；头部和附肢(除梗节和喙)毛很长。复眼很窄的分开或近相接。胸部黑褐色至黑色，有浅灰粉被。中胸背板和小盾片被黑色长毛，但中胸背板前侧缘具淡黄毛，胸侧毛淡黄色。足黑褐色至黑色，基节与胸侧同色，腿节端部黄色。足的毛黑色，但基节和中足腿节具淡黄毛和黑毛。翅透明；翅痣不明显，狭长，深黄色。腹部深褐色至黑色，有浅灰粉被。腹部的毛淡黄色，但第6~8腹节和生殖器全部或部分毛黑色；背面毛长。雄性第9背板宽明显大于长，前缘有1块近弧形的凹缺；第10腹板端缘较直；尾须长指状；生

殖突近钩弯。

采集记录:1♂，太白山，1982.Ⅶ.11，采集人不详。

分布:陕西(太白)、山西、宁夏、青海、四川；古北区广布。

参考文献

James, M-T. and Turne, W-J. 1981. 33. Rhagionidae, 483-488. In: McAlpine J. F. *et al.* (eds.), Manual of Nearctic Diptera. Vol. 1. *Research Branch Agriculture Canada*, monograph No. 27. 674.

Nagatomi, A. 1982. The genera of Rhagionidae (Diptera). *Journal of Natural History*, 16(1): 31-70.

Yang, D. and Yang, C-K. 1989. Five new species of *Chrysopilus* from Shaanxi (Diptera: Rhagionidae). *Entomotaxonomia*, 11(3): 243-248. [杨定，杨集昆. 1989. 陕西的金鹬虻属五新种(双翅目：鹬虻科). 昆虫分类学报，11(3): 243-247.]

Yang, D., Yang, C-K. and Nagatomi, A. 1997. The Rhagionidae of China (Diptera). *South Pacific Study*, 17(2): 113-262.

十二、伪鹬虻科 Athericidae

张魁艳[1]　董慧[2]　杨定[3]

(1、中国科学院动物研究所 北京 100101；2、深圳市中国科学院仙湖植物园 深圳 518004；3、中国农业大学昆虫系，北京，100193)

鉴别特征:伪鹬虻成虫体中型(体长 7～8mm)。体暗褐色至黑色，翅有明显的斑纹；体表有短毛而无明显的鬃，外观上和鹬虻很类似。雄性复眼在额相接或很接近。雌性复眼宽的分开；雌额有毛，向前变宽，最宽处位于触角基部之上。唇基发达，强烈隆起，侧颜窄。触角较短，柄节和梗节几乎等长；鞭节肾形，有细长不分节的触角芒。喙发达肉质；下颚须 2 节，基节短，端节长而弯曲。胫节矩式为 0-1-2，0-2-2；爪间突垫状。翅前缘脉环绕整个翅缘；R_1 和 R_{2+3} 在翅缘相接，Rs 较长，R_5 终止于翅端后，M_2 存在，臀室近翅缘关闭。雄性外生殖器的生殖基节背桥发达，宽大；生殖基节突长。

生物学:幼虫长筒形，可见 11 节；头小，大部缩入胸部内；胸部向前缩小；腹部 1～7节背面有尖的瘤突，腹面各有 1 对伪足，第 8 节有 1 个伪足，末端有 2 根长突；后气门式呼吸。

分类:世界已知 7 属约 100 种，中国记录 4 属 18 种，陕西秦岭地区有分布 1 属 1 种。研究标本保存在中国科学院动物研究所国家动物博物馆(IZCAS)。

伪鹬虻属 *Atherix* Meigen, 1803

Atherix Meigen, 1803: 271. **Type species**: *Rhagio diadema* Fabricius, 1775.

属征:雄性复眼在额相接或很窄的分开；上额区小三角形，下额区大三角形。雌性复眼显著分开；额相当宽，向前加宽，位于触角之上的额宽于复眼。侧颜宽，至少与唇基等宽。触角基部明显分开。后足基节无腹突。胫节矩式 0-2-2。翅白色透明，有明显灰褐斑；M_3与 M_4 端部平行，开口宽；臀室关闭，端有短柄。雄性尾须短，近三角形；生殖基节背桥宽大，生殖基节突较长。

分布:新北区，古北区，东洋区。目前已知 9 种，中国仅知秦岭地区分布 1 种。

斑翅伪鹬虻 *Atherix ibis* (Fabricius, 1798)（图 137，138）

Rhagio ibis Fabricius, 1798: 556.

Atherix (*Atherix*) *ibis japonica* Nagatomi, 1958: 48.

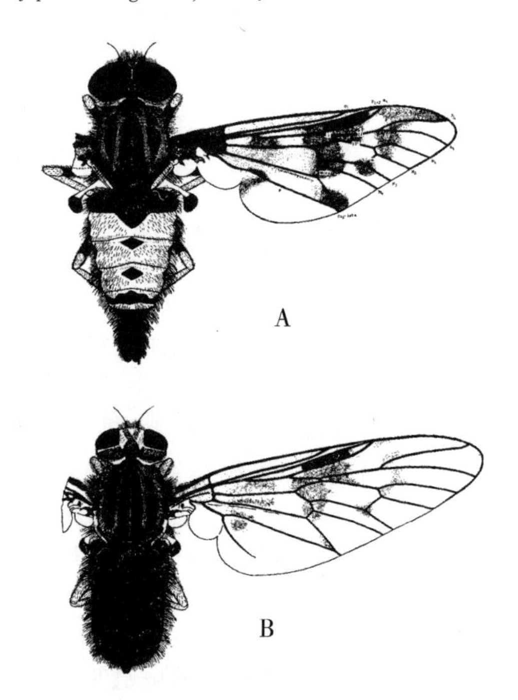

图 137 斑翅伪鹬虻 *Atherix ibis* (Fabricius)（据 Nagatomi，1958 重绘）

A. 雄性成虫(male adult)；B. 雌性成虫(female adult)

鉴别特征: 头部黑色，有灰白粉被。复眼在额几乎相接，背部小眼面稍扩大。触角浅黑色。喙浅黑色，须黑色。胸部黑色，有灰白粉被。肩胛浅褐色。中胸背板有 3 个暗色纵带斑，中斑中央有 1 条淡色中纵纹分开。足褐色；但基节浅黑色，色同胸侧；腿节末端黄褐色，胫节黄褐色；跗节暗褐色，但基跗节(除前足基跗节外)黄褐色。翅白色透明，有 3 个暗褐斑，基斑较宽，中斑较窄，端斑前宽且向后显著变窄。腹部黄色至黄褐色，有灰白粉被；第 1 背板和第 7～8 背板黑色，第 2～5 背板有黑色中斑和侧斑。雄性第9背板很宽大，尾须基部宽，向后变窄，末端有些尖；生殖突近棒状，较直。

观察标本：1♂，佛坪凉风垭，1900～2100m，1998.Ⅶ.24，袁德成采（IZCAS）。

分布：陕西（佛坪）、四川；日本，欧洲，北美洲。

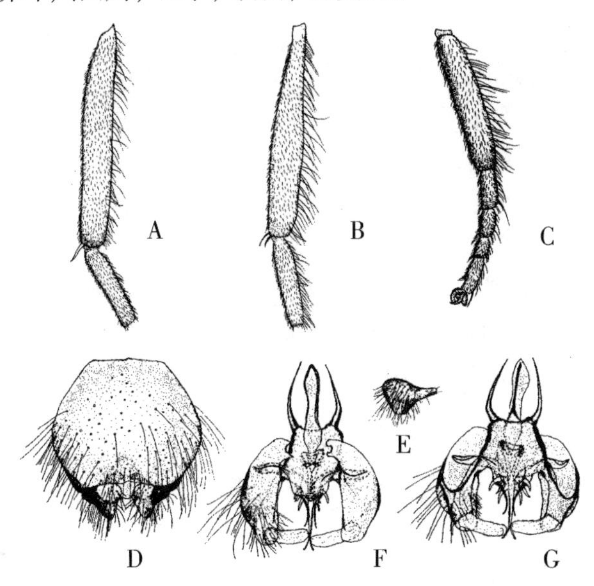

图138　斑翅伪鹬虻 *Atherix ibis*（*Fabricius*）（据Nagatomi，1979重绘）

A. 雄性后足胫节和基跗节，欧洲标本（male hind tibia and tarsomere 1，European specimen）；B. 雄性后足胫节和基跗节，日本标本（male hind tibia and tarsomere 1，Japanese specimen）；C. 雄性后足基跗节，日本标本（male hind tarsomere 1，Japanese specimen）；D. 雄性第9～10背板和尾须背面观（male tergites 9-10 and cerci）；E. 雄性尾须背面观（male cercus，dorsal view）；F. 雄性生殖体腹面观（male genital capsule，ventral view）；G. 雄性生殖体背面观（male genital capsule，dorsal view）

参考文献

Rozkošný，R. and Nagatomi，A. 1997. Family Athericidae. In：Papp，L. and Darvas，B.（eds.）. Contributions to a manual of Palaearctic Diptera（with special reference to flies of economic importance）. Volume 2：Nematocera and lower Brachycera. 439-446.

十三、虻科 Tabanidae

张魁艳[1]　杨定[2]

（1. 中国科学院动物研究所 北京 100101；2. 中国农业大学昆虫系 北京 100193）

鉴别特征：成虫多中至大型（6～30mm），体粗壮，头部大，翅宽。触角3节，鞭节形状变异大，端部有2～7个环节。雄虫复眼接眼式，雌虫为离眼式。雌虫口器刮舐式，下唇顶端有2个巨大的唇瓣；下颚须2节。胸部发达，多茸毛。翅透明或有色斑，静止时呈水平状或屋脊状；中央具长六边形中室，R_4与R_5端部分开，分别伸到翅缘；上下腋瓣和翅瓣均发达。足较粗，中足胫节有2距；爪间突呈垫状，约与爪垫等大。腹部7节可见，第8～11节为生殖节；腹部的颜色和纹饰是分类的重要依据。

生物学：虻科是重要的一类医学昆虫，大多数种类的雌虫吸血，影响危害畜牧业的发展；很多种类还在吸血的过程中传播疾病，如伊氏锥虫病、马传染性贫血病、野兔热等。虻一般为1年1代，卵块含卵500～1000枚；卵期4～14天。幼虫多生活在湿土中，幼虫期很长。幼虫细长呈纺锤形（体长10～60mm），头能缩入前胸节；胸部3节，腹部8节。裸蛹，蛹期5～20天。

分类：世界已知3亚科9族144属4400余种，中国记录3亚科7族14属458种（许荣满和孙毅，2013），陕西秦岭地区分布2亚科6属62种。研究标本保存在中国农业大学昆虫博物馆（CAU）和中国科学院动物研究所国家动物博物馆（IZCAS）。

分属检索表

1. 单眼发达；后足胫节距通常发达（斑虻亚科 Chrysopsinae）…………………… **斑虻属 *Chrysops***
   无单眼或单眼不发达，仅有痕迹；后足胫节无距（虻亚科 Tabaninae）…………………………… 2
2. 翅具点状或云状花斑；触角圆柱形，鞭节基环节背缘无背角，顶端具3个环节 ………………
   ……………………………………………………………………………… **麻虻属 *Haematopota***
   翅无点状或云状花斑；触角柄节及梗节粗短；鞭节宽扁，基环节背缘多具背角，顶端多具4个环节 ……………………………………………………………………………………………… 3
3. 新鲜标本复眼浅黄色，半透明，通常具1条窄带 ……………………………… **黄虻属 *Atylotus***
   新鲜标本复眼亮绿或暗黑色，不透明，通常无或具1～4条窄带 ………………………………… 4
4. 头顶有单眼瘤；复眼大部有毛，通常具3条横带 ………………………………… **瘤虻属 *Hybomitra***
   头顶无单眼瘤；复眼大部无毛，通常具1～4条横带或缺如 ………………………………………… 5
5. 触角鞭节端部通常3个环节；翅基鳞光；复眼具3条横带 ………………… **少环虻属 *Glaucops***
   触角鞭节端部具4个环节；翅基鳞具与翅前缘脉上同样的毛；复眼具0～4条横带 …………
   ………………………………………………………………………………………… **虻属 *Tabanus***

（一）斑虻亚科 Chrysopsinae

1. 斑虻属 *Chrysops* Meigen, 1803

Chrysops Meigen, 1803: 267. **Type species**: *Tabanus caecutiens* Linnaeus, 1758.

Heterochrysops Kröber, 1920: 50. **Type species**: *Chrysops flavipes* Meigen, 1804.

Silviochrysops Szilády, 1922: 125. **Type species**: *Silviochrysops flavescens* Szilády, 125.

Neochrysops Szilády, 1922: 126 (nec Walton, 1919). **Type species**: *Neochrysops grandis* Szilády, 125.
Psylochrysops Szilády, 1926: 3 (new name for *Neochrysops* Szilády, 1922).

属征:中小型种。通常为黄色或黑色。头顶具3个明显分离的单眼。雌虫额宽,额胛圆形或卵圆形;颜胛、口胛、颊胛形状大小及颜色为重要分类特征,有些种类颊胛退化。触角细而长,鞭节基环节无背角,端部具4个环节。翅通常具棕色或黑色的横带及端斑,极少数种类无斑;雄虫翅比雌虫色深;r_5室开放。足细长,后足胫节具端距。

分布:世界性分布。全世界已知260余种,中国记录35种,秦岭地区分布8种。

分种检索表

1. 翅中室中部透明 …… 2
   翅中室全暗 …… 3
2. 触角梗节长宽比为2:1 …… 范氏斑虻 *C. vanderwulpi*
   触角梗节长宽比为3:1 …… 莫氏斑虻 *C. mlokosiewiczi*
3. 体全黑,腹部无斑 …… 帕氏斑虻 *C. potanini*
   体非全黑,腹部具斑纹 …… 4
4. 翅端斑膨大,与横带连接处变细 …… 察哈尔斑虻 *C. chaharicus*
   翅端斑不膨大,与横带连接处不变细 …… 5
5. 腹部背板具4列暗斑 …… 条纹斑虻 *C. striatulus*
   腹部背板具2列暗斑,至少第2背板具1对暗斑 …… 6
6. 腹部第2背板黑斑不达节后缘 …… 中华斑虻 *C. sinensis*
   腹部第2背板黑斑达节后缘 …… 7
7. 颜中央无黄粉条;腹部第2背板黑斑向前延伸不超过中线 …… 合瘤斑虻 *C. suavis*
   颜中央具黄粉条;腹部第2背板黑斑向前延伸超过中线 …… 四川斑虻 *C. szechuanensis*

(1)察哈尔斑虻 *Chrysops chaharicus* Chen *et* Quo, 1949

Chrysops chaharicus Chen *et* Quo, 1949: 6.

鉴别特征:体长7~9mm。雌虫头部额胛黑色、两侧不与眼相接触,颜胛黑色、圆形,口胛棕黄色,以颇细带与颜胛相连接。触角较粗、柄节黄棕色,梗节棕黑色,鞭节黑色,接近于基部橙色。下颚须橙色。胸部背板及小盾片黑色,中央有3条黄灰色粉被纵纹,背板两侧具黄毛。翅横带斑从前端向后端延伸外缘是直的,但从第4后室后逐渐弯曲。端斑呈细带状,与横带斑连接处颇窄。前足暗棕色,胫节基部1/3、股节基部暗黄色,中足黄棕色,跗节端部黑色,后足暗棕色,跗节端部呈暗黄色。腹部背板黄色,第1节有2个基部相互连接的小中斑,第2节中部有1个"八"字形黑斑,有时斑点基部接近,两侧有时具黑斑,第3~5节具4条断续黑条纹,第5~7节黑色，覆黄色毛。腹板黄色，第4～5节中央具黑斑。末端两节黑色。

采集记录:1♀，周至厚畛子，1276m，2008. Ⅶ. 01，崔俊芝采；3♀，凤县红岭林场，1580m，1973. Ⅶ. 22，张学忠采；1♀，留坝庙台子，1350m，1998. Ⅶ. 21，姚建采。

分布:陕西(周至、凤县、留坝)、辽宁、河北、山西、宁夏、甘肃。

(2)莫氏斑虻 *Chrysops mlokosiewiczi* Bigot, 1880

Chrysops mlokosiewiczi Bigot, 1880: 146.

Chrysops iranensis Bigot, 1892: 602.

Chrysops (*Heterochrysops*) *mlokosiewiczi* var. *oxianus* Pleske, 1910: 458.

Chrysops (*Heterochrysops*) *mlokosiewiczi* var. *obscura* Kröber, 1923: 109.

Heterochrysops obscurus Kröber, 1929: 478.

鉴别特征:体长9～11mm。雌虫头部额胛边缘黑色，其余黄棕色。颜胛、口胛黄色或黄棕色，颊胛缺如。触角长细，柄节黄色或黄棕色，梗节棕黑色，长度超过宽度3倍，鞭节全黑，整个触角覆黑毛。下颚须棕黄色。胸部背板黑色，具2条宽的灰黄色条纹，到达小盾片基部。胸侧板具浅黄灰色毛。翅透明，横带斑外缘平直、端斑颇窄、通常不超过R_4脉端部。前足胫节端部2/3处黑色，中、后足胫节黄色，跗节黑色。腹部浅黄色，第2～6节背板有4条楔形黑色纵纹，不达背板后缘。腹板黄色，每节中央基部具小黑斑。雄虫中足股节、胫节黄色，有时股节1/2黑色，前足胫节基部和后足胫节黄棕色，前足胫节端部、跗节和后足跗节端部黑色。

分布:陕西(秦岭)、吉林、辽宁、内蒙古、北京、天津、河北、山西、河南、宁夏、甘肃、新疆、浙江、福建、台湾、广东；俄罗斯，中亚。

(3)帕氏斑虻 *Chrysops potanini* Pleske, 1910

Chrysops potanini Pleske, 1910: 468.

鉴别特征:体长9～11mm。全身黑色种。雌虫头部前额黑色有光泽，额胛近长方形、两侧与眼接触。颜胛、口胛连接成1块具黑色光泽的大型胛。触角第1、2节黑色，鞭节第1环节暗棕色，环节部分黑色，第1、2节长度之和与鞭节长度略等。下颚须黑色。胸部背板黑色。翅透明，棕色斑甚大，外缘到达R_4脉基部，横带斑到达第4后室端部，第2基室棕色，端斑呈带状、略过R_4脉基部。足黑色、具同色毛。腹部均为黑色光泽。雄虫复眼小眼面大小均等。

采集记录:2♀，周至老县城至秦岭关，1745～2021m，2007. Ⅴ. 27，史宏亮采；1♀，佛坪，2007. Ⅴ. 29，崔俊芝采；1♀，宁陕平河梁，2106～2448m，2008. Ⅵ. 01，林美英采。

分布:陕西(周至、佛坪、宁陕)、山西、甘肃、安徽、浙江、福建、四川、贵州、云南；日本。

(4)中华斑虻 *Chrysops sinensis* Walker, 1856

Chrysops sinensis Walker, 1856: 453.

Chrysops sinensis var. *balteatus* Szilády, 1926: 598.

鉴别特征:体长8～12mm。雌虫额基胛黑色，两侧与复眼分离；亚胛黄色。口胛、颜胛均为黄色；颊胛黑色。触角柄节、梗节及鞭节基部黄色，其余黑色。下颚须棕色。中胸背板黑色，覆灰色粉被和黄毛；具2条浅黄灰色中纵纹，不达后缘；背板两侧具黄色纵条。侧板灰色。足黄色，跗节端部呈暗棕色。翅透明，横带斑锯齿状，端斑呈带状，与横带相连接处占据着整个第1径室；平衡棒黑色。腹部背板浅黄色，第2背板中部具1对"八"字形黑斑，第3～5节有断续黑色条纹，其后各节呈黄灰色。腹板第1、2节黄色，第2节中央具黑色小斑，其余各节黑色。雄虫颜胛、口胛黄色光泽，中央被1条纵带分成两部分。腹部背板第1节黑色，两侧有棕黄色斑，第2～4节黄色，中央具"八"字形黑斑，其后几节黑色。腹板基部3节黄色，其后各节黑色。

分布:陕西(略阳)、吉林、辽宁、北京、天津、河北、山西、山东、河南、宁夏、甘肃、江苏、上海、安徽、浙江、湖北、江西、湖南、福建、台湾、广东、香港、广西、重庆、四川、贵州、云南。

(5)条纹斑虻 *Chrysops striatulus* Pechuman, 1943

Chrysops striatulus Pechuman, 1943: 42.

鉴别特征:体长8～9mm。黄色种。雌虫头部前额具浅黄色粉被，额胛深棕色，两侧与眼分离，颜亦覆黄色粉被，颜胛棕色，口胛、颜胛在触角下方连接成1个具黄色光泽的大型胛，颊胛棕色。触角黄色，鞭节环节部分黑色，第1、2节长度之和大于鞭节长度。下颚须黄色。胸部背板及小盾片黑棕色、被黄毛，有2条浅黄色条纹，侧板被黄毛。翅透明，翅斑黄色，横带斑末端不达到翅后缘，第4后室基部1/2呈烟色，端斑窄，略宽于第1径室，并延长至第2径室顶端，与横带斑相连。足黄色，仅跗节顶端黑色。腹部橙黄色，近第2背板基部中央有1对黑色条纹，并延长至腹部末端，背板两侧黑条纹始于第3节至腹部末端。腹板共3条黑纵纹，中央黑条纹始于第3节中央，两侧始于第2节基部，终止于腹部末端。

分布:陕西(秦岭)、湖北、湖南、福建、重庆、四川、贵州、云南。

(6)合瘤斑虻 *Chrysops suavis* Loew, 1858

Chrysops suavis Loew, 1858: 103.
Chrysops sakhalinensis Pleske, 1910: 472.
Chrysops suavius Takagi, 1941: 16. misspelling.
Chrysops suavis var. *kunashiri* Olsufjev, 1977: 116.

鉴别特征:体长8.00~9.50mm。雌虫头部前额具黄色粉被,额胛颇大,具黑色光泽,两侧不与眼相接触,颜胛、口胛均为黑色光泽,两者连接,颊胛甚大,不与唇基相接触。触角黑色,仅柄节黄色。下颚须棕黑色。胸部背板黑色,有2条明显的灰色或浅黄色条纹,不达小盾片,侧板黄色,覆同色毛。翅透明,横带斑外缘从R_{2+3}脉到第4后室直,仅第2径室处略突,端斑呈窄条纹,端斑连接着横带的宽度占据着整个第1径室。足黑色,中足胫节及中、后足跗节基部棕黄色。腹部第2节背板黄色,中央有2条黑色条纹,基部不到达背板前缘,其后背板均为黑色,中间有1条黄色条纹,消失于腹部后端。腹板第1、2节黄色,第2节中央具黑斑,其后各节黑色。雄虫触角第1、2节棕色。翅基室除端部有小块透明斑,其余部分均为棕色。腹部黄色,2~4节中央具2条基部相连的黑色纵条纹,3~4节在侧面亦有2条黑色纵条纹,随后各节黑色。腹板基部1/2黄色,第2节有小的暗斑,第4节以及其他各节黑色。

分布:陕西(留坝)、黑龙江、吉林、辽宁、内蒙古、宁夏、甘肃、青海、新疆、台湾、四川;俄罗斯,蒙古,朝鲜,日本。

(7)四川斑虻 *Chrysops szechuanensis* Kröber, 1933

Chrysops szechuanensis Kröber, 1933: 2.

鉴别特征:体长7.50mm。雄虫额浅灰色,上部具黑色光泽。复眼上部2/3小眼面明显大于下部。颜具浅黄色粉被及同色毛。胛具黑色光泽,大型,中央不分裂。触角柄节短,浅红棕色,长为宽的2.20倍;梗节短,仅为柄节长度的7/10,浅黑色;鞭节黑色。下颚须第2节窄狭,黑色。中胸盾片及小盾片具黑色光泽及黄毛;盾片亚侧面具2条浅灰色条纹;侧板具灰色毛。足股节黑色;前足胫节黑色,中足胫节棕色,后足胫节暗棕色;跗节黄色。翅透明,翅斑棕色;端斑窄,带状,长度超过R_4脉,并与横带斑相连,棕色斑占据着整个第1径室;横带斑宽,到达翅后缘,在R_4脉处有突起,基室棕色,仅端部1/3处透明,第5后室中央具透明的条纹。腹部背板第1节黑色,侧缘黄色;第2节黄色,中央具"八"字形黑斑,第3~4节或至5节中央黄色条纹,其余各节黑色。腹板第1~3节黄色,中央具黑色条纹,其余各节黑色。

采集记录:1♀,留坝江口镇,911m,2013.Ⅷ.18,席玉强采。

分布:陕西(留坝)、四川。

(8)范氏斑虻 *Chrysops vanderwulpi* Kröber, 1929

Chrysops striatus van der Wulp, 1885: 79 (nec Sacken, 1875).

Chrysops vanderwulpi Kröber, 1929: 467 (new name for *Chrysops striatus* van der Wulp, 1885).

鉴别特征:体长8.00~9.50mm。雌虫头部额胛黄色，颜胛、口胛均为浅黄色，颊胛退化为黑色小点。触角第1、2节黄色，鞭节红黄色，仅环节部分黑色，梗节较短，长度仅超过宽度的1.50~2.00倍。下颚须黄色。胸部背板覆黄灰色粉被，并有明显的条纹到达小盾片基部。翅横带斑接近R_{4+5}脉处有微突，其余部分较平直，端斑较宽、呈带状。端部超过R_4脉，中室透明。足黄色，仅跗节端部棕黑色。腹部黄色，背板第2~6节有4条楔形黑色断续条纹。腹板黄色或中央有1列小黑斑，第5节及其后各节黑色。

采集记录:1♀，佛坪，950m，1998.Ⅶ.23，张学忠采。

分布:陕西(佛坪)、黑龙江、吉林、辽宁、内蒙古、北京、天津、河北、山西、山东、河南、宁夏、甘肃、江苏、上海、安徽、浙江、湖北、江西、湖南、福建、台湾、广东、海南、香港、澳门、广西、重庆、四川、贵州、云南；俄罗斯，朝鲜，日本，越南。

(二)虻亚科 Tabaninae

2. 黄虻属 *Atylotus* Osten-Sacken, 1876

Atylotus Osten-Sacken, 1876: 426. (as subgenus of *Tabanus* Linnaeus, 1758). **Type species**: *Tabanus bicolor* Wiedemann, 1821.

Ochrops Szilády, 1915: 93. (as subgenus of *Tabanus* Linnaeus, 1758). **Type species**: *Tabanus plebejus* Fallen, 1817.

Baikalia Surcouf, 1921: 39. **Type species**: *Baikalia vaillanti* Surcouf, 1921.

Dasystypia Enderlein, 1922: 347. **Type species**: *Tabanus rusticus* Linnaeus, 1767.

Baikalomyia Stackelberg, 1926: 53 (new name for *Baikalia* Surcouf, 1921).

Abatylotus Philip 1948: 79. **Type species**: *Tabanus agrestis* Weidemann, 1828.

属征:中型种，浅灰或黄褐色。复眼具绒毛，通常1带。头顶无单眼瘤。中胛、基胛小，略呈圆形，两者分离或退化。触角第3节背角具钝角或直角，顶端有4个环节。翅透明，R_4脉具附脉，r_5室开放。后足胫节距缺如。雄虫复眼上半部小眼面大于下半部小眼面。

分类:古北区，东洋区。全世界已知40余种，中国记录15种，陕西秦岭地区分布3种。

分种检索表

1. 触角鞭节基环节的背突位于中部或近中部；足股节基部至少 1/2 ~ 3/4 黑色；腹部背面棕色斑多仅限于第 2 背板………………………………………………………………………… **村黄虻 *A. rusticus***
   触角鞭节基环节的背突位于基部；足股节基部至多 1/4 ~ 1/3 黑色；腹部背面棕色斑大，可伸展到第 3 背板 ……………………………………………………………………………………… 2
2. 腹部背板中纵黑条前后大致等宽，或前宽后窄 ……………………………… **骚扰黄虻 *A. miser***
   腹部背板中纵黑条前窄后宽………………………………………………… **霍氏黄虻 *A. horvathi***

(9) 霍氏黄虻 *Atylotus horvathi* (Szilády, 1926)

Tabanus (*Ochrops*) *horvathi* Szilády, 1926: 601.

鉴别特征: 体长 12 ~ 15mm，黄绿色。雌虫头部复眼无毛，具 1 条窄带；额灰黄色，高为基宽的 4.50 ~ 5.00 倍，两侧平行，基胛小，黑色，中胛心形，黑色，头顶具浅色短毛；亚胛与颜黄灰色。触角黄色，鞭节带棕色，基环节长为宽的 1.50 倍，具低背突。下颚须灰白色，覆黄毛和黑毛。胸部背板灰黑色，着生金黄色毛和黑毛，背侧片棕红色；侧板灰黑色，覆白色长毛。足黄色，但前足胫节端部 1/2 ~ 2/3 和跗节黑色，中足、后足跗节端部黑色。翅透明，翅脉棕色，R_4 脉具长附脉。腋瓣棕黑色，毛金黄色。腹部背板灰黄色，着生金黄色毛，第 1 ~ 3 或第 1 ~ 4 背板两侧具大的棕黄色斑，中黑条占腹部宽的 1/3。腹板灰黄色，着生黄毛和黑毛。雄虫复眼具短浅毛，上、下眼面分界明显；触角鞭节较细，色较浅。

分布: 陕西(周至、略阳、留坝、佛坪)、黑龙江、吉林、辽宁、内蒙古、北京、山东、河南、甘肃、江苏、浙江、湖北、福建、台湾、广东、重庆、四川、贵州；俄罗斯，朝鲜，日本。

(10) 骚扰黄虻 *Atylotus miser* (Szilády, 1915)

Ochrops miser Szilády, 1915: 103.

Atylotus bivittatus Matsumura, 1916: 384.

Atylotus bivittateinus Takahasi, 1962: 62 (new name for *Atylotus bivittatus* Matsumura, 1916).

鉴别特征: 体长 11 ~ 14mm。雌虫头部前额两侧平行，覆灰色粉被，高度约为基宽的 4.50 倍。亚胛及颜均覆黄色粉被，颊覆灰色粉被。中胛小，黑色，呈心形。基胛黑色或棕色，圆形。触角橙色，鞭节第 1 环节宽扁，长为宽的 1.50 倍。背角近基部 1/3 明显呈钝角。下颚须乳白色。胸部背板及小盾片灰色。侧板灰色。翅脉黄色，R_4 脉具附脉，腋瓣上的 1 撮毛呈乳白色。足黄色，股节基部 1/3 黑灰色，或全部黄色，前足胫节端部及跗节黑色。腹部灰色，具黄色和黑色毛。背板第 1 ~ 2 节或至 3 节两侧具黄斑，中央条纹占腹宽的 1/3。腹板黄色，末端 4 节具灰色粉被。雄虫复眼具短毛，上半部2/3小眼面大于下半部小眼面。触角较狭窄。腹部背板第1～3节或至4节两侧具大块橙色斑，中央黑色条纹占腹宽1/4。

采集记录：1♀，周至老县城，1808m，2013. Ⅷ. 12，张韦采；1♀，佛坪，870～1000m，1998. Ⅶ. 25，张学忠采。

分布：陕西（周至、佛坪）、黑龙江、吉林、辽宁、内蒙古、北京、天津、河北、山西、山东、河南、宁夏、甘肃、青海、江苏、上海、安徽、浙江、湖北、福建、广东、香港、广西、重庆、四川、贵州、云南；俄罗斯，蒙古，朝鲜，日本。

（11）村黄虻 *Atylotus rusticus*（Linnaeus，1767）

Tabanus rusticus Linnaeus，1767：1000.

Tabanus ruralis Zetterstedt，1838：517.

Tabanus（*Ochrops*）*rusticus* var. *parallelifrons* Szilády，1923：11.

Tabanus（*Ochrops*）*rusticus* var. *hungaricus* Strand，1925：32.

Tabanus（*Ochrops*）*rusticus* var. *strobli* Strand，1925：32.

Tabanus（*Atylotus*）*rusticus ochraceus* Olsufjev *et* Melnikova，1962：576.

鉴别特征：体长11～16mm。雌虫头部眼裸，前额黄灰色，两侧平行，高度为基宽的3.50～4.00倍。基胛、中胛呈黑色圆点，亚胛与颜覆黄色粉被，颊覆黄灰色粉被。触角黄色，第1、2节覆黑色或浅色毛，鞭节除环节部分红棕色外，其余部分黄色，鞭节第1环节背缘具钝突。下颚须黄色，第2节较粗壮，被白毛及少量黑毛。胸部背板与小盾片覆灰色粉被，具黑色及金黄色毛，侧板灰色，具浅白色长毛。翅脉黄色。腋瓣上的1撮毛呈乳白色。足黄色，股节基部3/4灰黑色，前足胫节顶端1/2及整个跗节黑色，中、后足跗节棕色。腹部灰色，背板两侧第1～2节或至3节具小的卵圆形黄斑。腹板黄色。

分布：陕西（周至、留坝、佛坪）、黑龙江、吉林、辽宁、内蒙古、北京、河北、山西、山东、宁夏、甘肃、青海、新疆、四川、云南；蒙古，俄罗斯，土耳其，中亚，北非，欧洲。

3. 少环虻属 *Glaucops* Szilády，1923

Glaucops Szilády，1923：17. **Type species**：*Tabanus hirsutus* Villers，1789.

属征：中型种，体型同虻属，腹部修长，形如麻虻属。雌虫头宽于胸，复眼具3条带，无单眼；额胛短，与中胛分类；亚胛光裸。触角鞭节端部分节不清晰，3～4个环节。翅基鳞只具细毛，较前缘脉的毛细软。后足胫节距缺如。腹部背板具浅色后缘，及圆形侧斑。

分布：古北区，新北区，东洋区。全世界已知3种，中国仅知1种，秦岭地区有分布。

(12)舟山少环虻 *Glaucops chusanensis* (**Ôuchi, 1943**)

Tabanus (*Glaucops*) *chusanensis* Ôuchi, 1943: 512.

鉴别特征:体长13mm，棕色。雌虫头部复眼无毛，具3条带；额黄棕色，高为基宽的3倍，两侧平行，基胛暗棕黑色，两侧与复眼分离，与大的中胛分离；亚胛光裸，棕黑色，颜与颊覆黄色粉，具黄毛；口毛黄色。触角柄节和梗节黄色，具黑毛，梗节背突短，鞭节橙色，基环节背突低，端环节棕黑色，具4个环节。下颚须灰黄色，短钝。胸部盾片棕黑色，盾片两侧，从肩胛、背侧片、翅上胛到翅后胛侧部灰棕色，中央具3条灰白窄纵纹，小盾片边缘多黄毛；侧板灰色，覆黄毛。足基节和股节黑色，着生黄毛，胫节黄棕色，覆黄毛，仅端部多黑毛，跗节黑色黑毛。翅透明，端部具烟色阴影，翅脉棕色，R_4脉无附脉，r_5室开放。平衡棒黑色。腹部较长，形如麻虻，背板灰黑色，各节后缘具棕色带，中央扩大成三角，第2、3背板两侧带棕黄色，第6、7背板变暗，几乎全黑，第2~6背板两侧具斜形灰白斑。腹板橙色，中央具黑色纵条，各腹板具浅色后缘。雄虫复眼具2条紫色横带(回潮)，触角鞭节基环节较雌虫的窄长，腹部背板浅色中三角不清晰，腹板中纵黑条不清晰。

分布:陕西(秦岭)、河南、浙江、福建。

4. 麻虻属 *Haematopota* Meigen, 1803

Haematopota Meigen, 1803: 267. **Type species**: *Tabanus pluvialis* Linnaeus, 1758.

Chrysozona Meigen, 1800: 23. **Type species**: *Tabanus pluvialis* Linnaeus, 1758.

Potisa Surcouf, 1909: 454. **Type species**: *Haematopota pachycera* Bigot, 1890.

属征: 通常为小型，窄狭暗色种。复眼一般有短毛。雄虫毛通常密集，复眼上半部2/3小眼面大于下半部1/3小眼面，两者颜色不同。雌虫额甚宽，基胛通常横向，粗壮，无中胛。触角窄长，柄节圆柱形或卵圆形；梗节甚短；鞭节窄长，背缘无背角，顶端具3个环节。翅棕色或灰色，具点状或云状花斑，R_4脉具长附脉。后足胫节距缺如。腹部浅灰或浅棕色，有时背板两侧具白色斑。

分布: 非洲区，东洋区，古北区，新北区种类较少。全世界已知400余种，中国记录76种，秦岭地区分布11种。

分种检索表

1. 侧颜具大块天鹅绒黑斑 ………………………………………… **中国麻虻 *H. chinensis***
   侧颜具散在的黑斑点 ……………………………………………………… 2
2. 触角柄节中部或端部明显膨大，远宽于鞭节基环节，亮黑色 ……………………… 3

触角柄节圆筒形，或基部向端部渐粗，宽度约等于鞭节基环节，不发亮 ………………………… 5

3. 触角柄节中部膨大明显；腹部无中纵浅条 ………………… **括苍山麻虻 *H. guacangshanensis***

触角柄节中部膨大不明显；腹部背板具中纵浅条 ………………………………………………… 4

4. 触角柄节卵圆形，黑色，与鞭节基环节近等长；腹部第 2 ~ 7 背板具侧圆浅斑及中纵宽白条 ………………………………………………………………………………… **脱粉麻虻 *H. desertorum***

触角柄节中部略膨大，深棕色，远长于鞭节基环节；腹部第 4 ~ 7 背板具侧圆浅斑及不连续的中纵浅条………………………………………………………………… **汉中麻虻 *H. hanzhongensis***

5. 触角柄节基部极细，呈圆台形，长度仅为宽度的 1.50 倍 …………… **触角麻虻 *H. antennata***

触角柄节圆筒形，长度超过宽度的 2 倍 ………………………………………………………… 6

6. 后足胫节仅具基浅斑或浅环……………………………………………… **巴山麻虻 *H. bashanensis***

后足胫节具基部和端部 2 个清晰浅环 …………………………………………………………… 7

7. 小盾片全白 ………………………………………………………………… **骚扰麻虻 *H. vexativa***

小盾片全暗，或中部 1/3 覆白粉，两侧暗色 ……………………………………………………… 8

8. 小盾片一致棕黑色至黑色，或后缘略浅 ……………………… **峨眉山麻虻 *H. omeishanensis***

小盾片中部 1/3 白色，两侧棕黑色至黑色 ………………………………………………………… 9

9. 盾片中纵浅条短，仅达盾缝 ……………………………………… **北京麻虻 *H. pekingensis***

盾片中纵浅条长，达盾片后缘………………………………………………………………… 10

10. 额侧斑与复眼分离；亚胛全暗；触角柄节棕黑色至黑色 …………… **甘肃麻虻 *H. kansuensis***

额侧斑与复眼接触；亚胛具棕色突出亮片；触角柄节棕色至暗棕色 ………………………… ………………………………………………………………………………… **浙江麻虻 *H. chekiangensis***

(13) 触角麻虻 *Haematopota antennata* (Shiraki, 1932)

Chrysozona antennata Shiraki, 1932: 265.

鉴别特征:体长 10 ~ 12mm，灰色种。雌虫头部前额黄灰色，被黑毛，两侧平行，高度大于基宽。基胛黑色光泽、呈长方形，两侧与眼接触或稍有距离，中央具明显突起。侧点与眼接触，但与基胛分离。中央点甚小。两触角间黄棕色光泽，颊端部 1/5 处明显为黄色并有许多密集小黑点，其余部分及颜黄灰色。触角黄棕色，柄节短，长为宽的 1.50 倍，鞭节基环节稍侧扁，长度约为最宽处的 2 倍。下颚须浅黄棕色，第 2 节长而细。胸部背板浅灰棕色，具 5 条明显的灰色条纹。小盾片覆灰色粉被。翅灰色，具云朵状花纹，翅尖带单一，但不达到翅后缘，第 1 ~ 5 后缘室具大块白斑。前足除胫节基部 1/3 白色外其余部分黑色，中足、后足为黄棕色，胫节各具 2 个白环，跗节基部黄棕色，端部黑色。腹部背板黑色，中央具细的白色条纹，每节具白色后缘，第1 ~ 6节两侧具灰白色圆斑。腹板覆灰色粉被。

分布: 陕西(周至、略阳、留坝、佛坪)、吉林、辽宁、北京、河北、山西、山东、河南、甘肃、江苏、浙江、湖北、广东；朝鲜。

(14)巴山麻虻 *Haematopota bashanensis* Li *et* Yang, 1991

Haematopota bashanensis Li *et* Yang, 1991: 459.

鉴别特征:体长8~10mm。雌虫黑色，头部额黑色，额基宽约为高的1.06倍；额胛黑带棕色，两侧与眼接触，宽为高的3.40倍；侧点圆与眼接触；中点小；基胛下方两触角间具黑色或棕色天鹅绒斑；颜部黑色具灰白色粉被；颊灰白色，近触角处有散在的黑点；触角柄节浅棕色，长为宽的3.20倍，梗节与柄节同色，背角发达黑色，鞭节基环节与柄节等长，基部浅棕色，越到端部越暗，端环节黑色；下颚须第1节灰黑色，第2节棕灰色，长为宽的4倍。胸部黑色；具3条灰白色纵条纹，其中间1条细，达盾板后缘，侧边2条粗，在横缝线处断裂；小盾片黑色；侧板灰黑色，具有灰白色长毛。前足股节黑色，胫节基部1/3强为白色，其余黑色，前足跗节黑色；中足股节和跗节浅棕色，胫节浅棕色，有2白色环纹；后足股节暗棕色，胫节基部1/3强白色具白毛，还有1个不甚明显的白环，其余部分暗棕色；翅斑纹点状，端带宽而达前后缘，第1~5后缘室后缘均有白色三角斑。腹部背板黑色，每节的后缘具白色窄带；第2节中央白色纵纹显著，前窄后宽；第5~7节有不明显的侧斑；腹板黑色，每节后缘具窄的灰白色横条纹。

分布:陕西(镇巴)。

(15)浙江麻虻 *Haematopota chekiangensis* Ôuchi, 1940

Haematopota chekiangensis Ôuchi, 1940: 256.

鉴别特征:体长9~12mm。雌虫棕色。额具灰色粉被；高度约等于基宽，基部略宽于端部。基胛带状，棕色，两侧与复眼接触。侧点圆形，与眼接触，但与基胛分离，中央点明显。2个触角间具天鹅绒黑斑，颊上半部具多个黑色小点。触角黄棕色，柄节长为宽的3倍；梗节短，背突大；鞭节基环节基部黄棕色，端环节呈黑色。下颚须第2节窄狭，浅棕色。中胸背板黑灰色，具不明显的纵条纹，侧板灰色。前足胫节除基部1/3白色外，其余部分黑色，中、后足黄棕色，胫节各具2个白环，跗节基部白色。翅棕色，具点状花纹，亚端带单一而宽，到达翅后缘，第1、2、3、5后缘室及臀室具白斑。腹部背板棕黑色，每节具白色后缘，中央灰色条纹不甚明显，第3~6节两侧具灰色圆斑。腹板灰色、具白毛。

采集记录:1♀，留坝红崖沟，1500~1650m，1998.Ⅶ.22，张学忠采；3♀，佛坪凉风垭，1900~2100m，1998.Ⅶ.24，张学忠采；1♀，宁陕旬阳坝，1350m，1998.Ⅶ.29，姚建采。

分布:陕西(留坝、佛坪、宁陕)、河南、甘肃、浙江、湖北、云南。

(16)中国麻虻 *Haematopota chinensis* Ôuchi, 1940

Haematopota chinensis Ôuchi, 1940: 253.

鉴别特征:体长9~10mm。雌虫体黑色。前额灰色，被黑毛，高度窄于基宽，端部窄于基部。基胛棕色光泽，呈带状，两侧与眼接触。侧点大，圆形，与眼及基胛接触或稍有距离。中央点明显。2个触角间具棕色斑。颊及颜端部1/3棕黑色，并有小黑点，其余2/3为灰色粉被及浅黄色毛。触角柄节圆柱形，具黑色光泽，背部稍凹陷；梗节小，被黑毛；鞭节基环节较窄长，具天鹅绒状棕色斑，环节部分黑色；柄节长度略等于梗节与鞭节基环节长度之和。下颚须棕黄色。中胸背板及小盾片黑色、具白毛。侧板灰色。足棕黑色，前足胫节基部1/2白色，中足、后足胫节具2个白环，跗节基部白色。翅棕黑色，具小的点状花纹，亚端带单一而宽，达到翅后缘，翅后室及臀室均有显著的白斑。腹部背板黑色，每节具白色后缘，有时第5~6节两侧具不明显的圆斑。腹板黑色，具同色毛。

分布:陕西(秦岭)、浙江、福建。

(17)脱粉麻虻 *Haematopota desertorum* Szilády, 1923

Haematopota desertorum Szilády, 1923: 35.
Chrysozona yamadai Shiraki, 1932: 262.

鉴别特征:体长8~10mm。雌虫头部前额覆黄灰色粉被。前额上端稍窄于基部。侧点大，圆形，与眼及基胛分离。基胛棕色，中央突起，两侧与眼接触，中央点圆形。亚胛中央具天鹅绒斑。触角柄节卵圆形、具黑色光泽，鞭节基环节窄长、呈黄棕色、端环节黑色。颊与颜灰白色，颊上半部有小黑斑。下颚须第2节窄长，浅黄色。胸部背板黑色，具明显的灰白色条纹，小盾片亦呈黑色。翅棕色，具白色云朵状的花纹，翅尖带单一而宽、到达R_5脉，翅后缘全白。足黑灰色，前足除胫节基部呈白色外其余部分皆为黑色，中足、后足胫节各具2个白环，跗节基部白色。腹部黑色或黑棕色、每节有白色后缘，中央具宽的灰色条纹，两侧具灰色圆形斑。腹板灰色。雄虫下颚须黑灰色，卵圆形。腹部背板第2~3节两侧具大块棕色斑。腹板黑色，第2~3节两侧棕色斑小于背板两侧棕色斑。

分布:陕西(秦岭)、黑龙江、吉林、辽宁、内蒙古、北京、河北、山西、甘肃；俄罗斯，蒙古。

(18)括苍山麻虻 *Haematopota guacangshanensis* Xu, 1980

Haematopota guacangshanensis Xu, 1980: 186.

鉴别特征:体长7.50~9.50mm。雌虫体黑色，头部额灰黑色，具黑毛，侧点前缘具长浅毛，额高约等于顶宽，小于基宽；侧点接触或接近眼；中点大；额瘤亮黑色，中央皱，瘤的中侧有1对隆起，后缘有的有波状弯曲，有的有很小的中突，额瘤宽约为高的4倍；亚额灰黄，触角间具棕黑色大绒斑；颜浅黄灰色，上侧颜具散的棕黑斑和点；触角柄节亮黑，中部膨大，梗节棕黑色，具发达背突，鞭节基环节棕黑色，端环节黑色；下颚须黄灰色，第2节具黑毛夹杂浅毛。胸部盾片棕黑至黑色，中央窄条从前缘贯穿到后缘，中侧条缝后成三角点，小盾前片和小盾片色暗；侧板灰黑色。前足股节黑色，前足胫节黑色，具亚基浅环，中足股节、后足股节棕色至暗棕色，中足、后足胫节棕黑至黑色，具2个浅环，跗节黑色；翅亚端带成双，外支弱，有的单一，第1、2、3、5后缘室具白斑。腹部背板黑色，各节具浅色后缘，第3~7节具侧圆斑；腹板灰黑，后几节色较深。

分布:陕西(秦岭)、浙江、福建。

(19)汉中麻虻 *Haematopota hanzhongensis* Xu, Li *et* Yang, 1987

Haematopota hanzhongensis Xu, Li *et* Yang, 1987: 200.

鉴别特征:体长9~11mm。雌虫黑色，头部额灰黑色，具黑毛，额基宽略大于高及顶宽；侧点大，接近或接触眼；中点圆形，明显；额胛亮黑色，长条形，两侧接触眼，亚胛在触角间具大的黑绒斑；颜灰黄色，上侧颜具散在的黑斑点；触角柄节深棕色，略膨大，长接近直径的2.50倍，梗节具大的背突，鞭节基环节远短于柄节，基部深棕色，端部及端环节黑色；下颚须第2节棕色，着生黑毛夹杂白毛。胸部盾片黑色，中央窄灰白条完整，达小盾前片，中侧条粗，在缝后成三角点，盾片后缘亦成三角点，小盾片黑色，中央1/3具白纵条。前足、后足股节黑色，中股节棕红色，胫节黑色，前胫节亚基部棕色环达该节基部1/3处，亚端部夹杂白毛，中、后足胫节具2个明显棕色环，跗节除中、后足基跗节棕色外，其余黑色，翅具玫瑰花形白斑，亚端带波纹形，第1、2、3、5后缘室具白斑。腹部背板黑色，中央具不完整的纵浅条，第4~6或5~7背板具侧圆浅斑；腹板灰黑色，具浅色后缘。

分布:陕西(略阳)。

(20)甘肃麻虻 *Haematopota kansuensis* (Kröber, 1933)

Chrysozona kansuensis Kröber, 1933: 12.

鉴别特征:体长10~11mm。头部额具灰色粉被，基宽与高度略等，两侧平行或基部略宽于端部。基胛黑色，呈穹形带状，两侧与眼略有接触。侧点圆形，与眼相接触，但与基胛分离。中央点略呈倒三角形。2个触角间具黑斑。颜与颊灰白色。颊上半部具若干黑色点状斑。触角柄节浅棕色，长为宽的 2 倍，鞭节基环节基部棕色，其余部分黑色。下颚须浅棕色，第 2 节较窄长。口毛白色。胸部盾片黑色，具明显的灰色条纹，直达盾片端部。小盾片灰色，仅两侧黑棕色。侧板及腹板灰色，具白毛。前足股节灰白色，中、后足股节浅棕白色；前足胫节近基部 1/3 白色，其余部分黑色，中足、后足胫节黑色，各具 2 个浅棕色环；跗节黑色。翅棕色，具白色云朵状花纹，翅后室白斑不显著，翅尖带单一，仅过 R_4 脉，不达到翅后缘。腹部背板黑色，第 2 ~ 6 节中央具明显的灰色条纹，每节后缘具浅色细带，第 3 ~ 7 节两侧具灰色圆形斑。腹板灰色，中央具占腹宽 1/3 的黑色条纹。

采集记录：1♀，周至厚畛子，1278m，2014. Ⅷ. 16，李轩昆采。

分布：陕西（周至、略阳、留坝、佛坪）、辽宁、宁夏、甘肃、青海。

（21）峨眉山麻虻 *Haematopota omeishanensis* Xu，1980

Haematopota omeishanensis Xu，1980：398.

鉴别特征：体长 7 ~ 8mm。头部额灰黄色，额两侧平行或顶部稍窄，额高略大于基宽；额瘤亮黑色，宽约为高的 3 倍，两侧接触眼；侧点接近或接触眼，远离额瘤；中点大；亚额无亮区，触角间具大的黑绒斑；触角棕色，鞭节较暗，柄节长约等于鞭节基环节；下颚须灰黑带棕，第 2 节长为宽的 3.00 ~ 3.50 倍；颜灰白色，上侧颜有散在黑点。胸部背板黑色带棕，中央灰条达盾片后缘，中侧灰条缝后成三角点，盾片后缘有 1 对半月形浅斑，肩胛灰色；前足股节黑色，中足股节棕黑色，后足股节黑色带棕，前足胫节黑色，亚基浅环约占节长 1/3，中足、后足胫节棕黑色，具 2 个明显浅环，跗节黑色；翅亚端带单一，达前缘、后缘，界线不清楚，后缘室具缘白斑。腹部背板黑色，具浅色后缘窄带，第 2 背板央具浅色纵条，第 4 ~ 7 节具小侧点；腹板灰黑带棕，第 2 ~ 7 节具浅色后缘。

分布：陕西（略阳、佛坪）、福建、四川。

（22）北京麻虻 *Haematopota pekingensis*（Liu，1958）

Chrysozona pekingensis Liu，1958：155.

鉴别特征：体长 10 ~ 11.5mm。雌虫头部前额黄灰色，高度与基宽以及端宽略等。侧点卵圆形，与眼及基胛分离。基胛棕黑色，带状，宽度为高度的 4 倍，两侧与眼稍有距离，中央有黑色圆点或“十”字形斑。触角柄节棕黄色，长度为宽度的 2.50 倍，鞭节基环节稍侧扁，基部黄棕色，端部色渐深，端环节黑色。2 条触角间具天鹅绒状斑。颊端部色深，并有多个小黑点，基部及颜具灰白色粉被。下颚须第 2 节浅棕色。胸部背板黑色，具 5 条显著的灰色条纹，小盾片灰色。翅棕色、具云朵状花纹，翅尖带单一，不达翅后缘，第2、3、4、5后缘室及腋室后缘皆有白斑。前足股节黑灰色，中足、后足胫节浅黄色，各具2个白环，前足跗节全黑，中足、后足跗节基部淡黄色。腹部背板黑色，中央有1条白色条纹，每节后缘具白色细带，第4~6节两侧有灰色圆斑。腹板灰色，中央具黑色宽条纹。

分布：陕西(秦岭)、辽宁、北京、河北、山西、河南。

(23)骚扰麻虻 *Haematopota vexativa* Xu, 1989

Haematopota vexativa Xu, 1989: 369.

鉴别特征：体长10~11mm。头部额灰黄色，两侧平行，高与宽约相等，额胛黑色，中央暗棕色，两侧接近眼，后方有小的中突，额侧斑接近眼，中央点明显；亚胛中央裂缝两侧具1对大的三角形黑色亮片，触角间具黑绒斑，颜灰黄色，上侧颜具散在黑斑点；触角柄节灰棕色，梗节深棕色，具背突，鞭节基部色同梗节，往端部渐变暗，端环节黑色；下颚须灰黄色。胸部盾片灰黑色，具3灰色纵条，在盾片后1/3处汇合成1个大灰白斑，小盾片灰白色；侧板和足基节灰黄色，前足股节灰黑，中足、后足股节灰棕色，前足胫节黑色，基白环约为节长的1/3，中足、后足胫节灰黑色，具2个宽的棕黄环，跗节黑色；翅斑弱，亚端带短，刚过R_4脉，第2、3、5后缘室具白缘斑。腹部背板黑色，具灰白色后缘带，第2~7背板中央具宽的灰白纵条，第4~7背板具灰白侧圆斑；腹板灰黄色，具浅色窄后缘，第3腹板以后具宽的暗色弱纵条。

分布：陕西(秦岭)、甘肃。

5. 瘤虻属 *Hybomitra* Enderlein, 1922

Hybomitra Enderlein, 1922: 347. **Type species**: *Tabanus solox* Enderlein, 1922.

Tylostypia Enderlein, 1922: 347. **Type species**: *Tabanus astur* Erichson, 1851.

Didymops Szilády, 1922: 36. **Type species**: *Tabanus* (*Didymops*) *andreae* Szilády, 1922.

Tylostypina Enderlein, 1923: 545. **Type species**: *Tabanus tataricus* Portschinsky, 1887.

Sipala Enderlein, 1923: 545. **Type species**: *Tabanus acuminatus* Loew, 1858.

Sziladynus Enderlein, 1925: 181. **Type species**: *Tabanus aterrimus* Meigen, 1820.

Aplococera Enderlein, 1933: 144. **Type species**: *Therioplectes caucasicus* Enderlein, 1925.

Tibetomyia Olsufjev, 1967: 383. (as subgenus of *Hybomitra* Enderlein, 1922). **Type species**: *Hybomitra* (*Tibetomyia*) *kozlovi* Olsufjev, 1967.

Mouchaemyia Olsufjev, 1972: 450. (as subgenus of *Hybomitra* Enderlein, 1922). **Type species**: *Hybomitra* (*Therioplectes*) *caucasi* Szilády, 1923.

属征：中大型种(10~25mm)，多为棕色或黑色种。复眼无或具1~3条带，多为3条；头顶单眼瘤明显。额基胛隆起，大小各异，无或具中胛。触角鞭节端部具3~4

个环节。后足胫节距缺如。雄虫复眼上半部小眼面大于下半部小眼面，少数种类相等。

分布：古北区，新北区，少数种类分布于东洋区和非洲区。全世界已知200余种，中国记录97种，秦岭地区分布11种。

分种检索表

1. 平衡棒头部白色至黄白色，复眼无毛或具稀疏短毛 …………………… **膨条瘤虻 *H. expollicata***
平衡棒头部暗棕色至黑色，复眼密被长毛 ……………………………………………………………… 2
2. 亚胛光裸 ……………………………………………………………………………………………… 3
亚胛覆粉或部分光裸 ………………………………………………………………………………… 7
3. 颜和颊均具光裸区 …………………………………………………………………………………… 4
颜和颊全部覆粉，或仅在上侧面具小的光裸区 ……………………………………………………… 6
4. 体全黑色，头、胸、腹均具黑色光泽；翅横脉无棕黑色斑 …………… **釉黑瘤虻 *H. baphoscata***
体非全黑色，腹部背板两侧具棕色斑；翅横脉具棕黑色斑 ………………………………………… 5
5. 胸部侧板覆密的黑色长毛；触角柄节棕色……………………… **太白山瘤虻 *H. taibaishanensis***
胸部侧板覆密的黄色长毛；触角柄节黑色 ……………………………… **亮脸瘤虻 *H. nitelofaciata***
6. 侧颜覆粉；腹部第2～6背板后1/3覆浅黄色毛，前2/3主要覆黑毛 ……………………………
……………………………………………………………………… **六盘山瘤虻 *H. liupanshanensis***
上侧颜具光裸区，腹部密覆浅黄色至橙色毛 ……………………………… **黄毛瘤虻 *H. flavicoma***
7. 翅在横脉处具明显棕黑斑 …………………………………………………………………………… 8
翅在横脉处无暗斑，至多在 R_4 脉处具小的棕色斑 ………………………………………………… 10
8. 亚胛部分光裸 ………………………………………………………………… **赭尾瘤虻 *H. ochroterma***
亚胛全覆粉 …………………………………………………………………………………………… 9
9. 额高为基宽的3倍；腹部黑色，覆黑色和灰棕色毛，第2背板常见弱的棕红色小斑 …………
……………………………………………………………………………… **海东瘤虻 *H. haidongensis***
额高为基宽的2.20～2.30倍；腹部黑色，覆黄毛，第2、3背板两侧具橙色斑…………………
………………………………………………………………………………………… **蜂形瘤虻 *H. mimapis***
10. 额高为基宽的3.50～4.00倍；触角柄节、梗节黄棕色，鞭节基环节橙色 ……………………
…………………………………………………………………………… **峨眉山瘤虻 *H. omeishanensis***
额高为基宽的3倍，触角黑色 ……………………………………………………… **甘肃瘤虻 *H. kansui***

(24)釉黑瘤虻 *Hybomitra baphoscata* Xu *et* Liu, 1985

Hybomitra baphoscata Xu *et* Liu, 1985: 169.

鉴别特征：体长11～13mm。雌虫亮黑色。头部眼绿具3条紫带，密生短毛；额亮黑色，着生黑毛夹杂少量白毛，亚顶部的宽度略大于基宽，高为基宽的1.60～1.90倍，中部凹陷，覆很薄的灰粉，基胛与眼连接，中央具横皱纹，中胛粗短，与基胛联，单眼瘤隆起；亚胛与颜色均为亮黑色，颜毛和口毛均为黑色。触角柄节亮黑色，梗节和鞭节基环节深棕色，背突低，端环节棕黑色，基环节长为端环节的1.70~2.30倍；下颚须黑色，有弱的亮光，第2节长为宽的3.20~3.50倍。胸部亮黑，着生黑毛，背板夹杂亮白毛；翅的前缘着棕色，只在径中、中肘横脉及 R_4 脉基部有很弱的暗斑，R_4 无附脉；上、下腋瓣烟棕色，着生的毛烟黑色；平衡棒黑色，柄和棒头顶端带棕色；足亮黑色，着生黑毛，后足胫节夹杂亮棕毛。腹部亮黑色，着生黑毛，尾端杂有灰白毛。

采集记录:6♀，周至老县城，1670~1780m，2008. Ⅵ.28，刘万岗采。

分布:陕西(周至、凤县、留坝)、甘肃。

(25)膨条瘤虻 *Hybomitra expollicata* (Pandelle, 1883)

Tabanus expollicatus Pandelle, 1883: 218.

Tabanus (*Didymops*) *andreae* Szilády, 1922: 37.

Tabanus (*Sziladynus*) *nigrivitta* Olsufjev, 1936: 231.

Hybomitra pseuderberi Philip *et* Aitken, 1958: 88.

Hybomitra expollicata ssp. *orientalis* Olsufjev, 1970: 686.

Hybomitra expollicata ssp. *orientalis* Leclercq, 1970: 284.

鉴别特征:体长14~17mm。雌虫头部前额灰色，高度约为基宽的4倍，基部略窄于端部。基胛方形，黑色，两侧与眼相距甚近。中胛略呈纺锤形，黑色。头顶单眼瘤退化为3个红棕色小点。亚胛、颜、颊灰白色。触角黑色，鞭节基环节背缘具明显钝突。下颚须灰白色或浅棕色，第2节长度为基宽的4倍。胸部背板黑色，无纵条纹；侧板颜色同背板。翅前胛棕色或黑色。翅透明，翅脉黄色，R4脉无附脉。足股节黑色，前足胫节基部1/2棕色，其余及跗节黑色，中足、后足胫节棕色。跗节黑色。腹部背板第1~3节或至4节两侧具红黄色斑，4节之后黑色，背板中央具宽的黑色条纹，占腹宽的1/3。腹板黑灰色，中央有不甚明显黑色条纹，第1~3节两侧具棕红色斑。雄虫复眼具灰色长毛；上半部2/3小眼面大于下半部1/3小眼面；单眼瘤小，棕色。

分布:陕西(秦岭)、黑龙江、吉林、辽宁、内蒙古、宁夏、甘肃、青海、新疆、湖北、四川、西藏；俄罗斯，蒙古，哈萨克斯坦，土耳其，欧洲。

(26)黄毛瘤虻 *Hybomitra flavicoma* Wang, 1981

Hybomitra flavicoma Wang, 1981: 315.

Hybomitra albicoma Wang, 1981: 316.

鉴别特征:体长15~16mm。头部额具黄灰色粉被，两侧平行，高度为基宽的

2.00~2.50倍。基胛黑色，盾形，基部两侧与眼接触或相距甚近。中胛黑色，与基胛相连。单眼瘤圆形，棕黑色。亚胛低，具黑色光泽。颊上半部具黑色光泽，下半部具黄灰色粉被。颜具黄灰色粉被。触角柄节与梗节具灰色粉被及黑毛；鞭节黑色，仅端部橙色，背缘无背角，端环节长为宽的4.50倍，覆黑毛。口毛黄白色。下颚须黑灰色，第2节长为宽的4.50倍，覆黑毛。胸部盾片及小盾片黑色，具黄毛。侧板及腹板具灰色粉被，密覆黄白色长毛。翅透明，横脉处具棕色斑，R_4脉无附脉。足股节黑色；前足胫节棕色，具黑毛，跗节黑色，具同色毛；中足、后足胫节黄棕色，具黄、黑色毛，跗节黄棕色，具黑毛。平衡棒棕黑色。腹部背板黑色，具橙色毛。腹板色同背板。

采集记录：1♀，宁陕火地塘林场，2200m，1979.Ⅷ.03，韩寅恒采；1♀，宁陕平河梁，2000m，2008.Ⅶ.09，李文柱采。

分布：陕西（宁陕）、四川。

（27）海东瘤虻 *Hybomitra haidongensis* Xu *et* Jin, 1990

Hybomitra haidongensis Xu *et* Jin, 1990: 222.

鉴别特征：体长13~16mm。雌虫黑色。复眼密复褐色毛，深绿具3条紫色带（回潮）。额灰棕黑色，高约为基宽的3倍；额基胛亮，铃形，有弱的皱纹，中胛暗，为额基胛的粗短延线状；亚胛覆灰棕粉，"眉片"窄；颜灰棕色，上侧颜着生黑毛为主。触角柄节和梗节黑色；鞭节基环节除基部1/3~1/2棕红色外，其余及端环节黑色，基部具弱的背突。下颚须灰棕黑色，着生灰棕毛。胸部盾片、小盾片黑色，稍亮；侧板灰黑色，着生长灰棕毛，但中胸前侧片上部着生黑色长毛。足大部黑色，胫节深棕色，前胫节端部1/2，中足、后足胫节端部少许黑色。翅横脉具暗斑，R_4脉具短或无附脉；平衡棒黑色。腹部背板灰黑色，着生长的黑毛和灰棕毛，有浅色粉和毛后缘。第2背板两侧有可见的棕红色小斑。腹板灰黑，覆长灰棕毛。

采集记录：2♀，周至老县城，1670~1780m，2008.Ⅵ.28，刘万岗采。

分布：陕西（周至）、宁夏、甘肃、青海、四川。

（28）甘肃瘤虻 *Hybomitra kansui* Philip, 1979

Tabanus (*Sziladynus*) *atripes* Kröber, 1933: 5 (nec van der Wulp, 1885).

Hybomitra kansui Philip, 1979: 201 (new name for *Tabanus atripes* Kröber, 1933).

Hybomitra atritergita Wang, 1981: 317.

鉴别特征：体长15~16mm。雌虫黑色，头部复眼绿色，密覆黑色长毛，具3条带；额灰色，侧平行，高为基宽的2.50~3.00倍，基胛黑色，两侧与复眼分离，中胛黑色，矛形，与基胛连接，单眼瘤棕色，圆形隆起；亚胛覆灰色，"眉片"低；颜灰色，着生浅黄色毛，上侧颜具黑毛；口毛灰白色。触角黑色，鞭节基环节基部略带黄棕色，基环节长为宽的1.50倍。下颚须浅棕色，第2节长为宽的3.50倍。胸部背板黑色，具3条不明显灰色纵纹，背侧片黑色；侧板黑色。足股节黑色，前足胫节基部1/4及中足、后足胫节棕色，中足、后足跗节棕黑色。翅透明，R_4 脉无或具短附脉，横脉具不明显的棕色斑。平衡棒棕黑色，仅顶端棕色。腹部背板黑色，稍亮，覆蓝灰色粉和黑毛，各背板具白毛后缘带和中三角，中三角不明显。各腹板后缘具白毛细横带。雄虫触角鞭节基环节较雌虫长，腹部第2~3背板两侧有时具棕色斑。

分布：陕西(秦岭)、甘肃、青海、四川、云南。

(29)六盘山瘤虻 *Hybomitra liupanshanensis* Liu, Wang *et* Xu, 1990

Hybomitra liupanshanensis Liu, Wang *et* Xu, 1990: 57.

鉴别特征：体长11~13mm。雌虫黑色具光泽。头部复眼绿色具3条紫带，着生密的黑短毛；额高为基宽的2.10~3.60倍，两侧大致平行，灰黄色；基额胛亮黑，仅基部两侧角与复眼接触；中胛长梭形，与基胛和单眼瘤区相连接；单眼瘤发达，棕黑色，位于大的黑色光裸区中；亚胛亮黑，光裸；颜灰黄色。触角柄节黑色，梗节棕黑色，具长背突；鞭节基环节长为端环节的1.50~1.90倍，基部暗棕色，向端部渐变黑，端环节黑色。下颚须长约为宽的3.50倍，黑色。胸部背板黑色具光泽；侧板灰黑色；翅透明，前缘室棕黄色，翅横脉处具明显暗棕斑，R_4 脉具长附脉，r_5 室开放；平衡棒黑色。足股节黑色，胫节棕黑色，向端部变黑，前足胫节端部2/3，中足胫节端部1/2，后足胫节端部2/5及全部跗节黑色。腹部黑色具弱光泽、第2~6背板后1/3被薄的灰黄色粉，着生浅黄毛，前部2/3主要着生黑毛，夹杂少量浅黄毛；腹板色同背板，但粉被较背板厚，着生浅黄毛，第7腹板两侧叶较宽大。

分布：陕西(秦岭)、宁夏、甘肃。

(30)蜂形瘤虻 *Hybomitra mimapis* Wang, 1981

Hybomitra mimapis Wang, 1981: 315.

鉴别特征：体长13~14mm。头部额两侧平行，覆黄灰色粉被，高度为基宽的2.20~2.30倍。基胛黑色，两侧与眼分离。中胛矛头状，与基胛相连或分离。单眼瘤卵圆形，棕色。亚胛、颜及颊均覆灰色粉被。口毛黄白色。触角柄节黑色；梗节黄棕色；鞭节黑色，仅基部棕色，端环节粗短，背缘无明显背角。下颚须黄灰色，第2节较窄长，密覆黄白色毛及少数黑毛。胸部盾片及小盾片黑色，无条纹，覆黄毛。侧板及腹板黑色，密覆黄白色长毛。翅透明，横脉处具棕色斑，R_4 脉无附脉或具短附脉。足股节黑色，前足胫节基部1/2黄色，其余部分及跗节黑色；中足、后足胫节黄棕色；

跗节棕色。腹部背板黑色，第2～3背板两侧具橙色斑，整个背板密覆黄色短毛，体形似蜜蜂。腹板浅灰色，具浅黄色毛。

分布：陕西（秦岭）、甘肃、青海、四川、云南、西藏。

（31）亮脸瘤虻 *Hybomitra nitelofaciata* Xu，1985

Hybomitra nitelofaciata Xu，1985：9.

鉴别特征：体长15～16mm。头部复眼密覆黑色短毛。额两侧平行，高度为基宽的2.00～2.50倍，中部具灰色粉被，基部及端部具黑色光泽，并覆黄色毛。基胛大，黑色，两侧与眼接触。中胛短，与基胛相连。单眼瘤黑色。亚胛、颜及颊具黑色光泽。触角柄节及梗节浅棕色；鞭节红棕色，但端环节及基环节端部及背缘黑色，基环节长为宽的2.60倍。下颚须黑色。口毛黄色。胸部盾片黑色光泽，密覆黄色短毛，无条纹。翅前胛及小盾片色同盾片。侧板及腹板黑色光泽并覆薄粉被，黄色毛密集。足股节黑色；前足胫节基部2/3棕色，中、后足胫节棕色；前足跗节黑色，中足、后足跗节棕色。翅透明，前缘室黄色，R_4脉具附脉，沿横脉处具棕色斑。平衡棒黑色。腹部背板具黑色光泽，第1～2节密覆黄色毛，第2节两侧具棕色小斑，其余各节光裸仅后缘密集黄色毛。腹板具黑色弱光泽，并具黄毛。

采集记录：1♀，周至老县城，1670～1760m，2008.Ⅵ.28，崔俊芝采；1♀，眉县果树所，1976.Ⅵ.11，采集人不详；1♂，宁陕平河梁，2400m，2007.Ⅵ.01，李文柱采。

分布：陕西（周至、眉县、太白、宁陕）、宁夏、甘肃。

（32）赭尾瘤虻 *Hybomitra ochroterma* Xu *et* Liu，1985

Hybomitra ochroterma Xu *et* Liu，1985：171.

鉴别特征：体长13～16mm。头部复眼密覆黑色短毛。额灰黄色，具黑色毛，两侧平行，高度为基宽的2.00～2.70倍。基胛黑色，圆形，两侧与眼分离，但基部与眼接触。中胛黑色，细线状，与基胛相连。单眼瘤色浅，隆起明显。亚胛大部分具黑色光泽。颜具黄灰色粉被。颊上端具黑色光泽，整个颊具浅黄色毛。触角柄节及梗节棕色，具黑毛；鞭节基环节棕黄色，端部黑色，背缘具不明显的钝突，缺刻浅，端环节黑色。下颚须棕黑色，第2节窄长。口毛浅黄色。胸部盾片及小盾片具黑色光泽。侧板及腹板灰色，具浓密的浅黄色长毛及少数黑毛。前足股节黑色，中、后足股节黄棕色；胫节红棕色，但前足胫节大部具黑毛，中足、后足胫节大部具浅黄色毛，仅端部有少量黑毛；跗节黄棕色。翅透明，沿横脉处具棕色斑，R_4脉无附脉或具短附脉。平衡棒黑色。腹部背板黑色，密覆红黄色毛，第1背板基部有黑色毛。

分布:陕西(秦岭)、甘肃。

(33)峨眉山瘤虻 *Hybomitra omeishanensis* Xu *et* Li, 1982

Hybomitra omeishanensis Xu *et* Li, 1982:93.

Hybomitra fopingensis Wang, 1985: 176.

Hybomitra fujianensis Wang, 1987: 65.

Hybomitra subomeishanensis Wang *et* Liu, 1990: 174.

鉴别特征:体长9~14mm。雌虫灰色。头部额具灰色粉被。基部略窄于端部,长度为基宽的3.50~4.00倍。基胛棕黑色,两侧与眼略有距离。中胛黑色,线状或矛头状,与基胛相连。单眼瘤红棕色,卵圆形。亚胛灰色。颜与颊亦覆灰色粉被,颊具稀疏的短黑毛。触角柄节黄棕色;梗节黄棕色;鞭节橙色,端部色泽渐深,背缘具钝突;端环节黑色。下颚须较窄,浅棕色,外侧覆灰色粉被。口毛白色。胸部盾片黑色,具3条灰色细条纹,直达盾片后缘。侧板、腹板灰色,覆白色长毛。翅透明,R_4脉无附脉。足基节灰色;股节黑色;前足胫节基部1/2黄棕色,其余部分黑色,中足、后足胫节黄棕色;跗节黑色。平衡棒棕色。腹部背板灰色,两侧有不明显黑斑,每节具浅色后缘。腹板灰色,每节亦有浅色后缘。

采集记录:1♀,留坝红崖沟,1500~1650m,1998.Ⅶ.22,张学忠采;1♀,佛坪东河台林场,1440m,1973.Ⅷ.09,张学忠采;3♀,佛坪凉风垭,1900~2100m,1998.Ⅶ.24,陈军采;2♀,宁陕火地塘雅雀沟,1600~1700m,1998.Ⅶ.28,张学忠采。

分布:陕西(留坝、佛坪、宁陕)、甘肃、福建、四川、贵州。

(34)太白山瘤虻 *Hybomitra taibaishanensis* Xu, 1985

Hybomitra taibaishanensis Xu, 1985: 10.

鉴别特征:体长14~16mm。雌虫黑色。头部复眼密覆黑毛。额两侧平行,具棕色粉被及黑色毛,高度为基宽的2倍。基胛大,黑色,两侧与眼接触。中胛长,与基胛相连。单眼瘤棕色,周围具黑色亮斑。亚胛、颜及颊具黑色光泽,并具黑毛。触角柄节具黄棕色光泽及黑毛;梗节黄棕色,被黑毛;鞭节的基环节窄长,基部1/3黄棕色,其余部分及端环节黑色,背缘有钝突。下颚须黑色,第2节较粗壮,密覆黑毛。口毛黑色。胸部盾片具黑色光泽,无条纹。侧板及腹板具弱的棕黑色光泽,密覆黑色长毛。股节黑色;胫节棕色,前足胫节具黑毛,中、后足胫节黑、白毛间杂;前足跗节黑色,中足、后足跗节棕色。翅透明,前缘室黄色,横脉处具棕色斑,R_4脉无附脉。平衡棒黑色。腹部背板黑色,第1~2节主要具黑毛,后缘有金黄色毛,第3~6节密覆金黄色长毛,整个背板看起来第1、2节黑色,往端部逐渐呈金黄色。腹部腹板色同背板。

分布:陕西(太白、佛坪)、河南。

6. 虻属 *Tabanus* Linnaeus, 1758

Tabanus Linnaeus, 1758: 601. **Type species**: *Tabanus bovines* Linnaeus, 1758.

Phyrta Enderlein, 1922: 344. **Type species**: *Tabanua amaenus* Walker, 1848.

Styporhamphis Enderlein, 1922: 346. **Type species**: *Tabanus barbarus* Coquebert, 1804.

Hybostraba Enderlein, 1923: 545. **Type species**: *Hybostraba guttiventris* Enderlein, 1925.

Tabanus (*Callotabanus*) Szilády, 1926: 10. **Type species**: *Tabanus flavicinctus* Ricardo, 1911.

属征:多为中至大型种,体色多样。复眼通常无毛,活着时复眼大多呈绿色,具1~4条带或无带。额基胛形态多样,触角鞭节端部有4个环节。翅透明,少数种类有花斑或横脉处有暗斑,r_5 室开放,少数种类闭合。后足胫节距缺如。雄虫复眼上半部小眼面大于下半部小眼面或相等。

分布:世界性分布。全世界已知1300余种,是虻科中种类最多的属,中国已知205种,秦岭地区分布28种。

分种检索表

1. 额中胛与基胛分离 …… 2
   额中胛与基胛连接 …… 5
2. 亚胛全光裸 …… 3
   亚胛覆粉或部分覆粉 …… 4
3. 复眼紫色,具2条带;亚胛棕黑色;小盾前片黑色 …… **中国虻 *T. chinensis***
   复眼上部紫色,下部绿色,无带;亚胛棕黄色;小盾前片灰色 …… **天目虻 *T. tienmuensis***
4. 额基胛与亚胛分离 …… **副菌虻 *T. parabactrianus***
   额基胛与亚胛连接 …… **亚柯虻 *T. subcordiger***
5. 额基胛与亚胛分离 …… **亚布力虻 *T. yablonicus***
   额基胛与亚胛连接 …… 6
6. 翅 r_5 室边缘封闭,或接近封闭 …… 7
   翅 r_5 室边缘宽的开放,或略变窄 …… 12
7. 额高为基宽的4.00~4.50倍;中胛粗短,约等于基胛长 …… **重脉虻 *T. signatipennis***
   额高为基宽的5~7倍;中胛细长,长度超过基胛 …… 8
8. 腹部背板浅色侧斑仅限于基部2节;体长17~20mm …… **中华虻 *T. mandarinus***
   腹部背板浅色侧斑至少存在于基部3节;体长14~18mm …… 9
9. 翅 r_5 室窄的开放或封闭;腹部背板浅色侧斑均大而清晰 …… **灰背虻 *T. onoi***
   翅 r_5 室封闭;腹部背板浅色侧斑在后几节小而不清晰 …… 10
10. 触角鞭节基环节基部棕色,端部黑色;腹部背板浅色侧斑白色 …… **原野虻 *T. amaenus***

触角鞭节基环节棕色至深棕色；腹部背板浅色侧斑灰黄色或灰棕色 …………………… 11
11. 腹部背板灰棕色，中三角窄长，线状；触角鞭节基环节棕黄色 ……… 日本虻 *T. nipponicus*
腹部背板灰黑色，中三角大，正三角形；触角鞭节基环节红棕色至暗棕色 …………………………………………………………………………………… 土灰虻 *T. griseinus*
12. 触角鞭节基部背突呈拇指状向端部突出 …………………………………………………… 13
触角鞭节基部背突至多呈直角向背部突出 …………………………………………………… 18
13. 额高为基宽的 2.50 ~ 3.50 倍；体金黄色，腹部背板各节后缘具金黄色毛组成的宽横带 ………………………………………………………… 佛光虻指名亚种 *T. budda budda*
额高为基宽的 5 倍以上；体灰黑色至棕黄色，腹部背板各节无金黄色宽横带 …………… 14
14. 复眼无带或具 1 条横带 ………………………………………………………………… 15
复眼具 3 条横带 ………………………………………………………………………… 17
15. 复眼具 1 条横带 ……………………………………………………………… 朝鲜虻 *T. coreanus*
复眼无带 ………………………………………………………………………………… 16
16. 触角鞭节基环节为端环节 1.50 倍；腹部背板灰黑色 ……………………… 汉氏虻 *T. haysi*
触角鞭节基环节细长，为端环节 2 倍；腹部背板深棕色 ……………… 宝鸡虻 *T. baojiensis*
17. 体深棕色；腹部背板后缘带和中三角浅黄色 ……………………… 庐山虻 *T. lushanensis*
体黑色；腹部背板后缘带和中三角浅白色 ………………………… 渭河虻 *T. weiheensis*
18. 复眼具带 ………………………………………………………………………………… 19
复眼无带 ………………………………………………………………………………… 24
19. 复眼具 1 条横带 ………………………………………………………………………… 20
复眼具 3 条横带 ………………………………………………………………………… 21
20. 体长 17mm；额高为基宽的 5 倍；腹部各背板无中三角 ……………… 陕西虻 *T. shaanxiensis*
体长 21 ~ 26mm；额高为基宽的 8 ~ 9 倍；腹部第 2 ~ 6 背板浅黄色中三角接近节前缘 ……………………………………………………………………… 线带虻 *T. lineataenia*
21. 腹部背板黑色 ……………………………………………………………… 华丽虻 *T. splendens*
腹部背板黄色至暗棕色 ………………………………………………………………… 22
22. 胸部盾片具浅色纵纹 ……………………………………………………… 岷山虻 *T. minshanensis*
胸部盾片色一致，无浅色纵条 ………………………………………………………… 23
23. 足股节、胫节均为棕色；腹部背板棕黄色，第 4 背板之后变暗，无中三角 ……………………………………………………………………………… 秦岭虻 *T. qinlingensis*
足股节黑色，胫节棕色；腹部第 2 ~ 6 背板具黄色中三角，第 2、3 背板中央具黑斑 ……………………………………………………………………… 鸡公山虻 *T. jigongshanensis*
24. 腹部背板具后缘带、中三角和斜形侧斑 ………………………………………………… 25
腹部背板仅具窄的后缘带和中三角 …………………………………………………… 26
25. 触角鞭节基环节长为宽的 1.80 倍，额基胛基部具侧突；胸部背板灰黄色，无纵条 ……………………………………………………………………… 杭州虻 *T. hongchowensis*
触角鞭节基环节长为宽的 1.20 倍，额基胛基部无侧突；胸部背板黄色，具 5 条灰色纵条 … ……………………………………………………………………… 辅助虻 *T. administrans*
26. 体棕褐色，口毛黑色 ……………………………………………… 峨眉山虻 *T. omeishanensis*
体黑色，口毛白色 ……………………………………………………………………… 27
27. 触角棕黑色；胸部小盾片色浅于盾片 ……………………………… 山东虻 *T. shantungensis*

触角浅棕色；胸部小盾片与盾片色一致 ………………………… 浙江虻 *T. chekiangensis*

(35)辅助虻 *Tabanus administrans* Schiner, 1868

Tabanus administrans Schiner, 1868: 83.

Tabanus okadae Shiraki, 1913: 285.

Tabanus hongkongiensis Ricardo, 1916: 406.

Tabanus administrans var. *adumbratus* Szilády, 1926: 604.

Tabanus kiangsuensis Kröber, 1933: 10.

鉴别特征：体长12～15mm。雌虫复眼绿色无带；额灰色，两侧平行，高为基宽的4～5倍；额基胛棕黑色，条形，与亚胛接触，与复眼窄分离；中胛黑色，为基胛的粗延线；亚胛灰黄色，覆粉，"眉片"低，棕色；颜灰色；口毛白色。触角柄节和梗节黄灰色，鞭节基环节棕黄色，长为宽的1.20倍，背突钝，端环节棕黑色。下颚须浅黄色，第2节长为宽的3.50倍。中胸背板黑色，具5条灰色纵纹，背侧片浅棕色；侧板灰色，具白色长毛。足股节灰黑色，前足胫节基部2/3和中足、后足胫节黄白色；胫节端部和跗节黑色。翅透明，R_4脉无附脉。平衡棒棕色。腹部背板黑棕色，具3列白色斑，中三角高大，第2背板两侧带浅红棕色，各背板后缘具灰白色横带。腹板灰色，有的个体第2、3腹板呈浅红棕色。雄虫触角鞭节的基环节较雌虫的窄，腹部末端尖。

分布：陕西（秦岭）、辽宁、北京、天津、河北、山西、山东、河南、江苏、上海、安徽、浙江、湖北、江西、湖南、福建、台湾、广东、海南、香港、广西、重庆、四川、贵州、云南；朝鲜，日本。

(36)原野虻 *Tabanus amaenus* Walker, 1848

Tabanus amaenus Walker, 1848: 163.

Tabanus clausacella Macquart, 1855: 45.

Bellardia sinica Bigot, 1892: 629.

Tabanus amaenus var. *lateralis* Shiraki, 1918: 322.

Tabanus fenestratus Schuurmans Stekhoven, 1926: 185.

Tabanus fenestralis Szilády, 1926: 10 (new name for *Tabanus fenestratus schuurmans* Stekhoven, 1926).

Tabanus griseus pallidiventris Olsufjev, 1937: 324.

鉴别特征：体长14～18mm。雌虫复眼无带。额灰白色，基部略窄于端部，高度为基宽6.50～7.00倍。基胛黑色，略呈长卵形，两侧与眼分离；中胛黑色，略呈矛头状，与基胛相连。亚胛灰白色。颜及颊亦呈灰白色。触角红棕色；鞭节背缘具钝突，鞭节基环节大部红棕色，端部和端环节黑色。下颚须第2节浅黄白色，基部主要覆白毛，端部多黑毛。口毛白色。盾片黑色，有5条明显的灰白色条纹。小盾片亦呈黑色。侧板及腹板灰色，具浅黄白色毛，仅中侧片覆少量黑毛。足股节黑色；前足胫节基部2/3、中后足胫节基部4/5浅黄白色，其余部分黑色；跗节黑色。翅透明，R_4 脉无附脉，r_5 室封闭。平衡棒棒头端部黄白色，其余部分黑色，柄黄棕色。背板黑色，有3列白色斑组成的条纹，中央第1~6背板呈明显的三角形斑，两侧第1~4背板呈斜方形斑，每节后缘具白色细带。腹板灰色，中央黑色条纹直达端部。雄虫足棕色。腹部背板两侧棕色。

采集记录:1♀，留坝庙台子，1350m，1998.Ⅶ.19，张学忠采。

分布:陕西(留坝)、吉林、辽宁、北京、河北、山西、山东、河南、甘肃、江苏、上海、安徽、浙江、湖北、江西、湖南、福建、台湾、广东、香港、广西、重庆、四川、贵州、云南；蒙古，朝鲜，日本，越南。

(37)宝鸡虻 *Tabanus baojiensis* Xu *et* Liu, 1980

Tabanus baojiensis Xu *et* Liu, 1980: 479.

鉴别特征:体长22~24mm，大型深棕色种。头部复眼无带。额覆黄色粉被，头顶具黑色毛形成的三角区。基部略窄于端部，高度为基宽的5.50倍。基胛棕黑色，长椭圆形，两侧与眼分离，上端有黑色延线。亚胛高并呈黑黄色。颜与颊灰色。触角棕色，柄节与梗节密覆黑毛，鞭节背缘具明显的拇指状的前突，端环节深棕色，长度明显短于基环节。下颚须深棕色，第2节窄长，密覆黑色短毛。口毛棕色。胸部盾片深棕色，覆薄黄粉被，具3条不甚明显的棕黄色条纹。中胸后盾片、翅后胛及小盾片之侧后缘多白色长毛。翅前胛棕色，覆大量的黑毛。侧板及腹板灰色。前足股节及跗节黑灰色，中足、后足股节棕色；胫节与中足、后足跗节棕色。翅透明，R_4 脉具长的附脉。腹部背板深棕色，第2~4或5背板中央及两侧具棕色斑，其余各节黑色，每节后缘具浅黄色细带，中央扩大为不甚明显的三角形斑，但绝达不到前节后缘。腹板黑色，有时第2~3腹板中央棕黄色，每节后缘具黄色毛细横带。

采集记录:1♀，周至老县城，1846.10m，2014.Ⅷ.19，卢秀梅采；1♀，柞水广货街，1172m，2014.Ⅶ.26，丁双玫灯诱。

分布:陕西(周至、宝鸡、留坝、佛坪、柞水)、甘肃、湖北、四川、贵州、云南。

(38)佛光虻指名亚种 *Tabanus budda budda* Portschinsky, 1887

Tabanus budda budda Portschinsky, 1887: 181.

鉴别特征:体长20~23mm。雌虫头部复眼无带。前额宽，黄色，高度约为基宽的 3 倍，两侧略平行。基胛黄棕色，近方形，上端有极不明显延线，两侧与眼分离。亚胛具黄色粉被，颜与颊亦覆黄色粉被及同色毛。触角完全红黄色，鞭节宽扁，背缘呈锐角，具拇指状向前突起，有极深的缺刻，腹侧呈钝形。下颚须较窄长，红黄色，覆同色毛。胸部背板黑色，覆黄褐色粉被，有 2 条灰黄色纵条，小盾板亦覆黄褐色粉被。侧板密覆金黄色毛，翅前胛黄棕色。翅透明，前缘室黄色，R_4 脉无附脉。足黄棕色，股节暗棕色。平衡棒棕色。腹部背板黑色，背板每节后缘有明显的黄毛形成的横带，第 1～3 背板后缘横带窄，依次几节绝大部分覆盖浓密的黄毛。雄虫小盾片有时端部 1/2 橙色。

采集记录：1♀，周至厚畛子，1276m，2008. Ⅶ. 01，刘万岗采；1♀，凤县红岭林场，1580m，1973. Ⅶ. 22，张学忠采；1♀，留坝闸口石，1800～1900m，1998. Ⅶ. 20，采集人不详；1♀，宁陕火地塘，1600～1700m，1998. Ⅶ. 28，采集人不详。

分布：陕西（周至、凤县、留坝、宁陕）、黑龙江、吉林、辽宁、内蒙古、北京、山西、河南、宁夏、甘肃；俄罗斯（远东），朝鲜。

（39）浙江虻 *Tabanus chekiangensis* Ôuchi, 1943

Tabanus chekiangensis Ôuchi, 1943: 525.

鉴别特征：体长 21～22mm，大型黑色种。雌虫复眼无带。前额灰色，上宽下窄，高度为基宽的 9.50 倍。基胛黑色光泽，两侧与眼分离，上端有细的延线。亚胛具灰白色粉被。颊上半部浅棕色，下半部及颜覆灰色粉被。触角柄节、梗节浅棕色；鞭节棕色，基环节宽扁，腹缘具钝突，顶端有明显的钝角。下颚须第 2 节浅棕色，窄长，密布黑毛。中胸背板及小盾片均覆灰色粉被，翅基部具长白毛，侧片灰白色、被白毛。翅前胛灰黑色。足股节黑色；前足胫节基部 2/3 和中足、后足胫节棕色；跗节黑色。翅透明，前缘室浅棕色；R_4 脉具附脉。平衡棒棕黑色。腹部黑色，第 1～6 背板具白色等腰三角形斑组成的明显条纹，后缘具细白色横带，两侧加宽形成侧点。腹板棕黑色，具浅色后缘。

分布：陕西（周至、略阳、留坝、佛坪）、甘肃、安徽、浙江、湖北、江西、湖南、福建、广东、海南、广西、重庆、四川、贵州、云南。

（40）中国虻 *Tabanus chinensis* Ôuchi, 1943

Tabanus chinensis Ôuchi, 1943: 522.

鉴别特征：体长 12～13mm。雌虫前额具灰色粉被，两侧大致平行，高度约为基宽的 4 倍。复眼具 2 条带。基胛黑色，与亚胛及眼的两侧分离。中胛与基胛分离。亚胛具棕色光泽；上侧颜在亚胛下方棕色；颊与颜覆灰色粉被，并具浅色毛。口毛白色。触角柄节、梗节浅棕色，鞭节橙黄色，背缘具钝突。下颚须第 2 节暗灰色，基部较粗壮，端部渐细，黑、白毛间杂。中胸背板黑褐色，基部有灰白色粉被及少量白毛，背板后侧缘多长白毛，小盾片灰白色，侧缘黑灰色，具长白毛。足基节灰白色；股节黑色；胫节大部白色，端部和跗节黑色。翅透明，R_4 脉无附脉；平衡棒棕黑色。腹部背板黑褐色，第 1、2 背板侧缘具灰白色斑，第 3 ~ 6 背板后缘均有细白带。第 1、2 腹板灰白色，具大量白毛，第 3 ~ 6 腹板黑褐色，覆黑毛，后缘具白带，第 7 腹板黑色，被长黑毛。雄虫复眼上半部 2/3 小眼面黄褐色明显大于下半部 1/3 黑色小眼面。

分布：陕西（周至、略阳、佛坪）、河南、甘肃、浙江、湖北、福建、四川。

（41）朝鲜虻 *Tabanus coreanus* Shiraki, 1932

Tabanus coreanus Shiraki, 1932: 270.

鉴别特征：体长 20 ~ 23mm。雌虫棕黑色。复眼具 1 条带，额具灰黄色粉被，头顶灰暗，高约为基宽的 7 倍。基胛黑色，长卵形，与眼分离，接触亚胛；中胛为基胛的延线。亚胛具灰白色粉被。颜和颊灰白色；口毛淡黄色。触角柄节和梗节棕黄色，鞭节基环节黄色，背突明显，呈指状；鞭节端环节黑色。下颚须灰黄色；第 2 节细长，覆黑毛。中胸背板灰黑色，具 3 条不清晰的灰黄色纵条，小盾片被灰褐色粉被。侧板灰褐色，着生黑毛。足基节棕红色；股节红棕色；胫节黄棕色；跗节棕黑色。翅透明，R_4 脉具附脉，r_5 室宽的开放。平衡棒棕黄色，球部两侧棕黑色。腹部第 1 ~ 4 背板红棕色，第 5 背板后棕黑色覆盖黑毛，第 1 ~ 6 背板具窄的黄毛端带，第 2 ~ 6 背板具灰黄色后缘中三角，其中第 2 ~ 4 背板的中三角较高。腹板除末端有少量黑毛外，几乎全为金黄色毛。雄虫触角窄于雌虫；腹部色斑较不清晰。

采集记录：3♀，留坝庙台子，1350m，1998. Ⅶ. 22，廉振民采；1♀，佛坪窑沟，870 ~ 1000m，1998. Ⅶ. 25，陈军采；1♀，宁陕火地塘，1580m，1998. Ⅶ. 27，采集人不详。

分布：陕西（留坝、佛坪、宁陕）、吉林、辽宁、北京、河北、山西、山东、河南、甘肃、江苏、安徽、浙江、湖北、福建、四川、贵州、云南；朝鲜。

（42）土灰虻 *Tabanus griseinus* Philip, 1960

Tabanus griseus Kröber, 1928: 270 (nec Fabricius, 1794).

Tabanus griseinus Philip, 1960: 31 (new name for *Tabanus griseus* Kröber, 1928).

鉴别特征：体长 14 ~ 17mm。雌虫头部复眼无带。前额黄灰色，甚窄，高度约为基宽的 6 倍，基部窄于端部。基胛棕色，呈窄长三角形，不与眼相接触，上端延线颜色加深。亚胛黄灰色。颊和颜具灰白色粉被，颊具白色长毛。触角黄棕色，鞭节背缘钝角明显，缺刻深，端环节黑色。下颚须浅黄色，窄长而略弯曲，被黑毛。胸部黑灰色，背板具不明显的灰色条纹。侧板黑灰色、具白毛。翅前胛浅棕色。翅透明，R_4脉无附脉，r_5室封闭。足股节灰色，中足、后足胫节黄色，中足胫节端部1/4黑色，跗节黑色。平衡棒黄棕色，端部黄白色。腹部背板黑灰色，有些标本第1~3背板或至第4背板两侧具黄红色斑，中央有1条细而不明显的灰纵带，两侧具略成斜方形的灰条纹，每节后缘有黄灰色窄带。腹板灰色，基部略带微黄色。

分布：陕西(秦岭)、黑龙江、吉林、辽宁、内蒙古、北京、天津、河北、山西、山东、河南、宁夏、甘肃、江苏、上海、安徽、浙江、湖北、福建、广东、重庆、四川、贵州、云南；俄罗斯，蒙古，朝鲜，日本。

(43)汉氏虻 *Tabanus haysi* Philip, 1956

Tabanus haysi Philip, 1956: 221.

鉴别特征：体长22~24mm。灰黑色大型种。头部复眼无带。额窄，黄灰色，基部略窄于端部，基宽为高度的7~8倍。亚胛、颊及颜黄灰色。基胛长卵圆形，黑色，两侧与眼有距离，上端黑色延线达到额高度1/2。触角柄节与梗节黄色，鞭节基环节橙色，背缘具明显的锐角，并有深的缺刻，腹缘具钝突；端环节棕色。下颚须黄棕色，第2节较窄长，末端圆钝形，主要具黑色毛。口毛黄白色。胸部盾片灰黑色，覆灰色薄粉被，有不明显的灰色条纹。翅前胛灰黑色。侧板灰色具黑色毛及黄白色毛。腹板灰色，仅具黄白色毛。足红棕色，股节具黄白色长毛，胫节与跗节具黑色毛。平衡棒棒头黑色，柄呈黄棕色。腹部背板灰黑色，中央具不明显的灰色三角形斑，每节后缘具细的浅色条纹。腹板灰色，但中央部分黄棕色，每节后缘具浅黄色条纹。

分布：陕西(周至、留坝、佛坪)、吉林、辽宁、北京、河南、甘肃、湖北；朝鲜。

(44)杭州虻 *Tabanus hongchowensis* Liu, 1962

Tabanus hongchowensis Liu, 1962: 124.

鉴别特征：体长15mm。雌虫头部前额浅黄色，高度约为基宽的5~6倍，两侧大致平行。基胛黑色，两侧与眼分离。中胛黑色，与基胛分离或相连。亚胛较高，具浅黄色粉被。颜与颊灰色，具白毛。触角柄节浅黄色，梗节、鞭节橙黄色，鞭节基环节窄长，长度约为宽度的1.80倍，背缘具明显的钝突。下颚须灰白色，长度为宽度3倍，具大量黑毛及少数白毛。胸部背板灰色，无条纹，具短黄毛及黑毛，侧板灰色，覆浅黄色长毛。翅前胛灰色，翅脉棕色，R_4脉无附脉。前足股节黑色，胫节基部约1/2浅黄色，末端1/2及跗节黑色，中足、后足胫节基部大部浅黄色，整个跗节黑色。平衡棒棕黑色。腹部背板灰棕色，中央具黄灰色三角形斑形成的条纹，第2、3节两侧有不甚显著的浅灰色斑痕，每节后缘具黄灰色横带。腹板深灰色。

采集记录： 1♀，佛坪，900m，1999. Ⅵ. 27，贺同利采。

分布： 陕西(佛坪)、河南、甘肃、安徽、浙江、湖北、江西、湖南、福建、广东、广西、重庆、四川、贵州、云南。

(45)鸡公山虻 *Tabanus jigongshanensis* Xu, 1983

Tabanus jigongshanensis Xu, 1983: 86.

鉴别特征： 体长16~18mm。雌虫头部复眼具3条带。额具灰黄色粉被，头顶具1从黑色毛，基部略窄于端部，基宽为高度的5.00~6.50倍。基胛黑色，椭圆形，两侧与眼分离；中胛黑色，矛头状，与基胛相连。亚胛、颜及颊均覆灰黄色粉被。触角柄节及梗节黄棕色；鞭节橙色，窄长，背缘具明显的背角，端环节端部黑色。下颚须黄棕色，第2节窄长，具黑色毛。口毛浅黄白色。胸部盾片、小盾片及翅前胛覆黄色薄粉被及黄色与黑色短毛，盾片后侧缘主要具黄色毛。侧片及腹片具灰色粉被及黄色毛。足股节黑色；前足胫节基部1/2浅黄白色，其余部分黑色，中足、后足胫节浅黄色；跗节黑色。翅透明，R_4脉无附脉或具短附脉。腹部第1~3背板黄棕色，其后各节黑色，每节后缘具浅黄色毛的横带；中央突起呈三角形，直达前节后缘；整个背板具黑色毛。腹板棕黄色，略有光泽，覆稀疏的黄毛，端部黑色。雄虫胸部盾片、小盾片及翅前胛黑色。腹部背板黑色，第1~3背板两侧具黄棕色斑，每节后缘具浅黄色细带，中央扩大为三角形。

采集记录： 1♀，周至厚畛子，1350m，1999. Ⅵ. 21，章有为灯诱；1♀，佛坪，900m，1999. Ⅵ. 27，贺同利灯诱；1♀，柞水红庙河村，1110m，2007. Ⅵ. 03，崔俊芝采。

分布： 陕西(周至、佛坪、柞水)、北京、山西、河南、宁夏、甘肃、湖北、四川、云南。

(46)线带虻 *Tabanus lineataenia* Xu, 1979

Tabanus lineataenia Xu, 1979: 43.

鉴别特征： 体长21~26mm。雌虫复眼无毛，具1条带。额灰白色，基部明显窄于端部，高度约为基宽的8~9倍。基胛黑色，长卵圆形，两侧与眼略有距离，上端延线约占额高的3/5。亚胛高，浅黄色。颊端部和颜浅黄色，基部灰白色。口毛灰白色。触角柄节、梗节红棕色；鞭节基环节基部红棕色，其余部分黑色，背缘有明显的锐角，缺刻深。下颚须红棕色，第2节窄长，覆黑色毛。中胸背板黑色，具灰色薄粉被及3条灰色条纹，到达盾片后缘。小盾片亦呈黑色，具灰色薄粉被。侧板和腹板灰色。足股节黑色；胫节红棕色；跗节黑色。翅透明，R_4脉具长附脉。腹部背板棕黑色，中央具灰色三角形斑，并达到前节后缘，每节后缘具浅黄色细带。腹板中央棕黑色，两侧及后缘灰色。

分布:陕西(秦岭)、甘肃、安徽、浙江、湖北、江西、福建、广东、广西、四川、贵州、云南。

(47)庐山虻 *Tabanus lushanensis* Liu, 1962

Tabanus lushanensis Liu, 1962: 127.

鉴别特征:体长19~21mm。雌虫头部复眼具3条带。前额黄色，顶端宽度为基宽的1.50倍，前额高度为基宽的6倍。基胛棕色，长方形，两侧与眼分离，上端有较粗的延线。亚胛具黄灰色粉被。颊与颜具灰白色粉被。触角红棕色，柄节、梗节具黑毛，鞭节基环节腹缘弧形，背缘有拇指状向前突起。下颚须浅棕色，第2节长度为宽度的5倍，覆黑毛。胸部背板灰黑色，具5条不很明显的浅灰色纵条纹。侧片具深棕及浅黄色毛。翅前胛灰黑色。翅透明，前缘富黄褐色，R_4 脉无附脉。足股节黑色，中、后足胫节及跗节棕色，前足基部1/3棕色，其余部分及跗节深棕色。平衡棒深棕色。腹部背板深棕色，第1节中央具半圆形浅黄色斑，第2~6节中央具三角形浅黄色斑，每节后缘具浅黄色带，此带在两侧较宽，形成侧点。腹板红棕色，每节后缘具黄色毛组成的带。

采集记录:1♀，留坝红崖沟，1500~1650m，1998. Ⅶ. 22，陈军采；2♀，佛坪凉风垭，1900~2100m，1998. Ⅶ. 24，张学忠采；1♀，宁陕火地塘，1580m，1998. Ⅶ. 26，张学忠采；4♀，宁陕平和梁，2020m，1998. Ⅶ. 29，陈军采。

分布:陕西(留坝、佛坪、宁陕)、河南、甘肃、湖北、江西、四川。

(48)中华虻 *Tabanus mandarinus* Schiner, 1868

Tabanus mandarinus Schiner, 1868: 83.

Tabanus trigeminus Coquillett, 1898: 310.

Tabanus yamasakii Ôuchi, 1943: 532.

鉴别特征:体长16~20mm。灰黑色种。雌虫头部复眼无带。前额黄灰色，高度约为基宽的4倍，基部略窄于端部。基胛近卵圆形、黄棕色，两侧不与眼相邻，上端有黑色延线。亚胛、颊、颜灰白色。触角柄节、梗节浅棕色，鞭节黑棕色、仅基环节基部稍呈红棕色，背角明显。下颚须浅黄灰色，第2节覆黑毛。胸部背板灰黑色，有5条明显的灰色纵带，达背板后缘，小盾片亦为灰黑色。侧板灰色、被白色长毛。翅前胛灰色或浅棕色。翅透明，r_5 室封闭。足黑灰色，前足胫节基部2/3浅黄白色，中、后足胫节浅黄白色，跗节深棕色。平衡棒黄色。腹部圆钝形。背板黑色，第1~6背板具1列大而明显的中央三角形白斑，两侧具斜方形白斑。腹板浅灰色，中央具1列浅灰色条纹，端部具浅黄色窄横带。雄虫腹部圆锥形，有时背板第1节两侧具浅棕色斑，第2节两侧白色斑大而明显。

分布:陕西(秦岭)、辽宁、北京、天津、河北、山西、山东、河南、甘肃、江苏、上海、安徽、浙江、湖北、江西、湖南、福建、台湾、广东、海南、香港、广西、重庆、四川、贵州、云南。

(49)岷山虻 *Tabanus minshanensis* Xu *et* Liu, 1982

Tabanus minshanensis Xu *et* Liu, 1982: 97.

Tabanus subminshanensis Chen *et* Xu, 1992: 10.

鉴别特征: 体长14~16mm，深棕色种。头部复眼具3条带。额灰黄色，基部窄于端部，高度为基宽的4.00~4.50倍左右。基胛黑色或黑棕色，似盾形，两侧与眼分离；中胛矛头状并与基胛相连。亚胛土黄色。颜与颊浅黄灰色。触角柄节及梗节浅黄色，鞭节橙色，稍宽扁，背缘具钝角，缺刻浅，端环节棕色。下颚须第2节窄长，端部圆钝形，灰黄色。口毛白色。胸部盾片及小盾片黑色，盾片具5条浅黄色不甚清晰的条纹。侧板及腹板灰色，具白色长毛。足股节黑色；胫节浅黄棕色，仅前足胫节端部1/2黑色；跗节基节浅黄色，其余部分黑色。翅透明，R_4脉无附脉。腹部窄长。背板基部棕色，向端部色渐加深至黑色，中央有1条细的、占腹宽约1/5的灰色条纹直至末端，每节后缘具黄色毛细带，整个背板多黑毛。腹板黄棕色，覆黄色毛，端部黑色，具同色毛。

采集记录: 15♀，留坝庙闸口石，1800~1900m，1998.Ⅶ.20，张学忠采；2♀，留坝庙台子，1350m，1998.Ⅶ.22，廉振民采；1♀，宁陕旬阳坝，1350m，1998.Ⅶ.29，袁德成采。

分布: 陕西(留坝、佛坪、宁陕)、甘肃、贵州、云南。

(50)日本虻 *Tabanus nipponicus* Murdoch *et* Takahasi, 1969

Tabanus nipponicus Murdoch *et* Takahasi, 1969: 83.

鉴别特征: 体长15~18mm，灰黑色种。头部复眼无带。额具灰黄色粉被及黑毛。额基部略窄于端部，高度约为基宽的6.50~7.00倍。基胛黑色，呈窄长三角形，两侧与眼分离，上端有黑色，略呈矛头状延线。亚胛覆浅黄灰色粉被，颜与颊灰色。触角柄节与梗节黄棕色；鞭节红棕色，背缘具明显的钝角，缺刻深，端环节黑色。下颚须浅黄色，第2节窄长而略弯曲，具有浓密的黑色短毛。口毛白色。胸部盾片呈灰棕至灰黑色，具3条不甚明显的细条纹，具大量黑毛及少量黄毛。小盾片及翅前胛色同盾片。侧板黄灰色，主要覆白色毛，但中侧片具大量黑色毛。足股节灰色；前足胫节基部2/3黄白色，其余部分为黑色，中足、后足胫节黄白色，端部黑色；跗节黑色。翅透明，R_4脉无附脉，r_5室封闭，末端有短的柄脉。平衡棒黄棕色，棒头端部黄白色。腹部背板黑色，中央具黄灰色三角形斑形成的条纹，两侧具黄灰色圆形斑。腹板灰色，中央具明显的黑色条纹。

分布: 陕西(佛坪)、辽宁、河南、甘肃、安徽、浙江、湖北、湖南、福建、台湾、广东、广西、重庆、四川、贵州、云南；日本。

(51)峨眉山虻 *Tabanus omeishanensis* Xu, 1979

Tabanus omeishanensis Xu, 1979: 40.

鉴别特征:体长20~24mm，大型棕黑色种。雌虫头部复眼无带。额黄灰色，头顶黑毛密集形成黑色三角区。额颊窄，高度为基宽的10倍，基部窄于端部。基胛棕黑色，长卵形，两侧与眼略有距离。亚胛高，灰色。颜及颊亦呈灰色。触角柄节及梗节黄棕色；鞭节基环节基部1/3红棕色，其余部分及端环节黑色，背缘具明显的钝角。下颚须棕色，第2节窄长，端部钝形。口毛棕黑色。胸部盾片棕色，具灰色薄粉被及3条棕色细条纹。侧板及腹板灰色，具黑色毛。足股节黑色；前足胫节基部1/2棕色，其余部分黑色，中足、后足胫节红棕色；跗节黑色。翅透明，R_4脉具短附脉，前缘室黄色。平衡棒棕色。腹部背板棕黑色，中央具灰色三角形斑组成的条纹，每节后缘具黄色细横带。腹板具棕黑色光泽，每节后缘具明显的白色横带。雄虫下颚须第2节长卵圆形，端部有小的尖突。

分布:陕西(秦岭)、四川、贵州、云南。

(52)灰背虻 *Tabanus onoi* Murdoch *et* Takahasi, 1969

Tabanus onoi Murdoch *et* Takahasi, 1969: 81.

鉴别特征:体长14~15mm。头部复眼无带。额棕灰色，基部略窄于端部，高度约为基宽的5~6倍。基胛棕色，略呈卵圆形，两侧与眼分离。中胛略呈矛头状，与基胛相连。亚胛高，覆黄灰色粉被。颜与颊灰色。触角棕黄色；鞭节基环节橙色，背缘有钝突，端环节棕色。下颚须黄灰白色，第1节覆白色长毛，第2节较窄长，主要覆黑毛。胸部盾片黑色，有3条白色条纹，直达胸后缘。小盾片黑色。翅前胛灰色。侧板及腹板灰色。翅透明，R_4脉无附脉，r_5室端部狭窄。足股节灰色；前足胫节基部1/2白色，其余部分为黑色，中、后足胫节大部白色，仅端部黑色；跗节黑色。平衡棒棕色。腹部黑色，两侧有大型斜方形灰白斑，直达腹部末端，中央具灰白色三角形斑，每节后缘无横带。腹板具灰色粉被，具白毛，每节后缘具白色细横带。

分布:陕西(秦岭)、吉林、辽宁、内蒙古、北京、河北、河南、甘肃、贵州；日本。

(53)副菌虻 *Tabanus parabactrianus* Liu, 1960

Tabanus parabactrianus Liu, 1960: 13.

鉴别特征:体长 13~15mm,黑灰色种。雌虫头部复眼具 3 带。前额灰色,高度约为基宽的 4 倍,基部略窄于端部。基胛黑色、与眼及亚胛均分离,基胛上部两侧微向上突,下部具 4 个不显著的锯齿。中胛近长圆形,与基胛分离。亚胛黄灰色,颜及颊均具灰色粉被及白毛。触角柄节和梗节黑棕色,鞭节基环节红棕色,背缘具不甚明显的钝突,其余部分及端环节黑色。下颚须第 2 节白色,黑、白毛间杂,其长度约为宽度的 2.50倍。胸部背板黑色光泽,具 3 条白色纵条纹,小盾片黑色,具灰色粉被。侧板黑色,覆白色长毛。翅前胛浅棕色。翅透明,R_4 脉无附脉。足除股节、跗节外,皆呈黑色;前足胫节约1/2,中后足胫节的大部皆呈黄色。腹部窄长,黑灰色,背板中央具明显的灰白色三角形斑所形成的条纹,两侧具斜方形斑,有时第 2 背板两侧具小的棕色斑,每节后缘有细白色带。腹板灰色。雄虫腹部背板两侧略带橙色,腹部中央三角形斑不甚明显。

分布:陕西(秦岭)、辽宁、内蒙古、北京、山西、河南、宁夏、甘肃、四川。

(54)秦岭虻 *Tabanus qinlingensis* Wang, 1985

Tabanus qinlingensis Wang, 1985: 175.

鉴别特征:体长 17~19mm。黄色种。头部复眼具 3 条带。额具黄灰色粉被,头顶具有较长的黑毛,额基部窄于端部,高度约为基宽的 5.00~6.30 倍。基胛黑色,近长卵形。上端有矛头状的黑色中胛与基胛相连。亚胛黄灰色。颜与颊近黄灰色。触角柄节及梗节浅棕色,鞭节橙色,窄长,背缘具明显的钝突,缺刻深,端环节顶端黑色。下颚须第2 节较窄长,浅棕色。口毛白色。胸部盾片黑色,具黄灰色粉被及黄黑色短毛,盾片后缘具浅色毛。侧板及腹板灰色,覆浅黄色毛。足黄色,前足股节基部2/3 黑棕色。翅透明,R_4 脉无附脉。腹部背板黄色,第4 背板之后呈黑色,并覆黄色粉被及黑毛,每节后缘具黄色毛。第 1~3 腹板橙色,其余各节黑色,第 2 或 2~3 腹板中央具圆形黑色小斑。

采集记录:周至厚畛子,1276~1500m,2008.Ⅶ.02,刘万岗、白明采;佛坪龙草坪,1256m,2008.Ⅶ.03,李文柱采;宁陕火地塘,1600m,2008.Ⅶ.08,李文柱采。

分布:陕西(周至、凤县、留坝、佛坪、宁陕)、河南、甘肃。

(55)陕西虻 *Tabanus shaanxiensis* Xu, Lu *et* Wu, 1990

Tabanus shaanxiensis Xu, Lu *et* Wu, 1990: 93.

鉴别特征:体长 17mm。雌虫头部眼深绿具 1 个条带,光裸;额棕黄色,头顶灰黑色,额高约为基宽的 5 倍,额基胛黑色,光亮,接触亚胛,接近眼,中胛黑色,与基胛相连接;亚胛覆粉;颜白色白毛。触角基节和梗节棕色,鞭节基环节棕红色,端环节色略暗；下颚须灰白色。胸部黑色，着生黑毛和棕黄毛，翅后胛着生1丛长白毛和棕黄毛，背侧片着生长黑毛和短棕黄毛；侧板和足基节灰白色。前足股节黑色，胫节白色，端部1/3～1/4黑色；中、后足股节黑色，胫节白色，极端部黑色；各足跗节黑色。翅透明，腋瓣烟黑色，着生的1丛毛为浅黄色；平衡棒棕黑色，柄棕色。腹部背板黑色，第1～6背板后缘具棕黄色后缘带；腹板黑色，覆白粉，着生短白毛，中央着生较多的黑毛，形成1列半圆形黑斑，第1～6腹板具浅色毛和粉被组成的后缘窄带。

分布：陕西（宁陕）、云南。

(56)山东虻 *Tabanus shantungensis* Ôuchi, 1943

Tabanus shantungensis Ôuchi, 1943: 526.

鉴别特征：体长16～17mm。雌虫复眼无带。前额覆灰色粉被，长度为基宽的6.50倍，端部略宽于基部。头顶具小块黑色光裸区。基胛黑色，圆柱形；上端有细的延线。亚胛高，具黄灰色粉被，颊及颜具灰色粉被。触角黑褐色；鞭节背缘具明显的钝突，端环节细长。下颚须棕色，端部较粗，基部渐细，密覆黑色短毛。中胸背板黑色，具2条不甚明显的灰色纵纹，侧后缘有较长的白毛。小盾片具灰白色粉被，密布白毛。侧板灰黑色，覆白色长毛。足黑褐色，仅胫节基部2/3白色。翅透明，R_4脉无附脉。平衡棒暗棕色。腹部窄长，背板黑色，第2～4节中央有白色毛形成的三角形，后缘形成白色毛横带，第1～4背板侧缘具白斑，其后各节黑色。第1～4腹板具灰白色粉被，依次几节黑色。

采集记录：1♀，宁陕火地塘，1580m，1998.Ⅶ.27，袁德成采。

分布：陕西（宁陕）、山东、河南、甘肃、安徽、浙江、湖北、福建、广东、四川、贵州、云南。

(57)重脉虻 *Tabanus signatipennis* Portschinsky, 1887

Tabanus signatipennis Portschinsky, 1887: 180.

Tabanus takasagoensis Shiraki, 1918: 323.

Tabanus amoenatus Séguy, 1934: 4.

鉴别特征：体长16～18mm。雌虫灰黑色。复眼无带；额灰黄色，基宽略窄于顶宽，高为基宽的4.00～4.50倍；基胛粗卵形，基部2/3红棕色，端部1/3棕黑色，与亚胛接触，与复眼分离，中胛黑色，粗短，与基胛连接；亚胛灰黄色；颜与颊灰白色；口毛白色。触角柄节和梗节棕色，鞭节基环节基部棕红色，其余大部和端环节黑色，基环节长为宽的1.30倍，背突明显。下颚须灰黄色，第1节覆长白毛，第2节粗，长为宽的4倍，覆黑毛夹杂白毛。中胸背板灰黑色，覆黑毛，具5条到达盾片后缘的灰白色纵纹，小盾片色同盾片，背侧片浅红棕色，覆黑毛；侧板灰色，着生白毛和少量黑毛。足灰黑色，前足胫节基部2/3和中、后足胫节黄白色，端部及跗节黑色。翅透明，R_4 脉无附脉，r_5 室封闭或窄开放。腹部背板黑色，第2～6背板中央具白色三角和侧白斑，后缘具窄的浅黄色带。腹板灰黑色，覆白色短毛，具浅色后缘带。雄虫腹部圆锥形。

分布:陕西(秦岭)、吉林、辽宁、内蒙古、北京、河北、山东、河南、甘肃、江苏、上海、安徽、浙江、湖北、福建、台湾、重庆、四川、贵州、云南；俄罗斯，朝鲜，日本。

(58)华丽虻 *Tabanus splendens* Xu et Liu, 1982

Tabanus splendens Xu *et* Liu, 1982: 98.

鉴别特征:体长19～22mm。头部复眼具3条带。额具棕黑色粉被。中胛两侧具黑斑，基部窄于端部，高度约为基宽的4倍。基胛黑棕色，近盾形，两侧与眼分离。中胛矛头状，黑色，与基胛相连。亚胛具棕色粉被。颊上部及颊的两侧棕色，其余大部浅黄色。颜浅黄色。触角棕色；鞭节基环节窄长，背缘具明显的钝角，基部较宽，端环节黑色，长度与基环节略等。下颚须棕色，第2节窄长，覆黑毛。口毛黄色。胸部盾片黑色，四周密覆黄色毛，中央黄毛稀疏，呈黑色。小盾片及翅前胛以及盾片在盾沟前缘两侧覆灰白色粉被。足黑色，仅前足胫节基部1/3及中足胫节基部2/3白色。翅透明，R_4 脉无附脉。腹部第1背板黑色，密覆浅黄色短毛。侧板与腹板灰色，密覆浅黄色长毛，第2～7背板黑色，第2～4背板每节后缘具明显的白色细条纹。

采集记录:1♀，留坝庙闸口石，1800～1900m，1998. Ⅶ. 20，张学忠采；1♀，留坝大洪渠，2500m，1998. Ⅶ. 20，姚建采。

分布:陕西(留坝)、甘肃。

(59)亚柯虻 *Tabanus subcordiger* Liu, 1960

Tabanus subcordiger Liu, 1960: 13.

鉴别特征:体长14～15mm，灰黑色种。雌虫头部复眼无带。前额黄灰色，高度约为基宽的4倍，基部略窄于端部。基胛黑色或黑棕色，方形，两侧与眼稍有距离。中胛黑色，略呈卵圆形，与基胛分离。亚胛黄灰色。颊上部1/5棕色、其余部分及颜灰白色。触角柄节、梗节黑色，鞭节红棕色，基环节宽扁，端环节细窄，有时环节部分黑色。下颚须第2节白色，粗壮，长度约为宽度的1.50倍。胸部背板及小盾片均为黑色，具3条不甚明显的白色条纹。侧板具白色及少量黑色毛。翅前胛黑色。翅透明，R_4 脉无附脉。足股节灰色，前足径节基部1/2，中后足胫节的大部皆呈黄色，跗节黑色。腹部背板黑色，中央具灰色三角形条纹，两侧具灰白色斜方形斑，每节后缘有细白带。腹板灰色，有时中央具黑色或棕黑色条纹，直达后缘。

分布：陕西（周至、略阳、留坝、佛坪）、吉林、辽宁、内蒙古、北京、河北、山西、山东、河南、宁夏、甘肃、江苏、安徽、浙江、湖北、四川、贵州、云南；朝鲜。

（60）天目虻 *Tabanus tienmuensis* Liu，1962

Tabanus tienmuensis Liu，1962：126.

鉴别特征：体长11～13mm。雌虫前额灰色，高度为基宽6倍，顶宽为基宽1.50倍。基胛黑色，呈长方形，上端与下端皆有3个锯齿，两侧与眼分离。中胛呈矛头状，黑色，与基胛分离，基胛与亚胛分离。亚胛具黄色光泽；颜及颊灰色，上侧颜在亚胛下方棕色。触角柄节、梗节黄色；鞭节橙色，背缘具直角突。下颚须灰白色，第2节窄长，基部被白毛，端部被黑毛。中胸背板黑灰色，覆黑毛及白毛，小盾片覆白色粉被及白毛，侧板灰色，具白毛。翅前胛浅棕色。前足股节黑色被黑毛，中、后足股节黑色，被白毛；胫节白色被白毛，前足胫节端部1/5黑色，被黑毛；跗节黑色，被黑毛。翅脉棕色，R_4脉无附脉；平衡棒棕黑色。腹部背板黑色，每节后缘具白带，第1背板两侧有白斑，第2、3背板白带两侧略突起，形成侧点，第1、2背板后缘白带不甚清晰，第3、4背板的白带中央稍突起。

分布：陕西（周至、留坝、佛坪）、河南、甘肃、安徽、浙江、江西、湖南、福建、广东、广西、四川、贵州、云南。

（61）渭河虻 *Tabanus weiheensis* Xu *et* Liu，1980

Tabanus weiheensis Xu *et* Liu，1980：481.

鉴别特征：体长17～18mm，黑色种。头部复眼具3带。额灰色，高为基宽的7～8倍，端部明显宽于基部。基胛黑色，柱状，两侧与眼分离，上端有粗的延线。亚胛、颊、颜为灰色。触角柄节及梗节黄棕色；鞭节基环节宽扁，红棕色，背缘具明显的锐角，端环节棕色。下颚须第1节灰色，具长白毛，第2节浅黄棕色，密覆短黑毛。口毛白色。胸部盾片及小盾片黑色，具弱光泽，覆灰色薄粉被，并具黑毛及白毛。盾片具不甚明显的3条灰色条纹。胸侧板及胸腹板灰色。足股节黑色，胫节棕色，跗节黑色。平衡棒棕色。翅透明，R_4脉具不明显的短附脉，前缘室黄色。腹部背板黑色，有弱的光泽及黑毛，每节后缘具浅色细横带，中央扩大为不甚明显的三角形斑。腹板同背板，具有白毛，每节后缘的浅色细横带不清晰。

采集记录：1♀，凤县红岭林场，1600～1800m，1973. Ⅶ. 23，张学忠采；1♀，佛坪上沙窝，900～1200m，2008. Ⅶ. 06，刘万岗采；1♀，宁陕平和梁，2020m，1998. Ⅶ. 29，于广志采。

分布:陕西(宝鸡、凤县、佛坪、宁陕)、甘肃、湖北。

(62)亚布力虻 *Tabanus yablonicus* Takagi, 1941

Tabanus yablonicus Takagi, 1941: 76.

鉴别特征:体长8mm。雌虫小型灰色种。复眼无带。前额具黄灰色或灰色粉被,高度约为基宽的5.00~5.50倍,基部窄于端部。基胛黑色光泽,方形,基部有3个角,均与亚胛和眼分离。中胛黑色,矛头状,与基胛以窄线相连。亚胛光裸,棕灰色。颊端部稍棕灰色,其余部分及颜灰色。触角完全橙色;鞭节背缘具明显的钝突,缺刻浅。下颚须第2节黄白色,基部主要覆白毛,端部多黑毛。中胸背板黑色、具浅灰色粉被,具3条细而不甚明显的条纹,小盾片色同背板。侧板灰色。翅前胛稍带棕色。足黑色;前足股节端部稍带棕色,胫节基部1/2白色;中、后足胫节黄棕色。翅透明,R_4脉无附脉;平衡棒棕黄色。腹部黑色,背板具灰色粉被及黑毛,有3列不甚明显的浅灰色斑,每节后缘具浅黄白色细横带。腹板黑灰色,每节后缘亦有浅黄色细带。雄虫下颚须覆黄白色长毛,夹杂几根黑毛。

分布:陕西(秦岭)、黑龙江、吉林、辽宁、北京、河南、浙江、湖北、福建、重庆、四川、贵州、云南。

参考文献

Bigot, J. M. F. 1880. Dipteres nouveaux ou peu connus. 13e partie. XX. Quelques Dipteres de Perse *et* du Caucase. *Annales de la Societe Entomologique de France*, (5) 10: 139-154.

Chen, S-H. and Quo, F. 1949. On the Opisthacanthous Tabanidae of China. *Chinese Journal of Zoology*, 3: 1-10.

Enderlein, G. 1922. Ein neues Tabanidensystem. *Mitteilungen aus dem Zoologischen Museum in Berlin*, 10: 333-351.

Kröber, O. 1929. Indo-australische Chrysopini. *Zoologische Jahrbiicher Abteilung fiir Systematik Okologie und Geographic der Tiere*, 56: 463-528.

Kröber, O. 1933. Schwedisch-chinesische wissenschaftliche Expedition nach den nortwestlichen Provinzen Chinas, unter Leitung von Dr. Sven Hedin und Prof. Su Ping chang. Insekten gesammelt vom schwedischen Arzt der Expedition Dr. David Hummel 1927-1930. 14. Dipter. 6. Tabaniden, Thereviden und Conopiden. *Arkiv for Zoologi*, 26 A(8), 18 pp.

Li, S -S. and Yang, Z-D. 1991. A new species of *Haematopota* from Shaanxi, China (Diptera: Tabanidae). *Acta Zootaxonomica Sinica*, 16(4): 459- 461. [李树森, 杨祖德. 1991. 陕西麻虻一新种(双翅目: 虻科). 动物分类学报, 16(4): 459- 461.]

Linnaeus, C. 1767. *Systema Naturae* Ed. 12 (revised.). Vol. 1(2): 533-1327 + [37] L. SalVII, Holmiae [= Stockholm].

Liu, W-T. 1958. Uber die *Chrysozona* bremsen aus China. *Acta Zoologica Sinica*, 10(2): 151-160. [刘

维德. 1958. 中国麻翅虻属记述. 动物学报, 10(2): 151-160.]

Liu, W-T. 1960. Three new species of tabanid flies from China. *Acta Zoologica Sinica*, 12(1): 12-15. [刘维德. 1960. 中国虻科三新种. 动物学报, 12(1): 12-15.]

Liu, W-T. 1962. On the Tabanid flies from the districts of Yangtze Valley. *Acta Zoologica Sinica*, 14(1): 119-129. [刘维德. 1962. 长江流域虻科区系. 动物学报, 14(1): 119-129.]

Liu, Z-J., Wang, J- G. and Xu, R-M. 1990. A new species of *Hybomitra* (Diptera: Tabanidae) from China. *Entomotaxonomia*, 12(1): 57-59. [刘增加, 王建国, 许荣满. 1990. 我国瘤虻属一新种记述(双翅目:虻科). 昆虫分类学报, 12(1): 57-59.]

Loew, H. 1858. Beschreibung einiger japanischen Dipteren. *Wiener Entomologische Monatschrift*, 2: 100-112.

Meigen, J. W. 1803. Versuch einer neuen Gattungs-Eintheilung der europaischen zweiflugligen Insekten. *Magazin fiir Insektenkunde*, 2: 259-281.

Murdoch, W. P. and Takahasi, H. 1969. The female Tabanidae of Japan, Korea and Manchuria. The life history, morphology, classification, systematics, distribution, evolution and geologic history of the family Tabanidae (Diptera). *Memoirs of the Entomological Society of Washington*, 6: 1-230.

Osten Sacken, C. R. 1876. Prodrome of a monograph of the Tabanidae of the United States. Part 2. The genus *Tabanus. Memoirs of the Boston Society of Natural History*, 2: 421- 479.

Ôuchi, Y. 1940. Diptera Sinica. Tabanidae Ⅱ. Note on some horseflies belongs to genus *Haematopota* with new descriptions from China and Manchoukou. *The Journal of the Shanghai Science Institute* (Ⅲ), 4: 253-263.

Ôuchi, Y. 1943a. Diptera Sinica. Tabanidae Ⅲ. A new species of the genus *Chrysops* from East China. *Shanghai Sizenkagaku Kenkyusyo Iho.* (*In Japanese*), 13(6): 475- 476.

Ôuchi, Y. 1943b. Diptera Sinica. Tabanidae Ⅳ. Notes on some Tabanid flies belonging to the subfamilies Tabaninae and Bellardiinae from East China. *Shanghai Sizenkagaku Kenkyusyo Iho.* (*In Japanese*), 13(6): 505-552.

Pandelle, L. 1883. Synopsis des Tabanides de France. *Revue d'Entomologie*, 2: 165-228.

Pechuman, L. L. 1943. Two new *Chrysops* from China (Diptera: Tabanidae). *Proceedings of the Entomological Society of Washington*, 45: 42- 44.

Philip, C. B. 1956. Records of horseflies in Northeast Asia (Diptera: Tabanidae). *Japanese Journal of Sanitary Zoology*, 7: 221-230.

Philip, C. B. 1960. Malaysia parasites XXXV Descriptions of some Tabanidae (Diptera) from the far East. *Studies from the Institute formedical Research*, *Federations ofmalaya*, 29: 1-32.

Philip, C. B. 1979. Further notes on Far Eastern Tabanidae (Diptera) Ⅵ. New and little-known species from the Orient and additional records, Paracuarly from Malaysia. *Pacific Insects*, 21(2-3): 179-202.

Pleske, T. 1910. Beschreibung einiger noch unbekannter palaearktischer Chrysops-Arten (Diptera: Tabanidae). *Annuaire du Musee Zoologique der Academic des Sciences de Russie*, *St. Petersbourg*, 15: 457- 473.

Portschinsky, J. A. 1887. Diptera europaea et asiatica nova aut Minus cognita. Ⅵ. *Horae Societatis. Entomologicae Rossicae*, 21: 176-200, pl. 6.

Schiner, I. R. 1868. Diptera. 6 + 388 pp., 4 pls. *In* Wullerstorf-Urbair, B. von (in charge), *Reise der österreichischen Fregatte Novara. Zoology 2*, *abt. 1*, *sect. B. K.* Gerold's Sohn, Wien.

Shiraki, T. 1932. Some Diptera in the Japanese Empire, with descriptions of new species (1). *Transac-*

tions of the Natural History Society of Formosa, 22: 259-280.

Szilády, Z. 1915. Subgenus *Ochrops*, eine neue Untergattung der Gattung Tabanus L. 1761 (Dipt.). *Entomologische Mitteilungen*, 4: 93-106.

Szilády, Z. 1923. New or little know horseflies (Tabanidae). *Biologica Hungarica* , 1(1): 1-39, 1 pl.

Szilády, Z. 1926. Dipterenstudien. *Annales Musei Nationalis Hungarici*, 24: 586-611.

Takagi, S. 1941. *Tabanidae of the North Manchuria*. Report of the Institute for Horse-Diseases. The Institute of Scientific Research, Manchoukuo, No. 2, 94.

Walker, F. 1848. *List of the Specimens of Dipterous Insects in the Collection of the British Museum*, *Part* 1. London, 229.

Walker, F. 1856. Diptera. Part 5, pp. 415-474. *In* Saunders, W. W. (ed.), *Insecta Saundersiana*: *or characters of undescribed insects in the collection of William Wilson Sauders*, Esq., F. R. S., F. L. S., c. Vol. 1. Van Voorst, London. 474.

Wang, Z-M. 1981. New species of *Hybomitra* from Sichuan (Diptera: Tabanidae). *Acta Zootaxonomica Sinica*, 6(3): 315-319. [王遵明. 1981. 四川省瘤虻属新种(双翅目: 虻科). 动物分类学报, 6(3): 315-319.]

Wang, Z-M. 1983. *Economic Insect Fauna of China Fasc.* 26 *Diptera*: *Tabanidae*. Science Press, Beijing. 1-128. [王遵明. 1983. 中国经济昆虫志 第二十六册 双翅目虻科. 北京:科学出版社, 1-128.]

Wang, Z-M. 1985. Two new species of Tabanidae from Qinling Mountains region of Shaanxi Province, China (Diptera: Tabanidae). *Sinozoologia*, 3: 175-178. [王遵明. 1985. 秦岭虻科二新种(双翅目: 虻科). 动物学集刊, 3: 175-178.]

Wang, Z-M. 1994. *Economic Insect Fauna of China Fasc.* 45 *Diptera*: *Tabanidae*. Science Press, Beijing. 1-196. [王遵明. 1994. 中国经济昆虫志 第四十五册 双翅目虻科(二). 北京: 科学出版社, 1-196.]

Xu, R-M. 1979. New species of *Tabanus* from China (Diptera: Tabanidae). *Acta Zootaxonomica Sinica*, 4(1): 39-50. [许荣满. 1979. 我国虻属的新种记述(双翅目: 虻科). 动物分类学报, 4(1): 39-50.]

Xu, R-M. 1980. New species of *Haematopota* from China (Diptera: Tabanidae). *Acta Zootaxonomica Sinica*, 5(2): 185-191. [许荣满. 1980. 我国麻虻属的新种记述(双翅目: 虻科). 动物分类学报, 5(2): 185-191.]

Xu, R-M. 1980. Three new species of Tabanidae from Sichuan, China (Diptera). *Zoological Research*, 1(3): 397-404. [许荣满. 1980. 四川虻科三新种(双翅目). 动物学研究, 1(3): 397-404.]

Xu, R-M. 1983. Three new species of *Tabanus* from China (Diptera: Tabanidae). *Acta Zootaxonomica Sinica*, 8(1): 86-90. [许荣满. 1983. 我国原虻属三新种记述(双翅目:虻科). 动物分类学报, 8(1): 86-90.]

Xu, R-M. 1985. Two new species of *Hybomitra* from Shaanxi, China (Diptera: Tabanidae). *Entomotaxonomia*, 7(1): 9-12. [许荣满. 1985. 陕西瘤虻属二新种(双翅目: 虻科). 昆虫分类学报, 7(1): 9-12.]

Xu, R-M. 1989. The Chinese species of *Haematopota* Meigen (Diptera: Tabanidae). *Acta Zootaxonomica Sinica*, 14(3): 364-371. [许荣满. 1989. 中国的麻虻属(双翅目: 虻科). 动物分类学报, 14(3): 364-371.]

Xu, R-M. and Jin, Y-Q. 1990. A new species of *Hybomitra* from Qinghai, China (Diptera: Tabanidae).

Acta Zootaxonomica Sinica, 15(2): 222-225. [许荣满, 靳云麒. 1990. 青海瘤虻属一新种(双翅目: 虻科). 动物分类学报, 15(2): 222-225.]

Xu, R-M, Li, S-S. and Yang, Z-D. 1987. A new species of *Haematopota* from Shaanxi, China (Diptera: Tabanidae). *Acta Zootaxonomica Sinica*, 12(2): 200-201. [许荣满, 李树森, 杨祖德. 1987. 陕西麻虻属一新种(双翅目: 虻科). 动物分类学报, 12(2): 200-201.]

Xu, R-M. and Li, Z-C. 1982. Two new species of *Hybomitra* from China (Diptera: Tabanidae). *Zoological Research*, 3(增刊): 93-95. [许荣满, 李忠诚. 1982. 瘤虻属二新种记述(双翅目: 虻科). 动物学研究, 3(Suppl.): 93-95.]

Xu, R-M. and Liu, Z-J. 1980. Two new species of *Tabanus* from Shanxi (Diptera: Tabanidae). *Zoological Research*, 1(4): 479-482. [许荣满, 刘增加. 1980. 陕西原虻属二新种记述(双翅目:虻科). 动物学研究, 1(4): 479-482.]

Xu, R-M. and Liu, Z-J. 1982. Two new species of *Tabanus* from Gansu (Diptera: Tabanidae). *Zoological Research*, 3(Suppl.): 97-100. [许荣满, 刘增加. 1982. 甘肃原虻属二新种记述(双翅目: 虻科). 动物学研究, 3(增刊): 97-100.]

Xu, R-M. and Liu, Z-J. 1985. Four new species of *Hybomitra* from Gansu, China (Diptera: Tabanidae). *Acta Zootaxonomica Sinica*, 10(2): 169-175. [许荣满, 刘增加. 1985. 甘肃瘤虻属四新种记述(双翅目: 虻科). 动物分类学报, 10(2): 169-175.]

Xu, R-M., Lu, K. and Wu, Y-Q. 1990. A new species of *Tabanus* from Shanghai, China (Diptera: Tabanidae). 93-95. In: Yu, Y-X (ed.). *Contributions to Blood-sucking Diptera Insects*, *2*. Shanghai Scientific and Technical Publishers, Shanghai. 1-118. [许荣满, 路逵, 吴元钦. 1990. 陕西省虻属一新种记述(双翅目:虻科). 93-95. 见:虞以新. 吸血双翅目昆虫调查研究集刊(第二集). 上海: 上海科学技术出版社, 1-118.]

Xu, R-M. and Sun, Y. 2013. *Fauna Sinica Insecta Vol. 59 Dipterea Tabanidae.* Science Press, Beijing. 1-870. [许荣满, 孙毅. 2013. 中国动物志 昆虫纲 第五十九卷 双翅目虻科. 北京: 科学出版社, 1-870.]

Yu, Y-X. 1990. *Contributions to Blood-sucking Diptera Insects*, *2*. Shanghai Scientific and Technical Publishers, Shanghai. 1-118. [虞以新. 1990. 吸血双翅目昆虫调查研究集刊(第二集). 上海: 上海科学技术出版社, 1-118.]

Yu, Y-X. 1993. *Contributions to Blood-sucking Diptera Insects*, *3*. Shanghai Scientific and Technical Publishers, Shanghai. 1-227. [虞以新. 1993. 吸血双翅目昆虫调查研究集刊(第三集). 上海:上海科学技术出版社, 1-227.]

十四、木虻科 Xylomyidae

张婷婷[1]　杨定[2]

(1. 山东农业大学植保学院, 泰安 271018; 2. 中国农业大学昆虫系, 北京 100193)

鉴别特征: 小至中型(体长 4～20mm)。体细长, 有短毛而无鬃, 多黑色有黄斑。

两性复眼分开，光裸无毛，小眼面大小一致；额一般向头顶变窄。唇基突起，近梯形。触角较长，鞭节分8亚节，末端尖。口器发达，肉质；须1~2节。胸部背面稍隆起；前胸腹板与前胸侧板愈合，形成基节前桥。后足比前中足长，后足基节基部有1个腹突；胫节矩式0-2-2；爪间突垫状。翅瓣发达；前缘脉终止于 M_2 末端处或之前，R_1 与 R_{2+3}末端较远离，Rs 柄较短，R_{4+5}分叉，R_5 终止于翅端，M_2 存在；第4后室关闭，盘室大而长，臀室在翅缘附近关闭。腹部可见7~8节，第1节背板多有1膜质区域。雄性腹端第10背板和下生殖板不存在，生殖基节在腹面较窄的愈合；生殖基节与生殖突愈合，无明显分界线；无阳茎鞘。雌尾须2节；精囊3个，共同的导管长，中精囊特化成大的腺囊。

生物学：成虫发生在林区；幼虫捕食性，发生在树皮下面。幼虫身体背腹扁平，分11节。头部有些宽，部分缩入胸内；前胸和中胸背板有1片光滑的区域。两端气门式呼吸。

分类：世界性分布。全世界已知5属140余种，中国已知3属37种，陕西秦岭地区分布2属2种。研究标本保存在中国农业大学昆虫博物馆(CAU)。

分属检索表

后足股节膨大，腹面具小齿 ………………………………………… **粗腿木虻属 *Solva***
后足股节细长，腹面无小齿 ………………………………………… **木虻属 *Xylomya***

1. 粗腿木虻属 *Solva* Walker, 1860

Solva Walker, 1859: 98. **Type species**: *Solva inamoena* Walker, 1859.
Subulonia Enderlein, 1913: 545. **Type species**: *Subulonia truncativena* Enderlein, 1913.
Prista Enderlein, 1913: 546. **Type species**: *Subula vittata* Doleschall, 1859.
Ceratosolva de Meijere, 1914: 21. **Type species**: *Ceratosolva cylindricornis* de Meijere, 1914.
Parathropeas Brunetti, 1920: 108. **Type species**: *Parathropeas thereviformis* Brunetti, 1920.
Hanauia Enderlein, 1920: 281. **Type species**: *Xylophagus mardinatus* Meigen, 1820.
Phloophila Hull, 1945: 263. **Type species**: *Subula pallipes* Loew, 1863.

属征：体中到大型，细长。两性复眼均分离，裸，小眼面大小一致。额两侧几乎平行或向头顶汇聚。触角较长；柄节稍长于梗节，鞭节每小节均宽大于长，通常第1鞭节稍粗且加长。须发达，2节。小盾片无刺；后足股节通常膨大，腹面具小齿(北方粗腿木虻 *Solva varia* 除外)；胫节矩式0-2-2。腹部较窄，第1节基部具大的半圆形膜质区(基黄粗腿木虻 *Solva basiflava* 除外)。雄性外生殖器第9背板无背针突；尾须通常细小；第10腹板结构简单；第8腹板端部不分成两部分。

分布：古北区，东洋区，澳洲区。全世界已知96种，中国已知22种，秦岭地区分布1种。

(1)中突粗腿木虻 *Solva mera* Yang *et* Nagatomi，1993(图 139)

Solva mera Yang *et* Nagatomi，1993：44.

鉴别特征：头部黑色，被淡灰粉。喙黄色；须淡黄色，第 2 节长为第 1 节的 2 倍。胸部黑色，被淡灰粉；肩胛除前后部外呈黄色；小盾片(除侧边外)黄色。中侧片上缘有 1 条窄的黄色带，在翅基前变宽。足黄色，但后足基节稍带褐色到暗褐色，后足膝褐色到暗褐色；后足股节端腹部黑色，后足胫节端半部黑色；前中足第 2～5 跗节(包括第 1 跗节端部)和后足第 5 跗节暗色；后足股节宽为长的 0.18 倍，为后足胫节宽的 2 倍，腹面有 2 列黑齿。腹部黑色，但第 2～4 背板后缘黄褐色。雄性第 9 背板呈方形，基部有 1 块明显凹缺；尾须短，端部圆钝；生殖基节端部分 2 叶，端部钝，外叶近基部被粗毛；生殖基节腹面愈合部呈点状；生殖基节间有 1 个长"V"形的腹股片；阳茎复合体大，基部凹，有 1 个长且弯的腹突。

采集记录：1♂，秦岭，1962. Ⅷ. 06，李法圣采(CAU)。

分布：陕西(秦岭)。

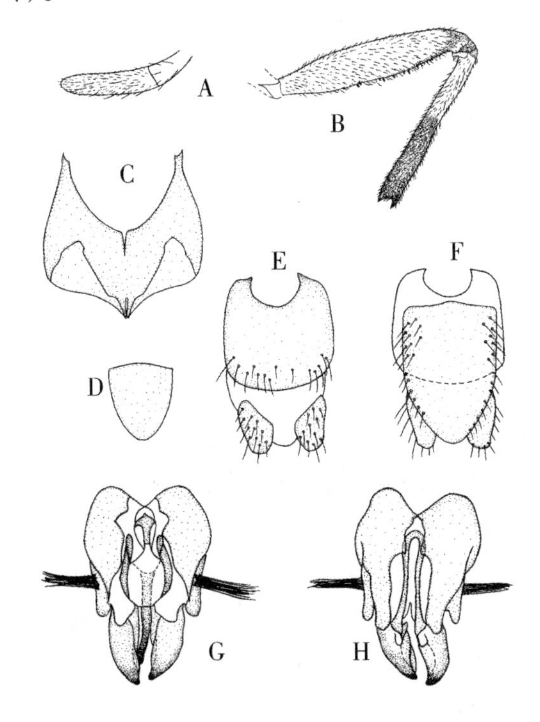

图 139　中突粗腿木虻 *Solvamera* Yang *et* Nagatomi

A. 须侧面观(palpus，lateral view)；B. 后足股节和胫节前面观(hind femur and tibia，frontal view)；C. 第 8 背板(tergite 8)；D. 第 8 腹板(sternite 8)；E. 第 9 背板、第 10 腹板和尾须背面观(tergite 9，sternite 10 and cerci，dorsal view)；F. 第 9 背板、第 10 腹板和尾须腹面观(tergite 9，sternite 10 and cerci，ventral view)；G. 生殖体背面观(genital capsule，dorsal view)；H. 生殖体腹面观(genital capsule，ventral view)

2. 木虻属 *Xylomya* Rondani, 1861

Xylomya Rondani, 1861: 11. **Type species**: *Xylophagus maculatus* Meigen, 1804.

Macroceromya Bigot, 1877: 101. **Type species**: *Macroceromya fuviventris* Bigot, 1877.

Subulaomyia Williston, 1896: 546. **Type species**: *Xylophagus maculatus* Meigen, 1804.

Nematoceropsis Pleske, 1925: 175. **Type species**: *Nematoceropsis ibex* Pleske, 1925.

属征:体中到大型,细长。两性复眼均分离,裸,小眼面大小一致。额向头顶汇聚。触角较长;柄节稍长于梗节,鞭节每小节均宽大于长。须1节。小盾片无刺。后足股节细长,股节腹面无小齿。胫节矩式0-2-2。腹部较窄,腹部第1节基部无大的半圆形膜质区。雄性外生殖器第9背板具背针突;尾须通常宽大;第10腹板端部分为3叶;第8腹板端部分成2叶。

分布:除非洲区和澳洲区无分布外其他区均有分布,以古北区为主。全世界已知37种,中国已知11种,秦岭地区分布1种。

(2)中华木虻 *Xylomya sinica* Yang *et* Nagatomi, 1993(图140)

Xylomya sinica Yang *et* Nagatomi, 1993: 80.

鉴别特征:头部黑色,被淡灰粉。喙黄色,基部暗褐色至黑色,被淡黄毛。须黄色,基部褐色,被淡黄毛。胸部黑色,被淡灰粉。中胸背板有1对窄的黄色中纵斑伸达黄色的肩胛,中缝前还有1对黄色侧斑与中纵斑相连,1对黄色前侧斑与肩胛相连及黄色后侧斑(包括翅后胛);小盾片中后部黄色。中侧片上部和后部,腹侧片上后部黄色;侧背片黑色,具1个黄斑。胸部毛淡黄色。足黄色,但基节部分黑色,转节全黑色;后足股节和胫节端部1/2为黑色;第2~5跗节为黑色;足上毛淡黄色和黑色。翅淡黄色,端部明显褐色至暗褐色;翅脉褐色至暗褐色。平衡棒黄色。腹部黑色,被淡灰粉,但第1背板侧缘和第2~8背板后缘黄色。雄性外生殖器第9背板背针突长;尾须长大于宽;第10腹板有1个宽的中突和2个长的侧突,侧突向内弯,端部宽;第8腹板端部分为两叶;生殖基节背叶突然变窄,端部尖;第9腹板基部凹,具端部为齿状的后中突;生殖刺突大,近方形。

采集记录:2♀,南五台,1957.Ⅷ(CAU),采集人不详;1♀,周至老县城,2057m,2014.Ⅷ.19(CAU),采集人不详。

分布:陕西(长安、周至)、四川。

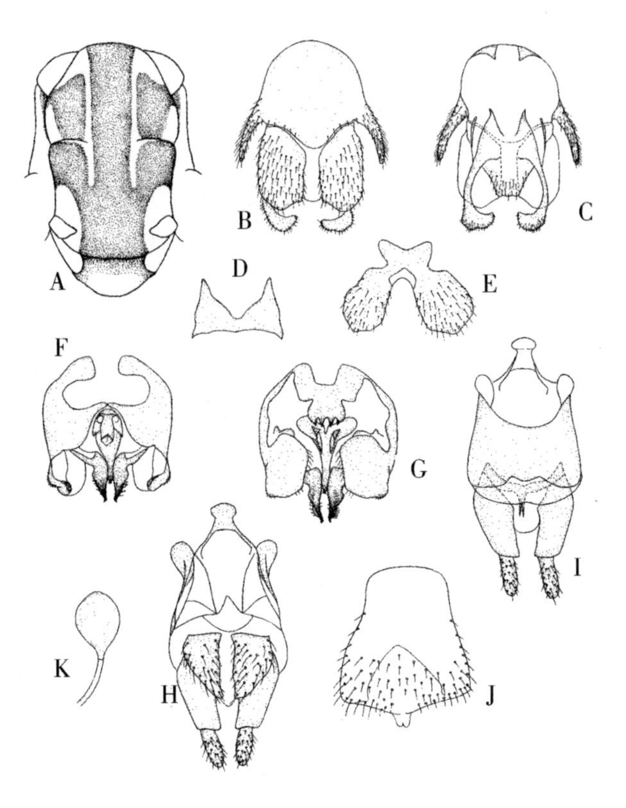

图 140　中华木虻 *Xylomya sinica* Yang *et* Nagatomi

A. 雌虫胸部背面观(female thorax, dorsal view); B–G. 雄虫(male): B. 第9背板、第10腹板和尾须背面观(tergite 9, sternite 10 and cerci, dorsal view); C. 第9背板、第10腹板和尾须腹面观(tergite 9, sternite 10 and cerci, ventral view); D. 第8背板(tergite 8); E. 第8腹板(sternite 8); F. 生殖体背面观(genital capsule, dorsal view); G. 生殖体腹面观(genital capsule, ventral view); H–K. 雌虫(female): H. 雌性生殖器背面观(female genitalia, dorsal view); I. 雌性生殖器腹面观(female genitalia, ventral view); J. 第8腹板(sternite 8); K. 受精囊头部(head of spermatheca)

参考文献

Yang, D. and Nagatomi, A. 1993. The Xylomyidae of China (Diptera). *South Pacific Study*, 14(1): 1-84.

Yang, D., Zhang, T-T. and Li, Z. 2014. Stratiomyoidea of China. China Agricultural University Press, Beijing. 1-870. [杨定, 张婷婷, 李竹. 2014. 中国水虻总科志. 北京:中国农业大学出版社, 1-870.]

十五、水虻科 Stratiomyidae

张婷婷[1]　李竹[2]　杨定[3]
(1. 山东农业大学昆虫系，泰安 271018；2. 北京自然博物馆，北京 100050；
3. 中国农业大学昆虫系，北京 100193)

鉴别特征：体型体色多变。体小到大型（2～25mm），体底色为黄色或黑色，带有黑色、黄色、白色、蓝色或绿色斑，有时身体具有蓝色、绿色、紫色或褐色的金光泽。体型通常背腹扁平，也有的强烈隆突，也有部分种为拟蜂形态。头部球形或半球形，复眼大，通常雄虫接眼式，雌虫离眼式，但在瘦腹水虻亚科及厚腹水虻亚科的部分属中雌雄均为离眼式，复眼裸或被毛。触角鞭节最多 8 节，线状或短缩成盘状，端部具 1 根细长的鬃状触角芒，有时鞭节纺锤形，最末两节形成顶尖的粗芒，也有部分属鞭节具枝状突或第 8 鞭节明显延长且扁平。小盾片具 2～8 根刺，也有的后缘光滑无刺或仅具 1 系列小齿突。翅盘室较小，五边形，相比短角亚目其他科，水虻科的翅脉明显前移。CuA_1 脉从盘室发出或与盘室之间由 m-cu 横脉相连，通常具 2～3 条 M 脉。足通常无距，但距水虻属 *Allognosta* 中足胫节端部有距。腹部瘦长或近圆形，扁平或强烈隆突。身体通常被短小的软毛，无鬃。

生物学：幼虫为典型的半头无足型幼虫，分为陆生型和水生型两种，二者形态有明显区别。陆生型幼虫长卵圆形，较宽，各体节较短，臀节圆钝，有时形成 1 对钝或尖的小突。水生型幼虫较扁，尾部较长，逐渐变细，尾端具 1 圈疏水的羽状冠毛。幼虫绝大部分为腐食性。陆生型幼虫生在潮湿的泥土中、朽木或树皮下，取食腐烂的植物和动物、动物粪便、发酵汁液、真菌孢子或微生物的代谢产物。水生型幼虫取食腐烂的树叶、有机碎屑、藻类，甚至是小型的甲壳类。成虫食性目前没有明确记载，仅有报道在不同的花上发现成虫，推断其可能以花蜜为食。

分类：全世界已知 382 属 3000 余种，中国已知 55 属 348 种，陕西秦岭地区有 14 属 29 种。研究标本保存在中国农业大学昆虫博物馆（CAU）和中国科学院动物研究所昆虫标本馆（IZCAS）。

分属检索表

1. CuA_1 脉从盘室发出 ………………………………………………………… 2
   CuA_1 脉不从盘室发出，与盘室之间有 m-cu 横脉相连 ……………………… 10
2. 触角鞭节 8 小节，呈线状或锥状 ………………………………………………… 3
   触角鞭节不超过 7 节，若为 8 节，则最末 2 节形成触角芒 ……………………… 6

3. 小盾片无刺；中足胫节端部有 1 个端距；触角第 1 鞭节端缘具毛；雄虫接眼式；无 M_3 脉 …………………………………………………………………………………… 距水虻属 *Allognosta*

小盾片 4～8 刺；中足胫节端部无距；触角第 1 鞭节端缘无毛；雄虫复眼和 M_3 脉多样 …… 4

4. 颜中下部膨大；须退化或仅 1 节；雄虫接眼式；触角各节宽大于长；两性复眼均被毛 ……………………………………………………………………………………… 柱角水虻属 *Beris*

颜中下部平；须发达，2 节；雄虫离眼式 …………………………………………………… 5

5. 雄虫额和颜被直立长毛；触角柄节＋梗节与鞭节约等长，柄节约为梗节长的 2 倍，鞭节每小节宽大于长 ……………………………………………………………… 星水虻属 *Actina*

雄虫额和颜被短毛；触角柄节＋梗节短于鞭节，柄节短于梗节长的 2 倍 ……………………………………………………………………………………… 离眼水虻属 *Chorisops*

6. 盘室发出 2 条 M 脉；小盾片具 4 根刺或无刺 ……………………………………………… 7

盘室发出 3 条 M 脉；小盾片具 2 根刺 ……………………………………………………… 9

7. 小盾片后缘有凹缘，具 4 根刺；触角鞭节栗形，长宽大致相等或宽大于长 ……………………………………………………………………………… 等额水虻属 *Craspedometopon*

小盾片无刺或具 1 系列小齿突 ……………………………………………………………… 8

8. 触角鞭节呈肾形 ……………………………………………………… 肾角水虻属 *Abiomyia*

鞭节延长，呈纺锤状 …………………………………………………… 伽巴水虻属 *Gabaza*

9. 触角鞭节 8 节；身体大部分为暗色，无黄斑 ………………………… 鞍腹水虻属 *Clitellaria*

触角鞭节 6 节；身体通常具黄斑 ……………………………………… 盾刺水虻属 *Oxycera*

10. 小盾片无刺 …………………………………………………………………………… 11

小盾片具 2 根刺 ………………………………………………………………………… 13

11. 触角梗节内侧端缘向前突出成指状. ………………………………… 指突水虻属 *Ptecticus*

触角梗节内侧端缘平直，无指状突 ………………………………………………………… 12

12. 体型较大，通常在 7mm 以上。腋瓣具带状结构；cup 室细长，长明显大于宽的 2 倍 ……………………………………………………………………………………… 瘦腹水虻属 *Sargus*

体型较小，通常在 5mm 以下。腋瓣无带状结构；cup 室宽短，长约为宽的 2 倍 ……………………………………………………………………………………… 小丽水虻属 *Microchrysa*

13. M_3 脉弱，明显弱于 M_2 脉或 CuA_1 脉，经常完全消失（盘室发出 2 条脉），M_1 脉也常弱，特别是在基部细弱；触角柄节长至多为梗节的 2 倍 ………………… 短角水虻属 *Odontomyia*

M_3 脉与 M_2 脉和 CuA_1 脉一样发达，M_1 脉也常发达（盘室发出 3 条脉）；触角柄节长为梗节的 3～6倍 ………………………………………………………………… 水虻属 *Stratiomys*

1. 肾角水虻属 *Abiomyia* Kertész, 1914

Abiomyia Kertész, 1914: 529. **Type species**: *Abiomyia annulipes* Kertész, 1914.

属征：头部前面观呈椭圆形，宽大于高；侧面观呈半圆形，高大于长。复眼裸；两性复眼均宽分离。雄虫无眼后眶，雌虫眼后眶窄且下部宽于上部；雄虫上额两侧几乎平行，雌虫向头顶渐宽，两性下额均凹。触角柄节最小，梗节内表面呈三角形或半圆形，向前凸，鞭节肾形，宽大于长，触角芒着生于鞭节端缘中部之上。须 1 节，小且不明显。小盾片三角形，无刺。R_4 脉存在，R_{2+3}脉从 r-m 横脉前发出，r-m 横脉长。腹部宽于胸部，背面拱突，第 2～4 背板尤其在中部几乎愈合；腹部毛稀疏。体毛短而细。

分布：东洋区。全世界已知 4 种，中国已知 2 种，秦岭地区分布 1 种。

（1）褐足肾角水虻 *Abiomyia brunnipes* Yang，Zhang *et* Li，2014（图 141）

Abiomyia brunnipes Yang，Zhang *et* Li，2014：319.

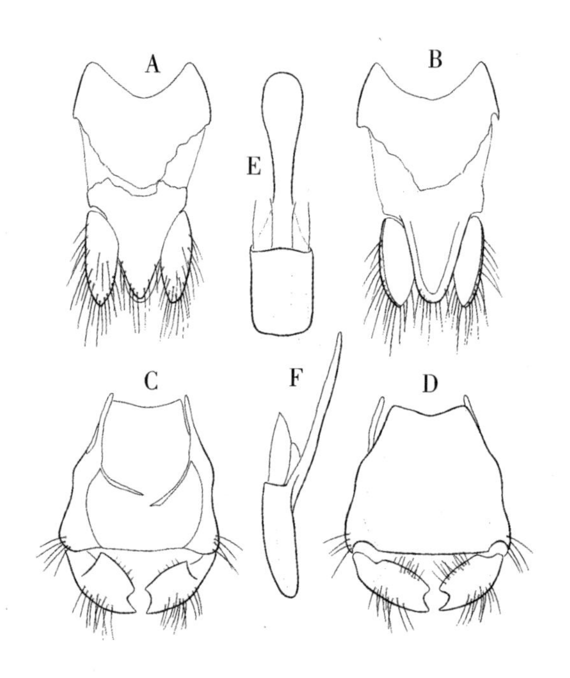

图 141 褐足肾角水虻 *Abiomyia brunnipes* Yang，Zhang *et* Li

A. 第 9～10 背板和尾须背面观（tergites 9-10 and cerci，dorsal view）；B. 第 9 背板、第 10 腹板和尾须腹面观（tergite 9，sternite 10 and cerci，ventral view）；C. 生殖体背面观（genital capsule，dorsal view）；D. 生殖体腹面观（genital capsule，ventral view）；E. 阳茎复合体背面观（aedeagal complex，dorsal view）；F. 阳茎复合体侧面观（aedeagal complex，lateral view）

鉴别特征：体小型。头部亮黑色。复眼红褐色，裸，雌雄均为离眼式；雄虫无眼后眶，雌虫眼后眶侧面观上窄下宽。雄虫额略宽于单眼瘤，雌虫额宽于单眼瘤宽的 3 倍。触角梗节内表面前缘向前突出，鞭节肾形，宽明显大于长；触角黄色，柄节棕黄色，触角芒褐色；触角密被黄色短毛，触角芒明显被黑毛，顶端一小段裸。喙黑色，被黄毛。胸部亮黑色，背板前部强烈上拱；小盾片钝三角形，顶端稍圆，后缘具窄边，上有一系列极小的齿。足黄色，但基节除端部外，前足股节除基部和端部外以及中后足股节端部 1/3（最末端除外）褐色至黄褐色。翅稍带浅褐色；翅痣黄色，不明显；翅脉浅褐色，但翅痣前的 C 脉、Sc 脉和 R 脉褐色。平衡棒浅黄色，基部棕黄色。腹部亮黑色。雄性外生殖器第 9 背板基部边缘具 1 个浅"V"形凹缺；尾须纺锤形，端部尖；生殖基节梯形，基部窄而端部宽；生殖刺突端部具 1 个小凹缺；阳茎复合体端部平截，不分裂。雌虫尾须细，2 节，棕黄色。

采集记录：1♀，长安库峪，897m，2013.Ⅶ.31，李轩昆采(CAU)；1♀，宁陕火地塘，1505m，2013.Ⅶ.13，杨定采(CAU)。

分布：陕西(长安、宁陕)、云南。

2. 星水虻属 *Actina* Meigen, 1804

Actina Meigen, 1804: 116. **Type species**: *Actina chalybea* Meigen, 1804.

Metaberis Lindner, 1967: 86. **Type species**: *Metaberis longicornis* Lindner, 1967.

属征：身体为闪亮的金绿或紫色。两性复眼均分离。雄虫额向头顶渐宽，雌虫额较宽且平行。雄虫头顶、额和颜密被长毛。触角较长；柄节至少为梗节长的 2 倍；柄节与梗节长之和约与鞭节等长；鞭节每小节均宽大于长。须发达，2 节。胸部为闪亮的金绿或金紫色；小盾片具 4 根刺；无胫距。腹部较窄。

分布：古北区，东洋区，澳洲区。全世界已知 33 种，中国已知 23 种，秦岭地区分布 1 种。

(2) 双斑星水虻 *Actina bimaculata* Yu, Cui *et* Yang, 2009(图 142)

Actina bimaculata Yu, Cui *et* Yang, 2009: 296.

鉴别特征：头部黑色，但额和头顶包括单眼瘤大体上有金绿色光泽。复眼暗褐色，裸。触角浅褐色，鞭节最末 1 节深褐色；柄节和梗节被黑毛。喙浅黄色，被黑色和浅色毛；须黄色，但端部暗褐色，被黑毛。胸部黑色，但中胸背板和小盾片具金绿色光泽。肩胛暗褐色，翅后胛浅褐色。小盾刺黄色。足黄色；后足股节最末端浅黑色；后足胫节浅黑色，具暗黄色亚基环；前足跗节全暗褐色，中后足第 3～5 跗节和后足第 1～2 跗节端部暗褐色。翅透明；翅痣深褐色；翅脉深褐色；盘室后部翅脉几乎呈"X"形，M_1 脉和 M_2 脉基部靠近。平衡棒浅黄色，但基部暗黄色。腹部暗褐色，稍带金绿色光泽；第2～3背板各具 1 个黄色中斑。

采集记录：1♀，凤县黄牛铺，1510m，2013.Ⅷ.22，席玉强采(CAU)。

分布：陕西(凤县)、广西。

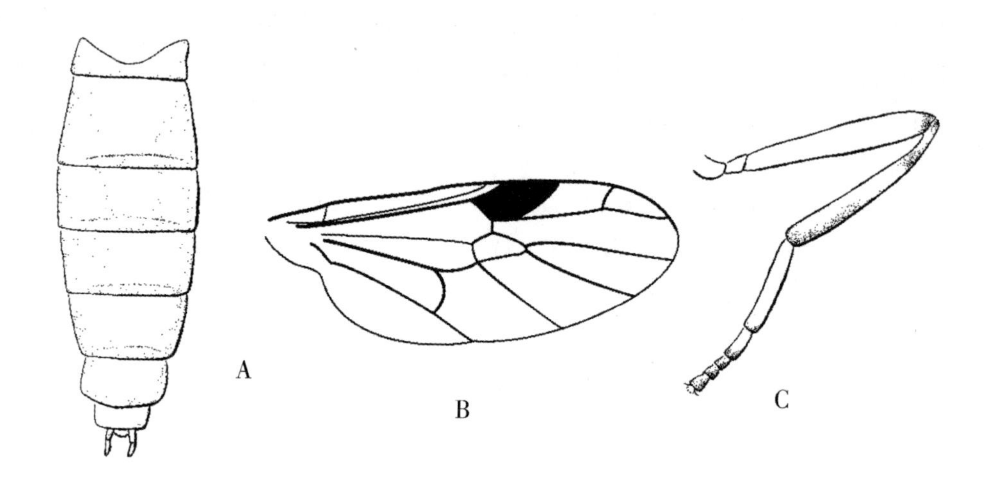

图 142 双斑星水虻 *Actina bimaculata* Yu, Cui *et* Yang
A. 腹部背面观(abdomen, dorsal view); B. 翅(wing); C. 后足前面观(hind leg, frontal view)

3. 距水虻属 *Allognosta* Osten-Sacken, 1883

Allognosta Osten-Sacken, 1883: 297. **Type species**: *Beris fuscitarsis* Say, 1823.

属征:雄虫接眼式;上额三角很小,下额三角较大。雌虫离眼式,额宽约等于复眼宽,或比复眼略窄;额两侧平行,前部稍加宽;额在复眼外稍微或明显凸起。腹部宽,明显背腹扁平;腹部第 2~6 背板具亚端沟。触角明显短于头长;柄节和梗节短,约等长;鞭节明显长于柄节和梗节之和;鞭节每节均宽大于长。小盾片无刺。中足胫节具 1 个端距。翅 M_3 脉退化。

分布:古北区,东洋区,澳洲区。全世界已知63 种,中国已知37 种,秦岭地区分布 2 种。

分种检索表

足黄色,但基节黑色,胫节和跗节暗褐色至黑色,但胫节基部暗黄色,中足第 1 跗节和后足第 1~2跗节暗黄色 ············ **基黑距水虻 *A. basinigra***

足主要为褐色至黑色,但转节颜色较浅,膝黄色;中足第 1 跗节和后足第 1~3 跗节黄色 ············ **奇距水虻 *A. vagans***

(3)基黑距水虻 *Allognosta basinigra* Li, Zhang *et* Yang, 2011(图 143)

Allognosta basinigra Li, Zhang *et* Yang, 2011: 273.

鉴别特征:头部略带亮黑色，被灰白粉。额在复眼后明显突出。雌虫复眼明显分离，暗褐色。额稍宽于复眼。眼后眶在头背面较窄。复眼被稀疏的毛。触角黄褐色，但柄节黑色。喙暗黄色，但中部部分黑色，被黑毛；须浅黑色，但第 2 节暗黄色，被黑毛。胸部浅黑色。肩胛和翅后胛黄褐色。前胸背板、前胸侧板、中侧片前部和上部、腹侧片后上角和下侧片后上部暗黄色。足黄色，但基节黑色，胫节和跗节暗褐色至黑色，但胫节基部暗黄色，中足第 1 跗节和后足第 1 ~2 跗节暗黄色。翅均匀浅灰色，翅痣深褐色，翅脉深褐色；盘室后部宽大于端部宽。平衡棒暗褐色，基部暗黄色。腹部暗褐色，尾须暗黄褐色。

采集记录:1♀，周至厚畛子，2009. Ⅵ. 20，盛茂领采(CAU)。

分布:陕西(周至)。

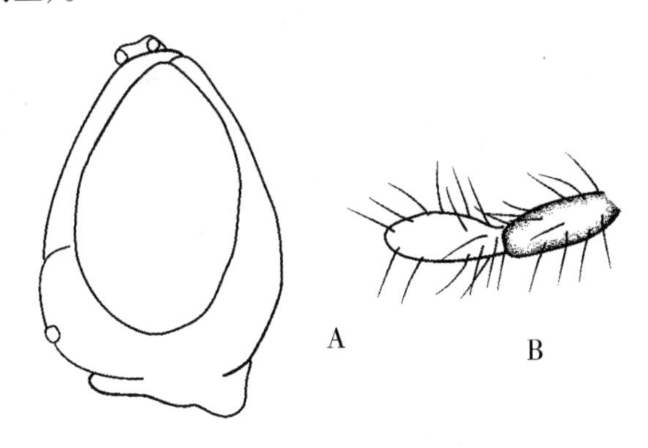

图 143　基黑距水虻 *Allognosta basinigra* Li, Zhang *et* Yang

A. 头部侧面观(head, lateral view)；B. 须侧面观(palpus, lateral view)

(4)奇距水虻 *Allognosta vagans* (Loew, 1873)

Metoponia vagans Loew, 1873: 71.

Allognosta sapporensis Matsumura, 1916: 370.

Allognosta wagneri Pleske, 1926: 416.

Allognosta sinensis Pleske, 1926: 418.

Allognosta vagans: Yang, Zhang & Li, 2014: 195.

鉴别特征:头部黑色，侧面观几乎呈三角形，复眼大，几乎裸。颜被直立的深色长毛。触角褐色，梗节端部和柄节基部黄色至红褐色。须褐色，两节约等长。喙黄褐色，被黑毛。胸部亮黑色，肩胛和翅后胛褐色。足主要褐色至黑色，但转节颜色较浅，膝黄色；中足第 1 跗节和后足第 1 ~3 跗节黄色。翅稍带褐色，翅脉和翅痣褐色。平衡棒深褐色，柄颜色稍浅。腹部全暗褐色至黑色。雄性外生殖器第 9 背板半环形，窄，生殖基节端缘具 2 分叉的中突，生殖刺突端部具尖锐内叶。阳茎复合体短，侧面观强烈弯曲。

采集记录:1♂，宁陕旬阳坝镇(马氏网)，1365m，2013. Ⅷ. 13，席玉强采。

分布:陕西(宁陕)、北京、浙江、湖南、福建、云南;日本,俄罗斯,波兰,捷克,斯洛伐克,匈牙利,奥地利,德国,瑞士。

4. 柱角水虻属 *Beris* Latreille, 1802

Beris Latreille, 1802: 447. **Type species**: *Stratiomys sexdentata* Fabricius, 1781 [= *Musca chalybata* Forster, 1771].

Hexacantha Meigen, 1803: 264. **Type species**: *Musca clavipes* Linné, 1767.

Octacantha Lioy, 1864: 586. **Type species**: *Beris fuscipes* Meigen, 1820.

属征:身体通常密被毛,尤其是雄虫。两性复眼均被毛;雄虫接眼式。雌虫离眼式,额向前部渐宽,中下颜膨大具侧凹洞。触角柄节和梗节短,约等长;鞭节等于或长于柄节与梗节之和。须退化。小盾片具4~8根刺,全金绿色。腹部宽,背腹扁平。

分布:古北区,东洋区,新北区。全世界已知50种,中国已知22种,秦岭地区分布4种。

分种检索表

1. 翅痣浅黄色,不深于翅其他膜质部分 …… 2
   翅痣深褐色,明显深于翅的其他膜质部分 …… 3
2. 触角黑色,但鞭节基部黄褐色;足基节主要为浅黑色,后足股节端部和后足胫节端部褐色 …… **甘肃柱角水虻 *B. gansuensis***
   触角黄褐色,但鞭节顶端褐色至深褐色;足基节、股节和胫节均为黄色 …… **基黄柱角水虻 *B. basiflava***
3. 前足基节黄色,中后足基节淡黑色,后足股节和后足胫节黄色但端部褐色 …… **广津柱角水虻 *B. hirotsui***
   前后足基节黑色,中足基节黄色,后足股节黄色具1个宽的黑色亚端环,后足胫节黑色,但基部暗黄色 …… **洋县柱角水虻 *B. yangxiana***

(5)基黄柱角水虻 *Beris basiflava* Yang *et* Nagatomi, 1992(图144)

Beris basiflava Yang *et* Nagatomi, 1992: 159.

鉴别特征:头部为略带光泽的黑色。头部毛浅黄色,单眼瘤、上颜和颊毛较长;复眼被浅褐色短毛。触角褐黄色,鞭节端部浅褐色。喙浅黄色,被浅黄色长毛。胸部亮金绿色;小盾片具6~7根刺。足黄色,但前中足第2~5跗节、后足第3~5跗节深褐色,前中足第1跗节顶端褐色;后足第1跗节稍膨大。翅透明,略带浅黄色,翅痣浅黄色;M_2脉从盘室发出。平衡棒黄色。腹部褐黄色,端部、第1背板基部和第1腹板褐色。雄性外生殖器第9背板长宽相等,背针突端部向内强烈弯曲;第10背板三角形，基部宽；尾须很短；生殖基节很短，生殖刺突长且弯，端部有1处凹缺；生殖基节愈合部中部宽，中突短，有1处明显的方形凹缺；阳茎复合体两叉，端部变宽，有3个短的背针。

采集记录:2♀，周至太白山，1565m，2013.Ⅷ.13，张韦采(CAU)；2♀，周至太白山，1648m，2014.Ⅷ.11，李轩昆采(CAU)；1♀，眉县蒿平保护站，1177m，2013.Ⅷ.23，席玉强采(CAU)；1♀，宁陕火地塘，1505m，2013.Ⅶ.13，杨定采(CAU)。

分布:陕西(周至、眉县、宁陕)、西藏。

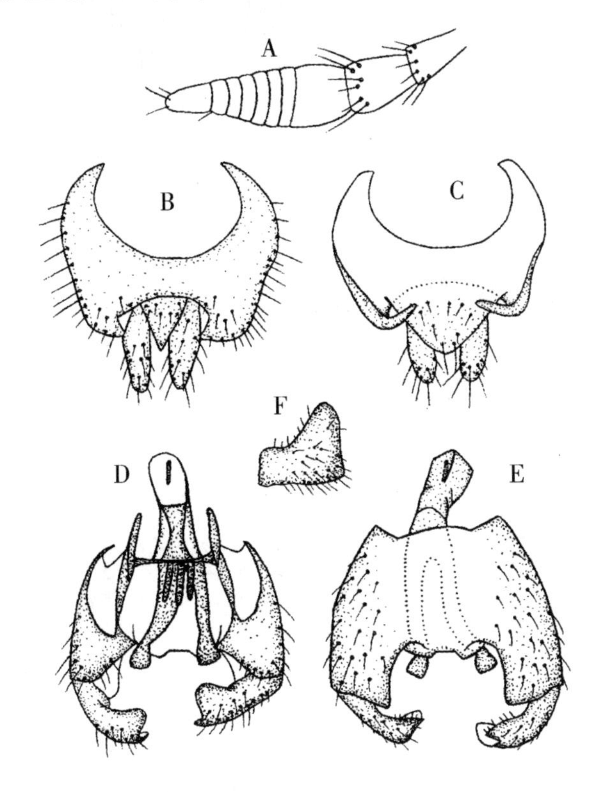

图144　基黄柱角水虻 *Beris basiflava* Yang *et* Nagatomi

A. 触角外面观(antenna, outer view)；B. 第9~10背板和尾须背面观(tergites 9-10 and cerci, dorsal view)；C. 第9背板、第10腹板和尾须腹面观(tergite 9, sternite 10 and cerci, ventral view)；D. 生殖体背面观(genital capsule, dorsal view)；E. 生殖体腹面观(genital capsule, ventral view)；F. 生殖刺突侧面观(gonostylus, lateral view)

(6)甘肃柱角水虻 *Beris gansuensis* Yang *et* Nagatomi, 1992(图145)

Beris gansuensis Yang *et* Nagatomi, 1992: 165.

鉴别特征:头部为略带光泽的黑色，单眼瘤、上颜和颊上毛较长，复眼被浅褐色短毛。触角黑色，鞭节基部褐黄色。喙浅黄色，被浅黄色长毛。胸部亮金绿色；小盾片具6或8根刺。足黄色，基节浅黑色，端部黄色；后足股节端部(除顶尖和腹面表面外)和后足胫节端部褐色;跗节深褐色,但第1跗节黄色,其顶端浅褐色;后足第1跗节明显膨大。翅透明;翅痣浅黄色;M_2 脉从盘室发出。平衡棒黄色。腹部为略带光泽的褐色至深褐色。雄性外生殖器第9背板长宽相等,背针突强烈内弯;第10背板窄,近三角形;尾须短,基部宽;生殖基节很长,具"L"形的生殖刺突;生殖基节愈合部中部宽,中突明显凸伸,端缘近直;阳茎复合体2叉,端部强烈外弯,具3个短的背针。

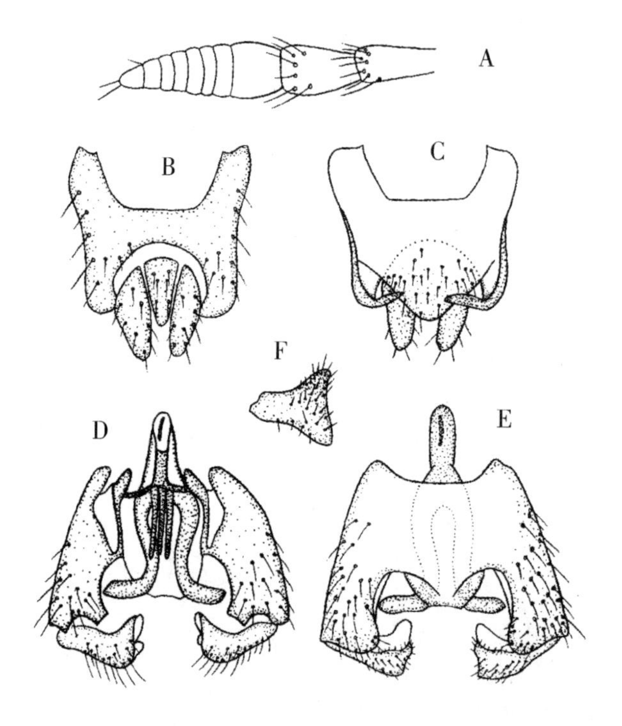

图145 甘肃柱角水虻 *Beris gansuensis* Yang *et* Nagatomi

A. 触角外面观(antenna, outer view); B. 第9~10背板和尾须背面观(tergites 9-10 and cerci, dorsal view); C. 第9背板、第10腹板和尾须腹面观(tergite 9, sternite 10 and cerci, ventral view); D. 生殖体背面观(genital capsule, dorsal view); E. 生殖体腹面观(genital capsule, ventral view); F. 生殖刺突侧面观(gonostylus, lateral view)

采集记录:1♂,眉县蒿平保护站,1177m,2013.Ⅷ.23,席玉强采(CAU)。

分布:陕西(眉县)、甘肃。

(7)广津柱角水虻 *Beris hirotsui* Ôuchi, 1943(图146)

Beris hirotsui Ôuchi, 1943: 487.

鉴别特征:头部为略带光泽的黑色,被黑毛;复眼密被浅褐色短毛。触角黑色,梗节顶端和第2~5鞭节内表面颜色较浅。喙浅黄色,被黄色长毛。胸部亮金绿色;小盾片具8根刺。足黄色,中后足基节淡黑色;后足股节端部(除顶端和腹表面外)

和后足胫节端部褐色；跗节褐色，但第1跗节黄色，末端褐色；后足第1跗节明显膨大。翅淡褐色；翅痣深褐色，亚前缘室端部褐色；M_2脉从盘室发出。平衡棒黄色。腹部为略带光泽的褐色至深褐色。雄性外生殖器第9背板长远大于宽，背针突强烈内弯；第10背板相当窄，近三角形；尾须细长；生殖基节很长，具"L"形的生殖刺突；生殖基节愈合部的中突明显凸伸，并且具1个方形的凹陷；阳茎复合体2叉，端部强烈外弯，有3个短的背针。

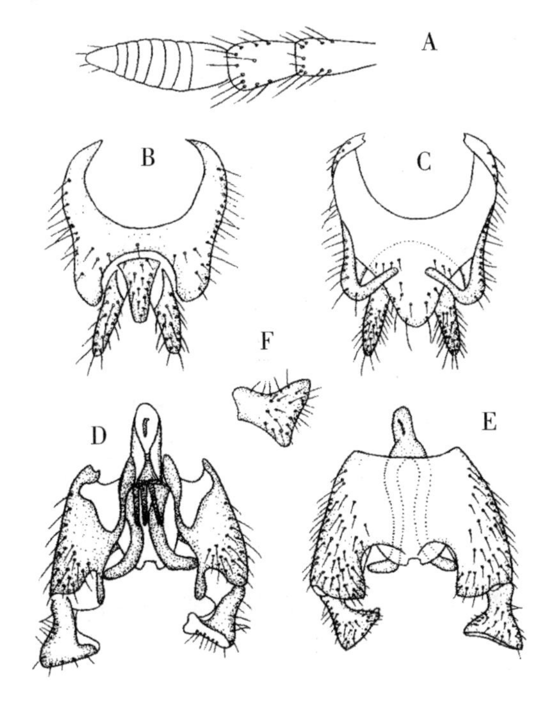

图146　广津柱角水虻 *Beris hirotsui* Ôuchi

A. 触角外面观(antenna, outer view)；B. 第9~10背板和尾须背面观(tergites 9-10 and cerci, dorsal view)；C. 第9背板、第10腹板和尾须腹面观(tergite 9, sternite 10 and cerci, ventral view)；D. 生殖体背面观(genital capsule, dorsal view)；E. 生殖体腹面观(genital capsule, ventral view)；F. 生殖刺突侧面观(gonostylus, lateral view)

采集记录：1♂，眉县蒿平保护站，1177m，2013. Ⅷ. 23，席玉强采(CAU)。

分布：陕西(眉县)、湖北、四川；俄罗斯，日本。

(8)洋县柱角水虻 *Beris yangxiana* Cui, Li *et* Yang, 2010(图147)

Beris yangxiana Cui, Li *et* Yang, 2010: 281.

鉴别特征：头部黑色，被灰粉。复眼红褐色，被稀疏毛。触角(鞭节缺损)黑色；柄节和梗节被黑毛。喙黄色，被浅色毛。胸部金绿色被浅灰粉。小盾片具7根刺。足主要黄色，但前后足基节黑色，中足基节黄色，后足股节具1个宽的黑色亚端环，后足胫节黑色，但基部暗黄色，跗节除第1跗节(不包括后足第1跗节端半部)外黄色。后足第1跗节稍膨大。翅透明，但端部稍带灰色，r_{2+3}室浅色；翅痣深褐色；翅脉深褐色。平衡棒暗黄色。腹部暗褐色，被灰褐色粉。雄性外生殖器第9背板宽明显大于长，基部具大凹缺；尾须较短；生殖刺突短粗，端部钝；生殖基节宽明显大于长，腹面后中部具1对明显的突起；阳茎复合体宽，端部具1对尖的侧突。

采集记录:1♂，洋县长青保护区杉树坪，2006.Ⅶ.29，朱雅君采(CAU)。

分布:陕西(洋县)。

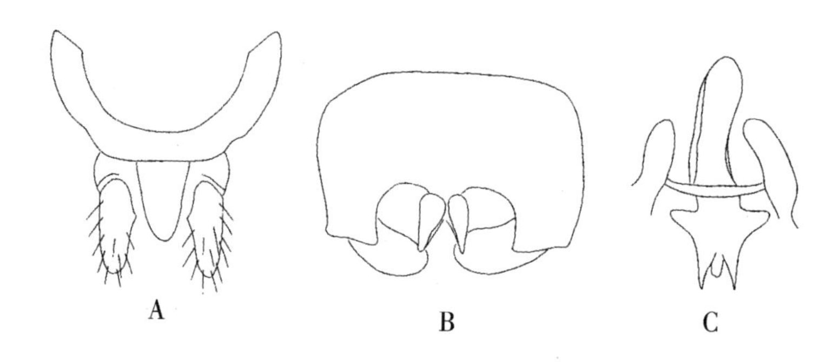

图147　洋县柱角水虻 *Beris yangxiana* Cui, Li *et* Yang

A. 第9～10背板和尾须背面观(tergites 9-10 and cerci, dorsal view)；B. 生殖体腹面观(genital capsule, ventral view)；C. 生殖基节背桥和阳茎背面观(gonocoxal bridge and aedeagus, dorsal view)

5. 离眼水虻属 *Chorisops* Rondani, 1856

Chorisops Rondani, 1856: 173. **Type species**: *Beris tibialis* Meigen, 1820.

属征:头部亮金绿色或金紫色；雄虫复眼窄分离；额向前渐窄，宽为复眼宽的1/4。额被短毛。雌虫复眼宽分离；额两侧几乎平行，宽为复眼宽的1/2。复眼几乎裸。触角柄节细，短于梗节长的2倍，柄节与梗节长之和明显短于鞭节，鞭节8节；须发达，2节。胸部亮金绿色；小盾片具4～6根刺，黄色。无胫距；M_3脉通常退化。腹部较窄。

分布:古北区，东洋区。全世界已知16种，中国已知10种，秦岭地区分布3种。

分种检索表

1. 足股节黄色，端部褐色 ······ **短刺离眼水虻 *C. separata***
   足股节褐色或暗褐色，仅窄的基部黄色 ······ 2
2. 前足第1跗节黄色，仅端部黄褐色 ······ **短突离眼水虻 *C. brevis***
   前足第1跗节褐色 ······ **双突离眼水虻 *C. bilobata***

(9)双突离眼水虻 *Chorisops bilobata* Li, Cui *et* Yang, 2009(图 148)

Chorisops bilobata Li, Cui *et* Yang, 2009: 162.

鉴别特征:头部黑色，但额和头顶包括单眼瘤大体上有亮金绿色光泽。复眼暗褐色。触角柄节浅黑色，梗节浅褐色，鞭节暗黄褐色，但端部黑色；鞭节最末 1 节明显长于梗节。喙黄色，被黑毛；须黄褐色或浅黑色，被黑毛。胸部黑色，但中胸背板和小盾片亮金绿色；小盾片具4 或6 根刺，小盾片后缘和盾刺暗黄色。肩胛和翅后胛暗褐色。足浅黄色，但后足基节暗褐色，后足股节暗褐色，但窄的基部黄色，最末端黑色，后足胫节黑色，但基部暗黄褐色；前足跗节和中后足第 3 ~5 跗节暗褐色。翅稍带浅灰色；翅痣深褐色；翅脉深褐色；M_1 脉和 M_2 脉基部汇聚；M_3 脉极短。平衡棒暗黄色，但球部暗褐色。腹部暗褐色，略带金绿色。雄性外生殖器第 9 背板宽大于长，基部具大凹缺；生殖基节背桥大；生殖刺突端部具弯曲的内叶；阳茎复合体 2 裂，每叶端部呈锯齿状。

采集记录:1♀，周至太白山，1565m，2013. Ⅷ. 13，李轩昆采(CAU)；1♀，凤县黄牛铺，1510m，2013. Ⅷ. 22，席玉强采(CAU)；1♂，佛坪，2006. Ⅶ. 29，朱雅君采(CAU)；1♂，佛坪，2006. Ⅶ. 29，朱雅君采(CAU)；1♀，宁陕广货街保护站，1590m，2013. Ⅷ. 10，席玉强采(CAU)。

分布:陕西(周至、凤县、佛坪、宁陕)。

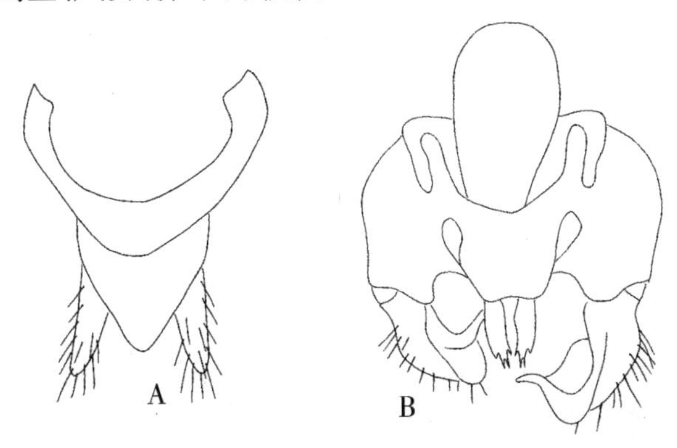

图 148 双突离眼水虻 *Chorisops bilobata* Li, Cui *et* Yang

A. 第9 ~10 背板和尾须背面观(tergites 9-10 and cerci, dorsal view)；B. 生殖体背面观(genital capsule, dorsal view)

(10)短突离眼水虻 *Chorisops brevis* Li, Cui *et* Yang, 2009(图 149)

Chorisops brevis Li, Cui *et* Yang, 2009: 163.

鉴别特征:头部黑色，但额和头顶包括单眼瘤大体上有亮金绿色光泽。复眼暗褐色。触角柄节浅黑色，梗节黄褐色，鞭节褐色，但最末 1 节暗褐色；鞭节最末 1 节稍长于梗节。喙黄色，被黑毛；须浅黑色，被黑毛。胸部黑色，但中胸背板和小盾片亮金绿色；小盾片具4根刺，小盾片后缘和盾刺浅黄色。肩胛和翅后胛暗褐色。足浅黄色，但后足基节褐色，后足股节褐色，但基部黄色，最末端暗褐色，后足胫节暗褐色，但最基部黄色；前足第2～5跗节和中后足第3～5跗节暗褐色。翅浅灰色，r_{2+3}室浅色；翅痣深褐色；翅脉深褐色；M_1脉和M_2脉基部几乎相接。平衡棒浅黄色，但基部暗黄色。腹部暗褐色，略带金绿色。雄性外生殖器第9背板宽大于长，基部具大凹缺；生殖基节背桥大；生殖刺突端部具弯曲的内叶；阳茎复合体具1个极短的中叶和2个极长的侧叶。

采集记录：1♂，柞水沙沟，1406m，2014. Ⅶ.28，唐楚飞采（CAU）。

分布：陕西（柞水）、河南。

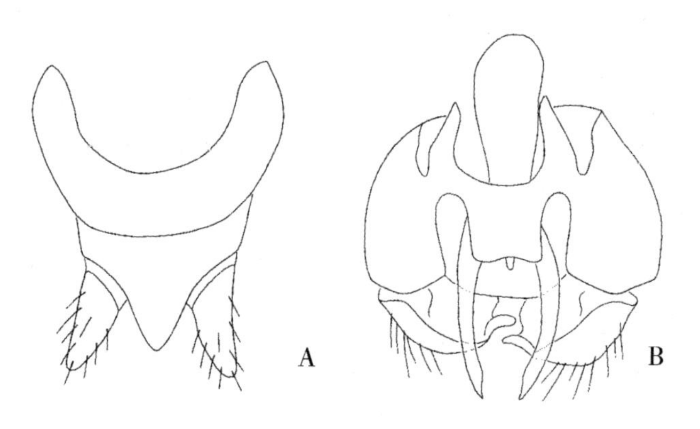

图149 短突离眼水虻 *Chorisops brevis* Li, Cui *et* Yang

A. 第9～10背板和尾须背面观（tergites 9-10 and cerci, dorsal view）；B. 生殖体背面观（genital capsule, dorsal view）

（11）短刺离眼水虻 *Chorisops separata* Yang *et* Nagatomi, 1992（图150）

Chorisops separata Yang *et* Nagatomi, 1992: 169.

鉴别特征：头部黑色，但额和头顶为略带光泽的金紫色。触角柄节褐色，但端部黄色，梗节黄色，鞭节褐黄色但端部3～4节颜色较深；触角被黑毛。喙黄色，被浅黄毛；须至少部分黄色。胸部黑色，中胸背板和小盾片亮金绿色；肩胛和翅后胛黄色至褐黄色；小盾片端缘褐黄色；小盾片具4根刺，内刺长不到小盾片长的1/2。足黄色，后足基节通常为褐黄色；后足股节端部和后足胫节（除基部顶端外）褐色；前足跗节、中足第4～5跗节和后足第3～5跗节褐色至深褐色。翅透明，翅痣深褐色，端部1/2沿纵脉浅褐色，r_1室、r_{2+3}室基部及r_4室浅褐色。平衡棒黄色。腹部褐色至深褐色，被浅黄毛。雌性外生殖器尾须第1节明显比第2节粗；生殖叉长大于宽，后端分开，具两个巨大的叶。

采集记录：4♀，周至太白山，1648m，2014. Ⅷ.11，李轩昆采（CAU）；1♂，宁陕火地塘林场，1108m，2013. Ⅷ.15，席玉强采（CAU）；3♀，秦岭，1962. Ⅷ.05-06，杨集昆采（CAU）。

分布:陕西(周至、宝鸡、宁陕)。

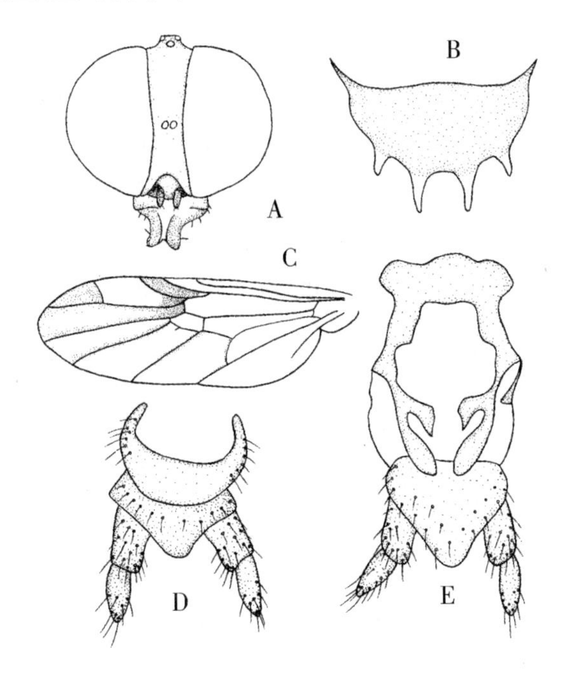

图 150　短刺离眼水虻 *Chorisops separata* Yang *et* Nagatomi

A. 头部前面观(head, frontal view); B. 小盾片背面观(scutellum, dorsal view); C. 翅(wing); D. 第 9～10 背板和尾须背面观(tergites 9-10 and cerci, dorsal view); E. 生殖叉、第 10 腹板和尾须腹面观(genital furca, sternite 10 and cerci, ventral view)

6. 鞍腹水虻属 *Clitellaria* Meigen, 1803

Clitellaria Meigen, 1803: 265. **Type species**: *Stratiomys ephippium* Fabricius, 1775.

Taurocera Lindner, 1936: 91. **Type species**: *Taurocera pontica* Lindner, 1936.

属征:体深色。复眼密被毛, 雄虫接眼式, 雌虫离眼式。雌虫额较宽, 两侧平行或向头顶渐窄, 通常具纵沟或脊。触角鞭节 8 节, 第 1～6 鞭节稍膨大呈纺锤形, 最末 2 节形成 1 个端芒, 短于鞭节其余部分。须 2 节。中胸背板两侧翅基上各有 1 个发达的刺; 小盾片具 2 根刺, 粗壮, 中部稍膨大, 基部分离较宽, 小盾片后缘刺间距大于侧边长。CuA_1 脉从盘室发出, R_4 脉存在, R_{2+3}脉从 r-m 横脉后发出, M 脉发达, 达翅缘。腹部近圆形, 宽于胸部。

分布:主要分布于古北区和东洋区。全世界已知 20 种, 中国已知 13 种, 秦岭地区分布 2 种。

分种检索表

1. 胸部密被淡黄毛和黄毛；小盾刺赤黄色仅基部黑色；翅颜色较浅，浅灰褐色，翅痣褐色，明显 ………………………………………………………………………… **集昆鞍腹水虻 *C. chikuni***
   胸部密被黑毛；小盾刺黑色仅顶端赤褐色至黄色；翅暗褐色，翅痣暗褐色，不明显 ………… ………………………………………………………………………… **黑色鞍腹水虻 *C. nigra***

(12)集昆鞍腹水虻 ***Clitellaria chikuni* Yang *et* Nagatomi, 1992**(图 151)

Clitellaria chikuni Yang *et* Nagatomi, 1992: 12.

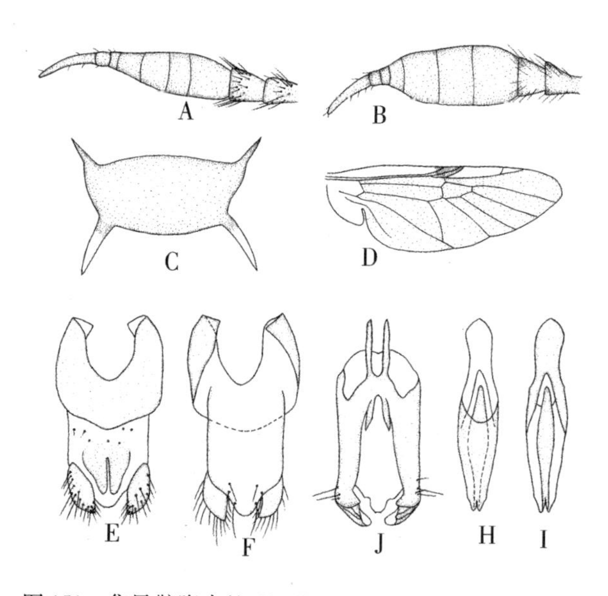

图 151　集昆鞍腹水虻 *Clitellaria chikuni* Yang *et* Nagatomi

A. 雄虫触角外侧面观(male antenna, outer view); B. 雌虫触角外侧面观(female antenna, outer view); C. 雄虫小盾片背面观(male scutellum, dorsal view); D. 雄虫翅(male wing); E. 第 9 ~ 10 背板和尾须背面观(tergites 9-10 and cerci, dorsal view); F. 第 9 背板、第 10 腹板和尾须腹面观(tergite 9, sternite 10 and cerci, ventral view); J. 生殖体背面观(genital capsule, dorsal view); H. 阳茎复合体背面观(aedeagal complex, dorsal view); I. 阳茎复合体腹面观(aedeagal complex, ventral view)

鉴别特征: 头部黑色。复眼密被直立黑毛。有极细的眼后眶。触角黑色；柄节和梗节被黑毛，鞭节被淡灰粉，端部具黑色短毛；触角芒长为鞭节其余部分的 0.40 ~ 0.50 倍。喙浅褐色，被灰白色毛；须被灰白色毛，但第 2 节有若干黑毛。胸部黑色，但肩胛和翅后胛部分红褐色。中胸背板侧缘刺很短，刀状，扁平。小盾刺赤黄色但基部黑色。胸部密被淡黄毛和黄毛，但中胸背板、小盾片和中侧片上部被黑色直立长毛。中胸背板有 3 条明显的暗色宽纵斑(两侧纵斑在中缝处中断)。足黑色，转节端部和膝赤褐色。翅浅灰褐色，翅痣褐色；脉褐色至暗褐色。平衡棒几乎为白色，基部褐色。腹部黑色，被灰白色倒伏毛，第1～2背板侧边毛长且直立。雄性外生殖器生殖基节明显长大于宽；生殖基节背桥端缘具1对伸长的突；生殖基节突平行；愈合的生殖基节端缘中突顶端有1个明显的浅凹；生殖刺突不尖且不外伸，端部圆，有1个内凹；阳茎复合体中部最宽。

采集记录:1♂，周至厚畛子，2009.Ⅴ.15，盛茂领采(CAU)。

分布:陕西(周至)、北京、山西。

(13)黑色鞍腹水虻 *Clitellaria nigra* Yang *et* Nagatomi, 1992(图152)

Clitellaria nigra Yang *et* Nagatomi, 1992: 28.

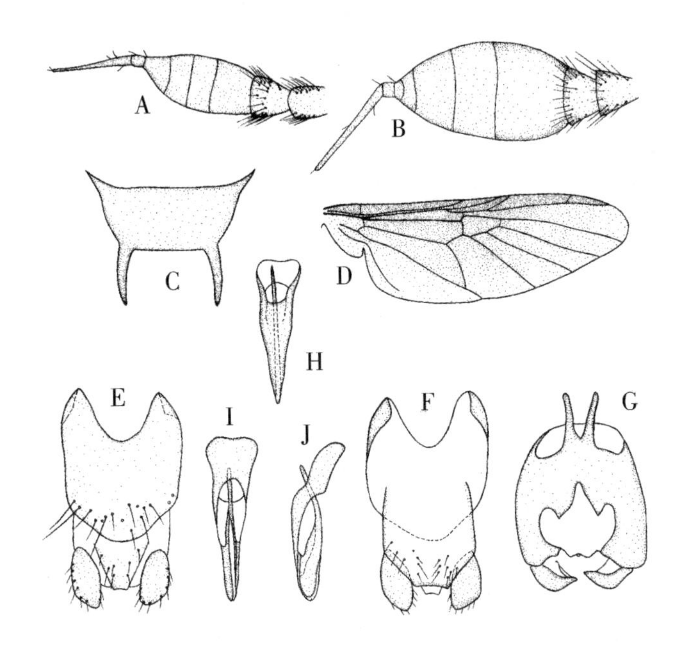

图152　黑色鞍腹水虻 *Clitellaria nigra* Yang *et* Nagatomi

A. 雄虫触角外侧面观(male antenna, outer view); B. 雌虫触角外侧面观(female antenna, outer view); C. 雄虫小盾片背面观(male scutellum, dorsal view); D. 雄虫翅(male wing); E. 第9～10背板和尾须背面观(tergites 9-10 and cerci, dorsal view); F. 第9背板、第10腹板和尾须腹面观(tergite 9, sternite 10 and cerci, ventral view); G. 生殖体背面观(genital capsule, dorsal view); H. 阳茎复合体背面观(aedeagal complex, dorsal view); I. 阳茎复合体腹面观(aedeagal complex, ventral view); J. 阳茎复合体侧面观(aedeagal complex, lateral view)

鉴别特征:头部黑色。复眼被黑色长毛。触角赤黄色(有时全黑褐色)，基部和端部颜色较深；柄节和梗节有淡黄毛和黑毛，鞭节被淡灰粉，端部有若干黑毛；触角芒很细，长为鞭节其余部分的0.65倍。喙褐色至暗褐色，被灰白色毛；须褐色至暗褐色，被灰白色毛。胸部黑色；中胸背板侧刺尖；小盾刺黑色，端部赤褐色至黄色，为小盾片长的0.80倍。胸部密被黑毛，雌虫中胸背板具4条白色纵毛斑。足暗褐色至黑色，但膝、胫节最末端和跗节部分赤褐色。翅暗褐色；翅脉暗褐色。平衡棒黄褐色，球部上侧(或内侧)通常为暗褐色。腹部黑色；背面有黑毛，端部主要为白色毛，腹面被白色毛。雄性外生殖器生殖基节背桥端缘具1对宽突起，端部尖锐；生殖基节突短，端部分离；生殖刺突尖；生殖基节愈合部腹面端缘有1对短突；阳茎复合体端部最宽。

采集记录：1♀，周至厚畛子(灯诱)，1350m，1999. Ⅵ. 24，姚建采(IZCAS)；1♀，宁陕十八丈，1150m，1999. Ⅵ. 28，袁德成采(IZCAS)。

分布：陕西(周至、华阴、宁陕)、北京、甘肃、江苏、上海、浙江、江西、福建、广西、四川、云南、西藏。

7. 等额水虻属 *Craspedometopon* Kertész, 1909

Craspedometopon Kertész, 1909: 373. **Type species**: *Craspedometopon frontale* Kertész, 1909.

Acanthinoides Matsumura, 1916: 367. **Type species**: *Acanthinoides basalid* Matsumura, 1916 [= *Craspedometopon frontale* Kertész, 1909].

属征：体深色。复眼裸或被毛；雄虫接眼式，上部小眼面大，下部小眼面小；雌虫离眼式，小眼面大小一致。触角短小，鞭节短缩，端部具长的触角芒。小盾片半圆形，端部具明显的凹缘，具4根刺，有时小盾片背面中部具1根竖直的锥状粗刺。CuA_1 脉从盘室发出，R_4 脉存在，R_{2+3} 脉从 r-m 横脉后发出。腹部扁圆形或心形，背面强烈拱突，宽于胸部。

分布：主要分布于古北区和东洋区。全世界已知5种，中国已知4种，秦岭地区分布1种。

(14) 等额水虻 *Craspedometopon frontale* Kertész, 1909(图153)

Craspedometopon frontale Kertész, 1909: 375.

鉴别特征：头部黑色。复眼深红褐色，几乎裸。下额中部有1条深长的纵沟。头部被黄毛，下额被灰白色短柔毛。触角柄节长约为宽的2倍；梗节短于柄节，长宽大致相等，内侧端缘平缓的弧形；鞭节呈正三角形或栗形；触角橙黄色，被黄毛，但柄节和梗节外侧毛黑色；触角芒黄褐色，顶端一小段裸。喙棕黄色。须第1节棕黄色，第2节黄褐色。胸部长宽大致相等，背部明显拱起；小盾片宽明显大于长，4根刺大致等长。胸部黑色，但肩胛、翅后胛、中侧片上缘狭窄的下背侧带和小盾刺端半部红褐色。足褐色，但股节宽的端部和胫节端部棕黄色，跗节浅褐色。翅基半部浅褐色，端半部浅黄色；翅脉与翅面同色；翅痣浅黄色。平衡棒黄色，球部棕黄色。腹部心形，宽明显大于长，背面强烈拱起，黑色，密被刻点和倒伏小黄毛。雄性外生殖器第

9 背板长大于宽，基部具浅"U"形凹缺；第 10 背板明显长；尾须指状；生殖基节基部稍凹，愈合部腹面端缘具 2 个突，2 突之间具内凹；生殖刺突端部细，基部粗大，背面内侧和外侧明显突出；阳茎复合体端部 3 裂，3 叶等长、等宽。

采集记录：1♀，周至厚畛子，2009. Ⅴ. 19，盛茂领采(CAU)；1♀，周至厚畛子，2009. Ⅵ. 09，盛茂领采(CAU)；1♀，周至厚畛子，2009. Ⅵ. 30，盛茂领采(CAU)。

分布：陕西(周至)、山东、浙江、台湾、四川、贵州、云南；俄罗斯，韩国，日本，印度。

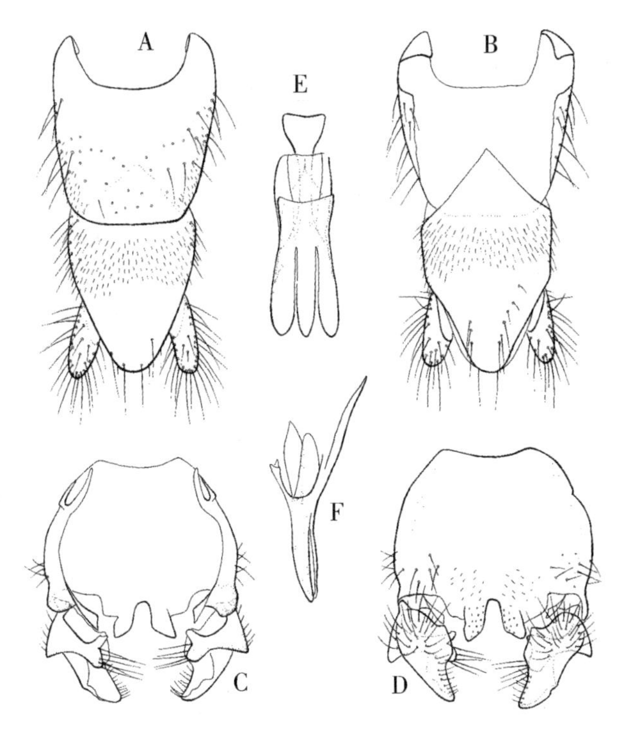

图 153　等额水虻 *Craspedometopon frontale* Kertész

A. 第 9～10 背板和尾须背面观(tergites 9-10 and cerci, dorsal view)；B. 第 10 腹板腹面观(sternite 10, ventral view)；C. 生殖体背面观(genital capsule, dorsal view)；D. 生殖体腹面观(genital capsule, ventral view)；E. 阳茎复合体背面观(aedeagal complex, dorsal view)；F. 阳茎复合体侧面观(aedeagal complex, lateral view)

8. 伽巴水虻属 *Gabaza* Walker, 1858

Gabaza Walker, 1858: 80. **Type species**: *Gabaza argentea* Walker, 1858.

Wallacea Doleschall, 1859: 82. **Type species**: *Wallacea argentea* Doleschall, 1859.

Musama Walker, 1864: 205. **Type species**: *Musama pauper* Walker, 1864.

属征：体小型。复眼裸或被短毛；雄虫接眼式，雌虫离眼式。触角鞭节呈纺锤形，最末节端部具 1 个细长的鬃状触角芒，雌虫触角芒较粗。小盾片约为等边三角形，具极扁的沿，边缘具一系列小齿，小盾片后缘中部具 1 个稍大的凹，将小盾齿分为明显的2组。CuA_1 脉从盘室发出，R_4 脉存在，r-m 横脉很短或点状，R_{2+3}脉从盘室顶点后发出。腹部近圆形，背面强烈拱突，宽大于长且宽于胸部。

分布：古北区，东洋区，澳洲区。全世界已知13种，中国已知5种，秦岭地区分布1种。

(15)银灰伽巴水虻 *Gabaza argentea* Walker, 1858

Gabaza argentea Walker, 1858: 80.

Wallacea argentea Doleschall, 1859: 82.

Pachygaster nigrofemorata Brunetti, 1912: 449.

Wallacea splendens Hardy, 1933: 410.

鉴别特征：体小型。雄虫复眼被极狭的额分开；雌虫复眼宽分离，额较宽，两侧平行，两侧具银白色窄毛斑。触角赤黄色，触角芒白色，密被毛。胸部和小盾片暗黑色。胸部被黄色小毛。足黑褐色，股节稍浅，膝浅褐色，中后足跗节黄白色，但末节深色。平衡棒白色，但柄和球部下部深色。腹部暗黑色，大部分裸，仅第3背板侧边和第4~5背板被银白毛。

采集记录：2♂，周至厚畛子，2009. Ⅴ.12，盛茂领采(CAU)；1♀，周至厚畛子，2009. Ⅵ.19，盛茂领采(CAU)；1♀，宁陕火地塘，1505m，2013. Ⅶ.13，杨定采(CAU)。

分布：陕西(周至、宁陕)、上海；印度，缅甸，马来西亚，菲律宾，印度尼西亚，圣诞岛，澳大利亚，帕劳，巴布亚新几内亚，所罗门群岛，瓦努阿图。

9. 小丽水虻属 *Microchrysa* Loew, 1855

Microchrysa Loew, 1855: 146. **Type species**: *Musca polita* Linnaeus, 1758.

Clorisoma Rondani, 1856: 168. **Type species**: *Sargus pallipes* Meigen, 1822.

Chlorosia Rondani, 1861: 11. **Type species**: *Sargus pallipes* Meigen, 1822.

Psaronius Enderlein, 1914: 590. **Type species**: *Psaronius viridis* Enderlein, 1914.

Chrymichrosa Manson, 1997: 31. **Type species**: *Microchrysa elmari* Lindner, 1960.

属征：体小型，具金光泽。复眼裸，雄虫接眼式，上部小眼面大于下部小眼面；雌虫离眼式，小眼面大小一致。雄虫无眼后眶，雌虫具眼后眶。触角鞭节栗形，长宽大致相等或长稍大于宽，亚端部着生1根尖细触角芒，触角梗节内侧端缘直。雄虫无眼后眶，雌虫眼后眶明显。下颜中部骨化区域较宽。须2节，锤状，短于下颜。盘室较小，cup室宽约为两个基室宽之和；从盘室发出3条M脉，不达翅缘，R_{2+3}脉从r-m横脉后发出，R_4 脉存在，r-m横脉之间的Rs脉远长于r-m横脉。腹部宽短。

分布：世界广布。全世界已知41种，中国已知6种，秦岭地区分布1种。

(16)日本小丽水虻 *Microchrysa japonica* Nagatomi, 1975(图154)

Microchrysa japonica Nagatomi, 1975: 323.

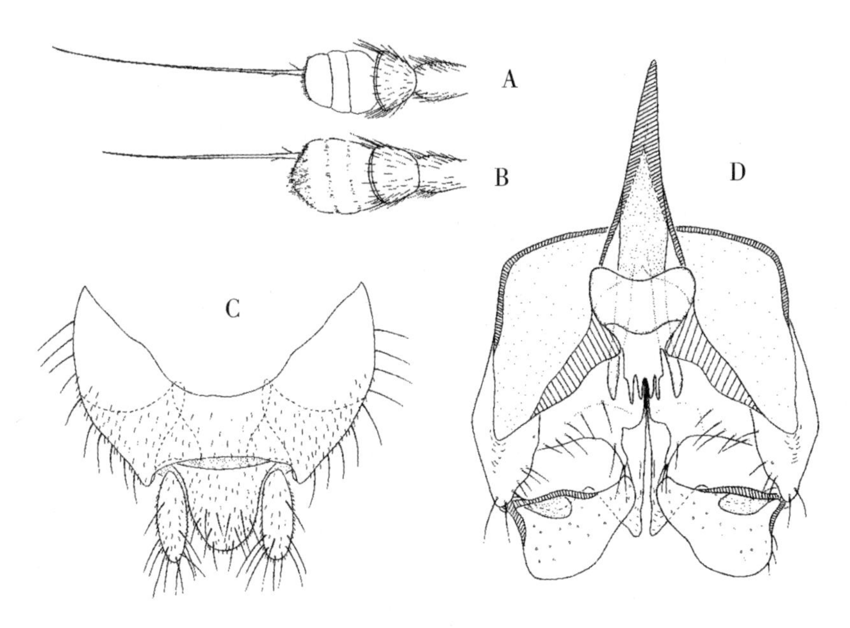

图154 日本小丽水虻 *Microchrysa japonica* Nagatomi (据 Nagatomi, 1975 重绘)

A. 雄虫触角内侧面观(antenna, inner view); B. 雌虫触角内侧面观(antenna, inner view); C. 第9~10背板和尾须背面观(tergites 9-10 and cerci, dorsal view); D. 生殖体背面观(genital capsule, dorsal view)

鉴别特征:头部金绿色或金紫色。雌虫眼后眶侧面观上部宽而下部极细，额向头顶渐宽。雄虫触角鞭节3节，雌虫触角鞭节4节，第4鞭节较小；触角褐色，但梗节黄褐色；触角被黄褐色短毛，鞭节端部毛极短，触角芒基部有2根较长的毛。喙黄褐色，端部黄褐色，被黄毛。须带状，极短，褐色，被黄毛。胸部金绿色，肩胛和翅后胛褐色，中侧片上缘具窄的浅黄色下背侧带。胸部毛黄色。足黄褐色，但基节、后足股节除最基部和端部外，后足胫节端部的1/2~1/3(除最端部外)和第4~5跗节褐色。翅透明；翅痣浅黄色；翅脉黄色至黄褐色，盘室与r_5室之间的脉正常；翅瓣狭长。平衡棒浅黄色。腹部椭圆形，宽于胸部，长稍大于宽，较扁平。雄虫腹部黄色，但第5腹板黑色，雌虫腹部金紫色和金绿色。雄性外生殖器第9背板宽大于长，基部具大的凹缺；尾须细；生殖基节宽大于长，端部较宽；生殖基节愈合部基缘圆，腹面端缘中央具2个三角形稍长的尖突，2突之间具窄深凹；生殖刺突近三角形，端部尖；阳基侧突稍短于阳茎或近等长，阳茎端部3裂。

采集记录:1♂，周至秦岭植物园铁炉沟，2006.Ⅶ.18，朱雅君采(CAU)；2♀，周至秦岭植物园羊角沟，2006.Ⅶ.16，朱雅君采(CAU)；1♀，眉县蒿平保护站，

1177m, 2013. Ⅷ. 23, 席玉强采(CAU); 1♀, 柞水牛背梁, 1000m, 2013. Ⅶ. 14, 王玉玉采(CAU)。

分布:陕西(周至、眉县、柞水), 北京; 日本。

10. 短角水虻属 *Odontomyia* Meigen, 1803

Odontomyia Meigen, 1803: 265. **Type species**: *Musca hydroleon* Linnaeus, 1758.

Eulalia Meigen, 1800: 21. **Type species**: *Musca hydroleon* Linnaeus, 1758.

Opseogymmus Costa, 1857: 443. **Type species**: *Opseogymmus flavosignatus* Costa, 1857.

Trichacrostylia Enderlein, 1914: 607. **Type species**: *Stratiomys angulata* Panzer, 1798.

Neuraphanisis Enderlein, 1914: 608. **Type species**: *Stratiomys tigrina* Fabricius, 1775.

Catatasina Enderlein, 1914: 608. **Type species**: *Stratiomys angulata* Panzer, 1794.

Orthogoniocera Lindner, 1951: 187. **Type species**: *Odontomyia hirayamae* Matsumura, 1916.

属征: 触角柄节等于或长于梗节; 鞭节分为 6 个小节, 末节在形态上变化较大, 但不形成触角芒, 第 6 鞭节通常很短或仅有 5 个鞭节。喙发达, 呈膝状弯曲; 须相当小。小盾片近半圆形, 具 2 根刺; 后小盾片发达。翅 R_{2+3}脉不与 Rs 脉愈合, R_4 脉有时缺失; CuA_1 脉不从盘室发出, 即 m-cu 横脉存在; 盘室大, M_3 脉不发达或完全缺失。

分布: 世界广布。全世界共有 216 种, 中国已知 22 种, 秦岭地区分布 1 种。

(17) 微毛短角水虻 *Odontomyia hirayamae* Matsumura, 1916

Odontomyia hirayamae Matsumura, 1916: 364.

鉴别特征:头部黑棕色到黑色。复眼黑棕色, 雄虫无明显的眼后眶, 雌虫具宽的眼后眶。头部毛浅色, 雌虫眼后眶上有浓密的浅黄色细柔毛, 额中纵缝两侧的中下额有 1 对亮黑色的延伸到复眼的长方形胛, 光裸, 胛上下的额有金黄色毛。触角长, 黑褐色, 第 1~3 鞭节不光亮, 具刻点。喙黑色被浅色毛。胸部黑色, 小盾刺黄褐色, 胸背板被浓密的金黄色直立毛。足黑褐色, 但中后足第 1 跗节黄褐色。翅透明; 翅痣黄褐色; M_3 脉和 R_4 脉缺失, M_1 脉和 M_2 脉不达翅缘。平衡棒黄褐色。腹部黑色, 雄虫第 1 背板有浅灰色粉, 第 2~4 背板后侧具浓密的金黄色三角形毛斑, 第 5 背板后缘黄棕色, 也被浓密的金黄毛; 雌虫腹部被金黄色倒伏毛。

采集记录:1♀, 宁陕, 2007. Ⅵ. 02, 崔俊芝采(IZCAS)。

分布:陕西(宁陕)、浙江、湖北、福建、云南; 日本。

11. 盾刺水虻属 *Oxycera* Meigen, 1803

Hermione Meigen, 1800: 22. **Type species**: *Musca hypoleon* Linnaeus, 1767 [= *Musca trilineata* Linnaeus, 1767].

Oxycera Meigen, 1803: 265. **Type species**: *Musca hypoleon* Linnaeus, 1767[= *Musca trineata* Linnaeus, 1767].

Macroxycera Pleske, 1925: 171. **Type species**: *Oxycera pulchella* Meigen, 1822.

属征：体黑色具黄斑纹或黄色具黑斑纹，但有时胸部或腹部几乎全为黑色。复眼有稀疏的毛（或近光裸）或浓密的毛；雄虫复眼相接或近相接，雌虫复眼则为离眼；雄虫复眼上半部小眼面大。雌虫有明显的眼后眶。从侧面看，雄虫下后头区在复眼后或强或弱地突出。雌虫额宽，近平行，接近颜面宽。触角短于头长；柄节和梗节几乎等长；第 1 ~4 鞭节纺锤状，第 5 ~6 鞭节在背部末端形成触角芒。下颚须短而不明显，顶部柄状。中侧片中部光裸。小盾片具 2 根刺。通常 R_4 脉存在；M_1、M_2、M_3 及 CuA_1 脉不完全，CuA_1 脉从盘室发出。腹部大于或等于胸宽，背板强烈凸出。

分布：新北区，古北区，非洲区，东洋区。全世界共有 94 种，中国已知 25 种，秦岭地区分布 2 种。

分种检索表

复眼被浓密黑色长毛；腹部有数对黄斑 …………………………… **双斑盾刺水虻 *O. laniger***

复眼被稀疏褐色短毛；腹部全黑，无黄斑 …………………………… **刘氏盾刺水虻 *O. liui***

(18) 双斑盾刺水虻 *Oxycera laniger* (Séguy, 1934)

Hermione laniger Séguy, 1934: 2.

Oxycera laniger: Yang, Zhang & Li, 2014: 510.

鉴别特征：头部黑色。复眼黑棕色，被有浓密长黑毛。雄虫无眼后眶，雌虫眼后眶（除了前上部）黄色。雌虫颜中部黑色，两侧大部分明黄色，触角柄节和梗节亮黑色，鞭节黄色。喙黑棕色，被浅色毛。胸部黑色，但肩胛、中侧片上缘黄色，背板中部横缝前方有长条状黄斑且在中缝处延伸至翅基；背板被金黄色直立长毛。小盾片黄色，但两刺之间的后缘呈褐色至深褐色；小盾刺黄褐色向末端逐渐加深至黑色，直立，长约为小盾片的 3 倍。足黑色，但中后足股节基部稍带褐色，胫节褐色，中部稍带黑色，中后第1 ~2跗节棕色，有时雌虫第 1 跗节黄褐色。翅烟色，但基部、后部和翅尖色浅。平衡棒黄褐色至褐色，球部奶黄色。腹部黑色，第 3 背板两侧各有 1 个斜的红棕色斑；第 5 背板末端有 1 个黄斑，与腹部的黄色侧缘相连；第 2 ~3 腹板中部黄色。雄性外生殖器生殖刺突内缘稍内凹；阳茎复合体分 3 叶，中叶稍短于侧叶；生殖基节腹面愈合部中突有 1 个“V”形凹陷。

采集记录：1♀，佛坪，1750～2150m，1999.Ⅵ.28，姚建采（IZCAS）。

分布：陕西（佛坪）、甘肃、湖北、四川、贵州、云南、西藏。

（19）刘氏盾刺水虻 *Oxycera liui* Li, Zhang *et* Yang, 2009

Oxycera liui Li, Zhang *et* Yang, 2009: 384.

鉴别特征：头部亮黑色被浅色毛；复眼有极稀疏的褐色短毛。触角褐黄色，但柄节和触角芒（端部损坏）黑色。喙棕黑色，须棕色。胸部亮黑色，翅后胛有 1 对暗褐黄色小斑，中侧片后上方黄色。小盾片黑色，下后缘在两刺之间暗黄色；刺（端部损坏）暗黄色。胸部毛浅色，但小盾片的毛主要黑色。足黑色，但股节端部黄色，胫节两端褐黄色，中后足第 1～2 跗节浅黄色。翅透明，翅痣暗黄色；翅脉深褐黄色，R_4 脉存在。平衡棒黄色，柄深褐色。腹部亮黑色，无黄斑，被浅色毛。雄性外生殖器第 9 背板宽大于长，基部明显有切口；尾须短厚，端部钝；生殖基节突细长；生殖刺突相当宽，后缘强烈突出；阳茎分为 3 叶，中叶比侧叶稍厚。

采集记录：1♂，留坝，1500～1650m，1998.Ⅶ.22，陈军采（CAU）。

分布：陕西（留坝）、宁夏、甘肃、四川。

12. 指突水虻属 *Ptecticus* Loew, 1855

Ptecticus Loew, 1855: 142. **Type species**: *Sargus testaceus* Fabricius, 1805.

Pedicella Bigot, 1856: 63, 85. **Type species**: *Sargus petilolatus* Macquart, 1838.

Macrosargus Bigot, 1879: 187. **Type species**: *Sargus petilolatus* Macquart, 1838.

Gongrozus Enderlein, 1914: 585. **Type species**: *Gongrozus nodivena* Enderlein, 1914.

属征：体被短毛。雌雄复眼均分离。复眼几乎裸，小眼面上大下小。额分为上下两部分，雄虫上额为长三角形，雌虫为长梯形；下额泡状，称额胛，额最窄处位于下额上部。单眼瘤明显位于复眼后顶角连线之前。颜分为上下 2 部分；下颜膜质，但中部宽的部分骨化。触角梗节内侧端缘明显向前突出成指状，鞭节端缘直，触角芒着生于鞭节端上部。须锤状，2 节。肩胛裸或被毛；小盾片无刺；后小盾片发达。R_{2+3} 脉从 r-m 横脉处发出或很靠近 r-m 横脉，r-m 横脉和 R_{2+3} 脉之间的 Rs 脉不存在或与 r-m 横脉等长。下腋瓣无带状突。跗节细长。腹部细长，纺锤形或长棒状。

分布：世界广布。全世界已知 143 种，中国已知 15 种，秦岭地区分布 4 种。

分种检索表

1. 后头中央骨片黑色 ………………………………………………………………………… 2
   后头中央骨片黄色 ………………………………………………………………………… 3
2. 额胛全白色；翅明显延长，长于腹部的 1.50 倍 ………………… **长翅指突水虻 *P. longipennis***
   额胛不全白色，下半部浅褐色；翅不明显延长，短于腹部的 1.50 倍………………………………
   …………………………………………………………………… **狡猾指突水虻 *P. vulpianus***
3. 翅基半部橘黄色，端半部黑色；足橘黄色，有时后足股节端部、后足胫节和跗节颜色稍深 …
   ……………………………………………………………………… **金黄指突水虻 *P. aurifer***
   翅均匀浅黄色；足黄色，但后足胫节和后足第 1 跗节基部的 1/3 黑色，后足跗节其余部分白色
   …………………………………………………………………… **新昌指突水虻 *P. sichangensis***

(20) 金黄指突水虻 *Ptecticus aurifer* (Walker, 1854) (图 155)

Sargus aurifer Walker, 1854: 96.

Sargus insignis Macquart, 1855: 66.

Gongrozus sauteri Enderlein 1914: 586.

Ptecticus aurifer: Yang, Zhang & Li, 2014: 427.

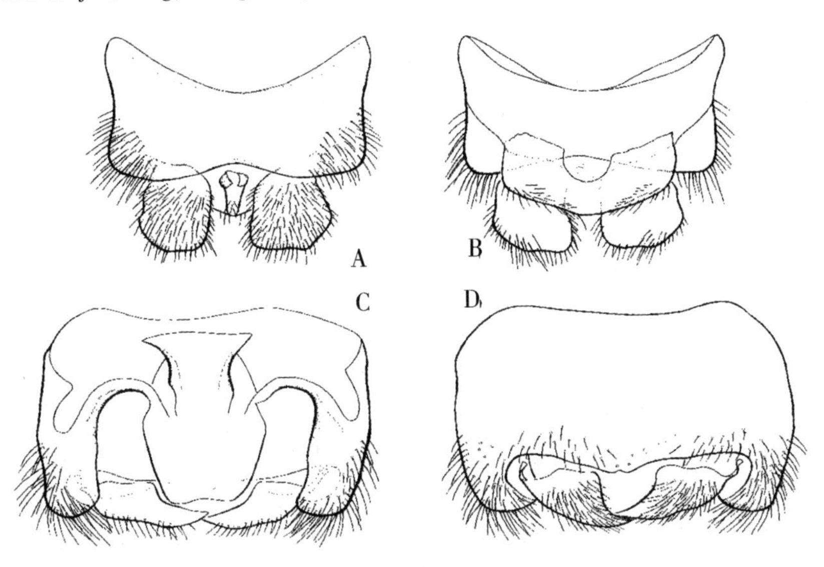

图 155　金黄指突水虻 *Ptecticus aurifer* (Walker)

A. 第 9～10 背板和尾须背面观(tergites 9-10 and cerci, dorsal view)；B. 第 9 背板、第 10 腹板和尾须腹面观(tergite 9, sternite 10 and cerci, ventral view)；C. 生殖体背面观(genital capsule, dorsal view)；D. 生殖体腹面观(genital capsule, ventral view)

鉴别特征：体中到大型。头部橘黄色，但额胛和颜浅黄色，后头黑色。复眼黑褐色。单眼瘤黑褐色，单眼橘黄色。后头强烈内凹，外圈被倒伏毛和 1 圈向后直立的缘毛。触角橘黄色，触角芒黑色。喙浅黄色，须浅黄色极短小。胸部橘黄色被黄毛。足橘黄色，有时后足股节端部、后足胫节和跗节颜色稍深。翅橘黄色，但端半部黑

色；翅痣不明显；翅脉与翅面同色。平衡棒橘黄色，球部稍带黑色。腹部纺锤形，两端较窄。腹部橘黄色，但第 4 ~6 节(第 4 背板基部两侧、侧边和端部两侧除外)褐色，有时第2 ~3背板中部和第 3 腹板中部也具褐斑，但第 5 ~6 节的褐斑仅限于中部。雄性外生殖器第 9 背板宽大于长，基部具大弧形凹缺，无背针突；尾须宽短；生殖基节基缘稍凹，愈合部腹面端缘中部稍凸，突起顶端具极小的缺口；生殖刺突基部宽，向端部渐细，顶端尖锐；阳茎复合体大，中部最宽，端缘平，中部稍凹。雌虫尾须2 节，黄褐色至黑色。

采集记录:1♂，周至楼观台，1962. Ⅷ. 16，杨集昆采(CAU)；1♀，佛坪东河台，2006. Ⅶ. 25，朱雅君灯诱(CAU)。

分布:陕西(周至、佛坪)、辽宁、北京、河北、河南、江苏、安徽、浙江、湖北、江西、湖南、福建、台湾、广东、海南、广西、四川、贵州、云南；俄罗斯，日本，越南，印度，马来西亚，印度尼西亚。

(21)长翅指突水虻 *Ptecticus longipennis* (**Wiedemann, 1824**)(图 156)

Sargus longipennis Wiedemann, 1824: 31.

Ptecticus longipennis: Yang, Zhang & Li, 2014: 439.

鉴别特征:头部亮黑色，但额胛和颜白色。复眼黑褐色。无眼后眶。后头强烈内凹，外圈被 1 圈向后直立的缘毛。触角浅黄色，鞭节褐色，触角芒褐色。喙浅黄色；须极短小，白色。胸部黄褐色，肩胛黄色；背板中部具 1 条稍带金蓝色光泽的纵斑，在中缝前后稍往两侧延伸；侧板和腹板黄色，但中侧片(除上缘外)黄褐色。足黄色，但前后足第 1 跗节端部和第 2 ~5 跗节、中足胫节基半部背面黄褐色，后足胫节和第 1 跗节基半部褐色，后足第 1 跗节端半部腹面和第 2 ~5 跗节腹面白色。翅长约为腹部长的 2 倍，透明，但端部的 1/4 褐色；翅痣浅褐色；翅脉褐色。平衡棒黄褐色。腹部棒状，两侧几乎平行。腹部褐色，但第 2 ~5 背板侧边相接处具 3 对三角形黄斑。雄性外生殖器第 9 背板近圆形，侧面观背面较拱突，腹面愈合，端部具长的背针突；尾须细，杆状；生殖基节长宽大致相等，愈合部背面两侧具端尖的大突，愈合部腹面深凹，中部具极细长的二分叉的中突；生殖刺突向端部尖细，端尖；阳茎复合体短小，端部二分叉。

采集记录:1♂，周至厚畛子，2009. Ⅷ. 18，盛茂领采(CAU)；1♂，周至厚畛子，2009. Ⅷ. 25，盛茂领采(CAU)；1♂，眉县蒿平保护站，1241m，2013. Ⅷ. 24，席玉强采(CAU)。

分布:陕西(周至、眉县)、湖北、海南、四川、云南；印度，马来西亚，菲律宾，印度尼西亚。

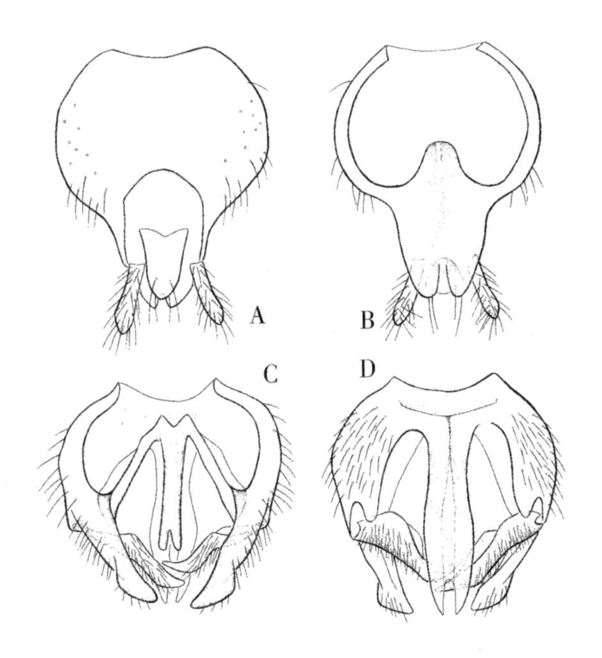

图 156 长翅指突水虻 *Ptecticus longipennis*（Wiedemann）

A. 第 9 ~ 10 背板和尾须背面观（tergites 9-10 and cerci, dorsal view）；B. 第 9 背板、第 10 腹板和尾须腹面观（tergite 9, sternite 10 and cerci, ventral view）；C. 生殖体背面观（genital capsule, dorsal view）；D. 生殖体腹面观（genital capsule, ventral view）

（22）新昌指突水虻 *Ptecticus sichangensis* Ôuchi, 1938（图 157）

Ptecticus sichangensis Ôuchi, 1938: 51.

鉴别特征：头部浅黄色，后头除中央骨片外黑色。复眼黑褐色，无眼后眶。头部被黄毛，后头外侧无直立缘毛。触角橘黄色，但触角芒褐色。喙黄色，被黄毛。胸部黄褐色被浅黄色短毛。足黄色，但前足第 4 ~ 5 跗节黄褐色，后足胫节及后足第 1 跗节基部的 1/3 褐色，后足第 1 跗节端部的 2/3 及第 2 ~ 5 跗节为白色。翅浅黄色；翅痣浅黄色，不明显；翅脉黄褐色。平衡棒黄色，但球部浅褐色。腹部黄褐色，但第 3 背板到尾端底色稍深，第 2 ~ 5 背板具黑色纺锤形横斑，横斑接近前缘且不达前缘。雄性外生殖器第 9 背板近长方形，基缘具浅弧形凹缺，端缘平直；生殖基节长宽大致相等，愈合部端缘有 1 个扁的短突，端缘直；生殖刺突基部窄，端部宽大，黑色；阳茎复合体粗长，背面具 4 个黑色的纵骨化带。

采集记录：1♂，柞水营盘镇，981m，2014. Ⅶ. 30，唐楚飞采（CAU）。

分布：陕西（柞水）、浙江；日本。

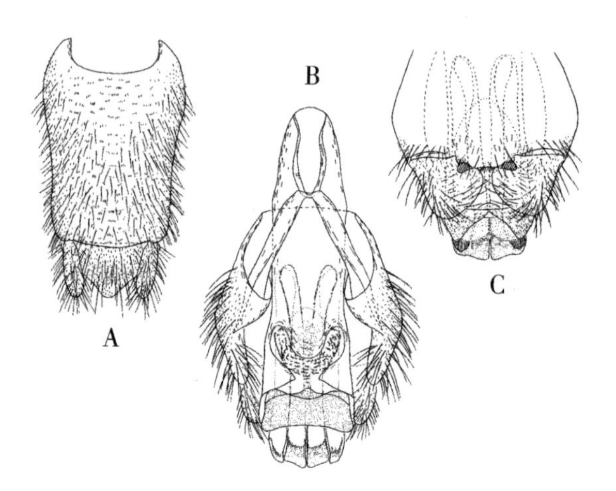

图 157　新昌指突水虻 *Ptecticus sichangensis* Ôuchi（据 Nagatomi，1975 重绘）

A. 第 9～10 背板和尾须背面观（tergites 9－10 and cerci，dorsal view）；B. 生殖体背面观（genital capsule，dorsal view）；C. 生殖体端部腹面观（apical part of genital capsule，ventral view）

（23）狡猾指突水虻 ***Ptecticus vulpianus*** **（Enderlein，1914）**（图 158）

Gongrozus vulpianus Enderlein，1914：95.

Ptecticus vulpianus：Yang，Zhang & Li，2014：446.

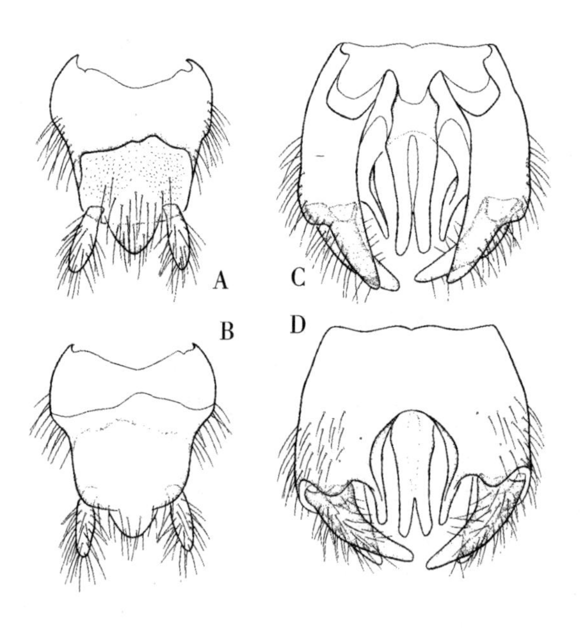

图 158　狡猾指突水虻 *Ptecticus vulpianus*（Enderlein）

A. 第 9～10 背板和尾须背面观（tergites 9-10 and cerci，dorsal view）；B. 第 9 背板、第 10 腹板和尾须腹面观（tergite 9，sternite 10 and cerci，ventral view）；C. 生殖体背面观（genital capsule，dorsal view）；D. 生殖体腹面观（genital capsule，ventral view）

鉴别特征:头部亮黑色，被黄毛；额胛白色，但下部浅褐色，颜浅黄色。复眼黑褐色。后头强烈内凹，无眼后眶。触角黄色，但触角芒褐色。喙浅黄色，被浅黄毛。胸部黄色，被浅黄毛。足黄色，但前中足第4～5跗节、前足第1跗节端部和前中足第2～3跗节稍带浅褐色，后足胫节和第1跗节基部黑褐色，后足跗节其余部分白色。翅透明；翅痣黄色，不明显；翅脉褐色。平衡棒浅褐色，但基部黄色，球部前缘颜色稍浅。腹部黄色，第1～4背板前部具宽的黑色横斑。第5背板除前缘外和第6背板黑色。雄性外生殖器第9背板梯形，基缘具浅"V"形凹缺，端部具大的非骨化区域；生殖基节愈合部背面端缘两侧具两个端尖的长三角形突，腹面端缘具两个指状突，2突中间有1个大而深的半圆形内凹；生殖刺突长，向端部渐窄；阳茎复合体长，超过生殖基节腹突端部，端部具2裂叶。

采集记录:1♀，周至厚畛子，2009.Ⅸ.01，盛茂领采(CAU)；1♂，眉县蒿平保护站，1241m，2013.Ⅷ.24，席玉强采(CAU)；1♂，佛坪大古坪，1269.70m，2014.Ⅷ.23，卢秀梅灯诱(CAU)；1♂，柞水营盘镇，1181m，2014.Ⅶ.31，丁双玫采(CAU)。

分布:陕西(周至、眉县、佛坪、柞水)、吉林、浙江、湖北、福建、广西、四川、云南；马来西亚，印度尼西亚。

13. 瘦腹水虻属 *Sargus* Fabricius, 1798

Sargus Fabricius, 1798: 549. **Type species**: *Musca cupraria* Linnaeus, 1758.

Chrysonotus Loew, 1855: 146. **Type species**: *Musca bipunctata* Scopoli, 1763.

Chrysochroma Williston, 1896: 47 (new name for *Chrysonotus* Loew, 1855).

Chrysonotomyia Hunter, 1900: 124 (new name for *Chrysonotus* Loew, 1855).

Geosargus Bezzi, 1907: 53 (new name for *Sargus* Fabricius, 1798).

Pedicellina James, 1952: 225. **Type species**: *Sargus natatus* Wiedemann, 1830 [= *Sargus fasciatus* Fabricius, 1805].

Himantoloba McFadden, 1970: 274. **Type species**: *Chrysonotus flavopilosus* Bigot, 1879.

属征:雌雄复眼均分离，复眼裸，小眼面上大下小。单眼瘤明显位于复眼后顶角连线之前。额分为上下两部分，被1条细横沟或1对小凹或1对灰白毛斑分开；额最窄处位于上额中单眼处或中单眼前，但上额通常平行；下额泡状，称额胛。颜分为上下两部分，下颜膜质但中部窄的部分骨化。触角梗节内侧端缘平直或微凸，鞭节端缘圆，触角芒着生于鞭节端上部。须带状，不明显，1～2节。小盾片无刺。R_{2+3}脉从r-m横脉后很远处发出，r-m横脉和R_{2+3}脉之间的Rs脉远长于r-m横脉。下腋瓣具带状突。跗节不明显细长。腹部细长，长棒状。身体毛较指突水虻属*Ptecticus*长而密。

分布:世界广布。全世界已知111种，中国已知20种，秦岭地区分布5种。

分种检索表

1. 后头边缘无直立缘毛；足黄色，但基节全黑色，后足第 2 ~ 5 跗节背面黑 ………………………………………………………………………………………… **黄足瘦腹水虻 *S. flavipes***
   后头边缘有 1 圈直立缘毛 …………………………………………………………………… 2
2. 中侧片上缘无浅色下背侧带 ……………………………………………………………… 3
   中侧片上缘具浅色下背侧带 ……………………………………………………………… 4
3. 触角黄色；前中足胫节外侧、后足胫节外侧端部的 2/3 浅黄色 … **黑颜瘦腹水虻 *S. nigrifacies***
   触角黑色；前中足胫节棕黄色，后足胫节中部具白环 …………… **万氏瘦腹水虻 *S. vandykei***
4. 翅痣褐色，明显；足黄色，基节褐色，中足股节端部背面及中足胫节基部的 1/3 背面具褐斑 ………………………………………………………………………………… **宽额瘦腹水虻 *S. latifrons***
   翅痣浅黄色，不明显；前中足基节黄色，后足基节褐色，中足股节和胫节黄色 ……………… ………………………………………………………………………… **红斑瘦腹水虻 *S. mactans***

(24) 黄足瘦腹水虻 *Sargus flavipes* Meigen, 1822（图 159）

Sargus flavipes Meigen, 1822: 108.

Sargus nigripes Zetterstedt, 1842: 159.

Sargus angustifrons Loew, 1855: 134.

鉴别特征：头部复眼裸；下颜侧面观微凸，复眼缘的亮白色额斑明显；上颜黑色稍带光泽，稍膨大；下颜中部具窄的膜质区，两侧沿复眼缘有宽的骨化带。头部毛黑色，头顶和下颜侧边毛白色。后头无直立缘毛。触角黑色。胸部亮金绿色，肩胛翅和后胛黑褐色；侧板黑色，中侧片上缘无浅黄色下背侧带。足黄色，但基节全黑色，后足第2 ~ 5跗节背面黑色。翅透明，稍带褐色；翅痣黄褐色。平衡棒黄色。腹部亮金绿色，稍带铜色光泽。雄性外生殖器第 9 背板大，背针突明显；生殖基节端缘具 1 对扁平的短突；生殖刺突长，向端部渐窄，且内弯；阳茎端部 3 裂，具 1 对粗长的阳基侧突，约与阳茎等长。

采集记录：2♀，周至厚畛子，2009. Ⅵ. 09，盛茂领采（CAU）。

分布：陕西（周至）、黑龙江；蒙古，俄罗斯，朝鲜，欧洲。

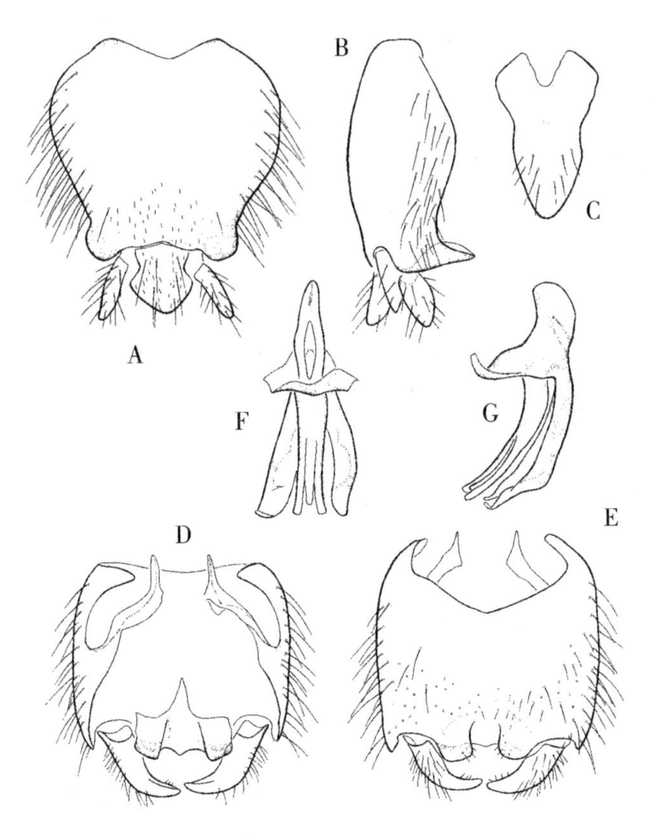

图 159　黄足瘦腹水虻 *Sargus flavipes* Meigen

A. 第 9～10 背板和尾须背面观(tergites 9-10 and cerci, dorsal view); B. 第 9 背板、第 10 腹板和尾须侧面观(tergite 9, sternite 10 and cerci, lateral view); C. 第 10 腹板腹面观(sternite 10, ventral view); D. 生殖体背面观(genital capsule, dorsal view); E. 生殖体腹面观(genital capsule, ventral view); F. 阳茎复合体背面观(aedeagal complex, dorsal view); G. 阳茎复合体侧面观(aedeagal complex, lateral view)

(25)宽额瘦腹水虻 *Sargus latifrons* Yang, Zhang *et* Li, 2014(图 160)

Sargus latifrons Yang, Zhang *et* Li, 2014: 457.

鉴别特征: 头部金紫色，稍带绿色光泽。复眼黑褐色，裸，宽分离。额胛白色，颜黄色，下半部黄褐色。后头外圈具直立缘毛。触角黄褐色，触角芒黑色。喙黄色，被黄褐毛。胸部背板亮金蓝绿色，稍带紫色光泽，肩胛和翅后胛黄褐色；侧板金绿色，中侧片上缘具浅黄色下背侧带。足黄色，基节褐色，后足股节中部背面有不明显的褐斑，后足胫节基部 1/3～1/2 为褐色，后足跗节褐色，但第 1 跗节基部 2/3 为浅黄色，中足股节端部背面及中足胫节基部 1/3 背面具褐斑。翅透明，微有浅黄褐色；翅痣褐色，明显；翅脉褐色。平衡棒浅黄色。腹部金褐色。雄性外生殖器尾须长指状；生殖基节愈合部腹面端缘中部具1个内陷的方形中突，中突端部仅稍长于生殖基节腹面端缘，中突宽大于长；生殖刺突粗短，向端部渐细；阳茎短，端部3裂，尖细，分离；具1对极长的阳基侧突，端部向外弯；阳茎基背片窄。

采集记录： 1♀，周至太白山，1648m，2014. Ⅷ. 11，李轩昆采（CAU）；1♀，宁陕火地塘，1580m，1998. Ⅷ. 17，袁德成灯诱（IZCAS）。

分布： 陕西（周至、宁陕）、甘肃、新疆、福建、广西、四川、云南、西藏。

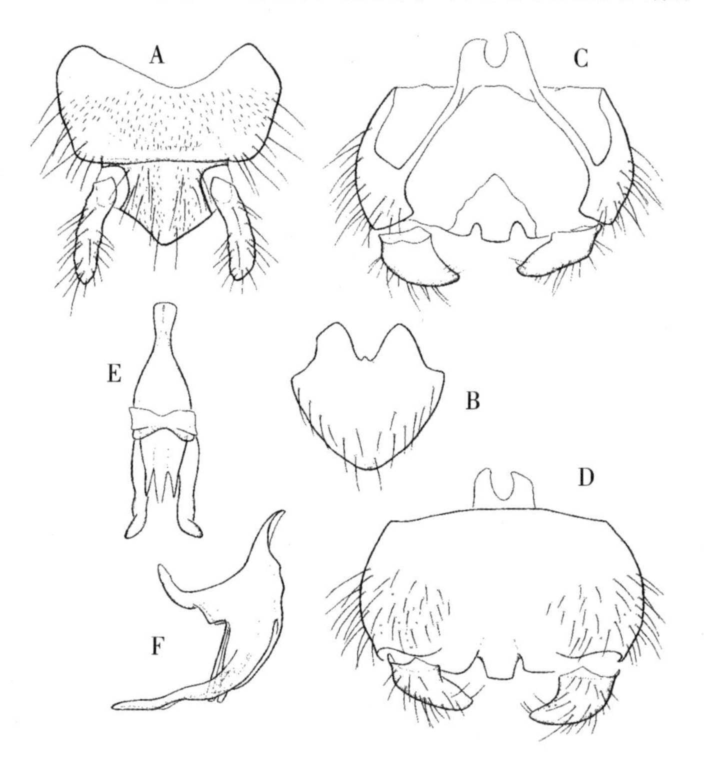

图 160 宽额瘦腹水虻 *Sargus latifrons* Yang，Zhang *et* Li

A. 第9～10背板和尾须背面观（tergites 9-10 and cerci，dorsal view）；B. 第10腹板腹面观（sternite 10，ventral view）；C. 生殖体背面观（genital capsule，dorsal view）；D. 生殖体腹面观（genital capsule，ventral view）；E. 阳茎复合体背面观（aedeagal complex，dorsal view）；F. 阳茎复合体侧面观（aedeagal complex，lateral view）

（26）红斑瘦腹水虻 *Sargus mactans* Walker，1859（图161）

Sargus mactans Walker，1859：97.

鉴别特征： 头部金绿色。复眼红褐色，裸，雄虫几乎相接而雌虫宽分离。额胛白色；颜黄色，下半部金褐色。后头外圈具直立缘毛。触角黄褐色，触角芒黑色。喙黄色，被浅黄毛。胸部背板亮金绿色，肩胛和翅后胛黄褐色，翅后胛有时稍带金绿色；侧板金绿色，中侧片上缘具浅黄色下背侧带。足黄色，但后足基节和后足胫节基部

1/3～1/2褐色，后足第2～5跗节黄褐色，有时第1跗节端部稍带褐色。翅透明，稍带浅黄褐色；翅痣浅黄褐色，不明显；翅脉黄褐色。平衡棒黄色。腹部金褐色。雄性外生殖器第9背板基部具大的"V"形凹缺，边缘锯齿状；尾须长指状；生殖基节愈合部腹面端缘中部具1个内陷的方形中突，中突端部与生殖基节腹面端缘平齐，中突宽大于长；生殖刺突粗短，向端部渐窄，但端部圆钝；阳茎复合体短，端部3裂，尖细，分离；具1对阳基侧突，端部稍窄且向外弯。

采集记录：1♂，周至楼观台，1962.Ⅷ.13，杨集昆采(CAU)；1♀，周至厚畛子，2009.Ⅷ.11，盛茂领采(CAU)；2♂，留坝县城，1020m，1998.Ⅶ.18，姚建采(IZCAS)；1♀，佛坪岳坝，1269.70m，2014.Ⅷ.27，卢秀梅采(CAU)；1♂，佛坪，890m，1999.Ⅵ.26(IZCAS)；3♂，宁陕火地塘，1620m，1979.Ⅶ.21，韩寅恒采(IZCAS)；1♀，安康兴隆慈安桥，1081m，2014.Ⅶ.27，唐楚飞采(CAU)。

分布：陕西(周至、留坝、佛坪、宁陕、安康)、吉林、辽宁、北京、河北、山西、山东、河南、甘肃、浙江、湖北、江西、湖南、福建、广东、广西、四川、贵州、云南、西藏；日本，印度，巴基斯坦，斯里兰卡，马来西亚，印度尼西亚，澳大利亚，巴布亚新几内亚。

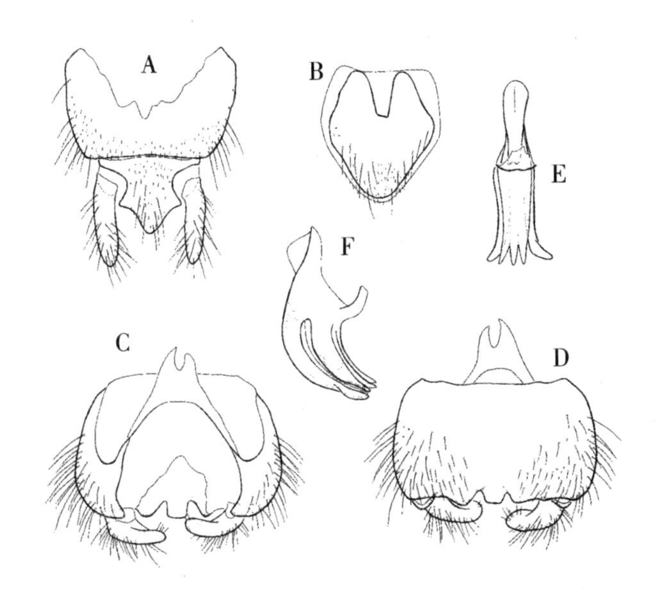

图161　红斑瘦腹水虻 *Sargus mactans* Walker

A. 第9～10背板和尾须背面观(tergites 9-10 and cerci, dorsal view)；B. 第10腹板腹面观(stenite 10, venteral view)；C. 生殖体背面观(genital capsule, dorsal view)；D. 生殖体腹面观(genital capsule, ventral view)；E. 阳茎复合体背面观(aedeagal complex, dorsal view)；F. 阳茎复合体侧面观(aedeagal complex, lateral view)

(27)黑颜瘦腹水虻 *Sargus nigrifacies* Yang, Zhang *et* Li, 2014(图162)

Sargus nigrifacies Yang, Zhang *et* Li, 2014: 465.

鉴别特征:头部黑色，带金紫色。复眼红褐色，裸，明显分离。额胛下半部白色；颜大部分黑紫色，但复眼缘及上部黄色。后头外圈具直立缘毛。触角黄色。喙黄色，具浅黄毛。胸部金蓝紫色，有时稍带绿色光泽，肩胛黄褐色，翅后胛浅褐色，稍带蓝紫色光泽；侧板金蓝紫色；胸部密被白毛。足黑褐色，但基节端部、转节、股节基部、前中足胫节外侧、后足胫节外侧端部2/3为浅黄色。翅透明，端半部稍带浅褐色；翅痣褐色，明显；翅脉褐色。平衡棒浅黄色。腹部黑色，稍带金蓝紫色光泽；腹部被白毛。雄性外生殖器第9背板极宽扁，基缘具浅"V"形凹；尾须指状；生殖基节愈合部的端缘中部具稍内陷的方形中突，中突宽大于长，其端部超过生殖基节端缘；生殖刺突粗短，端部稍尖且内弯；阳茎复合体长，端部较细，3裂，不分离；具1对阳基侧突，较粗，端部尖锐，稍短于阳茎。

采集记录:1♂，留坝庙台子，1350m，1998. Ⅶ. 21，姚建采(IZCAS)；2♂，宁陕火地塘，1580~1650m，1999. Ⅵ. 26，袁德成采(IZCAS)。

分布:陕西(留坝、宁陕)、四川。

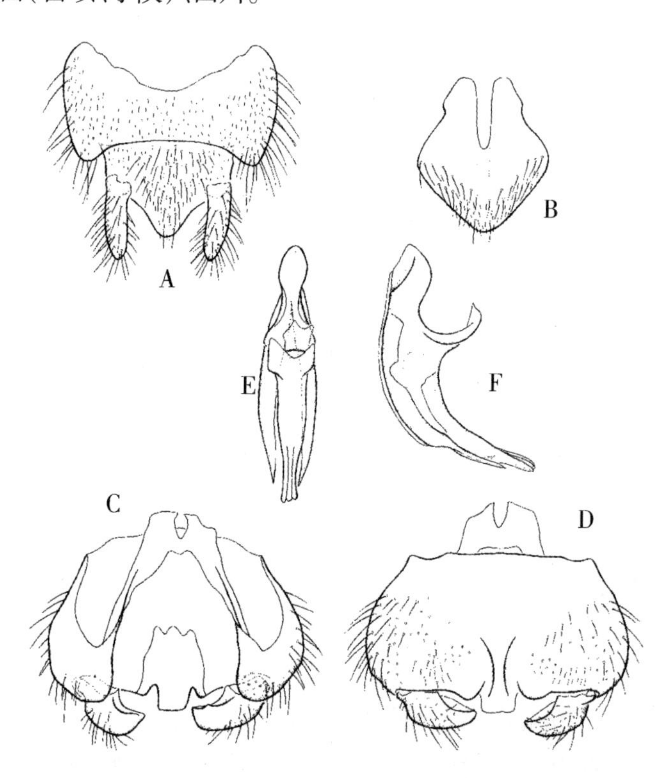

图162 黑颜瘦腹水虻 *Sargus nigrifacies* Yang, Zhang *et* Li

A. 第9~10背板和尾须背面观(tergites 9-10 and cerci, dorsal view)；B. 第10腹板腹面观(stenite 10, venteral view)；C. 生殖体背面观(genital capsule, dorsal view)；D. 生殖体腹面观(genital capsule, ventral view)；E. 阳茎复合体背面观(aedeagal complex, dorsal view)；F. 阳茎复合体侧面观(aedeagal complex, lateral view)

(28)万氏瘦腹水虻 *Sargus vandykei* (James, 1941)

Geosargus vandykei James, 1941: 15.
Sargus vandykei: Yang, Zhang & Li, 2014: 470.

鉴别特征:头部金绿色,头顶紫色,颜黑色,额胛黄色。触角柄节和梗节黑色,鞭节和触角芒黄褐色,但触角芒端部颜色加深。头部毛黄色,后头具黄色直立缘毛。喙污黄色。胸部紫色,侧板稍带红色,后胸背板翠绿色。胸部密被白毛,但后部和下部毛浅黄色。足黑色,前中足胫节和跗节棕黄色,胫节中部具明显的浅色环。翅几乎全褐色,后缘色稍浅。平衡棒棕黄色。腹部铜色,但基部金紫色,腹板紫色。腹部密被灰白毛,但背板后部和末端有带状黑毛。生殖器黑色。

采集记录:1♂,留坝韦驮沟,1359m,2013.Ⅷ.20,席玉强采(CAU)。

分布:陕西(留坝)、江苏。

14. 水虻属 *Stratiomys* Geoffroy, 1762

Stratiomys Geoffroy, 1762: 449, 475. **Type species**: *Stratiomys chamaeleon* Linnaeus, 1758.

属征:体大而粗壮,一般体长超10mm。通常头部(尤其雌虫)、小盾片和腹部有黄斑。雄虫复眼相接或接近,雌虫为离眼式。雌虫具眼后眶,但雄虫无眼后眶或仅部分发达。触角较长,柄节杆状,长约为梗节的3~6倍;鞭节由5~6个亚节组成,末节小,向前直伸。翅 CuA_1 脉不从盘室发出,从盘室发出3条M脉,R_{2+3} 脉远离r-m横脉,R_4 脉存在。小盾片有1对粗壮的刺。

分布:除澳洲区外其他各动物地理区均有分布。全世界已知92种,中国已知24种,秦岭地区分布1种。

(29)长角水虻 *Stratiomys longicornis* (Scopoli, 1763)

Hirtea longicornis Scopoli, 1763: 367.
Musca tenebricus M. Harris, 1778: 45.
Stratiomys tomentosa Schrank, 1803: 94.
Stratiomys villosa Meigen, 1804: 124.
Stratiomys hirtuosa Meigen, 1830: 347.
Hirtea efflatouni Lindner, 1925: 148.
Stratiomyia (*Hirtea*) *longicornis flavoscutellata* Lindner, 1940: 24.
Stratiomys longicornis: Yang, Zhang & Li, 2014: 537.

鉴别特征:体密被浅黄至金黄长毛。雄虫头部亮黑色;雌虫头部黄色,头顶、单眼瘤和上额黑色，并向下延伸变细至触角基部，颜两侧黄色但中央黑色；单眼瘤后方的后头具大黄斑。复眼黑色，被黑棕色短毛。触角柄节为细长杆状，约为梗节长的5~6倍；鞭节5小节；触角亮黑色。喙黑棕色，有黑棕色毛。胸部亮黑色，小盾刺褐色。足黑色，膝部和第1~3跗节黄色，后足胫节主要为黄色，但基部1/3处和端部黑棕色。翅烟褐色，但翅端无色透明，翅脉棕褐色。平衡棒奶白色，基部色深。腹部黑棕色，第2~4背板后缘具1对黄色横条斑，第5背板后缘有三角形黄斑。雄性外生殖器尾须近三角形，端部平截；生殖基节长明显大于宽，近三角形，基部窄，端部两侧具指状突；生殖刺突位于生殖基节端腹面，近三角形，端部尖；阳茎复合体较长，端部膨突，分3叶，侧叶尖细且长，中叶较短。

采集记录:1♀，佛坪，870~1000m，1998.Ⅶ.25，廉振民采(IZCAS)。

分布:陕西(佛坪)、黑龙江、辽宁、内蒙古、北京、天津、河北、山西、山东、河南、宁夏、甘肃、新疆、江苏、上海、浙江、湖北、江西、湖南、福建、广东、海南、广西、四川、贵州；中亚，欧洲。

参考文献

Brunetti, E. 1923. Second revision of the Oriental Stratiomyidae. *Records of the Indianmuseum*, 25(1): 45-180.

Cui, W-N., Li, Z. and Yang, D. 2010. Five new species of *Beris* (Diptera: Stratiomyidae) from China. *Entomotaxonomia*, 32(4): 277-283.

James, M. T. 1941. New species and records of Stratiomydae from Palearctic Asia (Diptera). *The Pan-Pacific Entomologist*, 17(1): 14-22.

Kertész, K. 1909. Vorarbeiten zu einer Monographie der Notacanthen. XII-XXII. *Annales Historico-Naturalesmusei Nationalis Hungarici*, 7(2): 369-397.

Kertész, K. 1914. Vorarbeiten zu einer Monographie der Notacanthen. XXIII-XXXV. *Annales Historico-Naturales Musei Nationalis Hungarici*, 12(2): 449-557.

Kertész, K. 1916. Vorarbeiten zu einer Monographie der Notacanthen. XXXVI-XXXVIII. *Annales Historico-Naturales Musei Nationalis Hungarici*, 14(1): 123-218.

Li, Z., Cui, W-N., Zhang, T-T. and Yang, D. 2009. New species of Beridinae (Diptera: Stratiomyidae) from China. *Entomotaxonomia*, 31(3): 161-171.

Li, Z., Zhang, T-T. and Yang, D. 2009. New species of *Oxycera* from Palaearctic China (Diptera: Stratiomyidae). *Transactions of the American Entomological Society*, 135(3):383-387.

Li, Z., Zhang, T-T. and Yang, D. 2011. Four new species of *Allognosta* from China (Diptera:Stratiomyidae). *Acta Zootaxonomica Sinica*, 36(2): 273-277.

Matsumura, S. 1916. *Thousand insects of Japan. Additamenta.* Volume 2. Keisei-sha, Tokyo. [4], 185-474, plates XVI - XXV, 1-2, 1-2, ; 4].

Nagatomi, A. 1975. The Sarginae and Pachygasterinae of Japan (Diptera: Stratiomyidae). *The Transaction of the Royal Entomological Society of London*, 126(3): 305- 421.

Ôuchi, T. 1938. On some stratiomyiid flies from eastern China. *The Journal of the Shanghai Science Insti-*

tute, *Section* Ⅲ, 4: 37-61.

Ôuchi, T. 1943. Contributiones ad Congnitionem Insectorum Asiae Orientalis 13. Notes on some dipterous insects from Japan and Manchoukuo. *Shanghai Sizenkagaku Kenkyūsyo Ihō*, 13(6): 483-492. *In Japanese with English summary.*

Rozkošný, R. 1982. *A biosystematic study of the European Stratiomyidae* (*Diptera*). *Volume 1. Introduction*, *Beridinae*, *Sarginae and Stratiomyidae*. Dr. W. Junk, The Hague, Boston, London. I-Ⅷ, 1-401.

Rozkošný, R. 1983. *A biosystematic study of the European Stratiomyidae* (*Diptera*). *Volume 2. Clitellariinae*, *Hermetiinae*, *Pachygasterinae and Bibliography*. Dr. W. Junk, The Hague, Boston, London. Ⅰ-Ⅷ, 1-431.

Rozkošný, R. and Hauser, M. 2009. Species groups of Oriental *Ptecticus* Loew including descriptions of ten new species with a revised identification key to the Oriental species (Diptera: Stratiomyidae). *Zootaxa*, 2034:1-30.

Rozkošný, R. and Kovac, D. 2007. Plaearctic and Oriental Species of *Craspedometopon* Kertész (Diptera: Stratiomyidae). *Acta Zoologica Academiae Scientiarum Hungaricae*, 53(3): 203-218.

Séguy, E. 1934. Dipteres de Chine de la collection de M. J. Hervé-Bazin. *Encyclopédie Entomologique*, *Série B* (Ⅱ), *Diptera*, 7: 1-28.

Woodley, *N. E.* 2001. *A world catalog of the Stratiomyidae* (*Insecta*: *Diptera*). *Myia*, 11: [6], 1-475.

Woodley, *N. E.* 2011. *A World Catalog of the Stratiomyidae* (*Insecta*: *Diptera*): *A Supplement with Revisionary Notes and Errata. Myia*, 12:379-415.

Yang, *D. and Nagatomi*, *A.* 1992*a*. *A study of the Chinese Beridinae* (Diptera: Stratiomyidea). *South Pacific Study*, 12(2): 129-178.

Yang, D. and Nagatomi, A. 1992b. The Chinese *Clitellaria* (Diptera: Stratiomyidae). *South Pacific Study*, 13(1): 1-35.

Yang, D. and Nagatomi, A. 1993. The Chinese *Oxycera* (Diptera: Stratiomyidae). *South Pacific Study*, 13(2): 131-160.

Yang, D., Zhang, T-T. and Li, Z. 2014. Stratiomyoidea of China. China Agricultural University Press, Beijing. 1-870. [杨定，张婷婷，李竹. 2014. 中国水虻总科志. 北京：中国农业大学出版社，1-870.]

Yu, S-S., Cui, W-N. and Yang, D. 2009. Three new species of *Actina* (Diptera: Stratiomyidae) from China. *Entomotaxonomia*, 31(4): 296-300.

十六、剑虻科 Therevidae

刘思培[1]　王宁[2]　董慧[3]　杨定[1]

(1. 中国农业大学昆虫系，北京 100193；2. 中国农科院草原研究所，呼和浩特 010010；3. 深圳市中国科学院仙湖植物园，深圳 518004)

鉴别特征：体型细长或粗壮，体长 2.50～15.00mm，浅黄到黑色，全部或部分覆有软毛和粉被。头部半球状；大部分雄性接眼式，雌性离眼式，有3个单眼。有时额在触角水平明显前突；侧颜被灰白粉，多数无毛；颊通常多毛，被粉或毛；后头被粉，有毛；常有眼后鬃。触角分3节。喙较下颚须略长；下颚须1~2节。中胸背板形状多样；小盾片明显；侧板上半区通常被浓密的白粉，下半区有时无粉。胸部背侧鬃1~6对，翅上鬃1~2对，翅后鬃1对，背中鬃0~3对，小盾鬃0~4对。足通常长短适度且纤细，后足比前中足长；胫节和跗节具有排成显著纵列的鬃；爪间突缺失或刚毛状。翅脉 R_4 延长且弯曲，翅盘室延长，有3条翅脉从其顶部延伸出来，具有横脉 m-cu。

生物学：剑虻成虫白天活动，且很多能够在适宜的环境条件下生活数月；它们经常在荒野小路或林边小道阳光充足的地面飞落，雄性常等待飞过的雌性。休息时停落的位置常和属种有关联，包括沙地、岩石、草叶、树叶、茎及树干。大多数剑虻有短时间快速飞行的能力。成虫非捕食性，大多数只饮水为生。剑虻幼虫狭长且为圆柱型，两端逐渐变尖，生活在土壤里面，有的种类为地下害虫如金针虫重要的捕食性天敌。剑虻幼虫有5个龄期，在第5龄期之后或化蛹，或进入滞育，滞育可持续2年。一般认为剑虻为一化性。

分类：全世界已知500余种，中国已知14属46种，陕西秦岭地区分布1属2种。

粗柄剑虻属 *Dialineura* Rondani, 1856

Dialineura Rondani, 1856: 228. **Type species**: *Musca anilis* Linnaeus, 1761.

属征：雄虫复眼中部几乎相接。雄虫和雌虫的额被毛；侧颜通常无毛。触角柄节或多或少膨大，比第1鞭节宽；端刺1节，末端有小刺。前胸腹板沟被毛。中胸鬃序：背侧板鬃3~6对，翅上鬃2对，翅后鬃1~2对，背中鬃1~3对，小盾鬃1~2对。翅室 m_3 开放；中足基节后面被长毛；后足股节有6~10根前腹鬃。雄性生殖器第9腹板缺失；有些种在生殖基节上有亚突。雌性生殖器储精囊管非常短。

分布：古北区，新北区，东洋区，其中古北区发现的种类最多。全世界已知13种，中国分布已知7种，秦岭地区有2种。

分种检索表

中足和后足股节黄色；翅斑褐色 ………………………………………… 长粗柄剑虻 *Dialineura elongata*

所有的股节黑色，除末端黄色；翅斑浅黄色 ……………… 河南粗柄剑虻 *Dialineura henanensis*

(1) 长粗柄剑虻 *Dialineura elongata* Liu *et* Yang, 2012（图163）

Dialineura elongata Liu *et* Yang, 2012: 4.

鉴别特征：头部黑色，被浓密的灰白粉，额中央区域褐色。触角黑色。喙浅黄色，边缘有部分黑色的区域，被短的褐色毛；下颚须浅黄色，被白毛。胸部黑色，被浓密的灰白粉；中胸背板有 3 条褐色宽带，被 2 条浅黄色窄带分开，中宽带中间有 1 条灰色窄带。足基节和转节黑色，被灰白粉；前足股节黑色，被灰白粉，末端黄色，中足和后足股节黄色，除中足股节的腹面和后足股节的背面深褐色；胫节棕黄色，末端深褐色；第 1 ~ 2 跗节均棕黄色，末端深褐色，后足第 3 跗节棕黄色，末端深褐色，其余跗节深褐色。翅透明带黄色；翅斑非常窄，褐色。平衡棒柄部浅黄色，基部和端部深褐色。腹部黑色，被浓密的灰白粉，每节后缘浅黄色。

采集记录：1♂（正模），周至厚畛子，2009. Ⅴ. 01，盛茂领采（CAU）；3♂（副模），同正模；1♂（副模），周至厚畛子，2009. Ⅴ. 08，盛茂领采（CAU）。

分布：陕西（周至）、北京、云南。

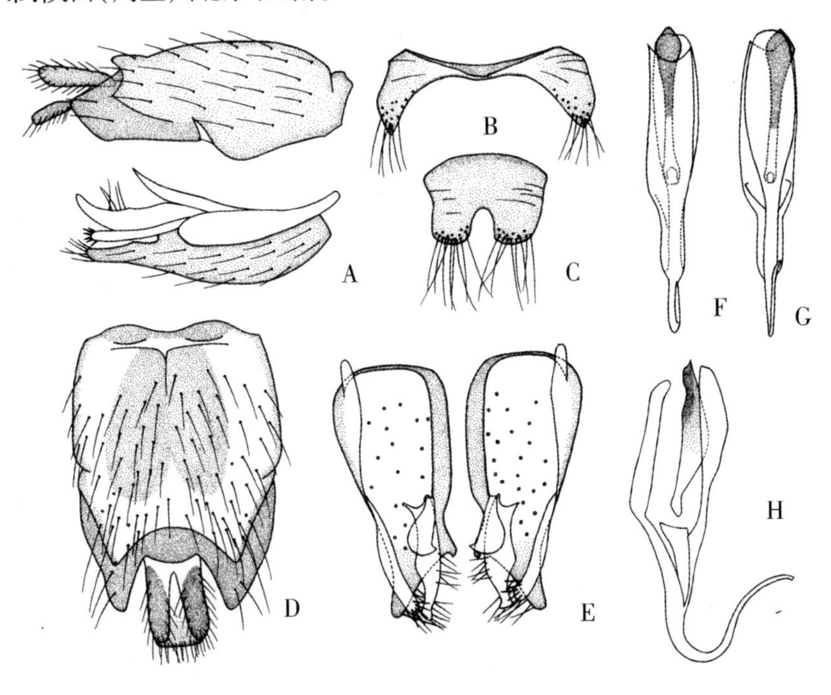

图 163　长粗柄剑虻 *Dialineura elongata* Liu *et* Yang, 2012（雄性）

A. 外生殖器侧面观（genitalia, lateral view）；B. 第 8 背板（tergite 8）；C. 第 8 腹板（sternite 8）；D. 第 9 背板（tergite 9）；E. 生殖基节背面观（gonocoxite, dorsal view）；F. 阳茎背面观（phallus, dorsal view）；G. 阳茎腹面观（pallus, ventral view）；H. 阳茎侧面观（phallus, lateral view）

（2）河南粗柄剑虻 *Dialineura henanensis* Yang, 1999（图 164）

Dialineura henanensis Yang, 1999: 186.

鉴别特征：头部黑色，被浓密的灰白粉，额中央区域褐色。触角黑色。喙黑色，被短白毛；下颚须黑色，被白毛。胸部黑色，被浓密的灰白粉；中胸背板有 3 条宽灰带，被 2 条浅黄色窄带分开，中宽带中间有 1 条褐色窄带。足基节和转节黑色，被灰白粉；所有的股节黑色，末端黄色。翅透明带黄色；翅斑非常窄，浅黄色，位于 R_1 脉末端。平衡棒柄部基部棕黄色，端部深褐色。腹部黑色，被浓密的灰白粉。

采集记录：1♂，周至厚畛子，2009. V. 05，盛茂领采（CAU）。

分布：陕西（周至）、黑龙江、内蒙古、北京、河南、青海、云南。

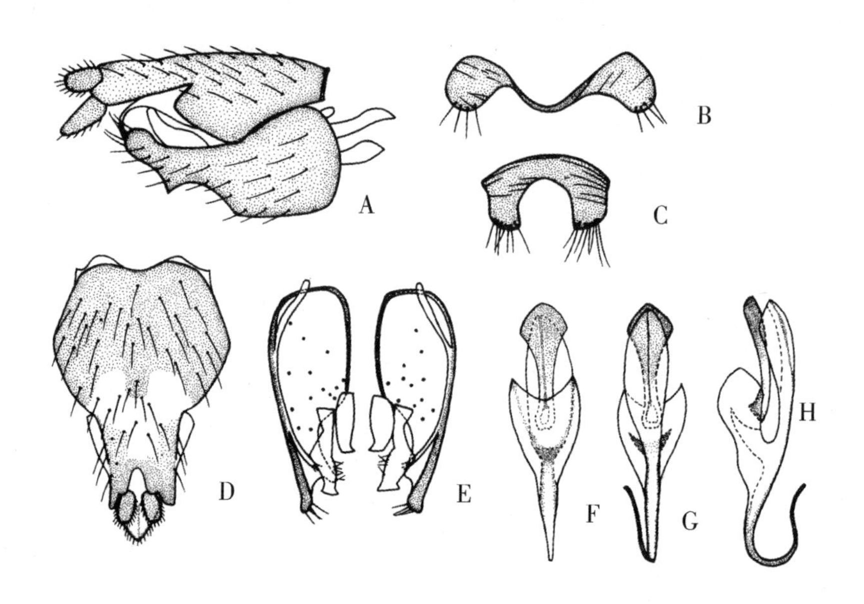

图 164 河南粗柄剑虻 *Dialineura henanensis* Yang, 1999（雄性）

A. 外生殖器侧面观（genitalia, lateral view）；B. 第 8 背板（tergite 8）；C. 第 8 腹板（sternite 8）；D. 第 9 背板（tergite 9）；E. 生殖基节背面观（gonocoxite, dorsal view）；F. 阳茎背面观（phallus, dorsal view）；G. 阳茎腹面观（pallus, ventral view）；H. 阳茎侧面观（phallus, lateral view）

参考文献

Liu, S. P. and Yang, D. 2012. Revision of the Chinese species of *Dialineura* Rondani, 1856 (Diptera: Therevidae: Therevinae). *Zookeys*, 235: 1-22.

Yang, D. 1999. One new species of *Dialineura* from Henan (Diptera: Therevidae). *Fauna and Taxonomy of Insects in Henan*, 4: 186-188.

十七、蜂虻科 Bombyliidae

姚刚[1]　崔维娜[2]　杨定[3]
(1. 金华职业技术学院，金华 321007；2. 山东省邹城市农业局，济宁 273500；
3. 中国农业大学昆虫系，北京 100193)

鉴别特征：蜂虻体型变化大，小至大型，体长 2～20mm，少数种类可达 40mm。其体色多样，通常被各种颜色的毛和鳞片，少数种类体光裸无毛，喙通常很长，翅通常有各种形状的斑。蜂虻科昆虫大多数种类体为短宽型，被鳞片、长毛和鬃，有时被浓密成簇的长毛，有些蜂虻体形似姬蜂、食蚜蝇、剑虻或舞虻。

生物学：蜂虻成虫在外观上多类似膜翅目的蜂类，故取名为蜂虻，为著名的拟态昆虫。蜂虻科成虫访花，幼虫拟寄生或捕食。蜂虻科的昆虫比较喜欢访菊科和十字花科的花，常出现在较干旱的区域，在半沙漠地区也有分布，因此成为干旱荒漠地区中十分重要的传粉昆虫，而分布于其他地区的蜂虻科昆虫也是重要的传粉昆虫之一。

分类：全世界已知 247 属 5000 余种，中国已知 28 属 233 种，陕西秦岭地区有 6 属 13 种。研究标本保存在中国农业大学昆虫博物馆(CAU)，广西大学(GXU)，西北农林科技大学(NAFU)，中国科学院上海昆虫博物馆(SEMCAS)，山东大学(SDU)，沈阳农业大学(SYAU)，中山大学(SYSU)等。

分属检索表

1. 后头平坦或隆起，在后头孔周边没有明显的凹陷 ………………………………… 2
   后头在后头孔周边有 1 个或深或浅的凹陷 ………………………………………… 4
2. 翅脉 M_2 缺如，3 个后室 ……………………………………… **姬蜂虻属 *Systropus***
   翅脉 M_2 存在，4 个后室 ……………………………………………………………… 3
3. 触角柄节长为梗节的 3 倍以上；体小，体较细长，足较细长；翅瓣细长，腋瓣退化；体表以黑色为主，毛长且成簇，额、胸部和腹部通常被金属色或乳白色的鳞片 ……………………………………………………………… **白斑蜂虻属 *Bombylella***
   触角柄节长为梗节 3 倍以下；雄性复眼上面变大；颜长，被浓密的长毛；翅斑如果存在，翅基缘常散布游离的斑，翅极少完全不透明；体通常被长毛，常成簇，通常以白色到黄色或棕色和黑色为主，如果以黑色为主，其他区域则被白色的毛 ……………… **蜂虻属 *Bombylius***
4. 翅脉 R_1～R_{2+3} 缺如(2 个亚缘室)；爪基部无齿状突，爪垫有时存在 …………………… 5
   翅脉 R_1～R_{2+3} 和翅脉 R_4～R_5 存在(4 个亚缘室)；爪基部有齿状突，爪垫存在 …………………………………………………………………………… **丽蜂虻属 *Ligyra***
5. 前足胫节被短鬃，针状，爪垫缺如；翅通常仅基部不透明，雄虫基部通常有 1 簇银色鳞片；体通常被淡黄色的毛，尤其是胸部，腹部被条纹状斑的鳞片 ……………… **绒蜂虻属 *Villa***

前足胫节光或被少量毛，爪垫有时存在；翅有黑斑，从基前缘往外，至少翅表面有一半区域着色，在基部无银色的鳞片；腹部被两条以内的白色鳞片带，其余黑色 ……………………………………………………………………………………………………… 斑翅蜂虻属 *Hemipenthes*

1. 斑翅蜂虻属 *Hemipenthes* Loew, 1869

Hemipenthes Loew, 1869: 28. **Type species**: *Musca morio* Linnaeus, 1758.

Isopenthes Osten Sacken, 1886: 80, 96. **Type species**: *Isopenthes jaennickeana* Osten Sacken, 1886.

属征：体侧通常被浓密的黑色毛。口器正常。触角鞭节洋葱状，端部有1跗节。颜圆形，最多有弱的凸出。翅有1大块的黑斑伸达边缘覆盖了至少它的一半的表面，在基部无银色的鳞片，翅脉 R_1 ~ R_{2+3} 通常缺如(两个亚缘室)。前足胫节光滑或有少量微小的鬃，爪垫有时有。

分布：古北区，新北区，新热带界，东洋区，非洲区分布1种。全世界已知87种，中国已知分布24种，秦岭地区有1种。

(1) 北京斑翅蜂虻 *Hemipenthes beijingensis* Yao, Yang *et* Evenhuis, 2008(图165)

Hemipenthes beijingensis Yao, Yang *et* Evenhuis, 2008: 6.

鉴别特征：触角褐色，仅鞭节淡褐色；柄节长圆柱形，长约为宽的2倍，两边被成列的黑色长毛；梗节长与宽几乎相等，被稀疏的黑色毛；鞭节洋葱状，光裸无毛。胸部黑色，被褐色粉。胸部的毛以黄色为主，鬃黑色或黄色；肩胛被黄色毛，中胸背板前端被成排的黄色长毛，翅基部附近有3根黄色的侧鬃；侧背片被1簇淡黄色的毛，翅后胛有3根黄色鬃。小盾片被稀疏的黄色或黑色长毛。足黑色，胫节黄色。翅半透明，r_1 室透明部分呈新月形，翅室a透明部分极小，近三角形。平衡棒基部黑色，端部苍白色。腹部第9~10节背板被淡黄色的毛。生殖基节腹视向后略微变窄，顶部有1个极窄的深凹，端侧叶腹视端部尖；生殖刺突侧视端部隆起，端部尖且急剧弯曲。

采集记录：1♂，周至，1951.Ⅸ.19(CAU)，采集人不详；1♂2♀，周至秦岭植物园，2006.Ⅶ.16，朱雅君采(CAU)；1♂，凤县大散关，1999.Ⅸ.03，李传仁采(CAU)；1♀，甘泉清泉沟，1971.Ⅶ.02，杨集昆采(CAU)；1♀，甘泉清泉沟，1971.Ⅸ.04，杨集昆采(CAU)；1♀，甘泉清泉沟，1971.Ⅶ.26，杨集昆采(CAU)；1♀，甘泉清泉沟，1971.Ⅶ.28，杨集昆采(CAU)。

分布：陕西(周至、凤县、甘泉)、内蒙古、北京、河北、山西、山东、湖北、西藏。

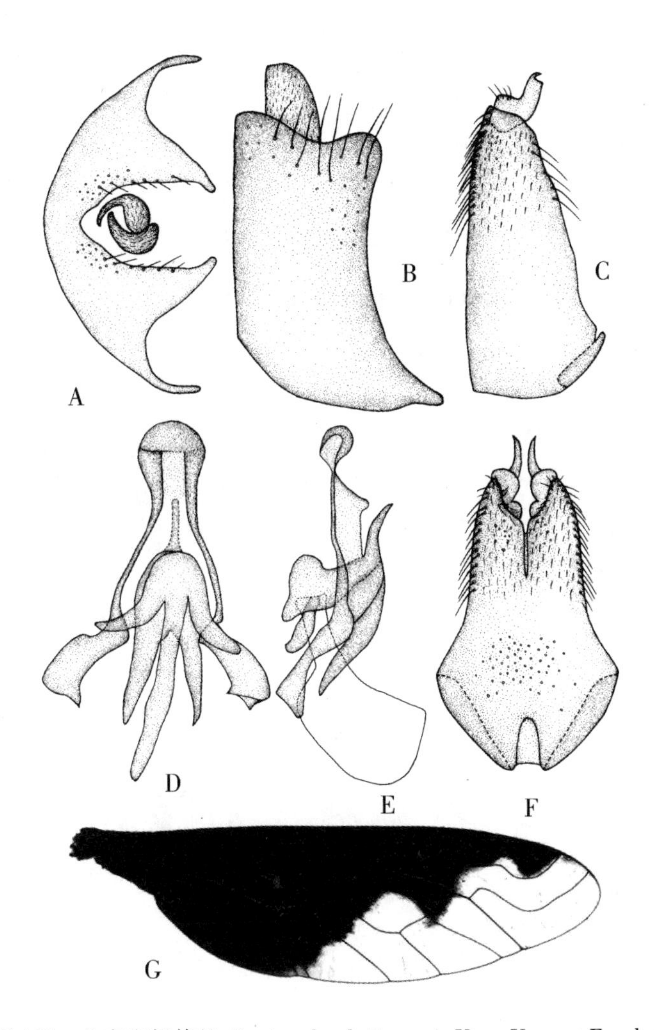

图 165　北京斑翅蜂虻 *Hemipenthes beijingensis* Yao, Yang *et* Evenhuis

A. 生殖背板后面观(epandrium, posterior view); B. 生殖背板侧面观(epandrium, lateral view); C. 生殖基节和生殖刺突侧面观(gonocoxite and gonostylus, lateral view); D. 阳茎复合体背面观(aedeagal complex, dorsal view); E. 阳茎复合体侧面观(aedeagal complex, lateral view); F. 生殖基节和生殖刺突腹面观(gonocoxite and gonostyli, ventral view); G. 翅(Wing)

2. 丽蜂虻属 *Ligyra* Newman, 1841

Ligyra Newman, 1841: 220. **Type species**: *Anthrax bombyliformis* Macleay, 1826.

Velocia Coquillett, 1886: 158. **Type species**: *Anthrax cerberus* Fabricius, 1794.

Paranthrax Paramonov, 1931: 57(57). **Type species**: *Paranthrax africanus* Paramonov, 1931.

Paranthracina Paramonov, 1933: 56. **Type species**: *Paranthrax africanus* Paramonov, 1931.

属征: 体通常宽，卵形。体被各种颜色的毛、鬃和鳞片，极少情况仅被一种颜色的毛、鬃和鳞片。头部的毛大部分为黑色，但也部分种类被淡黄色或红褐色的毛。翅斑多种多样或几乎完全透明，交叉脉附近通常无游离的斑；翅脉正常，无附脉或被分割的翅室，翅脉 $R_1 \sim R_{2+3}$ 和翅脉 $R_4 \sim R_5$ 存在(4 个亚缘室)，翅腋突、翅鳞发达。

分布: 世界性分布。全世界已知 117 种，中国已知分布 19 种，秦岭地区有 1 种。

(2) 坦塔罗斯丽蜂虻 *Ligyra tantalus* (Fabricius, 1794) (图 166)

Anthrax tantalus Fabricius, 1794: 260.

Hyperalonia hyx Brunetti, 1909: 439 [nomen nudum].

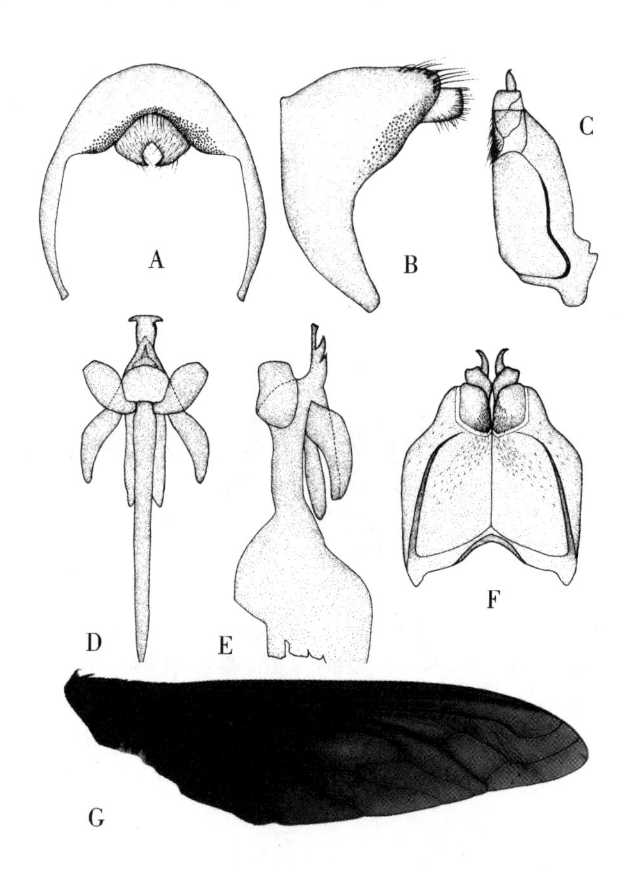

图 166　坦塔罗斯丽蜂虻 *Ligyra tantalus* (Fabricius)

A. 生殖背板后面观(epandrium, posterior view); B. 生殖背板侧面观(epandrium, lateral view); C. 生殖基节和生殖刺突侧面观(gonocoxite and gonostylus, lateral view); D. 阳茎复合体背面观(aedeagal complex, dorsal view); E. 阳茎复合体侧面观(aedeagal complex, lateral view); F. 生殖基节和生殖刺突腹面观(gonocoxite and gonostyli, ventral view); G. 翅(Wing)

鉴别特征: 鞭节圆锥形，光裸无毛，长约为宽的4 倍，端部有 1 个附节，长度略小于鞭节。翅缘被黑色毛，翅瓣和臀叶边缘被褐色鳞片，翅大部分的翅室膜有皱纹，且带紫色反光，平衡棒基部褐色，端部苍白色。腹部黑色，被黑色和白色鳞片，腹部的毛黑色。腹部背板被浓密的黑色鳞片，仅第3和7节背板被白色鳞片，第2和6节背板侧面被白色鳞片小斑，第9～10节背板边缘被黑色毛。腹板被黑色毛，仅第1～5节腹板中部被黄色毛。生殖基节向端部显著变窄，顶端中部有1处凹陷。端侧叶腹视宽，端部钝。生殖刺突侧视端部尖且显著弯曲。阳茎基背片背视近矩形。

采集记录： 1♀，石泉，1981. Ⅷ. 07，魏建华采（CAU）。

分布： 陕西（石泉）、福建、台湾、广东、海南、广西；韩国，日本，泰国，印度，尼泊尔，菲律宾，马来西亚，新加坡。

讨论： 翅由翅基到翅缘和翅端由深褐色到淡褐色；腹部第1～5节腹板中部被黄色毛；生殖刺突侧视端部尖且显著弯曲。

3. 绒蜂虻属 *Villa* Lioy, 1864

Villa Lioy, 1864: 732. **Type species:** *Anthrax concinna* Meigen, 1820.

Hyalanthrax Osten Sacken, 1886: 112 (as subgenus of *Anthrax* Scopoli). **Type species:** *Anthrax faustina* Osten Sacken, 1887.

属征： 体通常被淡黄色的毛，尤其在胸部；腹部被显著的条带状斑，腹部背板侧面常有成簇的黑色鳞片。头部圆，或椭圆形略隆起。触角鞭节洋葱状，端部有1个跗节。前足胫节被短鬃和刺，爪垫缺如。翅最多在基部有1块窄的暗色区域。雄虫常有1簇银色的鳞片在基部。

分布： 世界性分布。世界已知274种，中国已知17种，秦岭地区有1种。

(3) 叉状绒蜂虻 *Villa furcata* Du *et* Yang, 2009（图167）

Villa furcata Du *et* Yang, 2009: 321.

鉴别特征： 触角黑色，仅鞭节为褐色；柄节长与宽几乎相等，被浓密的黑色毛；梗节宽约为长的2倍，被稀疏的黑色毛；鞭节圆锥状，光裸无毛。翅大部分透明，有金属光泽，仅基部褐色；翅脉C基部被刷状黑色长毛和白色鳞片，翅基片被白色鳞片。腹部背板侧缘被浓密的黑色长毛，仅第1～2节背板侧缘被白色长毛，第4和7节背板侧面被白色长鳞片；腹部背面被侧卧的黑色毛，仅第1节背板被侧卧的白色毛，第4节前缘被白色短鳞片。腹板被浓密侧卧的黑色毛和稀疏直立的黑色毛，仅第1节腹板被稀疏直立的白色毛，第4节腹板被稀疏的白色鳞片。生殖基节端部被浓密鬃状的黑色毛，腹视顶部两侧宽度均匀；生殖刺突侧视近矩形，顶部尖且弯曲。阳茎基背片背视棒状，背视顶端为圆形；端阳茎侧视极细长且略弯曲，端部分叉。

采集记录： 1♂（正模），周至楼观台，1962. Ⅷ. 17，杨集昆采（CAU）；1♀（配

模)，周至楼观台，1962. Ⅷ. 17，杨集昆采(CAU)；1♀，甘泉清泉沟，1976. Ⅴ. 06，杨集昆采(CAU)。

分布： 陕西(周至、甘泉)、北京。

讨论： 该种腹部第1～2节背板侧缘被白色长毛，第4和7节背板侧面被白色长鳞片，第1节背板被侧卧的白色毛，第4节前缘被白色短鳞片。

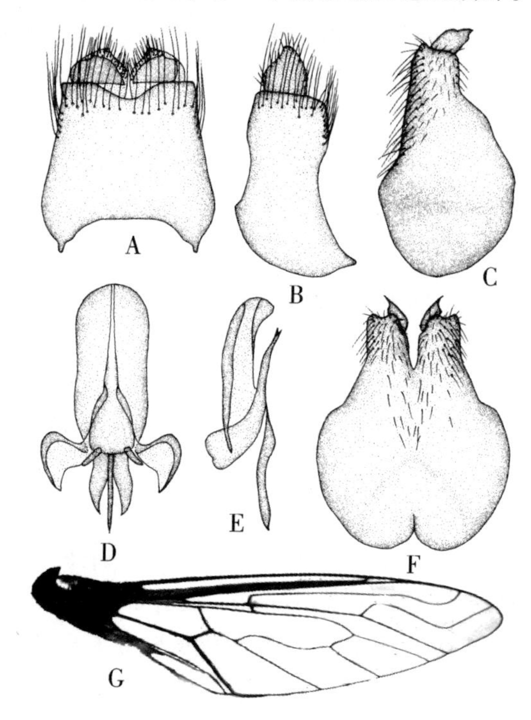

图167 叉状绒蜂虻 *Villa furcata* Du *et* Yang

A. 生殖背板背面观(epandrium, dorsal view)；B. 生殖背板侧面观(epandrium, lateral view)；C. 生殖基节和生殖刺突侧面观(gonocoxite and gonostylus, lateral view)；D. 阳茎复合体背面观(aedeagal complex, dorsal view)；E. 阳茎复合体侧面观(aedeagal complex, lateral view)；F. 生殖基节和生殖刺突腹面观(gonocoxite and gonostyli, ventral view)；G. 翅(Wing)

4. 白斑蜂虻属 *Bombylella* Greathead, 1995

Bombylella Greathead, 1995: 56. **Type species**: *Bombylius ornatus* Wiedemann, 1828.

属征： 体细小型。体被杂乱成簇的毛以及金属光泽或乳白色的鳞片的斑，至少额被鳞片，通常中胸部背部和腹节上也被鳞片，雌性尤其明显。雄性复眼之间的距离几乎与单眼瘤相等，顶部距离较大。颜短。触角鞭节细长。触角各节长度比为3:1:4。须为1节。翅基部黄色或黑色，其余部分透明。径中横脉r-m在盘室的中部或者之前，翅脉M-M很短，通常成点状。翅脉R_{2+3}略微弯曲。翅瓣长，舌状。

分布： 古北区，东洋区，非洲区。世界已知23种，中国已知2种，秦岭地区有1种。

(4)黛白斑蜂虻 *Bombylella nubilosa* Yang, Yao *et* Cui, 2012(图 168)

Bombylella nubilosa Yang, Yao *et* Cui, 2012: 243.

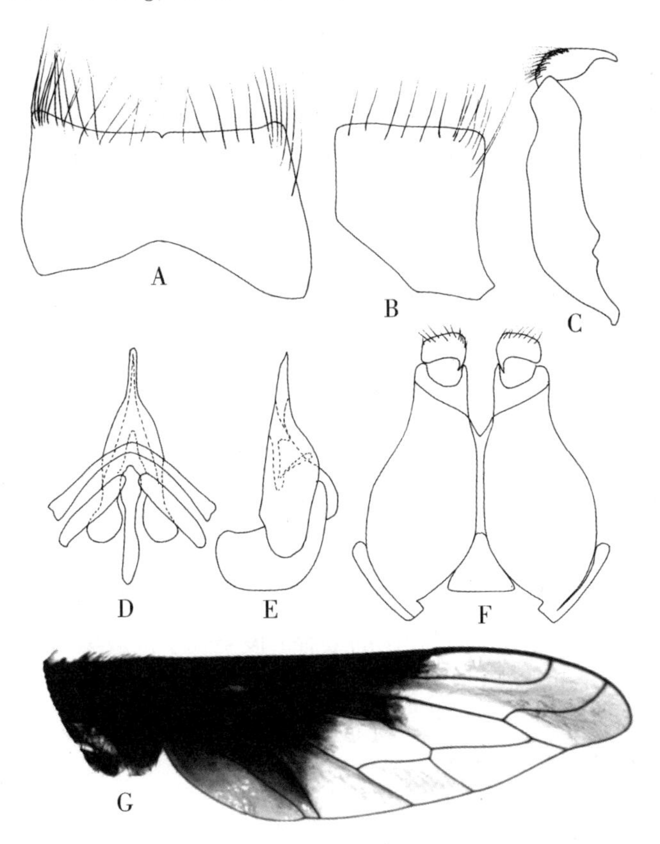

图 168 黛白斑蜂虻 *Bombylella nubilosa* Yang, Yao *et* Cui

A. 生殖背板背面观(epandrium, dorsal view); B. 生殖背板侧面观(epandrium, lateral view); C. 生殖基节和生殖刺突侧面观(gonocoxite and gonostylus, lateral view); D. 阳茎复合体背面观(aedeagal complex, dorsal view); E. 阳茎复合体侧面观(aedeagal complex, lateral view); F. 生殖基节和生殖刺突腹面观(gonocoxite and gonostyli, ventral view); G. 翅(wing)

鉴别特征:触角黑色,被褐色粉;柄节长,被浓密的黑色长毛;梗节长略大于宽,被稀疏的黑色短毛。胸部的毛以淡黄色为主。肩胛被稀疏的黑色长毛。翅半透明,基前半部黑色,端后半部透明。翅脉 R-M 靠近盘室端部的 1/3 处,翅室 r_5关闭,翅脉 C 基部被刷状的黑色鬃。腹部背板被稀疏直立的黑色长毛,第 2～3 节背部中部有 1 块白色鳞片的斑,第 4～6 节背部两侧各有 1 个白色鳞片的斑,由第 4 节往第 6 节斑变小。生殖基节腹视向顶部略变窄;生殖刺突侧视卵形,顶部细。阳茎基背片背视端部中间有 1 块指状凸。阳茎基背片侧视长,端部尖。

采集记录:1♂,周至楼观台,1952. V. 25 (CAU);1♂,宝鸡太白山中山寺,1983. V. 12,陈彤采(CAU);1♂,杨凌,1998. V,樊兵采(NAFU);1♂,杨凌,

1998. Ⅴ，陈景春采(NAFU)；1♀，杨凌，1998. Ⅵ，王满营采(NAFU)；1♀，杨凌西北农学院，1981. Ⅷ. 04，邵生恩采(SYAU)；1♂，宁陕火地塘，1984. Ⅷ (CAU)；1♀，安康，1980. Ⅳ. 27 (CAU)；1♀，甘泉清泉，1971. Ⅴ. 22，杨集昆采(CAU)。

分布：陕西(周至、宝鸡、杨凌、宁陕、安康、甘泉)、辽宁、北京、山东、宁夏。

讨论：该种与 *Bombylella ater* Scopoli，1763 近似，但该种翅室 cua 几乎全部褐色，腹部第 2 ~ 3 节背板中部有 1 个白色鳞片的斑，第 4 ~ 6 节背板两侧各有 1 个白色鳞片的斑，由第 4 节往第 6 节斑变小。而 B. ater 翅室 cua 几乎全部透明，腹部第 2 ~ 6 节背板中部有 1 个白色鳞片的斑，第 2 ~ 6 节背板两侧各有 1 个白色鳞片的斑。

5. 蜂虻属 *Bombylius* Linnaeus，1758

Bombylius Linnaeus，1758：606. **Type species**：*Bombylius major* Linnaeus，1758.

属征：体宽，腹部短且呈圆形。毛长且均匀分布，颜色多样，通常为白色到褐色、灰色、黄色或者黑色；腹部背面的毛通常与腹部背板的鳞片颜色对比鲜明。雄性复眼之间的距离与单眼瘤的宽度相近，雌性复眼之间的距离为单眼瘤宽度的 2 ~ 3 倍。颜突出。触角直线状，梗节呈矩形。须 1 节。足至少后足腿节端部被鬃。翅室 r-m 较 m-m 室长，翅无附脉，且横脉略弯曲。翅脉 R_5 的最后 1 段要长于倒数第 2 段，翅脉 M_1 弯曲与 R_5 形成 1 个直角；翅基部通常有颜色，有时候交叉脉附近有游离的斑，翅瓣大。

分布：除澳洲区无分布外，古北区和新北区分布最多。世界已知 282 种，中国已知 22 种，秦岭地区有 1 种。

(5) 大蜂虻 *Bombylius major* Linnaeus，1758(图 169)

Bombylius major Linnaeus，1758：606.
Bombylius anonymus Sulzer，1761：59.
Bombylivs septimvs Schaeffer，1769：121，fig. 3.
Bombylius variegatus de Geer，1776：268.
Bombylius aequalis Fabricius，1781：473.
Asilus lanigerus Geoffroy，1785：459.
Bombylius sinuatus Mikan，1796：35.
Bombylius fratellus Wiedemann，1828：583.
Bombylius consanguineus Macquart，1840：97.
Bombylius vicinus Macquart，1840：98.
Bombylius albipectus Macquart，1855：102(82).
Bombylius major var. *australis* Loew，1855：14.
Bombylius basilinea Loew，1855：14.
Bombylius antenoreus Lioy，1864：728.

Bombylius notialis Evenhuis, 1978: 101.

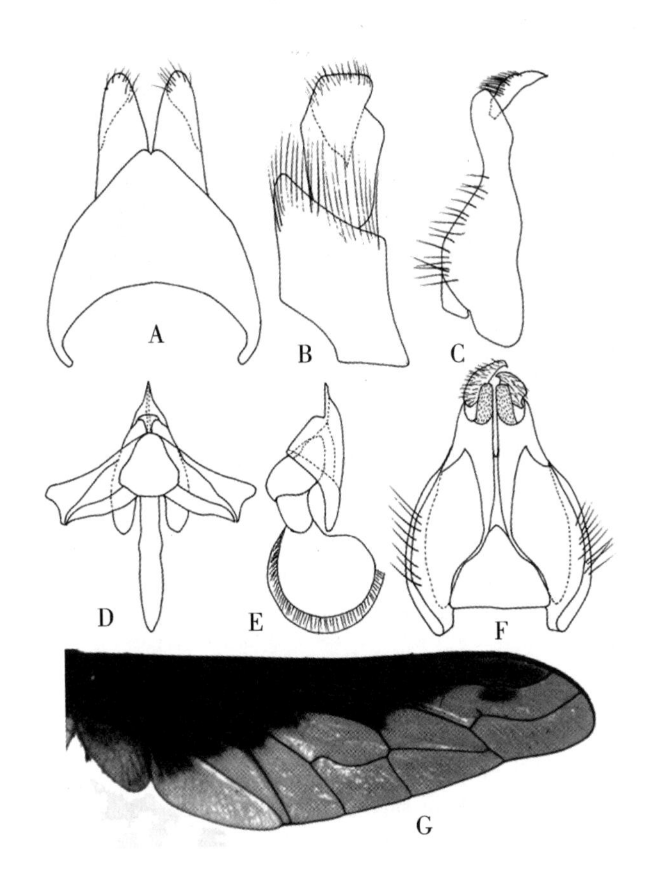

图 169　大蜂虻 *Bombylius major* Linnaeus

A. 生殖背板背面观(epandrium, dorsal view); B. 生殖背板侧面观(epandrium, lateral view); C. 生殖基节和生殖刺突侧面观(gonocoxite and gonostylus, lateral view); D. 阳茎复合体背面观(aedeagal complex, dorsal view); E. 阳茎复合体侧面观(aedeagal complex, lateral view); F. 生殖基节和生殖刺突腹面观(gonocoxite and gonostyli, ventral view); G. 翅(Wing)

鉴别特征:触角柄节长,被浓密的黑色长毛;梗节长与宽几乎相等,被稀疏的黑色毛;鞭节长,光裸无毛,顶部有一分 2 节的跗节。胸部以黄色为主。肩胛被浓密的黄色毛,中胸背板被浓密的黄色长毛,胸部背面和侧面被浓密的黄色毛。翅半透明,前半部褐色。翅脉 R-M 靠近盘室中部,翅室 r_5 关闭,翅脉 C 基部被刷状的黑色鬃。腹板被浓密的黑色长毛,仅第 1~3 节被浓密的白色长毛。生殖基节腹视向顶部显著变窄;生殖刺突侧视卵形,顶部尖。阳茎基背片背视三角形。阳茎基背片侧视端部细短。

采集记录: 10♂6♀,长安南五台,1957. Ⅷ,段齐采(NAFU);1♂,太白山蒿坪,1982. Ⅴ.13,冯纪年采(NAFU);1♂,武功,1957. Ⅷ,段齐采(NAFU);8♂6♀,武功,1957. Ⅷ,段齐采(NAFU);2♂1♀,礼泉,1991. Ⅴ.01,何朝霞采(NAFU)。

分布:陕西(长安、太白、武功、礼泉)、辽宁、北京、天津、河北、山东、浙江、江西、福建;蒙古,俄罗斯,韩国,日本,泰国,印度,尼泊尔,巴基斯坦,哈萨克斯坦,塔吉克斯坦,土库曼斯坦,乌兹别克斯坦,土耳其,欧洲,北部非洲,北美洲。

讨论:该种可从翅斑鉴定,与 *Bombylius analis* Olivier, 1789 和 *Bombylius chinensis* Paramonov, 1931 相似,但该种褐色和透明部分分界明显,而其余两种都略有过渡。

6. 姬蜂虻属 *Systropus* Wiedemann, 1820

Systropus Wiedemann, 1820: 18. **Type species**: *Systropus macilentus* Wiedemann, 1820.

Céphène Latreille, 1825: 570 (unjustified new replacement name for *Systropus* Wiedemann, 1820) [Unavailable; vernacular name without nomenclatural status].

Cephenus Berthold, 1827: 506 [unnecessary new replacement name for *Systropus* Wiedemann, 1820 (as "*Systrophus*")]. **Type species**: *Systropus macilentus* Wiedemann, 1820.

Cephenes Latreille, 1829: 505. **Type species**: *Systropus macilentus* Wiedemann, 1820. [Unavailable; name proposed in synonymy with *Systropus* Wiedemann and notmade available before 1961.]

Systropus Jensen, 1832: 335 (nec Wiedemann, 1820). **Type species**: *Systropus macilentus* Jensen, 1832.

Xystrophus Agassiz, 1846: 393 (unnecessary emendation of Systropus Wiedemann, 1820). **Type species**: *Systropus macilentus* Wiedemann, 1820.

Cephenius Enderlein, 19263: 70. **Type species**: *Systropus studyi* Enderlein, 1926.

Coptopelma Enderlein, 1926: 70. **Type species**: *Coptopelma schineri* Enderlein, 1926 [misidentification, = *Systropus sanguineus* Bezzi, 1921].

Pioperna Enderlein, 1926: 70. **Type species**: *Cephenus femoratus* Karsch, 1880.

Symblla Enderlein, 1926: 70, 92. **Type species**: *Systropus leptogaster* Loew, 1860 [misidentification, = *Systropus holaspis* Speiser, 1914].

属征: 体细长,体型似姬蜂。触角长分为 3 节,鞭节柳叶状。前足与中足短小,后足细长。翅烟色透明,狭长。腹柄由第 2~3 腹节组成。

分布:世界性分布。全球已知 180 余种,中国已知 2 亚属 68 种,秦岭地区有 8 种。

分种检索表

1. 中胸背板有中斑 …… 2
   中胸背板无中斑 …… 7
2. 中斑与后斑以黄色或黄褐色宽带相连;触角柄节基半部黄色,其余黑色;头部黑色;后足胫节近端部 1/6 黄色,其余黑色,第 1 跗节基半部黄色,其余跗节黑色;小盾片后缘黄色;平衡棒黄色,棒端背面褐色(也存在前斑与中斑不相连的个别情况) … **金刺姬蜂虻 *S. aurantispinus***
   中斑与后斑仅以 1 条极细的黄线相连或中斑与后斑相互独立而不相连 …… 3

3. 触角柄节或仅柄节基部黄色或褐色，其余黑色，或全黑色；后足胫节基部和端部黑色；跗节黑色……………………………………………………………………… **贵阳姬蜂虻** ***S. guiyangensis***
触角柄节、梗节黄色，鞭节黑色……………………………………………………………………… 4
4. 后足胫节 6/9 ~ 8/9 为黑色，其余黄色，第 1 ~ 3 跗节为黄色………… **钩突姬蜂虻** ***S. ancistrus***
后足胫节 1/2 ~ 4/5 处为黑色，其余黄色，第 1 跗节黄色或第 1 跗节基半黄色 ……………… 5
5. 后足第 1 跗节黄色，距端部 3/5 到端部黑色，或第 1、2 跗节黄色，其余跗节黑色；阳茎基背片的两个黑色骨化突起部分各自中间都有凹陷…………………………… **齿突姬蜂虻** ***S. serratus***
后足第 1 跗节黄色，仅端部有 1 片极小的黑色区域或没有黑色区域 ………………………… 6
6. 阳茎复合体侧突端部黑色骨化，锯齿状；后足第 1 跗节黄色，其余黑色 ……………………………………………………………………………… **锯齿姬蜂虻** ***S. denticulatus***
阳茎复合体侧突端部黑色骨化，两端各有 1 个齿突；后足第 1 跗节黄色，端部有极小的黑色区域 ……………………………………………………………………………… **双齿姬蜂虻** ***S. brochus***
7. 前斑与中斑以极细的黄带相连或接近；第 9 背板上的突起长而细 …… **合斑姬蜂虻** ***S. coalitus***
前斑与中斑以 1 条稍宽的黄褐色带相连；阳茎基侧叶尖细，端部骨化成黑色 ……………………………………………………………………………… **麦氏姬蜂虻** ***S. melli***

(6) 钩突姬蜂虻 *Systropus ancistrus* Yang *et* Yang, 1997（图 170）

Systropus ancistrus Yang *et* Yang, 1997: 1466.

鉴别特征：头部红黑色被浅黄毛，下额、颜和颊有密的银白色短毛；喙黑色，基部黄褐色，光滑；下颚须褐色，有淡黄毛。胸部黑色，中胸背板有 3 个黄色侧斑，前斑与中斑以 1 条宽度为前斑宽度 1/2 的黄带相连。前斑横向，呈四方状，中斑葱头状，后斑呈不规则楔形。小盾片黑色，端部 1/3 黄色，有浅黄色长毛。后胸腹板黑色，有长白毛，后缘有 1 片"V"形黄色区域，"V"形黄色区域长度约为后胸腹部 2/3。后胸腹板与第 1 腹节边缘黄色。足胫节 6/9 ~ 8/9 黑色，其余黄色；跗节 1 ~ 3 黄色，第 3 跗节仅末端一点黑色，4 ~ 5 跗节褐色。爪亮黑色，爪垫黄色。足的毛多呈倒伏状，黑色。腹部第 1 背板黑色，第 2 ~ 5 节腹板中间有黑色长条带；第 6 背板外侧暗褐色。雄性外生殖器第 9 背板背面观近半圆形，尾须呈不规则的梨形，其上的黑色骨化突出成棒状，腹面观生殖基节基部有 1 处宽大的"V"形凹陷，阳茎基侧叶端部宽大，有 4 ~ 5个齿状突起，骨化成黑色。

采集记录：2♂，秦岭植物园白羊叉，2006. Ⅶ. 17，朱雅君采（CAU）。

分布：陕西（周至）、北京、河南、湖北。

讨论：该种与齿突姬蜂虻 *Systropus serratus* Yang *et* Yang, 1995 近似，但前者后足跗节 1 ~ 3 跗节黄色，而后者后足跗节只有第 1 跗节黄色，故与之区分。

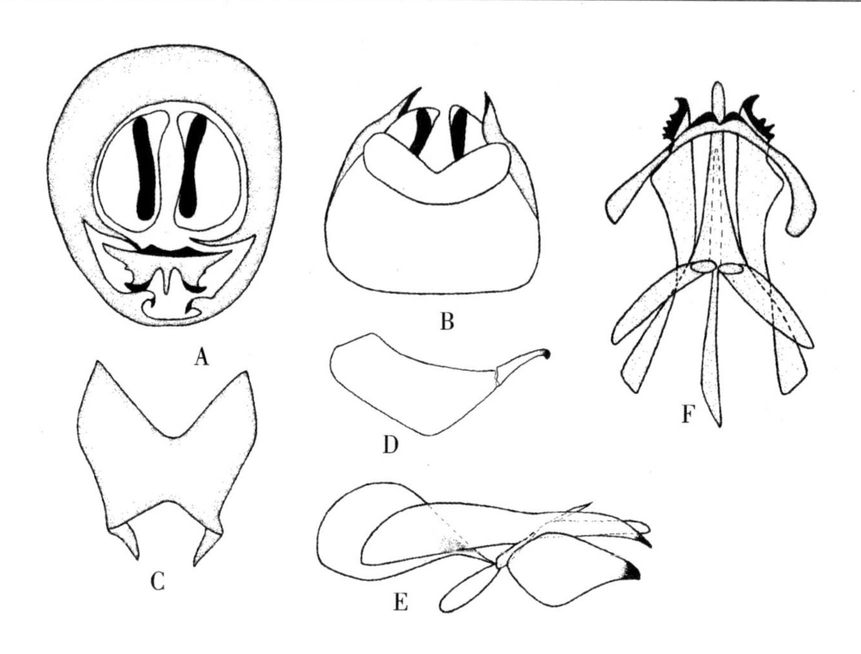

图 170 钩突姬蜂虻 *Systropus ancistrus* Yang *et* Yang

A. 雄性外生殖器后面观(male genitalia, posterior view); B. 第 9 背板, 尾须, 第 10 腹板腹面观(epandrium, cercus and sternite 10, ventral view); C. 生殖基节和生殖刺突腹面观(gonocoxite and gonostylus, ventral view); D. 生殖基节和生殖刺突侧面观(gonocoxite and gonostylus, lateral view); E. 阳茎复合体侧面观(aedeagal complex, lateral view); F. 阳茎复合体背面观(aedeagal complex, dorsal view)

(7)金刺姬蜂虻 *Systropus aurantispinus* Evenhuis, 1982(图 171)

Systropus aurantispinus Evenhuis, 1982: 36.

鉴别特征:头部红黑色, 下额、颜和颊浅黄色。触角柄节黄色, 末端有短黑毛; 梗节暗褐色, 有短黑毛, 喙黑色, 基部黄褐色, 光滑; 下颚须褐色, 有淡黄毛。胸部黑色, 肩胛浅黄色; 前胸侧板浅黄色, 前斑黄色, 横向呈指状; 中斑黄褐色, 与前斑以 1 条宽度为前斑宽度 1/3 的黄色宽带相连, 中斑外延以 1 条黄褐色的条带与后斑相连, 后斑黄色小三角形; 后胸腹板黑色, 有长白毛, 后缘有 1 片"V"形黄色区域, "V"形黄色区域长度约为后胸腹部 1/2, 后胸腹板与第 1 腹节边缘黄色, 区域较小。足胫节褐色至黑色, 5/6 至端部黄色, 第 1 跗节基半黄色, 其余跗节黑色, 胫节有 3 排刺状黑鬃。腹部黄褐色; 第 1 背板黑色, 前缘宽于小盾片; 第 2 ~ 5 节腹板中间有黑色长条带; 第 6 背板外侧暗褐色。腹柄由第 2 ~4 腹节及第 5 腹节的前半部组成; 第 5 ~ 8 腹节膨胀成卵形。毛很短, 伏倒状, 黑色, 第 2 ~ 5 腹节黄色区有淡黄毛。雄性外生殖器第 9 背板背面观近半圆形; 尾须呈不规则蚕豆状; 腹面观生殖基节基部有 1 处宽大的"V"形凹陷, 生殖刺突基部宽大, 端部细长呈钩状, 骨化成黑色。阳茎基背片有两个黑色骨化突起, 中间有 1 处大型"V"形凹陷。

采集记录： 1♀，长安南五台，1980. Ⅷ. 28，袁峰采（CAU）。

分布：陕西（长安）、河南、浙江、湖北、福建、广东、广西、云南。

讨论：该种与黄翅姬蜂虻 *S. flavalatus* Yang *et* Yang，1995 最为相似，但前者小盾片后缘黄色，且第 9 背板端部突起细长，故与后者容易区分。

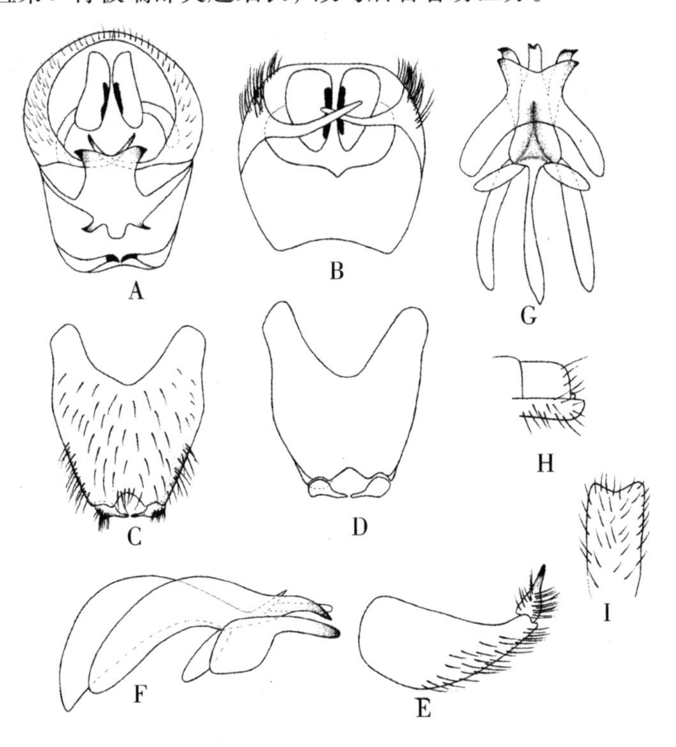

图 171　金刺姬蜂虻 *Systropus aurantispinus* Evenhuis

A. 雄性外生殖器后面观（Male genitalia，posterior view）；B. 第 9 背板，尾须，第 10 腹板腹面观（epandrium，cercus and sternite 10，ventral view）；C. 生殖基节和生殖刺突背面观（gonocoxite and gonostylus，dorsal view）；D. 生殖基节和生殖刺突腹面观（gonocoxite and gonostylus，ventral view）；E. 生殖基节和生殖刺突侧面观（gonocoxite and gonostylus，lateral view）；F. 阳茎复合体侧面观（aedeagal complex，lateral view）；G. 阳茎复合体背面观（aedeagal complex，dorsal view）；H. 亚生殖板末端侧面观（apex of abdomen，lateral view）；I. 亚生殖板末端腹面观（apical portion of sternum 8，ventral view）

（8）双齿姬蜂虻 *Systropus brochus* Cui *et* Yang，2010（图 172）

Systropus brochus Cui *et* Yang，2010：16.

鉴别特征：头部黑色，下额、颜和颊浅黄色。触角柄节、梗节黄色，有浅黄色毛；鞭节黑色，扁平且光滑。胸部黑色，有黄色斑；肩胛浅黄色，中胸背板有 3 个黄色侧斑，前斑与中斑以 1 条为前斑宽度 1/4 的黄条带相连，前斑横向，呈指状；中斑葱头状；后斑三角状。后胸腹板黑色，有长白毛，后缘有 1 片“V”形黄色区域，“V”形黄色区域长度约为后胸腹部1/2。后胸腹板与第1腹节边缘黄色。足胫节黄色，1/7～6/7处黑色，第1跗节黄色，顶端有1条极窄的褐色至黑色环带，上面附有1圈黄褐色大刺，其余跗节黑色。腹部黄色，第2～5节腹板中间有褐色长条带；第6背板外侧暗褐色；腹柄由第2～4腹节及第5腹节的前半部组成；第5～8腹节膨胀成卵形。雄性外生殖器第9背板背面观近半圆形，尾须呈不规则三角形；腹面观生殖基节基部有1处宽大的"V"形凹陷，生殖刺突宽大，端部骨化成黑色，钩状；阳茎基背片有两个黑色骨化突起，中间有1处"V"形凹陷；阳茎基侧叶端部变宽，两端各有1个黑色钩状突起。

采集记录：1♂（正模），周至秦岭植物园白羊叉，2006.Ⅶ.17，朱雅君采（CAU）；1♂（副模），周至秦岭植物园白羊叉，2006.Ⅶ.17，朱雅君采（CAU）；1♂（副模），周至厚畛子，2010.Ⅶ.18，张婷婷采（CAU）。

分布：陕西（周至）、北京、河南、云南。

讨论：该种与锯齿姬蜂虻 *Systropus denticulatus* Du，Yang，Yao *et* Yang，2008相似，但本种阳茎基侧叶端部只有2个黑色突起，而后者的阳茎基侧叶端部则是1排锯齿状刺突。

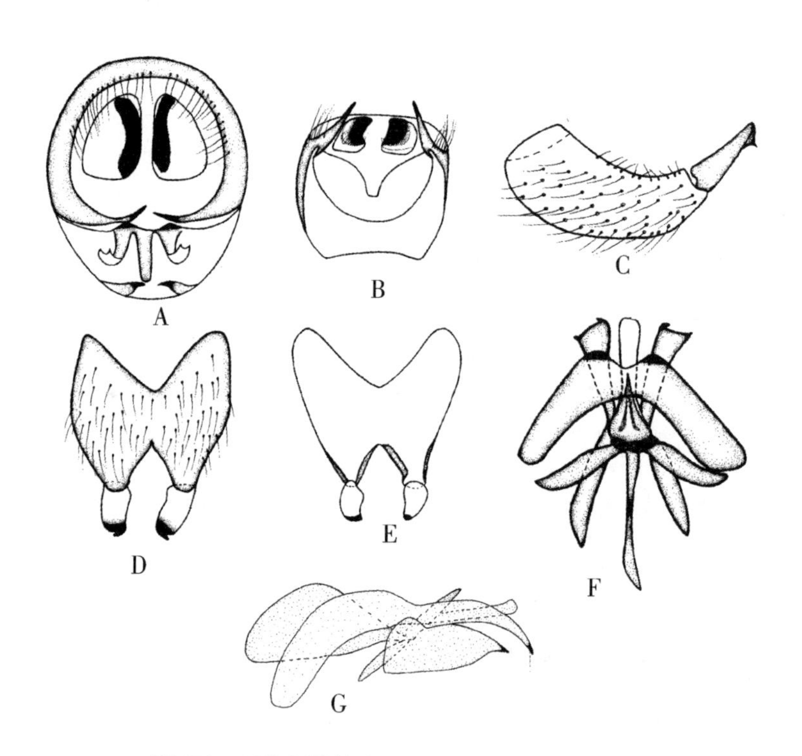

图172 双齿姬蜂虻 *Systropus brochus* Cui *et* Yang

A. 雄性外生殖器后面观（Male genitalia，posterior view）；B. 第9背板，尾须，第10腹板腹面观（epandrium，cercus and sternite 10，ventral view）；C. 生殖基节和生殖刺突侧面观（gonocoxite and gonostylus，lateral view）；D. 生殖基节和生殖刺突腹面观（gonocoxite and gonostylus，ventral view）；E. 生殖基节和生殖刺突背面观（gonocoxite and gonostylus，dorsal view）；F. 阳茎复合体背面观（aedeagal complex，dorsal view）；G. 阳茎复合体侧面观（aedeagal complex，lateral view）

(9)合斑姬蜂虻 *Systropus coalitus* Cui *et* Yang, 2010(图 173)

Systropus coalitus Cui *et* Yang, 2010: 18.

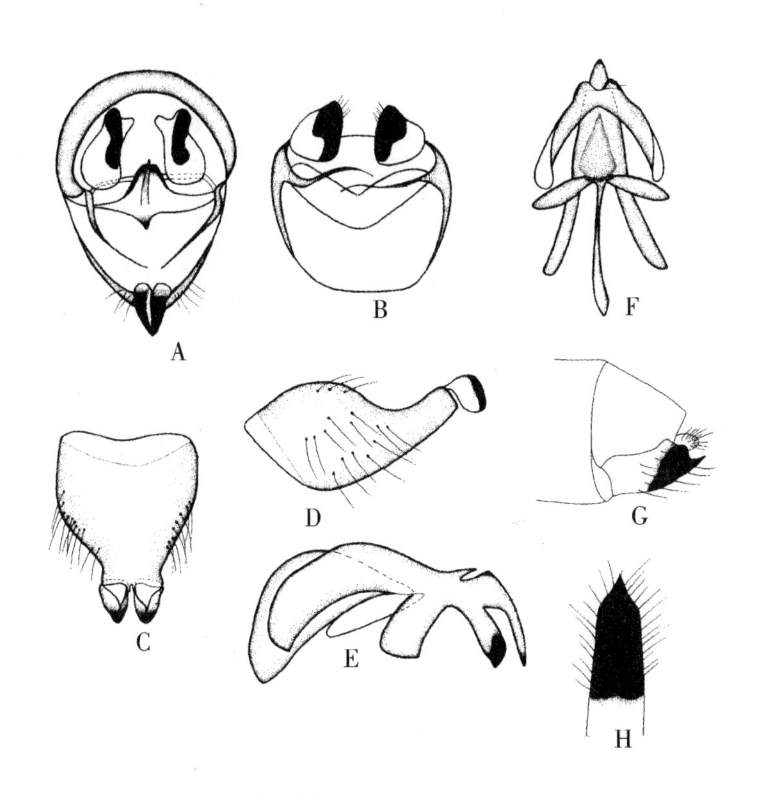

图 173　合斑姬蜂虻 *Systropus coalitus* Cui *et* Yang

A. 雄性外生殖器后面观(Male genitalia, posterior view); B. 第 9 背板, 尾须, 第 10 腹板腹面观(epandrium, cercus and sternite 10, ventral view); C. 生殖基节和生殖刺突腹面观(gonocoxite and gonostylus, ventral view); D. 生殖基节和生殖刺突侧面观(gonocoxite and gonostylus, lateral view); E. 阳茎复合体侧面观(aedeagal complex, lateral view); F. 阳茎复合体背面观(aedeagal complex, dorsal view); G. 亚生殖板末端侧面观(apex of abdomen, lateral view); H. 亚生殖板末端腹面观(apical portion of sternum 8, ventral view)

鉴别特征:头部黑色，下额、颜和颊浅黄色；触角柄节浅黄色，末端黑褐色，有短黑毛；梗节暗褐色，有短黑毛；鞭节黑色，扁平且光滑。胸部黑色，有黄色斑；肩胛浅黄色，前胸侧板浅黄色，中胸背板有 3 个黄色侧斑，前斑与中斑以 1 条宽度为前斑宽度 1/6 的黄褐色黄带相连；前斑横向，呈三角状，端部较尖；中斑葱头状，后斑不规则菱形；后胸腹板黄色，两侧各有 1 条黑色宽带，黑带在基部愈合。前足和中足黄色，后足黄褐色，前足第 3 ~ 5 跗节褐色；中足转节基部至端部 1/2 区域黑色；后足转节黑色，腿节黄褐色，后足胫节有 3 排黑色刺状鬃。腹部黄色，第 2 ~ 5 节腹板中间有黑色长条带；第6背板外侧暗褐色；腹柄由第2~4腹节及第5腹节的前半部组成；第5~8腹节膨胀成卵形。雄性外生殖器第9背板背面观近半圆形，尾须呈不规则三角形，其上的黑色骨化突出尾须呈哑铃状；腹面观生殖基节基部几乎没有“V”形凹陷；生殖刺突宽大，呈等边三角形，端部骨化成黑色区域大。阳茎基背片有两个黑色骨化突起；阳茎基中叶长，端部骨化成黑色。阳茎基侧叶消失。

采集记录： 1♂，太白嵩坪寺，1981.Ⅷ.12，赵德金采（CAU）。

分布： 陕西（太白）、北京、天津、河南、浙江、福建。

讨论： 该种与大沙河姬蜂虻 *Systropus dashahensis* Dong *et* Yang 相似，但前斑与中斑以极细的黄带相连或接近；第9背板上的突起长而细。而后者斑与中斑相互独立；第9背板上的突起较短粗，尾须骨化部分较大且不规则。

（10）锯齿姬蜂虻 *Systropus denticulatus* Du, Yang, Yao *et* Yang, 2008（图174）

Systropus denticulatus Du, Yang, Yao *et* Yang, 2008: 8.

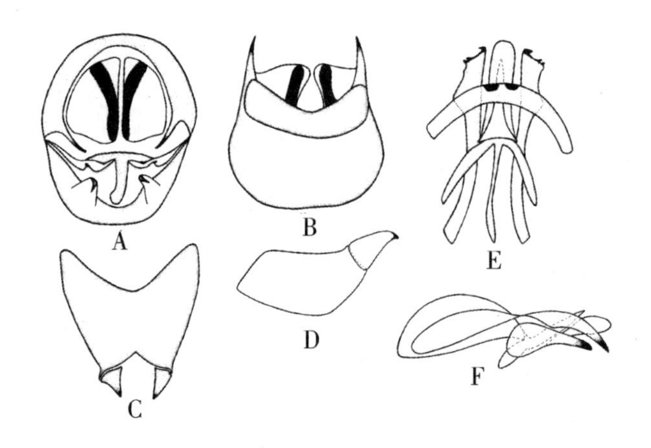

图174 锯齿姬蜂虻 *Systropus denticulatus* Du, Yang, Yao *et* Yang

A. 雄性外生殖器后面观（male genitalia, posterior view）；B. 第9背板，尾须，第10腹板腹面观（epandrium, cercus and sternite 10, ventral view）；C. 生殖基节和生殖刺突腹面观（gonocoxite and gonostylus, ventral view）；D. 生殖基节和生殖刺突侧面观（gonocoxite and gonostylus, lateral view）；E. 阳茎复合体背面观（aedeagal complex, dorsal view）；F. 阳茎复合体侧面观（aedeagal complex, lateral view）

鉴别特征： 头部红黑色，下额、颜和颊浅黄色；触角柄节、梗节黄色，有短黄毛；鞭节黑色，扁平且光滑。胸部黑色，有黄色斑，肩胛浅黄色，前胸侧板浅黄色，中胸背板有3个黄色侧斑，前斑与中斑以1条宽度为前斑宽度1/2的黄带相连，前斑横向指状，中斑呈葱头状，后斑呈不规则楔形，中斑与后斑以 1 条黄褐色细带相连，后胸腹板黑色，有长白毛，后缘有 1 处“V”形黄色区域，“V”形黄色区域长度约为后胸腹部的 2/3，后胸腹板与第 1 腹节边缘黄色。前足全为黄色，中足基节基半部黑色，余皆黄色，后足基节黑色，转节及腿节黄褐色，胫节棕色，向端部渐变为黑色，端部 1/10及第 1 跗节黄色，胫节有 3 排刺状黑鬃。腹部棕褐色，侧扁，第 1 背板黑色，第 2～5 节腹板中间有黑色长条带，第 6 背板外侧暗褐色；腹柄第 5～8 腹节膨胀成卵形，第2～5腹节黄色区有淡黄毛。雄性外生殖器第 9 背板背面观近半圆形，有稀疏的短刺毛，尾须呈不规则三角形，其上的黑色骨化突出成哑铃状；生殖基节腹面观基部有 1 处宽大的“V”形凹陷，宽大于长；生殖刺突宽大，呈等边三角形，端部骨化成黑色；阳茎基侧叶宽大，端部骨化黑色，呈锯齿状。

采集记录：1♂，太白山大殿，1981. Ⅷ. 02，陕西太白山昆虫考察组采（CAU）。

分布：陕西（太白）、北京、河南、福建、广西、四川、云南。

讨论：该种与黄角姬蜂虻 *Systropus flavicornis* Enderlein，1926 最相似，但后者中胸小盾片后缘黄色，且其中胸背板前面的斑不与中间的斑愈合，故与之容易区别。

（11）贵阳姬蜂虻 *Systropus guiyangensis* Yang，1998（图 175）

Systropus guiyangensis Yang，1998：38.

鉴别特征：头部红黑色，下额、颜和颊浅黄色；触角柄节黄至黄褐色，有短黑毛，末端近褐色；梗节暗褐色，有短黑毛；鞭节黑色，扁平且光滑。胸部黑色，有黄色斑，肩胛浅黄色，前胸侧板浅黄色，中胸背板有 3 个黄色侧斑，前斑与中斑以 1 条宽度为前斑宽度 1/3 的黄带相连，前斑横向，呈四方状；中斑葱头状，后斑呈不规则楔形；后胸腹板黑色，有长白毛，后缘有 1 处“V”形黄色区域，“V”形黄色区域长度约为后胸腹部的 1/2，后胸腹板与第 1 腹节边缘黄色。足胫节黄褐色，4/5 处至端部黄色，胫节有 3 排刺状黑鬃，第 1 跗节基半黄色，其余跗节黑色。腹部黄褐色；第 1 背板黑色，前缘宽于小盾片；第 2～5 节腹板中间有黑色长条带；第 6 背板外侧暗褐色。腹柄第 5～8 腹节膨胀成卵形。雄性外生殖器第 9 背板背面观近半圆形，有稀疏的短刺毛；尾须呈不规则三角形，其上的黑色骨化突出成棒状，面积大。生殖基节腹面观基部有 1 处宽大的“V”形凹陷；阳茎基背片有两个黑色骨化突起，中间有 1 处“V”形凹陷。

采集记录：1♀，秦岭植物园白羊叉，2006. Ⅶ. 17，朱雅君（CAU）。

分布：陕西（周至）、河南、浙江、湖北、福建、贵州、云南。

讨论：该种与亚洲姬蜂虻 *Systropus nitobei* Matsumura, 1916 最为相似，但后者后足跗节基半黄色，触角三节长度比为 2.60∶1.00∶1.80，故与之容易区别。

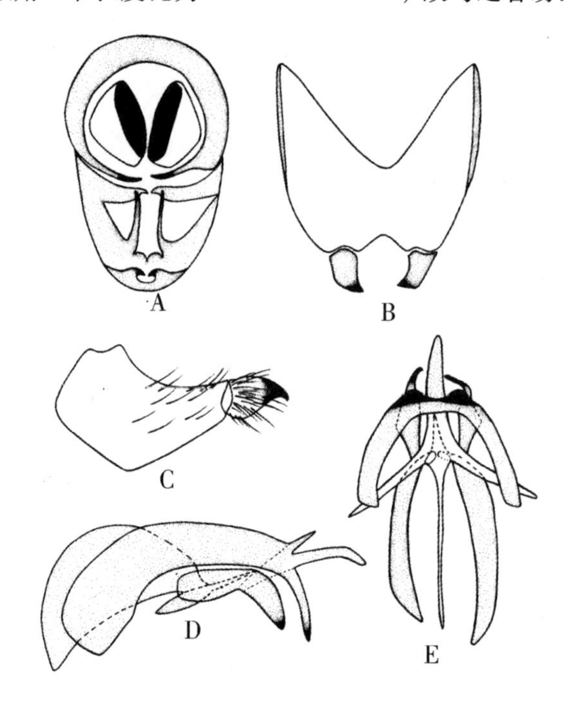

图 175 贵阳姬蜂虻 *Systropus guiyangensis* Yang

A. 雄性外生殖器后面观（male genitalia, posterior view）；B. 生殖基节和生殖刺突背面观（gonocoxite and gonostylus, dorsal view）；C. 生殖基节和生殖刺突侧面观（gonocoxite and gonostylus, lateral view）；D. 阳茎复合体侧面观（aedeagal complex, lateral view）；E. 阳茎复合体背面观（aedeagal complex, dorsal view）

（12）麦氏姬蜂虻 *Systropus melli* (Enderlein, 1926)（图 176）

Cephenius melli Enderlein, 1926: 80.

鉴别特征：头部红黑色，下额、颜和颊浅黄色，单眼瘤深褐色，触角柄节、梗节黄色，有短黄褐色毛。胸部黑色，有黄色斑，前胸侧板浅黄色，中胸背板有 3 个黄色侧斑，前斑与中斑以 1 条宽度为前斑宽度 1/4 ~ 1/3 的暗褐色带相连，前斑横向，呈稍不规则的矩形状，中斑呈葱头状，后斑呈不规则楔形，并横向延伸，左右 2 个后斑几近相接；中斑与后斑以 1 条宽度为中斑宽度 1/6 的黄褐色带相连，后胸腹板黑色，褶皱较少，有长白毛，自中间到后缘有 1 处黄色“V”形区域。后足胫节 1/5 至 4/5 黑色，其余黄色，后足胫节上有 3 排刺状黑鬃。腹部第 1 背板黑色，前缘宽于小盾片，向后收缩呈倒三角形，其余各背板皆有暗褐色中斑，第2~4及第5腹节前半部构成腹柄，第5~8腹节膨大呈棒状。雄性外生殖器第9背板背面观近半圆形，尾须呈不规则三角形，其上的黑色骨化突出成哑铃状。生殖基节腹面观基部有1处深的"V"形凹陷。斑之间的黄带较该种宽些，且腹端特征有明显区别。

采集记录：1♂，秦岭翠华山，1951. Ⅶ. 28（CAU），采集人不详；1♂，太白嵩平寺，1981. Ⅷ. 12，赵德金采（CAU）。

分布：陕西（长安、太白）、浙江、福建、贵州。

讨论：该种与佛顶姬蜂虻 *Systropus fudingensis* Yang 十分相似，但后者中胸背板的前斑和中斑之间的黄带较该种宽些，且腹端特征有明显区别。

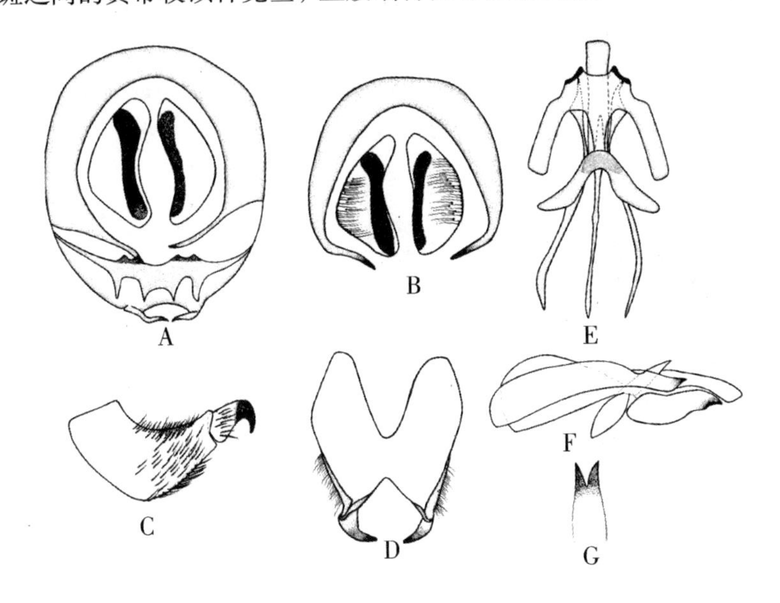

图176　麦氏姬蜂虻 *Systropus melli*（Enderlein）

A. 雄性外生殖器后面观（male genitalia，posterior view）；B. 第9背板，尾须，第10腹板腹面观（epandrium，cercus and sternite 10，ventral view）；C. 生殖基节和生殖刺突侧面观（gonocoxite and gonostylus，lateral view）；D. 生殖基节和生殖刺突腹面观（gonocoxite and gonostylus，ventral view）；E. 阳茎复合体背面观（aedeagal complex，dorsal view）；F. 阳茎复合体侧面观（aedeagal complex，lateral view）；G. 亚生殖板末端腹面观（apical portion of sternum 8，ventral view）

（13）齿突姬蜂虻 *Systropus serratus* Yang *et* Yang，1995（图177）

Systropus serratus Yang *et* Yang，1995：496.

鉴别特征：头部红黑色；下额、颜和颊浅黄色，触角柄节、梗节黄色，有短黄毛。胸部黑色，肩胛浅黄色，前胸侧板浅黄色，中胸背板有3个黄色侧斑，前斑与中斑以

1 条宽度为前斑宽度 1/4 的黄带相连，前斑横向，呈四方状；中斑呈葱头状，后斑呈不规则楔形，中斑与后斑以 1 条很细的黄褐色条带相连，后胸腹板黑色，有短白毛，后缘有 1 处"V"形黄色区域，"V"形黄色区域长度约为后胸腹部的 1/2。后足胫节黄褐色，1/2 ~5/6 处黑色；胫节有 3 排刺状黑鬃。腹部第 2 ~5 节腹板中间有黑色长条带；第 6 背板外侧暗褐色。腹柄第 5 ~8 腹节膨胀成卵形。雄性外生殖器第 9 背板背面观近半圆形，尾须不规则三角形，其上的黑色骨化突出成哑铃状。腹面观生殖基节基部有 1 处宽大的"V"形凹陷，生殖刺突宽大，呈等边三角形，端部骨化成黑色。阳茎基背片有 2 个黑色骨化突起，中间有 1 处小型"V"形凹陷。

采集记录：1♀，秦岭植物园白羊叉，2006. Ⅶ. 17，朱雅君采（CAU）。

分布：陕西（周至）、北京、河南、浙江、云南。

讨论：该种与锯齿姬蜂虻 *Systropus denticulatus* Du，Yang，Yao *et* Yang，2008 相似，但该种阳茎基背板中间有凹陷，而后者阳茎基背板平滑，而与之区分。

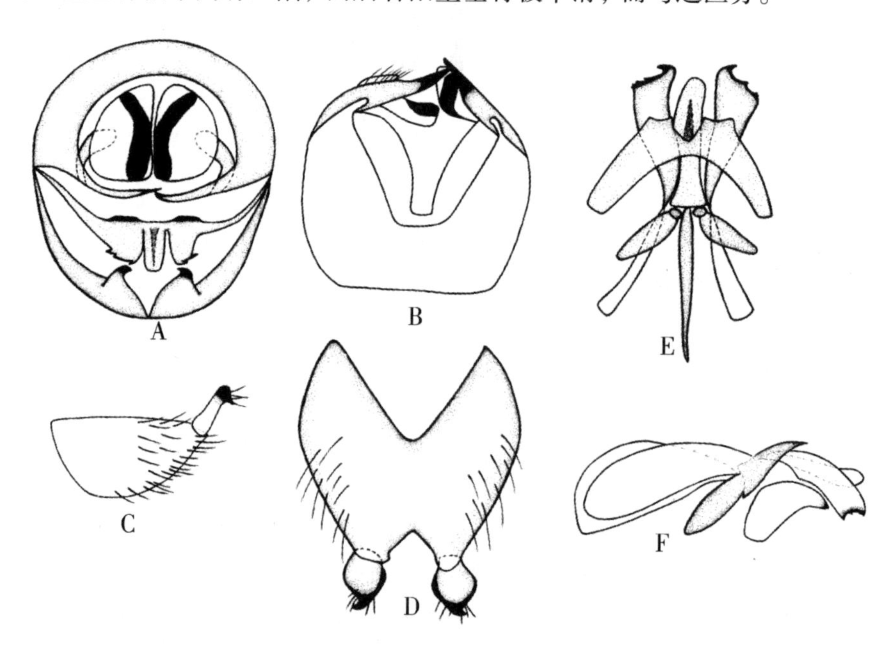

图 177 齿突姬蜂虻 *Systropus serratus* Yang *et* Yang

A. 雄性外生殖器后面观（male genitalia，posterior view）；B. 第 9 背板，尾须，第 10 腹板腹面观（epandrium，cercus and sternite 10，ventral view）；C. 生殖基节和生殖刺突侧面观（gonocoxite and gonostylus，lateral view）；D. 生殖基节和生殖刺突腹面观（gonocoxite and gonostylus，ventral view）；E. 阳茎复合体背面观（aedeagal complex，dorsal view）；F. 阳茎复合体侧面观（aedeagal complex，lateral view）

参考文献

Cui, W-N. and Yang, D. 2010. Two new species and two new synonyms of *Systropus* Wiedemann, 1820 from Palaearctic China (Diptera: Bombyliidae). *Zootaxa*, 2619: 14-26.

Du, J-P., Yang, C-K., Yao, G. and Yang, D. 2008. Seventeen new species of Bombyliidae from China (Diptera). 3-19. In: Shen X-C., Zhang R-Z. and Ren Y-D. (ed.), *Classification and Distribution of Insects in China*. China Agriculture Technology Press, Beijing, 1-583. [杜进平，杨集昆，姚刚，杨定. 2008. 中国蜂虻科17个新种. 3-19. 见：申效诚，张润志，任应党. 2008. 昆虫分类与分布. 北京：中国农业科学技术出版社，1-583.]

Evenhuis, N. L. 1982. New East Asian *Systropus* (Diptera: Systropodidae). *Pacific Insects*, 24: 31-38.

Evenhuis, N. L. 1991. World catalog of genus-group names of bee flies (Diptera: Bombyliidae). *Bishop-museum Bulletins in Entomology*, 5, vii + 105 pp.

Paramonov, S. J. 1931. Beiträge zur Monographie der Bombyliiden Gattungen *Amictus*, *Lyophlaeba* etc. (Diptera). *Trudy Prirodicho-Teknichnogo Viddilu Ukrains' ka Akaemiya Nauk*, 10: 1-218.

Wiedemann, C. R. W. 1828. *Aussereuropäische zweiflügelige Insekten. Als Fortsetzung desmeigenschen Werkes*. Erster Theil. Schulz, Hamm. xxxii + 608 pp.

Yang, D. and Yang, C-K. 1997. (Diptera: Bombyliidae: Systropodinae). 1466-1468. In: Yang, X-K. (ed.) *Insects of the Three Gorge Reservoir Area of Yangtze River*. Part 2. Chongqing Publishing House, Chongqing. 975-1847. [杨定，杨集昆. 1997. 双翅目：蜂虻科：姬蜂虻亚科. 1466-1468. 见：杨星科. 1997. 长江三峡库区昆虫，上册. 重庆：重庆出版社，975-1847.]

Yang, D. and Yang, C-K. 1998. One new species of *Systropus* from Henan (Diptera: Bombyliidae). 90-91. In: Shen, X-C and Shi, Z-Y. (ed.) *The fauna and taxonomy of insects in Henan*. Vol. 2. *Insects of the Funiu Mountains Region (1)*. China Agricultural Scientech and Technology Press, Beijing. 1-368. [杨定，杨集昆. 1998. 河南省姬蜂虻属一新种. 90-91. 见：申效城，时振亚. 1998. 河南昆虫区系分类研究. 第二卷. 伏牛山区昆虫（一）. 北京：中国农业科技出版社，1-368.]

Yang, D., Yao, G. and Cui, W-N. 2012. *Bombyliidae of China*. China Agricultural University Press, Beijing. 1-501. [杨定，姚刚，崔维娜. 2012. 中国蜂虻科志. 北京：中国农业大学出版社，1-501.]

Yao, G., Yang, D. and Evenhuis, N. L. 2008. Species of *Hemipenthes* Loew, 1869 from Palaearctic China (Diptera: Bombyliidae). *Zootaxa*, 1870: 1-23.

十八、长足虻科 Dolichopodidae

王孟卿[1] 唐楚飞[2] 张莉莉[3] 朱雅君[4] 刘若思[5] 杨定[2]

(1. 中国农业科学院植物保护研究所，北京 100081；2. 中国农业大学昆虫系，北京 100193；
3. 中国科学院动物研究所，北京 100101；4. 上海出入境检验检疫局，上海 200135；
5. 北京出入境检验检疫局，北京 100026)

鉴别特征: 小至中型(体长0.80～9.00mm)。体一般金绿色，有发达的鬃；头部一般稍宽于胸部，胸背较平，腹部渐向后变窄，不少种类雄性腹端膨大向腹面钩弯。头部额较宽，且前面较窄；颜比额窄，唇基较短且部分或完全与颜愈合。触角柄节一般长于梗节，有时有背毛；梗节常比柄节宽；第1鞭节较粗大，形状多样，触角芒2节，基节较短，端节细长。喙短瓣状，下颚须1节。前缘脉绕翅缘终止于中脉末端处；Sc不伸达翅前缘，末端与 R_1 愈合；R_1 较短，末端不超出翅的基半部；Rs的柄很短，从肩横脉附近处伸出，R_{2+3}和 R_{4+5}不分叉，盘室与第2基室愈合；r-m很短，接近翅基部；臀室很短，不超过翅长的1/3。足细长，有发达的鬃；有时同种内雌虫和雄虫足的形状不同；爪间突一般刚毛状。

生物学: 幼虫长筒形，有12节；头部短小，胸部稍向前变窄；腹部各节几乎等粗，1～7腹节前缘各有1对条形突，有伪足的功能；末节端类似截形，至少有4个瓣状突。成虫多出现在潮湿的环境中如河流、湖泊、海洋岸边的土上或植物上活动，均为捕食性，以昆虫或小的低等动物为食，生活在水面上的能捕食跳虫和摇蚊的幼虫等。幼虫多生活在潮湿的沙地或土中，有些则水生；幼虫为捕食性，一些类群捕食小蠹而有益。

分类: 全世界已知270余属约7000种，中国已知66属1000余种，陕西秦岭地区有25属125种。研究标本保存在中国农业大学昆虫博物馆(CAU)。有关长足虻科研究曾得到国家自然科学基金(31201740)的资助。

分属检索表

1. 头顶深凹；翅瓣发达，M_2 存在(丽长足虻亚科) …… 2
   头顶平或弱凹，翅瓣缺如，M_2 缺如 …… 3
2. 雄虫顶鬃强，着生于毛瘤上，翅多棕色，后缘透明 …… **毛瘤长足虻属 *Condylostylus***
   雄虫顶鬃较弱，甚至退化，额无毛瘤，翅多透明，偶有斑纹 …… **雅长足虻属 *Amblypsilopus***
3. 上后头明显凹；臀室缺如(聚脉长足虻亚科)；翅M脉和 R_{4+5}脉端平行，端部近平行雄虫下生殖板端部的1/3弯曲，具1处缺刻，生殖孔左基侧位 …… **潜长足虻属 *Thrypticus***
   上后头平或弱凹；臀室存在；其他特征各异 …… 4
4. 雄虫复眼在额和颜上均宽地分开(水长足虻亚科)；背中鬃多于4对，中鬃缺失；后足基节无外鬃；唇基较长，下边缘接近复眼下边缘 …… **巨口长足虻属 *Diostracus***

雄虫复眼在颜上相近或相接，其他特征各异 ………………………………………………… 5

5\. 中胸背板中后区弱隆突 ……………………………………………………………………………… 6
中胸背板中后区平 ………………………………………………………………………………… 21

6\. 中后足腿节均有端前鬃 ………………………………………………………………………………… 7
中后足腿节均无端前鬃 ………………………………………………………………………………… 17

7\. 触角第 1 节有背毛，雄性外生殖器相当大且大部分裸露(长足虻亚科) ………………… 8
触角第 1 节无背毛，雄性外生殖器小，盖帽状(合长足虻亚科) …………………………… 14

8\. 复眼在口缘下方相接；顶鬃明显短于后顶鬃……………………… **全寡长足虻属 *Allohercostomus***
复眼为离眼式；顶鬃长于后顶鬃 ……………………………………………………………………… 9

9\. 雄虫第 6 背板呈方形 ………………………………………………… **准长毛长足虻属 *Ahypophyllus***
雄虫第 6 背板呈三角形 ………………………………………………………………………………… 10

10\. 翅侧片后胸气门前有毛 ………………………………………………………………………………… 11
翅侧片后胸气门前无毛 ………………………………………………………………………………… 13

11\. 中脉后段有“Z”形弯折，触角芒毛明显短…………………………………… **长足虻属 *Dolichopus***
中脉后段无“Z”形弯折，触角芒毛明显短 ……………………………………………………………… 12

12\. 颜下部中央有 1 对强鬃；尾须大，呈带状 …………………… **毛颜长足虻属 *Setihercostomus***
颜无鬃；尾须较小的呈梯形或三角形 …………………………… **行脉长足虻属 *Gymnopternus***

13\. 触角第 1 节和第 2 节形态正常；触角芒短于头宽……………………… **寡长足虻属 *Hercostomus***
触角第 1 节膨大，第 2 节退化；触角芒明显长于头宽，中部和端部常膨大……………………
…………………………………………………………………………………… **粗柄长足虻属 *Sybistroma***

14\. 触角第 2 节端部有长的指状突伸入第 3 节 ………………………………… **嵌长足虻属 *Syntormon***
触角第 2 节正常(没有长的指状突伸入第 3 节) ……………………………………………………… 15

15\. 横脉 m-cu 向前倾斜；中脉在横脉之后的部分向前隆起………… **脉胝长足虻属 *Teuchophorus***
横脉 m-cu 不倾斜；中脉不向前隆起 ………………………………………………………………… 16

16\. 触角第 3 节小，端部圆 ……………………………………………… **圆角长足虻属 *Lamprochromus***
触角第 3 节长或短的三角形，端部尖 ……………………… **短跗长足虻属 *Chaetogonopteron***

17\. 后顶鬃 2 根；雄性第 8 腹板无强鬃(锥长足虻亚科)；触角第 3 节大，长大于宽；触角芒端位
………………………………………………………………………………………… **锥长足虻属 *Rhaphium***
后顶鬃 1 根；雄性第 8 腹板有强鬃；触角特征各异(异长足虻亚科) ………………………… 18

18\. 中脉端半部“Z”形弯折；横脉 m-cu 靠近翅基部或缺如；中鬃存在 ……………………………
………………………………………………………………………………………… **隐脉长足虻属 *Asyndetus***
中脉端半部没有“Z”形弯折；横脉 m-cu 明显存在 …………………………………………………… 19

19\. 触角第 3 节宽大，长明显大于宽，端尖；额明显宽于颜 ………………… **银长足虻属 *Argyra***
触角第 3 节短小，宽大于长或几乎等长；额颜比各异 …………………………………………… 20

20\. 外生殖器侧面观可见；触角第 3 节近三角形，端部尖，触角芒端位 …………………………
………………………………………………………………………………… **小异长足虻属 *Chrysotus***
外生殖器侧面观可见；触角第 3 节半圆形，端部钝；触角芒背位或中背位 ……………………
………………………………………………………………………………………… **异长足虻属 *Diaphorus***

21\. 中后足腿节有端前鬃；后足基节中间有 1 根外鬃；雄性腹部第 6 ~ 7 节背板小，大部分隐藏在第 5 节背板内(佩长足虻亚科) ……………………………………………………………………… 22
中后足腿节无端前鬃；后足基节在基部 1/3 处有 1 根外鬃；雄性腹部第 6 ~ 7 节背板不隐藏在第 5 节背板内 ……………………………………………………………………………………… 24

22. 雄性外生殖器与生殖前节连接松散，大部分游离；后足第1跗节基部有向上弯的距和1~2根明显的腹鬃 …………………………………………………………… **跗距长足虻属 *Nepalomyia***
雄性外生殖器与生殖前节连接紧密，大部分隐藏在腹部第6节下，盖帽状；后足第1跗节不特化 …………………………………………………………………………………… 23
23. 胸部和腹部的毛和鬃黄色或浅黄褐色…………………………… **黄鬃长足虻属 *Chrysotimus***
胸部和腹部的毛和鬃黑色…………………………………………… **小长足虻属 *Micromorphus***
24. 中鬃5~6根靠近，前短而向后变长，前有毛；雄性腹部第6节短三角形，无毛和鬃；背侧突很宽大，分成2部分重叠的叶；中鬃双列；前足跗节正常；尾须宽大，近方形……………………
…………………………………………………………………………… **脉长足虻属 *Neurigona***
中鬃5~6根等长，分开；雄性腹部第6节大的方形，有毛和鬃；背侧突分成2分开的叶 …
…………………………………………………………………………… **黄长足虻属 *Xanthochlorus***

1. 雅长足虻属 *Amblypsilopus* Bigot, 1888

Amblypsilopus Bigot, 1888:24. **Type species**: *Psilopus psittacinus* Loew, 1861.
Gnamptopsilopus Aldrich, 1893: 48. **Type species**: *Psilopus scintillans* Loew, 1861 .
Leptorhethum Aldrich, 1893: 50. **Type species**: *Leptorhethum angustatum* Aldrich, 1893 .
Sciopolina Curran, 1924: 216. **Type species**: *Sciopolina fasciata* Curran, 1924.
Australiola Parent, 1932: 127. **Type species**: *Australiola tonnoiri* Parent, 1932 [= *Sciapus zonatus Parent*, 1932].
Labeneura Parent, 1937: 126 (as subgenus of Sciapus Zeller, 1842). **Type species**: *Labeneura barbipalpis* Parent, 1937 [= *Sciapus lenga* Curran, 1926].

属征:体细弱，足长。头顶深凹。雄虫顶鬃常退化，或头顶的斜坡具浓密的鬃；雌虫的顶鬃强。雄虫唇基窄，与复眼不相接；雌虫的唇基与复眼相接。触角第2节常具短的背鬃和腹鬃；第3节多为四边形或三角形。触角芒多背位，短于头宽；若触角芒端位或端背位，则胫节的毛和鬃弱，m-cu直。中鬃双列，3~6对，无雌雄二型现象。4~5根背中鬃，雄虫前面的背中鬃短而弱。2对小盾鬃，基对常短弱。腿节无强的腹鬃。雄虫中足胫节无明显的背鬃，雌虫胫节的背鬃较强。雄虫后足第3~5节有时膨大，垫状。翅多透明，偶尔翅端具翅斑。m-cu与M呈直角相交。雄性下生殖板不对称，具窄的左侧臂；阳茎具背角；生殖背板侧叶具2根端鬃；背侧突长，具宽大的腹叶及指状的背突；尾须各异。

分布:世界性分布。全世界已知275种，中国已知45种，秦岭地区有6种。

分种检索表

1. 尾须长，鞭状 ………………………………………… **头状雅长足虻 *A. cephalodinus***
尾须短，指状 …………………………………………………………………………… 2
2. 跗节部分扁平…………………………………………………………………………… 3
跗节正常……………………………………………………………………………… 4

3. 触角芒端位…………………………………………………………………… 钩突雅长足虻 *A. ancistroides*
　触角芒端背位 ………………………………………………………………… 鲍氏雅长足虻 *A. bouvieri*
4. 尾须稍长，三角形 ……………………………………………………… 秦岭雅长足虻 *A. qinlingensis*
　尾须短，窄的叶片状 ……………………………………………………………………………………… 5
5. 前足胫节在端部 1/5 处具短而弱的后腹鬃 ………………………………… 小雅长足虻 *A. humilis*
　前足胫节无后腹鬃 …………………………………………………………… 四川长足虻 *A. sichuanensis*

(1)钩突雅长足虻 *Amblypsilopus ancistroides* Yang, 1995

Amblypsilopus ancistroides Yang, 1995: 179.

鉴别特征:头顶明显凹陷，头顶有 5 ~ 6 根长毛在后侧斜坡上。触角第 3 节近锥状，长等于宽。中鬃不规则的 3 对、较强，无侧小盾鬃。足暗褐色；前中足胫节浅黄褐色。足毛黑色，基节主要有淡色毛，腿节有淡色腹毛。前足第 1 ~ 2 跗节有些扁(除基跗节基部外)，腹面有细密毛；后足第 4 ~ 5 跗节扁。平衡棒暗褐色。腹部金绿色，主要有黑毛。雄性外生殖器第 9 背板端有些窄，背侧突中部凹，有 1 处弯的端侧突；尾须中等长，端缘有粗鬃；下生殖板有长侧臂；阳茎端直。

采集记录:1♂，周至，1962.Ⅶ.13，李法圣采。

分布：陕西(周至)、北京、山东、河南、湖北。

(2)鲍氏雅长足虻 *Amblypsilopus bouvieri* (Parent, 1927)

Chrysosoma bouvieri Parent, 1927: 480.

Amblypsilopus bouvieri: Bickel, 1994: 373.

鉴别特征:头部金绿色，被灰白粉，额及头顶粉较薄。头顶斜坡处具 4 根弱而弯曲的顶鬃；1 根后顶鬃，眼后鬃最上端的 1 根长(与后顶鬃近等长)。触角黑色；第 2 节端部具 1 圈鬃(包括 1 根长的背鬃和 2 根短的腹鬃)；第 3 节侧视近三角形，具淡色短毛。胸部金绿色，被灰白粉；3 对强的中鬃；5 ~ 6 根背中鬃，前 3 ~ 4 根短毛状。足黑色；前足腿节端部、前足胫节、前足基跗节基部 1/3 为棕色；中足腿节末端、中足胫节、中足基跗节基半部为深棕色。毛和鬃黑色。前中足基节前侧面具淡色毛；后足基节外侧面具稀疏的淡色毛。各腿节具 2 排淡色毛状腹鬃(长约等于腿节宽)，端部具 1 排或几根弱的前腹鬃或后腹鬃；胫节无明显的鬃，仅中足胫节末端具 1 根长的和 3 根短的鬃。前后足基跗节基部具 1 根后腹鬃；前足基跗节端部的 2/3 及第 2 跗节具几排短的钩状淡色腹鬃。腹部金绿色，雄性外生殖器黑色。背侧突粗壮，纵凹，端部具黑色鬃。尾须棒状端部扁平。

采集记录:2♂，周至楼观台，1962.Ⅷ.13，杨集昆采。

分布:陕西(周至)、北京、河南、江苏、福建、贵州。

(3)头状雅长足虻 *Amblypsilopus cephalodinus* Yang, 1998

Amblypsilopus cephalodinus Yang, 1998: 74.

鉴别特征:头顶明显凹陷,头顶有3~4根弯曲的弱鬃在后侧斜坡上。触角黑色;第3节呈锥状,长近等于宽。喙浅黑色,有黑毛;须黑色,有淡色毛。背中鬃后2根强,前3根毛状,3对不规则的长中鬃。足黑色;基节全黑色;前中足胫节黄色;跗节褐色至暗褐色。雄性外生殖器第9背板端部有些窄;背侧突稍弯,中部凹;尾须很长,丝状;下生殖板有1条细长的侧臂,其端部弱膨大;阳茎细长,有弱膨大的端部。

采集记录:4♂8♀,佛坪西沟,2006.Ⅶ.27,朱雅君采。

分布:陕西(佛坪)、河南、福建、云南。

(4)小雅长足虻 *Amblypsilopus humilis* (Becker, 1922)(图178)

Chrysosoma humilis Becker, 1922: 172.
Chrysosoma sauteri Becker, 1924: 127.
Amblypsilopus humilis: Bickel & Dyte, 1989: 394.

鉴别特征:触角黑色;第2节端部具1圈鬃(包括1根长和1根短的背鬃以及2根长的和1根短的腹鬃);第3节侧视近三角形,长近等于宽,具淡色短毛;触角芒端背位,简单,黑色,长约等于头宽。喙棕色,具棕色毛;须黑色,具2根前鬃及棕色。2对强的中鬃;5根背中鬃,前3根短毛状。肩鬃缺失,前胸侧板上部具3~4根短的淡色毛。足黄色;前足基节极基部、中后足基节(除端部)浅黑色;前足基跗节端部、中足基跗节端部和后足基跗节黄棕色;前足第2~4跗节、中足第2~3跗节和后足第2~4跗节深棕色,前足第5跗节、中足第4、5跗节和后足第5跗节黑色。各腿节具稀疏的2排淡色短毛状腹鬃(不及腿节宽),端部具1排或几根弱的前腹鬃或后腹鬃。前足胫节端部具1根短而弯的淡色后腹鬃,末端具几排伏贴而短密的后腹鬃;中足胫节基部1/4处具1根短的后背鬃,末端具2根长的和1根短的鬃;后足胫节具7~8根短的背鬃和7~8根短的腹鬃。

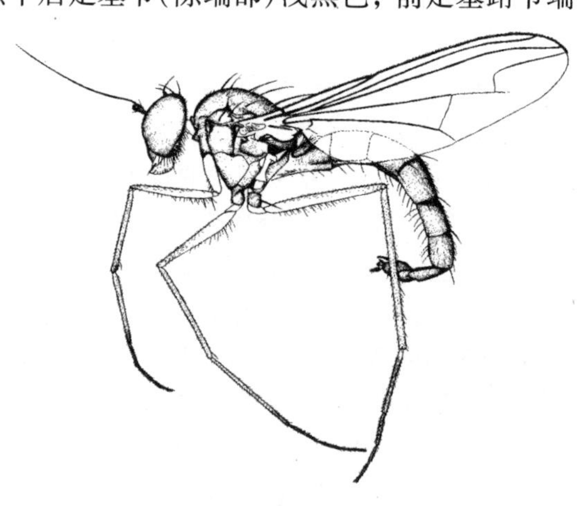

图178 小雅长足虻 *Amblypsilopus humilis* (Becker)

采集记录:1♂3♀,周至板房子,2006.Ⅶ.20,朱雅君采。

分布:陕西(周至)、山东、河南、台湾、广东、海南、广西、贵州、云南；尼泊尔，印度，马来西亚，菲律宾，所罗门群岛，西萨摩亚。

(5)四川雅长足虻 *Amblypsilopus sichuanensis* Yang, 1997

Amblypsilopus sichuanensis Yang, 1997: 135.

鉴别特征:头顶明显凹陷。触角黑色；第3节近锥状；触角芒端位，长近等于头宽。喙黄色，有淡色毛；须黑色，主要有浅色毛。胸部金绿色。毛和鬃黑色；背中鬃后2根粗，前3根毛状，强中鬃不规则的有2对，无侧小盾鬃。足黄色；前足基节黄色，中后足基节黑色；第2~5跗节暗褐色。足毛黑色；基节仅有淡色毛，腿节有一些淡色腹毛；前足基节端部有3根前鬃。

采集记录:3♂4♀，佛坪西沟，2006.Ⅶ.27，朱雅君采。

分布:陕西(佛坪)、河南、湖北、四川。

(6)秦岭雅长足虻 *Amblypsilopus qinlingensis* Yang *et* Saigusa, 2005(图179)

Amblypsilopus qinlingensis Yang *et* Saigusa, 2005: 748.

鉴别特征:触角黑色；第3节三角形，长为宽的1.30倍；芒端位，黑色，与头胸长度之和近等长。喙黄褐色，有黑毛；须黑色，有淡黄的毛和2根黑鬃。胸部亮金绿色，有灰白粉。毛和鬃黑色；2根粗背中鬃，4~5对不规则的中鬃；小盾片基鬃短毛状，长为端鬃的1/4。足黄色；基节和转节黑色；跗节暗褐色至黑色。足毛和鬃黑色；基节毛和鬃淡黄色；腿节基半有淡黄腹毛，前足腿节有2排淡黄长腹毛。前足胫节有3根后腹鬃，末端有2根鬃；中足胫节末端有3根鬃；后足胫节有5~6根后背鬃和2~3根腹鬃，末端有2根短鬃。前足跗节有很短的细腹毛，前足第1~2跗节有1排向下斜而端弯的后腹毛。

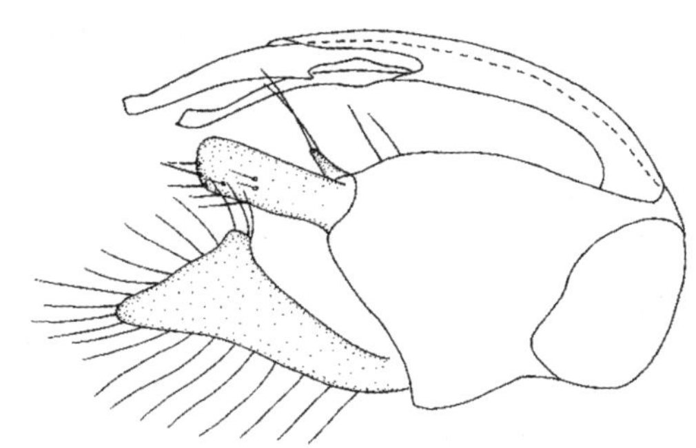

图179 秦岭雅长足虻 *Amblypsilopus qinlingensis* Yang *et* Saigusa(雄性)外生殖器侧面观(genitalia, lateral view)

采集记录:1♂，佛坪半边河1300~1360m，1997.Ⅶ.04，中西明德采。

分布:陕西(佛坪)。

2. 毛瘤长足虻属 *Condylostylus* Bigot, 1859

Condylostylus Bigot, 1859: 215. **Type species**: *Psilopus bituberculatus* Macquart, 1842.

Dasypsilopus Bigot, 1859: 215. **Type species**: *Psilopus pilipes* Macquart, 1842.

Eurostomerus Bigot, 1859: 215. **Type species**: *Psilopus coerulus* Macquart [nomen nudum] [= *Eurostomerus coerulus* Bigot, 1859].

Oedipsilopus Bigot, 1859: 224. **Type species**: *Psilopus posticatus* Wiedemann, 1830.

Tylochaetus Bigot, 1888: xxiv. **Type species**: *Psilopus bituberculatus* Macquart, 1842.

Laxina Curran, 1934: 230. **Type species**: *Dolichopus patibulatus* Say, 1823.

属征:1 根顶鬃位于头顶明显的毛瘤上。触角芒背位,有时端背位。2~3 对长中鬃; 5 根强背中鬃; 2 对强小盾鬃。前足基节端部具 3 根黑色前鬃; 前足胫节多无强鬃; 中足胫节具明显的前背鬃和后背鬃; 雄虫中足胫节端半部及跗节多有钩状毛。翅多为棕色,后部色淡, m-cu 上部具 1 个透明斑; M_1 近直角弯曲; m-cu 直。腹部第 7 背板发达,但第 7 腹板退化为膜质。雄性外生殖器较丽长足虻亚科其他属的小; 下生殖板宽,短,无侧臂; 第 9 背板侧叶无或不明显; 尾须简单,多为延长的线状,少有分叉的或膨大的。

分布:在新热带区种类丰富。目前世界已知 262 种,中国已知 26 种,秦岭地区有 3 种。

分种检索表

1. 中足无淡色的钩状鬃 ………………………………………………………………… 2
   中足具 1 排淡色的钩状前背鬃 ……………………………… **黄基毛瘤长足虻 *C. luteicoxa***
2. 前足第 4、5 跗节为淡色 …………………………………………… **佛坪毛瘤长足虻 *C. fupingensis***
   前足第 4、5 跗节为深棕色 ………………………………… **近膝毛瘤长足虻 *C. subgeniculatus***

(7) 佛坪毛瘤长足虻 *Condylostylus fupingensis* Yang *et* Saigusa, 2005

Condylostylus fupingensis Yang *et* Saigusa, 2005: 746.

鉴别特征:中下眼后鬃及后腹毛淡黄色。触角黑色; 第 3 节较小,近半圆形,宽为长的 0.80 倍; 芒亚端位,黑色。喙黄色,有黄褐毛; 须黑色,有淡黄毛和 3 根黑鬃。5 根粗背中鬃, 4 对不规则的长中鬃; 小盾片有 2 对长鬃几乎等长。前胸侧板有淡黄毛,下部无鬃。足黄色; 前足基节窄的基部、中后足基节、转节、腿节末端和胫节窄的基部黑色; 跗节暗褐色,但前中足基跗节褐色,前足第 4~5 跗节白色。足毛和鬃黑色；基节毛白色，鬃黑色；前足基节有 3 根鬃；腿节有长的淡黄色腹毛。前足胫节有 2 根后背鬃位于基部 1/3 处，末端有 2 根鬃；中足胫节有 2 根后背鬃位于基部 1/3处，末端有 2 根长鬃；后足胫节末端有 3 根短鬃。前足基跗节有 3 ~4 根腹鬃。足基跗节明显长于 2 ~5 跗节之和，4 ~5 跗节缩短。腹部亮金绿色，有灰白粉；尾须黄色且窄的基部黑色。

采集记录:1♂，周至板房子，2006.Ⅶ.21，朱雅君采；1♂，佛坪东河台，2006.Ⅶ.24，朱雅君采。

分布:陕西(周至、佛坪)、河南。

(8)黄基毛瘤长足虻 *Condylostylus luteicoxa* Parent，1929(图 180)

Condylostylus luteicoxa Parent，1929：225.

鉴别特征:复眼宽的分开，颜向下渐窄。触角黑色；第 2 节近椭圆形，亚端部具 1 圈鬃(包括 1 根长背鬃和 2 根长腹鬃)；第 3 节近三角形；触角芒亚端位，长为眼高的 1.60 倍。喙浅棕色，具稀疏的淡色毛；须黑色，具不规则的前鬃。2 对不规则的中鬃，4 根背中鬃；肩鬃缺失，1 根肩后鬃，1 根缝鬃，2 根翅上鬃，1 根翅后鬃，2 根背侧鬃；2 对强小盾鬃；前胸侧板具 4 ~5 根淡色长毛。足黄色，但各足基跗节浅褐色，前足第 2 ~5 跗节褐色，中足、后足第 2 ~5 跗节黑色。前足腿节具 2 排淡色腹毛(稍短于前足腿节宽)；中足腿节具 2 排淡色腹毛(与中足腿节宽等长)，在亚端部有 1 根后腹鬃；后足腿节具 2 排淡色腹毛及 4 ~5 排淡色后毛。前足胫节中部具 1 根前背鬃；中足胫节具 4 根前背鬃、3 根后背鬃及 2 根前腹鬃，末端具 5 根鬃；后足胫节无明显的鬃。中足胫节亚端部和中足基跗节具 1 排钩状前背鬃。腹部第 1 ~4 节金绿色，第 5 ~8 节深棕色，被薄的灰白粉。

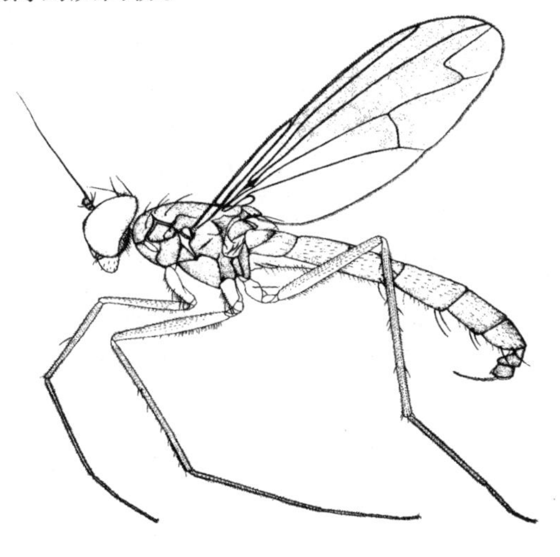

图 180　黄基毛瘤长足虻 *Congdylostylus luteicoxa* Parent

采集记录:1♂3♀, 周至楼观台, 1963.Ⅷ.13, 杨集昆采。

分布:陕西(周至)、河南、浙江、湖北、江西、湖南、福建、台湾、广东、广西、四川、贵州、云南; 日本, 印度。

(9)近膝毛瘤长足虻 *Condylostylus subgeniculatus* Yang *et* Saigusa, 2005

Condylostylus subgeniculatus Yang *et* Saigusa, 2005: 747.

鉴别特征:中下眼后鬃及后腹毛淡黄色。触角黑色; 第3节较小, 近半圆形, 宽为长的0.80倍; 芒亚端位, 黑色。喙黄色, 有浅黑毛; 须黑色, 有淡黄毛和2根黑鬃。5根粗背中鬃, 1~2对不规则的长中鬃; 小盾片有2对, 长鬃几乎等长。前胸侧板有淡黄毛, 下部无鬃。足黄色; 中后足基节(除窄的末端)黑色, 腿节末端褐色; 前中足基跗节末端向外褐色至暗褐色, 后足跗节暗褐色至黑色。足毛和鬃黑色; 基节毛淡黄色, 鬃黑色; 前足基节有3根鬃; 腿节有长的淡黄腹毛。前足胫节末端有2根鬃; 中足胫节有2根前背鬃和2根后背鬃, 末端有3根鬃; 后足胫节末端有3根短鬃。前足1~2跗节有很短的细毛和1排细的后腹毛, 前足第1跗节顶基部有3根长腹鬃(其中1根较粗)。

采集记录:14♂13♀, 周至板房子, 2006.Ⅶ.21, 朱雅君采; 4♂6♀, 佛坪西沟, 2006.Ⅶ.27, 朱雅君采。

分布:陕西(周至、佛坪)、河南、云南。

3. 巨口长足虻属 *Diostracus* Loew, 1861

Diostracus Loew, 1861: 44. **Type species**: *Diostracus prasinus* Loew, 1861.

Asphyrotarsus Oldenberg, 1916: 193. **Type species**: *Liancalus leucostomus* Loew, 1861.

属征:体中至大型(雄虫体长3.50~6.00mm, 雌虫稍大于雄虫)。粗壮, 亮金属色至黯淡。头部前视宽稍大于长, 头顶微凹, 顶鬃向前弯曲; 单眼瘤明显, 具1对单眼鬃, 无后毛。复眼被短毛。额向下渐窄。颜面宽, 横缝完全, 若不完全, 则两侧具突起。唇基下缘突, 长出或达到复眼下缘。后头凸, 具1对明显的后顶鬃; 眼后鬃单列, 后腹毛从稀疏到浓密, 颜色较浅。触角短; 触角第1节多无背鬃, 偶尔有; 第2节宽大于高, 端部具1圈短鬃; 第3节近椭圆形, 被柔毛; 触角芒背位或亚端位, 具短毛或部分具短毛, 基部稍加粗。喙大。雄虫的须异常地大, 松散的重叠在喙上, 或伸出, 有光泽; 雌虫须较小, 横卧在喙上, 且颜色较黯淡。中胸背板背视近正方形, 微隆起。常在背中鬃列之间具2条铜色纵带纹。中鬃缺失; 5~6根背中鬃。1根肩鬃及几根短的肩毛, 1根肩后鬃, 1~2根背侧鬃, 2根翅上鬃, 1根缝鬃和1根缝前鬃(有时缺失), 仅中胸背板前部具多余的鬃。小盾片具1对小盾鬃, 有时也有缘毛。

足长。雄虫常具有特别的结构。中足、后足基节不具外鬃。翅加长，R_1 终止于前缘脉基部 1/3 之前，R_{4+5}终止于翅尖或翅尖之后，臀脉存在，CuAx 值大于 1。腹部圆柱状，粗壮，具 5 个可视腹节。第 1 背板具明显的缘鬃。有时雄虫的第 1 或第 4 腹板退化为凸出的突起物，第 5 腹板中部膜质，端部具 1 对骨片，第 3 或第 4 腹板端部中央骨化。

分布：全北区，东洋区。全世界已知 87 种，中国已报道 23 种，秦岭地区有 4 种。

分种检索表

1. 前背侧鬃退化；m-cu 强烈弯曲 ………………………………………………………… 2
   前背侧鬃存在；m-cu 直或几乎直 ……………………………………………………… 3
2. 腹部第 3 腹板后缘具浓密毛，第 4 腹板具 1 对喇叭状突起；尾须长，约为腹部长的一半 …… ……………………………………………………… **薄叶巨口长足虻 *D. lamellatus***
   腹部第 3 腹板正常，第 4 腹板具 1 对乳状突起；尾须短，约为腹部长的 1/4 ……………… ……………………………………………………… **河南巨口长足虻 *D. henanus***
3. 前足基跗节短，端半部加粗，勺状 ……………………… **长尾巨口长足虻 *D. longicercus***
   前足基跗节端部稍加粗，具 1 排强的刺状腹鬃……………… **棒状巨口长足虻 *D. clavatus***

（10）棒状巨口长足虻 *Diostracus clavatus* Zhu, Yang *et* Masunaga, 2007

Diostracus clavatus Zhu, Yang *et* Masunaga, 2007: 135.

鉴别特征：中下部眼后鬃棕色。触角黑色；第 1 节延长，长为宽的 2.30 倍；第 2 节近圆形，端部具 1 圈鬃；第 3 节比第 1 节稍延长，长为宽的 1.20 倍；触角芒端背位，长为眼高的 0.80 倍。喙和须黑色。胸部暗金绿色，背中鬃列间具 2 条深棕色纵带纹，中胸背板两侧具不规则形状的深棕色块斑。5～6 根背中鬃；小盾片具 1 对强的小盾鬃及 1 对毛状侧小盾鬃。爪发达，爪间突和爪垫弱，为短的突起。前足腿节基部 1/4 处具 1 排棕色的前腹鬃，中部具 2 根后腹鬃，端部具 1 根后腹鬃；胫节稍膨大，腹面平，具 4 根前背鬃、2 根后背鬃和 2 根后腹鬃，末端具 3 根鬃；基跗节端半部向腹面稍延展，弯曲，具 1 排短的刺状腹鬃；第 2、3 跗节具 1 排短的刺状腹鬃。中足腿节具 2 根后腹鬃，端部具 1 根后腹鬃；胫节具 2 根前背鬃和 2 根后背鬃，基部 1/4 处具 1 根短的后腹鬃，末端具 4 根鬃；基跗节具 3 根后腹鬃。后足腿节中部具 1 根前腹鬃，端部具 1 根后腹鬃；胫节具 4 根前背鬃、4 根后背鬃、7 根前腹鬃和 6 根后腹鬃，末端具 2 根鬃；基跗节基部具 2 根前腹鬃，端半部具 3～4 根后腹鬃。

采集记录：1♂2♀，洋县长青山王庙，2006.Ⅶ.30，朱雅君采。

分布：陕西（洋县）。

(11)河南巨口长足虻 *Diostracus henanus* Yang, 1999(图 181)

Diostracus henanus Yang, 1999: 210.

鉴别特征:中下眼后鬃及后腹毛淡色。触角第3节长为宽的1.30倍,端钝;触角芒很长,黑色。喙褐色,须黄色。中胸背板在背中鬃列间有一条褐色纵带斑。背中鬃5根,粗壮。足黑色;转节和膝暗黄色。腿节有淡色腹毛,中足腿节基半部有一些长腹毛。前足腿节基部有1根外侧鬃;中后足腿节各有1根端前鬃。前足胫节有2~3根前背鬃、1~2根后背鬃和3根后腹鬃;中足胫节有4根前背鬃、2~3根后背鬃和1根前腹鬃;后足胫节有4根前背鬃、3根后背鬃和3根前腹鬃。前足基跗节短于第2跗节,明显加粗。

采集记录:1♂,佛坪东河台,2006.Ⅶ.24,朱雅君采。

分布:陕西(佛坪)、河南。

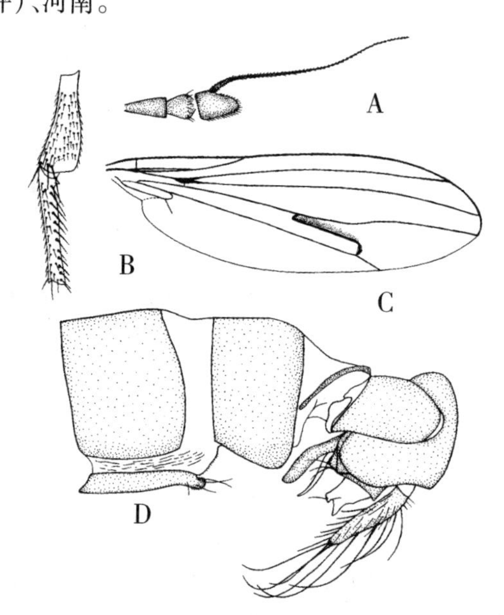

图181　河南巨口长足虻 *Diostracus henanus* Yang (雄性)

A. 触角侧面观 (antenna, lateral view); B. 前足第1、2跗节侧面观 (fore tarsomeres 1-2, lateral view); C. 翅 (wing); D. 外生殖器侧面观 (genitalia, lateral view)

(12)薄叶巨口长足虻 *Diostracus lamellatus* Wei *et* Liu, 1996

Diostracus lamellatus Wei *et* Liu, 1996: 208.

鉴别特征:中、下部眼后鬃及后腹毛棕色,头顶微凹,单眼瘤明显,具1对长而强的单眼鬃。触角黑色;第3节侧视近三角形,长略大于宽,端部具棕色柔毛;触角芒背位,不分节。喙黑色,须深黄色。6根背中鬃,第1根及第6根较强。足除前足基节末端、前足转节、前足腿节基部棕色，中后足基节末端、中后足转节、中后足腿节极基部深棕色，端跗节黑色，被薄的棕色粉。腿节端部具1根强的及1根毛状的后腹鬃；胫节具4根前背鬃、2根后背鬃和2根后腹鬃，末端具2根鬃及1排梳状棕色前鬃；基跗节短缩，前后侧扁，端部向腹延展，后侧面稍凹陷，端部具4根长鬃及1个淡色指状突；第2跗节亚基部腹缘凹陷；第2～5跗节前后面稍侧扁，前侧面的毛和鬃较短，后侧面的毛和鬃较长（略长于跗节宽）。中足基节前侧面具棕色毛，端前缘具几排密的棕色短毛；腿节端部近2/5处稍加粗，具1根明显的端前鬃；胫节具4根前背鬃和3根后背鬃，末端具4根鬃。后足基节仅端前缘具几根棕色毛；腿节具几排棕色后毛（不及腿节宽），端半部具2排弱的前腹鬃（不及腿节宽）；胫节具4根强的前背鬃、3根弱的后背鬃和3根不明显的弱的前腹鬃，末端具3根鬃及1排短梳状的棕色后鬃；基跗节基部无明显的腹鬃，腹面的毛和鬃较长。

采集记录：2♂2♀，佛坪桦木桥，2006.Ⅶ.27，朱雅君采；1♂，佛坪大店子，2006.Ⅶ.25，朱雅君采；2♀，佛坪西沟，2006.Ⅶ.27，朱雅君采；1♂1♀，洋县长青山王庙，2006.Ⅶ.30，朱雅君采；10♂11♀，洋县长青杉树坪，2006.Ⅶ.29，朱雅君采。

分布：陕西（佛坪、洋县）、河南、四川、贵州。

（13）长尾巨口长足虻 *Diostracus longicercus* Zhu, Yang *et* Masunaga, 2007

Diostracus longicercus Zhu, Yang *et* Masunaga, 2007: 136.

鉴别特征：单眼瘤明显，具1对单眼鬃，无后毛。触角黑色；第1节延长，长为宽的1.70倍，具背毛；第2节近圆形，端部具1圈鬃（包括1根长背鬃，3根长腹鬃）；第3节侧扁，侧视近半圆形；触角芒端位，不分节，与眼高几乎等长。喙和须黑色。5～6根背中鬃。爪、爪间突和爪垫发达。前足腿节基部1/6具4排短的腹鬃，端部具1根短的后腹鬃；胫节稍膨大，腹面平，背鬃发达，腹鬃较弱，明显具4根前背鬃和4根后背鬃，末端具2根长鬃及1排梳状的棕色腹鬃；基跗节端半部向腹延展，弯曲，近勺状，基半部具几排密的短鬃，端缘具1根长及1根短的刺状强鬃；第2跗节基部膨大，弯曲，具2排长的后腹鬃（与跗节宽近等长），基腹缘具1根刺状强鬃；第2～5跗节腹面平，具短而浓密的淡色刷状毛。中足腿节基部3/4具1排弯的刺状前腹鬃（最长的约为腿节宽的3倍），端部具1根前腹鬃和1根后腹鬃；胫节具3根前背鬃和3根后腹鬃，端部3/4具1排长而弯的毛状腹鬃（最长的约为胫节宽的4倍）及2排淡色毛状后腹鬃（最长的约为胫节宽的2.50倍），端半部具1排长毛状后鬃（最长的约为胫节宽的3倍），末端具2根长及1根短的鬃；第1～3跗节具1～2排长的后鬃；基跗节端半部具1排2～3根前鬃。后足腿节无明显的鬃；胫节具5～6根前背鬃、4～5根后背鬃、3～4根前腹鬃和4～5根后腹鬃，末端具1根强鬃、1根棕色的鬃及1排梳状棕色腹鬃。

采集记录：3♂4♀，洋县长青杉树坪，2006.Ⅶ.29，朱雅君采。

分布:陕西(洋县)、河南。

4. 潜长足虻属 *Thrypticus* Gerstäcker, 1864

Thrypticus Gerstäcker, 1864: 43. **Type species**: *Thrypticus smaragdinus* Gerstäcker, 1864.
Aphantotimus Wheeler, 1890: 375. **Type species**: *Aphantotimus willistoni* Wheeler, 1890.
Xanthotricha Aldrich, 1896: 339. **Type species**: *Xanthotricha cupulifer* Aldrich, 1896.
Submedeterus Becker, 1917: 360. **Type species**: *Submedeterus cuneatus* Becker, 1917.

属征:体长1.20~3.00mm。亮金绿色,足常浅黄色或浅棕色。复眼具柔毛。中鬃双列,短。1根翅上鬃。中足基节具2根外鬃。中足腿节亚端部具后鬃。翅肩横脉缺失;R_{4+5}与M端部近平行;CuAx值小于0.50;臀脉缺失。雄虫下生殖板有时在端部的1/3处具1处背突;阳茎端部常浅的分叉;第9背板的侧鬃从内壁伸出,弯曲,侧视不可见;两侧突愈合,端部具2根长鬃;尾须长。雌虫产卵器呈刀片状,骨化强,背视窄,端部具向上的针刺。

分布:世界性分布。世界已知88种,中国仅报道3种,秦岭地区有2种。

分种检索表

具1对小盾鬃;胫节黄色;阳茎端部钝圆,具1个浅的切口 ························ **丽潜长足虻 *T. bellus***
2对小盾鬃,侧小盾鬃短毛状;胫节棕色;阳茎端部分叉 ···················· **粉潜长足虻 *T. pollinosus***

(14)丽潜长足虻 *Thrypticus bellus* Loew, 1869(图182)

Thrypticus bellus Loew, 1869: 303.
Thrypticus fennicus Vanschuytbroeck, 1951: 95.
Thrypticus minus Vanschuytbroeck, 1951: 96.

鉴别特征:颜窄,金绿色。后腹毛淡色。触角黑色;第3节宽的卵圆形,宽为高的2倍;触角芒黑色,与头高近等长。喙及须为棕色。3对中鬃;6根较强背中鬃。足基节及腿节金绿色,胫节及跗节棕色,转节黄色。前足胫节和跗节的相对长度比4.20∶3.50;前足基跗节与第2、3跗节之和等长。中足胫节基部1/3处具1根短的前背鬃;中足胫节和跗节的相对长度比3.90∶5.60;中足基跗节与第2~4跗节之和等长。后足胫节和跗节的相对长度比4.00∶5.20;后足基跗节与第2跗节等长。翅透明。R_{4+5}与M近平行;M端部向上略弯曲;CuAx值约为0.50。腋瓣黄色,具淡色毛。平衡棒黄色。

采集记录:1♂,榆林,1922.Ⅶ.22,采集人不详,标本保存在巴黎博物馆。

分布:陕西(秦岭、榆林),新疆;俄罗斯,哈萨克斯坦,土耳其,欧洲,非洲。

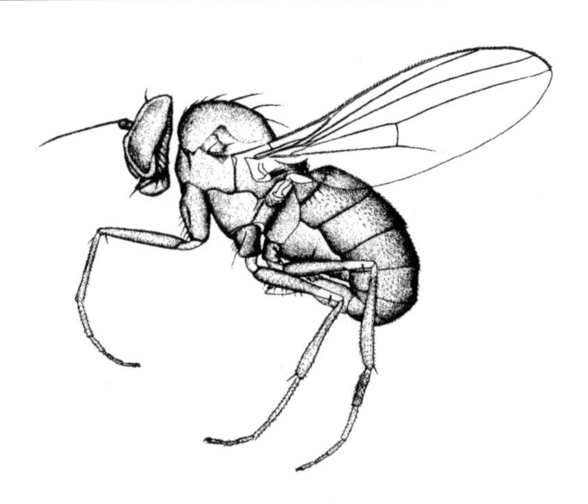

图 182　丽潜长足虻 *Thrypticus bellus* Loew（雄性）

(15) 粉潜长足虻 *Thrypticus pollinosus* Verrall, 1912

Thrypticus pollinosus Verrall, 1912: 144.

鉴别特征: 触角黑色; 第 3 节宽的卵圆形; 触角芒弱, 无明显的柔毛, 短于头高。喙及须棕色。3 ~4 对中鬃; 2 对小盾鬃, 侧小盾鬃短毛状。足黄色, 但基节(除端部外)及腿节基部金绿色, 各跗节端部及后足胫节端部棕色。中足胫节具 1 根黑色的强前背鬃; 后足胫节基半部具长后背鬃。R_{2+3}与 R_{4+5}之间的前缘脉长度约为 R_{4+5}与 M 间前缘脉长度; R_{4+5}与 M 近乎平行; M 端部直; CuAx 值约为 0.30。腋瓣黄色, 具黄色毛。平衡棒黄色。

采集记录: 1♂, 榆林, 1922.Ⅶ.22, 采集人不详, 标本保存在巴黎博物馆。

分布采集记录: 陕西(秦岭、榆林); 俄罗斯, 瑞典, 英国, 芬兰, 法国, 荷兰, 德国。

5. 准长毛长足虻属 *Ahypophyllus* Zhang *et* Yang, 2005

Ahypophyllus Zhang *et* Yang, 2005: 180. **Type species**: *Hypophyllus sinensis* Yang, 1996.

属征: 体大型(体长 7.00 ~7.70mm, 翅长 7.70 ~8.0mm)。腹部细长(长为胸部的 200 倍), 有些侧扁。复眼离眼式。头顶稍凹。单眼瘤有 2 根强单眼鬃和 4 根短后毛; 顶鬃几乎与单眼鬃等长; 后顶鬃明显短于顶鬃。雄虫颜基部宽, 渐向唇基变窄; 雌虫颜宽, 近两侧平行。唇基短小(长为颜和唇基之和的 1/6), 明显不达复眼下缘。触角第 1 节背部有毛, 明显长于第 2 节, 第 3 节短小; 触角芒亚端位, 有长毛, 短于头宽。触角基部相互靠近。6 根强背中鬃(第 5 根稍偏离背中鬃列), 中鬃 2 列。小盾片有 2 对鬃(基鬃短毛状, 端鬃粗长), 有明显的长缘毛, 无明显背毛。1 根肩鬃和 1 根短肩毛, 1 根肩后鬃, 1 根缝前鬃, 1 根缝鬃, 2 根背侧鬃, 2 根翅上鬃和 1 根翅后鬃。前胸侧板被毛，下部有 1 根黑鬃；翅侧片后气孔前无毛。中足基节有 1 根外鬃，后足基节中部有 1 根外鬃。腿节细长(长为宽的 9 ~10 倍)；中足腿节有 1 根端前鬃，后足腿节有 2 根端前鬃。后足胫节上鬃多而长。后足基跗节与第 2 跗节等长。翅 R_{4+5}端部有些前弯，M 近直，与 R_{4+5}端部近平行；M 终止于翅末端。CuAx 值明显小于 1。雄性第 6 背板大而明显延长，侧视近方形。雄性外生殖器大，向前钩弯末端伸达第 2 腹节；第 9 背板长大于宽，外侧叶较宽，内侧叶瘤突状；尾须相当大，黄色，边缘暗褐色，有短缘齿；下生殖板近直。

分布：我国特有。已知 1 种，秦岭地区有分布。

(16) 中华准长毛长足虻 *Ahypophyllus sinensis* (Yang, 1996) (图 183)

Hypophyllus sinensis Yang, 1996: 322.

Ahypophyllus sinensis: Zhang & Yang, 2005: 181.

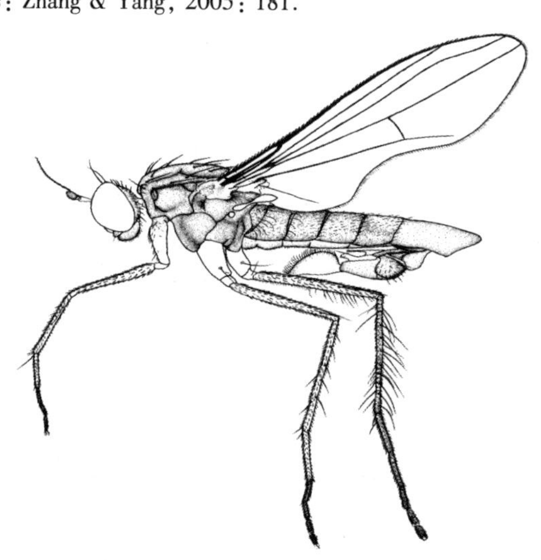

图 183 中华准长毛长足虻 *Ahypophyllus sinensis* (Yang) (雄性)

鉴别特征：中下眼后鬃及后腹毛黄色，触角第 1 节和第 2 节黄色，第 3 节黑色，长等于宽；触角芒黑色，有明显的小柔毛，近羽状，基节长为端节的 0.30 倍。喙和须暗黄褐色。中鬃很短而不规则，6 根强背中鬃。足细长，黄色；前足跗节黄褐色，中后足跗节褐色至暗褐色，第 4 ~5 跗节白色。足毛和鬃黑色，但腿节有一些淡黄色腹毛，中后足第 4 ~5 跗节有白毛。中后足基节各有 1 根外鬃；中足腿节有 1 根端前鬃，后足腿节有 2 根端前鬃；前足胫节有 1 根前背鬃、2 根后背鬃、2 根后腹鬃和 1 根长的端腹鬃；中足胫节有 4 根前背鬃、2 根后背鬃和 2 根腹鬃；后足胫节有 8 ~9 根长前背鬃、5 ~6 根长后背鬃和 9 ~10 根长腹鬃。翅近透明，端前区带暗褐色，中后缘明显凹；脉暗褐色；R_{4+5}与 M 明显会聚；CuAx 值 0.70 ~0.80。腋瓣黄色，有浅黑毛。平衡棒黄色。

采集记录:1♂，宁陕，1985.Ⅵ.19，杨集昆采。

分布:陕西(宁陕)、河南、甘肃、湖北。

6. 全寡长足虻属 *Allohercostomus* Yang, Saigusa *et* Masunaga, 2001

Allohercostomus Yang, Saigusa *et* Masunaga, 2001: 180. **Type species**: *Hercostomus* (*Hercostomus*) *rotundatus* Yang *et* Saigusa, 1999.

属征:体小型(体长2.50~3.20mm，翅长2.80~3.40mm)。复眼在口缘相接。头顶平。额短而宽(宽为长的3.50~4.00倍)。唇基向下变窄，近圆锥形。单眼瘤弱，有2根强单眼鬃和4根很短的后毛。顶鬃相当弱，明显短于后顶鬃。触角第1节相当短，与第2节等长，背部有毛；第3节短小，端钝；触角芒上端位至背位，基节很短(长为端节的0.15~0.20倍)，近光裸。1根肩鬃和2根很短的肩毛，1根肩后鬃，1根缝前鬃，1根缝鬃，2根背侧鬃，2根翅上鬃和1根翅后鬃；6根强背中鬃(第5对明显偏离背中鬃列)，中鬃单行，相当长，几乎与第1根背中鬃等长。小盾片有2对鬃，基鬃弱，长为端鬃的1/6。前胸侧板上下被毛，下部有1个根黑鬃。后足基节中部有1根外鬃。腿节相当粗。中后足腿节各有1根端前鬃。后足基跗节无背鬃，基部有1个细内距。翅臀叶明显，R_{4+5}和M端部平行或弱的会聚。雄性外生殖器第9背板长大于宽，外侧叶短或细长的条状，内侧叶短小或相当大；尾须近三角形，有短缘突和缘鬃；下生殖板粗，有时有1块明显端凹。

分布:东洋区。世界已知3种，中国分布2种，秦岭地区有1种。

(17)圆角全寡长足虻 *Allohercostomus rotundatus* (Yang *et* Saigusa, 1999)

Hercostomus (*Hercostomus*) *rotundatus* Yang *et* Saigusa, 1999: 244.

Allohercostomus rotundatus: Yang, Saigusa *et* Masunaga, 2001: 180.

鉴别特征:复眼在颜下部相接。触角黑色，第3节长等于宽，末端圆。喙和须黑色。6根单列的毛状中鬃；6对强背中鬃。足黑色；腿节末端暗黄褐色。中后足基节各有1根外鬃，中后足腿节各有1根端前鬃；前足胫节有2根后背鬃、2根后腹鬃和1根长的端腹鬃；中足胫节有3根前背鬃、2根后背鬃和1根前腹鬃；后足胫节有3根前背鬃、4根后背鬃和3~4根前腹鬃；第2~4跗节有1根明显的前腹鬃。

采集记录:3♂，佛坪，1997.Ⅵ.25，Toyohei Saigusa采；2♂，柞水，1997.Ⅶ.06，Toyohei Saigusa采。

分布:陕西(佛坪、柞水)、河南、四川；尼泊尔。

7. 长足虻属 *Dolichopus* Latreille, 1796

Dolichopus Latreille, 1797: 159. **Type species**: *Musca ungulata* Linnaeus, 1758.

Ragheneura Ronadani, 1856: 144. **Type species**: *Dolichopus griseipennis* Stannius, 1831.

Hygroceleuthus Loew, 1857: 10. **Type species**: *Dolichopus latipennis* Fallén, 1823.

Spathichira Bigot, 1888: 24. **Type species**: *Dolichopus funditor* Loew, 1861.

Spatichira Bigot, 1888: 30. **Type species**: *Spatichira pulchrimana* Bigot, 1888.

Eudolichopus Frey, 1915: 10 (as subgenus). **Type species**: *Musca plumipes* Scopoli, 1763.

Leucodolichopus Frey, 1915: 10 (as subgenus). **Type species**: *Dolichopus remipes* Wahlberg, 1839.

Melanodolichopus Frey, 1915: 10 (as subgenus). **Type species**: *Dolichopus stenhammari* Zetterstedt.

Macrodolichopus Stackelberg, 1933: 109 (as subgenus). **Type species**: *Dolichopus diadema* Haliday, 1832.

属征:体中到大型(3~5 mm)。腹部较粗，渐向末端变窄。复眼离眼式。头顶弱凹。单眼瘤明显，有2根粗长单眼鬃。顶鬃稍短于单眼鬃；后顶鬃短于顶鬃。雄虫颜上部宽，向下渐变窄；雌虫颜近两侧平行。长足虻亚属唇基长约为颜和唇基长的1/4~1/5，下端平截，明显不达复眼下缘；长柄长足虻亚属和短柄长足虻亚属唇基较长而宽，几乎达复眼下缘。触角第1节有背毛，长于第2节；长柄长足虻亚属的触角第1节及第2节延长；第3节长大于宽；触角芒短于头宽，有短毛。触角基部相互靠近，间距小于单眼瘤宽。6根强背中鬃，第5根不内移或稍内移；中鬃2列，短毛状。小盾片有2对鬃，端鬃粗长，基鬃短毛状(长为端鬃的1/4~1/5)，还有几根短缘毛。1根肩鬃和2根肩毛，1根肩后鬃，1根缝前鬃，1根缝鬃，2根背侧鬃，2根翅上鬃和1根翅后鬃。前胸侧板上下部被毛，下部有1根鬃；翅侧片后胸气门前有几根细毛。后胸侧板前下角有几根细毛。中足基节有1根外鬃，后足基节端部1/3处有1根外鬃。中后足腿节各有1根端前鬃。后足腿节短粗，长为宽的4~5倍。后足基跗节有背鬃，等于或稍长于第2跗节。足爪小。翅前缘胝不明显的刻点状至粗长。雌虫翅无前缘胝。R_{4+5}近直，端部略后弯向M；M后部有"Z"形弯折，有或无退化的M_2，M_1有时有1个小附脉；M终止处近翅末端；CuAx值明显小于1。腹部毛及背板缘鬃中等长，第6背板光裸。雄性外生殖器第9背板长大于宽，外侧叶较宽大，有端鬃；内侧叶不明显的瘤突状或与外侧叶近等大；尾须大，近方形，黄色且有黑色边缘，有缘齿和强鬃；下生殖板简单。

分布:全球性分布。世界已知573种，其中非洲区4种，古北区256种，东洋区25种，澳洲区1种，新北区317种，新热带区7种。中国已知72种，秦岭地区有7种。

分种检索表

1. 腿节大部分或全黑色 ………………………………………… **寡鬃长足虻 *D. lepidus***
   腿节大部分或全黄色 ………………………………………… 2

2. 后足腿节有腹毛或腹鬃……………………………………………… 马氏长足虻 *D. martynovi*
后足腿节无腹毛或鬃，至多有短毛 ……………………………………………………………… 3
3. M 有退化的 M_2 ……………………………………………………………………………… 4
M 无退化的 M_2 ……………………………………………………………………………… 6
4. 下生殖板端尖；内侧叶棒状，近端部有密毛…………………… 尖钩长足虻 *D. bigeniculatus*
下生殖板端不尖；内侧叶非如上所述 ……………………………………………………… 5
5. 后足基跗节基半部黄 ……………………………………………… 基黄长足虻 *D. simulator*
后足基跗节全黑色 ……………………………………………… 楔突长足虻 *D. cuneipennis*
6. 触角第 3 节延长，长为宽的 2 倍，端尖 …………………………… 迭部长足虻 *D.* **tewoensis**
触角第 3 节长至多为宽的 1.50 倍 ………………………………… 单鬃长足虻 *D. uniseta*

(18) 尖钩长足虻 *Dolichopus bigeniculatus* Parent，1926

Dolichopus bigeniculatus Parent，1926：114.

鉴别特征：头部金绿色，颜银白色，中下眼后鬃黄色。触角第 1 节及第 2 节黄色（窄的背面褐色）；第 3 节黑色（窄的基腹区暗黄色），长为宽的 1.30 倍，端钝；触角芒黑色。喙暗褐色，须黄色。6 根强背中鬃，6 ~ 7 对短毛状中鬃。前胸侧板被白毛，下部有 1 根黑鬃。足黄色；前足基节黄色，中后足基节黑色；前足跗节自基跗节端往外浅褐色至褐色，中足跗节自基跗节端往外黑色，后足胫节端部 1/2 及后足跗节黑色。前足胫节有 2 根前背鬃、2 根后背鬃和 1 根后腹鬃，末端有 2 根鬃和 1 根端腹鬃（长于前足基跗节的 1/3）；中足胫节有 3 ~ 4 根前背鬃、2 根后背鬃和 1 根腹鬃，末端有 5 根鬃；后足胫节有 4 根前背鬃、3 根后背鬃、1 根端背鬃和 1 根前腹鬃，末端有 4 根鬃。后足基跗节有 2 根背鬃和 1 根侧鬃。

采集记录：1♂，佛坪，1997.Ⅵ.28，Toyohei Saigusa 采。

分布：陕西（佛坪）、北京、山东、河南、江苏、安徽、浙江、四川。

(19) 楔突长足虻 *Dolichopus cuneipennis* Parent，1926

Dolichopus cuneipennis Parent，1926：115.

鉴别特征：颜银白色。触角黄色；第 3 节黑色（基腹区黄褐色），触角芒背位。喙暗褐色，须黄色。6 根强背中鬃（第 5 对明显会聚，偏离背中鬃列），10 对短毛状中鬃。足黄色；前足基节黄色，中后足基节浅黑色（端部黄色）；前中足跗节自基跗节端往外黑色，后足胫节端 2/3 及后足跗节黑色。中后足腿节各有 1 根端前鬃。前足胫节有 2 根前背鬃、2 根后背鬃和 2 根后腹鬃，末端有 2 根鬃和 1 根黄色端腹鬃（稍短于前足基跗节的 1/2）；中足胫节有 3 根前背鬃、2 根后背鬃和 1 根前腹鬃，末端有 4 根鬃；后足胫节有 4 根前背鬃、5 根后背鬃和 1 根前腹鬃，末端有 2 根鬃。后足基跗节有 1 根背鬃。

采集记录:1♂, 周至老县城, 2014.Ⅷ.18, 卢秀梅采。

分布:陕西(周至)、黑龙江、吉林、上海。

(20)寡鬃长足虻 *Dolichopus lepidus* Staeger, 1842

Dolichopus lepidus Staeger, 1842: 36.

Dolichopus dissimilipes Zetterstedt, 1843: 527.

Dolichopus geniculatus Zetterstedt, 1843: 525.

Dolichopus tibialis Zetterstedt, 1838: 710.

Dolichopus uliginosus Becker, 1925: 165(nec Van Duzee, 1923).

Dolichopus uliginosulus Dyte, 1980: 224 (new name for *Dolichopus uliginosus* Becker, 1925).

鉴别特征:中下眼后鬃全黑色。触角全黑色; 第3节长几乎等于宽, 端尖。喙和须黑色。6根强背中鬃(第5对偏离背中鬃列), 9~10对短毛状中鬃。前胸侧板被黑毛, 下部有1根黑鬃。足黑色; 基节全黑色; 前中足胫节暗黄色, 前中足跗节自基跗节端往外暗褐色。后足胫节往端部渐变粗。后足腿节有1排9~10根黑腹鬃(近等长于腿节粗)。前足胫节有2根前背鬃、2根后背鬃和2根后腹鬃, 末端有3根鬃; 中足胫节有5根前背鬃、3根后背鬃和1根前腹鬃, 末端有5根鬃; 后足胫节有6根前背鬃、5根后背鬃、1根端背鬃和1根前腹鬃。后足基跗节有3根背鬃、1根侧鬃、2根前背鬃和5根腹鬃。

采集记录:1♂, 周至老县城, 2014.Ⅷ.20, 卢秀梅采。

分布:陕西(周至)、北京; 蒙古, 俄罗斯, 欧洲。

(21)马氏长足虻 *Dolichopus martynovi* Stackelberg, 1930

Dolichopus martynovi Stackelberg, 1930: 145.

鉴别特征:颜稍宽于触角第3节。中下眼后鬃黄色。触角黄色, 第1节和第2节窄的背面呈褐色; 第3节黑色。喙褐色, 须黄色。6根强背中鬃(第5对偏离背中鬃列), 6~7对短毛状中鬃。前胸侧板被白毛, 下部有1根黑鬃。足黑色; 前足基节黄色, 中后足基节黑色(端部黄色); 前中足跗节自基跗节端往外黑色, 后足胫节端半部及后足跗节黑色。足毛和鬃黑色。中后足基节各有1根外鬃, 中后足腿节各有1根端前鬃。后足腿节端半部有5根褐色长腹鬃(近等长于腿节粗)。前足胫节有2根前背鬃、2根后背鬃和2根后腹鬃, 末端有3根鬃; 中足胫节有4根前背鬃、2根后背鬃和1根前腹鬃, 末端有4根鬃; 后足胫节有5根前背鬃、4根后背鬃、1根前腹鬃和1根端背鬃, 末端有2根鬃。后足基跗节有1根背鬃和1根侧鬃。

采集记录:1♂, 宁陕火地塘, 1505m, 2013.Ⅶ.13, 杨定采。

分布:陕西(宁陕)、黑龙江、吉林、内蒙古、河北、宁夏、新疆; 蒙古, 俄罗斯。

(22)基黄长足虻 *Dolichopus simulator* Parent, 1926

Dolichopus simulator Parent, 1926: 119.
Dolichopus simulator clarior Parent, 1936: 1.

鉴别特征:颜与触角第3节近等宽。中下眼后鬃黄色。触角黄色；第3节黑色(近基半部黄色)，长几乎等于宽，端略尖。喙褐色，须黄色。6根强背中鬃，7~8对短毛状中鬃。前胸侧板下部有1根黑鬃。足黄色；前足基节黄色，中足基节黑色(端部黄色)，后足基节大部分黄色有较大黑斑；前中足跗节褐色至暗褐色，后足胫节端部及后足跗节黑色(或后足基跗节仅端半部黑色)。中后足基节各有1根外鬃，中后足腿节各有1根端前鬃。前足胫节有2根前背鬃、2根后背鬃和1根后腹鬃，末端有2根鬃；中足胫节有4根前背鬃、2根后背鬃和1根前腹鬃，末端有4根鬃；后足胫节有5根前背鬃、4根后背鬃、1根端背鬃和1根前腹鬃，末端有4根鬃。后足基跗节有2根背鬃、1根侧鬃和3根短腹鬃。翅白色透明，脉黑色；前缘胝刻点状；M有退化的M_2，CuAx值0.80。腋瓣黄色，有黑毛。平衡棒黄色，基部褐色。

采集记录:3♂3♀，周至太白山，1648m，2014.Ⅶ.18，李轩昆采；5♂8♀，佛坪大古坪，1329m，2014.Ⅶ.18，卢秀梅采。

分布:陕西(周至、佛坪)、河南、上海、浙江、湖北、湖南、福建、广西、四川、贵州、云南。

(23)迭部长足虻 *Dolichopus tewoensis* Yang, 1998(图184)

Dolichopus tewoensis Yang, 1998: 174.

鉴别特征:颜银白色，窄于触角第3节。中下眼后鬃淡黄色。触角第1节和第2节黄色，背缘颜色较深；第3节黑色且基腹区黄色，显著延长(长为宽的2.20倍)。喙黑色，须浅黄色。7~8对不规则的中鬃短毛状，6根强背中鬃；前胸侧板有淡黄毛，下部有1根黑色长鬃。足黄色；前足和后足基节黄色，中足基节黑色；前中足跗节自基跗节末端往外褐色至暗褐色；后足胫节端部1/4和整个后足跗节黑色。中足和后足基节有1根外鬃，中足和后足腿节有1根端前鬃。前足胫节有2根前背鬃、2根后背鬃、3根后下鬃和1根细长的端腹鬃；中足胫节有4根前背鬃、2根后背鬃和1根前腹鬃；后足胫节有4根前背鬃、1根背鬃、4~5根后背鬃和1根前腹鬃；后足基跗节有2根背鬃和1根侧鬃。翅前缘胝长而粗；中脉弯曲，无退化的M_2，CuAx值0.65。

采集记录:1♂1♀，佛坪大古坪，1329 m，2014.Ⅶ.18，卢秀梅采。

分布:陕西(佛坪)、北京、甘肃。

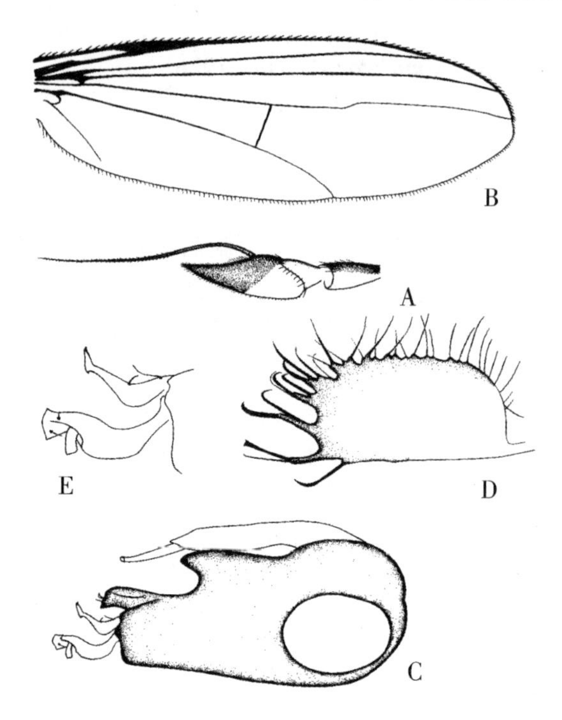

图 184 迭部长足虻 *Dolichopus tewoensis* Yang（雄性）

A. 触角（antenna）；B. 翅（wing）；C. 雄性外生殖器（male genitalia）；D. 尾须（cercus）；E. 亚生殖背板突（subepandrial processes）

（24）单鬃长足虻 *Dolichopus uniseta* Stackelberg, 1929（图 185）

Dolichopus uniseta Stackelberg, 1929: 177.

鉴别特征：颜有银白粉，稍宽于触角第 3 节。中下眼后鬃黄色。触角第 1 节及第 2 节暗黄色（窄的背面褐色）；第 3 节黑色（基腹区黄褐色）。喙褐色，须黄色。6 根强背中鬃，5～6 对短毛状中鬃。前胸侧板下部有 1 根黑鬃。足黄色；前足基节黄色，中后足基节黑色（端部黄色）；前中足跗节自基跗节端往外浅褐色至褐色，后足胫节端部及后足跗节黑色。中后足基节各有 1 根外鬃，中后足腿节各有 1 根端前鬃。前足胫节有 2～3 根前背鬃、2 根后背鬃和 1～2 根后腹鬃，末端有 2 根鬃和 1 根褐色端腹鬃（长为前足基跗节的 2/3）；中足胫节有 4 根前背鬃、2 根后背鬃和 1 根前腹鬃，末端有 4 根鬃；后足胫节有 4 根前背鬃、4 根后背鬃、1 根端背鬃和 1 根前腹鬃，末端有 2 根鬃。前足基跗节有 1 根褐色短腹鬃。后足基跗节有 1 根长背鬃和 1 根侧鬃。翅前缘脉较粗长；M 无退化的 M_2，CuAx 值 0.60。

采集记录：2♂1♀，佛坪岳坝，1221 m，2014.Ⅶ.20，卢秀梅采。

分布：陕西（佛坪）、黑龙江、北京、河北；俄罗斯。

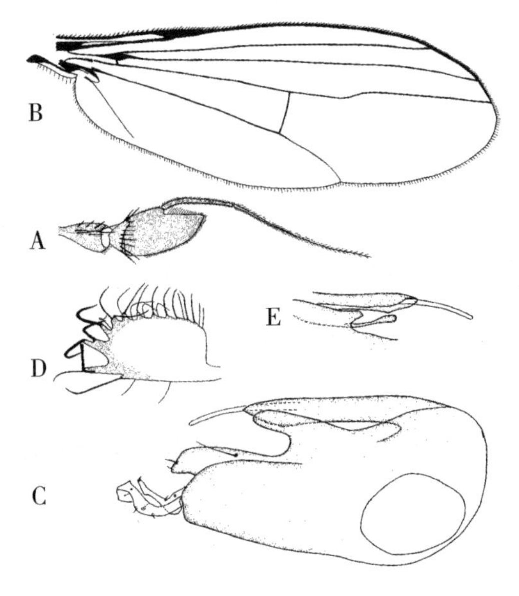

图 185 单鬃长足虻 *Dolichopus uniseta* Stackelberg（雄性）

A. 触角（antenna）；B. 翅（wing）；C. 雄性外生殖器（male genitalia）；D. 尾须（cercus）；E. 右侧叶（right lateral lobe）

8. 行脉长足虻属 *Gymnopternus* Loew, 1857

Gymnopternus Loew, 1857：10. **Type species**：*Dolichopus cupreus* Fallén, 1823.

Paragymnopternus Bigot, 1888：24. **Type species**：*Dolichopus cupreus* Fallén, 1823.

属征：体小到中型。腹部粗(长为胸部的 1.00 ~ 1.50 倍)，大致向末端变窄。复眼离眼式。头顶平。单眼瘤有 2 根粗长单眼鬃和 4 根短后毛。顶鬃几乎等长于单眼鬃；后顶鬃明显短于顶鬃。雄虫颜上部较宽，渐向下变窄；雌虫颜近两侧平行。唇基较短小(长约为颜和唇基长的 1/6)，下端平截，明显不达复眼下缘。触角第 1 节明显长于第 2 节，有背毛；触角芒背位，短于头宽，有短毛。触角基部间距小于单眼瘤宽。5 ~ 6 根强背中鬃，倒数第 2 根内移；中鬃 2 列，短于第 1 根背中鬃。小盾片有 2 对鬃，基鬃短毛状，端鬃粗长，有明显短缘毛，有或无背毛。1 根肩鬃和 1 根肩毛，1 根肩后鬃，1 根缝前鬃，1 根缝鬃，2 根背侧鬃，2 根翅上鬃和 1 根翅后鬃。前胸侧板上下部被毛，下部有 1 根鬃；翅侧片后胸气孔前有几根细毛，后胸侧板下侧角有几根细毛。中足基节有 1 根外鬃，后足基节中部有 1 根外鬃。中足腿节有 1 根端前鬃，后足腿节有 1 根端前鬃。后足腿节粗，长为宽的 5 倍。后足基跗节无背鬃，明显短于第 2 跗节。足爪小。翅前缘脉不加粗或仅第 1 前缘段中部加粗，无前缘胝；R_{4+5}和 M 近直，端部平行，M 终止处近翅末端；CuAx 值明显小于 1。雄性外生殖器第 9 背板长大于宽，呈侧叶细长的条形，有 2 根端鬃；内侧叶无，或瘤状至发达的指状；尾须三角形或梯形，缘突一般较弱；下生殖板简单，不分叉。

分布：全北区，东洋区。世界已知115种，中国已知41种，秦岭地区有3种。

种检索表

1. 第1前缘段中部稍加粗；尾须近梯形，无指突；第9背板无内侧叶 …………………………………… **毛盾行脉长足虻 *G. congruens***
   前缘脉不加粗；尾须近三角形，有弱或明显的指状缘突；第9背板有内侧叶 ……………… 2
2. 腿节大部分黑色 ……………………………………………… **欧氏行脉长足虻 *G. oxanae***
   腿节大部分黄色 ……………………………………………… **群行脉长足虻 *G. populus***

(25)毛盾行脉长足虻 *Gymnopternus congruens* (Becker, 1922)(图186, 187)

Hercostomus congruens Becker, 1922: 29.

Gymnopternus congruens: Yang, Zhu, Wang & Zhang, 2006: 140.

鉴别特征：眼后鬃全黑色。触角黄褐色；第3节长等于宽，端略尖。喙褐色，须黑色，均有黑毛。具6～7对不规则的短毛状中鬃，5根强背中鬃。前胸侧板有黑毛，下部有1根黑鬃。足黄色；前后足基节黄色，中足基节(除末端外)浅黑色；跗节自基跗节末端往外黑色。中后足基节各有1根外鬃；中后足腿节各有1根端前鬃。前足胫节有1根前背鬃和2根后背鬃；中足胫节有2根前背鬃、2根后背鬃；后足胫节有3根前背鬃、3根后背鬃和2根前腹鬃。翅前缘脉基段弱加粗，R_{4+5}与M端部平行。

图186　毛盾行脉长足虻(雄性)
Gymnopternus congruens (Becker)

采集记录：46♂58♀，周至老县城，2057m，2014.Ⅷ.19，李轩昆采；18♂20♀，周至太白山，1648m，2014.Ⅷ.19，李轩昆采；18♂29♀，周至太白山，1648m，2014.Ⅷ.18，卢秀梅采；4♂23♀，佛坪岳坝，1270m，2014.Ⅷ.27，卢秀梅采。

分布：陕西(周至、佛坪)、山东、河南、甘肃、浙江、湖南、福建、台湾、广东、广西、四川、贵州、云南。

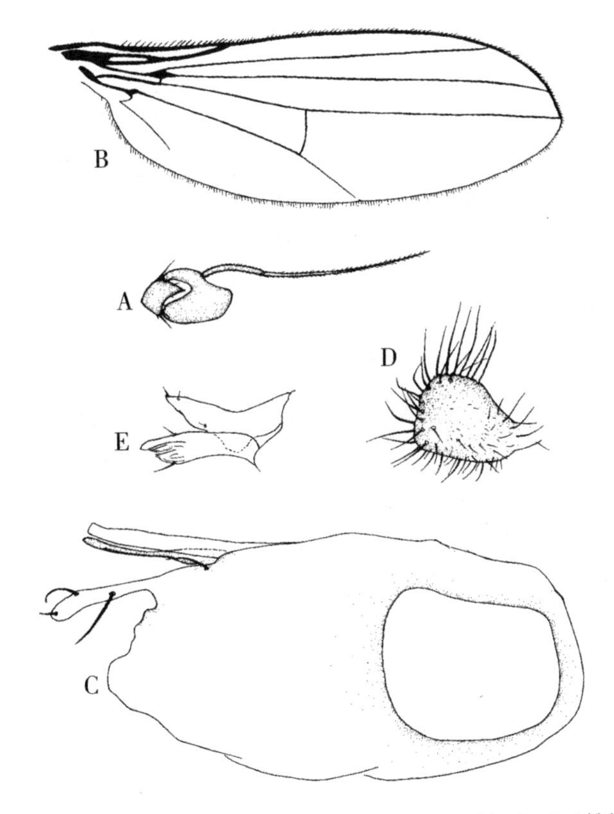

图 187　毛盾行脉长足虻 *Gymnopternus congruens*（Becker）（雄性）

A. 翅（wing）; B. 触角（antenna）; C. 雄性外生殖器（male genitalia）; D. 尾须（cercus）; E. 亚生殖背板突（subepandrial processes）

(26) 欧氏行脉长足虻 *Gymnopternus oxanae*（Olejníček, 2004）

Hercostomus oxanae Olejníček, 2004: 7.

Gymnopternus oxanae: Yang, Zhu, Wang & Zhang, 2006: 168.

鉴别特征: 颜银白色。喙黄色，须褐色。眼后鬃全黑色。触角黑色，第 3 节长为宽的 1.50 倍，端钝。足黄色，中足基节颜色深。

分布: 陕西(周至)。

采集记录: 1♂，周至太白山，1725m，2014.Ⅷ.18，卢秀梅采。

(27) 群行脉长足虻 *Gymnopternus populus*（Wei, 1997）

Hercostomus（*Gymnopternus*）*populus* Wei, 1997: 37.

Hercostomus（*Hercostomus*）*tianmushanus* Yang, 1998: 235.

Gymnopternus populus: Yang, Zhu, Wang & Zhang, 2006: 145.

鉴别特征:眼后鬃全黑色。触角为黄褐色;第 3 节浅黑色,喙和须黄褐色,有黑毛。具8~9对不规则的短毛状中鬃;6 根强背中鬃。足黄色;基节浅黑色;跗节自基跗节末端往外呈褐色至暗褐色。中后足基节各有 1 根鬃,中后足腿节各有 1 根端前鬃;前足胫节有 1 根前背鬃、2 根后背鬃和 1 根长端腹鬃;中足胫节有 3 根前背鬃、2 根后背鬃和 1 根前腹鬃;后足胫节有 3 根前背鬃、3~4 根后背鬃和 2 根前腹鬃;后足基跗节基部有 1 根短腹鬃。翅 R_{4+5}与 M 端部弱的汇聚,CuAx 值 0.70。

采集记录:3♂2♀,周至太白山,1648 m,2014.Ⅷ.18,卢秀梅采。

分布:陕西(周至)、河南、浙江、广西、四川、贵州、云南。

9. 寡长足虻属 *Hercostomus* Loew, 1857

Hercostomus Loew, 1857: 9. **Type species**: *Sybistroma longiventris* Loew, 1857.

Microhercostomus Stackelberg, 1949: 687 (as subgenus). **Type species**: *Hercostomus* (*Microhercostomus*) *dilatitarsis* Stackelberg, 1949.

Steleopyga Grootaert et Meuffels, 2001: 208. **Type species**: *Steleopyga dactylocera* Grootaert *et* Meuffels, 2001.

属征:体小到中型。腹部粗(长为胸部的 1.00~1.50 倍),大致向末端变窄。复眼离眼式。头顶平。单眼瘤有 2 根粗长单眼鬃和 4 根短后毛。顶鬃几乎等长于单眼鬃;后顶鬃明显短于顶鬃。雄虫颜上部较宽,渐向下变窄;雌虫颜近两侧平行。唇基较短小(长约为颜和唇基的1/6),下端平截,明显不达复眼下缘。触角第 1 节明显长于第 2 节,有背毛;触角芒背位,短于头宽,有短毛。触角基部间距小于单眼瘤宽。5~6 根强背中鬃,倒数第 2 根内移;中鬃 2 列,短于第 1 根背中鬃。小盾片有 2 对鬃,基鬃短毛状,端鬃粗长,有明显短缘毛,有或无背毛。1 根肩鬃和 1 根肩毛,1 根肩后鬃,1 根缝前鬃,1 根缝鬃,2 根背侧鬃,2 根翅上鬃和 1 根翅后鬃。前胸侧板上下部被毛,下部有 1 根鬃;翅侧片后气门前无细毛。中足基节有 1 根外鬃,后足基节中部有 1 根外鬃。中足腿节有 1 根端前鬃,后足腿节有 1 根端前鬃。后足腿节粗,长为宽的 5 倍。后足基跗节无背鬃,明显短于第 2 跗节。足爪小。翅前缘脉不加粗,无前缘胝;R_{4+5}端部略弯向翅后缘,M 近直,R_{4+5}和 M 端部会聚;M 终止于翅近末端;CuAx 值明显小于 1。雄性外生殖器:第 9 背板长大于宽,侧叶及尾须的大小及形状变化大,为重要的分类特征;下生殖板不分叉或不规则的分叉。

分布:世界广布。全世界已知 441 种,中国已知 241 种,秦岭地区有 43 种。

种团检索表

1. 尾须较短粗,明显短于第 9 背板 ··· 2
   尾须细长,明显长于第 9 背板 ··· **长须寡长足虻种团 *longicercus* group**
2. 尾须非长足虻属类型 ··· 3
   尾须类似长足虻属,很大,近方形 ··· **青寡长足虻种团 *cyaneculus* group**

3. 尾须很小，近三角形，一般有2~4个明显缘指突；后足腿节末端黑色或褐色 …………………………………………………… **钩寡长足虻种团 *takagii* group**
尾须非上述类型 …………………………………………………… 4
4. 胸部和腹部部分黄色 …………………………………………………… 5
胸部金绿色 …………………………………………………… 6
5. 腹部至多基部背板侧缘黄 …………………… **近新寡长足虻种团 *subnovus* group**
第1~3(4)腹节大部黄褐色或黄色；尾须有一些强端鬃 …………………………………………………… **黄斑寡长足虻种团 *flavimaculatus* group**
6. 尾须细指状，呈拱形弯 …………………… **弯须寡长足虻种团 *curvus* group**
尾须较粗，不呈拱形弯 …………………………………………………… 7
7. 尾须有明显齿突 …………………… **百山祖寡长足虻种团 *baishanzuensis* group**
尾须无明显齿突 …………………………………………………… 8
8. 第9背板侧叶很扩展，有2个端突 …………………… **异形寡长足虻种团 *absimilis* group**
第9背板侧叶无侧端突 …………………………………………………… 9
9. 尾须端宽，有1个大的端凹或有长指状端突，有强鬃 …………………… 10
尾须窄条状；颜有一些毛；触角芒近端位 …………………… **溪寡长足虻种团 *fluvius* group**
10. 尾须有3~4个长指状端突 …………………… **长突寡长足虻种团 *prolongatus* group**
尾须至多有1个指状端突 …………………………………………………… 11
11. 第9背板侧叶位于端部 …………………… **凹须寡长足虻种团 *incisus* group**
第9背板侧叶位于中部，近下生殖板基部 …………………… **叶寡长足虻种团 *digitiformis* group**

异形寡长足虻种团 *Hercostomus absimilis* group

特征:眼后鬃全黑色。触角全黑色或大部分黑色；第3节相当短，端钝(峨眉寡长足虻 *H. emeiensis* 和长鬃寡长足虻 *H. longisetus* 触角第3节延长)；触角芒基节通常很短。雄性外生殖器第9背板侧叶很扩展，有2个端侧突；尾须大，近方形，端部相当宽；下生殖板不规则的分叉。

(28)西沟寡长足虻 *Hercostomus xigouensis* Yang *et* Saigusa, 2005(图188)

Hercostomus xigouensis Yang *et* Saigusa, 2005: 742.

鉴别特征:中下眼后鬃及后腹毛淡黄色。触角黑色。喙和须暗黄色。6根背中鬃，9对不规则的中鬃。前胸侧板有淡黄毛，下部有1根黑鬃。足黄色；中后足基节除窄的端部外浅黑色；前足1~2跗节末端褐色，3~5跗节黑色且明显侧扁，中后足基跗节末端往外褐色至暗褐色。足毛和鬃黑色；前足基节有5根鬃。前足胫节有1根前背鬃和2根后背鬃，末端有1根鬃；中足胫节有3根前背鬃、2根后背鬃和1根前腹鬃，末端有4根鬃；后足胫节有3根前背鬃、4根后背鬃和3根前腹鬃，末端有3根鬃。R_{4+5}稍后弯，M近直，R_{4+5}和M端部强列会聚；CuAx值为0.70。

采集记录:1♂，佛坪西沟1340~1400m，1997.Ⅵ.27，中西明德采。

分布:陕西(佛坪)。

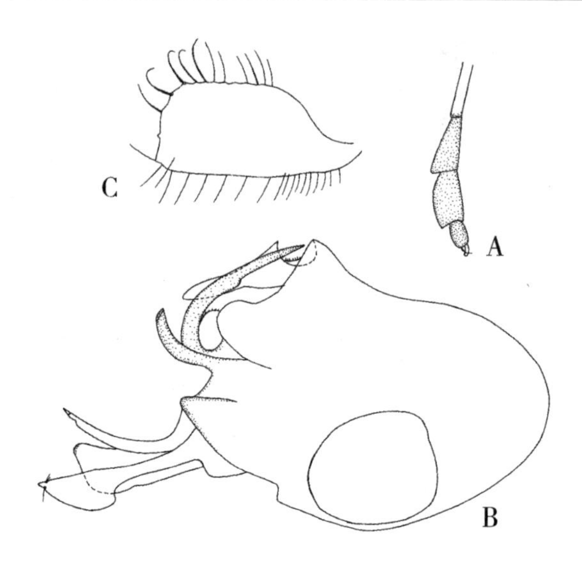

图 188 西沟寡长足虻 *Hercostomus xigouensis* Yang *et* Saigusa（雄性）
A. 前足跗节第 2 节端部及第 3～5 跗节（apex of fore tarsomere 2 and entire tarsomeres 3-5）；B. 雄性外生殖器（male genitalia）；C. 尾须（cercus）

百山祖寡长足虻种团 *Hercostomus baishanzuensis* group

特征:眼后鬃通常全黑色。触角黑色，第 3 节相当大。中鬃无或不规则的 2 列。足通常黑色或颜色较深。雄性外生殖器第 9 背板长大于宽，外侧叶端通常截形，除端部有 2 根鬃外，近基部或中部也有 1 根鬃；内侧叶短；尾须近三角形或有些矩形，外缘和腹缘有明显缘齿；下生殖板简单，不分叉。

分种检索表

1. 有中鬃 ……………………………………………………………………………………… 2
   无中鬃 ……………………………………………………………………………………… 5
2. 触角第 3 节明显延长(长至少为宽的 2 倍) …………………………………………… 3
   触角第 3 节不延长 …………………………………………………………………………… 4
3. 触角芒基节短，长为端节的 0.30 倍 ……………………………… **弯叶寡长足虻 *H. curvilobatus***
   触角芒基节相当长，长为端节的 0.50～1.00 倍 ………………… **秦岭寡长足虻 *H. qinlingensis***
4. 中下眼后鬃浅黄色 ………………………………………………… **斜截寡长足虻 *H. subtruncatus***
   眼后鬃全黑色 ……………………………………………………… **弯茎寡长足虻 *H. curviphallus***
5. 前足胫节有 1 根后腹鬃 …………………………………………… **端刺寡长足虻 *H. apicispinus***
   前足胫节无后腹鬃 ………………………………………………… **亚端刺寡长足虻 *H. subapicispinus***

(29) 端刺寡长足虻 *Hercostomus apicispinus* Yang *et* Saigusa, 2002

Hercostomus (*Hercostomus*) *apicispinus* Yang *et* Saigusa, 2002: 78.

鉴别特征:颜稍窄于触角第 3 节。眼后鬃黑色及后腹毛黑色。触角黑色; 第 3 节相当短，端钝; 触角芒背位。喙和须黑色。6 根强背中鬃，无中鬃。前胸侧板有黑毛，下部有 1 根黑鬃。足黑色; 基节全黑色; 前足胫节暗黄色，中后足胫节黄色，但胫节最基部和后足胫节宽的端部暗褐色至黑色; 前中足基跗节暗黄褐色，末端颜色较深。前足基节有 5 根鬃，中后足基节各有 1 根外鬃; 中后足腿节各有 1 根端前鬃。前足胫节有 2 根后背鬃和 1 根后腹鬃，端部有 2 根短鬃和 1 根短端腹鬃; 中足胫节有 3 根前背鬃、2 根后背鬃和 1 根前腹鬃，末端有 4 根鬃; 后足胫节有 2 ~ 3 根前背鬃、3 根后背鬃和 1 根前腹鬃，末端有 3 根鬃。后足基跗节基部有 1 根腹鬃。R_{4+5}与 M 端部会聚; CuAx 值 0.50。

采集记录:15♂，佛坪，1997.Ⅵ.28，Toyohei Saigusa 采; 2♂，柞水营盘林场 1850m，1997.Ⅵ.22，Toyohei Saigusa 采; 1♂，柞水，1997.Ⅵ.20，Toyohei Saigusa 采; 3♂，柞水，1997.Ⅶ.05，Toyohei Saigusa 采; 1♂，柞水，1997.Ⅶ.06，Toyohei Saigusa 采。

分布:陕西(佛坪、柞水)。

(30)弯叶寡长足虻 *Hercostomus curvilobatus* Yang *et* Saigusa, 2002

Hercostomus (*Hercostomus*) *curvilobatus* Yang *et* Saigusa, 2002: 75.

鉴别特征:颜与触角第 3 节近等宽。眼后鬃及后腹毛黑色。触角为浅黑色，但第 1 节为黑色; 第 3 节长，长为宽的 2 倍，端尖; 触角芒背位。喙和须黑色。6 根强背中鬃，5 ~ 6 对不规则的短毛状中鬃。前胸侧板有黑毛，下部有 1 根黑鬃。足黄色; 基节全黑色; 腿节背面褐色; 跗节自基跗节末端往外呈浅褐色至褐色。中后足腿节各有 1 根端前鬃。前足胫节有 1 根前背鬃和 2 根后背鬃，末端有 2 根鬃和 1 根短端腹鬃; 中足胫节有 2 根前背鬃、2 根后背鬃和 1 根前腹鬃，末端有 4 根鬃; 后足胫节有 2 根前背鬃、3 根后背鬃和 1 根前腹鬃，末端有 3 根鬃。后足基跗节基部有 1 根腹鬃。R_{4+5}与 M 端部会聚。

采集记录:1♂，柞水，1997.Ⅵ.20，Toyohei Saigusa 采。

分布:陕西(柞水)、河南。

(31)弯茎寡长足虻 *Hercostomus curviphallus* Yang *et* Saigusa, 2002

Hercostomus (*Hercostomus*) *curviphallus* Yang *et* Saigusa, 2002: 77.

鉴别特征:颜稍宽于触角第 3 节。眼后鬃及后腹毛黑色。触角黑色; 第 3 节弱的延长，长为宽的 1.60 倍; 触角芒亚背位。喙和须黑色。6 根强背中鬃，6 对不规则的短毛状中鬃。前胸侧板有淡黄色毛，下部有 1 根黑鬃。足黑色; 基节全黑色; 胫节和跗节黄色，跗节自基跗节末端往外暗褐色至黑色。中后足腿节各有 1 根端前鬃。前足胫节有 1 根前背鬃和 2 根后背鬃，末端有 2 根鬃; 中足胫节有 3 根前背鬃、2 根后背鬃和 1 根前腹鬃，末端有 4 根鬃; 后足胫节有 3 根前背鬃、3 根后背鬃和 4 根前腹鬃，末端有 3 根鬃。后足基跗节基部有 1 根腹鬃。

采集记录:2♂，佛坪，1997.Ⅵ.28，Toyohei Saigusa 采；1♂，佛坪，1997.Ⅵ.28，Toyohei Saigusa 采。

分布:陕西(佛坪)、云南。

(32)秦岭寡长足虻 *Hercostomus qinlingensis* Yang *et* Saigusa, 2002(图 189)

Hercostomus (*Hercostomus*) *qinlingensis* Yang *et* Saigusa, 2002: 76.

鉴别特征:颜与触角第 3 节近等宽。眼后鬃及后腹毛黑色。触角黑色；第 3 节较长，长为宽的 2.20 倍，端尖；触角芒背位。喙和须为黑色。6 根强背中鬃，6～7 对不规则的短毛状中鬃。前胸侧板有淡黄色毛，下部有 1 根黑鬃。足黑色；基节全黑色；腿节浅黑色至黑色，末端黄色；胫节和跗节黄色；跗节自基跗节末端往外褐色至暗褐色。中后足腿节各有 1 根端前鬃。前足胫节有 2 根后背鬃，末端有 2 根鬃；中足胫节有 3 根前背鬃、2 根后背鬃和 1 根前腹鬃，末端有 4 根鬃；后足胫节有 3 根前背鬃、4 根后背鬃和 1 根前腹鬃，末端有 3 根鬃。后足基跗节基部有 1 根腹鬃。

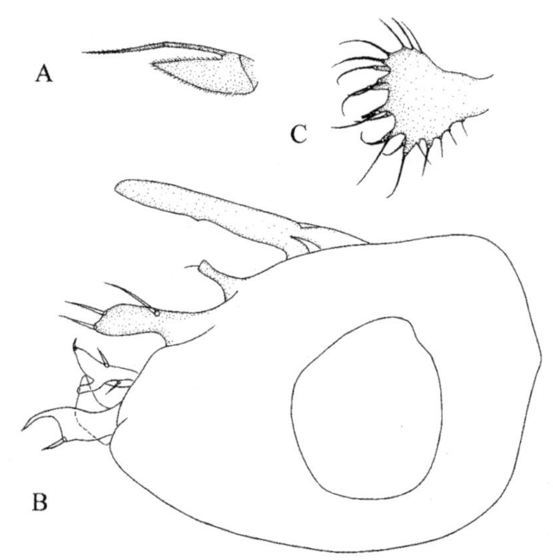

图 189 秦岭寡长足虻 *Hercostomus qinlingensis* Yang *et* Saigusa (雄性)
A. 触角 (antenna); B. 雄性外生殖器 (male genitalia); C. 尾须 (cercus)

采集记录:2♂，佛坪，1997.Ⅵ.24，Toyohei Saigusa 采；2♂，佛坪，1997.Ⅵ.28，Toyohei Saigusa 采；10♂，佛坪，1997.Ⅵ.26，Toyohei Saigusa 采；1♂，佛坪，1997.Ⅶ.07，Toyohei Saigusa 采；1♂，佛坪，1997.Ⅵ.08，Toyohei Saigusa 采；52♂，柞水营盘林场 1750m，1997.Ⅵ.21，Toyohei Saigusa 采；11♂，柞水营盘林场 1850m，1997.Ⅵ.22，Toyohei Saigusa 采。

分布:陕西(佛坪、柞水)。

(33)亚端刺寡长足虻 *Hercostomus subapicispinus* Yang *et* Saigusa, 2002

Hercostomus (*Hercostomus*) *subapicispinus* Yang *et* Saigusa, 2002: 79.

鉴别特征:颜宽于触角第3节。眼后鬃及后腹毛黑色。触角黑色;第3节相当短,长等于宽,触角芒背位,黑色。喙和须为黑色。6根强背中鬃,无中鬃。前胸侧板被黑色毛,下部有1根黑鬃。足黑色;基节全黑色;前足胫节为暗黄色,中后足胫节为黄色,但胫节最基部和后足胫节端部暗褐色至黑色;前中足基跗节暗黄褐色,末端褐色。中后足腿节各有1根端前鬃。前足胫节有2根后背鬃,末端有2根短鬃和1根短端腹鬃;中足胫节有3根前背鬃、2根后背鬃和1根前腹鬃,末端有4根鬃;后足胫节有2根前背鬃、3根后背鬃和1根前腹鬃,末端有3根鬃。后足基跗节基部有1根腹鬃。

采集记录:1♂,佛坪,1997.Ⅵ.28,Toyohei Saigusa采。

分布:陕西(佛坪)。

(34)斜截寡长足虻 *Hercostomus subtruncatus* Yang *et* Saigusa, 2002

Hercostomus (*Hercostomus*) *subtruncatus* Yang *et* Saigusa, 2002: 79.

鉴别特征:颜窄于触角第3节。中下眼后鬃及后腹毛淡黄色。触角黑色,第3节相当。喙和须黑色。6根强背中鬃,9~10对不规则的短毛状中鬃。前胸侧板被淡黄色毛,下部有1根黑鬃。足黑色;前后足腿节端部和中足腿节端半部黄色;胫节黄色,后足胫节端部黑色;前中足跗节黄色,中足跗节自基跗节末端往外浅褐色至褐色,后足跗节全黑色。前足基节有5根鬃,中后足基节各有1根外鬃;中后足腿节各有1根端前鬃。前足胫节有1根前背鬃和2根后背鬃,末端有2根短鬃和1根端腹鬃;中足胫节有4根前背鬃、2根后背鬃和1根前腹鬃,末端有5根鬃;后足胫节有4根前背鬃、5根后背鬃和3根前腹鬃,末端有3根鬃。后足基跗节无明显腹鬃。

采集记录:1♂,佛坪,1997.Ⅶ.08,Toyohei Saigusa采。

分布:陕西(佛坪)。

弯须寡长足虻种团 *Hercostomus curvus* group

特征:眼后鬃全黑色。触角黑色,触角芒基节长为端节的0.40倍。雄性外生殖器尾须很窄,指状,明显弯曲,端部有些强鬃;下生殖板相当粗,侧臂强弯;侧叶近端位。

(35)弯须寡长足虻 *Hercostomus curvus* Yang *et* Saigusa, 2002

Hercostomus (*Hercostomus*) *curvus* Yang *et* Saigusa, 2002: 85.

鉴别特征:颜窄于触角第 3 节。眼后鬃黑色及后腹毛黑色。触角黑色;第 3 节短,触角芒亚背位,黑色。喙和须为黑色。6 根强背中鬃,5~6 对不规则的中鬃呈很短的毛状。前胸侧板有黑毛,下部有 1 根黑鬃。足黄色;基节除窄的端部外黑色;后足腿节端部黑色;前中足跗节自基跗节末端往外褐色至暗褐色,后足跗节黑色,后足基跗节浅黑色。前足基节有 4 根鬃,中后足基节各有 1 根外鬃;中后足腿节各有 1 根端前鬃。前足胫节有 1 根前背鬃和 2 根后背鬃,末端有 1 根鬃和 1 根短细的端腹鬃;中足胫节有 4 根前背鬃、2 根后背鬃和 1 根前腹鬃,末端有 5 根鬃;后足胫节有 3 根前背鬃、3 根后背鬃和 3~4 根前腹鬃,末端有 3 根鬃。后足基跗节基部有 1 根腹鬃。

采集记录:2♂,佛坪,1997.Ⅵ.25,Toyohei Saigusa 采;2♂,柞水,1997.Ⅶ.06,Toyohei Saigusa 采。

分布:陕西(佛坪、柞水)。

青寡长足虻种团 *Hercostomus cyaneculus* group

特征:中下眼后鬃浅黄色。触角黄色至黑色;触角芒有长毛。2 列中鬃之间的距离很窄,甚至前面消失。足黄色。前足胫节通常有 1 根细长的端腹鬃。翅 R_{4+5} 和 M 脉端部近平行至会聚。雄性外生殖器第 9 背板外侧叶有 2 根细端鬃和 1 根强鬃近基部。内侧叶多为瘤状;尾须大,为长足虻属类型,有明显的或稍弱的缘齿突;下生殖板简单不分叉,通常有 1 个小内齿。

分种检索表

1. 触角大部分黄色 …………………………………………………… **北方寡长足虻 *H. arcticus***
   触角全黑色 ……………………………………………………………………………… 2
2. 中后足腿节腹毛较长,长等于腿节粗 ……………………………… **大须寡长足虻 *H. potanini***
   中后足腿节腹毛较短,长为腿节粗的 1/2 ………………………………………………… 3
3. 后足胫节有 7 根前腹鬃 ……………………………………………… **多鬃寡长足虻 *H. saetosus***
   后足胫节有 3~4 根前腹鬃 ………………………………………… **短毛寡长足虻 *H. brevipilosus***

(36) 北方寡长足虻 *Hercostomus arcticus* Yang, 1996

Hercostomus (*Hercostomus*) *arcticus* Yang, 1996: 235.

鉴别特征:中下眼后鬃黄色。触角黄色;第 3 节除基部外呈浅黑色,长为宽的 1.20倍,端钝;触角芒黑色。喙和须为浅黑色。6~7 对不规则的短毛状中鬃;6 根强背中鬃;小盾片有 2 根强鬃和数根短缘毛。足黄色;基节全黄色;跗节褐色至暗褐色,基跗节基部色浅。前足胫节有 1 根前背鬃、2 根后背鬃、2 根后腹鬃和 1 根长的端腹鬃;中足胫节有 4 根前背鬃、2 根后背鬃和 2 根腹鬃;后足胫节有 4 根前背鬃、4 根后背鬃和 3 ~ 4 根腹鬃。后足基跗节基部有 1 根短腹鬃。

采集记录: 1♂，佛坪，1997.Ⅵ.25，Toyohei Saigusa 采；2♂，柞水，1997.Ⅶ.06，Toyohei Saigusa 采。

分布: 陕西(佛坪、柞水)、黑龙江、北京、河南。

(37) 短毛寡长足虻 *Hercostomus brevipilosus* Yang *et* Saigusa, 2002

Hercostomus (*Hercostomus*) *brevipilosus* Yang *et* Saigusa, 2002: 65.

鉴别特征: 颜明显窄于触角第 3 节。中下眼后鬃及后腹毛黄色。触角黑色；第 3 节相当小。喙和须为黑色。6 根强背中鬃，6 ~ 7 对不规则的很短毛状中鬃(2 列中鬃前面间距很窄或消失)；小盾片有淡黄色或黑色缘毛。前胸侧板被淡黄色毛，下部有 1 根黑鬃。足黄色；基节黄色，中足基节除端部外黑色；跗节自基跗节末端往外暗褐色至黑色。中后足腿节各有 1 根端前鬃。腿节有一些很短的淡黄色腹毛，后足腿节仅在基部 1/4 有一些长的淡色腹毛(长为腿节粗的 1/2)。前足胫节有 1 根前背鬃、2 根后背鬃和 1 根后腹鬃，末端有 2 根鬃和 1 根长的浅黑色端腹鬃；中足胫节有 4 根前背鬃、2 根后背鬃和 2 根前腹鬃，末端有 5 根鬃；后足胫节有 3 根前背鬃、4 根后背鬃和 3 ~ 4 根前腹鬃，末端有 3 根鬃。后足基跗节基部有 1 根腹鬃。

采集记录: 13♂15♀，周至太白山，1725m，2014.Ⅷ.18，卢秀梅采；11♂8♀，佛坪，1997.Ⅶ.08，Toyohei Saigusa 采；4♂9♀，佛坪，1997.Ⅵ.26，Toyohei Saigusa 采；4♂11♀，佛坪，1997.Ⅵ.26，Toyohei Saigusa 采；21♂17♀，佛坪，1997.Ⅶ.04，Toyohei Saigusa 采；4♂6♀，佛坪，1997.Ⅵ.28，Toyohei Saigusa 采；1♀，佛坪，1997.Ⅵ.25，Toyohei Saigusa 采；2♂2♀，佛坪，1997.Ⅵ.27，Toyohei Saigusa 采；2♂，柞水营盘林场 1850m，1997.Ⅵ.22，Toyohei Saigusa 采；15♂15♀，柞水营盘林场 1850m，1997.Ⅶ.10，Toyohei Saigusa 采；1♂2♀，柞水，1997.Ⅵ.20，Toyohei Saigusa 采；6♂，柞水，1997.Ⅵ.10，Toyohei Saigusa 采；26♂24♀，柞水，1997.Ⅶ.06，Toyohei Saigusa 采。

分布: 陕西(周至、佛坪、柞水)、北京。

(38) 大须寡长足虻 *Hercostomus potanini* Stackelberg, 1934

Hercostomus potanini Stackelberg, 1934: 163.

鉴别特征: 颜明显窄于触角第 3 节。中下眼后鬃及后腹毛黄色。触角黑色；第 3 节长为宽的 1.30 倍，端钝；触角芒黑色。喙黄褐色，须黑色。6 根强背中鬃；4 ~ 8 对不规则的短毛状中鬃，2 行中鬃之间的间距很窄；小盾片有 1 对强鬃和一些缘毛。前胸侧板被浅黄毛，下部有 1 根黑鬃。足黄色；前后足基节暗黄色，中足基节大部分黄色，窄的端部黄色；前中足跗节自基跗节端往外褐色，后足胫节端部及后足跗节黑色。中足腿节有数根黄腹毛，后足腿节有 1 排浅黄腹毛(近等长于腿节粗)。前足胫节有1 根前背鬃、2 根后背鬃和 1 根后腹鬃，末端有 2 根鬃和 1 根褐色端腹鬃(长近为前足基跗节的 1/2)；中足胫节有 4 根前背鬃、2 根后背鬃和 2 根前腹鬃，末端有 4 根鬃；后足胫节有 3 根前背鬃、4 根后背鬃和 3 根腹鬃，末端有 3 根鬃。后足基跗节基部有 1 根腹鬃。

采集记录:17♂23♀，周至老县城，1796m，2014.Ⅷ.20，卢秀梅采；6♂5♀，周至老县城，1808m，2013.Ⅷ.12，张韦采；48♂57♀，周至太白山，1648m，2014.Ⅷ.18，李轩昆采；1♂8♀，留坝紫柏山，1386m，2013.Ⅶ.19，席玉强采；32♂45♀，佛坪大古坪，1329m，2014.Ⅷ.24，卢秀梅采；1♂1♀，宁陕火地塘，1108m，2013.Ⅶ.13，杨定采；10♂13♀，柞水营盘简喙象山，1080m，2014.Ⅶ.26，丁双玫采；7♂10♀，柞水牛背梁保护站，1000m，2013.Ⅶ.15，闫妍采。

分布:陕西(周至、留坝、佛坪、宁陕、柞水)、吉林、北京、河南、宁夏、甘肃、四川、西藏。

(39)多鬃寡长足虻 *Hercostomus saetosus* Yang *et* Saigusa, 2002

Hercostomus (*Hercostomus*) *saetosus* Yang *et* Saigusa, 2002: 66.

鉴别特征:颜窄于触角第 3 节。中下眼后鬃及后腹毛淡黄色。触角黑色；第 3 节小，长等于宽。喙和须为黑色。6 根强背中鬃，8 根近单列的中鬃呈很短的毛状(仅最后 1 根中鬃成对)；小盾片有淡黄色或黑色缘毛。前胸侧板有淡黄色毛，下部有 1 根黑鬃。足黄色；基节黄色，中足基节除端部外浅黑色；跗节自基跗节末端往外暗褐色至黑色。中后足腿节各有 1 根端前鬃。腿节有一些短的淡黄色腹毛。前足胫节有 1 根前背鬃、2 根后背鬃和 2 根后腹鬃，末端有 1 对后背鬃和 1 根长的浅黑色端腹鬃；中足胫节有 4 根前背鬃、2 根后背鬃和 3 根前腹鬃，末端有 5 根鬃；后足胫节有 3 根前背鬃、5 根后背鬃和 7 根前腹鬃，末端有 3 根鬃。后足基跗节基部有 1 根腹鬃。

采集记录:1♂，佛坪，1997.Ⅶ.04，Toyohei Saigusa 采。

分布:陕西(佛坪)。

指叶寡长足虻种团 *Hercostomus digitiformis* group

特征:眼后鬃黑色(除凹翅寡长足虻 *H. marginatus* Yang *et* Saigusa 中下眼后鬃黄色外)。触角全黑色或部分黄色，第 3 节通常长大于宽；触角芒基节长至少为端节的 3/10 倍。足黄色。翅 R_{4+5}与 M 端部会聚或平行。雄性外生殖器侧叶很细长，位于下生殖板基部(第 9 背板中部)，有端鬃；尾须带状有长毛或短毛。

分种检索表

足基节全黄色；尾须长带状，有长毛 ………………………………… **弯鬃寡长足虻 *H. curviseta***

足基节不全黄色；尾须较短，有短毛 ………………………… **神农架寡长足虻 *H. shennongjiensis***

(40)弯鬃寡长足虻 *Hercostomus curviseta* Yang *et* Saigusa, 2002

Hercostomus (*Hercostomus*) *curviseta* Yang *et* Saigusa, 2002: 73.

鉴别特征:颜与触角第3节近等宽。眼后鬃全黑色，后腹毛为淡黄色。触角为黄色，但第3节浅黑色(基腹区黄色)；第3节短，长为宽的1.30倍，端钝。喙和须为黄褐色。6根强背中鬃，8~9对不规则的短毛状中鬃。小盾片背面和端缘有一些短毛。前胸侧板有淡黄色毛，下部有1根黑鬃。足黄色；基节全黄色；跗节自基跗节末端往外暗褐色至黑色，前足第5跗节白色。中后足腿节各有1根端前鬃。前足胫节有1根前背鬃和2根后背鬃，末端有2根鬃；中足胫节有3根前背鬃、2根后背鬃和1根前腹鬃，末端有4根鬃；后足胫节有2根前背鬃、3~4根后背鬃和4根前腹鬃，末端有3根鬃。后足基跗节基部有1根腹鬃。

采集记录:1♂，佛坪，1997.Ⅵ.27，Toyohei Saigusa 采。

分布:陕西(佛坪)。

(41)神农架寡长足虻 *Hercostomus shennongjiensis* Yang, 1997

Hercostomus (*Hercostomus*) *shennongjiensis* Yang, 1997: 118.

鉴别特征:眼后鬃黑色。单眼瘤有2根很短的后毛。触角黑色；第3节腹基部暗黄色，长为宽的1.20倍，端有些尖；触角芒黑色。喙和须为黑色。具6~7对不规则的短毛状中鬃；6根强背中鬃；小盾片有2根强鬃。足黄色；基节黑色；侧板黑色；腿节背面颜色较深；跗节除基跗节外暗褐色。中后足腿节各有1根端前鬃。前足胫节无明显长背鬃和端腹鬃；中足胫节有2根前背鬃和2根后背鬃；后足胫节有2根前背鬃和3根后背鬃。后足基跗节基部有1根弱腹鬃。R_{4+5}与M明显会聚。

采集记录:12♂14♀，周至老县城，1796m，2014.Ⅷ.20，卢秀梅采；22♂19♀，佛坪大古坪，1329m，2014.Ⅷ.24，卢秀梅采；5♂8♀，柞水牛背梁保护站，1000m，2013.Ⅶ.15，闫妍采。

分布:陕西(周至、佛坪、柞水)、河南、湖北。

黄斑寡长足虻种团 *Hercostomus flavimaculatus* group

特征:胸部侧板黄色，或仅后胸侧板黄色。腹部第1~3(4)节大部分黄褐色或黄色。中下眼后鬃黄色或黑色。足黄色，基节全黄色。雄性外生殖器尾须长带状，通常有一些强端鬃。

分种检索表

1. 眼后鬃全黑色 ………………………………………………… 小龙门寡长足虻 *H. xiaolongmensis*
   中下眼后鬃浅黄色 ………………………………………………………………………… 2
2. 须黄色至暗黄色 ………………………………………………………………………… 3
   须黑色 ………………………………………………………………………………… 4
3. 腋瓣有黄毛……………………………………………………… 黄斑寡长足虻 *H. flavimaculatus*
   腋瓣有黑毛 ………………………………………………………… 黄柄寡长足虻 *H. flaviscapus*
4. 腋瓣有黄毛 ………………………………………………………… 黑须寡长足虻 *H. nigripalpus*
   腋瓣有黑毛 ………………………………………………………………… 端鬃寡长足虻 *H. saetiger*

(42)黄斑寡长足虻 *Hercostomus flavimaculatus* Yang, 1998

Hercostomus (*Hercostomus*) *flavimaculatus* Yang, 1998: 233.

鉴别特征:中下眼后鬃鬃黄色。触角全黑色；第3节长为宽的1.70倍，端有些钝。喙和须暗黄色。具8～9对不规则的短毛状中鬃；6根强背中鬃；小盾片无短毛。足全黄色。中后足腿节各有1根端前鬃；前足胫节有2根后背鬃，无端腹鬃；中足胫节有1～2根前背鬃、2根后背鬃和1根前腹鬃；后足胫节有3根前背鬃、3～4根后背鬃和3根腹鬃。后足基跗节有2根腹鬃。R_{4+5}与M明显会聚。

采集记录:1♂2♀，柞水甘沟服务站，1758m，2014.Ⅶ.28，唐楚飞采。

分布:陕西(柞水)、四川、云南。

(43)黄柄寡长足虻 *Hercostomus flaviscapus* Yang *et* Saigusa, 1999

Hercostomus (*Hercostomus*) *flaviscapus* Yang *et* Saigusa, 1999: 192.

鉴别特征:颜窄于触角第3节。中下眼后鬃及后腹毛淡黄色。触角第1节黄色，第2节浅黑色；第3节黑色，长为宽的1.30倍。喙和须为黄色。胸部为黄色；背板为金绿色(中胸背板侧缘黄色)。有9～10对不规则的短毛状中鬃，6根强背中鬃。足黄色；基节全黄色；跗节自基跗节末端往外褐色至暗褐色。中后足腿节各有1根端前鬃。前足胫节有1根前背鬃和2根后背鬃；中足胫节有2根前背鬃、2根后背鬃和3根前腹鬃；后足胫节有3根前背鬃、3根后背鬃和5根前腹鬃。腹部金绿色，第1～3背板(除第3背板后缘外)黄色，第4背板前侧区黄色，第1～4腹板黄色，第8腹板和雄性外生殖器为黄色。

采集记录:1♂，佛坪，1997.Ⅶ.04，Toyohei Saigusa采；1♂3♀，柞水鸳鸯沟，1734m，2014.Ⅶ.27，唐楚飞采。

分布:陕西(佛坪、柞水)、河南。

(44)黑须寡长足虻 *Hercostomus nigripalpus* Yang *et* Saigusa, 2002

Hercostomus (*Hercostomus*) *nigripalpus* Yang *et* Saigusa, 2002: 72.

鉴别特征:颜窄于触角第3节。中下眼后鬃及后腹毛淡黄色。触角黑色，但第1节黄色；第3节较长，长为宽的1.70倍，端尖；触角芒亚背位，黑色，有短毛。喙暗褐色，须浅黑色。胸部金绿色，侧板黄色，后胸侧板和翅侧片颜色较深，肩黄色。6根强背中鬃，有11对不规则的短毛状中鬃。前胸侧板有淡色毛，下部有1根黑鬃。足黄色；基节全黄色；跗节自基跗节末端往外暗褐色。中后足腿节各有1根端前鬃。前足胫节有1根前背鬃、2根后背鬃和3根后腹鬃，末端有2根鬃；中足胫节有3根前背鬃、3根后背鬃和4根前腹鬃，末端有4根鬃；后足胫节有3根前背鬃、5根后背鬃和3根前腹鬃，末端有4根鬃。后足基跗节有2根腹鬃。腹部金绿色，第1~4节黄褐色，第1~3背板和第4背板窄的后部浅黑色至黑色。

采集记录:1♂，佛坪，1997.Ⅶ.08，Toyohei Saigusa采。

分布:陕西(佛坪)。

(45)端鬃寡长足虻 *Hercostomus saetiger* Yang *et* Saigusa, 2002

Hercostomus (*Hercostomus*) *saetiger* Yang *et* Saigusa, 2002: 71.

鉴别特征:颜窄于触角第3节。中下眼后鬃及后腹毛淡黄色。触角黑色；触角第3节短，长为宽的1.20倍。喙浅褐色，须黑色。胸部金绿色，后胸侧板黄色。6根强背中鬃，有7~8对不规则的短毛状中鬃。前胸侧板有淡黄色毛，下部有1根黑鬃。足黄色；基节全黄色；跗节自基跗节末端往外浅褐色至褐色。中后足腿节各有1根端前鬃。前足胫节有2根后背鬃，末端有2根鬃；中足胫节有2根前背鬃和2根后背鬃，末端有4根鬃；后足胫节有2根前背鬃、4根后背鬃和4根前腹鬃，末端有3根鬃。后足基跗节基部有1根腹鬃。腹部金绿色，第1背板侧面浅黑色，第2~3背板除后缘外黄色，第1~3腹板黄色；雄性外生殖器大部分为黄色。

采集记录:1♂，周至，1997.Ⅶ.06，Toyohei Saigusa采；3♂，佛坪，1997.Ⅵ.25，Toyohei Saigusa采；1♂，佛坪，1997.Ⅵ.25，Toyohei Saigusa采；1♂，佛坪，1997.Ⅶ.07，Toyohei Saigusa采；3♂，柞水营盘林场，1850m，1997.Ⅵ.22，Toyohei Saigusa采；2♂，柞水营盘林场，1750m，1997.Ⅵ.21，Toyohei Saigusa采；6♂，柞水，1997.Ⅵ.18，Toyohei Saigusa采；3♂，柞水，1997.Ⅵ.20，Toyohei Saigusa采。

分布:陕西(周至、佛坪、柞水)。

(46)小龙门寡长足虻 *Hercostomus xiaolongmensis* Yang *et* Saigusa, 2001

Hercostomus (*Hercostomus*) *xiaolongmensis* Yang *et* Saigusa, 2001: 159.

鉴别特征:复眼明显分开,颜渐向下变窄,窄于触角第3节。眼后鬃黑色,后腹毛黄色。触角黑色;第3节长等于宽。喙浅黑色,须黑色。胸部金绿色,肩暗黄色;除后胸侧板黄色外,侧板上半部暗褐色,下半部黄褐色。6根强背中鬃,有9~10对不规则的短毛状中鬃;小盾片有2对鬃(基对鬃很短的毛状)。足黄色;基节全黄色,中足基节有一窄的暗褐色中条纹;跗节自基跗节末端往外褐色至暗褐色。中后足腿节各有1根端前鬃。前足胫节有2根后背鬃,末端有1根鬃;中足胫节有3根前背鬃、2根后背鬃和2~3根前腹鬃,末端有4根鬃;后足胫节有3~4根前背鬃、3~5根后背鬃和4根前腹鬃,末端有2根鬃。前足基跗节基部有1根褐色腹鬃;中足基跗节基部有1根腹鬃,中部有3根前腹鬃;后足基跗节有2根强腹鬃。腹部金绿色,第1背板浅黑色(或暗黄褐色,端缘黑色),第2、3背板黄色,端缘黑色。

采集记录:2♂,周至太白山,1648m,2014.Ⅷ.18,李轩昆采;1♂,佛坪大古坪,1330m,2014.Ⅷ.24,卢秀梅采;3♂,柞水营盘林场,1850m,1997.Ⅵ.18,Toyohei Saigusa采。

分布:陕西(周至、佛坪、柞水)、北京、云南。

溪寡长足虻种团 *Hercostomus fluvius* group

鉴别特征:颜有一些毛,触角芒近端位,尾须窄条状。

(47)溪寡长足虻 *Hercostomus fluvius* Wei, 1997

Hercostomus fluvius Wei, 1997: 40.

鉴别特征:颜与触角第3节近等宽,下部有一些淡黄色短毛。眼后鬃黑色,后腹毛淡黄色。触角黑色;第3节短,长为宽的1.10倍。喙和须黑色。胸部金绿色。6根强背中鬃,4~7根单列短毛状中鬃。前胸侧板被黑毛,下部有1根黑鬃。小盾片有2根端缘毛。足黄色;前足、后足基节黄色,中足基节除窄的端部外为褐色;中足、后足腿节末端暗褐色;跗节自基跗节末端往外褐色至暗褐色。中足、后足腿节各有1根端前鬃。前足胫节有2根后背鬃,末端有2根鬃和1根明显的端腹鬃;中足胫节有2根前背鬃、2根后背鬃和1根前腹鬃,末端有4根鬃;后足胫节有2~3根前背鬃、2~3根后背鬃、1根前腹鬃和3根后腹鬃,末端有3根鬃。后足基跗节基部有1根明显的腹鬃。腹部金绿色。

采集记录:2♂,佛坪岳坝,1221m,2014.Ⅷ.20,卢秀梅采;1♂,柞水,1997.Ⅵ.18,Toyohei Saigusa采。

分布:陕西(佛坪、柞水)、贵州、云南;尼泊尔。

钩寡长足虻种团 *Hercostomus takagii* group

特征:眼后鬃全黑色(除尖寡长足虻 *H. exacutus* Wei 中下眼后鬃黄色外)。触角黑色或第 3 节腹区有些黄色；第 3 节短；触角芒基节很短。胸部金绿色或大部分黄色。后足腿节末端黑色或褐色。翅 R_{4+5} 与 M 明显会聚。雄性外生殖器尾须小，近三角形，有几个指状突和强鬃。

分种检索表

1. 前足第 3～4 跗节通常加粗，第 5 跗节白色或褐色 …… 2
   前足跗节正常，褐色至黑色 …… 3
2. 前足第 3～4 跗节明显加粗，尾须有指状突 …… **歧板寡长足虻 *H. dissimilis***
   前足第 3～4 跗节稍加粗，尾须无指状突 …… **弯刺寡长足虻 *H. curvispinus***
3. 第 9 背板侧叶很短，稍突出第 9 背板 …… **甘肃寡足虻 *H. gansuensis***
   第 9 背板侧叶明显突出第 9 背板 …… **武当山寡长足虻 *H. wudangshanus***

(48) 弯刺寡长足虻 *Hercostomus curvispinus* Yang *et* Saigusa, 2000

Hercostomus (*Hercostomus*) *curvispinus* Yang *et* Saigusa, 2000: 219.

鉴别特征：颜与触角第 3 节近等宽。眼后鬃黑色，后腹毛淡黄色。触角小，黑色；第 3 节长等于宽。喙和须黄色。6 根强背中鬃；有 5～6 对不规则的短毛状中鬃；小盾片有 2 对鬃(基对鬃很短，毛状)。前胸侧板被淡黄色毛，下部有 1 根黑鬃。足黄色；前足基节黄色，中后足基节除端部外黑色；后足腿节末端浅黑色；前足跗节基跗节末端和第 2 跗节暗褐色，第 3～4 跗节黑色且稍加粗，第 5 跗节白色；中足跗节自基跗节末端往外黑色；后足跗节黑色。前足基节有 7 根细或粗的前鬃和端鬃；中足、后足腿节各有 1 根端前鬃。前足胫节有 1 根前背鬃和 2 根后背鬃；中足胫节有 3 根前背鬃、2 根后背鬃和 1 根前腹鬃；后足胫节有 4 根前背鬃、4 根后背鬃和 3 根前腹鬃。

采集记录：2♂，柞水牛背梁保护站，1000m，2013.Ⅶ.15，王玉玉采。

分布：陕西(柞水)、四川、云南。

(49) 歧板寡长足虻 *Hercostomus dissimilis* Yang *et* Saigusa, 1999

Hercostomus (*Hercostomus*) *dissimilis* Yang *et* Saigusa, 1999: 242.

鉴别特征：颜稍窄于触角第 3 节。眼后鬃全黑色，后腹毛黄色。触角全黑色；第 3 节长等于宽，端钝。喙和须黄色。有 6～7 对不规则的短毛状中鬃；6 根强背中鬃；小盾片无短毛。足黄色；前足基节黄色，中后足基节黑色；后足腿节末端浅黑色；前足跗节的基跗节端部和第 2 跗节暗褐色，第 3～4 跗节黑色且明显扁平，第 5 跗节白色；中足跗节自基跗节末端往外褐色至暗褐色，后足跗节暗褐色。中后足腿节各有 1 根端前鬃。前足胫节有 1 根前背鬃和 2 根后背鬃；中足胫节有 3 根前背鬃、2 根后背鬃和 1 根前腹鬃；后足胫节有 4 根前背鬃、4 根后背鬃和 2 根细的前腹鬃。

采集记录:3♂，周至板房子，1317m，2013.Ⅷ.09，李轩昆采；2♂，柞水牛背梁保护站，1000m，2013.Ⅶ.15，闫妍采。

分布:陕西(周至、柞水)、四川。

(50)甘肃寡长足虻 *Hercostomus gansuensis* Yang, 1996

Hercostomus gansuensis Yang, 1996: 238.

Hercostomus (*Hercostomus*) *fastigiatus* Wei, 1997: 46.

Hercostomus (*Hercostomus*) *mustus* Wei, 1997: 50.

鉴别特征:眼后鬃黑色。触角黑色，触角芒黑色。喙和须浅黑色。有6~7对不规则的短毛状中鬃；6根强背中鬃；小盾片有2根强鬃。足黄色；前足基节黄色，中后足基节浅黑色；跗节暗褐色(基跗节基部颜色较浅)。中后足腿节各有1根端前鬃。前足胫节有1根前背鬃和2根后背鬃，无端腹鬃；中足胫节有3根前背鬃、2根后背鬃和1根腹鬃；后足胫节有4根前背鬃、4根后背鬃和2根弱的腹鬃。

采集记录:1♂1♀，柞水营盘简喙象山，1080m，2014.Ⅶ.26，丁双玫采。

分布:陕西(柞水)、甘肃、浙江、四川、贵州。

(51)武当山寡长足虻 *Hercostomus wudangshanus* Yang, 1997

Hercostomus (*Hercostomus*) *wudangshanus* Yang, 1997: 121.

鉴别特征:眼后鬃黑色。单眼瘤有4根很短的后毛。触角黑色；第3节长等于宽，端钝。喙和须黄色。有6对不规则的短毛状中鬃；6根强背中鬃；小盾片有2根强鬃。足黄色；前足、后足基节黄色，中足基节带黑色；除基跗节颜色有些浅外，跗节褐色至暗褐色。中足、后足腿节各有1根端前鬃。前足胫节有1根前背鬃和2根后背鬃，无明显端腹鬃；中足胫节有3根前背鬃、2根后背鬃和1根腹鬃；后足胫节有4根前背鬃、4根后背鬃和4根相当弱的腹鬃。后足基跗节基部有1根短腹鬃。

采集记录:8♂3♀，周至板房子，1317m，2013.Ⅷ.09，李轩昆采。

分布:陕西(周至)、北京、河南、湖北、云南。

凹须寡长足虻种团 *Hercostomus incisus* group

特征:中下眼后鬃通常黄色。触角黑色，第3节端有些尖或钝。须通常黄色。中后足基节除窄的端部外浅黑色至黑色。雄性外生殖器第9背板侧叶有强鬃；尾须近三角形，有1个大端凹和指状端突，有几根强端鬃；下生殖板不规则的分支。

分种检索表

1. 足跗节特化 ………………………………………………………… **凹须寡长足虻** ***H. incisus***

足跗节正常 …………………………………………………………………………………… 2

2. 眼后鬃全黑色；触角芒基节与端节等长 …………………………… **凹寡长足虻 *H. concisus***

中下眼后鬃黄色；触角芒基节明显短于端节 ………………………………………………… 3

3. 前足基节黄色至褐色，中后足基节黑色；后足腿节末端暗褐色 …… **尖腹寡长足虻 *H. acutus***

基节全黄色，中足基节有1个黑斑；后足腿节全黄色 ……… **尖须寡长足虻 *H. cuspidicercus***

(52) 尖腹寡长足虻 *Hercostomus acutus* Yang *et* Saigusa, 2002

Hercostomus (*Hercostomus*) *acutus* Yang *et* Saigusa, 2002: 83.

鉴别特征:颜稍窄于触角第3节。中下眼后鬃及后腹毛淡黄色。触角黑色，触角第3节短，长为宽的1.30倍。喙暗黄色，须黄色。6根强背中鬃，有7~8对不规则的短毛状中鬃。前胸侧板有淡黄色毛，下部有1根黑鬃。足黄色；前足基节黄色，中后足基节除窄的端部外黑色；后足腿节末端暗褐色；跗节自基跗节末端往外暗褐色至黑色。前足基节有5根粗或细的鬃；中后足腿节各有1根端前鬃。腿节基部有一些淡黄色短腹毛。前足胫节有1根前背鬃和2根后背鬃，末端有2根鬃；中足胫节有4~5根前背鬃、2根后背鬃和4根前腹鬃，末端有5根鬃；后足胫节有4~6根前背鬃、4~5根后背鬃和5~6根前腹鬃，末端有4根鬃。后足基跗节基部有1根腹鬃。

采集记录:3♂，佛坪，1997.Ⅵ.26，Toyohei Saigusa 采；1♂，佛坪，1997.Ⅶ.07，Toyohei Saigusa 采；1♂，佛坪，1997.Ⅶ.08，Toyohei Saigusa 采；1♂，佛坪，1997.Ⅵ.25，Toyohei Saigusa 采；3♂1♀，佛坪，1997.Ⅵ.28，Toyohei Saigusa 采；3♂，柞水，1997.Ⅵ.18，Toyohei Saigusa 采；3♂1♀，柞水，1997.Ⅵ.20，Toyohei Saigusa 采；4♂，柞水营盘林场，1850m，1997.Ⅵ.22，Toyohei Saigusa 采；2♂，柞水，1997.Ⅵ.18，Toyohei Saigusa 采。

分布:陕西(佛坪、柞水)、云南。

(53) 凹寡长足虻 *Hercostomus concisus* Yang *et* Saigusa, 2002

Hercostomus (*Hercostomus*) *concisus* Yang *et* Saigusa, 2002: 84.

鉴别特征:颜与触角第3节近等宽。眼后鬃全黑色，后腹毛淡黄色。触角黑色；第3节延长，长为宽的2.20倍，端尖。喙褐色，须黑色。6根强背中鬃，有5~6对不规则的短毛状中鬃(2行彼此接近)。小盾片有3~4根缘毛。前胸侧板有淡黄色毛，下部有1根黑鬃。足黄色；前足基节黄色，中后足基节除窄的端部外浅黑色；跗节自基跗节末端往外为暗褐色至黑色。前足基节4根鬃，中足、后足腿节各有1根端前鬃。前足胫节有2根后背鬃，末端有2根鬃；中足胫节有2根前背鬃和2根后背鬃，末端有4根鬃；后足胫节有2根前背鬃、3根后背鬃和4~5根前腹鬃，末端有3根鬃。

采集记录:15♂，佛坪，1997.Ⅵ.24，Toyohei Saigusa 采。

分布:陕西(佛坪)、四川、云南。

(54)尖须寡长足虻 *Hercostomus cuspidicercus* Olejníček, 2004

Hercostomus cuspidicercus Olejníček, 2004: 9.

鉴别特征:颜不宽于触角第3节。中下眼后鬃黄色。触角黑色;第3节长等于宽,端钝。喙和须黄色。6根强背中鬃;有7对不规则的短毛状中鬃;小盾片有2对鬃(基对鬃很短,毛状)。足黄色;基节全黄色,中足基节有暗色斑。跗节黄色,端部分跗节暗色。中足、后足腿节各有1根端前鬃。前足胫节有1根前背鬃、3根背鬃和1根后背鬃;中足胫节有4~5根前背鬃、2根后背鬃和4~5根腹鬃;后足胫节有4根前背鬃、5根后背鬃和7根腹鬃。后足基跗节有3根腹鬃。

采集记录:不详,作者未见标本。

分布:陕西(宁陕)。

(55)凹须寡长足虻 *Hercostomus incisus* Yang *et* Saigusa, 2000

Hercostomus (*Hercostomus*) *incisus* Yang *et* Saigusa, 2000: 221.

鉴别特征:颜宽于触角第3节。中下眼后鬃及后腹毛黄色。触角小,黑色;第3节长等于宽,端尖。喙和须黄色。有6根强背中鬃;有6~8对不规则的短毛状中鬃;小盾片有2对鬃(基对鬃很短,毛状)。前胸侧板被淡黄色毛,下部有1根黑鬃。足黄色;基节黄色,中足基节除端部外浅黑色;跗节自基跗节末端往外为暗褐色,但前足第3~4跗节黑色,第5跗节有些加粗,白色。前足基节有7根细或粗的前鬃和端鬃;中足、后足腿节各有1根端前鬃。前足胫节有1根前背鬃和2根后背鬃;中足胫节有3根前背鬃、2根后背鬃和1根很长的端腹鬃;后足胫节有4根前背鬃、4根后背鬃和5根短的前腹鬃。后足基跗节有3根腹鬃。

采集记录:10♂13♀,周至板房子,1317m,2013.Ⅷ.09,李轩昆采。

分布:陕西(周至)、四川、云南。

长须寡长足虻种团 *Hercostomus longicercus* group

特征:眼后鬃全黑色。触角黑色;第3节相当小,长等于宽;触角芒基节很短(基节长为端节的0.20倍)。尾须呈细长的条状,通常长于第9背板。

分种检索表

中鬃单列,足黑色 ……………………………… **棒寡长足虻 *H. clavatus***

中鬃双列,足黄色 ……………………………… **跗鬃寡长足虻 *H. modificatus***

(56)棒寡长足虻 *Hercostomus clavatus* Wei, 1997

Hercostomus clavatus Wei, 1997: 33.

鉴别特征:颜窄于触角第3节。眼后鬃及后腹毛黑色。触角黑色；第3节小，长等于宽，端钝。喙和须黑色。6根强背中鬃(第5对偏移背中鬃列)，6根单列中鬃；小盾片有2对鬃，无背毛及缘毛。前胸侧板有黑毛，下部有1根黑鬃。足黑色；基节全黑色；转节及腿节很窄的基部黄褐色；前中足腿节近端半部黄色，后足腿节最末端黄色；前中足跗节自基跗节端往外浅黑色至黑色，后足胫节末端及后足跗节黑色。前足胫节有1根弱前背鬃和2根后背鬃，末端有1根黑色端腹鬃(长为前足基跗节的1/2)；中足胫节有3根前背鬃、2根后背鬃和1根前腹鬃，末端有4根鬃；后足胫节有3根前背鬃、3根后背鬃和1根前腹鬃，末端有2根鬃。后足基跗节基部有1根短腹鬃。

采集记录:16♂22♀，周至老县城，1846m，2014.Ⅷ.19，李轩昆采；4♂8♀，佛坪岳坝，1270m，2014.Ⅷ.27，卢秀梅采；3♂，柞水，1997.Ⅵ.18，Toyohei Saigusa采。

分布:陕西(周至、佛坪、柞水)、河南、贵州。

(57)跗鬃寡长足虻 *Hercostomus modificatus* Yang *et* Saigusa, 2002

Hercostomus (*Hercostomus*) *modificatus* Yang *et* Saigusa, 2002: 63.

鉴别特征:颜窄于触角第3节。眼后鬃及后腹毛黑色。触角黑色；第3节小，长等于宽。喙和须黑色。6根强背中鬃(第5对明显会聚且偏移背中鬃列)，有5~6对不规则的短毛状中鬃(2行相当接近)。前胸侧板有黑毛，下部有1根黑鬃。足黄色；前足基节黄褐色，中足和后足基节除窄的端部外,其余为黑色；腿节黄褐色；跗节自基跗节末端往外暗褐色至黑色。前足基节有4根鬃，中后足腿节各有1根端前鬃。前足胫节有1根前背鬃和2根后背鬃，末端有2根鬃和1根短端腹鬃；中足胫节有3根前背鬃和2根后背鬃，末端有4根鬃；后足胫节有3根前背鬃、3根后背鬃和1根前腹鬃，末端有3根鬃。前足基跗节端半部有2根腹鬃，第3~5跗节有很短而细的腹毛，第4跗节基部有小腹刺。

采集记录:1♂，柞水，1997.Ⅵ.18，Toyohei Saigusa采。

分布:陕西(柞水)、河南。

长突寡长足虻种团 *Hercostomus prolongatus* group

特征:中下眼后鬃黄色。触角黑色；触角芒基节短。雄性外生殖器第9背板侧叶呈短宽(在长突寡长足虻 *H. prolongatus* 中，侧叶刺状，端尖)；尾须有长指状端突；下生殖板端分叉。

分种检索表

1. 第 9 背板侧叶端钝 …………………………………………………………………………… 2
   第 9 背板侧叶呈明显刺状，端尖 ………………………………… **长突寡长足虻 *H. prolongatus***
2. 触角第 3 节长为宽的 1.20 倍；后足基节除窄的端部外黑色 …… **佛坪寡长足虻 *H. fupingensis***
   触角第 3 节长为宽的 2.20 倍；后足基节黄色 ……………………… **羽毛寡长足虻 *H. plumiger***

(58) 佛坪寡长足虻 *Hercostomus fupingensis* Yang *et* Saigusa, 2002（图 190）

Hercostomus (*Hercostomus*) *fupingensis* Yang *et* Saigusa, 2002: 81.

鉴别特征: 颜稍窄于触角第 3 节。中下眼后鬃及后腹毛淡黄色。触角黑色；第 3 节短，长为宽的 1.20 倍，端钝。喙黄褐色，须黄色。有 6 根强背中鬃，6 对不规则的短毛状中鬃。前胸侧板有淡黄色毛，下部有 1 根黑鬃。足黄色；前足基节黄色，中足和后足基节除窄的端部外，其余为黑色；后足腿节末端褐色；跗节自基跗节末端往外褐色至暗褐色。前足胫节有 1 根前背鬃和 2 根后背鬃，末端有 2 根鬃和 1 根短端腹鬃；中足胫节有 3 根前背鬃、2 根后背鬃和 1 根前腹鬃，末端有 5 根鬃；后足胫节有 3 根前背鬃、3 根后背鬃和 4 根前腹鬃，末端有 3 根鬃。后足基跗节有 1 根腹鬃。

采集记录: 1♂，佛坪，1997.Ⅵ.28，Toyohei Saigusa 采；1♂，佛坪，1997.Ⅵ.27，Toyohei Saigusa 采。

分布: 陕西（佛坪）、云南。

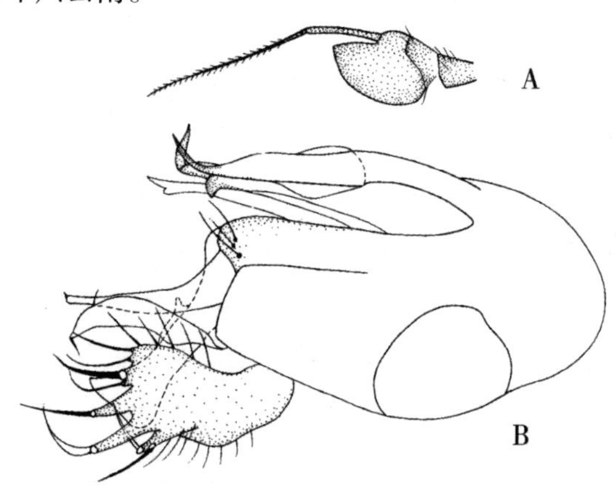

图 190 佛坪寡长足虻 *Hercostomus fupingensis* Yang *et* Saigusa（雄性）
A. 触角（antenna）；B. 雄性外生殖器（male genitalia）

(59) 羽毛寡长足虻 *Hercostomus plumiger* Yang *et* Saigusa, 2002

Hercostomus (*Hercostomus*) *plumiger* Yang *et* Saigusa, 2002: 82.

鉴别特征: 颜稍窄于触角第 3 节。中下眼后鬃及后腹毛淡黄色。触角黑色；第 3

节明显延长，长为宽的2.20倍，端尖。喙和须为黄色。有6根强背中鬃，5~6对不规则的短毛状中鬃。前胸侧板有淡黄色毛，下部有1根黑鬃。足黄色；前后足基节黄色，中足基节除窄的端部外褐色；跗节自基跗节末端往外褐色至暗褐色。前足胫节有1根前背鬃和2根后背鬃，末端有2根鬃；中足胫节有3根前背鬃、2根后背鬃和1根前腹鬃，末端有5根鬃；后足胫节有3根前背鬃、4根后背鬃和6根弱前腹鬃，末端有3根鬃。后足基跗节基部有1根腹鬃。

采集记录:1♂，佛坪，1997.Ⅵ.18，Toyohei Saigusa 采。

分布:陕西(佛坪)、云南。

(60)长突寡长足虻 *Hercostomus prolongatus* Yang，1996

Hercostomus（*Hercostomus*）*prolongatus* Yang，1996：414.

鉴别特征:复眼分开较宽。中下眼后鬃黄色。触角黑色；第1节有些延长；第3节长为宽的1.80倍，端尖。喙黄色，须浅黄色。有7对短毛状中鬃；6根强背中鬃。足黄色；中足基节略带黑色，跗节自基跗节端部往外褐色至暗褐色。前足胫节有1根前背鬃和2根后背鬃，无明显端腹鬃；中足胫节有3根前背鬃、2根后背鬃和1根前腹鬃；后足胫节有3根前背鬃、4根后背鬃和5根相当弱的腹鬃。后足基跗节基部有3根腹鬃。

采集记录: 22♂31♀，周至厚畛子，1278m，2013.Ⅷ.20，李轩昆采；1♂，佛坪，1997.Ⅵ.28，Toyohei Saigusa 采。

分布:陕西(周至、佛坪)、四川、云南、西藏。

近新寡长足虻种团 *Hercostomus subnovus* group

特征:眼后鬃通常全黑色。触角第3节相当大，长至少为宽的1.50倍；触角芒基节相当长，长至少为端节的0.50倍。胸部后胸侧板黄色。腹部有时基部部分区域黄色。雄性外生殖器第9背板侧叶刺状；尾须端宽，有1~2根内弯的刺状鬃；下生殖板有不规则的分支。

分种检索表

1. 中下眼后鬃浅黄色 ………… 2
　眼后鬃全黑色 ………… 4
2. 腋瓣有浅黄毛 ………… **白毛寡长足虻 *H. pallipilosus***
　腋瓣有褐色至浅黑毛 ………… 3
3. 触角第3节长为宽的1.50倍，前足第4~5跗节正常 ………… **宽须寡长足虻 *H. latus***
　触角第3节长为宽的1.80倍，前足第4~5跗节加粗 ………… **柞水寡长足虻 *H. zhashuiensis***
4. 第9背板侧叶粗 ………… **近新寡长足虻 *H. subnovus***
　第9背板侧叶细的刺状或指状 ………… 5
5. 下生殖板板侧臂有1个前突和1个后突 ………… 6

下生殖板不如上述 …………………………………………………… 北京寡长足虻 ***H. beijingensis***

6. 下生殖板侧臂后突不分叉 ………………………………………………… 双刺寡长足虻 ***H. bispinifer***

下生殖板侧臂后突分叉 ………………………………………………………………………………………… 7

7. 第9背板侧叶基部粗，端部尖 …………………………………………… 河南寡长足虻 ***H. henanus***

第9背板侧叶不如上所述 ………………………………………………… 具刺寡长足虻 ***H. spiniger***

(61)北京寡长足虻 *Hercostomus beijingensis* Yang, 1996(图191)

Hercostomus beijingensis Yang, 1996: 318.

鉴别特征:单眼瘤有2强单眼鬃和3根很短的后毛。额有1根强鬃在后侧角上。触角黑色；第3节长为宽的1.80倍，端有些尖。喙暗黄褐色，须黑色。有7~8对不规则的短毛状中鬃；6根强背中鬃；小盾片有2根强鬃。足黄色；前足第5跗节和中后足第2~5跗节颜色较深。前足胫节有1根前背鬃、2根后背鬃、1根腹鬃和1根不明显的端腹鬃；中足胫节有3~4根前背鬃、2根后背鬃和3根腹鬃；后足胫节有3根前背鬃、3根后背鬃和7根相当弱的腹鬃；后足基跗节有3根短腹鬃。

采集记录:2♂3♀，周至厚畛子，1278m，2013.Ⅷ.20，李轩昆采；1♂1♀，佛坪岳坝，1270m，2014.Ⅷ.27，卢秀梅采；2♂，柞水，1997.Ⅵ.18，Toyohei Saigusa采。

分布:陕西(周至、佛坪、柞水)、北京、河南、湖北。

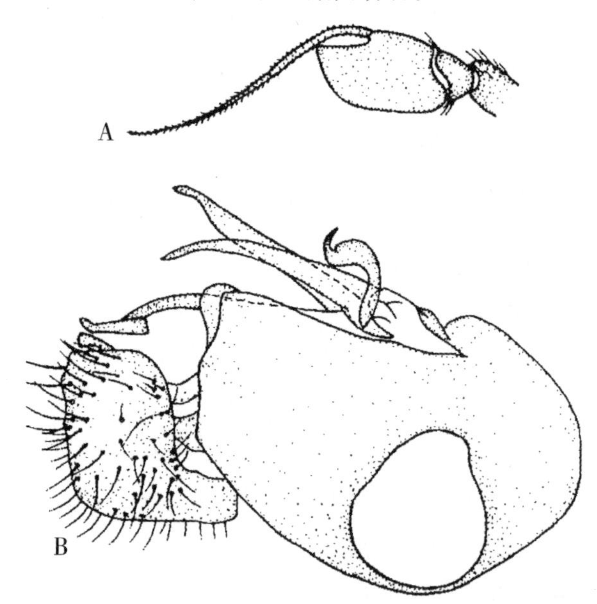

图191 北京寡长足虻 *Hercostomus beijingensis* Yang (雄性)
A. 触角 (antenna); B. 雄性外生殖器 (male genitalia)

(62)双刺寡长足虻 *Hercostomus bispinifer* Yang *et* Saigusa, 1999

Hercostomus (*Hercostomus*) *bispinifer* Yang *et* Saigusa, 1999: 238.

鉴别特征:颜与触角第3节近等宽。眼后鬃及后腹毛黑色。触角全黑色；第3节长为宽的1.50倍，端钝。喙黄色，须黑色。胸部金绿色，下侧片前下角和后上角为暗黄色，翅侧片为黄色。有5～6对不规则的短毛状中鬃；6根强背中鬃；小盾片无细毛。足黄色；基节全黄色；跗节自基跗节末端往外呈褐色至暗褐色。前足胫节有1根前背鬃、2根后背鬃和1根短的后腹鬃；中足胫节有4根前背鬃、2根后背鬃和2根前腹鬃；后足胫节有3根前背鬃、4～5根后背鬃和4根前腹鬃。后足基跗节有3根腹鬃。

采集记录：1♂1♀，佛坪大古坪，1366m，2014.Ⅷ.22，卢秀梅采；2♂，柞水牛背梁保护站，1000m，2013.Ⅶ.14，闫妍采。

分布：陕西(佛坪、柞水)、四川。

(63)河南寡长足虻 *Hercostomus henanus* Yang, 1999

Hercostomus henanus Yang, 1999: 210.

鉴别特征：颜明显窄于触角第3节。眼后鬃及后腹毛黑色。触角相当大，黑色；第3节延长，长为宽的1.50倍，端钝。喙褐色，须暗褐色。胸部金绿色，后胸侧板黄色。有8～9对不规则的短毛状中鬃，6根强背中鬃。足黄色；基节全黄色；跗节自基跗节往外呈褐色至暗褐色。前足胫节有1根前背鬃和2根后背鬃，无端腹鬃；中足胫节有4根前背鬃、2根后背鬃和2根前腹鬃；后足胫节有4根前背鬃、4根后背鬃和3～4根前腹鬃。后足基跗节有3根腹鬃。

采集记录：2♂1♀，佛坪大古坪，1366m，2014.Ⅷ.22，卢秀梅采；2♂，柞水牛背梁保护站，1000m，2013.Ⅶ.14，王玉玉采。

分布：陕西(佛坪、柞水)、河南、四川、贵州。

(64)宽须寡长足虻 *Hercostomus latus* Yang *et* Saigusa, 2002

Hercostomus (*Hercostomus*) *latus* Yang *et* Saigusa, 2002: 68.

鉴别特征：颜相当宽，稍窄于触角第3节。中下眼后鬃及后腹毛为淡黄色。触角黑色；第3节相当大，长为宽的1.50倍，端钝。喙和须为浅黑色。胸部金绿色，后胸侧板除窄的上部外为黄色。有6根强背中鬃，5～6对不规则的短毛状中鬃。前胸侧板有淡黄色毛，下部有1根黑鬃。足黄色；基节全黄色；跗节自基跗节末端往外呈褐色至暗褐色。腿节有一些淡黄色短腹毛。前足胫节有1根前背鬃和2根后背鬃，末端有2根鬃；中足胫节有4根前背鬃、2根后背鬃和2根前腹鬃，末端有4根鬃；后足胫节有3根前背鬃、3根后背鬃和5～6根前腹鬃，末端有4根鬃。后足基跗节有3根腹鬃。

采集记录：3♂，柞水，1997.Ⅵ.18，Toyohei Saigusa 采；1♂，柞水，1997.Ⅵ.18，

Toyohei Saigusa 采；1♂，柞水，1997.Ⅵ.20，Toyohei Saigusa 采；1♂，柞水营盘林场，1850 m，1997.Ⅵ.22，Toyohei Saigusa 采。

分布：陕西（柞水）、云南。

（65）白毛寡长足虻 *Hercostomus pallipilosus* Yang *et* Saigusa，2002

Hercostomus（*Hercostomus*）*pallipilosus* Yang *et* Saigusa，2002：69.

鉴别特征：颜窄于触角第3节。中下眼后鬃及后腹毛呈淡黄色。触角黑色；第3节相当大，长为宽的2.10倍，端尖。喙暗黄褐色，须黑色。胸部金绿色，后胸侧板除窄的上部外呈黄色。有6根强背中鬃，8~9对不规则的短毛状中鬃。前胸侧板有淡黄色毛，下部有1根黑鬃。足黄色；基节全黄色；跗节自基跗节末端往外为暗褐色至黑色。腿节有一些淡黄色短腹毛。前足胫节有1根前背鬃和2根后背鬃，末端有2根鬃；中足胫节有3~4根前背鬃、2根后背鬃和2根前腹鬃，末端有4根鬃；后足胫节有3根前背鬃、4~5根后背鬃和5~6根前腹鬃，末端有4根鬃。后足基跗节基部有3根腹鬃。

采集记录：2♂，柞水，1997.Ⅵ.20，Toyohei Saigusa 采；3♂，柞水，1997.Ⅵ.18，Toyohei Saigusa 采；1♂，柞水营盘林场，1750m，1997.Ⅵ.21，Toyohei Saigusa 采。

分布：陕西（柞水）、河南。

（66）具刺寡长足虻 *Hercostomus spiniger* Yang，1997

Hercostomus（*Hercostomus*）*spiniger* Yang，1997：120.

鉴别特征：眼后鬃黑色。单眼瘤有4根很短的后毛。触角黑色；第3节长为宽的1.50倍，端钝。喙暗黄褐色，须黑色。有6~7对不规则的短毛状中鬃，6根强背中鬃；小盾片有2根强鬃。足黄色；基节全黄色；跗节自基跗节末端往外呈暗褐色。前足胫节有1根前背鬃和2根后背鬃，无端腹鬃；中足胫节有4根前背鬃、2根后背鬃和3根腹鬃（端半部的2根较强）；后足胫节有3~4根前背鬃、3~4根后背鬃和6根腹鬃（端半部的2根较强）；后足基跗节有2根短腹鬃。

采集记录：1♂2♀，周至老县城，1796m，2013.Ⅷ.20，卢秀梅采；1♂1♀，佛坪大古坪，1366m，2014.Ⅷ.22，卢秀梅采。

分布：陕西（周至、佛坪）、云南、西藏；尼泊尔。

（67）近新寡长足虻 *Hercostomus subnovus* Yang *et* Yang，1995

Hercostomus subnovus Yang *et* Yang，1995：513.

Hercostomus lii Wei，1997：35（nec Yang，1996）.

Hercostomus weii Yang *et* Saigusa, 2000: 223 (new name for *Hercostomus lii* Wei, 1997).

鉴别特征:眼后鬃黑色。单眼瘤有1对强的单眼鬃和1对很短的后毛。额后侧角有1根强鬃。触角全黑色;触角芒黑色。喙褐色,须黑色。有6根强背中鬃,6~7对较弱的中鬃;小盾片仅有1对强鬃而无短毛。足黄色,跗节除基跗节外均为暗褐色。前足胫节有1根前背鬃和2根后背鬃,端腹鬃较弱;中足胫节有3根前背鬃、2根后背鬃和1根腹鬃;后足胫节有3根前背鬃、3根后背鬃和1排弱的腹鬃(6~7根),基跗节有3根腹鬃。

采集记录:1♂,柞水营盘林场,1750m,1997.Ⅵ.21,Toyohei Saigusa采。

分布采集记录:陕西(柞水)、浙江、四川、云南。

(68)柞水寡长足虻 *Hercostomus zhashuiensis* Yang *et* Saigusa, 2002

Hercostomus (*Hercostomus*) *zhashuiensis* Yang *et* Saigusa, 2002: 70.

鉴别特征:颜窄于触角第3节。中下眼后鬃及后腹毛淡黄色。触角黑色;第3节相当大,长为宽的1.80倍,端尖。喙浅褐色,须黑色。胸部金绿色,后胸侧板除窄的上部外,其余为黄色。有6根强背中鬃,7~8对不规则的短毛状中鬃。前胸侧板有淡黄色毛,下部有1根黑鬃。足黄色;基节全黄色;跗节自基跗节末端往外为暗褐色至黑色。腿节有一些淡黄色短腹毛。前足胫节有1根前背鬃和2根后背鬃,末端有2根鬃;中足胫节有2根前背鬃、3根后背鬃和2~3根前腹鬃,末端有4根鬃;后足胫节有3根前背鬃、4根后背鬃和5~6根前腹鬃,末端有4根鬃。后足基跗节有3根腹鬃。

采集记录:4♂,柞水,1997.Ⅵ.18,Toyohei Saigusa采;1♂,柞水,1997.Ⅵ.20,Toyohei Saigusa采。

分布:陕西(柞水)、云南。

种团位置未知种类

(69)黄侧寡长足虻 *Hercostomus luteipleuratus* Parent, 1944

Hercostomus luteipleuratus Parent, 1944: 126.

鉴别特征:中下眼后鬃及后腹毛黄色。触角黄色;第3节长为宽的1.60倍,端尖。喙暗黄色,须黄色。胸部金绿色,肩胛黄色,中胸背板位于肩胛后的侧区为黄色;翅侧片有1个黑斑。有6根强背中鬃(第5对偏离背中鬃列),5~6对不规则的短毛状中鬃;小盾片有2对鬃(基对鬃短毛状)。前胸侧板有浅黄毛,下部有1根黑鬃。足(前足胫节及跗节缺失)黄色;基节全黄色。中足胫节有2根前背鬃、2根后背鬃和1根后腹鬃,末端有2根鬃;后足胫节有2根前背鬃、2根后背鬃和1根细前腹鬃，末端有3根鬃。

采集记录：1♀，Chensi Central：Weitzeping，1916.Ⅷ.20，采集人不详。

分布：陕西。

(70)三枝寡长足虻 *Hercostomus saigusai* Olejníček, 2004

Hercostomus saigusai Olejníček, 2004：10.

鉴别特征：颜有灰白粉，渐向下变窄，与触角第3节近等宽。眼后鬃全为黑色。触角黄色；第3节长为宽的2倍。喙黄色，须黑色。有6根强背中鬃，8对不规则的短毛状中鬃；小盾片有2对鬃(基对鬃短毛状)。足黑色；胫节全黄色，跗节自基跗节端往后黑色。前足胫节有2根短前背鬃；中足胫节有3根前背鬃、2根后背鬃和1根腹鬃；后足胫节有4根前背鬃和3根短后背鬃。

分布：陕西(宁陕)。

10. 毛颜长足虻属 *Setihercostomus* Zhang *et* Yang, 2005

Setihercostomus Zhang *et* Yang, 2005：183. **Type species**：*Hercostomus zonalis* Yang, Yang *et* Li, 1998 [= *Hercostomus* (*Gymnopternus*) *wuyangensis* Wei, 1997].

属征：体小至中型(体长2.80～3.60mm，翅长2.50～3.10mm)。腹部长为胸部的1.50倍。复眼离眼式。头顶平。单眼瘤弱，有2根粗长的单眼鬃和6根短后毛。顶鬃与单眼鬃近等长；后顶鬃明显短于顶鬃。雄虫颜渐向下变窄，雌虫颜宽，近两侧平行。唇基短而窄(长为颜和唇基总长的1/5)，中部有1对强鬃。触角第1节有背毛，明显长于第2节；第3节长明显大于宽；触角芒背位，有细短毛。触角基部窄的分开，接近复眼内缘。6根强背中鬃(倒数第2根偏离背中鬃列)，接近中鬃列。小盾片有2对鬃(基鬃短毛状，端鬃长而强)，无缘毛及背毛。1根肩鬃和2根短肩毛，1根肩后鬃，1根缝前鬃，1根缝鬃，2根背侧鬃，2根翅上鬃和1根翅后鬃。前胸侧板有毛，下部有1根黑鬃；翅侧片在后气孔前有几根毛。中足基节有1根外鬃，后足基节中部有1根外鬃。腿节粗(长为宽的5～6倍)，中后足腿节各有1根端前鬃。后足基跗节短于第2跗节。翅 R_{4+5} 与M端部平行；M终止处近翅末端；CuAx值小于1。第6背板光裸。雄性外生殖器尾须相当大。

分布：古北区，东洋区。世界已知4种，中国已知3种，秦岭地区有1种。

(71)舞阳毛颜长足虻 *Setihercostomus wuyangensis* (Wei, 1997)

Hercostomus (*Gymnopternus*) *wuyangensis* Wei, 1997：40.

Hercostomsu zonalis Yang, Yang *et* Li, 1998: 82.

Setihercostomus zonalis: Zhang & Yang, 2005: 184.

Setihercostomus wuyangensis: Zhang & Yang, 2005: 184.

鉴别特征:复眼在颜上明显分开，颜渐向口缘变窄。唇基中央有1对黑色鬃。毛和鬃黑色，眼后鬃全黑色。触角黑色；第3节延长，长为宽的2倍，端尖。喙和须黑色。有6根强背中鬃；中鬃6对，较短；小盾基鬃短毛状。足黑色；基节全黑色；腿节末端暗黄色至黄色；胫节黄色，但后足胫节端部黑色；跗节暗褐色至黑色，前足基部二跗节和中足基跗节黄色。毛和鬃黑色；中足与后足基节各有1根外鬃，中足与后足腿节各有1根端前鬃；前足胫节有1根前背鬃、2根后背鬃和8根后腹鬃，无端腹鬃；中足胫节有3根前背鬃、2根后背鬃和1根前腹鬃；后足胫节有3根前背鬃、3根后背鬃和1根前腹鬃，基跗节有1根短细的基腹鬃。

采集记录:1♂，柞水牛背梁保护站，1000m，2013.Ⅶ.15，王玉玉采。

分布:陕西(柞水)、河南、广东、广西、四川。

11. 粗柄长足虻属 *Sybistroma* Meigen, 1824

Sybistroma Meigen, 1824: 71. **Type species**: *Dolichopus discipes* Germar, 1817.

Hypophyllus Haliday, 1832: 359. **Type species**: *Dolichopus obscurellus* Fallén, 1823.

Ludovicius Rondani, 1843: 43. **Type species**: *Ludovicius impar* Rondani, 1843.

Nordicornis Rondani, 1843: 46. **Type species**: *Nordicornis wiedemanni* Rondani, 1843.

Haltericerus Rondani, 1856: 143. **Type species**: *Ludovicius impar* Rondani, 1843.

Nemospathus Bigot, 1859: 215, 228. **Type species**: *Sybistroma dufouri* Macquart, 1834.

Ozodostylus Bigot, 1859: 225. **Type species**: *Sybistroma nodicornis* Megen, 1824.

Dasyarthrus Mik, 1878: 5. **Type species**: *Gymnopternus inornatus* Loew, 1857.

Spathitarsis Bigot, 1888: xxiv. **Type species**: *Dolichopus discipes* Germar, 1817.

属征:体中到大型(3~5mm)。腹部为较均匀的细长形(长为胸部的近2倍)。头顶有些平。单眼瘤有2根粗长单眼鬃。顶鬃等长或稍短于单眼鬃；后顶鬃明显短于顶鬃。颜上部宽，渐向下变窄；复眼仅窄的分开。唇基短小(长为颜和唇基总长的1/5~1/7)，两侧与复眼相接；下端平截，明显不达复眼下缘。触角第1节被毛，膨大；第2节退化，第3节长大于宽；触角芒常1节，背位至端位，近光裸，长于头宽。触角基部相互靠近，接近复眼内缘。有5根强背中鬃，第4根不内移；中鬃无，单列或双列。小盾片有2对鬃，端鬃粗长，基鬃长为端鬃的1/5，一般无短缘毛及背毛。1根肩鬃和2根肩毛，1根肩后鬃，1根缝前鬃，1根缝鬃，2根背侧鬃，2根翅上鬃和1根翅后鬃。前胸侧板上下部被毛，下部有1根鬃；翅侧片后气门前无毛，后胸侧板前下角无毛。中足基节有1根外鬃，后足基节中部有1根外鬃。中后足腿节各有1根端前鬃。后足腿节细长，长为腿节粗的8~9倍。后足基跗节无背鬃，多短于第2跗节。足爪小。翅前缘脉不加粗，无前缘胝；R_{4+5}近直，端部弯向翅缘；R_{4+5}与M近平行，M终止处近翅末端；CuAx值明显小于1。腹部毛及背板缘鬃中等长，第6背板光裸。雄性外生殖器第9背板长大于宽，侧叶形状变化大；下生殖板有不规则的分叉。

分布：全北区，东洋区，非洲热带区。世界已知51种，中国已知28种，秦岭地区有13种。

分种检索表

1. 触角第3节相当短(长等于宽)，端钝 …… **申氏粗柄长足虻 *S. sheni***
   触角第3节明显延长(长明显大于宽)，端尖 …… 2
2. 尾须近方形有1个大端凹，或三角形外缘斜凹 …… 3
   尾须不如上所述 …… 4
3. 触角全黄色；触角芒端部白色，膨大 …… **河南粗柄长足虻 *S. henanus***
   触角第1、2节背面黑色；触角芒端部黑色，膨大 …… **黄斑粗柄长足虻 *S. flavus***
4. 中下眼后鬃淡黄色；腋瓣有淡黄毛 …… 5
   眼后鬃全黑色；腋瓣有黑毛 …… 8
5. 须小；触角大部分黄色；触角芒亚端位至端位；中后足基节(除窄的端部外)浅黑色 …… 5
   须相当大而扁平；触角全黑色；触角芒亚背位；基节全黄色 …… **背芒粗柄长足虻 *S. dorsalis***
6. 触角黄色，第1节和第3节背面黑色 …… **粗端粗柄长足虻 *S. apicicrassus***
   触角黑色 …… 7
7. 颜与触角第3节近等宽；触角芒末端稍膨大 …… **宽颜粗柄长足虻 *S. latifacies***
   颜明显窄于触角第3节；触角芒末端明显膨大 …… **弯突粗柄长足虻 *S. angustus***
8. 触角全黑色 …… 9
   触角部分或大部分黄色 …… 11
9. 触角第3节无背端角 …… 10
   触角第3节有1个尖细的背端角 …… **指突粗柄长足虻 *S. digitiformis***
10. 触角第3节短(长为宽的1.70倍)；尾须有短指状突 …… **短突粗柄长足虻 *S. brevidigitatus***
    触角第3节长(长为宽的2.40倍)；尾须有长指状突 …… **长突粗柄长足虻 *S. longidigitatus***
11. 胸部只有后胸侧板黄色 …… **秦岭粗柄长足虻 *S. qinlingensis***
    胸部侧面大部分黄色 …… 12
12. 触角第3节端部有触角芒状突 …… **双芒粗柄长足虻 *S. biaristatus***
    触角第3节端部无触角芒状突 …… **内乡粗柄长足虻 *S. neixianganus***

(72)弯突粗柄长足虻 *Sybistroma angustus* (Yang *et* Saigusa, 2005)

Ludovicius angustus Yang *et* Saigusa, 2005: 744.
Sybistroma angustus: Yang, Zhu, Wang & Zhang, 2006: 203.

鉴别特征：颜相当窄，明显窄于触角第3节。中下眼后鬃及后腹毛淡黄色。触角黑色；第3节较宽，长为宽的2.20倍，端钝；触角芒亚端位，末端明显膨大。喙黑色。有6根背中鬃，6~7对不规则的中鬃；小盾片基对鬃弱小，长约为端对的1/6，还有2根淡黄端缘毛。前胸侧板有淡黄毛，下部有1根黄鬃。足黄色；中后足基节(除窄的端部外)黑色；后足腿节窄的端部黑色；足基跗节末端往外为暗褐色。前足胫节有1根弱的前背鬃和2根后背鬃，末端有2根鬃；中足胫节有4根前背鬃、2根后背鬃、2根前腹鬃和1根后腹鬃，末端有4根鬃；后足胫节有3根前背鬃、3根后背鬃和1根前腹鬃，末端有3根鬃。R_{4+5}稍后弯，M有些弯，R_{4+5}和M端部强烈会聚；CuAx值0.40。

采集记录:1♂，佛坪凉风垭，2100m，1997.Ⅵ.24，Toyohei Saigusa采。

分布:陕西(佛坪)。

(73)粗端粗柄长足虻 *Sybistroma apicicrassus*（Yang *et* Saigusa, 2001）

Ludovicius apicicrassus Yang *et* Saigusa, 2001: 86.

Sybistroma apicicrassus: Brooks, 2005: 113.

鉴别特征:复眼在颜很窄的分开。中下眼后鬃及后腹毛为淡黄色。触角黄色；第1节、第3节背面为黑色；第3节长为宽的2.70倍，末端有些尖；触角芒亚端位，黑色，端部膨大(有时有弱的端凹)。喙和须黑色。有6根强背中鬃，1~2对不规则的中鬃，位于前面2根背中鬃之间、毛状；侧小盾鬃很短。足黄色；前足基节黄色，中后足基节除端部外浅黑色；后足腿节端部浅黑色；前足第5跗节褐色，除中足基跗节为黄色外(窄的端部至端部1/2处为暗褐色)，中后足跗节为黑色。各足腿节有淡黄腹毛；前足胫节有1根前背鬃和2根后背鬃，末端有2根鬃；中足胫节有3~4根前背鬃、3根后背鬃和1根前腹鬃，末端有5根鬃；后足胫节有3~4根前背鬃、5~6根后背鬃和1根前腹鬃，末端有4根鬃。后足基跗节没有明显的腹鬃。R_{4+5}与M端部明显会聚；CuAx值0.35。

采集记录:1♂，佛坪，1997.Ⅵ.25，Toyohei Saigusa采；1♂，佛坪，1997.Ⅵ.24，Toyohei Saigusa采；1♂，佛坪，1997.Ⅶ.07，Toyohei Saigusa采；1♂，佛坪，1997.Ⅶ.04，Toyohei Saigusa采；3♂，柞水，1997.Ⅵ.21，Toyohei Saigusa采。

分布:陕西(佛坪、柞水)、河南。

(74)双芒粗柄长足虻 *Sybistroma biaristatus*（Yang, 1999）

Ludovicius biaristatus Yang, 1999: 204.

Sybistroma biaristatus: Brooks, 2005: 113.

鉴别特征:颜窄于触角第3节。眼后鬃黑色。触角黄色；第3节背缘黑色，端上角非常延长，端部黑色，有1触角芒状突，末端膨大部白色；触角芒背位，黑色。胸部金绿色，中胸背板前侧区暗黄色；侧板除翅侧片外暗黄色至黄色外，腹侧板前部和下后侧板后部黑色。6 根强背中鬃，无中鬃。足黄色；基节黄色；跗节自基跗节端往外为褐色至暗褐色。前足胫节有 1 根弱前背鬃和 2 根弱后背鬃；中足胫节有 2 根前背鬃、2 根后背鬃和 1 根前腹鬃；后足胫节有 2 根前背鬃、3 根后背鬃和 1 根前腹鬃；后足基跗节有 2 根强腹鬃。

采集记录：12♂14♀，周至厚畛子，1278m，2014.Ⅷ.20，李轩昆采；4♂3♀，佛坪大古坪，1329.20m，2014.Ⅷ.24，卢秀梅采；2♂3♀，柞水牛背梁保护站，1000m，2013.Ⅷ.15，闫妍采。

分布：陕西（周至、佛坪、柞水）、河南、云南。

（75）短突粗柄长足虻 *Sybistroma brevidigitatus* (Yang *et* Saigusa, 2001)

Ludovicius brevidigitatus Yang *et* Saigusa, 2001: 88.

Sybistroma brevidigitatus: Brooks, 2005: 113.

鉴别特征：眼后鬃及后腹毛黑色。触角黑色；第 3 节长为宽的 1.80 倍，末端尖；触角芒背位。喙和须黑色。有 6 根强背中鬃，6~7 对不规则的中鬃。足黄色；基节黄色，中足基节有 1 根黑色外鬃；跗节自基跗节端往外暗褐色至黑色。前足胫节有 1 根前背鬃和 1 根后背鬃，末端有 2 根鬃；中足胫节有 3 根前背鬃、2 根后背鬃和 1 根前腹鬃，末端有 5 根鬃；后足胫节有 2 根前背鬃、4 根后背鬃和 4 根细的前腹鬃，末端有 4 根鬃（其中 2 根腹鬃较强）。后足基跗节有 2 根腹鬃。

采集记录：1♂，佛坪，1997.Ⅵ.26，Toyohei Saigusa 采。

分布：陕西（佛坪）、河南。

（76）指突粗柄长足虻 *Sybistroma digitiformis* (Yang, Yang *et* Li, 1996)

Ludovicius digitiformis Yang, Yang *et* Li, 1998: 81.

Sybistroma digitiformis: Brooks, 2005: 113.

鉴别特征：复眼在颜上明显分开；颜渐向口缘变窄。触角黑色；第 1 节粗大，第 2 节短小；触角第 3 节长为宽的 2.10 倍，末端尖。喙暗褐色，须黑色。有 6 根强背中鬃，无中鬃；小盾基鬃短毛状；肩鬃 1 根，背侧鬃 2 根。足黄色；基节均黄色；基跗节末端往外褐色至暗褐色。前足胫节有 1 根短的前背鬃和 1 根短的后背鬃，无端腹鬃；中足胫节有 2 根前背鬃和 2 根后背鬃；后足胫节有 2 根前背鬃和 3 根后背鬃，基跗节有 4 根短腹鬃；中足腿节基半部有 3 根浅黑色细长腹鬃。后足腿节基半部有 2 根浅黑色细长腹鬃。

采集记录：4♂4♀，周至厚畛子，1278m，2014.Ⅷ.20，李轩昆采；2♂3♀，佛坪大古坪，1329.20m，2014.Ⅷ.24，卢秀梅采；5♂4♀，柞水牛背梁保护站，1000m，2013.Ⅷ.15，王玉玉采。

分布:陕西(周至、佛坪、柞水)、河南。

(77)背芒粗柄长足虻 *Sybistroma dorsalis* (Yang, 1996)

Ludovicius dorsalis Yang, 1996: 243.
Sybistroma dorsalis: Brooks, 2005: 113.

鉴别特征:中下眼后鬃黄色。触角黑色;第3节浅黑色,有延长,长为宽的3倍,端尖;触角芒黑色,很长,光裸,端部膨大。喙浅黑色;须大而扁平,黑色。有5~6对不规则的短毛状中鬃;6根强背中鬃。足黄色;基节黄色;前足第3~5跗节,中后足跗节自基跗节端往外呈褐色至暗褐色。前足胫节有2根前背鬃和2根后背鬃,无明显端腹鬃;中足胫节有3根前背鬃、2根后背鬃、2根前腹鬃和2根后腹鬃;后足胫节有2根前背鬃、5根后背鬃和6根弱腹鬃。

采集记录:1♂3♀,佛坪岳坝,1220 m,2014.Ⅷ.26,卢秀梅采。

分布:陕西(佛坪)、西藏。

(78)黄斑粗柄长足虻 *Sybistroma flavus* (Yang, 1996)

Ludovicius flavus Yang, 1996: 87.
Sybistroma flavus: Brooks, 2005: 113.

鉴别特征:中下眼后鬃黄色。触角黄色,第1节和第2节背面为浅黑色;触角第3节明显延长,长为宽的2.30倍;触角芒背位,细长,端稍膨大。喙黄色,须褐色。胸部黄色,有灰粉;背面(除中胸背板前缘和前侧区外)金绿色;翅侧片浅黑色。无中鬃,6根强背中鬃。足黄色;基节黄色;中后足跗节黄褐色。前足胫节有2根后背鬃;中足胫节有4根前背鬃、2根后背鬃和2根前腹鬃;后足胫节有3根前背鬃和5根后背鬃;后足基跗节有2根短腹鬃。

采集记录:47♂83♀,长安库峪,897m,2013.Ⅶ.31,李轩昆采;34♂52♀,周至太白山,1565m,2014.Ⅷ.20,李轩昆采;32♂37♀,佛坪大古坪,1329.20m,2014.Ⅷ.24,卢秀梅采;5♂4♀,柞水鸳鸯沟,2014.Ⅶ.27,唐楚飞采。

分布:陕西(长安、周至、佛坪、柞水)、河南、四川。

(79)河南粗柄长足虻 *Sybistroma henanus* (Yang, 1996)(图192,193)

Ludovicius henanus Yang, 1996: 88.
Sybistroma henanus: Brooks, 2005: 113.

鉴别特征:中下眼后鬃黄色。触角黄色；第3节明显延长，长为宽的3.60倍，端尖；触角芒背位，端部稍膨大。喙黄色，须褐色。胸部黄色，背面(除中胸背板前缘和前侧区外)金绿色。无中鬃，有6根强背中鬃。足黄色；基节黄色；中后足跗节(除基跗节外)为浅黄褐色至褐色。前足胫节有2根后背鬃；中足胫节有2根前背鬃、2根后背鬃和2根前腹鬃；后足胫节有2根前背鬃和4根后背鬃；后足基跗节有3根短腹鬃。

采集记录:34♂28♀，周至太白山，1565m，2014.Ⅷ.20，李轩昆采；22♂26♀，凤县黄牛铺，1386m，2013.Ⅷ.21，席玉强采。

分布:陕西(周至、凤县)、河南。

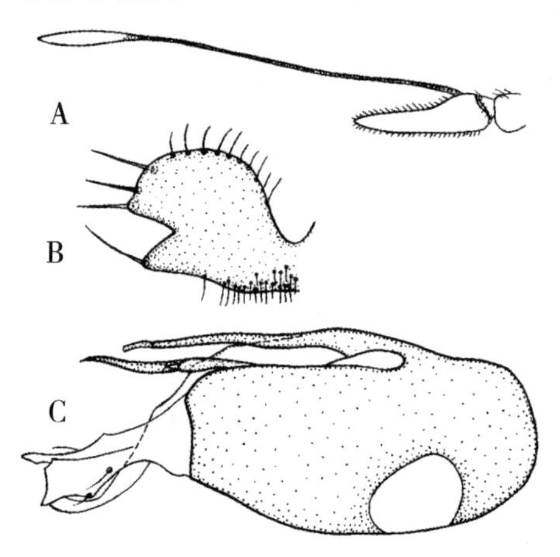

图192 河南粗柄长足虻 *Sybistroma henanus* (Yang) (雄性)
A. 触角 (antenna)；B. 雄性外生殖器 (male genitalia)；C. 尾须 (cercus)

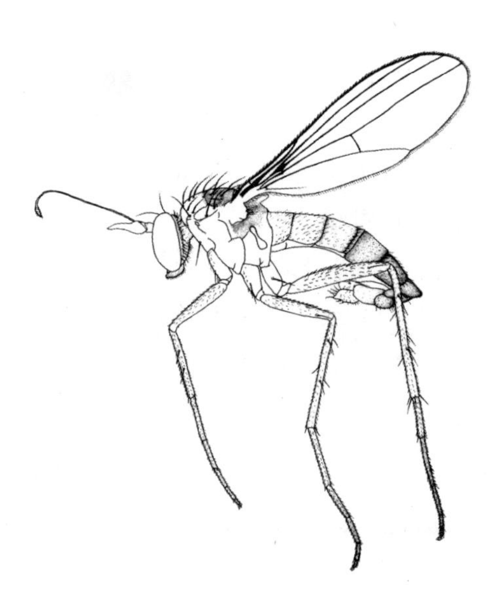

图193 河南粗柄长足虻 *Sybistroma henanus* (Yang)

(80) 宽颜粗柄长足虻 *Sybistroma latifacies* (Yang *et* Saigusa, 2005)

Ludovicius latifacies Yang *et* Saigusa, 2005: 743.
Sybistroma latifacies: Yang, Zhu, Wang & Zhang, 2006: 205.

鉴别特征:颜较宽，与触角第3节几乎等宽。中下眼后鬃及后腹毛淡黄色。触角黑色；第3节较宽，长为宽1.50倍，端钝；芒亚端位，末端稍膨大。喙暗褐色，须浅褐色。胸部金绿色，有6根背中鬃，4~5对不规则的中鬃；小盾片基对鬃弱小，长约为端对的1/6，还有2根白色的端缘毛。足黄色；中后足基节黑色；后足腿节窄的端部黑色；前足基跗节末端往外为暗褐色。前足胫节有1排短的前背鬃和2根后背鬃，末端有2根鬃；中足胫节有3根前背鬃、2根后背鬃、2根前腹鬃和1根后腹鬃，末端有5根鬃；后足胫节有3根前背鬃、3根后背鬃和1根前腹鬃，末端有3根鬃。

采集记录:1♂，佛坪凉风垭，2100m，1997.Ⅵ.24，Toyohei Saigusa 采。

分布:陕西(佛坪)。

(81) 长突粗柄长足虻 *Sybistroma longidigitatus* (Yang *et* Saigusa, 2001)

Ludovicius longidigitatus Yang *et* Saigusa, 2001: 89.
Sybistroma luteicornis: Brooks, 2005: 113.

鉴别特征:眼后鬃及后腹毛黑色。触角黑色；第3节长为宽的2.40倍，末端尖；触角芒背位。喙浅黑色，须黑色。胸部金绿色，有6根强背中鬃，6~7对不规则的中鬃；小盾片有很短的侧鬃和4根短缘毛。足黄色；基节黄色，中足基节有1条黑色外条纹；跗节自基跗节端部往外为暗褐色至黑色。前足胫节有1根前背鬃和2根后背鬃，末端有2根鬃；中足胫节有3根前背鬃、2根后背鬃和1根前腹鬃，末端有5根鬃；后足胫节有2根前背鬃、4根后背鬃和3~4根前腹鬃，末端有4根鬃。后足基跗节有2根腹鬃。

采集记录:1♂，佛坪，1997.Ⅵ.27，Toyohei Saigusa 采；2♂，佛坪，1997.Ⅵ.25，Toyohei Saigusa 采；1♂，佛坪，1997.Ⅶ.07，Toyohei Saigusa 采；1♂，佛坪，1997.Ⅵ.25，Toyohei Saigusa 采；1♂，柞水营盘林场，1850m，1997.Ⅵ.22，Toyohei Saigusa 采；2♂，柞水营盘林场，1850 m，1997.Ⅶ.10，Toyohei Saigusa 采；8♂，柞水，1997.Ⅶ.10，Toyohei Saigusa 采。

分布:陕西(佛坪、柞水)、河南。

(82) 内乡粗柄长足虻 *Sybistroma neixianganus* (Yang, 1999)

Ludovicius neixianganus Yang, 1999: 205.
Sybistroma qinlingensis: Brooks, 2005: 114.

鉴别特征:颜窄于触角第3节。眼后鬃黑色。触角暗黄色，但背面黑色；触角第3节背上角有些延长且尖；触角芒背位，黑色。喙黄褐色，须黑色。胸部腹侧片后部、下侧片前部和后胸侧板黄色。有6根强背中鬃，中鬃4~5根。足黄色；基节黄色；跗节自基跗节末端往外呈褐色至暗褐色。前足胫节有1根前背鬃和2根后背鬃；中足胫节有3根前背鬃、2根后背鬃和1根前腹鬃；中足基跗节有3根前腹鬃；后足胫节有2根前背鬃、4~5根后背鬃和5~6根腹鬃；后足基跗节有2根强腹鬃。

采集记录:2♂，作水营盘林场，1850m，1997.Ⅶ.10，Toyohei Saigusa 采。

分布:陕西(作水)、北京、河南。

(83)秦岭粗柄长足虻 *Sybistroma qinlingensis* (Yang *et* Saigusa, 2001)(图194)

Ludovicius qinlingensis Yang *et* Saigusa, 2001: 90.

Sybistroma qinlingensis: Brooks, 2005: 114.

鉴别特征:眼后鬃及后腹毛黑色。触角黑色，但第3节基腹区为黄色，长为宽的3倍，末端斜向延长。喙和须浅黑色。后胸侧板黄色。有6根强背中鬃，5~6对不规则的短毛状中鬃。小盾片有很短的侧鬃和2根短缘毛。足黄色；基节黄色，中足基节有1条黑色外条纹；跗节自基跗节端往外为褐色至暗褐色。前足胫节有1根前背鬃和2根后背鬃，末端有2根鬃；中足胫节有3根前背鬃、2根后背鬃和1根前腹鬃，末端有5根鬃；后足胫节有2根前背鬃、4根后背鬃和2根前腹鬃，末端有3根鬃。后足基跗节有2根腹鬃。

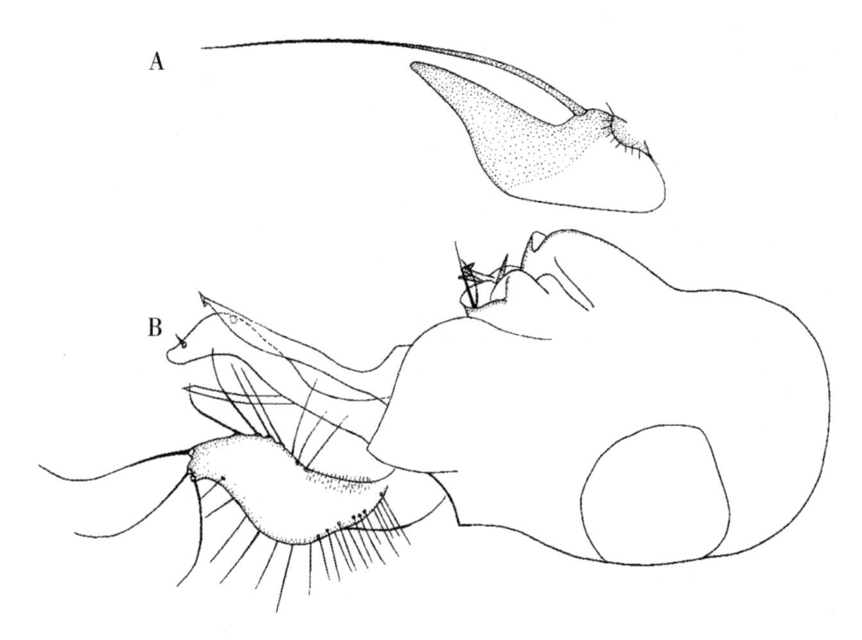

图194 秦岭粗柄长足虻 *Sybistroma qinlingensis* (Yang *et* Saigusa)(雄性)

A. 触角(antenna)；B. 雄性外生殖器(male genitalia)

采集记录: 2♂，佛坪，1997.Ⅵ.28，Toyohei Saigusa 采；7♂，柞水，1997.Ⅶ.06，Toyohei Saigusa 采；2♂，柞水，1997.Ⅶ.05，Toyohei Saigusa 采；2♂，柞水，1997.Ⅶ.10，Toyohei Saigusa 采；2♂，柞水营盘林场，1850m，1997.Ⅶ.10，Toyohei Saigusa 采。

分布: 陕西(佛坪、柞水)。

(84) 申氏粗柄长足虻 *Sybistroma sheni* (Yang *et* Saugsa, 1999)

Ludovicius sheni Yang *et* Saigusa, 1999: 190.

Sybistroma sheni: Brooks, 2005: 114.

鉴别特征: 中下眼后鬃及后腹毛浅黄色。触角黑色；第1节暗黄色，第3节长等于宽，端钝；触角芒端膨大。喙暗黄褐色，须黑色。有6~7对不规则的短毛状中鬃，6根强背中鬃。足黄色；前足基节黄色，中后足基节基部带浅黑色；前足第5跗节暗褐色，中后足跗节自基跗节端往外褐色至暗褐色。足毛和鬃淡黄色。前足胫节有1根前背鬃和2根后背鬃；中足胫节有2根前背鬃、2根后背鬃和1根前腹鬃；后足胫节有2根前背鬃、3~4根后背鬃和3~4根细前腹鬃。

采集记录: 24♂37♀，周至太白山，1565m，2014.Ⅷ.20，李轩昆采；1♂，佛坪，1997.Ⅵ.25，Toyohei Saigusa 采；2♂，柞水营盘林场，1850m，1997.Ⅶ.10，Toyohei Saigusa 采。

分布: 陕西(周至、佛坪、柞水)、北京、河南。

12. 银长足虻属 *Argyra* Macquart, 1834

Argyra Macquart, 1834: 456. **Type species**: *Musca diaphana* Fabricius, 1775.

Porphyrops Meigen, 1824: 45. **Type species**: *Musca diaphana* Fabricius, 1775.

Leucostola Loew, 1857: 39. **Type species**: *Dolichopus vestitus* Wiedemann, 1817.

属征: 体中到大型。雄性的胸和腹部通常有银色粉，雌性的腹部通常有黄斑。头部与胸部连接紧。头顶有些凹，后头区中部稍凹。雄性颜很窄(明显窄于触角第3节)，但是雌性的颜较宽，两边近平行。额很宽，向前稍微变窄。单眼瘤明显有2根长的单眼鬃和2根很短的后毛。1根长的顶鬃(雄性没有)和1根短的后顶鬃。亚属 *Leucostola* 的触角第1节光裸，而亚属 Argyra 触角第1节有背毛；触角第3节或短或长；触角芒背位到亚端位，有不明显的毛。喙和须很小。背中鬃6根，粗壮；中鬃呈单列或双列(偶尔4列)。1根肩鬃，1根肩后鬃，1根内肩鬃，1根缝鬃，2根背侧鬃，2根翅上鬃，1根翅后鬃。小盾片有2~3对鬃。前胸侧板上部有1根浅黄色的鬃，下部有1~2根浅黄色或黑色的鬃。后足基节有2~6根弱或强的竖直的外鬃。中足、后足腿节通常没有端前鬃。翅 M 中部通常有或弱或强的弯曲，R_{4+5}和 M 端部弱的会聚。雄性外生殖器第9背板的背侧突短或长，背叶和腹叶分开，下生殖板长，阳茎明显长，端部突出。

分布采集记录: 世界广布。全球已知有97种，中国有9种，秦岭地区有2种。

分种检索表

后足胫节有 12 根前背鬃和 14~15 根后背鬃，没有明显的腹鬃 …… **北京银长足虻 *A. beijingensis***
后足胫节有 3 根前背鬃、5 根后背鬃、1 根前腹鬃和 3 根后腹鬃 ………… **齿突银长足虻 *A. serrata***

（85）北京银长足虻 *Argyra beijingensis* Wang *et* Yang, 2004

Argyra beijingensis Wang *et* Yang, 2004: 386.

鉴别特征：颜与触角第 3 节约等宽。中下眼后鬃（包括腹毛）淡黄色。触角黑色；触角第 1 节黑色，有黑色背毛，第 2 节端部有 1 圈毛；触角第 3 节很大且明显延长，长约等于宽的 2.20 倍，端部稍尖；触角芒亚端位，着生于触角第 3 节的端部 1/3 处，长为触角第 3 节的 2.40 倍。喙褐色，须黑色。有 6 根强的背中鬃，6~7 对不规则的中鬃。足黄色；基节和转节黑色；前足、中足腿节基部腹面黑色，后足腿节端部 1/5 黑色；后足胫节基部的 1/5 和端部的 1/3 为黑色；前足、中足跗节自第 1 跗节端部向外呈褐色到黑褐色，后足跗节全黑色。足上毛和鬃黑色。前足基节有 5 根端毛，近基部有 3 根前鬃；中足基节有 6 根前鬃；后足基节有 4 根外鬃，其中基部 2 根很长。各足腿节有长的鬃状腹毛。前足胫节有 1 根前背鬃和 3 根后背鬃，端部有 2 根鬃；中胫节有 3 根前背鬃、3 根后背鬃、1 根前腹鬃和 3 根后腹鬃，端部有 4 根鬃；后足胫节有 12 根前背鬃和 14~15 根后背鬃，端部有 2 根鬃。翅具浅灰色；M 中部稍弯，R_{4+5} 和 M 端部会聚；CuAx 值为 0.53。腹部金绿色，第 2 背板具大的黄色侧斑。第 8 腹板有 2 根长鬃。

采集记录：2♂，周至太白山，1648m，2014.Ⅷ.18，李轩昆采；2♂1♀，宁陕火地塘，1505m，2013.Ⅶ.13，杨定采。

分布：陕西（周至、宁陕）、北京、宁夏。

（86）齿突银长足虻 *Argyra serrata* Yang *et* Saigusa, 2002（图 195）

Argyra serrata Yang *et* Saigusa, 2002: 86.

鉴别特征：中下眼后鬃（包括后腹毛）黄色。触角黑色；触角第 1 节有黑色背毛；触角第 3 节相当大且明显延长，长为宽的 2.40 倍，端部有些尖；触角芒亚背位。喙黑色，须浅黄色。有 6 根粗壮的背中鬃，有 6~7 对不规则的中鬃（两列有些接近）；小盾片有 2 对鬃，基对鬃长为端对鬃的 1/2。足黄色；中足基节或中是、后足基节基部带有褐色；跗节自第 1 跗节末端往外为浅黄褐色至褐色。前足基节毛和鬃黄色（近端部有 1 根前鬃和 5 根粗或细的端鬃），中足基节有 2 根前鬃，后足基节有 1 根长的和 1 根明显短的外鬃。中足腿节有 1 根端前鬃。前足腿节有黄色的长的后腹毛，但端部呈黑色。前足胫节有 3 根前背鬃、2 根后背鬃和长的后腹毛，末端有 2 根鬃；中足胫节有 3 根前背鬃、2 根后背鬃和 2 根前腹鬃和 1 ~ 2 根后腹鬃，末端有 4 根鬃；后足胫节有 3 根前背鬃、5 根后背鬃、1 根前腹鬃和 3 根后腹鬃，末端有 5 根鬃。

采集记录:2♂，佛坪，1997.Ⅵ.26，Toyohei Saigusa 采。

分布:陕西（佛坪）。

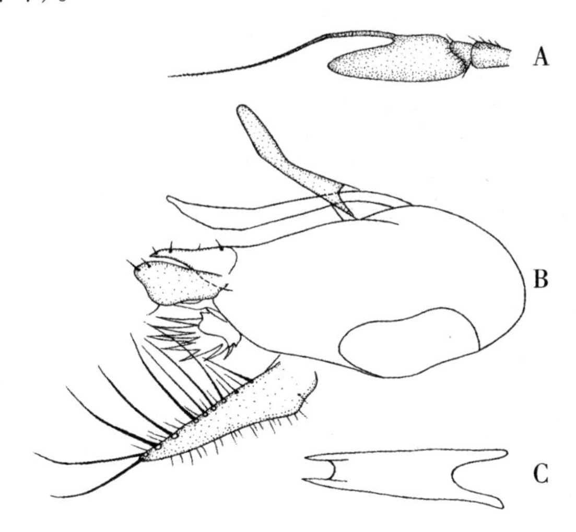

图 195　齿突银长足虻 *Argyra serrata* Yang *et* Saigusa（雄性）

A. 触角侧面观（antenna, lateral view）；B. 外生殖器侧面观（genitalia, lateral view）；C. 下生殖板腹面观（hypandrium, ventral view）

13. 隐脉长足虻属 *Asyndetus* Loew, 1869

Asyndetus Loew, 1869: 35. **Type species**: *Asyndetus ammophilus* Loew, 1869.

Anchineura Thomson, 1869: 506 [nomen oblitum]. **Type species**: *Anchineura tibialis* Thomson, 1869.

Meringopherusa Becker, 1902: 56. **Type species**: *Meringopherusa separata* Becker, 1902.

属征:小到中型（体长 1.50 ~ 4.50mm）。复眼都宽的分离。中鬃呈双列或不规则的双列；背中鬃通常有 5 ~ 6 根，较粗壮（有时只有 4 根）。前胸侧板下部有 2 ~ 3 根短鬃，上部有 1 ~ 2 根鬃。雄性爪垫有时延长。翅前缘脉中止于 R_{4+5}，即在翅的前端；M 通常弯曲或者在翅的端部 1/3 处变弱；横脉 m-cu 通常存在，位于基部，CuAx 值较小（小于 0.25）。雄性第 8 腹板通常有 4 根强而弯曲的鬃向后伸；第 9 背板近圆形；第 9 背板的侧突通常大而近三角形；尾须短而呈叶状。

分布:世界广布。全世界已知 100 种，中国目前已知 13 种，秦岭地区有 1 种。

(87)北京隐脉长足虻 *Asyndetus beijingensis* Zhang *et* Yang, 2003(图 196)

Asyndetus beijingensis Zhang *et* Yang, 2003: 356.

鉴别特征:中下眼后鬃(包括后腹毛)浅黄色。触角黑色,且第 3 节长为宽的0.83倍。喙黑色,须浅色。有 4 根长的背中鬃;6~7 对中鬃,小盾片有 2 对鬃。前胸侧板下部有 1 根黑色鬃。足全部黑色。前足腿节中部有紧挨着的 3 根后背鬃和 2 排腹鬃;中足腿节端部有 1 排前腹鬃;后足腿节有 1 排前背鬃、后背鬃和前腹鬃。前足胫节末端有 2 根鬃;中足胫节有 2~3 根前背鬃和 4 根后背鬃,末端有 3 根鬃;后足胫节有 2 根前背鬃和 2 根后背鬃,端半部有 1 排(约 12 根)密的长腹鬃,端部有 4 根鬃。各足无爪,前足延长的爪垫长于相应的第 5 跗节。R_{4+5}和 M 端部分离;CuAx 值为 0.18。腹部第 4 腹板有 1 对强的后鬃,第 8 腹板有 4 根强鬃。

采集记录:1♂2♀,柞水营盘镇,181m,2014.Ⅶ.31,毛娟采。

分布:陕西(柞水)、北京。

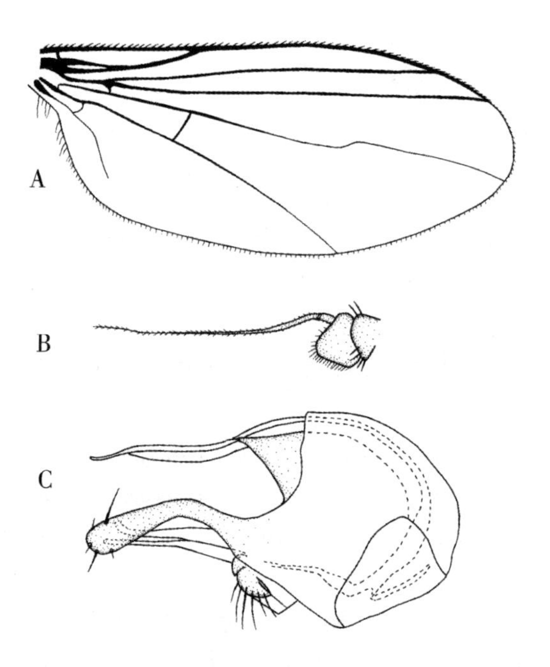

图 196 北京隐脉长足虻 *Asyndetus beijingensis* Zhang *et* Yang (雄性)
A. 翅(wing); B. 触角侧面观(antenna, lateral view); C. 外生殖器侧面观(genitalia, lateral view)

14. 小异长足虻属 *Chrysotus* Meigen, 1824

Chrysotus Meigen, 1824: 40. **Type species**: *Musca nigripes* Fabricius, 1794.

Lyroneurus Loew, 1857: 38. **Type species**: *Lyroneurus coerulescens* Loew, 1857.

属征:体小到中型，金绿色。头顶没有或只有浅的凹。额明显宽于颜，颜向下变窄或两侧平行。触角第1节光裸。雄虫触角第3节短小，触角芒亚端位。小盾片长从不等于宽。前胸侧板上部光裸或只有极少的鬃。中胸背板均匀突起或在小盾片之前大部分弱的平展。中后足腿节没有明显的端前鬃。腹部第1腹板光裸无毛。

分布:世界广布。全世界已知301种，秦岭地区有2种。

讨论:该属的一些种类与异长足虻属 *Diaphorus* 的种类极相似，但是该属额明显宽于颜，触角芒端位。而后者额很窄，复眼在额区多相接；颜宽，两侧平行；触角芒背位到中背位。

分种检索表

后足胫节有1排(约15根)前腹鬃 …………………………………… **尖角小异长足虻 *C. gramineus***

后足胫节没有明显的腹鬃……………………………………………… **短跗小异长足虻 *C. pulchellus***

(88)尖角小异长足虻 *Chrysotus gramineus* (Fallén, 1823)

Dolichopus gramineus Fallén, 1823: 19.

Dolichopus laesus Fallén, 1823: 19.

Diaphorus minimus Meigen, 1830: 360.

Chrysotus nigripes Walker, 1849: 652.

Chrysotus facialis Gerstäcker, 1864: 42.

Chrysotus microcerus Kowarz, 1874: 469.

Chrysotus angulicornis Kowarz, 1874: 474.

Chrysotus varians Kowarz, 1874: 471.

Chrysotus andorrensis Parent, 1938: 534.

Chrysotus arvernicus Vaillant *et* Brunhes, 1980: 362.

Chrysotus gramineus: Negrobov, 1991: 72.

鉴别特征:复眼在颜下部相接。中下眼后鬃(包括后腹毛)为浅黄色。触角黑色；触角第3节近三角形，宽大于长；触角芒在端部凹槽中。喙和须为浅黑色。有5对强的背中鬃，4~5对中鬃。足黄褐色；所有基节浅黑色；前足与中足腿节端部黄色，前、中足胫节黄色，后足胫节褐色；前足跗节黄色，中足跗节自第1节端部向外呈浅褐色到褐色，后足跗节褐色。前足腿节端部有3~4根后腹鬃；中足腿节端部2~3根前腹鬃和2~3根后腹鬃；后足腿节有端部有2~3根长的前腹鬃和2根后腹鬃。前足胫节基部1/4处有1根短的前背鬃，端部有横排的梳状毛和3根鬃；中足胫节有2根前背鬃和1根后背鬃，末端有4根鬃；后足胫节有2根前背鬃、1根后背鬃和1排

(约15根)前腹鬃，末端有横排的梳状毛和4根鬃。所有第1跗节有1排短腹鬃。

采集记录:1♂1♀，宁陕火地塘，1505m，2013.Ⅶ.13，杨定采。

分布:陕西(宁陕)、河北、山西、甘肃、贵州；俄罗斯，欧洲。

(89)短跗小异长足虻 *Chrysotus pulchellus* Kowarz，1874(图197)

Chrysotus pulcelllus Kowarz，1874：461.

Chrysotus taeniomerus var. b Zetterstedt，1843：485.

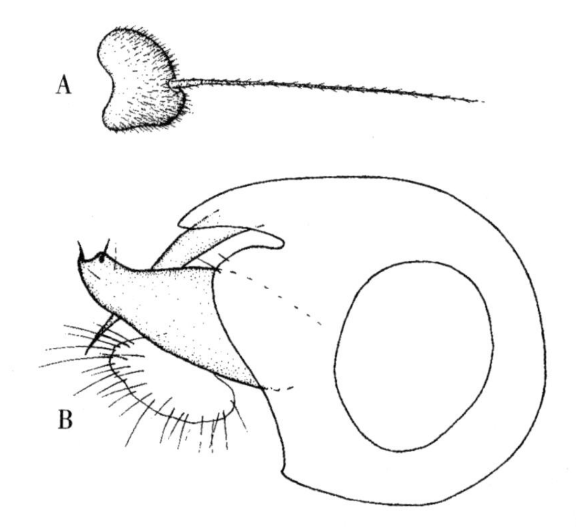

图197 短跗小异长足虻 *Chrysotus pulchellus* Kowarz (雄性)
A. 触角侧面观(antenna，lateral view)；B. 外生殖器侧面观(genitalia，lateral view)

鉴别特征:复眼在颜下部相接。中下眼后鬃(包括后腹毛)为浅黄色。触角黑色；触角第3节宽大，近方形，长稍大于宽；触角芒在端部凹槽中。喙和须为浅褐色。有5对强的背中鬃，3~4对中鬃，短毛状。足黄褐色；所有基节浅黑色；前、中足腿节端部黄色；前足、中足胫节黄色，后足胫节褐色，端半部暗褐色；前足、中足跗节自第3节端部向外呈暗黄色到褐色，后足跗节褐色。前足胫节基部1/4处有1根前背鬃，端部有横排的梳状毛和3根鬃；中足胫节有2根前背鬃和2根后背鬃，末端有4根鬃；后足胫节有3根前背鬃和2根后背鬃，末端有横排的梳状毛和4根鬃。所有第1跗节有1排短腹鬃。

采集记录:1♂1♀，周至板房子，1317m，2013.Ⅷ.10，张韦采。

分布:陕西(周至)、北京、河北、山西、甘肃、贵州；蒙古，俄罗斯，欧洲。

15. 异长足虻属 *Diaphorus* Meigen, 1824

Diaphorus Meigen, 1824: 32. **Type species**: *Diaphorus flavocinctus* Meigen, 1824 [= *Dolichopus oculatus* Fallén, 1823].

Brachypus Meigen, 1824: 34 (when quoting *Brachypus coeruleocephalus*, a manuscript name of Megerle).

Diaphora Macquart, 1834: 447. **Type species**: *Diaphorus hoffmannseggi* Meigen, 1830 [misid, = *oculatus* (Fallén), 1823].

Munroiana Curran, 1924: 229. **Type species**: *Diaphorus brunneus* Loew, 1858.

属征:体小到大型，金绿色。额窄；复眼在额相接或窄的分开；颜宽，两侧平行。触角第1节背面通常无毛；第3节短小，通常宽大于长，端部钝；触角芒背位。1对顶鬃和1对后顶鬃；眼后鬃单列，延伸至口缘。唇基与颜不明显分开。喙和须较短小。胸部中胸背板中后区弱的隆起。背中鬃有4~6根；小盾片一般有2对鬃，基对鬃短毛状。前胸侧板下部有1根鬃。有1根肩鬃，1~2根肩毛，1根肩后鬃，1根缝前鬃，1根缝鬃，2根背侧鬃，2根翅上鬃，1根翅后鬃。后足基节近基部有1根外鬃；中足、后足腿节没有明显的端前鬃，但端部有2~3根腹鬃；中足、后足胫节有强鬃。各足爪小或缺如，爪垫发达。翅大型，臀区发达，R_{4+5}与M端部平行。雄虫腹部6节可见，自基部向端部稍变窄，第6背板光裸；第8腹板有2~8根强鬃；雄性外生殖器小，不膨大，与生殖前节连接紧密，隐藏在腹部末端，盖帽状。

分布:世界性分布。全世界已知267种，中国记录48种，秦岭地区有3种。

分种检索表

1. 前足跗节没有爪 ································· 2
   前足跗节有1或2个爪 ································· **南坪异长足虻 *D. nanpingensis***
2. 中足跗节没有爪，后足跗节有1个爪 ································· **河南异长足虻 *D. henanensis***
   中后足跗节都有2个爪 ································· **秦岭异长足虻 *D. qinlingensis***

(90) 河南异长足虻 *Diaphorus henanensis* Yang *et* Saigusa, 1999

Diaphorus henanensis Yang *et* Saigusa, 2000: 203.

鉴别特征:有5~6对不规则的中鬃，短毛状，5根强的背中鬃。前胸侧板有1根浅色毛，下部有1根黑鬃。足黑色。跗节爪垫与第5跗节近等长；前足、中足跗节无爪，后足跗节有1个爪。足上毛和鬃均为黑色。前足基节有5~6根鬃，后足基节有2~3根鬃。前足腿节有2排腹鬃(其中后腹鬃较长)，后足腿节有明显腹毛。中足胫节有1根前背鬃和2根后背鬃，后足胫节有1根前背鬃和5~6根后背鬃。

采集记录:2♂，周至板房子，1317m，2013.Ⅷ.10，张韦采；1♂，宁陕火地塘，1505m，2013.Ⅶ.13，杨定采。

分布:陕西(周至、宁陕)、河南。

(91)南坪异长足虻 *Diaphorus nanpingensis* Yang *et* Saigusa, 2001(图 198)

Diaphorus nanpingensis Yang *et* Saigusa, 2001: 162.

鉴别特征:复眼在额区几乎相接。中下眼后鬃及后腹毛为淡黄色。触角黑色，触角第3节长为宽的0.60倍。喙和须浅黑色。有5根强背中鬃，7~8对不规则的中鬃，短毛状。足黑色。前足、中足腿节各有1排长的后腹毛；后足腿节有1排4根长的腹鬃。前足胫节末端有3根鬃；中足胫节有1根前背鬃和3根后背鬃，末端有4根鬃；后足胫节有2根前背鬃和4根后背鬃，末端有4根鬃。足有延长的爪和爪垫；前足、中足各有1个爪，后足有2个爪。

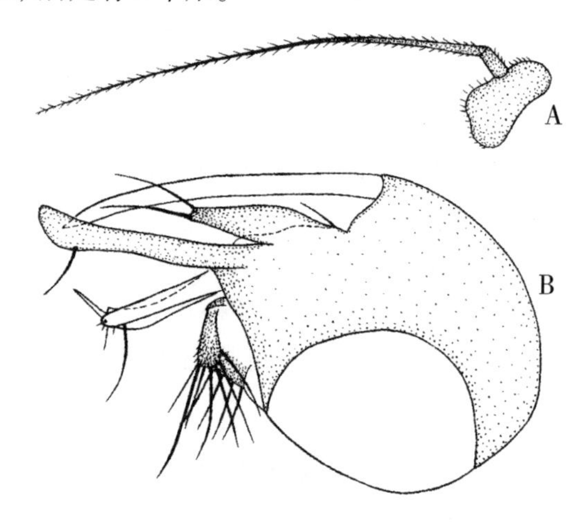

图198 南坪异长足虻 *Diaphorus nanpingensis* Yang *et* Saigusa (雄性)
A. 触角侧面观(antenna, lateral view); B. 外生殖器侧面观(genitalia, lateral view)

采集记录:2♂10♀，佛坪王口上，1450m，1997.Ⅵ.25，Toyohei Saigusa 采；2♂4♀，柞水水磨坪，1650m，1997.Ⅶ.05，Toyohei Saigusa 采。

分布:陕西(佛坪、柞水)、四川。

(92)秦岭异长足虻 *Diaphorus qinlingensis* Yang *et* Saigusa, 2005(图 199)

Diaphorus qinlingensis Yang *et* Saigusa, 2005: 753.

鉴别特征:复眼在额区长距离相接。颜相当宽，侧缘平行。眼后鬃及后腹毛黑色。触角黑色；触角第3节相当短，长为宽的0.60倍。喙和须黑色。有5~6对不规则的中鬃，6 根强背中鬃。足全黑色。前足、中足腿节各有 1 排长的前腹鬃和后腹鬃；中足腿节端部有 3 根前腹鬃；后足腿节端有 3 根前腹鬃。前足胫节有 1 根前背鬃和 3 根后背鬃，端部有 3 根鬃；中足胫节有 2 根前背鬃、2 ~4 根后背鬃和 2 根前腹鬃，端部有 4 根鬃；后足胫节有 5 根前背鬃和 6 根后背鬃，端部有 3 根鬃。前足跗节无爪，延长的爪垫几乎等于第 5 跗节，中后足跗节有 2 小爪和 2 小爪垫。

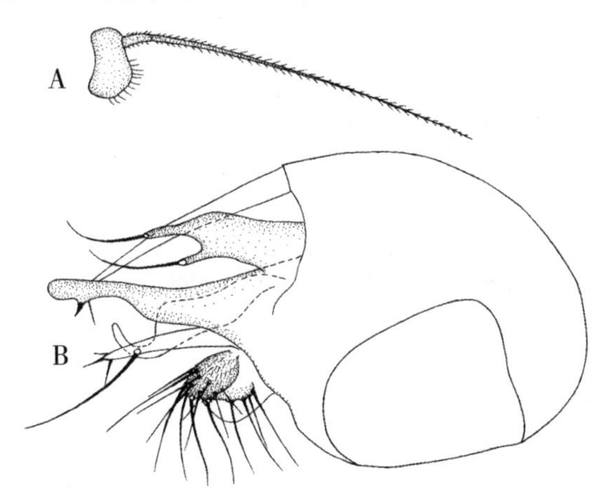

图 199 秦岭异长足虻 *Diaphorus qinlingensis* Yang *et* Saigusa（雄性）

A. 触角侧面观（antenna, lateral view）；B. 外生殖器侧面观（genitalia, lateral view）

采集记录:1♂1♀，佛坪王口上，1450m，1997.Ⅵ.25，Toyohei Saigusa 采；佛坪东河口，1500m，1997.Ⅶ.25，Toyohei Saigusa 采；1♂1♀，佛坪大店子，1800m，1997.Ⅶ.26，Toyohei Saigusa 采；1♀，佛坪大坪至桦木桥，1600m，1997.Ⅶ.28，Toyohei Saigusa 采；2♀，柞水水磨坪，1500m，1997.Ⅶ.06，Toyohei Saigusa 采。

分布:陕西（佛坪、柞水）。

16. 锥长足虻属 *Rhaphium* Meigen, 1803

Rhaphium Meigen, 1803: 272. **Type species**: *Rhaphium macrocerum* Meigen, 1824.

Anglearia Carlier, 1835: 659. **Type species**: *Anglearia antennata* Carlier, 1835.

Xiphandrium Loew, 1857: 36. **Type species**: *Rhaphium quadrifilatum* Loew, 1857 [= *Rhaphium ensicorne* Meigen, 1824].

Hydrochus Fallén, 1823: 5 (nec Leach, 1817). **Type species**: *Hydrochus longicornis* Fallen, 1823.

属征:小到大型（体长 1.50 ~5.70mm）。头顶平而不凹。单眼鬃与顶鬃几乎等长。雄性颜明显窄于额，无明显的唇基缝。触角黑色；触角第 3 节明显延长（长为宽的 2 ~8 倍）；触角芒端位。雄性的触角第 3 节多长于雌性。前胸侧板常有密的白色长毛，极少有强鬃。后足基节上的外鬃或有或无；中足、后足腿节有端前鬃。翅 M 脉直，不分叉，R_{4+5}和 M 端部平行，CuAx 值小于 1。腹部 6 节可见，第 1 ~3 节常有白色长毛，第6节有毛，第8节无强鬃。雄性外生殖器相当小，不膨大，与生殖前节连接紧密，盖帽状；尾须长，向端部变窄，有中等长度的毛和鬃。

分布：除澳洲区以外各动物地理区都有分布。全世界已知185种，中国记录20种，秦岭地区有2种。

分种检索表

触角第3节长大于宽的4倍………………………………………… **榆林锥长足虻 *R. parentianum***
触角第3节长小于宽的2.50倍 ………………………………………… **异突锥长足虻 *R. dispar***

(93) 异突锥长足虻 *Rhaphium dispar* Coquillett, 1898

Rhaphium dispar Coquillett, 1898: 319.
Porphyrops popularis Becker, 1922: 60.
Porphyrops argyroides Parent, 1926: 137.

鉴别特征：触角第3节长宽比为2.30∶1.20，触角芒与触角第3节的长度比为5.60∶2.30。须褐黄色，眼后鬃发白。5对背中鬃。小盾片有2根强鬃和2根柔的侧鬃。足黄色(前足腿节和前、中、后足跗节暗色)；腿节基部和中足腿节近端部背面有黑斑。前足基节有浅黄色毛和端部有几根黑色鬃。中足基节近基部有浅色毛，端部但有黑色鬃。后足基节有1根强的黑色鬃和1~2根较弱的黑鬃及白色的毛；前足腿节有白色的长毛、端部有黑毛，端部有2~3根长的黑鬃，前足胫节有3根前背鬃，2~3根后背鬃。前足第1跗节弯曲，基半部有强的黑腹鬃；前足第2跗节端半部强烈隆起，有腹鬃。中足腿节基半部有长的浅色腹毛，端部有1~2根前腹鬃和1~2根后腹鬃，中足胫节有2~3根前背鬃，4~5根后背鬃和1根前腹鬃，中足跗节第1节有2根强腹鬃(2.00~2.50倍于该节的宽度)。后足腿节端部有1根短鬃，后足胫节有4~5根前背鬃和4~5根后背鬃。尾须长，基部1/3处扩大，具长的黑鬃，长于下生殖板。

采集记录：1♂，周至厚畛子，1235m，2013.Ⅷ.11，张韦采；1♂，周至厚畛子，1278m，2014.Ⅷ.16，李轩昆采。

分布：陕西(周至)、浙江、台湾、四川、贵州；俄罗斯，日本。

(94) 榆林锥长足虻 *Rhaphium parentianum* Negrobov, 1979(图200)

Porphyrops intermedium Parent, 1944: 130(nec Becker, 1918).
Rhaphium parentianum Negrobov, 1979: 516 (new name for *Porphyrops intermedium* Parent, 1944).

鉴别特征：触角黑色；触角第3节极其延长，长是宽的4倍；触角芒短粗，明显短于触角第3节，端部膨大。中下眼后鬃及后腹毛为淡黄色。颜向下变窄；复眼在颜窄的分开。喙和须黑色。前胸侧板上下部都有白毛，上部的毛多。有6对背中鬃；中鬃呈单列，短毛状。小盾片有2根长的端鬃和2根短的侧鬃。足主要为黄色（前足基节窄的基部、中后足基节和各足基跗节端部向外为褐色）。足毛和鬃黑色；各足基节上的毛和鬃白色。前足腿节基部2/3处有淡黄色前腹鬃和后腹鬃，后足腿节有1根端前侧鬃；前足胫节有2根前背鬃和2根后背鬃；中足胫节基半部有2根前背鬃和2根后背鬃，端部1/3处有1根后腹鬃，端部有4根鬃；后足胫节基半部有2根前背鬃和2根后背鬃，端部有3根鬃。腹部金绿色，有黑色毛和鬃，第1、2背板两侧有白毛。

采集记录：1♂，榆林，1922.Ⅶ.22，采集人不详。

分布：陕西（秦岭、榆林）。

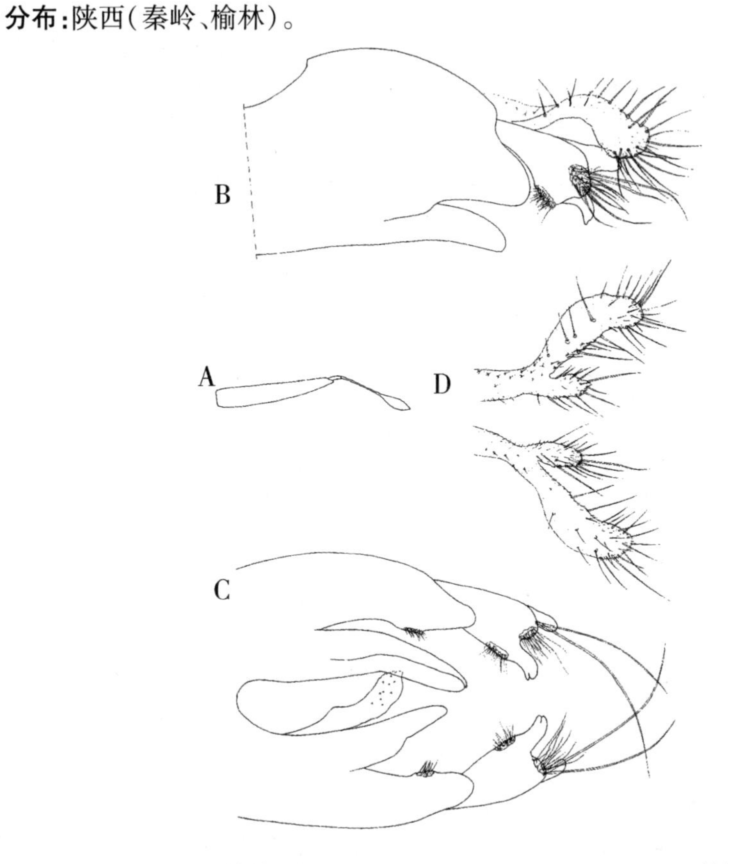

图200　榆林锥长足虻 *Rhaphium parentianum* Negrobov（雄性）

A. 触角侧面观（antenna, lateral view）；B, C. 外生殖器（genitalia）：B. 侧面观（lateral view）；C. 腹面观（ventral view）；D. 尾须背面观（cercus, dorsal view）

17. 短跗长足虻属 *Chaetogonopteron* de Meijere, 1914

Chaetogonopteron de Meijere, 1914: 96. **Type species**: *Chaetogonopteron appendiculatum* De Meijere, 1914.

Pycsymnus Frey, 1925: 20. **Type species**: *Sympycnus mutatus* Becker, 1922.

Hoplignusus Vaillant, 1953: 11. **Type species**: *Hoplignusus bernardi* Vaillant, 1953.

属征:体小到大型(体长1.25~6.00mm, 翅长1.50~5.70mm)。头部金绿色, 有灰白粉; 额部有薄粉。头顶平, 不凹, 后头明显。单眼瘤弱, 有1对强的单眼鬃; 顶鬃与单眼鬃近等长, 后顶鬃短于顶鬃。颜明显窄于额, 有时中部明显变窄, 有唇基缝, 唇基侧缘与复眼内缘分开。触角第1节无背毛, 第3节近三角形, 有时明显延长; 触角芒背位, 有短的细毛。喙和须短小。胸部隆起, 中胸背板中后区不平。中鬃单列或双列, 偶尔缺如; 背中鬃5~6对。1根肩鬃, 1根肩后鬃, 1根内肩鬃, 1根缝鬃, 2根背侧鬃, 2根翅上鬃, 1根翅后鬃。前胸侧板下部有1根鬃。后足基节基部1/3处或靠中部有1根外鬃, 中后足腿节有1根端前鬃。后足第1跗节明显缩短。雄性有时第1、2跗节均缩短, 第2跗节端部常有浅色的腹突。翅通常白色透明, R_{4+5}和M端部几乎平行, M较直。雄性外生殖器很小, 隐藏在腹部末端, 与生殖前节连接紧密, 不明显, 盖帽状。

分布:东洋区, 澳洲区。全世界已知76种, 中国记录39种, 秦岭地区有1种。

(95) 黄斑短跗长足虻 *Chaetogonopteron luteicinctum* (Parent, 1926) (图201)

Sympycnus luteicinctum Parent, 1926: 134.

Chaetogonopteron luteicinctum: Yang, Zhu, Wang & Zhang, 2006: 472.

鉴别特征:复眼在颜相接。眼后鬃及后腹毛淡黄色。触角黄色; 第3节近三角形, 长几乎等于宽。后胸侧板为黄色或暗黄色。有6根强背中鬃, 中鬃呈单列, 7~8根; 小盾片有2对鬃和4根淡黄色短毛。足黄色; 基节黄色, 中足基节有1条黑色中纵条, 后足腿节端部为黑色; 所有跗节自第1跗节向外呈浅褐色到褐色。前足基节有5~6根鬃; 中足基节近端部有1根前鬃; 后足基节基部有1根外鬃。前足胫节端半部有1排(6根)背鬃; 中足胫节有3根前背鬃、1根后背鬃和1根前腹鬃, 端部有4根鬃; 后足胫节有1根前背鬃、3根后背鬃、1根前腹鬃和2根后腹鬃, 末端有3根鬃。腹部金绿色, 第2、3背板两侧各有1个大黄斑(有时第2背板或第2、3背板几乎全黄色), 第1~4腹板黄色至暗黄色。

采集记录: 2♂, 周至厚畛子, 1235m, 2013.Ⅷ.11, 张韦采; 3♂, 柞水牛背梁, 1000m, 2013.Ⅶ.26, 王玉玉采。

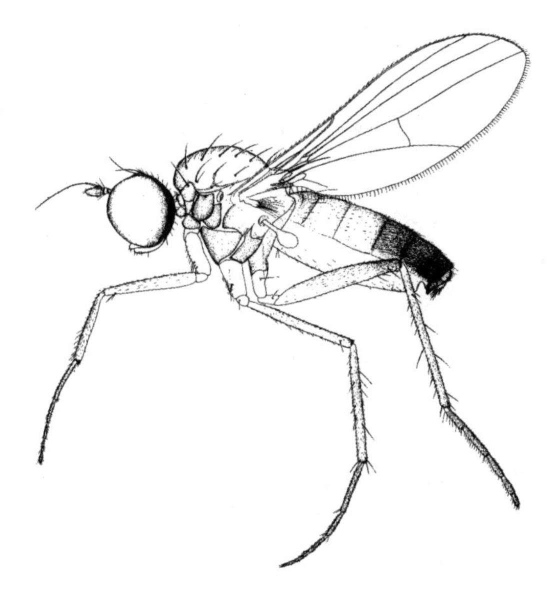

图 201　黄斑短跗长足虻 *Chaetogonopteron luteicinctum* (Parent)（雄性）

分布:陕西(周至、柞水)、河南、上海、浙江、福建、广东、广西、云南。

18. 圆角长足虻属 *Lamprochromus* Mik, 1878

Lamprochromus Mik, 1878: 4. **Type species**: *Chrysotus elegans* Meigen, 1830.

属征:体小型(体长小于 2mm)。头顶平。单眼瘤弱，有 1 对强的单眼鬃，1 对顶鬃。额和颜宽，向下变窄。触角第 3 节半圆形；触角芒端背位，有短的细毛。喙和须短小。中胸背板中后区不平。中鬃双列，背中鬃有 3 ~ 4 根。1 根肩鬃，1 根肩后鬃，1 根内肩鬃，1 根缝鬃，2 根背侧鬃，1 根翅上鬃，1 根翅后鬃。前胸侧板下部有 2 根鬃。中足、后足基节各有 1 根外鬃；中后足腿节有明显的端前鬃。后足第 1 跗节短于第 2 跗节。翅白色透明，CuAx 值小于 1；M 较直，R_{4+5}和 M 端部平行。雄性外生殖器很小，与生殖前节连接紧密，盖帽状。

分布:古北区，新北区。世界已知 12 种，中国只记录 1 种，分布在陕西。

(96) 雅圆角长足虻 *Lamprochromus amabilis* Parent, 1944

Lamprochromus amabilis Parent, 1944: 122.

鉴别特征:中下眼后鬃(包括后腹毛)浅黄色。触角第 1、2 节黄色；第 3 节黑色，近半圆形，宽大于长；触角芒端背位。喙褐色，须暗黄色。胸部金绿色，后胸侧板黄褐色。背中鬃4 根，中鬃5 对。足黄色，所有跗节自第 1 跗节向外褐色到暗褐色。前足胫节基部有1根前背鬃，端部有2根短鬃；中足胫节有2根前背鬃、2根后背鬃(前背鬃长于后背鬃)和1根后腹鬃，端部有3根鬃；后足胫节有2根前背鬃和3根后背鬃，端部具3根鬃。翅白色透明，R_{4+5}和M端部有些会聚，M脉中部稍弯。腹部金绿色，第3背板侧区黄褐色。

采集记录: 1♂，榆林，1922.Ⅶ.22，采集人不详。

分布: 陕西(秦岭、榆林)。

19. 嵌长足虻属 *Syntormon* Loew, 1857

Syntormon Loew, 1857: 35. **Type species**: *Rhaphium metathesis* Loew, 1850.

Synarthrus Loew, 1857: 35. **Type species**: *Musca pallipes* Fabricius, 1794.

Plectropus Haliday, 1832: 353. **Type species**: *Musca pallipes* Fabricius, 1794.

Eutarsus Loew, 1857: 45. **Type species**: *Porphyrops aulicus* Meigen, 1824.

Bathycranium Strobl, 1892: 103. **Type species**: *Dolichopus bicolorellum* Zettertedt, 1843.

Drymonoeca Becker, 1907: 108. **Type species**: *Drymonoeca calcarata* Becker, 1907.

属征: 雌虫和雄虫复眼均为离眼式。颜向下变窄。触角第2节端部有1个长的指状突伸入触角第3节基部的凹陷内；触角第3节延长，触角芒端位或亚端位。喙和须都很小。中胸背板中后区不平。有6根强的背中鬃，1根肩鬃，2根背侧鬃，1根缝鬃，1根翅上鬃，1根翅后鬃。小盾片侧对鬃为短毛状。前胸侧板被浅色的毛。中、后足基节都有1根外鬃，中足、后足腿节都有1根端前鬃。R_{4+5}和M端部稍会聚。

分布: 世界广布。全世界已知105种，中国记录15种，秦岭地区有3种。

讨论: 嵌长足虻属 *Syntormon* 外表体现长足虻亚科的特点，但是雄性外生殖器的特征与长足虻亚科的很不一样。可能是因为该属的触角第3节明显长，在东洋区长足虻名录里，Dyte (1975)把它放到了锥长足虻亚科 Rhaphiinae 里。Negrobov(1991)在古北区名录里把它放到了合长足虻亚科，雄性外生殖器的特征与合长足虻亚科的很相似。

分种检索表

1. 后足第1跗节基部有腹突 ………………………………… **浅色嵌长足虻 *S. pallipes***
   后足第1跗节基部没有腹突 ………………………………………………………… 2
2. 触角第3节长为宽的4.20倍；触角芒长为触角第3节的0.20倍，后足胫节有1排(11~12根)后腹鬃 ………………………………… **河南嵌长足虻 *S. henanensis***
   触角第3节长为宽的3.50倍；触角芒几乎与触角第3节等长；后足胫节没有明显的后腹鬃 ………………………………… **峨眉嵌长足虻 *S. emeiense***

(97) 峨眉嵌长足虻 *Syntormon emeiensis* Yang *et* Saigusa, 1999

Syntormon emeiense Yang *et* Saigusa, 1999: 248.

鉴别特征:颜明显窄于触角第3节的宽。中下眼后鬃(包括后腹毛)为淡黄色。触角黑色；第3节明显延长，长为宽的3.30倍。背中鬃有6根，有5~6对不规则的中鬃。前胸侧板被淡黄色毛。足黄色；前足基节黄色，中足、后足基节黑色；前足、中足跗节自第1跗节末端往外暗褐色至黑色，后足跗节黑色。足上毛和鬃黑色；前足基节有淡黄色毛和4根端鬃；中足基节基部有淡色毛，端部有黑色的毛和鬃，后足基节有淡黄色毛和1根外鬃。前足胫节没有明显背鬃，中足胫节有3根前背鬃和1根后背鬃，后足胫节有2根前背鬃和4根后背鬃。腹部金绿色，第1腹板有淡黄色毛。

采集记录:1♂2♀，周至老县城，2057m，2014.Ⅷ.19，李轩昆采。

分布:陕西(周至)、四川、贵州。

(98)河南嵌长足虻 *Syntormon henanensis* Yang *et* Saigusa, 2000(图202)

Syntormon henanensis Yang *et* Saigusa, 2000: 207.

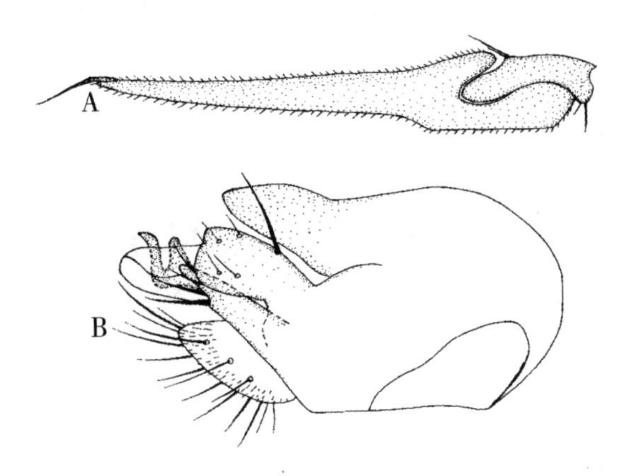

图202　河南嵌长足虻 *Syntormon henanensis* Yang *et* Saigusa(雄性)

A. 触角侧面观(antenna, lateral view); B. 外生殖器侧面观(genitalia, lateral view)

鉴别特征:中下眼后鬃及腹毛淡黄色。触角黑色；第3节很长；触角芒相当短，端位。喙浅黑色，须黑色。有6根强背中鬃；中鬃有7~8根。小盾片有2根强小盾鬃，2根弱侧小盾鬃，在小盾鬃之间有2根弱毛。足黄色；前足基节黄色，中足、后足基节除窄的端部外为黑色；后足腿节端部黑色；前足、中足跗节自第1跗节端往外为黑色，但第2跗节基部颜色有些浅；后足跗节黑色，但第1跗节基部有时黄褐色。中足胫节有3~4根前背鬃和1根后背鬃；后足胫节有1根前背鬃、5根后背鬃、1~2根前腹鬃和1排(11~12根)后腹鬃。后足第1跗节基部有1根后腹鬃。腹部金绿色，但第1~3节的背板两侧和腹板有淡黄色毛。

采集记录:1♂，周至厚畛子，1235m，2013.Ⅷ.11，张韦采；2♂5♀，周至老县城，

1800m，2013.Ⅷ.12，常文程采；1♂，周至老县城，1800m，2013.Ⅷ.12，李轩昆采；6♂21♀，佛坪凉风垭 2100m，1997.Ⅵ.24，Toyohei Saigusa 采；4♂12♀，柞水营盘林场，1750m，1997.Ⅵ.21，Toyohei Saigusa 采。

分布：陕西（周至、佛坪、柞水）、河南、云南。

(99) 浅色嵌长足虻 *Syntormon pallipes* (Fabricius, 1794)（图 203）

Musca pallipes Fabricius, 1794: 340.

Rhaphium hamatus Zetterstedt, 1843: 475.

Syntormon pallipes: Negrobov, 1991: 55.

鉴别特征：中下眼后鬃及后腹毛淡黄色。触角黑色；触角第 3 节长约为宽的 3.70 倍，向端部逐渐变细；触角芒端位，短于触角第 3 节（长为触角第 3 节的 0.60 倍）。喙和须黑色。中鬃单列有 5～6 根，背中鬃 6 根。足黄色；前足基节黄色，中、后足基节黑色；后足腿节端部 1/4 处为黑色；中足胫节最端部和后足胫节端部 1/3 处为黑色；跗节黑色。前足胫节基部 1/4 处有 1 根后背鬃，端部有横排的梳状毛；中足胫节有 3 根前背鬃、1 根后背鬃和 1 根前腹鬃，端部有4 根鬃；后足胫节有 3～4 根前背鬃、4～5 根后背鬃、1 排（约 16 根）前腹鬃和5～6根后腹鬃，端部有 4 根鬃。后足第 1 跗节基部腹面有 2 个相同的钩状突起，端部腹面有横排的梳状毛。

图 203 浅色嵌长足虻（雄性）
Syntormon pallipes (Fabricius)

采集记录：1♂，佛坪大店子，1997.Ⅶ.07，杨定。

分布：陕西（佛坪）、北京、河南、青海、新疆、贵州；俄罗斯，土耳其，欧洲，非洲北部。

20. 脉胝长足虻属 *Teuchophorus* Loew, 1857

Teuchophorus Loew, 1857: 44. **Type species**: *Dolichopus spinigerellus* Zetterstedt, 1843.

Mastigomyia Becker, 1924: 121. **Type species**: *Mastigomyia gratiosa* Becker, 1924.

Olegonegrobovia Grichanov, 1995: 125. **Type species**: *Olegonegrobovia zlobini* Grichanov, 1995.

Paresus Wei, 2006. Insects from Fanjingshan Landscape: 493. **Type species**: *Paresus moniasus* Wei, 2006. **Syn. nov**.

属征:体小型(体长1.20~2.00mm,翅长1.30~2.00mm)。额宽,向下变窄。2根顶鬃,2根单眼鬃。颜向下变窄,雄性复眼相接。触角第1节光裸,第3节近似圆锥形,触角芒背位。胸部亮金绿色,侧板褐色。中鬃单列(极少情况下缺如),背中鬃有5根。1根肩鬃,1根肩后鬃,1根内肩鬃,1根缝鬃,2根背侧鬃,2根翅上鬃,1根翅后鬃。足黄色或褐色。后足基节有1根外鬃。中、后足腿节有1根端前腹鬃,中足胫节常有不规则的腹鬃。翅通常白色透明;R_{4+5}和M端部几乎平行,M在m-cu之后的一段明显向前隆起,横脉m-cu倾斜与Cu脉夹角为明显的钝角(近145°)。雄虫R_1端部和R_{2+3}端部之间的前缘脉部分常加粗。雄性腹部,圆柱形,可见6节几乎均匀粗细,第6背板有毛。雄性外生殖器很小,隐藏在腹部末端,与生殖前节连接紧密,不明显,盖帽状。

分布:全球广布。全世界已知115种,秦岭地区发现2种。

分种检索表

后足胫节有2根后背鬃和1排9~10根前腹鬃 ························ **云南脉胝长足虻 *T. yunnanensis***
后足胫节有3~4根后背鬃和5~7根前腹鬃 ································ **中华脉胝长足虻 *T. sinensis***

(100)中华脉胝长足虻 ***Teuchophorus sinensis*** **Yang *et* Saigusa, 2000**(图204)

Teuchophorus sinensis Yang *et* Saigusa, 2000: 205.

鉴别特征:复眼明显分开,颜向下渐变窄。眼后鬃及后腹毛黑色。触角黑色;触角第3节近三角形,长等于宽;触角芒背位。喙和须黑色。中鬃6根,单列;6根强的背中鬃。足黄色,各足跗节自第2跗节末端往外呈褐色至暗褐色。后足腿节有明显腹毛,端部有2根长的前腹鬃;中足胫节有2根前背鬃、1根后背鬃和1根前腹鬃;后足胫节有1排(5~7根)前腹鬃(稍长于后足胫节宽)和3~4根后背鬃。后足第1跗节有2~3根短腹鬃。前缘胝不明显;R_{4+5}与M端部弱的分开,M在m-cu之后稍向前凸,m-cu倾斜。

采集记录:2♂1♀,宁陕火地塘,1505m,2013.Ⅶ.13,杨定采。

分布:陕西(宁陕)、河南、浙江、四川;韩国。

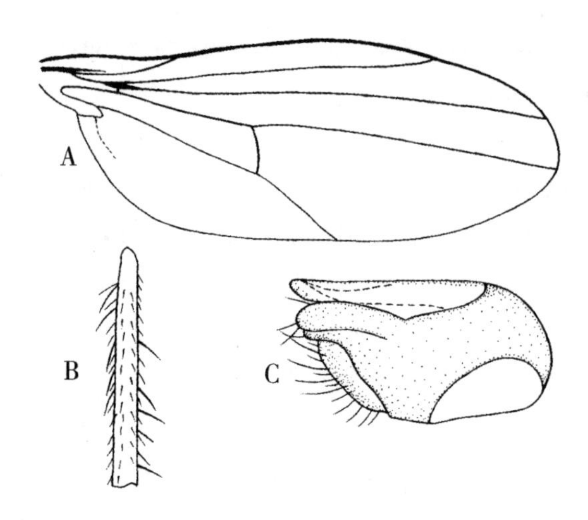

图 204 中华脉胝长足虻 *Teuchophorus sinensis* Yang *et* Saigusa（雄性）
A. 翅（wing）；B. 后足胫节侧面观（hind tibia, lateral view）；C. 外生殖器侧面观（genitalia, lateral view）

（101）云南脉胝长足虻 *Teuchophorus yunnanensis* Yang *et* Saigusa, 2001

Teuchophorus yunnanensis Yang *et* Saigusa, 2001: 175.

鉴别特征:复眼在颜处明显分开。眼后鬃（包括后腹毛）黑色。触角黑色；触角第3节近三角形，长等于宽；触角芒背位。喙暗褐色，须黑色。背中鬃有6根；中鬃有6～7根，单列。小盾片有2对鬃（基对鬃很短，毛状），在2根端鬃之间有3～4根很短的缘毛。足黄色，基节黄色，跗节自第1跗节末端往外浅黄褐色至褐色。前足腿节端部有3根后腹鬃，后足腿节有长毛状前腹鬃和后腹鬃各1排。中足胫节有2根前背鬃、1根后背鬃和1根前腹鬃，末端有4根鬃；后足胫节有2根后背鬃和1排（9～10根）长毛状的前腹鬃。R_{4+5}与M端部平行，无前缘胝，CuAx值0.40。腋瓣黄色，边缘暗褐色，有黑毛。平衡棒黄色。

采集记录:3♂4♀，周至太白山，1648m，2014.Ⅷ.17，李轩昆采；3♂，周至厚畛子，1278m，2014.Ⅷ.16，李轩昆采。

分布:陕西（周至）、云南。

21. 黄鬃长足虻属 *Chrysotimus* Loew, 1857

Chrysotimus Loew, 1857: 48. **Type species**: *Chrysotimus pusio* Loew, 1857.

Guzeriplia Negrobov, 1968: 470. **Type species**: *Guzeriplia chlorina* Negrobov, 1968.

属征:体小型（1.40～2.80mm）。体金绿色。头部和胸部的毛和鬃通常为黄色，有时胸部的毛和鬃为浅褐色。额宽，向前变窄；颜窄于额，两侧平行。复眼分离。触角第3节小，通常为半圆形，宽大于或等于长，端部钝；触角芒背位到端位。胸部阔，中胸背板中后域明显平。背中鬃有4~6对，中鬃呈双列或缺如。足常黄色或浅褐黄色，第5跗节褐色。后足基节近中部有1根外鬃，中足、后足腿节常有端前鬃，前足胫节没有明显的背鬃，但中足、后足胫节有明显的前背鬃和后背鬃；绝大多数雄虫后足第1跗节基部有一些黑色竖直的短腹鬃，并且雄虫中足基跗节一般至少与第2~4跗节之和等长。雄性外生殖器小，隐藏在腹部末端，盖帽状。

分布：除非洲热带区外，世界其他动物地理区均有分布。世界已知67种，秦岭地区有7种。

讨论：*Guzeriplia* Negrobov 1968 体现了 *Chrysotimus* 的下列特征：头和胸部的毛和鬃通常为黄色，中鬃双列。但是 *Guzeriplia* 的雄性外生殖器大而长（几乎与腹部等长），背侧突和尾须长。Bickel（2004）认为这些应该在后者的变化范围之内，可能是一个异名；我们认同 Bickel 的观点，于2006年把 *Guzeriplia* 处理为 *Chrysotimus* 的异名。

分种检索表

1. 背中鬃有4~5根；中鬃缺如 …… 2
   背中鬃有6根，中鬃存在 …… 3
2. 后足第1跗节基部有3~4根短的刺状腹鬃 …… **松山黄鬃长足虻 *C. songshanus***
   后足第1跗节基部约有10根 …… **神农架黄鬃长足虻 *C. shennongjianus***
3. 中鬃2~4对 …… 4
   中鬃多于5对 …… 6
4. 后足第1跗节基部有8~12根黑色腹鬃，没有明显的后腹鬃 …… **云龙黄鬃长足虻 *C. yunlonganus***
   后足第1跗节基部有1（或2）簇黑色腹鬃，有7~8根后腹鬃 …… 5
5. R_{4+5}和M端部平行，后足第1跗节基部有1束4~5根黑色腹鬃 …… **单束黄鬃长足虻 *C. unifascia***
   R_{4+5}和M端部有些会聚，后足第1跗节基部有2束3~4根黑色腹鬃 …… **双束黄鬃长足虻 *C. bifascia***
6. 后足第1跗节基部有10~12根黑色腹鬃，中足胫节没有明显的腹鬃 …… **秦岭黄鬃长足虻 *C. qinlingensis***
   后足第1跗节基部有20根黑色腹鬃，中足胫节有1根后腹鬃 …… **多毛黄鬃长足虻 *C. setosus***

（102）双束黄鬃长足虻 *Chrysotimus bifascia* Yang *et* Saigusa, 2005（图205）

Chrysotimus bifascia Yang *et* Saigusa, 2005: 751.

鉴别特征:复眼明显分开。触角黑色；触角第3节短，长为宽的0.65倍；触角芒上端位。喙黑色，须黄色。胸部亮金绿色，有6根粗背中鬃，3对不规则的中鬃，位于第2根背中鬃之前。足黄色，第5跗节暗褐色。足上毛和鬃淡黄色。中足胫节有2根前背鬃和2根后背鬃，末端有3根鬃；后足胫节有2根前背鬃和2根后背鬃，末端有3根鬃。后足第1跗节有2束3~4根浅黑短腹鬃位于最基部和1排7~8根后腹鬃。

采集记录:2♂，佛坪大店子，1800m，1997.Ⅵ.26，Toyohei Saigusa 采；2♂，佛坪大店子，1650m，1997.Ⅶ.07，Toyohei Saigusa 采；8♂，柞水核桃坪，1550m，1997.Ⅵ.18，Toyohei Saigusa 采；7♂，柞水核桃坪，1500m，1997.Ⅵ.20，Toyohei Saigusa 采；7♂，柞水营盘林场，1750m，1997.Ⅵ.21，Toyohei Saigusa 采；1♂，柞水营盘林场，1850m，1997.Ⅵ.22，Toyohei Saigusa 采。

分布:陕西(佛坪、柞水)。

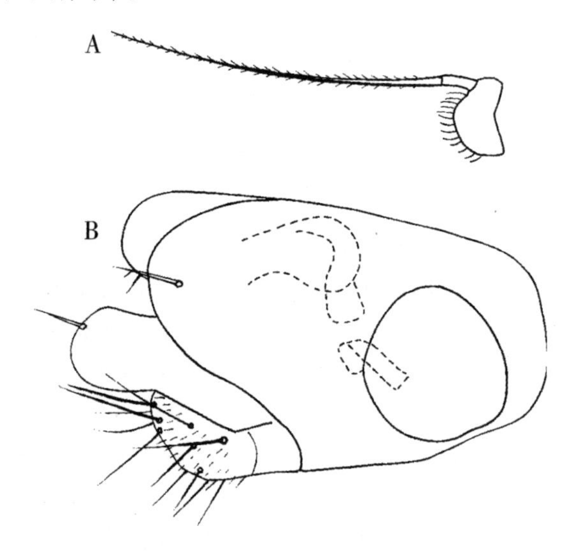

图205 双束黄鬃长足虻 *Chrysotimus bifascia* Yang *et* Saigusa (雄性)
A. 触角侧面观(antenna, lateral view)；B. 外生殖器侧面观(genitalia, lateral view)

(103) 秦岭黄鬃长足虻 *Chrysotimus qinlingensis* Yang *et* Saigusa, 2005(图206, 207)

Chrysotimus qinlingensis Yang *et* Saigusa, 2005: 749.

鉴别特征:复眼明显分开。触角黑色；触角第3节短，长为宽的0.50倍；触角芒上端位。喙黑色，须黄色。有6根粗的背中鬃(前面第1根较短)，6~7对不规则的中鬃，位于第4根背中鬃之前。足黄色，第5跗节暗褐色。中足胫节有2根前背鬃，末端有3根鬃；后足胫节有1根前背鬃和2根短后背鬃，末端有2根鬃。后足第1跗节有 10～12 根浅黑短腹鬃位于基部 1/6 处和 1 排(9～11 根)后腹鬃。

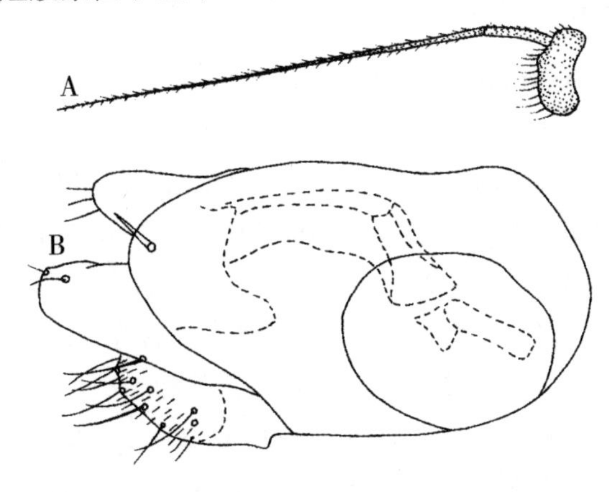

图 206　秦岭黄鬃长足虻 *Chrysotimus qinlingensis* Yang *et* Saigusa（雄性）

A. 触角侧面观(antenna, lateral view); B. 外生殖器侧面观(genitalia, lateral view)

采集记录: 1♂，佛坪凉风垭，2100m，1997.Ⅵ.24，Toyohei Saigusa 采；2♂，佛坪王口上，1450m，1997.Ⅵ.25，Toyohei Saigusa 采；1♂，柞水核桃坪，1550m，1997.Ⅵ.20，Toyohei Saigusa 采；1♂，柞水营盘林场，1750m，1997.Ⅵ.21，Toyohei Saigusa 采；1♂，柞水营盘林场，1850m，1997.Ⅵ.22，Toyohei Saigusa 采。

分布: 陕西(佛坪、柞水)、宁夏。

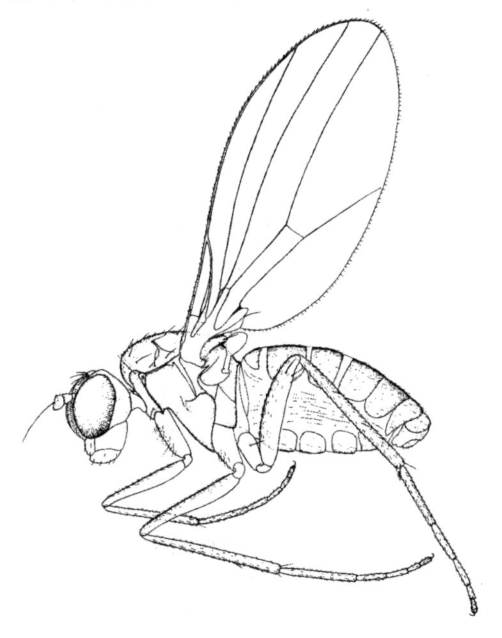

图 207　秦岭黄鬃长足虻 *Chrysotimus qinlingensis* Yang *et* Saigusa（雄性）

(104)多毛黄鬃长足虻 *Chrysotimus setosus* Yang *et* Saigusa, 2005

Chrysotimus setosus Yang *et* Saigusa, 2005: 750.

鉴别特征:触角黑色;触角第3节短,长为宽的0.70倍;触角芒上端位。喙黑色,须黄色。有6根粗背中鬃(前面第1根较短),6对不规则的中鬃,位于第4根背中鬃之前。足黄色,第5跗节暗褐色。中足胫节有2根前背鬃、2根后背鬃和1根后腹鬃,末端有4根鬃;后足胫节有1根前背鬃和2根后背鬃,末端有3根鬃。后足第1跗节有20~22根竖直的短黑腹鬃位于基部1/3处和1排8~9根后腹鬃。

采集记录:7♂,佛坪大店子,1800m,1997.Ⅵ.26,Toyohei Saigusa 采;2♂,柞水营盘林场,1750m,1997.Ⅵ.21,Toyohei Saigusa 采;1♂,柞水营盘林场,1850m,1997.Ⅵ.22,Toyohei Saigusa 采。

分布:陕西(佛坪、柞水)。

(105)神农架黄鬃长足虻 *Chrysotimus shennongjianus* Yang *et* Saigusa, 2001(图208)

Chrysotimus shennongjianus Yang *et* Saigusa, 2001: 156.

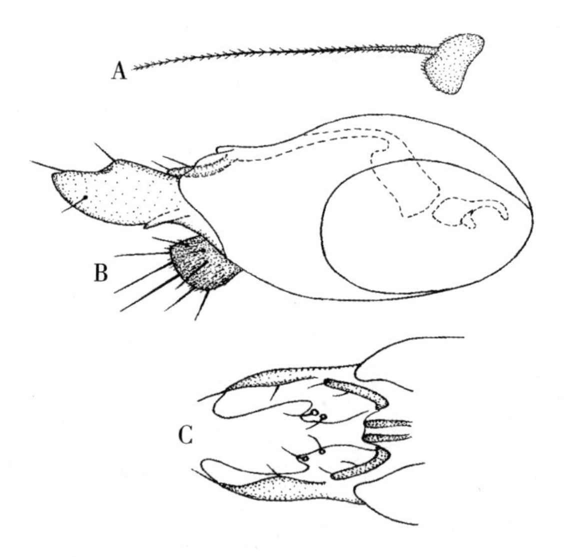

图208 神农架黄鬃长足虻 *Chrysotimus shennongjianus* Yang *et* Saigusa (雄性)
A. 触角,侧面观(antenna, lateral view); B, C. 外生殖器(genitalia):B. 侧面观 (lateral view); C. 腹面观(ventral view)

鉴别特征:触角黑色;触角第2节有1圈淡黄色的端毛;触角第3节相当短,长为宽的0.55倍;触角芒近中端位。喙和须为黑色。有4根强背中鬃,无中鬃;小盾片有2对鬃。足黄色,第5跗节褐色。足上毛和鬃暗黄色;前足胫节末端有2根弱鬃；中足胫节有 2 根前背鬃和 2 根后背鬃，末端有 3 根鬃；后足胫节有 2 根前背鬃和 2 根后背鬃，末端有 2 根鬃。后足第 1 跗节基部有 1 束竖直的黑色短腹鬃。

采集记录：1♂，佛坪大店子，1800m，1997.Ⅵ.26，Toyohei Saigusa 采。

分布：陕西（佛坪）、河南、湖北。

（106）松山黄鬃长足虻 *Chrysotimus songshanus* Wang，Yang *et* Grootaert，2005

Chrysotimus songshanus Wang，Yang *et* Grootaert，2005：24.

鉴别特征：浅黑色，有须褐色。中胸背板和小盾片光亮。有 4 对强的背中鬃，中鬃缺如；小盾片有 2 对鬃。足包括基节黄色，第 5 跗节褐色。足毛和鬃均为黄色；中足腿节端部有 1 根前腹鬃，后足腿节端部有 2 根前腹鬃和 1～2 根后腹鬃。中足胫节有 2 根前背鬃和 4 根后背鬃，末端有 3 根鬃；后足胫节 3 根前背鬃和 5～6 根后背鬃，末端有 4 根鬃。前足第 1 跗节有 1 排 7～8 后腹鬃，后足第 1 跗节最基部有 3～4 根竖直的刺状黑色短腹鬃和 1 排 8～9 根后腹鬃。

采集记录：1♂2♀，宁陕火地塘，1400m，2013.Ⅶ.13，杨定采；1♂3♀，柞水鸳鸯沟，1263m，2014.Ⅶ.27，唐楚飞采。

分布：陕西（宁陕、柞水）、北京。

（107）单束黄鬃长足虻 *Chrysotimus unifascia* Yang *et* Saigusa，2005

Chrysotimus unifascia Yang *et* Saigusa，2005：752.

鉴别特征：喙黑色，须黄色。有 6 根粗背中鬃，2～3 对不规则的中鬃，位于第 3 根背中鬃之前。足黄色，第 5 跗节暗褐色。中足胫节有 2 根前背鬃和 1 根后背鬃，末端有 3 根鬃；后足胫节有 2 根前背鬃和 2 根后背鬃，末端有 3 根鬃。后足第 1 跗节最基部有 1 束 4～5 根竖直的黄褐色短腹鬃和 1 排 7～8 根后腹鬃。

采集记录：2♂，佛坪凉风垭，2100m，1997.Ⅵ.24，Toyohei Saigusa 采；10♂，柞水营盘林场，1850m，1997.Ⅵ.22，Toyohei Saigusa 采；7♂，柞水营盘林场，1750m，1997.Ⅵ.21，Toyohei Saigusa 采。

分布：陕西（佛坪、柞水）。

（108）云龙黄鬃长足虻 *Chrysotimus yunlonganus* Yang *et* Saigusa，2001

Chrysotimus yunlonganus Yang *et* Saigusa，2001：180.

鉴别特征:颜向下稍变窄。头部、胸毛和鬃为黄色；胸部亮金绿色，背中鬃有6根（第1根背中鬃相当短），有3～4对不规则的中鬃；小盾片有2对鬃（基对鬃长约为端对鬃的1/3）。足黄色，第5跗节暗褐色。足毛和鬃浅黑色；中足胫节有2根前背鬃和2根后背鬃，末端有3根鬃；后足胫节有2根前背鬃和2根后背鬃，末端有2根鬃。后足第1跗节基部1/5处有1束8根竖直的浅黑色腹鬃（有些稀疏）。

采集记录:1♂，宁陕火地塘，1400m，2013.Ⅶ.13，杨定采。

分布:陕西（宁陕）、云南。

22. 小长足虻属 *Micromorphus* Mik, 1878

Micromorphus Mik, 1878: 6. **Type species**: *Hydrophorus albipes* Zetterstedt, 1845.

Cachonopus Vaillant, 19531: 7. **Type species**: *Cachonopus limosorum* Vaillant, 1953.

属征:体小型。体暗褐色到浅黑色，有灰褐色粉。雌性和雄性复眼都明显分离，有一些浅黄色的短细毛。头顶平。额很宽。颜上部宽，下部变窄。单眼瘤弱，有2根长而粗的单眼鬃和2根很短的后毛。1根长的顶鬃和1根短的后顶鬃。触角黑色；触角第1节无背毛，第2节端部平截；触角芒端位。中胸背板中后区明显平。背中鬃有5～6根，中鬃缺如；1根肩鬃，1根肩后鬃，1根内肩鬃，1根缝鬃，2根背侧鬃。小盾片有1对鬃。前胸侧板上部光裸，下部有1根鬃。中后足腿节各有1根端前鬃。前足胫节没有明显的背鬃和腹鬃。腹部浅褐色，有灰褐粉。毛和鬃黑色，自第1节到第6节不明显变细，第6节无毛。雄性外生殖器隐藏在腹部末端，与生殖前节连接紧密。

分布:世界广布。全世界已知26种，中国记录2种，秦岭地区有1种。

(109) 淡色小长足虻 *Micromorphus albipes* (Zetterstedt, 1843)（图209）

Hydrophorus albipes Zetterstedt, 1843: 454.

Achalcus caudatus Aldrich, 1902: 93.

Micromorphus panamensis Van Duzee, 1931: 180.

Thrypticus bellus Strobl, 1880: 56.

Micromorphus albipes: Negrobov, 1991: 30.

鉴别特征:触角黑色；触角第3节相当短，触角芒中背位。喙和须黑色。胸部浅黑色，毛和鬃黑色；背中鬃5根，中鬃缺如；小盾片有1对端鬃，基部侧缘无毛或鬃。足黄色；第5跗节浅褐色。足上毛和鬃浅黑色；中足胫节基部1/3处有1根前背鬃和基部1/4处有1根后背鬃，末端有3根鬃；后足胫节有1根前背鬃和3根后背鬃，末端有 4 根鬃。前足第 1 跗节有 1 排腹鬃。

采集记录: 1♂2♀，采集信息不详，标本保存在巴黎博物馆。

分布: 陕西(秦岭)、内蒙古，甘肃；蒙古，俄罗斯，尼泊尔，欧洲，北美洲，非洲北部。

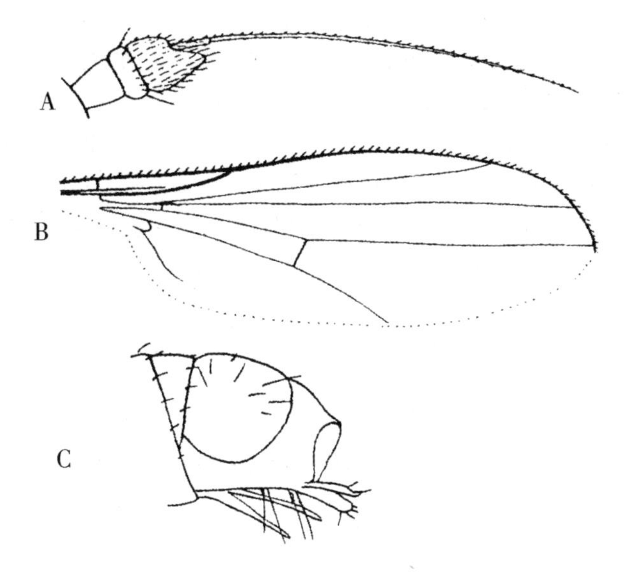

图 209　淡色小长足虻 *Micromorphus albipes* (Zetterstedt)(雄性)(据 Parent, 1938)
A. 触角侧面观(antenna, lateral view); B. 翅(wing); C. 外生殖器侧面观(genitalia, lateral view)

23. 跗距长足虻属 *Nepalomyia* Hollis, 1964

Nepalomyia Hollis, 1964: 110. **Type species**: *Nepalomyia dytei* Hollis, 1964.
Neurigonella Robinson, 1964: 119. **Type species**: *Neurigona nigricornis* Van Duzee, 1914.

属征: 体小到中型。体黑色，具灰褐色粉。雌虫与雄虫复眼都明显分离，有一些浅色的短细毛。后头明显凹陷。额很宽，向前有些变窄；颜很宽，但是窄于额，向下有些变窄。单眼瘤弱，有 2 根长而粗的单眼鬃和 2 根很短的后毛。1 根长的顶鬃和 1 根短的后顶鬃。背中鬃 4~8 根，粗壮，中鬃短毛状，双列；1 根肩鬃，1 根肩后鬃，1 根内肩鬃，1 根缝鬃，2 根背侧鬃，2 根翅上鬃，1 根翅后鬃。小盾片有 2 对鬃，基对短毛状。前胸侧板极少有毛，但是下部多有 1 鬃。中足基节有 1 根前鬃，后足基节有 1 根外鬃。中后足腿节各有 1 根端前鬃。前足胫节没有明显的背鬃和腹鬃。雄性后足第 1 跗节短于第 2 跗节，基部有向上弯的距。翅白色透明，带浅灰色。R_{4+5} 和 M 近直，端部多平行。雄性外生殖器大且大部分游离，背侧突分为三叶，下生殖板变化多样，是种团的重要依据。尾须结构复杂，有时基部有强或弱的毛瘤。

分布: 东洋区，古北区，新北区。全世界已知 61 种，中国记录 51 种，秦岭地区有 6 种。

分种检索表

1. 触角第3节延长，长明显大于宽，第9背板没有侧突 …… 2
   触角第3节短，长不大于宽，第9背板有短的侧突 …… 3
2. 下生殖板端部宽；阳茎粗大形状特化；尾须没有基瘤 …… **毛瘤跗距长足虻 *N. tuberculosa***
   下生殖板端部细长；阳茎短部细长；尾须有弱的基瘤 …… **长角跗距长足虻 *N. longa***
3. 下生殖板端部不分叉，端部圆 …… **长鬃跗距长足虻 *N. longiseta***
   下生殖板端部分叉 …… 4
4. 触角第3节长等于宽；尾须近三角形，有膨大的基瘤 …… **金山跗距长足虻 *N. jinshanensis***
   触角第3节宽大于长；尾须非三角形，有小基瘤. …… 5
5. 触角第3节有短的下端角，尾须没有基瘤 …… **周至跗距长足虻 *N. zhouzhiensis***
   触角第3节有长的下端角，尾须有基瘤 …… **短叉跗距长足虻 *N. brevifurcata***

(110)短叉跗距长足虻 *Nepalomyia brevifurcata* (Yang *et* Saigusa, 2001)

Neurigonella brevifurcata Yang *et* Saigusa, 2001: 377.

Nepalomyia brevifurcata: Runyon & Hurley, 2003: 412.

鉴别特征:触角黑色；触角第3节长为宽的0.90倍。喙浅黑色，须黑色。有6根发达的背中鬃，6~7对不规则的中鬃。前胸侧板下部有1根淡黄色毛和1根黑鬃。足黄色；基节黄色；跗节浅黄褐色(第1跗节黄色)。中足胫节有2根前背鬃和2根后背鬃，末端有4根鬃；后足胫节有2根前背鬃和2根后背鬃，末端有3根鬃。后足第1跗节基部有1根腹鬃。雄性外生殖器第9背板背侧突有粗的背叶和粗的腹叶；尾须基部有细瘤，瘤上有5根毛；下生殖板端部有短的分叉；阳茎相当粗且稍弯曲。

采集记录:2♂，长安库峪，897m，2013.Ⅶ.31，李轩昆采；1♂，周至太白山，1565m，2013.Ⅷ.13，李轩昆采；3♂，宁陕火地塘，1400m，2013.Ⅶ.13，杨定采；1♂，柞水营盘林场，1850m，1997.Ⅶ.10，Toyohei Saigusa 采。

分布:陕西(长安、周至、宁陕、柞水)、北京、河南。

(111)金山跗距长足虻 *Nepalomyia jinshanensis* Wang, Yang *et* Grootaert, 2009

Nepalomyia jinshanensis Wang, Yang *et* Grootaert, 2009: 44.

鉴别特征:眼后鬃(包括后腹毛)浅黄色。触角黑色；触角第3节长几乎等于宽长，端部有弱的下角。喙褐色，须黑色。胸部侧板褐色，翅侧片暗褐色。背中鬃有5根，粗壮，有5~6对不规则的中鬃。足浅褐色；所有基节端部黄色；所有胫节黄色；自第2跗节端部向外浅褐色到褐色。前足腿节基半部有 1 排 6 ~8 根腹鬃，端部有 1 根前腹鬃和 1 根后腹鬃。中足腿节有 1 根端前鬃和 1 排短腹毛。前足胫节端部有横排的刷状毛和 3 根鬃；中足胫节在基部 1/4 有 1 根前背鬃，端部有 4 根鬃；后足胫节有 2 根前背鬃、5 根后背鬃和 5 ~6 根后腹鬃，端部有横排的刷状毛和 3 根鬃。前足与后足第 1 跗节基部各有1 ~2根腹鬃，后足第 1 跗节基部有 1 个基距向上弯曲。

采集记录:1♂，周至厚畛子，1235m，2013.Ⅷ.11，张韦采。

分布:陕西(周至)、北京、四川。

(112)长角跗距长足虻 *Nepalomyia longa* (Yang *et* Saigusa, 2001)(图 210)

Neurigonella longa Yang *et* Saigusa, 2001: 385.

Nepalomyia longa: Runyon & Hurley, 2003: 413.

鉴别特征:触角黑色；触角第 3 节长为宽的 1.20 倍。喙浅黑色，须黑色。背中鬃 6 根，发达，有 4 ~5 对不规则的中鬃；足黄色；基节黄色；跗节浅黄褐色(除第 1 跗节黄色外)。中足胫节有 2 根前背鬃和 2 根后背鬃，末端有 4 根鬃；后足胫节有 1 根前背鬃和 2 根后背鬃，末端有 3 根鬃。后足第 1 跗节基部有 1 根腹鬃。雄性外生殖器第 9 背板没有明显的侧突，只有 2 根侧鬃；背侧突细长的背叶有弱的端凹，粗的中叶端部相当大，腹叶短小，端部有长毛；尾须基部有弱瘤，瘤上有 5 根毛；下生殖板有些不对称，有深的分叉；阳茎细长。

采集记录:1♂，长安库峪，897m，2013.Ⅶ.31，李轩昆采；1♂，佛坪大坪桦木桥，1600m，1997.Ⅵ.28，Toyohei Saigusa 采。

分布:陕西(长安、佛坪)。

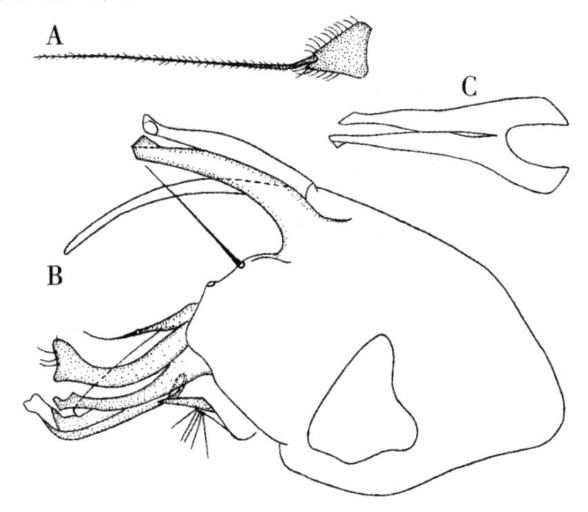

图 210　长角跗距长足虻 *Nepalomyia longa* (Yang *et* Saigusa)(雄性)

A. 触角侧面观(antenna, lateral view)；B. 外生殖器侧面观(genitalia, lateral view)；C. 下生殖板腹面观(hypandrium, ventral view)

(113)长鬃跗距长足虻 *Nepalomyia longiseta* (**Yang *et* Saigusa, 2000**)(图211)

Neurigonella longiseta Yang *et* Saigusa, 2000: 237.

Nepalomyia longiseta: Runyon & Hurley, 2003: 413.

鉴别特征:触角黑色;触角第3节近梯形,长近等于宽,端部凹。喙和须黑色。背中鬃5根,有4~5对不规则的中鬃。足黄色,基节黄色,第5跗节暗褐色。中足胫节有2根前背鬃和2根后背鬃,后足胫节有1根前背鬃和1根后背鬃。雄性外生殖器第9背板端部有小的侧突,上有1根侧鬃,另1根鬃很短;背侧突背叶基部粗,端部尖,中叶尖细,腹叶宽大,端部有刺状突和毛;尾须基部瘤突上有短毛和2根很长的鬃;下生殖板端部圆,不分叉;阳茎粗长。

采集记录:14♂7♀,长安库峪,897m,2013.Ⅶ.31,李轩昆采;1♂3♀,周至老县城,1795m,2014.Ⅷ.20,卢秀梅采;1♂,周至水磨坪,1800m,1997.Ⅶ.06,Toyohei Saigusa采;12♂16♀,周至太白山,1565m,2013.Ⅷ.13,李轩昆采;1♂,佛坪,1500m,1997.Ⅵ.28,Toyohei Saigusa 采;21♂,留坝紫柏山,1386m,2013.Ⅷ.19,席玉强采;1♂,宁陕平河梁,2388m,2013.Ⅶ.14,杨定采;6♂,宁陕火地塘,1400m,2013.Ⅶ.13,杨定采;1♂,柞水广货街,1172m,2014.Ⅶ.26,毛娟采。

分布:陕西(长安、周至、佛坪、留坝、宁陕、柞水)、甘肃、四川、贵州。

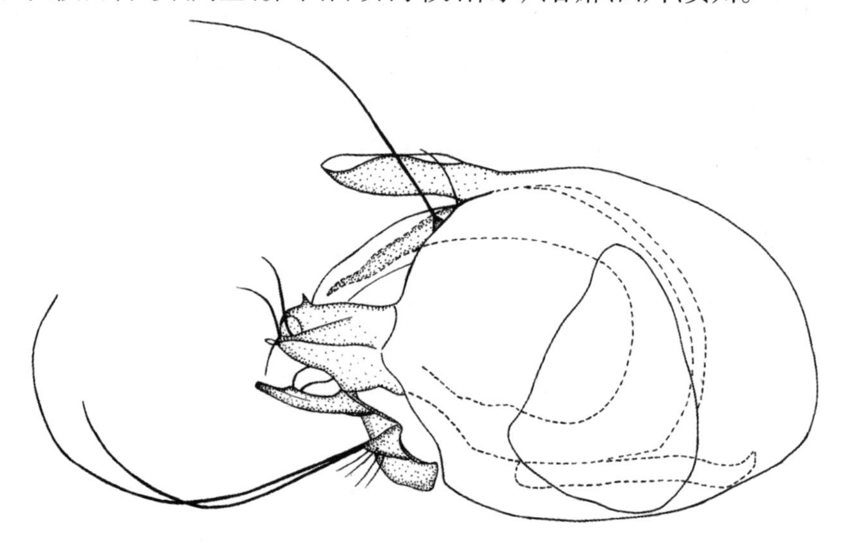

图211 长鬃跗距长足虻 *Nepalomyia longiseta* (Yang *et* Saigusa)(雄性)外生殖器侧面观(genitalia, lateral view)

(114)毛瘤跗距长足虻 *Nepalomyia tuberculosa* (**Yang *et* Saigusa, 2001**)

Neurigonella tuberculosa Yang *et* Saigusa, 2001: 387.

Nepalomyia tuberculosa: Runyon & Hurley, 2003: 413.

鉴别特征:眼后鬃及后腹毛黑色。触角黑色；触角第3节长为宽的0.80倍，端部有明显的尖下角；触角芒黑色。侧板褐色或暗褐色，下部浅黄褐色或黄色；翅侧片和侧背片色较深。毛和鬃黑色。有6根发达的背中鬃和6对不规则的中鬃，足黄色，基节黄色，跗节浅黄褐色(第1跗节黄色)。中足胫节有2根前背鬃和2根后背鬃，末端有4根鬃；后足胫节有1根前背鬃和2根后背鬃，末端有3根鬃。后足第1跗节基部有1根腹鬃。雄性外生殖器第9背板背侧突背叶末端窄，腹叶相当粗；尾须基部有细瘤，瘤上有4根毛；下生殖板不对称。

采集记录:1♂，长安库峪，897m，2013.Ⅶ.31，李轩昆采；1♂，周至太白山，1648m，2014.Ⅷ.17.李轩昆采；2♂，周至水磨坪，1500～1650m，1997.Ⅶ.05，Toyohei Saigusa采；1♀，周至营盘林场，1850m，1997.Ⅶ.10，Toyohei Saigusa采；1♂1♀，周至水磨坪1500～1800m，1997.Ⅶ.06，Toyohei Saigusa采；1♂，佛坪西沟，1340～1400m，1997.Ⅵ.27，Toyohei Saigusa采；1♂，佛坪大坪桦木桥，1997.Ⅵ.28，Toyohei Saigusa采；3♂2♀，佛坪半边河1300～1360m，1997.Ⅶ.04-07，Toyohei Saigusa采；1♂2♀，宁陕火地塘，1400m，2013.Ⅶ.13，杨定采；1♂2♀，柞水，1500～1550m，1997.Ⅵ.18，Toyohei Saigusa采；1♀，柞水，1650～1700m，1997.Ⅵ.18，Toyohei Saigusa采；1♀，柞水营盘，1850m，1997.Ⅶ.10，Toyohei Saigusa采。

分布:陕西(长安、周至、佛坪、宁陕、柞水)。

(115)周至跗距长足虻 *Nepalomyia zhouzhiensis* (Yang *et* Saigusa, 2001)(图212)

Neurigonella zhouzhiensis Yang *et* Saigusa, 2001: 390.

Nepalomyia zhouzhiensis: Runyon & Hurley, 2003: 413.

鉴别特征:触角黑色；触角第3节近梯形，长为宽的0.80倍。喙浅黑色，须黑色。背中鬃6根、发达，有7对不规则的中鬃；小盾鬃2对(基对弱，长为端对的1/4)。前胸侧板上部有1根淡黄色毛，下部有1根淡黄色毛和1根黑鬃。足黄色；跗节浅黄褐色。中足胫节有2根前背鬃和2根后背鬃，末端有4根鬃；后足胫节有1根前背鬃和3根后背鬃，末端有3根鬃。雄性外生殖器第9背板背侧突有长的背叶和短的腹叶，腹叶稍弯曲；尾须的膝状基部有长的指状突；下生殖板末端分叉。

采集记录:1♂，周至水磨坪，1500～1650m，1997.Ⅶ.05，Toyohei Saigusa采；1♂，周至水磨坪，1500～1800m，1997.Ⅶ.06，Toyohei Saigusa采；1♂，周至太白山，1648m，2014.Ⅷ.18，李轩昆采；3♂，宁陕平河梁，2388m，2013.Ⅶ.14，杨定采；1♂，柞水核桃坪，1650～1700m，1999.Ⅵ.18，Toyohei Saigusa采；1♂，柞水营盘林场，1850m，1997.Ⅶ.10，Toyohei Saigusa采；1♂，柞水牛背梁，1000m，2013.Ⅶ.14，闫妍采。

分布:陕西(周至、宁陕、柞水)、云南。

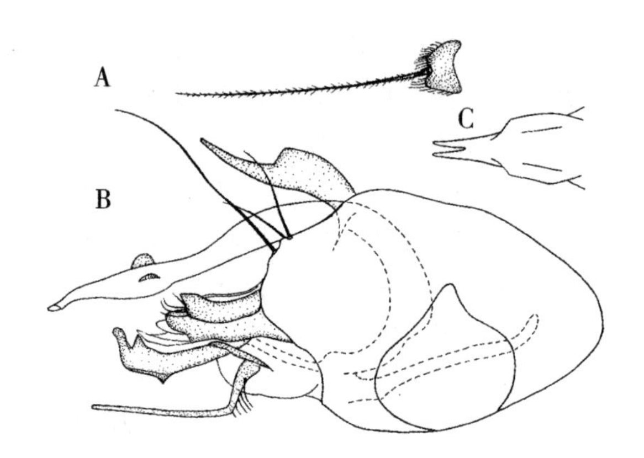

图 212 周至跗距长足虻 *Nepalomyia zhouzhiensis* (Yang *et* Saigusa) (雄性)
A. 触角侧面观(antenna, lateral view); B. 外生殖器侧面观(genitalia, lateral view); C. 下生殖板腹面观(hypandrium, ventral view)

24. 黄长足虻属 *Xanthochlorus* Loew, 1857

Xanthochlorus Loew, 1857: 42. **Type species**: *Leptopus ornatus* Haliday, 1832.

属征: 体小到大型(体长 1.25 ~ 6.00mm, 翅长 1.50 ~ 5.70mm)。胸部和腹部主要为黄色。头部金绿色, 有灰白粉。头顶平, 不凹, 后头明显, 上后头不明显凹。单眼瘤弱, 有 1 对强的单眼鬃; 顶鬃与单眼鬃近等长, 后顶鬃缺如。颜明显窄于额, 向下变窄。触角第 1 节无毛; 第 3 节短小, 且宽大于长; 触角芒亚端位, 有短的细毛。喙和须短小。胸部隆起, 中胸背板中后区平。1 根肩鬃, 1 根肩后鬃, 1 根内肩鬃, 1 根缝鬃, 2 根背侧鬃, 2 根翅上鬃, 1 根翅后鬃。前胸侧板下部有 1 根黄色鬃。中足与后足基节各有 1 根外鬃, 中足与后足腿节没有端前鬃。翅通常白色透明, R_{4+5} 和 M 端部会聚, M 较直, CuAx 值明显小于 1。雄性外生殖器明显膨大, 大部分外露。雌性腹部第 6 ~ 8 节伸展; 第 6 ~ 8 背板与第 5 背板类似, 有背毛; 第 8 腹板膨大。第 9 + 10 节合背板纵向二裂, 各裂片长大于宽, 端部有些平截, 边缘有少许毛; 第 9 + 10 合腹板不二裂, 端部圆; 尾须短的指状, 端部有毛。

分布: 古北区, 新北区, 东洋区。全世界已知 13 种, 中国记录 3 种, 秦岭地区有 2 种。

分种检索表

触角第 3 节方形; 小盾片黄色, 前边缘有褐色的小斑 …………………… **黑鬃黄长足虻 *X. nigricilius***
触角第 3 节近圆形; 小盾片中基区黑色 ……………………………………… **中华黄长足虻 *X. chinensis***

(116) 中华黄长足虻 *Xanthochlorus chinensis* Yang *et* Saigusa, 2005 (图 213)

Xanthochlorus chinensis Yang *et* Saigusa, 2005: 754.

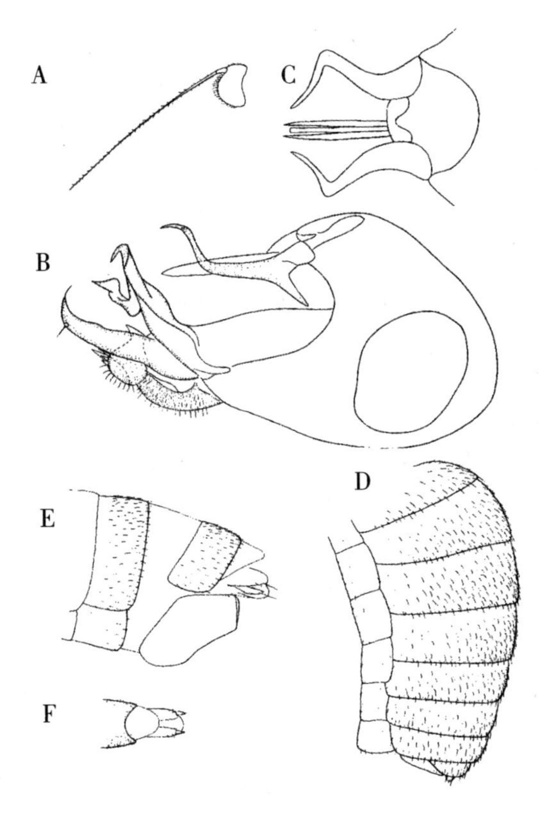

图 213 中华黄长足虻 *Xanthochlorus chinensis* Yang *et* Saigusa（雄性）

A－C. 雄性(male)；D－F. 雌性(female)。A. 触角(antenna, lateral view)；B. 外生殖器侧面观(genitalia, lateral view)；C. 下生殖板腹面观(hypandeium, ventral view)；D. 腹部侧面观(abdomen, lateral view)；E. 腹部末端侧面观(apex of abdomen, lateral view)；F. 外生殖器背面观(genitalia, dorsal view)

鉴别特征：复眼在颜窄的分开；颜向下变窄。眼后鬃及腹毛黄色。触角黄色，第3节浅褐色，长为宽的0.75倍。喙和须黄色。胸部黄色或浅黄褐色，中胸背板中后区黑色，小盾片中基区黑色。翅侧片和侧背片前上角黑色。毛和鬃黑色；5根粗背中鬃，无中鬃；小盾片基对鬃弱小。前胸侧板下部有1根黄鬃。足黄色，第5跗节暗褐色。中足胫节有2根前背鬃和2根后背鬃，末端有4根鬃；后足胫节有3～4根后背鬃，末端有4根鬃。腹部黄褐色或黄色。雄性外生殖器第9背板背侧突长的背叶端尖而弯，长的腹叶有不规则的端叉；尾须有一些齿形的端突；下生殖板有长而弯的侧臂。

采集记录：5♂，佛坪大店子，1650～1800m，1997.Ⅵ.26，Toyohei Saigusa 采；2♂12♀，佛坪大店子，1650～1800m，1997.Ⅶ.07，Toyohei Saigusa 采；1♂，佛坪东河台，1500m，1997.Ⅵ.25，Toyohei Saigusa 采；4♂，佛坪王口上，1450m，1997.Ⅵ.25，Toyohei Saigusa 采；1♂，佛坪凉风垭，2000～2100m，1997.Ⅵ.24，Toyohei Saigusa 采；

2♂，佛坪大坪至桦木桥，1550～1600m，1997.Ⅵ.28，Toyohei Saigusa 采；5♀，柞水水磨坪，1500～1800m，1997.Ⅶ.06，Toyohei Saigusa 采；1♀，柞水营盘林场，1850m，1997.Ⅵ.22，Toyohei Saigusa 采；1♂2♀，柞水核桃坪，1650～1750m，1997.Ⅵ.22，Toyohei Saigusa 采；1♀，柞水核桃坪，1650～1750m，1997.Ⅵ.18，Toyohei Saigusa 采。

分布：陕西（佛坪、柞水）。

（117）黑鬃黄长足虻 *Xanthochlorus nigricilius* Olejníček, 2004

Xanthochlorus nigricilius Olejníčekek, 2004: 9.

鉴别特征：头部金绿色，颜黄色向下变窄，中部近等宽于触角第3节。毛和鬃黄色，眼后鬃及腹毛黄色。触角黄色，触角第3节近方形，有尖的下端角，长约等于宽；触角芒背位。喙和须黄色。胸部黄色；中胸背板中后区在小盾片前的部位为暗褐色，中鬃部位有暗褐色斑纹；小盾片黄色，前边缘有褐色的小斑。5根粗背中鬃，大部分个体没有中鬃（但是有些个体，例如模式标本，有非常短的单列中鬃）；小盾片有2根黑色鬃和2根细的白毛。足黄色。基节上的毛和鬃黄色，腿节和胫节上的鬃为暗褐色；前足基节有黄色毛；中足基节有1根外鬃；后足基节基部有1根外鬃。前足腿节和胫节上没有长鬃；中足胫节有2根前背鬃和1根后背鬃，末端有4根鬃；后足胫节有6根后背鬃，末端有4根鬃。腹部黄色，有灰黄粉。毛和鬃褐色。雄性外生殖器黄色。

分布：陕西（宁陕）。

25. 脉长足虻属 *Neurigona* Rondani, 1856

Neurigona Rondani, 1856: 142. **Type species**: *Musca quadrifasciata* Fabricius, 1781.

Saucropus Loew, 1857: 41 (unjustified new name for *Neurigona* Rondani, 1856).

属征：中到大型（体长3.50～6.00mm，翅长1.50－5.70mm）。头部金绿色，触角和腹部黄色或黄褐色。头顶不凹，上后头弱的凹陷。单眼瘤弱，2根单眼鬃，顶鬃与单眼鬃几乎等长，后顶鬃缺如。触角第1节无毛，第3节短小，端部钝；触角芒亚端位至中背位。喙和须浅黄色。中胸背板中后区平。胸部一般黄色，有时中胸背板有金绿色斑，偶尔全金绿色。1根肩鬃，1根肩后鬃，缝鬃缺如，2根背侧鬃，2根翅上鬃，1根翅后鬃。前胸侧板下部有1根鬃。中足基节没有外鬃，后足基节基部1/3处有1根外鬃。中后足腿节没有端前鬃。R_{4+5}端部弱地向后弯曲，M在横脉m-cu之后的部分明显弯曲，R_{4+5}与 M 端部会聚。足黄色。雄性第 5 腹节有时有腹突。雄性外生殖器膨大，大部分游离；背侧突宽大，尾须基部宽大。

分布：世界广布。全世界已知 151 种，中国记录 29 种（其中 1 种仅知雌性），秦岭地区有 8 种。

分种检索表

1. 第 5 腹板有腹突 …… 2
   第 5 腹板没有腹突 …… 14
2. 前足第 4 跗节基半部膨大 …… **香山脉长足虻 *N. xiangshana***
   前足跗节正常 …… 3
3. 小盾片有褐色基斑；前足第 1 跗节与胫节等长 …… **基斑脉长足虻 *N. basalis***
   小盾片没有褐色基斑；前足第 1 跗节短于胫节 …… **陕西脉长足虻 *N. shaanxiensis***
4. 前足基节有黑色端鬃 …… 5
   前足基节有黄色端鬃 …… 7
5. 前足第 1 跗节短于胫节 …… 6
   前足第 1 跗节长于胫节 …… **双斑脉长足虻 *N. bimaculata***
6. 中鬃有 17 ~ 18 对 …… **细凹脉长足虻 *N. concaviuscula***
   中鬃有 11 ~ 12 对，前足第 4 跗节基半部加粗，端半部腹面内凹；第 5 跗节基部 1/4 处加粗，中部腹面内凹 …… **四川脉长足虻 *N. sichuana***
7. 前足腿节有 1 排黄色前腹鬃 …… **神农架脉长足虻 *N. shennongjiana***
   前足腿节没有成排腹鬃 …… **腹鬃脉长足虻 *N. ventralis***

(118) 基斑脉长足虻 *Neurigona basalis* Yang *et* Saigusa, 2005

Neurigona basalis Yang *et* Saigusa, 2005: 758.

鉴别特征：头部金绿色，颜较窄，复眼窄的分开。眼后鬃（除最上 2 根外）及腹毛黄色。触角黄色；第 3 节（除最基部外）浅褐色，长等于宽，端钝；触角芒亚背位，黑色。喙黄色，须淡黄色。胸部黄色，中胸背板黄褐色；小盾片有小的浅褐色基斑，后背片暗黄色，有窄的基横黑斑。翅侧片和侧背片前上角黑色。有 7 根背中鬃（仅后 2 根较粗），14 ~ 15 对不规则的中鬃。前胸背板有淡黄鬃；前胸侧板有淡黄毛，下部有 1 根淡黄鬃。足黄色；基节黄色；第 1 跗节末端向外为褐色。中足胫节有 3 根前背鬃、1 根后背鬃、1 根前腹鬃和 2 根后腹鬃，末端有 3 根鬃；后足胫节有 3 根前背鬃、3 根后背鬃和4 ~ 5根腹鬃，末端有 3 根鬃。前足第 3 ~ 5 跗节有短直的腹毛；中足胫节及其第 1 ~ 4 跗节有 1 排短直立而细的浅色前腹毛。腹部黄色，第 1 背板褐色，第 2 ~ 5背板有基黑斑；第 5 节以后的部分包括雄性外生殖器黑色。第 5 腹板有腹突。

尾须淡黄色，有淡黄毛。雄性外生殖器第 9 背板有 2 个不明显的侧突，背侧突背叶短宽，长的腹叶端窄而弯；尾须基部近方形，端部有细长的突起。

采集记录：1♂5♀，周至老县城，2057m，2014.Ⅷ.19，李轩昆采；1♂，佛坪大店子，1800～2000m，1997.Ⅶ.07，Toyohei Saigusa 采；1♂，佛坪王口上，1450m，1997.Ⅵ.25，Toyohei Saigusa 采；1♂1♀，佛坪县城周边，840m，2013.Ⅶ.29，王玉玉采；1♂，柞水营盘林场，1850m，1997.Ⅶ.10，Toyohei Saigusa 采。

分布：陕西（周至、佛坪、柞水）、河北。

(119) 双斑脉长足虻 *Neurigona bimaculata* Yang *et* Saigusa, 2005

Neurigona bimaculata Yang *et* Saigusa, 2005: 757.

鉴别特征：复眼在颜相接。眼后鬃（除最上 2 根外）及腹毛黄色。触角黄色；第 3 节（除基部外）浅褐色，长等于宽，端钝；触角芒亚端位，黑色。喙暗黄色，须淡黄色。胸部黄褐色，中胸背板近翅基有 1 个黑斑；后背片和侧背片黑色。中侧片和翅侧片大部分黑色，腹侧片前上区黑色。有 6 根背中鬃（向后变长），11～12 对不规则中鬃。足黄色；基节黄色；中足胫节窄的端部和后足胫节端半黑色；前足跗节黄色，中足跗节暗褐色，后足跗节黑色。前足腿节有 1 排弱的前腹鬃。中足胫节有 2 根前背鬃和 1 根后腹鬃，末端有 3 根鬃；后足胫节有 1 根前背鬃和 2 根后背鬃，末端有 4 根鬃。中足胫节及其第 1～4 跗节都有 1 排短细而直立的浅色前腹毛。腹部黄色，第 2～4背板有宽的基黑斑；雄性外生殖器近亮黑色。雄性外生殖器第 9 背板有 2 侧突，尾须基部宽大，端部尖。

采集记录：11♂5♀，佛坪大店子，1650～1800m，1997.Ⅵ.26，Toyohei Saigusa 采；4♂1♀，佛坪王口上，1450m，1997.Ⅵ.25，Toyohei Saigusa 采；3♂1♀，柞水核桃坪，1500～1550m，1997.Ⅵ.20，Toyohei Saigusa 采。

分布：陕西（佛坪、柞水）。

(120) 细凹脉长足虻 *Neurigona concaviuscula* Yang, 1999

Neurigona concaviuscula Yang, 1999: 198.

鉴别特征：复眼分离；颜中部很窄。中下眼后鬃及腹毛黄色。触角黄色；第 3 节长为宽的 1.20 倍，端部有些尖。喙浅褐色，须淡黄色。胸部黄色，小盾片（除后缘外）和后背片浅黑色；中胸翅侧片在翅基下有 1 个小黑斑。有 17～18 对不规则中鬃呈短毛状，7 根背中鬃（前面 3 根较粗）。足黄色；基节黄色。前足胫节有 1 根背鬃；后足胫节有 2 根前背鬃和 3 根后背鬃。前足第 1 跗节端部、第 2～3 跗节和第 4 跗节基部有弯的长直毛，第 4 跗节短而稍宽（长约为第 3 跗节的 2/3），腹面凹而光滑；第 5 跗节基部腹面加粗，有密的浅黄褐色毛。M_{1+2}成直角向端部强弯，在靠近 R_{4+5}处止于翅缘。腹部黄色，第 2 ~5 背板各有宽的基黑带，肛下板亮黑色。腹部第 5 节无腹突。

采集记录：1♂1♀，佛坪岳坝，1220m，2014.Ⅷ.26，卢秀梅采。

分布：陕西（佛坪）、江苏、四川。

（121）陕西脉长足虻 *Neurigona shaanxiensis* Yang *et* Saigusa, 2005（图 214，215）

Neurigona shaanxiensis Yang *et* Saigusa, 2005: 756.

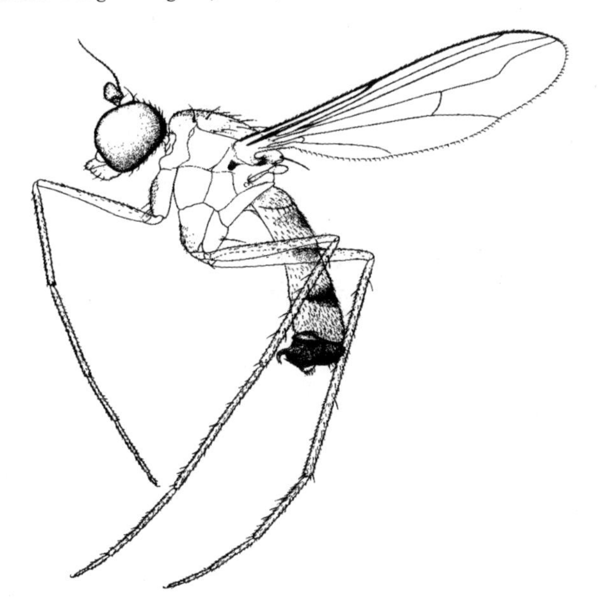

图 214　陕西脉长足虻 *Neurigona shaanxiensis* Yang *et* Saigusa（雄性）

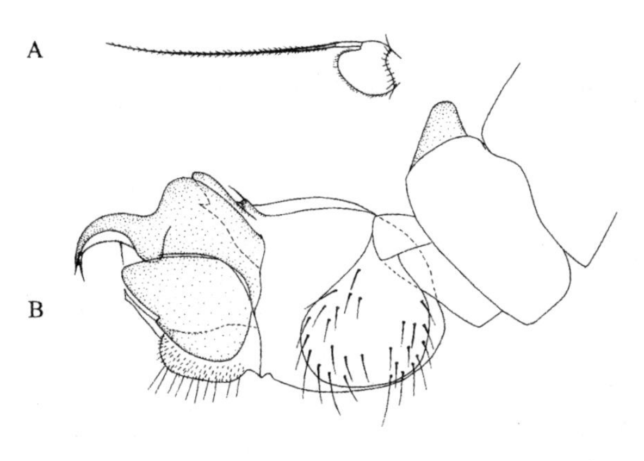

图 215　陕西脉长足虻 *Neurigona shaanxiensis* Yang *et* Saigusa（雄性）
A. 触角（antenna）；B. 外生殖器侧面观（genitalia, lateral view）

鉴别特征:颜较窄。眼后鬃(除最上1根外)及腹毛黄色。触角黄色;第3节长等于宽,端钝;触角芒亚背位。喙褐色,须淡黄色。胸部浅黄褐色,翅侧片前上角黑色。毛和鬃黑色。有6根背中鬃,11~12对不规则中鬃。足黄色。足毛和鬃黑色;中足胫节有3根前背鬃、2根后背鬃和2根前腹鬃,末端有3根鬃;后足胫节有3根前背鬃和3根后背鬃,末端有4根鬃。腹部黄褐色,有灰白粉;第2~4背板各有1个大的基黑斑;第8腹板和雄性外生殖器亮黑色。雄性外生殖器第9背板有2个侧突;尾须基部宽大,端部有长的突起。

采集记录:1♂,柞水营盘林,1850m,1997.Ⅶ.10,中西明德采。

分布:陕西(柞水)、北京。

(122)神农架脉长足虻 *Neurigona shennongjiana* Yang, 1999

Neurigona shennongjiana Yang, 1999: 199.

鉴别特征:颜窄,复眼在颜中部相接。眼后鬃及腹毛黄色,触角黄色;第3节长等于宽,端钝。喙和须黄色。胸部黄色,小盾片黄色,后背片黑色。翅侧片在翅基下有1个小黑斑。有11~12对不规则中鬃,短毛状;5根明显的背中鬃(前面3根有些弱)。足黄色;基节黄色;跗节褐色。中足胫节基半部有4~5根前背鬃、1排有些长的前腹鬃和1根端腹鬃;后足胫节有3~4根后背鬃。前足、中足第1跗节延长,长于对应胫节。前足第1~5跗节有明显成排的腹毛(第1跗节上的有些直,第4~5跗节上的较长),中足第1~4跗节有1排细的前腹鬃。M稍弯曲,端部与R_{4+5}会聚。腹部黄色,第2、3背板基部各有1个黑斑;雄性外生殖器亮黑色。第5腹节无腹突。

采集记录:1♂,周至老县城,2057m,2014.Ⅷ.19,李轩昆采。

分布:陕西(周至)、湖北。

(123)四川脉长足虻 *Neurigona sichuana* Wang, Chen *et* Yang, 2010

Neurigona sichuana Wang, Chen *et* Yang, 2010: 56.

鉴别特征:复眼分离;颜中部窄。中下眼后鬃及腹毛黄色。触角黄色;第3节长为宽的1.20倍,端部有些尖。喙浅褐色,须淡黄色。胸部黄色,小盾片(除后缘外)和后背片浅褐色;中胸翅侧片在翅基下有1个小黑斑。11~12对不规则中鬃呈短毛状,7根背中鬃(前面3根较细)。足黄色,基节黄色,前足基节有黑色毛和鬃。中足胫节有3根前背鬃、2根后背鬃和1~2根腹鬃;后足胫节有3根前背鬃、3根后背鬃和3~4根腹鬃。前足第4跗节短(长约为第5跗节的2/3)基半部加粗,端半部腹面内凹;第5跗节基部1/4加粗,中部腹面内凹。M_{1+2}成直角向端部强弯,在靠近R_{4+5}

处止于翅缘；CuAx 值为0.50。腹部黄色，第 2～4 背板各有宽的基黑带，肛下板亮黑色。毛黑色，但第 1～2 腹板毛色淡。腹部第 5 节无腹突。

采集记录:2♂5♀，周至太白山，1648m，2014.Ⅷ.18，李轩昆采。

分布:陕西(周至)、四川。

(124)腹鬃脉长足虻 *Neurigona ventralis* Yang *et* Saigusa, 2005

Neurigona ventralis Yang *et* Saigusa, 2005: 759.

鉴别特征:颜较窄，复眼相接。眼后鬃(除最上 2 根外)及腹毛为黄色。触角黄色；第 3 节(除最基部外)浅褐色，长等于宽，端部钝；触角芒亚端位，黑色。喙黄褐色，须淡黄色。胸部暗黄色，中胸背板大部分黄褐色至暗黄褐色，后背片暗褐色。翅侧片和侧背片前上角黑色。有 5 根背中鬃(仅最后 1 根较长)，11～12 对不规则的中鬃。足黄色；自第 1 跗节末端向外褐色。中足胫节有 3～4 根前背鬃和 1 根后背鬃，末端有 2 根鬃；后足胫节有 8 根后背鬃、6 根腹鬃(位于基半)和 1 排 13～14 根后腹鬃(位于端半)，末端有 2 根鬃。前足第 3～4 跗节缩短，第 2～3 跗节有长背鬃，第 3～5 跗节有 2 排短刺状腹鬃；中足、后足第 1～4 跗节有 1 排短直的白而细的前腹毛；中足第 1 跗节有 11 根腹鬃，基部有 1 根后腹鬃。腹部黄褐色至黄色，第 1 背板褐色，前后缘暗黄褐色；第 2～4 背板有大基黑斑，第 5 背板有小基黑斑。毛和鬃黑色；腹面包括第 8 腹板有淡黄毛；雄性外生殖器亮黑色，基部暗黄色。

采集记录:1♂，佛坪龙草坪，1310～1400m，1997.Ⅵ.27，Toyohei Saigusa 采；1♂，佛坪王口上，1450m，1997.Ⅵ.25，Toyohei Saigusa 采。

分布:陕西(佛坪)、云南。

(125)香山脉长足虻 *Neurigona xiangshana* Yang, 1999

Neurigona xiangshana Yang, 1999: 200.

鉴别特征:复眼分离；颜中部最窄。眼后鬃及腹毛(除最上面的 1 根外)为黄色。触角黄色；第 3 节长为宽的 1.20 倍，端有些尖。喙暗褐色，须淡黄色。胸部黄色，小盾片和后胸背板浅黄褐色，翅侧片在翅基下有 1 个小黑斑。有 17～18 对不规则中鬃,呈短毛状；有 5 根明显的背中鬃,最前面 1 根较小。足黄色，基节黄色。前足胫节有 1 根前背鬃和 1 根后背鬃；中足胫节有 3 根前背鬃、3 根后背鬃和 2 根前腹鬃；后足胫节有 4 根前背鬃、4～5 根后背鬃和 1 根前腹鬃；前足第 4 跗节明显短(长为第 3 跗节的 1/2)，基部粗，腹缘明显内凹。第 5 跗节基部腹面稍加粗，有密而弯曲的毛。M 端部明显成直角弯曲，在近 R_{4+5} 处止于翅缘；CuAx 值为 0.50。腹部浅黄褐色，第

2背板色淡，第2～4背板各有窄的黑基带；雄性外生殖器亮黑色。第5腹节有腹突。

采集记录：1♂，周至老县城，2057m，2014.Ⅷ.19，李轩昆采。

分布：陕西(周至)、北京。

参考文献

Becker, T. 1922. Dipterologische Studien. Dolichopodidae der Indo-Australischen Region. *Capita Zoologica*, 1(4): 1-247.

Olejníček, J. 2004. Three new *Hercostomus* species from China (Insecta: Diptera: Dolichopodidae). *Acta Zoologica Universitatis Comenianae*, 46(1): 7-13.

Parent, O. 1926. Dolichopodides nouveaux de l'extrême orient paléarctique. *Encyclopedie Entomologique (B II) Diptera*, 2: 111-149.

Parent, O. 1936. Schwedisch-chinesische wissenschaftliche Expedition nach den nordwestlichen Provinzen Chinas. 37. Diptera. 12. Dolichopodidae. *Arkiv for Zoologi*, 27B(6): 1-3.

Parent, O. 1944. Diptères Dolichopodides recueillis en Chine du Nord, en Mongolie *et* en Mandchourie par le R. P. E. Licent. *Revue francaise d'Entomologie*, 10(4): 121-131.

Wang, M-Q., Chen, H. and Yang, D. New species of the genus *Neurigona* (Diptera: Dolichopodidae) from China. *Zootaxa*, 2010, 2517: 53-61.

Wang, M-Q. and Yang, D. 2004. A new species of *Argyra* Macquart, 1834 from China (Diptera: Dolichopodidae). *Annales Zoologici*, 54(2): 385-387.

Wang, M-Q., Yang, D. and Grootaert, P. 2009. New species of *Nepalomyia* from China (Diptera: Dolichopodidae). *Zootaxa*, 2162: 37-49.

Yang, D. 1995. Three new species of the subfamily Sciapodinae from China (Diptera: Dolichopodidae). *Bulletin de l'Institut Royal des Sciences Naturelles de Belgique Entomologie*, 65: 179-181.

Yang, D. 1996. New species of Dolichopodinae from China (Diptera: Dolichopodidae). *Entomofauna*, 17 (18): 317-324.

Yang, D. 1997a. New species of *Amblypsilopus* and *Hercostomus* from China (Diptera: Dolichopodidae). *Bulletin de l'Institut Royal des Sciences Naturelles de Belgique Entomologie*, 67: 131-140.

Yang, D. 1997b. Eight new species of *Hercostomus* from China (Diptera: Dolichopodidae). *Studia Dipterologica*, 4(1): 115-124.

Yang, D. and Saigusa, T. 1999a. New species of Dolichopodidae from Henan (Diptera: Empidoidea). 189-210. *in*: Shen, X-C. and Pei, H-C. (eds). *Insects of the Mountains Funiu and Dabie regions*. China Agricultural Scientech Press, Beijing. 1-414.

Yang, D. and Saigusa, T. 2000. Diptera: Dolichopodidae. 380-387. In: Shen X-C and Pei H-C (eds). *Insects of the Mountains Funiu and Dabie regions*. China Agricultural Scientech Press, Beijing. 1-404. [杨定，三支丰平. 2000. 双翅目：长足虻科. 380-387. 见：申效诚，裴海潮. 伏牛山南坡及大别山区昆虫. 北京：中国农业科技出版社，1-404.]

Yang, D. and Saigusa, T. 2001a. A review of the Chinese species of the genus *Ludovicius* (Empidoidea: Dolichopodidae). *Deutsche Entomologische Zeitschrift*, 48(1): 83-92.

Yang, D and Saigusa, T. 2001b. New and little known species of Dolichopodidae from China (Ⅷ). *Bulletin de l'Institut Royal des Sciences Naturelles de Belgique Entomologie*, 71:155-164.

Yang, D. and Saigusa, T. 2001c. New and little known species of Dolichopodidae (Diptera) *from China (IX)*. *Bulletin de l'Institut Royal des Sciences Naturelles de Belgique Entomologie*, 71: 165-188.

Yang, D. and Saigusa, T. 2001d. New and little known species of Dolichopodidae from China (X): The species of *Hercostomus* from Yunnan. *Bulletin de l'Institut Royal des Sciences Naturelles de Belgique Entomologie*, 71: 189-236

Yang, D. and Saigusa, T. 2001e. New and little known species of Dolichopodidae (Diptera) from China (XI). *Bulletin de l'Institut Royal des Sciences Naturelles de Belgique Entomologie*, 71: 237-256.

Yang, D. and Saigusa, T. 2001f. The species of *Neurigonella from* China (Diptera: Empidoidea: Dolichopodidae). *Annales de la Sociéte Entomologique de Frances* (N. S.), 37(3): 375-392.

Yang, D. and Saigusa, T. 2002g. The species of *Hercostomus* from the Qinling Mountains of Shaanxi, China (Diptera: Empidoidea: Dolichopodidae). *Deutsche Entomologische Zeitschrift*, 49(1): 61-88.

Yang, D. and Saigusa, T. 2005. Diptera: Dolichopodidae. 740-765. In: Yang X-K (ed). *Insects Fauna of Middle-west Qinling Range and South Mountains of Gansu Province*. Science Press, Beijing. 1-1055. [杨定, 三枝丰平. 2005. 双翅目:长足虻科. 740-765. 见:杨星科. 秦岭西段及甘南地区昆虫. 北京:科学出版社, 1-1055.]

Yang, D., Zhang, L-L., Wang, M-Q. and Zhu, Y-J. 2011. *Fauna Sinica Insecta Vol. 53. Diptera Dolichopodidae*. Science Press, Beijing. 1-1912. [杨定, 张莉莉, 王孟卿, 朱雅君. 2011. 中国动物志 昆虫纲 第五十三卷 双翅目 长足虻科, 北京:科学出版社, 1-1912.]

Yang, D., Zhu, Y-J., Wang, M-Q. and Zhang, L-L. 2006. *World catalog of Dolichopodidae (Insecta: Diptera)*. China Agricultural University Press, Beijing. 1-704.

Zhang, L-L. and Yang, D. 2005. Contribution to the species of the *Hercostomus* (*Hercostomus*) *absimilis* group from China (Diptera: Dolichopodidae). *Deutsche Entomologische Zeitschrift*, 52 (2): 241-244.

Zhang, L-L. Yang, D. and Grootaert, P. 2003. New species of *Chrysotimus* and *Hercostomus* from Beijing (Diptera: Dolichopodidae). *Bulletin de l'Institut Royal des Sciences Naturelles de Belgique Entomologie*, 73: 189-194.

Zhu, Y-J. and Yang, D. 2007. Two new species of *Condylostylus* Bigot from China (Diptera: Dolichopodidae). *Transactions of American Entomological Society*, 133(3-4): 353-356.

十九、舞虻科 Empididae

王宁[1] 肖文敏[2] 丁双玫[2] 杨定[2]
(1. 中国农业科学院草原研究所，呼和浩特 010010；
2. 中国农业大学昆虫系，北京 100193)

鉴别特征：舞虻体小至中型(体长 1.50 ~ 12.00mm)，细长，褐色至黑色或黄色有黑斑，一般有明显的鬃。头部较小而圆；雌虫和雄虫复眼分开，或在颜区(或额区)相接。触角鞭节基部 1 节较粗，末端生有 1 ~ 2 节的端刺或芒。喙一般比较长，较坚硬。胸部背面隆起。前缘脉有时环绕整个翅缘；Sc 端部多游离，有时也完全终止于前缘脉；R_{4+5}多分叉，R_5 一般终止于翅端；臀室短，离翅缘较远处关闭，盘室有时不存在。翅基部较窄，腋瓣一般不发达。足细长，前足有时为捕捉足，中足或后足腿节有时也明显加粗腹面有齿。一些种类的足雌雄异型，雌性足有羽状鬃或雄性足基跗节膨大；驼舞虻属一些种类雄性后足腿节较粗，而雌性后足腿节较细，且有时腹鬃较少。雄性外生殖器两侧对称或不对称，生殖基节和生殖突退化，第 9 背板和下生殖板较发达。雌性尾须 1 节；精囊 1 个或不存在。幼虫长筒状，有 12 节。头部很小；胸部稍向前变窄；腹部无伪足，末节有侧沟；两端气门式呼吸。而水生幼虫腹部有 7 ~ 8 对伪足，末端有指状突或瘤突，其上有成对的鬃；无气门式呼吸。

生物学：成虫多发生在潮湿环境的植物上，也出现在树干甚至水面上；捕食性，主要捕食双翅目的蚊类和蝇类、同翅目的木虱类和蚜虫类等。有些种类有群飞习性，交尾时常在陆地或水面上空大量聚集成群飞舞。有些舞虻如舞虻属(*Empis*)、猎舞虻属(*Rhamphomyia*)和喜舞虻属(*Hilara*)的种类有送"彩礼"的习性，雄虻把猎物带着直到交尾时送给雌虻，有些种则在贡献彩礼之前把小小猎物用泡沫裹成一团，当雄虻抱着这华而不实的东西寻找里面的小虫时，雄虻则趁机与之交配。幼虫生活在土壤中、腐木中、树皮下及淡水中，捕食小的节肢动物。

分类：世界广布。目前已知 180 余属 5000 余种，中国已知 400 余种，陕西秦岭地区分布 12 属 46 种，除本项目执行过程中已发表 13 个新种外，本文还包括 6 个新种。标本保存在中国农业大学昆虫博物馆。

分属检索表

1. 前足捕捉足 ………………………………………… **鬃螳舞虻属 *Chelipoda***
   前足非捕捉足 ………………………………………… 2
2. 后足捕捉式，腿节加粗且有腹鬃 ………………………… 3
   后足非捕捉式 ………………………………………… 5

3. 径分脉 Rs 短 …… 4
   径分脉 Rs 长 …… **柄驼舞虻属 *Syneches***
4. 喙粗短，末端钝 …… **优驼舞虻属 *Euhybus***
   喙长刺状 …… **驼舞虻属 *Hybos***
5. 翅无盘室 …… 6
   翅有盘室 …… 7
6. 后足胫节有背鬃 …… **黄隐肩舞虻 *Elaphropeza***
   后足胫节无背鬃 …… **盘颊舞虻属 *Crossopalpus***
7. 翅基部宽，臀叶发达 …… 8
   翅基部窄，臀叶不发达 …… **长头舞虻属 *Dolichocephala***
8. 前缘脉终止于 R_{4+5}末端；亚前缘脉不完整，不伸达翅前缘；侧背片有长毛或鬃 …… 9
   前缘脉环绕整个翅缘；亚前缘脉完整，伸达翅前缘；侧背片无毛 …… **喜舞虻属 *Hilara***
9. R_{4+5}不分叉 …… 10
   R_{4+5}分叉 …… 12
10. 小盾片有 2 对小盾鬃 …… **猎舞虻属 *Rhamphomyia***
    小盾片有 1 对小盾鬃 …… 11
11. 腿节有腹毛 …… **长喙舞虻属 *Heleodromia***
    腿节无腹毛 …… **隐驼舞虻属 *Syndyas***
12. 喙短粗，不长于头高 …… **毛脉溪舞虻属 *Trichoclinocera***
    喙细长，长于头高 …… **舞虻属 *Empis***

（一）驼舞虻亚科 Hybotinae

1. 优驼舞虻属 *Euhybus* Coquillett, 1895

Euhybus Coquillett, 1895: 437. **Type species**: *Hybos purpureus* Walker, 1849.

属征：雌虫和雄虫复眼在颜区很接近；颜很狭长。喙明显短于头长，加粗，端钝，有伪气管（不变窄尖，不适于刺吸）；须短。R_{4+5}和 M_1 端部常会聚，偶尔平行；臀室比基室长；径分脉 Rs 相当短。

分布：东洋区。世界已知 64 种，中国有 7 种，秦岭地区仅有 1 种。

（1）秦岭优驼舞虻 *Euhybus qinlingensis* Liu, Wang *et* Yang, 2014（图 216, 217）

Euhybus qinlingensis Liu, Wang *et* Yang, 2014: 1599.

鉴别特征:触角第3节长为宽的1.50倍，触角芒裸。足腿节全黑色；中足胫节暗黄色；后足基跗节黄褐色，后足胫节无背鬃。翅前缘室和臀叶不扩大。翅痣短而圆，长约为第1径室的1/6，不占满径室的端部。下生殖板有类似三角形的端突。

采集记录:1♂(正模)，宁陕火地塘，1505m，2013.Ⅷ.14，席玉强采。

分布:陕西(宁陕)。

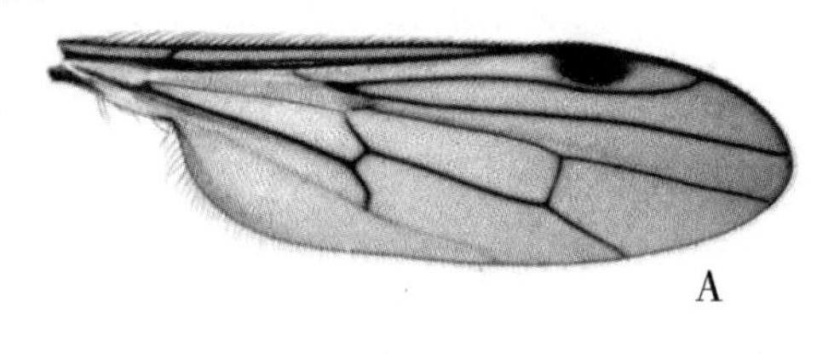

图216　秦岭优驼舞虻 *Euhybus qinlingensis* Liu, Wang *et* Yang (雄性)
A. 翅(wing)；B. 成虫(adult)

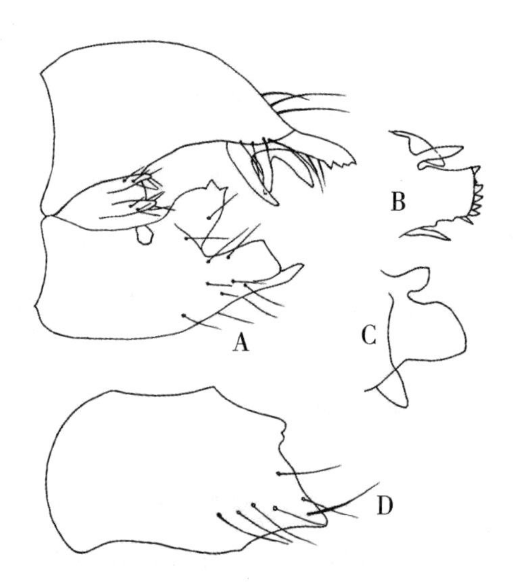

图217　秦岭优驼舞虻 *Euhybus qinlingensis* Liu, Wang *et* Yang (雄性)
A. 外生殖器背面观(genitalia, dorsal view)；B. 右背侧突侧面观(right surstylus, lateral view)；C. 右背侧突侧面观 (left surstylus, lateral view)；D. 下生殖板腹面观(Hypandrium, ventral view)

2. 驼舞虻属 *Hybos* Meigen, 1803

Hybos Meigen, 1803: 269. **Type species**: *Hybos funebris* Meigen, 1804 [= *Hybos grossipes* (Linnaeus, 1767)].

Neoza Meigen, 1800: 27. **Type species**: *Musca grossipes* Linnaeus, 1767.

Pseudosyneches Frey, 1953: 66 (as a subgenus of *Hybos*). **Type species**: *Hybos* (*Pseudosyneches*) *palawanus* Frey, 1953.

属征:雌虫和雄虫复眼均为接眼式，在额区长距离相接；复眼背部小眼面通常扩大，但有的种类小眼面不扩大。单眼瘤明显，有1对单眼鬃。颜较短窄。触角基部3节较短小；第1节和第2节较短，第1节无背鬃，第2节有1圈端鬃；第3节较长，近卵圆形，通常有1~2根背鬃或腹鬃。触角芒2节(基节很短)，长丝状，长至少为基部3节的2倍，通常有微毛且细的端部无毛。喙刺状，水平前伸；须细长，与喙等长，有数根腹鬃。胸部明显隆突；中胸背板中后区稍平。无肩鬃；2根背侧鬃，1根翅后鬃；2根横向的盾前鬃；小盾片有1对小盾鬃和数根缘毛。翅臀叶发达；前缘脉绕至M_1末端；径分脉短，远离肩横脉；R_{4+5}和M_1稍分叉；有盘室，向翅缘伸出2条脉；臀室长于基室，端部尖。后足腿节较粗长，有刺状腹鬃。雄性外生殖器较膨大，向右近90°旋转，左右不对称。

分布:世界广布。目前已知140余种，中国有100余种，秦岭地区有15种。

分种检索表

1. 足部分或大部黄褐色，后足胫节中部有1~2根背鬃 …… 2
   足完全浅黑色至黑色 …… 7
2. 足大部分黄褐色 …… 3
   足局部黄褐色或全黑色 …… 4
3. 足基节黄色；后足腿节黄色 …… **齿突驼舞虻 *H. serratus***
   足基节黑色；后足腿节全黑色 …… **中华驼舞虻 *H. chinensis***
4. 仅前中足基部2跗节黄褐色；后足胫节中部有2根背鬃；后足腿节有一些长直针状腹鬃；雄外明显膨大 …… 5
   胫节基部黄褐色；后足胫节中部有1根背鬃；后足腿节腹鬃非长直接；雄外不明显膨大 …… **卓尼驼舞虻 *H. joneensis***
5. 仅前中足基部2跗节黄褐色 …… 6
   足膝关节黄色；跗节全黑色 …… **白毛驼舞虻 *H. pallipilosus***
6. R_{4+5}和M_1端部明显分叉；后足腿节腹鬃稀少 …… **剑突驼舞虻 *H. ensatus***
   R_{4+5}和M_1端部弱分叉；后足腿节腹鬃较密 …… **湖北驼舞虻 *H. hubeiensis***
7. R_{4+5}和M_1端部分叉 …… 8
   R_{4+5}和M_1端部近平行 …… 13

8. R_{4+5}和 M_1 端部弱分叉 …………………………………………………………………… 9
   R_{4+5}和 M_1 端部显著分叉，后足腿节粗 …………………………………………………… 12
9. 后足腿节较粗，腹鬃密 ………………………………………………………………………… 10
   后足腿节有些细，腹鬃很稀疏；后足胫节中部有 1 根背鬃 ……… **秦岭驼舞虻 *H. qinlingensis***
10. 中足腿节有 1 排后腹鬃；下生殖板端呈锥形或凹缺 ………………………………………… 11
    中足腿节无成排后腹鬃；下生殖板端明显尖 ……………………………… **席氏驼舞虻 *H. xii***
11. 中足腿节后腹鬃全浅褐色 ………………………………………… **双钩驼舞虻 *H. biancistroides***
    中足腿节后腹鬃中部有 3～4 根黑色 ……………………………… **阴峪河驼舞虻 *H. yinyuhensis***
12. R_{4+5}和 M_1 端部分叉 ………………………………………………………… **粗腿驼舞虻 *H. grossipes***
    R_{4+5}和 M_1 端部平行，中足腿节中部有 4 根刺状后腹鬃 …………… **凹缘驼舞虻 *H. concavus***
13. 跗节黑色；后足腿节和胫节暗黄毛稀少；雄翅带浅灰色 …………………………………… 14
    跗节浅褐色；后足腿节和胫节暗黄毛明显多；雄翅白色透明 ……………………………………
    ………………………………………………………………………… **峨眉驼舞虻 *H. emeishanus***
14. 腿节中排腹鬃很短；下生殖板端半部侧凹缺较小，末端不分叶 ……………………………………
    ………………………………………………………………………… **武当驼舞虻 *H. wudanganus***
    腿节中排腹鬃较长；下生殖板端半部侧凹缺大，末端分二叶 ……… **长鬃舞虻 *H. longisetus***

(2)双钩驼舞虻 *Hybos biancistroides* Yang *et* Li, 2011(图 218)

Hybos biancistroides Yang *et* Li, 2011: 94.

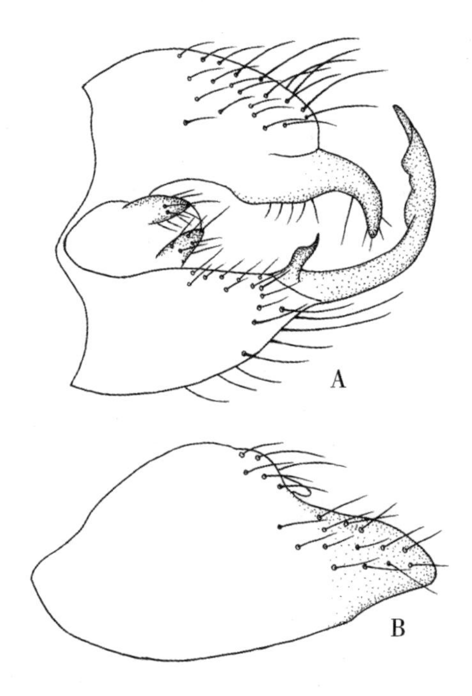

图 218 双钩驼舞虻 *Hybos biancistroides* Yang *et* Li
A. 外生殖器背面观 (genitalia, dorsal view); B. 下生殖板腹面观(hypandrium, ventral view)

鉴别特征：足全黑色。中足腿节有1排长浅褐色的后腹毛。右背侧突粗，端呈钩状；左背侧突有2个钩状突(1个很短，1个很长)；下生殖板端部变窄，有些近三角形。

采集记录：5♂2♀，周至老县城，2057m，2014.Ⅷ.19，李轩昆采。1♂，周至太白山，1648m，2014.Ⅷ.18，李轩昆采。

分布：陕西(周至)、湖北。

(3)中华驼舞虻 *Hybos chinensis* Frey，1953

Hybos chinensis Frey，1953：64.

鉴别特征：头部黑褐色。触角褐色，第3节仅被短毛，且无鬃。胸部黑褐色，具光泽。足黑褐色，但前中足的转节、腿节和基部2跗节及各足的胫节黄色，前中足端部3跗节暗黄褐色，后足跗节黄棕色或较暗。前足胫节具1根中背鬃和1根端背鬃；基跗节具1根基腹鬃。中足胫节基部具1根极长的背鬃，中部前具1根极长的背鬃和1根极长的腹鬃；基跗节具1根基腹鬃。后足腿节比胫节略粗大，腹鬃大致2排，外侧的鬃较长，端半部还具2根背外侧鬃；胫节中部具1根背鬃，端部具1根背鬃和1根端腹鬃。翅几乎透明，具浅褐色翅痣，翅脉浅褐色。腹部黑褐色，略向下弯曲。左背侧突有3个小突；右背侧突内缘有齿；下生殖板宽大，末端较钝，左侧角有小突。

采集记录：2♀，佛坪大古坪，1329m，2014.Ⅷ.24，卢秀梅采。

分布：陕西(佛坪)、浙江、福建、广西、贵州。

(4)凹缘驼舞虻 *Hybos concavus* Yang *et* Yang，1991

Hybos concavus Yang *et* Yang，1991：3.

鉴别特征：头部黑褐色。触角浅褐色。胸部浅褐色，但胸侧呈暗黄褐色。足浅黄褐色，但跗节近黄色。前足腿节略膨大，胫节端半部1/3处具1根细长的背鬃，还具2根端腹鬃。中足腿节具1排稀疏的短腹鬃；中足胫节基部1/3处具1根背鬃，中部前具1根背鬃，后具1根腹鬃，端部1/3处具1根背鬃，末端具2根端腹鬃。后足腿节比胫节明显粗大，腹鬃线状，大致成2排，外侧的较稀疏而长，基半部有2根背外侧鬃、端半部仅有1根背外侧鬃。翅白色，透明，无明显的翅痣。腹部暗黄褐色。左背侧突末端钝圆，侧视较狭长；右背侧突侧视较宽，末端缩小呈锥状；下生殖板狭长，端部左侧缘近弧形凹缺，末端形成1个尖突。

采集记录：1♂，周至老县城，2057m，2014.Ⅷ.19，李轩昆采；2♂，柞水沙沟，1406m，2014.Ⅶ.28，丁双玫采。

分布:陕西(周至、柞水)、河南、湖北。

(5)峨眉驼舞虻 *Hybos emeishanus* Yang *et* Yang, 1989

Hybos emeishanus Yang *et* Yang, 1989: 157.

鉴别特征:头部黑色。触角暗黄褐色，触角芒细长。喙浅褐色；须浅褐色。胸部浅黑色。足浅黑色，但胫节黄褐色，跗节黄色或浅黑色。足有许多淡色细长的毛。中足胫节有1根中背鬃和1根端腹鬃。后足腿节比胫节粗大；腹鬃短刺状,大致成2排；腹外侧鬃长刺状,大致成1排，端部有3根背外侧鬃。翅白色透明，无明显的翅痣；R_{4+5}和 M_1 端部平行。腹部浅黑色，略向下弯。左背侧突中部缩小；右背侧突基部较宽而端部缩小；下生殖板末端具不规则的突起。

采集记录:3♂5♀，周至老县城，2057m，2014.Ⅷ.19，李轩昆采；4♀，周至太白山，1648m，2014.Ⅷ.18，李轩昆采。

分布:陕西(周至)、河南、四川。

(6)剑突驼舞虻 *Hybos ensatus* Yang *et* Yang, 1986

Hybos ensatus Yang *et* Yang, 1986: 83.

鉴别特征:头部黑褐色。触角褐色，第3节仅被短毛。喙赤褐色；须细长，褐色。胸部黑褐色，具光泽。足黑褐色，前中足基部2跗节黄褐色。前足胫节具1根长的中背鬃和1根长的端背鬃。中足胫节基半部具1根极长的背鬃和1根极长的腹鬃，端半部具数根鬃。后足腿节比胫节粗大，腹鬃2排，较稀疏而多呈长针状，还具1排背外侧鬃(4根)；胫节中部具长短不等的2根背鬃，端部具1根端背鬃和1根端腹鬃，背外侧还有1根端前鬃。翅几乎透明，具浅褐色翅痣，翅脉为浅褐色。腹部为褐色，略向下弯。左背侧突较小；右背片末端缩小，其背侧突形似剑状；下生殖板基部宽，端部缩小。

采集记录:20♂30♀，周至老县城，2057m，2014.Ⅷ.19，李轩昆采；10♂10♀，周至太白山，1648m，2014.Ⅷ.18，李轩昆；11♂11♀，周至太白山，1711m，2015.Ⅶ.30，李轩昆采；30♂35♀，佛坪大古坪，1329m，2014.Ⅷ.24，卢秀梅采。

分布:陕西(周至、佛坪)、河南、广西、四川、贵州。

(7)粗腿驼舞虻 *Hybos grossipes* (Linnaeus, 1767)

Musca grossipes Linnaeus, 1767: 988.

Asilus culiciformis Gmelin, 1790: 2900 (nec Fabricius, 1775).

Empis clavipes Fabricius, 1794: 403 (nec Harris, 1780).

Hybos funebris Meigen, 1804: 240.

Hybos pilipes Meigen, 1820: 349.

Hybos claripennis Strobl, 1893: 43.

Hybos grossipes: Yang & Yang, 2004: 164.

鉴别特征:头部黑褐色。触角褐色，但第3节仅被短毛。喙浅褐色；须细长，呈浅褐色。胸部黑褐色，具光泽。足极浅的褐色至黑褐色。前足胫节具2根细长的背鬃；中足胫节具3根长背鬃，还有2根长的端腹鬃。后足腿节比胫节明显粗大，腹鬃大致2排，刺状，外侧的较长而稀疏，内侧的短而密。翅白色透明或略带浅褐色，具浅褐色翅痣。腹部黑褐色，明显向下弯曲。第9背板左背片较狭长，内缘明显凹缺，其背侧突钝圆且内具1个指突；右背片较宽大，背侧突近方形；下生殖板基部略缢缩，端缘凹缺，分为二叶。

采集记录:4♂10♀，周至老县城，2057m，2014.Ⅷ.19，李轩昆采；4♀，周至太白山，1648m，2014.Ⅷ.18，李轩昆采。

分布:陕西(周至)、吉林、内蒙古、河北、山西、河南、宁夏、甘肃、四川；俄罗斯，欧洲。

(8)湖北驼舞虻 *Hybos hubeiensis* Yang *et* Yang, 1991

Hybos hubeiensis Yang *et* Yang, 1991: 3.

鉴别特征:头部黑褐色。胸部黑褐色，具光泽。足黄褐色或黑褐色，但跗节为黄色。前足胫节端半部1/3处和末端各具1根背鬃，前者较弱，而后者较粗、较长，末端还有1根极类似鬃的端背毛；基跗节具1根基腹鬃。中足胫节基半部1/3处具1根极长的背鬃，中部具1根极长的腹鬃，端部具数根轮生的鬃；基跗节具1排腹鬃。后足腿节明显比胫节粗大，腹鬃较长，大致2排，端半部还具4根背外侧鬃；胫节中部具2根背鬃，端部具1根端背鬃和1根端腹鬃，背外侧还有或无2根端前鬃；基跗节有成排且较短的齿状鬃。翅白色透明，具明显或不明显的浅褐色翅痣，脉呈浅褐色。平衡棒呈淡黄色。腹部暗黄褐色。第9背板左背片较小，侧视狭长，其背侧突由指突和钩突构成；右背片明显宽大，其背侧突由直的棒突和端部缩小且内弯的突起构成；下生殖板基部略缩小，端缘中部偏左处具1个大的末端缩小成锥形的突起，左侧端还有1个内弯的小突。

采集记录:1♂，佛坪大古坪，1329m，2014.Ⅷ.24，卢秀梅采。

分布:陕西(佛坪)、河南、甘肃、湖北。

(9)卓尼驼舞虻 *Hybos joneensis* Yang *et* Yang, 1988

Hybos joneensis Yang *et* Yang, 1988: 284.

鉴别特征:头部黑褐色。复眼发达，小眼面无明显分化。触角暗黄色，第3节仅被短毛。喙黄褐色；须细长，暗黄色。胸部黑褐色。足黑褐色，但所有跗节及后足胫节基部暗黄色。前足胫节具2根弱背鬃，末端具2根端腹鬃。中足胫节具1根中背鬃，末端具2根端背鬃和1根端腹鬃。后足腿节比胫节明显粗大，腹鬃刺状，较稀疏，大致2排；胫节仅具1根端腹鬃。翅白色透明，无明显的翅痣，脉黄色。腹部黑褐色，端半部明显下弯。第9背板左背片较狭长，内缘略凹缺，其背侧突由3个小突构成，外侧的较长且明显内弯；右背片较短宽，其背侧突为2个小突，背视大致缩尖；下生殖板狭长，中部较宽大，且端缘斜截。

采集记录：10♂10♀，周至老县城，2057m，2014.Ⅷ.19，李轩昆采；1♂，周至太白山，1648m，2014.Ⅷ.18，李轩昆采。

分布：陕西（周至）、甘肃。

（10）长鬃驼舞虻 *Hybos longisetus* Yang *et* Yang, 2004

Hybos longisetus Yang *et* Yang, 2004: 186.

鉴别特征：头部黑褐色，有灰粉。触角黑色。胸部黑褐色，有灰白粉。足全黑色。前足胫节端部有长的后毛，前足基部2跗节有长毛。中足胫节基部有1根背鬃，末端有2根腹鬃（前腹鬃较长）。后足腿节特别粗大，粗为后足胫节的2.20倍，大致有3排刺状腹鬃（前腹鬃长），还有2~3根前背鬃。后足胫节中部无背鬃，末端无明显的鬃。翅白色透明，带浅灰色；翅痣狭长，浅褐色。腹部明显弯曲，黑色，有灰粉。第9背板左背片基部宽而端部变窄，内缘中部有些隆突，其背侧突较宽，有明显内侧突；右背片基部宽而端部变窄，内缘有些凹缺，其背侧突有些窄，有不明显分开的外侧突；下生殖板端部窄，末端有2叶，有很长的鬃。

采集记录：1♂2♀，佛坪岳坝，1220m，2014.Ⅷ.26，卢秀梅采；1♂，佛坪大吉坡，1366m，2014.Ⅷ.22，李轩昆采。

分布：陕西（佛坪）、贵州。

（11）白毛驼舞虻 *Hybos pallipilosus* Yang, An *et* Gao, 2002

Hybos pallipilosus Yang, An *et* Gao, 2002: 36.

鉴别特征：头部黑色，有灰白粉。触角黑色；触角芒有细弱的毛，窄的端部裸。胸部黑色，有灰白粉。毛淡黄色，鬃黑色；中胸背板毛相当短。足黑色，膝关节暗黄色。足毛淡黄色，鬃黑色；胫节和跗节有部分黑毛。后足腿节有些加粗，宽为胫节的1.60倍，有大致2排长而稀疏的腹刺和4根前背鬃。前足胫节中部偏端外有1根背鬃，末端有1根相当长的背鬃和1根短细的腹鬃；基跗节基部有1根长的后腹鬃。中足胫节中部有1根极长的背鬃和1根极长的腹鬃，末端有1根端前后鬃和2根腹鬃（前腹鬃极长）；基跗节有1根长的前腹鬃位于基部和2根短的后腹鬃。后足胫节中部有1根前背鬃和1根后背鬃，末端有3根鬃，基跗节有腹鬃。翅白色透明；翅痣狭长，褐色。腹部黑色，有灰白粉；毛和鬃淡黄色。第 9 背板左背片较宽大，内缘稍微凹缺，其背侧突长且明显变窄，基部有 2 个小内突；右背片较窄，内缘明显凹缺，其背侧突较短且近叉状，外突长而内突短尖；下生殖板狭长，端部缢缩变窄。

采集记录：1♂4♀，佛坪岳坝，1220m，2014.Ⅷ.26，卢秀梅采。

分布：陕西（佛坪）、河南。

(12) 秦岭驼舞虻 *Hybos qinlingensis* Li，Wang *et* Yang，2014（图 219）

Hybos qinlingensis Li，Wang *et* Yang，2014：175.

鉴别特征：翅白色透明，R_{4+5}和 M_1端部弱分叉。足几乎全为黑色，但膝关节为浅褐色。后足腿节弱加粗，有两排稀疏的腹鬃（前腹鬃 9～10 根；后腹鬃仅 2～3 根位于基部）。后足胫节中部有 1 根前背鬃。左右背侧突相当宽，端有宽的凹缺。下生殖板端宽，有不规则的凹缺。

采集记录：1♂（正模），周至老县城，1808m，2013.Ⅷ.12，李轩昆采；1♂（副模），同正模；1♂（副模），周至老县城，2057m，2014.Ⅷ.19，李轩昆；1♂4♀（副模），宁陕平河梁，2013.Ⅷ.15，席玉强采。

分布：陕西（周至、宁陕）。

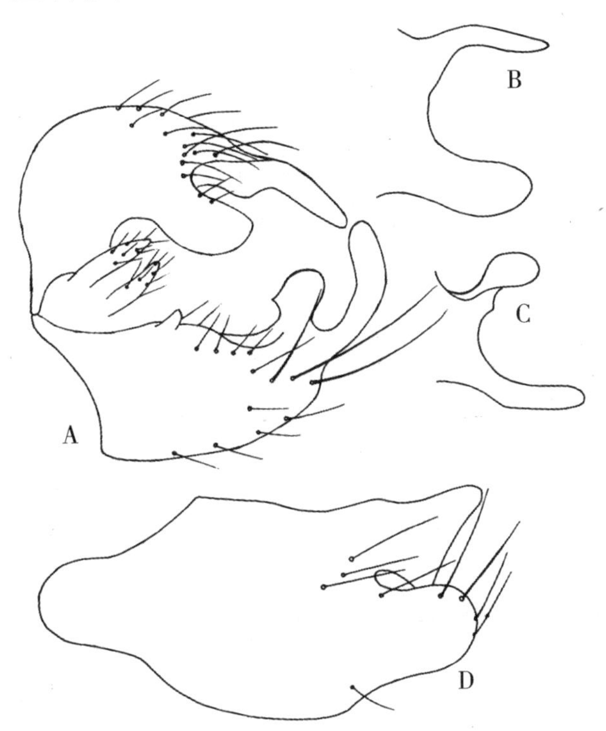

图 219　秦岭驼舞虻 *Hybos qinlingensis* Li，Wang *et* Yang（雄性）

A. 外生殖器背面观（genitalia，dorsal view）；B. 右背侧突侧视（right surstylus，lateral view）；C. 左背侧突侧面观（left surstylus，lateral view）；D. 下生殖板腹面观（hypandrium，ventral view）

(13)齿突驼舞虻 *Hybos serratus* Yang *et* Yang, 1992

Hybos serratus Yang *et* Yang, 1992: 1089.

鉴别特征:头部黑褐色。触角褐色。胸部黑褐色。足黄色，但基节呈浅黄褐色，腿节背部暗黄褐色，第2~5跗节暗黄色。中足胫节基部1/3处具1根背鬃，中部具1根背鬃和1根对生的极长的腹鬃，端部还具数根鬃；基跗节具鬃。后足腿节比胫节粗大，具2排长刺状腹鬃，端半部还具1排腹内侧鬃(4根)和背外侧鬃(5根)；胫节具1根中背鬃，还具1根背鬃和1根端腹鬃；基跗节具短的刺状鬃。翅无色透明，翅痣呈不明显的浅褐色。腹部黑褐色，不明显向下弯曲。左背侧突端部内缘具1个大齿，且末端明显缩小变尖；右背侧突明显内弯，基部具1个纯突，末端缩小变尖，具3个小齿；下生殖板宽大，端缘中央凹缺。

采集记录:1♂，周至板房子，1317m，2013.Ⅷ.10，张韦采；1♀，周至太白山，1648m，2014.Ⅷ.18，李轩昆采；4♂7♀，周至太白山，1711m，2015.Ⅶ.30，李轩昆采；1♂6♀，佛坪岳坝，1269m，2014.Ⅷ.27，卢秀梅采；20♂25♀，佛坪大古坪，1329m，2014.Ⅷ.24，卢秀梅采；1♂5♀，柞水鸳鸯沟，1263m，2014.Ⅶ.27，唐楚飞采。

分布:陕西(周至、佛坪、柞水)、河南、广西、四川、贵州。

(14)武当驼舞虻 *Hybos wudanganus* Yang *et* Yang, 1991

Hybos wudanganus Yang *et* Yang, 1991: 5.

鉴别特征:头部黑褐色。触角褐色。胸部黑褐色，具光泽。足浅褐色。前足胫节有数根端鬃。中足胫节基部1/3处和中部各具1根背鬃，端部还具数根端鬃。后足腿节比胫节明显粗大，腹鬃短刺状，两排排列；基部第2跗节具短的刺状腹鬃。翅白色透明，具浅褐色翅痣。腹部褐色，向下弯曲。左背侧突为扁宽的突起，内侧具1个小突；右背片较狭长，其背侧突为内弯具略扭曲的棒状突起；下生殖板宽大，右端侧角向后延伸成1个长突。

采集记录:1♂，佛坪岳坝，1220m，2014.Ⅷ.26，卢秀梅采；2♂，柞水沙沟，1406m，2014.Ⅶ.28，丁双玫采。

分布:陕西(佛坪、柞水)、河南、湖北。

(15)席氏驼舞虻 *Hybos xii* Li, Wang *et* Yang, 2014(图220)

Hybos xii Li, Wang *et* Yang, 2014: 177.

鉴别特征:第1鞭节有1根背毛；芒裸。翅白色透明，稍带浅褐色，R_{4+5}和M_1端部弱分叉。足几乎全黑色。后足腿节明显加粗，有3排刺状腹鬃。右背侧突端宽圆，有短刺状缘鬃和1个近指状内突。下生殖板基部宽，端部尖。

采集记录: 1♂(正模),宁陕旬阳坝,1365m,2013.Ⅷ.12,席玉强采;2♂(副模),宁陕旬阳坝,1365m,2013.Ⅷ.12、13,席玉强采。

分布: 陕西(宁陕)。

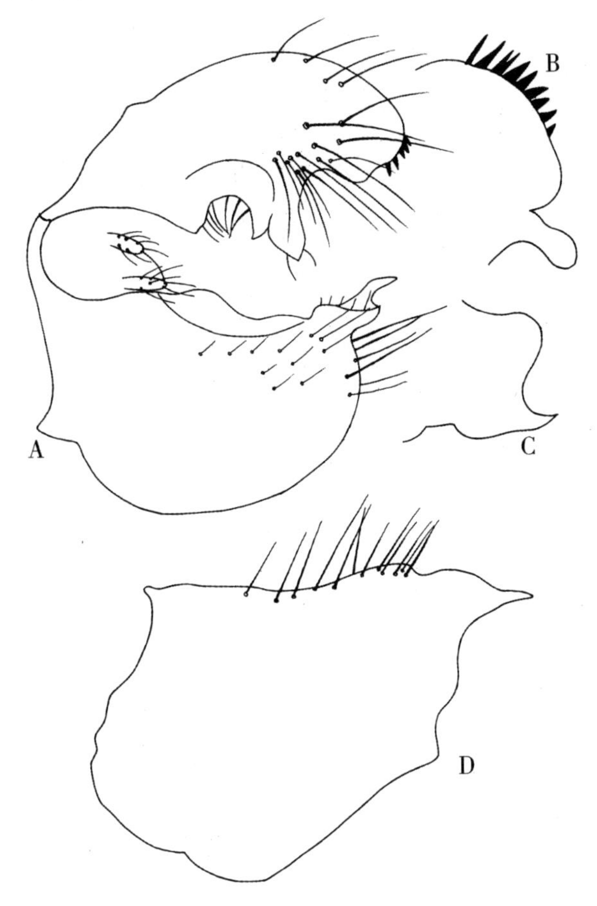

图 220　席氏驼舞虻 *Hybos xii* Li, Wang *et* Yang (雄性)

A. 外生殖器背面观 (genitalia, dorsal view); B. 右背侧突侧面观(right surstylus, lateral view); C. 左背侧突侧面观(left surstylus, lateral view); D. 下生殖板腹面观(hypandrium, ventral view)

(16)阴峪河驼舞虻 *Hybos yinyuhensis* Yang *et* Li, 2011(图 221)

Hybos yinyuhensis Yang *et* Li, 2011: 96.

鉴别特征: 足全黑色。前足腿节有 1 排长浅色的后腹毛;中足腿节有 1 根端前鬃和 1 排长的浅色的后腹毛(但中部 3~4 根后腹鬃黑色而粗);后足腿节粗为中足腿节的 2.30~2.70 倍,端半有 3~4 根前背鬃和 3 排腹鬃(9~10 前腹鬃多较长,14 根腹鬃包括基半 7 根稀疏,端部 7 根密,5 根后腹鬃位于基部 1/4)。右背侧突短而宽,左背侧突具有 1 个短的内突和 1 个长的刀状外突;下生殖板端部变窄,近锥形。

采集记录:1♂，周至老县城，2057m，2014.Ⅷ.19，李轩昆采。

分布:陕西(周至)、湖北。

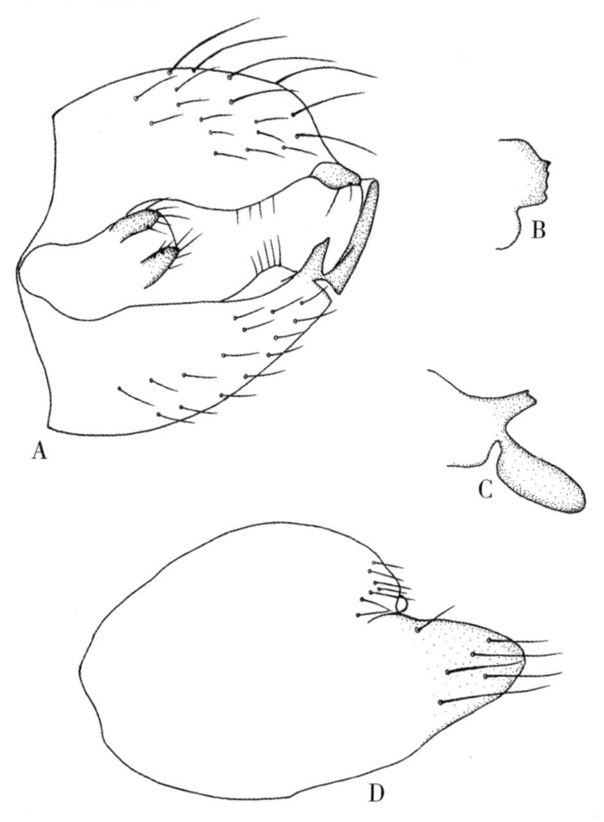

图 221　阴峪河驼舞虻 *Hybos yinyuhensis* Yang *et* Li

A. 外生殖器背面观 (genitalia, dorsal view); B. 右背侧突侧面观 (right surstylus, lateral view); C. 左背侧突侧面观 (left surstylus, lateral view); D. 下生殖板腹面观(hypandrium, ventral view)

3. 隐驼舞虻属 *Syndyas* Loew, 1857

Syndyas Loew, 1857: 369. **Type species**: *Syndyas opaca* Loew, 1857.

Sabinios Garrett Jone, 1940: 273. **Type species**: *Sabinios jovis* Garrett Jone, 1940.

属征:雌虫和雄虫复眼均为接眼式，在额区长距离相接；复眼背部小眼面扩大。单眼瘤明显，有 1 对单眼鬃。颜较短窄。触角较小；第 1 节和第 2 节较短，第 1 节无背鬃，第 2 节有 1 圈端鬃；第 3 节较长，近长卵圆形，无背鬃。触角芒 2 节(基节很短)，长丝状，长约为基部 3 节的 2 倍，无毛。喙刺状，水平前伸，稍短于头长；须细长，比喙稍短，有 1 ~2 根端鬃。胸部明显隆突；中胸背板中后区稍平。无肩鬃；2 根背侧鬃，1 根翅后鬃；小盾片有 1 对小盾鬃和数根缘毛。翅臀叶发达；前缘脉绕至 M_1

末端；径分脉很短，明显远离肩横脉；R_{4+5}和M_1端几乎平行；中脉基部不明显，有盘室，向翅缘伸出2条脉；臀室稍长于基室，端部尖。后足腿节稍加粗，有刺状腹鬃；后足胫节端部和后足基跗节加粗。雄性外生殖器较膨大，向右近90°旋转，左右两侧不对称。

分布：世界广布。目前已知32种，中国有3种，秦岭地区有1种。

(17) 黑色隐脉驼舞虻 *Syndyas nigripes* (Zetterstedt, 1842)

Ocydromia nigripes Zetterstedt, 1842: 240.

Syndyas nigripes: Yang & Yang, 2004: 238.

鉴别特征：头部黑褐色，有灰粉。触角黑褐色；触角芒细长、光裸无毛。喙褐色。胸部明显隆突，黑褐色。中胸背板亮黑色，两侧及后部有灰粉。中胸背板及肩胛有长的淡色黄毛，仅2根背侧鬃为黑色。足黑褐色；后足腿节略加粗，腹面有1排刺状鬃(10~11根)；后足胫节端部和基跗节明显加粗。翅浅灰色，翅痣褐色，中脉主干消失。腹部亮黑色且端部有灰粉，明显向下弯曲。

采集记录：1♂1♀，佛坪岳坝，1220m，2014.Ⅷ.26，卢秀梅采。

分布：陕西(佛坪)、河南、海南、贵州；俄罗斯，欧洲。

4. 柄驼舞虻属 *Syneches* Walker, 1852

Syneches Walker, 1852: 165. **Type species**: *Syneches simplex* Walker, 1852.

Acromyia Latreille, 1809: 305. **Type species**: as "*Acromyia asiliformis* Bonelli" [= *Syneches muscarius* (Fabricius, 1794)].

Pterospilus Rondani, 1856: 152. **Type species**: *Asilus muscaria* Fabricius, 1794.

Epiceia Walker, 1860: 149 (as subgenus of *Syneches*). **Type species**: *Epiceia ferruginea* Walker, 1860.

属征：雌虫和雄虫复眼均为接眼式，在额区长距离相接；复眼背部小眼面扩大。单眼瘤明显，一般有1对单眼鬃。颜较短窄。触角基部3节较短小；第1节和第2节较短，第1节无背鬃，第2节有1圈端鬃；第3节稍长，近锥形或方形，有背鬃或腹鬃。触角芒2节(基节很短)，长丝状，长约为基部3节的3~4倍，无毛。喙刺状，水平前伸，稍比头长；须短，细长形，约为喙长的1/4，有腹鬃。胸部明显隆突。无肩鬃；2根背侧鬃，1根翅后鬃；盾前鬃通常明显成横排；小盾片有多对鬃和长缘毛。翅臀叶发达；前缘脉绕至M_1末端；径分脉很长，接近肩横脉；R_{4+5}和M_1端部平行或会聚；有盘室，向翅缘伸出2条脉；臀室和基室大致等长。后足腿节弱或明显加粗，有明显的前腹鬃。雄性外生殖器不明显膨大，左右对称。

分布：世界广布。目前已知128种，中国有18种，秦岭地区有2种。

分种检索表

胸部黄色或黄棕色，足主要为黄色 ·· **基黑柄驼舞虻 *S. basiniger***
胸部黑褐色，足主要为浅黑褐色 ·· **斑翅柄驼舞虻 *S. muscarius***

(18)基黑柄驼舞虻 *Syneches basiniger* Yang *et* Wang, 1998

Syneches basiniger Yang *et* Yang, 1998: 87.

鉴别特征:头部黑色，有灰粉。触角黄褐色，第3节浅黑色且有2根黑色背鬃(有时仅有1根)；触角芒黄褐色，有短细毛。胸部明显隆突，暗黄色或黄褐色，有灰粉；前胸背板黑色；毛和鬃黑色；小盾片有成排的黄色和黑色的缘毛和鬃。足黄色，但基节、转节和端跗节为暗褐色。足毛和鬃黑色，中足胫节基部1/3处有1根背鬃。后足腿节有1排较长的前腹鬃(5~6根)。翅白色透明，翅痣浅褐色；脉黄褐色，R_{4+5}与M_1端部会聚。腹部黑色，有灰粉。毛和鬃黑色，腹基部毛和鬃淡黄色。

采集记录:1♀，周至老县城，2057m，2014.Ⅷ.19，李轩昆采；1♀，周至太白山，1648m，2014.Ⅷ.18，李轩昆采。

分布:陕西(周至)、河南。

(19)斑翅柄驼舞虻 *Syneches muscarius* (Fabricius, 1794)

Asilus muscarius Fabricius, 1794: 390.
Stomoxys asiliformis Fabricius, 1794: 395.
Acromyia asiliformis Latreille, 1809: 305 (as "*asiliformis* Bonelli").
Asilus hybos Lamarck, 1816: 404.
Syneches muscarius: Yang & Yang, 2004: 253.

鉴别特征:头部黑色，有灰粉。触角暗褐色，第3节黄色；第3节近方形，有1根背鬃；触角芒细长，暗褐色，无毛。胸部黑褐色，有灰褐粉。足浅黑褐色，前中足胫节除基部外色有些浅；后足胫节黄色，基部黑色；跗节黄色。后足腿节加粗，粗为后足胫节的1.60倍，前足腿节粗为后足腿节的0.80倍。后足胫节末端稍加粗。后足腿节有1排不规则短刺状腹鬃和1排4~5根长刺状前腹鬃。翅白色透明，带浅灰色，局部有不规则褐斑，翅痣斑大而宽。腹部黑褐色，有灰粉。第9背板半背片宽大，背侧突末端有2个大小尖突；尾须较粗；下生殖板端缘有"V"形凹缺；阳茎端有些尖采。

采集记录:1♀，榆林镇街坊村，1215m，2014.Ⅷ.11，丁双玫采。

分布:陕西(秦岭、榆林)、北京、山东、河南、湖北、湖南、福建、贵州；俄罗斯，欧洲。

（二）合室舞虻亚科 Tachydromiinae

5. 显颊舞虻属 *Crossopalpus* Bigot, 1857

Crossopalpus Bigot, 1857: 563. **Type species**: *Platypalpus ambiguus* Macquart, 1827.

Eudrapetis Melander, 1918: 187 (as subgenus of *Drapetis*). **Type species**: *Drapetis spectabilis* Melander, 1902.

Therinopsis Vimmer, 1939: 64. **Type species**: *Therinopsis richardsi* Vimmer, 1939[= *Crossopalpus humilis* (Frey, 1913)].

属征:复眼在额和颜窄的分开，额宽于颜。颊明显，较宽。喙明显短于头长；须较小，较短阔。单眼瘤明显，有1对单眼鬃和2根后毛。头顶鬃1对，长度有变化。触角向背方伸；第2节有1圈端鬃，其中1根腹鬃很长；第3节短，侧视近方形；触角芒很细长，位于触角第3节的背端。肩胛不明显，无明显肩鬃。中胸背板有许多短毛。背侧鬃2根，翅后鬃1根，盾前鬃1根。小盾鬃2对。翅前缘脉终止于M_{1+2}末端；亚前缘脉很接近R(似愈合)，末端退化，不达翅前缘；Rs柄很短；R_{4+5}和M_{1+2}端部大致分叉；臀脉和臀室完全消失。第1基室明显短于第2基室，无盘室。足腿节稍加粗，胫节无明显背鬃。后足胫节末端有或无后突。雄腹部末端向右旋转。

讨论:世界广布。全世界已知82种，中国记录7种，秦岭地区有2种。

分种检索表

头顶鬃很长；腿节黑色，但末端暗黄色；后足胫节末端仅有2根前鬃 …………………………… **云南显颊舞虻 *C. yunnanensis***

头顶鬃较短；腿节暗黄色；后足胫节末端有前鬃和背鬃4根 …… **贵州显颊舞虻 *C. guizhouanus***

(20) 贵州显颊舞虻 *Crossopalpus guizhouanus* Yang *et* Yang, 1989

Crossopalpus guizhouanus Yang *et* Yang, 1989: 37.

鉴别特征:头部黑色，有灰白粉。触角黑色；第3节短，侧视近方形。喙褐色，须暗黄色。胸部黑色，有灰白粉；胸侧全为亮黑色。中胸背板有许多短毛。足暗黄色；腿节黄褐色，中足腿节背面浅褐色，后足腿节浅褐色且基部黄褐色；端跗节暗褐色。前中足胫节末端各有1根长的前腹鬃和1根长的后腹鬃。后足胫节有大致2排黄褐色腹鬃；末端有明显的内突，还有前鬃和背鬃4根。翅白色透明，R_{4+5}和M_{1+2}端部大致分叉。腹部浅黑色，腹端黑色。雄性第9背板左背片，较短，其背侧突发达，内缘凹缺；右背片宽大，其背侧突形状不规则，包括2个钝圆的突起和1个指状突。

采集记录:1♂，柞水沙沟林场，1199m，2014.Ⅶ.26，丁双玫采。

分布:陕西(柞水)、河南、贵州。

(21)云南显颊舞虻 *Crossopalpus yunnanensis* Yang, Gaimari *et* Grootaert, 2004

Crossopalpus yunnanensis Yang, Gaimari *et* Grootaert, 2004: 171.

鉴别特征:头部黑色，有灰白粉。触角黑色；第3节短锥状，长为宽的1.20倍。喙黑色，须浅褐色。胸部黑色，有密的灰粉。足黑色；腿节末端暗黄色；胫节和跗节暗黄色，但跗节端部暗褐色。前中足腿节各有1根强的端前鬃，最基部有1根后腹鬃；后足腿节基部有数根背鬃，最基部有1根细长的淡黄色的前腹鬃。前中足胫节末端各有1根长的前腹鬃和1根长的后腹鬃。后足胫节有浅褐色的腹鬃，末端有2根黑色的刺状前鬃。后足基跗节明显较短。翅白色透明，R_{4+5}和M_{1+2}端部分叉。腹部黑色，有灰粉。雄性第9背板左背片，较窄，几乎与有背片分开；其背侧突大而端圆，基部较窄；右背片较大，有短粗的侧突，其背侧突短锥状；单一的尾须斜，呈指状。

采集记录:2♂，柞水沙沟林场，1199m，2014.Ⅶ.26，丁双玫采。

分布:陕西(柞水)、内蒙古、北京、河南、云南。

6. 黄隐肩舞虻属 *Elaphropeza* Macquart, 1827

Elaphropeza Macquart, 1827: 86. **Type species**: *Tachydromia ephippiata* Fallén, 1815.

Ctenodrapetis Bezzi, 1904: 351 (as subgenus of *Drapetis*). **Type species**: *Drapetis* (*Ctenodrapetis*) *ciliatocosta* Bezzi, 1904. 8.

属征:胸部一般黄色。复眼在额窄的分开，在颜很接近或相接。颊不明显，很窄。单眼瘤明显，有1对单眼鬃和2根后毛。头顶鬃2对。触角向前方伸；第2节有1圈端鬃；第3节稍长的锥状；触角芒很细长，位于触角第3节的末端。喙很短，显著短于头长或头高；须较小，较短阔。肩胛不明显，无明显肩鬃。中胸背板有较多短毛。背侧鬃2根，翅后鬃1根，盾前鬃1根。小盾鬃2对。翅前缘脉终止于M_{1+2}末端；亚前缘脉很接近R(似愈合)，末端退化，不达翅前缘；Rs柄很短；R_{4+5}和M_{1+2}端部分叉；臀脉和臀室完全消失；第1基室明显短于第2基室；无盘室。足腿节稍加粗；后足胫节中部有明显前背鬃。雄腹部末端向右旋转。

分布:世界广布。全世界已知148种，中国已知41种，秦岭地区有1种。

(22)端黑黄隐肩舞虻 *Elaphropeza apiciniger* (Yang, An *et* Gao, 2002)

Drapetis apiciniger Yang, An *et* Gao, 2002: 33.

Elaphropeza apiciniger: Yang, Wang, Zhu & Zhang, 2010: 264.

鉴别特征:头部黑色，有灰白粉。触角黄褐色；第3节长锥状，长为宽的3倍；芒细长，长约为触角3节长之和的2倍，褐色，有微细毛。喙暗黄色，有淡黄毛。须暗黄色，有淡黄毛。胸部黑色；中胸背板亮黑色。无明显肩鬃，2根背侧鬃，1根背中鬃，1根翅后鬃。足黄色；后足腿节端半浅黑色，后足胫节浅黑色。足毛和鬃淡黄色。前足腿节明显加粗，粗为前足胫节的1.80倍；中足腿节稍加粗，粗为中足胫节的2倍；后足腿节稍加粗，粗为后足胫节的1.30倍。前足腿节有1排短细的后腹鬃，基部有1根长后腹鬃，末端有2根有些靠近而较长的后腹鬃；中足腿节基部有1根长后腹鬃。前足胫节末端有1根明显的后腹鬃。翅白色透明，R_{4+5}与M端部稍分叉。腹部浅褐色；第3~4节背板有短刺毛。

采集记录:4♂1♀，周至老县城，2057m，2014.Ⅷ.19，李轩昆采。

分布:陕西(周至)、河南。

(三)溪舞虻亚科 Clinocerinae

7. 长头舞虻属 *Dolichocephala* Macquart, 1823

Dolichocephala Macquart, 1823: 147. **Type species**: *Dolichocephala maculata* Macquart, 1823 [= *Dolichocephala irrorata* (Fallén, 1816)].

Ardoptera Macquart, 1827: 105. **Type species**: *Tachydromia irrorata* Fallén, 1816.

Leptosceles Haliday, 1833: 160. **Type species**: *Leptosceles guttata* Haliday, 1833.

Lamposoma Becker, 1889: 338. **Type species**: *Lamposoma cavaticum* Becker, 1889.

Fur Garrett Jones, 1940: 294. **Type species**: *Fur fugitivus* Garrett Jones, 1940.

Obstinocephala Garrett Jones, 1940: 298. **Type species**: *Obstinocephala tali* Garrett Jones, 1940.

属征:头部显著斜向延伸，具有明显的唇基和颊；颈部位于后头上部。翅暗淡，有透明白斑。翅基部狭窄，臀叶不发达；径脉的支脉有些曲折。R_{2+3}和R_{4+5}之间有横脉；R_{4+5}分叉；盘室狭长，端部伸出3条脉。前足第2跗节显著比第3或4跗节长。尾须基板很小，尾须刺状或仅锥状。下生殖板通常明显延伸，突出。阳茎强烈曲折。

分类:世界广布。全世界已知50种，秦岭地区有3种。

分种检索表

1. 翅有7~8个大亮斑；尾须细长，弯刺状 ······ 2
   翅有许多小亮斑；尾须短宽，非刺状 ······ **秦岭长头舞虻 *D. qinlingensis***
2. 翅有8个亮斑，端斑大而明显；尾须长刺状，比生殖背板长 ······ **长突长头舞虻 *D. longa***
   翅有7个亮斑，端斑小而不明显；尾须短刺状，比生殖背板短 ······ **短突长头舞虻 *D. brevis***

(23)短突长头舞虻 *Dolichocephala brevis* Liu, Wang *et* Yang, 2014(图 222)

Dolichocephala brevis Liu, Wang *et* Yang, 2014: 440.

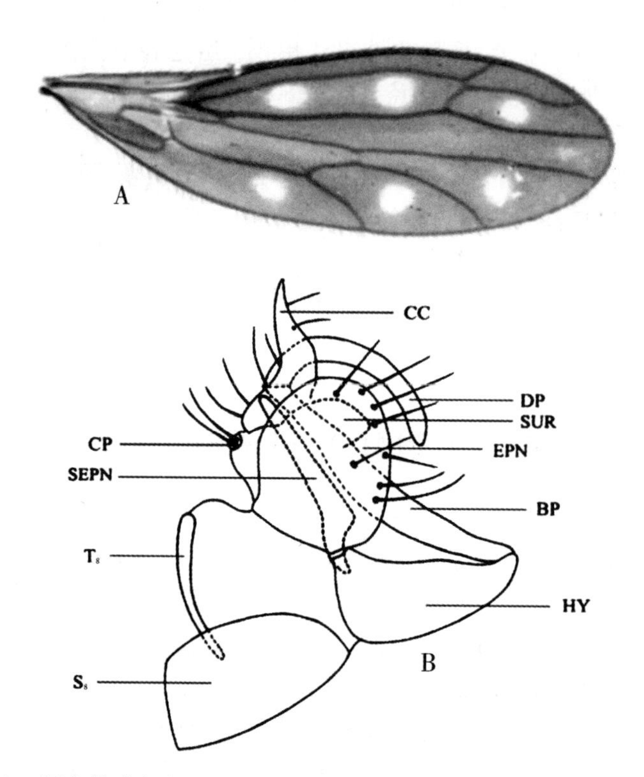

图 222　短突长头舞虻 *Dolichocephala brevis* Liu, Wang *et* Yang (雄性)
A. 翅(wing); B. 生殖器侧面观(genitalia, lateral view); BP、基阳茎(basiphallus); CC、抱握尾须(clasping cercus); CP. 尾须板(cercal plate); DP. 端阳茎(distiphallus); EPN. 生殖背板(epandrium); HYP. 生殖腹板(hypandrium); SEPN. 下生殖背板骨片(subepandrial sclerite); SUR. 背侧突(surstylus); S_8. 第8腹板(sternum 8); T_8. 第8背板(tergum 8)

鉴别特征:胸部全黑色。翅有 7 个亮斑,端斑小而不明显。前足基节黄褐色,中后足基节浅黑色。尾须短刺状,比生殖背板短;阳茎端部长指状。

采集记录:1♂(正模),留坝广华山,1912m,2013.Ⅷ.20,席玉强采。

分布:陕西(留坝)。

(24)长突长头舞虻 *Dolichocephala longa* Liu, Wang *et* Yang, 2014(图 223)

Dolichocephala longa Liu, Wang *et* Yang, 2014: 441.

鉴别特征:胸部全黑色。翅有 8 个亮斑,端斑明显。前足基节黄褐色,中后足基节浅黑色。尾须长刺状,比生殖背板长。阳茎端宽而圆。

采集记录: 1♂(正模),宁陕火地塘,1400m,2013.Ⅶ.13,杨定采;3♀(副模),

同正模；1♀（副模），留坝广华山，1912m，2013.Ⅷ.20，席玉强采；1♀（副模），凤县黄牛埔，1501m，2013.Ⅷ.21，席玉强采；1♀（副模），柞水牛背梁，1000m，2013.Ⅶ.16，闫妍采。

分布：陕西（凤县、宁陕、留坝、柞水）。

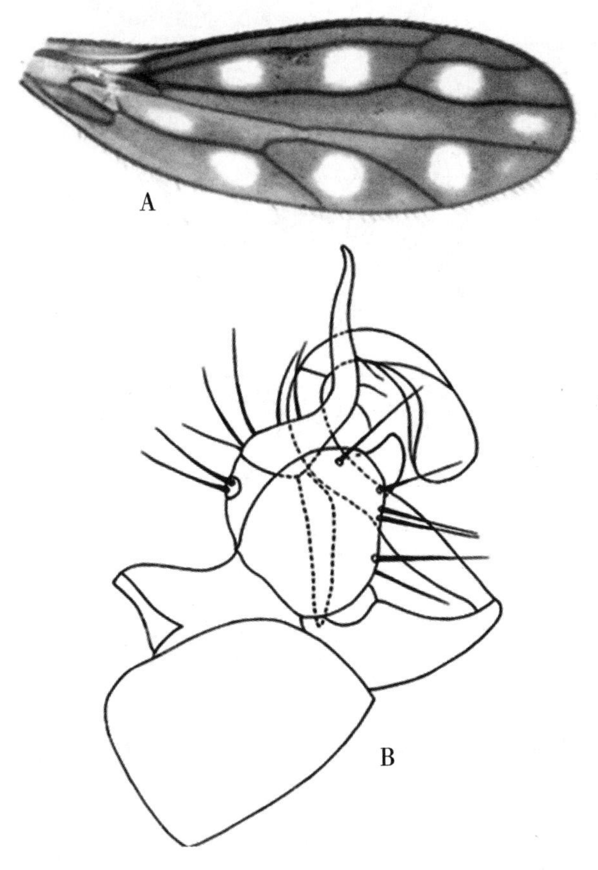

图 223 长突长头舞虻 *Dolichocephala longa* Liu，Wang *et* Yang（雄性）
A. 翅（wing）；B. 生殖器侧面观（genitalia，lateral view）

（25）秦岭长头舞虻 *Dolichocephala qinlingensis* Liu，Wang *et* Yang，2014（图 224）

Dolichocephala qinlingensis Liu，Wang *et* Yang，2014：443.

鉴别特征：胸部黑色。足大部分黄褐色；前足基节黄褐色，中足、后足基节浅黑色。翅有许多小亮斑。尾须短宽，非刺状。下生殖板有 1 个小紧束端鬃。

采集记录：1♂（正模），宁陕火地塘，1400m，2013.Ⅶ.13，杨定采；1♀（副模），同正模；1♂1♀（副模），柞水牛背梁，1000m，2013.Ⅶ.15，王玉玉采。

分布：陕西（宁陕、柞水）。

图 224 秦岭长头舞虻 *Dolichocephala qinlingensis* Liu, Wang *et* Yang（雄性）
A. 翅（wing）；B. 生殖器侧面观（genitalia, lateral view）

8. 毛脉溪舞虻属 *Trichoclinocera* Collin, 1941

Trichoclinocera Collin, 1941: 237. **Type species**: *Trichoclinocera stackelbergi* Collin, 1941.
Seguyella Vaillant, 1960: 179. **Type species**: *Seguyella rostrata* Vaillant, 1960.
Acanthoclinocera Saigusa, 1965: 53. **Type species**: *Acanthoclinocera dasyscutellum* Saigusa, 1965.

属征：复眼被短毛，在颜中部有些接近。头部具较明显的唇基和颊；颈部位于后头上部 2/5 处。触角第 1 节有背毛；第 3 节很短，锥状；触角芒长，一致稍加粗，有很短的毛。喙短粗；下颚须短小。胸部有 5 根长的背中鬃，无中鬃；2 根长的小盾鬃。前足腿节较短粗，有很短小的前腹刺和粗长的后腹鬃；胫节有腹刺。中足与后足腿节细长。翅基部狭窄；R_1 有毛；R_{4+5}分叉；盘室狭长，端部伸出 3 条脉。足第 4 跗节很短。下生殖板显著延长，显著突出。雌性腹部末端有些截形。

分类：古北区，东洋区，新北区。全世界已知 32 种，中国记录 5 种，秦岭地区分布 1 种。

(26) 易县毛脉溪舞虻 *Trichoclinocera yixianensis* Li *et* Yang, 2009(图 225)

Trichoclinocera yixianensis Li *et* Yang, 2009: 134.

鉴别特征: 胸部褐色; 中胸背板黑色, 但肩胛和翅后胛褐色。有 1 根背侧鬃, 无翅后鬃。前胸侧板有 2 根刺状前鬃。前足腿节有 1 排很短的刺状前腹鬃(最基部的 1 根粗长)和 1 排 5 根粗长的后腹鬃。尾须基板较长, 尾须近刺状; 下生殖板显著延长, 突出。

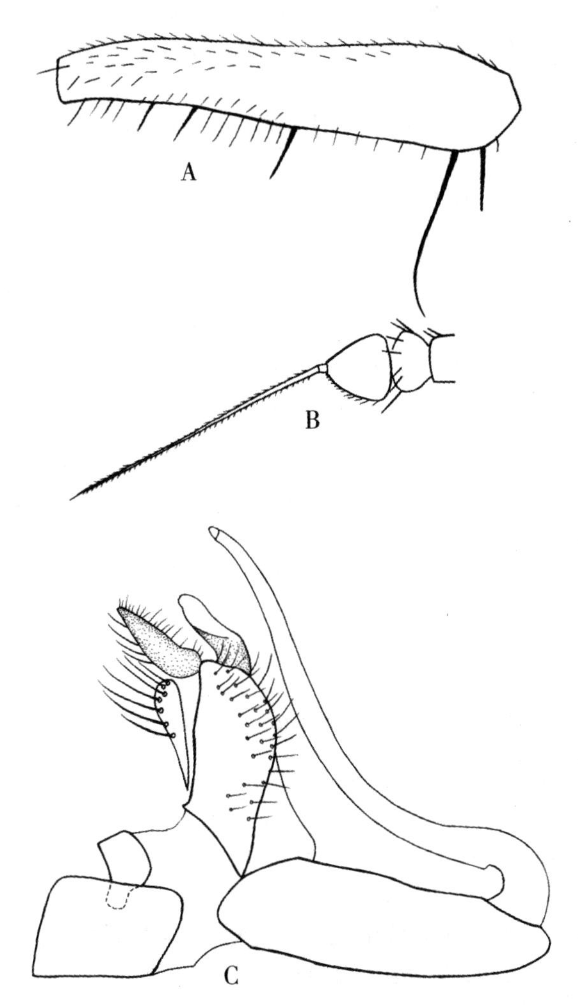

图 225 易县毛脉溪舞虻 *Trichoclinocera yixianensis* Li *et* Yang (雄性)

A. 前足腿节后面观(fore femur, posterior view); B. 触角(antenna); C. 外生殖器侧面观 (genitalia, lateral view)

采集记录: 1♀, 周至太白山, 1565m, 2013.Ⅷ.13, 李轩昆采; 1♀, 周至老县城 2057m, 2014.Ⅷ.19, 李轩昆采; 1♂1♀, 周至太白山, 1711m, 2015.Ⅶ.30, 李轩昆采; 2♂, 宁陕火地塘, 1400m, 2013.Ⅶ.13, 杨定采。

分布:陕西(周至、宁陕)、河南。

(四)长足舞虻亚科 Trichopezinae

9. 长喙舞虻属 *Heleodromia* Haliday, 1833

Heleodromia Haliday, 1833: 159. **Type species**: *Heleodromia immaculata* Haliday, 1833.

Microcera Zetterstedt, 1838: 572. **Type species**: *Microcera rostrata* Zetterstedt, 1838[= *Heleodromia immaculata* Haliday, 1833].

Sciodromia Haliday, 1840: 132. **Type species**: *Heleodromia immaculata* Haliday, 1833.

属征:复眼无毛,在颜中部接近;前部小眼面扩大。单眼瘤稍明显,有1对单眼鬃;上后头两侧有5根鬃。触角第1节较短,有背鬃;第2节稍比第1节粗长,有1圈端鬃;第3节端部一致显著细窄;触角芒细长,有很短的毛。喙粗长,向下伸;须短小,有些延长。胸部有4根背中鬃,前部有中鬃;小盾片有1对鬃位于端缘中段。腿节有腹毛,前足腿节弱加粗。第4~5跗节均较短,几乎等长。翅基部狭窄;有肩横脉(h),亚前缘脉(Sc)较短,末端伸达翅前缘;径分脉(Rs)较短,R_{2+3}与R_{4+5}均不分叉;第1基室稍长于第2基室,臀室后端角不明显尖,几乎与第2基室等长;盘室狭长,M_1和M_2无基柄。雄性外生殖器强烈膨大而延长,呈长囊状,类似螳舞虻亚科的种类;生殖背板端部分叉多且不规则。

分布:古北区,东洋区,新北区。全世界已知26种,中国记录4种,秦岭地区分布1种。

(27)无斑长喙舞虻 *Heleodromia* (*Heleodromia*) *immaculata* Haliday, 1833(图226)

Heleodromia immaculata Haliday, 1833: 159.

Microcera rostrata Zetterstedt, 1838: 572.

Hemerodromia fuscipennis Von Roser, 1840: 53.

鉴别特征:足黑色,腿节末端浅褐色。前足腿节有明显的前腹鬃短于腿节粗。生殖背板叶端部分叉,前突短粗,后突细长的指状;背侧突强烈前弯的指状。

采集记录:1♂1♀,凤县黄牛铺,1501m,2013.Ⅷ.21,席玉强采;1♂1♀,留坝光华山,1912m,2013.Ⅷ.20,席玉强采。

分布:陕西(凤县、留坝)、内蒙古、西藏;朝鲜,欧洲。

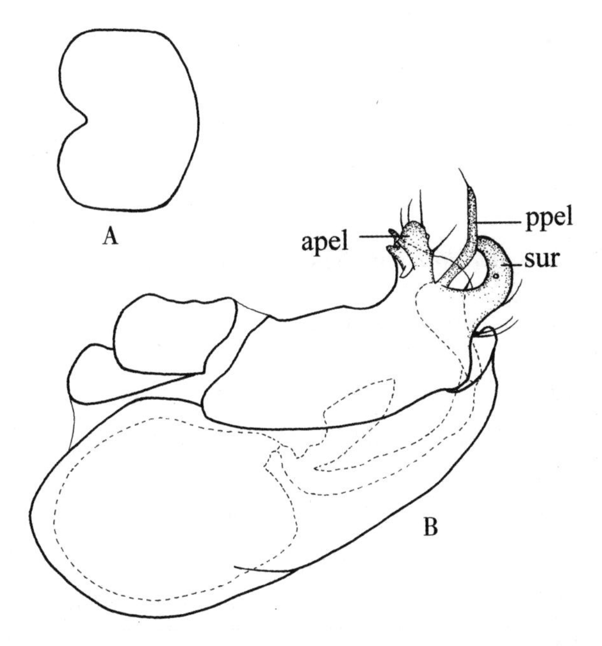

图 226 无斑长喙舞虻 *Heleodromia* (*Heleodromia*) *immaculata* Haliday (雄性)

A. 第 8 背板背面观(tergite 8, dorsal view); B. 生殖器侧面观(genitalia, lateral view); apel. 生殖背板前突(anterior process of epandrial lobe); ppel. 生殖背板后突(posterior process of epandrial lobe); sur. 背侧突(surstylus)

(五)螳舞虻亚科 Hemerodromiinae

10. 鬃螳舞虻属 *Chelipoda* Macquart, 1823

Chelipoda Macquart, 1823: 148. **Type species**: *Tachydromia mantispa* Macquart, 1823 [misidentification] [= *Tachydromia vocatoria* Fallén, 1816].

Chiromantis Rondani, 1856: 148 (nec Peters, 1854). **Type species**: *Tachydromia vocatoria* Fallén, 1816.

Thamnodromia Mik, 1886: 278 (unnecessary change of name for *Phyllodromia* Zetterstedt). **Type species**: not given.

Litanomyia Melander, 1902: 231. **Type species**: *Sciodromia mexicana* Wheeler *et* Melander, 1901.

属征:复眼为接眼式,在额区明显分开,而在颜区接近或相接;前部小眼面扩大。单眼瘤弱,有 1 对单眼鬃;2 对头顶鬃。触角第 1 节较短,有背鬃;第 2 节稍比第 1 节粗长,有 1 圈端鬃;第 3 节长锥状,仅有短细毛;触角芒细长,明显长于第 3 节。喙较短,向下伸;须短小。胸部有明显的鬃,中胸背板前中后各有 1 对侧鬃;小盾片有 1 对鬃位于端缘中段。侧背片有 3 ~4 根毛。前足捕捉式;前足基节细长,几乎与腿节等长,腿节明显加粗,有 2 排短黑腹齿,其内外两侧各有 1 排腹鬃;前足胫节有 1 排黑色倒伏状的短腹鬃,末端无长的端腹鬃。翅有肩横脉(h),亚前缘脉(Sc)末端伸达翅前缘;径分脉(Rs)较短，R_{2+3}和R_{4+5}不分叉；第1基室稍长于第2基室，臀室几乎与第2基室等长；有盘室，M_1和M_2无基柄。

分布:东洋区，古北区，澳洲区，新北区，新热带区。目前已知60种，中国有20种，秦岭地区发现1种。

(28)钩突鬃螳舞虻 *Chelipoda forcipata* Yang *et* Yang, 1992

Chelipoda forcipata Yang *et* Yang, 1992: 44.

鉴别特征:头部黑褐色。毛和鬃黑色，后腹面有淡黄毛。触角第1节黄褐色，第2至3节暗黄色，触角芒细长，白色。喙大至呈黄色。胸部浅褐色。具褐色的背鬃。中胸背板前后各有1对侧鬃，背侧鬃1根；有2对毛状盾前鬃，小盾鬃1对，较弱。侧背片有1或3根毛。足黄色。前足为捕捉式；基节特别延伸，与腿节几乎等长，其基部有1根浅褐色的短背鬃；腿节粗大，腹面2排黑色短小的齿，其外侧各有1排浅褐色长鬃(前腹鬃5~7根、后腹鬃4根)。翅白色透明且略带黄色，翅脉暗黄色。平衡棒黄色。腹部浅褐色。下生殖板弱扩展；尾须细长，端尖的钩状。

采集记录:1♂，周至板房子，1317m，2013.Ⅷ.10，张韦采。

分布:陕西(周至)、河南、浙江、海南、广西。

(六)舞虻亚科 Empidinae

11. 舞虻属 *Empis* Linnaeus, 1758

Empis Linnaeus, 1758: 603. **Type species**: *Empis pennipes* Linnaeus, 1758.
Empimorpha Coquillett, 1895: 396. **Type species**: *Empimorpha comantis* Coquillett, 1895.

属征:头部高大于长。雄性复眼在额相接，背部小眼面明显扩大。喙很长，长大于头高很多。侧背片有长毛或鬃。翅前缘脉伸直R_{4+5}端；亚前缘脉末端不完整，游离，不伸达翅前缘；R_{4+5}分二叉；R_5明显终止于翅末端之前；M_1末端有时不完整，游离，不达翅外缘。雄性外生殖器:第9背板左右半背片基部窄的相连或完全宽的分开；尾须发达，瓣状；阳茎长，强烈向背方弯曲。

分布:世界性分布。全世界已知741种，中国已知36种，秦岭地区发现6种，其中5个新种。

讨论:该属亚前缘脉末端不完整，游离，不伸达翅前缘；M_1末端不完整，游离，不达翅外缘。雄性外生殖器第9背板基部窄的相连，基部多有1背突；下生殖板小；阳茎长，强烈向背方弯曲。该亚属为世界性分布，已知161种(Yang *et al.*, 2007)，中国已知28种。

分种检索表

1. 复眼在额相接 …………………………………………………………………………………… 2
   复眼在额分开 …………………………………………………………………………………… 5
2. 足全黑色或浅黑色 ……………………………………………………………………………… 3
   足主要黄色；触角比头部长；腹部特化 ………… **长角缺脉舞虻，新种 E.（C.）*longa* sp. nov.**
3. 头部和胸部的毛和鬃黑色；有中鬃；小盾鬃1对；中足腿节有短羽状前毛；后足腿节有1排13～14根密而长的前背鬃 ……………………………………………………………………………… 4
   头部和胸部的毛和鬃几乎全黄褐色；无中鬃；小盾鬃2对；前足跗节有许多长背毛 ……………
   ……………………………………………… **黄鬃缺脉舞虻，新种 E.（C.）*flaviseta* sp. nov.**
4. 后足腿节仅有1排前腹鬃，生殖背板背端角尖……………………………………………………
   ……………………………………………………… **背鬃缺脉舞虻，新种 E.（C.）*dorsalis* sp. nov.**
   后足腿节有2排腹鬃；生殖背板背端角钝 …………………… **张氏缺脉舞虻 E.（C.）*zhangae***
5. 前足第1～4跗节强烈膨大 ………………… **粗跗缺脉舞虻，新种 E.（C.）*latitarsalis* sp. nov.**
   前足仅第1跗节弱加粗……………………… **离眼缺脉舞虻，新种 E.（C.）*separata* sp. nov.**

(29) 背鬃缺脉舞虻，新种 *Empis*（*Coptophlebia*）*dorsalis* Wang，Xiao，Ding *et* Yang，sp. nov.（图227）

鉴别特征：小盾鬃1对。后足腿节有排13～14根密而长的前背鬃及多数细长的前腹鬃。生殖背板背端角有些尖。雄性长3.90～4.00mm，前翅长3.40～3.70mm。头部黑色，有灰白粉。毛和鬃黑色。复眼暗黄褐色，在额相接，背部小眼面部扩大。单眼瘤明显，单眼黄褐色，有2根长单眼鬃和2根短后毛。触角第3节端部残缺黑色；第1节和第2节有黑毛；第1节弱延长，长为第2节的1.10倍；第3节近长锥状，长为宽的3.50倍；端刺2节（基节较短），长为第3节的0.95倍。喙浅黑色，有稀少的短黑毛；长约为头高的2.50倍；须浅黑色，有黑色的毛和鬃，末端有1根弱鬃。胸部黑色，有灰白粉。毛和鬃黑色；中胸背板毛和鬃较稀少。肩胛有4根毛和1根长鬃。背侧鬃3根；中鬃双列，背中鬃单列，较长的毛状，仅最后1根背中鬃长；翅上鬃1根，翅后鬃1根，盾前鬃1根；小盾鬃1对。足浅黑色，足的毛和鬃黑色。前足腿节腹面裸，仅有1排很短的前腹毛；中足腿节基部有6根前背鬃，还有1排前腹鬃（5根前腹鬃很长）和1排后腹鬃；后足腿节有1排13～14根密而长的前背鬃和多数细长的前腹鬃。前足胫节有1排9～10根前背鬃和1排10～11根后背鬃，末端有4根鬃。前足基跗加粗，端部有1根短前背鬃和1根长后鬃；末端有6根鬃。前足胫节和基跗节有微腹毛；中足胫节基部有2根前背鬃，10根很长的前腹鬃（基部的8根较接近）和9根长的后腹鬃有些接近；末端有5根鬃（1根前背鬃很长）。中足基跗节基部有1根粗后腹鬃；末端有1根前腹鬃和1根粗短的后腹鬃。后足胫节弱加粗，有8根细长的前背鬃、5根细长后背鬃、1根前腹鬃；末端有4根鬃（仅1根亚端后背鬃很长）。后足基跗节稍加粗，有6根细长前背鬃和4根细长后背鬃，腹鬃稀少而排成3排（2根前腹鬃、2根中腹鬃和2根后腹鬃，均较粗）；末端有3根鬃（1根后背鬃很长）。翅白色透明；翅痣狭长，褐色；脉褐色。平衡棒暗褐色。

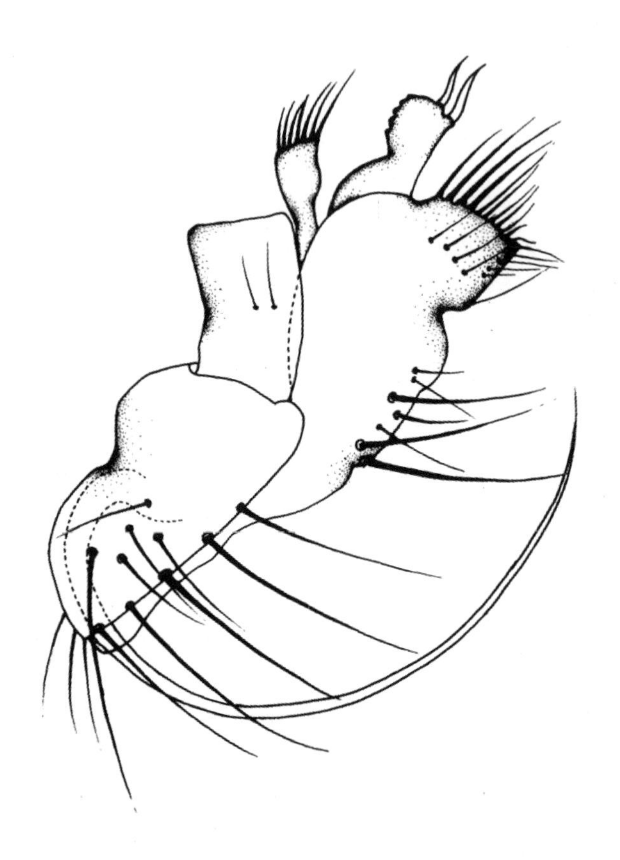

图 227 背鬃缺脉舞虻，新种 *Empis*（*Coptophlebia*）*dorsalis* Wang，Xiao，Ding *et* Yang，sp. nov.（雄性）外生殖器侧面观（malge genitalia，lateral view）

腹部浅黑色，有稀的灰白粉，带些光泽，但第 1～5 节褐色；端部有些弯曲，雄性外不膨大，比前面的节细。毛和鬃黑色。雄腹端第 8 背板发达，特化，中后突骨化，端缘梯形凹缺，光裸无毛。第 8 腹板端缘有长鬃。第 9 背板半背片有些类似三角形，末端指状，有长鬃。尾须末端有 2 根粗长的鬃，有斜向前方的内突；基部很短指突有 1 根很长的鬃。生殖背板斜向延伸，背端角有些尖；端部背缘有成排的很长的鬃。

采集记录：1♂（正模），周至板房子，1317m，2013.Ⅷ.09，李轩昆采；1♂（副模），留坝财神庙，1212m，2013.Ⅷ.17，席玉强采。

分布：陕西（周至）。

讨论：新种与张氏短角缺脉舞虻 *Empis*（*Coptophlebia*）*zhangae* Yang，Wang，Zhu *et* Zhang 近似，区别是本种后足腿节仅有 1 排前腹鬃，生殖背板背端角尖。

种名词源：种名意指后足腿节有 1 排 13～14 根密而长的前背鬃。

(30)黄鬃缺脉舞虻，新种 ***Empis*** **(*Coptophlebia*)** ***flaviseta*** **Wang, Xiao, Ding** ***et*** **Yang, sp. nov.**（图228）

鉴别特征：头胸部的毛和鬃几乎全黄褐色。无中鬃。触角端刺，长为第3节的5/3。足基节和腿节的毛和鬃几乎全暗黄色。后足腿节基部有3排很长的暗黄色后毛。前足胫节端半部和前足跗节有长的背毛。雄性体长3.60～4.20mm，前翅长4.30mm。头部黑色，有灰白粉。毛和鬃暗黄色，但上后头的毛和鬃主要黑色。复眼暗黄褐色，在额相接，背部小眼面扩大。单眼瘤明显，单眼暗黄褐色，有2根长单眼鬃和2根短后毛。触角黑色；第1节和第2节有黑毛；第1节稍延长，长为第2节的1.50倍；第3节近长锥状，长为宽的4.10倍；端刺2节(基节很短)，长为第3节的3/5。喙浅黑色，有稀少的短黑毛；长约为头高的3倍；须黑色，有黑色的毛和鬃，末端有1根鬃。胸部黑色，有浅灰粉。毛和鬃几乎全黄褐色；中胸背板毛和鬃较稀少。前胸背板有1排14根短毛状鬃。肩胛有多根短毛和1根长鬃。背侧鬃4根；无中鬃，背中鬃2列；翅上鬃1根，翅后鬃1根，盾前鬃1根；小盾鬃2对，基对短毛状。足黑色。足的毛和鬃黑色，但基节的毛和鬃暗黄色；腿节毛和鬃多暗黄色，腹面的毛和鬃几乎全暗黄色。中足腿节端半部有1排8～9根细长毛状前腹鬃暗黄色。后足腿节基部有3排很长的暗黄色后毛，中部有2根细长毛状前腹鬃暗黄色。前足胫节有较长的背毛，中部有2细长毛状的后背鬃；末端有4～5根毛状鬃。前足跗节有长的背毛和鬃，第1～4跗节末端各有4～5根很细长的鬃。前足胫节和基跗节有微腹毛。中足胫节基部有1～2根很细长的前背鬃，中部有3根很长的前腹鬃；末端有5根鬃(其中1根后腹鬃和亚端后背鬃长)。中足基跗节最基部有1根很长的前鬃，中部有2根前腹鬃；末端有4根鬃(其中1根前鬃很长)。后足胫节端部稍加粗，有5根前背鬃、2根后背鬃、3根前腹鬃和2根后腹鬃；末端有4根鬃(仅1根亚端后背鬃较长)。后足基跗节稍加粗，中部有3根前背鬃，基部有1根前腹鬃；末端有3根鬃。翅白色透明；翅痣狭长，暗褐色；脉主要暗褐色。平衡棒暗黄色，基部褐色。腹部直，黑色；有稀的灰白粉；背板带些光泽。毛和鬃黑色，第1～5背板宽的两侧区和第1～6腹板的毛和鬃淡黄色。雄性腹端第8背板发达，端部特化成侧突和中后突，中后突较骨化，端缘梯形凹缺，侧突隆起。第8腹板发达，端缘有长鬃。第9背板半背片较小，后缘凹缺且有长缘毛，背突骨化强，末端有6根短刺，腹突末端有1根长鬃。尾须小瓣状，背缘有弱鬃，基部分开。阳茎很细长，向背前方弯曲。雌性：体长3.80～4.20mm，前翅长4.40～4.50mm。复眼在额明显分开。胸部的背面的毛和鬃有时部分黑色。小盾鬃有时3对，基2对短毛状，黑色。后足腿节侧扁，有羽毛状背和腹鬃。后足胫节基半部稍侧扁，有少许背腹羽毛状鬃。

采集记录：1♂(正模)，留坝光华山，1912m，2013.Ⅷ.20，席玉强采；1♀(副模)，同正模；1♂，凤县黄牛铺，1501m，2013.Ⅷ.21，席玉强采；4♂2♀，周至老县城，1896m，2015.Ⅶ.31，侯鹏采；1♂，周至都督门，1740m，2015.Ⅷ.01，侯鹏采。

分布：陕西(周至、凤县、留坝)。

讨论：新种与张氏短角缺脉舞虻 *Empis* (*Coptophlebia*) *zhangae* Yang, Wang, Zhu *et* Zhang 有些近似，区别是本种头部和胸部的毛和鬃大部或几乎全部为黄褐色，无中鬃，小盾鬃 2 对。

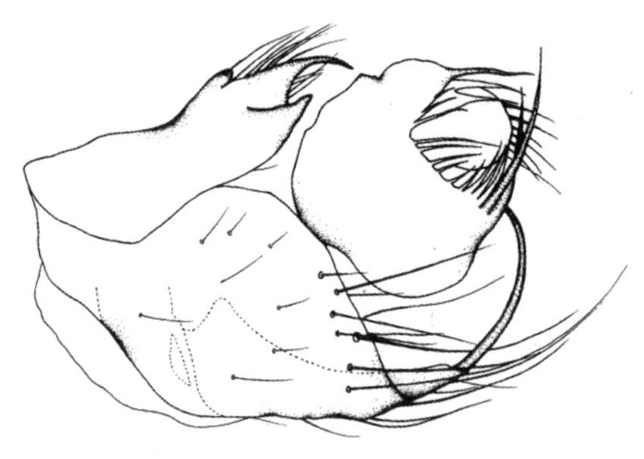

图 228　黄鬃缺脉舞虻，新种 *Empis* (*Coptophlebia*) *flaviseta* Wang, Xiao, Ding *et* Yang, sp. nov.（雄性）外生殖器侧面观（malge genitalia, lateral view）

(31) 粗跗缺脉舞虻，新种 *Empis* (*Coptophlebia*) *latitarsalis* Wang, Xiao, Ding *et* Yang, sp. nov.（图 229）

鉴别特征：复眼在额窄处分开。无中鬃。中足腿节有很长的鬃状前腹毛和后腹毛。前足 1～4 跗节强烈加粗膨大。雄性体长 3.20～4.20mm，前翅长 3.20～3.70mm。头部黑色，有灰白粉。毛和鬃浅黑色，后腹面的毛多黄褐色。复眼暗黄褐色，在额窄的分开，背部小眼面部不扩大。单眼瘤明显，单眼黄褐色，有 2 根长单眼鬃和 2 根短后毛。触角浅黑色；第 1 节和第 2 节有浅黑毛；第 1 节明显延长，长为第 2 节的 2 倍；第 3 节近长锥状，长为宽的 4.30 倍，中部腹缘弱凹；端刺 2 节（基节较短），长为第 3 节的 0.70 倍。喙浅黑色，有稀少的短黑毛；长约为头高的 3 倍；须浅黑色，有浅黑色的毛和鬃，末端有 1 根鬃。胸部黑色，有浅灰白粉。毛和鬃全黄褐色；中胸背板毛和鬃较稀少。肩胛有 1 根长鬃。背侧鬃 3 根；无中鬃，背中鬃 2 列；翅上鬃 1 根，翅后鬃 1 根，盾前鬃 1 根；小盾鬃 2 对，基对短毛状。足浅黑色。足的毛和鬃黑色，但基节和转节的毛和鬃暗黄色，腿节腹面的毛和鬃几乎全暗黄色。中足腿节有很长的鬃状前腹毛和后腹毛，后足腿节有较短的前腹毛和后腹毛。前足胫节的腹毛较多而密，端部的毛较长；末端有 7～8 根鬃（背鬃少而短粗，腹鬃多而细长）。前足 1～4 跗节强烈加粗，第 5 跗节短小；第 1 跗节端部和 2、3 跗节有很长的毛。中足胫节中部有 2 粗长的前背鬃、有 3 根细长的后背鬃位于中部和 6～7 根粗长的前腹鬃位于端部 2/3（位于最基部的 1 根很长）；末端有 4 根鬃。中足基跗节最基部有 1 根很长的前背鬃，末端有 3 根鬃。后足胫节端部加粗，有 4 根前背鬃、1 根后背鬃、1 根很长前腹鬃和 3 根后腹鬃，均很长；末端有 3 根鬃（1 根亚端后背鬃很长）。后足基跗节稍加粗，中部有 1 根后背鬃、3 根前腹鬃和 2 根后腹鬃，末端有 6 根鬃。翅白色透明；翅痣狭长，暗褐色；脉暗褐色。平衡棒暗褐色。腹部明显向下弯，浅黑色，有稀的浅灰粉，带些光泽；雄性外明显膨大。毛和鬃暗黄色，端部的毛和鬃黑色。雄性腹端第8背板发达，端部特化成侧突和中后突，中后突较骨化，端缘梯形凹缺。第8腹板发达，端缘有长鬃。第9背板半背片较小，后缘凹缺，背突短窄，末端有1束4根鬃，腹突长而粗，有15根长鬃。尾须瓣状，背缘有强鬃，基部愈合。阳茎很细长，向背前方弯曲。

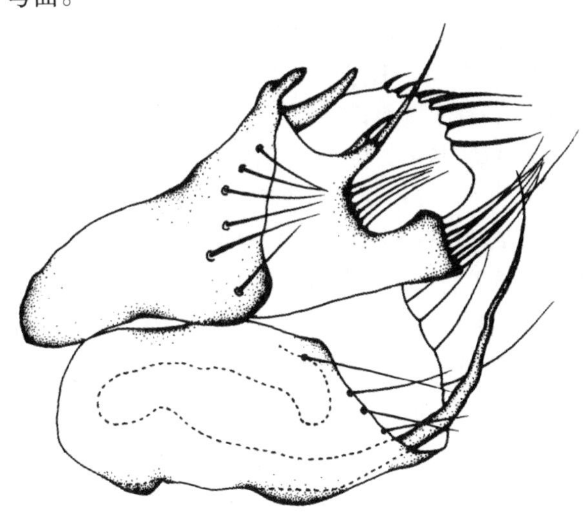

图229 粗跗缺脉舞虻，新种 *Empis* (*Coptophlebia*) *latitarsalis* Wang, Xiao, Ding *et* Yang, sp. nov.（雄性）外生殖器侧面观（malge genitalia, lateral view）

采集记录：1♂（正模），长安库峪，897m，2013.Ⅶ.31，李轩昆采；1♂（副模），宁陕广货街，1200m，2013.Ⅷ.10，席玉强采；5♂，周至厚畛子，1545m，2015.Ⅷ.03，马兴坤采；1♂，周至厚畛子，1545m，2015.Ⅷ.02，李轩昆采；1♂，陕西周至都督门，1740m，2015.Ⅷ.01，侯鹏采。

分布：陕西（长安、周至、宁陕）。

讨论：新种复眼在额分开与离眼缺脉舞虻 *Empis* (*Coptophlebia*) *separata* sp. nov. 很近似，但无中鬃，前足1~4跗节强烈加粗。

（32）长角缺脉舞虻，新种 *Empis* (*Coptophlebia*) *longa* Wang, Xiao, Ding *et* Yang, sp. nov.（图230）

鉴别特征：腹部特化，端部强烈弯曲；腹部基部有黄斑。触角长，比头部长。须暗黄色。无中鬃；小盾鬃1对。足主要黄色。中足基跗节有1排10根很长的后腹鬃。翅痣不明显。雄性体长3.40~4.40mm，前翅长4.60~5.00mm。头部黑色，有灰白粉。毛和鬃黑色。复眼暗黄色，在额相接，背部小眼面扩大。单眼瘤明显，单眼暗黄褐色，有2根长单眼鬃和2根短后毛。触角延长，比头部长；浅黑色；第1节和第2节有黑毛；第1节明显延长，长为第2节的2倍；第3节近很长的锥状，长为宽的10倍；端刺2节，较短，长为第3节的1/5。喙浅黑色，有稀少的短黑毛；长约为头高的2.50倍；须暗黄色，有黑色的毛和鬃，端部有2根鬃。胸部黑色，有浅灰粉，带光泽。毛和鬃黑色；中胸背板毛和鬃较稀少。前胸背板有1排10根鬃。肩胛有2根短毛和1根长鬃。背侧鬃3根(前面的1根短)；无中鬃，背中鬃不规则单列的毛状，最后1根长鬃状；翅上鬃1根，翅后鬃1根；小盾鬃1对。足黄色，但腿节末端浅黑色至黑色，胫节末端黑色；跗节黑色，但中足基跗节基半暗黄色。足的毛和鬃黑色。中足腿节端部有2根细长前腹鬃。后足腿节有5~6根长前背鬃和6根短前腹鬃。前足胫节有3排背鬃(仅正中排的鬃多数很长)；末端有5~6根鬃。前足跗节有明显2排背毛。前足胫节和基跗节有微腹毛。中足胫节端部加粗，有3根前背鬃和3根很长的后背鬃，端半有3根前腹鬃和2根后腹鬃；末端有4~5根鬃(其中1根亚端后背鬃长)。中足基跗节有3根很长的前背鬃和2根长的后背鬃以及1排10根很长后腹鬃；末端有5根鬃(1根前背鬃和1根前腹鬃很长)。后足胫节端部加粗，有6根前背鬃，中部有5根后腹鬃，端部有3根前背鬃；末端有4根鬃(仅1根亚端前背鬃较长)。后足基跗节稍加粗，有4~5根细长背鬃和2排腹鬃(前腹鬃较长)；末端有4根鬃。翅白色透明；翅痣不明显；脉暗褐色。平衡棒黄色，基部黄褐色。腹部端部强烈弯曲，黑色；有稀的灰白粉，但第1背板、第2背板基部和1~4腹板黄色或暗黄色。毛和鬃黑色。腹部6~8节骨化，形状发生特化，第6节稍膨大且。第8背板中后部凹缺，其两侧形成小突；第8腹板发达，端缘有少数稍细长的毛，但无长鬃。第9背板半背片较大，基部宽，向端部变窄，背缘中部有一近方形突起，基部有1个刺状鬃。尾须瓣状，端部有短密的毛。阳茎很细长，向背前方强烈弯曲。雌性体长3.70~4.10mm，前翅长4.70~4.90mm。复眼在额明显分开。前胸黄褐色。

采集记录:1♂(正模)，周至板房子1317m，2013.Ⅷ.09，常文程采；:3♂4♀(副模)，同正模。

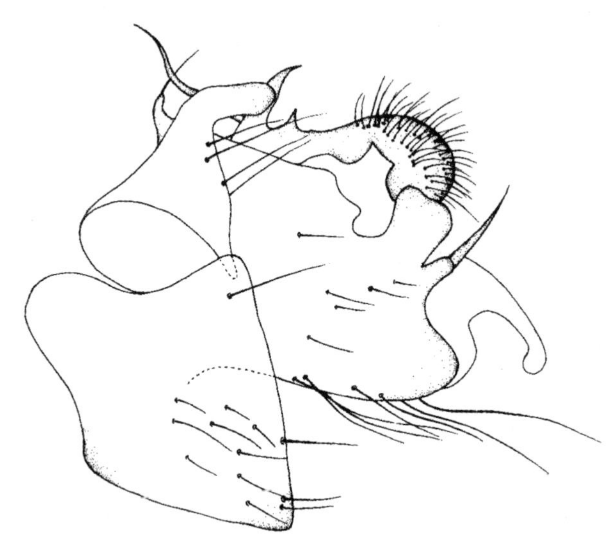

图230　长角缺脉舞虻，新种 *Empis* (*Coptophlebia*) *longa* Wang, Xiao, Ding *et* Yang, sp. nov. (雄性)外生殖器侧面观(malge genitalia, lateral view)

分布:陕西(周至)。

讨论:新种触角比头部长，易与本亚属其他已知种区别。

(33)离眼缺脉舞虻，新种 *Empis* (*Coptophlebia*) *separata* Wang, Xiao, Ding *et* Yang, sp. nov.(图 231)

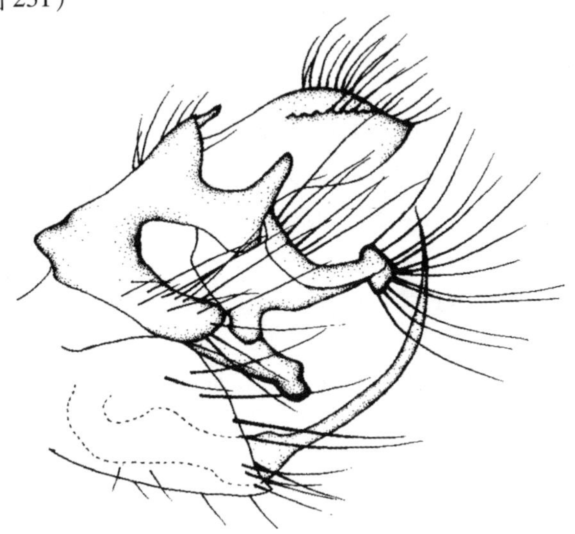

图 231　离眼缺脉舞虻，新种 *Empis* (*Coptophlebia*) *separata* Wang, Xiao, Ding *et* Yang, sp. nov.(雄性)外生殖器侧面观(malge genitalia, lateral view)

鉴别特征:复眼在额分开。触角端刺长为第 3 节的 19/20。中后足腿节有长的前腹毛和后腹毛暗黄色。前足基跗节明显加粗。雄性体长 3.50～3.60mm，前翅长 3.30～3.40mm。头部黑色，有灰白粉。毛和鬃黑色。复眼暗黄褐色，在额分开，背部小眼面部不明显扩大。单眼瘤明显，单眼暗黄褐色，有 2 根长单眼鬃和 2 根短后毛。触角黑色；第 1 节和第 2 节有黑毛；第 1 节稍延长，长为第 2 节的 1.50 倍；第 3 节近长锥状，长为宽的 3.50 倍；端刺 2 节(基节较短)，长为第 3 节的 19/20。喙浅黑色，有稀少的短黑毛；长约为头高的 2.50 倍；须黑色，有黑色的毛和鬃，末端有 1 根鬃。胸部黑色，有灰白粉。毛和鬃几乎全暗黄褐色；中胸背板毛和鬃较稀少。肩胛有 1 根长鬃。背侧鬃 4 根；中鬃和背中鬃 2 列；翅上鬃 1 根，翅后鬃 1 根，盾前鬃 1 根；小盾鬃 2 对，基对短毛状。足黑色。足的毛和鬃黑色，但基节的毛和鬃暗黄色，腿节腹面的毛和鬃几乎全暗黄色。中后足腿节有长的前腹毛和后腹毛。前足胫节末端有 6 根鬃。前足基跗明显加粗，末端有 6 根鬃。前足胫节和基跗节有微腹毛。中足胫节中部有 1 根粗长的前背鬃、3 根细长的后背鬃和 2 根粗长的前腹鬃；末端有 6 根鬃。中足基跗节最基部有 1 根很长的前鬃，中部有 2 根前腹鬃；末端有 4 根鬃(其中 1 根前鬃很长)。后足胫节端部稍加粗，有 4 根前背鬃、1 根后背鬃、1 根前腹鬃和 2 根后腹鬃，除 1 根基部的前背鬃外均很细长；末端有 4 根鬃(仅 1 根亚端后背鬃很长)。后足基跗节稍加粗，中部有 1 根前背鬃，基部有 1 根前腹鬃和 1 根后腹鬃；末端有 6 根鬃。翅白色透明；翅痣狭长，为暗褐色；脉主要为暗褐色。平衡棒为暗褐色。腹部黑色，有稀的灰白粉，带些光泽；端部弯曲，雄外明显膨大。毛和鬃暗黄色，端部的毛和鬃黑色。雄腹端第8背板发达，特化，有侧突和中后突，中后突较骨化，端缘梯形凹缺。第8腹板发达，端缘有长鬃。第9背板半背片较小，有些类似三角形，后缘凹缺，背突短窄，末端有1束2根强鬃，腹突长而粗，有10根长鬃。尾须瓣状，背缘有强鬃，基部愈合。阳茎很细长，向背前方弯曲。雌性体长3.40～3.80mm，前翅长3.40～3.50mm。后足腿节有长密的羽状毛；后足胫节大致基半有较短的羽状毛。

采集记录：1♂(正模)，宁陕广货街，1590m，2013.Ⅷ.10，席玉强采；1♂(副模)，留坝光华山，1912m，2013.Ⅷ.20，席玉强采；5♂2♀，长安太白山，1565m，2013.Ⅷ.13，李轩昆采；25♂32♀，周至厚畛子，1545m，2015.Ⅷ.03，马兴坤采；60♂47♀，周至厚畛子1545m，2015.Ⅷ.02，李轩昆采；29♂16♀，周至都督门，1740m，2015.Ⅷ.01，侯鹏采；13♂6♀，周至太白山1711m，2015.Ⅶ.30，李轩昆采。

分布：陕西(长安、周至、留坝、宁陕)。

讨论：新种与粗跗缺脉舞虻 *Empis* (*Coptophlebia*) *latitarsalis* sp. nov. 近似，但有中鬃，前足基跗节明显加粗。

(34)张氏缺脉舞虻 *Empis* (*Coptophlebia*) *zhangae* Yang, Wang, Zhu *et* Zhang, 2010

Empis (*Coptophlebia*) *zhangae* Yang, Wang, Zhu *et* Zhang, 2010: 316.

鉴别特征：头部黑色，有浅灰粉。触角黑色；第3节近长锥状，基部腹面拱突，长为宽的3.60倍，端刺长为第3节的2/5。喙浅黑色，长为头高的1.60倍，头长的1.90倍；须褐色。胸部黑色，有浅灰粉。中胸背板毛和鬃较稀少而长。中鬃和背中鬃明显，几乎等长，中鬃不规则的2列(前面单列)，背中鬃2列；小盾鬃1对。足黑色。前足胫节有1排12根前背鬃。前足基跗节有1根前腹鬃位于基部。中足腿节有2排长腹鬃。中足胫节有2根长前背鬃和2排长腹鬃(前腹鬃7根，后腹鬃6根)。中足基跗节基半部有1根后腹鬃。后足腿节有1排13～14根长而密的前背鬃，端部有4～5根前腹鬃。后足胫节端部稍加粗，背鬃和腹鬃较多而长，几乎成排，近末端有1根较粗的前腹鬃。后足基跗节稍加粗，有2根前背鬃、2根后背鬃和2排粗的腹鬃。翅白色透明，翅痣狭长，为浅褐色。腹部浅黑色，端部黑色。尾须扭曲，基部的短指突有4根很长的鬃；生殖背板斜向延伸，背缘有成排的很长的鬃。

采集记录：1♂，周至板房子，1317m，2013.Ⅷ.10，张韦采；1♂，周至板房子，1317m，2013.Ⅷ.09，李轩昆采；1♂，周至楼观台植物园，500m，2013.Ⅶ.26，闫妍采。

分布：陕西(周至)、河南。

12. 猎舞虻属 *Rhamphomyia* Meigen, 1822

Rhamphomyia Meigen, 1822: 42. **Type species**: *Empis sulcata* Meigen, 1804.

Dionnaea Meigen, 1800: 27. **Type species**: *Empis platyptera* Panzer, 1794.

Rhamphomyza Zetterstedt, 1838: 562. **Type species**: *Empis sulcata* Meigen, 1804.

Choreodromia Frey, 1922: 3 (as subgenus of *Rhamphomyia*). **Type species**: *Empis nigripes* Fabricius, 1794 [= *Rhamphomyia nigripes*: authors nec Fabricius, 1794][= *Rhamphomyia crassirostris* (Fallén, 1816)].

Dasyrhamphomyia Frey, 1922: 4 (as subgenus of *Rhamphomyia*). **Type species**: *Empis vesiculosa* Fallén, 1816.

Ctenempis Frey, 1935: 3 (as subgenus of *Rhamphomyia*). **Type species**: *Rhamphomyia coracina* Zetterstedt, 1849.

Eorhamphomyia Frey, 1950: 94 (as subgenus of *Rhamphomyia*). **Type species**: *Empis spinipes* Fallén, 1816.

Alpinomyia Frey, 1950: 94 (as subgenus of *Rhamphomyia*). **Type species**: *Rhamphomyia anthracina* Meigen, 1822.

Collinaria Frey, 1950: 94 (as subgenus of *Rhamphomyia*). **Type species**: *Rhamphomyia nitidula* Zetterstedt, 1842.

Orientomyia Saigusa, 1963: 133 (as subgenus of *Rhamphomyia*). **Type species**: *Rhamphomyia spirifera* Frey, 1955.

属征:头部长与高几乎相等。雄性复眼在额相接,背面小眼面稍扩大;颜较宽,长明显大于宽。触角第1节较发达,显著长于第2节,有背腹毛;第2节很短,有1个圈端鬃;第3节长筒状,端部稍变窄;端刺2节,基节很短。喙较粗短,稍短于头高;唇瓣通常宽大;须很短小,筒状,有或无明显的鬃。中胸背板中后区平。中鬃和背中鬃单列。小盾片有2对鬃。前胸侧板有或无毛。前胸腹板全有毛,或仅两侧有毛。翅臀叶发达,腋角尖或直角状;前缘脉稍超过R_5末端;亚前缘脉末端不完整,游离,不伸达翅前缘;Rs短,远离肩横脉;R_{4+5}单一,终止翅末端;第1~2基室较宽大,等长;臀室较窄,明显短于第2基室;盘室短宽,伸出3条脉;臀脉较弱,伸达或不伸达翅后缘。后足腿节腹面几乎无毛或端部有腹刺。腹部第1腹板有或无毛。雄性外生殖器第9背板左右半背片完全宽的分开;下生殖板较小,向上弯,末端尖;阳茎细长,强烈向背前方弯曲。

分布:世界性分布。全世界已知573种,中国已知9种。秦岭地区有3种,包括1新种。

分种检索表

1. 前胸侧板有毛;翅腋角尖;后足腿节腹面几乎无毛(猎舞虻亚属 Rhamphomyia) …………… 2
   前胸侧板无毛;翅腋角近90°;后足腿节腹面有明显的毛(拟猎舞虻亚属 Pararhamphomyia)…
   ……………………………………………………… **指突猎舞虻,新种 *R.* (*P.*) *digitata* sp. nov.**
2. 足主要黄色;翅近白色透明 ……………………………………… **小刺猎舞虻 *R.* (*R.*) *spinulosa***
   足黑色;翅灰色 ……………………………………………………… **内突猎舞虻 *R.* (*R.*) *projecta***

(35) 指突猎舞虻,新种 *Rhamphomyia* (*Pararhamphomyia*) *digitata* Wang, Xiao, Ding *et* Yang, sp. nov. (图232)

鉴别特征:前中足基节黄色,后足基节浅黑色且端部暗黄色;前中足腿节最末端褐色,后足腿节端半褐色至暗褐色。中足腿节有1排短而较密的前腹刺和1排的后腹鬃

(部分很长)。小盾片有3对鬃，基2对短毛状。雄性体长4.40mm，前翅长4mm。头部黑色，有浅灰粉。复眼黄褐色，在额相接，背面小眼面明显稍扩大。毛和鬃黑色，上后头两侧的毛粗，强鬃状。单眼瘤明显，单眼黄色；有2根长单眼鬃和2根短后毛。触角黑色；柄节背腹面和梗节端有黑毛；柄节明显长于梗节；鞭节有些类似长锥状，长为宽的3倍，端刺较短细，2节(基节很短)，长为鞭节的0.40倍。喙中等长，浅黑色，为头高的19/20，有黑毛。须短小，浅黑色，有黑毛。胸部黑色，有浅灰粉。毛和鬃黑色；中胸背板毛和鬃明显稀少，较短。肩胛有1根长肩鬃。背侧鬃2根；中鬃单列，短；背中鬃单列，稍比中鬃长，仅最后1根较长；翅上鬃1根，翅后鬃1根，盾前鬃1根较长；小盾片有3对鬃，基2对明显短而弱。侧背片有暗黄色的毛状鬃。前胸侧板和前胸腹板无毛。足黄色；前中足基节黄色，后足基节浅黑色且端部暗黄色；前中足腿节最末端褐色，后足腿节端半暗褐色；前中足胫节暗黄褐色，端部暗褐色；后足胫节暗褐色，最基部黄褐色；跗节暗褐色。足的毛和鬃黑色。前中腿节腹面的毛和鬃短而很稀少。中足腿节有1排短而密的前腹刺和1排的后腹鬃(部分很长)。前足胫节末端有4根鬃(仅1根前背鬃和1根前腹鬃较长)。前足基跗节不明显加粗，长约为第2跗节2倍，有3根后腹鬃；末端有4根鬃。中足胫节有2排大致短的腹鬃；末端有4根鬃(1根亚端前背鬃很长)。中足基跗节不明显加粗，长约为第2跗节2倍，有2排的短腹鬃；末端有4根短鬃。后足胫节端部稍加粗；末端有1根粗长的前背鬃和1根短细的后背鬃。后足基跗节明显加粗，长约为第2跗节2.50倍；末端有5根粗鬃(2根很短)。翅白色透明；翅痣狭长，浅褐色；脉暗褐色；臀叶发达，腋角近直角状；臀脉较弱，端部完全消失，末端不伸达翅后缘。平衡棒褐色，末端暗黄色。腹部直，浅黑色，有浅灰粉，稍带光泽；雄外明显膨大，比前面的节稍粗。毛和鬃浅黑色，1~5背板宽的两侧区有暗黄的毛和鬃。第1腹板无毛，2~6腹板有暗黄毛。雄腹端第9背板左右半背片宽的分开，基部宽且端部变窄，末端钝圆；有少数很长的鬃；尾须发达，较长而宽，末端变窄；阳茎细长，强烈向背前方弯。雌性体长4mm，前翅长3.60mm。类似雄性，但复眼在额上分开，后足基跗节不明显加粗。

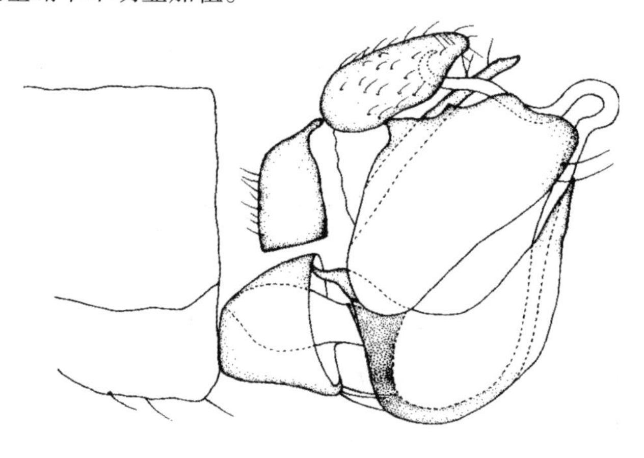

图232 指突猎舞虻，新种 *Rhamphomyia* (*Pararhamphomyia*) *digitata* Wang, Xiao, Ding *et* Yang, sp. nov. (雄性)外生殖器侧面观(malge genitalia, lateral view)

采集记录:1♂(正模), 宁陕广货街, 1200m, 2013.Ⅷ.10, 席玉强采。

分布:陕西(宁陕)。

讨论:新种与大竹岚猎舞虻 *Rhamphomyia* (*Pararhamphomyia*) *tachulanensis* Saigusa 近似, 但本种第9背板半背片端部钝圆。

(36)内突猎舞虻 *Rhamphomyia* (*Rhamphomyia*) *projecta* Yu, Liu *et* Yang, 2010(图233)

Rhamphomyia (*Rhamphomyia*) *projecta* Yu, Liu *et* Yang, 2010: 746.

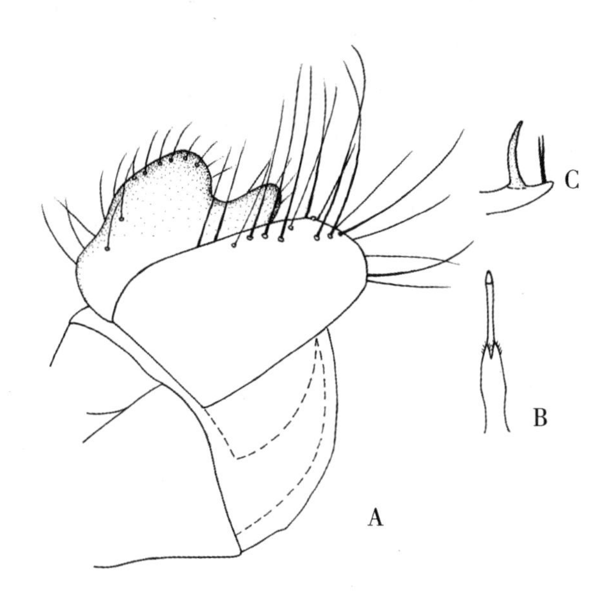

图233　内突猎舞虻 *Rhamphomyia* (*Rhamphomyia*) *projecta* Yu, Liu *et* Yang

A. 生殖器侧面观(genitalia, lateral view); B. 阳茎后面观(phallus, posterior view); C. 尾须端内突背面观(apical inner process of cercus, dorsal view)

鉴别特征:头部黑色, 有浅灰粉。触角鞭节近长锥状, 长为宽的5倍, 端刺较短细, 2节(基节很短), 长为鞭节的2/5。胸部黑色, 有浅灰粉。侧背片有多数白色的毛。前胸侧板有白毛; 前胸腹板仅两侧有白色长毛。足黑色。前足腿节大部分裸, 有1排毛状前腹鬃; 中足腿节有2排密的刺状腹鬃(后腹鬃较长); 后足腿节大部分裸, 基部1/3有1排短粗的前腹鬃。前足胫节末端有3根短鬃, 前足跗节腹面有微毛。中足胫节有4根长的前背鬃(端部2根粗长)和2排密的短腹鬃(前腹鬃刺状)。后足胫节有5根前背鬃和2排密的腹鬃(前腹鬃很短的刺状, 后腹鬃长毛状)。后足1~4跗节有长背毛, 末端各有1根前背鬃和1根后背鬃均很长; 基跗节不加粗, 长为第2跗节3倍。翅灰色; 翅痣狭长, 暗褐色, 伸达翅前缘。腹部黑色。第9背板半背片比尾须宽, 端钝, 有长鬃; 尾须宽, 端凹缺。

采集记录:1♂, 宁陕火地塘, 1505m, 2013.Ⅶ.12, 杨定采。

分布:陕西(宁陕)、湖北。

(37)小刺猎舞虻 *Rhamphomyia* (*Rhamphomyia*) *spinulosa* Yang, Wang, Zhu *et* Zhang, 2010

Rhamphomyia (*Rhamphomyia*) *spinulosa* Yang, Wang, Zhu *et* Zhang, 2010: 321.

鉴别特征:头部黑色，有灰色粉。触角鞭节类似长锥状，长为宽的4.30倍，端刺较短细，2节(基节很短)，长为鞭节的3/10。胸部黑色，有灰色粉；腹侧片后侧区暗黄色，小侧片(除中下部外)和后侧片暗黄褐色。侧背片有白色的毛。前胸侧板有白毛；前胸腹板仅两侧上部有白毛。足黄色；腿节最末端浅黑色；前中足胫节末端和后足胫节端部浅黑色；跗节黑色。前足胫节末端有3根鬃(仅1根腹鬃明显)。前足基跗节弱加粗，长约为第2跗节的2倍，有成排的背鬃。中足腿节有成排很短的前腹刺和1排细长的后腹鬃。中足胫节有1排8根很长的背鬃和1排短的前腹刺。中足基跗节明显加粗，长约为第2跗节的2倍，有成排的背鬃；末端有4根鬃。后足腿节有1~2排长的前鬃和后鬃，前鬃有些倒伏，后鬃较直立。后足胫节有1排长的前背鬃、1排长的后背鬃和1排很短的前腹刺。后足基跗节明显加粗，长约为第2跗节的3倍，有成排的背鬃。翅稍带浅灰色；翅痣狭长，暗褐色，伸达翅前缘。腹部浅黑色，腹端黑色，稍膨大。第9背板半背片有很长的鬃；尾须很发达，分叉状。

采集记录:1♂1♀，长安太白山，1565m，2013.Ⅷ.13，李轩昆采；1♂，凤县黄牛铺，1501m，2013.Ⅷ.21，席玉强采；2♂4♀，周至太白山，1648m，2014.Ⅷ.18，李轩昆采；1♂1♀，周至厚畛子，1545m，2015.Ⅷ.02，李轩昆采；1♂，周至太白山，1711m，2015.Ⅶ.30，李轩昆采。

分布:陕西(长安、周至、凤县)、河南。

13. 喜舞虻属 *Hilara* Meigen, 1822

Hilara Meigen, 1822: 1. **Type species**: *Empis maura* Fabricius, 1776.

Pseudoragas Frey, 1952: 121. **Type species**: *Pseudoragas japonica* Frey, 1952.

Calohilara Frey, 1952: 124 (as subgenus of *Hilara*). **Type species**: *Hilara* (*Calohilara*) *elegans* Frey, 1952.

Meroneurula Frey, 1952: 126 (as subgenus of *Hilara*). **Type species**: *Hilara vetula* Frey, 1952.

Pseudorhamphomyia Frey, 1953: 73 (as subgenus of *Hilara*). **Type species**: *Hilara* (*Pseudorhamphomyia*) *hyalinata* Frey, 1953.

属征:头部长与高几乎相等；喙短于头高。雌虫和雄虫复眼在额和颜均明显分开。额两侧有成排的毛，但后面倒数第2根长鬃状。翅亚前缘脉完整，伸达翅前缘；R_1 端部加粗，R_{4+5}分2叉。雄性前足胫节端部弱加粗。雄性前足基跗节通常加粗，有或无强鬃。雌性前足胫节和基跗节不加粗。雄性第 9 背板分为 2 个完全分开的左右半背片，具有端侧突；下生殖板很发达，基部宽大，端部变窄，向背方延伸；阳茎长，强烈向背方弯曲。

分布：世界性分布。世界已知 389 种，中国记录 38 种，秦岭地区分布 9 种。

分种检索表

1. 足全暗褐色至黑色，基节全黑色 …… 2
   至少前足基节暗黄色或黄褐色 …… 4
2. 触角全黑色；前足基跗节无背鬃 …… 3
   触角基部 2 节暗黄褐色；前足基跗节有 2 根短背鬃和 1 排短腹鬃 …… **小刺喜舞虻 *H. spinata***
3. 触角端刺稍比第 3 节短；前足基跗节比其余跗节之和短；尾须长指状，背缘较直；背侧突短指状 …… **指须喜舞虻 *H. digitata***
   触角端刺比第 3 节稍长一点；前足基跗节比其余跗节之和长；尾须短宽，近梯形；背侧突扁片形 …… **宽须喜舞虻 *H. lata***
4. 腿节暗褐色或黑色 …… 5
   基节和腿节大致或完全黄色；触角基部 2 节黄色或黄褐色 …… 8
5. 触角不比头长 …… 6
   触角明显比头部长 …… **宁陕喜舞虻 *H. ningshana***
6. 触角端刺比第 3 节短或等长；前足基跗节最多有 1 根背鬃 …… 7
   触角端刺明显比第 3 节长；前足基跗节有 2 根长背鬃 …… **秦岭喜舞虻 *H. qinlingensis***
7. 触角端刺与第 3 节几乎等长；前足基跗节无背鬃 …… **平突喜舞虻 *H. flata***
   触角端刺比第 3 节短；前足基跗节有 1 根背鬃 …… **双突喜舞虻 *H. biprocera***
8. 胸侧有暗黄斑；背侧突骨化强 …… **指突喜舞虻 *H. digitiformis***
   胸侧无暗黄斑；背侧突骨化弱 …… **周至喜舞虻 *H. zhouzhiensis***

(38) 双突喜舞虻 *Hilara biprocera* Xiao *et* Yang, 2016

Hilara biprocera Xiao *et* Yang, 2016: 133.

鉴别特征：触角黑色，但基部 2 节暗黄褐色；第 3 节近长锥形，长为宽的 3 倍；端刺长为第 3 节的 7/10。中鬃 4 列。足褐色；基节黄色，但后足基节黄褐色；前中足腿节黄褐色。前足基跗节弱加粗，中部有 1 根背鬃。第 9 背板背侧突有 2 个突起。

采集记录：1♂（正模），宁陕火地塘，1400m，2013.Ⅶ.13，杨定采；1♂（副模），同正模；1♂（副模），宁陕火地塘，1505m，2013.Ⅶ.13，杨定采；2♂3♀（副模），宁陕火地塘，1505m，2013.Ⅶ.12，杨定采。

分布：陕西（宁陕）。

(39) 指须喜舞虻 *Hilara digitata* Xiao *et* Yang, 2016

Hilara digitata Xiao *et* Yang, 2016: 133.

鉴别特征：触角全黑色；第3节近长锥形，长为宽的2.25倍；端刺长为第3节4/5。中鬃4列。足黑色，仅膝关节暗黄褐色。前足基跗节明显加粗，粗为前足胫节的1.30倍，无长背鬃，仅末端有1根短毛状前背鬃。尾须长指状，背缘较直；背侧突短指状。

采集记录：1♂（正模），宁陕火地塘，1505m，2013.Ⅶ.13，杨定；1♂1♀（副模），同正模。

分布：陕西（宁陕）。

(40)指突喜舞虻 *Hilara digitiformis* Liu, Li *et* Yang, 2010

Hilara digitiformis Liu, Li *et* Yang, 2010: 65.

鉴别特征：胸部有黄褐斑。触角基部2节暗黄色，第3节基部暗黄褐色。触角端刺与第3节等长。基节和腿节黄色，但后足腿节暗黄褐色。前足基跗节无背鬃。雄性第9背板半背片有几根长鬃。

采集记录：1♂，周至老县城，1896m，2015.Ⅶ.31，侯鹏采；2♂5♀，周至太白山，1711m，2015.Ⅶ.30，李轩昆采。

分布：陕西（周至）、湖北。

(41)平突喜舞虻 *Hilara flata* Liu, Li *et* Yang, 2010

Hilara flata Liu, Li *et* Yang, 2010: 66.

鉴别特征：盾片中部有2块黑斑。雄虫前足基跗节具2~3根短而弱的背鬃。尾须短粗。

采集记录：3♂2♀，周至厚畛子，1297m，2015.Ⅷ.05，李轩昆采。

分布：陕西（周至）、湖北。

(42)宽须喜舞虻 *Hilara lata* Xiao *et* Yang, 2016

Hilara lata Xiao *et* Yang, 2016: 134.

鉴别特征：额两侧各有1排4根鬃。触角黑色；第3节近长锥形，长为宽的2倍；端刺比第3节稍长一点。中鬃4列。足暗褐色，但膝关节黄褐色。前足基跗节明显加粗，粗约为前足胫节的1.20倍，长为前足胫节的7/10，为其余跗节的1.15倍；无长背鬃，仅末端有1根短弱的前背鬃。雄尾须短宽，近梯形；背侧突扁片状。

采集记录：1♂（正模），宁陕火地塘，1505m，2013.Ⅶ.12，杨定采；1♀（副模），同正模。

分布：陕西（宁陕）。

(43)宁陕喜舞虻 *Hilara ningshana* Xiao *et* Yang, 2016

Hilara ningshana Xiao *et* Yang, 2016: 135.

鉴别特征:触角长是头部的1.20倍,黑色;第3节近长锥形,长为宽的3.10倍;端刺长为第3节的3/5。喙长等于头高。中鬃2列。足暗褐色;基节黄褐色;前足腿节褐色。前足基跗节明显加粗,粗为前足胫节的1.55倍,无背鬃。雄性第9背板半背片仅有明显的毛,而无长鬃;背侧突细指状,后缘斜直。

采集记录:1♂(正模),宁陕火地塘,1400m,2013.Ⅶ.13,杨定采;1♂(副模),同正模。

分布:陕西(宁陕)。

(44)秦岭喜舞虻 *Hilara qinlingensis* Xiao *et* Yang, 2016

Hilara qinlingensis Xiao *et* Yang, 2016: 136.

鉴别特征:触角浅黑色;第3节近短锥形,长为宽的1.60倍;端刺长为第3节的1.25倍。中鬃2列。足褐色至暗褐色;前足基节暗黄色,但中后足基节褐色;前足腿节黄褐色;中后足膝关节黄褐色。前足基跗节明显加粗,有3~4根短前背鬃和2根很长的背鬃;末端有1根前背鬃和1根后背鬃。前足基跗节粗为前足胫节的1.70倍。翅带浅灰色。第9背板半背片有明显的毛,无长鬃;背侧突短粗的指状。尾须弯曲,基部背缘拱突,端部明显细而端有些尖。下生殖板端部较粗,且两侧平行。

采集记录:1♂(正模),宁陕火地塘,1505m,2013.Ⅶ.12,杨定采;2♂1♀(副模),同正模。

分布:陕西(宁陕)。

(45)小刺喜舞虻 *Hilara spinata* Xiao *et* Yang, 2016

Hilara spinata Xiao *et* Yang, 2016: 137.

鉴别特征:雄腹部基部黄褐色。触角黑色,基部2节浅褐色;第1节背面和第2节端有黑毛;第3节近长锥形,长为宽的2.10倍;端刺长为第3节的1.20倍。中鬃不规则的4列。足浅黑色,但膝关节黄褐色。前足基跗节明显加粗,粗为前足胫节的1.50倍,有2根短背鬃和1排短腹鬃;末端有1根前背鬃和1根后背鬃较长。雄腹端第9背板半背片有3根很长的鬃。下生殖板端部菱形,有2根短刺侧生。

采集记录:1♂(正模),宁陕火地塘,1400m,2013.Ⅶ.13,杨定采;36♂30♀(副模),同正模。

分布:陕西(宁陕)。

(46)周至喜舞虻 *Hilara zhouzhiensis* Xiao *et* Yang, 2016

Hilara zhouzhiensis Xiao *et* Yang, 2016: 138.

鉴别特征:额两侧各有1排4根鬃。触角黑色，基部2节暗黄色；第3节近长锥形，长为宽的2倍；端刺与第3节等长。中鬃不规则的4列。足黄色，但腿节端部和后足腿节背面褐色，胫节和跗节黑色，但前足胫节浅黑色。前足基跗节明显加粗，粗为前足胫节的1.50倍，末端也无明显的鬃。雄性第9背板半背片有几根细长鬃。下生殖板端部菱形，有2根短刺侧生。

采集记录:1♂(正模)，周至太白山，1711m，2015.Ⅶ.30，李轩昆采；1♂(副模)，周至老县城，1896m，2015.Ⅶ.31，侯鹏采。

分布:陕西(周至)。

参考文献

Li, Z. and Yang, D. 2009. A new species of *Trichoclinocera* Collin (Diptera: Empididae) from China. *Aquatic Insects*, 31(2): 133-137.

Liu, X-Y., Li, Z. and Yang, D. 2010. New species of subgenus *Coptophlebia* from Shennongjia, Hubei (Diptera: Empididae). *Acta Zootaxonomica Sinica*, 35(4): 736-741.

Liu, X-Y., Li, Z. and Yang, D. 2011. *Euhybus* newly recorded from Taiwan with one new species (Diptera: Empidoidea). *Transactions of the American Entomological Society*, 137(3-4): 363-366.

Liu, X-Y., Wang, J-J. and Yang, D. 2012. *Heleodromia* Haliday newly recorded from China with descriptions of two new species (Diptera: Empidoidea). *Zootaxa*, 3159: 59-64.

Liu, X-Y., Wang, M-Q. and Yang, D. 2014a. Genus *Euhybus* newly found in Shaanxi Province with description of a new species (Diptera: Empididae). *Florida Entomologist*, 97(4): 1598-1601.

Liu, X-Y., Wang, M-Q. and Yang, D. 2014b. The genus *Dolichocephala* newly found in Shaanxi Province (China), with descriptions of three new species (Diptera: Empididae). *Zootaxa*, 3841 (3): 439-445.

Xiao, W-M. and Yang, D. 2016. *Hilara* newly recorded from Shaanxi with seven new species (Diptera: Empididae). *Transactions of the American Entomological Society*, 142(2): 131-153.

Yang, D. and Grootaert, P. 2007. Species of *Euhybus* from the Oriental realm (Diptera: Empidoidea: Hybotinae). *Transactions of American Entomological Society*, 133(3-4): 341-345.

Yang, D. and Li, W-H. 2011. Two new species of *Hybos* Meigen from Oriental China (Diptera: Empidoidea: Hybotidae). *Revue Suisse de Zoologie*, 118(1): 93-98.

Yang, D., Wang, M-Q., Zhu, Y-J. and Zhang, L-L. 2010. Diptera: Empidoidea. *Insect Fauna of Henan*. Science Press, Beijing. 1-418 [杨定，王孟卿，朱雅君，张莉莉. 2010. 河南昆虫志. 双翅目:舞虻总科. 北京:科学出版社，1-418.]

Yang, D. and Yang, C. K. 2004. Diptera: Empididae: Hemerodromiinae: Hybotinae. *Fauna Sinica Insecta*, *Volume 34*. Science Press, Beijing, 329. [杨定，杨集昆. 2004. 双翅目 舞虻科 螳舞虻亚科 驼舞虻亚科. 中国动物志 昆虫纲. 北京：科学出版社，34:1-329.]

Yang, D., Zhang, K-Y., Yao, G. and Zhang, J-H. 2007. *World catalog of Empididae* (Insecta:

Diptera). China Agricultural University Press, Beijing. 599.
Yao, G., Wang, N. and Yang, D. 2014. A new species of the subgenus *Rhamphomyia* (Diptera: Empididae) from China. *Entomotaxonomia*, 36(2): 123-126.
Yu, H., Liu, Q-F. and Yang, D. 2010. Two new species of subgenus *Rhamphomyia from* China (Diptera: Empididae). *Acta Zootaxonomica Sinica*, 35(3): 475-477.

二十、尖翅蝇科 Lonchopteridae

董奇彪[1] 杨定[2]
(1. 内蒙古自治区植保植检站，呼和浩特 010010；2. 中国农业大学昆虫系，北京 100193)

鉴别特征：小型(体长 2.00~4.50mm)。一般浅黄到黑色，有发达的鬃。头部至少与胸部等宽，复眼阔而分离。翅多长于身体，狭窄，翅端尖锐或略钝圆为其明显的鉴定特征；尖翅蝇属和瑕尖翅蝇属翅脉两性异型：雄性 A_1+CuA_2 和 CuA_1 分别伸至翅后缘，而雌性 A_1+CuA_2 则并入 CuA_1 以 $A_1+CuA_2+CuA_1$ 终止于翅缘；同尖翅蝇属两性均以 $A_1+CuA_2+CuA_1$ 终止于翅缘。翅除基部有小的翅室外两性均缺翅室；中胸背板通常颜色一致，有时带有斑纹。雄性的腹部一般可见 5 节，外生殖器外露，折叠在腹部之下；雌性腹部一般可见 6 节。

生物学：幼虫有些像纺锤状，头部短小，腹部钝且宽阔，背面凸起，腹面平坦，胸和腹部侧缘有复杂的鬃状和刺状凸。幼虫和蛹生活在腐烂树叶和植物残体中。成虫喜潮湿，常聚集在靠近溪流和池塘的阴暗地方，雌成虫必须取食才能产卵。目前已发现尖翅蝇科中至少双叉尖翅蝇 *Lonchoptera bifurcata* 能孤雌生殖。

分类：世界性分布。世界已知 3 属 63 种，中国已知 3 属 26 种，陕西秦岭地区有 2 属 4 种。研究标本保存在中国农业大学昆虫博物馆(CAU)。

分属检索表

前足胫节的中部和两端均具鬃，跗节细于胫节；翅颜色均一无斑，或仅翅端有不明显的颜色加深 ………………………… **尖翅蝇属 *Lonchoptera***

前足胫节基部和中部无鬃或仅有不明显的短鬃，端部有短鬃，跗节至少与胫节等粗；翅具大褐斑 ………………………… **瑕尖翅蝇属 *Spilolonchoptera***

1. 尖翅蝇属 *Lonchoptera* Meigen, 1803

Lonchoptera Meigen, 1803: 272. **Type species**: *Lonchoptera lutea* Panzer, 1809.

属征:脉序异型，雄虫 A_1+CuA_2 脉伸达翅缘，雌虫 A_1+CuA_2 脉并入 CuA_1，翅面无褐色大斑，仅个别种翅端颜色有加深。前足胫节中部与两端均具明显的鬃，跗节细于胫节；雄虫中足与后足有时有特殊变化。

分布:除新热带界外，为世界性广布。全世界已知56种，中国已知20种，秦岭地区有3种。

分种检索表

1. 尾须短小，末端腹面正常，无特殊构造 ………………………………………………… 2
   尾须短小，末端腹面中央有1个短的指状突起 ……………………… **指形尖翅蝇 *L. digitata***
2. 前足胫节端前无鬃 ……………………………………………………… **纤毛尖翅蝇 *L. ciliosa***
   前足胫节端前有1根背鬃 ……………………………… **陕西尖翅蝇 *L. shaanxiensis***

(1) 纤毛尖翅蝇 *Lonchoptera ciliosa* Dong *et* Yang, 2011(图234)

Lonchoptera ciliosa Dong *et* Yang, 2011: 267.

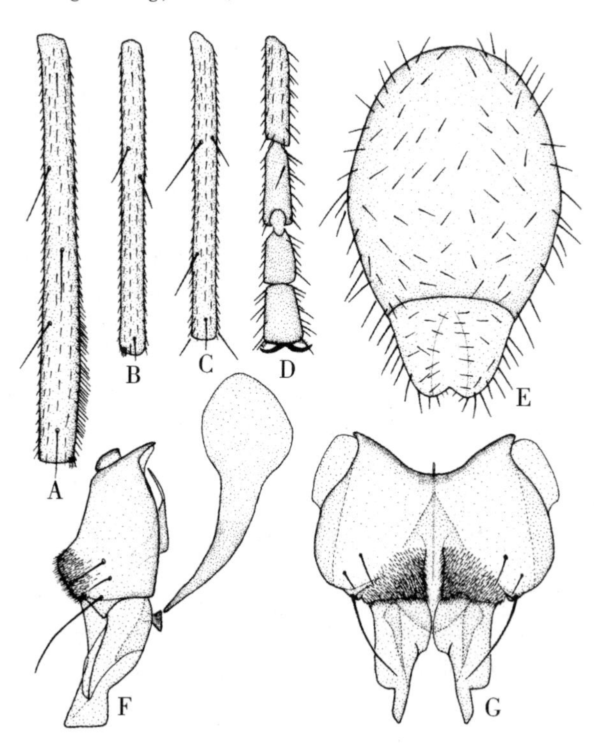

图234 纤毛尖翅蝇 *Lonchoptera ciliosa* Dong *et* Yang

A. 后足胫节背面观(hind tibia, dorsal view); B. 前足胫节背面观(fore tibia, dorsal view); C. 中足胫节背面观(mid tibia, dorsal view); D. 雄虫前足2~5跗节腹面观(male fore tarsomeres 2-5, ventral view); E. 第9背板及尾须背面观(epandrium and cerci, dorsal view); F. 生殖复合体侧面观(genital complex, lateral view); G. 生殖复合体腹面观(genital complex, ventral view)

鉴别特征:体黑褐色，足黄褐色，中胸背板无条纹，M_{1+2}与 M_2 的长度比为 47∶94，平衡棒黄褐色。前足胫节端前无鬃，中足胫节端前仅有 1 根前背鬃。第 9 背板宽大隆突，尾须短，侧缘有长的鬃状毛，生殖肢端部和亚端部有长鬃，中央有浅的凹陷，其上密被柔毛。

采集记录:1♂(正模)3♀(副模)，洋县长青杉树坪，2006.Ⅶ.29，朱雅君采。

分布:陕西(洋县)。

(2)指形尖翅蝇 *Lonchoptera digitata* Dong，Pang *et* Yang，2008(图 235)

Lonchoptera digitata Dong，Pang *et* Yang，2008：401.

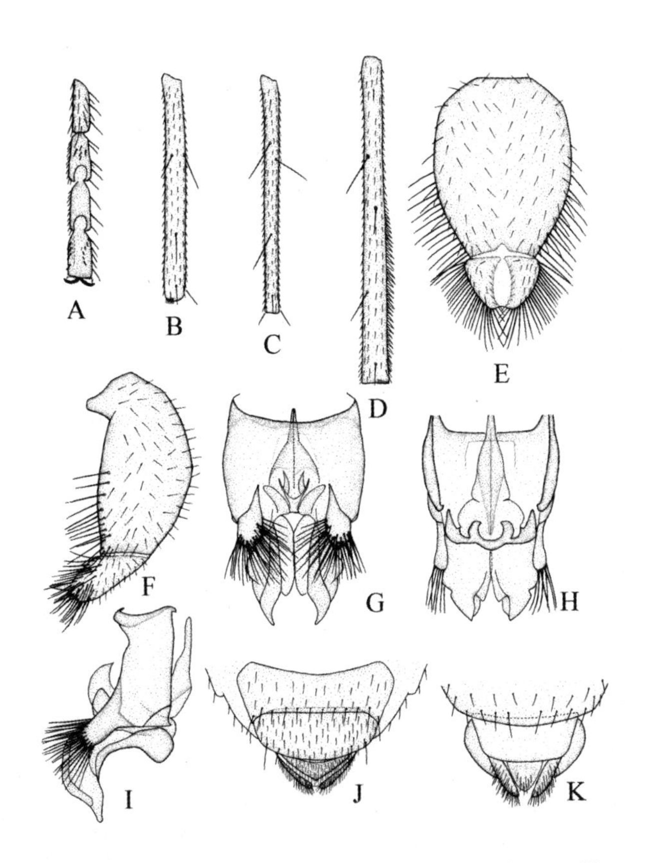

图 235　指形尖翅蝇 *Lonchoptera digitata* Dong，Pang *et* Yang

A. 雄性前足 2～5 跗节腹面观(male fore tarsomeres 2-5，ventral view)；B. 前足胫节背面观(fore tibia，dorsal view)；C. 中足胫节背面观(mid tibia，dorsal view)；D. 后足胫节背面观(hind tibia，dorsal view)；E. 第 9 背板及尾须背面观(epandrium and cerci，dorsal view)；F. 第 9 背板及尾须侧面观(epandrium and cerci，lateral view)；G. 下生殖板及阳茎复合体腹面观(hypandrium and phallic complex，ventral view)；H. 下生殖板及阳茎复合体背面观(hypandrium and phallic complex，dorsal view)；I. 下生殖板及阳茎复合体侧面观(hypandrium and phallic complex，lateral view)；J. 雌性生殖器腹面观(female genitalia，ventral view)；K. 雌性生殖器背面观(female genitalia，dorsal view)

鉴别特征:体深褐色，腹面颜色略浅。足黄褐色。前足胫节端前有 1 根背鬃。前足第 1 跗节端部有 1 根前腹鬃，第 3 跗节腹面有 5 根短鬃，第 5 跗节有 2 列鬃状毛。后足胫节端前有 1 根前背鬃和 2 根短的前腹鬃，端部有 1 根背鬃。M_{1+2}与 M_2 的长度比为 23∶30。平衡棒黄色。第 4 腹板密被长毛，第 9 背板背视近卵形，褐色，被稀疏的毛；端部侧缘有长的鬃状毛。尾须小，黄褐色，侧缘和端缘有长的鬃状毛；末端腹面有一个小的指状突。雌性腹部第 4 腹板仅有稀疏的短毛。

采集记录:1♂(正模)3♀(副模)，洋县长青杉树坪，2006.Ⅶ.29，朱雅君采。

分布:陕西(洋县)。

(3)陕西尖翅蝇 *Lonchoptera shaanxiensis* Dong, Pang *et* Yang, 2008(图 236)

Lonchoptera shaanxiensis Dong, Pang *et* Yang, 2008: 404.

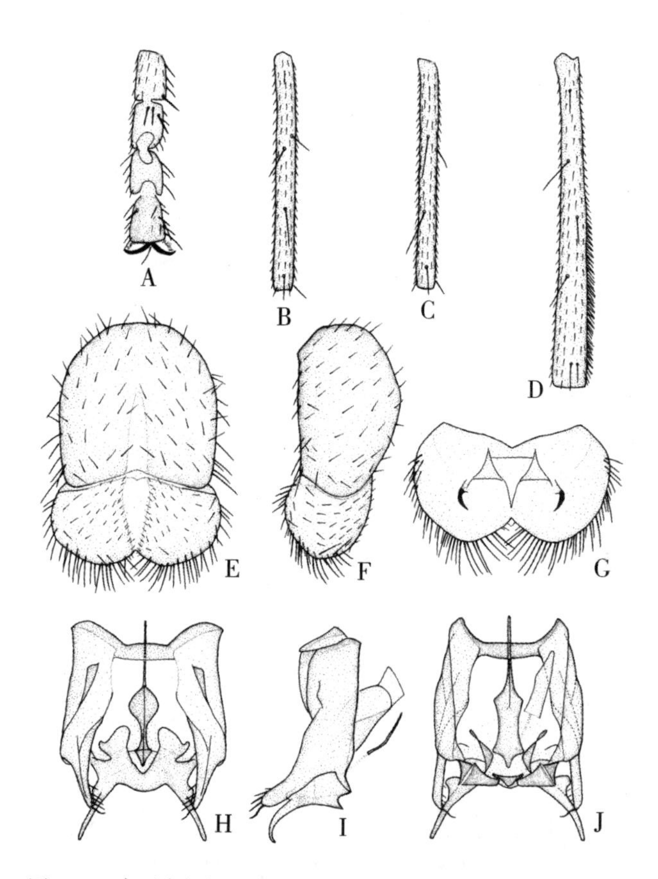

图 236 陕西尖翅蝇 *Lonchoptera shaanxiensis* Dong, Pang *et* Yang

A. 雄虫前足 2~5 跗节腹面观(male fore tarsomeres 2-5, ventral view); B. 前足胫节背面观(fore tibia, dorsal view); C. 中足胫节背面观(mid tibia, dorsal view); D. 后足胫节背面观(hind tibia, dorsal view); E. 第 9 背板及尾须背面观(epandrium and cerci, dorsal view); F. 第 9 背板及尾须侧面观(epandrium and cerci, lateral view); G. 尾须腹视(cerci, dorsal view); H. 下生殖板及阳茎复合体腹面观(hypandrium and phallic complex, ventral view); I. 下生殖板及阳茎复合体侧面观(hypandrium and phallic complex, lateral view); J. 下生殖板及阳茎复合体背面观(hypandrium and phallic complex, dorsal view)

鉴别特征:体黑色，足黄褐色。M_{1+2}与 M_2 的长度比为 27 :46。平衡棒黄色。前足第2跗节端部有1根前腹鬃；第3跗节基部有3根鬃状毛。后足胫节中部有1根前背鬃和1根背鬃，端前有1根前背鬃和2根短的前腹鬃。后足第1跗节基部有1根前腹鬃和1根后腹鬃，端部有1根前腹鬃和1根后腹鬃。第9背板背视长稍大于与宽，褐色，被有稀疏的毛。尾须黄色；长短于第9背板的1/2，略宽于第9背板，后缘中间有浅的凹陷；侧缘和端缘有长的鬃状毛；腹面左右各有1根粗而内弯的刺。

采集记录:1♂(正模)，洋县长青杉树坪，2006.Ⅶ.29，朱雅君采。

分布:陕西(洋县)。

2. 瑕尖翅蝇属 *Spilolonchoptera* Yang, 1998

Spilolonchoptera Yang, 1998: 54. **Type species**: *Spilolonchoptera chinica* Yang, 1998.

属征:一般特征与尖翅蝇属相同，翅尖略钝，翅端处具明显的大褐斑；前足两性胫节与跗节等粗，同样密生短刺毛，前足胫节仅末端有短鬃，缺少中部的前背鬃或后背鬃。

分布:古北区，东洋区。全世界已知6种，中国已知5种，秦岭地区有1种。

(4) 杨氏瑕尖翅蝇 *Spilolonchopter yangi* Dong *et* Yang, 2013(图237)

Spilolonchopter yangi Dong *et* Yang, 2013: 70.

鉴别特征:体黑色，光亮，足黄色，前足腿节端部背面，胫节，跗节均黑色；后足腿节末端深褐色，第4、5跗节黑色。前足胫节仅端部有1根短的背鬃和1根短的后腹鬃。前足第2跗节端部有1根腹鬃；第3跗节腹面有8根短鬃；第5跗节有4根鬃状毛。中足腿节仅端部有鬃；后足胫节端部仅有1根背鬃。M_{1+2}与 M_2 的长度比为 45 :51；翅近端有1个褐色的大斑，上下均未达翅缘。平衡棒浅黄色。腹面颜色略浅。第9背板背视近方形，被稀疏的毛。尾须小，端部较尖；背面基部光裸无毛，从近端起有短毛，中央无柔毛列。

采集记录:1♂(正模)，华山，1962.Ⅷ.21，杨集昆采；1♀(副模)，佛坪西沟，2006.Ⅶ.27，朱雅君采。

分布:陕西(佛坪、华阴)、宁夏、甘肃。

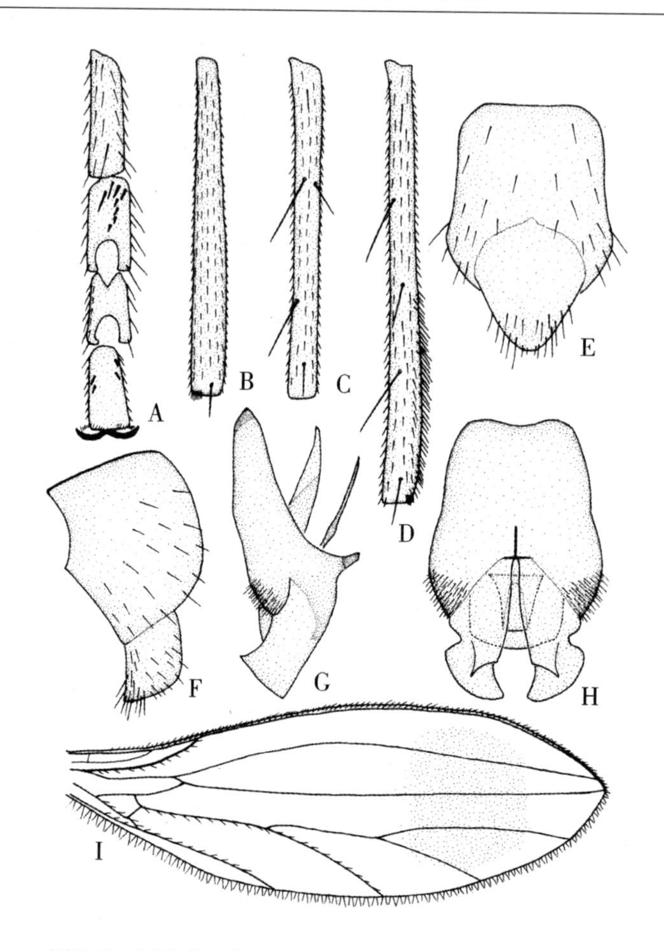

图 237 杨氏瑕尖翅蝇 *Spilolonchopter yangi* Dong *et* Yang

A. 雄虫前足 2 ~ 5 跗节腹面观(male fore tarsomeres 2-5, ventral view); B. 前足胫节背面观(fore tibia, dorsal view); C. 中足胫节背面观(mid tibia, dorsal view); D. 后足胫节背面观(hind tibia, dorsal view); E. 第 9 背板及尾须背面观(epandrium and cerci, dorsal view); F. 第 9 背板及尾须侧面观(epandrium and cerci, lateral view); G. 生殖复合体侧面观(genital complex, lateral view); H. 生殖复合体腹面观(genital complex, ventral view); I. 雄虫翅(Male wing)

参考文献

Andersson, H. 1971. Eight new species of *Lonchoptera* from Burma (Dipt.: Lonchopteridae). *Entomologisk Tijdskrift*, 92(3-4): 213-231.

Meijere, J. C. H., de. 1906. Die Lonchopteren des palaearktischen Gebietes. *Tijdschrift voor Entomologie*, 49: 44-98.

Dong, Q-B., Pang, B-P. and Yang, D. 2008a. Two new species of *Lonchoptera* from Shaanxi, China (Diptera: Lonchopteridae). *Acta Zootaxonomica Sinica*, 33 (2): 401-405. [董奇彪, 庞保平, 杨定. 2008. 陕西省尖翅蝇属二新种记述(双翅目: 尖翅蝇科). 动物分类学报, 33(2): 401-405.]

Dong, Q-B., Pang, B-P. and Yang, D. 2008b. Lonchopteridae (Diptera) from Guangxi, Southwest China. *Zootaxa*, 1806: 59-65.

Dong, Q-B. and Yang, D. 2011. Two new species and one new record of *Lonchoptera* from China (Diptera: Lonchopteridae). *Entomotaxonomia*, 33 (4): 267-272. [董奇彪，杨定. 2011. 中国尖翅蝇属二新种及一新纪录种记述(双翅目：尖翅蝇科). 昆虫分类学报，33(4)：267-272.]

Dong, Q-B. and Yang, D. 2012. Therr new species and one new record of *Lonchoptera* from yunnan, China (Diptera: Lonchopteridae). *Acta Zootaxonomica* Sinica, 37(4): 818-832. [董奇彪，杨定. 2012. 云南省尖翅蝇属三新种及中国一新纪录种记述(双翅目：尖翅蝇科). 动物分类学报，37(4)：818-832.]

Dong, Q-B. and Yang, D. 2013. Two new species of *Spilolonchoptera* (Diptera: Lonchopteridae) from China. *Entomotaxonomia*, 35(1): 68-72. [董奇彪，杨定. 2013. 中国暇尖翅蝇属二新种记述(双翅目:尖翅蝇科). 昆虫分类学报，35(1)：68-72.]

Kertész, R. 1914. Some remarks on *Cadrema lonchopteroides* walk. With description of a new *Musidora* from the Oriental region. *Annales Musei Nationalis Hungarici*, 12: 674-675.

Yang, C-K. 1998. Diptera: Lonchopteridae. 1: 49-59. In: Xue, W-Q. and Chao, C-M. (eds.). *Flies of China*. Liaoning Science and Technology Press, Shenyang. 1-2425. [杨集昆. 1998. 尖翅蝇科. 49-59. 见:薛万琦，赵建铭. 中国蝇类，第1卷. 沈阳:辽宁科学技术出版社，1-2425.]

二十一、蚤蝇科 Phoridae

刘广纯　王剑峰　蔡云龙
（沈阳大学生命科学与工程学院，沈阳 110044）

鉴别特征:小至中形昆虫，体长多在1.50～3.00mm之间。体色多在黑、褐和黄3种颜色间变化。体形比较特殊，其胸部背板隆起，侧面观身体呈驼背状。翅发达，少数种类雌性翅呈短翅型、翅芽状或完全无翅。翅膜质透明，无色至褐色，除翅基部外，几乎无横脉；前部3条纵脉(不包括C和Sc脉)明显增粗，颜色较深，一般称粗脉；而后部4条纵脉则非常细弱，颜色较浅，一般称细脉。足发达，股节宽大，有时中足股节后表面具感觉器官。腹部由11节组成，其中末节特化成尾须和肛门管。第1～5节腹面均为膜质区，无腹板。

生物学:蚤蝇的生活习性异常分化。幼虫具腐食、寄生和植食等食性。成虫活泼，喜潮湿环境，可生活于腐败植物、动物尸体、花或真菌上，以及鼠穴、鸟巢、蜂巢或蚁穴内。

分类:世界性分布。目前包括5个亚科，即蚤蝇亚科 Phorinae、裂蚤蝇亚科 Metopininae、扁蚤蝇亚科 Aenigmatiinae、蟹蚤蝇亚科 Termitoxeninae 和头蚤蝇亚科 Thaumatoxeninae。全世界已知250属3200余种。中国已记载27属210余种，陕西秦岭地区有11属26种。研究标本保存在沈阳大学自然博物馆。

分属检索表

1. 中侧片不分裂；后足胫节具大鬃 …… 2
　中侧片分裂；胫节缺大鬃(端距除外) …… 9
2. 后足胫节具栅毛列或栉毛裂 …… 3
　后足胫节缺栅毛列或栉毛裂 …… 7
3. 后足胫节具栉毛列；中胸侧片具毛及1根长鬃；R_{2+3}缺 …… **栉蚤蝇属 *Hypocera***
　后足胫节不具栉毛列，但具栅毛列 …… 4
4. 沿Rs脉有数根小毛 …… 5
　Rs除基部有1~2根小毛外，沿Rs脉缺数根小毛 …… 6
5. 单眼区明显扩大，前部形成3个弧形构造；两侧单眼远离 …… **弧蚤蝇属 *Stichillus***
　单眼区三角形，正常大小；侧单眼相距不甚远 …… **粪蚤蝇属 *Borophaga***
6. 中侧片光裸；后足胫节2~3条栅毛列 …… **栅蚤蝇属 *Diplonevra***
　中侧片具毛；后足胫节栅毛列1条 …… **栓蚤蝇属 *Dohrniphora***
7. 中足胫节至少具背鬃2根；额具明显中沟；雄虫体绒黑 …… **蚤蝇属 *Phora***
　中足胫节至多具1根背鬃；额缺中沟 …… 8
8. 雄虫触角第3节伸长呈圆锥状或曲颈瓶状，触角芒端生 …… **锥蚤蝇属 *Conicera***
　雄虫触角第3节球形，触角芒背生 …… **曼蚤蝇属 *Mannheimsia***
9. 后足胫节缺栅毛列；体灰黑；雌性杜氏器哑铃状 …… **乌蚤蝇属 *Woodiphora***
　后足胫节缺栅毛列 …… 10
10. 触角上鬃很小；额高大于宽；后足前后纤毛发达；雌虫第5节不具腺体 …… **伐蚤蝇属 *Phalacrotophora***
　触角上鬃发达；额高小于宽；后足常只具后背纤毛；雌虫第5节不具腺体 …… **异蚤蝇属 *Megaselia***

1. 栉蚤蝇属 *Hypocera* Lioy, 1864

Hypocera Lioy, 1864: 78. **Type species**: *Trineura mordellaria* Fallén, 1823.

属征:额缺纵沟，触角上鬃1对，第1、2排额鬃前凸。触角第3节球形，雄虫此节较大；触角芒背生，具微毛。胸部黑色或红黄色。小盾片鬃4根，前部2根很细小。中侧片上半部隆起，具细毛，后缘具1长鬃。足股节和胫节发达，各足跗节长于胫节。前足胫节基半部具背鬃1根。中足胫节基部1/5具对鬃，端部1/4~1/3具前腹鬃1根。胫节背面鬃对以上和端部1/3以下具栉状毛列。后足近端部1/4~1/3具前（腹）鬃1根。翅常有较深的着色，前缘脉较粗，向端部变细。纤毛较短；径脉基部具4~5根短鬃，缺R_{2+3}脉。腋区具鬃数根。平衡棒黑色或黄色。腹部背板向下卷。尾器大，不对称。

分布:古北区，新北区，东洋区。全世界已知5种，中国记载3种，秦岭地区有1种。

(1)墨体栉蚤蝇 *Hypocera mordellaria* (Fallén, 1823)

Trineura mordellaria Fallén, 1823: 6.

Hypocera mordellaria: Brues, 1915: 103.

鉴别特征:雄性额黑色。宽近等于高；额面散布黑色细毛，具刻点。触角上鬃1对，长度为前额间鬃的1/2。后额间鬃间距等于其到后额眶鬃的间距。触角第3节红褐色，卵圆形。触角芒具绒毛。下颚须细长，黄色。胸部暗黑色。背中鬃1对，之间尚有1对鬃，几乎与前者等长。足黄色。前足、中足和后足毛序同属征，但后足胫节基部无鬃。翅暗黑色。前缘脉指数0.50；前缘脉段比1∶1；纤毛0.16mm。平衡棒黑色，柄黄褐色。腹部暗黑色，仅各背板后缘有一浅色的狭细条。尾器黑色；肛管黄色。体长2.80～3.40mm。雌性体大于雄性，3.40～5.00mm。翅前缘脉指数0.53，前缘脉段比1∶1，纤毛0.18。

采集记录:1♂，柞水大甘沟，2013.Ⅶ.15，蔡云龙采。

分布:陕西(柞水)、台湾；欧洲，北美洲。

2. 粪蚤蝇属 *Borophaga* Enderlein, 1924

Borophaga Enderlein, 1924: 277. **Type species**: *Phora flavimana* Meigen, 1830 [= *Phora femorata* (Meigen, 1830)].

属征:中至大型。额宽大于长，缺中沟。触角上鬃缺；鬃序4-4-4。触角第3节球形，端部稍尖；触角芒背生，几光裸。下颚须小或中型，外侧具感觉斑。喙短。胸背中鬃1对；小盾片鬃2对，前对短小。中侧片具毛，缺鬃。足粗壮。前足胫节基半部具背鬃1～3根，其下具短刺1列；中足胫节基半部具鬃1对，亚端部具前鬃或前腹鬃1根，背部具1栅毛列；后足胫节具前背鬃2根；栅毛列2列。翅狭，前缘脉指数一般不大于0.50；纤毛密而短。亚前缘脉仅存痕迹。R_{2+3}脉缺；Rs脉端部膨大；沿脉具细毛1列，基部通常具短鬃4～6根。M_1脉基部急剧弯曲。平衡棒黄色，端部黑色。腹粗壮，背板毛稀少。雄性尾器小，侧扁。

分布:主要分布在全北区。世界已知8种，中国记载1种，分布于秦岭。

(2)裸胫粪蚤蝇 *Borophaga tibialis* Liu *et* Zeng, 1995

Borophaga tibialis Liu *et* Zeng, 1995: 126.

鉴别特征:雄性额黑，略具光泽，中宽略短于中长(9∶10)。单眼小，平坦。触角

第3节橘黄色，稍呈锥形，长宽比为1.33∶1.00，触角芒深褐色，具较长微毛。下颚须浅黄色，腹端部具鬃7根。胸部背板橘黄色。中央具1梯形的大黑斑，且前方锥状前伸。小盾片黄色，具鬃2对，前对为后对的1/2长。侧板黄色。中侧片上半部具等长细毛。足黄色。前足胫节中部缺背鬃及短刺列。中足胫节1栅毛列，基部1对鬃。后足胫节前背鬃2根，2栅毛列。翅略呈浅褐。翅长3.25～3.50mm。前缘脉指数0.42～0.44；前缘脉段比1.17∶1.20∶1.00，纤毛0.10mm。第三脉基部具3根短刺，沿脉有细毛约17根。平衡棒头黑，杆黄。腹部背板黑色，各背板后缘具黄带，背板布细毛，两侧稍长。腹面黄色，具较长细毛。雄性尾器小，黑褐。尾须短，黄色。体长2.65～3.00mm。

采集记录：1♂（正模），柞水篙村，2000 m，1992.Ⅸ.02，王敏采；1♂2♀（副模），柞水篙村，2000m，1992.Ⅸ.02，王敏采；1♂，柞水大甘沟，2013.Ⅶ.15，蔡云龙采。

分布：陕西（柞水）。

3. 弧蚤蝇属 *Stichillus* Enderlein, 1924

Stichillus Enderlein, 1924: 279. **Type species**: *Stichillus acutivertex* Enderlein, 1924 [= *Stichillus insperatus* (Brues, 1911)].

属征：体黑，中至大型。单眼区明显扩大，其前部呈3个弧形突。额缺纵沟。触角上鬃缺；触角第3节黑色，褐色或锈红色，卵圆形或柠檬形；触角芒亚端生。下颚须黑褐，锈红或黄色。喙短小。胸部密被细毛，无肩鬃。小盾片鬃4根。中侧片上半部具毛，缺鬃。中足胫节基部1对鬃；栅毛2列。后足胫节近基部前鬃1根；栅毛3列。翅多呈灰褐色。R_{2+3}脉缺。Rs脉基部常有2～3根小毛，并沿脉具1列小毛，至少达脉的中部；平衡棒头黑，杆黄。腹部背板扁平，向后变狭。雄性尾器两侧对称。

分布：东洋区，新热带区，新北区，澳洲区，非洲区。世界已知31种，中国记载8种，秦岭地区发现3种。

分种检索表

1. 后足胫节栅毛列前列和中列在胫节1/2处融合；生殖腹板上叶具圆弧状边缘；阳茎鞘基部发达，端部刺短 ……………………………………………… **圆叶弧蚤蝇 *S. orbiculatus***
   后足胫节栅毛列前列和中列不融合；阳茎鞘基背部具突起 ……………………………… 2
2. 触角褐色；阳茎鞘基背部突钝，内突长大，骨化强；生殖背板端部不明显膨大；生殖腹板上叶尖 ……………………………………………… **日本弧蚤蝇 *S. japonicus***
   触角锈红色；阳茎鞘基背部突尖锐；生殖背板端部明显膨大，膜质边缘宽；生殖腹板上叶钝 ……………………………………………… **尖突弧蚤蝇 *S. acuminatus***

(3) 日本弧蚤蝇 *Stichillus japonicus* (Matsumura, 1915)

Conicera japonicus Matsumura, 1915: 377.
Stichillus japonicus: Takagi, 1962: 44.

鉴别特征:雄性额黑色。单眼区长宽比为1.00∶1.25，中弧与两侧弧近等长和等大，两侧夹角尖锐。第3触角节暗褐色，圆锥形；触角芒亚端生，长为触角节的1.50倍，具微毛。下颚须黄色，具鬃7~9根。胸部黑色，略具闪光；小盾片鬃4根，前2根长为后者的1/2。中侧片黑色，具毛。足黑色，仅前足股节端部，胫节和跗节黄褐。中足胫节栅状毛2列；后足栅状毛3列，不融合。翅略呈灰褐色，翅脉暗褐；前缘脉指数0.47，前缘脉比1.44∶1.00，纤毛0.14mm；基部3/4具微毛1列；M_1不与Rs相接，基部前凹，之后直达翅端。平衡棒黑色，柄黄色。翅长3.75mm。腹部黑色，略具闪光。背板扁平，第2背板最长，其后缘向后钝突。雄性尾器黑色，左右对称；体长3.70mm。雌性体长4mm。翅长4.10mm，前缘脉指数0.50，前缘脉比1.00∶1.03，纤毛0.14mm。

采集记录:1♂，佛坪麻家沟，1051m，2013.Ⅶ.28，蔡云龙采。

分布:陕西(佛坪)、浙江、广西、四川；日本。

(4) 尖突弧蚤蝇 *Stichillus acuminatus* Liu *et* Chou, 1996

Stichillus acuminatus Liu *et* Chou, 1996: 42.

鉴别特征:雄性额暗黑，宽略大于高（1.17∶1.00），散布细毛，其毛窝深。前额间鬃低于前额眶鬃，其间距小于后额间鬃间距，后额间鬃略高于后额眶鬃。单眼区黑，稍具光泽，长宽比为1∶18，中弧与侧弧约等长等大。两弧夹角圆弧形，其凹入深，各弧前缘隆起，与额形成1钝角。触角第3节锈红色，圆锥形，长比宽为2∶1；触角芒亚端生，长约为触角的2倍。下颚须黄色，靴形，口上片黑色，端部中央凹陷。胸部黑，背中鬃2根，小盾片鬃4根，前2根短。足黑色，仅前足股节端半部，胫节和跗节黄色，前足跗节各亚节均长大于宽，中足胫节栅状毛2列，其在近端部1/3处会合；中足栅毛3列，不融合。翅灰褐。前缘脉指数0.48，各段比1.07∶1.00，纤毛0.16mm。平衡棒黑色，柄黄色，翅长3.55mm，宽1.25mm。腹背板扁平，第2背板最长，后缘向后凸出，3~5背板短，后缘弧形，第6背板稍长，梯形，稀布细毛。雄性尾器黑色，生殖背板端部呈匙形，被毛，末端具膜质边缘；生殖腹板上叶小，端部较钝。上叶基部和端部各呈圆弧形；阳茎鞘小，侧面观很细；直角形弯曲，基部背面具1尖突。体长3.10mm。

采集记录:1♂1♀，秦岭，1992.Ⅸ.02，王敏采。

分布:陕西(秦岭)、四川。

(5)圆尾弧蚤蝇 *Stichillus orbiculatus* Liu *et* Chou, 1996

Stichillus orbiculatus Liu *et* Chou, 1996: 44.

鉴别特征:雄性额黑色,长宽约相等,额面散布黑毛约有80根。单眼区长宽比1.00:2.20,中弧明显宽和略长于两侧弧,两弧间夹角钝圆。触角第3节锈红色,略呈锥形,长宽比为1.13:1.00,只上半部被稀疏绒毛,端绒毛不甚长;触角芒亚端生,暗褐色,长大于触角节的3倍。下颚须黄色。胸小盾片鬃4根,前鬃为后两鬃的1/3。前足股节,胫节和跗节褐色,中、后足黑色。中足胫节栅毛2列,在胫节1/2处融合。后足栅毛列3列,其中前列和中列在胫节1/2处融合。翅稍具灰褐,翅长2.90mm;前缘脉指数0.47,各段比1:1,纤毛0.20mm。Rs基部具短刺3根,沿Rs还有小毛16根左右。平衡棒黑色。腹部扁平第2背板最长,后缘明显后突,第3~4背板很短,雄性尾器黑褐色。生殖背板下端钝尖,具细毛,末端儿根稍长,生殖腹板上叶小,端部钝圆;阳茎鞘呈直角弯曲,基背部具发达的脊,右端部具许多小刺。雌性与雄虫相似,区别为雌性前足跗节纤细,且各节均长大于宽;后足比雄虫细;翅长3.10mm,前缘脉指数0.48,纤毛0.14mm,体长2.65mm。

采集记录:3♂1♀,秦岭,1992.Ⅸ.02,王敏采。

分布:陕西(秦岭)。

4. 蚤蝇属 *Phora* Latreille, 1796

Phora Latreille, 1796: 125. **Type species**: *Musca aterrima* (Fabricius, 1794).

属征:额绒状黑,狭窄,具中沟;触角上鬃1对,后倾;触角暗黑,具褐色短毛,触角第3节球状;触角芒背生,几乎光裸。下颚须黑色,棒状。胸黑色;盾片绒黑色,具短毛;中侧片黑色,不分裂,光裸;小盾片具1对长鬃。足暗黑色;前足无鬃;中足胫节具前背鬃1~2根和背鬃3~9根;后足胫节具前背鬃1~2根。翅透明。前缘脉绒黑,常超过翅长1/2,R_{2+3}脉缺。平衡棒绒黑。腹部绒黑,背板均具稀疏微毛;尾器黑色,不对称。

生物学:本属种类一般居于山区的常绿阔叶林中。成虫喜集群活动。常常是在林中树皮下,做锯齿状飞舞。成虫吸食蚜虫"蜜露",或取食溶于水中的鸟粪。

分布:古北区,新北区,新热带区,东洋区。世界已知79种,中国有10种,秦岭地区分布3种。

分种检索表

1. 中足胫节前背鬃2根;生殖背板左侧尾叶下部分离出1下片,勾状;右侧叶略呈匙形 ……………………………………………………………………………… 钩尾蚤蝇 *P. hamulata*

中足胫节前背鬃1根 …………………………………………………………………… 2

2\. 生殖腹板右叶浅凹；右侧尾叶明显扩大，端部宽，后背角尖；生殖背板表面具皱纹，端部齿状 ………………………………………………………………………… **全绒蚤蝇 *P. holosericea***

生殖腹板右叶浅凹；右侧尾页粗大，匙形；生殖腹板右叶左突几光裸；生殖背板侧叶具2尖突 ………………………………………………………………………… **凹叶蚤蝇 *P. lacunifera***

(6)全绒蚤蝇 *Phora holosericea* Schmitz, 1920

Phora holosericea Schmitz, 1920: 120.

鉴别特征:雄性额窄，额宽指数0.27～0.29，两侧几乎平行。下颚须端部具短鬃4根。足黑色，前足腿节端部胫节和跗节黄褐色。前足胫节具1列背鬃。前足跗节1～4节与前足胫节约等长；跗节各节膨大。中足胫节前背鬃1根，腿节基部感器明显，圆弧形。翅透明，翅面几乎无色，前缘脉指数0.51；前缘脉第1和第2段约等长；纤毛0.08mm。前缘脉黑褐色，其他脉黄褐到白褐色。生殖器亮黑色。左侧尾叶背基部与生殖背板分离，基部1/2细。端半部突然加宽，末端圆弧形；端背部有1内突。生殖背板叶发达，末端圆弧形，锯齿状，外表面密布皱纹。右侧尾叶宽大，端部加宽，后背角尖，后腹角圆。背板右侧叶略呈三角形，具1后背突及1个亚端缘的内突。生殖腹板右叶后腹面深陷，其左突细，具微毛；右突也细，末端圆形，光裸。体长2.00～2.50mm。雌性与雄性不同之处在于雌性额更宽，额宽指数为0.35～0.37；前缘脉指数0.48；翅长1.93～2.10mm，宽0.75～0.88mm；体长1.75～2.00mm。

采集记录:3♂1♀，秦岭，1992.Ⅶ.17-18，刘广纯采；9♂，武功，1985.Ⅵ.27，周静若采；3♂，武功，1985.Ⅷ.05，周静若采；1♂，秦岭西沟，2013.Ⅶ.16，蔡云龙采。

分布:陕西(凤县、武功)、黑龙江、吉林、辽宁、河北、浙江；朝鲜，日本，美国，欧洲。

(7)凹叶蚤蝇 *Phora lacunifera* Goto, 1984

Phora lacunifera Goto, 1984: 166.

鉴别特征:雄性额较宽，向后略变窄。额面刚毛为1/2～2/3触角上鬃长。呈两列排于额纵沟两侧。下颚须4～5根端鬃。足黑色，前足胫节具1列背刺(11～12根)。跗节1～4节明显长于胫节；前足各跗节膨大，宽于胫节端部。中足胫节前背鬃1根，背鬃4根。后足胫节前背鬃1根，腿节基部感器扁平。翅透明，略着灰色。前缘脉指数0.53；前缘脉比0.79∶1.00，纤毛0.11mm，为前缘脉第2段的2.80倍。前缘脉黑褐色；A_1灰白色。翅长2.18mm，宽0.98mm。生殖器亮黑色。左侧尾叶在端背部处由1裂口与生殖背板分离；前者此处凹陷，加厚，一部分被生殖背板叶覆盖；侧尾叶基部背尚有1个小突起向内伸入。生殖背板叶扁平，向端部渐细，末端圆弧形。右侧尾叶略呈匙形，基背部内侧有 1 个突起伸入肛管之下；端部 1/3 具刚毛，末端圆弧形。背板侧叶末端具尖突。生殖腹板右叶腹面 1/2 处深凹；两侧向后伸呈 2 个突起，左突粗大，呈螺旋状，向末端变细；右突细，两侧略平行，末端平截，内侧具 1 三角形突起。

采集记录:1♂，秦岭，1992.Ⅸ.02，王敏采。

分布:陕西(凤县)、台湾、海南；日本，尼泊尔。

(8)钩尾蚤蝇 *Phora hamulata* Liu *et* Chou, 1994

Phora hamulata Liu *et* Chou, 1994: 68.

鉴别特征:雄性额宽正常，向后变细。额面前半部散生约 16 根长短不一的短刚毛，长者与单眼前鬃等长，短者为后者的 1/2。足黑色，前足腿节末端，胫节和跗节黄褐色，跗节第 3~5 节逐渐变暗。后足胫节前背鬃 1 根，腿节感器扁平。翅透明，略着灰褐色。前缘脉指数 0.55；前缘脉第 1 段短于第 2 段，比例为 1.00∶1.32；纤毛0.16mm，为前缘脉第 2 段中部 3.60 倍。翅长 3.25mm，宽 1.40mm。生殖器亮黑色，右侧尾叶暗红褐色。左侧尾叶在基背部有 1 凹陷与生殖背板为界，基下部分离出 1 褐色狭片，狭片端部上弯成钩状；左侧尾叶上具 1 端背突和 1 端腹突，端背突向后上方突出，端部圆弧形，其内侧加厚，形成 1 垂直的脊，脊上部内角尖，脊后侧具微毛，上部具细长毛；端腹突向下后方形成 1 尖角。右侧尾叶略呈匙形，端部圆弧形，内弯；外侧端半部具长毛。背板侧叶三角形，端部具 2 个尖突；基部具 1 列长毛。生殖腹板右叶后基部具深凹；其右突细，腹面观两侧平行，端部圆弧形，基部内侧具 1 内突，两者之间夹角处具 1 圆形缺刻。左突长大，基部具 1 内突，端部 2 尖突。体长 3.45mm。

观察标本:1♂，秦岭，2500m，1992.Ⅸ.02，王敏采。

分布:陕西(凤县)。

5. 栅蚤蝇属 *Diplonevra* Lioy, 1864

Diplonevra Lioy, 1864: 77. **Type species**: *Bibio florea* (Fabricius, 1794).

属征:中至大型种类；体黑色、黄色或黑黄相间。额宽多大于侧高，被细毛。触角上鬃 1 对，后外倾。触角第 3 节小至大型。下颚须 2 节，扁平。雄虫喙舐吸式，雌虫则为刺吸式。胸部中部之前最宽；小盾片宽短具鬃 1~2 对。中侧片光裸。中足胫节基部具鬃 1 对，并具栅毛 2 列；后足胫节具 2~3 列毛；常具前背鬃和前腹鬃；股节基部感器呈毛状。翅前缘脉常超过翅长之半。R_{2+3}存在；M_1 直或端部后弯。腋区具鬃数根。腹部背板常凹陷，两侧呈锐角下弯。雄性尾器两侧几乎对称。尾须小。

分布:世界广布。世界已知 76 种，中国有 7 种，秦岭地区分布 3 种。

分种检索表

1. 后足胫节具 3 条栅毛列；M_1 脉直；腹部背板单一黑色；后足胫节前背鬃 3 根……………………………………………………………… 黑腹栅蚤蝇 ***D. abbreviata***

   后足胫节具 2 条栅毛列；M_1 脉弯曲，末端回弯 ……………………………………… 2
2. 腹部背板黄黑相间；后足胫节前背鬃 3～4 根，前腹鬃 2～4 根 …… 广东栅蚤蝇 ***D. peregrina***

   腹部背板单一黑色；后足胫节前腹鬃 4 根，缺前背鬃…………………… 毛叶栅蚤蝇 ***D. pilosella***

(9) 黑腹栅蚤蝇 *Diplonevra abbreviata* (v. Roser, 1840)

Phora abbreviate v. Roser, 1840: 64.

Dohrniphora abbreviate: Schmitz, 1920: 98, 103.

Diploneura (*Tristoechia*) *abbreviata*: Schmitz, 1927: 47.

鉴别特征: 额黑色，表面散布稀疏细毛；触角上鬃位于额突起的前沿，彼此紧挨。触角第 3 节红褐色；触角芒亚端生，具细毛；下额须黄色，端部腹面具 6 根短鬃。中胸腹侧片和后胸侧片褐色，向足基节方向渐变成浅黄色。前、中足黄色；后足基节和股节基半部黄色，而端半部、胫节和跗节褐色。中足基部 1 对鬃；具 2 列栅状毛；其中后背列在胫节 1/3 处断开；后足股节加宽；胫节栅状毛列 3 列，各列间不融合；前背鬃 3 根。翅黄褐色，翅脉褐色。雄性前缘脉指数 0.46，前缘脉比 8∶2∶1，前缘脉纤毛 0.10mm；翅长 3.25mm；腹部黑色，尾器黑色或黑褐色；体长 2.70～3.30mm。雌性体长 4.80mm，翅长 3.90mm，前缘脉指数 0.47。

采集记录: 1♂，杨凌，1993.Ⅶ.16，刘广纯采。

分布: 陕西(杨凌)、辽宁、浙江；俄罗斯，欧洲。

(10) 广东栅蚤蝇 *Diplonevra peregrina* (Wiedemann, 1830)

Trineura peregrina Wiedemann, 1830: 600.

Diploneura peregrina: Schmitz, 1929: 13.

鉴别特征: 额黄色，单眼区褐色。触角上鬃发达。触角黄色，端部黄褐色；略呈圆形，前部微尖，触角芒亚端生，褐色，具微毛。下颚须黄色，端部具鬃 7～8 根。胸部黄色，背板略暗，有浅色纵带；小盾片黄色，具鬃 4 根。足黄色，后足胫节、跗节较暗；前足具 1 背鬃，并与 4～7 根短鬃成 1 列；中足具栅状毛 2 列，其中前背列只达胫节 3/4；后足股节加宽，背缘具长纤毛，端部色暗；栅状毛 2 列；具前背鬃 3 根，少数 4 根，前腹鬃2～4根，大多 3 根。翅 2.00～3.10mm，前缘脉指数 0.45～0.47，前缘脉比为7～9∶2～2.5∶1，前缘脉纤毛短，0.04mm。平衡棒黄色。腹部腹面黄色，背板黄褐相间，或黄黑相间，第1背板大部分暗褐，前、后缘为黄色；背板黑褐色，具淡黄色后缘；第2～5背板中央呈橘黄色，尾器黑褐色；生殖背板短小，生殖腹板阔，端部钝圆。体长2.00～3.50 mm。雌性翅长 2.75 ～4.25mm，宽 1.00 ～1.75mm；前缘脉指数 0.47～0.51m；前缘脉比 8.50～11.40：2.40～2.50：1，纤毛 0.06～0.75mm，体长 2.60～4.75mm。

采集记录：2♂3♀，柞水大甘沟，2013.Ⅶ.15，蔡云龙采。

分布：陕西(柞水)、辽宁、浙江、台湾、广东、海南、香港、广西、云南；日本，澳大利亚。

(11)毛叶栅蚤蝇 *Diplonevra pilosella* Schmitz，1927

Diplonevra pilosella Schmitz，1927：68.

鉴别特征：雄性额宽 0.34mm，稍大于侧高（1.10：1.00），黑色，被短毛，毛着生于刻点内，且分布于周围。额鬃第1排、第2排均直。触角第3节小，黑褐色，芒具微毛。下颚须黑褐，长为宽的2.00～2.50倍，被短鬃6根。喙不延长。胸黑色，小盾片鬃4根，近等长。足黑褐。前足胫节具背鬃1根，其下具短刺1列（10根）。中足胫节2条栅毛列，其中前列伸达胫节2/3，列下方具栉列。后足胫节2条栅毛列；具前腹鬃4根，缺前背鬃。翅长1.80mm，前缘脉指数0.46；段比4.00：1.14：1.00，纤毛0.06mm；M_1 脉末端回弯，腋区鬃3根。平衡棒黑。腹暗黑，无光泽，第1背板后缘凹入；第2和第4背板较长；第3～5背板等长；第2背板被毛，其他背板几乎光裸。雄性尾器黑色，生殖背板左侧具1直立的鬃；右侧被密毛，其中下缘较细，向中部稍长。生殖背板延伸部分黑褐色，末端较浅。雄性体长2.25mm。雌性体长 3.50mm，翅略着色；前缘脉第1段与第2+3段等长；纤毛0.07；M_1 脉呈“S”形弯曲。

采集记录：1♂，杨凌，1993.Ⅶ.16，刘广纯采。

分布：陕西(杨凌)；俄罗斯，欧洲。

6. 栓蚤蝇属 *Dohrniphora* Dahl，1898

Dohrniphora Dahl，1898：188. **Type species**：*Dohrniphora dohrni* Dahl，1898.

属征：中至大型。额缺中沟，被细毛。额鬃常强大，触角上鬃1对，上外倾。触角第3节小至大型，具性二型现象。触角芒背生或亚端生。下颚须2节，端部具鬃。雄虫喙舐吸式；雌虫喙刺吸式。胸部最宽处在中部之前；中侧片上部具短毛。足细长，仅后足股节加宽。中足胫节近基部具鬃1对，并具1栅毛列。后足胫节具1个完整栅毛列；股节后面基部具栓状感器。翅短宽。前缘脉常伸达翅之一半；R_{2+3} 脉存在。腹部背板常凹陷，两侧呈锐角向腹面弯曲。雄性尾器短。尾须和载肛片长。

生物学:成虫常见于污物、粪便、动、植物残体上。有些种类常活动于蚁生菌上；作为传粉昆虫，亦有起重要作用者。

分布:东洋区，澳洲区，新热带区，新北区，非洲区，古北区。世界已知137种，中国记载11种，秦岭地区有3种。

分种检索表

1. 腹部第6背板单一褐色；后足腿节感觉栓4~5根垂直排列，外侧不具微刺 ………………………………………………………… **秦岭栓蚤蝇 *D. qinnica***

   腹部第6背板前部黄色，后部褐色 ………………………………………… 2

2. 后足腿节感觉栓4根，呈垂直排列，感觉栓上方有细毛 ……………… **角喙栓蚤蝇 *D. cornuta***

   后足腿节感觉栓5~6根，呈直线排列；感觉栓上方无细毛 ……… **直列栓蚤蝇 *D. rectilinearis***

(12) 角喙栓蚤蝇 *Dohrniphora cornuta* (Bigot, 1857)

Phora cornuta Bigot, 1857: 348.

Dohrniphora cornuta: Borgmeier, 1960: 277.

鉴别特征:雄性额暗黑，无光泽，隆起。触角第3角暗褐色，端部略尖；触角芒被微毛。下颚须黄色，具5根不等的端鬃。胸部背板黑褐色。小盾片具2根鬃和2根短毛。中足胫节栅毛列只达胫节的2/5~1/3。后足胫节端1/4以上无单鬃。后足基节感器由4~6个感觉栓组成，不呈1列；后足基节叶乳头状。翅长2.03mm。前缘脉指数0.49~0.52；前缘脉比15.00∶3.50∶11.00；纤毛0.056mm；平衡棒黄色。腹部腹面黄色，后缘具毛；第2和6背板延长；第1背板黄褐色，两侧各具1块楔形的黑斑；第2背板黑色，前缘具1条黄带；第3~5背板黑色；第6背板前部黄色，后部黑色。尾器褐色，肛管黄色。雌性体长1.50~2.40mm。翅前缘脉指数0.50~0.56。

采集记录:2♂，秦岭黄花岭，2013.Ⅶ.14，蔡云龙采；1♂，秦岭，1992.Ⅶ.15，刘广纯采；5♂2♀，杨凌，1991.Ⅹ.18，刘广纯采。

分布:世界广布。

(13) 秦栓蚤蝇 *Dohrniphora qinnica* Liu, 2001

Dohrniphora qinnica Liu, 2001: 108.

鉴别特征:雄性额宽0.30~0.34mm，略大于高（1.20∶1.00），黑色，被稀疏短毛。额鬃第1排直，前额间鬃间距约为额宽的1/3。额鬃第2排直，4根鬃等距排列。颊鬃2根，侧颜鬃1根。触角第3节黑褐色，球形，端部略尖；芒背生，长，具微毛。

下颚须黄色，长为宽的2倍以上，端部具较长鬃5根。胸背板和侧板黑褐色。小盾片具鬃1对和短毛2对，短毛1对位于鬃前，另1对位于鬃后。足黄褐色。前足胫节具背刺6根，呈1列，其中最上部1根最长，具与其他5根相距较远。中足胫节栅毛伸达胫节2/3；亚端部具亚端鬃1根。后足股节感觉栓4根，着生于不明显的突起上，突起外侧具细小的凹陷区；胫节缺背鬃。翅长1.68～1.75mm，前缘脉指数0.49～0.51，段比6.50∶1.75∶1.00，纤毛0.04mm。翅面稍呈褐色，粗脉和第4～6细脉褐色，第7脉不明显。平衡棒黄色。腹部腹面黄褐；背板黑色。第2背板最宽，向后渐细。背板被毛稀疏。尾器褐色，肛管黄色。体长1.80mm。雌性与雄性相似，体长2.25mm，翅长2mm，前缘脉脂数0.53，段比6.50∶1.75∶1.00，纤毛0.04mm。

采集记录：1♂（正模），杨凌，1991.Ⅹ.08，刘广纯采；1♀（副模），同正模；1♂（副模），秦岭，1992.Ⅶ.18，刘广纯采；1♂（副模），杨凌，1993.Ⅵ.17，刘广纯采。

分布：陕西（凤县、宝鸡、杨凌）。

（14）直列栓蚤蝇 *Dohrniphora rectilinearis* Liu, 2001

Dohrniphora rectilinearis Liu, 2001: 104.

鉴别特征：雄性额宽0.32mm，略大于侧高（1.30∶1.00），黑色，稀布细毛。前额间鬃稍低于前额眶鬃，前者间距为额宽的3/7；额鬃第2排几直，后额间鬃间距大于其中之一到后额眶鬃的距离。触角第3节褐色，球形，芒背生，较长。下颚须黄色，长为宽的2.50倍。胸部黄色。小盾片鬃1对，短毛1对。足黄色。前足胫节背刺4根。中足胫节栅毛列超过胫节1/2。后足胫节缺前背鬃；后足股节基部感觉栓6根。排成1列，着生于突起上，其后具凹陷，后足基节叶乳头状。翅长1.80～2.00mm，翅面稍呈灰褐，脉褐色。前缘脉指数0.50，段比8.30∶2.00∶1.00，纤毛0.05mm。平衡棒黄色。腹部腹面、肛管黄色；第1背板、第2背板和第6背板前半部黄色，后半部褐色，通常黄色区域占大部分；第3～5背板各在前部中央具三角形黄斑，其余部分褐色。体长1.80～2.20mm。

采集记录：1♂，秦岭，1992.Ⅶ.19，刘广纯采。

分布：陕西（凤县）、云南。

7. 锥蚤蝇属 *Conicera* Meigen, 1830

Conicera Meigen, 1830: 226. **Type species**: *Conicera atra* Meigen, 1830.

属征：小型到极小型，暗黑。额缺纵沟；雄虫触角第3节大多长曲颈瓶状。雌虫触角第3节球形，端部尖；触角芒端生。胸部小盾片鬃2根，短毛2根。中侧片光裸。足细长。中足胫节基部具鬃1对，亚端部具短前背鬃1根；后足胫节缺毛列，基半部鬃1对，中部以下具背鬃1根，亚端部短前背鬃1根。翅无色透明到具较深的着色。前缘脉短，前缘脉指数小于0.50，第1段明显长于第2段，纤毛短到中等长平衡棒黑色。雄性腹部短。尾器大长椭圆或近球形。尾须小。

生物学:本属成虫多喜腐烂有机质。

分布:古北区，东洋区，新北区，新热带区，澳洲区。世界已知41种，中国记录9种，秦岭地区有3种。

分种检索表

1. 中足腿节后面缺感觉窝；翅 Rs 基部缺小毛；左右侧尾叶对称，有侧尾叶呈尖角 …………………… **道氏锥蚤蝇 *C. dauci***
   中足腿节后面缺感觉窝 …………………… 2
2. 中足腿节感觉窝外侧具管状突起；侧尾叶基背部无突起 ………… **台湾锥蚤蝇 *C. formosensis***
   中足腿节感觉窝外侧缺管状突起；右侧尾叶基背部具长突 …………… **凯氏锥蚤蝇 *C. kempi***

(15)台湾锥蚤蝇 *Conicera formosensis* Brues, 1911

Conicera formosensis Brues, 1911: 539.

鉴别特征:雄性额暗黑。触角上鬃1对，很小，彼此紧挨。触角黑或黑褐，锥形，长0.21mm，略大于基部宽的2倍，触角芒基部略粗；下颚须褐，棒形，端部具短鬃。胸黑或黑褐，不闪光，密布褐毛；小盾片鬃2根。前足浅褐。中足腿节感器具1狭沟和1管状突；中足胫节端距为第1跗节的2/3。后足腿节3倍长于宽，胫节背鬃1根，前背鬃2根；亚端鬃1根，短。翅略具灰色，前3脉褐色，后3脉浅褐至白色。前缘脉指数0.40，前缘脉比2.50∶1.00，纤毛0.35mm；背列不达脉端，腋区1~2根鬃。平衡棒黑色。翅长1.10mm，宽0.54mm。腹暗黑，背板几乎光裸；第2~6背板延长，尾器浅褐，闪光。肛管乳头状。足栗褐色。体长1.10mm。雌性触角第3节卵圆形，端部稍尖。中足股节无感器。前缘脉指数0.46，前缘脉比1.50∶1.00，纤毛0.04mm。体长1.40~1.50mm。

采集记录:1♂，佛坪，2013.Ⅶ.31，蔡云龙采。

分布:陕西(佛坪)、浙江、台湾、香港、广西；日本。

(16)凯氏锥蚤蝇 *Conicera kempi* Brunetii, 1924

Conicera kempi Brunetii, 1924: 515(雌性).

鉴别特征:雄性额黑，触角上鬃小，前额眶鬃缺；前额间鬃短，为后额间鬃的1/2，其间距小于后者间距。后额间鬃低于后额眶鬃。触角曲颈瓶状，长为宽3倍。下颚须黑色，具短毛。胸黑褐，背中鬃1对，小盾片鬃1对，短毛1对。翅长

2.18mm，前缘脉指数0.48，段比1.85∶1.00，纤毛0.03mm，粗脉和第4～6细脉褐色，第7脉灰白色；第4脉前凹，第5脉在与前脉相对应处前凸，第6脉双曲形。平衡棒黑色。足褐色，前足黄褐色。前足胫节在基部1/4处具背鬃1根，其下具短刺13根；跗节细长。中足股节后表面具感觉窝，但端部不具栓。后足胫节端部平面区具由微毛组成的栉状毛列。腹部黑，第2背板和第6背板长，其他背板短，近等长。尾器褐色，左右侧尾叶具弧形边缘，并在内缘处有许多粗刺；在每叶的后背部具指向内侧的突起，其中，右叶的粗大，左右的细小。体长2mm。

采集记录：1♂，杨凌，1991.Ⅺ.04，刘广纯采。

分布：陕西（杨凌）；印度。

（17）道氏锥蚤蝇 *Conicera dauci*（Meigen，1830）

Phora dauci Meigen，1830：223（雌性）.
Conicera dauci：Brues，1915：105.

鉴别特征：雄性头黑色；触角上鬃和前额眶鬃均缺；触角黑色，密被短毛，细颈瓶状，略向后弯曲。触角芒等于或略长于触角，被微毛。下颚须黑色。胸黑色，被细毛，后部略密；小盾片鬃1对，短毛1对。足黑色或褐色，前足胫节浅褐，具1背鬃，短于胫节直径；下具1列短鬃；前足跗节粗短，各小节等宽；中足股节无感器；后足胫节基部1/3处具鬃1对，2/3具1单鬃。翅透明无色。前缘脉指数0.41～0.43，前缘脉比5∶2，纤毛0.08mm，第1与3脉之间纤毛3根，第4脉前凹，基部明显弯向第3脉。翅长1.14mm，宽0.56mm。腹暗黑。尾器较大，具毛。体长1.10∶1.50mm。

采集记录：2♂，柞水大甘沟，2013.Ⅶ.15，蔡云龙采。

分布：陕西（柞水）、黑龙江、辽宁；俄罗斯，日本，美国，欧洲。

8. 曼蚤蝇属 *Mannheimsia* Beyer，1965

Mannheimsia Beyer，1965：65. **Type species**：*Mannheimsia stricta* Beyer，1965.

属征：体细长。额宽略大于高，隆起，被细毛，缺纵沟；额鬃发达，鬃序2-4-4-4；单眼区小，与额界限不明显；复眼大，具微毛；下后头鬃发达，颊鬃和侧颜鬃存在。触角球形，不延长，芒背生。下颚须细长，具鬃。胸背板最宽处在中部之前；肩鬃1根，较短，背侧鬃2根，翅前鬃2根，翅上鬃1根，背中鬃1对，小盾片鬃2对或前对毛状。中侧片具短毛，缺长鬃；前侧片上后缘具鬃1根，下缘鬃2～3根。足细长，前足胫节具背鬃1根，其下具短刺1列。中足胫节基部具鬃1对，缺毛列。后足股节腹缘具较长细毛；胫节具背鬃1根，缺毛列。翅透明，有时略着色。前缘脉不增粗；R_{2+3}缺；Rs基部具小毛，末端不膨大；M_1脉直，基部不弯曲。腹部细长，两侧几平行，第2背板和第6

背板长，在第5背板有时缩短。雄性尾器完全缩入第6背板内，左侧尾叶发达，基部与生殖背板有关节，左侧尾叶较弱；生殖腹板两叶发达，缺腹鬃。

分布：中国；泰国，刚果。世界已知3种，中国分布2种，秦岭地区有1种。

(18)天则曼蚤蝇 *Mannheimsia tianzena* (Liu, 1995)

Chouomyia tianzena Liu, 1995: 186.

Mannheimsia tianzena: Brown, 2005: 133.

鉴别特征：雄性额宽大于高，黑色，隆起，密被短毛，缺纵沟。触角上鬃长，上外倾；触角第3节暗褐，球形，端部稍尖。下颚须细长，黄色。胸部黑色，小盾片鬃1对，短毛1对；中侧片具毛，缺鬃。翅长1.88mm，褐色，脉褐色。前缘脉指数0.35，段比1.80∶1.00，纤毛0.04mm。Rs粗于前缘脉，基部具小毛3根；M_1脉直，中部稍前凸；M_2脉明显前凸，基部与M_1接近，Cu_1脉、A脉双曲形，A脉消失。平衡棒黑色。足褐色。前足胫节基部1/4具背鬃1根，其下具短刺1列；中足胫节基部具鬃1对，端部1/3具后背刺5根；后足股节长为宽的3倍；胫节具前背鬃2根。腹细长，第背板后缘弧形突出，两侧各具鬃3根。雄性尾器完全缩入，末端斜截，形成大的内突。尾须短。体长2.13~2.25mm。

采集记录：20♂，杨凌，1993.Ⅴ.22，刘广纯采。

分布：陕西（杨凌）。

9. 乌蚤蝇属 *Woodiphora* Schmitz, 1926

Woodiphora Schmitz, 1926: 23. **Type species**: *Woodiphora retroversa* (Wood, 1908).

属征：小至中型，暗色，额具纵沟；触角上鬃4根，前倾，鬃序4-4-4；前额间鬃上内倾。复眼具毛。颊和侧颜具毛。触角第3节球形，芒背生，明显被毛。雄虫下颚须长而扁，几乎光裸；雌下颚须短而狭，具鬃。雌喙不明显。胸背中鬃1对；小盾片鬃4根。中侧片光裸。腹部被毛稀疏。雄虫尾器小至中型，具毛，后部不延长。雌性第6背板具半圆形的骨片，其下为腺体开口。足细；前足第1跗节有时增粗；后足胫节不具栅毛列和纤毛列，或只具不发达的栅毛列。翅透明或半透明，叉室较宽。杜氏器暗色，呈亚铃状，中部还有2根细管。

分布：东洋区，澳洲区，新热带区，新北区，古北区，非洲区。世界已知41种，中国记载10种，秦岭地区分布有2种。

分种检索表

雌性第7背板方形；第7腹板狭长，矛形 …………………………………… **方背乌蚤蝇 *W. quadrata***

雌性第 7 背板两侧凹陷；第 7 腹三角形 …………………………………… 双凹乌蚤蝇 *W. dilacuna*

(19) 双凹乌蚤蝇 *Woodiphora dilacuna* Liu, 2001

Woodiphora dilacuna Liu, 2001: 211.

鉴别特征: 雌性额黑褐色，散布细毛约 50 根，2 对触角上鬃近等长；上触角上鬃高于前额间鬃，低于前额眶鬃；后额间鬃略低于后额眶鬃，其间距略小于前额间鬃间距。触角第 3 节褐色；下颚须褐色，长梭形，下缘具短鬃 12 根，末端 1 根稍长。胸背板暗褐；侧板和腹板褐；小盾片鬃 4 根。足褐色：中、后足缺栅毛列；后足基节腹缘直；基半部具鬃 6 根。翅长 1.87mm，前缘脉指数 0.56，前缘脉比 3.80∶2.40∶1.00，纤毛0.05mm。翅脉褐色，翅面灰褐，腋鬃 3 根；平衡棒褐色。腹背板褐，腹面浅褐。第 6 背板前缘凹陷半圆形。其内小骨片三角形；第 7 背板两侧缢缩。第 7 腹板狭三角形；第 9 腹板不具长毛。

采集记录: 1♀(正模)，秦岭，1992.Ⅸ.02，王敏采。

分布: 陕西(风县)。

(20) 方背乌蚤蝇 *Woodiphora quadrata* Liu, 2001

Woodiphora quadrata Liu, 2001: 170.

鉴别特征: 雌性额褐色，布细毛 50 根；2 对触角上鬃近等长；触角上鬃上对高于前额鬃低于前额眶鬃；后额间鬃低于后额眶鬃；后额间鬃间距与前额间鬃间距同。触角褐色，下颚须褐色。胸背板褐，侧板和腹板浅褐色。小盾片鬃 4 根，近等长。足褐色，中足、后足不具栅毛列；后足腿节腹缘基部具细毛 6 根。翅长 1.20mm。前缘脉指数0.56，前缘脉比 5.20∶2.80∶1.00，纤毛 0.03mm。翅脉除第 7 脉外均为褐色，翅面略具灰色；腋鬃 2 根；平衡棒褐色。腹部褐，第 6 背板前缘呈方形向后凹入，第 7 背板方形，后缘浅凹，第 7 腹板矛形。

采集记录: 1♀，秦岭，1992.Ⅶ.15，刘广纯采。

分布: 陕西(风县)。

10. 伐蚤蝇属 *Phalacrotophora* Enderlin, 1912

Phalacrotophora Enderlein, 1912: 21. **Type species**: *Phalacrotophora bruesiana* Enderlein, 1912.

属征: 中至大型（1.50～4.00mm），黄或黄黑相间。额高大于宽，有时高与宽之比达 2∶1；表面隆起，光滑或粗糙，被毛；纵沟明显，有时弱。触角上鬃 1～2 对，前倾，两前额间鬃平行，后倾；位于额前缘，常明显低于前额眶鬃。单眼三角小，不明显隆起；复眼大，被毛。触角第3节球形或卵圆形；有时很小；触角芒背生，被极短毛或光裸。胸部较狭。背中鬃1对；小盾片鬃2对或前对极小，呈毛状。中侧片常不分裂，具毛及1～2根鬃。前足胫节和跗节常缩短，前足胫节具背刺1列。中足和后足胫节均具前、后纤毛列，其纤毛强大呈鬃状。翅狭长，前缘脉纤毛短；R_{2+3}脉存在；Rs距前缘脉较近。腹部几光裸。雄性尾器小。肛管发达。

分布：以新热带区和东洋区的种类居多。世界已知49种。中国记录6种，秦岭地区有1种。

(21)十斑伐蚤蝇 *Phalacrotophora decimaculata* Liu, 2001

Phalacrotophora decimaculata Liu, 2001: 211.

鉴别特征：雄性额黑褐，中沟附近褐色，有光泽；中沟明显，稀布黑色细毛。触角上鬃1对，短小，下内倾。触角第3节稍红，椭圆形，黄色。下颚须浅黄，具短鬃5根。胸背扳黄色，小盾片褐色，两侧黄色，鬃1对，其前具小毛1对。足黄色。前足胫节约前背刺11根。中足胫节栅毛列完整；纤毛2列，前列伸达端部1/3；后列完整，鬃发达。后足胫节胫节栅毛列完整，后背纤毛10根，前背纤毛6根；伸达胫节端部1/3。翅长1.88mm，灰褐。前缘脉短，指数0.38，各段比4.20∶1.80∶1.00，纤毛长0.08mm。平衡棒黄色。腹部背板黄色。第2～6背板两侧具黑斑，且黑斑均随背板折向腹面。第2背板最宽，向后变狭。第2～5背板后缘具1排稀疏小毛，第6背板散布细毛。腹部腹面黄色，尾器黑褐色。肛管褐色。体长1.75mm。

采集记录：1♂(正模)2♀(副模)，佛坪，1980.Ⅷ.06，魏建华采(从瓢虫蛹中养出)。

分布：陕西(佛坪)。

11. 异蚤蝇属 *Megaselia* Rondani, 1856

Megaselia Rondani, 1856: 137. **Type species**: *Megaselia crassineura* Rondani, 1856[= *Megaselia costalis* von Roser, 1840].

属征：翅和平衡棒存在；后足胫节具栅毛列和纤毛列；R_{2+3}存在，Rs基部具0～2根毛，第6纵脉中部不弯曲；胫节缺鬃（端鬃除外）；中侧片分裂；前足跗节第1节长于第5节；额具纵沟；触角上鬃2～4根；鬃序4-4-4，单眼存在；如果后足胫节具前背纤毛（亦具后背纤毛），则雌性具6块背板，并且雄性载肛片上的端毛比尾须刚毛粗大。

生物学：本属种类繁多，生活环境复杂，生活习性各异，仅就幼虫食性来说，就包括植食性、腐食性、捕食性和寄生性等4类。植食性种类，包括取食高等担子菌的类群。它们给食用菌生产带来损失。腐食性种类占本属的大部分，它们常以腐烂动、植物或动物粪便为食。

分布:世界各地区均有分布。世界已知1500种以上，中国已记载101种，秦岭地区有5种。

分种检索表

1. 中侧片具毛或鬃 …… 2
   中侧片光裸 …… 3
2. 中胸小盾片鬃4根；腹部气门扩大 …… **东亚异蚤蝇 *M. spiracularis***
   中胸小盾片鬃2根；腹部气门不扩大 …… **列鬃异蚤蝇 *M. pleuralis***
3. 前缘脉指数小于0.50;生殖背板缺鬃；肛管极短 …… **黑角异蚤蝇 *M. atrita***
   前缘脉指数等于大于0.50 …… 4
4. 肛管端毛粗大，羽状；足前跗节不长于其他跗节之2倍 …… **蛆症异蚤蝇 *M. scalaris***
   肛管端毛不甚粗大，不呈羽状；足前跗节长于其他跗节之2倍 …… **黄色异蚤蝇 *M. flava***

(22) 东亚异蚤蝇 *Megaselia spiracularis* Schmitz, 1938

Megaselia spiracularis Schmitz, 1938: 81.

鉴别特征:雄性额褐色，密布细毛约110根，纵沟明显。触角上鬃2对，不等。触角第3节红褐色，皮下感觉孔多，约30个；触角芒具微毛。下颚须黄色。胸部背板黄褐色或褐色，侧板黄色。中侧片具毛，无鬃或具短鬃小盾片鬃2对，近等长。足黄色，后足腿节基部的腹缘毛长于腹缘端部的腹缘毛；胫节缺前背纤毛，后背纤毛强壮。翅略呈灰褐色，前缘脉指数0.44~0.51，前缘脉比3.81~4.50∶2.75~2.90∶1.00，前缘纤毛短，0.06~0.07mm，不长于R_{2+3}脉。Rs脉基部无毛，Sc脉发达，伸达R_1脉。平衡棒黄色。腹部背板黑色至黑褐色，腹面黄色。腹面第3~7节的气门异常大，长轴长度约是背板长的1/3。尾器小。肛管黄色。体长1.50~2.00mm。雌性体长1.80~2.30mm。前缘脉指数约0.51，前缘脉比4.30∶3.20∶1.00。

采集记录:1♂1♀，商南，2013.Ⅶ.23，蔡云龙采。

分布:陕西(商南)、辽宁、北京、河南、江苏、浙江、湖北、江西、湖南、福建、台湾、海南;日本，马来西亚，斯里兰卡。

(23) 列鬃异蚤蝇 *Megaselia pleuralis* (Wood, 1909)

Phora pleuralis Wood, 1909: 117, 118, 146.
Megaselia (*Aphiochaeta*) *pleuralis*: Schmitz, 1941: 12.

鉴别特征:雄性额黑色或黑褐色；额面散布细毛约60根，纵沟明显。触角上鬃2对，近等长。触角第3节黑色或黑褐色，无皮下感觉孔；下颚须较大，黄色或黄褐色。胸部黑色或黑褐色，中侧片具毛及1~2根较长的鬃。小盾片鬃1对。腹部背板黑色或黑褐色，腹面色较淡。尾器较大，黑褐色或黑色。肛管长，暗黄色至略带黑色。足黄褐色至黑褐色。后足腿节腹缘毛短(等于或短于胫节中部宽的一半)，明显短于端部的腹缘毛；后足胫节的栅毛列在端半部逐渐向前弯曲，缺前背纤毛，后背纤毛较强壮。翅黄褐色，翅脉褐色。前缘脉指数0.48或更大；前缘脉比3.25∶2.53∶1.00，第1段短于第2段与第3段之和，前缘纤毛长0.13mm。

采集记录:3♂，佛坪，2013.Ⅶ.28，蔡云龙采。

分布:陕西(佛坪)、吉林、辽宁、内蒙古、北京、宁夏；日本，澳大利亚，加拿大，美国，欧洲。

(24)黑角异蚤蝇 *Megaselia atrita* (Brues, 1915)

Aphiochaeta atrita Brues, 1915: 188.

Megaselia (*Megaselia*) *atrita*: Borgmeier, 1967: 91, 211.

鉴别特征:雄性额黑色，表面散布细毛72~96根，纵沟明显。触角上鬃2对。触角第3节黑色，皮下感觉孔大小不等，30个以上，大的直径略大于上对触角上鬃的毛窝直径；芒明显长于额宽，具微毛。下颚须黄色，端鬃较发达。胸部黑色，中侧片光裸。小盾片鬃1对。足褐色至黑褐色。前足基跗节与邻近2个跗节之和近等长。后足腿节基部腹缘毛长，长于端部的腹缘毛；胫节缺前背纤毛，后背纤毛强壮。翅几乎无色，透明，脉黄褐色。前缘脉指数0.40~0.46，前缘脉比2.49~4.05∶1.52~2.67∶1.00，第1段约等于第2段与第3段之和。前缘纤毛0.06~0.09mm。Rs脉基部具1短毛，不长于R_{2+3}脉，Sc脉不伸达R_1脉。腋鬃3根。平衡棒黑褐色。腹部背板黑色，腹面色较淡，背板各节稀布细毛。尾器小，黑色。生殖背板两侧具短毛。肛管黑褐色，极短，端毛不显著长于其他毛。体长1.10~1.50mm。

采集记录:5♂，佛坪，2013.Ⅶ.28，蔡云龙采。

分布:陕西(佛坪)、吉林、辽宁、内蒙古、浙江、台湾、广东、海南、广西；印度尼西亚，斯里兰卡。

(25)蛆症异蚤蝇 *Megaselia scalaris* (Loew, 1866)

Phora scalaris Loew, 1866: 53.

Megaselia (*Megaselia*) *scalaris*: Schmitz, 1929: 29.

鉴别特征:雄性额黄褐色，表面密布细毛约190根，纵沟明显。触角上鬃2对。触角第3节浅黄褐色；皮下感觉孔多于30个；触角芒明显长于额宽，具微毛。下颚须黄色，宽，半月形，端半部鬃发达。喙黄色，短小。胸部黄色或黄褐色。中侧片光裸。背侧鬃2根。小盾片鬃1对。足黄色，后足腿节端部具暗斑。前足跗节细长，基跗节与邻近2个跗节之和近等长。后足腿节基部腹缘毛短，显著短于端部的腹缘毛；胫节缺前背纤毛，后背纤毛强壮。翅面略带黄色，脉褐色；前缘脉指数0.53~0.55；各段比4.05∶2.97∶1.00；前缘纤毛短，约0.08mm，Sc伸达R_1；Rs脉基部无毛。腋鬃4根。平衡棒大部分黄色，仅端部具1小型暗斑。腹部背板黑色或黑褐色，前缘中部具黄斑，尤以第4背板和第5背板黄斑最大。腹面黄色。尾器黑褐色或黑色。体长2.00~2.40mm。雌性体长2.10~2.80mm。前缘脉指数0.56~0.57，前缘脉比5.80:5.00:1.00。

采集记录：2♂，佛坪，2013.Ⅶ.28，蔡云龙采。

分布：世界性分布。

(26)黄色异蚤蝇 *Megaselia flava* (Fallén, 1823)

Aphiochaeta flava Fallén, 1823: 7.

Megaselia (*Megaselia*) *flava*: Schmitz, 1929: 3.

鉴别特征：雄性额黄褐色或褐色，表面散布细毛约66根，纵沟明显。触角上鬃2对，不等。触角第3节黄色或黄白色；芒明显长于额宽，具微毛。下颚须黄色，鬃发达。胸部黄色至褐色。中侧片光裸。小盾片鬃1对。翅面略带黄色，脉褐色。前缘脉指数0.45~0.51，前缘脉比约3.51:3.47:1.00，第1段与第2段近等长；前缘纤毛短，约0.04mm。Sc脉伸达R_1脉或几乎伸达R_1脉。Rs脉基部具1微毛，短于R_{2+3}脉。腋鬃2根。平衡棒黑褐色或黄褐色。腹部背板颜色变化大，黄色至黑褐色。腹面黄色。尾器褐色或黑褐色，生殖背板两侧具短毛；生殖腹板的左、右侧突发达，左右等长或左短右长。肛管黄色，端毛短于尾须上的毛。足黄色，后足腿节端部具暗斑。前足跗节细长，基跗节长于临近2个跗节之和。后足腿节基部的腹缘毛长，是端部腹缘毛长的2倍；胫节缺前背纤毛，后背纤毛较强壮。体长1.50~2.10mm。雌性与雄性相似，腹背板颜色与雄性一样变化较大。前缘脉指数大于0.50。

采集记录：2♂，柞水大甘沟，2013.Ⅶ.15，蔡云龙采。

分布：陕西（柞水）、吉林、辽宁、北京、浙江、台湾、海南、广西；印度，新几内亚；欧洲，北美洲。

参考文献

Beyer, E. M. 1965. Phoridae (Diptera: Brachycera). *Exploration du Parc National Albert, Mission G. F. De Witte*(1933-1935), 99:1-211.

Borgmeier, T. 1967. Studies on Indo-Australian Phorid flies, based mainly on material of the Museum of Comparative Zoology and the United National Museum. Part 2. (Diptera: Phoridae). *Studia Entomologica, Petropolis*, 10:81-276.

Brown, B. 2005. Classification of two poorly known genera from Africa. *African Invertebrates*, 46:133-140.

Brues, C. T. 1911. The Phoridae of Formosa collected by H. Sauter. *Annales Musei Nationalis Hungarici*, 9:530-559.

Brues, C. T. 1915. Some new Phoridae from Java. *Journal of the New York Entomological Society*, 23:184-193.

Goto, T. 1984. Systematic study of the genus *Phora* Latreille from Japan (Dipt.: Phoridae) Description of a new species, with discussion on the terminology of the male genitalia. *Kontyu*, 52:159-171.

Liu, G. 1995. A new genus *Chouomyia* with two new species from China (Diptera: Phoridae). *Studia Dipterologica*, 2(1): 185-188.

Liu, G. 2001. *A Taxonomic Study of Chinese Phorid Flies Diptera: Phoridae (part 1)*. Neupress, Shenyang. 1-292. [刘广纯. 2001. 中国蚤蝇分类(上). 沈阳: 东北大学出版社, 292.]

Liu, G. and Chou, I. 1994. The genus *Phora* Latreille (Diptera: Phoridae) from China. *Entomotaxonomia*, 16(1): 63-70.

Liu, G. and Chou I., 1996. Taxonomic study on genus *Stichillus* Enderlein (Diptera: Phoridae) from China. *Entomotaxonomia*, 18(1): 35-46. [刘广纯, 周尧. 1996. 中国弧蚤蝇属研究（双翅目: 蚤蝇科）昆虫分类学报, 18(1): 35-46.]

Liu, G. and Zeng, Q. 1995. A further new species of *Trophithauma* Schmitz (Diptera: Phoridae) from China. *Animal Research*, 16(4): 349-351.

Schmitz, H. 1956. Phoridae. pp. 369-416. In: Linder, E. (ed.). *Die Fliegen der palaearktischen Region*. Lief. 187. E. Schweizerbart'sche Verlagsbuchhandlung. Stuttgart.

Schmitz, H. 1957. Phoridae. pp. 417-464. In: Lindner, E. (ed.). *Die Fliegen der palaearktischen* Region. Lief. 196. E. Schweizerbart'sche Verlagsbuchhandlung. Stuttgart.

Schmitz, H. 1958. Phoridae. pp. 465-512. In: Lindner, E. (ed.). *Die Fliegen der palaearktischen* Region. Lief. 202. E. Schweizerbart'sche Verlagsbuchhandlung. Stuttgart.

Schmitz, H. and Beyer, E. 1965. Phoridae. pp. 513-608. In: Lindner, E. (ed.). *Die Fliegen der palaearktischen Region*. Lief. 260. E. Schweizerbart'sche Verlagsbuchhandlung. Stuttgart.

Schmitz, H. and Beyer, E. 1974. Phoridae. pp. 609-664. In: Lindner, E. (ed.). *Die Fliegen der palaearktischen Region*. Lief. 301. E. Schweizerbart'sche Verlagsbuchhandlung. Stuttgart.

Schmitz, H. and Delage, A. 1981. Phoridae. pp. 665-712. In: Lindner, E. (ed.). *Die Fliegen der palaearktischen Region*. Lief. E. Schweizerbart'sche Verlagsbuchhandlung. Stuttgart.

二十二、头蝇科 Pipunculidae

霍姗[1]　杨定[2]

(1. 北京市通州区林业保护站, 北京 101100; 2. 中国农业大学昆虫系, 北京 100193)

鉴别特征: 小型蝇类，体色暗。头部大，呈半球形或球形；触角第1、第2和第3节发达，其末端或圆钝或尖锐，上下两侧多有刚毛。胸部毛一般稀少。翅长狭，通常与身体等长或长于身体，透明或略带褐色；多数种类有翅痣，为亚前缘室里褐色微毛所致。足多为黑色或黄色，常有毛或刺。腹部大多为黑色，有的种类被白色或褐色粉状物。雄虫后腹部扭曲且弯向腹面，不对称，第8节常有各种形状和大小的膜质区。雌虫第7、第8及第9节形成锥状产卵器；肛门位于产卵器背面，近基部与刺管的交界处，周围丛生刚毛。

生物学: 头蝇是双翅目中一类重要的寄生性有益昆虫，主要寄生于同翅目害虫，特别是叶蝉、飞虱及沫蝉，也有报道寄生于半翅目。

分类：全世界已知3个亚科，21属约1305种，中国分布12属99种，陕西秦岭地区有2属10种。研究标本保存在中国农业大学昆虫博物馆（CAU）。

1. 光头蝇属 *Cephalops* Fallén, 1810

Cephalops Fallén, 1810: 10. **Type species**: *Cephalops aeneus* Fallén, 1810.
Wittella Hardy, 1950: 41. **Type species**: *Dorilas candidulus* Hardy, 1949.

属征：前胸侧板具毛扇，胸部具明显背中鬃，边缘散生若干刚毛。翅脉中室均匀扩大，无 M_2 脉。

分布：世界性分布。全世界已知194种，我国记录18种，秦岭地区有5种，其中包括2新种。

分种检索表

1. 翅第3前缘脉段比第4段长 ······ 2
   翅第3前缘脉段比第4段短，或者二者大致相等 ······ 3
2. 背中鬃明显；股节带褐色；胸部侧板黑褐色；后足胫节具5根竖起的黑色刚毛 ······ **强壮光头蝇，新种 *C. fortis* sp. nov.**
   背中鬃不明显；股节全黄色；第3前缘脉与第4前缘脉近似；胸部侧板黑色上前侧片下缘和下前侧片黄色，翅后胛黄褐色 ······ **小螺旋光头蝇 *C. spirellus* sp. nov.**
3. 第3前缘脉段与第4段之和短于第5段 ······ **粗管光头蝇 *C. crassipinus***
   第3前缘脉段与第4段之和长于第5段 ······ 4
4. 整个平衡棒都为黄色 ······ **华山光头蝇 *C. huashanensis***
   平衡棒柄状部与球状部颜色各异 ······ **毛腿光头蝇 *C. hirtifermurus***

（1）粗管光头蝇 *Cephalops crassipinus* Yang *et* Xu, 1996（图238）

Cephalops crassipinus Yang *et* Xu, 1996: 97.

鉴别特征：头部额及颜面银白色，两侧平行；触角柄节，梗节黑褐色，鞭节黄色，末端尖；梗节上下两侧具刚毛。胸部盾片及小盾片灰色，被浅色微毛，小盾片后缘有1列浅白色微毛，肩胛黄色。翅第3前缘脉与第4前缘脉长大致相等，二者之和明显短于第5前缘脉；m-m横脉与 M_{3+4} 的最后一段大致等长，M_{1+2} 的最后一段近“S”形，r-m横脉位于中室基部的1/4处；平衡棒黄色。足基节黑色，股节大部分黑色，两端黄色，转节、胫节及跗节黄色；股节下侧后半部有2列黑刺，前足的最短，中足次之，后足的最长。腹部光滑，大部分黑色，但第1节灰褐色；背板被浅色微毛，腹部两侧直，第6节最长；产卵器粗而直，基部黑色，光亮；刺针黄色，稍长于基部，末端伸达第2腹节后缘。

采集记录:2♀，周至老县城，2057m，2013.Ⅷ.19，李轩昆采。

分布:陕西(周至)、北京。

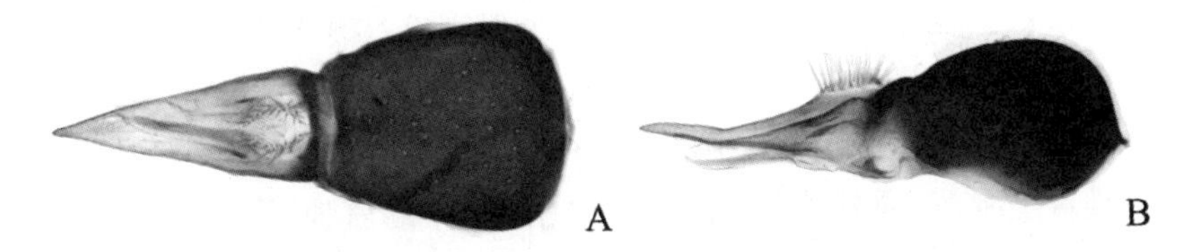

图 238　粗管光头蝇 *Cephalops crassipinus* Yang *et* Xu

A. 产卵器侧面观(ovipositor, lateral view)；B. 产卵器背面观(ovipositor, dorsal view)

(2)强壮光头蝇，新种 *Cephalops fortis* sp. nov.(图 239)

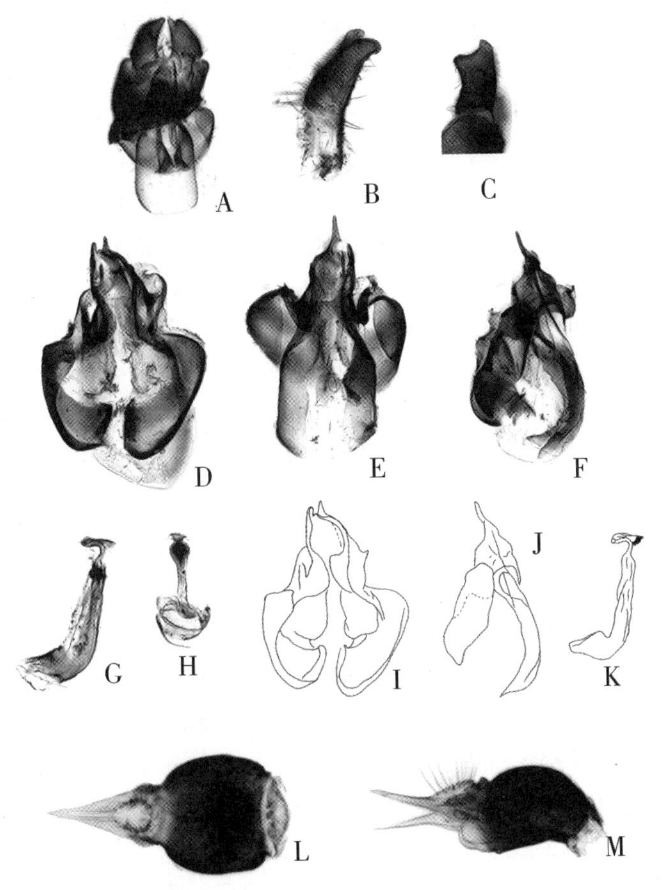

图 239　强壮光头蝇，新种 *Cephalops fortis* sp. nov.

A. 第 8 复合体背面观(syntergosternite 8, dorsal view)；B. 左侧背针突侧面观(left surstylus, lateral view)；C. 右侧背针突侧面观(right surstylus, lateral view)；D, I. 阳茎导区腹面观(phallic guide, ventralview)；E. 阳茎导区背面观(phallic guide, dorsal view)；F, J. 阳茎导区侧面观(phallic guide, lateral view)；G, K. 阳茎侧面观(phallus, lateral view)；H. 阳茎表皮内凸(ejaculatory apodeme)；L. 产卵器侧面观(ovipositor, lateral view)；M. 产卵器背面观(ovipositor, dorsal view)

鉴别特征:雄虫头部黑色，额区银白纤毛，具6对褐色额鬃；颜区黑色，具银白纤毛。复眼并接无增大。口器褐色。后头黑，灰白粉被。触角柄节黑色，背向具1根刚毛；梗节黄褐色，背向具4根刚毛，腹向具3根刚毛；鞭节黄，具黄褐色纤毛，端部尖。触角芒黑，基部黄色膨大。胸部大部分黑色，黄褐色粉被，毛大部分黄褐色，前胸前侧片毛扇为6根长刚毛，背中鬃明显，均匀排列。肩胛黑色，后边缘具5根刚毛；背侧板具若干刚毛；侧板黑褐色，具黄褐色粉被；翅后胛褐色，基部具2对刚毛；小盾片均匀粉被，边缘6对刚毛，面具若干细刚毛。足大部分黄色，鬃毛大部分黄褐色；基节黑褐色，边缘具黑色刚毛；转节黄色，具黄色短刚毛；股节大部分黄色，中部褐色，前足股节前腹向具1列8根小黑刺，后腹向具1列6根小黑刺，中足股节前腹向具1列11根小黑刺，后腹向具1列17根小黑刺，后足股节具8对褐色长刺；前足胫节略膨大，具4根黄褐色端刺，后腹向具黄色密毛，中足胫节略膨大，后向1列6根黄色竖起刚毛，7根黄褐色端刺，后足胫节中部膨大弯曲，前中部5根黑色竖起刚毛，后腹向具黄密毛；跗节黄色，端跗节褐色；爪垫黄色，爪垫长为端跗节的0.60倍。翅第4前缘脉为第3前缘脉的0.80倍，褐色翅痣充满第3前缘脉，r-m横脉位于中室2/5处。平衡棒黄色，基部褐色。腹部褐色，灰白粉被，散生黄色细毛。腹部第1背板具浓密灰白粉被，两侧各具1排6根黑鬃。腹板黄褐色，具均匀粉被。第8复合体整个端部均为膜区。生殖器背针突不对称，侧视两个背针突中部均具凹陷，左背针突侧视凹陷宽阔，右背针突凹陷窄小；阳茎导区特化出2个端部，端部具1片10~12根背鬃；阳茎骨化粗壮，射精管端部为1带膜质结构的钩状结构，端部钝圆；射精表皮内突钉状，端部具膨大区。

雌虫头部黑色，额区具银白纤毛，两侧基本平行，单眼三角处略窄于中部，具22对褐色额鬃；颜区黑色，具银白纤毛。离眼，触角附近复眼增增大，最大复眼直径为触角处额宽的0.70倍。口器黄褐色。后头黑色，灰白粉被。触角柄节黑色，背向具1根刚毛；梗节黄褐色，背向具4根刚毛，腹向具3根刚毛；鞭节黄色，端部尖，边缘纤毛长。触角芒黑色，基部黄色膨大。胸部大部分黑色，具灰白色粉被，毛大部分黄褐色，前胸前侧片毛扇为7根长刚毛，背中鬃明显，均匀排列。肩胛黑色，具3根刚毛；背侧板具若干刚毛；侧板黑褐色，上前侧片后缘和下缘黄色，上后侧片后端部黄褐色；翅后胛黄褐色，无刚毛；小盾片均匀粉被，边缘具4对刚毛，面无毛。足大部分黄色，鬃毛大部分黄褐色；基节褐色，端部黄色，边缘具黑色刚毛；转节黄色，端部具黄色刚毛；股节黄色，中部黄褐色，前足股节前腹向具1列5根小黑刺，后腹向具1列4根小黑刺，中足股节前腹向具1列12根小黑刺，后腹向具1列13根小黑刺，后足股节具6对褐色长刺；前足胫节略膨大，后向具1列14根黄刺，21根黄色端刺，其中6根端刺格外粗壮，后腹向具黄色密毛，中足胫节略膨大，前向中部具2根黄色竖起刚毛，后向具1列16根黄色竖起刚毛，11根黄色端刺，其中5根格外粗壮，后足胫节中部膨大弯曲，前中部具6~7根褐色竖起刚毛，端部具约24根黄色端刺，后腹向具黄密毛；跗节黄色，端跗节褐色；爪垫黄色，爪垫长为端跗节的0.60倍。翅第4前缘脉为第3前缘脉的0.80倍，褐色翅痣充满第3前缘脉，r-m横脉位于中室2/5处。平衡棒黄褐色。腹部褐色，具灰白粉被，散生黄色细刚毛。腹部第1背板两侧各具1排5根褐色黑鬃。腹板黄褐色，具均匀粉被。产卵器基部背视圆形，刺针端部至尾须三角形，侧视刺针平直，基本与基部等长。

采集记录:♂(正模)，佛坪大店子，2006.Ⅶ.25，朱雅君采；1♀(副模)，同正模；1♂1♀，柞水沙沟林场，1199m，2014.Ⅶ.26，唐楚飞采；1♀，湖北神农架刘家屋，2007.Ⅶ.30，刘启飞采。

分布:陕西(佛坪、柞水)、湖北。

讨论:该种与 *C. xanthocnemis* (Perkins, 1905)近似，背针突侧视形状近似，均有凹陷。但可以通过以下特征区别:背针突不对称，射精管端部钩状。后者背针突基本对称，射精管端部为3根射精管端管。

种名词源:新种以其射精管粗壮命名。

(3)毛腿光头蝇 *Cephalops hirtifemurus* Yang *et* Xu, 1996

Cephalops hirtifemurus Yang *et* Xu, 1996: 99.

鉴别特征:头部复眼在额区合并，其合并长度为额的一半；额银白色。触角各节黑色，梗节长方形，背腹两侧均着生刚毛，腹侧的稍长；鞭节末端尖，近菱形。胸部肩胛黑色，盾片及小盾片亦为黑色。翅脉第3前缘脉与第4前缘脉长度相等，二者之和稍短于第5前缘脉；r-m横脉位于中室基部的1/3处，m-m横脉与M_{3+4}的最后1脉段大致相等，M_{1+2}的最后1脉段曲度较缓；平衡棒柄状基部黑色，端部黄色。足基节黑色，转节黄色，股节除两端部黄色外余黑色；胫节大部分黑色，两端黄色；股节各有2列短的黑刺，中足股节内侧有1列密集的长毛。腹部黑色；第8复合体膜质区腹面观近棱形、小，背面观近长方形。背针突近三角形，末端指状。

采集记录:2♂，周至厚畛子，1278m，2014.Ⅷ.20，李轩昆采。

分布:陕西(周至)。

(4)华山光头蝇 *Cephalops huashanensis* (Yang *et* Xu, 1989)(图240)

Pipunculus (*Cephalops*) *huashanensis* Yang *et* Xu, 1989: 158.

鉴别特征:触角第1节黑褐色，梗节和鞭节黄色；梗节背腹向各具刚毛，鞭节末端尖。胸部黑色，肩胛褐色。足基节黑色，其余各节黄色，前股节腹向具3~4根小黑刺，中足和后足端半部腹向各具两列黑刺。翅第3前缘脉和第4前缘脉等长，二者之和与第5段大约相等，r-m横脉位于中室基部1/3处，m-m横脉与M_{3+4}的最后1段大致相等。平衡棒黄色。腹部黑色，细长。第1腹板两侧各具1束浅色刚毛，第5背板最宽。产卵器小，基部黑色，粗糙，侧视近半圆形，刺针黄色，微向下弯曲仅有基部的1/3长，末端尖，伸达第3腹节后缘。

采集记录:1♀，周至钓鱼台，1480m，2013.Ⅵ.20，葛斯琴采。

分布:陕西(周至)。

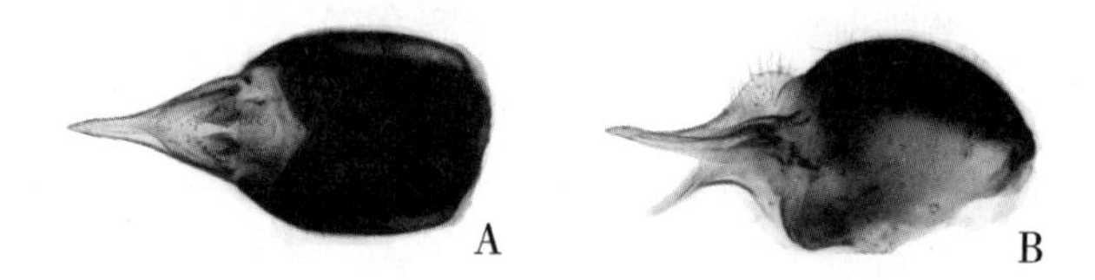

图 240 华山光头蝇 *Cephalops huashanensis* Yang *et* Xu

A. 产卵器侧面观(ovipositor, lateral view)；B. 产卵器背面观(ovipositor, dorsal view)

(5)小螺旋光头蝇，新种 *Cephalops spirellus* sp. nov.(图 241)

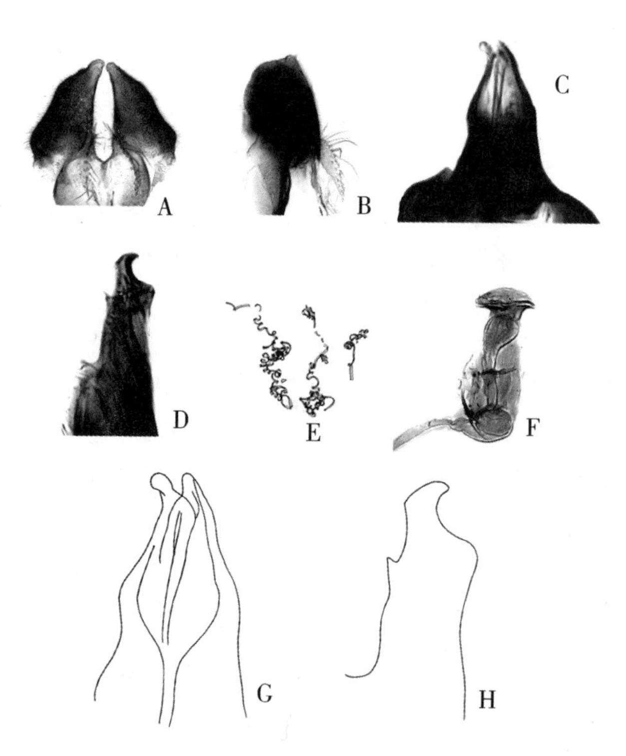

图 241 小螺旋光头蝇，新种 *Cephalops spirellus* sp. nov.

A. 背针突背面观(surstyli, dorsal view)；B. 背针突右侧面观(surstyli, right lateral view)；C，G. 阳茎导区腹面观(phallic guide, ventralview)；D，H. 阳茎导区侧面观(phallic guide, lateral view)；E. 阳茎射精管端管(distiphallus)；F. 阳茎表皮内凸(ejaculatory apodeme)

鉴别特征:雄虫头部黑色，额区具银白色纤毛；颜区黑色，具银白纤毛。复眼并接无增大。口器黄色。后头黑色，具银白粉被。触角柄节褐色，背向具1根刚毛；触角梗节褐色，背向具4根刚毛，腹向具2根刚毛；鞭节黄色，端部尖；触角芒缺失。胸部大部分黑色，具黄色粉被，毛大部分黑色，前胸前侧片毛扇为8根黄色刚毛，背中鬃不明显。肩胛褐色，具灰白粉被；中胸背板中后部粉被稀薄略光亮；背侧板具若干细刚毛；侧板上前侧片下缘后缘黄色，下后侧片黄色；翅后胛黄褐色，基部具2根黑色短刚毛；小盾片基半部粉被浓密，端部光亮，边缘具5对黑刚毛，面具若干细刚毛。足大部分黄色，鬃毛大部分褐色；基节褐色，边缘黄色，具褐色刚毛；转节黄色，具黄色刚毛；前足股节腹向近端部和中部各具1根小黑刺，中足股节前腹向具2列各14根小黑刺，后足股节前腹向具1列20～21根褐色大长刺，后腹向具1列3～4根褐色大长刺，前向端半部具9～12根褐色长刺；前足胫节略膨大，端部具4根黄端刺，后腹向具黄色密毛，中足胫节略膨大，基部具5根黄端刺，后足胫节中部膨大弯曲，前中部具6根褐色竖起长刚毛，端部具9～10根黄色长端刺，后腹向具黄色密毛；跗节黄色，端跗节褐色；爪垫黄色，爪垫长为端跗节的0.80倍。翅第四前缘脉为第3前缘脉的0.90倍，褐色翅痣充满第3前缘脉，r-m横脉位于中室2/7处。平衡棒褐黄色。腹部褐色，具灰白粉被，着生黑色刚毛。腹部第1背板两侧各具1排10～13根鬃；第3、4背板基部粉被浓密，端部薄，侧视下后部粉被浓密；第5背板黑褐色，基部和端部被粉，中部光亮，侧视下部粉被浓密。腹板褐色，具黄白粉被，着生黄褐色短刚毛。第8复合体黑色，具黄色粉被，具黑色短刚毛，端部偏右具长缝状膜区。背针突对称，背视三角状并拢，侧视宽大；阳茎导区短宽，侧视端部钩状；阳茎骨化，具3根射精管端管，长且强烈卷曲；射精表皮内突钉状，端部强烈膨大。

采集记录:♂(正模)，佛坪长角坝东河，2006.Ⅶ.24，朱雅君采；1♂(副模)，柞水营盘镇，981m，2014.Ⅶ.29，丁双玫采。

分布:陕西(佛坪、柞水)。

讨论:该种与*C. varius*(Cresson, 1911)近似，背针突背视形状相似。但可以通过以下特征区别:股节全黄色，背针突侧视形状不同，射精管端管长且高度卷曲。后者股节带褐色斑块，射精管端管无卷曲。

种名词源:新种以其射精管端管长且强烈卷曲命名。

2. 优头蝇属 *Eudorylas* Aczél, 1940

Eudorylas Aczél, 1940: 151. **Type species**: *Cephalops opacus* Fallén, 1816.

属征:前胸侧板无扇状刚毛。后足胫节无前中向竖起的刚毛。腹部第1背板两侧刚毛发达。

分布:世界已知431种，中国记录28种，秦岭地区有5种。

分种检索表

1. 横脉r-m位于中室中部 ………………………………………… **体小优头蝇*E. minor***
   横脉r-m位于中室基部1/5～2/5处 ………………………………………… 2

2. 前缘脉第 3 段长于第 4 段前缘脉段 ………………………………… **方抱优头蝇 *E. orthogoninus***
前缘脉第 3 段短于第 4 段前缘脉段，或者二者近似 ……………………………………… 3
3. 第 3、第 4 前缘脉段之和等于或短于第 5 脉段 …………………………… **哈氏优头蝇 *E. hardyi***
第 3、第 4 前缘脉段之和明显长于第 5 脉段 ……………………………………………………… 4
4. 前、中腿节下侧均有 2 列黑刺 ……………………………………………… **剑管优头蝇 *E. attenuatus***
无上述综合特征 ……………………………………………………………………… **翘角优头蝇 *E. revolutus***

(6)剑管优头蝇 *Eudorylas attenuatus* (Yang *et* Xu, 1989)(图 242)

Pipunculus (*Eudorylas*) *attenuatus* Yang *et* Xu, 1989: 158.

鉴别特征:头部黑色。额中有 1 脊状物从单眼延伸至触角。触角梗节黑色，鞭节黑褐色，尖端黄色，喙状。胸部黑色，肩胛淡黄色，小盾片后缘有 1 列细而短的浅色毛。足黑色，股节与胫节交接处黄色，跗节黄褐色，端跗节黑色。前中足股节腹向均有 2 列黑刺，后足无，中足胫节末端有 1 较大黑刺。翅第 3 前缘脉和第 4 前缘脉等长，二者之和为第 5 前缘脉的一半，r-m 横脉位于中室基部 1/5 处。平衡棒黄褐色。腹部大部分黑色，部分具白色粉被。第 1 腹板两侧具黑色刚毛，第 6 背板最宽，三角形，前 5 腹节宽度相等。产卵器基部黑色，粗糙，近球形，刺针黄褐色，细而长，针状，稍向上弯。

采集记录:1♀，周至钓鱼台，1480m，2013.Ⅵ.20，葛斯琴采。

分布:陕西(周至)。

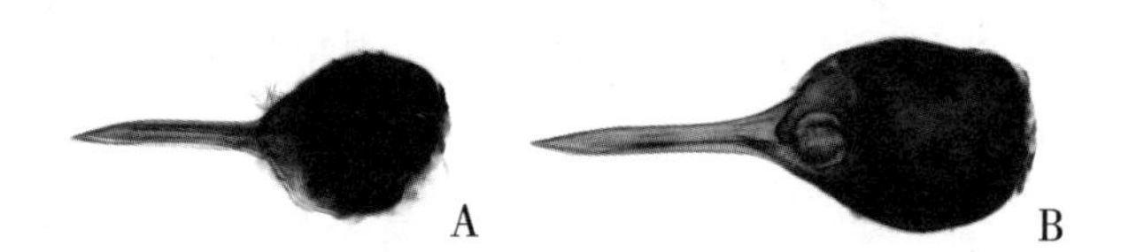

图 242 剑管优头蝇 *Eudorylas attenuatus* (Yang *et* Xu)
A. 产卵器侧面观(ovipositor, lateral view); B. 产卵器背面观(ovipositor, dorsal view)

(7)哈氏优头蝇 *Eudorylas hardyi* (Yang *et* Xu, 1989)(图 243)

Pipunculus (*Eudorylas*) *hardyi* Yang *et* Xu, 1989: 160.

鉴别特征:触角处复眼小,眼面膨大，黑色。额区两侧平行。触角黑色，梗节背腹向具刚毛，鞭节末端尖。胸部黑色，肩胛黑色，背侧板和小盾片后缘具刚毛。足黑褐色，前中股节腹向具黑刺。翅第 3 前缘脉和第 4 前缘脉等长，二者之和与第 5 前缘脉大致相等，r-m 横脉处于中室基部 1/3 处，m-m 横脉与 M_{3+4}的最后一段相等。平衡棒黑色。腹部黑褐色，第 1 腹节两侧具刚毛，第 6 背板三角形，最长。产卵器基部侧视近方形，刺针黄褐色，与基部等长，微弯向腹部，其端部伸到第 3 腹节。雄虫触角鞭节下侧比雌虫突出，足股节与胫节交接处黄褐色，翅痣充满第3前缘脉，r-m横脉位于中室中部，腹部第5腹节最长。第8复合体为第5背板的一半长，膜区极大。背针突近长方形，右侧背针突为左侧背针突的2倍大。

采集记录：2♂，周至老县城，2057m，2013.Ⅷ.19，李轩昆采。

分布：陕西（周至）、北京。

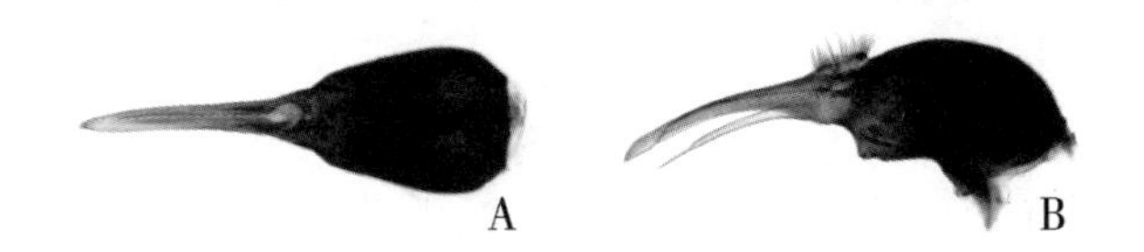

图243　哈氏优头蝇 *Eudorylas hardyi*（Yang *et* Xu）

A. 产卵器侧面观（ovipositor, lateral view）；B. 产卵器背面观（ovipositor, dorsal view）

（8）体小优头蝇 *Eudorylas minor*（Cresson, 1911）

Pipunculus minor Cresson, 1911: 293.

鉴别特征：触角鞭节黄色，末端尖。肩胛淡黄色，第3前缘脉段与第4段之和短于第5脉段的2倍长，r-m横脉位于中室中部。

采集记录：1♂，周至钓鱼台，1480m，2013.Ⅵ.20，葛斯琴采。

分布：陕西（周至）；加拿大，美国，墨西哥。

（9）方抱优头蝇 *Eudorylas orthogoninus*（Yang *et* Xu, 1989）

Pipunculus（*Eudorylas*）*orthogoninus* Yang *et* Xu, 1989: 159.

鉴别特征：头部黑色，复眼并接，其长为额区的一半。触角梗节黑色，背腹向有黑色刚毛，鞭节黄褐色，末端尖。胸部中部黑色，四周黄色。足黄色，端跗节黑色，中足股节腹向具两列黑刺，后足仅有浅色细刚毛。翅第3前缘脉为第4前缘脉的1.50倍，二者之和长于第5段，r-m横脉位于中室基部的1/3，m-m横脉与M_{3+4}的最后一段大致相等。平衡棒黄色。腹部黑色，两侧不直。第1腹节两侧具刚毛，第8复合体膜区很小，圆形。背针突基部近方形，均有长指状突起物。

采集记录：2♂，周至老县城，2057m，2013.Ⅷ.20，李轩昆采。

分布：陕西（周至）。

（10）翘角优头蝇 *Eudorylas revolutus*（Yang *et* Xu, 1989）

Pipunculus（*Eudorylas*）*revolutus* Yang *et* Xu, 1989: 160.

鉴别特征:头部黑色，复眼并接，其长为额区的一半。触角梗节黑色，背腹向有黑色刚毛，鞭节黄色，末端尖且上翘。胸部中部黑色，肩胛黄白色，具灰白色粉被。足黄色，基节黄褐色，中足股节腹向具两列黑刺。翅第3前缘脉与第4前缘脉等长，二者之和长于第5段，r-m横脉位于中室基部的1/3，m-m横脉比M_{3+4}脉的最后一段短。平衡棒黄色。腹部黑色。第3腹节最宽，第5腹节最长，第8复合体膜区近方形。背针突不对称。

采集记录:2♂，周至太白山，1648m，2013.Ⅷ.17，卢秀梅采。

分布:陕西(周至)。

参考文献

Ackland, D. M. 1993. Notes on British *Cephalops* Fallen, 1810 with description of a new species, and *Microcephalops* De Meyer, 1989, a genus new to Britain (Diptera: Pipunculidae). *Entomologist's monthly Magazine*, 129: 95-105.

Ackland, D. M. 1999. A new species of *Eudorylas* from Scotland (Diptera: Pipunculidae). *Dipterists Digest Second Series*, 6(1): 35-39.

De Meyer, M. 1992. Revision of the Afrotropical species of *Cephalops* Fallen (Diptera: Pipunculidae). *Journal of African Zoology*, 106: 81-111.

Yang, C-K. and Xu, Y-X. 1996. Pipunlulidae. 91-177. In: Xu, W-Q. and Zhao, J-M (eds.). *Flies of China*, *Vol. 1*. Liaoning Science and Technology Press, ShenYang. 1-2425. [杨集昆，徐永新. 1996. 头蝇科. 91-117. 见:薛万琦，赵建铭. 中国蝇类. 沈阳:辽宁科学科技出版社，1-2425.]

二十三、食蚜蝇科 Syrphidae

霍科科[1] 张魁艳[2]

(1. 陕西理工大学生物科学与工程学院，陕西汉中 723000;

2. 中国科学院动物研究所，北京 100101)

鉴别特征:小型到大型，体宽或纤细。通常黑色，头部、胸部特别是腹部通常具有黄、橙、褐、灰白等色斑或由这些颜色组成的图案，有些种类具蓝、绿、铜等金属色彩。头部半球形，一般与胸部等宽。触角位于头中部之上3节，第3节圆形、卵形或多少呈长卵形，有时近方形，或长或分叉；触角芒位于第3节背侧基部或末端，裸或具短毛，或呈羽状。前、后胸退化，中胸发达，具柔软细毛，部分种类在肩胛、中胸背板边缘、侧板、小盾片后缘具鬃状毛或鬃。前翅R_{4+5}与M_{1+2}脉间具伪脉，r_5室、dm室和cup室封闭。足简单，跗节5节。腹部一般5~6节。雄性露尾节突出，隐于腹端下方，不对称。

生物学：蚜蝇科昆虫种类多，分布广，其成虫和幼虫均具有重要的经济意义。成虫大多数有访花习性，是自然界仅次于蜜蜂的重要授粉昆虫；蚜蝇亚科（Syrphinae）的幼虫捕食对象主要为蚜总科（Aphidioidea）中的球蚜科、蚜科、根瘤蚜科、群蚜科和缨绵蚜科的种类。部分种类还捕食木虱科、飞虱科、蚧科和粉虱科等其他同翅目类群及缨翅目、脉翅目、鳞翅目及膜翅目等目的个别种类；植食性类群幼虫危害林木、花卉、中药材等；菌食性种类幼虫危害真菌；腐食性种类幼虫生活在潮湿的树洞、腐烂的树木、落叶、植物组织及活树木的汁液中，有些能传播人类肠道疾病，也有能清洁水环境中微生物及其他颗粒物质者。部分蚜蝇幼虫如巢穴蚜蝇属（*Microdon*）、蜂蚜蝇属（*Volucella*）等生活在蚂蚁、熊蜂和胡蜂等巢中，形成复杂的共生关系。蚜蝇幼虫含丰富的蛋白质，可作为很好的饲料和诱饵。蚜蝇成虫飞翔力强，常翱翔空中，或振动双翅在空中停留不动，或突然作直线高速飞行而后盘旋徘徊，这种独特的飞行特性成为仿生学研究的重要对象之一。

分类：全世界已知 230 余属 6000 余种，中国已记录 110 余属 900 余种，陕西秦岭地区分布 68 属 256 种，研究标本保存在陕西理工大学。

分属检索表

1. 肩胛裸。头后部强烈凹入，紧贴胸部，部分或全部掩盖肩胛。背面观雄性腹部第 5 节可见，雄性接眼（蚜蝇亚科 Syrphinae）………………………………………… 2
   肩胛至少具少许半直立或平伏的毛。头后部不强烈凹入，不紧贴胸部，肩胛裸露。背面观雄性第 5 节不可见。雄性接眼或离眼 ………………………………………… 44
2. 腹部第 1 背板发达，常为第 2 背板长度之半，且超出小盾片之后。小盾片后缘光滑或具齿。胸部、腹部背板常具刻点（小蚜蝇族 Paragini）………………………… **小蚜蝇属 *Paragus***
   腹部第 2 背板常短小，几乎呈线状，覆盖于小盾片之下，小盾片后缘光滑 ……………… 3
3. 雄性阳茎 1 节。颜及小盾片通常黑色。雄性前足胫节或跗节有时明显变宽。若颜部浅色，则腹部明显呈柄状；若腹部两侧平行，则中胸背板前缘明显具长而密的毛（巴蚜蝇族 Bacchini）………………………………………………………………… 4
   雄性阳茎 2 节。颜或小盾片至少部分黄或黄褐色。腹部具边或无，通常两侧平行，或呈卵形，若腹部明显呈柄状，则颜及小盾片黑色。雄性前足正常。后胸腹板具毛或裸（蚜蝇族 Syrphini）………………………………………………………………… 8
4. 腹部细长，呈棍棒形，腹部第 2 背板狭于第 3 背板 ………………………………… 5
   腹部通常两侧平行，若中胸背板前缘被密长毛，则腹部宽，呈卵圆形 ………………… 6
5. 肩胛后部有 1 排竖立长毛或几乎肩胛后半部被毛……………………… **异巴蚜蝇属 *Allobaccha***
   肩胛裸 ………………………………………………………………… **巴蚜蝇属 *Baccha***
6. 后胸前侧片具半平伏的细毛，中胸下前侧片毛斑后部宽地分离，前部相连；后足基节后中端角具毛簇，腹部卵形，很宽扁 …………………………………… **宽扁蚜蝇属 *Xanthandrus***
   后胸前侧片裸，中胸下前侧片毛斑全长宽地分离，后足基节后中端角无毛簇 ……………… 7
7. 后胸腹板正常。腹部两侧平行或狭卵形，雄性前足胫节或跗节扁阔，雌性前足跗节短而宽…

…………………………………………………………………………… 宽跗蚜蝇属 ***Platycheirus***

后胸腹板特化，后缘两侧具深凹口，使腹板中部呈菱形，前缘和侧缘狭；腹部细狭，两侧几乎平行或长椭圆形 …………………………………………………… 墨蚜蝇属 ***Melanostoma***

8. 触角长，有时长于头部；触角第3节长至少3倍于宽，柄节和梗节通常长大于宽。腹部背面强烈凸起，边显著，背板后侧角通常突出 ……………………………… 长角蚜蝇属 ***Chrysotoxum***

触角短，短于头长；触角第3节长至多为宽的2倍，柄节和梗节长不大于基，腹部多样，但背板后侧角不突出 ……………………………………………………………………… 9

9. 下腋瓣尤其是后背部具长毛 ……………………………………………… 蚜蝇属 ***Syrphus***

腋瓣裸 …………………………………………………………………………………… 10

10. 中胸上前侧片前低平部至少后背部具直立长毛 ……………………………………… 11

中胸上前侧片前低平部裸 ……………………………………………………………… 14

11. 翅后缘无紧密排列的骨化小黑斑，后足基节后中端角具毛簇。后胸腹板裸，腹部卵形 ……

…………………………………………………………………………… 拟蚜蝇属 ***Parasyrphus***

翅后缘具1列紧密排列的骨化小黑斑。后足基节后中端角无毛簇，腹部近卵形或具柄 ……… 12

12. 后胸腹板具毛 ………………………………………… 黑带蚜蝇属 ***Episyrphus*** (***Episyrphus***)

后胸腹板裸 ……………………………………………………………………………… 13

13. 腹部卵形或两侧平行，不呈柄状，第2背板长小于其端部宽的2倍，后胸前侧片裸，中胸上前侧片前部具毛 ………………………………………………… 狭腹蚜蝇属 ***Meliscaeva***

腹部柄状，第2背板长超过背板端部宽度的6倍，后胸前侧片在气门腹方具毛，中胸上前侧片前部后背部具1列或片毛 ……………………… 黑带蚜蝇属 ***Episyrphus*** (***Asiobaccha***)

14. 腹部长，显著呈柄状，第2背板狭于第3背板 ……………………………………… 15

腹部两侧平行或卵形，不呈柄状 ………………………………………………………… 16

15. 肩胛和(或)中胸上前侧片前部具毛，侧背片背面具长毛 ……………… 异巴蚜蝇属 ***Allobaccha***

肩胛、上前侧片前部和侧背片裸，颜及小盾片全黑色 …………… 柄腹蚜蝇属 ***Spazigasteroides***

16. 后胸前侧板在气门腹方具毛，后胸腹板具毛，R_{4+5}脉明显弯曲，大型种类，腹部扁平，明显具边 ……………………………………………………………………………………… 17

后胸侧板在气门腹方裸，后胸腹板具毛或无，R_{4+5}脉直或波曲，形状大小多变…………… 18

17. 后胸侧板在气门前方具毛，后足基节后中端角具毛簇，盾下缘缨密，后胸腹板具黄毛；中胸下前侧片具前毛斑 ……………………………………………… 狭口蚜蝇属 ***Asarkina***

后胸侧板在气门腹方具毛，后足基节后中端角无毛簇，盾下缘缨缺或极退化，后胸腹板具黑毛；中胸下前侧片缺前毛斑 ……………………………………………… 边蚜蝇属 ***Didea***

18. 中胸背板具边界明显的黄色或黄白色侧条纹或亚侧条纹，至少从肩胛伸达横沟，底色黄色…

……………………………………………………………………………………………… 19

中胸背板至多具边界模糊的暗黄色侧条纹，底色黑色 ………………………………… 24

19. 腹部第4、5背板至少具弱边，通常第3～5背板边显著 ………………………………… 20

腹部无边 ………………………………………………………………………………… 22

20. 触角鞭节长为宽的1.60～2.00倍，雄性后足转节腹面具刺突；翅透明，基部2/3区域无微刺，仅端部1/3具稀疏微刺，小盾片黄色，复眼裸 ……………… 刺腿蚜蝇属 ***Ischiodon***

触角鞭节长至多为宽的1.30倍，雄性转节简单；翅前缘通常暗，大部分区域具微刺，仅基部1/3区域裸，端部1/3微刺密，小盾片通常基部黑色，复眼被毛或裸 ……………………… 21

21. 中胸背板和中胸下前侧片具边界明显的亮黄斑，无粉被………… 黄斑蚜蝇属 ***Xanthogramma***

中胸背板和下前侧片至多具模糊的黄色粉斑 ……… **垂边蚜蝇属** ***Epistrophe*** **(*Epistrophella*)**

22. 小盾片盾下缘缨缺或至少中部1/3缺，两侧稀疏。雄性膨腹节大，第9背板与腹部等宽 ……………………………………………………… **细腹蚜蝇属** ***Sphaerophoria***

盾下缘缨完整，发达，密。雄性膨腹节小，第9背板至多为腹部宽的1/3 ……………… 23

23. 后胸腹板裸 ……………………………… **美蓝蚜蝇属** ***Melangyna*** **(*Meligramma*)**

后胸腹板具毛 ……………………………………………… **异蚜蝇属** ***Allograpta***

24. 翅中部具明显的褐色横带，宽度不超过翅长的1/6，且不达翅后缘，多毛的种类，无蚜蝇典型的腹斑 ……………………………………………………………………… 25

翅无暗色横带，除翅痣外无暗色斑，极少前缘区域具暗色纵斑和端前暗斑 ……………… 26

25. 熊蜂样种类，腹部第1~3背板黑色，腹部端部亮红色或黄色，颜黄色，翅膜几乎全部具微刺 ……………………………………………………… **密毛蚜蝇属** ***Eriozona***

非熊蜂样种类，腹部第2背板和第3背板基部浅黄色或灰白色，其余部分黑色，颜黄色具黑色宽中条纹，翅基部翅室通常裸 …………………………… **白腰蚜蝇属** ***Leucozona***

26. 后胸腹板裸 ……………………………………………………………………… 27

后胸腹板具毛 ……………………………………………………………………… 38

27. 复眼明显被毛 ……………………………………………………………………… 28

复眼裸或几乎裸 ……………………………………………………………………… 33

28. 翅膜微刺稀疏而分散，端部1/3大部分区域裸，雄性复眼背面具边界明显的小眼面增大区域 ……………………………………………………………… **鼓额蚜蝇属** ***Scaeva***

翅膜至少端部1/3微刺密而均匀，沿翅脉无裸。雄性复眼无小眼面增大区域 ……………… 29

29. 腹部第2背板浅色大斑方形，显著大于第3、4背板斑 ……………… **壮蚜蝇属** ***Ischyrosyrphus***

腹部第2背板黄斑卵形或带状，小于第3、4背板浅色斑，或第2背板全黑色 ……………… 30

30. 腹部无边，细，两侧平行或狭卵形 ……………… **美蓝蚜蝇属** ***Melangyna*** **(*Melangyna*)**

腹部边弱但明显，卵形 ……………………………………………………………… 31

31. 中胸下前侧片后部背、腹毛斑后部分开，腹部斑黄色或灰白色，常密被粉，颜密被灰白色粉，复眼被毛密而均匀 …………………………………………… **贝蚜蝇属** ***Betasyrphus***

中胸下前侧片背、腹毛斑后部宽或狭的相连；腹部斑亮黄色，至多被薄粉；若颜被密粉，则复眼仅上半部被毛明显 ……………………………………………………………… 32

32. 复眼均匀被毛 ……………………………………………… **毛蚜蝇属** ***Dasysyrphus***

复眼仅上半部被毛密，下半部几乎裸 ……………… **垂边蚜蝇属** ***Epistrophe*** **(*Epistrophe*)**

33. R_{4+5}脉波状 ……………………………… **优蚜蝇属** ***Eupeodes*** **(*Lapposyrphus*)**

R_{4+5}脉直 ……………………………………………………………………… 34

34. 腹部至少第3、4或5背板具弱边，颜至多具模糊的暗色中条纹。体宽，腹部卵形或近卵形 ……………………………………………………………………………… 35

腹部无边，颜通常具明显的暗色中条纹，体纤细，腹部两侧平行 ……………………… 36

35. 中胸下前侧片后端背、腹毛斑后端狭的相连，第4背板具黄横带 ……………………………………………………………… **垂边蚜蝇属** ***Epistrophe*** **(*Epistrophe*)**

中胸下前侧片后端背、腹毛斑后端宽的分离，第4背板具1对黄斑 ……………………………………………………………… **垂边蚜蝇属** ***Epistrophe*** **(*Epistrophella*)**

36. 翅后缘具1列紧密排列的骨化小黑斑 ……………… **平背蚜蝇属** ***Lamellidorsum***

翅后缘无上述黑斑 ……………………………………………………………………… 37

37. 后足基节后中端角具毛簇，浅色的腹斑横形，第 2～4 背板斑通常分离，颜通常具黑色中条纹，极少全部黄色 ……………………………………… **美蓝蚜蝇属 *Melangyna*（*Melangyna*）**
后足基节后中端角无毛簇，浅色腹斑斜形，有时相连，颜通常黄色 ……………………………………………………………………………… **美蓝蚜蝇属 *Melangyna*（*Meligramma*）**
38. 复眼被毛明显而且密 …………………………………………………………………………… 39
复眼裸或几乎裸 ……………………………………………………………………………………… 41
39. 复眼被毛明显但稀疏，后足基节后中端角无毛簇，R_{4+5}脉直 ……………………………………………………………………………… **优蚜蝇属 *Eupeodes*（*Metasyrphus*）**
复眼被毛密，后足基节后中端角具毛簇，R_{4+5}脉有时明显弯曲 ………………………………… 40
40. R_{4+5}脉明显弯曲，颜黄色具黑色中条纹，腹部第 4 背板至少半部黑色，前半部具有切口的黄色横带 ………………………………………………………………………… **硕蚜蝇属 *Megasyrphus***
R_{4+5}脉直或略弯曲，颜黄色，第 4 背板通常黄色或红色具黑色狭横带或斜带，极少全部黑色 ……………………………………………………………………………… **直脉蚜蝇属 *Dideoides***
41. 颜黑色，腹部细长，雄性膨腹节大 ……………………………… **细腹蚜蝇属 *Sphaerophoria***
颜部分或全部黄色，雄性膨腹节小，通常狭于腹宽 …………………………………………… 42
42. R_{4+5}脉明显弯曲，颜黄色具黑色中条纹，腹部第 4 背板至少半部黑色，前半部具有切口的黄色横带 ………………………………………………………………………… **硕蚜蝇属 *Megasyrphus***
R_{4+5}脉直 ………………………………………………………………………………………… 43
43. 腹部边显著，从第 2 背板中部伸达第 5 背板后端。中胸下前侧片后端的毛斑前部几乎相连，后部明显分开 …………………………………………… **优蚜蝇属 *Eupeodes*（*Metasyrphus*）**
腹部具弱边，仅位于第 3、4 背板。中胸下前侧片后端的背、腹毛斑前端宽的分离，后端狭的相连 ……………………………………………………… **垂边蚜蝇属 *Epistrophe*（*Epistrophe*）**
44. r_{4+5}室具从 R_{4+5}脉向后或 M_1 向前伸出的短脉；触角芒背位；后足基节桥存在且完整；颜具密而均匀的毛，侧面观通常凸出，颜中突极弱，位于触角之下，或无中突，颜上部 1/3 直，下部 2/3 突出；雄性宽的离眼（巢穴蚜蝇亚科 Microdontinae、巢穴蚜蝇族 Microdontini）…………………………………………………………………………………………… **巢穴蚜蝇属 *Microdon***
r_{4+5}室通常无从 R_{4+5}或 M_1 伸来的短脉，若具从 R_{4+5}伸出的短脉，则触角具端位触角芒；后足基节桥缺或不完整；若后足基节桥完整，则腹部呈柄状；颜多变，中央通常裸，通常具明显的中突位于颜中部或中部之下，侧面观通常颜凹入或口缘突出，很少均匀被毛，或颜直或凸出；雄性接眼或离眼（管蚜蝇亚科 Eristalinae）……………………………………………………… 45
45. 后足腿节前侧基部腹面具发达的小刚毛斑，中胸上前侧片前部裸（管蚜蝇族 Eristalini）… 46
后足腿节基部无刚毛斑；若刺斑存在，则中胸上前侧片前部被毛 ………………………… 56
46. r_1 室封闭具柄（管蚜蝇亚族 Eristalina）…………………………………………………… 47
r_1 室开放（条胸蚜蝇亚族 Helophilina）……………………………………………………… 52
47. 下后侧片、上后侧部中、后部、基侧片和后胸前侧片裸，复眼被毛，颜具中突，R_{4+5}凹入深，雄性接眼………………………………………………… **管蚜蝇属 *Eristalis*（*Eoeristalis*）**
下后侧片或上后侧片中、后部具毛 ……………………………………………………………… 48
48. 复眼单色，上后侧片具三角形裸区，翅后毛簇缺 ……………………………………………… 49
复眼具暗色斑或条纹，上后侧片在翅基下方具三角形毛区，翅后毛簇存在 ………………… 50
49. 基侧片后腹部裸，后气门前或腹方无毛，复眼具毛，翅裸 …… **管蚜蝇属 *Eristalis*（*Eristalis*）**
基侧片后腹方具毛，后气门前腹方具毛，翅膜部分具微刺，额在触角背方具明显褶皱区，雄

性接眼 …………………………………………………………………… **宽盾蚜蝇属 *Phytomia***

50. 复眼具暗色条纹和斑 …………………………………………… **条眼蚜蝇属 *Eristalodes***

复眼仅具暗色斑点 ………………………………………………………………………… 51

51. 雄性离眼 ………………………………………………………… **离眼管蚜蝇属 *Eristalinus***

雄性接眼 ……………………………………………………… **斑目蚜蝇属 *Lathyrophthalmus***

52. 复眼具毛，下后侧片裸 ………………………………………………………………… 53

复眼裸 …………………………………………………………………………………… 54

53. 翅基部1/3无微刺…………………………………………………… **毛管蚜蝇属 *Mallota***

翅膜具微刺，中胸背板通常具黄色或灰色粉被条纹或横带，雄性接眼，腹部第1、2腹板侧面分离，中胸背板具明显的黄至灰色粉斑 ……………………………… **毛眼管蚜蝇属 *Myathropa***

54. 下后侧片具毛，后足基跗节腹面具顶端膨大的毛 ……………………… **墨管蚜蝇属 *Mesembrius***

下后侧片裸，后足基跗节腹面无上述毛 ……………………………………………………… 55

55. 翅痣长，不具痣横脉，翅面具微刺，无裸区，后足胫节端半部具腹中脊，腹部第2背板常具大的橘黄色斑 ……………………………………………………………… **条胸蚜蝇属 *Helophilus***

翅痣短，具痣横脉，翅膜基部1/3裸，胸部密被粉，背板无粉被条纹，雄性后足腿节正常…

…………………………………………………………………… **毛管蚜蝇属 *Mallota*（part）**

56. 径中横脉r-m通常垂直，通常位于dm室中部之前，绝不倾斜，也不伸达dm室外端1/3处；若r-m位于dm室中部，则胸部具鬃或前、足腿节具腹刺，或后足腿节基部具小刚毛斑；后胸腹板常不发达 ……………………………………………………………………………………… 57

径中横脉r-m倾斜，通常位于dm室中部之后，通常极倾斜，位于dm室外部1/3处，或位于dm室中部，则胸部无鬃或前、足腿节无腹刺，或后足腿节基部无小刚毛斑；后胸腹板常发达

…………………………………………………………………………………………………… 72

57. 口缘平坦的圆形，端部无凹口，复眼被毛，颜平直，密被垂直向下的长毛，无中突，盾下缘缨存在，颜沟退化为点状（缩颜蚜蝇族 Pipizini）………………………………………… 58

口缘前端具凹口，无上述特征 ……………………………………………………………… 62

58. 中胸上前侧片前部具直立长毛。腹部第2、3背板长度近相等，第4背板小，背面几乎不可见

……………………………………………………………………… **寡节蚜蝇属 *Triglyphus***

中胸上前侧片前部无直立长毛，腹部第2～4背板发达，长度近相等 ……………………… 59

59. 中胸下后侧片裸，雄性额突明显，锥形，雄性后足转节简单 ……………… **缩颜蚜蝇属 *Pipiza***

中胸下后侧片至少前部具长毛，雄性额突短，后足转节常具腹距 ……………………… 60

60. Sc脉终止于横脉r-m位置或之前，r_{4+5}室端部平截，M_1脉与R_{4+5}相交呈直角，头侧面观额很平，额顶部不比触角高多少 ……………………………………… **斜额蚜蝇属 *Pipizella***

Sc脉终止于横脉r-m位置之后，r_{4+5}室端部呈锐角，M_1脉端部前伸，与R_{4+5}相交呈锐角。雄性头侧面观额鼓胀，很弯曲，额顶部比触角高 ………………………………………… 61

61. 雄性基节和转节无距，雌性额具明显的侧粉斑，触角第3节长显著大于宽 …………………

…………………………………………………………………… **赫氏蚜蝇属 *Heringia***

雄性基节和转节有距。雌性触角第3节长不大于或略大于其宽，额无粉斑或粉斑小，不明显

…………………………………………………………………… **转突蚜蝇属 *Neocnemodon***

62. M_1强烈迴转或垂直，触角芒羽状，后胸气门之前具毛斑（蜂蚜蝇族 Volucellini） ………… 63

M_1不迴转或垂直，若迴转或垂直，则后胸气门之前无毛斑 ……………………………… 64

63. r_1室开放，小盾片背面凹；伪脉缺；雄性离眼，小型…………………… **缺伪蚜蝇属 *Graptomyza***

r_1 室封闭具柄，小盾片背面缺凹面；伪脉明显；下后侧片具毛，大型种类，似黄蜂 ………… ………………………………………………………………………… **蜂蚜蝇属 *Volucella***

64. 中胸上前侧片前部具毛，通常具背翅盾（notal wing shield），小盾片具边（平颜蚜蝇族 Eumerini）…………………………………………………………………………… 65
中胸上前侧片前部无毛，无背翅盾，小盾片无边 ……………………………………… 66

65. 上后侧片具三角形毛区，后足腿节粗大，雄性后足腿节端前腹侧具三角形齿突 …………… ………………………………………………………………………… **齿腿蚜蝇属 *Merodon***
上后侧片具三角形裸区，后足腿节无三角形齿突。小盾片长约为宽的2倍，M_1 在 r_{4+5}室上部明显呈角状反射，r_{4+5}脉直或略凹入 r_{4+5}室 ……………………………… **平颜蚜蝇属 *Eumerus***

66. 盾下缘缨缺，若存在，则后足跗节具长栉刺；腹部呈柄状，翅瓣狭于 bm 室之宽，颜凹入或近乎直，绝无中突，下半部也不突出，后足基节桥完整或几乎完整（棒腹蚜蝇亚族 Spheginina），M_1 斜，与 R_{4+5}形成锐角，触角第3节卵形，至多长等于宽，颜突出，下前侧片裸，后足基节桥完整，雄性宽的离眼 ……………………………………………………………………… 67
盾下缨通常存在，后足跗节无长栉刺；后足腿节无腹刺 ………………………………… 68

67. 腹部第1腹板明显，强烈骨化，近四边形，具毛 ………… **棒腹蚜蝇属 *Sphegina*（*Sphegina*）**
腹部第1腹板缺，或远弱于第2腹板，细，无毛……… **棒腹蚜蝇属 *Sphegina*（*Asiosphegina*）**

68. 胸部无鬃，后气门前方具明显的毛斑，复眼和颜被密毛（丽角蚜蝇族 Callicerini），触角芒端位 ………………………………………………………………………… **丽角蚜蝇属 *Callicera***
胸部具鬃，若无鬃，则复眼和（或）颜裸；通常后胸气门前方无毛斑，若毛斑存在，颜呈鼻状，无瘤突（鼻颜蚜蝇族 Rhingiini）……………………………………………………………… 69

69. 颜中、下部向前延伸呈鼻状（鼻颜蚜蝇亚族 Rhingiina）…………………… **鼻颜蚜蝇属 *Rhingia***
颜中、下部不延伸呈鼻状，复眼裸或被毛；触角正常，中胸背板及小盾片通常具鬃（黑蚜蝇亚族 Cheilosiina）……………………………………………………………………………… 70

70. 颜无明显中突，颜下部略向前突出，腹部具明显灰色粉斑 …………… **颜突蚜蝇属 *Portevinia***
颜具明显中突 ……………………………………………………………………………… 71

71. 颜黄色，具或无暗色中条纹，足黄色，r-m 横脉位于 dm 中部或中部之后，中胸侧板和小盾片边缘具明显粗的长鬃…………………………………………………… **鬃胸蚜蝇属 *Ferdinandea***
颜大部分黑色，r-m 横脉位于 dm 室之前，足大部分黑色，中胸侧板和小盾片边缘无明显的粗长鬃 ……………………………………………………………………… **黑蚜蝇属 *Cheilosia***

72. 触角芒端位（突角蚜蝇族 Cerioidini）……………………………………………………… 73
触角芒背位，芒裸（迷蚜蝇族 Milesiini） …………………………………………………… 74

73. 额突长，明显长于第1触角节之半；翅 R_{4+5}脉环凹顶端常具悬脉，有翅痣横脉，腹部基部宽，稍收缩，前侧角亮黄色……………………………………………………… **突角蚜蝇属 *Ceriana***
额突不及第1触角节之半，或额突不明显；无翅痣横脉，复眼裸，腹部基部明显收缩……… ……………………………………………………………………… **腰角蚜蝇属 *Sphiximorpha***

74. R_{4+5}脉波曲，M_1 前端通常前伸；若略廻转，则触角芒羽状或 r_1 室柄状，上前侧片前端裸… …………………………………………………………………………………………… 75
R_{4+5}脉直或几乎直，不弯曲，触角芒裸或具毛，毛长度不超过芒基部直径2倍…………… 76

75. 后胸腹板具毛，后足腿节近端部前腹侧具齿状突起 ……………………… **迷蚜蝇属 *Milesia***
后胸腹板裸，R_{4+5}脉后段短，短于肩横脉长度之半，触角芒长于颜最大宽度，雄性颜具中突，雌性颜凹入，额前端1/3光亮 ………………………………………… **斜环蚜蝇属 *Korinchia***

76. r_1 室封闭具柄，后足腿节近端部前腹侧具齿状突起 ………………………… 迷蚜蝇属 *Milesia*
r_1 室开放 ……………………………………………………………………………… 77
77. 中胸上前侧片前部具毛；后足腿节细，近端部前腹侧具齿突，大型粗壮种类，似黄蜂或大马蜂的种类 ……………………………………………………………… 斑胸蚜蝇属 *Spilomyia*
中胸上前侧片前部裸，或被毛，则后足腿节近端部前腹侧无齿突 ………………………… 78
78. 中胸下前侧片沿后缘具连续的毛；颊和颜下半部具毛，体具亮黄色粉斑，似黄蜂 ……… 79
中胸下前侧片具分离的背、腹毛斑；颊和颜下半部通常裸；若颜被毛，则体黑色 ………… 80
79. 翅瓣约为第2前缘室之宽；腹部明显呈柄状，第2背板基部通常收缩；颜凹入，上前侧片前部裸 ………………………………………………………………… 小瓣蚜蝇属 *Takaomyia*
翅瓣明显宽于bm室；腹部卵形，第2节基部不收缩 ……………… 拟木蚜蝇属 *Temnostoma*
80. 后胸腹板具毛，长于后足基节毛或与之等长 ……………………………………………… 81
后胸腹板裸 ……………………………………………………………………………… 83
81. 翅基部2/3几乎裸，端部1/3微刺极稀疏；后胸前侧片具毛；后足腿节极膨大，前腹侧端部1/3具刺脊 ……………………………………………………………… 粗股蚜蝇属 *Syritta*
翅具微刺或仅基部或略大于1/3区域适度无微刺，端部1/3密具均匀的微刺；后胸前侧片具毛或裸，后足腿节多变 ………………………………………………………………… 82
82. 颜凹入，无中突；体被短而稀疏的毛，无亮黄色粉斑 …………… 铜木蚜蝇属 *Chalcosyrphus*
颜向腹向突出，通常具中突，颊宽，体具长毛或亮黄色粉斑，雄性接眼，中胸上后侧片裸，触角第3节卵形，高约等于长 ……………………………………… 木村蚜蝇属 *Matsumyia*
83. R_{4+5}后段至少等于肩横脉的3/4 ………………………………………………………… 84
R_{4+5}脉后段不超过肩横脉的1/3，盾下缘缨缺或颜底色部分黄色；腹部常具黄斑；颜不凹入，具中突，小型种类，几乎裸，不似熊蜂 …………………………………… 短毛蚜蝇属 *Blera*
84. 颜大部分或全部亮黄色或暗黄色，至多颜中条纹暗色，后足腿节简单，腹部黑色至少部分被黑毛或黑色，第2~4背板具显著的黄斑，或腹部第4~5背板红色 ……… 短毛蚜蝇属 *Blera*
颜底色黑色，下部略呈黄色，径中横脉r-m超过dm中部，腹部长，盾下缘缨存在，雄性接眼 ………………………………………………………………………………………… 85
85. 前面观头三角形；颜大部分光亮；颊宽，远宽于后胸气门；触角第3节肾形，宽大于长，后足腿节极粗大，弓形 ………………………………………………… 脊木蚜蝇属 *Brachypalpus*
头部前面观椭圆形，颊狭，狭于后胸气门；触角第3节长大于宽；后足腿节不粗大，不呈弓形，雄性后足转节常具距或瘤突 ……………………………… 瘤木蚜蝇属 *Brachypalpoides*

1. 异巴蚜蝇属 *Allobaccha* Curran, 1928

Allobaccha Curran, 1928: 251 (as subgenus of *Baccha* Fabricius, 1805). **Type species**: *Baccha rubella* Wulp, 1898.

Ptileuria Enderlein, 1938: 235. **Type species**: *Bacchapicta* Wiedemann, 1830.

属征：头大，半球形，宽于胸部。额略突出，颜中突明显或不明显。触角短，第3节宽大于长，背芒裸。复眼裸，雄性合眼，复眼接缝长，雌性两眼狭地分开。中胸背板和小盾片黑色，肩胛后部有1排竖立长毛或肩胛后半部被毛。腹部细长，3~4倍于胸长，第2、3节甚狭长，其后迅速加宽。足细长。r-m横脉位于m室基部，R_{4+5}脉外缘横脉与翅缘平行。

分布：古北区，东洋区。中国已知7种，秦岭地区有2种。

分种检索表

翅基部透明，翅痣黑色，长形，翅痣下方有黑色云斑，翅顶前缘有黑色斑 …… **黑缘异巴蚜蝇 *A. nigricosta***

翅透明，沿前缘具暗色带，翅痣黑褐色，顶端前缘具棕褐色斑，额蓝黑色，具紫色光泽 …… **紫额异巴蚜蝇 *A. apicalis***

(1) 紫额异巴蚜蝇 *Allobaccha apicalis* (Loew, 1858)

Baccha apicalis Loew, 1858: 106.

Baccha pulchrifrons Austen, 1893: 139.

Baccha apicenotata Brunetti, 1915: 221.

Allobaccha apicalis: Peck, 1988: 53.

鉴别特征：复眼裸。额黑色；雌性额中部两侧具侧淡色粉斑。颜黑色，两侧中部具黄白色狭长斑，口缘两侧具黄白色斑；颜中突小，裸。触角橘黄色，第3节宽卵形。触角芒裸。中胸背板黑色，背板被棕黄色竖立毛，前缘具1横列黄毛；雌性肩胛棕黄色。小盾片同背板，盾下缨密而长。中胸侧板黑色，具光泽，覆灰白色薄粉，被棕黄色毛，后胸腹板裸；雌性中胸上前侧片中条纹淡黄色。足黄至橘黄色。翅沿前缘具暗色带，翅末端具棕褐色斑。腹部黑色，具光泽，第1背板红黄色，后缘棕褐色；第2背板细长，呈柄状，有时基部两侧具红色小斑，中部之后具红黄色横带，第3背板中部两侧具方形黄斑或红黄斑，第4背板基部两侧具橘黄斑，第5背板与前节相同，或仅基角具三角形红黄斑。雌性腹部第1背板红黄色，第2背板基部具红黄色宽横带，第3背板近中部具黄斑，其后缘凹入深，第4背板近基部两侧具黄色条纹和斜斑，两者基部相连，第5背板黄斑同第4节。

采集记录：1♀，凤县柴关岭，2003.Ⅵ.27，霍科科采；1♂，留坝紫柏山，2000.Ⅶ.04，霍科科采；1♀，留坝紫柏山，2005.Ⅵ.21，霍科科采。

分布：陕西(凤县、留坝)、甘肃、安徽、浙江、湖北、江西、湖南、福建、台湾、广东、广西、四川、云南；俄罗斯，日本，东洋区。

(2) 黑缘异巴蚜蝇 *Allobaccha nigricosta* (Brunetti, 1908)

Baccha nigricosta Brunetti, 1907: 50.

Allobaccha nigricosta: Huo, Ren & Zheng, 2007: 58

鉴别特征:复眼裸。额黑亮，具光泽，基部覆棕褐色粉，被浅褐色毛。颜亮黑色，两侧覆白粉，近复眼前缘具黄白色粉斑，口缘两侧黄白色；颜中突小而圆。触角红褐色。中胸背板黑色，翅后胛棕黑色，背板被棕黄色竖立毛，前缘具1横列黄毛。小盾片同背板，盾下缨密而长。中胸侧板黑色，覆灰白色薄粉，被棕黄色毛。足浅褐黄色，后足腿节和胫节近端部有黑环，后足跗节暗褐色。翅暗褐色，基部透明，翅痣黑色，翅痣下有黑色云斑，翅顶前缘有1个黑色斑。腹部第1背板为宽半圆形，形状、大小与小盾片相同，第2背板呈细柄状，第3背板基部狭，然后显著增宽；腹部黑色，第2、3背板侧缘具黑灰色长毛，第3背板中部两侧具1对小横斑，第4背板前缘具1对新月状斑；腹部斑纹橘黄色，边缘模糊。

采集记录:2♂，长安，2002.Ⅳ.12，霍科科采；2♂，长安，2000.Ⅵ.04，霍科科采；1♂，眉县红河谷，2002.Ⅷ.30，霍科科采；1♂，眉县红河谷，2002.Ⅸ.3，霍科科；1♂，洋县华阳，2005.Ⅶ.22，刘飞飞；1♂，留坝闸口石，2012.Ⅶ.17，霍科科；1♂，留坝闸口石，2012.Ⅶ.18，霍科科；1♂，留坝闸口石，2013.Ⅶ.17，霍科科采。

分布:陕西(长安、眉县、洋县、留坝)、四川；印度，巴基斯坦。

2. 巴蚜蝇属 *Baccha* Fabricius, 1805

Baccha Fabricius, 1805: 199. **Type species**: *Syrphus elongatus* Fabricius, 1775.

Bacchina Williston, 1896: 86. **Type species**: *Syrphus elongatus* Fabricius, 1775.

属征:体纤细。头大，半球形，宽于胸。复眼裸，雄性合眼，两眼相接距离长，雌性眼狭分开。额略突出。颜中突明显或不明显。触角短，第3节宽大于长；背芒裸。肩胛全裸。盾下缘缨完整，长；中胸上前侧片后部、上后侧片前部被长毛，上前侧片前部、上后侧片中、后部、下后侧片和基侧片无长毛；下前侧片后端背、腹毛斑小，全长宽地分离；后胸腹板裸。足细长，简单，后足基节中后端角无毛族；后足腿节不加粗，后足基跗节加厚。翅透明，翅膜具微刺，翅室基部具裸区；翅后缘长缘毛；r-m横脉位于dm室基部，R_{4+5}脉较直，M_1波状，与R_{4+5}相交呈直角，dm-cu和翅缘近平行；r室开放；翅瓣狭，不宽于c室基部。腹部细长，是胸长的3~4倍，第2~3节狭长，其后迅速加宽。

生物学:幼虫取食蚜虫、介壳虫、粉虱，是重要的天敌类群。

分布:古北区，东洋区，新北区，非洲区。中国记录3种，秦岭地区发现2种。

分种检索表

翅透明，翅痣暗棕色，sc室末端深棕色，在径分脉分叉处及r-m处有棕褐色暗斑 ……………………………………………………………………………………………… 纤细巴蚜蝇 ***B. maculata***

翅透明，翅痣暗棕色 …………………………………………………… 短额巴蚜蝇 ***B. elongata***

(3)短额巴蚜蝇 *Baccha elongata* (Fabricius, 1775)

Syrphus elongatus Fabricius, 1775: 768.
Musca erratica Scopoli, 1763: 345.
Baccha nigripennis Meigen, 1822: 200.
Baccha scutellata Meigen, 1822: 198.
Baccha sphegina Meigen, 1822: 198.
Baccha tabida Meigen, 1822: 199.
Baccha vitripennis Meigen, 1822: 200.
Baccha klugii Meigen, 1830: 349.
Baccha nigricornis Schummel, 1941: 169.
Baccha cognata Loew, 1863: 15.
Baccha obscuricornis Loew, 1863: 15.
Baccha angusta Osten-Sacken, 1877: 332.
Baccha tricincta Bigot, 1884: 333.
Baccha karpatica Violovitsh, 1976: 138.

鉴别特征:复眼裸。头顶黑色,被黄毛。额黑色,基部覆灰白色粉,被棕黄色至黑褐色毛;雌性额两侧被灰白色粉斑。颜黑色,密被灰白色粉和黄褐色毛,口侧缘具黄斑;颜中突小而圆,裸。触角黑褐色,第3节圆;触角芒黑色,裸。中胸背板黑亮,具细小刻点,具钢蓝色或青铜色光泽,翅后胛黑褐色。小盾片同中胸背板,后缘具长毛。中胸侧板黑褐色,被灰白色粉和黄褐色毛。足主要黄褐色,被黄褐色毛,后足腿节暗褐色,端部黄色,胫节端部3/4暗褐色。翅透明,翅痣暗棕色。腹部黑色,具光泽。第1背板半圆形,两侧被淡色长毛,第2背板细长,柄状,两侧具浅色长毛,第3、4背板基部具浅黄色斑;雌性腹部暗棕黑色,第3背板端部色浅,第4背板以后黄褐色,第4背板中部具宽的暗色横带。

采集记录:1♂1♀,凤县柴关岭,2003.Ⅵ.28,霍科科采;1♂,留坝大坝沟,2014.Ⅷ.24,霍科科采。

分布:陕西(凤县、留坝)、甘肃;俄罗斯,欧洲,新北区。

(4)纤细巴蚜蝇 *Baccha maculata* Walker, 1852

Baccha maculata Walker, 1852: 223.
Baccha tinctipennis Brunetti, 1907: 51.
Baccha austeni Meijere, 1908: 325.
Baccha tenera Meijere, 1910: 103.
Baccha eronis Curran, 1928: 248.
Baccha eoa Violovitsh, 1976: 141.
Baccha pulla Violovitsh, 1976: 146.

鉴别特征:复眼裸。额亮黑色，具光泽，被黄褐色短毛，两侧覆灰黄色或灰色粉被，额突明显；雌性额突蓝黑色，两侧具白色薄粉斑。颜密覆灰黄色粉被，中突小而明显，黑亮。口缘具黄斑。触角橘红色，第3节近圆形；触角芒基部1/3较粗，被微毛。中胸背板亮黑色，具光泽，肩胛黄白色，翅后胛略呈暗黄褐色，被浅黄褐色稀疏短毛。小盾片亮黑色，被浅黄褐色短毛，盾下缨缺。侧板具白色薄粉。足橙黄色，后足腿节近端具棕褐色环，有时端半部黑色，后足胫节中部具暗色宽带，或端部2/3甚至全部黑褐色；雌性后足腿节、胫节及跗节棕褐色。翅透明，翅痣暗棕色，sc室末端深棕色，在径分脉分叉处及r-m横脉处有棕褐色暗斑。腹部亮黑色，狭长，柄状；腹部被黄白色毛。第2背板极基部和第3、4背板基部具橘黄色横斑。雌性腹部亮黑色，柄长，从第3背板向后逐渐扩宽，第4背板末端处最宽；第5背板两侧前角具1对黄色斑。

采集记录:1♀，长安，2002.Ⅵ.04，霍科科采，1♂，长安南五台，2002.Ⅷ.26，霍科科采；1♀，凤县，2003.Ⅶ.03，霍科科采；2♀，凤县，2005.Ⅵ.23，霍科科采；1♀，留坝庙台子，2002.Ⅵ.16，霍科科采；1♂，留坝庙台子，2003.Ⅵ.26，霍科科采；1♂，留坝紫柏山，2003.Ⅶ.04，霍科科采；3♂，留坝紫柏山，2005.Ⅵ.21，霍科科采；1♂，南郑，2002.Ⅲ.30，霍科科采；1♂1♀，南郑圣水寺，2005.Ⅳ.06，白康采；1♂，洋县华阳，2005.Ⅶ.22，张勇采；1♂，洋县华阳，2005.Ⅶ.22，刘飞飞采。

分布:陕西(长安、凤县、留坝、南郑、洋县)、河北、山西、安徽、浙江、湖北、江西、湖南、福建、台湾、四川、云南、西藏；朝鲜，日本，东南亚。

3. 墨蚜蝇属 *Melanostoma* Schiner, 1860

Plesia Macquart, 1850: 460 (nec Jurine, 1807). **Type species**: *Plesia fasciata* Macquart, 1850.
Melanostoma Schiner, 1860: 213. **Type species**: *Musca mellina* Linnaeus, 1758.
Psylogaster Lioy, 1864: 753. **Type species**: *Musca mellina* Linnaeus, 1758.
Atrichosticha Enderlein, 1938: 234. **Type species**: *Spathioga steraurantiaca* Becker, 1921.
Anocheila Hellén, 1949: 90. **Type species**: *Chilosia freyi* Hellén, 1949. Proposed as a subgenus.

属征:体较小。头半圆形，与胸等宽或略宽。复眼裸，雄性接眼。颜、中胸背板和小盾片全黑色，具金属光泽。颜宽，中突小或几乎消失；触角较头短，前伸，第3节卵形或长卵形，约等于基部2节之和；背芒裸或被短毛。后胸腹板退化为中、后足之间的矛状骨片。足简单。翅大，具典型的食蚜蝇脉相，r-m横脉在dm中部之前。腹部长卵形或两侧平行，通常具黄斑，有时无。此属有的种类雌性较难区分。

生物学:幼虫捕食植物叶片、灌丛、草丛中的蚜虫。

分布:世界各大动物地理区。中国已知9种，秦岭地区有3种。

分种检索表

1. 雄性前、中足腿节基半部、后足腿节黑色；腹部第3、4背板黄斑近方形至长方形，雌性腹部第2

节背板斑点长，斜置或退化不明显，第3、4背板黄斑略呈三角形，内侧直，外侧弯曲 ……………………………………………………………………………… **东方墨蚜蝇 *M. orientale***

雄性各足腿节黄色，或仅后足腿节前半部具黑环 …………………………………………………… 2

2\. 雄性腹部长4倍于宽，第3、4背板黄斑近方形，雌性腹部第2节末端最宽，第3、4节黄斑近三角形……………………………………………………………………… **方斑墨蚜蝇 *M. mellinum***

雄性腹部6倍长于宽，第3、4背板黄斑近长方形，雌性腹部第4背板中部最宽，黄斑长三角形，第4背板黄斑外缘凹入明显 ………………………………………… **梯斑墨蚜蝇 *M. scalare***

(5)方斑墨蚜蝇 *Melanostoma mellinum* (Linnaeus, 1758)

Musca mellina Linnaeus, 1758: 594.
Musca facultas Harris, 1780: 109.
Syrphus mellarius Meigen, 1822: 328.
Syrphus melliturgus Meigen, 1822: 329.
Syrphus minutus Macquart, 1829: 86.
Syrphus unicolor Macquart, 1829: 88.
Syrphus laevigatus Meigen, 1838: 134.
Syrphus concolor Walker, 1851: 296.
Cheilosia parva Williston, 1882: 307.
Melanostoma ochripes Bigot, 1884: 55.
Melanostoma bicruciata Bigot, 1884: 79.
Melanostoma cruciata Bigot, 1884: 81.
Melanostoma ochripes Bigot, 1884: 55.
Melanostoma pachytarse Bigot, 1884: 80.
Melanostoma pictipes Bigot, 1884: 78.
Melanostoma pruinosa Bigot, 1884: 79.
Melanostoma angustatum Williston, 1887: 50.
Melanostoma mellinum var. *nigricornis* Strobl, 1893: 172.
Melanostoma montivagum Johnson, 1916: 78.
Melanostoma inornatum Matsumura, 1919: 132.
Melanostoma ochiaianum Matsumura, 1919: 136.
Melanostoma ogasawarae Matsumura, 1919: 137.
Melanostoma sachalinense Matsumura, 1919: 139.
Melanostoma fallax Curran, 1923: 271.
Melanostoma pallitarse Curran, 1926: 83.
Melanostoma melanderi Curran, 1930: 64.
Melanostoma mellinum var. *angustatoides* Kanervo, 1934: 123.
Melanostoma mellinum var. *melanatus* Kanervo, 1934: 124.
Melanostoma mellinum var. *obscuripes* Kanervo, 1934: 123.
Melanostoma mellinum aber. *dilatatum* Szilady, 1940: 59.
Melanostoma mellinum var. *deficiens* Szilady, 1940: 59.
Melanostoma mellinum: Peck, 1988: 65.

鉴别特征:头顶三角黑亮。额黑色，背面2/3覆灰白色粉，被黑毛，腹面1/3裸而亮；雌性额两侧有粉斑，额毛多白色，有时粉斑以外为黑毛。颜两侧平行，中突小而裸；颜黑色，被灰白色细毛，覆白粉。触角浅黄褐色，第3节长与高之比为1.50～1.70:1.00；触角芒被短毛。中胸背板亮黑色，具光泽。小盾片同背板。胸部侧板黑色。足棕黄色，后足腿节中部有宽黑环，胫节中部有时具黑环。翅痣黄褐色，翅膜被微刺。腹部两侧平行，长与宽之比至多为4:1，黑色；第2背板有1对半圆形大黄斑。第3、4背板近方形，各有1对紧接背板前缘的矩形黄斑，第3背板黄斑占该节长3/4～4/5，第4背板黄斑占背板长1/2～3/4。雌性腹部有时第2背板末最宽，有时第4节最宽，第2背板中部有1对卵圆形斜置黄斑，大小不定甚至消失。第3、4背板基部1/3～1/2各有1对长三角形黄斑。第5背板基半部有1对短宽黄斑。

采集记录:1♀，西安鱼化寨，1977.Ⅵ.03，郑哲民采；1♂，西安鱼化寨，1977.Ⅵ.04，郑哲民采；1♂5♀，长安库峪，2002.Ⅵ.12，霍科科采；2♂4♀，长安王曲，2003.Ⅸ.05，霍科科采；10♂5♀，长安，2002.Ⅸ.22，霍科科采；2♂1♀，长安，2003.Ⅹ.16，霍科科采；2♂1♀，周至楼观台，2002.Ⅴ.30，霍科科采；凤县，1♀，2003.Ⅶ.03，霍科科采；1♂2♀，凤县，2004.Ⅵ.15，霍科科采；1♂3♀，凤县，2003.Ⅵ.28，霍科科采；1♂，眉县红河谷，2002.Ⅷ.30，霍科科采；1♀，眉县红河，2002.Ⅸ.03，霍科科采；1♀，眉县红河谷，2002.Ⅸ.04，霍科科采；1♀，眉县太白，2002.Ⅶ.17，霍科科采；1♀，眉县太白，2003.Ⅶ.24，霍科科采；1♀，留坝庙台子，2002.Ⅵ.14，霍科科采；1♀，留坝庙台子，2002.Ⅵ.15，霍科科采；1♀，留坝庙台子，2002.Ⅵ.16，霍科科采；留坝庙台子，2♀，2003.Ⅵ.27，霍科科采；1♂3♀，留坝庙台子，2005.Ⅵ.11，霍科科采；1♀，留坝庙台子，2005.Ⅵ.15，霍科科采；2♂1♀，留坝庙台子，2005.Ⅵ.20，霍科科采；3♀，留坝枣木栏，2004.Ⅵ.09，霍科科采；1♀，留坝紫柏，2003.Ⅶ.04，霍科科采；1♀，留坝闸口石，2011.Ⅶ.12，采集人不详；2♀，留坝闸口石，2012 Ⅶ 12，霍科科采；1♂4♀，留坝闸口石，2012. Ⅶ .13，霍科科采；1♂，留坝闸口石，2012.Ⅶ.13，刘婷采；1♂，留坝闸口石，2012.Ⅶ.13，强红采；2♀，留坝闸口石，2012.Ⅶ.13，杨盼采；1♂1♀，留坝闸口石，2012.Ⅶ.14，霍科科采；1♀，留坝闸口石，2012.Ⅶ.15，刘婷采；1♂3♀，留坝闸口石，2012.Ⅶ.15，强红采；3♀，留坝闸口石，2012.Ⅶ.15，杨明采；3♀，留坝闸口石，2012.Ⅶ.15，杨盼采；1♂，留坝闸口石，2012.Ⅶ.15，王玉艳采；2♂2♀，留坝闸口石，2012.Ⅶ.15，王真采；2♂7♀，留坝闸口石，2012.Ⅶ.15，王亚灵采；2♀，留坝闸口石，2012.Ⅶ.16，陈锐采；2♀，留坝闸口石，2012.Ⅶ.16，杨明采；1♀，留坝闸口石，2012.Ⅶ.16，杨盼采；2♀，留坝闸口石，2012.Ⅶ.16，王玉艳采；2♂，留坝闸口石，2012.Ⅶ.16，王亚灵采；1♀，留坝闸口石，2012 . Ⅶ. 20，陈锐采；1♀，留坝闸口石，2012. Ⅶ. 20，霍科科采；1♀，留坝闸口石，2013. Ⅶ. 19，陈锐采；3♀，南郑，2002.Ⅳ.01，霍科科采；1♂1♀，洋县华阳，2005.Ⅶ.21，章有为采；2♂，洋县华阳，2005.Ⅶ.23，章有为采；1♂1♀，洋县华阳，2005.Ⅶ.23，张勇采；1♀，洋县华阳，2005.Ⅶ.23，张培安采；1♂1♀，洋县华阳，2005.Ⅶ.23，刘飞飞采；1♂，洋县华阳，2005.Ⅶ.24，张培安采；1♀，洋县华阳，2005.Ⅶ.24，刘飞飞采；2♂2♀，洋县九池，2002.Ⅷ.04，霍科科。

分布：陕西（西安、长安、周至、凤县、眉县、留坝、南郑、洋县）、黑龙江、吉林、辽宁、内蒙古、北京、河北、甘肃、青海、新疆、上海、浙江、湖北、江西、湖南、福建、海南、广西、四川、贵州、云南、西藏；俄罗斯，蒙古，日本，伊朗，阿富汗，欧洲，北非，新北区。

（6）东方墨蚜蝇 *Melanostoma orientale*（Wiedemann, 1824）

Syrphus orientale Wiedemann, 1824: 36.

Melanostoma orientale: Knutson *et al.*, 1975: 326.

鉴别特征：头顶覆黑褐色毛。额黑色；雌性额中部具1对三角形灰色粉斑。颜黑色，覆灰色粉被，两侧被暗色毛；中突裸而光亮。触角黑色；触角芒明显具微毛。中胸背板亮黑色，覆黄至褐灰色毛。小盾片亮黑色，覆黄至褐灰色毛，盾下缨由短毛组成，间插长毛，约为短毛的2倍。胸部侧板被灰色薄粉及浅褐色毛。足橘黄色，前、中足腿节基半部、后足腿节大部分黑色，后足胫节中部有淡黑色宽中带。足被毛浅褐色，后足胫节端半部前侧长毛黑色；雌性足黄色，后足腿节及胫节有1条不明显的淡褐色中带。腹部第2~4背板各具1对橘黄色斑，第2背板斑小，有时消失，第3、4背板斑大；背板被毛黑色。雌性腹部第2背板斑常常延长，斜置，变小或不明显，第3、4背板黄斑近三角形，靠近前缘，第5背板前角有1对窄斑。

采集记录：1♂，长安，2002.Ⅳ.12，霍科科采；1♂5♀，长安王曲，2003.Ⅸ.05，霍科科采；2♀，长安，2002.Ⅳ.20，霍科科采；1♀，长安，2002.Ⅷ.25，霍科科采；2♀，长安，2003.Ⅹ.16，霍科科采；1♀，长安，2004.Ⅴ.05，霍科科采；1♂，户县朱雀森林公园，2002.Ⅷ.25，霍科科采；1♂，凤县，2003.Ⅵ.28，霍科科采；1♀，凤县，2004.Ⅵ.10，张宏杰采；2♂2♀，凤县，2004.Ⅵ.15，霍科科采；3♂2♀，凤县，2005.Ⅵ.13，霍科科采；1♂，凤县，2005.Ⅵ.23，霍科科采；2♂，眉县红河谷，2002.Ⅷ.29，霍科科采；1♂，眉县红河谷，2002.Ⅸ.04，霍科科采；1♂1♀，眉县太白山，2003.Ⅶ.25，霍科科采；1♀，留坝，2004.Ⅵ.09，霍科科采；1♂1♀，留坝，2004.Ⅵ.14，霍科科采；

3♂2♀，留坝庙台子，2002.Ⅵ.17，霍科科采；5♂1♀，留坝庙台子，2002.Ⅵ.19，霍科科采；1♂1♀，留坝庙台子，2003.Ⅵ.26，霍科科采；1♂，留坝庙台子，2005.Ⅵ.11，霍科科采；1♂，留坝庙台子，2005.Ⅵ.14，安有为采；1♀，留坝庙台子，2005.Ⅵ.14，霍科科采；1♂1♀，留坝庙台子，2005.Ⅵ.24，霍科科采；1♀，留坝，2004.Ⅵ.19，霍科科采；1♀，留坝，2004.Ⅵ.07，张宏杰采；1♀，留坝，2004.Ⅵ.08，霍科科采；2♂，留坝，2005.Ⅵ.09，霍科科采；1♂，留坝闸口石，2004.Ⅵ.08，霍科科采；1♂，留坝紫柏山，2003.Ⅶ.04，霍科科采；2♂5♀，留坝紫柏山，2005.Ⅵ.21，霍科科采；1♂，留坝闸口石，2012.Ⅶ.11，杨盼采；1♀，留坝闸口石，2012.Ⅶ.11，王亚灵采；1♂3♀，留坝闸口石，2012.Ⅶ.12，霍科科采；2♀，留坝闸口石，2012.Ⅶ.12，刘婷采；1♀，留坝闸口石，2012.Ⅶ.12，强红采；1♂1♀，留坝闸口石，2012.Ⅶ.12，杨明采；2♀，留坝闸口石，2012.Ⅶ.12，王玉艳采；1♀，留坝闸口石，2012.Ⅶ.12，王亚灵采；5♂，留坝闸口石，2012.Ⅶ.13，霍科科采；1♂1♀，留坝闸口石，2012.Ⅶ.13，刘婷采；1♂2♀，留坝闸口石，2012.Ⅶ.13，强红采；1♂1♀，留坝闸口石，2012.Ⅶ.13，杨明采；2♂1♀，留坝闸口石，2012.Ⅶ.13，王玉艳采；6♀，留坝闸口石，2012.Ⅶ.13，王真采；2♂，留坝闸口石，2012.Ⅶ.14，霍科科采；2♀，留坝闸口石，2012.Ⅶ.14，杨明采；2♂2♀，留坝闸口石，2012.Ⅶ.14，杨盼采；11♀，留坝闸口石，2012.Ⅶ.14，王玉艳采；2♂4♀，留坝闸口石，2012.Ⅶ.15，刘婷采；3♀，留坝闸口石，2012.Ⅶ.15，强红采；3♀，留坝闸口石，2012.Ⅶ.15，杨明采；2♂4♀，留坝闸口石，2012.Ⅶ.15，杨盼采；3♂6♀，留坝闸口石，2012.Ⅶ.15，王玉艳采；2♂3♀，留坝闸口石，2012.Ⅶ.15，王真采；2♂7♀，留坝闸口石，2012.Ⅶ.15，王亚灵采；1♂1♀，留坝闸口石，2012.Ⅶ.16，刘婷采；1♀，留坝闸口石，2012.Ⅶ.16，强红采；3♂，留坝闸口石，2012.Ⅶ.16，杨明采；1♂3♀，留坝闸口石，2012.Ⅶ.16，杨盼采；1♀，留坝闸口石，2012.Ⅶ.16，王玉艳采；1♀，留坝闸口石，2012.Ⅶ.16，王真采；2♀，留坝闸口石，2012.Ⅶ.16，王亚灵采；1♂1♀，留坝闸口石，2012.Ⅶ.17，陈锐采；留坝闸口石，2012.Ⅶ.20，陈锐采；2♂1♀，留坝闸口石，2013.Ⅶ.14，霍科科采；5♂，留坝闸口石，2013.Ⅶ.15，陈锐采；1♂，留坝闸口石，2013.Ⅶ.16，陈锐采；1♂，留坝闸口石，2013.Ⅶ.17，陈锐采；1♂，留坝闸口石，2013.Ⅶ.18，陈锐采；2♂，洋县华阳，2005.Ⅶ.21，张培安采；4♀，洋县华阳，2005.Ⅶ.21，刘飞飞采；1♂2♀，洋县华阳，2005.Ⅶ.21，张勇采；1♀，洋县九池，2002.Ⅷ.04，霍科科采。

分布：陕西（长安、户县、凤县、眉县、留坝、洋县）、吉林、内蒙古、青海、新疆、上海、浙江、湖北、湖南、福建、广西、四川、贵州、云南、西藏；俄罗斯（远东），日本，东洋区。

(7)梯斑墨蚜蝇 *Melanostoma scalare* (**Fabricius, 1794**)(图 244)

Syrphus scalaris Fabricius, 1794: 308.

Syrphus gracilis Meigen, 1822: 328.

Syrphus maculosus Meigen, 1822: 330.

Melanostoma ceylonense Meijere, 1911: 348.

Baccha strandi Duda, 1940: 224.

Melanostoma scalare: Knutson *et al.*, 1975: 325.

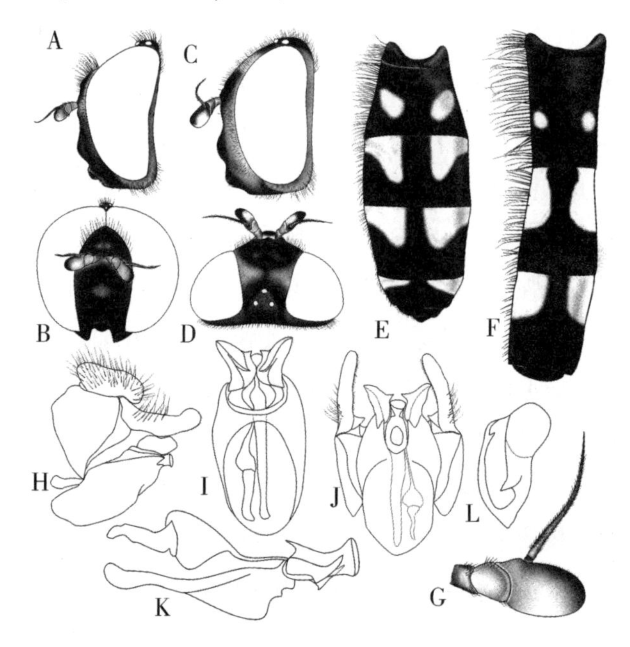

图 244 梯斑墨蚜蝇 *Melanostoma scalare* (Fabricius)

A. 雄性头部侧面观(male head, lateral view); B. 雄性头部正面观(male head, anterior view); C. 雌性头部侧面观(female head, lateral view); D. 雌性头部背面观(female head, dorsal view); E. 雄性腹部背面观(male abdomen, dorsal view); F. 雌性腹部背面观(female abdomen, dorsal view); G. 雄性触角(male antenna); H. 雄性尾器侧面观(male terminalia, lateral view); I. 雄性尾器腹面观(male terminalia, ventral view); J. 第 9 腹板及其附器腹面观(hypandrium and appendages, ventral view); K. 阳茎侧面观(aedeagus, lateral view); L. 上叶内侧面观(superior lobe, inside view)

鉴别特征:头顶三角被黑毛。额亮黑色,被黑毛;雌性额正中具 1 对淡色粉被斑,有时连成横带。颜中突亮黑色,裸露;两侧被白毛,覆白粉。触角两侧棕黄色,第 3 节长与高度之比为 1.60~1.70:1.00;触角芒黑色,除末端外全长被短毛;雌性触角芒低倍镜下除末端外被短毛。中胸背板覆黄色至褐灰色毛。小盾片亮黑色,覆黄色至褐灰色毛,盾下缨褐色,间插长毛,约为短毛的 2 倍。胸部侧板被灰色薄粉及浅褐色毛。足几乎全黄色;后足腿节及胫节近端部有不完整暗色环。足毛棕黄色。

翅长于腹，翅膜被微刺，bm 室基部微刺稀疏。腹部长与宽之比为 5 ~6 :1；第 2 背板长于其他背板，端部 1/3 处有 1 对小黄斑；第 3 背板基部 2/3、第 4 背板基部 1/2 有 1 对紧靠前缘的长形黄斑；第 5 背板黑色。雌性腹部以第 4 背板前端 1/3 处最宽，第 2 背板黄斑卵形，略斜置，第 3、4 背板黄斑呈长三角形，且黄斑外侧凹入明显，第 3、4 腹板具延长的黄斑。

采集记录：2♀，长安，2003.Ⅹ.06，霍科科采；5♂1♀，户县朱雀森林公园，2002.Ⅷ.25，霍科科采；1♂2♀，凤县，2014.Ⅶ.27，霍科科采；1♀，眉县红河谷，2002.Ⅷ.29，霍科科采；2♂1♀，眉县红河谷，2002.Ⅷ.30，霍科科采；1♂1♀，眉县红河谷，2002.Ⅸ.03，霍科科采；1♂，眉县红河谷，2002.Ⅸ.05，霍科科采；1♀，留坝，2004.Ⅵ.15，霍科科采；1♀，留坝，2004.Ⅵ.09，霍科科采；1♂，留坝，2003.Ⅵ.26，霍科科采；2♂，留坝闸口石，2012.Ⅶ.14，霍科科采；1♀，留坝闸口石，2012.Ⅶ.14，杨盼采；1♀，留坝闸口石，2012.Ⅶ.15，强红采；1♂，留坝闸口石，2012.Ⅶ.15，王真采。

分布：陕西（长安、户县、凤县、眉县、留坝）、内蒙古、北京、河北、山东、甘肃、新疆、江苏、浙江、湖北、江西、湖南、福建、台湾、四川、贵州、云南、西藏；蒙古，俄罗斯，日本，阿富汗，东洋区，非洲区。

4. 宽跗蚜蝇属 *Platycheirus* Lepeletier *et* Servi, 1828

Platycheirus Lepeletier *et* Serville, 1828: 513. **Type species**: *Syrphus scutatus* Meigen, 1822.

Carposcalis Enderlein, 1937: 199. **Type species**: *Syrphus stegnus* Say, 1829.

Eocheilosia Hull, 1949: 327. **Type species**: *Cheilosia ronana* Miller, 1921. Proposed as a subgenus.

Pachysphyria Enderlein, 1938: 196. **Type species**: *Scaeva ambigua* Fallen, 1817.

属征：体全黑色，仅腹部具黄色斑点，少数具蓝色斑点。复眼裸，雄性接眼。触角黑色，芒裸。雄性足特化，前足跗节基部明显扩大，宽扁，3 对足各节常有各种特化；雌性足简单，但前足跗节稍有扩大。翅具典型的食蚜蝇脉相，r-m 横脉在 dm 室中部之前，R_{4+5}脉直。

分布：主要分布在古北区和新北区，澳洲区和东洋区也有少量分布。中国已知 21 种，秦岭地区有 6 种。

分种检索表

1. 复眼接眼（雄性）………………………………………………………… 2
   复眼离眼（雌性）………………………………………………………… 6
2. 腹部无斑或具银白色斑 ………………………………………………… 3

腹部具明显的黄色斑 …………………………………………………………………………… 4

3. 前足胫节、跗节明显增宽，腿节下侧及基部具1根劈裂的长白毛，其后具2~3组长而粗、弯曲的黑色密毛…………………………………………………… **黑腹宽跗蚜蝇 *P. albimanus***

前足胫节、跗节正常，前足腿节基半部腹面具2~4根黄鬃，后侧具1列鬃状黑长毛，其末端1根为特殊的卷曲鬃毛 ……………………………………………… **卷毛宽跗蚜蝇 *P. ambiguus***

4. 触角黑色，第3节基部橘黄色，雄性前足跗节基部2节很宽阔，组成卵圆形，端部3节很小…………………………………………………………………………… **卵圆宽跗蚜蝇 *P. ovalis***

触角全黑色 ……………………………………………………………………………………… 5

5. 前足胫节从基部向端部逐渐变宽，基跗节扩宽，长为第2跗节的2.50倍。中足腿节后腹侧有1列黑色长毛，近基部1根顶端弯曲。雄性背针突分内、外2枝，外枝较长，内枝顶端分成不对称的叉状…………………………………………………… **叉尾宽跗蚜蝇 *P. bidentatus***

前足胫节端部突然加宽，第1跗分节约为第2跗分节长的6倍，雄性背针突基部扩宽，端部呈指状，分内、外两枝，内枝较短 ……………………………… **斜斑宽跗蚜蝇 *P. scutatus***

6. 腹部无斑或具银白色斑 ……………………………………………………………………… 7

腹部具黄色斑 …………………………………………………………………………………… 9

7. 腹部黑色无斑…………………………………………………… **黑色宽跗蚜蝇 *P. nigritus***

腹部斑银白色 …………………………………………………………………………………… 8

8. 腹部第3背板具弱的银白色带 ……………………………… **卷毛宽跗蚜蝇 *P. ambiguus***

腹部第3背板具斑，第2、3背板的斑宽大于长 ……………… **黑腹宽跗蚜蝇 *P. albimanus***

9. 触角黑色，第3节基部腹面橘黄色…………………………… **卵圆宽跗蚜蝇 *P. ovalis***

触角全黑色 ………………………………………………………… **斜斑宽跗蚜蝇 *P. scutatus***

(8)黑腹宽跗蚜蝇 *Platycheirus albimanus* (Fabricius, 1781)

Syrphus albimanus Fabricius, 1781: 434.

Platycheirus pulchellus Palma, 1863: 56.

Platychirus albimanus var. *nigrofemoratus* Kanervo, 1934: 122.

Platycheirus albimanus: Knutson *et al.*, 1975: 325.

鉴别特征:头顶黑，被黑长毛。额被黑长毛；雌性额中部两侧有白色小粉斑，内端距离达该处额宽的1/2。颜黑色，被黑毛，中突裸。触角第3节腹面橘红色。中胸背板和小盾片金绿色，带少量黑色，被淡黄毛和少许黑色长毛。足大部分黑色。前足腿节基部前侧近1/3和端部黄色，后腹侧极基部具1根劈裂的长白毛，近基部有波曲、排列紧密的粗黑毛束，中部有3根等间隔的长粗黑毛；前足胫节黄白色，中部后侧缘黑色，近端部1/3处突然扩展为三角形，中部背面具长黑毛；前足基跗节长约为第2节的2倍，略小于2~5跗节之和，各跗节黄白色，第5跗节棕黑色。中足胫节基部及端部、跗节基部2节、中足腿节前侧具1排短的黑毛，端部具1根回曲的长黑毛，胫节端半部后侧具2根黑长毛，端部具1条弯曲的黑鬃；后足腿节具淡色毛，胫节端半部前缘具3～4根长黑毛。雌性前、中足黑色，腿节两端及胫节基部1/3棕黄色，中足基跗节黄色。后足腿节黑色，两端及胫节基部1/4黄色。腹部第2背板斑亮黄金绿色，第3背板斑近三角形；第4背板斑与第3背板斑相似；腹背基部毛淡色，第3～4背板部分毛黑色。雌性腹部具3对亮淡蓝色近方形斑。

采集记录:1♀，长安翠华山，2003.Ⅳ.08，霍科科采；1♀，长安王曲，2003.Ⅸ.05，霍科科采；2♀，长安，2002.Ⅳ.20，霍科科采；2♀，长安，2002.Ⅸ.22，霍科科采；1♀，户县朱雀森林公园，2002.Ⅷ.25，霍科科采；1♀，凤县，2003.Ⅵ.28，霍科科采；1♂，凤县黑湾，2014.Ⅷ.27，霍科科采；1♂1♀，眉县太白山，2002.Ⅶ.17，霍科科采；1♂1♀，眉县太白山，2003.Ⅶ.17，霍科科采；1♂7♀，眉县太白山，2003.Ⅶ.25，霍科科采；1♂3♀，留坝庙台子，2002.Ⅵ.17，霍科科采；1♂，留坝闸口石，2011.Ⅶ.20，采集人不详；1♀，留坝闸口石，2012.Ⅶ.12，王亚灵采；1♀，留坝闸口石，2012.Ⅶ.15，强红采；1♀，留坝闸口石，2012.Ⅶ.15，杨明采；4♂3♀，留坝闸口石，2012.Ⅶ.12，霍科科采；2♂2♀，留坝闸口石，2012.Ⅶ.14，霍科科采；1♂，留坝闸口石，2013.Ⅶ.15，陈锐采；2♀，留坝闸口石，2013.Ⅶ.17，陈锐采；1♂，留坝闸口石，2013.Ⅶ.19，陈锐采；1♂，宁陕，1999.Ⅵ.03，薛菊采。

分布:陕西(长安、户县、凤县、眉县、留坝、宁陕)、吉林、辽宁、河北、山西、宁夏、甘肃、青海、湖北、四川、云南、西藏；蒙古，俄罗斯，欧洲，新北区，东洋区。

(9)卷毛宽跗蚜蝇 *Platycheirus ambiguus* (Fallén, 1817)

Scaeva ambiguus Fallén, 1817: 47.

Syrphus momochaetus Loew, 1871: 224.

Platycheirus ambiguus: Peck, 1988: 69.

鉴别特征:头顶三角被黑毛，颜中突小。雌性头顶与额青黑色或稍带紫色，额两侧粉斑小。触角第3节棕色或黑色，基部下侧色淡。雄性足黑色，前足、中足腿节末端及胫节基部1/3～1/2棕黄色，后足膝部棕黄色；前足腿节基半部腹面具2～4根黄鬃，后侧具鬃状黑长毛，端半部黑鬃约10根，末端1根为卷曲鬃毛；腿节基部和胫节毛黄色，胫节后侧具1列黄色长毛，中部稍后具3～4根鬃状长毛；中足腿节基部腹面具鬃状黄长毛，基部前腹面具黄色鬃毛，胫节除分散的黄色短毛外，后侧具1列黑色长毛；后足腿节前侧具鬃状长的黄毛，基半部鬃毛较长，胫节前侧具黑色长毛，基跗节略粗大；雌性前、中足胫节与跗节端部或多或少暗色，后足腿节具黑色宽环，后足胫节基部黄色。雄性腹斑3对，灰色或灰黄色，以侧缘最宽；第2背板中部斑最小；第3、4背板灰黄色斑较大；第5背板覆黄粉被；腹背毛大部黄色；雌性腹部斑不明显，第2背板前缘具1对大斑，第3、4背板斑常相连成横带。

采集记录:1♂，留坝闸口石，2012.Ⅶ.12，霍科科采；1♂1♀，留坝闸口石，2012.

Ⅶ.13，霍科科采。

分布：陕西（留坝）、黑龙江、北京、河北、甘肃、西藏；蒙古，俄罗斯，日本，印度，尼泊尔，欧洲，北美洲。

（10）叉尾宽跗蚜蝇 *Platycherius bidentatus* Huo *et* Zheng, 2003

Platycheirus bidentatus Huo *et* Zheng, 2003：288.

鉴别特征：雄性头顶黑色，覆白粉，额及触角基部两侧被黑毛。颜黑色，除中突外，覆白粉，被白毛；颜中突小，裸。触角黑色，第3节长为宽的2倍，触角芒基部粗。胸部背板及小盾片黑色，被土黄色毛；盾下毛较密集，长度不一。足黄色，基节、转节、前足腿节腔侧面、中足腿节腹侧面、后足腿节中部、胫节中部黑色，后足跗节背面黑色。前足腿节基部后腹侧有顶端波曲的白毛簇，后有1列浅色长毛，基部前侧有黑色长毛，直到腿节端部；前足胫节向端部逐渐变宽，基跗节扩宽，长度为第2跗节的2.50倍。中足腿节后腹侧有1列黑色长毛，近基部的1根顶端弯曲，其后侧被白色长毛，腿节前侧有黑色短刺毛。翅被微毛；翅痣淡黄褐色。腹部两侧平行，长为宽的6倍，黑色。第2腹节背板长大于宽，具1对近三角形的小黄斑。第3~4背板长超过宽，黄斑长超过本节长的1/2，黄斑之间的间隔较宽，几乎等于黄斑宽度。腹部被白毛，基部两侧白毛较长。

采集记录：1♂，宁陕平河梁，1981.Ⅵ.30，崔富奎采。

分布：陕西（宁陕）。

（11）黑色宽跗蚜蝇 *Platycheirus nigritus* Huo, Ren *et* Zheng, 2007

Platycheirus nigritus Huo, Ren *et* Zheng, 2007：85.

鉴别特征：复眼裸。头顶和额黑亮，被黑毛。额近中部具灰白色小粉斑。颜黑色，被灰白色毛及粉，颜中突小。触角第3节长卵形，腹面暗棕色。触角芒黑褐色，被微毛。中胸背板及小盾片黑色，背板两侧略染青灰色，被浅黄褐色毛。小盾片后缘浅黄褐色毛较长。中胸侧板被浅黄褐色毛和灰白色粉。足黑色，前足腿节基部及端部、胫节基部和端部、跗节、中足腿节基部和端部、胫节基部和端部、基跗节、后足膝关节等黄褐色。前足腿节后腹侧被浅黄褐色鬃状毛，基部具1束灰白色波曲长毛，端部具黑色短毛。胫节后侧近中部具1列黑色长毛。前足胫节端部略扩宽，基跗节略扩宽，长约为其宽的2倍，为第2跗节的3.50倍。中足腿节后腹侧被黑色长毛，基部混有黄褐色长毛；胫节及跗节被黄褐色短毛。翅被微毛，翅痣棕褐色。腹部两侧平行，黑亮，无斑。第1背板具青灰色光泽，第2、3背板具红褐色光泽。腹部被毛灰白色，第1背板及第2背板基部两侧毛较长。

采集记录:1♀，汉中天台山，2005.Ⅳ.16，霍科科采。

分布:陕西(汉中)。

(12)卵圆宽跗蚜蝇 *Platycheirus ovalis* Becker, 1921

Platycheirus parmatus Rondani, 1857: 121.

Platycheirus ovalis Becker, 1921: 27.

Platycheirus bigelowi Curran, 1927: 5.

鉴别特征:雄性头顶三角小，被直立黑色长毛；额毛同头顶；颜略覆粉被和黑毛，中突裸，口缘突出。触角黑色，第3节下侧红黄色；芒黑色，基部粗。中胸背板黑色，具光泽，略覆淡色粉被和黑色、淡色长毛，雌性毛短；小盾片亮黑色，毛黑色，长，盾下毛白色，长；侧板覆白色粉被和白长毛。足黑色，腿节基部和端部、前足和中足胫节基部及末端,以及跗节基部3节黄色；雄性前足跗节基部2节很宽阔，组成卵圆形，端部3节很小，后足基跗节膨大；雌性前足、中足大部黄色。翅透明，翅痣黄褐色。腹部黑色，第1背板光亮，第2~5背板各具1对方形红黄色侧斑，第2背板斑位于背板中部，其后几对斑近背板前缘。

采集记录:1♀，眉县太白山，2003.Ⅶ.24，霍科科采。

分布:陕西(眉县)、甘肃、新疆、云南、西藏;蒙古，俄罗斯，日本，欧洲。

(13)斜斑宽跗蚜蝇 *Platycherius scutatus* (Meigen, 1822)

Syrphus scutatus Meigen, 1822: 333.

Syrphus sexnotatus Meigen, 1838: 134.

Syrphus quadratus Macquart, 1829: 230.

Platychirus scutatus var. *pygmaeus* Frey, 1907: 69.

Platycherius scutatus: Peck, 1988: 73.

鉴别特征:头顶黑色，被黑色长毛；雌性头顶被浅色毛。额及颜被黑色长毛，雌性额三角形黄色粉斑在中线相连。颜除中突和口缘外覆黄粉。触角黑色，第3节长约为宽的1.50倍，触角芒暗褐色，被微毛。中胸背板、侧板及小盾片黑色，被浅色长毛，盾下缨浅黄褐色。前足转节前侧角有1排白毛；腿节暗黑褐色，端部黄褐色，背侧基部浅褐色，后腹侧基部有1簇白色细长毛，后有2簇黑色长毛，黑色毛簇之前有1列鬃状黑色长毛，间有黑色软长毛；胫节端部突然加宽，外侧近中部有1簇黑色长毛；跗节第1宽于胫节，略长于其余各跗节之和，约为第2跗节长的6倍。中足基节前面有细长的白色指状突起；腿节腹侧黑色，覆黑色长毛，背侧暗褐色，被浅色毛；胫节暗褐色至暗黑色，后缘近基部有1片浅色长毛。后足黑色，腿节被浅色长毛和短毛。雌性足黄褐色。翅膜具微毛，翅痣暗黑褐色。腹部长约为宽的5倍，被灰白色毛。第 2 背板较长，背面后端 2/3 处两侧有黄色小斑，分离较宽；第 3 背板前缘两侧各有 1 个黄色小侧斑，第 4 背板基部有斜置小黄斑。雌性腹部第 2 ~ 4 背板具黄色侧斑，第 2 背板黄斑较大。

采集记录：5♂2♀，户县朱雀森林公园，2002.Ⅷ.25，霍科科采。

分布：陕西（户县）、甘肃；俄罗斯，欧洲。

5. 宽扁蚜蝇属 *Xanthandrus* Verrall, 1901

Xanthandrus Verrall, 1901: 316. **Type species**: *Musca comtus* Harris, 1780.

Hiratana Matsumura, 1919: 129. **Type species**: *Syrphus quadriguttulus* Matsumura, 1911 [= *Musca comtus* Harris, 1780].

Androsyrphus Thompson, 1981: 106. **Type species**: *Xanthandrus setifemoratus* Thompson, 1981. Proposed as a subgenus.

Indosyrphus Kohli, Kapoor *et* Gupta, 1988: 121. **Type species**: *Indosyrphus garhwalensis* Kohli, Kapoor *et* Gupta, 1988.

Afroxanthandrus Kassebeer, 2000: 150. **Type species**: *Xanthandrus congoensis* Curran, 1938.

属征：体中等大小，黑色。颜和小盾片黑色，头宽于胸，复眼裸。腹部宽、平，椭圆形，具大的红黄色斑点，雄性斑点更大。足简单，翅透明。

生物学：幼虫捕食蚜虫。

分布：东洋区，新北区。中国记载 3 种，秦岭地区有 2 种。

分种检索表

腹部第 3、4 背板前部各具黄棕色横带，前者横带很宽，其后缘正中呈三角形凹入 ………………………………………………………………………… **短角宽扁蚜蝇 *X. talamaui***

腹部第 2 背板具 1 对大而远离的棕红色圆斑；第 3 背板棕红色斑大，前部相连，后部分开；第 4 背板斑纹与第 3 节相似，但第 4 背板斑纹较小 ……………………………… **圆斑宽扁蚜蝇 *X. comtus***

（14）圆斑宽扁蚜蝇 *Xanthandrus comtus* (Harris, 1780)

Musca comtus Harris, 1780: 47.

Scaeva saltatrix Gravenhorst, 1807: 374.

Scaeva hyalinata Fallén, 1817: 43.

Syrphus quadriguttulus Matsumura, 1911: 78.

Epistrophe reducta Cepelak, 1940: 34.

Epistrophe undulata Cepelak, 1940: 33.

Xanthandrus comtus: Knutson *et al.*, 1975: 326.

鉴别特征: 额前部亮黑色或蓝黑色，后部密被淡黄色粉及黑毛，颜与额同色，除中突外密被灰白色粉被和较短的淡色毛。雌性额中部具淡色粉被宽横带。触角棕黄色至红黄色。中胸背板、侧板及小盾片黑色，具暗绿色光泽，毛淡棕色。足黑色，腿节末端及前足胫节、中足胫节和后足胫节基部红褐色。腹部黑色，第2背板具1对颇大的圆形棕红色斑，有时圆斑缩小，第3背板棕红色斑很大，前部相连，后部分开，整个背板仅侧缘和后缘黑色，第4背板与第3背板相似，但第4背板斑较小；腹部被淡黄色毛，黑色部分被黑毛。腹部较雄性宽大，斑较雄性小，第2背板有时完全无斑，背板覆青灰色粉被。

采集记录: 5♂，长安，2002.Ⅵ.12，霍科科采；1♀，宝鸡，2003.Ⅶ.23，霍科科采；1♀，眉县太白山，2003.Ⅶ.24，霍科科采；1♂，留坝庙台子，2002.Ⅵ.19，霍科科采；1♀，留坝庙台子 2003.Ⅵ.27，霍科科采；2♀，留坝紫柏山，2003.Ⅶ.04，霍科科采；1♀，留坝紫柏山，2005.Ⅵ.21，霍科科采；1♀，留坝闸口石，2011.Ⅶ.20，采集人不详；1♀，留坝闸口石，2012.Ⅶ.14，杨盼采。

分布: 陕西（长安、宝鸡、眉县、留坝）、内蒙古、甘肃、江苏、浙江、福建、台湾、广东、四川；蒙古，俄罗斯，朝鲜，日本，欧洲。

（15）短角宽扁蚜蝇 *Xanthandrus talamaui*（Meijere，1924）

Melanostoma talamaui Meijere，1924：21.

Xanthandrus brevicornis Curran，1928：263.

Xanthandrus talamaui：Knutson *et al.*，1975：326.

鉴别特征: 雄性头顶和额黑色，毛黑色，额两侧覆灰色粉被，前方中央裸，光亮，新月片红黄色；颜黑色，覆灰色粉被和同色毛，中突裸，小而圆；雌性头顶亮黑色，具蓝色光泽，额中部覆灰黄色粉被横带。触角红褐色。中胸背板黑色，被淡褐色毛；雄性中胸背板具金属绿色光泽，雌性具金属蓝光泽；小盾片同背板，盾下毛灰色。足黑色，腿节末端及前足胫节、中足胫节、后足胫节基部红褐色。翅透明，翅痣黄褐色。腹部黑色，第1背板及第2背板基部具光泽，略覆灰粉被；第3、4背板前缘具红黄色宽横带，后缘中部呈三角形凹入，第2～4背板后部绒黑色；雌性红黄斑小，中段宽，几乎呈两黄斑，第3背板黄斑基部相连，第4背板明显分开。

采集记录: 1♀，留坝闸口石，2012.Ⅶ.12，王亚灵采；2♀，留坝闸口石，2012.Ⅶ.14，杨明采；1♀，留坝闸口石，2012.Ⅶ.14，杨盼采；1♀，留坝闸口石，2012.Ⅶ.15，杨盼采；1♂，留坝闸口石，2012.Ⅶ.15，王真采；1♀，留坝闸口石，2012.Ⅶ.16，强红采；1♀，留坝闸口石，2012.Ⅶ.16，杨明采；1♀，留坝闸口石，2012.Ⅶ.16，王亚灵采；1♀，留坝闸口石，2012.Ⅶ.13，霍科科采；1♂2♀，留坝闸口石，2012.Ⅶ.14，霍科科采；1♀，留坝闸口石，2012.Ⅶ.17，霍科科采；1♀，留坝闸口石，2012.Ⅶ.19，霍科科采；1♀，留坝闸口石，2012.Ⅶ.21，陈锐采；1♀，留坝闸口石，2013.Ⅶ.18，霍科科采；2♀，留坝闸口石，2013.Ⅶ.16，陈锐采。

分布：陕西（留坝）、吉林、内蒙古、江苏、浙江、江西、福建、四川、云南、西藏；马来西亚，印度尼西亚。

6. 小蚜蝇属 *Paragus* Latréillè, 1804

Paragus Latreille, 1804: 194. **Type species**: *Syrphus bicolor* Fabricius, 1794.

Pandasyopthalmus Stuckenberg, 1954: 100. **Type species**: *Paragus longiventris* Loew, 1858. Proposed as a subgenus.

属征：体小，粗壮，头平，宽于胸。复眼被密毛，雄性接眼。颜从触角基部下方开始突出形成不明显的中突，然后回缩至口缘；颜黄色，具狭的黑色下缘，常具黑色中条纹。触角前伸，第3节长约为其宽的3倍；触角芒裸，着生在第3节近基部。中胸背板近方形，黑色，前部常具灰色亚中条纹。小盾片端缘具或不具齿，黑色或后缘呈黄色或红色。盾下缘缨完整。中胸上前侧片前部、基侧片、后胸侧板和后胸腹板裸。足简单。翅膜具微刺，基部具裸区，r-m 横脉在 dm 中部之前，M_1 脉呈波形，不与翅缘平行。腹部两侧近平行，无边，背板具刻点和横向压缩区；第1背板发达，至少等于第2背板长度之半，侧缘为第2背板侧缘的3/4，常远超出小盾片之后。

生物学：幼虫取食蚜虫及同翅目小虫，是重要的天敌类群。

分布：世界各动物地理区均有分布。中国记录29种，秦岭地区发现4种。

分种检索表

1. 复眼被毛均匀；小盾片黑色；两性颜具黑色中条纹；雄性阳基侧突大 ………… 2
   复眼具2条灰白色短毛纵带；小盾片黑色，端半部淡色；雌性颜无黑色条纹，雄性阳基侧突小 ………… 3
2. 雄性阳基侧突侧面观三角形，较上生殖板大 ………… **刻点小蚜蝇 *P. tibialis***
   阳基侧突四边形，较小 ………… **暗红小蚜蝇 *P. haemorrhous***
3. 雄性背针突内侧下缘向下三角形扩大。阳基导突侧面有侧翼，近边缘中央有向上的齿突，阳茎侧叶前背角光滑，后腹缘两端呈齿状 ………… **汉中小蚜蝇 *P. hanzhongensis***
   雄性背针突内侧下缘向下呈梯形扩大，后面观近镰刀状。阳基导突侧面有侧翼，侧翼内、外侧基部近边缘处各有1个向上的齿突，阳茎侧叶背侧有4个齿，后腹缘上、下端呈齿状，两齿之中部呈圆弧形 ………… **九池小蚜蝇 *P. jiuchiensis***

（16）暗红小蚜蝇 *Paragus haemorrhous* Meigen, 1822

Paragus haemorrhous Meigen, 1822: 182.

Paragus sigillatus Curtis, 1835: 593.

Paragus trianguliferus Zetterstedt, 1838: 618.

Paragus substitutus Loew, 1858: 376.

Paragus dimidiatus Loew, 1863: 308.

Paragus auricaudatus Bigot, 1884: 540.

Paragus ogasawarae Matsumura, 1916: 13.

Paragus pallipes Matsumura, 1916: 11.

Paragus tamagawanus Matsumura, 1916: 9.

Paragus coreanus Shiraki, 1930: 250.

鉴别特征:复眼被毛均匀，淡色，短。额和颜黄色，被毛黄色；雌性额黑色。颜黑色中条纹伸达或不达触角基部，口缘黑色带较宽。触角第3节长为宽的2倍。中胸背板黑亮，被黄色直立长毛；小盾片全黑色。中胸侧板黑色。前足腿节基部2/5黑色，中部2/5黄褐色，端部1/5淡黄色；胫节基部淡黄色，端部及跗节黄褐色；中足腿节基部2/3黑色，端部1/3黄褐色至淡黄色；胫节基部2/5淡黄色，端部3/5及跗节黄褐色；后足腿节基部4/5黑色，端部1/5及胫节、跗节均为黄褐色。翅透明，被少量刺，有裸区。腹部第1背板端部隆起成脊；第2背板基部比端部宽，第3背板端部比基部宽，第4背板基部比端部宽，成3个等腰梯形底顶相接；腹部黑色或第3背板之后暗红褐色；背板被毛黄白色至黄色。第4腹板长约等于第3腹板。

采集记录:2♂，长安库峪，2002.Ⅵ.11，霍科科采；1♀，长安库峪，2002.Ⅴ.25，霍科科采；2♂2♀，长安王曲，2003.Ⅸ.05，霍科科采；1♀，凤县，2004.Ⅵ.10，张宏杰采；2♂1♀，留坝庙台子，2003.Ⅵ.26，霍科科采；3♂，留坝庙台子，2003.Ⅵ.30，霍科科采；1♂，留坝庙台子，2003.Ⅶ.02，霍科科采；1♀，留坝闸口石，2011.Ⅶ.12，采集人不详；9♂2♀，留坝闸口石，2012.Ⅶ.12，霍科科采；1♂，留坝闸口石，2012.Ⅶ.12，刘婷采；2♂，留坝闸口石，2012.Ⅶ.12，王真采；1♂，留坝闸口石，2012.Ⅶ.13，刘婷采；1♂，留坝闸口石，2012.Ⅶ.14，杨盼采；1♀，留坝闸口石，2012.Ⅶ.15，杨明采；1♀，留坝闸口石，2012.Ⅶ.15，王亚灵采；1♀，留坝闸口石，2012.Ⅶ.16，霍科科采；2♂1♀，留坝闸口石，2012.Ⅶ.19，霍科科采；2♂1♀，留坝闸口石，2012.Ⅶ.20，霍科科采；1♂，留坝闸口石，2013.Ⅶ.16，霍科科采；1♂，留坝闸口石，2013.Ⅶ.17，霍科科采；1♂，留坝闸口石，2013.Ⅶ.15，陈锐采；2♂，城固小河，2002.Ⅷ.10，霍科科采；1♀，洋县华阳，2005.Ⅶ.21，安有为采；1♂1♀，洋县华阳，2005.Ⅶ.23，安有为采；1♂，洋县华阳，2005.Ⅶ.23，刘飞飞采；1♀，洋县华阳，2005.Ⅶ.23，张勇采；1♂1♀，洋县，2002.Ⅷ.04，霍科科采；1♂，榨水，2002.Ⅶ.13，霍科科采；3♂2♀，镇坪，2002.Ⅶ.25，霍科科采。

分布:陕西(长安、凤县、留坝、城固、洋县、柞水、镇平)、河北、甘肃、青海、新疆、西藏；欧洲，北美洲，非洲。

(17)汉中小蚜蝇 *Paragus hanzhongensis* Huo *et* Zheng, 2005(图 245)

Paragus hanzhongensis Huo *et* Zheng, 2005: 187.

鉴别特征:雄性复眼具 2 条灰白色短毛纵带。额及颜亮黄色，口缘处及颊部黑色。雌性头部黑亮，两侧有长三角形灰粉斑，颜亮黄色，具黑色中条纹。触角黄褐色。胸部背板黑色，前端中央有银白色粉纵纹，略超过横沟。小盾片黑色，后缘黄白色。前足腿节基部 1/3 黑色，并向端部逐渐变成红褐色；中足腿节基部 1/2 黑色，中部黄褐色，端部 1/6 淡色，胫节基部 1/2 淡黄色；后足腿节基部 3/4 黑色，端部淡黄色，胫节基部 1/2 淡黄色。腹部背板密具刻点。第 1 背板黑色，后缘脊橙红色或黑色；第 2 背板仅前缘中部具线状黑色区域，其余部分橙红色，基部有约为背板长度 2/3的浅黄色横带；第 3 背板红褐色，基部有约为本节长的 1/2 的淡黄色侧斑；第 4 ~5背板及尾端红褐色。雌性腹部第 2 背板近基部有浅黄色带，后缘浅色，第 3 节近基部具浅黄色横带，后缘中部三角形凹入。

采集记录:1♂1♀，长安王曲，2003.Ⅸ.05，霍科科采；1♂2♀，留坝庙台子，2005.Ⅵ.11，霍科科采。

分布:陕西(长安、留坝)。

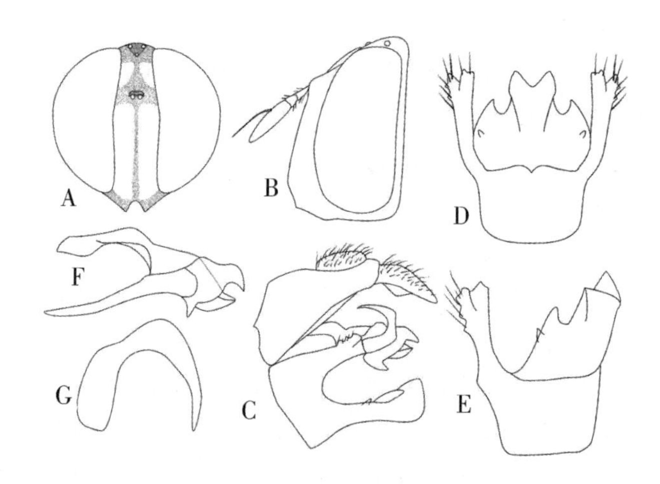

图 245 汉中小蚜蝇 *Paragus hanzhongensis* Huo *et* Zheng

A. 雌性头部正面观(female head, anterior view); B. 雄性头部侧面观(male head, lateral view); C. 雄性尾器侧面观(male terminalia, lateral view); D. 第 9 腹板腹面观(hypandium, ventral view); E. 第 9 腹板侧面观(hypandrium, lateral view); F. 阳茎(aedeagus); G. 上叶(superior lobe)

(18)九池小蚜蝇 *Paragus jiuchiensis* Huo *et* Zheng, 2005

Paragus jiuchiensis Huo *et* Zheng, 2005: 188.

鉴别特征:复眼具灰白色短毛形成的2条纵带。额及颜亮黄色，近口缘处及颊部黑色。雌性额部黑亮，两侧具长三角形灰粉斑，颜具黑色中条纹。胸部背板黑色，前端中央有银白色粉形成的2条纵纹。小盾片黑色，后缘黄白色。翅几乎全部被微毛。前足腿节基部1/3黑色，并向端部逐渐变成红褐色；中足腿节基部1/2黑色，中部黄褐色，端部1/6淡色，胫节基部1/2淡黄色，端部及跗节黄褐色；后足腿节基部3/4黑色，端部淡黄色，胫节基部1/2淡黄色，端部及跗节黄褐色。腹部第1背板黑色，后缘脊橙红色，无刻点及短毛。第2背板仅前缘中部具线状的黑色区域，其余部分橙红色，基部有约为背板长度2/3的浅黄色横带。第3背板红褐色，基部有约为本节长的1/2的淡黄色侧斑；第4~5背板及尾端红褐色。

采集记录:2♂，洋县华阳，2005.Ⅶ.21，张培安采；2♂，洋县华阳，2005.Ⅶ.21，安有为采；1♂，洋县华阳，2005.Ⅶ.21，刘飞飞采；3♂1♀，洋县华阳，2005.Ⅶ.24，张勇采；1♂，洋县华阳，2005.Ⅶ.24，安有为采；1♂，洋县华阳，2005.Ⅶ.26，安有为采；1♂，洋县华阳，2005.Ⅶ.26，张勇采；1♀，洋县华阳，2005.Ⅶ.26，华阳，刘飞飞采；1♂1♀，洋县九池，2002.Ⅷ.04，霍科科采。

分布:陕西（洋县）。

（19）刻点小蚜蝇 *Paragus tibialis*（Fallén，1817）

Pipiza tibialis Fallén, 1817: 60.

Paragus aeneus Meigen, 1822: 183.

Paragus femoratus Meigen, 1822: 184.

Paragus obscurus Meigen, 1822: 183.

Paragus zonatus Meigen, 1822: 177.

Ascia analis Macquart, 1839: 109.

Paragus dispar Schummel, 1842: 163.

Paragus numdia Macquart, 1849: 471.

Paragus mundus Wollaston, 1858: 115.

Orthonevra varipes Bigot, 1880: 150.

Paragus tibialis var. *meridionalis* Becker, 1921: 4.

Paragus monogolicus Kanervo, 1938: 149.

Paragus tibialis: Knutson *et al.*, 1975: 328.

鉴别特征:复眼覆均匀的白色短毛。额蓝黑色；颜黄色，正中具明显或不明显的黑色纵线，颜毛白色；触角第3节长约为宽的3倍。中胸背板亮黑色，密被较长的淡黄色竖毛；侧板同背板，毛更长；小盾片全黑色，端缘无锯齿。足黄色至棕黄色，前足、中足腿节基部约1/3及后足腿节基部1/2或1/3黑色，后足胫节端半部常具暗环或斑。腹部色泽变化大，或全亮黑色，或全红色，或黑色具黄色或红色斑，具明显刻点，仅各节背板后缘光亮。

采集记录:2♂，长安王曲，2003.Ⅸ.05，霍科科采；1♂1♀，留坝庙台子，2005.Ⅵ.12，霍科科采；1♂，留坝闸口石，2012.Ⅶ.16，刘婷采；1♂，留坝闸口石，2012.Ⅶ.16，王玉艳采；1♂，留坝闸口石，2012.Ⅶ.16，王真采；1♂，洋县华阳，2005.Ⅶ.23，张培安采；1♂1♀，洋县华阳，2005.Ⅶ.23，张勇采；1♂，洋县华阳，2005.Ⅶ.21，张勇采；1♂，洋县华阳，2005.Ⅶ.24，刘飞飞采；1♀，洋县华阳，2005.Ⅶ.24，安有为采；1♂，洋县秧田，2005.Ⅶ.26，张勇采；1♀，洋县秧田，2005.Ⅶ.26，刘飞飞采；1♂，洋县秧田，2005.Ⅶ.26，张培安采；1♀，洋县秧田，2005.Ⅶ.26，安有为采。

分布:陕西(长安、留坝、洋县)、吉林、内蒙古、北京、河北、山东、甘肃、新疆、江苏、浙江、湖北、湖南、福建、台湾、广东、海南、广西、四川、贵州、云南、西藏；古北区，东洋区，非洲区，新北区。

7. 异蚜蝇属 *Allograpta* Osten-Sacken, 1875

Allograpta Osten-Sacken, 1875: 49, 63. **Type species**: *Scaeva obliqua* Say, 1823.

Fazia Shannon, 1927: 25. **Type species**: *Fazia bullaephora* Shannon, 1927.

Chasmia Enderlein, 1938: 213 (nec Enderlein, 1922). **Type species**: *Chasmia hians* Enderlein, 1938.

Oligorhina Hull, 1937: 30 (nec Fairmaire *et* Germain, 1863). **Type species**: *Oligorhina aenea* Hull, 1937.

Rhinoprosopa Hull, 1942: 23 (new name for *Oligorhina* Hull, 1937).

Microsphaerophoria Frey 1946: 168. **Type species**: *Microsphaerophoria plaumanni* Frey , 1946.

Miogramma Frey, 1946: 165. **Type species**: *Syrphusj avanus* Wiedemann, 1824.

Neoscaeva Frey, 1946: 170. **Type species**: *Syrphus aeruginosifrons* Schiner, 1868.

Metallograpta Hull, 1949: 293. **Type species**: *Allograpta colombia* Curran, 1925. Proposed as a subgenus.

Metepistrophe Hull, 1949: 293. **Type species**: *Epistrophe remigis* Fluke, 1942. Proposed as a subgenus.

Helenomyia Bankowska, 1962: 311. **Type species**: *Syrphus javanus* Wiedemann, 1824.

Antillus Vockeroth, 1969: 130. **Type species**: *Antillus ascitus* Vockeroth, 1969.

Claraplumula Shannon, 1927: 8. **Type species**: *Claraplumula latifacies* Shannon, 1927.

属征:体小型至大型。复眼裸。颜黄色，有或无褐色至黑色中条，口孔长为宽的1.60倍。中胸背板亮黑色，通常具亮黄色侧条，小盾片亮黄色或暗黄色。下前侧板上、下毛斑后部宽地分离，后胸腹板具毛。腹部细或中等宽，两侧平行，具横色横带或斑。

分布:世界各动物地理区均有分布。中国已知4种，秦岭地区记录4种。

分种检索表

1. 后足胫节黑色 …………………………………………………… **黑胫异蚜蝇** ***A. nigritibia***
   后足胫节部分黄色 …………………………………………………………………… 2
2. 后足胫节黄色，端部1/3黑色 ………………………………… **黄胫异蚜蝇** ***A. aurotibia***
   后足胫节黑色，中部具黄环 …………………………………………………………… 3
3. 体较小，颜中突褐色，后胸腹板裸 ……………………………… **太白异蚜蝇** ***A. taibaiensis***
   体较大，颜中突黄色，后胸腹板具毛 …………………………… **爪哇食异蚜蝇** ***A. javana***

(20)黄胫异蚜蝇 *Allograpta aurotibia* Huo, Ren *et* Zheng, 2007

Allograpta aurotibia Huo, Ren *et* Zheng, 2007: 98.

鉴别特征:复眼裸。头顶被黑褐色长毛。额及颜黄色，额前端具三角形小黑斑，额被黑色长毛。颜覆浅色毛，下端突出，中突大而钝圆。雌性额中部具黑色条纹，伸达额前端三角形小黑斑。中胸背板亮黑色，两侧具黄色纵条纹。小盾片黄色，被黑色长毛，盾下缨黑色。胸部侧板黄色，中胸上前侧片后隆起部前缘、下前侧片后端下部、上后侧片、下后侧片下半部，以及后胸侧板上部都为黑色。中胸下前侧片近前端在中胸上前侧片后隆起部前缘黄斑几乎中断。胸部侧板被浅黄色毛。足黄色，后足腿节端部、后足胫节端部1/3及跗节背面黑色。腹部黑褐色，两侧近平行。第1背板黄色，后缘具狭窄黑边。第2背板具宽的黄带，第3、4背板两侧前角有小黄斑，近前中部有弓形宽横带，第5背板两侧前角处有黑色斑，后端有倒"T"形黑斑。雌性腹部第2、3、4背板前侧角黄色，中部有近等宽的弓形横带，第4背板后缘黄色，第5背板黄色，近两侧前角处具小黑斑，中部具倒"T"形黑斑。

采集记录:2♂，长安，2003.Ⅹ.16，霍科科采；1♀，长安库峪，2002.Ⅵ.12，霍科科采；1♀，凤县，2003.Ⅵ.27，霍科科采；1♀，凤县，2003.Ⅶ.03，霍科科采；2♀，凤县，2005.Ⅵ.13，霍科科采；1♀，凤县，2005.Ⅵ.23，霍科科采；1♂1♀，眉县太白山，2002.Ⅶ.17，霍科科采；1♂，眉县红河谷，2002.Ⅸ.03，采集人不详；1♀，留坝庙台子，2002.Ⅵ.19，霍科科采；1♀，留坝闸口石，2012.Ⅶ.14，杨盼采；1♂1♀，留坝闸口石，2012.Ⅶ.13，霍科科采；1♂，留坝闸口石，2012.Ⅶ.18，霍科科采；1♂，留坝闸口石，2012.Ⅶ.19，霍科科采；1♂，留坝闸口石，2012.Ⅶ.20，霍科科采；1♂，留坝闸口石，2013.Ⅶ.18，霍科科采；1♀，宁陕火地塘，1998.Ⅵ.28，王锋采；1♀，宁陕火地塘，2003.Ⅶ.11，刘书梅采。

分布:陕西(长安、凤县、眉县、留坝、宁陕)、河北、山西、四川。

(21)爪哇异蚜蝇 *Allograpta javana* (Wiedemann, 1824)

Syrphus javanus Wiedemann, 1824: 34.

Melithreptus distinctus Kertesz, 1899: 177.

Xanthogramma nakamurae Matsumura, 1918: 9.

Allograpta javana: Knutson *et al.*, 1975: 308.

鉴别特征:头顶及单眼三角区被黑色长毛。额及颜黄色,额部前端有1个三角形小黑斑,额被黑色长毛;颜中突大而钝圆。雌性额中部有1道黑条纹,不达额前端三角形小黑斑。中胸背板两侧有界限明显的黄色纵条纹。小盾片黄色,被黑色长毛,盾下缘缨黑色。胸部侧板黑色,中胸上前侧片前部和后隆起部后部、下前侧片后背侧、下后侧片和下侧背片黄色。足黄色,后足腿节端部、后足胫节及跗节背面黑色,胫节近端部具黄环。翅透明,sc室及翅痣暗褐色。雌性翅面裸露部分较雄性大。腹部两侧近平行。第1背板黄色,后缘黑色狭。第2背板具1对三角形黄斑;第3、4背板两侧前角有小黄斑,近前中部有宽的弓形横带;第5背板黑色,具1对倒"Y"形黄色侧斑。雌性腹部第2、3、4背板前侧角黄色,中部有弓形横带,横带近等宽,第4节背板后缘黄色,第5节背板黄色,近两侧前角处有小黑斑,中部具倒"T"形黑斑。

采集记录:1♂,眉县红河谷,2002.Ⅷ.29,采集人不详;2♀,留坝闸口石,2012.Ⅶ.12,杨明采;1♀,留坝闸口石,2012.Ⅶ.13,王玉艳采;1♂,留坝闸口石,2012.Ⅶ.15,刘婷采;1♂,留坝闸口石,2012.Ⅶ.16,强红采;1♀,留坝闸口石,2012.Ⅶ.16,杨明采;2♀,留坝闸口石,2012.Ⅶ.16,王亚灵采;1♂,留坝闸口石,2012.Ⅶ.19,霍科科采;1♀,留坝闸口石,2012.Ⅶ.17,陈锐采;1♀,宁陕火地塘,2003.Ⅶ.09,采集人不详;1♀,商南,2002.Ⅶ.11,采集人不详。

分布:陕西(眉县、留坝、宁陕、商南)、黑龙江、吉林、辽宁、北京、甘肃、广西、四川、云南;蒙古,俄罗斯,朝鲜,日本,泰国,印度,斯里兰卡,马来西亚,菲律宾,印度尼西亚,澳洲区。

(22)黑胫异蚜蝇 *Allograpta nigritibia* Huo, Ren *et* Zheng, 2007

Allograpta nigritibia Huo, Ren *et* Zheng, 2007: 101.

鉴别特征:复眼裸。头顶及单眼三角区被黑色长毛。额及颜黄色,额部前端具三角形小黑斑,额被黑色长毛。颜中突大而钝圆。中胸背板两侧有黄色纵条纹。小盾片黄色,被黑色长毛,盾下缨黑色。胸部侧板黄色,中胸前侧片后隆起部前缘、腹侧片后端下部、翅侧片、下后侧片下半部及后胸侧板上部黑色。中胸下前侧片后部的上、下毛斑宽地分离。足黄色，后足腿节端部、后足胫节及跗节背面黑色。翅透明，亚前缘脉域及翅痣暗褐色。腹部两侧近平行；第1背板黄色，后缘狭的黑色。第2背板具1对黄色侧斑，两侧前角及侧缘黄色，并与黄斑相连，第3、4背板两侧前角有小黄斑，近前中部有宽的弓形横带，第4背板两侧前角处有黑色斑，后端有倒"T"形黑斑。雌性腹部第2、3、4背板前侧角黄色，近中部有黄色横带，第5背板黑色，具"八"字形黄斑。

采集记录：2♀，长安库峪，2002.Ⅵ.04，霍科科采；11♂11♀，凤县，2003.Ⅶ.13，霍科科采；2♂12♀，凤县，2003.Ⅵ.27，霍科科采；4♂6♀，眉县太白山，2002.Ⅶ.17，霍科科采；1♀，留坝庙台子，2002.Ⅵ.19，霍科科采；1♀，留坝，2003.Ⅵ.30，霍科科采；1♀，留坝紫柏山，2003.Ⅶ.04，霍科科采；1♀，留坝闸口石，2012.Ⅶ.13，霍科科采；1♀，留坝闸口石，2012.Ⅶ.13，王玉艳采；1♀，留坝闸口石，2012.Ⅶ.14，强红采；1♂，留坝闸口石，2012.Ⅶ.14，杨盼采；1♂，留坝闸口石，2012.Ⅶ.15，刘婷采；1♀，留坝闸口石，2012.Ⅶ.15，王真采；1♂，留坝闸口石，2012.Ⅶ.16，刘婷采；1♀，留坝闸口石，2012.Ⅶ.16，杨盼采；1♀，留坝闸口石，2012.Ⅶ.16，王真采；1♂，留坝闸口石，2012.Ⅶ.16，王亚灵采；3♂，留坝闸口石，2012.Ⅶ.17，霍科科采；2♂，留坝闸口石，2012.Ⅶ.18，霍科科采；2♂，留坝闸口石，2013.Ⅶ.15，陈锐采；1♂，留坝闸口石，2013.Ⅶ.16，陈锐采；1♂，留坝闸口石，2013.Ⅶ.18，陈锐采。

分布：陕西（长安、凤县、眉县、留坝）、海南、四川。

（23）太白异巴蚜蝇 *Allograpta taibaiensis* Huo，Ren *et* Zheng，2007

Allograpta taibaiensis Huo，Ren *et* Zheng，2007：101.

鉴别特征：雄性额及颜黄色；额被黑毛，前端有三角形小黑斑，到达额中部，颜中部有暗褐色带纹，边界模糊，颜被浅色毛。中胸背板两侧具黄色侧条纹。小盾片黄色，被黑色毛。胸部侧板黑亮，肩胛、中胸上前侧片后隆起部的后半部、下前侧片前端及后端上角、下后侧片上半部及上后侧片黄色，翅基黄色。足黄色，后足腿节端部、胫节基部及端部、2～5跗节背面黑褐色。翅透明。腹部两侧平行。第1背板黄色，被浅色毛。第2背板中部两侧具狭长的三角形黄斑，第3、4背板具狭的黄带，第4背板后缘黄色，第5背板黑色，两侧具叉状的黄斑，两侧近前角处具小黑斑，后端具"小"字形黑斑。

采集记录：1♂，眉县太白山，2002.Ⅶ.17，霍科科采。

分布：陕西（眉县）。

8. 狭口蚜蝇属 *Asarkina* Macquart，1842

Asarkina Macquart，1842：137. **Type species：** *Syrphus rostrata* Wiedemann，1842.

Ancylosyrphus Bigot, 1882: 98. **Type species**: *Syrphus salviae* Fabricius, 1794.

Achoanus Munro, 1924: 87. **Type species**: *Achoanus hulleyi* Munro, 1924.

属征: 体中型到大型。头侧面观呈三角形，口孔长为宽的3~4倍。颜狭，下部突出，黄色至橘黄色，密覆粉被，中突明显。复眼裸，极少数种类具短而分散的毛。中胸背板黑色，具宽而不明显的黄色侧缘，前部具密而长的颈毛；盾下缘缨长而密。中胸上前侧片前部、上后侧片中部、上后侧片后部及基侧片无长毛，下前侧片后端的上、下毛斑宽地分离，下后侧片在气门前下方具1簇细毛，后胸腹板被毛。翅膜具微刺，R_{4+5}脉宽而浅但明显地凹入r_5室或几乎直，径中横脉r-m位于m_2室基部，M_2脉和dm-cu与翅缘平行，r_1室开放。腹部黄色或橘黄色，宽而平，具边。

分布: 古北区，东洋区。中国记载6种，秦岭地区有2种。

分种检索表

雌性头顶黑色，无光泽；腹部第1~5背板后缘黑色横带较狭，两侧变细，达或不达侧缘…………………………………………………………………………………………… **黄腹狭口蚜蝇 *A. porcina***

雌性头顶具紫色光泽；腹部第1背板具宽的黑色中条，后缘横带狭或无，第2~5背板后缘宽的黑色横带直达侧缘或沿侧缘扩展，第2背板黑色中条狭或不明显，第3~5背板前缘为极狭的黑带……………………………………………………………………………………………… **切黑狭口蚜蝇 *A. ericetorum***

(24)切黑狭口蚜蝇 *Asarkina ericetorum* (Fabricius, 1781)

Syrphus ericetorum Fabricius, 1781: 425.

Asarkina ericetorum formosae Bezzi, 1908: 499.

Asarkina ericetorum var. *typica* Bezzi, 1908: 500.

Asarkina ericetorum var. *usambarensis* Bezzi, 1908: 500.

Didea diaphana Doleschall, 1857: 409.

Didea macquarti Doleschall, 1857: 408.

Syrphus incisuralis Macquart, 1855: 114.

Asarkina ericetorum: Knutson *et al.*, 1975: 309.

鉴别特征: 头顶黑色，具紫色光泽，被暗褐色毛。额亮黑色，密被黄色粉被及黑色短毛。额突两侧被黑毛。颜狭，下部近口缘处略突出，颜中突顶端钝圆；颜浅黄褐色，除中突外被黄粉及浅色毛。口孔长卵形，长为宽的4倍。触角黄褐色，第3节近长卵形，长为宽的1.50倍。中胸背板黑色，两侧黄色，前部有致密的颈毛。小盾片黄色，具黄毛，后部具黑毛。后足基节缺后中端角毛簇。足黄色。翅透明。翅痣黄褐色，R_{4+5}脉波曲。腹部黄色，宽卵形，平，具边。第1背板中部具黑色宽中条，第2

背板中部具黑条纹，第2~4背板后缘具黑带，两侧到达背板侧缘，第3、4背板黑带前缘中央略突出，并沿背板侧缘向前扩展，背板前缘具极细的黑带，第5背板后缘中央有三角形小黑斑。第1、2背板及两侧被黄色毛，其余为稀疏的黑毛。

采集记录：1♂，长安库峪，2002.Ⅵ.11，霍科科采；2♂，长安库峪，2002.Ⅵ.12，霍科科采；1♂，长安南五台，1965.Ⅸ.03，郑哲民采；2♂，长安，2002.Ⅸ.22，霍科科采；1♀，长安，2003.Ⅵ.16，霍科科采；1♂，户县朱雀森林公园，2002.Ⅷ.25，霍科科采；2♂，凤县黑沟，2003.Ⅵ.27，霍科科采；2♀，凤县，2003.Ⅶ.03，霍科科采；1♀，凤县，2005.Ⅵ.23，霍科科采；8♂，眉县红河谷，2002.Ⅷ.29，霍科科采；7♂2♀，眉县红河谷，2002.Ⅸ.01，霍科科采；4♂6♀，眉县红河谷，2002.Ⅸ.03，霍科科采；1♂，眉县红河谷，2002.Ⅸ.02，霍科科采；2♂，眉县红河谷，2002.Ⅸ.04，霍科科采；1♂3♀，眉县红河谷，2002.Ⅸ.5，霍科科采；1♂，汉中天台山，2002.Ⅷ.06，霍科科采；1♀，留坝，2003.Ⅵ.25，徐娜采；2♂，留坝庙台子，2002.Ⅵ.21，霍科科采；1♂，留坝庙台子，2002.Ⅵ.17，霍科科采；1♀，留坝庙台子，2003.Ⅵ.18，霍科科采；1♂，留坝庙台子，1997.Ⅵ.17，采集人不详；1♂，留坝庙台子，1997.Ⅵ.22，采集人不详；1♂，留坝庙台子，1997.Ⅵ.21，采集人不详；3♀，留坝庙台子，2003.Ⅵ.15，霍科科采；1♀，留坝庙台子，2004.Ⅵ.09，霍科科采；2♀，留坝庙台子，2004.Ⅵ.14，霍科科采；1♀，留坝庙台子，2004.Ⅵ.16，霍科科采；10♂2♀，留坝紫柏山，2003.Ⅶ.04，霍科科采；15♂，留坝紫柏山，2005.Ⅵ.21，霍科科采；1♀，留坝闸口石，2011.Ⅶ.11，采集人不详；2♂，留坝闸口石，2011.Ⅶ.13，采集人不详；2♂1♀，留坝闸口石，2011.Ⅶ.19，采集人不详；1♂，留坝闸口石，2011.Ⅶ.22，采集人不详；1♂，留坝闸口石，2011.Ⅶ.24，采集人不详；2♀，留坝闸口石，2012.Ⅶ.12，霍科科采；2♂，留坝闸口石，2012.Ⅶ.12，强红采；1♀，留坝闸口石，2012.Ⅶ.12，王真采；1♂1♀，留坝闸口石，2012.Ⅶ.13，霍科科采；2♂，留坝闸口石，2012.Ⅶ.14，霍科科采；1♂，留坝闸口石，2012.Ⅶ.14，杨盼采；1♂，留坝闸口石，2012.Ⅶ.14，刘婷采；1♀，留坝闸口石，2012.Ⅶ.14，强红采；2♂，留坝闸口石，2012.Ⅶ.16，霍科科采；1♂，留坝闸口石，2012.Ⅶ.16，杨明采；1♂，留坝闸口石，2012.Ⅶ.17，霍科科采；5♂3♀，留坝闸口石，2012.Ⅶ.18，霍科科采；3♂，留坝闸口石，2012.Ⅶ.20，霍科科采；1♂，留坝闸口石，2012.Ⅶ.21，陈锐采；1♂1♀，留坝闸口石，2013.Ⅶ.14，霍科科采；1♂，留坝闸口石，2013.Ⅶ.15，霍科科采；1♂，留坝闸口石，2013.Ⅶ.16，霍科科采；1♀，留坝闸口石，2013 Ⅶ.17，霍科科采；1♂，宁陕菜子坪，1982.Ⅴ.01，陈靠山采；1♂，宁陕菜子坪，2003.Ⅶ.02，刘海荣采；1♀，宁陕菜子坪，2003.Ⅶ.02，贺晓东采；1♂，洋县华阳，2005.Ⅶ.23，张培安采；1♂，洋县华阳，2005.Ⅶ.24，刘飞飞采；1♀，镇坪，2002.Ⅶ.25，霍科科采。

分布：陕西（长安、户县、凤县、眉县、留坝、宁陕、汉中、洋县、镇平）、黑龙江、辽宁、内蒙古、河北、甘肃、浙江、湖南、福建、广西、四川、贵州、云南、西藏；俄罗斯，日本，印度，斯里兰卡。

(25) 黄腹狭口蚜蝇 *Asarkina porcina* (Coquillett, 1898)

Syrphus porcina Coquillett, 1898: 322.

Asarkina porcina: Sun, 1987: 1182.

鉴别特征: 头顶黑色，被黑色短毛。额黑色，被黑毛，覆铜黄色粉，额突端部光亮。颜棕黄色，覆铜黄色粉，被黑毛，颜中突裸，颜中突和口缘明显向前突出。触角棕褐色，触角芒基半部具微毛。中胸背板黑色，被棕黄色毛，前缘具颈毛，两侧棕黄色，边界明显。小盾片棕黄色，被黑毛，盾下缨棕黄色。足棕黄色，仅中足跗节端部1节、后足跗节端部2～5节背面黑褐色。翅透明，痣棕黄色，翅面具微毛，无裸区。腹部宽卵形，扁平，两侧明显具边，第1～5背板后缘黑色，第2背板后缘黑带伸达腹侧，中央向前伸，形成不明显的细黑中条，第3～5背板后缘黑带到达腹侧缘并沿腹侧缘向前伸展，第3～5背板前缘具极细的黑带，两端不达腹侧缘。

采集记录: 1♀，长安，2002.Ⅸ.22，霍科科采；1♂，眉县红河谷，2002.Ⅸ.01，霍科科采；1♂，眉县红河谷，2002.Ⅸ.05，霍科科采；1♀，眉县红河谷，2002.Ⅶ.29，霍科科采；1♀，眉县红河谷，2002.Ⅸ.03，霍科科采；1♀，留坝闸口石，2012.Ⅶ.12，霍科科采；1♀，留坝闸口石，2012.Ⅶ.16，霍科科采；1♂，留坝闸口石，2012.Ⅶ.16，刘婷采；1♂，留坝闸口石，2012.Ⅶ.16，杨盼采；1♂，留坝闸口石，2012.Ⅶ.16，王真采；2♀，留坝闸口石，2012.Ⅶ.16，王亚灵采；1♀，留坝闸口石，2012.Ⅶ.17，霍科科采；1♂1♀，留坝闸口石，2012.Ⅶ.18，霍科科采；2♀，留坝闸口石，2012.Ⅶ.20，霍科科采；1♀，留坝闸口石，2013.Ⅶ.16，霍科科采；1♀，留坝枣木栏，2014.Ⅷ.26，霍科科采；1♂，宁陕火地塘，1999.Ⅶ.29，孙亚宁采；1♀，宁陕菜子坪，2003.Ⅵ.26，高飞采；1♀，宁陕菜子坪，2003.Ⅶ.02，陈小宜采；1♂，洋县华阳，2005.Ⅶ.24，张培安采；1♂，洋县华阳，2005.Ⅶ.24，张勇采；1♂，洋县华阳，2005.Ⅶ.24，安有为采；1♀，洋县华阳，2005.Ⅶ.21，刘飞飞采。

分布: 陕西(长安、眉县、留坝、宁陕、洋县)、黑龙江、辽宁、北京、河北、内蒙古、山西、甘肃、江苏、浙江、湖北、湖南、福建、广西、四川、贵州、云南、西藏；俄罗斯，日本，印度，斯里兰卡。

9. 贝蚜蝇属 *Betasyrphus* Matsumura, 1917

Betasyrphus Matsumura, 1917: 143. **Type species**: *Syrphus serarius* Wiedemann, 1830.

属征:体中等大小。复眼被密毛。颜污黄色，密覆灰色粉被，具明显黑色中条。第3触角节长约为宽的2.00~2.50倍。肩胛裸。中胸背板黑色，具明显粉被，侧缘无轮廓明显的浅色条纹；小盾片黄色至黄褐色，盾下缨长而密；侧板具浅色毛，上前侧片前部、上后侧片前部和基侧片无长毛，下前侧片上、下毛斑后部宽或窄地分离。后胸腹板裸。无后足基节桥，后足基节中后端角具强毛簇。翅透明，具微刺，基部翅室内有裸区；R_{4+5}脉直，r-m 位于 dm 基部，M_1 脉端部和 dm-cu 脉与翅缘平行；r_1 室开放；翅后缘无骨化小黑点。下腋瓣背面后侧角具浅色长毛。腹部卵形，具边，第2~4背板具黄色或灰色横带，密覆粉被。

分布:古北区，东洋区，非洲区，澳洲区。中国记录1种，秦岭地区有分布。

(26)狭带贝蚜蝇 *Betasyrphus serarius* (Wiedemann, 1830)

Syrphus serarius Wiedemann, 1830: 128.

Betasyrphus serarius: Knutson *et al.*, 1975: 310.

鉴别特征:复眼密被棕褐色毛。后头部覆灰白粉，上半部密被灰白色毛，下半部密被白色毛。额部黑色，近复眼处密被黄色粉，被黑色长毛。颜中突明显；颜棕黄色，中突、口缘黑色，两侧密被白粉，被黑褐色长毛。雌性头顶黑亮，额被浅色粉被。触角黑色，第3节长为宽的2倍。胸部背板黑色，中央具3条浅色粉被带，被浅色毛。小盾片暗黄色，被黑毛，盾下缨密。胸部侧板黑色，被浅色粉及长毛。后足基节后腹端角具强毛簇。足棕黄色，各足腿节基部黑色，后足胫节中部和跗节背面暗黑色。翅透明，痣棕黄色。腹部黑色，具弱边，第2~4背板前部具黄色或灰白色狭带，第2背板横带有时中断，横带两端不达背板侧缘。

采集记录:2♀，西安，2002.Ⅺ.20，霍科科采；1♀，长安库峪，2002.Ⅵ.12，霍科科采；1♀，长安库峪，2002.Ⅵ.04，霍科科采；1♀，长安库峪，2004.Ⅴ.05，霍科科采；1♀，长安，2002.Ⅸ.22，霍科科采；1♂，宝鸡马头滩，2003.Ⅶ.22，霍科科采；3♂1♀，宝鸡马头滩，2003.Ⅶ.23，霍科科采；3♀，凤县，2003.Ⅵ.27，霍科科采；1♂1♀，凤县，2003.Ⅶ.03，霍科科采；4♂6♀，凤县，2005.Ⅵ.13，霍科科采；1♂9♀，凤县，2004.Ⅵ.15，霍科科采；2♂10♀，凤县，2004.Ⅵ.10，张宏杰采；1♀，凤县，2014.Ⅷ.27，霍科科采；1♀，眉县太白山，2002.Ⅶ.17，霍科科采；3♂1♀，眉县太白山，2003.Ⅶ.25，霍科科采；5♀，留坝，2004.Ⅵ.14，霍科科采；21♂13♀，留坝庙台子，2002.Ⅵ.19，霍科科采；2♀，留坝庙台子，2002.Ⅵ.17，霍科科采；1♂1♀，留坝庙台子，2002.Ⅵ.18，霍科科采；2♂2♀，留坝庙台子，1997.Ⅵ.12，采集人不详；1♂4♀，留坝庙台子，2003.Ⅵ.27，张宏杰采；1♂1♀，留坝庙台子，2003.Ⅶ.02，霍科科采；1♂，留坝庙台子，1987.Ⅵ.15，采集人不详；1♂5♀，留坝庙台子，2005.Ⅵ.12，霍科科采；2♀，留坝庙台子，2005.Ⅵ.14，霍科科采；1♂，留坝庙台子，2004.Ⅵ.16，霍科

科采；4♀，留坝庙台子，2004.Ⅵ.19，霍科科采；1♀，留坝枣木栏，2004.Ⅵ.09，霍科科采；1♂，留坝闸口石，1997.Ⅶ.22，采集人不详；6♀，留坝闸口石，2004.Ⅵ.08，霍科科采；1♂1♀，留坝紫柏山，2003.Ⅶ.04，霍科科采；2♀，留坝紫柏山，2003.Ⅵ.30，霍科科采；4♂8♀，留坝紫柏山，2005.Ⅵ.21，霍科科采；2♂，留坝，1997.Ⅵ.12，采集人不详；3♂4♀，留坝闸口石，2012.Ⅶ.12，霍科科采；1♂，留坝闸口石，2012.Ⅶ.12，强红采；3♀，留坝闸口石，2012.Ⅶ.12，杨明采；2♀，留坝闸口石，2012.Ⅶ.12，杨盼采；1♂1♀，留坝闸口石，2012.Ⅶ.12，王玉艳采；1♀，留坝闸口石，2012.Ⅶ.12，王真采；1♂1♀，留坝闸口石，2012.Ⅶ.12，王亚灵采；16♂16♀，留坝闸口石，2012.Ⅶ.13，霍科科采；1♀，留坝闸口石，2012.Ⅶ.13，刘婷采；2♂1♀，留坝闸口石，2012.Ⅶ.13，杨盼采；1♂1♀，留坝闸口石，2012.Ⅶ.13，王玉艳采；1♀，留坝闸口石，2012.Ⅶ.13，王真采；3♂8♀，留坝闸口石，2012.Ⅶ.14，霍科科采；5♂3♀，留坝闸口石，2012.Ⅶ.14，刘婷采；1♂，留坝闸口石，2012.Ⅶ.14，强红采；3♂8♀，留坝闸口石，2012.Ⅶ.14，杨明采；4♂2♀，留坝闸口石，2012.Ⅶ.14，杨盼采；5♂4♀，留坝闸口石，2012.Ⅶ.14，王玉艳采；2♀，留坝闸口石，2012.Ⅶ.15，王玉艳采；2♂1♀，留坝闸口石，2012.Ⅶ.15，王真采；2♀，留坝闸口石，2012.Ⅶ.15，王亚灵采；2♂1♀，留坝闸口石，2012.Ⅶ.16，霍科科采；1♂，留坝闸口石，2012.Ⅶ.16，刘婷采；1♀，留坝闸口石，2012.Ⅶ.16，杨明采；1♀，留坝闸口石，2012.Ⅶ.16，王真采；1♂4♀，留坝闸口石，2012.Ⅶ.17，霍科科采；2♀，留坝闸口石，2012.Ⅶ.19，霍科科采；1♀，留坝闸口石，2012.Ⅶ.20，霍科科采；3♂3♀，留坝闸口石，2012.Ⅶ.16，陈锐采；1♂1♀，留坝闸口石，2012.Ⅶ.17，陈锐采；3♂1♀，留坝闸口石，2013.Ⅶ.15，霍科科采；3♂2♀，留坝闸口石，2013.Ⅶ.16，霍科科采；1♂，留坝闸口石，2013.Ⅶ.18，霍科科采；1♂，留坝闸口石，2013.Ⅶ.19，霍科科采；1♂，留坝闸口石，2013.Ⅶ.15，陈锐采；2♂2♀，留坝闸口石，2013.Ⅶ.16，陈锐采；2♂，留坝闸口石，2013.Ⅶ.17，陈锐采；1♀，留坝闸口石，2013.Ⅶ.18，陈锐采；1♂，留坝闸口石，2013.Ⅶ.19，陈锐采；1♀，留坝，2014.Ⅷ.24，霍科科采；2♂4♀，汉中天台山，2005.Ⅶ.09，霍科科采；1♀，宁陕火地塘，1998.Ⅵ.28，赵元杰采；2♂1♀，宁陕火地塘，2003.Ⅶ.11，采集人不详；1♂，宁陕，1990.Ⅶ.01，张勇采；1♀，城固小河，2002.Ⅷ.10，霍科科采；1♀，洋县华阳，2005.Ⅶ.21，刘飞飞采；1♀，洋县华阳，2005.Ⅶ.21，张勇采。

分布：陕西（西安、长安、宝鸡、凤县、眉县、留坝、宁陕、汉中、城固、洋县）、黑龙江、吉林、辽宁、内蒙古、河北、甘肃、江苏、浙江、湖北、江西、湖南、福建、台湾、广东、海南、广西、四川、贵州、云南、西藏；俄罗斯，朝鲜，日本，澳大利亚，东南亚，新几内亚。

10. 长角蚜蝇属 *Chrysotoxum* Meigen, 1803

Mulio Fabricius, 1798: 548 (ne Latreille, 1796). **Type species**: *Musca bicincta* Linnaeus, 1758.
Chrysotoxum Meigen, 1803: 275. **Type species**: *Musca bicincta* Linnaeus, 1758.

Antiopa Meigen, 1800: 32. **Type species**: *Musca bicincta* Linnaeus, 1758.
Hylax Gistel, 1848: 154 (new name for *Chrysotoxum* Meigen, 1803).
Primochrysotoxum Shannon, 1926: 5. **Type species**: *Chrysotoxum ypsilon* Williston, 1887.

属征:体中型至大型，黑色，具亮丽的黄色带和斑。头半球形，与胸等宽。复眼被毛或裸，雄性接眼，雌性离眼。额突出，颜在触角基部略凹，然后垂直向下，口上缘向外弯曲。触角长于头，前伸，着生在短的额突上，第 3 节很长，背芒裸。中胸背板长方形，肩胛裸。中胸上前侧片前低平部裸，上后侧片在翅基下方具三角形裸区，后胸腹板裸。足简单，后足基节后中端角缺毛簇。翅具典型的蚜蝇科脉相，r-m 横脉在 dm 室基部，R_{4+5}脉凹入 r_5 室，M_1 脉与翅缘平行。下腋瓣后背面常具长毛。腹部卵圆或长卵形，背面拱，具边，背板后侧角常具刺突。

生物学:据报道幼虫被发现在蚂蚁巢穴中、树洞的碎屑中及石头下，有人推测此类群幼虫是腐食性的，也有人认为是取食根部蚜虫，可能和蚂蚁有关。成虫常在花上和开阔的生境或树林边缘活动。

分布:主要分布在古北区，其次为东洋区、新北区、非洲区，新热带区有少量分布，澳洲区无记载。中国记录了 48 种，秦岭地区记述 15 种，包括 1 新种。

分种检索表

1. 触角芒长于或等于基部两节之和 ······ 2
   触角芒短于基部两节之和 ······ 11
2. 背板后侧角不突出 ······ 3
   背板后侧角突出 ······ 6
3. 额突明显上翘，两侧黑色条纹伸达复眼。触角第 3 节短于(雄性)或等于(雌性)基部 2 节之和 ······ **棕额长角蚜蝇 *Ch. brunnefrontum***
   额突不上翘，黑色 ······ 4
4. 触角第 3 节约等于基部 2 节之和 ······ 5
   触角第 3 节明显长于基部 2 节之和 ······ **棕腹长角蚜蝇 *Ch. baphrus***
5. 中胸背板黑毛短。小盾片被黑色近平伏短毛，夹杂黑色长毛。腹部第 2~5 背板各具 1 对黄色弓形狭横带，第 2 背板黄斑内端分离较宽，第 3~4 背板黄斑内端分离狭或几乎相连，第 2~4 背板后缘红褐色，第 5 背板后部红褐色。足橘黄色，腿节红褐色。翅前缘略暗 ······ **瘤颜长角蚜蝇 *Ch. faciotuberculatum***
   中胸背板毛棕黄色，小盾片被黑色长毛，腹部第 2~5 背板各具 1 对黄色狭斜斑。第 2 背板侧缘、第 3~5 背板侧缘后半部红黄色，第 3~5 背板后缘具红黄色狭边。足腿节略呈红色，跗节背面橘红色 ······ **黄颊长角蚜蝇 *Ch. cautum***
6. 颜黄色，无黑色侧条纹或具褐色侧条纹 ······ 7
   颜具明显的黑色中纵条和侧条 ······ 8
7. 触角三节长度之比约 1∶1∶4，腹部第 2~4 背板具很宽的黄色弓形横带，中央宽中断 ······ **隐条长角蚜蝇 *Ch. draco***
   触角三节长度之比为 2∶3∶6，腹部第 2~4 背板具黄色弓形狭斜带，第 2 背板黄带中央狭的中断，第 5 背板具 1 对黄斑 ······ **洛河长角蚜蝇，新种 *Ch. luohensis* Huo, sp. nov.**
8. 腹部红褐色，第 2 背板中部有心形黑斑，以黑色细柄与前缘黑色横带相连，第 4 背板后部具倒“V”形黑斑 ······ **红腹长角蚜蝇 *Ch. rufabdominus***

腹部黑色具黄斑或(和)黄带，雄性后足转节瘤突较长 ………………………………………… 9

9. 第1～3背板侧缘黄色 ……………………………………………………………………… 10

第1～2背板侧缘黄褐色 ……………………………… **瘤突长角蚜蝇 *Ch. tuberculatum***

10. 雄性尾器被黑色长毛 ……………………………………… **天台长角蚜蝇 *Ch. tiantaiensis***

雄性尾器被黄褐色长毛 ……………………………………… **紫柏长角蚜蝇 *Ch. zibaiensis***

11. 额突明显上翘，小盾片被黑色长毛。基节、转节、前足腿节基部1/3、中足腿节基部1/2、后足腿节基部2/3黑色 …………………………… **拟突额长角蚜蝇 *Ch. projicienfrontoides***

额突不明显，小盾片黑色，或具黄边 ………………………………………………………… 12

12. 翅中部具大的黑褐色斑 ……………………………………………………………………… 13

翅斑小，位于翅前缘，腹部黄斑等宽 ………………………………………………………… 14

13. 前中足腿节全黄色 ……………………………………………… **黄股长角蚜蝇 *Ch. festivum***

前中足腿节基部黑色 ……………………………………………… **土斑长角蚜蝇 *Ch. vernale***

14. 腹部卵圆，第2～5背板“八”字形黄斑外端宽 …………… **八斑长角蚜蝇 *Ch. octomaculatum***

腹部狭长，第2～5背板具中断的黄色弓形横带 ………………… **丽纹长角蚜蝇 *Ch. elegans***

(27) 棕腹长角蚜蝇 *Chrysotoxum baphrus* Walker, 1849

Chrysotoxum baphrus Walker, 1849: 542.

Chrysotoxum indicum Walker, 1852: 218.

Chrysotoxum sexfasciatum Brunetti, 1907: 89.

Chrysotoxum citronellum Brunetti, 1908: 90.

Chrysotoxum mundulum Herve-Bazin, 1923: 27.

鉴别特征:复眼稀疏被毛。额被暗橙黄色毛。雌性额中部两侧具较大的棕黄色粉斑。颜及颊鲜黄色，中条纹黄褐色；中突及口缘处深黑色；颜被黄色毛。触角黑褐色，3节长度之比为1.50∶1.00∶4.10。胸部背板两侧鲜黄色，中部具2条黄色条纹，背板被橙黄色毛。小盾片鲜黄色，中域暗黄色，被毛橙黄色。胸部侧板黑色，中胸上前侧片后部、下前侧片前端及后端、下后侧片后气门上方有鲜黄色斑。足黄色，前足跗节、中足跗节、后足腿节端半部、胫节端部及跗节浅红褐色，后足深红褐色。腹部背板后侧角不突出。腹部大部分棕黄色；第1背板全部及各背板前缘黑色；第2背板近中部具黑色横带，背板正中具短黑色纵条，与黑色前缘相连，后缘黄色；第3～4背板各具“八”字形黑斑，黄色后缘中部向前呈三角形突出，腹部侧缘棕黄色。雌性腹部各背板黑色前缘狭，第1背板前部棕黄色，后缘黑色，第5背板黑色，正中两侧各具大黄斑，后缘黄色。

采集记录:1♂，长安库峪，2002.Ⅵ.12，霍科科采。

分布:陕西(长安)、湖南、福建、广东、广西、云南、西藏；老挝，印度，尼泊尔，斯里兰卡。

(28) 棕额长角蚜蝇 *Chrysotoxum brunnefrontum* Huo, Ren *et* Zheng, 2007

Chrysotoxum brunnefrontum Huo, Ren *et* Zheng, 2007: 64.

鉴别特征:雄性复眼上部被浅褐色毛，下部白色。额突明显上翘，黄褐色，被黄粉和黑毛，两侧具黑色条纹。颜被黄毛，中条纹棕色，两侧具黑色条纹。触角黑色，3节长度之比为3:2:6，触角芒明显长于触角第3节。雌性触角3节长度之比为2:1:3。中胸背板前部具1对灰白色粉被条纹；两侧横沟之前具黄色粉斑，翅后胛黄色；背板被棕黄色毛。小盾片暗褐色，被黄粉和黄毛，端部被黑毛。胸部侧板黑色，具黄斑。各足腿节红褐色。翅略带黄褐色，前缘黄色，端部和中部形成明显的褐色云斑。腹部背板具边，后侧角突出不明显。第2背板中央具黄色狭横带，中间分开，两端不达背板侧缘；第3背板后缘黄色，中部黄色横带宽，两侧伸达背板侧缘；第4背板近似第3背板，但后缘黄带及中部黄带均较宽。第5背板及露尾节红褐色。雌性腹部第4背板黄色，基部具黑色狭横带，后半部具1对黑色狭横斑；第5背板黑色，中央具倒“V”形棕色斑。

采集记录:2♂，留坝紫柏山，2003.Ⅶ.04，霍科科采；1♀，留坝营盘，2007.Ⅶ.26，霍科科采。

分布:陕西(留坝)。

(29)黄颊长角蚜蝇 *Chrysotoxum cautum* (Harris, 1776)

Musca cautus Harris, 1776: 60.
Chrysotoxum sylvarum Wiedemann *in* Meigen, 1822: 171.
Chrysotoxum scutellatum Macquart, 1829: 349.
Chrysotoxum sylvarum var. *impudicum* Loew, 1856: 609.
Chrysotoxum lubricum Giglio-Tos, 1890: 151.
Chrysotoxum cautum: Peck, 1988: 57.

鉴别特征:复眼裸。头顶和额黑色，毛黑色。雌性额中部两侧具大形三角状粉斑。颜黄色，被黄毛，黑色中条纹从触角基部伸达口上缘，侧条不明显。触角黑色，第3节略长于或等于基部2节之和，三节长度之比约1.00:1.50:3.00。雄性触角第3节等于基部2节之和。中胸背板亮黑色，中央具1对灰白色纵条纹，伸达背板中后部，背板侧缘亮黄色条纹在横沟之后宽的中断。小盾片黄色，中央暗褐色，被黑色长毛，周缘混生黄毛。足黄色，各足基节、转节黑褐色，腿节略呈红色，跗节背面橘红色。翅透明，翅痣黄色。腹部宽卵形，侧缘脊很发达，背板后侧角不突出。背板黑色，第2~5背板各具1对黄色斜斑，斜斑近背板前缘，内端窄，外端宽，与背板黄色窄后缘相连。

采集记录:1♀，留坝营盘，2007.Ⅶ.29，霍科科采；1♀，留坝营盘，2008.Ⅷ.30，霍科科采。

分布:陕西(留坝)、吉林、北京、河北、甘肃、福建、湖南、广东、广西、云南、西藏；俄罗斯，欧洲。

(30)隐条长角蚜蝇 *Chrysotoxum draco* Shannon, 1926

Chrysotoxum draco Shannon, 1926: 15.

鉴别特征：复眼裸。颜中突小；颜黄色，中纵条红褐色，两侧被黄毛。雌性头顶和额黑褐色到棕褐色，额中部两侧具黄粉斑。触角三节长度之比约1:1:4，触角芒略长于触角。中胸背板黑色，正中具1对宽的灰白色纵条纹，伸达背板后缘；背板侧缘从肩胛到翅后胛棕黄色，具鲜黄色侧条纹，于横沟之后中断；背板被毛黄色。小盾片红黄色至红褐色，被毛黑褐色。侧板红黄色，中胸下前侧片下部黑色。足橘黄色，中足、后足基节、转节棕褐色，后足腿节和跗节橘红色。后足基节内侧具黑毛簇。翅略呈黄色，翅痣黄色。腹部宽卵形，侧缘明显隆起，第3、4背板后侧角显著突出。第1背板2个前基角黄色，第2～4背板具很宽的黄色弓形横带，中央宽地中断，横带中部近背板前缘，两侧近背板后缘，各节背板后缘具宽的三角形黄斑，中部黑色部分呈倒"Y"形，背板侧缘红黄色。

采集记录：1♀，留坝营盘，2008.Ⅷ.30，霍科科采；1♀，留坝闸口石，2011.Ⅶ.23，采集人不详；1♂，留坝闸口石，2012.Ⅶ.13，霍科科采；2♀，留坝闸口石，2012.Ⅶ.14，霍科科采；19♀，留坝闸口石，2014.Ⅷ.23，霍科科采；3♀，留坝闸口石，2014.Ⅷ.24，霍科科采；28♀，留坝闸口石，2014.Ⅷ.25，霍科科采；2♀，留坝闸口石，2014.Ⅷ.27，霍科科采。

分布：陕西（留坝）、河南、浙江、湖北、湖南、四川。

（31）丽纹长角蚜蝇 *Chrysotoxum elegans* Loew, 1841

Chrysotoxum elegans Loew, 1841: 140.
Chrysotoxum bigoti Giglio-Tos, 1890: 154.

鉴别特征：雄性复眼具不明显的浅色短毛。额黑色，被黑毛。雌性额中部两侧具三角形粉斑。颜黄色，被毛黄色，具黑色中条和侧条。触角黑色，三节的比例为1.00:1.00:1.20。触角芒略短于基部2节之和，长于第3节。中胸背板前部中央有2条灰白粉被纵条纹，其末端达背板中部之后，亮黄色侧条纹宽，在横沟后宽地中断；毛棕黄色。小盾片黄色，中域具椭圆形黑斑，被毛同背板。侧板黑色，上前侧片、下前侧片前端及后端有黄斑。足红黄色，各足基节、转节黑色，胫节黄色。翅透明，前缘浅黄色，翅痣下方具不明显的浅黄色云斑。腹部侧缘隆脊明显；背板黑色，侧缘从第2背板后半部到第5背板红黄色；第2～5背板具中间断开的横带纹，不伸达背板侧缘之上，与背板侧缘和后缘红黄色带相连；第2～4背板红黄色后缘横带以第2背板最窄，以后逐渐加宽，第5背板斑纹之间为棕红色。雌性胸部及腹部被毛极短。

采集记录：1♂，凤县柴关岭，2003.Ⅵ.27，霍科科采；1♂，凤县，2004.Ⅵ.15，霍科科采；1♂，留坝张良庙，1987.Ⅵ.10，霍科科采；1♂，宁陕火地塘，2003.Ⅶ.06，胡永采；1♂，宁陕火地塘，2003.Ⅶ.11，刘桂兰采；1♂，宁陕火地塘，2003.Ⅶ.11，曾金娜采。

分布：陕西（凤县、留坝、宁陕）、黑龙江、吉林、辽宁、北京、河北、新疆、浙江、江西、湖南；俄罗斯，哈萨克斯坦，欧洲。

(32)瘤颜长角蚜蝇 *Chrysotoxum faciotuberculatum* Zhang, Huo *et* Ren, 2010(图246)

Chrysotoxum faciotuberculatum Zhang, Huo *et* Ren, 2010: 649, 650.

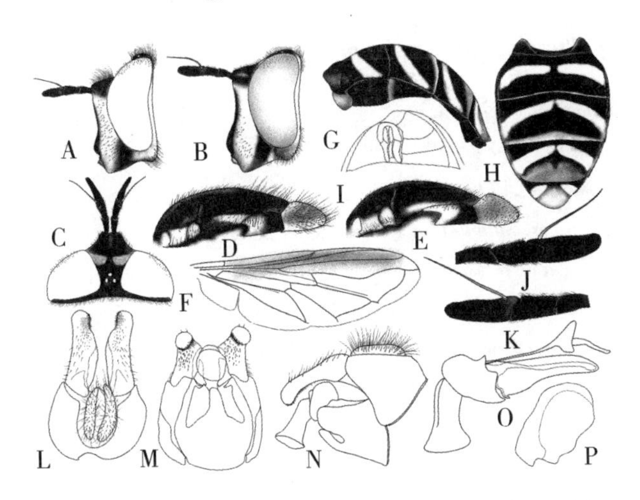

图246　瘤颜长角蚜蝇 *Chrysotoxum faciotuberculatum* Zhang, Huo *et* Ren

A. 雄性头部侧面观(male head, lateral view); B. 雌性头部侧面观(female head, lateral view); C. 雌性头部背面观(female head, dorsal view); D. 雌性中胸盾片侧面观(female mesonotum, lateral view); E. 雄性中胸盾片侧面观(male mesontum, lateral view); F. 雄性翅(male wing); G. 雌性腹部侧面观(female abdomen, lateral view); H. 雄性腹部背面观(male abdomen, dorsal view); I. 雄性后腹部腹面观(male postabdomen, ventral view); J. 雌性触角内侧面观 (female antenna, inside view); K. 雄性触角外侧面观 (male antenna, outside view); L. 雄性第9背板及附器(male epandium and appendages); M. 雄性尾器腹侧面观(male terminalia, ventral view); N. 雄性尾器侧面观(male terminalia, lateral view); O. 阳茎 (aedeagus); P. 上叶侧面侧(Superior lobe)

鉴别特征:雄性复眼具黄白色短毛，下半部毛稀疏；雌性复眼被毛短而稀疏。头顶具黑色长毛。额黑色，被黑色长毛。颜中突位于复眼下缘，明显突出；颜覆黄色毛，具黑色中条纹，条纹两侧黄褐色，侧面具黑色侧条纹。触角三节长度之比为1.00∶1.50∶2.50，触角芒明显长于第3触角节。雌性头顶和额被黑色平伏短毛；额中部两侧沿复眼具三角形黄粉斑；触角三节长度之比为1∶1∶2。胸部肩胛黄色，中胸背板后部具灰白色薄粉，两侧具黄色侧条纹，在横沟之后宽的中断，中央具1对灰白色粉被条纹；背板被黑毛，后部夹杂黑色长毛。小盾片暗褐色，被黑色近平伏的短毛，夹杂许多黑色长毛。侧板具1块黄色纵斑，位于上前侧片后部及下前侧片上部。腿节红褐色，缺后足基节后中端角毛簇。翅前缘略暗。腹部黑色，侧缘隆脊红褐色，背板后侧角不突出。第2~5背板各具1对黄色弓形狭横带，第2背板黄斑内端分离，第3~4背板黄斑内端分离狭或几乎相连，第2~4背板后缘红褐色，第2背板后缘带最狭，第3~4背板后缘带宽，第5背板在横带之后大部分红褐色。腹部背板被黑色近平伏的短毛，横带及其之前被毛浅黄色，背板侧缘具黑色短刺。

采集记录:5♂，留坝营盘，2009.Ⅶ.18，霍科科采；1♀，留坝营盘，2007.Ⅶ.27，霍科科采；1♀，留坝营盘，2007.Ⅶ.26，霍科科采；1♂，留坝营盘，2007.Ⅶ.25，霍科科采；

1♂，留坝营盘，2007.Ⅶ.24，霍科科采；1♀，留坝光华山，2006.Ⅷ.15，霍科科采。

分布：陕西（留坝）、宁夏。

（33）黄股长角蚜蝇 *Chrysotoxum festivum* （Linneaus，1758）

Musca festivum Linnaeus，175：593.

Musca arcuata Linnaeus，1758：592.

Musca bipunctatum Müller，1776：174.

Chrysotoxum arcuatum var. *annulatum* Loew，1840：558.

Chrysotoxum arcuatum var. *infuscatum* Loew，1840：558.

Chrysotoxum arcuatum var. *scutellare* Loew，1840：558.

Chrysotoxum festivum var. *tomentosum* Giglio-Tos，1890：159.

Chrysotoxum japonicum Matsumura，1915：6.

Chrysotoxum festivum：Knutson *et al.*，1975：327.

鉴别特征：雄性复眼被短毛。额部黑色，被毛黑褐色；雌性额中部具1对三角形粉斑。颜柠檬黄色，毛同底色，黑色中条纹从触角基部伸达口缘，两侧复眼下方具黑条纹。触角黑褐色，触角三节长度之比为1.00∶1.00∶1.30，触角芒深褐色，略短于基部二节之和。中胸背板黑色，中央具灰白色纵条纹，伸达横沟之后，两侧具边界明显的柠檬黄色条纹，在横沟之后宽的中断；被毛深褐色，较长。小盾片中域黑色，边部柠檬黄色，被黑毛，周围混生深褐色毛。雌性胸部被毛短，小盾片毛短，为黑色。中胸侧板黑色，上前侧片、下前侧片及侧背片具黄斑。足主要橙黄色。翅痣棕黄色，翅痣下方暗褐色斑与翅痣等长，R_{4+5}脉显著弯曲。腹部宽卵形，侧缘隆脊明显，第3～4背板侧后角突出；腹部第2～5背板具宽度一致、中部中断的狭黄带，外端不达背板侧缘，第3～4背板后缘黄色，第5背板后部中央有三角形橙黄色斑。

采集记录：1♀，汉中天台山，2006.Ⅳ.29，林朝军采；1♀，汉中天台山，2006.Ⅴ.23，林朝军采；1♂，留坝柴关岭，2001.Ⅵ.12，霍科科采；1♂1♀，留坝营盘，2007.Ⅶ.30，霍科科采。

分布：陕西（汉中、留坝）、黑龙江、辽宁、北京、河北、宁夏、新疆、湖南；蒙古，俄罗斯，日本，印度，古北区。

（34）洛河长角蚜蝇，新种 *Chrysotoxum luohensis* Huo，sp. nov.（图247）

鉴别特征：雄性头部宽于胸。复眼密被白毛。头顶黑色，被黑色长毛。额黑亮，基部沿复眼被黄粉，被黑色至暗褐色长毛。颜近中部略凹入，颜中突明显；颜柠檬黄色，被黄色长毛，中央具黑色宽中条纹，从触角基部伸达口缘，两侧在复眼下方具棕褐色条纹。颊部黄色，被黄毛。后头部覆白色粉被，背面被橙黄色毛，沿复眼后缘具1列间隔均匀的黑色长毛；两侧被毛白色。触角黑色，三节长度之比为2∶3∶6；触角芒棕黄色，端部黑褐色，长于触角第3节。中胸背板黑色，两侧具黄色条纹，在横沟之后宽的中断，密被黄色长毛，正中具1对灰白色粉被纵条纹，伸达横沟之后。小盾片柠檬黄色，中央暗黄色半透明，密被黄色长毛，盾下缨黄色，完整。侧板黑色，被黄色长毛，中胸下前侧片前、后端背部具暗黄色斑，上后侧片后端具黄色纵条纹，下侧背片暗黄色。足黄色，胫节及前足、中足跗节橙黄色，各足基节、转节黑褐色，前足、中足腿节基部黑褐色，后足腿节腹侧3/4黑色至褐色，后足跗节黑色。足毛黄色，后足腿节前腹侧基半部具黑色和黄色长毛。翅透明，前缘略带黄褐色，翅痣褐色；R_{4+5}略凹入r_5室。腋瓣淡黄色，平衡棒淡黄色。腹部卵形，背面拱起，侧缘黑黄相间，隆脊明显，第2~5背板后侧角突出。腹部黑色，第1背板两侧具黄斑，第2~4背板中央具黄色弓形狭斜带，第2背板黄带中央狭的中断，第5背板具1对黄斑，第2~5背板后缘具狭的黄带，并与背板上的黄带相连。背板被黄色长毛，第2~5节背板后缘黄带被黑色短毛。腹板黑色，第1腹板黄色，第2~4腹板前缘具黄色横带，后缘中央略凹入。腹板被黄色长毛，第2腹板后缘中央、第3腹板中央后半部、第4腹板后部的大部分及其后各腹板被黑色长毛。雄性体长13mm，翅长11mm。雌性未知。

新种在外观上近似 *Chrysotoxum tuberculatum* Shannon, 1926，两者中胸上后侧片具黄毛，腹部背板后侧角突出，后足跗节黑色，但新种后足转节缺瘤突；新种也似 *Chrysotoxum cautum*（Harris, 1776），两者触角第3节几乎等于基部两节之和，但新种复眼密被白毛，小盾片被黄色长毛，腹部背板后侧角突出，前足、中足腿节基部、后足腿节腹侧大部分为黑色至黑褐色，后足跗节黑色。新种以模式产地命名。

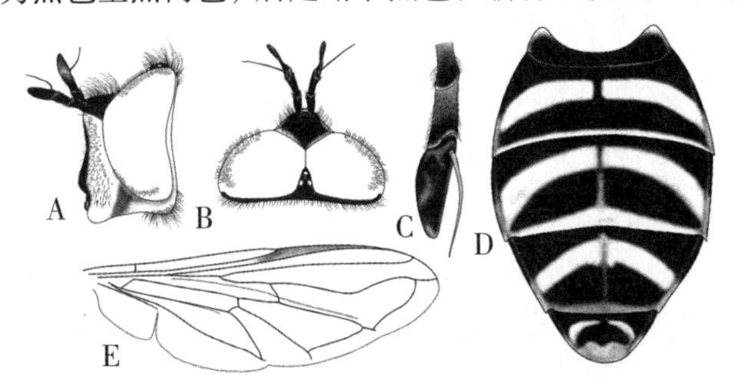

图247　洛河长角蚜蝇，新种 *Chrysotoxum luohensis* Huo, sp. nov.

A. 雄性头部侧面观（male head, lateral view）；B. 雄性头部背面观（male head, dorsal view）；C. 触角外侧面观（antenna, outside view）；D. 雄性腹部背面观（male abdomen, dorsal view）；E. 翅（wing）

采集记录：1♂（正模），甘泉屯村，2008.Ⅸ.17，李文宾采；1♂（副模），甘泉屯村，2008.Ⅸ.17，李文宾采；1♂，留坝，2014.Ⅷ.24，霍科科采。

讨论：副模标本腹部黄带中央狭的中断，且不伸腹部侧缘。

(35)八斑长角蚜蝇 *Chrysotoxum octomaculatum* Curtis, 1837

Chrysotoxum octomaculatum Curtis, 1837: 653.

鉴别特征:额黑色，被黑毛，两侧覆灰色粉被；触角黑色，3 节几乎等长；芒棕黄色；颜亮黄色，具黑色中纵条和侧纵条。胸部黑色，中胸背板具 2 条宽的灰色背中线，两侧具黄色纵条；侧板具黄色斑；小盾片黄色，具暗黑色中斑。前足红黄色，胫节淡黄色。翅前缘具黄色斑。腹部卵圆形，背板隆起，侧缘隆脊发达，第 2 ~ 5 背板具“八”字形黄斑，该斑外侧宽，各节后缘棕黄色。

采集记录: 1♀，留坝闸口石，2011.Ⅶ.20，采集人不详。

分布:陕西(留坝)、黑龙江、辽宁、内蒙古、北京、山西、宁夏、甘肃、浙江、湖北、江西、湖南、四川。

(36)拟突额长角蚜蝇 *Chrysotoxum projicienfrontoides* Huo *et* Zheng, 2004

Chrysotoxum projicienfrontoides Huo *et* Zheng, 2004: 166, 167.

鉴别特征:雌性复眼被浅色毛。额中部两侧各有 1 个粉斑。额突长，上翘。雄性复眼上部密被褐色毛，下半部毛黄白色；额突黑色，被黑毛，基部及两侧被黄粉。颜黄色，被黄毛，具红棕色中纵条纹，纵条纹两侧具黑毛。雄性颜正中具棕褐色条纹，两侧复眼下方具浅褐色条纹。触角黑色，三节比例为 3:2:4；触角芒长于第 3 触角节之长。胸部背板中央具 1 对灰白色粉被纵条纹，伸达背板后 2/3 处，两侧在肩胛之后、横沟之前被白色粉斑，翅后胛具黄斑，背板被浅色毛。小盾片黑褐色，被黑色长毛，基部有 1 列浅色毛。中胸上前侧片后端、下前侧片后端上部被黄粉，形似黄斑。各足基节和转节、前足腿节基部 1/3、中足腿节基部 1/2、后足腿节基部 2/3 黑色，其余红褐色。翅前缘棕色，翅痣、sc 室、r_1 室及 r_{2+3}室端部暗棕色。腹部第 2 ~ 4 背板后侧角突出，中部具中断的狭黄带，第 3、4 背板后缘具黄带，第 5 背板黄色，前缘两侧有长三角形黑斑，第 6 背板黄色。

采集记录:1♀，眉县红河谷，2002.Ⅸ.05，霍科科采；1♀，眉县红河谷，2004.Ⅸ.01，杨佳采；1♀，留坝营盘，2007.Ⅶ.24，霍科科采；2♀，留坝，2014.Ⅷ.24，霍科科采；1♂1♀，留坝，2014.Ⅷ.25，霍科科采。

分布:陕西(眉县、留坝)、宁夏、甘肃。

(37)红腹长角蚜蝇 *Chrysotoxum rufabdominus* Huo *et* Zheng, 2004

Chrysotoxum rufabdominus Huo *et* Zheng, 2004: 166.

鉴别特征:雌性复眼密被浅色毛。头顶、额黑色，被黑毛，额中部具近梯形黄色侧粉斑。颜中突明显；颜亮黄色，被黄毛，黑色中条纹和侧条纹宽。触角三节长度之比为1.00∶1.00∶3.50，触角芒约等于第3触角节之长。中胸背板黑色，前端中央具两条浅灰色条纹，两侧在肩胛之后、横沟之前具黄斑，翅后胛处黄斑较小。小盾片黑褐色，被黑毛，前缘有1列浅色毛。中胸上前侧片后端及下前侧片后端上部具黄斑。各足腿节及跗节红褐色，后足腿节端部浅黄色，各足胫节浅黄色。翅膜略呈浅褐色，翅痣以后及其下方的sc室和r_1室在R_1脉附近暗褐色。腹部红褐色，背板侧后角较尖，第4背板尤明显。第1背板黑色，第2背板前端1/3黑色，中部有心形黑斑，以黑色细柄与前缘黑色横带相连，黑色细柄两侧橙黄色，第3～5背板前缘有极细的黑色横带，第4背板后部具倒"V"形分离的黑斑，第5背板后端有三角形黑斑。

采集记录:1♀，户县(朱雀森林公园)，2002.Ⅸ.05，霍科科采。

分布:陕西(户县)。

(38)天台长角蚜蝇 *Chrysotoxum tiantaiensis* Huo et Zheng, 2004

Chrysotoxum tiantaiensis Huo et Zheng, 2004: 166, 168.

鉴别特征:复眼被极稀疏的浅色毛。额黑亮，被黑色长毛，两侧被浓密黄粉。颜亮黄色，被浅色毛，具黑色中纵条纹和侧条纹。触角节三节之比1.00∶1.50∶2.00，触角芒长于触角第3节。中胸背板黑褐色，中部具2条灰色纵条纹，背板两侧具黄带，在横沟之后宽地中断。小盾片黄色，中域暗褐色。中胸侧板黑褐色，具有4个黄斑；侧板被浅黄色长毛。后足转节内侧有粗壮突起，各足腿节红褐色，后足腿节深红褐色，基部较暗，胫节浅黄色，后足跗节黑色。翅透明，前缘略带棕黄色，翅痣棕黄色。腹部长卵形，明显具边，第2～4背板后侧角突出。腹部背板黑色，第1～3背板侧缘、第4～5背板后端侧缘、第3～5背板后缘橙黄色，第2～5背板中部各有1对狭长黄斑，内端极接近，外端伸达背板侧缘并与侧缘黄斑汇合，第3～4背板前缘有极细的黄带。

采集记录:1♂，汉中天台山，2002.Ⅷ.06，霍科科采。

分布:陕西(汉中)。

(39)瘤长角蚜蝇 *Chrysotoxum tuberculatum* Shannon, 1926

Chrysotoxum tuberculatum Shannon, 1926: 14.

Chrysotoxum amurense Violovitsh, 1973: 926.

鉴别特征:雄性复眼被稀疏白色短毛。额亮黑色，两侧覆金黄色粉被，覆黑色和黄褐色长毛。雌性额宽两侧具黄色或黄白色粉被斑。颜柠檬黄色，具黑色中纵条，两侧下部具黑褐色至黑色条纹。触角三节长度之比约为1.00∶1.50∶2.00，触角芒长于触角第3节。中胸背板密被淡黄或棕黄色长毛，具1对淡色粉被中纵条，黄色侧条纹从肩胛伸达翅后胛，横沟之后宽地中断。小盾片正中具暗黄色半透明斑和金黄色长密毛，混有黑色或褐色毛。上前侧片、下前侧片及侧背片具不明显的黄白色或棕黄色斑。后足转节具黑色瘤状突起，上具黑色短刺。足黄色，后足跗节黑色。腹部侧隆脊明显，第3~4背板侧后角突出。背板黑色，被黄色至淡黄色密长毛和黑色短毛。第2~4背板各具1条黄色狭横带，外端靠近背板后侧角，第2背板黄带中部狭的中断，第3、4背板黄带中部几乎相连，黄带中部近背板前缘，第5背板黄带中端宽，第1背板侧缘、第2背板侧缘后角、第3~5背板后缘黄色。

采集记录：1♀，留坝闸口石，2012.Ⅶ.16，霍科科采。

分布：陕西（留坝）、北京、河北、四川；俄罗斯。

(40) 土斑长角蚜蝇 *Chrysotoxum vernale* Loew, 1841

Chrysotoxum vernale Loew, 1841: 159.

Chrysotoxum collinum Rondani, 1857: 202.

Chrysotoxum flavipenne Palma, 1863: 40.

Chrysotoxum fuscum var. *vernaloides* Giglio-Tos, 1890: 161.

Chrysotoxum fuscum Giglio-Tos, 1890: 160.

鉴别特征：雄性复眼被淡色短毛，下部被毛稀疏。额黑亮，被黑毛，沿眼缘覆黄褐色粉斑。颜鲜黄色，被黄毛，具黑中条纹和黑色侧条纹。触角三节长度之比为1.20∶1.00∶2.00，触角芒约与第3节等长。中胸背板两侧具鲜黄色侧条纹，在横沟之后宽地中断，前部中央1对黄灰色粉被纵条纹向后到达背板后2/3；背板被毛黄褐色，后部毛较长。小盾片黄色，中域具黑斑；被毛黄褐色，混有少许黑毛。中胸上前侧片后部、下前侧片前端及后背部具黄斑，下侧背片略带黄色。足黄色，基节、转节黑色，腿节略带褐色，基部黑褐色，跗节黄褐色。翅前缘深黄色。腹部侧缘隆脊明显，第2背板侧缘后角、第3背板侧缘后半部、第4和5背板侧缘红褐色，第3、4背板后侧角突出；第2~5背板各具1对宽度相近的狭黄斑，外端不达背板侧缘隆脊，第2~4背板后缘红褐色；第5背板红褐色。

采集记录：1♂，留坝闸口石，2012.Ⅶ.16，霍科科采。

分布：陕西（留坝）、黑龙江、吉林、河北、新疆、浙江、四川；俄罗斯，伊朗，欧洲。

(41) 紫柏长角蚜蝇 *Chrysotoxum zibaiensis* Huo, Zhang *et* Zheng, 2006

Chrysotoxum zibaiensis Hou, Zhang *et* Zheng, 2006: 438.

鉴别特征：雄性复眼被稀疏白色短毛。额黑亮，基部沿复眼被黄粉，被黄褐色长毛。颜柠檬黄色，被淡黄色毛，黑色中条纹触角基部伸达口缘，棕褐色侧条纹狭。触角三节长度之比约为1.00∶1.50∶3.50，触角芒略长于触角第3节。中胸背板密被淡黄色至棕黄色长毛，两侧具柠檬黄色条纹，横沟之后宽地中断，正中具1对灰黄色粉被纵条纹，伸达横沟之后。小盾片柠檬黄色，正中半透明暗黄色，密被金黄色长毛，后部混有少量黑毛。中胸上前侧片后端、下前侧片前端和后端，上后侧片、下后侧片及后气门上方具黄至棕褐色斑。足黄色，前足、中足腿节基部暗褐色，后足腿节褐色，后足跗节黑色。后足转节具短粗黑色突起，内侧具短粗黑鬃。翅前缘略带黄褐色。腹部侧隆脊明显，第3~4背板侧后角突出。第2~4背板各具1黄色狭横带，第2背板黄带狭的中断，第3、4背板黄带中部几乎相连，第5背板黄带中断宽。

本种在首次发表时未描述雌性特征，现将雌性特征记述如下：

雌性复眼裸。头顶在复眼后缘处的宽约为头宽的1/5，头顶与额黑亮，被黑毛，两侧近中部具四边形黄粉斑。颜中部略凹，颜中突近口缘。颜柠檬黄色，具黄毛，黑色中条纹从触角基部伸达口缘，两侧具黑褐色条纹。后头黑色，密被黄白色粉被，盖住底色，被黄毛。触角黑色，第3节略长于基部2节之和；触角芒棕黄色，略长于触角第3节。中胸背板黑色，密被淡黄色至棕黄色长毛，两侧具柠檬黄色条纹，横沟之后宽地中断，正中具1对灰黄色粉被纵条纹，伸达横沟之后。小盾片柠檬黄色，正中半透明暗黄色，密被金黄色长毛，后部混有少量黑毛，盾下缨黄色，中部1/3缺。侧板黑色，后胸腹板黄色，中胸上前侧片后端、下前侧片前端和后端，上后侧片、下后侧片及后气门上方具黄色至棕褐色斑。侧板被黄毛，下前侧片上、下毛斑后端相连，基侧片及后胸腹板裸。足黄色，各足基节、转节黑褐色，后足腿节略带褐色，前足、中足跗节色暗，中足跗节腹面具4列黑褐色短鬃，后足跗节（基跗节除外）黑色，被粗短黑毛，基跗节前侧具数列较长的黑鬃。足毛淡黄色至黄色，后足腿节前腹侧具黑毛。后足基节后中端角无毛族，转节具发达的短粗黑色突起，端钝，内侧具短粗的黑鬃。翅透明，前缘略带黄褐色。翅膜具微刺，cup室前缘裸。R_{4+5}脉端部略凹，r-m位于dm室中部之前。腋瓣淡黄色，下腋瓣上表面具黄色长毛。平衡棒棕红色。腹部卵形，背面拱起，侧隆脊明显，第2~4背板后侧角突出。背板黑色，被黄色至淡黄色密长毛和黑色短毛。第2~5背板各具1对柠檬黄色狭斑，外端稍扩大，靠近背板后侧角，第1、2背板侧缘与第3背板侧缘后半部黄褐色，第2~5背板后缘具柠檬黄色边，其中第2背板后缘黄带最狭，第2、3背板后缘黄带中央向前突出。腹部腹面主要被黄色毛，有的地方呈暗褐色，第1腹板黄色，第2、3腹板前缘具黄色狭横带，第4腹板前缘具黄色小侧斑。

采集记录：1♂，留坝闸口石，2011.Ⅶ.19，采集人不详；1♀，留坝闸口石，2011.Ⅶ.23，采集人不详；1♂，留坝闸口石，2012.Ⅶ.11，杨明采；1♀，留坝闸口石，2012.Ⅶ.16，杨盼采；1♂，留坝闸口石，2012.Ⅶ.18，霍科科采；1♂，留坝闸口石，2012.Ⅶ.21，陈锐采；2♂，留坝闸口石，2013.Ⅶ.14，霍科科采；2♂，留坝闸口石，2013.Ⅶ.15，霍科科采。

分布：陕西（留坝）、宁夏、甘肃。

11. 毛蚜蝇属 *Dasysyrphus* Enderlein, 1938

Conosyrphus Matsumura, 1918: 11 (nec Frey, 1915). **Type species**: *Conosyrphus okunii* Matsumura, 1918.

Dasysyrphus Enderlein, 1938: 208. **Type species**: *Scaeva albostriata* Fallén, 1817.

Syrphella Goffe, 1944: 129 (new name for *Conosyrphus* Matsumura, 1918).

Dendrosyrphus Dušek *et* Láska, 1967: 365. **Type species**: *Syrphus lunulatus* Meigen, 1822, as a subgenus.

属征: 体小型至大型，粗壮。复眼覆密毛。颜下部略加宽，黄色，具狭到宽的黑色中条纹，少数种类具1对亚中条或无黑色中条，但口缘为黑色且宽。触角第3节短卵形，长为宽的1.70倍，若为2.00~2.40倍，则腹部第2背板基部具黄色的宽带。中胸背板亮黑色，少数两侧略具粉被或明显的粉被纵条。小盾片淡黄色至黄褐色，透明，有时中部变暗，盾下缘缨完整，长而密。中胸上前侧片后部、上后侧片前部及下后侧片具长毛，中胸上前侧片前部、上后侧片中部和后部，以及基侧片无长毛，下前侧片上、下毛斑后部狭或宽地联合，或完全分离，后胸腹板裸。后足基节桥缺。后足基节后腹端角有或无毛簇。翅痣常黑色，翅后缘无骨化小黑点。腹部为狭或宽的卵形，雄性腹背很凸，第2~5节背板明显具边，第2背板具1对黄斑或具中部狭且中断的黄带，第3、4背板具黄色弓形横带或具1对细小斜置的月形斑。

分布: 古北区，东洋区。中国记载14种，秦岭地区有6种。

分种检索表

1. 触角狭长，第3节长约为其宽的2.00~2.40倍；腹部第2背板基部具黄色宽横带，第3、4背板具浅黄色带 ………………………………………………… **狭角毛蚜蝇 *D. angustatantennus***
   触角第3节近卵形，长约为其宽的1.70倍，腹部第2背板具黄斑 ……………………………… 2
2. 颜黄色，无暗色中条纹。腹部第2背板具1对三角形黄斑，外端达背板侧缘，第3、4背板基半部具黄带 ……………………………………………………………… **太白毛蚜蝇 *D. taibaiensis***
   颜黄色或红黄色，具明显的黑色或暗褐色中条纹 ………………………………………… 3
3. 腹部第3、4背板具大黄斑，有时相连，后缘明显凹入，第2背板黄斑不达侧缘，第3、4背板黄斑外端到达背板侧缘，体大 ……………………………………………… **双线毛蚜蝇 *D. bilineatus***
   腹部第3、4背板具黄带或斑，黄斑后缘直或凸出，但不凹入 ………………………………… 4
4. 腹部具4对黄斑，第3、4背板黄斑位于背板基半部，其内端达背板前缘，呈矩形，后方呈钝角向外弯曲并显然变狭，斑外端呈三角形膨大，第5背板黄斑呈半圆形。翅痣黄色，颊部及后足跗节黑色 ……………………………………………………………… **角纹毛蚜蝇 *D. postclaviger***
   腹部至少第4背板基半部具黄带 ……………………………………………………………… 5
5. 颜中条纹几乎伸达触角突基部，腹部第2背板具三角形黄斑，其前缘与背板前缘近平行 ……
   ………………………………………………………………………… **具带毛蚜蝇 *D. orsua***

颜中条纹仅达触角突与颜瘤之中，第 2 背板黄斑斜置，不达背板侧缘；第 3、4 背板黄斑内端在背板前缘中部相接，外端均达侧缘…………………………………………… **杨氏毛蚜蝇** ***D. yangi***

(42) 狭角毛蚜蝇 *Dasysyrphus angustatantennus* Huo, Zhang *et* Zheng, 2005

Dasysyrphus angustatantennus Huo, Zhang *et* Zheng, 2005: 847.

鉴别特征：雌性复眼密被暗褐色毛。额黑色，被浅色长毛，前端被黑褐色毛，中部被灰黄色粉带。颜灰黄色，密被灰黄色粉及浅色毛，中条纹宽，黑色，条纹中间暗褐色，颜具黑色侧条纹，口缘黑色，中突上下不对称。触角黑色，第 3 节狭条状，长为高的2.40倍；触角芒黑色，具微毛。中胸背板前部中央具 2 条灰色条纹，背板被棕黄色长软毛。小盾片暗黄色，被棕黄色长毛，盾下缨棕黄色。侧板被灰黄色粉及长软毛。足黑色，腿节端部棕黄色，前足、中足胫节棕黄色，后足胫节基半部浅棕色，后足基节后中端角具黄毛簇。翅透明，翅痣黑褐色，翅膜具微刺，裸区较宽广。腹部背板黑褐色，被棕黄色毛，第 1 背板浅黄色，两侧具黑褐色斑，第 2 背板基部近 2/3 浅黄色，后缘具浅黄色狭带，第 3 背板中部之前具浅黄色带，带长狭于背板长的 1/3，后缘具狭黄带，第 4 背板前半部具黄带，后缘具较狭的黄边。

本种首次描述时缺雄性，现将雄性特征补充描述如下：

雄性复眼上半部密被黄褐色毛，下半部毛黄白色。头顶及单眼三角黑色，被黄白色长毛，被黄粉。后头部密被黄白色粉及同色毛，盖住底色。额及新月片黑亮，被黄白色长毛，前端被黑色毛，后半部被黄色粉带并沿复眼向下延伸到颜。颜黄色，密被黄白色粉及同色毛，中条纹宽，黑色，条纹中间暗褐色，从触角基部伸达口缘，颜两侧复眼下方具黑色侧条纹；口缘黑色，中突上下不对称，端部钝圆。颊部黄色，被黄白色粉和长毛。触角黑色，第 3 节狭条状，长为高的 2 倍，顶端钝圆，触角芒黑色，基半部较粗，具微毛，端半部较细。中胸背板黑色，具光泽，两侧在横沟之后黄色，密覆黄灰色粉被，前部中央具 2 条黄白色条纹，伸达背板近端部，背板被棕黄色长软毛。小盾片暗黄色，被棕黄色长毛，盾下缨棕黄白色，长而密。侧板黑绿色，被黄白色粉及同色长软毛；中胸上前侧片前部、上后侧片中部和后部，以及基侧片无长毛，中胸下前侧片后端上、下毛斑后端宽的相连。后胸腹板裸。足主要黑色，腿节端部棕黄色，与基部的黑色区域无明显界限。前足、中足胫节棕黄色，后足胫节基部 1/3 浅棕色，前足、后足跗节、中足跗节端部 3 节背面黑色；足几乎全部被棕黄色毛，后足腿节端部短毛黑色，胫节及跗节背面主要被黑毛，后足基节后中端角具黄毛簇。翅透明，翅痣黑褐色，具微刺，r 室基部前缘和 bm 室前缘裸。腋瓣及平衡棒浅黄色。腹部无边，背板黑褐色，被浅黄色毛，侧缘被毛较长，第 2、3 背板后缘黄带上混生少许黑毛；第 1 背板浅黄色，两侧具黑褐色斑，第 2 背板基部近 2/3 浅黄色，后缘中央三角状凹入，背板后缘具狭的浅黄色带，第 3 背板中部具浅黄色带，前缘中央略呈三角形突出，带狭于背板长的 1/3，后缘具狭黄带，第 4 背板前半部具黄带，后缘具狭黄边。腹部第 1、2 腹板近白色，其余腹板浅褐色，被毛浅黄色至黄白色。

采集记录:1♀，眉县红河谷，2002.Ⅸ.03，霍科科采；1♂，留坝，2014.Ⅷ.24，霍科科采。

分布:陕西(眉县、留坝)、山西。

(43)双线毛蚜蝇 *Dasysyrphus bilineatus* (Matsumura, 1917)

Syrphus bilineatus Matsumura, 1917: 38.

Catabomba excavata Matsumura, 1918: 14.

Dasysyrphus bilineatus: Knutson *et al.*, 1975: 311.

鉴别特征:复眼密被灰白色毛。头顶及额被黑毛，覆黄粉；雌性额中部形成金黄色粉被宽横带。颜橘黄色，两侧密覆黄色粉被，被黄毛，中突棕褐色，中突两侧具黑色条纹，颜在复眼下方具黑褐色条纹，口缘前半部黑褐色。触角黑色，第3节椭圆形；触角芒暗棕褐色。中胸背板具2对灰白色粉被宽条纹，翅后胛棕色；背板被黄毛；小盾片黄色，被黑色长毛。侧板覆灰白色粉，被黄色长毛。足黄色，被黄毛，基节、转节、前足和中足腿节基部1/3、后足胫节基部2/3黑色，前足、中足跗节端部4节背面暗黑色，后足胫节端部暗色，跗节背面黑色，腹部宽卵形，黑色；第2背板近前缘具1对分开较宽的黄色横斑，两端钝圆，后缘中央向前深地凹入；第3、4背板各具1对黄色横斑，外端到达背板侧缘，内端几乎相连，后缘中央三角状向前凹入；第3背板黄斑靠近背板前缘，第4背板黄斑到达背板前缘，背板后缘具狭的黄边；第5背板后缘具黄边，两侧基角处具黄斑。

采集记录:1♂，留坝闸口石，2013.Ⅶ.17，陈锐采。

分布:陕西(留坝)、吉林、辽宁、北京、宁夏、台湾；俄罗斯，朝鲜，日本。

(44)具带毛蚜蝇 *Dasysyrphus orsua* (Walker, 1852)

Syrphus orsua Walker, 1852: 231.

Syrphus brunettii Herve-Bazin, 1923: 290.

鉴别特征:复眼密被棕褐色毛。额前端及新月片黑色，额被黑色长毛，前端裸；后端密被灰粉。雌性额中部具棕黄色横粉带。颜及颊柠檬黄色，黑褐色中条几乎达触角基部，口缘黑褐色；颜被黑毛，中突裸。触角黑色，长与基部2节之和几乎相等，触角芒黑色，基半部具微毛。中胸背板具4条灰纵带，伸达背板后部，背板被棕黄色毛。小盾片暗黄色，基部被棕黄色毛，其余为黑毛。胸部侧板覆棕黄色毛。足主要棕黄色，各足基节、转节、前足和中足腿节基部1/2、后足腿节基部5/6黑色，后足胫节基部和端部外侧黑色，中部具黄环，内侧色浅。后足基节后中端角缺毛簇。翅痣黑褐色，翅面被微毛，有裸区。腹部第2背板两侧中部具三角形黄斑；第3背板中部之前具新月形黄斑；第4背板中部之前具黄带。第4、5背板后缘狭的棕黄色或近透明。雌性腹部第 2 背板上的黄斑狭长，第 2～4 背板上的黄斑较窄，第 5 背板两侧前角黄色，第 4～5 节背板后缘具狭的黄带。

采集记录：1♀，长安，2003.Ⅹ.16，霍科科采；1♀，长安太兴森林公园，2004.Ⅴ.05，霍科科采；4♂7♀，户县朱雀森林公园，2002.Ⅷ.25，霍科科采；1♀，宝鸡马头滩，2003.Ⅶ.22，霍科科采；4♂5♀，凤县，2014.Ⅷ.27，霍科科采；1♂3♀，眉县太白山，2003.Ⅶ.24，霍科科采；2♂9♀，眉县太白山，2003.Ⅶ.25，霍科科采；1♀，汉中天台山，2005.Ⅶ.09，霍科科采；1♂，留坝庙台子，2005.Ⅵ.14，曹力擎采；1♀，留坝庙台子，2005.Ⅵ.15，霍科科采；1♂，留坝紫柏山，2005.Ⅵ.21，霍科科采；1♂，留坝闸口石，2013.Ⅶ.18，霍科科采；1♀，留坝闸口石，2013.Ⅶ.19，霍科科采。

分布：陕西（长安、户县、宝鸡、凤县、眉县、留坝、汉中）、河北、宁夏、甘肃、四川、西藏；印度，尼泊尔。

（45）角纹毛蚜蝇 *Dasysyrphus postclaviger* (Stys *et* Moucha, 1962)

Syrphus claviger Frey, 1930: 83.

Syrphus postclaviger Stys *et* Moucha, 1962: 60 (new name for *Syrphus claviger* Frey, 1930).

Syrphus postclaviger carpathicus Stys *et* Moucha, 1962: 60.

Dasysyrphus postclaviger: Peck, 1988: 15.

鉴别特征：复眼密被暗褐色毛。头顶及额被黑色长毛，额黑亮，基部覆黄粉。雌性额中部被灰黄色粉带。颜具黑色中条和侧条纹，口缘黑色。颜中突上下不对称，端部钝圆。触角黑色，第 3 节卵形，顶端钝圆，触角芒黑色，基半部具微毛。中胸背板前部中央具 1 对灰白色粉被纵条纹，两侧被灰白色粉被，背板被棕黄色毛。小盾片暗黄色，被黑色长毛。侧板黑色，稀薄地被灰黄色粉，被棕黄色长毛。中胸下瓣侧片后端上、下毛斑后端宽的相连。足橘黄色，各足基节、转节、前足和中足腿节基部、后足腿节除端部外为黑色。雌性后足腿节基部及跗节背面 2/3 黑色。腹部宽卵形，具边；背板黑褐色，被黑毛。第 2 背板具 1 对长三角状黄色斑；第 3、4 背板各具 1 对黄斑，黄斑两端较大，前缘中央凹入，后缘几乎直，内端较外端靠前，第 3 背板黄斑内端不达背板前缘，第 4 背板黄斑内端到达前缘，第 4 背板后缘具较狭的黄边。第 5 背板基部两侧角具小的黄斑，后缘具黄边。

采集记录：1♂，眉县太白山，200.Ⅶ.25，霍科科采。

分布：陕西（眉县）、吉林、甘肃、青海、西藏；俄罗斯，欧洲。

（46）太白毛蚜蝇 *Dasysyrphus taibaiensis* Huo, Zhang *et* Zheng, 2005

Dasysyrphus taibaiensis Huo, Zhang *et* Zheng, 2005: 848.

鉴别特征：雌性复眼密被棕褐色毛。头顶黑色，被金黄色粉及黑毛，后部密被金黄色粉及浅色毛。额橙黄色，两侧密被金黄色粉，被稀疏黑毛，额突黑亮。颜橙黄色，两侧密被金黄色粉，中部具宽的裸区，颜被棕黄色毛，中突宽而钝圆，上、下不对称。触角黑褐色，第3节卵形，芒黑褐色，高倍镜下被微毛。中胸背板铜黑色，被棕色毛。小盾片暗黄色，被橙黄色毛。胸部侧板被灰黄色粉，中胸上前侧片后端、下前侧片后端背部、上后侧片及下后侧片背部覆灰黄色粉斑。后足基节后腹端角缺毛簇。足主要橙黄色，被同色毛，基节、转节、前足和中足腿节基部近1/3、后足腿节基部3/4黑色。翅痣黑褐色，翅面被微毛。腹部具弱边；第2背板前半部具近三角形黄色侧斑，外端达背板的侧缘。第3、4背板前部具黄带，中央靠近背板的前缘，带宽略小于本节背板长的1/2；第5背板黑色，两侧前角及后缘橙黄色。背板被毛橙黄色，第2～5背板后半部夹有黑色毛。

采集记录:3♀，眉县太白山，2002.Ⅶ.17，霍科科采；1♀，留坝闸口石，2013.Ⅶ.18，霍科科采。

分布:陕西(眉县、留坝)。

(47)杨氏毛蚜蝇 *Dasysyrphus yangi* He *et* Chu, 1992

Dasysyrphus yangi He *et* Chu, 1992: 89.

鉴别特征:复眼被毛黄色。头顶三角被黑褐色毛及黄色粉被。额及新月形斑黑色，额后端及两侧覆金黄色粉被及黑长毛，额角约85°。颜宽占头宽的47%，具黑色宽中条，除中条和下缘外，覆金黄色粉被及黄毛，口缘黑色。触角黑色，第3节长椭圆形，芒黑色。中胸背板黑色，覆薄金黄色粉被及同色长毛，另具2条不明显的灰粉被组成的宽中条，未达到末端。小盾片暗黄色，被黑色长毛。前足、中足腿节基部2/5及后足腿节基部3/5黑色，其余黄色。翅淡黄褐色，痣及翅脉褐色，覆微刺。腹部黑色，第2～4背板具1对黄斑，第1对斜置，呈"八"字形，内端圆，外端直，不达背板的侧缘，第2、3对黄斑内端在背部前缘中央相接呈"人"字形，外端达侧缘，第4、5背板后缘具狭黄条。

采集记录:3♂，户县朱雀森林公园，2002.Ⅷ.25，霍科科采；3♂，留坝庙台子，2002.Ⅳ.20，霍科科采。

分布:陕西(户县、留坝)、江苏。

12. 边蚜蝇属 *Didea* Macquart, 1834

Didea Macquart, 1834: 508. **Type species**: *Didea fasciata* Macquart, 1834.

Enica Meigen, 1838: 140. **Type species**: *Enica foersteri* Meigen, 1838 [= *Didea fasciata* Macquart, 1834].

属征:体大。复眼被明显而分散的毛。颜黄色，有或无黑色或褐色狭中条，中突小而狭。触角第3节长为高的2倍。肩胛裸，中胸背板黑色，有时侧缘暗黄色。小盾片污黄色至褐色，边缘黑色狭，下前侧片后端的上、下毛斑分离，后胸前侧片在后气门下方具细毛，后胸腹板具很多黑毛。后足基节后腹端角具毛簇。翅 R_{4+5}脉宽而深地凹入 r_5 室，下腋瓣上表面具少许直立的细毛。腹部卵形，宽而平，明显具边和黄色、橘黄色或黄绿色斑纹。

分布:古北区。世界记载7种，中国已知4种，秦岭地区有3种。

分种检索表

1. 颜具黑色中条纹，从颜中突伸达口上缘；盾下缘缨黑色，平衡棒头部黑色；腹部背板具暗黑色横带或斑 ………………………………………………………………………………………… 2

 颜无暗色中条纹；盾下缘缨浅色，平衡棒头部浅色；腹部无暗黑色带，雄性第5背板黑色，雌性第5背板基部具三角形黄色或橘黄色侧斑……………………………… **巨斑边蚜蝇 *D. fasciata***

2. 小盾片前部主要被浅色毛，雌性第5背板具浅色斑…………………… **暗棒边蚜蝇 *D. intermedia***

 小盾片几乎全部被黑毛；雌性第5背板无浅色斑 ………………………… **浅环边蚜蝇 *D. alneti***

(48)浅环边蚜蝇 *Didea alneti* (Fallén, 1817)

Scaeva alneti Fallén, 1817: 38.

Syrphus pellucidulus Wiedemann, 1822: 311.

Didea japonica Matsumura, 1917: 138.

Didea sachalinensis Matsumura, 1917: 138.

Didea alneti: Peck, 1988: 17.

鉴别特征:复眼被短而分散的浅色毛。头顶长三角形，被黑毛。额黄色，被金黄色粉和黑色长毛。雌性额部覆黄粉，被黑毛，“Y”形黑斑伸达或不达触角基部。颜黄色，覆金黄色粉，被黄毛，颜中突小，中突到口缘暗褐色。触角黄褐色，雌性触角红褐色到黑褐色；触角芒裸。中胸背板前部正中具1对灰白纵条，背板被黄褐色毛。小盾片黄褐色，基部两侧黑色，被黑毛，基部前缘被黄毛。中胸上前侧片后隆起部及下前侧片背侧密被白粉，具灰白色密长毛。各足基节、转节、前足腿节基部1/2、中足腿节基部2/3、后足腿节、胫节(膝部除外)、各足跗节黑色，其余褐黄色。翅痣黑褐色。腹部宽卵形，具边。第2背板前部具1对斜置的黄绿色斑；第3背板基部具黄绿色宽横带，约为背板长的2/3；第4背板基部黄绿色横带较狭，不分割成2个横斑。腹部背板被黑色短毛。雌性腹部浅蓝色斑较狭。

采集记录:3♀，户县朱雀森林公园，2002.Ⅷ.25，霍科科采；1♀，宝鸡马头滩，2003.Ⅶ.22，霍科科采；1♂2♀，凤县柴关岭，2003.Ⅵ.27，霍科科采；1♂1♀，凤县，2005.Ⅵ.13，霍科科采；2♂，凤县，2005.Ⅵ.23，霍科科采；2♀，眉县红河谷，2002.

Ⅸ.04，霍科科采；1♀，眉县红河谷，2002.Ⅷ.31，霍科科采；1♀，眉县太白山，2003.Ⅶ.25，霍科科采；2♂2♀，留坝柴关岭，2005.Ⅵ.21，霍科科采；1♀，留坝，2004.Ⅵ.14，霍科科采；2♂，留坝庙台子，2003.Ⅵ.30，霍科科采；1♂，留坝，2002.Ⅵ.10，霍科科采；1♂，留坝闸口石，2011.Ⅶ.20，采集人不详；2♂1♀，留坝闸口石，2012.Ⅶ.13，霍科科采；1♂1♀，留坝闸口石，2012.Ⅶ.14，霍科科采；1♀，留坝紫柏山，2014.Ⅷ.25，霍科科采；1♂，宁陕菜子坪，采集时间不详，薛二勇采。

分布：陕西（户县、宝鸡、凤县、眉县、留坝、宁陕）、辽宁、山西、甘肃、浙江、江西、四川；蒙古，俄罗斯，朝鲜，日本，欧洲，北美洲。

（49）巨斑边蚜蝇 *Didea fasciata* Macquart，1834

Didea fasciata Macquart，1834：508.

Enica foersteri Meigen，1838：140.

鉴别特征：复眼裸。额及颜柠檬黄色，额前端有黑斑，额覆黄粉，被黑毛。雌性额两侧有黄色粉斑，额突前端中央具小黄斑。颜被黄毛，中突小，上下不对称，口缘前端中央棕褐色。触角黑色，第3节长为高的2倍；触角芒裸，棕褐色。胸部背板被黄褐色长柔毛，中央具1对灰白色条纹，伸达背板中部之后，背侧片密具灰黄色粉被。小盾片暗黄色，两侧前角处暗黑色，被黑毛，仅前缘有少数棕黄色毛。中胸上前侧片后隆起部密被黄白色粉，被黄白色毛，下前侧片后端上、下毛斑处被灰粉。足黑色，被黑毛，前足腿节端部近2/3、胫节、中足腿节端部近2/3及胫节棕黄色，胫节被黄毛，后足腿节端部黄褐色。下腋瓣表面被直立黄毛。腹部宽卵形，具边，绒黑色，第2背板具1对斜置浅蓝绿色斑；第3背板基部具1对浅蓝绿色横带，后缘中央深凹，横带长略短于本节背板长的1/2，第4背板两侧具长三角状浅蓝绿色斑。雌性第5背板两侧斑斜置，大部分被第4背板所掩盖。

采集记录：1♂，凤县，2005.Ⅵ.13，霍科科采；2♂，眉县红河谷，2002.Ⅸ.04，霍科科采；1♀，眉县红河谷，2002.Ⅷ.30，霍科科采；1♂，留坝柴关岭，2005.Ⅴ.21，霍科科采；1♂，留坝柴关岭，2014.Ⅷ.23，霍科科采。

分布：陕西（凤县、眉县、留坝）、江苏、浙江、江西、福建、台湾、四川、云南；俄罗斯，日本，欧洲，北美洲。

（50）暗棒边蚜蝇 *Didea intermedia* Loew，1854

Didea intermedia Loew，1854：18.

鉴别特征：额棕黄色，被黑毛；颜黄色，中突黑褐色；雌性额正中“Y”形黑斑基部短，两叉不达触角基部色。中胸背板金绿色，略带紫色反光，具黄毛；小盾片毛黄色，边缘或端半部具黑毛。前足、中足红色，其腿节基部黑色，胫节或多或少具明显暗环，被黑色和黄色毛，跗节黑色；后足黑色，腿节端部几胫节基部红色。翅 R_{4+5}脉呈深环凹入 r_5 室。雌性第 5 背板具 1 对小斑。

采集记录：2♂，留坝闸口石，2012.Ⅶ.14，霍科科采。

分布：陕西（留坝）、浙江、四川、云南、西藏；俄罗斯，欧洲。

13. 直脉蚜蝇属 *Dideoides* Brunetti, 1908

Dideoides Brunetti, 1908: 54. **Type species**: *Dideoides ovata* Brunetti, 1908.

Dideodes Matsumura, 1917: 140. **Type species**: *Syrphus latus* Coquillett, 1889.

Malayomyia Curran, 1928: 225. **Type species**: *Malayomyia pretiosus* Curran, 1928.

属征：大型种类。复眼覆密毛。颜中突宽而低。触角第 3 节略长，背芒裸。中胸背板两侧无边界明显的浅色条纹；肩胛裸；盾下缘缨密而完整，中胸上前侧片前低平部无毛；下前侧片上、下毛斑后部宽的联合，上后侧片前部及基侧片具毛；后胸腹板具许多黑毛。后足基节中后端角具毛簇。R_{4+5}脉很直或略凹入 r_5 室，横脉 r-m 位于 m 室中部之前。腹部宽卵形，边明显，黑色具宽而弯曲的黄色至红黄色横带或黄色具黑带。

分布：东洋区，古北区。中国已知 6 种，秦岭地区发现 6 种。

分种检索表

1. 腹部主要黑色 ……………………………………………………………… 2
   腹部黄色，具黑带 …………………………………………………………… 3
2. 腹部第 1 背板金绿色，第 2、3 背板具黄斑或黄带 ……………… **狭带直脉蚜绳 *D. kempi***
   腹部第 1 背板非金绿色 ……………………………………………………… 4
3. 第 2 背板中部具狭的黄斑，第 3、4 背板具较宽的红黄带，腹部末端红褐色，腹部基部 3 节被毛黑色，端部 2 节被毛黄色 ……………… **宽带直脉蚜蝇 *D. coquilletti***
   腹部第 2 背板基部为狭的黄色，中部具 1 对狭长的三角形黄斑，第 3、4 背板具宽黄带，腹部末端黑色 ……………………………………………… **郑氏直脉蚜蝇 *D. zhengi***
4. 至少第 2 背板基部黄色，第 2 ~ 4 背板各具 2 条黑色横带，雄性各足腿节极基部黑色 ……………………………………………… **侧斑直脉蚜蝇 *D. latus***
   腹部基部灰绿色，第 2 背板基部黑色 …………………………………… 5
5. 各足腿节极基部黑色 ……………………………… **秦岭直脉蚜蝇 *D. qinlingensis***
   雄性前足和中足腿节基部 1/3、后足腿节基部 2/3 黑色，雌性各足腿节黄色 ……………………………………………… **卵腹直脉蚜蝇 *D. ovatus***

(51) 宽带直脉蚜蝇 *Dideoides coquilletti* (van der Goot, 1914)

Syrphus lautus Coquillett, 1898: 322 (nec Giglio-Tos, 1898).

Syrphus coquilletti van der Goot, 1914: 218 (new name for *Syrphus lautus* Coquillet, 1898).
Dideoides coquilletti: Knutson *et al.*, 1975: 312.

鉴别特征:体较大，复眼密被暗褐色毛；雌性复眼被毛较短。头顶黑色，头顶三角黑色，覆黄粉，被黑色长毛。额、颜及颊部黄色，额及颜近复眼处覆黄粉，额被黑毛，颜及颊部被黄毛。颜中突大而钝圆，上下略不对称。触角红黄色，第3节长为高的1.50倍；触角芒红黄色。中胸背板前部中央具3条黑褐色条纹；背板被毛黄褐色，背板后缘、翅基上方及翅后胛被黑色长毛。小盾片红黑色，被黑色长毛，盾下缨黑色。各足基节、转节、前足和中足腿节基部1/3、后足腿节基部3/4黑色，前足胫节基半部淡黄色，端半部红黄色，前足跗节、中足胫节及跗节红黄色，后足胫节及跗节为深的红黄色。翅前缘棕黄色，翅痣暗棕色。腹部明显具边，第1、2、3背板黑色，被黑毛，第2背板中部有长三角形红黄斑，第3背板中部有红黄色狭带；第2、3背板后缘暗红黄色，第4、5背板红黄色，第4背板前部暗黑色，中部有红黄带，后缘具黑色短毛，其余部分被红黄色毛。

采集记录:1♂，长安，2002.Ⅸ.22，霍科科采；1♂，凤县，2014.Ⅷ.27，霍科科采；1♂，眉县红河谷，2002.Ⅸ.02，霍科科采；1♀，眉县红河谷，2002.Ⅸ.03，霍科科采；2♂，眉县红河谷，2002.Ⅸ.04，霍科科采；1♀，留坝紫关岭，2014.Ⅷ.23，霍科科采。

分布:陕西(长安、凤县、眉县、留坝)、甘肃、浙江、江西、福建、台湾、四川；日本。

(52)狭带直脉蚜蝇 *Dideoides kempi* Brunetti, 1923

Dideoides kempi Brunetti, 1923: 59.

鉴别特征:头顶三角狭长，黑色，略覆淡粉被，被黑毛；额、颜及颊全橘黄色，粉被灰黄色，额毛黑色，颜毛淡黄色；颜向下变宽。雌性额正中自头顶至触角基部上方具1条宽的暗褐色纵条，两侧覆灰黄色粉被和较密黑毛。触角黑色，基部下方深橘红色；芒基部棕红色，端部黑色。中胸背板正中2条灰黄色粉被纵条仅达盾片中部，两侧自肩胛至翅后胛橘黄色；背板毛黄色；小盾片橘黄色，被黄毛；侧板覆黄色粉被。足黑色，前足和中足腿节1/2~3/4、后足腿节基部3/4、后足胫节端半部及所有跗节均黑色，其余橘黄色；足毛大部橘黄色，后足腿节毛黑色。腹部长卵形，边缘极明显；第1背板金绿色，覆灰黄色粉被，其余各节黑色，后缘具蓝色光泽；第2背板中部具1对长三角形黄斑，不达侧缘；第3背板中部之前具1条狭而稍弯曲、不达前缘和侧缘的黄横带，背板后缘具极短黑色鬃状毛，其余部分为黑毛混杂黄毛。

采集记录:1♂，留坝闸口石，2011.Ⅶ.20，采集人不详；1♂，留坝闸口石，2012.Ⅶ.15，杨盼采。

分布:陕西(留坝)、浙江、福建、江西、广西、四川、云南、西藏；印度。

(53)侧斑直脉蚜蝇 *Dideoides latus* (Coquillett, 1898)

Syrphus latus Coquillett, 1898: 322.

Syrphus formosanus Matsumura, 1911: 140.

Dideoides latus: Knutson *et al.*, 1975: 312.

鉴别特征:复眼密被棕黄色毛。头顶黑色，覆黄色粉和黑色短毛。额及颜棕黄色，覆黄白色粉和棕黄色毛，颜覆黄色毛，中突宽，裸，与额突之间形成深凹。雌性头顶及额密被金黄色粉，被黑毛，额前端棕黄色，前缘具棕黑色斑。触角棕黄色，第3节短卵形，芒棕黄色，裸。中胸背板具3条黑色条纹，背板被棕黄色毛。小盾片棕黄色，被黑毛，基部、两侧及后缘具黄毛。中胸上前侧片后隆起部，下前侧片后端背部、上后侧片等密覆棕黄色粉被。足棕黄色，各足基节、转节及腿节极基部黑色，后足跗节背面色深；足主要被黄毛，后足腿节、胫节后外侧被黑毛。腹部第1背板光亮，黄色，至多前缘具暗灰绿色斑；第2~4背板棕黄色，各具2条黑色横带，分别位于背板前部和后部，各横带正中极狭或断开，两侧不达背板侧缘，第2背板前部横带较淡，第3、4背板中部黑带呈“八”字形，第5背板几乎棕黄色，前缘具黑带，后中部黑带不明显。腹部背板主要被黄毛。

采集记录:4♀，留坝柴关岭，2014.Ⅷ.23，霍科科采；1♀，留坝，2014.Ⅷ.24，霍科科采；8♀，留坝紫柏山，2014.Ⅷ.23，霍科科采；1♀，留坝，2014.Ⅷ.26，霍科科采。

分布:陕西(留坝)、辽宁、甘肃、江苏、浙江、江西、湖南、福建、台湾、广东、广西、海南、四川、云南；日本。

(54)卵腹直脉蚜蝇 *Dideoides ovatus* Brunetti, 1908

Dideoides ovatus Brunetti, 1908: 54.

鉴别特征:复眼密覆黄白色毛。头顶黑色，被黑毛，后部覆黄粉和毛。额黄色，基部被黄粉，被黑毛和黄毛。雌性头顶及额密覆金黄色粉，被黑毛，额前端棕褐色。颜黄色，覆黄白色粉，被黄毛，颜中突宽，与额突之间形成深凹，中突裸。触角黄色，第3节卵形，触角芒暗褐色，裸，长度为第3节长的2.10倍。中胸背板具3条黑色条纹，背板被棕黄色毛。小盾片棕黄色，被黑毛，基部及周边被黄毛。中胸侧板黑色，被黄毛。足棕黄色，各足基节、转节、前足和中足腿节基部1/3、后足腿节基部2/3黑色；足主要被黄毛，基节、转节被黑色毛，后足基节黑色毛较长，后足腿节、胫节后外侧被黑毛。腹部具边，第1背板灰绿色，两侧缘黄色；第2~4背板棕黄色，各具2条黑色横带，第2背板基部灰绿色，黑色横带后缘中央向后三角状突出，后部横带前缘中央向前突出，第4背板后部横带中央中断，呈“八”字形，第5背板前缘两侧具细长黑色横斑。

采集记录:1♂1♀, 汉中天台山, 2006.Ⅴ.23, 林朝军采。

分布:陕西(汉中)、湖北、广西、四川、云南; 老挝, 印度。

(55)秦岭直脉蚜蝇 *Dideoides qinlingensis* Huo, Ren *et* Zheng, 2007

Dideoides qinlingensis Huo, Ren *et* Zheng, 2007: 124.

鉴别特征:复眼密覆浅色短毛。头顶被毛黄褐色, 覆黄色粉。额及颜棕黄色, 覆黄白色粉, 额被棕黄色毛, 颜覆黄白色毛, 颜中突宽, 与额突之间形成深凹, 中突裸。雌性头顶及额密覆金黄色粉, 被黑毛; 额黑色, 前端棕褐色。触角棕黄色, 第3节短卵形, 触角芒棕黄色。中胸背板灰绿色, 具3条黑色条纹, 背板被棕黄色毛。小盾片棕黄色, 被黑毛, 基部及周缘被黄毛。胸部侧板黑色, 被黄毛。足棕黄色, 各足基节、转节及腿节极基部黑色; 足主要被黄毛, 基节、转节被暗黑色毛, 后足基节暗黑色毛较长, 后足腿节、胫节后外侧被黑毛。腹部卵形, 明显具边, 第2～4背板棕黄色, 各具2条黑色横带, 第2背板前部黑色横带后缘中央向后三角状突出, 后部横带前缘中央向前突出, 第3、4背板后部横带中央中断, 呈"八"字形, 第5背板前缘两侧具黑斑。腹部侧缘黄色, 具黑毛; 第2背板后部横带之后被黑毛, 之前为黄毛; 第5背板被黄毛, 后端有黑毛形成三角区。

采集记录:1♂, 留坝, 2004.Ⅵ.09, 霍科科采; 1♂, 留坝, 2004.Ⅵ.14, 霍科科采; 1♂, 留坝庙台子, 1997.Ⅵ.13; 2♀, 留坝紫柏山, 2003.Ⅶ.04, 霍科科采; 1♂, 留坝闸口石, 2011.Ⅵ.10, 采集人不详; 1♀, 留坝闸口石, 2011.Ⅶ.20,采集人不详; 2♂, 留坝闸口石, 2012.Ⅶ.15, 王真采; 1♂1♀, 留坝闸口石, 2012.Ⅶ.13, 霍科科采; 1♀, 留坝闸口石, 2013.Ⅶ.16, 霍科科采。

分布:陕西(留坝)、甘肃。

(56)郑氏直脉蚜蝇 *Dideoides zhengi* Huo, Ren *et* Zheng, 2007

Dideoides zhengi Huo, Ren *et* Zheng, 2007: 126.

鉴别特征:复眼密被棕黄色毛。头顶黑色, 覆黄色粉, 被黑毛。额黑色, 被黑毛, 基部密覆黄粉。颜棕黄色, 覆黄粉, 被黄毛, 颜中突宽, 裸, 颜具暗褐色中条纹。触角暗黑色, 第3节短且呈卵形, 触角芒裸。中胸背板具3条黑色条纹, 背板被棕黄色毛。小盾片黄色, 被黄毛。中胸侧板黑色, 被黄毛。足棕黄色, 前足、中足腿节基部黑色, 后足腿节端半部具黑色宽环, 后足胫节端半部及跗节背面黑色; 足主要被黄毛, 中足腿节内侧具黑毛, 后足腿节内侧及端半部黑环具黑毛, 后足胫节端半部及跗节背面被黑毛。腹部卵形, 明显具边。第1背板两侧角黄色; 第2背板基部具黄带, 中部具1对长形黄斑, 内端几乎相连; 第3背板前缘具黄狭带, 中部具略小于背板

1/3长的弓形黄横带；第4背板近似第3背板，但黄色横带后缘弧形，背板后缘具狭黄边；第5背板黑色，具1对“八”字形的黄斑，后缘中央具三角状黄斑。背板主要被红黄色长毛，仅第2~4背板后缘具黑色短毛。

采集记录：2♂，留坝紫柏山，2003.Ⅶ.04，霍科科采。

分布：陕西（留坝）。

14. 垂边蚜蝇属 *Epistrophe* Walker, 1852

Epistrophe Walker, 1852: 242. **Type species**: *Epistrophe conjungens* Walker, 1852 [= *Syrphus grossulariae* Meigen, 1822].

Lagenosyrphus Mik, 1897: 64. **Type species**: *Syrphus leiophthalmus* Schiner *et* Egger, 1853.

Euryepistrophe Goffe, 1944: 136. **Type species**: *Epistrophe grossulariae* (Meigen, 1822).

Epistrophella Dušek *et* Láska, 1967: 368. **Type species**: *Syrphus euchromus* Kowarz, 1885.

Zimaera Hippa, 1968: 69. **Type species**: *Syrphus euchromus* Kowarz, 1885. as a subgenus.

Stackelbergina Violovitsh, 1979: 190. **Type species**: *Stackelbergina amicorum* Violovitsh, 1979 [= *Syrphus leiophthalma* Schiner *et* Egger, 1853].

属征：体中型至大型，通常粗壮，有时很细。复眼裸，极少数种复眼上半部密覆短毛；颜黄色，覆粉被，少数种具褐色至黑色中条纹。中胸背板亮黑色，两侧具黄色粉被，少数全黑色或具黄色侧条，盾下缘缨长而密；侧板黑色，中胸上前侧片前部无直立长毛，下前侧片后端上、下毛斑后部狭联合或明显分离，上后侧片前部具毛，中部及后部和基侧片无长毛；后胸腹板具毛或裸。后足基节中后端角仅少数种具毛簇。径中横脉中室中部之前，翅后缘无黑色骨化点；腹部宽卵形或两侧几乎平行，侧缘下垂，背板具黄带和斑。

分布：东洋区，古北区，新北区，澳洲区。中国已知约31种，秦岭地区发现13种。

分种检索表

1. 腹部第2背板黑色，具1对宽黄斑或横带 …… 2
   腹部第2背板黄色，后部具黑带 …… 12
2. 腹部第2背板具三角状大黄斑或宽黄带，第3、4背板具宽的黄色横带 …… 3
   腹部第2~4背板具狭黄带或黄斑 …… 9
3. 腹部第3、4背板黄色，前部黑带后缘中央角状凹入，后部黑带前缘平直，中间宽渐向两端变细；第4背板前缘带较细，后部带位于背板中部 …… **双线垂边蚜蝇 *E. bicostata***
   腹部第3背板中部具宽黄带，第4背板前缘黑带狭，后部黑带向两侧不变细 …… 4
4. 后足基跗节的基部、端部及第2跗节端部具黑斑，第3、4背板黄色横带宽而直，横带宽约占背板长的2/3，紧靠背板前缘 …… **环跗垂边食蚜蝇 *E. annulitarsis***

后中跗节单色，黄色或暗色 …………………………………………………………………………… 5

5. 腹部至少第3背板黄带几乎等于背板长度的1/2 ……………… 离缘垂边蚜蝇 *E. grossulariae*

腹部至少第3背板黄带大于本节背板长的1/2 ……………………………………………………… 6

6. 后胸腹板具毛，小盾片被黄毛 ……………………………… 黄足垂边蚜蝇 *E. flavipennis*

后胸腹板裸 …………………………………………………………………………………………… 7

7. 后足胫节黄色或褐色 ………………………………………………………………………………… 8

后足胫节黑色，新月片上方具黑斑，小盾片被黑毛，后足腿节端部1/3、胫节及跗节黑色 ……
…………………………………………………………………………… 紫柏垂边蚜蝇 *E. zibaiensis*

8. 额端部背面具黑斑。小盾片柠檬黄色，被黄毛，中域到后缘夹有许多黑毛；盾下缨黄色 ……
………………………………………………………………………… 秦岭垂边蚜蝇 *E. qinlingensis*

额端部背面无黑斑。小盾片被黑毛，前缘及两侧被黄毛，后足跗节暗红褐色 …………………
………………………………………………………………………… 宽带垂边蚜蝇 *E. latifasciata*

9. 复眼明显被毛，腹部背板侧缘黄色，第2~4背板狭黄带伸达侧缘并与侧缘黄边相连，腹部背面被黄毛，第2背板后缘及第3、4背板黄带之后部和腹部末端被黑毛 ……………………………
…………………………………………………………………………… 等宽垂边蚜蝇 *E. equilata*

复眼裸或几乎裸 ……………………………………………………………………………………… 10

10. 腹部第2背板具狭长的三角形黄斑，内端尖，宽的分离，第3、4背板前部具狭黄带，第4背板黄带两端不达背板侧缘 ………………………………………… 天台垂边蚜蝇 *E. tiantaiensis*

腹部第2背板具狭长的黄带，中央狭的分离，内端呈规则的方形或不分开 ……………… 11

11. 腹部第2~4背板黄带中部均狭的分开，腹部背板具弱边，额端部背面观呈钝角状 …………
………………………………………………………………………… 狭隔垂边蚜蝇 *E. angustinterstin*

腹部第2背板黄带中部不断开(雄性)或狭的分开(雌性)，腹部背板无边 ……………………
………………………………………………………………………… 狭带垂边蚜蝇 *E. angusticincta*

12. 腹部第4背板前缘及后部具黑带，第3~4背板前缘及后部具狭的黑带，两侧不达背板的侧缘
………………………………………………………………………… 线斑垂边蚜蝇 *E. gracilicincta*

腹部第3~4背板后缘具黑带，额黄色，腹部明显扁平 ………… 平腹垂边蚜蝇 *E. lamellata*

(57) 狭带垂边蚜蝇 *Epistrophe angusticincta* Huo, Ren *et* Zheng, 2007

Epistrophe angusticincta Huo, Ren *et* Zheng, 2007: 128.

鉴别特征： 复眼裸。额被黑毛，基部密被金黄色粉被；雌性额黑色，中部两侧具黄粉斑，相连成横带。颜柠檬黄色，具暗褐色中条，颜中突宽大，上下不对称；颜密被金黄色粉，颜中突裸而光亮，褐色中条两侧形成宽圆形黑毛区，颜两侧被黄毛。触角黑色，第3节长高之比为2.50∶1.50，触角芒黑色。胸部背板中央有1对灰色条纹。背板被暗黄色柔软长毛。小盾片被暗黄色长毛，后半部间有黑毛，盾下缨浅黄色。中胸侧板具明显粉斑，密被暗黄色长柔毛。足棕黄色，前足腿节基部1/3、中足腿节基部1/3黑褐色；后足主要黑褐色，基节、转节、腿节基部和端部、胫节基部1/3棕黄色。翅面被微毛，具裸区。腹部第1背板前缘黄色；第2~4背板具狭黄带，第2背板黄带于中线处狭的中断；第4、5背板后缘具黄边。腹部侧缘具黄色长毛，第2、3

背板后缘处和第 4 背板黄带之后被黑毛。

采集记录:1♀，眉县红河谷，2002.Ⅷ.29，霍科科采；2♂3♀，眉县红河谷，2002.Ⅷ.31，霍科科采；1♂1♀，眉县红河谷，2002.Ⅸ.01，霍科科采；1♀，眉县红河谷，2002.Ⅸ.03，霍科科采；1♂1♀，眉县红河谷，2002.Ⅸ.05，霍科科采。

分布:陕西(眉县)。

(58)狭隔垂边蚜蝇 *Epistrophe angustinterstin* Huo, Ren *et* Zheng, 2007

Epistrophe angustinterstin Huo, Ren *et* Zheng, 2007: 130.

鉴别特征:复眼被毛稀疏。额黑褐色，被黑毛，两侧被黄色粉斑；额前部被黄粉，与两侧粉斑之间形成倒“Y”形黑褐色斑纹。颜暗黄色，密被黄粉，中央具黑褐色中条纹，颜中突上、下不对称，裸而光亮，颜被黄毛，中条两侧被黑毛。触角黑色，第 3 节卵圆形，长与高之比为 1.50:1.00；触角芒黑褐色，基半部具微毛。胸部背板具 1 对不明显的灰色条纹；背板被柠檬黄色长毛。小盾片暗黄色，被柠檬黄色长毛，端半部夹黑色长毛。中胸侧板黑绿色，被灰黄色粉，覆长而柔软的柠檬黄色毛。前足柠檬黄色，腿节基部略大于 1/3 部分为暗黑色；中足近似前足，但腿节基半部暗黑色；后足腿节基部 2/3，胫节端半部及跗节黑色，腿节端部 1/3 及胫节基部 1/2 柠檬黄色。翅痣棕褐色，被微毛，具裸区。腹部第 1 背板两侧缘暗黄色；第 2 背板近中部略后处有狭的黄带，于中线处狭的中断，侧缘暗黄色；第 3、4 背板前部有中央中断的狭黄带，第 3 背板侧缘在横带之前暗黄色，并与横带相连。

采集记录:1♀，眉县红河谷，2002.Ⅸ.05，霍科科采。

分布:陕西(眉县)。

(59)环跗垂边蚜蝇 *Epistrophe annulitarsis* (Stackelberg, 1918)

Syrphus annulitarsis Stackelberg, 1918: 2155.

Epistrophe annulitarsis: Peck, 1988: 19.

鉴别特征:复眼裸。头全黄色，覆黄色粉被，仅额前部及颜中突裸，头顶及额后部具黑毛；雌性额黑色，中部密被黄粉被，毛黑色。颜具黄毛，中突大；触角棕黄色；触角芒黑色。中胸背板正中具 1 对灰色宽纵条；背板被较长棕黄色毛。小盾片黄色，被黑毛，基部两侧具黄色长毛。胸部侧板灰绿色，具粉被。足黄色，仅后足跗基节的基部、端部及第 2~5 节端部具黑斑；足毛黄色，中足腿节后背侧端半部具黑色长毛，后足腿节端半部、腿节及跗节具黑毛。翅膜具微刺，无裸区，翅痣略带棕黄。腹部第 2 背板具大形黄斑 1 对，有时两斑几乎相连；第 3、4 背板黄色横带宽而直，横带宽约占背板长的 2/3；第 4 背板后缘具宽的黄色横带，两黄带之间为 1 条狭黑带；第 5 背板几乎全黄色，正中具小黑斑。腹部被毛黄色，仅第 2 背板后部、第 3 背板后半部、第

4 背板(基部除外)和第 5 背板被黑毛。雌性腹部第 2 背板具宽黄带，黄带中部较两侧狭，第 2、3 腹板两侧黄斑较小。

采集记录: 8♂7♀，凤县，2014.Ⅷ.27，霍科科采；1♂，留坝闸口石，2013.Ⅶ.16，霍科科采。

分布: 陕西(凤县、留坝)、四川、云南、西藏；俄罗斯。

(60)双线垂边蚜蝇 *Epistrophe bicostata* Huo, Ren *et* Zheng, 2007

Epistrophe bicostata Huo, Ren *et* Zheng, 2007: 132.

鉴别特征: 复眼被稀疏白色短毛。头顶黑色，被黑毛，前单眼后方有 1 束较长的黑毛，明显长于头顶其他部位的毛。额黑色，被黑毛，两侧密被黄色粉斑；额突背面光亮。颜柠檬黄色，被黄毛和粉，暗褐色中条裸而光亮，颜中突上、下不对称，突出于额突之外。触角黑色，第 3 节长与高之比为 2.50∶1.50。触角芒黑色，具微毛。胸部背板两侧缘暗黄色，具粉被；具 1 对不明显的灰粉条，被棕黄色长毛。小盾片暗黄色，被棕黄色长柔毛，或后部间杂数根黑色长毛。胸部侧板具灰黄色粉被和浅黄色长柔毛，前足、中足棕黄色，腿节基部暗褐色；后足腿节棕黄色，胫节基部 1/3 黄色，端部 2/3 及跗节黑色。翅痣暗褐色，翅面具微毛。腹部棕黄色，第 2 背板前缘中央和后部各具黑色横带；第 3 背板前缘具黑带，后缘中央三角状凹入，前缘平直；第 4 背板黑带同第 3 背板，但前缘带较细，后部黑带位于近背板中部；第 5 背板中部具黑色横带，有时到达背板前缘。

采集记录: 2♀，眉县红河谷，2002.Ⅷ.31，霍科科采；1♀，眉县红河谷，2002.Ⅸ.05，霍科科采。

分布: 陕西(眉县)。

(61)等宽垂边蚜蝇 *Epistrophe equilata* Huo, Ren *et* Zheng, 2007

Epistrophe equilata Huo, Ren *et* Zheng, 2007: 133.

鉴别特征: 复眼上半部密被棕褐色毛。雌性复眼毛稀疏。头顶三角区黑色，被黑毛。额部基部密被黄粉，被黑毛。颜宽阔，占头宽的 60%，中域具裸而光亮的中条纹，颜中突宽而钝圆，上下不对称；颜被黄毛，中条纹两侧具黑色短毛。触角黑色，第 3 节长与高之比为 1.20∶1.00，触角芒黑色，基半部被微毛。中胸背板前部中央有不明显的灰粉条，两侧缘暗黄色，背板被棕黄色柔毛。小盾片黄色，主要被黑色长毛。胸部侧板被黄色长柔毛。前足腿节基部 1/3 黑色，胫节端部黑褐色；中足黄色，腿节基部 1/3 黑色，跗节暗褐色；后足黄色，腿节基部 2/3，胫节端部 2/3 及跗节黑色。翅痣棕褐色，翅面被微毛。腹部第 2 ~ 4 背板侧缘具黄边；第 2 背板近中部具黄色狭条纹，中间狭地中断，与侧缘黄边相连，背板被浅色毛，后缘具1列黑毛；第3、4背板基部具黄色狭横带，伸达背板侧缘，黄带前被黄毛，之后被黑毛，腹部侧缘密被浅色毛，腹部背板上的3条黄带等宽。

采集记录：1♀，眉县红河谷，2002.Ⅸ.03，霍科科采；3♂，眉县红河谷，2002.Ⅸ.05，霍科科采。

分布：陕西（眉县）。

（62）黄足垂边蚜蝇 *Epistrophe flavipennis* Huo, Ren *et* Zheng, 2007

Epistrophe equilata Huo, Ren *et* Zheng, 2007：134.

鉴别特征：复眼上部被稀疏白色短毛。头顶三角黑色，后半部被黄粉，被黑毛。额柠檬黄色，密被黄粉，被黑毛。颜柠檬黄色，密覆黄粉及黄毛，颜中突宽而钝圆，裸，上下不对称。触角黄色，第3节卵形；触角芒裸，暗褐色。胸部背板中央具1对灰色纵条，背板两侧暗黄色，被黄粉，背板被棕黄色柔毛，小盾片柠檬黄色，被黄毛。足黄色，被黄毛，后足跗节黑褐色，后足腿节端半部背侧、外侧被黑毛，胫节被黑毛。翅透明，被微毛，翅痣棕黄色。腹部两侧近平行，第2背板黑色，具1对大黄斑，使黑色部分呈“Ⅰ”形，背板被柠檬黄色毛，后缘夹有黑毛；第3背板黄色，前缘具极细的黑带，后缘黑带中央向前三角状突出，背板被毛同底色；第4背板黄色，后部具黑色横带，其前缘中央三角状突出，背板后缘具黄边，背板后半部被黑毛；第5背板黄色，中央具小黑斑，被黑毛。

采集记录：1♂，留坝闸口石，2004.Ⅵ.07，霍科科采。

分布：陕西（留坝）。

（63）线斑垂边蚜蝇 *Epistrophe gracilicincta* Huo, Ren *et* Zheng, 2007

Epistrophe gracilicincta Huo, Ren *et* Zheng, 2007：135.

鉴别特征：复眼上半部被稀疏白色毛。头顶黑色。额黑色，被黑毛，中部两侧具金黄色粉斑，两粉斑在后端几乎相连；额突两侧棕黄色，额突背面黑亮。颜两侧密被黄粉，被黄毛，颜中突钝圆，上下不对称，裸。触角橘黄色，第3节长与高之比为1.90∶1.30；触角芒暗褐色。中胸背板两侧缘暗黄色，具黄灰色粉被，前部中央具1对灰色纵条纹，背板被棕黄色柔毛。小盾片柠檬黄色，被黑毛，前缘及两侧角被黄棕色毛，盾下缨棕黄色。中胸侧板暗棕黄色，覆灰黄色粉及黄色长柔毛。前足、中足柠檬黄色，被黄毛；后足腿节基部3/4棕黄色，端部1/4及胫节、跗节暗黑色。翅透明，痣及sc室棕黄色，翅面具微毛。腹部背板棕黄色，第2背板后部有较狭的黑色横带，后缘具狭黄边；第3、4背板前缘具狭黑带，后缘中央略凹，两侧不达背板侧缘，后部具黑色横带；第3背板后部黑带中央向后波曲；第4背板黑带直或向前波曲；第5背板中部具倒“V”形黑斑。

采集记录：1♀，眉县红河谷，2002.Ⅷ.29，霍科科采；1♀，眉县红河谷，2002.Ⅷ.30，霍科科采；1♀，眉县红河谷，2002.Ⅷ.30，张玮采；1♀，眉县红河谷，2002.Ⅷ.31，霍科科采；2♀，眉县红河谷，2002.Ⅸ.03，霍科科采；2♀，眉县红河谷，2002.Ⅸ.05，霍科科采。

分布：陕西（眉县）。

（64）离缘垂边蚜蝇 *Epistrophe grossulariae*（Meigen，1822）

Syrphus grossulariae Meigen, 1822: 306.

Musca formosus Harris, 1780: 107.

Syrphus lesueurii Macquart, 1842: 152.

Epistrophe conjugens Walker, 1852: 242.

Syrphus melanis Curran, 1922: 96.

Epistrophe grossulariae: Knutson *et al.*, 1975: 314.

鉴别特征：头部大部分棕黄色，粉被黄色；复眼裸；头顶三角钝黑色，触角基部上方亮黑色，头顶和额被黑毛；颜被黄毛，中突光亮。雌性头顶狭，额正中具长三角形黑色纵条。中胸背板青黑色，具2对纵条，中间1对明显，背板侧缘橘黄色，界限不明显；背板毛黄色或棕红色；小盾片黄色，大部分被黑毛，基部毛黄色。足棕黄色或棕红色，中足基节及各足腿节基部黑色，前足跗节中部3节暗色，后足跗节黑色，基部棕褐色。翅略呈褐色。腹部第2背板具1对三角形大黄斑；第3、4背板近前缘各具较直的宽的黄色横带，第3节宽横带约占背板之半，前缘直，后缘正中稍凹入，第4节横带不达背板之半，后缘无凹口；第4背板后缘黄色宽；各横带均达背板侧缘；第5背板几乎全为黄色。

采集记录：1♀，眉县红河谷，2002.Ⅶ.12，霍科科采。

分布：陕西（眉县）、黑龙江、吉林、辽宁、内蒙古、河北；蒙古，俄罗斯，日本，欧洲，北美洲。

（65）平腹垂边蚜蝇 *Epistrophe lamellata* Huo，Ren *et* Zheng，2007

Epistrophe lamellata Huo, Ren *et* Zheng, 2007: 138.

鉴别特征：复眼上半部被稀疏白色短毛。头顶三角黑色，密被橘黄色粉，被黑毛。额部基部及两侧密被黄粉，被黑毛。颜橙黄色，中域裸而亮，两侧被橙黄色粉和毛，颜中突宽而钝圆。触角黄褐色，第3节卵形，顶端钝圆；触角芒黑色。触角第3节背侧及端部暗黑色，长卵形。中胸背板两侧暗黄色，被黄粉，被橙黄色毛。小盾片黄色，被黑毛，盾下缨棕黄色。足橘黄色，足毛主要黄色，中足腿节端外部后侧、后足腿节、胫节外侧具黑毛。翅略染烟色，痣棕黄色，翅面被微毛。腹部背腹扁，具弱边，棕黄色。第 2 背板后缘具黑带；第 3 背板前缘具狭长黑带，后缘黑带两端向前略延伸；第 4 背板后部具黑褐色带，所有暗色带不达背板侧缘。第 1 背板、第 2 背板黑带之前及第 3 背板基部两侧被黄毛，其余部分被黑毛。

采集记录：1♀，眉县红河谷，2002.Ⅸ.03，霍科科采；1♂，留坝闸口石，2011.Ⅶ.20，采集人不详；1♂，留坝闸口石，2012.Ⅶ.16，强红采；1♀，留坝闸口石，2012.Ⅶ.16，杨明采；1♀，留坝闸口石，2012.Ⅶ.18，霍科科采；1♂，留坝闸口石，2013.Ⅶ.14，霍科科采；3♂4♀，留坝柴关岭，2014.Ⅷ.23，霍科科采；2♀，留坝，2014.Ⅷ.24，霍科科采；4♂3♀，留坝紫柏山，2014.Ⅷ.25，霍科科采。

分布：陕西（眉县、留坝）、甘肃、四川。

(66) 宽带垂边蚜蝇 *Epistrophe latifasciata* Huo, Ren *et* Zheng, 2007

Epistrophe latifasciata Huo, Ren *et* Zheng, 2007: 140.

鉴别特征：复眼裸，头顶黑色，覆灰粉，被暗褐色长毛。额棕黄色，基部近复眼处覆金黄色粉被及棕黄色毛，近额突处有数列黑毛，额突裸。颜及颊部柠檬黄色，被黄毛，覆金黄色粉，颜中突裸，宽而钝圆。触角棕黄色，第 3 节长略小于高，触角芒裸，暗褐色。中胸背板两侧暗黄色，具 1 对明显的灰粉条，背板在横沟两侧处覆黄粉，背板棕黄色毛。小盾片暗黄色，主要被黑毛，仅前缘及两侧被棕黄色长毛，盾下缨棕黄色。胸部侧板被灰粉及棕黄色长毛。足棕黄色，中足基节黑色，后足胫节红黄色，端部略暗；足主要被棕黄色毛，后足腿节端部外侧及胫节被黑毛。翅痣浅褐色。腹部狭，两侧近平行，无边。第 2 背板具 1 对大型黄斑，使黑色区域呈“I”形，第 3 背板后部具狭的黑带，背板前缘中央具极细的黑条纹。第 4 背板黄色，后部具黑色横带，前缘中央略突出。第 5 背板黄色。

采集记录：1♂，长安库峪，2002.Ⅵ.12，霍科科采。

分布：陕西（长安）。

(67) 秦岭垂边蚜蝇 *Epistrophe qinlingensis* Huo *et* Ren, 2007

Epistrophe qinlingensis Huo *et* Ren, 2007: 174, 181.

鉴别特征：头顶三角黑色，被黑毛。额柠檬黄色，触角基部上方具黑斑，密被黄粉，被黑毛；雌性额棕黄色，基半部黑色。颜柠檬黄色，密覆黄粉及黄毛，颜中突宽而钝圆，裸，上下不对称。触角黄褐色，第 3 节长与高之比为 1.00∶0.80；触角芒裸，黑褐色。胸部背板中央具 1 对灰纵条，背板两侧暗黄色，被黄粉，背板被棕黄色柔毛；小盾片柠檬黄色，被黄毛，中域到后缘夹有许多黑毛。侧板被柠檬黄色柔毛。足黄色，被黄毛，后足腿节端半部背侧、外侧被黑毛，胫节被黑毛。翅被微毛，无裸区，翅痣棕黄色。腹部两侧近平行，无边。第2背板黑色，具1对大黄斑，使黑色部分呈"I"形；第3背板黄色，前缘具极细的黑带，后缘黑带约占背板长的1/3；第4背板黄色，前缘具极细的黑带，后部具1条黑色横带，背板后缘形成宽的黄边；第5背板黄色，中央具小黑斑，被黑毛。雌性腹部第2背板具棕黄色横带，基部形成三角形黑斑，后缘黑带约为背板长的1/3。

采集记录：1♂，户县朱雀森林公园，2002.Ⅷ.25，霍科科采；3♂1♀，凤县，2014.Ⅷ.27，霍科科采；1♂，眉县红河谷，2002.Ⅸ.03，霍科科采；1♂，眉县红河谷，2002.Ⅸ.04，霍科科采；1♂，留坝紫柏山，2014.Ⅷ.25，霍科科采。

分布：陕西（户县、凤县、眉县、留坝）、河北。

(68) 天台垂边蚜蝇 *Epistrophe tiantaiensis* Huo, Ren *et* Zheng, 2007

Epistrophe tiantaiensis Huo, Ren *et* Zheng, 2007: 140.

鉴别特征：复眼散生极稀疏的浅色毛。头顶黑色，被黑色长毛。额黑色，被黑毛；额突前端背面黑亮，裸。颜棕黄色，被黄毛及浅色粉，颜中突黑褐色，口缘黑褐色。触角黑褐色，第3节长为高的1.50倍，触角芒黑褐色，裸。中胸背板具2条灰粉条纹，侧缘棕黄色，边界不明显，背板被棕褐色长毛。小盾片暗黄色，被黄毛，近后缘处有黑毛，盾下缨黄白色。胸部侧板黑色，被灰粉及棕黄色毛。后足基节后腹端角具毛簇。足主要棕黄色，前足和中足腿节基半部、后足腿节基部2/3、后足胫节端部3/4黑色，前足胫节端部1/3具暗斑。翅痣棕黑色，翅面被微毛。腹部黑亮，无边。第2背板基部有1对长三角形黄斑，第3、4背板基部有狭黄带，腹部背面、侧缘及腹面被浅色毛，第3、4背板的端部及第5、6背板被黑毛。

采集记录：2♂，汉中天台山，2002.Ⅲ.31，霍科科采；3♂，汉中天台山，2005.Ⅳ.16，霍科科采。

分布：陕西（汉中）。

(69) 紫柏垂边蚜蝇 *Epistrophe zibaiensis* Huo, Ren *et* Zheng, 2007

Epistrophe zibaiensis Huo, Ren *et* Zheng, 2007: 145.

鉴别特征：雄性复眼上半部被稀疏白色短毛。头顶三角黑色，被黑毛。额柠檬黄色，新月片上方具黑斑，密被黄粉，被毛黑褐色，基部被毛黄褐色到黄色。颜柠檬黄色，密覆黄粉及黄毛，颜中突略呈黄褐色，宽而钝圆，裸，上下不对称。触角黄褐色，第3节长与高之比为1.00∶0.80。触角芒裸，黑褐色。胸部背板具1对灰纵条，两侧暗黄色，背板被棕黄色柔毛，小盾片柠檬黄色，被黑毛，盾下缨黄色。侧板被柠檬黄色柔毛。后足基节后腹端角缺毛簇。足黄色，被黄毛，后足腿节端部 1/3 暗褐色，胫节及跗节黑色。后足腿节端半部背侧、外侧被黑毛，胫节被黑毛。翅透明，痣棕黄色，被微毛。腹部第 1 背板黄色，后缘近两侧黑色。第 2 背板黑色，具 1 对大黄斑，使黑色部分呈"I"形。第 3 背板黄色，前缘具狭黑带，后缘黑带约占背板长的 1/3。第 4 背板黄色，前缘具极细的黑带，后部具黑色横带，背板后缘具宽的黄边。第 5 背板黄色，中央具三角状小黑斑。

采集记录: 2♂，留坝，2004.Ⅵ.09，霍科科采。

分布: 陕西(留坝)、四川。

15. 黑带蚜蝇属 *Episyrphus* Matsumura *et* Adachi, 1917

Episyrphus Matsumura *et* Adachi, 1917: 16. **Type species**: *Episyrphus fallaciosus* Matsumura, 1917 [= *Musca balteatus* de Geer, 1776].

Heterepistrophe Goffe, 1944: 136. **Type species**: *Musca balteata* de Geer, 1776.

Asiobaccha Violovitsh, 1976: 131 (as subgenus of *Baccha* Fabricius, 1805). **Type species**: *Baccha nubilipennis* Austen, 1893.

属征: 体小型至大型，细长。复眼裸；颜狭，污黄色，密覆黄色或白色粉被，中突裸。第 3 触角节卵形。中胸背板黑色，具弱纵条纹；小盾片污黄色，盾下缘缨长；中胸上前侧片前平坦部的后背方具直立毛，上前侧片后部、上后侧片前部和下后侧片具长毛，上后侧片中部、后部和基侧片无长毛；下前侧片上、下毛斑宽地分离；后胸前侧片在气门下方具毛簇；后胸腹板具毛。足简单，后足基节后中端角无毛簇。翅后缘有细小的骨化小黑点。腹部无边，两侧平行，第 2 背板具黄带，第 3、4 背板大部分黄色，各具 2 条黑带。

分布: 古北区，东洋区，非洲区，澳洲区。中国已知 10 种，秦岭地区有 2 种。

分种检索表

腹部第 1 背板黑色，第 2～3 背板后部各具 1 条完整黑带，第 4 背板后部具黑色亚端带，中央分离 ………………………………………… **慧黑带蚜蝇 *E. perscitus***

腹部第 1 背板黄色且具黑斑，第 2～3 背板后缘具黑带，第 2 背板基部中央具黑斑，第 3～4 背板亚基部黑横带细，第 4 背板亚端带黑色 ………………………… **黑带蚜蝇 *E. balteatus***

(70) 黑带蚜蝇 *Episyrphus balteatus* (de Geer, 1776)

Musca balteata de Geer, 1776: 116.

Musca palustris Scopoli, 1763: 345.

Musca scitule Harris, 1780: 111.

Musca alternata Schrank, 1781: 448.

Musca inaequalis Geoffroy *in* Fourcroy 1785: 483.

Syrphus nectareus Fabricius, 1787: 341.

Musca elegans Villers, 1789: 464.

Musca nectarinus Gmelin, 1790: 2876 (new name for *Musca nectareus* Fabricius, 1787).

Syrphus alternatus Rossi, 1790: 297.

Syrphus triligatus Walker, 1856: 19.

Syrphus pleuralis Thomson, 1868: 497.

Syrphus balteatus var. *andalusiacus* Strobl, 1899: 145.

Episyrphus fallaciosus Matsumura, 1917: 18.

Episyrphus hirayamae Matsumura, 1918: 12.

Syrphus balteatus var. *proximus* Abreu, 1924: 40.

Syrphus balteatus var. *signatus* Abreu, 1924: 41.

Episyrphus balteatus: Knutson *et al.*, 1975: 314.

鉴别特征:复眼裸。头顶三角灰黑色，具棕黄色毛。额灰黑色，新月片之上黄色，有小黑斑。额及触角两侧部分被黑毛。颜橘黄色，被黄粉及黄色细长毛，中突上下不对称。触角橘红色，第3节长与高之比为1.50:1.00，触角芒裸。胸部背板有灰色狭长中条纹，两侧灰条纹较宽，背板两侧自肩胛向后被黄粉宽条纹，背板被黄毛。小盾片暗黄色，大部分被黑色长毛，盾下缘缨黄色。胸部侧板大部分被黄粉。足橘黄色；后足胫节及跗节色深，后足跗节背面近黑色；足主要被黄毛。翅透明，翅面密被微毛。腹部第2~3背板沿后缘有1条黑色横带，宽度约为背板宽度的1/4，第4背板后缘黄色，亚端部有1条黑色横带；第2背板基部中央有倒置的箭头状黑斑；第3~4背板亚基部有黑色细横带，横带从中央向两端逐渐变细，不达背板侧缘；第5背板中部有小黑斑。

采集记录:3♂，西安，1963.Ⅴ.28，郑哲民采；1♀，西安，1996.Ⅵ.08，郑哲民采；2♂6♀，西安，2001.Ⅺ.20，霍科科采；1♂6♀，西安，2001.Ⅺ.24，霍科科采；1♂，西安，2002.Ⅰ.12，霍科科采；1♂2♀，长安库峪，2002.Ⅵ.11，霍科科采；1♂1♀，长安库峪，2002.Ⅵ.12，霍科科采；9♂5♀，长安库峪，2002.Ⅵ.13，霍科科采；2♀，长安南五台，2002.Ⅷ.26，霍科科采；6♂9♀，长安王曲，2003.Ⅸ.05，霍科科采；3♀，长安王曲，2003.Ⅸ.5，霍科科采；3♀，长安，2002.Ⅳ.14，霍科科采；1♂2♀，长安，2002.Ⅳ.18，霍科科采；1♂18♀，长安，2002.Ⅵ.20，霍科科采；13♂5♀，长安，2002.Ⅴ.25，霍科科采；4♂4♀，长安，2003.Ⅹ.16，霍科科采；2♂5♀，户县朱雀森林公园，2002.Ⅷ.25，霍科科采；3♂1♀，周至楼观台，2002.Ⅴ.30，霍科科采；1♂1♀，宝鸡马头滩，2003.Ⅶ.22，霍科科采；3♂1♀，宝鸡马头滩，2003.Ⅶ.23，霍科科采；1♀，凤县，2003.Ⅵ.27，霍科科采；2♂1♀，凤县，2003.Ⅶ.03，霍科科采；1♂1♀，凤县，2004.Ⅵ.15，霍科科采；1♂2♀，凤县，2004.Ⅵ.10，霍科科采；5♂1♀，凤县，2005.Ⅵ.13，霍科科采；1♂，凤县，2005.Ⅵ.23，霍科科采；1♀，凤县天台山，1999.

Ⅸ.03，采集人不详；2♂5♀，眉县红河谷，2002.Ⅷ.27，霍科科采；2♂，眉县红河谷，2002.Ⅷ.30，霍科科采；1♂1♀，眉县红河谷，2002.Ⅷ.31，霍科科采；6♂4♀，眉县红河谷，2002.Ⅸ.01，霍科科采；5♂2♀，眉县红河谷，2002.Ⅸ.02，霍科科采；3♂2♀，眉县红河谷，2002.Ⅸ.03，霍科科采；1♂1♀，眉县红河谷，2002.Ⅸ.04，霍科科采；2♂2♀，眉县红河谷，2002.Ⅸ.05，霍科科采；1♂，眉县太白山，2002.Ⅶ.17，霍科科采；2♂，城固小河，2000.Ⅵ.11，霍科科采；2♂1♀，洋县华阳，2005.Ⅶ.21，张勇采；4♀，洋县华阳，2005.Ⅶ.21，安有为采；2♂6♀，洋县华阳，2005.Ⅶ.21，刘飞飞采；3♂5♀，洋县华阳，2005.Ⅶ.21，张培安采；2♂3♀，洋县华阳，2005.Ⅶ.22，刘飞飞采；1♂5♀，洋县华阳，2005.Ⅶ.22，张勇采；3♂，洋县华阳，2005.Ⅶ.22，安有为采；1♂3♀，洋县华阳，2005.Ⅶ.22，张培安采；4♀，洋县华阳，2005.Ⅶ.24，安有为采；2♀，洋县华阳，2005.Ⅶ.24，张勇采；3♀，洋县华阳，2005.Ⅶ.24，张培安采；3♀，洋县华阳，2005.Ⅶ.24，刘飞飞采；1♀，洋县秧田，2005.Ⅶ.25，刘飞飞采；1♂2♀，洋县秧田，2005.Ⅶ.26，安有为采；7♂3♀，留坝，2004.Ⅵ.09，霍科科采；4♂3♀，留坝，2004.Ⅵ.14，霍科科采；3♂1♀，留坝庙台子，2002.Ⅳ.20，张宏杰采；11♂10♀，留坝庙台子，2002.Ⅵ.17，霍科科采；2♂，留坝庙台子，2002.Ⅵ.19，霍科科采；3♂1♀，留坝庙台子，2003.Ⅵ.27，霍科科采；1♀，留坝庙台子，2003.Ⅶ.02，霍科科采；4♂，留坝庙台子，2005.Ⅵ.12，霍科科采；1♂1♀，留坝庙台子，2005.Ⅵ.15，霍科科采；1♂1♀，留坝，2004.Ⅵ.16，霍科科采；2♂，留坝，2004.Ⅵ.19，霍科科采；1♂2♀，留坝，2004.Ⅵ,采集人不详，霍科科采；1♂，留坝闸口石，2004.Ⅵ.08，霍科科采；1♀，留坝张良庙，1987.Ⅵ.11，采集人不详；1♂1♀，留坝张良庙，1987.Ⅵ.13，采集人不详；1♂2♀，留坝张良庙，1987.Ⅵ.14，采集人不详；2♂1♀，留坝张良庙，1987.Ⅵ.15，采集人不详；1♂，留坝张良庙，1987.Ⅵ.16，采集人不详；3♂，留坝紫柏山，2003.Ⅶ.4，霍科科采；18♂3♀，留坝紫柏山，2005.Ⅵ.21，霍科科采；1♀，留坝闸口石，2012.Ⅶ.11，杨明采；1♂1♀，留坝闸口石，2012.Ⅶ.11，杨盼采；1♀，留坝闸口石，2012.Ⅶ.11，王玉艳采；1♀，留坝闸口石，2012.Ⅶ.11，王真采；10♂16♀，留坝闸口石，2012.Ⅶ.12，霍科科采；1♀，留坝闸口石，2012.Ⅶ.12，刘婷采；1♀，留坝闸口石，2012.Ⅶ.12，强红采；2♀，留坝闸口石，2012.Ⅶ.12，杨明采；1♀，留坝闸口石，2012.Ⅶ.12，杨盼采；1♀，留坝闸口石，2012.Ⅶ.12，王玉艳采；1♀，留坝闸口石，2012.Ⅶ.12，王真采；1♂1♀，留坝闸口石，2012.Ⅶ.12，王亚灵采；8♂7♀，留坝闸口石，2012.Ⅶ.13，霍科科采；1♀，留坝闸口石，2012.Ⅶ.13，强红采；1♀，留坝闸口石，2012.Ⅶ.13，杨明采；3♀，留坝闸口石，2012.Ⅶ.13，王亚灵采；1♂2♀，留坝闸口石，2012.Ⅶ.14，霍科科采；2♀，留坝闸口石，2012.Ⅶ.14，刘婷采；5♂4♀，留坝闸口石，2012.Ⅶ.14，杨明采；2♂7♀，留坝闸口石，2012.Ⅶ.14，杨盼采；1♂4♀，留坝闸口石，2012.Ⅶ.14，强红采；2♀，留坝闸口石，2012.Ⅶ.14，王玉艳采；1♀，留坝闸口石，2012.Ⅶ.15，刘婷采；1♂，留坝闸口石，2012.Ⅶ.15，王真采；1♀，留坝闸口石，2012.Ⅶ.15，王亚灵采；1♀，留坝闸口石，2012.Ⅶ.16，霍科科采；1♂1♀，留坝闸口石，2012.Ⅶ.16，刘婷采；1♀，留坝闸口石，2012.Ⅶ.16，强红采；1♀，留坝闸口石，

2012.Ⅶ.16，杨明采；2♂1♀，留坝闸口石，2012.Ⅶ.16，杨盼采；2♂2♀，留坝闸口石，2012.Ⅶ.16，王玉艳采；4♀，留坝闸口石，2012.Ⅶ.16，王真采；2♂1♀，留坝闸口石，2012.Ⅶ.16，王亚灵采；1♀，留坝闸口石，2012.Ⅶ.19，霍科科采；1♀，留坝闸口石，2012.Ⅶ.16，陈锐采；2♀，留坝闸口石，2012.Ⅶ.17，陈锐采；1♂，留坝闸口石，2013.Ⅶ.19，霍科科采；1♂1♀，留坝闸口石，2013.Ⅶ.16，陈锐采；2♂，留坝闸口石，2013.Ⅶ.17，陈锐采；1♂1♀，宁陕菜子坪，1982.Ⅴ.25，申宁东采；2♂，宁陕火地塘，1999.Ⅵ.02，金莲花采；1♀，宁陕火地塘，2003.Ⅶ.11，仝白艳采；1♂，宁陕火地塘，2003.Ⅶ.09，王敏采；1♂1♀，宁陕旬阳坝，1980.Ⅶ.08，李玟采；2♂，宁陕旬阳坝，1990.Ⅵ.28，李勇采；2♀，商南，2002.Ⅶ.11，霍科科采；2♀，商州，2002.Ⅶ.08，霍科科采；1♀，西乡午子山，2005.Ⅶ.12，安有为采；1♀，镇坪，2002.Ⅶ.25，霍科科采。

分布：陕西（西安、长安、宝鸡、户县、周至、凤县、眉县、洋县、宁陕、城固、商南、商州、镇坪）、黑龙江、吉林、辽宁、河北、甘肃、江苏、浙江、湖北、江西、湖南、福建、广东、广西、四川、云南、西藏；蒙古，俄罗斯，日本，阿富汗，澳大利亚，欧洲，东洋区。

（71）慧黑带蚜蝇 *Episyrphus perscitus* He *et* Chu, 1992

Episyrphus perscitus He *et* Chu, 1992: 93.

鉴别特征：头顶三角灰黑色，具棕黄色毛。额黄色，复黄粉，新月片之上裸。额及触角两侧部分被黑毛。颜橘黄色，被黄粉及黄色细长毛，颜中突上、下不对称，黄色，裸。触角橘红色，第3节长与高之比为1.50∶1.00。胸部背板有灰色狭长中条纹，其两侧灰条纹较宽，背板两侧自肩胛向后被宽的黄粉条纹，背板被黄毛。小盾片黄色，大部分被黄毛，盾下毛长而密，黄色。胸部侧板大部分被黄粉。足橘黄色，主要被黄毛，后足腿节前面（基部除外）及胫节被黑色短毛。翅透明，亚前缘室及翅痣棕黄色，翅面密被微毛，第1前缘室、第2前缘室基部、r_{2+3}室基部、br室前缘、bm室前缘、1a室前缘裸，2a室沿迭折处有2条狭长裸条纹。腹部第2～3背板后缘具黑带，第4背板后部具黑色亚端带，中央不明显分离。第1背板、第2背板（黑带除外）和第3背板两侧中部被黄毛，其余为黑毛。

采集记录：1♀，留坝闸口石，2012.Ⅶ.14，杨明采；1♂，南郑新集，2005.Ⅶ.16，张培安采。

分布：陕西（留坝、南郑）、黑龙江。

16. 密毛蚜蝇属 *Eriozona* Schiner, 1860

Eriozona Schiner, 1860: 213, 214. **Type species**: *Syrphus oestriformis* Meigen, 1822 [= *Scaeva syrphoides* Fallén, 1817].

属征：体大，似熊蜂。复眼被密毛。颜黄色，具宽而圆的中突。第3触角节端部钝圆。中胸背板黑色，小盾片淡黄或暗褐色。胸部密被长毛。下前侧片上、下毛斑后端狭地联合，或宽地分离，后胸腹板仅前部具1列黑色长毛，其余部分裸。腹部宽卵形，背面凸，明显具边，基部3节黑色，端部红黄色或红色，翅具褐色横带，翅膜整个被微毛。

分布：全世界已知3种，中国分布2种，秦岭地区记录1种。

(72)三色密毛蚜蝇 *Eriozona tricolorata* Huo, Ren *et* Zheng, 2007

Eriozona tricolorata Huo, Ren *et* Zheng, 2007: 150.

鉴别特征：复眼密被暗褐色毛，头顶三角黑色，被灰粉及黑色长毛。额部黑褐色，两侧近复眼处覆黄粉；额被黑色长毛。颜柠檬黄色，被黄毛，颜中突宽而钝圆，上下不对称，口缘两侧及复眼下方黑色。雌性复眼被毛短，额部两侧具灰粉斑。触角黑色，第3节长为高的2倍；触角芒黄褐色，裸。胸部背板中央具1对灰粉条纹；背板密具黑色长毛，前缘侧角处被暗褐色毛。小盾片暗褐色，被黑色长毛，盾下缨黑色。中胸侧板被黑毛。后足基节后腹端角具黑毛簇。足主要黑色，被黑毛，腿节端部近2/3及胫节柠檬黄色，后足胫节端部具不明显黑环。翅基部及中部具黑褐色斑，中部色斑位于径中横脉及第2基室之间，从前缘达肘室基部，前缘伸达Sc脉端部。翅面具微毛，有裸区。腹部具边，第1～3背板及第4背板基部黑色，被黑色长毛，第2背板基半部被灰白色长毛，腹部端部红黄色，被黄毛，但后腹节被黑毛。

采集记录：1♀，户县朱雀森林公园，2002.Ⅶ.25，霍科科采；2♂3♀，眉县太白山，2003.Ⅶ.24，霍科科采；1♂4♀，眉县太白山，2002.Ⅶ.17，霍科科采。

分布：陕西(户县、眉县)。

17. 优蚜蝇属 *Eupeodes* Osten-Sacken, 1877

Eupeodes Osten-Sacken, 1877: 328. **Type species**: *Eupeodes volucris* Osten-Sacken, 1877.

Metasyrphus Matsumura, 1917: 147. **Type species**: *Syrphus corollae* Fabricius, 1794.

Macrosyrphus Matsumura, 1917: 23. **Type species**: *Syrphus okinawae* Matsumura, 1817, as a subgenus.

Posthosyrphus Enderlein, 1938: 204. **Type species**: *Syrphus americanus* Wiedemann, 1830.

Scaevosyrphus Dušek *et* Láska, 1967: 367. **Type species**: *Syrphus lundbecki* Soot Ryen, 1946, as a subgenus.

Lapposyrphus Dušek *et* Láska, 1967: 367. **Type species**: *Scaeva lapponicus* Zetterstedt, 1838, as a subgenus.

Beszella Hippa, 1968: 36. **Type species**: *Scaeva lapponicus* Zetterstedt, 1838, as a subgenus.

属征:体小型至大型。雄性合眼，复眼裸或具很短而稀疏的毛；颜黄色，通常具狭而明显的黑色或褐色中条纹。中胸背板亮黑色；小盾片污黄色，光亮，透明。侧板黑色；中胸下前侧片上、下毛斑后部分分离或狭地联合，前部几乎联合；后胸腹板具毛。R_{4+5}脉直。腹部卵形，背面较平，明显具边框，背板具月形黄斑或黄带。

分布:世界各动物地理区均有分布。中国已知30种，秦岭地区记录9种。

分种检索表(雄性)

1. 腹部第2、3、4背板上黄斑连成带状 ………… **宽带优食蚜蝇 *E. confrater***
   腹部第2背板上黄斑分离 ………… 2
2. 雄性端节很大；眼后眶在靠近头顶三角区处很宽；小盾片毛全部黄色；2A脉在亚端部轻微地凹进cup室 ………… 3
   雄性端节不很大；眼后眶在靠近头顶三角区处宽、狭不一；小盾片毛有黄黑两色；2A脉在亚端部不凹进cup室 ………… 4
3. 腹部黄斑到达背板侧缘 ………… **大灰优蚜蝇 *E. corollae***
   腹部黄斑较小，不达背板侧缘，腿节主要黑色 ………… **拟大灰优蚜蝇 *E. similicorollae***
4. 眼后眶在靠近头顶三角区处狭 ………… 5
   眼后眶在靠近头顶三角区处宽度适中 ………… 6
5. 颜毛及前足腿节长毛(包括基部)通常全为黑色；第5背板侧缘至少部分黑色；眼后眶很狭；额角小于90° ………… **凹带优食蚜蝇 *E. nitens***
   颜毛黄色或大部分为黄色；前足腿节长毛至少在基部为黄色；第5背板侧缘黄色；眼后眶狭，腹部第3、4背板上的黄斑通常分离，若连接，则前一条黄带的宽度约为分隔两条黄带间黑带宽度的2倍 ………… **新月斑优食蚜蝇 *E. luniger***
6. 第3、4腹节上黄带的前侧角超过背板侧缘 ………… 7
   第3、4腹节上黄带的前侧角达或未达到背板侧缘 ………… 8
7. 额角85°，颊黄褐色 ………… **捷优食蚜蝇 *E. alaceris***
   额角多为90°，颊黑褐色至黑色 ………… **青优食蚜蝇 *E. qingchengshanensis***
8. 额角85°，第3、4背板黄带前侧角达到背板侧缘 ………… **林优食蚜蝇 *E. silvaticus***
   额角90°，第3、4背板黄带侧角未达背板侧缘 ………… **黄带优食蚜蝇 *E. flavofasciatus***

(73)捷优蚜蝇 *Eupeodes alaceris* He *et* Li, 1998

Eupeodes (*Eupeodes*) *alaceris* He *et* Li, 1998: 295.

鉴别特征:复眼裸。额角85°。雌性额沿眼缘具长椭圆形粉斑，左右粉斑几接独，额黑色部分长；触角基部上具1对褐斑。颜宽占头宽的48%，向下稍变狭；颜毛黄。颜中突上下不对称。中条与口缘褐色。眼后眶在靠近头顶三角区处宽度适中。触角褐色，第3节椭圆形，腹缘橘黄色。中胸背板被黄色长毛，两侧具界限模糊的金黄色粉条。小盾片黄褐色，主要被黑色长毛。翅之R_{4+5}脉轻微地向r_5室弯曲，微毛覆盖翅膜的大部分。前、中足腿节基部2/5和后足腿节基部3/5黑色。前足腿节端部2/3处长毛为黑色。腹部第2背板中部横置1对长三角形黄斑，第3、4背板各具黄横带，带之前缘中部和两侧微凹，后缘正中部深凹，前侧角向前延伸，几达背板前缘，前一条黄带较宽，其宽度稍胜于分隔两条黄带间黑带的宽度，第5背板黄色，中部具1条宽黑带。所有黄斑和黄带的前侧角均超过背板侧缘。

采集记录:1♂，西安，1963.Ⅴ.28，郑哲民采；1♀，西安，2002.Ⅴ.20，霍科科采；1♀，长安，2002.Ⅵ.11，霍科科采；1♀，长安，2002.Ⅵ.04，霍科科采；1♀，长安，2002.Ⅳ.20，霍科科采；7♂1♀，长安，2002.Ⅴ.25，霍科科采；1♂，周至楼观台，2002.Ⅴ.30，霍科科采；4♂1♀，凤县，2004.Ⅵ.15，霍科科采；2♂，凤县，2005.Ⅵ.13，霍科科采；1♀，凤县天台山，1999.Ⅸ.03，赵利敏采；1♀，凤县天台山，1999.Ⅸ.04，赵利敏采；1♂，眉县红河谷，2002.Ⅷ.28，霍科科采；4♂，眉县红河谷，2002.Ⅸ.02，霍科科采；7♂1♀，留坝，2005.Ⅵ.14，霍科科采；1♀，留坝庙台子，1987.Ⅵ.13，采集人不详；1♀，留坝庙台子，2001.Ⅵ.10，霍科科采；3♀，留坝庙台子，2002.Ⅵ.19，霍科科采；3♂1♀，留坝庙台子，2005.Ⅵ.12，霍科科采；1♂，留坝庙台子，2005.Ⅵ.15，霍科科采；15♂，留坝，2004.Ⅵ.09，霍科科采；1♀，留坝闸口石，1997.Ⅵ.21采集人不详；2♂2♀，汉中天台山，2006.Ⅳ.11，林朝军采；1♂4♀，汉中天台山，2006.Ⅳ.29，林朝军采；1♀，宁陕菜子坪，1982.Ⅴ.25，采集人不详；1♀，宁陕菜子坪，1982.Ⅴ.26，采集人不详；1♀，宁陕火地塘，1998.Ⅵ.28，采集人不详；1♂，洋县，2006.Ⅳ.21，左健采。

分布:陕西(西安、长安、武功、周至、凤县、眉县、留坝、洋县、宁陕、汉中)、黑龙江、宁夏。

(74)宽带优食蚜蝇 *Eupeodes confrater* (Wiedemann, 1830)

Syrphus confrater Wiedemann, 1830: 120.
Syrphus cranapes Walker, 1852: 231.
Syrphus mundus Walker, 1852: 230.
Syrphus macropterus Thomson, 1869: 498.
Syrphus trilimbatus Bigot, 1884: 86.
Syrphus torvoides Meijere, 1914: 155.
Eupeodes confrater: Knutson *et al.*, 1975: 317.

鉴别特征:复眼裸。额、颜及颊部棕黄色，被同色粉，额中央被黑毛，颜及颊部被黄毛，颜在额突之下凹，颜中突略超过额突，中突之下与口缘之间略凹。雌性额基部2/3黑色，1/3端部黄色，中部两侧密被黄粉，中间形成狭的黑条纹，被黑毛。触角红棕黄色，第3节长为高的1.20倍，触角芒裸，暗棕黄色。中胸背板被黄毛，小盾片黄色，被黑毛，周缘混有黄毛，盾下缨黄色。胸部侧板黑色，具黄色粉被及长黄毛。足棕黄色，后足腿节中部具暗斑，足全部被黄毛，后足腿节及胫节被黑毛。翅透明，略带棕黄色，翅痣棕黄色，翅面被微毛，以下区域裸：br 室及 bm 室前缘。腹部明显具边，黑色。第 1 背板前角侧缘棕黄色，第 2 背板前部具黄带，伸达背板侧缘，第 3、4 背板具黄带，伸达背板侧缘，并向前到达背板前缘，黄带前缘及后缘中央呈三角状突出，第 4 背板后缘黄色，第 5 背板黄色，中央具黑斑。

采集记录：1♀，周至楼观台，2002.Ⅶ.24，王博文采；1♂，周至楼观台，2002.Ⅶ.25，邵鹏采；1♂，周至楼观台，2005.Ⅶ.20，白铁采；1♂，宝鸡马头滩，2003.Ⅶ.22，霍科科采；1♂，留坝庙台子，1997.Ⅵ.19，霍科科采；2♂，留坝庙台子，2005.Ⅵ.15，霍科科采；1♂，留坝，2004.Ⅵ.9，霍科科采；1♀，留坝闸口石，2011.Ⅶ.10；1♂，留坝闸口石，2011.Ⅶ.12；2♂，留坝闸口石，2011.Ⅶ.14；1♂，留坝闸口石，2011.Ⅶ.20；1♂，留坝闸口石，2012.Ⅶ.11，刘婷采；1♀，留坝闸口石，2012.Ⅶ.16，强红采；1♀，留坝闸口石，2012.Ⅶ.16，杨明采；1♀，留坝闸口石，2012.Ⅶ.16，王真采；留坝闸口石，53♂，2012.Ⅶ.12，霍科科采；1♂，留坝闸口石，2012.Ⅶ.13，霍科科采；1♂，留坝闸口石，2013.Ⅶ.14，霍科科采；2♂，宁陕火地塘，2003.Ⅶ.05，霍科科采；1♂，宁陕旬阳坝，1998.Ⅵ.24，郑慧萍采；1♂，西乡南山，2005.Ⅶ.11，霍科科采；1♂，洋县华阳，2005.Ⅶ.21，安有为采；1♀，洋县华阳，2005.Ⅶ.24，张勇采；1♂，洋县秧田，2005.Ⅶ.21，刘飞飞采。

分布：陕西（宝鸡、周至、留坝、宁陕、洋县、西乡）、甘肃、江西、湖南、四川、贵州、云南、西藏；日本，东洋区，新几内亚。

（75）大灰优蚜蝇 *Eupeodes corollae*（Fabricius，1794）

Syrphus corollae Fabricius, 1794: 306.
Musca pyrorum Schrank, 1803: 114.
Scaeva olitoria Fallen, 1817: 43.
Syrphus lacerus Meigen, 1822: 301.
Syrphus crenatus Macquart, 1829: 243.
Syrphus flaviventris Macquart, 1829: 240.
Syrphus fulvifrons Macquart, 1829: 240.
Syrphus nigrifemoratus Macquart, 1829: 241.
Syrphus terminalis Wiedemann, 1830: 135.
Scaeva octomaculata Curtis, 1837: 219.
Syrphus disjunctus Macquart, 1842: 148.
Syrphus algirus Macquart, 1849: 469.
Syrphus corolloides Macquart, 1850: 460.
Syrphus dentatus Walker, 1852: 229.
Syrphus cognatus Loew, 1858: 378.
Syrphus berber Bigot, 1884: 87.
Metasyrphus candidus Matsumura, 1918: 17.
Metasyrphus libyensis Nayar, 1978: 539.

Eupeodes corollae: He, 1987: 186.

鉴别特征:复眼近乎裸，眼后眶在近头顶三角处很宽。额及颜黄色，额近复眼处及额突两侧被黑毛，覆黄粉。颜在额突下凹入，颜中突突出，颜被黄毛，具黑褐色中纵条。雌性额部粉斑约占前单眼到触角基部距离的1/3，间距明显小于额宽之半。触角黑褐色，第3节卵形，触角芒裸，黄褐色。中胸背板被黄毛，小盾片暗黄色，被黄毛，盾下缨较稀。足棕黄色，前足腿节基部1/3、中足腿节基部1/2、后足腿节基部2/3黑色，前足腿节外侧端部2/3具黑长毛，基部1/3具黄色长毛，中足腿节后侧端部3/4具黑毛，基部1/4具黄毛，后腿节及胫节主要为黑毛。翅痣黄褐色。腹部明显具边框。第2背板中部两侧具黄斑，黄斑前缘与背板前缘近平行，后缘圆弧形，内端钝角状，外端斜向上；第3、4背板各具1对大型黄斑，有时第3、4背板上黄斑内端近相连，第5背板黄色，膨腹节大，黑色，被浅色长毛。雌性腹部2~4背板各具1对黄斑。

采集记录:3♂，西安，1963.Ⅴ.28，郑哲民采；1♂，西安，1974.Ⅳ.02，郑哲民采；1♂3♀，西安，2001.Ⅺ.20，霍科科采；4♂3♀，西安，2001.Ⅺ.24，霍科科采；1♂1♀，西安，2002.Ⅺ.20，霍科科采；2♂，西安，霍科科采；2002.Ⅳ.14，霍科科采；1♀，西安，2002.Ⅳ.18，霍科科采；5♂，西安，2002.Ⅴ.28，霍科科采；2♂1♀，长安，2002.Ⅳ.11，霍科科采；3♂1♀，长安，2002.Ⅳ.12，霍科科采；1♂1♀，长安，2002.Ⅳ.04，霍科科采；1♀，长安王曲，2003.Ⅸ.05，霍科科采；7♂，长安，2002.Ⅴ.25，霍科科采；1♂1♀，周至楼观台，2003.Ⅴ.30，霍科科采；1♂，凤县，2005.Ⅳ.13，霍科科采；1♂，凤县，2005.Ⅳ.23，霍科科采；1♂1♀，眉县红河谷，2002.Ⅷ.29，霍科科采；1♀，眉县红河谷，2002.Ⅷ.30，霍科科采；4♂1♀，眉县红河，2002.Ⅷ.31，霍科科采；3♂，眉县红河谷，2002.Ⅸ.02，霍科科采；1♂，留坝，2004.Ⅳ.14，霍科科采；1♂1♀，留坝庙台子，2002.Ⅳ.20，霍科科采；1♂，留坝庙台子，2003.Ⅳ.16，霍科科采；2♂，留坝庙台子，2005.Ⅳ.11，霍科科采；1♂，留坝，2004.Ⅳ.07，霍科科采；1♀，留坝闸口石，2012.Ⅶ.11，强红采；2♀，留坝闸口石，2012.Ⅶ.12，刘婷采；1♂1♀，留坝闸口石，2012.Ⅶ.12，强红采；1♂1♀，留坝闸口石，2012.Ⅶ.12，杨明采；2♂2♀，留坝闸口石，2012.Ⅶ.12，杨盼采；1♀，留坝闸口石，2012.Ⅶ.12，王玉艳采；1♂2♀，留坝闸口石，2012.Ⅶ.12，王真采；2♂1♀，留坝闸口石，2012.Ⅶ.12，王亚灵采；3♀，留坝闸口石，2012.Ⅶ.13，刘婷采；2♂2♀，留坝闸口石，2012.Ⅶ.13，强红采；2♂，留坝闸口石，2012.Ⅶ.13，杨明采；1♂2♀，留坝闸口石，2012.Ⅶ.13，杨盼采；1♂1♀，留坝闸口石，2012.Ⅶ.13，王玉艳采；5♀，留坝闸口石，2012.Ⅶ.13，王亚灵采；2♂，留坝闸口石，2012.Ⅶ.14，杨明采；3♀，留坝闸口石，2012.Ⅶ.14，杨盼采；1♀，留坝闸口石，2012.Ⅶ.15，杨盼采；1♀，留坝闸口石，2012.Ⅶ.15，王玉艳采；13♂6♀，留坝闸口石，2012.Ⅶ.12，霍科科采；5♂3♀，留坝闸口石，2012.Ⅶ.13，霍科科采；2♀，留坝闸口石，2012.Ⅶ.16，霍科科采；1♀，留坝闸口石，2012.Ⅶ.17，霍科科采；1♂7♀，留坝闸口石，2012.Ⅶ.16，陈锐采；3♀，留坝闸口石，2012.Ⅶ.17，陈锐采；1♀，汉中天台山，2002.Ⅷ.06，霍科科采；1♂，宁陕，2000.Ⅳ.08，周丹采；1♀，宁陕菜子

坪，1982.Ⅴ.26，杨拴群采；1♂，宁陕火地塘，1999.Ⅳ.01，丁德成采；1♂，宁陕旬阳坝，1981.Ⅳ.28，崔富采。

分布：陕西（西安、长安、周至、凤县、眉县、留坝、宁陕、汉中）、黑龙江、吉林、辽宁、内蒙古、河北、河南、甘肃、新疆、浙江、湖北、江西、湖南、福建、台湾、广西、四川、贵州、云南、西藏；蒙古，俄罗斯，日本，亚洲，欧洲，非洲北部。

（76）黄带优蚜蝇 *Eupeodes flavofasciatus* （Ho，1987）

Metasyrphus flavofasciatus Ho，1987：189.
Eupeodes flavofasciatus：Ho，1992：297.

鉴别特征：复眼裸，头顶三角黑色，被黑毛。眼后眶在头顶三角处宽度适中，被黄白色毛及粉。额橘黄色，被黑毛，覆金黄色粉。雌性额基部黑斑向前延伸超过额长的1/2，额中部两侧粉斑间距小。颜橘黄色，被黄毛，颜中条黑色，颜中突上下不对称。触角暗褐色，第3节长为高的1.20倍，触角芒暗褐色，裸。中胸背板被灰黄色粉及黄毛，小盾片暗黄色，被黑毛，盾下缨棕黄色。胸部侧板被黄白粉及黄毛。足棕黄色，前足和中足腿节基部1/3、后足腿节基部3/4黑色，前足、中足腿节外侧端2/3有黑毛，后足被黑毛，腿节上的长毛为黄色。雌性前足腿节外侧2/3具黑毛。翅痣黄褐色。腹部具边。第2背板中后部具长三角形黄斑，外侧不达背板侧缘，第3背板前部具黄带，约为本节背板长的1/2，外端不达背板侧缘。第4背板黄带近似第3背板，第4背板后缘具黄带，第3背板黄带宽略大于其后黑带（2.00∶1.50）。第5背板黄色，中央具黑斑，不达背板侧缘。

采集记录：1♂，长安翠华山，2003.Ⅳ.08，霍科科采；2♂4♀，长安，2002.Ⅳ.12，霍科科采；1♂1♀，长安，2002.Ⅳ.04，霍科科采；1♂1♀，长安，2002.Ⅳ.12，霍科科采；4♂1♀，长安，2002.Ⅳ.20，霍科科采；3♀，长安，2002.Ⅴ.25，霍科科采；12♂，长安，2002.Ⅸ.22，霍科科采；1♂，长安，2003.Ⅹ.15，霍科科采；1♂，凤县，2005.Ⅵ.13，霍科科采；1♀，眉县红河谷，2002.Ⅸ.03，霍科科采；1♂，眉县红河谷，2002.Ⅸ.04，霍科科采；1♂，眉县红河谷，2002.Ⅷ.31，霍科科采；1♂，留坝，2004.Ⅵ.09，霍科科采；4♂，留坝，2004.Ⅵ.14，霍科科采；1♀，留坝庙台子，1987.Ⅵ.13，采集人不详；1♂，留坝庙台子，2005.Ⅵ.11，霍科科采；2♂，留坝闸口石，2004.Ⅵ.07，霍科科采；2♂，留坝闸口石，2004.Ⅵ.08，霍科科采；1♂，宁陕火地塘，1999.Ⅵ.02，采集人不详；1♂，宁陕火地塘，2000.Ⅵ.15，采集人不详。

分布：陕西（长安、凤县、眉县、留坝）、甘肃、西藏。

（77）新月斑优食蚜蝇 *Eupeodes luniger* （Meigen，1822）

Syrphus luniger Meigen，1822：300.
Syrphus luniger var. *maricolor* Enderlein，1938：210.

Syrphus luniger var. *azureus* Szilady, 1940: 63.

Syrphus luniger var. *transcendens* Szilady, 1940: 62.

Metasyrphus astutus Fluke, 1952: 15.

Metasyrphus vockerothi Fluke, 1952: 17.

Eupeodes luniger: He *et al.*, 1998: 293.

鉴别特征:雄性头顶黑色，被黑毛；额红黄色，被黑毛；雌性头顶近方形，亮黑色，正中黑色向前延伸呈小叉形，两侧为黄色粉被斑。颜棕黄色，覆黄白色粉被和黄毛，两侧上部毛黑色，口缘至中突棕色或黑色。复眼裸。触角黑色或棕色，下侧色淡，第3节长于基部两节。中胸背板青黑色，略具蓝色或黄铜色光泽，有时具紫色光泽，翅后胛棕黄色；背板毛长，棕黄色；小盾片棕黄色，中部具黑毛，基部及后缘毛黄色。足大部棕红色，前足、中足腿节基部约1/3及后足腿节基半部至基部2/3黑色，有时各足胫节具暗环，跗节除基节外均为黑色。翅透明。腹部暗黑色，两端及第3背板后缘光亮，第2~4背板各具大形黄斑，3对黄斑均不达背板前缘，第2背板黄斑近三角形，第3、4背板黄斑呈新月形，稍斜置，黄斑内端近背板前缘，第4背板后缘棕黄色，第5背板棕黄色，正中具黑斑。

采集记录:1♀，西安，2001. Ⅺ. 20，霍科科采；1♀，长安，2002.Ⅳ.12，霍科科采；1♀，汉中天台山，2002.Ⅲ.31，霍科科采。

分布:陕西(西安、长安、汉中)、河北、甘肃、新疆、江苏、四川、云南；蒙古，俄罗斯，日本，印度，阿富汗，欧洲，非洲北部，北美洲。

(78) 凹带优蚜蝇 *Eupeodes nitens* (Zetterstedt, 1843)

Scaeva nitens Zetterstedt, 1843: 712.

Syrphus bisinuatus Palma, 1863: 53.

Syrphus nitens var. *abbreviatus* Kanervo, 1934: 127.

Syrphus nitens var. *errans* Kanervo, 1934: 128.

Eupeodes nitens: He *et al.*, 1998: 293.

鉴别特征:雄性头顶亮黑色，毛黑色；额黄色，毛黑色；颜黄色，口缘及中突黑色。雌性头顶略具紫色光泽，额正中具倒"Y"形狭黑斑，触角基部上方具1对棕色斑。触角棕褐色至棕黑色，第3节基部下侧有时为棕黄色。中胸背板蓝黑色，被黄毛；小盾片黄色，大部分毛黑色，仅边缘毛黄色。腹部黑色，第2背板中部具1对近三角形黄斑，其外缘前角达背板侧缘；第3、4背板具波形黄色横带，其前缘中央有时浅凹，后缘中央深凹，外端前角常达背板侧缘；第4、5背板后缘黄色狭。足大部分黄色，前足、中足腿节基部约1/3及后足腿节基部3/5黑色，前足、中足跗节中部3节及后足跗节端部4节褐色。翅前部较暗。

分布:陕西(秦岭)、黑龙江、吉林、内蒙古、北京、河北、宁夏、甘肃、新疆、江苏、浙江、江西、福建、广西、四川、云南、西藏；蒙古，俄罗斯，朝鲜，日本，阿富汗，欧洲。

(79)青优蚜蝇 *Eupeodes qingchengshanensis* He，1990

Eupeodes（*Eupeodes*）*qingchengshanensis* He，1990：273.

鉴别特征：复眼裸，眼后眶在头顶三角之后宽度适中。额橘黄色，被黑毛，基部被金黄色粉，额角约90°。雌性额基部黑斑超过额长的1/2，额中部两侧粉斑间距小。颜橘黄色，被黄毛，中条纹黑褐色。触角暗褐色，第3节长略小于宽的2倍，触角芒裸，暗褐色。中胸背板被棕黄色软毛，小盾片暗黄色，中域被黑毛；盾下缨黄色。胸部被浅色长毛。足要黄色，前足和中足腿节基部1/3、后足腿节基部2/3为黑色到黑褐色。足被黑毛，前足腿节外侧端部2/3具黑毛，中足胫节具黄毛；雌性前足腿节外侧2/3具黑毛。翅痣浅棕色。腹部第2背板中后部两侧具三角形大黄斑，前侧角斜向前超过背板侧缘；第3背板近前部具宽黄带，占本节背板长的1/2，前侧角向前超过背板侧缘；第4背板黄带近似第3背板，第3背板黄带宽略大于其后的黑色区域；第5背板黄色，中央具三角形小黑斑。雌性腹部斑纹较狭细，第5背板中央具黑带，两侧靠近背板的侧缘。

采集记录：1♀，西安，2002.Ⅴ.20，霍科科采；1♀，长安库峪，2002.Ⅵ.11，霍科科采；1♂，长安库峪，2002.Ⅵ.12，霍科科采；1♂，长安库峪，2002.Ⅵ.04，霍科科采；4♂2♀，长安太兴森林公园，2004.Ⅴ.05，霍科科采；1♂2♀，长安王曲，2003.Ⅸ.5，霍科科采；1♂，长安，2002.Ⅳ.20，霍科科采；9♂，长安，2002.Ⅴ.25，霍科科采；10♂1♀，长安，2003.Ⅹ.16，霍科科采；1♂1♀，宝鸡马头滩，2003.Ⅶ.23，霍科科采；3♂，凤县，2003.Ⅵ.28，霍科科采；5♂，凤县，2004.Ⅵ.10，霍科科采；5♂，凤县，2004.Ⅵ.15，霍科科采；1♂，凤县天台山，1999.Ⅸ.04，赵利敏采；1♀，眉县红河谷，2002.Ⅷ.30，霍科科采；1♂1♀，眉县红河谷，2002.Ⅸ.02，霍科科采；1♀，眉县红河谷，2002.Ⅸ.04，霍科科采；1♂，眉县太白山，2003.Ⅶ.24，霍科科采；8♂，留坝，2004.Ⅵ.09，霍科科采；9♂1♀，留坝，2004.Ⅵ.14，霍科科采；3♂，留坝庙台子，1987.Ⅵ.14，采集人不详；1♂，留坝庙台子，2002.Ⅳ.20，霍科科采；5♂，留坝庙台子，2002.Ⅵ.17，霍科科采；3♂，留坝庙台子，2002.Ⅵ.19，霍科科采；2♀，留坝庙台子，2003.Ⅵ.27，霍科科采；2♀，留坝庙台子，2005.Ⅵ.11，霍科科采；3♂，留坝庙台子，2005.Ⅵ.12，霍科科采；5♂，留坝庙台子，2005.Ⅵ.14，霍科科采；1♂，留坝，2004.Ⅵ.16，霍科科采；5♂，留坝，2004.Ⅵ.19，霍科科采；3♂1♀，留坝，2004.Ⅵ.09，霍科科采；2♂，留坝，2005.Ⅵ.13，霍科科采；5♂，留坝闸口石，2004.Ⅵ.07，霍科科采；2♂，留坝闸口石，2004.Ⅵ.08，霍科科采；1♂，留坝闸口石，2012.Ⅶ.11，王玉艳采；8♂1♀，留坝闸口石，2012.Ⅶ.12，霍科科采；1♂，留坝闸口石，2012.Ⅶ.12，刘婷采；2♂，留坝闸口石，2012.Ⅶ.12，王玉艳采；3♂，留坝闸口石，2012.Ⅶ.12，王真采；2♂1♀，留坝闸口石，2012.Ⅶ.13，霍科科采；3♂，留坝闸口石，2012.Ⅶ.14，霍科科采；1♀，留坝闸口石，2012.Ⅶ.14，刘婷采；2♂，留坝闸口石，2012.Ⅶ.14，杨明采；3♂，留坝闸口石，2012.Ⅶ.14，杨盼采；1♂，留坝闸口石，2012.Ⅶ.15，杨明采；1♂，留坝闸口石，2012.Ⅶ.15，王真采；1♂，留坝闸口石，2012.Ⅶ.15，王亚灵采；9♂，留坝闸口石，2012.Ⅶ.16，霍科科采；3♂，留坝闸口石，2012.Ⅶ.17，霍科科采；1♂，留坝闸口石，2012.Ⅶ.19，霍科科采；1♂，宁陕火地塘，1998.Ⅵ.30，邹自荣采；1♂，宁陕火地塘，1999.Ⅵ.01，解建团采；3♂，宁陕火地塘，1999.Ⅵ.02，冯战军采；3♂，宁陕火地塘，2000.Ⅵ.16，林彬采；4♂，宁陕火地塘，2003.Ⅶ.12，李静等采；1♂，宁陕火地塘，2003.Ⅶ.05，白茹斌采；1♂，宁陕旬阳坝，1990.Ⅶ.01，何纪青采；1♂，宁陕旬阳坝，1991.Ⅵ.24，陈钢采。

分布：陕西（西安、长安、宝鸡、凤县、眉县、留坝、宁陕）、河北、四川。

（80）林优食蚜蝇 *Eupeodes silvaticus* He，1993

Eupeodes（*Eupeodes*）*silvaticus* He，1993：89.

鉴别特征：复眼裸。眼后眶在头顶三角处宽度适中，覆黄白色粉及毛。额橘黄色，被黑毛，被金黄色粉。颜橘黄色，被黄粉及毛，颜中条黑褐色。颜中突上下不对称，口缘红褐色至暗褐色。中胸背板被黄毛及灰黄色粉。小盾片暗黄色，被黑毛，盾下缨棕黄色。足棕黄色，前足和中足腿节基部1/3、后足腿节基部3/4黑色。前足、中足被黄毛，腿节外侧端部2/3长毛黑色，中足腿节内侧有数列短的黑毛，后足主要被黑毛，腿节上的长毛为黄色。翅痣棕黄色。腹部具边，黑色。第2背板中后部具1对近卵形黄斑，外端不达背板侧缘；第3、4背板前部具波状黄带，外端伸达背板侧缘；第3背板黄带约为本节背板长的1/2，略大于其后黑带宽度；第4背板黄带靠近背板前缘，后缘具狭黄边；第5背板黄色，中央具小黑斑。

采集记录：4♂，长安库峪，2002.Ⅵ.12，霍科科采；1♂，长安南五台，2002.Ⅷ.26，霍科科采；1♂，长安，2002.Ⅴ.25，霍科科采；2♂，留坝，2004.Ⅵ.09，霍科科采；2♂，留坝庙台子，2002.Ⅵ.19，霍科科；1♂，留坝，2004.Ⅵ.09，霍科科采；1♂，留坝闸口石，2004.Ⅵ.08，霍科科采；1♂，宁陕火地塘，1977.Ⅳ.30，马绪有采；1♂，宁陕火地塘，1979.Ⅶ.10，南伯俭采；1♂，宁陕火地塘，1998.Ⅵ.27，王智采；2♂，宁陕火地塘，1999.Ⅴ.31，陈良俊采；3♂，宁陕火地塘，1999.Ⅵ.01，潘建梅采；2♂，宁陕火地塘，1999.Ⅵ.02，王芝云采。

分布：陕西（长安、留坝、宁陕）、黑龙江。

（81）拟大灰优蚜蝇 *Eupeodes similicorollae* Huo，Ren *et* Zheng，2007

Eupeodes similicorollae Huo，Ren *et* Zheng，2007：145.

鉴别特征:复眼裸。眼后眶在复眼后缘处宽。额突两侧被黑毛，覆黄粉，额突顶端光亮。雌性额两侧三角形黄粉斑间距小于额宽的1/2。颜中突上、下不对称，颜中突及口缘黑色。触角黑褐色，第3节长略大于高。胸部背板被黄毛，覆浅色粉。小盾片黄色，被黄毛。盾下缨黄色。足黑色，各足腿节端部1/6棕黄色，胫节黄色，前足胫节端部、中足胫节中部黄褐色，后足胫节中部具暗褐色斑。前足腿节外侧端部2/3的长毛黑色。雌性后足腿节基部1/3~2/3黑色。翅痣棕褐色。腹部第2背板近中部具2个近长方形黄斑，不达侧缘，第3、4背板黄斑不达侧缘，黄斑外端狭，内端明显膨大，第4背板黄斑内端伸达背板前缘，第4背板后缘黄色，第5背板黄色，中央有大型黑斑，膨腹节黑色，背针突伸达第4腹板后缘。雌性腹部第2背板具长方形黄斑，第3、4背板黄斑内端略膨大，第2~4背板黄斑均不达背板侧缘，第4背板后缘黄色，第5背板黄色，中央具大黑斑。

采集记录:3♀，长安，2003.Ⅹ.16，霍科科采。4♂4♀，汉中天台山，2002.Ⅲ.31，霍科科采。

分布:陕西(长安、汉中)。

18. 刺腿蚜蝇属 *Ischiodon* Sack, 1913

Ischiodon Sack, 1913: 5. **Type species**: *Ischiodon trochanterica* Sack, 1913 [= *Scaeva scutellaris* Fabricius, 1805].

属征:体小至中等大小，细长。复眼裸，颜黄色，第3触角节长，2倍于宽，圆锥形至顶端尖圆，芒略短于第3触角节。中胸背板亮黑色，具宽的、界线明显的淡黄至亮黄色侧缘，小盾片黄色，盘面常为不明显的褐色，下前侧片上、下毛斑后端宽地分离，后胸腹板裸。雄性后足转节腹面具有细或中等粗的顶端尖的圆柱形突起。腹部细长，两侧平行或窄卵形，背面平，明显具边，第2节具斑，第3、4背板具宽而弯曲的黄色横带，雄性尾器大而突出。

分布:古北区，东洋区，非洲区。世界记录4种，中国已知2种，秦岭地区有1种。

(82)短刺刺腿蚜蝇 *Ischiodon scutellaris* (Fabricius, 1805)

Scaeva scutellaris Fabricius, 1805: 252.

Syrphus coromandelensis Macquart, 1842: 149.

Sphaerophoria annulipes Macquart, 1855: 116.

Syrphus splendens Doleschall, 1856: 410.

Syrphus nodalis Thomson, 1869: 497.

Syrphus erythropygus Bigot, 1884: 87.

Syrphus ruficauda Bigot, 1884: 96.

Melithreptus novaeguineae Kertesz, 1899: 178.

Melithreptus ogasawarensis Matsumura, 1916: 23.

Ischiodon boninensis Matsumura, 1919: 128.

Ischiodon trochanterica Sack, 1913: 6.

Epistrophe platychiroides Frey, 1946: 164.

Epistrophe magnicornis Shiraki, 1963: 141.

Sphaerophoria macquarti Goot, 1964: 22 (new name for *Sphaerophoria annulipes* Macquart, 1855).

Ischiodon scutellaris: Kuntson *et al.*, 1975: 315.

鉴别特征:复眼裸。额、颜及颊部亮黄色，被黄色短毛。颜中突宽而钝圆。雌性头顶具近方形黑斑，额中部具黑色条纹，基部与头顶黑斑相连，前端伸达触角基部。触角棕黄色，第3节呈扁圆锥形，长为高的2倍。触角芒棕色，略短于第3节之长。胸部背板黑亮，翅后胛暗棕黄色，背板被浅棕色毛。小盾片鲜黄色，中域棕褐色，被浅棕色毛，盾下缨浅棕黄色。中胸上前侧片后端具竖立形亮黄斑，下前侧片后端背面具水平亮黄斑。足棕黄色，被黄毛，后足腿节端部及胫节近端部具暗色环。翅基半部裸，端半部被毛稀疏。腹部第2背板黑色，两侧具黄斑，黄斑长约为本节背板长1/2；第3背板具鲜黄宽带；第4背板棕黄色，前部具黄色横带；第5背板及其以后背板棕黄色，第5背板后缘黄色。露尾节大，背面左侧具直条形黑色条纹。雌性腹部第2背板两侧具黄斑，内端较尖，第3～4背板具弓形黄带，第3～4背板后缘具狭黄斑，第5～6背板中部具近三角形黑斑，周缘黄色。

采集记录:3♀，长安王曲，2003.Ⅸ.05，霍科科采；2♀，长安，2002.Ⅸ.22，霍科科采；1♂，眉县红河谷，2002.Ⅸ.03，霍科科采；1♂1♀，城固小河，2002.Ⅷ.10，霍科科采；1♂，洋县九池，2002.Ⅷ.04，霍科科采；1♀，洋县秧田，2005.Ⅶ.26，刘飞飞采。

分布:陕西(长安、眉县、洋县、城固)、河北、山东、甘肃、新疆、江苏、浙江、湖南、江西、广东、广西、云南；日本，越南，印度，非洲。

19. 壮蚜蝇属 *Ischyrosyrphus* Bigot, 1882

Ischyrosyrphus Bigot, 1882: 68. **Type species**: *Ischyrosyrphus sivae* Bigot, 1882.

Karasyrphus Matsumura, 1918: 9. **Type species**: *Chamaesyrphus miyakei* Matsumura, 1911 [= *Musca glaucia* Linnaeus, 1757].

属征:复眼被密毛。颜覆粉被，黄色或具暗中条。中胸背板黑色，具蓝灰或绿灰色粉被，有时具粉被纵条纹，侧缘具明显灰色或黄色粉被，小盾片黄色或暗褐色，盾下缨完整，长而密，少数种类稀疏且短小，侧板黑色，覆黄色粉被，中胸上前侧片后部、上后侧片前部及下后侧片具长毛，中胸上前侧片前、上后侧片中部和后部及基侧片无长毛；下前侧片上、下毛斑后部联合，后胸腹板裸。后足基节后腹端角通常无毛簇。翅透明，翅痣暗褐色，翅膜具微刺，R_{4+5}脉直，翅后缘无骨化小黑点。腹部细或两侧平行，或卵形，边框有或无；第 2 背板上的斑明显大于第 3、4 背板上的斑；暗黄色腹斑具亮灰或金属灰光泽。

分布：古北区，东洋区，新北区。中国已知 3 种，秦岭地区有 1 种。

(83) 横带壮蚜蝇 *Ischyrosyrphus transifasciatus* Huo et Ren, 2007

Ischyrosyrphus transifasciatus Huo et Ren, 2007: 175, 183.

鉴别特征：复眼密被暗褐色毛。头顶黑色，被金黄色粉和黑褐色毛。额柠檬黄色，基部被金黄色粉，触角基部上方黑褐色，额基部被毛棕黄色，端部被毛黑色；雌性额部被黑毛，橘黄色，仅前端中央黑色，具黑褐色纵条，两侧密被黄色粉斑。颜橘黄色，两侧被金黄色粉，中域裸；被棕黄色毛，中突下端尖圆。触角黑色，近长方形，长为高的1.50倍，触角芒黑色，明显被毛。中胸背板两侧被金黄色粉被，被棕黄色毛。小盾片暗黄色，被棕黄色毛，盾下缨棕黄色。胸部侧板被浅棕黄色长毛及灰黄色粉。足橘黄色，被棕黄色毛，前足和中足腿节基部近 1/3、后足腿节基部近 5/6 为黑色。翅痣黑褐色，翅前缘部分棕色较深，翅面具微毛，无裸区。腹部第 4 ~ 5 背板侧缘具弱边，第 2 背板前部具 1 对近方形橘黄色斑，第 3 背板前部具黄色横带，第 4 背板近似于第 3 背板，第 4、5 背板后缘暗黄色。雌性腹部第 2 背板具 1 对方形黄斑，第 3、4 背板前部具狭的弓形黄带。

采集记录：2♀，凤县，2014.Ⅷ.27，霍科科采；6♂2♀，凤县，2002.Ⅶ.17，霍科科采；2♀，眉县红河谷，2002.Ⅷ.31，霍科科采；6♀，眉县红河谷，2002.Ⅸ.05，霍科科采；23♂14♀，眉县太白山，2003.Ⅶ.24，霍科科采；4♀，眉县太白山，2003.Ⅶ.25，霍科科采；1♀，留坝，2014.Ⅷ.24，霍科科采。

分布：陕西（凤县、眉县、留坝）、河北、河南、宁夏。

20. 平背蚜蝇属 *Lamellidorsum* Huo et Zheng, 2005

Lamellidorsum Huo et Zheng, 2005: 631. **Type species**: *Lamellidorsum piliflavum* Huo et Zheng, 2005.

属征：复眼裸，颜及额黄色，颜中突小。触角黄色，第 3 节近圆形。胸部背面黑绿色，两侧暗黄色。小盾片黄色，至少两侧前角被黄毛，中胸上前侧片前低平部位缺直立长毛，下前侧片上、下毛斑全长宽地分开，后胸腹板裸，后足基节后腹端角缺毛簇。翅面被微毛，无裸区，翅后缘具一列间隔均匀的骨化黑色小点。腹部狭长，无边，两侧近平行，第 2 背板具 1 对长三角形黄斑，第 3、4 背板前缘具宽黄带。雄性背针突侧面观近三角形，短状突顶端尖，与侧臂等长。上叶呈半月形。阳茎端背面平且向两侧扩展呈长方形，端部两侧收缩。阳茎基的腹侧扁，后端下部向两侧略扩展，侧面观腹缘呈二齿状。

分布:中国。秦岭地区已知2种。

分种检索表

小盾片被黄毛,第2背板具1对三角形黄斑,约为背板长的2/3,后足腿节基部黑褐色 ………… ………………………………………………………………………… **黄毛平背食蚜蝇 *L. piliflavum***

小盾片被黑毛,第2背板具黄带,黄带前缘中央具三角形黑斑,后半部不中断,后足腿节及胫节中部具黑褐色斑 ……………………………………………………… **黑毛平背食蚜蝇 *L. pilinigrum***

(84)黄毛平背蚜蝇 *Lamellidorsum piliflavum* Huo *et* Zheng, 2005

Lamellidorsum piliflavum Huo *et* Zheng, 2005: 631.

鉴别特征:头部半球形。头顶黑色,被暗黄色毛,单眼三角被黑毛。额暗黄色,基部覆黄粉,被黑毛,中部被黄毛,额角约50°。颜狭,暗黄色,覆黄粉及黄毛,中突明显突出,小而圆,裸。触角暗黄色,第3节长约等于其高,触角芒棕黄色裸,被微毛。中胸背板两侧暗黄色,被棕黄色毛,小盾片黄色,被黄毛,盾下缨密,为棕黄色。胸部侧板黑色,中域覆灰粉,被暗黄色毛。足主要棕黄色,被黄毛。后足腿节基部5/6黑褐色,胫节暗褐色,腿节端部外侧及胫节外侧被黑毛。翅痣棕黄色。腹部狭,两侧平行,无边。第2背板两侧具长三角状黄斑,黄斑前端到达背板前缘,后端位于背板2/3处,内侧缘斜,两斑宽地分离;第3背板基部具宽黄带,长大于背板长的2/3;第4背板基部黄带约为背板长的1/2,背板后缘具黄边;第5背板呈黄色。露尾节呈黑色。

采集记录:1♂,眉县红河谷,2002.Ⅸ.01,霍科科采。

分布:陕西(眉县)、甘肃。

(85)黑毛平背蚜蝇 *Lamellidorsum pilinigrum* Huo *et* Zheng, 2005

Lamellidorsum pilinigrum Huo *et* Zheng, 2005: 632.

鉴别特征:额黄色,被黑毛,基部黑色,中央向前延伸,两侧密被黄粉,额突背面裸。颜两侧近平行,黄色,覆黄粉及黄毛,中突明显突出,小而圆,裸。触角暗黄色,第3节长约等于其高,触角芒棕黄色,裸,高倍镜下可见微毛。中胸背板两侧暗黄色,被棕黄色毛,小盾片黄色,被黑毛,盾下缨棕黄色。胸部侧板黑色,具灰白色粉斑,粉斑上被毛灰白色,其余部分被棕黄色毛。足主要棕黄色,被黄毛。后足腿节中部3/5黑色,胫节中部暗黑色,腿节端部外侧及胫节外侧短毛为黑色。翅面被微毛,无裸区,痣棕黄色。腹部长卵形,无边,黑色。第2背板基部2/3具黄带,中央具三角状黑斑;第3背板被黑毛,基部具宽黄带,略大于背板长的1/2,背板后缘中央具狭的黄边；第4背板基部黄带略小背板长的1/2，背板后缘具黄边；第5背板黄色，具倒“Y”形黑斑，到达背板侧缘；第6背板黑色，两侧前角黄色。腹部腹面黄褐色，第2~6腹板侧缘中央具黑斑。

采集记录:1♀，眉县红河谷，2002.Ⅸ.01，霍科科采。

分布:陕西(眉县)、甘肃。

21. 白腰蚜蝇属 *Leucozona* Schiner, 1860

Leucozona Schiner, 1860: 213. **Type species**: *Musca lucorum* Linnaeus, 1758.

属征:体中等大小，粗壮，密被短毛。复眼覆密毛；颜污黄色，覆白灰色粉被，具宽的黑色中条和侧条，中突大，颜下部向前下方突出，口孔长为宽的2倍。中胸背板黑色，密被褐色及银灰色粉被，两侧粉被黄灰色；小盾片污黄色；背板和小盾片密被直立的淡黄色细毛；侧板黑色，腹侧片上、下毛斑后部狭地联合，或宽地分离；后胸腹板裸或前部具少许长毛。后足基节中后端角具毛簇。腹部宽卵形，背面略拱。第3~5背板具边，第2背板及第3背板基部白黄色，其余部分黑色。翅透明，前缘中部具暗褐色斑。腋瓣及平衡棒呈褐色至暗褐色。

分布:古北区。中国已知3种，秦岭地区记载2种。

分种检索表

腹部黑色，第1、2背板被灰粉，第2背板侧缘污黄色，或两侧及其后侧角污黄色，第3、4背板黑亮，基部具暗灰色横带 ······························ **黄缘白腰蚜蝇 *L. flavimarginata***

腹部黑色，第2背板浅黄色，前部具有1个纵的狭三角形黑斑，第3背板前缘两侧具狭黄斑，中部分离 ······························ **黑色白腰蚜蝇 *L. lucorum***

(86) 黄缘白腰蚜蝇 *Leucozona flavimarginata* Huo *et* Ren, 2007

Leucozona flavimarginata Huo *et* Ren, 2007: 175, 184.

鉴别特征:复眼上半部毛棕褐色，下半部毛灰白色。头顶黑色，覆褐黄色粉，被黑色和褐色毛。额黑色，密被黄白色至黄褐色粉，被黑色长毛，前端及新月片黑亮，无粉被。颜污黄色，被棕黄色毛，两侧密被黄粉，具宽的黑褐色中条及侧条，中突明显。触角黑色，第3节长略大于高，触角芒黑色。中胸背板、横沟之前两侧被银白色粉，背板被棕黄色毛。小盾片暗黄色，被棕黄色长毛，盾下缨长而密。胸部侧板被灰白色粉及浅色长毛。足黑色，各足腿节顶端及前足和中足胫节基半部、后足胫节基部约1/3浅黄色。足毛大部分黑色，前足、中足胫节及后足胫节基部被黄毛。翅全部被微毛，翅痣深褐色。腹部黑色，被黑毛，第1、2背板被毛污黄色，第3、4节两侧明显具边。第1、2背板被灰粉，第2背板侧缘污黄色，或两侧及其后侧角污黄色，背板后缘有少许黑色，第3、4背板黑亮，略具铜色光泽，基部具暗灰色横带。

采集记录：1♂，长安库峪，2002.Ⅵ.11，霍科科采。

分布：陕西(长安)、河北。

(87)黑色白腰蚜蝇 *Leucozona lucorum* (Linnaeus, 1758)

Musca lucorum Linnaeus, 1758: 592.

Conops praecinctus Scopoli, 1763: 357.

Syrphus asiliformis Fabricius, 1781: 306.

Leucozona lucorum var. *nigripila* Mik, 1888: 140.

Leucozona americana Curran, 1923: 38.

Leucozona lucorum var. *differens* Frey, 1946: 158.

Leucozona lucorum: Peck, 1988: 25.

鉴别特征：复眼密被棕褐色毛。头顶三角亮黑色，前2/3被黑色长毛，后部长毛黄色。额黑亮，被黑色长毛，额基部覆黄白色粉被。颜中突位于近复眼下缘位置；颜黄色，密被黄白色粉被和长毛，中条纹黑色，中央裸而亮；颜两侧具黑色条纹。触角黑色，第3节长约为其宽的1.33倍。中胸背板前部覆灰色薄粉被，中央具3条不明显的黑褐色细纵纹；背板被毛浅棕红色长竖毛，两侧横沟之前毛近黄白色。小盾片棕黄色，密被黄色长毛，盾下缨黄色。雌性小盾片被污白色长毛。侧板青黑色，覆灰白色薄粉，被毛近白色。足黑色，腿节端部和胫节基半部黄色。翅膜表面被微刺，基部具裸区。腹部黑色，第3~5背板具宽边；第2背板黄白色至黄棕色，中央具宽度不等黑色纵条纹，该条纹通常不达背板后缘；第3背板基部或全部钝黑色，或前缘具极狭至较宽的黄斑，具青灰色光泽，其余背板亮黑色。

采集记录：2♂，眉县太白山，2003.Ⅶ.24，霍科科采；2♀，眉县太白山，2002.Ⅶ.17，霍科科采；2♀，留坝光华山，2006.Ⅷ.15，霍科科采；1♀，留坝营盘，2008.Ⅷ.28，霍科科采；1♀，留坝营盘，2008.Ⅷ.30，霍科科采。

分布：陕西(眉县、留坝)、黑龙江、吉林、宁夏、甘肃、四川、云南、西藏；蒙古，俄罗斯，日本，欧洲，北美洲。

22. 硕蚜蝇属 *Megasyrphus* Dušek *et* Láska, 1967

Megasyrphus Dušek *et* Láska, 1967: 363. **Type species**: *Scaeva annulipes* Zetterstedt, 1838 [= *Musca erratica* Linnaeus, 1758].

Syrphoides Hippa, 1968: 83. **Type species**: *Scaeva annulipes* Zetterstedt, 1838 [= *Musca erratica* Linnaeus, 1758].

属征:复眼覆密毛。颜中突明显，颜中条纹黑色。触角黑色，芒较触角长。中胸背板亮黑色，被黄色长毛，小盾片暗黄色，两侧缘毛黄色，被黑毛。中胸下前侧片后端上、下毛斑全长宽地分开，后胸腹板被黑毛。后足基节后中端角具黑簇。翅前缘黄褐色，R_{4+5}明显凹入 r_{4+5}室。腹部阔卵形，具黄色宽带，其两端达到侧缘，第 2 背板上的黄带在中部断开，第 3、4 背板的黄带不中断，第 5 背板黄色，中部黑斑不明显。

生物学:幼虫取食腐烂食物。

分布:古北区，新热带区。中国已知 2 种，秦岭地区有 1 种。本属为陕西省首次记录。

(88) 中华硕蚜蝇 *Megasyrphus chinensis* Ho, 1987

Megasyrphus chinensis Ho, 1987: 195.

鉴别特征:复眼黑褐色，覆黄白色密毛。额角为 80°,额亮黑色，沿眼缘覆黑色长毛及金黄色粉被。颜黄色，覆同色长毛及粉被，沿中条纹具黑毛，中条纹黑色。触角黑褐色，芒较触角长，黄褐色。中胸背板亮黑色，被黄色长毛，侧缘覆金黄色粉被。侧板黑色，中胸上前侧片及下前侧片覆金黄色粉被及同色长毛，下后侧片被黑色长毛。小盾片黄色，毛黑色，长。足大部分黄褐色，前足腿节基部 1/2、中足腿节基部 2/5 及后足腿节基部 3/5 黑色。翅淡黄褐色，前半部色深。腹部阔卵形，第 2 ~ 4 背板黑色，具黄色宽带，其两端达到侧缘，第 2 背板上的黄带在中部断开，第 3、4 背板黄带不中断，位于背板的前半部，第 4 背板后缘尚有宽的黄带，第 5 背板黄色，中部黑斑不明显。雌性腹部的黄带较雄性狭一些，所有黄带的两端超过侧缘，第 5 背板黄色，中部的黑带在中央断开或相连。

采集记录:2♂，汉中天台山，2014.Ⅴ.01，王真采；5♂，汉中天台山，2014.Ⅴ.01，廖波采。

分布:陕西(汉中)、西藏。

23. 美蓝蚜蝇属 *Melangyna* Verrall, 1901

Melangyna Verrall, 1901: 313. **Type species**: *Melanostoma quadrimaculatum* Verrall, 1873.

Eusyrphus Matsumura *et* Adachi, 1917: 20. **Type species**: *Eusyrphus cingulatus* Matsumura, 1917 [= *Syrphus compositarum* Verrall, 1873].

Mesosyrphus Matsumura, 1917: 19. **Type species**: *Mesosyrphus constrictus* Matsumura, 1917 [= *Scaeva lasiophthalma* Zetterstedt, 1843].

Stenosyrphus Matsumura *et* Adachi, 1917: 134. **Type species**: *Stenosyrphus motodomariensis* Matsumura, 1917.

Meligramma Frey, 1946: 165. **Type species**: *Scaeva guttata* Fallén, 1817, as a subgenus.

Fagisyrphus Dušek *et* Láska, 1967: 369. **Type species**: *Scaeva cincta* Fallén, 1817.

Austrosyrphus Vockeroth, 1969: 85. **Type species**: *Syrphus novaezelandiae* Macquart, 1855, as a subgenus.

Melanosyrphus Vockeroth, 1969: 86. **Type species**: *Melangyna dichoptica* Vockeroth, 1969, as a subgenus.

属征:体小型到中型，细，复眼裸，或具短而分散的毛，或具明显的密毛，颜下部通常明显加宽，少数颜窄且两侧平行，中突圆或低宽，颜下部略突出，颜黄色，常具宽的黑色中条，少数全黄或全黑。中胸背板黑色或暗蓝色，具光泽，两侧有或无黄色粉被侧条，小盾片暗黄色或黑褐色，少数金属蓝色，有时边缘淡黑色，侧板黑色，中胸下前侧片后端的上、下毛斑宽地分开，少数后部狭地联合，后胸腹板裸。腹部两侧平行或狭卵形，无边框，第2～4背板具1对淡色或暗黄色斑，有时后两对斑中部连接成横带。

分布:古北区，新北区，澳洲区。中国有12种，秦岭地区记录5种。

分种检索表

1. 后足基节后中端角具毛簇，复眼具毛或裸，颜通常具黑色中条或全黑色(*Melangyna* 亚属)……………………………………………………………………………………………………… 2

   后足基节后中端角无毛簇。复眼裸，颜黄色，无暗色中条(*Meligramma* 亚属)，腹部具3对黄斑，第2背板黄斑近三角形，近背板中部，第3、4背板黄斑长方形，近背板前缘，3对黄斑均不达背板侧缘……………………………………………… **斑盾美蓝食蚜蝇 *M. guttata***

2. 复眼明显被毛 ………………………………………………………………………………… 3

   复眼裸或上部被稀疏的白色短毛 ……………………………………………………………… 4

3. 颜中条伸达触角基部，腹部第2～4背板具黄色侧斑，外端不达背板侧缘，第4～5背板后缘狭,为黄色，雌性腹部第3～4背板黄斑较狭，后缘角呈圆角状 ………………………………………………………………………………… **暗颊美蓝食蚜蝇 *M. lasiophthalma***

   颜无黑色中条，腹部第2背板近中部具三角形小黄斑；第3背板前部具长方形黄斑，前缘平直；第4背板前部具狭三角形黄斑，前缘直，后缘斜，背板后缘具狭棕黄色边，第3、4背板黄斑均不达背板侧缘……………………………………………………… **缺纹美蓝蚜蝇 *M. evittata***

4. 颜中条纹占颜宽度1/2，腹部第2背板黄斑不达背板侧缘，第3、4背板黄斑伸达背板侧缘，第4、5背板后缘具极狭的黄色 ………………………………… **秦岭美蓝食蚜蝇 *M. qinglingensis***

   颜黑色中条不及颜宽度的1/2。腹部第2背板具三角形黄色大斑，外端前侧角近背板侧缘。第3、4背板黄斑不达背板侧缘，占背板侧缘长的1/2。第4背板后缘具黄边。第5背板侧缘及后缘黄色 ………………………………………………… **大斑美蓝食蚜蝇 *M. grandimaculata***

(89)缺纹美蓝蚜蝇 *Melangyna evittata* Huo *et* Ren, 2007

Melangyna evittata Huo *et* Ren, 2007: 324.

鉴别特征:复眼密被浅色毛。头顶及单眼三角黑色，被黑毛。额黑色，被黑毛，基部覆黄白色粉被。颜暗棕褐色，被黑毛，被黄粉，正中裸而光亮。颜侧面具狭黑条，并与黑色颊部相连，中突较小，下端钝圆。触角黑色，第3节棕褐色，近圆形；芒棕褐色，裸。中胸背板钝黑色，翅后胛暗褐色，被棕黄色毛，小盾片暗黄色，被棕黄色长毛，盾下缨棕黄色。侧板黑色，被棕黄色毛。足暗棕褐色，仅前足、中足腿节基部略大于1/3和后足腿节基部近1/2黑色。足主要被棕黄色毛，前足、中足腿节后侧长毛主要黑色，后足腿节基半部主要具黑毛。翅被微毛，无裸区，痣棕黑色。腹部两侧近平行，无边框。第2背板近中部两侧具三角形小黄斑；第3背板前部具长方形黄斑，不达背板前缘。第4背板前部具狭的三角形黄斑，外端不达背板侧缘，后缘斜，背板后缘具狭棕黄色边。第5背板两侧基角处具小黄斑。

采集记录:1♂，长安太兴森林公园，2004.Ⅴ.05，霍科科采。

分布:陕西(长安)。

(90)大斑美蓝蚜蝇 *Melangyna grandimaculata* Huo *et* Ren, 2007

Melangyna grandimaculata Huo *et* Ren, 2007: 175, 188.

鉴别特征:复眼裸。头顶三角黑色，被灰白色粉被和黑色长毛。额黑色，覆灰黄色粉被，被黑色长毛。雌性额中部具灰黄色粉被横带。颜宽大于复眼宽度，两侧向下略扩宽。颜黄色，被黄毛和粉，中条纹黑亮。触角黑色，第3节长大于高，触角芒裸。中胸背板在横沟之前具灰白色粉被条纹，被浅黄褐色长毛。小盾片黄色，主要被黑色长毛，盾下缨浅黄褐色。胸部侧板黑色，覆灰白色粉被和长毛。足黑色，被毛浅黄色，各足腿节覆灰白色粉被。前足腿节端部近1/2、中足腿节端部1/3黄褐色，中足腿节端部外侧具少许黑色长毛，前足、中足胫节近中部具不明显的暗褐色环。后足膝部黄褐色，腿节端部短毛、胫节、跗节背侧短毛为黑色。翅痣褐色，翅面具微毛，有裸区。腹部两侧平行，被毛同底色。第2背板两侧中部具三角形黄色大斑；第3背板两侧具圆角方形黄斑，占背板侧缘长的1/2；第4背板近似第3背板，但黄斑较靠近背板前缘，背板后缘具黄边；第5背板侧缘及后缘呈黄色。

采集记录:1♂，长安太兴森林公园，2004.Ⅴ.05，霍科科采。

分布:陕西(长安)、河北。

(91)斑盾美蓝蚜蝇 *Melangyna guttata* (Fallén, 1817)

Scaeva guttata Fallén, 1817: 44.

Syrphus flavifrons Verrall, 1873: 256.

Xanthogramma habilis Snow, 1895: 238.

Sphaerophoria interrupta Jones, 1917: 225.

Syrphus savtshenkoi Violovitsh, 1965: 11.

Melangyna sajanica Violovitsh, 1975: 75.

Melangyna guttata: Peck, 1988: 29.

鉴别特征:复眼裸。额黄色，基部黑色，中央向前延伸呈条状，到达额中部，额被黑毛。颜两侧近复眼处有黑毛，中突近圆形，裸。触角黑色，第3节大，近圆形，触角芒黑色。中胸背板两侧亮黄色纵条轮廓明显，后部在小盾片前方有近半圆形亮黄斑，背板被黄毛。小盾片黄色，被黑毛，盾下缨棕黄色。中胸侧板黑色，被灰黄色粉被。前足暗黄色，腿节近基部具黑褐色环，胫节近端部具暗褐色环，腿节主要被黄毛，后外侧混有黑色长毛；中足与前足相似；后足黑色，仅腿节基部及膝部暗褐色，被毛黑色。翅痣暗褐色，翅面全部被毛。腹部两侧近平行，无边框，黑色。第2～4背板各具1对黄斑，不达背板侧缘；第2背板黄斑位于背板中前部，近三角形，第3～4背板黄斑近前缘，第1背板两侧前角具黄斑，第4背板后缘具狭的黄带，第5背板两侧前角具黄斑，呈小三角形。

采集记录:2♀，眉县红河谷，2002.Ⅷ.31，霍科科采。

分布:陕西(眉县)、山西、宁夏、甘肃；俄罗斯，欧洲，北美洲。

(92)暗颊美蓝蚜蝇 *Melangyna lasiophthalma* (Zetterstedt, 1843)

Scaeva lasiophthalma Zetterstedt, 1843: 735.

Syrphus sexquadratus Walker, 1849: 586.

Syrphus mentalis Williston, 1887: 72.

Mesosyrphus constrictus Matsumura, 1917: 19.

Mesosyrphus constrictus var. *elongatus* Matsumura, 1917: 20.

Stenosyrphus lasiophthalmus var. *saghalinensis* Matsumura, 1917: 15.

Stenosyrphus nikkoensis Matsumura, 1918: 12.

Stenosyrphus yezoensis Matsumura, 1918: 13.

Stenosyrphus vittifacies Curran, 1923: 66.

Epistrophe abruptus Curran, 1924: 80.

Stenosyrphus columbiae Curran, 1925: 110.

Stenosyrphus garretti Curran, 1925: 109.

Syrphus flavosignatus Hull, 1930: 139.

Melangyna lasiophthalma: Peck, 1988: 28.

鉴别特征:复眼密被棕黑色毛，头顶被黑毛。额黑色，被黑毛，基部靠近复眼处覆灰黄色粉被，额角较大。颜暗黄色，被黑毛，两侧被灰粉，正中黑色纵条向上渐细，颜侧面具黑色侧条，与黑色颊部相连，中突上、下不对称，下端钝圆。触角黑色，第3节近圆形，芒黑色，裸。中胸背板被棕黄色毛，小盾片暗黄色；盾下缨棕黄色。侧板黑色，被棕黑色至棕黄色毛。足黑色，仅前足、中足腿节端部及胫节基半部暗棕色，后足膝部黑褐色，足主要被黑毛。翅面被微毛，无裸区，翅痣棕黑色。腹部狭，两侧近平行，无边框。腹部第2～4背板具黄色侧斑，第4～5背板后缘呈狭的黄色，第2背板黄斑近中部，近三角形，内端宽地分开，第3~4背板黄斑前缘平直，不达背板前缘，后缘角呈圆角状。腹部基部被浅色毛，其余被毛同底色。

采集记录:2♂，长安太兴森林公园，2004.Ⅴ.05，霍科科采；1♀，凤县，2014.Ⅷ.27，霍科科采；1♂1♀，眉县太白山，2002.Ⅶ.17，霍科科采；4♂2♀，眉县太白山，2003.Ⅶ.25，霍科科采。

分布:陕西(长安、凤县、眉县)、黑龙江、吉林、内蒙古、河北、宁夏、甘肃、四川、西藏、云南；蒙古，俄罗斯，日本，欧洲。

(93)秦岭美蓝食蚜蝇 *Melangyna qinlingensis* Huo *et* Ren, 2007

Melangyna qinlingensis Huo *et* Ren, 2007: 3246.

鉴别特征:复眼裸。头顶黑色，被黑色长毛。额黑色，被黑毛，两侧近复眼处覆灰粉。颜中突上、下不对称，颜暗黄色，中央具黑色宽中条，颜侧面具黑色侧条，与黑色颊部相连，颜被黑毛，两侧覆黄粉。触角黑色，第3节近圆形，触角芒黑色，被微毛。中胸背板被棕黄色毛。小盾片暗黄色，被黑色长毛，盾下缨暗棕色。胸部侧板黑色，被毛黑褐色到棕褐色。足黑色，仅前足、中足胫节基部黄褐色，后足膝部暗褐色，主要被黑毛，腿节基部被浅色长毛。翅被微毛，翅痣棕褐色。腹部狭卵形，黑色，第2~4背板具黄斑。第2背板黄斑位于中前部，两侧不达侧缘，第3、4背板黄斑近背板前缘，内端较狭地分开，外端到达背板侧缘，第4~5背板后缘具极狭的黄色，第5背板两侧前角处有小黄斑，腹部背板被毛同底色，但第1背板及第2背板基部被毛浅色。

采集记录:1♂，眉县太白山，2002.Ⅶ.17，霍科科采。

分布:陕西(眉县)。

24. 狭腹蚜蝇属 *Meliscaeva* Frey, 1946

Meliscaeva Frey, 1946: 164. **Type species**: *Scaeva cinctella* Zetterstedt, 1843, proposed as a subgenus.

属征:体细，小型至中型，复眼裸，密覆灰黄色粉被，颜下部略突出，中突明显，触角第3节卵形至长卵形，中胸背板黑褐色，肩胛及背侧片密被黄灰色粉被。小盾片通常暗黄色，少数盘面具褐色横带或全黑褐色，覆黄色粉被，上前侧片前平坦部明显具毛，下前侧片上、下毛斑宽地分离，后胸腹板裸。腹部细，两侧平行或狭卵形，无边，第2背板具黄斑，第3、4背板具黄带，翅后缘具1列骨化的小黑点。

分布:东洋区，古北区，新北区。中国已知6种，秦岭地区记录4种。

分种检索表

1. 颜黄色到棕黄色，有时口上缘黑色，触角棕黄色或棕红色 ……………………………… 2
   颜黄色，具黑色纵条纹，触角黑色，第 3 节下面红色 …………… **高山狭腹蚜蝇 *M. monticola***
2. 腹部背板橘黄色，第 2 背板后缘、第 3 背板前缘和后缘具狭的黑带，第 3 背板后缘黑带小于背板长的 1/3，第 4 背板后部具黑带，中央向后呈波形，第 4 背板后缘橘黄色 ………………… 3
   腹部背板黑褐色，第 2 背板近基部具大型黄斑，第 3、4 背板具宽黄带，靠近背板前缘，后缘中央角状凹入，第 4 背板后缘中央具黄斑，第 5 背板黄色，后端中央具三角形黄斑 ……………………………………………………………………………… **黄带狭腹蚜蝇 *M. cinctella***
3. 额被暗棕色毛，足橘黄色，后足跗节背面暗褐色 …………………… **丽狭腹蚜蝇 *M. splendida***
   额被毛黑色，足橘黄色，后足腿节端部具不明显的暗色斑，后足胫节和跗节黑色 ……………………………………………………………………………… **宽带狭腹蚜蝇 *M. latifasciata***

(94) 黄带狭腹蚜蝇 *Meliscaeva cinctella* (Zetterstedt, 1843)

Scaeva cinctella Zetterstedt, 1843: 742.
Musca libatrix Scopoli, 1763: 346.
Syrphus diversipes Macquart, 1850: 459.
Syrphus cinctellus var. *formosana* Shiraki, 1930: 388.
Syrphus cinctellus var. *taiwana* Shiraki, 1930: 387.
Meliscaeva cinctella: Knutson *et al.*, 1975: 316.

鉴别特征：头顶三角黑色，具薄粉被。额棕黄色，被黑色长毛，基部两侧密被黄粉，端部在触角基部上方具半圆形亮黑斑。雌性额中央具黑褐色狭的纵条纹，与头顶黑色相连，两侧具粉斑。颜及颊部橘黄色，被黄色粉及同色毛，颜中突明显，口前缘中央暗褐色。触角棕黄色，第 3 节卵形，触角芒暗褐色，被微毛。中胸背板两侧被黄粉。翅后胛略呈暗黄色，背板被暗棕色毛。小盾片暗黄色，被黑色长毛，盾下缨棕黄色。足棕黄色，主要被黄毛。后足腿节端部近 3/4、胫节黑色。翅痣暗褐色，翅面无裸区。腹部第 1 背板两侧具黄斑，第 2 背板近基部具大型黄斑，内端圆角状，第 3、4 背板具宽黄带，靠近背板前缘，第 5 背板黄色，后端中央具三角形黑斑。雌性腹部第 3、4 背板黄带近直形，第 5 背板前部具黄带，后缘中央三角形凹入。

采集记录：3♂5♀，户县朱雀森林公园，2002.Ⅷ.25，霍科科采；1♂，眉县红河谷，2002.Ⅸ.03，霍科科采；1♂，眉县红河谷，2002.Ⅸ.05，霍科科采；1♂，眉县太白山，2003.Ⅶ.25，霍科科采；1♀，留坝，2004.Ⅵ.09，霍科科采；1♀，留坝，2004.Ⅵ.14，霍科科采；1♂，留坝，2004.Ⅵ.09，霍科科采；1♂，留坝紫柏山，2003.Ⅶ.04，霍科科采；1♀，留坝闸口石，2012.Ⅶ.16，王玉艳采；1♀，留坝闸口石，2012.Ⅶ.13，霍科科采；8♂2♀，留坝闸口石，2013.Ⅶ.18，霍科科采；1♀，留坝闸口石，2013.Ⅶ.18，陈锐采；2♂，汉中天台山，2002.Ⅲ.31，霍科科采；1♂，汉中天台山，2002.Ⅷ.06，霍科科采。

分布：陕西(户县、眉县、留坝、汉中)、甘肃、湖北、台湾、广西、四川、西藏；蒙古，俄罗斯，日本，印度，尼泊尔，斯里兰卡，欧洲，北美洲。

(95)宽带狭腹蚜蝇 *Meliscaeva latifasciata* Huo, Ren *et* Zheng, 2007

Meliscaeva latifasciata Huo, Ren *et* Zheng, 2007: 182.

鉴别特征:头顶三角黑色，覆黄粉和黑毛。额橘黄色，额前端中央及新月片具黑斑，基部覆黄粉，额毛基部棕黄色，端半部黑色。雌性头顶及额黑色，两侧覆黄粉，中央形成黑色狭条纹。颜及颊部橘黄色，被黄粉及黄毛，颜中突明显，钝圆，裸。触角橘黄色，第3节长卵形，触角芒基半部黄褐色，端半部黑褐色。中胸背板两侧缘在横沟之前暗黄色，具黄色粉被，翅后胛黑褐色，背板被棕黄毛。小盾片黄色，基部前缘被黄毛，端部主要被毛黑色，盾下缨黄色。足橘黄色，后足胫节和跗节黑色，足被黄毛，后足腿节端部近1/2及胫节被黑毛。翅膜全部被毛，无裸区。腹部橘黄色，第2背板后缘具狭的黑带，第3背板前缘具狭的黑带，后缘黑带小于本节背板长的1/3，第4背板前缘具极狭的黑边，后部具近弓形黑带，第5背板后部具倒"V"形小黑斑。

采集记录:1♂1♀，留坝紫柏山，2005.Ⅵ.21，耿兴采；1♂，留坝紫柏山，2005.Ⅵ.21，霍科科采；1♂，留坝闸口石，2013.Ⅶ.17，霍科科采。

分布:陕西(留坝)。

(96)高山狭腹蚜蝇 *Meliscaeva monticola* (de Meijere, 1914)

Syrphus monticola de Meijere, 1914: 159.

鉴别特征:头顶三角黑色，后半部被黄粉及暗褐色毛。额棕黄色，被黑色长毛，基部两侧密被黄粉，端部具半圆形亮黑斑。雌性额中央向前具黑褐色狭的纵条纹，与头顶黑色区域相连，两侧具粉斑。颜及颊部橘黄色，具黑色中条纹，被黄色粉及同色毛，颜中突明显，上、下不对称。触角棕黄色，第3节卵形，顶端狭，触角芒暗褐色，被微毛。中胸背板两侧被黄粉，横沟之前较密厚。翅后胛略呈暗黄色，背板被暗棕色毛。小盾片暗黄色，被黑色长毛，盾下缨棕黄色。足棕黄色，主要被黄毛。后足腿节端部近3/4、胫节及跗节黑色。翅痣暗褐色，翅面无裸区。腹部两侧平行。背板黑褐色，第1背板两侧具黄斑，第2背板近基部具大型黄斑，第3、4背板具宽黄带，第4背板后缘中央具黄斑，第5背板黄色，后端中央具三角形黑斑。雌性腹部第3、4背板黄带近直形，第5背板前部具黄带，后缘中央三角形凹入。

采集记录:1♀，长安翠华山，2003.Ⅳ.08，霍科科采；1♂1♀，凤县，2003.Ⅵ.28，霍科科采；1♂，眉县红河谷，2002.Ⅸ.01，霍科科采。

分布:陕西(长安、凤县、眉县)、台湾、四川、云南；东洋区。

(97) 丽狭腹蚜蝇 *Meliscaeva splendida* Huo, Ren *et* Zheng, 2007

Meliscaeva splendida Huo, Ren *et* Zheng, 2007: 185.

鉴别特征: 头顶三角褐色，被灰粉及暗棕色毛。额橘黄色，近复眼处明显被粉，额前端中央呈半圆形隆起，具小黑斑，额被暗棕色毛。颜及颊部橘黄色，被黄粉及黄毛，颜下部略突出，中突明显。颜两侧近平行，为头宽的 1/3。触角橘黄色，第 3 节近方形，触角芒基半部被微毛。中胸背板具黄色粉被，横沟之前较密厚，背板被暗黄色毛。小盾片暗黄色，基部前缘被黄毛，端部被毛黑色，盾下缨黄色。胸部侧板及腹板全部暗黄色，半透明，被黄粉及黄毛。足橘黄色，被黄毛，后足腿节端部近 1/2 及胫节被黑毛，后足跗节背面暗褐色。翅膜全部被毛，翅痣及 sc 室深褐色。腹部两侧平行，第 2 背板后缘具狭的黑带，中央向前尖三角形突出，第 3 背板前缘具狭黑带，后缘黑带略小于本节背板长 1/3，第 4 背板后部具黑带，后缘橘黄色。

采集记录: 1♂，眉县红河谷，2002.Ⅸ.05，霍科科采；2♂1♀，留坝闸口石，2013.Ⅶ.18，霍科科采。

分布: 陕西（眉县、留坝）。

25. 拟蚜蝇属 *Parasyrphus* Matsumura, 1917

Parasyrphus Matsumura, 1917: 23. **Type species**: *Syrphus aeneostoma* Matsumura, 1917, proposed as a subgenus.

Petersina Enderlein, 1938: 205. **Type species**: *Petersina lanata* Enderlein, 1938 [= *Scaeva tarsata* Zetterstedt, 1838].

Phalacrodira Enderlein, 1938: 205. **Type species**: *Scaeva tarsata* Zetterstedt, 1838.

Dasyepistrophe Goffe, 1944: 136. **Type species**: *Scaeva macularis* Zetterstedt, 1843.

属征: 体小型到中型，粗壮。复眼近乎裸，具短而分散的毛，或上部具密毛，颜下部通常加宽和突出，黄色，或具明显的黑色中条，极少数种类整个黑色。有时额突宽大，颊很宽。中胸背板黑色，小盾片污黄色或亮黄色，有时两侧黑色，侧板黑色，中胸侧板前平坦部具细长的直立毛，下前侧片上、下毛斑宽地分离或后部狭地联合，后胸腹板裸。后足基节后腹端角具毛簇，腹部狭，卵形至宽卵形，无边，第 2～4 背板各具 1 对黄斑，或两黄斑融合成黄带，腹板黄色，具各种黄斑。

分布: 东洋区，古北区，新北区，新热带区。中国记载 4 种，秦岭山区分布 2 种。

分种检索表

腹部第 2 背板中部具近三角形黄色侧斑，第 3、4 背板基部具宽的黄带，第 3 背板黄带前缘中央略三角状突出，第 4 背板黄带前缘直，雌性第 3、4 背板黄带直，第 4 背板黄带达背板前缘，第 5 背板两侧前角及后缘黄色…………………………………………………………………… 直带拟蚜蝇 *P. lineolus*

腹部 2 ~ 5 背板具黄色侧斑，伸达背板侧缘，第 3、4 背板黄斑狭，前缘、后缘几乎直，中央相连，后缘中央三角状凹入，第 3 背板横带中央向前突出，第 4 背板后缘具黄边，第 5 背板黄斑狭，中央宽地分开 …………………………………………………………………………… 斑拟蚜蝇 *P. punctulatus*

(98) 直带拟蚜蝇 *Parasyrphus lineolus* (Zetterstedt, 1834)

Scaeva lineola Zetterstedt, 1843: 714.

Syrphus lineola var. *unifasciatus* Strobl, 1910: 98.

鉴别特征: 复眼裸。额黑色，基部及两侧密被橘黄色粉，额端部裸，额角约 90°。雌性额中部具橘黄色宽的横粉带。颜暗黄色，密被黄粉，覆黑毛。中突小，裸，颜中条黑色，口缘暗黑色。触角暗黑色，第 3 节宽圆形，芒裸，暗黑色。中胸背板被毛暗黄色。小盾片暗黄色，被黑毛，盾下毛暗黄色。足暗黑色，前足、中足腿节端部及其胫节基部1/3暗黄色，足被浅色毛，前足和中足腿节端部处长毛、后部腿节外侧端部及胫节外侧被毛黑色。翅具微毛，无裸区，痣暗褐色。腹部无边，第 2 背板中部两侧具 1 对三角形黄斑，第 3、4 背板基部具宽黄带，第 4 背板后缘具黄边，第 5 背板侧缘及后缘具黄边。雌性腹部第 2 背板三角形黄斑前角靠近背板前侧角，第 3、4 背板黄带直，第 4 背板黄带达背板前缘，第 5 背板两侧前角及后缘呈黄色。

采集记录: 1♂，凤县，2005.Ⅵ.13，霍科科采；1♂，眉县红河谷，2002.Ⅸ.03，霍科科采；1♂，眉县太白山，2002.Ⅶ.17，霍科科采；1♂，留坝闸口石，2012.Ⅶ.18，霍科科采；2♀，眉县红河谷，2002.Ⅷ.30，霍科科采。

分布: 陕西(凤县、眉县、留坝)、四川；蒙古，俄罗斯，欧洲，亚洲，新热带区。

(99) 斑拟蚜蝇 *Parasyrphus punctulatus* (Verrall, 1873)

Syrphus punctulatus Verrall, 1873: 254.

Syrphus montincola Becker, 1921: 51.

Syrphus beckeri Herve-Bazin, 1923: 129 (new name for *Syrphus montincola* Becker, 1921).

鉴别特征: 雌性复眼裸。头顶及额黑色，覆棕褐色粉被，额近中部粉被形成横带，额前端及新月片亮黑色；额及头顶被黑毛。颜橘黄色，被毛和粉，中央具黑褐色中条纹，颜两侧在复眼下方具黑色侧条纹，口缘具宽的黑边。触角黄褐色，第 3 节背侧黑褐色，近圆形。触角芒裸。中胸背板两侧横沟之前被灰白色粉，中央具 1 对灰条纹，背板被浅黄色毛。小盾片黄色，被黑毛，基部两侧缘有少许黄色长毛。盾下缨黄色。侧板黑色，被灰白色粉和毛。足黑色，前足、中足腿节端部约 1/3 及胫节暗黄褐色，后足仅膝部略呈暗黄褐色。翅被微毛，无裸区，sc 室端部黄褐色。腹部黑色，第

2～5 背板具黄色狭侧斑，被毛同底色。

采集记录：1♀，长安太乙镇，2004.Ⅴ.05，霍科科采。

分布：陕西（长安）；日本，欧洲。

26. 鼓额蚜蝇属 *Scaeva* Fabricius, 1805

Scaeva Fabricius, 1805: 248. **Type species**: *Musca pyrastri* Linnaeus, 1758.

Catabomba Osten-Sacken, 1877: 326. **Type species**: *Musca pyrastri* Linne, 1758.

Lasiopthicus Rondani, 1845: 459. **Type species**: *Musca pyrastri* Linnaeus, 1758.

Mecoscaeva Kuznetzov, 1985: 418. **Type species**: *Lasiopthicus mecogramma* Bigot, 1860, as a subgenus.

Semiscaeva Kuznetzov, 1985: 412. **Type species**: *Catabomba odessana* Paramonov, 1924, as a subgenus.

属征：体中型至大型。复眼被密毛，雄性上部小，眼面大，额很鼓胀，密被直立黑毛，雌性额宽，略鼓胀，颜亮黄色至淡黄色，中突上方具褐色至黑色狭的中条。中胸背板亮黑色，具不明显黄色侧条，少数种类侧条明显。小盾片污黄色至暗黄褐色，透明。下前侧片上、下毛斑后部联合，后胸腹板裸。翅 R_{4+5}脉凹入 r_5 室宽而浅，翅面微毛减少，至少基半部裸。腹部卵形，背面平，具边，第2～5 背板各具1 对斜置的黄白色至亮黄色斑，斑远离侧缘。

分布：东洋区，古北区，新北区，新热带区，澳洲区。中国已知7 种，秦岭地区发现2 种。

分种检索表

腹部第 3、4 背板具 1 对新月形黄斑，第 4、5 背板后缘及第 5 背板两侧黄色 …………………………………………………………………………………………………… **月斑鼓额蚜蝇 *S. selenitica***

腹部黄斑不呈新月形，狭，第 2 节背板黄斑平置，位于背板中部，第 3、4 节背板黄斑斜置，斑前缘明显凹入 ………………………………………………………………… **斜斑鼓额蚜蝇 *S. pyrastri***

（100）斜斑鼓额蚜蝇 *Scaeva pyrastri*（Linnaeus, 1758）

Musca pyrastri Linnaeus, 1758: 594.

Musca rosae de Geer, 1776: 108 (new name for *Musca pyrastri* Linnaeus, 1758).

Musca mellina Harris, 1780: 30.

Scaeva corrusca Gravenhorst, 1807: 375.

Scaeva affinis Say, 1823: 93.

Scaeva unicolor Curtis, 1834: 509.

Syrphus pyrastri var. *flavoscutellatus* Girschner, 1884: 197.

Scaeva pyrastri: Sun, 1987: 1181.

鉴别特征:雄性复眼密被暗褐色毛，下端后侧毛较稀疏。头顶黑色，被黑毛。额暗棕色，近透明，被黑色长毛，额角约130°。雌性头顶宽，黑亮，额部基部黑色。颜棕黄色，上宽下狭，被棕黄色毛，两侧近复眼边缘及中突周围、下端被黑毛，具黑褐色狭中条。触角暗黑褐色，第3节长约为其高的1.50倍，触角芒黄褐色，裸。中胸背板被黄粉，被浅色毛。小盾片暗褐色，被棕黄色毛，端部近2/3被黑毛，盾下缨长而密。胸部侧板黑绿色，被浅棕色长毛。前足、中足腿节基半部黑色，端部黄色；胫节棕黄色。后足腿节黑色，端部棕黄色，被浅棕色毛，胫节棕黄色，基部外侧约1/3具数列较长的黑色毛。翅痣棕黄色，R_{4+5}宽而浅地凹入r_5室。腹部具边。第2背板近中部两侧具黄斑，外端不达背板侧缘，内端钝圆；第3背板侧具弯钩状黄斑，外端低于内端，内端向前伸，前缘深凹，后缘斜行向前；第4背板黄斑近似第3背板，但位置略靠前缘；第4、5背板后缘具黄边。

采集记录:1♂，西安，1960. Ⅺ. 11，梁铬球采；1♂，西安，1987. Ⅺ. 17，王家儒采；1♂3♀，西安，2001. Ⅺ. 24，霍科科采；1♂9♀，西安，2002. Ⅺ. 20，霍科科采；3♀，西安，2002. Ⅺ. 18，霍科科采；1♀，长安库峪，2002. Ⅵ. 11，霍科科采；1♂，长安库峪，2002. Ⅵ. 12，霍科科采；2♀，长安太兴森林公园，2004. Ⅴ. 05，霍科科采；1♀，长安太乙镇，2002. Ⅳ. 12，霍科科采；1♀，长安，2002. Ⅳ. 20，霍科科采；3♂1♀，长安，2002. Ⅴ. 25，霍科科采；1♀，汉中天台山，2002. Ⅲ. 31，霍科科采；1♀，宁陕菜子坪，1982. Ⅴ. 25，郭莹采。

分布:陕西(西安、长安、汉中、宁陕)、黑龙江、辽宁、内蒙古、河北、山东、甘肃、青海、新疆、江苏、江西、四川、云南、西藏；蒙古，俄罗斯，日本，阿富汗，欧洲，非洲(北部)，北美洲。

(101)月斑鼓额蚜蝇 *Scaeva selenitica* (Meigen, 1822)

Syrphus seleniticus Meigen, 1822: 304.

Syrphus lunatus Wiedemann, 1830: 121.

Lasiophthicus annamites Bigot, 1885: 250.

Scaeva selenitica: Knutson *et al.*, 1975: 318.

鉴别特征:复眼密被暗褐色毛，下端后侧毛较稀疏。头顶黑色，被黑毛。额暗棕色，近透明，被黑色长毛，触角基部上方具裸斑，额角约130°。雌性额部略鼓起，基部黑色。颜棕黄色，被黑毛，下端被棕黄色毛，具狭黑褐色中条。触角暗黑褐色，第3节长约为其高的1.50倍，芒黑褐色，裸。中胸背板被黄粉，被浅褐色毛，并混生大量黑褐色毛，尤其是后半部。小盾片暗褐色，被黑色长毛，盾下缨长而密。胸部侧板被浅棕色长毛。前足、中足腿节基部1/3~1/2黑色，胫节棕黄色；后足腿节黑色，端部棕黄色，胫节棕黄色，端半部具黑环。翅痣棕黄色。腹部明显具边，黑亮。第2背板近中部两侧具黄斑，外端不达背板侧缘，内端分开；第3背板中前部两侧具新月状黄斑，外端前部伸达背板侧缘，与内端平齐，前缘深凹，后缘弧形；第4背板后缘具黄边，其黄斑近似第3背板；第5背板侧缘、后缘呈黄色。

采集记录：1♀，长安太乙，2002.Ⅳ.12，霍科科采；1♀，长安，2002.Ⅴ.25，霍科科采；5♂3♀，长安太兴森林公园，2004.Ⅴ.05，霍科科采；6♂14♀，凤县，2005.Ⅵ.13，霍科科采；2♂，眉县太白山，2003.Ⅶ.25，霍科科采；1♀，留坝庙台子，1987.Ⅵ.14，采集人不详；1♂，留坝庙台子，2003.Ⅵ.16，霍科科采；1♂1♀，留坝庙台子，2002.Ⅵ.17，霍科科采；1♀，留坝庙台子，2002.Ⅵ.19，霍科科采；1♂，留坝庙台子，2005.Ⅵ.11，霍科科采；1♀，留坝庙台子，2005.Ⅵ.11，刘亚荔采；1♂，留坝庙台子，2005.Ⅵ.15，霍科科采；1♂，留坝庙台子，2005.Ⅵ.20，霍科科采；1♂，留坝，2005.Ⅵ.12，李琼采；2♂4♀，留坝庙台子，2005.Ⅵ.14，霍科科采；1♀，留坝闸口石，2011.Ⅶ.12，采集人不详；1♂，留坝闸口石，2011.Ⅶ.22，采集人不详；1♀，留坝闸口石，2012.Ⅶ.16，杨明采；1♂1♀，留坝闸口石，2012.Ⅶ.12，霍科科采；1♂，留坝闸口石，2012.Ⅶ.18，霍科科采；4♀，留坝闸口石，2013.Ⅶ.15，霍科科采；1♀，留坝闸口石，2013.Ⅶ.18，陈锐采；1♀，汉中天台山，2002.Ⅲ.31，霍科科采。

分布：陕西（长安、凤县、留坝、汉中）、黑龙江、吉林、河北、甘肃、江苏、浙江、湖南、江西、广西、四川、云南；蒙古，俄罗斯，越南，印度，阿富汗，欧洲。

27. 柄腹蚜蝇属 *Spazigasteroides* Huo，2014

Spazigasteroides Huo，2014：230. **Type species**：*Spazigasteroides caeruleus* Huo，2014.

属征：雄性接眼，雌性离眼，复眼密具暗色（雄性）或白色毛（雌性）。颜覆白色粉被和黑色（雄性）或白色（雌性）长毛，中央具裸露的黑色纵条纹；颜中突位于下部1/3。触角第3节长略大于宽，顶端钝圆，触角芒具微毛。中胸背板黑色，覆褐色薄粉，两侧具鬃状长毛，雄性后部具黑色长毛。小盾片黑色，毛被黑色和白色，雄性具长毛和短毛，长毛约为短毛长度的5～6倍，雌性仅具短毛。后足基节桥不完整，后胸腹板裸，下前侧片后端上、下毛斑后端宽地分离。足简单，细长，后足基节后中端角缺毛簇。翅具金属蓝色光泽，前缘褐色。R_{4+5}脉直，r-m横脉位于dm室基部1/3处，M_1上端与R_{4+5}、下端与M_2相交呈直角；r_{2+3}室开放，cup室具柄，约等于h脉之长。翅膜被微毛，r室、bm室、cup室、臀叶具裸区。腹部长于头胸部之和，扁，第2、3、4节约等长，第2节两侧向后略收缩，后端最狭，从第3节向后渐增宽，最宽处于第4节后缘，腹部最宽处不大于最狭处的1/2；腹部黑色，略具暗蓝色光泽，第2背板两侧具黄白色长形透明斑。第3、4背板基部具不明显的白色粉被横带，雌性第3背板基部具近方形透明斑。

分布：中国。本属仅1种。

(102)紫色柄腹蚜蝇 *Spazigasteroides caeruleus* Huo, 2014(图 248)

Spazigasteroides caeruleus Huo, 2014: 230.

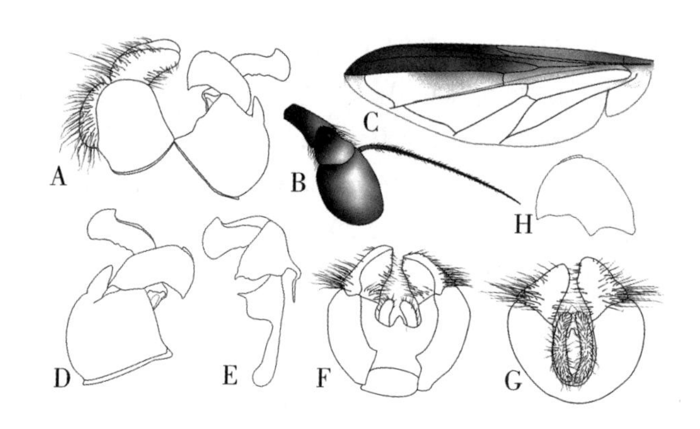

图 248 紫色柄腹蚜蝇 *Spazigasteroides caeruleus* Huo

A. 雄性尾器侧面观(male terminalia, lateral view); B. 触角(antenna); C. 翅(wing); D. 雄性第 9 腹板及其附器(male hypandrium and appendages); E. 阳茎(aedeagus); F. 雄性第 9 背板及其附器腹面观(male epandrium and appendages, ventral view); G. 雄性第 9 背板及其附器背面观(male epandrium and appendages, dorsal view); H. 上叶(superior lobe)

鉴别特征:雄性复眼密被暗褐色毛，雌性白色。额前端黑亮，基部覆白色薄粉被。颜中突位于头下部近 1/3 处；颜黑色，被黑色长毛和白色粉被，中央形成黑色纵条纹。触角黑色，第 3 节长略大于宽；触角芒长，被黑色短毛。中胸背板中央具 1 对灰白色粉被纵条纹；背板被黑色短毛，后部约 1/3 混生黑色长毛。小盾片黑色，覆灰白色薄粉，被白色和少数黑色短毛，散生白色长毛，长毛约为短毛的 5~6 倍。雌性中胸背板及小盾片无长毛。侧板覆灰白色粉。腿节覆白色薄粉被；足毛黑色，短，前足、中足腿节后腹侧具较长的黑毛和少数白毛，中足腿节后腹侧端部的黑色长毛顶端弯曲。翅具金属蓝色光泽，前缘及 r 室前缘褐色，其余部分透明。翅膜被微毛。腹部长于头胸部之和，第 2、3 及 4 节约等长，第 2 节两侧向后略收缩，后端处最狭，从第 3 节向后渐增宽，最宽处于第 4 节后缘；腹部黑色，第 2 背板两侧具黄白色长形透明斑；第 3、4 背板基部具不明显的白色粉被横带；第 1 背板及第 2 背板侧缘基部 2/3 被白色长毛；第 2、3 背板基部及第 4 背板基部两侧被白色短毛，其余部分被黑色短毛。雌性腹部第 3 背后板基部具有 1 对近方形黄白色透明斑。

采集记录:1♂，留坝营盘，2008.Ⅷ.30，霍科科采；1♀，留坝闸口石，2012.Ⅶ.17，霍科科采；1♀，留坝闸口石，2012.Ⅶ.14，霍科科采；1♂1♀，留坝闸口石，2013.Ⅶ.17，霍科科采。

分布:陕西(留坝)、宁夏。

28. 细腹蚜蝇属 *Sphaerophoria* Lepeletier *et* Serville, 1828

Sphaerophoria Lepeletier *et* Serville, 1828: 513. **Type species**: *Musca scripta* Linnaeus, 1758.

Melithreptus Loew, 1840: 26, 557 (nec Vieillot, 1816).

Vibex Gistel, 1848: 154. **Type species**: *Syrphus taeniatus* Meigen, 1822.

Melitrophus Haliday *in* Walker, 1856: 312 (new name for *Melithreptus* Loew, 1840).

Nesosyrphus Frey, 1945: 60. **Type species**: *Sphaerophoria nigra* Frey, 1945, as a subgenus.

Loveridgeana Doesburg *et* Doesburg, 1977: 63. **Type species**: *Loveridgeana beattiei* Van Doesburg *et* Van Doesb, 1977.

属征:体细小至中等大小。头、胸、腹具亮黄色斑。复眼裸。颜多黄色，少数具深色中条纹。口孔长为宽的2倍。中胸背板两侧具黄色条纹，止于横沟或小盾片基部，侧板具黄斑。小盾片黄色。下前侧片上、下毛斑明显分离；后胸腹板常具少许毛，极少数种类完全裸。足简单。腹部细长，雄性两侧平行，雌性椭圆形；雄性腹部可见5节，雌性可见6节。腹部通常黑色，第2~4背板中部具完整或中央分离的黄带，末节背板常黄色，具黑色中条(点)和侧条(点)；雄性端节极大。

分布:各动物地理区均有分布。中国大约有25种，秦岭地区记录8种。

分种检索表(雄性)

1. 中胸背板两侧黄色侧条纹仅伸达盾沟。颜具黑色中条纹，从触角基部伸达口缘，上后侧片前腹缘黑色，小盾片被黑毛 ………………………… **蔡氏细腹蚜蝇 *S. tsaii***
   中胸背板两侧黄色侧条纹伸达小盾片 ………………………… 2
2. 背针突仅后背叶具黄色长毛 ………………………… 3
   背针突整个后背缘具黄色长毛 ………………………… 5
3. 小盾片主要被黑毛，仅基部1/3有黄毛，腹部背板黄带完整，不分开呈黄斑 ………………………… **长安细腹蚜蝇 *S. changanensis***
   小盾片主要被黄毛，仅端部有少许黑毛 ………………………… 4
4. 腹部第1背板、第2~4背板前缘和后缘黑色，背针突背腹向距离长，后背叶近基部具突起，前腹叶内端突、外端突大小略相等 ………………………… **连带细腹蚜蝇 *S. taeniata***
   腹部仅在前2节背板具黑带，其余各背板黑带弱或消失，背针突背腹向距离短，后背叶近基部无突起，前腹叶内端突、外端突大小不等 ………………………… **印度细腹蚜蝇 *S. indiana***
5. 小盾片主要具黑毛，第9腹板后缘无长钩状突起，第2、3背板前缘和后缘具黑带，其余各背板横带弱 ………………………… **秦岭细腹蚜蝇 *S. qinlingensis***
   小盾片主要具黄毛，仅后端有少许黑毛 ………………………… 6
6. 第9腹板呈狭环状，后侧腹缘中央及两侧各具1个齿突 ………………………… 7
   第9腹板呈狭环状，后缘中央宽圆形凹入 ………………………… **远东细腹蚜蝇 *S. macrogaster***
7. 腹部第2~4背板前缘、后缘黑带完整………………………… **秦巴细腹蚜蝇 *S. qinbaensis***

第 1 背板两侧具黑褐色斑，第 2 背板前部具近三角状黑斑，后部暗色带纹弱 ……………………
……………………………………………………………………… 黄色细腹蚜蝇 *S. flavescentis*

(103) 长安细腹蚜蝇 *Sphaerophoria changanensis* Huo, Ren *et* Zheng, 2007

Sphaerophoria changanensis Huo, Ren *et* Zheng, 2007: 194.

鉴别特征：头顶三角黑色，被黑毛，后端被棕色毛。额黄色，被黄毛。雌性头顶"T"形黑斑向前伸达新月片之上。颜亮黄色，口前缘及颜中突黑色至暗褐色，中突狭，颜下部明显向前突出。触角橙黄色，第 3 节长为高的 1.50 倍，触角芒暗褐色。胸部背板鲜黄色侧条纹伸达小盾片基部，背板被黄毛。小盾片亮黄色，基部近 1/3 被黄毛，端部 2/3 被黑毛。雌性小盾片被黑毛。胸部侧板黑亮，具黄斑，被黄毛。足黄色，被黑毛。翅痣黄褐色。腹部两侧平行，黑色，第 2 背板中后部具黄带，小于背板长 1/3，第 3、4 背板前部具黄带，第 4 背板后缘具狭的黄边，第 5 背板黄色，前缘及后缘黑色侧斑及中斑几乎相连，第 6 背板黄色，具 2 个前后排列的黑斑。雌性腹部较宽，第 2 ~ 4 背板具狭的黑带，第 4 背板后缘具狭的黄边，第 5 背板黄色，具倒"T"形黑斑，两侧前角具狭且细的黑斑；第 6 背板黄色，具 3 个小黑斑。

采集记录：1♂，长安太乙镇，2002.Ⅳ.12，霍科科采；1♂，长安库峪，2002.Ⅵ.12，霍科科采；1♂，留坝闸口石，2012.Ⅶ.12，王真采；1♂，留坝闸口石，2012.Ⅶ.14，杨盼采；1♂，留坝闸口石，2012.Ⅶ.16，陈锐采。

分布：陕西（长安、留坝）、宁夏、西藏。

(104) 黄色细腹蚜蝇 *Sphaerophoria flavescentis* Huo, Ren *et* Zheng, 2007

Sphaerophoria flavescentis Huo, Ren *et* Zheng, 2007: 195.

鉴别特征：头顶黑色，被黑毛，后端被棕黄色毛。额黄色，被黄毛。雌性头顶"T"形黑斑向前伸达新月片之上。颜黄色，下端明显向前突出，颜中突狭。触角橘黄色，第 3 节长大于高，芒黄褐色。中胸背板两侧鲜黄色侧条伸达小盾片基部，前部中央具 1 对灰黑色条纹，背板被黄毛。小盾片黄色，被黄毛。中胸侧板黑亮，具黄斑，侧板被黄毛。足黄色，前足、中足被黄毛，中足腿节近端部外侧具 1 列黑毛，后足被黄毛，腿节端部 2/3 背侧及外侧被黑毛，胫节基半部被黑毛。翅痣黄褐色。腹部两侧平行。第 1 背板两侧具黑褐色斑；第 2 背板前部具近三角状黑斑，后部具暗色弱带纹，腹部背板被黄毛，各节背板后部及中央被黑色短毛。雌性腹部较宽，黑色，第 2 背板基部黑色，两侧前角具黄斑，后部具弧形黑带；第 3、4 背板前部具狭黑带，后部黑带较宽，第 5、6 背板具倒"T"形黑斑；第 5 背板两侧前角具狭的细黑斑，第 2 ~ 4 背板后缘具狭的黄边。

采集记录：1♀，洋县九池，2002.Ⅷ.04，霍科科采；1♂，洋县华阳，2005.Ⅶ.21，张勇采；1♂，洋县华阳，2005.Ⅶ.21，安有为采；1♂，洋县华阳，2005.Ⅶ.22，安有为采。

分布：陕西（洋县）。

（105）印度细腹蚜蝇 *Sphaerophoria indiana* Bigot，1884

Sphaerophoria indiana Bigot，1884：99.
Sphaerophoria nigritarsis Brunetti，1915：216.
Melithreptus diminutus Matsumurai，1916：27.
Melithreptus kumamotensis Matsumura，1916：26.

鉴别特征：头顶三角黑色，被黑毛。额黄色，被黄毛。雌性头顶"T"形黑斑不达触角基部。颜黄色，下端明显向前突出，颜中突狭。触角橙黄色，第3节背面略带暗色。中胸背板鲜黄色侧条伸达小盾片基部，前部中央具1对灰色条纹，背板被黄毛。小盾片亮黄色，被黄毛。中胸侧板具黄斑。足黄色，前足主要被黄毛，中足、后足主要被黑毛。翅被微毛，痣黄褐色。腹部橙黄色或黄色，第2背板前缘及后缘具黑带，第3背板前缘具暗褐色或黑色横带，后缘带纹不明显，第4背板前缘暗带弱或消失，第5背板近前缘及后缘处具3个暗褐色斑或此斑不明显，背板主要被黄毛。雌性腹部狭卵形，无边，第2～4背板具黄带，第5背板黄色，前缘近两侧具细条状黑斑，后缘具倒"T"形黑斑，上部伸达背板前缘，第6背板黄色，前缘中央及后缘近两侧各有1个小黑斑。

采集记录：1♂2♀，长安库峪，2002.Ⅵ.12，霍科科采；1♂，长安库峪，2002.Ⅵ.12，霍科科采；3♂，长安库峪，2002.Ⅵ.04，霍科科采；1♂，周至楼观台，2002.Ⅴ.30，霍科科采；1♂，留坝庙台子，2002.Ⅵ.17，霍科科采；2♂，留坝庙台子，2003.Ⅵ.28，霍科科采；3♂，留坝庙台子，2005.Ⅵ.14，霍科科采；1♂，留坝庙台子，2005.Ⅵ.15，霍科科采；1♂，留坝庙台子，2005.Ⅵ.20，霍科科采；1♂，留坝闸口石，2012.Ⅶ.11，杨明采；1♂，留坝闸口石，2012.Ⅶ.11，杨盼采；1♂，留坝闸口石，2012.Ⅶ.11，强红采；1♂1♀，留坝闸口石，2012.Ⅶ.11，王亚灵采；1♂，留坝闸口石，2012.Ⅶ.13，刘婷采；1♀，留坝闸口石，2012.Ⅶ.13，强红采；2♀，留坝闸口石，2012.Ⅶ.13，王玉艳采；1♂，留坝闸口石，2012.Ⅶ.13，王真采；1♂，留坝闸口石，2012.Ⅶ.14，刘婷采；4♂，留坝闸口石，2012.Ⅶ.14，杨明采；4♂1♀，留坝闸口石，2012.Ⅶ.14，杨盼采；2♂1♀，留坝闸口石，2012.Ⅶ.14，王玉艳采；2♂1♀，留坝闸口石，2012.Ⅶ.15，刘婷采；1♀，留坝闸口石，2012.Ⅶ.15，杨盼采；1♂1♀，留坝闸口石，2012.Ⅶ.16，强红采；2♂2♀，留坝闸口石，2012.Ⅶ.16，杨明采；1♂2♀，留坝闸口石，2012.Ⅶ.16，杨盼采；2♀，留坝闸口石，2012.Ⅶ.16，王玉艳采；2♂1♀，留坝闸口石，2012.Ⅶ.16，王真采；3♂，留坝闸口石，2012.Ⅶ.16，王亚灵采；3♂2♀，留坝闸口石，2012.Ⅶ.12，霍科科采；3♂4♀，留坝闸口石，2012.Ⅶ.13，霍科科采；1♂，留坝闸口石，2012.Ⅶ.18，霍科科采；1♂，留坝闸口石，2012.Ⅶ.20，陈锐采；1♂，留坝闸口石，2013.Ⅶ.16，霍科科采；1♂，留坝闸口石，2013.Ⅶ.16，陈锐采；1♂1♀，汉中天台山，2002.Ⅷ.06，霍科科采；1♀，宁陕菜子坪，1982.Ⅴ.25，李莹辉采；1♂，宁陕平和梁，2003.Ⅶ.07，采集人不详；1♂，宁陕旬阳坝，1990.Ⅵ.28，高杨采；2♂，洋县华阳，2005.Ⅶ.21，安有为采；2♂，洋县华阳，2005.Ⅶ.21，张勇采；2♂，洋县华阳，2005.Ⅶ.21，刘飞飞采；4♂，洋县华阳，2005.Ⅶ.21，张培安采；1♂1♀，洋县华阳，2005.Ⅶ.23，张培安采；1♂3♀，洋县华阳，2005.Ⅶ.23，张勇采；1♀，洋县华阳，2005.Ⅶ.23，刘飞飞采；1♂，洋县华阳，2005.Ⅶ.24，张勇采；3♀，洋县华阳，2005.Ⅶ.24，安有为采；3♂2♀，洋县华阳，2005.Ⅶ.24，张培安采；2♂3♀，洋县华阳，2005.Ⅶ.24，刘飞飞采；1♂1♀，洋县秧田，2005.Ⅶ.26，张勇采；1♂，洋县秧田，2005.Ⅶ.26，安有为采；1♂1♀，柞水，2002.Ⅶ.13，霍科科采。

分布：陕西（长安、周至、汉中、留坝、洋县、宁陕、柞水）、黑龙江、河北、甘肃、江苏、浙江、湖北、湖南、广东、四川、贵州、云南、西藏；蒙古，俄罗斯，朝鲜，日本，印度，阿富汗。

（106）远东细腹蚜蝇 *Sphaerophoria macrogaster*（Thomson，1869）

Syrphus macrogaster Thomson，1869：501.
Mesograpta pallida Bigot，1884：115.
Mesograpta quinquevittata Bigot，1884：115.
Melithreptus hirayamae Matsumura，1916：25.
Melithreptus shibatensis Matsumura，1916：26.
Melithreptus takasagensis Matsumura，1916：24.
Sphaerophoria kerteszi Klocker，1924：56.
Sphaerophoria koreana Bankowska，1964：339.
Sphaerophoria macrogaster：Knutson *et al.*，1975：318.

鉴别特征：头顶黑色，被黑毛。额及颜黄色，额被黄毛。雌性头顶“T”形黑斑，伸达新月片。颜裸，下端向前向下突出，颜中突狭。触角橙黄色，第3节背面略带暗色。中胸背板鲜黄色侧条伸达小盾片基部，前部中央具1对灰黑色条纹，背板被黄毛。小盾片亮黄色，被黄毛，后缘有少数黑毛。中胸侧板具黄斑。足黄色，足主要被黑色短毛，前足、中足胫节被黄毛。翅被微毛，痣黄褐色。腹部第1背板黑色，两侧黄色，第2背板前缘具黑带，后端黑带狭，近背板后缘处黄褐色，第3背板前缘具黄褐色弱带，其余部分黄色或橙黄色，第6背板中部有不明显褐色纵条纹。雌性腹部第2背板中后部具黄带，第3、4背板近前部具黄带，第3背板后缘两侧角黄色，第4背板前缘两侧角及后缘黄色，第5背板黑色且两侧具黄斑，第6背板黄色且具倒“T”形黑斑。

采集记录：3♂，长安王曲，2003.Ⅸ.05，霍科科采；1♀，眉县红河谷，2002.Ⅷ.29，霍科科采；1♂，眉县红河谷，2002.Ⅷ.30，霍科科采；1♂1♀，眉县红河谷，2002.Ⅸ.03，霍科科采；2♂1♀，眉县红河谷，2002.Ⅸ.04，霍科科采；1♂，留坝庙台子，

2003.Ⅵ.26，霍科科采；1♂，留坝闸口石，2012.Ⅶ.12，强红采；2♀，留坝闸口石，2012.Ⅶ.12，杨盼采；1♀，留坝闸口石，2012.Ⅶ.13，强红采；1♂，留坝闸口石，2012.Ⅶ.13，杨盼采；1♂，留坝闸口石，2012.Ⅶ.13，王玉艳采；1♂，留坝闸口石，2012.Ⅶ.13，王亚灵采；1♂，留坝闸口石，2012.Ⅶ.14，杨盼采；2♂，留坝闸口石，2012.Ⅶ.14，王玉艳采；1♂，留坝闸口石，2012.Ⅶ.15，强红采；1♀，留坝闸口石，2012.Ⅶ.15，王玉艳采；1♂1♀，留坝闸口石，2012.Ⅶ.15，王真采；2♂，留坝闸口石，2012.Ⅶ.16，刘婷采；1♂，留坝闸口石，2012.Ⅶ.19，霍科科采；1♂，城固小河，2002.Ⅷ.10，霍科科采；3♀，汉中天台山，2005.Ⅶ.09，霍科科采；3♂，西乡南山，2005.Ⅶ.11，霍科科采；1♂，西乡午子山，2005.Ⅶ.12，安有为采；1♂2♀，西乡午子山，2005.Ⅶ.12，刘飞飞采；2♂1♀，洋县华阳，2005.Ⅶ.21，张培安采；1♂，洋县华阳，2005.Ⅶ.21，刘飞飞采；1♂1♀，洋县华阳，2005.Ⅶ.22，张培安采；2♂，洋县华阳，2005.Ⅶ.23，安有为采；1♂，洋县华阳，2005.Ⅶ.23，刘飞飞采；1♂，洋县华阳，2005.Ⅶ.23，张培安采；4♂，洋县华阳，2005.Ⅶ.24，张勇采；1♂1♀，洋县华阳，2005.Ⅶ.24，安有为采；1♂2♀，洋县华阳，2005.Ⅶ.24，刘飞飞采；7♂7♀，洋县九池，2002.Ⅷ.04，霍科科采；1♂，洋县秧田，2005.Ⅶ.26，张勇采；2♂，洋县秧田，2005.Ⅶ.26，张培安采；1♂1♀，洋县秧田，2005.Ⅶ.26，安有为采；1♂，洋县秧田，2005.Ⅶ.26，刘飞飞采；1♂2♀，镇坪，2002.Ⅶ.25，霍科科采；1♂，商南，2002.Ⅶ.11，霍科科采；1♂1♀，商州，2002.Ⅶ.08，霍科科采；2♂1♀，商州黑龙口，2002.Ⅶ.09，霍科科采。

分布：陕西（长安、城固、汉中、眉县、留坝、西乡、洋县、镇坪、商南、商州）、内蒙古、江苏、江西、四川；蒙古，俄罗斯，朝鲜，日本，印度，尼泊尔，斯里兰卡，澳大利亚。

（107）秦巴细腹蚜蝇 *Sphaerophoria qinbaensis* Huo *et* Ren, 2006

Sphaerophoria qinbaensis Huo *et* Ren, 2006: 656.

鉴别特征：头顶三角黑色，被黑毛。额黄色，被黄毛。雌性头顶“T”形黑斑伸达新月片，额被黄毛，基部具黑毛。颜黄色，下端明显向前突出，颜中突狭，黄色，被黄毛。触角橘黄色，第3节近圆形，触角芒黄褐色。中胸背板鲜黄色侧条纹伸达小盾片基部，前部中央具1对灰色条纹，背板被黄毛。小盾片黄色，被黄毛，端部有少许黑毛。中胸侧板具黄斑，被黄毛，足黄色，足被黄毛，前足腿节散生少数黑毛，中足腿节端部背侧具黑毛，外侧全长具1列黑毛，后足腿节、胫节被黑毛。雌性前足被黄毛，中足腿节端部及外侧具黑毛。翅痣黄褐色。腹部背板黑色，第2背板中后部具弓形宽横带；第3、4背板近前部具宽黄带，前缘黑带较后缘狭，第4背板后缘黑带近弧形；第5背板基部具暗色横带，后部中央具倒“T”形黑斑，前端与基部黑带相连；第6背板具暗褐色条纹。雌性腹部第1背板两侧、第2背板两侧前角具黄斑，第2～4背板具黄带，第5、6背板两侧具黄斑。

采集记录：3♂，留坝庙台子，2003.Ⅵ.26，霍科科采；2♂，留坝庙台子，2003.Ⅶ.

02，霍科科采；1♂2♀，留坝闸口石，2012.Ⅶ.16，强红采；1♂，留坝闸口石，2012.Ⅶ.16，王真采；1♂，留坝闸口石，2013.Ⅶ.15，陈锐采；1♂，洋县华阳，2005.Ⅵ.21，刘飞飞采；1♂，洋县华阳，2005.Ⅵ.22，张培安采；1♂，洋县华阳，2005.Ⅵ.23，刘飞飞采；1♂，洋县华阳，2005.Ⅵ.24，张培安采；1♂，洋县九池，2002.Ⅷ.04，霍科科采；1♂1♀，洋县九池，2002.Ⅷ.04，霍科科采。

分布：陕西（留坝、洋县）、河南、福建。

（108）秦岭细腹蚜蝇 *Sphaerophoria qinlingensis* Huo *et* Ren，2006

Sphaerophoria qinglingensis Huo *et* Ren，2006：657.

鉴别特征：雄性体长 7mm，翅长 5mm。头顶黑色，被黑毛。额黄色，被黄毛。颜黄色，下端明显向前突出，颜中突狭，被黄毛，口孔长为最大宽度的 3 倍。触角黄色，第 3 节短卵形，芒暗褐色。中胸背板鲜黄色侧条纹伸达小盾片基部，前部中央具 1 对灰黑色条纹，背板被黄毛。小盾片黄色，主要被黑毛。胸部侧板黑亮，具黄毛，具黄斑。足黄色，足主要被黑毛，前足、中足胫节及跗节被黄毛。翅痣棕褐色。腹部狭，第 1 背板黑色，两侧黄色；第 2 背板黑色，中后部具宽黄带，后缘黑带两侧不达背板侧缘；第 3、4 背板前缘黑带狭，后缘黑带不达侧缘；第 4 背板后缘黑带弱，呈褐色；第 5 背板前缘具极弱的褐色带，后部具倒“T”形暗褐斑，向前伸达背板前缘，具黑毛。

采集记录：1♂，长安库峪，2002.Ⅵ.12，霍科科采；2♂，长安王曲，2003.Ⅸ.05，霍科科采；3♂，留坝庙台子，2005.Ⅵ.11，霍科科采；1♂，洋县华阳，2005.Ⅶ.23，张培安采。

分布：陕西（长安、留坝、洋县）、福建、四川。

（109）连带细腹蚜蝇 *Sphaerophoria taeniata*（Meigen，1822）

Syrphus taeniatus Meigen，1822：325.
Melithreptus suzukii Matsumura，1916：21.
Melithreptus suzukii Matsumura，1916：260.
Melithreptus harimensis Matsumura，1918：4.
Melithreptus kuwayamae Matsumura，1918：3.
Sphaerophoria taeniata：Peck，1988：46.

鉴别特征：头顶三角黑色，被黑毛。额及颜亮黄色，额被黄毛。雌性头顶“T”形黑斑向前伸达新月片之上。颜裸，下端向前下方突出，中突狭。触角橘黄色，第 3 节近卵形，端部圆，触角芒黄褐色，裸。胸部背板两侧具鲜黄色侧条，伸达小盾片基部，前部中央具 1 对灰黑色条纹，伸达背板后部，背板被黄毛。小盾片亮黄色，被黄毛，后端有少数黑毛。足黄色，主要被黑色短毛，前足、中足胫节被黄毛。翅面被微毛，翅痣黄褐色。腹部第1背板黑色，两侧黄色，被黄毛；第2背板黑色，近中后部具黄带，约等于背板长1/3，后缘具极狭的黄边；第3、4背板前缘及后缘具狭黑边，中部为宽黄带；第4背板后缘具较宽的黄边；第5背板橘黄色，基部两侧及中央各有1个小黑斑，端部具“↓”形黑斑；第6背板具2个小黑斑。雌性腹部第2背板中后部具黄带，第3、4背板前中部具黄带，3条黄带近等宽，第5背板两侧具黄斑，第6背板橘黄色，具3个小型黑斑。

采集记录：4♂1♀，西安，2002.Ⅳ.14，霍科科采；2♂，西安，2002.Ⅷ.28，霍科科采；3♀，西安鱼化寨，1977.Ⅵ.04，郑哲民采；2♂，长安库峪，2002.Ⅵ.12，霍科科采；1♂，长安库峪，2002.Ⅵ.04，霍科科采；2♂1♀，长安太乙镇，2002.Ⅳ.12，霍科科采；11♂6♀，长安王曲，2003.Ⅸ.05，霍科科采；3♂1♀，长安，2002.Ⅳ.20，霍科科采；3♂，长安，2002.Ⅴ.25，霍科科采；3♂1♀，长安，2002.Ⅸ.22，霍科科采；2♂，长安，2002.Ⅸ.22，霍科科采；1♂，长安，2003.Ⅹ.16，霍科科采；1♀，凤县，2003.Ⅵ.27，霍科科采；1♂，凤县，2003.Ⅵ.28，霍科科采；1♂，凤县，2003.Ⅶ.03，霍科科采；1♂，凤县，2004.Ⅵ.15，霍科科采；3♂2♀，凤县，2005.Ⅵ.13，霍科科采；3♂，眉县红河谷，2002.Ⅷ.30，霍科科采；1♂1♀，留坝庙台子，2002.Ⅵ.17，霍科科采；1♂，留坝庙台子，2002.Ⅵ.19，霍科科采；1♂1♀，留坝庙台子，2003.Ⅵ.26，霍科科采；8♂8♀，留坝庙台子，2005.Ⅵ.11，霍科科采；2♂1♀，留坝庙台子，2005.Ⅵ.15，霍科科采；2♂3♀，留坝庙台子，2005.Ⅵ.20，霍科科采；1♀，留坝，2003.Ⅵ.26，周红娟采；2♀，留坝，2004.Ⅵ.13，霍科科采；2♂6♀，留坝闸口石，2004.Ⅵ.08，霍科科采；1♂2♀，留坝闸口石，2012.Ⅶ.12，霍科科采；1♂1♀，留坝闸口石，2012.Ⅶ.19，霍科科采；1♂，留坝闸口石，2013.Ⅶ.14，霍科科采；1♂，留坝闸口石，2013.Ⅶ.18，霍科科采；1♂，洋县九池，2002.Ⅷ.04，霍科科采；1♂，洋县秧田，2005.Ⅶ.26，张勇采；1♂2♀，洋县秧田，2005.Ⅶ.26，张培安采；1♂，洋县秧田，2005.Ⅶ.26，安有为采；3♂，洋县秧田，2005.Ⅶ.26，刘飞飞采。

分布：陕西（西安、长安、凤县、眉县、留坝、洋县）、河北、内蒙古、甘肃；蒙古，俄罗斯，日本，欧洲。

（110）蔡氏细腹蚜蝇 *Sphaerophoria tsaii* He *et* Li, 1992

Sphaerophoria tsaii He *et* Li, 1992: 17.

鉴别特征：头顶三角黑色，被黑毛。后头部黑色，被黄粉和毛。额及颜亮黄色，额被黑毛，新月片中央黑色。雌性头顶“T”形，黑斑伸达触角基部之间，其上被黑毛。颜裸，下端向前下方突出，中突狭，颜黑色，中条纹宽，约占颜宽度的1/3，口缘中央黑褐色。触角橘黄色，第3节背面黑褐色，近卵形，触角芒黑褐色，裸。胸部背板两侧鲜黄色侧条纹伸达横沟，背板被黄毛。小盾片亮黄色，被黑毛。中胸侧板具黄斑。足黄色，后足跗节黑色。足主要被黑色短毛。翅被微毛，翅痣黄褐色。腹部第1背板黑色，中央部分被黑毛，两侧黄色，被黄色长毛；第2背板黑色，被黑毛，中部具宽黄带，约等于背板长的1/2；第3背板及以后各节橙黄色，被黑色短毛，第3背板前缘、后缘具不明显的黑褐色横带。雌性腹部黑色，第2背板中部具黄带，第3、4背板黄带较靠前，3条黄带近等宽，第5背板黄色，后端具半月形黑带。

采集记录：14♂3♀，凤县，2004.Ⅵ.15，霍科科采；2♂2♀，留坝，2003.Ⅵ.27，霍科科采。

分布：陕西(凤县、留坝)、宁夏、甘肃、西藏。

29. 蚜蝇属 *Syrphus* Fabricius, 1775

Syrphus Fabricius, 1775: 762. **Type species**: *Musca ribesii* Linnaeus, 1758.

Syrphidis Goffe, 1933: 78. **Type species**: *Musca ribesii* Linnaeus, 1758.

属征：复眼通常裸，少数种类复眼具稀疏或密的毛。颜黄色，少数种类具褐色狭中条，触角第3节短卵形，顶端圆。中胸背板褐色至黑色，具光泽，小盾片盾下缘缨完整，长而密。前胸后侧片、中胸上前侧片后部、上后侧片前部、下后侧片具长毛；中胸上前侧片前部、上后侧片中部和后部，以及基侧片无长毛；下前侧片后部上、下毛斑后部联合；后胸腹板裸。后足基节后腹端角具毛簇。翅透明，翅痣黄色，后缘无骨化小黑点。平衡棒黄色；下腋瓣上表面具许多直立长毛。腹部卵形，具弱边框。第2背板具黄斑，第3、4背板具黄带。

分布：古北区，新北区，东洋区，新热带区，澳洲区。中国已知14种，秦岭地区有7种。

分种检索表

1. 翅bm室前面1/2或1/2以上裸 …… 2
   翅面全部被微毛 …… 3
2. 触角橙黄色，第3节下侧面橙黄色；后足胫节黄色，雌性后足胫节中部有时具黑斑，前足和中足跗节黄色 …… **黑足蚜蝇 *S. vitripennis***
   触角黑褐色，第3节下侧深褐色；后足胫节黑色，基部1/3黄褐色，前足、中足跗节黄褐色，后足跗节黑色 …… **金黄斑蚜蝇 *S. fulvifacies***
3. 复眼明显被毛，小盾片被黑毛；前足腿节基部1/3黑色，端部后侧长毛黑色；中足腿节端部1/3后侧有1列黑毛；前足、中足跗节暗褐色；后足腿节基部3/4黑色，端部前侧短毛黑色，胫节背侧全长具黑毛，跗节暗黑色 …… **野蚜蝇 *S. torvus***
   复眼裸或近乎裸 …… 4
4. 雄性足大部分黄色 …… 5
   雄性后足腿节基部2/5～3/4黑色 …… 6

5. 后足腿节中部稍后具宽黑环，端部前面 1/3 短毛主要为黄毛…………………… **胡氏蚜蝇 *S. hui***
   后足腿节中部缺黑环，端部前面 1/3 短毛黑色 ……………………… **黄额蚜蝇 *S. aurifrontus***
6. 雄性颜中域被黑毛，后足腿节内侧具黑条纹，雌性第 5 背板具黑带 ……………………………
   ……………………………………………………………………… **黑条蚜蝇 *S. nigrilinearus***
   雄性颜中域被黄毛，后足腿节基部 2/3 黑色，雌性第 5 背板具黑斑 …… **黄腿蚜蝇 *S. ribesii***

(111) 黄额蚜蝇 *Syrphus aurifrontus* Huo *et* Ren, 2007

Syrphus aurifrontus Huo *et* Ren, 2007: 176, 189.

鉴别特征:雄性复眼被稀疏微毛。额和新月片黄色，额大部分密被黄粉，中央具黄褐色小斑，额被黑毛。颜黄色，两侧被黄粉和毛；颜中突不超过额突。触角黄褐色，第 3 节卵形；触角芒裸，黄褐色。中胸背板黑色，背板被黄毛。小盾片黄色，主要被黑毛。侧板黑色，覆灰白色粉被，被毛浅黄白色。足红黄色，被黄毛，各足基节、转节、腿节最基部黑色，前足跗节基部 4 节、中足跗节中部 3 节及后足跗节暗黑色至黑色。中足胫节端缘及跗节腹面具黑刺，后足腿节端部前侧及胫节前侧短毛黑色，跗节背面被毛黑色。翅痣黄褐色，翅面被微毛，无裸区。腹部第 1 背板两侧前角黄色；第 2 背板两侧具黄斑，侧缘向前伸达背板前缘，内端分离；第 3 背板具黄色横带，约占背板长的 30%，不达背板前缘，两侧超过背板侧缘并伸达前缘，后缘中央角状凹入；第 4 背板似第 3 背板，但黄带中央靠近背板前缘，后缘具宽黄边；第 5 背板呈黄色，中部具黑斑。

采集记录:1♂，留坝庙台子，2005.Ⅵ.14，霍科科采。

分布:陕西(留坝)、河北。

(112) 金黄斑蚜蝇 *Syrphus fulvifacies* Brunetti, 1913

Syrphus fulvifacies Brunetti, 1913: 161.

鉴别特征:复眼裸。头顶黑色，被黑毛。额暗黄色，覆黄色粉被和黑色毛。雌性头顶和额中部具倒"U"形黄色粉斑，粉斑两臂之间被棕褐色粉。颜黄色，被黄色粉被和毛，中央具狭长裸区。触角黑褐色，第 3 节卵形，长大于宽，触角芒褐色。中胸背板黑色，密覆灰黄色粉被，被黄色长毛；小盾片黄色，黑色毛长，基部及两侧角被毛黄色，盾下缨长，黄色。侧板黄色，密覆灰黄色粉。前足和中足基节、转节及腿节基部1/3黑色，腿节顶端2/3、胫节和跗节黄褐色；后足主要黑色，仅腿节末端、胫节基部 1/3 黄褐色。翅痣棕黄色，翅膜具微刺，有裸区。腹部第 2 背板具 1 对棕黄色或黄色大斑；第 3、4 背板具到达边缘的棕黄或黄色横带；第 4 背板后缘黄色；第 5 背板前缘两角可见黄斑，后缘黄色。背板被黑毛，仅第 1 背板和第 2 背板基部及两侧被淡色长毛。

采集记录:1♂10♀, 凤县, 2014.Ⅷ.27, 霍科科采; 4♀, 留坝柴关岭, 2014.Ⅷ.23, 霍科科采; 7♀, 留坝, 2014.Ⅷ.24, 霍科科采; 2♀, 留坝紫柏山, 2014.Ⅷ.25, 霍科科采; 6♀, 留坝, 2014.Ⅷ.26, 霍科科采。

分布:陕西(凤县、留坝)、云南; 老挝, 印度, 尼泊尔, 印度尼西亚。

(113)胡氏蚜蝇 *Syrphus hui* He *et* Chu, 1996

Syrphus hui He *et* Chu, 1996: 313.

鉴别特征:头顶三角区被黑毛; 额黄色, 在触角上方具1对黑褐色斑, 中部具1个黑褐色斑, 额前半部光亮, 裸露, 后半部及沿复眼两侧覆黄色粉被; 颜两侧及颊覆黄色粉被及毛。触角橙黄色, 第1节前缘及第2、3节的背缘淡褐色; 芒淡褐色。小盾片被黑毛, 前缘及两侧被黄色毛。足大部分为黄色, 各足腿节最基部黑色; 前足、中足第3、4分跗节褐色; 后足腿节中部稍后处具宽的环斑, 后足胫节前侧面和跗节黑色。腹部第2背板上的黄斑略呈三角形, 第3、4背板各具1条黄带, 黄斑和黄带的前侧角均超过背板侧缘。

采集记录:1♂, 眉县太白山, 2003.Ⅶ.24, 霍科科采。

分布:陕西(眉县)、黑龙江、新疆、西藏。

(114)黑条蚜蝇 *Syrphus nigrilinearus* Huo, Ren *et* Zheng, 2007

Syrphus nigrilinearus Huo, Ren *et* Zheng, 2007: 210.

鉴别特征:额角略小于90°, 额黄色, 基部被黄粉, 被黑毛, 新月片之后具三角状黑斑。雌性额具宽的黄粉带。颜橘黄色, 被黄毛, 两侧被黄粉, 中域裸, 裸区两侧被黑毛, 颜中突宽而钝圆。触角棕黄色, 第3节长略大于高, 触角芒棕黄色。胸部背板黑色, 覆灰粉, 翅后胛略呈暗黄色, 背板被橘黄色毛。小盾片橘黄色, 被黑毛, 盾下缨棕黄色。胸部侧板黑色, 被灰粉及橘黄色毛。足棕黄色, 前足、中足腿节基部黑色; 后足腿节基部黑色, 内侧、外侧基部2/3有暗黑色条纹, 腿节端部前侧被黑毛, 胫节前侧被黑毛。雌性各足腿节极基部黑色。翅面具微毛, 翅痣棕黄色。腹部具边。第2背板中部两侧具大型黄斑; 第3背板前中部具黄色宽横带; 第4背板近似第3背板, 黄带后缘弧形凹入, 背板后缘具黄边; 第5背板黄色, 中央具小黑斑, 被黑毛。雌性腹部背面黄带直, 第5背板黄色, 中央具黑斑, 伸达背板侧缘。

采集记录:1♂, 眉县红河谷, 2002.Ⅸ.02, 霍科科采; 1♀, 眉县红河谷, 2002.Ⅷ.29, 霍科科采; 1♀, 留坝, 2003.Ⅵ.30, 霍科科采; 1♀, 宁陕火地塘, 2003.Ⅷ.05, 杨艳采; 1♀, 宁陕火地塘, 2003.Ⅶ.11, 杨蕊采。

分布:陕西(眉县、留坝、宁陕)。

(115)黄腿蚜蝇 *Syrphus ribesii* (Linnaeus, 1758)

Musca ribesii Linnaeus, 1758: 593.

Musca vacua Scopoli, 1763: 346.

Musca blandus Harris, 1780: 106.

Scaeva concava Say, 1823: 89.

Syrphus philadelphicus Macquart, 1842: 153.

Syrphus vittafrons Shannon, 1916: 202.

Syrphus japonicus Matsumura, 1917: 31.

Syrphus jezoensis Matsumura, 1917: 32.

Syrphus kotoriensis Matsumura, 1917: 36.

Syrphus moiwanus Matsumura, 1917: 33.

Syrphus similis Jones, 1917: 224.

Syrphus yamahanensis Matsumura, 1917: 34.

Syrphus maculifer Matsumura, 1918: 29.

Syrphus teshikaganus Matsumura, 1918: 29.

Syrphus bigelowi Curran, 1924: 288.

Syrphus ribesii var. *interruptus* Ringdahl, 1930: 173.

Syrphus brevicinctus Kanervo, 1938: 155.

Syrphus ribesii var. *nigrigena* Enderlein, 1938: 209.

Syrphus jonesii Fluke, 1949: 41 (new name for *Syrphus similis* Jones, 1917).

Syrphus autumnalis Fluke, 1954: 3.

Syrphus himalayanus Nayar, 1968: 121.

Syrphus beringi Violovitsh, 1975: 78.

Syrphus ribesii: Peck, 1988: 47.

鉴别特征:额被黑毛，额角略小于90°，额黄色，新月片之上具“M”形黑斑，基部被黄粉，被黑毛。雌性额具宽的黄粉带。颜橘黄色，被黄毛，两侧被黄粉，中域裸，颜中突宽而钝圆。触角暗褐色，第3节长为高的1.30倍，触角芒暗褐色。胸部背板两侧略带黄色，覆灰粉，背板被橘黄色毛。小盾片橘黄色，被黑毛。胸部侧板黑色，被灰粉及橘黄色毛。足主要棕黄色，被黄毛，各足基节、转节黑色，前足、中足腿节基部黑色，后足腿节基部2/3黑色，端部前侧被黑毛，胫节前侧被黑毛。雌性各足腿节极基部黑色。翅面具微毛，无裸，翅痣棕黄色。腹部具边。第2背板中部两侧具大型黄斑，背板被黄毛，黄斑之后为黑毛；第3背板前中部具黄色宽横带，两端斜向前伸达背板前侧角；第4背板近似第3背板，但黄带后缘弧形凹入，背板后缘具黄边；第5背板黄色，被黑毛。雌性腹部背面黄带较直，第5背板黄色，中央具黑斑，不达背板侧缘。

采集记录:2♀，凤县，2005.Ⅵ.13，霍科科采；1♂1♀，凤县，2014.Ⅷ.27，霍科科采；1♂2♀，眉县太白山，2002.Ⅶ.17，霍科科采；1♂3♀，眉县太白山，2003.Ⅶ.25，

霍科科采；2♀，留坝，2004.Ⅵ.14，霍科科采；1♀，留坝庙台子，2002.Ⅵ.17，霍科科采；1♀，留坝庙台子，2002.Ⅵ.18，霍科科采；1♀，留坝庙台子，2002.Ⅵ.19，霍科科采；1♂，留坝庙台子，2003.Ⅵ.27，霍科科采；1♂，留坝紫柏山，2003.Ⅶ.04，霍科科采；1♀，留坝闸口石，2011.Ⅶ.22，采集人不详；1♀，留坝闸口石，2012.Ⅶ.12，霍科科采；1♀，留坝闸口石，2012. Ⅶ.18，陈锐采；1♀，留坝闸口石，2013.Ⅶ.15，霍科科采；3♂，留坝闸口石，2013.Ⅶ.16，霍科科采；1♀，留坝闸口石，2013.Ⅶ.18，霍科科采；1♂，留坝大坝沟，2014.Ⅷ.24，霍科科采。

分布：陕西（凤县、眉县、留坝）、黑龙江、吉林、辽宁、河北、山西、宁夏、甘肃、青海、新疆、四川、云南、西藏；蒙古，俄罗斯，日本，阿富汗，欧洲，北美洲。

（116）野蚜蝇 *Syrphus torvus* Osten-Sacken，1875

Syrphus torvus Osten-Sacken，1875：139.

Syrphus torvus var. *discretus* Szilady，1940：63.

鉴别特征：雄性复眼散生灰白色短毛，上半部毛较密。额黑色，被黑毛，前端背面裸，额角约90°，新月片橘黄色。雌性额中部覆黄粉，形成三角形粉斑。颜橘黄色，被黑毛，两侧密被金黄色粉，中域裸，颜中突宽而钝圆。口缘前方正中黄褐色，触角红褐色，第3节长为高的1.50倍，触角芒棕黄色。胸部背板两侧略带黄色，覆灰黄色粉，背板被橘黄色毛。小盾片橘黄色，被黑毛。胸部侧板黑色，被灰黄粉及橘黄色毛。前足基节、转节、腿节基部1/3黑色，被黄毛，腿节端部后侧长毛黑色。中足近似前足，但腿节端部1/3后侧黄色长毛中夹有1列黑毛；后足腿节基部3/4黑色；腿节端部前侧短毛黑色，胫节外侧全长具黑色毛。翅面具微毛，翅痣棕黄色。腹部具边，第2背板两侧近前部具1对黄斑；第3背板前中部具黄色横带，前缘中央略突出，后缘中央凹入；第4背板近似第3背板，但黄带更靠近前缘，背板后缘具黄边；第5背板黄色，被黑毛，中部具三角形黑斑。雌性腹部背板黄带较狭且直，第5背板呈黑色，后缘具黄边，两侧前角具小黄斑。

采集记录：1♀，西安，2003.Ⅲ.25，霍科科采；2♀，长安翠华山，2003.Ⅳ.08，霍科科采；1♂2♀，长安太兴森林公园，2004.Ⅴ.05，霍科科采；3♂1♀，长安，2002.Ⅳ.20，霍科科采；1♂1♀，长安，2002.Ⅴ.25，霍科科采；3♂1♀，长安，2002.Ⅸ.22，霍科科采；1♂1♀，长安，2003.Ⅹ.16，霍科科采；2♀，户县朱雀森林公园，2002.Ⅷ.25，霍科科采；1♂，宝鸡马头滩，2003.Ⅶ.23，霍科科采；1♂，凤县，2003.Ⅵ.27，霍科科采；1♀，凤县，2004.Ⅵ.10，张宏杰采；1♀，凤县，2004.Ⅵ.15，霍科科采；1♂4♀，凤县，2005.Ⅵ.13，霍科科采；1♂，凤县，2014.Ⅷ.27，霍科科采；1♂，眉县红河谷，2002.Ⅷ.29，霍科科采；3♀，眉县红河谷，2002.Ⅸ.03，霍科科采；1♀，眉县红河谷，2002.Ⅸ.04，张丽丽采；5♀，眉县太白山，2002.Ⅶ.17，霍科科采；2♂，眉县太白山，2003.Ⅶ.24，霍科科采；3♂2♀，眉县太白山，2003.Ⅶ.25，霍科科采；1♂，留坝，

2004.Ⅵ.09，霍科科采；1♂，留坝庙台子，2001.Ⅵ.11，霍科科采；1♂，留坝庙台子，2002.Ⅳ.20，张宏杰采；11♂5♀，留坝庙台子，2002.Ⅵ.17，霍科科采；12♂11♀，留坝庙台子，2002.Ⅵ.18，霍科科采；34♂41♀，留坝庙台子，2002.Ⅵ.19，霍科科采；1♂，留坝庙台子，2003.Ⅵ.27，张宏杰采；1♂1♀，留坝庙台子，2003.Ⅵ.30，霍科科采；5♂，留坝闸口石，2004.Ⅵ.07，霍科科采；1♀，留坝闸口石，2012.Ⅶ.12，刘婷采；1♀，留坝闸口石，2012.Ⅶ.12，王亚灵采；2♂2♀，留坝闸口石，2012.Ⅶ.12，霍科科采；2♂，留坝闸口石，2013.Ⅶ.15，霍科科采；2♂2♀，留坝闸口石，2013.Ⅶ.16，霍科科采；1♀，留坝闸口石，2013.Ⅶ.18，霍科科采；1♂，留坝闸口石，2013.Ⅶ.19，霍科科采；1♂1♀，汉中天台山，2002.Ⅲ.31，霍科科采；2♂1♀，宁陕火地塘，1999.Ⅵ.01，王建香采；7♂，宁陕火地塘，1999.Ⅵ.02，申文等采；1♂，宁陕火地塘，2003.Ⅶ.10，刘瑞采。

分布：陕西（西安、长安、宝鸡、户县、凤县、眉县、留坝、宁陕、汉中）、黑龙江、吉林、辽宁、河北、甘肃、浙江、湖南、福建、台湾、四川、贵州、云南、西藏；蒙古，俄罗斯，日本，泰国，印度，尼泊尔，欧洲，北美洲。

（117）黑足蚜蝇 *Syrphus vitripennis* Meigen，1822

Syrphus vitripennis Meigen, 1822: 308.
Syrphus topiarius Meigen, 1822: 305.
Scaeva confinis Zetterstedt, 1838: 602.
Syrphus akakurensis Matsumura, 1917: 35.
Syrphus chujenjianus Matsumura, 1917: 35.
Syrphus tsukisappensis Matsumura, 1917: 33.
Syrphus agitatus Matsumura, 1918: 23.
Syrphus campestris Matsumura, 1918: 30.
Syrphus candidus Matsumura, 1918: 17.
Syrphus conspicuus Matsumura, 1918: 28.
Syrphus dubius Matsumura, 1918: 28.
Syrphus kitakawae Matsumura, 1918: 25.
Syrphus kuccharensis Matsumura, 1918: 29.
Syrphus kushirensis Matsumura, 1918: 30.
Syrphus okadensis Matsumura, 1918: 27.
Syrphus palliventralis Matsumura, 1918: 26.
Syrphus shibechensis Matsumura, 1918: 31.
Syrphus tenuis Matsumura, 1918: 26.
Syrphus velox Matsumura, 1918: 25.
Syrphus strandi Duda, 1940: 224.

鉴别特征：头顶三角黑色，被黑毛。额黑褐色，被黑毛及黄粉。雌性额中部覆黄粉，形成明显的三角形粉斑。颜橘黄色，两侧密被黄粉及黄毛，中域沿颜中突形成长条形裸区，其两侧散生黑毛，颜中突宽而钝圆。口缘前缘中央略暗。触角暗黑色，第3节卵形，长为高的1.50倍，触角芒暗黑褐色，裸。胸部背板两侧覆灰粉，被棕黄色毛。小盾片橘黄色，被黑毛，盾下缨密，橘黄色。侧板黑色，被棕黄色毛。前足棕黄色，具黄毛，腿节基部1/3黑色。中足近似前足。后足棕黄色，腿节基部3/4、胫节端部2/3黑色，跗节暗黑色，被黄毛，腿节端部外侧短毛黑色，胫节外侧全长具黑毛。翅面具微毛，翅痣棕黄色。腹部卵形，第2背板两侧近前部具1对三角形黄斑；第1背板及第2背板黄斑之前被黄毛，黄斑之后为黑毛；第3背板前中部具黄色横带，被毛黑色；第4背板近似第3背板，但黄带更靠近前缘，背板后缘具黄边；第5背板后缘具黄边，被黑毛。露尾节呈黑色。

采集记录：1♂1♀，长安库峪，2002.Ⅵ.12，霍科科采；4♀，凤县，2003.Ⅵ.27，霍科科采；4♀，凤县，2003.Ⅵ.28，霍科科采；1♂1♀，凤县，2004.Ⅵ.15，霍科科采；3♂10♀，凤县，2005.Ⅵ.13，霍科科采；15♂27♀，凤县，2005.Ⅵ.23，霍科科采；1♀，眉县红河谷，2002.Ⅷ.29，霍科科采；1♀，眉县红河谷，2002.Ⅸ.02，霍科科采；7♂4♀，眉县太白山，2002.Ⅶ.17，霍科科采；1♂，眉县太白山，2003.Ⅶ.24，霍科科采；3♂6♀，眉县太白山，2003.Ⅶ.25，霍科科采；1♀，留坝，2004.Ⅵ.14，霍科科采；1♀，留坝庙台子，1987.Ⅵ.14，采集人不详；2♀，留坝庙台子，1997.Ⅵ.14，李树森采；1♀，留坝庙台子，1997.Ⅵ.22，李树森采；1♀，留坝庙台子，1998.Ⅵ.22，采集人不详；1♀，留坝庙台子，2002.Ⅵ.18，霍科科采；3♂5♀，留坝庙台子，2002.Ⅵ.19，霍科科采；1♀，留坝庙台子，2003.Ⅵ.26，霍科科采；3♂9♀，留坝庙台子，2003.Ⅵ.27，霍科科采；1♀，留坝，2004.Ⅵ.19，霍科科采；1♀，留坝闸口石，2004.Ⅵ.08，霍科科采；1♂4♀，留坝紫柏山，2003.Ⅶ.04，霍科科采；14♂70♀，留坝紫柏山，2005.Ⅵ.21，霍科科采；1♂，留坝闸口石，2011.Ⅶ.20，采集人不详；2♂1♀，留坝闸口石，2011.Ⅶ.12，采集人不详；2♂1♀，留坝闸口石，2011.Ⅶ.13，采集人不详；1♂3♀，留坝闸口石，2013.Ⅶ.16，霍科科采；2♀，留坝闸口石，2012.Ⅶ.11，刘婷采；1♀，留坝闸口石，2012.Ⅶ.11，杨明采；1♂1♀，留坝闸口石，2012.Ⅶ.12，刘婷采；1♀，留坝闸口石，2012.Ⅶ.12，杨盼采；1♀，留坝闸口石，2012.Ⅶ.12，王真采；1♀，留坝闸口石，2012.Ⅶ.13，强红采；1♀，留坝闸口石，2012.Ⅶ.13，杨盼采；1♀，留坝闸口石，2012.Ⅶ.13，王真采；1♀，留坝闸口石，2012.Ⅶ.13，王亚灵采；2♂，留坝闸口石，2012.Ⅶ.14，刘婷采；1♀，留坝闸口石，2012.Ⅶ.14，杨盼采；1♀，留坝闸口石，2012.Ⅶ.14，王玉艳采；1♂3♀，留坝闸口石，2012.Ⅶ.15，强红采；1♂2♀，留坝闸口石，2012.Ⅶ.15，杨明采；1♂1♀，留坝闸口石，2012.Ⅶ.15，杨盼采；1♂，留坝闸口石，2012.Ⅶ.15，王玉艳采；1♂3♀，留坝闸口石，2012.Ⅶ.15，王真采；1♂1♀，留坝闸口石，2012.Ⅶ.15，王亚灵采；1♀，留坝闸口石，2012.Ⅶ.16，杨明采；30♂72♀，留坝闸口石，2012.Ⅶ.12，霍科科采；22♂44♀，留坝闸口石，2012.Ⅶ.13，霍科科采；26♂32♀，留坝闸口石，2012.Ⅶ.14，霍科科采；2♂，留坝闸口石，2012.Ⅶ.16，霍科科采；2♀，留坝闸口石，2012.Ⅶ.17，霍科科采；1♀，留坝闸口石，2012.Ⅶ.19，霍科科采；

1♂3♀，留坝闸口石，2012.Ⅶ.16，陈锐采；1♂8♀，留坝闸口石，2012.Ⅶ.17，陈锐采；1♀，留坝闸口石，2012.Ⅶ.18，陈锐采；1♀，留坝闸口石，2012.Ⅶ.21，陈锐采；1♂，留坝闸口石，2013.Ⅶ.14，霍科科采；4♂1♀，留坝闸口石，2013.Ⅶ.15，霍科科采；1♂4♀，留坝闸口石，2013.Ⅶ.18，霍科科采；2♂5♀，留坝闸口石，2013.Ⅶ.19，霍科科采；8♂20♀，留坝闸口石，2013.Ⅶ.15，陈锐采；8♂21♀，留坝闸口石，2013.Ⅶ.16，陈锐采；22♂20♀，留坝闸口石，2013.Ⅶ.17，陈锐采；15♂27♀，留坝闸口石，2013.Ⅶ.18，陈锐采；18♂21♀，留坝闸口石，2013.Ⅶ.19，陈锐采；8♂10♀，汉中天台山，2005.Ⅶ.09，霍科科采；1♀，宁陕火地塘，1979.Ⅶ.14，胡宁采；1♂1♀，宁陕火地塘，2003.Ⅶ.07，杨文凯采；1♂，宁陕平和梁，1998.Ⅶ.29，杨文昌采；1♀，宁陕旬阳坝，1981.Ⅵ.29，崔富奎采；1♂3♀，洋县华阳，2005.Ⅶ.21，张培安采。

分布：陕西（长安、凤县、眉县、留坝、宁陕、洋县、汉中）、河北、甘肃、浙江、湖南、福建、台湾、四川、贵州、云南、西藏；蒙古，俄罗斯，日本，伊朗，阿富汗，欧洲，北美洲。

30. 黄斑蚜蝇属 *Xanthogramma* Schiner, 1860

Xanthogramma Schiner, 1860: 215. **Type species**: *Syrphus ornatus* Meigen, 1822 [= *Musca pedissequum* Harris, 1776].

Olbiosyrphus Mik, 1897: 66. **Type species**: *Syrphus laetus* Fabricius, 1794.

Philhelius Coquillett, 1910: 378. **Type species**: *Musca citrofasciata* de Geer, 1776 [= *Musca pedissequum* Harris, 1776].

属征：体中型至大型。复眼裸或具明显短毛，颜亮黄色，下部略窄，中突明显但不突出，近口缘。口缘长至多为宽的1.50倍。中胸背板亮黑色，具界线明显的亮黄色宽侧条。小盾片基半部黑色或污黄色，端半部亮黄色，小盾片无盾下缘缨。侧板亮黑色，具界线明显的亮黄色斑。下前侧片上、下毛斑宽地分离，下毛斑小，上后侧片前部及基侧片具长毛。后胸腹板裸。后足基节后中端角无毛簇。腹部两侧平行或呈卵形，具明显边框，第2～4背板具亮黄色横带，第2背板黄带中部明显中断，第3、4背板黄带有时中断。

分布：古北区，新北区，东洋区。中国已知6种，秦岭地区记录6种。

分种检索表

1. 复眼裸 ………………………………………………………………………………… 2
   复眼被毛 ……………………………………………………………………………… 3
2. 第2～5背板各具1对黄斑，腹部腹面红黄色，第2腹板具三角形黑斑，两侧具黑边，第3、4腹板具圆形黑斑，两侧缘后部黑色 ………………………… **六斑黄斑蚜蝇 *X. seximaculatum***
   腹部第2背板具1对卵形黄斑，第3、4背板具黄横带，带后缘三角状凹入，第3横带较第3背板宽，有时正中几乎中断 ……………………………… **褐线黄斑蚜蝇 *X. coreanum***

3. 小盾片基部黄褐色，主要被黑色至棕黑色毛，腹部第2背板具1对卵形黄斑 ………………… 4
小盾片基部黑褐色，被棕黄色毛，复眼被毛极稀疏，雄性第2背板具1对卵形黄斑，雌性第2背板具横带……………………………………………………………… **异带黄斑蚜蝇 *X. anisomorphum***
4. 腹部第2～4背板具黄色至棕黄色横带；雄性横带中间断裂，雌性3～4背板横带不断裂……
……………………………………………………………… **札幌黄斑食蚜蝇 *X. sapporense***
腹部第2～4背板具黄色至棕黄色横带 ……………………………………………………… 5
5. 颜被黄毛，两侧无黑毛；前足、中足腿节及胫节被黄毛，后足腿节及胫节被黑毛 ……………
……………………………………………………………………………… **亮黄斑蚜蝇 *X. laetum***
颜被黄毛，两侧沿复眼前缘具黑毛，前足被黄毛，中足腿节内侧及后足主要被黑毛 …………
………………………………………………………………………… **秦岭黄斑蚜蝇 *X. qinlingense***

(118)异带黄斑蚜蝇 *Xanthogramma anisomorphum* Huo, Ren *et* Zheng, 2007

Xanthogramma anisomorphum Huo, Ren *et* Zheng, 2007: 218.

鉴别特征:复眼散生稀疏白毛。头顶黑色，被黑毛。额黄色，被黑毛，正中棕黄色线斑与触角上方棕黄色斑相连。雌性额中部黑色细条纹伸达新月片。颜亮黄色，被黄毛，颜中突圆形。触角橘黄色，第3节长略大于高，芒被微毛。胸部背板前部具1对纵向灰粉带，被棕黄色毛。小盾片基部2/3黑褐色，端部亮黄色；被棕黄色毛。中胸侧板具黄斑。前、中足黄色，被黄毛。后足腿节基部2/3黄色，端部1/3及其胫节橘黄色，后足被黑毛，仅腿节基部有黄毛。翅透明，翅面被微毛。腹部具边。第2背板具1对三角形黄斑，后部有或缺红褐色横带；第3背板基部具宽黄带，小于背板的1/2，后部具红褐色横带；第4背板近似第3背板，基部黄带狭，后缘具黄边；第5背板黄色，中部具黑斑，斑中间红褐色；第6背板黑色。雌性腹部第2～4背板基部具黄带，第2～4背板后部具棕黄色条，第4背板后缘具黄边；第5背板黄色，中央具倒“V”形黑斑。

采集记录:1♂，长安库峪，2002.Ⅵ.04，霍科科采；14♂，宝鸡马头滩，2003.Ⅶ.23，霍科科采；1♂，凤县，2003.Ⅵ.27，霍科科采；1♂2♀，凤县，2003.Ⅶ.03，霍科科采；1♂，眉县红河谷，2002.Ⅸ.01，霍科科采；1♂，留坝庙台子，1997.Ⅵ.12，采集人不详；3♂1♀，留坝庙台子，2002.Ⅵ.19，霍科科采；1♂3♀，留坝庙台子，2003.Ⅵ.26，霍科科采；1♂1♀，留坝庙台子，2003.Ⅶ.02，霍科科采；3♂，留坝紫柏山，2003.Ⅶ.04，霍科科采；1♀，留坝闸口石，2011.Ⅶ.14，采集人不详；2♂，留坝闸口石，2011.Ⅶ.20，采集人不详；1♂，留坝闸口石，2012.Ⅶ.12，杨盼采；2♀，留坝闸口石，2012.Ⅶ.12，王亚灵采；1♂，留坝闸口石，2012.Ⅶ.13，王真采；1♂，留坝闸口石，2012.Ⅶ.14，刘婷采；3♂，留坝闸口石，2012.Ⅶ.14，杨明采；5♂，留坝闸口石，2012.Ⅶ.14，杨盼采；1♂，留坝闸口石，2012.Ⅶ.15，王玉艳采；1♂，留坝闸口石，2012.Ⅶ.16，杨盼采；4♂，留坝闸口石，2012.Ⅶ.13，霍科科采；1♂1♀，留坝闸口石，2012.Ⅶ.14，霍科科采；4♂4♀，留闸口石，2012.Ⅶ.16，霍科科采；6♂，留坝闸口石，2012.

Ⅶ.17，霍科科采；1♂1♀，留坝闸口石，2012.Ⅶ.18，霍科科采；1♀，留坝闸口石，2012.Ⅶ.21，陈锐采；2♀，留坝闸口石，2013.Ⅶ.14，霍科科采；1♂，留坝闸口石，2013.Ⅶ.16，霍科科采；1♀，汉中天台山，2002.Ⅷ.06，霍科科采；1♀，汉中天台山，2005.Ⅶ.09，霍科科采；1♀，宁陕火地塘，2003.Ⅶ.11，丁月采；1♀，宁陕火地塘，2003.Ⅶ.05，黄春花采；1♂，宁陕鸦雀沟，2003.Ⅶ.07，成红江采；1♂，宁陕鸦雀沟，2003.Ⅶ.07，淡胜利采；1♀，洋县华阳，2005.Ⅶ.22，张培安采。

分布：陕西（长安、宝鸡、汉中、凤县、眉县、留坝、宁陕、洋县）、河北。

（119）褐线黄斑蚜蝇 *Xanthogramma coreanum* Shiraki, 1930

Xanthogramma coreanum Shiraki, 1930: 403.

鉴别特征：复眼裸。头顶三角黑色，被黑毛。额亮黄色，被黑毛，正中棕黄色线斑与触角上方棕黄色斑相连。雌性额中部黑色细条纹伸达新月片上方。颜中突圆形，亮黄色，被黄毛，中部裸。触角橘黄色，第3节长略大于高，触角芒具微毛。胸部背板前部具1对纵向灰粉带，背板被棕黄色毛。小盾片基部2/3暗黑褐色，端部亮黄色，小盾片被棕黄色毛。胸部侧面被毛棕黄色，有边界明显的黄斑。前足、中足黄色，被黄毛。后足腿节基半部黄色，端部及其胫节橘黄色，主要被黑毛。翅痣棕黄色，翅面无裸区。腹部第2背板具1对三角形黄斑，背板后部有1条红褐色细横带，中部几乎中断，或缺；第3背板基部具宽黄带，背板后部具红褐色横带；第4背板近似第3背板，基部黄带狭，后缘具黄边；第5背板黄色，中部具黑斑，斑中间红褐色；第6背板黑色。雌性腹部第2～4背板基部具黄带，第3背板黄带较第4背板黄带略宽；第4背板后缘具黄边；第5背板黄色，中央具倒“V”形黑斑。

采集记录：1♂，凤县黑湾，2014.Ⅷ.27，霍科科采；2♂1♀，凤县，2005.Ⅵ.23，霍科科采；1♂，留坝庙台子，2002.Ⅵ.19，霍科科采；2♂，留坝闸口石，2013.Ⅶ.18，霍科科采；1♂，留坝大坝沟，2014.Ⅷ.24，霍科科采；1♂，宁陕火地塘，1981.Ⅶ.01，王家儒采；1♂，宁陕旬阳坝，1980.Ⅶ.04，马红采；1♂，宁陕旬阳坝，1990.Ⅶ.01，申红民采。

分布：陕西（凤县、留坝、宁陕）、北京、河北、甘肃、湖北、湖南、四川、云南；俄罗斯，朝鲜。

（120）亮黄斑蚜蝇 *Xanthogramma laetum*（Fabricius, 1794）

Syrphus laetus Fabricius, 1794: 301.

鉴别特征：雄性复眼明显被暗褐色短毛，雌性几乎裸。头顶三角黑色，被黑褐色毛。额亮黄色，被黑毛，中部有浅棕黄色线斑。颜亮黄色，中突小，圆形；颜两侧被黄毛，中部裸。触角橘黄色，第 3 节长略大于高，触角芒具微毛。胸部背板具 1 对纵向灰粉带。小盾片基半部暗黄褐色，端半部亮黄色；基部被黑毛，端半部被棕黄毛。胸部侧面黑亮，有边界明显的黄斑，被棕黄色毛。足黄色，被黄毛。后足腿节极基部黑色，基部间有黑毛，端半部黑毛较密，胫节几乎全部黑毛。翅痣棕黄色，被微毛，无裸区。腹部第 2 背板有 1 对黄斑，后部有红褐色细横带或缺，中部几乎中断；第 3 背板前缘黑色，亚基部具黄带，后部具红褐色细横带；第 4 背板与第 3 背板色斑基本相同，后缘具狭的黄色；第 5 背板黄色，有“八”字形黑纹，黑纹中间为红褐色斑。雌性腹部第 2 背板具黄色侧斑，第 3 ~ 4 背板基部具黄带，第 2 ~ 4 背板后部具棕黄色条纹，第 4 背板后缘具黄边；第 5 背板呈黄色，中央具倒“V”形黑斑。

采集记录:3♂1♀，长安库峪，2002.Ⅵ.04，霍科科采；7♂，长安，2002.Ⅴ.25，霍科科采；2♂1♀，长安，2002.Ⅸ.22，霍科科采；1♂，周至楼观台，2001.Ⅶ.20，冯焕宁采；1♂，周至楼观台，2001.Ⅶ.20，李拴锁采；1♂，凤县，2004.Ⅵ.10，霍科科采；2♂，凤县，2005.Ⅵ.13，霍科科采；1♂，眉县红河谷，2002.Ⅷ.29，龚福明采；1♂，眉县红河谷，2002.Ⅸ.01，霍科科采；1♂，眉县红河谷，2002.Ⅸ.02，霍科科采；1♀，眉县红河谷，2002.Ⅸ.03，霍科科采；1♂，留坝，2004.Ⅵ.09，霍科科采；1♂，留坝，2004.Ⅵ.14，霍科科采；1♂，留坝庙台子，2002.Ⅵ.17，霍科科采；1♂，留坝庙台子，2005.Ⅵ.12，霍科科采；1♂，留坝，2004.Ⅵ.19，霍科科采；1♂，留坝闸口石，1997.Ⅵ.21，采集人不详；1♂，留坝闸口石，2011.Ⅶ.20，采集人不详；1♂，留坝闸口石，2012.Ⅶ.14，杨明采；2♂，留坝闸口石，2012.Ⅶ.14，强红采；1♂，留坝闸口石，2012.Ⅶ.13，霍科科采；8♂，留坝闸口石，2013.Ⅶ.15，霍科科采；2♂，留坝闸口石，2013.Ⅶ.16，霍科科采；1♂，留坝柴关岭，2014.Ⅷ.23，霍科科采；11♂，留坝，2014.Ⅷ.24，霍科科采。

分布:陕西（长安、周至、凤县、眉县、留坝）、河南、甘肃；俄罗斯，欧洲。

(121)秦岭黄斑蚜蝇 *Xanthogramma qinlingense* Huo, Ren *et* Zheng, 2007

Xanthogramma qinlingense Huo, Ren *et* Zheng, 2007: 223.

鉴别特征:雄性复眼明显被暗褐色短毛。头顶三角黑色，被黑褐色毛。额亮黄色，被黑毛，中部具浅棕黄色线斑。颜亮黄色，中突圆形；颜两侧主要被黑毛，中部裸。触角橘黄色，第 3 节长略大于高，触角芒具微毛。胸部背板中部具 1 对纵向灰粉带。小盾片基半部暗黄褐色，端半部亮黄色，基部被黑毛，端半部被棕黄毛。胸部侧面黑亮，被棕黄色毛，有边界明显的黄斑。足黄色，主要被黄毛。后足腿节极基部黑色，中足腿节前内侧主要被黑毛，后足腿节主要被黑毛，仅基部间有黄毛，胫节几乎全部黑毛。翅透明，被微毛，无裸区。腹部第 2 背板有 1 对黄斑，后部有红褐色细横带或缺；第 3 背板前缘黑色，亚基部具黄带，后部红褐色细横带；第 4 背板与第 3 背板色斑基本相同，后缘狭黄色，后部红褐色带较宽。第 5 背板黄色，有“八”字形黑纹，黑纹中间为红褐色。

采集记录:6♂，长安库峪，2002.Ⅵ.04，霍科科采；4♂，长安，2002.Ⅴ.25，霍科科采；1♂，长安，2002.Ⅸ.22，霍科科采；1♂，凤县，2005.Ⅵ.13，霍科科采；1♂，凤县，2005.Ⅵ.23，霍科科采；1♂，留坝，2004.Ⅵ.14，霍科科采；1♂，留坝，2004.Ⅵ.16，霍科科采；1♂，留坝，2004.Ⅵ.08，霍科科采；1♂，留坝闸口石，2004.Ⅵ.07，霍科科采。

分布:陕西(长安、凤县、留坝)。

(122)札幌黄斑蚜蝇 *Xanthogramma sapporense* Matsumura, 1916

Xanthogramma sapporense Matsumura, 1916: 29.
Xanthogramma bambusae Matsumura, 1918: 4.
Xanthogramma fuscoclavatum Matsumura, 1918: 6.
Xanthogramma jozanum Matsumura, 1918: 7.
Xanthogramma kuccharense Matsumura, 1918: 5.
Xanthogramma minor Matsumura, 1918: 7.
Xanthogramma moiwanum Matsumura, 1918: 6.
Xanthogramma okunii Matsumura, 1918: 5.
Xanthogramma shibechanum Matsumura, 1918: 8.
Xanthogramma sachalinica Violovitsh, 1975: 104.

鉴别特征:雄性复眼被毛，头顶三角狭长，亮黑色，被黑色和黄色毛；额和颜黄色至棕黄色，额正中具细狭纵线，毛大部分黄色，仅沿正中和前部混有棕色毛；颜被黄毛，中突较大。触角棕黄色，芒短，基部棕黄色，端部棕褐色。中胸背板呈亮黑色或棕黑色至古铜色，两侧黄色纵条宽而明显；小盾片基半部棕色至棕褐色，端半部黄色至棕黄色，被棕褐色至黑色毛，基部及侧缘被少数黄毛；侧板棕黑色，前气门下方、上前侧片大部分、上后侧片前部、下前侧片上部及侧背片均具黄斑。足黄色，仅基节与转节棕褐色至黑色，跗节棕黄色；有时后足色较深，后足胫节具不明显黑环。腹部黑色，以第2背板端部最宽，第2~4背板各具黄色至棕黄色横带，该横带中间断裂；第4背板后缘黄色；第3、4背板横带宽约为背板长之半，以两侧稍宽，并达背板侧缘；第5背板前缘具呈三角形的黄斑，斑内端几乎相接，第4、5背板后缘黄色。雌性腹部各背板横带中间不断裂，第2背板紧靠前缘，为1对较宽的横斑。

采集记录:1♂4♀，留坝，1500~1650m，1998.Ⅶ.21-27，采集人不详。

分布:陕西(留坝)、黑龙江、甘肃;俄罗斯，日本。

(123)六斑黄斑蚜蝇 *Xanthogramma seximaculatum* Huo, Ren *et* Zheng, 2007

Xanthogramma seximaculatum Huo, Ren *et* Zheng, 2007: 224.

鉴别特征:复眼裸，头顶黑色，被黑毛。额柠檬黄色，被黑毛，中部具不明显褐色条纹。颜柠檬黄色，中突圆形，明显突出；两侧被黄毛，中部裸。触角柠檬黄色，第3节宽卵形，长与高几乎相等，触角芒中段可见微毛。胸部背板前部中央具1对纵向灰粉带。小盾片基部2/3黑褐色，端部柠檬黄色，被棕黄色毛，中域具黑色短毛。胸部侧板黑色，被棕黄色毛，有边界明显的柠檬黄斑。各足腿节极基部黑色。前足、中足黄色，被黄毛。后足腿节基部黄色，端部及其胫节柠檬黄色，后足被黑毛，仅腿节基部及胫节端部被棕黄色毛。翅透明，翅痣棕黄色，翅面被微毛。腹部黑色，主要被黑毛，第1背板、第2背板基部2/3及其余背板基部被棕黄色毛；第2背板前中部具1对卵形柠檬黄斑；第3背板基部具1对长方形柠檬黄斑，约背板长的1/3；第4背板近似第3背板，背板后缘具黄边；第5背板呈柠檬黄色，中部具1对三角形黑斑，狭地分开。

采集记录:1♂，宁陕火地塘，2003.Ⅶ.11，马丽莎采。

分布:陕西(宁陕)。

31. 赫氏蚜蝇属 *Heringia* Rondani, 1856

Heringia Rondani, 1856: 53. **Type species**: *Pipiza heringi* Zetterstedt, 1843.

属征:体小。头与胸等宽或略宽于胸，头部明显被毛；雄性额鼓胀，雌性额具明显粉斑。触角着生低，第3节延长，背芒裸。中胸背板长方形，小盾片具边，盾下缘缨完整，长而密；中胸上前侧片后部、上后侧片前部和下后侧片具长毛，下前侧片后端背毛和腹毛斑全长宽地分离，后胸腹板呈菱形，裸。翅透明，翅膜具微刺，各翅室基部裸；Sc终止于r-m脉位置之后，M_1脉在基部1/3弯曲，上部很陡斜。后足基节后中端角具毛簇。腹部可见4节，与胸部等宽，长于头、胸之和，无斑。雄性生殖器很细长。

分布:古北区，新北区。中国仅知1种，秦岭地区有分布。

(124)华赫氏蚜蝇 *Heringia sinica* Cheng, Huang, Duan *et* Li, 1998

Heringia sinica Cheng, Huang, Duan *et* Li, 1998: 420.

鉴别特征:头黑色，具光泽；复眼密被黄褐色毛，两复眼连线，约与头顶三角等长；头顶被黑色竖长毛；额鼓胀，额和颜密被黑色长毛；雌性额中部被淡色毛，中部两侧具小的圆粉斑。颜下部略收缩，宽为头宽的1/3～2/5，两侧平行；后头被白色短毛；颜密被白色长毛。触角黑褐色，下侧黄色；背芒基生，黑褐色，基部1/3加粗。中胸背板黑色，被白色长毛；小盾片和侧板同背板，小盾片后缘混有黑色毛，盾下毛白色，中等密。足黑色，仅前足和中足膝部、前足基跗节及中足跗节基部2节黄褐色；

后足基跗节膨大，足毛白色。翅透明，翅痣黄色，翅面具微毛，r-m 脉在 dm 中部之前，r_5 室呈锐角。平衡棒黄色。腹部细长，黑褐色，被淡色细毛。雌性腹部椭圆形，密被刻点和淡色短毛。

采集记录：1♀，凤县，2014.Ⅷ.27，霍科科采。

分布：陕西（凤县）、吉林、甘肃、四川。

32. 转突蚜蝇属 *Neocnemodon* Goffe，1944

Cnemodon Egger，1865：573（nec Schoenherr，1823）. **Type species**：*Cnemodon latitarsis* Egger，1865.

Neocnemodon Goffe，1944：128（new name for *Cnemodon* Egger，1865）.

属征：体小，被密毛，具光泽。雌性额无明显粉斑，两性腹部可见 4 节，无斑。雄性后足特化，转节具 1 个长刺突，侧面观基节也具很明显的刺，有的种中足基节也具很发达的刺。雌性足简单。上外缘横脉在基部 1/4～1/3 处弯曲，两外缘横脉间的 M_1 脉距离至少等于下外缘横脉长度的一半，雄性外生殖器大，与腹部明显分开。

分布：古北区，新北区。中国已知 2 种，秦岭地区记录 1 种。

（125）短齿转突蚜蝇 *Neocnemodon brevidens*（Egger，1865）

Cnemodon brevidens Egger，1865：574.

Cnemodon micans Doesburg，1949：442.

鉴别特征：头黑色，具蓝色光泽；复眼密被棕色毛。头顶三角黑色，被黑褐色竖毛。额被黑色竖长毛。颜两侧平行，密被向下的黑褐色长毛，两侧近复眼处具白色粉被细条纹。触角短，棕色，第 3 节近圆形，下侧黄斑明显。触角芒短，裸。中胸背板黑色，密被较长的黄白色竖毛和细刻点，前缘混生少许黑毛。小盾片黑色，被黄白色长竖毛，盾下毛较长。侧板黑色，被毛棕色。足黑色，各足腿节端部（后足极窄）、前足胫节、中足胫节基部及端部、后足胫节仅基部、前足和中足跗节基部第 1～4 节及各足爪垫均为黄色；后足基跗节端部及第 2～3 节黄色至黄褐色。前足、中足基跗节腹面具纵沟，中足基跗节后侧端半部向下呈弧形扩大，中足基节端部内侧具 1 个指状突起，胫节前侧中部具脊，其上具黑刺；后足转节长刺突近端部 1/3 处略分支。翅痣黄色，r_5 室顶角尖。腹部细长，第 1 背板黑色，其后黑褐色，被较短而平贴的白毛，基部两侧毛长。

采集记录：1♂，留坝辣子沟，2004.Ⅵ.14，霍科科采。

分布：陕西（留坝）、内蒙古、甘肃、山东；俄罗斯，欧洲。

33. 缩颜蚜蝇属 *Pipiza* Fallén, 1810

Pipiza Fallén, 1810: 11. **Type species**: *Musca noctiluca* Linaeus, 1758.

Penium Philippi, 1865: 741. **Type species**: *Penium triste* Philippi, 1856.

Pseudopipiza Violovitsh, 1985: 81 (nec Hull, 1945). **Type species**: *Pseudopipiza notabila* Violovitsh, 1985.

Cryptopipiza Mutin, 1998: 13 (new name for *Pseudopipiza* Violovitsh, 1985).

属征: 体小型或中等大小，雄性额不鼓起，额突圆锥状；雌性额中部两侧具三角形粉斑。足简单。翅 r-m 脉远在 dm 中部之前，M_1 和 dm-cu 脉与翅缘平行，M_1 下部 1/3 处弯曲，上端与 R_{4+5} 相交呈锐角，M_{1+2} 脉在 M_1 与 dm-cu 之间的距离等于 dm-cu 长度的 1/4 ~1/3。

生物学: 幼虫生活在蚜虫中，成虫在花和灌丛中能采集到，特别是在春天。

分布: 古北区，东洋区，新北区，新热带区。中国已知 13 种，秦岭地区记录 6 种。

分种检索表

1. 腹部无黄斑 …… 2
   腹部仅第 2 背板具 1 对黄斑 …… 4
2. 体小，翅中部无暗斑 …… **普通缩颜蚜蝇 *P. familiaris***
   体较大，翅中部具暗斑 …… 3
3. 颜下部明显加宽；后足腿节端部稍加粗 …… **无饰缩颜蚜蝇 *P. inornata***
   颜两侧直，下部不明显加宽；足黑色，前足、中足腿节端部及胫节基部红黄色，后足腿节明显加粗，端末梢带红色；跗节黑棕色，基部 2 节黄色至棕红色，足毛全白色 …… **黑色缩颜蚜蝇 *P. lugubris***
4. 翅中部无暗斑，头顶被浅黄褐色长毛，额被黑毛。背板主要被白毛，第 2 背板后部及第 3、4 背板前部和后部被黑毛，形成明显的白色毛带，背板侧缘具白毛和黑毛 …… **红河缩颜蚜蝇 *P. hongheensis***
   翅中部具暗斑 …… 5
5. 体粗壮，跗节基部 3 节黄色 …… **黄斑缩颜蚜蝇 *P. flavimaculata***
   体较小，前足、中足跗节基部 2 节红黄色 …… **夜光缩颜蚜蝇 *P. noctiluca***

(126) 普通缩颜蚜蝇 *Pipiza familiaris* Matsumura, 1918

Pipiza familiaris Matsumura, 1918: 2.

Pipizella nitida Shiraki *et* Edashige, 1953: 86.

鉴别特征:复眼密被棕褐色毛。头顶黑亮，被黑褐色和棕褐色长毛。额鼓起，黑亮，被黑色直立长毛，基部具棕褐色直立长毛。颜直，两侧平行，具白色粉，颜黑亮，被略斜向下的黑色长毛。触角黑褐色，第 3 节长大于高，端部宽而圆，触角芒暗褐色。中胸背板黑色，薄被锈色粉被，被直立棕褐色长毛，小盾片黑色，被棕褐色长毛，盾下毛棕褐色，长。中胸侧板黑亮。足黑色，各足膝部、中足胫节基半部暗黄褐色，各足跗节暗黑色，前足、中足基部 2 跗节暗黄色；足毛黑色，后足腿节外侧具浅色长毛，后足胫节外侧具黑棕色毛。翅具微毛，基部大部分裸，翅痣黄褐色，前部略带黄褐色。腹部背板黑色，被锈色粉被，第 3 背板后部两侧、第 4 背板后部露出黑亮且具钢蓝色光泽的斑；腹部背板被黑色短毛，第 1 背板及第 2 背板前部大部分被棕褐色长毛，背板侧缘具白色长毛，各节背板的后端侧缘被黑色长毛。

采集记录:1♂，长安，2002.Ⅴ.25，霍科科采；1♂，长安王曲，2003.Ⅸ.05，霍科科采；1♂，眉县红河谷，2002.Ⅷ.30，霍科科采。

分布:陕西(长安、眉县)、内蒙古、河北、甘肃；日本。

(127)黄斑缩颜蚜蝇 *Pipiza flavimaculata* Matsumura, 1918

Pipiza flavimaculata Matsumura, 1918: 2.

鉴别特征:头黑色，复眼密被褐色长毛；头顶和额具金属光泽，头顶被白色长毛，前部混有黑毛；额被黑毛和白色粉被；雌性额中部具 1 对大的三角形侧粉斑。颜密被白色长毛,混有黑色毛和同色粉被。触角黑褐色，第 3 节长大于宽；芒短，黑褐色。中胸背板黑色，略覆粉被，密被刻点和黄白色长毛，侧缘混有黑毛；小盾片和侧板同背板。足黑褐色，膝部、胫节端部及跗节基部 3 节黄色，后足基跗节加厚；后足腿节端部明显加粗；足毛大部分白色，各足腿节端部及后足胫节外侧被黑毛。翅中部具 1 个明显褐斑，翅痣褐色。腹部宽短，黑色，密被刻点和黄白色及黑色混杂毛；第 2 背板具 1 对界限明显的斜置的近梯形黄斑，斑之外侧向上斜切；腹面红黄色，毛黄色，长；端部黑褐色，毛黑色。

采集记录:1♀，汉中天台山，2002.Ⅷ.06，霍科科采。

分布:陕西(汉中)、吉林、江苏；日本。

(128)红河缩颜蚜蝇 *Pipiza hongheensis* Huo, Ren *et* Zheng, 2007(图 249)

Pipiza hongheensis Huo, Ren *et* Zheng, 2007: 360.

鉴别特征:复眼上半部被白色长毛，下半部被黄褐色短毛。头顶黑色，被浅黄褐色长毛，单眼三角前半部被黑褐色长毛。额黑亮，被黑毛。颜两侧近平行，宽约为头宽的1/3；颜黑亮，被毛黑褐色。触角暗褐色，第3节长大于高；触角芒暗褐色，被微毛。中胸背板黑亮，被浅黄褐色长毛及细的刻点，小盾片黑色，被浅黄褐色长毛，盾下毛短。中胸侧板黑褐色，被浅黄褐色及黑色长毛，下前侧片后端毛斑白色，全长宽地分开。足黑褐色，前足膝部、胫节端部黄褐色，中足近似前足，后足膝部黄褐色；足毛白色，各足腿节端部及胫节外侧被黑毛；后足腿节近端部略增粗，后足基跗节加厚。翅具微毛，基部大部分裸，翅痣褐色。腹部暗黄褐色，第2背板中部具1对暗黄色三角状斑；背板主要被白毛，第2背板后部及第3、4背板前部和后部被黑毛，其上形成明显的白色毛带，背板侧缘具白毛和黑毛。

本种首次描述时未采到雌性标本，现补充描述如下：

雌性复眼被黄白色毛。头顶和额黑色，被毛黑色，长，额中部黄白色长毛形成横毛带，横毛带两端具三角形大白粉斑；单眼三角后部毛黄白色，长；后头部背面毛黄白色，两侧密覆白色粉被和白毛。颜两侧近平行，密被白粉被和向下的浅黄白色长毛。触角黑色或黑褐色，第3节宽大，长略大于宽，上侧角圆，下侧具略向前突的角；芒短于触角，黑褐色。中胸背板黑色，略具光泽，密被细刻点和黄白色短毛，背板后缘和小盾片及侧板毛长；侧板黑亮，中胸上前侧片后部、上后侧片前部具近白色长毛，下前侧片后端背毛斑、腹毛斑全长宽地分离，毛近白色；后胸腹板矛状，裸。足黑色，前足、中足腿节端部，后足腿节极端部，前足、中足胫节基部1/3和端部，后足胫节基部和极端部及各足跗节基部3节，均为红黄色，后足基跗节基部半背面黑色；足被毛黄白色；后足基节后中端角具毛簇。翅透明，翅痣黄褐色。翅膜具微刺，bc室、c室基部、r室和bm室大部分、cup室前缘和臀叶基部前缘，裸。腹部黑色，密被较细刻点；第2背板中部具1对三角形红黄色侧斑，两斑宽地分离，内端宽，外端狭；腹部被黄白色毛，基部和两侧毛长；第2背板前缘中部和黄斑之后的三角形区域、第3背板前缘和后部1/2、第4背板前缘毛黑色。腹面第1～3腹板棕黄色，被同色毛，其余黑色，被黑毛。

采集记录:1♂，眉县红河谷，2002.Ⅷ.29，霍科科采；2♀，留坝，2014.Ⅷ.26，霍科科采。

分布:陕西(眉县、留坝)。

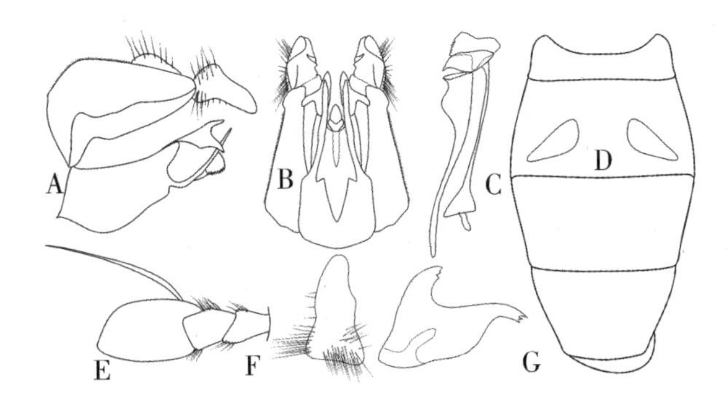

图 249　红河缩颜蚜蝇 *Pipiza hongheensis* Huo, Ren *et* Zheng

A. 雄性尾器侧面观（male terminalia, lateral view）; B. 雄性尾器腹面观（male terminalia, ventral view）; C. 阳茎（aedeagus）; D. 雄性腹部背面观（male abdomen, dorsal view）; E. 触角（antenna）; F. 背针突（surstylus）; G. 上叶（superior lobe）

（129）无饰缩颜蚜蝇 *Pipiza inornata* Matsumura, 1916

Pipiza inornata Matsumura, 1916: 15.

鉴别特征：复眼密被黄褐色长毛。头顶黑色，被白毛，前部混生黑毛。额黑色，具黑毛。颜两侧缘直，下端扩大；颜黑色，被白毛和黑毛，覆白色粉。触角黑色，第3节黑褐色，长大于宽，顶角圆，触角芒黑褐色。胸部黑亮，密被黄白色长毛和细刻点，小盾片后部有少许长毛。侧板黑亮，上前侧片后部隆起，上后侧片及下前侧片前端具白毛。足黑色，主要被白毛，各足腿节端部及前足、后足胫节外侧具黑毛。前足、中足腿节端部，以及胫节基部、端部红黄色。后足腿节近端部膨大，端部黄褐色，胫节基部细，黄褐色，后足基跗节加厚，跗节背面呈黑色。翅具微毛，基部大部分裸，翅痣褐色，翅中部具黑色云斑。腹部长卵形，黑色，密具刻点和浅黄褐色毛，第2背板后部、第3背板前部及后部、第4背板前部和后部被黑毛，在第3、4背板中部形成明显的浅色毛横带。

采集记录：2♂，眉县红河谷，2002.Ⅸ.01，霍科科采；1♂，汉中天台山，2002.Ⅷ.06，霍科科采。

分布：陕西（眉县、汉中）、云南；日本。

（130）黑色缩颜蚜蝇 *Pipiza lugubris*（Fabricius, 1775）

Syrphus lugubris Fabricius, 1775: 770.

Musca tristor Harris, 1780: 107.

Musca moesta Gmelin, 1790: 2874 (new name for *Syrphus lugubris* Fabricius, 1755).

Pipiza funebris Meigen, 1822: 250.

Pipiza luctuosa Macquart, 1829: 179.

Pipiza lugubris: Peck, 1988: 87.

鉴别特征:雌性复眼密被褐色长毛。头顶及额黑色，被白毛，单眼三角之前具黑褐色毛，额两侧近平行，近中部两侧具三角状粉斑，额突背面被黑毛。颜直，两侧平行；颜被白色粉及毛。触角黑褐色，第3节椭圆形，长大于高；触角芒黄褐色，具微毛。中胸背板及小盾片黑亮，具刻点，被浅黄白毛，后部有少许长毛，盾下缘缨浅黄白色。侧板黑亮，上前侧片后部隆起，上后侧片前部及下前侧片前端具白毛。足黑色，主要被白毛，仅后足腿节端部腹面具粗大刻点，具黑色毛。前足和中足腿节端部、胫节基部和端部红黄色，后足腿节近端部膨大，端部黄褐色，胫节基部细，黄褐色，后足基跗节加厚，基部2跗节红黄色。翅具微毛，基部大部分裸，翅痣褐色，翅中部具黑色云斑。腹部密具刻点和浅黄白色毛，第2~3背板前部、后部被黑毛，第2、3背板中部形成浅色毛横带，第4背板毛呈浅黄白色。

采集记录:2♀，眉县红河谷，2002.Ⅷ.29，霍科科采；1♀，眉县红河谷，2002.Ⅷ.31，霍科科采；2♀，眉县红河谷，2002.Ⅸ.04，霍科科采；1♀，留坝，2014.Ⅷ.26，霍科科采。

分布:陕西(眉县、留坝)、吉林、河北、山东、甘肃、江苏、浙江、广西、云南;俄罗斯，欧洲。

(131)夜光缩颜蚜蝇 *Pipiza noctiluca* (Linnaeus, 1758)

Musca noctiluca Linnaeus, 1758: 593.
Musca dirae Harris, 1780: 112.
Pipiza anthracina Meigen, 1822: 253.
Pipiza albipila Meigen, 1830: 350.
Pipiza albitarsis Meigen, 1830: 350.
Pipiza rufithorax Meigen, 1830: 350.
Pipiza biguttula Zetterstedt, 1838: 616.
Pipiza binotata Zetterstedt, 1838: 616.
Pipiza hyalipennis Zetterstedt, 1838: 616.
Pipiza obsoleta Zetterstedt, 1838: 616.
Pipiza vana Zetterstedt, 1843: 835.
Pipiza plana Rondani, 1857: 181.
Pipiza vidua Rondani, 1857: 183.
Pipiza stigmatica Zetterstedt, 1859: 6029.
Pipiza jablonskii Mik, 1867: 417.
Pipiza noctiluca: Peck, 1988: 88.

鉴别特征:复眼密被褐色毛。头顶被黄白色竖长毛。额黑色，被同色长毛，混杂白毛，略覆白色粉被和刻点。雌性额宽为头宽的2/5，额中部两侧具大的三角形粉被斑，被白毛；颜和额等宽，被白色毛。颜两侧几乎平行，下部不加宽，被白长毛，混有黑色毛，正中线裸，略覆白色粉被。触角第1节黑色，第2节和第3节黑褐色，第3节长大于宽，顶端圆；触角芒黑褐色，约与触角等长。中胸背板和小盾片密被白长毛和刻点；侧板同背板，翅基部被黑毛。足黑色，前足、中足腿节端末及其胫节基部黄色至红色，后足腿节端末梢带红色；跗节暗色或黑棕色，基部2节或多或少为黄色至棕红色，后足跗节通常黑色；后足腿节明显加粗，基跗节很厚；足毛大部分白色，仅腿节端部及后足胫节外侧毛黑色。翅痣褐色，翅中部具褐色云斑。腹部黑色，具较粗刻点；第2背板具界线不明显的红黄斑1对；腹部密被黑色短毛，第2～4背板中部混杂白毛，各节侧缘被白毛，侧缘交界处毛呈黑色。

采集记录：1♀，秦岭，2050m，1998.Ⅶ.30，采集人不详。

分布：陕西（秦岭）、吉林、内蒙古、北京、河北、甘肃、青海、江苏、湖北、湖南；俄罗斯，欧洲。

34. 斜额蚜蝇属 *Pipizella* Rondani, 1856

Pipizella Rondani, 1856: 54. **Type species**: *Mulio virens* Fabricius, 1805.

Pipizopsis Matsumura, 1918: 3. **Type species**: *Pipiza biglumis* Matsumura, 1916.

属征：体小，黑色。触角延长，触角芒裸。翅透明，无斑，翅面具微毛，r-m横脉在dm室基部，M_1脉稍斜，在中部弯曲，端部与R_{4+5}脉相交成直角。腹部椭圆形，无斑，雄性可见4节。

分布：古北区，新北区，东洋区。中国已知6种，秦岭地区记录2种。

分种检索表

触角很长，第3节长为宽的4倍 ………………………………………… **长角斜额蚜蝇 *P. anntennata***

触角第3节长为高的1.20倍 ………………………………………………… **天台斜额蚜蝇 *P. tiantaiensis***

(132) 长角斜额蚜蝇 *Pipizella antennata* Violovitsh, 1981

Pipizella antennata Violovitsh, 1981: 65.

Pipizella inversa Violovitsh, 1981: 67.

鉴别特征：复眼密被黄白色短毛，两眼连线与单眼三角等高；额和颜亮黑色，被白色长毛；雌性额中部具1对侧粉斑；触角第3节长约为宽的4倍。颜中部略拱，下部不明显加宽，两侧沿眼缘有白色微毛，颜宽为头宽的1/3。触角延长，黑色，第3节黑褐色，长约为宽的3.50倍；触角芒黄褐色，短于第3触角节。中胸背板近方形，密被粗刻点和黄白色毛；侧板毛长；小盾片宽，具薄边；足黑色，各足膝部、前足胫节基部1/3和端部、基跗节、中足胫节基半部和端部、跗节基部2节、后足胫节极端部均为黄色，其余跗节黑褐色，腹面红黄色。翅略呈黄褐色，翅痣褐色，其下略具不明显的褐色带。腹部稍宽于胸部，密被刻点和黄白色毛，部分混杂黑色短毛，两侧基部毛长。

分布：陕西(秦岭)、吉林、内蒙古、北京、河北、山西、山东、江苏；俄罗斯(远东)。

(133)天台斜额蚜蝇 *Pipizella tiantaiensis* Huo, Ren *et* Zheng, 2007

Pipizella tiantaiensis Huo, Ren *et* Zheng, 2007: 365.

鉴别特征：复眼密被褐色毛。头顶黑亮，被浅黄褐色毛。额黑亮，大部分裸，近复眼边缘具白色长毛，前端具黑色短毛。颜黑亮，两侧平行，约为头宽的1/3；颜被斜向下的白毛，两侧靠近复眼具白色短毛。触角黑褐色，第3节基部腹侧黄褐色，长为高的1.20倍；触角芒黄褐色。中胸背板黑亮，具刻点，被黄褐色毛，两侧及背板后部有少数长毛；小盾片黑亮，被黄褐色毛，盾下毛黄褐色，后端中央缺。中胸上前侧片后部隆起及上后侧片具黄褐色长毛，下前侧片上、下两个毛斑白色，全长宽地分离，下前侧片下毛斑小，下前侧片后端形成近"U"形白色粉斑，位于上、下两毛斑的位置及下前侧片后缘。后胸腹板狭，裸。足黑色，仅各足膝部及基跗节黄褐色，足被白毛。翅透明，无云斑，翅面具微毛，M_1 在近中部弯曲，与 R_{4+5} 形成直角。腹部黑亮，具钢蓝色光泽，被毛，第2、3背板后缘具黑毛。腹部第1～3节腹板被黄色长毛，第4腹板黑亮，被黑褐色长毛。

采集记录：1♂，汉中天台山，2002.Ⅷ.06，霍科科采。

分布：陕西(汉中)。

35. 寡节蚜蝇属 *Triglyphus* Loew, 1840

Triglyphus Loew, 1840: 30. **Type species**: *Triglyphus primus* Loew, 1840.

属征：体小，黑色，具光泽。头宽于胸，近半球形；雄性额鼓起；颜平，中部略收缩。触角短，第3节很圆；背芒基生。雄性腹部两侧平行，可见3节；雌性卵圆形，可见4节，第1节很小，第2、3背板等长，第4背板极小。足简单。翅 M_1 脉在1/3处弯曲，上半部陡斜，r_{4+5} 室端角为锐角。

分布：古北区，东洋区。全世界已记载有8种，中国已知3种，秦岭地区记录3种。

分种检索表

1. 雌性体长4.50mm，额和颜被少许白毛，口缘略突出…………………… **蓝色寡节蚜蝇 *T. cyanea***

雌性体长约6mm，雄性略小，毛多；额和颜密被长毛，颜直，口缘不突出 ························ 2

2. 雄性腹部细长，两侧平行；后足第1跗节略膨大 ························ **长翅寡节蚜蝇 *T. primus***

雄性腹部椭圆形；后足第1跗节明显膨大 ···························· **四川寡节蚜蝇 *T. sichuanicus***

(134) 蓝色寡节蚜蝇 *Triglyphus cyanea* (Brunetti, 1915)

Psilota cyanea Brunetti, 1915: 202.

Triglyphus cyanea: Kuntson *et al.*, 1975: 329.

鉴别特征：雌性体光亮，毛少。复眼毛很短；头顶和额亮黑色；额基部为头宽的1/4，逐渐向前加宽；颜较额窄，不足头宽的1/4，口缘略突出；头顶被少量黑毛，额和颜被少许白毛；颊和后头窄。触角褐黄色，第3节下侧色稍淡。中胸亮黑色，被少量短白毛；小盾片具边，盾下缘缨稀少。足黑色，各足膝部、胫节基部及前足和中足跗节褐黄色，后足跗节背面色暗。翅透明，翅痣淡黄色，M_1脉在基部1/3处弯曲。腹部可见4节，第1背板和第4背板很短小，仅中间2节发育正常，黑色，具光泽。

采集记录：1♀，留坝闸口石，2012.Ⅶ.11，杨明采；1♀，留坝闸口石，2012.Ⅶ.11，王亚灵采；1♀，留坝闸口石，2012.Ⅶ.11，王真采；2♀，留坝闸口石，2013.Ⅶ.17，霍科科采。

分布：陕西（留坝）、福建；印度。

(135) 长翅寡节蚜蝇 *Triglyphus primus* Loew, 1840

Triglyphus primus Loew, 1840: 30, 565.

鉴别特征：复眼密被黄色毛；额鼓，额和头顶被直立的黑色长毛；雌性额宽为头宽的1/3。颜直，被白色长毛，其两侧沿眼缘密被白色微毛。触角短，第1节黑色，第2节和第3节黑褐色或黄褐色，第3节端部圆；雌性触角短，第3节下侧黄色；触角芒短，黄褐色，裸。中胸背板长稍大于宽，被淡色毛和细刻点；小盾片半圆形，宽为长的2倍，具边，毛同背板；盾下缘缨短而稀；侧板毛长。足黑色，细长，雄性前足和中足腿节极端部、胫节基部及基跗节呈黄色。雌性后足、中足基跗节略膨大，中足基部2节黄色。翅痣黄色，翅面被微毛。腹部窄于胸部，腹面锈色。

采集记录：1♀，留坝闸口石，2012.Ⅶ.14，杨明采；2♀，留坝闸口石，2012.Ⅶ.14，王玉艳采；1♂，留坝闸口石，2012.Ⅶ.18，霍科科采；1♂，留坝闸口石，2012.Ⅶ.19，霍科科采；1♂，留坝闸口石，2013.Ⅶ.16，霍科科采；1♂，留坝闸口石，2013.Ⅶ.17，霍科科采。

分布：陕西（留坝）、北京、河北、山东、甘肃、浙江、四川、西藏；俄罗斯，朝鲜，日本，欧洲。

(136)四川寡节蚜蝇 *Triglyphus sichuanicus* Cheng, Huang, Duan *et* Li, 1998

Triglyphus sichuanicus Cheng, Huang, Duan *et* Li, 1998: 422.

鉴别特征:雄性复眼密被棕色短毛。后头覆粉被和白毛;头顶和额毛黑色或黑褐色,长;额和颜具光泽,额鼓起;颜被白色和黑色长毛,两侧沿眼缘具白绒毛;触角黑褐色,第2、3节下侧黄褐色;芒裸,基部黄褐色,端部黑褐色。中胸背板黑色,密被黑褐色长毛;侧板毛棕色,长;小盾片具薄边,毛同背板,后缘被黑褐色长毛或鬃;盾下毛较长而稀,棕色。足黑色,前足和中足腿节端部、胫节基部和端部、跗节基部2节黄色;后足基跗节膨大,腿节毛白色,长,胫节末端及跗节腹面毛黄色,短。翅透明,翅面密被微毛。腹部可见3节,黑色,背板被棕色短毛,两侧毛白色,长。

采集记录:1♂,长安南五台,2002.Ⅷ.26,霍科科采。

分布:陕西(长安)、四川。

36. 棒腹蚜蝇属 *Sphegina* Meigen, 1822

Sphegina Meigen, 1822: 193. **Type species**: *Milesia clunipes* Fallén, 1816.

Humatrix Gistel, 1848: 154. **Type species**: *Milesia clunipes* Fallén, 1816.

Asiosphegina Stackelberg, 1974: 446. **Type species**: *Sphegina sibirica* Stackelberg, 1953, as a subgenus.

属征:头半球形,略宽于胸。复眼裸,雌雄两性复眼明显分开;颜自触角之下凹入,无中突,口缘上部明显向前延伸;颊部狭,线状。触角短,第3节卵圆形,触角芒裸或被毛。中胸背板及小盾片被近平伏毛短,小盾片后缘常具鬃,盾下缨缺;侧板被粉,上前侧片后部及上后侧片前部被稀疏短毛,下前侧片后端仅具背毛斑,短而稀疏;后胸腹板裸;后足基节桥完整,后缘几乎直或凹入。后足腿节粗大,腹面端部具刺。翅透明,具微刺,r_1 室开放,r_{4+5}室封闭具柄,r-m 横脉位于 dm 室基部 1/3 或之前;伪脉存在或缺;M_1 脉与 R_{4+5}脉相交呈锐角或呈直角,dm-cu 脉斜;翅瓣狭或缺,通常狭于臀室的宽。腹部棍棒状,基部收缩,第2节延长,长于头胸之和;或第2节不延长,长约2倍于宽;第1背板后缘通常具鬃,第1腹板缺或呈五边形或心形。

分布:古北区,东洋区,新北区。中国已知15种,秦岭地区发现3种。

分种检索表

1. 腹部黑色,无浅色斑 ······ 2
   腹部黑色,第3背板基部具橘黄色横带,第4腹板后缘具黑鬃,第5腹板呈宽三角形,基部宽大于长 ······ **端黑棒腹蚜蝇 *S. nigrapicula***
2. 小盾片后缘具2根长鬃 ······ **太白山棒腹蚜蝇 *S. taiaishanensis***
   小盾片后缘具4根长鬃 ······ **四鬃棒腹蚜蝇 *S. quadrisetae***

(137)端黑棒腹蚜蝇 *Sphegina nigrapicula* Huo, Ren *et* Zheng, 2007(图 250)

Sphegina nigrapicula Huo, Ren *et* Zheng, 2007: 272.

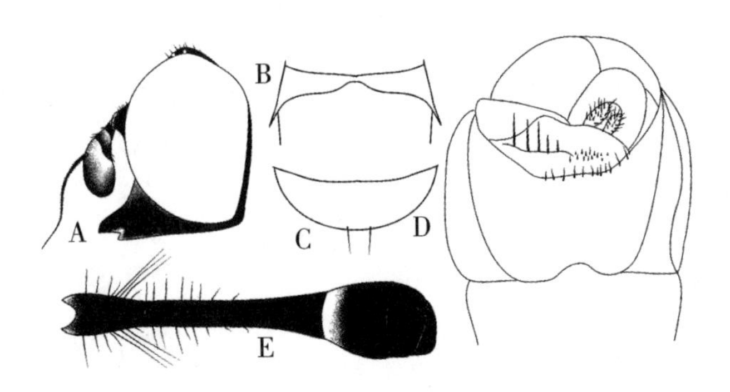

图 250　端黑棒腹蚜蝇 *Sphegina nigrapicula* Huo, Ren *et* Zheng

A. 雄性头部侧面观(male head, lateral view); B. 第1腹板(first sternite); C. 小盾片(scutellum); D. 雄性腹部末端腹面观(male apical abdomen, ventral view); E. 腹部背面观(abdomen, dorsal view)

鉴别特征:头顶黑色。额黑色，两侧近平行，额突黑亮，前缘红褐色。颜黑色，被白粉。触角暗褐色，第3节长略大于其高；触角芒黑褐色，具微毛。中胸背板黑色，被灰白色薄粉，中央具红棕色粉被，翅后胛暗褐色。小盾片黑色，后缘具2根褐色短鬃。胸部侧板黑色。前足、中足浅黄色，第5跗节黑色；后足被浅黄色毛，腿节基部略小，1/2浅黄色，端部亮黑色，胫节基部半部黄褐色，端半部具浅黄色和亮黑色环，跗节黑褐色；腿节基部细，并逐渐增粗，端部略缩细，腹面基部前侧具黑色小刺，端半部两侧具黑色短刺，黑色短刺外侧各有1列黑色长刺；后足基跗节增厚。腹部亮，第1背板具浅黄色长毛，近后缘两侧各具3根黑色长鬃；第2背板长度约为第3背板长度的2倍，最狭处宽小于小盾片宽度，端部略扩大，腹部由此向后扩宽；第3背板基部具橘黄色横带；第4腹板亮黑色，后缘处具黑色粗鬃；第5腹板宽三角形状，褐色，后缘具5根黑色粗长鬃和1丛黑色短鬃。

采集记录:1♂，留坝庙台子，2005.Ⅵ.15，霍科科采；14♂4♀，留坝闸口石，2013.Ⅶ.17，霍科科采；1♂，留坝闸口石，2013Ⅶ.18，霍科科采。

分布:陕西(留坝)。

(138)四鬃棒腹蚜蝇 *Sphegina quadrisetae* Huo *et* Ren, 2006

Sphegina quadrisetae Huo *et* Ren, 2006: 434.

鉴别特征:头顶复眼间宽度约为头宽的1/3。头顶及额黑色，被黑毛，额两侧近平行，新月片红褐色。颜黑色，在复眼下缘处被黄色短毛，口缘黄褐色。触角黑色，第3节卵圆形，长大于其高；触角芒黑色，被微毛。中胸背板背面拱起，黑色；背板被暗褐色稀疏短毛。小盾片黑色，后缘具4根黑色长鬃毛。侧板黑亮，在各侧片相接处呈黑褐色。足浅黄色，被黄褐色短毛。前足、中足跗节端部第4、5节黑色。后足腿节端部2/3、胫节基部大部分及跗节暗褐色；腿节端部2/3略增粗，基部细，腹面端部具黑色短刺列，在黑色短刺两侧各有1列黑色长刺；基跗节增粗，其高度为其前面跗节的2倍。翅暗色，具微毛。腹部暗褐色，第1背板两侧具黄白色长毛，后缘两侧各具黄褐色长鬃，第2节缩细，呈柄状，最狭处约为腹部最宽处(第3背板后缘)的1/2，从第3节向后端渐宽，形成棒状，在第3背板后缘处最宽；第2背板两侧及第3背板基部两侧具黄褐色长毛。

采集记录:1♂，眉县红河谷，2002.Ⅸ.05，霍科科采。

分布:陕西(眉县)。

(139)太白山棒腹蚜蝇 *Sphegina taibaishanensis* Huo *et* Ren, 2006

Sphegina taibaishanensis Huo *et* Ren, 2006: 435.

鉴别特征:头顶及额黑色，被黄褐色短毛。颜黑色，被白粉，在复眼下缘处被黄色短毛，口缘向前突出。触角黑色，第3节短圆形，长不大于其高；触角芒黑色，长而裸。中胸背板黑色，肩胛及翅后胛黑褐色；中央具1对明显的灰白色条纹。小盾片黑色，后缘具2根黄褐色长鬃毛。侧板黑亮，具灰白色粉及黄褐色稀疏短毛。足黑色，被黄褐色短毛；前足腿节端部及胫节基部约1/3黄褐色，跗节端部第4、5节黑色；中足近似前足；后足腿节基部、胫节基部近1/3黄色；跗节第2、3节暗褐色，其余黑色；腿节端部2/3增粗，基部细，腹面端部具黑色短刺列，在黑色短刺两侧各有1列黑色长刺。翅暗色，具微毛。腹部黑色，第1背板两侧具黄白色长毛，后缘两侧各具4根浅黄褐色长鬃，第2节延长，约为腹部最宽处(第3背板后缘)的1/4，长度约为第3节背板长度的2.50倍；第2背板基部之半两侧具黄白色长毛。从第3节向后端渐宽，形成棒状。

采集记录:1♂，眉县太白山，2003.Ⅶ.24，霍科科采。

分布:陕西(眉县)。

37. 丽角蚜蝇属 *Callicera* Panzer, 1809

Callicera Panzer, 1809: 17. **Type species**: *Bibio aenea* Fabricius, 1781.

属征:头短，略宽于胸。复眼被密毛，雄性两眼长距离相接；头顶三角小；颜宽，在触角下不凹入，具中突，口上缘略突出，被密毛。触角延长，直立、前伸，着生在额突上；触角芒着生在第3节顶端，为端芒。中胸明显被毛，背板无鬃。腹部宽于胸，椭圆形，被长毛。足发达，简单。翅 r_1 室开放，r-m 位于 dm 室基部，外缘横脉与翅缘平行，R_{4+5}脉直。

分布：古北区，东洋区，新北区，新热带区。中国已知2种，秦岭地区均有发现。

分种检索表

触角第2节约为第1节长之半，基部2节之和小于第3节 ……………………… **锈毛丽角蚜蝇 *C. rufa***
触角第2节之长约等于第1节，基部2节之和等于第3节……………………… **铜色丽角蚜蝇 *C. aenea***

(140) 铜色丽角蚜蝇 *Callicera aenea* (Fabricius, 1781) (图251)

Bibio aenea Fabricius, 1781: 413.
Callicera panzerii Rondani, 1844: 68.

鉴别特征：复眼中部具暗褐色纵行毛带。头顶黑色，后头部黑色，覆黄白色粉，密具黄毛。额部黑亮，两侧稀薄被粉，无毛，额突上翘。颜黑亮，侧面被极薄的粉被，靠近复眼具黄白色狭粉纹，颜两侧被黄毛，中纵条裸；颜在额突之下直，中突小而圆。触角垂直前伸，基部2节等长，第3节黑色，约等于基部2节之和。触角芒端位白色，约等于第3节长度之半。中胸背板蓝黑色，中部具4条灰色纵条纹，其中内侧1对不达背板后缘，背板被黄褐色和黑褐色毛。小盾片黑蓝色，被黄褐色毛，后缘密具黑褐色毛。侧板黑亮，被黄褐色长毛。足黄褐色，主要被黄褐色毛，前足和中足腿节基部及后侧、后足腿节基部2/3处均为黑色到黑褐色。后足腿节端部腹面具黑毛。翅透明，前缘略带黄褐色。腹部长卵形，宽于胸，古铜色，密被棕黄色毛。第2背板中部具铜黑色暗斑，第3、4背板具铜黑色三角形暗斑。

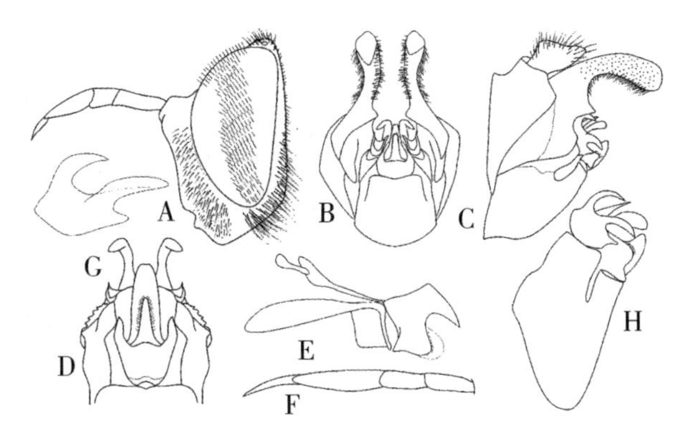

图251　铜色丽角蚜蝇 *Callicera aenea* (Fabricius)

A. 雄性头部侧面观(male head, lateral view); B. 雄性尾器腹面观(male terminalia, ventral view); C. 雄性尾器侧面观(male terminalia, lateral view); D. 第9腹板及其附器侧面观(male hypandrium and appendages, lateral view); E. 阳茎(aedeagus); F. 触角(antenna); G. 上叶(superior lobe); H. 第9腹板及其附器端部腹面观(male apical hypandrium and appendagse, ventral view)

采集记录:2♂, 长安太兴森林公园, 2004.Ⅴ.05, 霍科科采; 3♂, 长安, 2002.Ⅳ.20, 霍科科采; 1♂, 留坝, 2004.Ⅵ.09, 霍科科采。

分布:陕西(长安、留坝)、宁夏、台湾、四川; 俄罗斯, 欧洲。

(141)锈毛丽角蚜蝇 *Callicera rufa* Schummel, 1841

Callicera rufa Schummel, 1842: 112.

Callicera yerburyi Verrall, 1904: 229.

鉴别特征:雌性复眼中央形成暗褐色纵毛带。头顶及额黑色, 被黄褐色毛, 基部被黑毛, 单眼三角之前具2个小的暗褐色斑, 额前端裸, 黑亮, 两侧近复眼处具不连续三角形小粉斑, 额突圆而突出。颜黑色, 两侧被黄褐色长毛, 中条裸, 复眼前缘处具黄白色粉被狭条纹; 颜中部微凹, 中突小而圆。触角垂直前伸, 黑褐色, 基部2节被黑毛, 第2节约为第1节长度之半, 第3节长约为基部2节之和的1.50倍; 触角芒端位, 白色, 约与第1节等长。中胸背板黑蓝色, 中部具4条灰色纵条纹, 背板被黄褐色和黑褐色毛。小盾片蓝黑色, 被黄褐色毛, 后缘密具黑褐色毛。中胸纤细, 被黄褐色长毛。足红褐色, 主要被黄褐色毛, 各足基节、转节, 前足、中足腿节内侧及基部, 后足腿节基部1/2均为黑色到黑褐色, 跗节红褐色。翅透明, 前缘略带黄褐色。腹部宽卵形, 亮黑色, 被黄褐色毛, 基部、侧缘及第2和第3背板的后缘具黄白色毛, 第2～4背板中部具铜黑色暗斑。

采集记录:1♀, 凤县柴关岭, 2003.Ⅵ.27, 霍科科采。

分布:陕西(凤县)、甘肃、河南、湖北、福建; 欧洲。

38. 突角蚜蝇属 *Ceriana* Rafinesque, 1815

Ceria Fabricius, 1794: 277 (nec Scopoli, 1763). **Type species**: *Ceria clavicornis* Fabricius, 1794 [= *Musca conopsoides* Linnaeus, 1758].

Ceriana Rafinesque, 1815: 131 (new name for *Ceria* Fabricius, 1794).

Tenthredomyia Shannon, 1925: 50. **Type species**: *Ceria abbreviata* Loew, 1864.

Vespidomyia Shannon, 1925: 52. **Type species**: *Musca conopoides* Linnaeus, 1758.

Pterygophoromyia Shannon, 1927: 42. **Type species**: *Tenthredomyia saundersi* Shannon, 1925.

Styloceria Enderlein, 1934: 185 (new name for *Ceria* Fabricius, 1794).

Styloceria Enderlein, 1936: 127 (nec Enderlein, 1934). **Type species**: *Musca conopsoides* Linnaeus, 1758.

Hisamatsumyia Shiraki, 1968: 148. **Type species**: *Hisamatsumyia japonica* Shiraki, 1968.

属征:头宽于胸, 体黑色, 具黄斑和带纹。复眼裸, 雄性接眼, 两眼连线短, 额突很长, 明显长于第1触角节长度之半。触角着生在突出的额突上, 前伸, 具端刺。颜侧面观平直，无中突。翅前半部褐色，R_{4+5}脉弯曲凹入 r_5 室，弯曲部顶端具悬脉。腹部基部粗，稍收缩，第1节基部前侧角鲜黄色。足简单。

分布：古北区，东洋区。中国记载有11种，秦岭地区有3种。

分种检索表

1. 中胸背板除肩胛具黄斑外，无其他任何黄斑 …… 2
 中胸背板除肩胛具黄斑外，盾沟两端具黄斑 …… **红突突角蚜蝇 *C. hungkingi***
2. 小盾片中部具宽的黄带 …… **斑额突角蚜蝇 *C. grahami***
 小盾片黑色 …… **日本突角蚜蝇 *C. japonica***

(142) 斑额突角蚜蝇 *Ceriana grahami* (Shannon, 1925)

Tenthredomyia grahami Shannon, 1925: 53.
Ceriana grahami: Peck, 1988: 178.

鉴别特征：雄性头部黑色，具光泽和淡色毛。头顶正中具1对黄斑，额具2对黄斑，额突除背面大部分为棕红色至棕褐色外，其余棕黄色。颜正中两侧具颇宽的黄色侧纵条，自眼前缘中部直达口缘；颜两侧下部及颊棕褐色至黑色，颊在眼下缘处明显凹入。雌性头顶黄斑较雄性略大。触角黑色，第1节略短于额突，第2、3节约等长；端芒黄棕色。中胸背板黑色，肩胛黄色，翅后胛棕褐色。小盾片中部黄色横带较宽，不达小盾片侧缘。侧板黑色。足棕褐色或黑色，腿节基部及端末黄色；胫节基半部棕黄色，端半部及跗节棕色或棕褐色。翅大部分棕褐色，后部的端半部透明。腋瓣小，白色。平衡棒黄色，端部略带棕黄色。腹部黑色，第1背板前角及侧缘黄色；第2~4背板后缘黄色或棕红色，以第4背黄带最狭窄。

采集记录：1♀，西安，2002.Ⅳ.18，霍科科采；1♂，留坝闸口石，2004.Ⅵ.07，霍科科采。

分布：陕西（西安、留坝）、北京、河北、江苏、浙江、四川。

(143) 红突突角蚜蝇 *Ceriana hungkingi* (Shannon, 1927)（图252）

Tenthredomyia hungkingi Shannon, 1927: 46.
Ceriana hungkingi: Peck, 1988: 178.

鉴别特征：头顶黑色，具黄色大横斑。额黑色，额前端在额突基部与复眼之间具黄色横斑；额突长，斜伸向前上方，棕红色。颜中突小；颜及颊部黑色，两侧具黄色宽纵条纹，黑色中条从额突下部直达口缘。触角黑褐色，触角第2、3节相接处膨大，使第2、3节呈纺锤形，触角芒黑褐色。中胸背板黑色，肩胛黄色，在横沟前部两侧各具1个黄色斑，中胸盾片后部两侧处各具1个纵黄斑；小盾片黄色，前缘及后缘具黑边。侧板黑色，中胸上前侧片后端及下前侧片后部各具1个黄斑。足大部分棕黄色，被浅色短毛，各足腿节基部、前足腿节后侧大部分、中足腿节腹侧及后侧、后足腿节中部均为黑色至黑褐色。前足、中足腿节腹侧端部两侧及后足腿节腹面端半部两侧具黑色短刺。翅前半部黑棕色，翅痣具横脉 R_{4+5} 在 r_5 室内具角状凹环，具小悬脉。腹部基部略收缩，黑色，具粗大刻点，被浅色稀疏短毛，从第3节向腹面弯曲。第1背板两侧及前角具黄斑，第2～4背板后缘具黄带。

采集记录：1♂2♀，西安，2002.Ⅳ.18，霍科科采。

分布：陕西（西安）、黑龙江、河北、山东、宁夏、甘肃、青海、江苏。

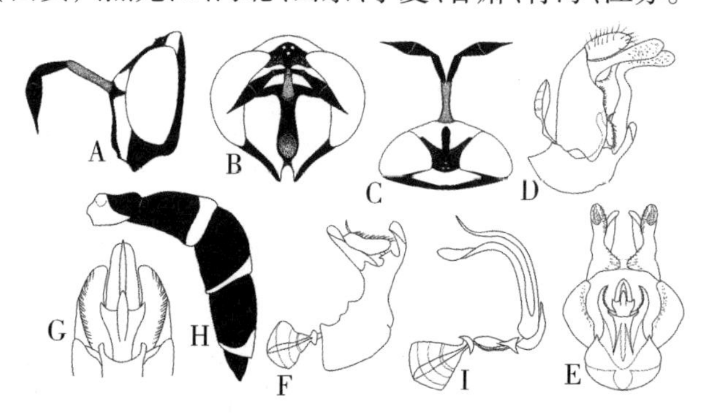

图252 红突突角蚜蝇 *Ceriana hungkingi* (Shannon)

A. 雌性头部侧面观（female head, lateral view）；B. 雌性头部正面观（female head, anterior view）；C. 雌性头部背面观（female head, dorsal view）；D. 雄性尾器侧面观（male terminalia, lateral view）；E. 雄性尾器腹面观（male terminalia, ventral view）；F. 阳茎（aedeagsu）；G. 第9腹板及其附器侧面观（male hypandrium and appendages, lateral view）；H. 腹部侧面观（abdomen, lateral view）；I. 第9腹板末端腹面观（male apical hypandrium, ventral view）

（144）日本突角蚜蝇 *Ceriana japonica* (Shiraki, 1968)

Hisamatsumyia japonica Shiraki, 1968: 148.

鉴别特征：头顶膨大隆起。头顶和后头黑色，复眼后角处有橘黄色斑。额黑亮，具细小刻点，基部具2个黄色小斑。额突长，背面黑褐色。颜几乎直，上半部两侧近平行，下半部收缩呈角状。颜黄色，中央具狭的黑色中条纹，两侧在复眼下方具黑色宽侧条纹。触角黑褐色，第2节约等于第1节，从基部向端部逐渐膨大，第3节短于第2节，基部与第2节端部等宽，逐渐向端部变细。触角芒短，呈锥形。中胸背板黑色，两侧在翅基及翅后胛处具黑褐色短鬃，背板基部中央具1对近三角状灰白色粉被条纹，向后伸达横沟之前。肩胛外侧黄色，翅后胛黑褐色。小盾片黑色，密具刻点。侧板黑色，具刻点，被白色短毛。足主要为黑色至黑褐色，被浅色毛，各足腿节基部及端部棕褐色，后足腿节端半部腹面两侧具黑色短刺。翅前半部棕黑色，翅痣具横脉。腹部基部略收缩，黑色，具粗大刻点，被浅色稀疏短毛。第1背板两侧及前角具黄斑，第2、3背板后缘具黄带，第4背板后缘具极狭的褐色边。

采集记录：1♂，留坝辣子沟，2004.Ⅵ.14，霍科科采。

分布：陕西（留坝）；日本。

39. 腰角蚜蝇属 *Sphiximorpha* Rondani, 1850

Sphiximorpha Rondani, 1850: 213 (nec Hubner, 1809). **Type species**: *Ceria subsessilis* Illiger, 1807.

Cerioides Rondani, 1850: 211. **Type species**: *Ceria subsessilis* Illiger, 1807.

Sphecomorpha Bezzi, 1906: 51. emend. *Sphiximorpha* Rondani, 1850.

Ceriathrix Hull, 1949: 381. **Type species**: *Cerioides bulbosa* Meijere, 1924, as a subgenus.

Shambalia Violovitsh, 1981: 85. **Type species**: *Shambalia rachmaninovi* Violovitsh, 1981.

属征：头宽于胸，复眼裸，触角柄不及第1触角节长的1/2，触角前伸，延长，端部芒状；翅R_{4+5}脉明显凹入r_5室，顶端有或无悬脉。腹部基部收缩成柄状。

分布：世界广布。中国已知6种，秦岭地区有1种。

(145) 丽颜腰角蚜蝇 *Sphiximorpha bellifacialis* Yang *et* Cheng, 1996

Sphiximorpha bellifacialis Yang *et* Cheng, 1996: 169.

鉴别特征：雄性额沿复眼边缘具1个大黄斑，围绕触角基部；颜大部分黄色并具由黄斑和红色褐或黑褐色条纹组成的复杂图案；雌性额正中具1对黄色横斑，额两侧沿复眼边缘具1对黄斑。触角基部之下和两复眼之间具1条红褐色或黑褐色横带，其下方具1对近"Y"形红褐色条斑，由此将黄色上部围成1对心形黄斑，下部具1条梭形黄纵条，颜侧下方具2对黑褐色直条纹。触角基部2节红褐色，第3节红黄色。中胸背板黑色，肩胛、横沟两端具黄斑；小盾片正中具宽的黄色横带，周围黑色，后缘红褐色；侧板红褐色，2个黄斑分别位于上前侧片和下前侧片；足红褐色。翅前半部淡黄褐色。腹部第2背板红褐色，基部前侧角具三角形黄斑，近后缘具"八"字形黑褐色斑，后缘黄色；第3背板红褐色，前缘黑色，近后缘具黑褐色斑，中部两侧各具1个倒"八"字形黄粉斑，后缘具黄边；第4背板大部分黑褐色，中部两侧各具1个倒"八"字形黄色粉斑，背板后缘具黄边；第5节和生殖节红褐色。

采集记录：1♂，西安，2002.Ⅳ.14，龚玉新采。

分布：陕西（西安）、北京、河北、河南、江苏。

40. 离眼管蚜蝇属 *Eristalinus* Rondani, 1845

Eristalinus Rondani, 1845: 453. **Type species**: *Musca sepulchralis* Linnaeus, 1758.

属征: 体具金属光泽。头大，半球形，略宽于胸；两性复眼分离，具毛和暗色斑点。额微突出，颜具明显中突。触角芒裸。中胸背板具翅后毛簇，小盾片黑色，缺盾下缘缨。前胸侧片具毛，中胸上前侧片和上后侧片具毛，下前侧片后部的背毛斑、腹毛斑全部宽地分离，后胸腹板具毛，后足基节桥缺。足简单，后足基节后中端角无毛簇。翅膜无微刺，r_1 室封闭，R_{4+5} 明显凹入 r_5 室，r-m 位于 dm 室中部。腹部卵形。

分布: 古北区，东洋区。本属仅知 1 种，秦岭地区有分布。

(146) 钝黑离眼管蚜蝇 *Eristalinus sepulchralis* (Linnaeus, 1758)

Musca sepulchralis Linnaeus, 1758: 596.

Syrphus sepulchralis Fabricius, 1775: 772.

Musca ater Harris, 1776: 58.

Musca melanius Harris, 1776: 53.

Volucella sepulchralis Müller, 1776: 179.

Syrphus tristis Fabricius, 1794: 303.

Eristalis sepulchralis var. *impunctata* Strobl, 1910: 106.

Eristalinus riki Violovitsh, 1957: 752.

Eristalinus sepulchralis: Knutson *et al.*, 1975: 349.

鉴别特征: 雄性离眼，具不规则黑斑，覆灰棕色毛。头顶黑色，覆棕黄色粉及棕色毛。额覆灰色粉，被同色毛，基部具黑毛；雌性额正中具棕黑色小斑。颜中突小而圆，裸而黑亮，颜下部向前向下锥形突出，密被灰白色粉被及同色毛；颜下部沿口缘具亮黑色条纹。触角黑色，第 3 节卵圆形，触角芒棕黄色。中胸背板两侧具灰白色纵条纹，前半部 1 对灰白色亚中条纹前宽后狭，止于横沟之前，正中纵条纹细或不明显，背板密被黄毛。小盾片黑色，具黄毛；雌性具 5 条灰白色纵条纹，直达小盾片。侧板黑色，具黄毛。足黑色，膝部棕色，前足、中足胫节有时基部棕黄色，腿节粗大，后足胫节侧扁。足大部分黄色毛，混生黑毛，后足转节下具 1 簇黑色短刺毛；腿节近端部具黑毛。翅透明，翅膜无微毛。腹部略短于头胸部之和，黑色，被毛浅黄色；第 2、3 背板正中具“I”形钝黑斑，自背板前缘到达后缘。背板后缘铜绿色，第 4 背板基部有 1 个小的钝黑斑。

采集记录: 4♂1♀，西安，2002.Ⅴ.28，霍科科采；3♂5♀，西安，2002.Ⅳ.14，霍科科采；2♂，汉中铺镇，2005.Ⅴ.13，霍科科采；1♂，洋县秧田，2005.Ⅶ.25，刘飞飞采；1♀，洋县石关乡，2005.Ⅶ.19，刘飞飞采；1♂，岚皋民主镇，2003.Ⅶ.05，苑彩霞采。

分布: 陕西（西安、汉中、洋县、岚皋）、内蒙古、河北、山东、山西、甘肃、新疆、江苏、浙江、湖北、江西、湖南、广东、四川、西藏；蒙古，俄罗斯，日本，印度，斯里兰卡，欧洲，非洲（北部）。

41. 管蚜蝇属 *Eristalis* Latreille, 1804

Tubifera Meigen, 1800: 34. **Type species**: *Musca tenax* Linnaeus, 1758.

Eristalis Latreille, 1804: 194. **Type species**: *Musca tenax* Linnaeus, 1758.

Elophilus Meigen, 1803: 274. **Type species**: *Musca tenax* Linnaeus, 1758.

Eristaloides Rondani, 1845: 453. **Type species**: *Musca tenax* Linnaeus, 175.

Eristalomya Rondani, 1857: 40. **Type species**: *Musca tenax* Linnaeus, 1758.

Eriops Lioy, 1864: 743 (nec Klug, 1808). **Type species**: *Musca tenax* Linnaeus, 1758.

Eoseristalis Kanervo, 1938: 40. **Type species**: *Eristalis cerealis* Fabricius, 1805, as a subgenus.

Cryptoeristalis Kuznetzov, 1994: 231. **Type species**: *Musca oestracea* Linnaeus, 1758.

属征:头等于或略宽于胸，近半圆形。额微突出，雄性复眼接眼，雌性离眼，被毛，毛被均匀或形成纵条纹。颜具明显中突，口上缘适当突出。触角第3节卵形，芒基生，裸或基半部具毛，呈羽状。中胸背板近方形，覆密毛或不明显，盾下缘缨长而密；中胸上前侧片前端无直立长毛，下前侧片前端和后端被毛，上后侧片前部具毛，中部具三角状裸区，后部具长毛或裸，基侧片裸；后胸腹板具长毛。足简单，各足腿节前腹侧基部密具黑色小刺。翅膜裸，R_{4+5}脉明显凹入r_5室，r_1室封闭，具柄。腹部与胸部等宽，卵形或锥形，略长，具淡色或全黑色斑纹。

分布:世界性分布，可分为2个亚属。中国记录了35种，秦岭地区发现5种。

分种检索表

1. 中胸下后侧片具毛，复眼被毛，具2条由深棕色毛形成的纵条纹，触角芒基部具微毛，管蚜蝇亚属 *Eristalis* (*Eristalis*) ······ **长尾管蚜蝇 *E. tenax***
 中胸下后侧片无长毛，复眼被毛均匀或具1条由暗色毛形成的纵条纹，触角芒裸，具微毛或羽状，原管蚜蝇亚属 *Eristalis* (*Eoeristalis*) ······ 2
2. 复眼具1条由暗色毛形成的垂直毛带，触角芒羽状，腹部第3背板全黑色 ······ 3
 复眼被毛均匀或裸 ······ 4
3. 翅中部无褐色斑，腹部黑色，第2背板两侧前角各具近三角形黄斑，后缘黄色，第3、4背板后缘具极狭浅色边，中部具亮黑色横带，第3背板前缘具极狭的暗黄带 ······ **透翅管蚜蝇 *E. hyaloptera***
 翅中部具大型褐色斑，腹部第2背板无黄斑，背针突腹缘无凹口 ······ **喜马拉雅管蚜蝇 *E. himalayensis***
4. 中胸背板前部正中无或具不明显粉被纵条，沿盾沟处无灰白色粉被横带；雄性腹部第2背板中央具黑斑，呈“I”形，雌性仅第2背板正中具黑斑，后部扩展至背板侧缘 ······ **短腹管蚜蝇 *E. arbustorum***
 中胸背板前部正中具灰白色粉被纵条纹，沿盾沟处具淡色粉被横带；腹部第2背板具“I”形狭黑斑 ······ **灰带管蚜蝇 *E. cerealis***

(147)短腹管蚜蝇 ***Eristalis arbustorum* (Linnaeus, 1758)**(图253)

Musca arbustorum Linnaeus, 1758: 591.

Musca nemorum Linnaeus, 1758: 591.

Musca horticola de Geer, 1776: 140.

Musca lyra Harris, 1776: 42.

Musca parralleli Harris, 1776: 43.

Volucella tricincta Müller, 1776: 178.

Syrphus deflagratus Preyssler, 1793: 369.

Eristalis sachalinensis Matsumura, 1916: 263.

Eristalis bulgarica Szilady, 1934: 149.

Eristalis polonica Szilady, 1934: 151.

Eristalis arbustorum var. *strandi* Duda, 1940: 225.

Eristalomya distincta Shiraki, 1968: 166.

Eristalis arbustorum: Knutson *et al.*, 1975: 351.

鉴别特征:复眼被浅黄色毛。头顶黑色,被灰白色粉及毛。额及颜黑色,密被黄白色粉及毛;颜中突小,上下不对称,口缘及颜两侧黑亮。雌性额基部具黑毛。触角黑色,第3节长大于高;触角芒基半部羽毛状。中胸背板具灰黄色粉被纵条纹,密被黄白色长毛。中胸侧板黑色,被灰黄色粉被和浅黄白色长毛。足黑色,各足腿节端部、前足和中足胫节基部2/3、后足胫节基半部均为黄白色至黄棕色,后足腿节端部1/2腹面有黑色短刺,胫节基部腹中脊具黑色短刺,端部近2/3具较粗的黑毛。雌性后足胫节被毛黄白色。翅膜裸,翅痣褐色,长约为宽的4倍。腹部第2背板黄色,中央具“I”形宽黑斑,前宽后狭;第3背板黑色,中央具亮黑色横带,前缘及两侧角黄色,后缘具黄白色狭边;第4背板黑色,中央具亮黑色横带,后缘黄白色。雌性腹部第2背板两侧具黄斑,其后角伸达背板后缘,第2~5背板后缘具黄白色边,第3~5背板中部具亮黑色横带。

采集记录:1♀,西安,2002.Ⅳ.14,霍科科采;3♂2♀,西安,2002.Ⅳ.18,霍科科采;1♂1♀,长安库峪,2002.Ⅵ.11,霍科科采;2♀,长安库峪,2002.Ⅵ.12,霍科科采;1♂1♀,长安库峪,2002.Ⅵ.04,霍科科采;2♂1♀,长安,2002.Ⅳ.12,霍科科采;1♂,长安,2002.Ⅳ.20,霍科科采;3♂9♀,长安,2002.Ⅴ.25,霍科科采;1♀,周至楼观台,2002.Ⅴ.30,霍科科采;1♂2♀,眉县太白山,2002.Ⅶ.17,霍科科采;1♂,留坝庙台子,2003.Ⅵ.28,霍科科采;1♂,留坝庙台子,2005.Ⅵ.11,霍科科采;1♀,汉中天台山,2002.Ⅷ.06,霍科科采。

分布:陕西(西安、长安、周至、眉县、留坝、汉中)、黑龙江、吉林、辽宁、内蒙古、河北、山西、山东、河南、宁夏、甘肃、青海、新疆、浙江、湖北、福建、四川、云南、西藏;俄罗斯，印度，伊朗，叙利亚，阿富汗，欧洲，非洲(北部)，北美洲。

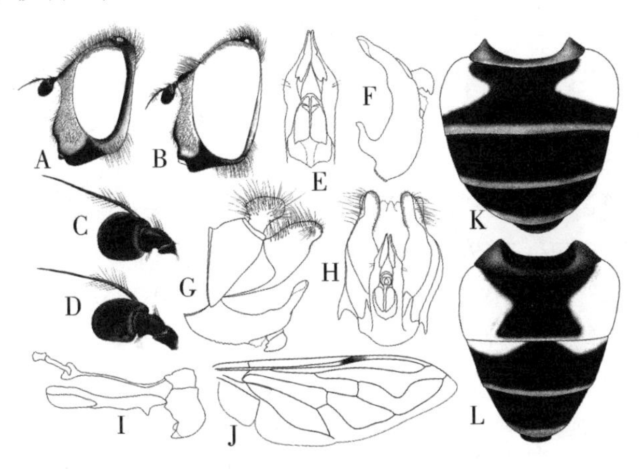

图 253　短腹管蚜蝇 *Eristalis arbustorum* (Linnaeus)

A. 雌性头部侧面观(female head, lateral view); B. 雄性头部侧面观(male head, lateral view); C. 雌性触角内侧观(female antenna, inside view); D. 雄性触角内侧观 (male antenna, inside view); E. 雄性第 9 腹板端部及其附器腹面观(male apical hypandrium and appendages, ventral view); F. 雄性第 9 腹板侧面观(male hypandrium, lateral view); G. 雄性尾器侧面观 (male terminalia, lateral view); H. 雄性尾器腹面观(male terminalia, ventral view); I. 阳茎(aedeagus); J. 翅(wing); K. 雌性腹部背面观(female abdomen, dorsal view); L. 雄性腹部背面观(male abdomen, dorsal view)

(148)灰带管蚜蝇 *Eristalis cerealis* Fabricius, 1805

Eristalis cerealis Fabricius, 1805: 232.
Eristalis solitus Walker, 1849: 619.
Eristalis incisuralis Loew, 1858: 108.
Eristalis barbata Bigot, 1880: 214.

鉴别特征:复眼上半部毛棕色，下半部毛淡色。头顶黑色，被黑毛。额黑色，基部覆金黄色粉，被黑色毛。颜中突小；颜黑色，密被黄白色粉及毛。触角第 3 节暗褐色，触角芒黄褐色，基半部呈长羽毛状。中胸背板具淡色薄粉被，前部正中具灰白色粉被条纹，沿横沟具淡色粉被横带，前缘、后缘有淡色粉被横带；背板密被棕黄色长毛。小盾片黄色，被棕黄色长毛，中域间生黑毛。中胸侧板被淡色粉及棕黄色长毛。足黑色，各足腿节端部、前足胫节基半部、中足胫节大部分、后足胫节基部 1/3 呈黄白色或棕黄色。翅中部有时具沿翅脉的浅褐色云斑；翅痣暗褐色。腹部第 2 背板黄色，中央具 “I”形狭黑斑；第 3 背板黄色，具倒“T”形黑斑，其前端呈箭头状，背板后缘具黄边；第 4 背板黑色，中央具 1 对亮黑色狭横斑，前缘、后缘黄白色。雌性腹部第 2 背板黑斑较大，第 3、4 背板大部分黑色，前缘、后缘黄色；第 3 ~ 5 背板中部具 1 对亮黑色狭横斑，有时相连成横带。

采集记录:10♂4♀，西安，2002.Ⅳ.14，霍科科采；1♀，西安，2002.Ⅳ.08，霍科科采；1♀，长安沣峪口，1992.Ⅶ.24，采集人不详；1♂1♀，长安翠华山，2003.Ⅳ.08，霍科科采；1♀，长安库峪，2002.Ⅵ.11，霍科科采；1♂2♀，长安库峪，2002.Ⅵ.12，霍科科采；3♂3♀，长安库峪，2002.Ⅵ.04，霍科科采；1♀，长安南五台，1981.Ⅹ.11，王家儒采；1♂1♀，长安南五台，2002.Ⅷ.26，霍科科采；7♂1♀，长安太乙镇，2002.Ⅳ.12，霍科科采；2♂，长安王曲，2003.Ⅸ.05，霍科科采；5♂2♀，长安王曲，2003.Ⅹ.16，霍科科采；1♂4♀，长安，2002.Ⅳ.20，霍科科采；1♀，长安，2002.Ⅴ.25，霍科科采；5♂1♀，长安，2002.Ⅸ.22，霍科科采；1♂1♀，周至楼观台，2002.Ⅴ.30，霍科科采；1♂7♀，户县朱雀森林公园，2002.Ⅷ.25，霍科科采；2♂2♀，宝鸡马头滩，2003.Ⅶ.22，霍科科采；3♂5♀，宝鸡马头滩，2003.Ⅶ.23，霍科科采；8♂2♀，凤县，2005.Ⅵ.13，霍科科采；1♀，凤县江口镇，1997.Ⅵ.23，霍科科采；2♂2♀，凤县，2014.Ⅶ.27，霍科科采；1♀，眉县红河谷，2002.Ⅷ.29，霍科科采；2♀，眉县红河谷，2002.Ⅷ.30，霍科科采；4♂1♀，眉县红河谷，2002.Ⅷ.31，霍科科采；2♂1♀，眉县红河谷，2002.Ⅸ.01，霍科科采；2♂1♀，眉县红河谷，2002.Ⅸ.02，霍科科采；3♂，眉县红河谷，2002.Ⅸ.04，霍科科采；1♂，眉县太白山，2002.Ⅶ.17，霍科科采；2♂，眉县太白山，2003.Ⅶ.24，霍科科采；1♀，留坝，2004.Ⅵ.14，霍科科采；1♂2♀，留坝庙台子，1996.Ⅵ.13，霍科科采；1♂1♀，留坝庙台子，2003.Ⅵ.26，霍科科采；1♀，留坝庙台子，2003.Ⅶ.04，霍科科采；3♂，留坝紫柏山，2002.Ⅶ.04，霍科科采；1♂2♀，留坝紫柏山，2005.Ⅵ.21，霍科科采；1♂，留坝闸口石，2012.Ⅶ.11，刘婷采；4♂，留坝闸口石，2012.Ⅶ.11，强红采；2♂，留坝闸口石，2012.Ⅶ.11，杨明采；1♂1♀，留坝闸口石，2012.Ⅶ.11，王真采；1♂，留坝闸口石，2012.Ⅶ.11，王亚灵采；3♂，留坝闸口石，2012.Ⅶ.12，刘婷采；4♂，留坝闸口石，2012.Ⅶ.12，强红采；2♂2♀，留坝闸口石，2012.Ⅶ.12，杨明采；3♂，留坝闸口石，2012.Ⅶ.12，杨盼采；1♂1♀，留坝闸口石，2012.Ⅶ.12，王玉艳采；2♂，留坝闸口石，2012.Ⅶ.12，王真采；2♂，留坝闸口石，2012.Ⅶ.12，王亚灵采；2♂，留坝闸口石，2012.Ⅶ.13，刘婷采；2♀，留坝闸口石，2012.Ⅶ.13，强红采；3♂1♀，留坝闸口石，2012.Ⅶ.13，杨明采；1♂1♀，留坝闸口石，2012.Ⅶ.13，杨盼采；1♂，留坝闸口石，2012.Ⅶ.13，王玉艳采；1♂，留坝闸口石，2012.Ⅶ.13，王真采；1♂，留坝闸口石，2012.Ⅶ.13，王亚灵采；3♂，留坝闸口石，2012.Ⅶ.14，杨明采；4♂4♀，留坝闸口石，2012.Ⅶ.14，杨盼采；1♀，留坝闸口石，2012.Ⅶ.14，强红采；1♂3♀，留坝闸口石，2012.Ⅶ.14，刘婷采；2♂2♀，留坝闸口石，2012.Ⅶ.15，刘婷采；2♂2♀，留坝闸口石，2012.Ⅶ.15，强红采；1♂，留坝闸口石，2012.Ⅶ.15，杨明采；1♀，留坝闸口石，2012.Ⅶ.15，杨盼采；1♂1♀，留坝闸口石，2012.Ⅶ.15，王玉艳采；2♂，留坝闸口石，2012.Ⅶ.15，王真采；3♂1♀，留坝闸口石，2012.Ⅶ.15，王亚灵采；1♂，留坝闸口石，2012.Ⅶ.16，刘婷采；1♂1♀，留坝闸口石，2012.Ⅶ.16，强红采；1♂，留坝闸口石，2012.Ⅶ.16，杨盼采；3♂，留坝闸口石，2012.Ⅶ.12，霍科科采；2♂，留坝闸口石，2012.Ⅶ.13，霍科科采；2♂，留坝闸口石，2012.Ⅶ.16，霍科科采；1♀，留坝闸口石，2012.Ⅶ.17，霍科科采；

3♂4♀，留坝闸口石，2012.Ⅶ.18，霍科科采；7♂1♀，留坝闸口石，2012.Ⅶ.19，霍科科采；1♂，留坝闸口石，2012.Ⅶ.16，陈锐采；4♂3♀，留坝闸口石，2012.Ⅶ.17，陈锐采；13♂4♀，留坝闸口石，2012.Ⅶ.18，陈锐采；16♂2♀，留坝闸口石，2012.Ⅶ.19，陈锐采；22♂12♀，留坝闸口石，2012.Ⅶ.20，陈锐采；7♂77♀，留坝闸口石，2012.Ⅶ.21，陈锐采；3♂，留坝闸口石，2013.Ⅶ.14，霍科科采；1♂1♀，留坝闸口石，2013.Ⅶ.15，霍科科采；3♂，留坝闸口石，2013.Ⅶ.16，霍科科采；1♂，留坝闸口石，2013.Ⅶ.17，陈锐采；1♂，留坝闸口石，2013.Ⅶ.19，陈锐采；1♂，留坝，2014.Ⅷ.24，霍科科采；2♂4♀，留坝，2014.Ⅶ.26，霍科科采；1♂，城固小河，2002.Ⅵ.11，霍科科采；1♀，城固小河，2002.Ⅷ.10，霍科科采；1♂，汉中天台山，2002.Ⅲ.31，霍科科采；5♂1♀，汉中天台山，2002.Ⅷ.06，霍科科采；5♂3♀，汉中天台山，2005.Ⅶ.09，霍科科采；1♂，宁陕，1990.Ⅶ.03，郑哲民采；1♀，宁陕火地塘，1979.Ⅶ.15，董忠民采；1♂，宁陕火地塘，2000.Ⅵ.15，李立采；2♂2♀，宁陕火地塘，2003.Ⅶ.07，李立采；3♀，宁陕旬阳坝，1980.Ⅶ.06，郑哲民采；11♂，宁陕旬阳坝，1998.Ⅶ.21，刘瑜采；1♂，宁陕汤坪，1984.Ⅵ.28，采集人不详；1♀，洋县华阳，2005.Ⅶ.21，安有为采；1♂2♀，洋县华阳，2005.Ⅶ.21，张勇采；1♀，洋县华阳，2005.Ⅶ.24，张培安采；1♂，洋县秧田，2005.Ⅶ.26，刘飞飞采；1♀，柞水，2002.Ⅶ.13，霍科科采；1♀，镇坪，2002.Ⅶ.25，霍科科采；1♀，商州黑龙口，2002.Ⅶ.09，霍科科采。

分布：陕西（西安、长安、城固、汉中、户县、周至、宝鸡、凤县、眉县、留坝、宁陕、洋县、柞水、镇坪、商州）、黑龙江、辽宁、内蒙古、河北、山东、河南、甘肃、青海、新疆、江苏、安徽、浙江、湖北、江西、湖南、福建、台湾、广东、四川、云南、西藏；俄罗斯，朝鲜，日本，东洋区。

（149）喜马拉雅管蚜蝇 *Eristalis himalayensis* Brunetti，1908

Eristalis ursinus Bigot，1880：215.

Eristalomyia himalayensis Brunetti，1908：70（new name for *Eristalis ursinus* Bigot，1880）.

鉴别特征：复眼被毛，具1条由暗褐色密毛组成的纵条；单眼三角形被黑褐色长毛；额暗黑色，被黑色长毛，前端光亮；颜在触角下方略凹入，前缘几乎直，亮黑色，具黄色毛，中突、口缘及颊裸，中突小；后头黑色，上部具褐色长毛，下部具亮黄色毛。触角黑色，第3节具黄色粉被；触角芒淡褐色，基部3/4长羽毛状。中胸背板沿横沟具灰色粉被横带；背板前缘覆灰色粉被；小盾片亮黄色；侧板黑色被黄白色粉被；背板、侧板及小盾片毛亮黄色，长，密。足黑色，前足、中足膝部极狭，胫节基半部、基跗节中部淡黄色；足毛与底色同色，但前足、中足腿节后侧具长密黄毛，后足腿节前侧和上侧具黄褐色毛。翅痣黑褐色；翅前半部具黄褐色云斑。腹部略长于胸，钝锥形，黑色，密被同色毛，仅第1背板及第2背板前角毛淡黄色；一些黄毛散布于整个背面，并在第2、3背板后缘形成弱的缘缨，第2、3节后缘具极狭的淡边。

采集记录:1♂2♀, 宁陕, 1580~2000m, 1998.Ⅶ.17-23, 采集人不详。

分布:陕西(宁陕)、湖北、四川、云南、西藏; 缅甸, 印度, 尼泊尔。

(150)透翅管蚜蝇 *Eristalis hyaloptera* Huo, Ren *et* Zheng, 2007

Eristalis hyaloptera Huo, Ren *et* Zheng, 2007: 285.

鉴别特征:复眼毛棕褐色, 中部密集成宽纵带。额黑色, 被黑色和棕褐色长毛。颜黑色, 覆黄粉, 被黄褐色长毛。触角黑褐色, 第3节长大于其宽; 触角芒暗褐色, 基部3/4长羽状, 端部裸。胸部横沟之前两侧被灰黄色粉, 沿横沟形成灰黄色粉带, 内端各具1个亮斑, 中部具灰色纵条纹; 背板被棕黄色毛。小盾片黄色, 具黄白色毛, 基部少许黑毛, 盾下缨长而密; 雌性具黄白色长毛。侧板黑色具灰黄色粉及黄白色长毛。足黑色, 各足腿节端部、前足胫节基部、中足胫节基部1/2、后足胫节基部均为黄褐色至黄白色; 足被黄毛, 前足腿节外侧有1列黑色长毛, 胫节外侧具黑色短毛; 后足腿节端半部及下侧具黑色长毛及短毛, 胫节主要被黑毛。翅透明。腹部第2背板两侧前角各具近三角形黄斑, 后缘黄色, 第3、4背板后缘具极狭浅色边, 中部具亮黑色横带, 第3背板前缘具极狭的暗黄带;第1背板被黄白色长毛, 其余全部被黄褐色毛, 第2~4背板的后缘及第2背板两侧有黑毛。

采集记录:1♀, 户县朱雀森林公园, 2002.Ⅷ.25, 霍科科采; 5♂2♀, 眉县太白山, 2002.Ⅶ.17, 霍科科采; 1♀, 眉县红河谷, 2002.Ⅷ.31, 霍科科采。

分布:陕西(户县、眉县)、甘肃。

(151)长尾管蚜蝇 *Eristalis tenax* (Linnaeus, 1758)

Musca tenax Linnaeus, 1758: 591.
Musca porcina de Geer, 1776: 98 (new name for *Musca tenax* Linnaeus, 1758).
Conops vulgaris Scopoli, 1763: 354.
Musca apiformis Geoffroy *in* Fourcroy, 1785: 488.
Eristalis campestris Meigen, 1822: 387.
Eristalis hortorum Meigen, 1822: 387.
Eristalis sylvaticus Meigen, 1822: 388.
Eristalis vulpinus Meigen, 1822: 388.
Eristalis cognatus Wiedemann, 1824: 37.
Eristalis sinensis Wiedemann, 1824: 37.
Eristalis columbica Macquart, 1855: 108.
Eristalis ventralis Thomson, 1869: 489.
Eristalis tenax var. *alpinus* Strobl, 1893: 185.
Eristalis tenax var. *claripes* Abreu, 1924: 104.
Eristalis tenax: Knutson *et al.*, 1975: 351.

Eristalis rubix Violovitsh, 1977: 78.

鉴别特征:复眼被棕色短毛，具2条由深棕色长毛形成的纵条纹。头顶黑色，被黑毛。额黑色，被黑毛，近复眼处被浅黄色毛。雌性额中部具浅黄色横粉带。颜淡黄色，被黄粉及同色毛，正中具黑色宽纵条，口缘及复眼下方黑色，缺长毛，颜中突明显，下端向前向下突出。触角暗褐色到黑色，第3节卵形；触角芒黄褐色，裸。中胸背板被淡棕色毛；小盾片黄色或棕黄色，被同色毛，盾下缨长而密。足主要黑色，被浅黄色毛；前足腿节端部、胫节基部1/3、中足腿节端部、胫节基半部呈黄色或黄白色；后足腿节端部或大部分暗黄色，胫节被毛浅黄或棕黄色，腿节端部腹侧有黑毛。翅裸，翅中部具棕褐色到黑褐色斑。腹部第2、3背板柠檬黄色，第2背板中部具"Ⅰ"形黑斑；第3背板后端具倒"T"形黑斑，其前端呈箭头状；第4、5背板黑色。雌性腹部第2背板"Ⅰ"形黑斑较大，第3背板前缘、后缘具狭的黄边，前部两侧具狭长的黄斑。

采集记录:1♀，西安，1964.Ⅵ.12，郑哲民采；1♂2♀，西安，2002.Ⅺ.20，霍科科采；1♀，西安，2002.Ⅳ.14，霍科科采；1♂1♀，西安，2002.Ⅴ.28，霍科科采；3♀，长安库峪，2002.Ⅵ.12，霍科科采；2♂2♀，长安库峪，2002.Ⅵ.04，霍科科采；2♂4♀，长安南五台，2002.Ⅷ.26，霍科科采；5♂，长安王曲，2003.Ⅸ.05，霍科科采；1♀，长安，2002.Ⅳ.20，霍科科采；4♀，长安，2002.Ⅴ.25，霍科科采；2♀，长安，2002.Ⅷ.25，霍科科采；4♂2♀，长安，2002.Ⅸ.22，霍科科采；3♀，长安，2003.Ⅹ.16，霍科科采；1♀，兴坪，1999.Ⅵ.03，刘建滨采；1♂，户县草堂寺，1983.Ⅶ.25，王家儒采；2♂，户县朱雀森林公园，2002.Ⅷ.25，霍科科采；3♀，户县朱雀森林公园，2002.Ⅷ.29，霍科科采；1♂，临潼，1962.Ⅴ.31，郑哲民采；3♂2♀，周至楼观台，2002.Ⅴ.30，霍科科采；1♀，周至楼观台，2002.Ⅶ.23，邵鹏采；1♂，宝鸡，1999.Ⅶ.28，张利采；3♂1♀，宝鸡马头滩，2003.Ⅶ.22，霍科科采；3♂1♀，宝鸡马头滩，2003.Ⅶ.23，霍科科采；1♂1♀，凤县，2003.Ⅵ.27，霍科科采；9♂10♀，凤县，2004.Ⅵ.10，霍科科采；1♀，凤县江口镇，1997.Ⅵ.23，赵利敏采；1♂1♀，凤县天台山，1999.Ⅸ.04，赵利敏采；1♀，凤县，2014.Ⅷ.27，霍科科采；1♂，眉县红河谷，2002.Ⅷ.29，霍科科采；1♀，眉县红河谷，2002.Ⅸ.02，霍科科采；7♂6♀，眉县太白山，2002.Ⅶ.17，霍科科采；1♂1♀，眉县太白山，2003.Ⅶ.24，霍科科采；8♂8♀，眉县太白山，2003.Ⅶ.25，霍科科采；1♂，眉县板桥沟，1999.Ⅵ.01，采集人不详；1♀，留坝柴关岭，2003.Ⅶ.02，霍科科采；2♂1♀，留坝，2004.Ⅵ.14，霍科科采；1♀，留坝庙台子，1987.Ⅵ.01，李树森采；1♀，留坝庙台子，1987.Ⅵ.13，李树森采；8♂4♀，留坝庙台子，1987.Ⅵ.14，李树森采；2♂3♀，留坝庙台子，1987.Ⅵ.14，李树森采；2♂3♀，留坝庙台子，1987.Ⅵ.15，李树森采；1♀，留坝庙台子，1997.Ⅵ.22，李树森采；1♂1♀，留坝庙台子，2001.Ⅵ.10，张宏杰采；3♂1♀，留坝庙台子，2001.Ⅵ.11，张宏杰采；1♂，留坝庙台子，2001.Ⅵ.12，张宏杰采；1♂，留坝庙台子，2001.Ⅵ.16，张宏杰采；2♂，留坝庙台子，2001.Ⅵ.17，张宏杰采；1♂2♀，留坝庙台子，2001.Ⅵ.18，张宏杰采；4♂1♀，留坝庙台子，2001.Ⅵ.19，张宏杰采；1♂1♀，留坝庙台子，2001.Ⅵ.19，张宏杰采；5♂2♀，留坝庙台子，2001.Ⅵ.09，张宏杰采；1♂2♀，留坝庙台子，2001.Ⅵ.09，张宏杰采；1♂1♀，留坝庙台子，2002.Ⅵ.17，霍科科采；1♀，留坝庙台子，2003.Ⅵ.26，霍科科采；2♂，留坝庙台子，2004.Ⅵ.12，霍科科采；1♂2♀，留坝，2003.Ⅵ.30，霍科科采；4♂，留坝，2004.Ⅵ.07，张宏杰采；2♂3♀，留坝，2004.Ⅵ.13，霍科科采；2♂1♀，留坝闸口石，1997.Ⅵ.14，赵利敏采；1♀，留坝闸口石，1997.Ⅵ.21，赵利敏采；9♂5♀，留坝闸口石，2004.Ⅵ.07-08，霍科科采；1♂，留坝紫柏山，2003.Ⅶ.04，霍科科采；6♂5♀，留坝闸口石，2012.Ⅶ.11，刘婷采；5♂7♀，留坝闸口石，2012.Ⅶ.11，强红采；3♂1♀，留坝闸口石，2012.Ⅶ.11，杨明采；3♂1♀，留坝闸口石，2012.Ⅶ.11，杨盼采；1♂，留坝闸口石，2012.Ⅶ.11，王玉艳采；6♂，留坝闸口石，2012.Ⅶ.11，王真采；3♂2♀，留坝闸口石，2012.Ⅶ.11，王亚灵采；7♂4♀，留坝闸口石，2012.Ⅶ.12，刘婷采；9♂2♀，留坝闸口石，2012.Ⅶ.12，强红采；2♂2♀，留坝闸口石，2012.Ⅶ.12，杨明采；4♂2♀，留坝闸口石，2012.Ⅶ.12，杨盼采；2♂2♀，留坝闸口石，2012.Ⅶ.12，王玉艳采；5♂4♀，留坝闸口石，2012.Ⅶ.12，王真采；7♂3♀，留坝闸口石，2012.Ⅶ.12，王亚灵采；1♂1♀，留坝闸口石，2012.Ⅶ.13，刘婷采；3♂，留坝闸口石，2012.Ⅶ.13，强红采；1♂，留坝闸口石，2012.Ⅶ.13，杨明采；2♂，留坝闸口石，2012.Ⅶ.13，王玉艳采；2♂1♀，留坝闸口石，2012.Ⅶ.13，王真采；5♂，留坝闸口石，2012.Ⅶ.14，杨明采；1♂，留坝闸口石，2012.Ⅶ.14，强红采；1♂1♀，留坝闸口石，2012.Ⅶ.14，刘婷采；2♂，留坝闸口石，2012.Ⅶ.14，杨盼采；2♂1♀，留坝闸口石，2012.Ⅶ.15，刘婷采；8♂，留坝闸口石，2012.Ⅶ.15，强红采；14♂1♀，留坝闸口石，2012.Ⅶ.15，杨明采；8♂3♀，留坝闸口石，2012.Ⅶ.15，杨盼采；1♂1♀，留坝闸口石，2012.Ⅶ.15，王玉艳采；3♂，留坝闸口石，2012.Ⅶ.15，王真采；5♂2♀，留坝闸口石，2012.Ⅶ.15，王亚灵采；1♀，留坝闸口石，2012.Ⅶ.16，刘婷采；1♂，留坝闸口石，2012.Ⅶ.16，王真采；2♂2♀，留坝闸口石，2012.Ⅶ.13，霍科科采；1♂，留坝闸口石，2012.Ⅶ.16，霍科科采；3♂3♀，留坝闸口石，2012.Ⅶ.18，霍科科采；1♂，留坝闸口石，2012.Ⅶ.20，霍科科采；1♀，留坝闸口石，2012.Ⅶ.17，陈锐采；4♂3♀，留坝闸口石，2012.Ⅶ.18，陈锐采；5♂1♀，留坝闸口石，2012.Ⅶ.19，陈锐采；9♂6♀，留坝闸口石，2012.Ⅶ.20，陈锐采；3♂6♀，留坝闸口石，2012.Ⅶ.21，陈锐采；1♂，留坝闸口石，2013.Ⅶ.14，霍科科采；1♂，留坝闸口石，2013.Ⅶ.15，霍科科采；2♂，留坝闸口石，2013.Ⅶ.16，霍科科采；1♂1♀，留坝闸口石，2013.Ⅶ.18，霍科科采；9♂5♀，留坝闸口石，2013.Ⅶ.19，霍科科采；1♂，留坝柴关岭，2014.Ⅷ.23，霍科科采；1♀，留坝，2014.Ⅷ.24，霍科科采；7♂11♀，城固小河，2000.Ⅵ，张宏杰采；1♂7♀，城固小河，2000.Ⅵ.10，张宏杰采；1♀，城固小河，2002.Ⅷ.10，霍科科采；1♂1♀，汉中天台山，2002.Ⅷ.06，霍科科采；4♂1♀，汉中天台山，2005.Ⅳ.16，霍科科采；14♂5♀，汉中天台山，2005.Ⅶ.09，霍科科等采；9♂7♀，汉中铺镇，2005.Ⅴ.13，霍科科采；14♂8♀，勉县褒河，2005.Ⅴ.15，霍科科采；1♂，宁陕，1990.Ⅶ.02，李树森采；1♂2♀，宁陕，2003.Ⅶ.07，李立采；1♀，宁陕菜子坪，1982.Ⅶ.29，李立采；2♂1♀，宁陕菜子坪，1998.Ⅶ.29，李立采；2♀，宁陕火地塘，1979.Ⅶ.03，李立采；1♀，宁陕火地塘，1979.Ⅶ.06，李立采；1♀，宁陕火地塘，1990.Ⅶ.03，李立采；1♀，宁陕火地塘，1991.Ⅵ.26，李立采；2♂，宁陕火地塘，1998.Ⅵ.27，李立采；2♀，宁陕火地塘，1998.Ⅶ.01，李立采；1♀，宁陕火地塘，1999.Ⅵ.01，李立采；3♀，宁陕火地塘，1999.Ⅵ.02，李立采；1♀，宁陕平和梁，1981.Ⅶ.01，李立采；2♀，宁陕旬阳坝，1980.Ⅶ.06，李立采；1♀，宁陕旬阳坝，1980.Ⅶ.07，李立采；1♀，宁陕旬阳坝，1981.Ⅵ.24，李立采；2♀，宁陕旬阳坝，1981.Ⅵ.25，李立采；1♀，宁陕旬阳坝，1982.Ⅵ.28，李立采；1♂，宁陕旬阳坝，1984.Ⅶ.01，李立采；1♂，宁陕旬阳坝，1991.Ⅵ.30，李立采；1♀，宁陕旬阳坝，1993.Ⅵ.30，李立采；2♀，宁陕旬阳坝，1993.Ⅶ.09，李立采；1♂3♀，洋县华阳，2005.Ⅶ.21，安有为采；1♂，洋县华阳，2005.Ⅶ.21，张勇采；1♂，洋县华阳，2005.Ⅶ.21，张培安采；1♂，洋县华阳，2005.Ⅶ.21，刘飞飞采；1♂，洋县华阳，2005.Ⅶ.23，安有为采；1♀，洋县九池，2002.Ⅷ.04，霍科科采；1♀，洋县石关乡，2005.Ⅶ.19，安有为采；3♀，洋县秧田，2005.Ⅶ.25-26，张勇采；2♀，洋县秧田，2005.Ⅶ.26，安有为采；1♂1♀，洋县秧田，2005.Ⅶ.26，张培安采；1♂2♀，西乡南山，2005.Ⅶ.11，霍科科采；1♂，西乡午子山，2005.Ⅶ.12，张勇采；1♂，西乡午子山，2005.Ⅶ.12，张培安采；1♀，镇坪，2002.Ⅶ.15，霍科科采；2♀，镇坪，2002.Ⅶ.25，霍科科采；1♂2♀，商南，2002.Ⅶ.11，霍科科采。

分布：世界广布。

42. 条眼蚜蝇属 *Eristalodes* Mik, 1897

Eristalodes Mik, 1897: 114. **Type species**: *Eristalis taeniopus* Wiedemann, 1818.

Eristaloides Rondani, 1845: 453. **Type species**: *Musca tenax* Linnaeus, 1758.

属征：中等大小的种类。头部宽为长的2倍。颜黑色，被黄粉和暗褐色毛；中条纹亮黑或黑褐色，不达触角基部。触角黑色，触角芒裸，褐色。复眼接眼，被毛，具5~6条暗色纵条纹。中胸背板黑色，具5条浅色纵向条纹，被黄褐色粉被。胸部侧板黑色，被浅灰色粉被和淡黄色长毛。小盾片暗黄色。翅透明，r_1室封闭。r-m横脉位于dm之后部。后足腿节不特别加粗。腹部黑色，第2、3背板具黄色斑纹及淡色粉斑。雄性尾器第9背板简单，肛尾叶被毛，侧尾器宽大于长，后缘具凹陷。上叶端部尖，向下弯曲。阳茎侧叶镰刀状。

分布：东洋区。世界已知2种，中国记录2种，秦岭地区发现1种。本属为陕西省首次记录。

(152) 黑股条眼蚜蝇 *Eristalodes paria* (Bigot, 1880)

Eristalomyia paria Bigot, 1880: 218.

Eristalomyia zebrina Bigot, 1880: 222.

Eristalis kobusi Meijere, 1908: 252.

Eristalis arisanus Matsumurai, 1916: 264.

Eristalis quinquelineatus var. *orientalis* Brunetti, 1923: 183.

鉴别特征:复眼古铜褐色，具6条暗色狭条，眼上部及前部密被暗褐色毛。头顶黑色，被黑毛。额覆灰黄色粉被，具黑褐色长毛。颜覆灰粉被白长毛，中突亮黑色，较小，有时黑色向上延伸成短中条。触角暗褐色，第3节下侧橘黄色；触角芒橘黄色。中胸背板灰黄色，被同色毛，具2对钝黑色纵条；小盾片棕黄色，毛棕黄色。足主要为黑色或黑褐色；前足、中足腿节端部橘黄色，后足腿节仅极末端淡色；前足胫节基半部、中足胫节几乎全部、后足胫节极基部黄色至橘红色。翅sc室末端有1个小暗斑。腹部黑色，第2背板褐黄色，前缘、后缘黑色，中部各向前、后扩展成不规则的三角形，在背板中部几乎相接，背板中部具淡黄色狭横带；第3背板前半部稍带黄褐色，近前部为淡黄色横带；第4背板具略呈弧形的淡狭带；第5背板极小，黑色；以上3条横带不达背板侧缘。雌性腹部较暗，黑色部分扩大，第2～5背板具灰白色至棕黄色横带，第5背板横带细狭，有时不明显。

采集记录:1♀，留坝闸口石，2012.Ⅶ.16，王玉艳采；1♀，留坝闸口石，2012.Ⅶ.13，刘婷采；1♀，留坝闸口石，2013.Ⅶ.17，霍科科采。

分布:陕西(留坝)、江西、台湾、广西、四川、云南、西藏；日本，东洋区。

43. 斑目蚜蝇属 *Lathyrophthalmus* Mik, 1897

Lathyrophthalmus Mik, 1897: 114. **Type species**: *Conops aeneus* Scopoli, 1763.

Metalloeristalis Kanervo, 1938: 43. **Type species**: *Conops aenea* Scopoli, 1763.

属征:体中型至大型，大多具金属光泽。头大，半球形，略宽于胸；雄性复眼接眼，雌性离眼，具毛和暗色斑点；额微突出；颜具明显中突。触角芒裸。中胸背板具翅后毛簇，小盾片黑色；中胸上前侧片后部、整个上后侧片、下后侧片、下前侧片前端和后半部被长毛。足简单。翅膜无微刺，r_1室封闭，R_{4+5}脉明显凹入r_{4+5}室，r-m横脉位于dm室中部之后。腹部卵形或长椭圆形，具淡色斑纹。

分布:除新热带区外，世界各大动物地理区均有分布。中国目前已知12种，秦岭地区记录4种。

分种检索表

1. 体较长，腹部长于头、胸之和 ………………………………………… 2
   体较短，腹部等于或短于头、胸之和 ………………………………… 3
2. 腹部黑色，无斑纹；复眼上部具毛，下部裸 ……………… **黑色斑目蚜蝇 *L. aeneus***

腹部黑色，雄性腹部第2~4背板各具1对黄色侧斑，雌性各具不达背板侧缘的灰白色粉被横带 …………………………………………………………………… 亮黑斑目蚜蝇 *L. tarsalis*

3. 复眼暗斑不明显或无暗斑，体亮绿黑色或金属绿色 …………………… 绿黑斑目蚜蝇 *L. viridis*

复眼黑斑明显。后足胫节黑色。第2背板橘黄色，中部具"I"形黑斑，前端到达背板前缘；第3背板橘黄色，中部具"I"形大黑斑，前中部具呈弧形的白色横带；第4背板中部黑色，具倒"V"形白纹 ………………………………………………………… 石桓斑目蚜蝇 *L. ishigakiensis*

(153)黑色斑目蚜蝇 *Lathyrophthalmus aeneus* (Scopoli, 1763)

Conops aeneus Scopoli, 1763: 356.
Musca punctata Muller, 1764: 85.
Musca leucocephala Gmelin, 1790: 2878 (nec de Villers, 1789).
Musca macrophthalma Preyssler, 1791: 68.
Syrphus aeneus Fabricius, 1794: 302 (nec Scopoli, 1763).
Eristalis cuprovittatus Wiedemann, 1830: 190.
Eristalis taphicus Wiedemann, 1830: 191.
Conops stygius Newman, 1835: 313.
Eristalis sincerus Harris, 1841: 409.
Eristalis aenescens Macquart, 1842: 119.
Eristalis sincerus Walker, 1849: 611.
Eristalis concolor Philippi, 1865: 743.
Syrphus auricalcicus Rondani, 1865: 129.
Lathyrophthalmus aeneus var. *nigrolineatus* Herve-Bazin, 1923: 134.

鉴别特征：雄性体亮黑色，两眼连接线约为头顶三角长之半；复眼棕色，具暗色小圆斑，有时上半部圆斑常相互靠近或连接，仅上部1/3具短毛；头顶三角长，前半部具较短黑毛，后半部毛暗棕色；额和颜覆黄白色粉被及同色毛；颜正中具亮黑色纵条，下部两侧及颊具黑色宽纵条。触角第3节或多或少为棕色，卵形。中胸背板及小盾片黑色，具光泽，被黄色短毛；肩胛密覆淡灰色粉被，翅后胛具若干黑毛。雌性中胸背板具5条灰色纵条，狭而不明显。足黑色，膝部黄色，前足、中足胫节基部1/3~1/2、后足胫节基部1/3呈黄色，前足跗节基部呈黄色，并常扩展至端节。翅黄色。腹部全黑色，带绿色或蓝色光泽，略长于头、胸之和，自第2背板之后向腹端逐渐变狭；背板密被红黄色至棕色毛，第2背板后半部或后缘具明显黑毛带。

采集记录：8♂2♀，西安，2004.Ⅳ.14，霍科科采；3♂，西安，2004.Ⅳ.18，霍科科采。

分布：世界广布。

(154)石桓斑目蚜蝇 *Lathyrophthalmus ishigakiensis* Shiraki, 1968

Lathyrophthalmus ishigakiensis Shiraki, 1968: 177.

鉴别特征:头顶黑色，前端覆黄粉，被黑毛，单眼三角被黄毛。额黑色，覆白粉。颜黑色，被黄白色粉及毛；中突大，黑亮，中条纹亮黑色，两侧有近平行的黑色条纹。触角黄色，第3节长为宽的1.75倍；触角芒黄褐色，裸。中胸背板被黄白色毛，具5条黄白色纵向粉带。小盾片近透明，黄褐色，被同色毛。胸部侧板黑色，被白粉及淡黄色细毛。足黑色，前足腿节端部1/4、胫节基半部、中足腿节端部、胫节基部2/3黄色；后足腿节基部1/3黄色。足毛主要为黄色，后足腿节腹面端部具黑刺毛。腹部第2背板橘黄色，中部具"I"形黑斑；第3背板橘黄色，中部具"I"形黑斑，顶端与第2背板后缘相连，前中部具弧形的白色横带，背板后缘具亮黑色带；第4背板中部黑色，具倒"V"形白纹，背板前缘、后缘具亮黑色带纹。雌性腹部第2背板上的"I"形黑斑大，黄色部分呈长三角形；第3背板三角形黑斑大，黄色部分成2个三角形侧斑；第2~5背板上具近弧形的白色横带。

采集记录:3♀，长安王曲，2003.Ⅸ.05，霍科科采。

分布:陕西(长安)、湖南、福建、广东、广西；日本。

(155)亮黑斑目蚜蝇 *Lathyrophthalmus tarsalis* (Macquart, 1855)

Eristalis tarsalis Macquart, 1855: 107.

Eristalis ocularius Coquillett, 1898: 325.

鉴别特征:复眼密具黑色小圆斑，上部斑点相连，上半部具黄褐色毛。头顶黑亮，具黑毛。额黑亮；两侧具黄绿色粉，被黑毛；雌性额中部具绒黑色横带。颜中突大而圆；颜黑亮，两侧覆黄绿色粉及黄毛，正中裸。触角黑褐色，第3节卵圆形；触角芒长，基部具短毛。中胸背板两侧横沟之前覆灰白色粉，背板被黄褐色毛，后缘及翅后胛被黑毛；小盾片黑亮，具黄毛，中域以黑毛为主。雌性中胸背板具5条明显的灰白色纵条纹。侧板黑色，覆灰白色粉，被白毛。足主要黑色，腿节端部，前足、中足胫节基部1/2，后胫节基部1/3黄褐色；足毛黄褐色，前足腿节背侧、胫节外侧及后足胫节内侧被黑毛，后足腿节腹侧具黄褐色长毛，端部具黑色短粗毛。腹部第1背板两侧暗红褐色，后缘铅灰色；第2~4背板具暗红褐色侧斑，后缘具不明显暗红褐色横带；背板被毛，黄褐色。雌性腹部第2背板具1对向前斜伸的灰白色斑，第3~4背板近前缘具灰白色横带，第5背板深黑色。

采集记录:2♂，长安，2002.Ⅸ.22，霍科科采；1♂，长安，2003.Ⅹ.16，霍科科采；1♂，凤县，2014.Ⅷ.27，霍科科采；1♂1♀，眉县红河谷，2002.Ⅷ.29，霍科科采；1♂3♀，眉县红河谷，2002.Ⅷ.30，霍科科采；1♂1♀，眉县红河谷，2002.Ⅷ.31，霍科科采；1♀，眉县红河谷，2002.Ⅸ.02，霍科科采；1♀，眉县红河谷，2002.Ⅸ.03，霍科科采；2♂1♀，眉县红河谷，2002.Ⅸ.04，霍科科采；1♀，眉县太白山，2003.Ⅶ.25，霍科科采；1♂，汉中天台山，2002.Ⅷ.06，霍科科采；1♂，洋县秧田，2005.Ⅶ.26，张勇采。

分布:陕西(长安、凤县、眉县、洋县)、河北、甘肃、江苏、浙江、湖南、福建、台湾、广东、广西、四川、西藏;朝鲜,日本,印度,尼泊尔。

(156)绿黑斑目蚜蝇 *Lathyrophthalmus viridis* (Coquillett, 1898)

Eristalis viridis Coquillett, 1898: 326.

鉴别特征:复眼无斑点,上部1/3具白毛。头顶黑色,具黑毛。额绿黑色,两侧覆黄粉,被淡黄色毛。雌性额被黄褐色毛,基部具黑毛。颜黑绿色,密被灰色粉及黄毛,中突黑亮,颜两侧下方黑亮,裸。触角棕黄色,第3节卵圆形,触角芒基部具短微毛。中胸背板正中具灰黑色纵条纹,横沟及背板后缘具黑色横带纹,背板被黄褐色毛。小盾片亮铜褐色,被黄褐色毛。侧板深黑色,被黄褐色毛。足黑色,腿节末端、前足和中足基部1/2、后足胫节基部1/3黄褐色。足毛淡色,前足腿节背侧、中足腿节内侧、后足腿节腹面端部、后足胫节基部内侧具黑色短刚毛。腹部与头胸部等长,第2背板具"I"形黑斑,不达背板侧缘,前端到达背板前缘,两侧角形凹入,后缘不达背板后缘;第3~4背板前部具绒黑色横带,两侧不达背板侧缘,第3背板横带中央向前三角形突出;背板被黄褐色毛,第1背板两侧被毛呈黄白色。

采集记录:1♂,眉县红河谷,2002.Ⅷ.30,霍科科采;1♀,眉县红河谷,2002.Ⅸ.02,霍科科采;4♂1♀,留坝庙台子,2005.Ⅵ.12-20,霍科科采;1♂1♀,城固小河,2002.Ⅷ.10,霍科科采;2♂,洋县华阳,2005.Ⅶ.21,张勇采;1♀,洋县华阳,2005.Ⅶ.23,张勇采;1♂,洋县华阳,2005.Ⅶ.23,张培安采;1♂,洋县华阳,2005.Ⅶ.24,刘飞飞采;1♂1♀,洋县九池,2002.Ⅷ.04,霍科科采;2♂1♀,柞水,2002.Ⅶ.13,霍科科采;1♂,镇坪,2002.Ⅶ.05,霍科科采。

分布:陕西(城固、眉县、留坝、洋县、柞水、镇坪)、甘肃、江苏、浙江、湖北、福建、广西、四川;日本。

44. 宽盾蚜蝇属 *Phytomia* Guerin-Meneville, 1834

Pachycephalus Wiedemann, 1830: 152 (nec Stephens, 1826). **Type species**: *Eristalis chrysopygus* Wiedemann, 1819.

Phytomia Guerin-Meneville *in* Belanger, 1834: 509. **Type species**: *Eristalis chrysopygus* Wiedemann, 1819.

Megaspis Macquart, 1842: 87. **Type species**: *Eristalis chrysopygus* Wiedemann, 1819.

Dolichomerus Macquart, 1850: 436. **Type species**: *Syrphus crassus* Fabricius, 1787.

Streblia Enderlein, 1938: 237 (nec Pomel, 1872). **Type species**: *Eristalis natalensis* Macquart, 1850.

属征:头半球形,大;头、胸、腹几乎等宽,体密被刻点;复眼裸,雄性合眼,两眼长距离相接,沿接缝具毛,上部小眼较下部大。颜在触角基部下方凹入,中突低而长；无额突，额端部具小的褶皱区；触角短，第 3 节椭圆或卵圆形；背芒裸或基部具羽毛。中胸粗壮，背板宽大于长，两侧在翅基上方翅后胛之前具黑色强短刺；小盾片很宽大，具边。中胸上前侧片前低平部无直立长毛，下前侧片后端上、下大面积被毛，上后侧片在翅基下方具三角形裸，下后侧片具毛，基侧片后腹方在后气门之前下方具毛。后胸腹板具毛。翅膜裸，Rs 脉具刺，r_1 室封闭，R_{4+5}脉凹入 r_5 室，凹环底部具小悬脉。腹部粗短，等于或稍长于胸，圆锥形或顶端圆。各足腿节前腹侧基部具黑色短刺斑。

分布：主要分布在非洲区和东洋区，古北区和澳洲区有少数种类分布。中国已知 3 种，秦岭地区有 2 种。

分种检索表

触角芒裸；中胸背板具黄色横带；腹部基部有红色侧斑 ………………… **裸芒宽盾蚜蝇 *Ph. errans***
触角芒基半部具明显羽毛。翅透明，基部棕色；第 3 、4 背板近前缘具 1 对黄棕色狭横斑 ………
……………………………………………………………… **羽芒宽盾蚜蝇 *Ph. zonata***

(157) 裸芒宽盾蚜蝇 *Phytomia errans* (Fabricius, 1787)

Syrphus errans Fabricius, 1787: 337.
Musca errans Gmelin, 1790: 2872. Subsequent combination of *Syrphus errans* Fabricius, 1787.
Eristalis varipes Macquart, 1842: 106.
Eristalis amphicrates Walker, 1849: 623.
Eristalis aryrus Walker, 1849: 629.
Eristalis babytace Walker, 1849: 629.
Eristalis plistoanax Walker, 1849: 628.
Eristalis macquartii Doleschall, 1856: 410.
Phytomia errans: Knutson *et al.*, 1975: 357.

鉴别特征：复眼裸，复眼接缝具 1 列黑毛。头顶黑褐色，被暗褐色短毛。额及颜棕黄色，具黄白色粉及毛。雌性额具较宽的暗色中条纹，伸达额端小褶皱区上方。颜在触角下深凹，颜中突不明显。触角棕黄色，第 3 节卵圆形；触角芒棕黄色，裸。中胸背板灰黄色至棕褐色，被黄毛。小盾片横宽，长约为宽的 1/2，棕褐色至黑褐色，后缘略带棕红色，密被褐色短毛，前缘、后缘具黄色长毛。足黑色，前足腿节端部及胫节基部 1/2 黄白色，胫节端部 1/2 被暗褐色毛；中足近似前足，但腿节基部黄色，胫节基部3/4黄白色，端腹缘具黑色刺栉；后足腿节黄色，近端部具黑环，被黄毛，端部黑环处毛较暗，胫节基部 1/3 黄白色，被黄白色毛，腹侧具黑毛。翅前缘略带黄褐色，翅脉黄褐色到黑褐色。腹部背板黄褐色，第 1 背板中央具暗褐色中斑，第 2 背板具三角形暗褐色斑，前角不达背板前缘，第 3 、4 背板后部具三角形暗褐色斑，其后缘不达背板后缘。

采集记录:1♂1♀，留坝闸口石，2013.Ⅶ.15，霍科科采。

分布:陕西(留坝)、宁夏、甘肃、江苏、浙江、湖北、江西、湖南、福建、台湾、广西、海南、四川、云南、西藏;日本，东南亚。

(158)羽芒宽盾蚜蝇 *Phytomia zonata* (Fabricius, 1787)

Syrphus zonatus Fabricius, 1787: 337.

Musca sinensis Gmelin, 1790: 2872 (new name for *Syrphus zonatus* Fabricius, 1787).

Eristalis lata Macquart, 1842: 95.

Eristalis latus Macquart, 1842: 90.

Eristalis rufitarsis Macquart, 1842: 118.

Eristalis andraemon Walker, 1849: 627.

Eristalis datamus Walker, 1849: 628.

Eristalis inamames Walker, 1849: 627.

Eristalis exterus Walker, 1852: 248.

Megaspis cingulata Snellen van Vollenhoven, 1863: 12.

Phytomia zonata: Knutson *et al.*, 1975: 357.

鉴别特征:复眼接缝具黑毛。头顶三角黑色，被暗褐色至黑色短毛。额黑色，被红棕色粉，前部被毛黄色，后部被毛黑色。雌性头顶、额被毛棕黄色至黄白色。颜黑色，覆灰色粉被及黄白色毛，颜中突小，裸。触角棕黑色，第3节卵圆形；触角芒黄色，基部2/3具羽毛。中胸背板具刻点，前缘及两侧自肩胛至翅后胛之前具暗红棕色粉，具较密的红棕色毛，后部中央混生黑毛，翅后胛具黑毛。肩胛密被红棕色粉被。小盾片横宽，具边，黑褐色，密具黑色短毛，四周边缘具红棕色长毛。侧板黑色，具灰色至灰棕色粉被及黄色至金黄色毛，上后侧片前部具黑毛。足黑色，前足和后足胫节基部及中足胫节基半部黄褐色；后足胫节侧扁，略弯曲。翅基部黑棕色，中部具黑斑。腹部第2背板大部分红黄色，端部1/4～1/3棕黑色，侧缘及端部具刻点；第3、4背板黑色，近前缘各具1对棕黄色狭斑；第5背板及尾端黑褐色；背板密具橘黄色毛，第2背板后缘及两侧后半部具黑毛。

采集记录:1♀，长安库峪，2002.Ⅵ.12，霍科科采；1♀，长安南五台，2002.Ⅷ.26，霍科科采；1♀，长安，2002.Ⅳ.20，霍科科采；2♀，长安，2002.Ⅸ.22，霍科科采；1♂1♀，长安，2003.Ⅹ.16，霍科科采；1♀，户县朱雀森林公园，2002.Ⅷ.25，霍科科采；1♀，周至楼观台，2002.Ⅶ.20，常涛采；1♂1♀，眉县红河谷，2002.Ⅷ.29，霍科科采；1♂，眉县红河谷，2002.Ⅷ.30，霍科科采；1♂2♀，眉县红河谷，2002.Ⅸ.01，霍科科采；2♂1♀，眉县红河谷，2002.Ⅸ.02，霍科科采；1♂1♀，眉县红河谷，2002.Ⅸ.03，霍科科采；3♂1♀，眉县红河谷，2002.Ⅸ.04，霍科科采；1♀，眉县红河谷，2002.Ⅸ.05，霍科科采；2♀，眉县太白山，2002.Ⅶ.17，霍科科采；3♂6♀，眉县太白山, 2003.Ⅶ.24, 霍科科采; 1♀, 留坝庙台子, 2003.Ⅵ.26, 霍科科采; 1♂, 留坝庙台子, 2003.Ⅵ.30, 霍科科采; 2♀, 留坝庙台子, 2005.Ⅵ.14, 霍科科采; 2♂1♀, 留坝紫柏山, 2005.Ⅵ.20-21, 霍科科采; 1♀, 留坝闸口石, 2011.Ⅶ.20, 采集人不详; 1♂, 留坝闸口石, 2012.Ⅶ.11, 强红采; 1♀, 留坝闸口石, 2012.Ⅶ.12, 刘婷采; 1♀, 留坝闸口石, 2012.Ⅶ.14, 刘婷采; 1♂1♀, 留坝闸口石, 2012.Ⅶ.18, 霍科科采; 1♀, 留坝闸口石, 2012.Ⅶ.20, 霍科科采; 1♂2♀, 留坝闸口石, 2013.Ⅶ.15, 霍科科采; 1♂, 留坝闸口石, 2013.Ⅶ.17, 霍科科采; 1♂, 留坝, 2014.Ⅷ.24, 霍科科采; 1♂, 留坝, 2014.Ⅷ.26, 霍科科采; 1♂, 城固小河, 2002.Ⅵ.12, 霍科科采; 1♀, 宁陕火地塘, 2003.Ⅶ.10, 赵丹采; 1♀, 宁陕旬阳坝, 1995.Ⅶ.09, 杨金山采; 1♂, 宁陕小坝沟, 1999.Ⅶ.27, 陈凯采; 1♀, 平利, 2002.Ⅶ.28, 霍科科采; 1♀, 西乡堰口, 1998.Ⅷ.05, 赵利敏采; 1♀, 洋县华阳, 2005.Ⅶ.21, 张勇采; 1♀, 洋县华阳, 2005.Ⅶ.21, 刘飞飞采; 1♂, 洋县华阳, 2005.Ⅶ.23, 张勇采; 1♂, 洋县华阳, 2005.Ⅶ.23, 张培安采; 1♂, 洋县石关乡, 2005.Ⅶ.19, 张培安采; 1♂, 洋县石关乡, 2005.Ⅶ.19, 张勇采; 1♀, 洋县石关乡, 2005.Ⅶ.19, 安有为采; 1♀, 洋县秧田, 2005.Ⅶ.25, 张勇采。

分布:陕西(长安、城固、户县、周至、眉县、留坝、宁陕、洋县、西乡)、黑龙江、吉林、辽宁、内蒙古、河北、山东、河南、甘肃、江苏、浙江、湖北、江西、湖南、福建、台湾、广东、海南、广西、四川、云南;俄罗斯, 朝鲜, 日本, 东南亚。

45. 条胸蚜蝇属 *Helophilus* Meigen, 1822

Helophilus Meigen, 1822: 368. **Type species**: *Musca pendula* Linnaeus, 1758.

Kirimyia Bigot, 1882: 347. **Type species**: *Kirimyia eristaloidea* Bigot, 1882.

Pilinasica Malloch, 1922: 227. **Type species**: *Syrphus cingulatus* Fabricius, 1775.

Palaeoxylota Hull, 1949: 361. **Type species**: *Xylota proboscа* Hull, 1950, as a subgenus.

Prohelophilus Curran *et* Fluke, 1926: 210. **Type species**: *Syrphus trilineatus* Fabricius, 1775.

属征:复眼裸, 两性离眼; 颜具中突, 口缘之上略突起或突起明显。触角芒裸。中胸背板黑色, 具明显的黄色纵条或缺, 盾下缘缨长而完整; 中胸上前侧片后部和上后侧片前部具长毛, 下前侧片前端具毛, 后部背毛斑、腹毛斑完全相连, 后胸腹板具毛。足粗壮, 后足腿节粗, 无齿或下侧具明显刺; 后足胫节弯曲, 后足基节后中端角无毛簇。翅膜具微刺, 无裸区, 翅 r_1 室开放, R_{4+5}脉凹入 r_5 室, r-m 横脉位于 dm 中部之后。腹部黑色, 具黄带或斑。

生物学:本属种类在潮湿地区、沼泽地、多沼泽草场、湖岸、河岸、池塘边多见。喜在蒲公英属、毛茛属、地榆属、千里光属、荚莲属、绣线菊属及伞形花科等植物上活动、取食。幼虫在富含有机质的水中生活。

分布:世界广布。中国已知 12 种, 秦岭地区记录 2 种。

分种检索表

小盾片黄色，密被黄色长毛 …………………………………………… 狭带条胸蚜蝇 ***H. virgatus***
小盾片黄色，被黄色长毛，中央混生黑色长毛 ……………………… 中黑条胸蚜蝇 ***H. melanodasys***

(159)中黑条胸蚜蝇 *Helophilus melanodasys* Huo, Ren *et* Zheng, 2007

Helophilus melanodasys Huo, Ren *et* Zheng, 2007: 209.

鉴别特征：头顶宽约为头宽的1/7，头顶及额两侧前伸，两侧缘呈角状弯曲。头顶、额黑色，覆黄白色粉被及黄毛和黑毛；额突光亮，裸。雌性头顶宽约为头宽1/4，头顶、额主要被黑毛。颜中突不明显，两侧被黄粉及黄毛，中央具黑褐色宽纵条纹，裸而光亮，颜两侧下方黑色。触角黄褐色，第3节近圆形，触角芒长而裸。中胸背板密具橘黄色毛，侧缘具橘黄粉纵条纹，中央具1对橘黄粉细纵条纹。小盾片黄色，密被黄色长毛，中央混生黑色长毛。侧板黑色，被灰黄色粉。足主要黑色，被黄毛；前足、中足腿节端部黄色，前足胫节黄色，端半部暗褐色；中足胫节黄色；后足腿节端部及胫节基部红褐色；后足腿节两端细，中部增粗，胫节略呈弓形，具腹中脊。翅膜具微毛，翅痣暗褐色。腹部黑褐色，第2背板两侧具三角形黄色侧斑，其间以黄粉带相连，第3背板侧缘基半部黄色；第3、4背板前部具黄粉带，第2～4背板后缘具狭黄边，中后部具蓝黑色横带纹。

采集记录：2♂，西安，2002.Ⅳ.14，霍科科采；1♂，长安，2002.Ⅴ.25，霍科科采；1♀，长安，2002.Ⅸ.22，霍科科采；1♂，宝鸡马头滩，2003.Ⅶ.22，霍科科采；1♂，凤县，2005.Ⅵ.23，霍科科采；2♂，眉县红河谷，2002.Ⅷ.30，霍科科采；1♂，留坝庙台子，2003.Ⅵ.26，霍科科采；1♀，留坝闸口石，2012.Ⅶ.19，陈锐采；1♂，宁陕火地塘，2003.Ⅶ.05，胡永采。

分布：陕西(西安、长安、宝鸡、凤县、眉县、留坝、宁陕)、四川。

(160)狭带条胸蚜蝇 *Helophilus virgatus* Coquillett, 1898(图254)

Helophilus virgatus Coquillett, 1898: 326.
Helophilus frequens Matsumura, 1905: 103.
Helophilus zodinus Matsumura, 1931: 341.

鉴别特征：头顶及额两侧几乎平行，两侧呈角状弯曲。头顶及额黑色，覆橘黄粉和毛，额基部被黑毛。雌性头顶宽约为头宽的1/4，头顶、额主要被黑色毛，被红黄色粉。颜中突不明显；两侧密被橘黄粉及橘黄毛，中央具黑色至棕褐色宽纵条纹，裸而光亮；两侧下方黑色。触角黄褐色，第3节近圆形，触角芒长而裸。中胸背板密被橘黄粉和毛，两侧形成黄色或红黄色条纹，中部具1对纵粉细条纹。小盾片橘黄色，密被同色毛。中胸侧板被灰黄色粉及暗黄色毛。足黑色，被黄毛。前足、中足腿节端部黄色，前足胫节黄色，端半部暗褐色；中足胫节黄色；后足腿节端部及胫节基部红褐色。后足腿节两端细，中部增粗，胫节略呈弓形，具腹中脊。翅透明，具微毛，翅痣暗褐色。腹部第 2 背板两侧具三角形黄色侧斑，之间以黄粉带相连；第 3 背板侧缘基半部黄色；第 3、4 背板前部具黄粉带，第 2 ~ 4 背板后缘具狭黄边，中后部具蓝黑色横带纹。

采集记录:4♂，西安，2002.Ⅳ.14，霍科科采；2♂1♀，长安翠华山，2003.Ⅳ.08，霍科科采；1♀，长安王曲，2003.Ⅸ.05，霍科科采；1♂，长安，2002.Ⅳ.20，霍科科采；2♂，长安，2002.Ⅴ.25，霍科科采；1♀，长安，2002.Ⅸ.22，霍科科采；2♀，户县朱雀森林公园，2002.Ⅷ.25，霍科科采；2♂，眉县红河谷，2002.Ⅷ.30，霍科科采；1♀，留坝闸口石，2012.Ⅶ.11，杨明采；1♀，留坝闸口石，2012.Ⅶ.12，王亚灵采；1♂，留坝闸口石，2012.Ⅶ.17，霍科科采；1♂，宁陕旬阳坝，1983.Ⅵ.12，姚晓桃采。

分布:陕西(西安、长安、户县、眉县、留坝、宁陕)、辽宁、北京、河北、江苏、上海、浙江、湖北、江西、湖南、福建、广西、四川、云南、西藏；俄罗斯，日本。

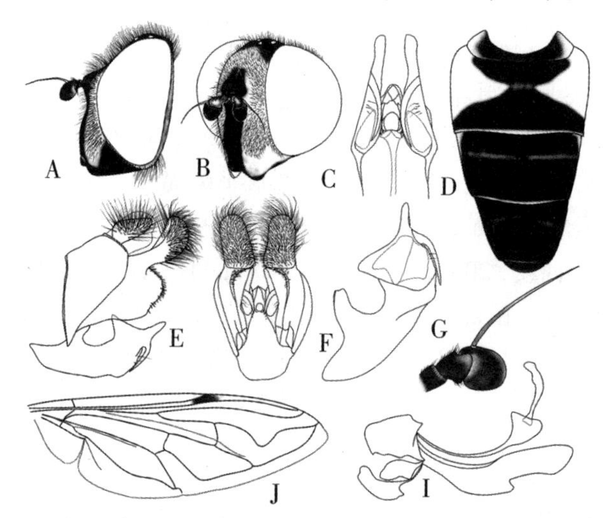

图 254　狭带条胸蚜蝇 *Helophilus virgatus* Coquilletti

A. 雄性头部侧面观(male head, lateral view)；B. 雌性头部前侧面观(female head, anterolateral view)；C. 第 9 腹板及其附器末端腹面观(male apical hypandrium and appendages, ventral view)；D. 雄性腹部背面观(male abdomen, dorsal view)；E. 雄性尾器侧面观(male terminalia, lateral view)；F. 雄性尾器腹面观(male terminalia, ventral view)；G. 第 9 腹板及其附器侧面观(male hypandrium and appendages, lateral view)；H. 触角(antenna)；I. 阳茎(aedeagus)；J. 翅(wing)

46. 毛管蚜蝇属 *Mallota* Meigen, 1822

Mallota Meigen, 1822: 377. **Type species**: *Syrphus fuciformis* Fabricius, 1794.

Imatisma Macquart, 1842: 127. **Type species**: *Eristalis posticatus* Fabricius, 1805.

Zetterstedtia Rondani, 1845: 452. **Type species**: *Syrphus cimbiciformis* Fallén, 1817.

Teuchomerus Sack, 1922: 266. **Type species**: *Polydonta orientalis* Brunetti, 1908 [= *Helophilus curvigaster* Macquart, 1842].

Paramallota Shiraki, 1930: 191. **Type species**: *Mallota haemorrhoidalis* Sack, 1927, as a subgenus.

Pseudomallota Shiraki, 1930: 187. **Type species**: *Mallota tricolor* Loew, 1871, as a subgenus.

Pseudomerodon Shiraki, 1930: 189. **Type species**: *Mallota takasagensis* Matsumura, 1916, as a subgenus.

Bombozelosis Enderlein, 1934: 186. **Type species**: *Bombozelosis coreana* Enderlein, 1934.

属征:体中型至大型，毛长而密，或至少胸部毛鲜明，如熊蜂；复眼裸或被毛，雄性离眼，少数为合眼。颜在触角下凹入，其下具宽而平的中突，整个下部向下向前突出成钝锥形；颊宽；额突明显；后头宽，隆起。触角短，第3节宽大于长，角圆。中胸背板方形，角圆，小盾片短、宽。腹部宽、短或两侧平行。后足腿节很粗大，有的种类下侧近端部具宽的毛突；后足胫节弯曲，侧扁。翅中部常具暗斑，r_1 室开放，R_{4+5} 脉在 r_5 室上方强烈凹入，r-m 横脉在 dm 室中部。

分布:东洋区，古北区，新北区，新热带区，非洲区。中国已知17种，秦岭地区有5种。

分种检索表

1. 两性复眼被毛，雄性接眼 …… 2
   两性复眼裸，雄性复眼仅有1点相接，体被黄白色毛和黑毛 …… 4
2. 腹部被黄毛，第3节后明显变狭。第2背板黄色，前缘具三角状黑斑，后部具黑褐色狭横带，横带之后为红黄色，第3背板狭，红黄色，前部及后部各具1条黑褐色横带，第4背板近似第3背板，第5背板黄褐色 …… **狭腹毛管蚜蝇 *M. vilis***
   腹部被毛黄绿色，第3节以后不收缩 …… 3
3. 两性主要被毛黄绿色；雄性在翅后胛之间被黑毛；小盾片基半部黑色，半端部黄色；腹部第4背板后缘两侧黄褐色 …… **黄绿毛管蚜蝇 *M. viridiflavescentis***
   雄性被毛黄色，雌性淡黄色，雄性在翅后胛之间无黑毛，小盾片红黄色，第4背板黑色 …… …… **东方毛管蚜蝇 *M. orientalis***
4. 翅透明 …… **三色毛管蚜蝇 *M. tricolor***
   翅脉周围黄褐色 …… **拟三色毛管蚜蝇 *M. pseuditricolor***

(161) 东方毛管蚜蝇 *Mallota orientalis* (Wiedemann, 1824)

Eristalis orientalis Wiedemann, 1824: 38.

鉴别特征:雄性两眼连线中等长，复眼密被黄褐色长毛。头顶和额黑色，整个毛为红黄色。颜两侧具红黄色宽纵条，其上密被红黄色，正中条及复眼下方两侧条裸，亮黑色，中突宽平；后头宽，覆黄粉被和同色毛。雌性额两侧覆淡黄色粉被和毛，正中毛黑色。颜两侧具淡黄色宽纵条，其上密被淡黄色长毛。触角黑褐色；触角芒红褐色，长。中胸背板黑色，粉被黄色，密被中等黄色长毛；小盾片红黄色，被黄色长毛，中部毛黑色。雌性中胸背板密被淡黄色中等长毛，混杂少许黑毛；小盾片毛长，淡黄色，中部毛黑色。足黑色，腿节端部、前足和中足胫节基部1/3、中足胫节大部均呈黄褐色，跗节棕黑色，有时腿节基部具淡色斑。腹部亮黑色，第2背板两侧具大的三角形黄斑，两斑在背板中部不相连，两侧斑几乎占整个背板侧缘，其后在各节交界处具黄横带；腹部毛黄色，第2~4背板后部混有黑毛，第5背板大部分毛黑色。

采集记录: 1♂，留坝，1800~1900m，1998.Ⅶ.20，采集人不详。

分布: 陕西(留坝)、台湾、四川、云南；老挝，印度，马来西亚，印度尼西亚。

(162)拟三色毛管蚜蝇 *Mallota pseuditricolor* Huo, Ren *et* Zheng, 2007

Mallota pseuditricolor Huo, Ren *et* Zheng, 2007: 300.

鉴别特征: 雄性复眼裸，接触短。头顶黑色，覆黄粉及黄白色长毛和黑毛。额黑色，密被黄白色粉及长毛。颜中突宽而平；颜黑色，覆黄白色粉及长毛，颜中条及两侧复眼下方黑亮。触角黄褐色，第3节宽大于长，触角芒长而裸。中胸背板基部2/3密被黄白色粉及毛，后部具暗褐色条纹，翅后胛之间具黑毛。小盾片黑色，端部暗黄色，被黄白色长毛。胸部侧板黑色，覆黄灰色粉及黄白色长毛。足黑色；前足膝部暗黄色；中足同前足，但腿节下侧及内侧端部具黑毛，腹面具4列黄褐色刺毛；后足转节具黑色毛突，腿节增粗，端部1/3逐渐变细，背侧弓起，胫节弯曲，侧扁；腿节及胫节端部暗黄色；后足被黄白色毛，腿节端部被黑毛，内侧及下侧具暗褐色长毛。翅透明，sc室及翅脉周缘黄褐色，翅痣黑褐色。腹部第2背板后缘狭红褐色，被灰白色毛，后端被毛呈黑色；第3背板后缘略呈红褐色，被黑毛，前缘及两侧具灰白色毛；第4背板被红黄色粉，基部形成近三角形黑斑，被毛呈红黄色。

采集记录: 1♂，平利，2002.Ⅶ.27，霍科科采。

分布: 陕西(平利)。

(163)三色毛管蚜蝇 *Mallota tricolor* Loew, 1871

Mallota tricolor Loew, 1871: 234.

Mallota japonica Matsumura, 1916: 200.

鉴别特征: 复眼裸，两眼相接短；头顶黑色，被黑毛；额黑色，密覆黄褐色粉被和黄白毛，额前方中央裸。颜黑色，密覆黄褐色粉被，被少许黄色长毛，中突及其下方、两侧下方及颊裸，光亮；后头密覆黄褐色粉被，被同色短毛。触角第3节红褐色；触角芒红褐色，裸。中胸背板基半部密覆黄褐色粉被及同色毛，后半部覆黑褐色粉被及黑毛，背板后缘毛红褐色；小盾片黑色，端半部红褐色，密被黄白色长毛；侧板黑色，密覆黄白色粉被及同色毛。足黑色，胫节红褐色至红黑色；后足腿节很膨大，背侧拱，腹侧平，胫节侧扁，雄性转节腹端具 1 簇黑色向后平伏的毛突；各节腿节背侧被黄褐色长毛，后足腿节腹侧被黑色长毛。翅痣横脉及基下方略具暗晕。腹部亮黑色，第 2、3 背板两侧及后缘有时红褐色，基半部被黄白色短毛，端半部被黑色短毛；第 3 背板大部分被黑色短毛；第 4 背板及腹末红黄色，密被黄毛和粉被，有时第 4 背板基部具红黑色横带。

采集记录：1♂，凤县，2003.Ⅶ.03，霍科科采。

分布：陕西（凤县）、黑龙江、吉林、河北、浙江、四川；俄罗斯，土耳其，欧洲。

（164）狭腹毛管蚜蝇 *Mallota vilis*（**Wiedemann，1830**）

Eristalis vilis Wiedemann, 1830: 164.

Mallota eristaloides Curran, 1928: 293.

Mallota malayana Curran, 1931: 328 (new name for *Mallota eristaloides* Curran, 1928).

鉴别特征：雄性复眼被毛，两眼长距离相接。头顶三角黑色，毛同色。额黑色，毛黑色，两侧密覆黄褐色粉被和同色毛。颜红黄色，密覆同色粉被及毛，中突大，中条裸，黑色，光亮，不达触角基部，两侧下方具狭黑纵条。触角红褐色，触角芒长而裸。中胸背板黑色，覆褐色粉被，肩胛红褐色；背板毛黄色，混杂黑毛；小盾片黄褐色，中部被粗黑毛，周边毛黄色；侧板黑色，被黄色长毛。足红黄色，前足和中足腿节背侧、腹侧具黑纵斑；后足腿节粗大，红褐色，背侧具大的亮黑色斑，斑中部向内、外侧扩展；各足胫节红褐色，外侧黑褐色或具不明显暗斑。腹部黑色，第 1 背板红黄色，毛黄色；第 2 背板基部具黑色横带，中部向后延伸成三角形，其后为红黄色宽横带，该横带紧接黑横带，再后为红褐色横带，后缘狭黄色；第 3、4 背板黑色，中部及后缘具红褐色横带。尾节黑色；腹部各节基部毛呈黄色，短；端部毛呈黑色，短。

采集记录：1♀，汉中，2004.Ⅵ.12，霍科科采；1♀，洋县秧田，2005.Ⅶ.25，刘飞飞采。

分布：陕西（汉中、洋县）、海南、四川、云南；泰国，印度，斯里兰卡，印度尼西亚。

（165）黄绿毛管蚜蝇 *Mallota viridiflavescentis* **Huo *et* Ren，2006**

Mallota viridiflavescentis Huo et Ren, 2006: 894.

鉴别特征：复眼被褐色毛，接缝长。头顶黑色，前端覆黄粉，被黑毛和黄褐色毛。额黑色，密被灰白色粉及黄绿色长毛，额突黑亮，裸。雌性头顶、额黑色，被黄绿色毛，额沿复眼覆黄粉。颜中突宽而平；颜黑色，覆灰白色粉及黄绿色长毛，颜中条及两侧复眼下方黑亮。触角黑褐色，第 3 节宽大于长；触角芒长而裸，黄褐色。中胸背板被灰白色粉及黄绿色长毛，翅后胛之间具黑毛，后缘被毛黄绿色及黑色。小盾片黑色，端部黄色，被黄绿色长毛。中胸侧板被灰白色粉及黄绿色长毛。足黑色，前足膝部暗黄色；中足同前足；后足转节具平伏向后的黑色毛突，腿节增粗，端部腹缘具三角状黑色毛突，腿节端部变细，胫节弯曲侧扁；胫节中部具三角状暗黄斑；后足主要被黑毛。雌性足主要被黄绿色毛，后足转节具平伏向后的黄白色毛。翅透明，微刺，翅痣黑褐色。腹部黑色，被黄绿色毛。第 2 背板两侧具三角状黄斑，后缘两侧狭的红褐色；第 3 背板两侧前部具三角形小黄斑，侧缘及后缘两侧狭的红褐色；第 4 背板后缘两侧呈黄褐色。

采集记录:3♂1♀，留坝紫柏山，2003.Ⅶ.24，霍科科采；1♂，留坝，2004.Ⅵ.14，霍科科采；1♂，留坝闸口石，2012.Ⅶ.17，霍科科采。

分布:陕西(留坝)、河北。

47. 墨管蚜蝇属 *Mesembrius* Rondani, 1857

Mesembrius Rondani, 1857: 50. **Type species**: *Helophilus peregrinus* Loew, 1864.

Eumerosyrphus Bigot, 1882: 128. **Type species**: *Eumerosyrphus indianus* Bigot, 1882 [= *Eristalis bengalensis* Wiedemann, 1819].

Prionotomyia Bigot, 1882: 121. **Type species**: *Prionotomyia tarsata* Bigot, 1883.

Tityusia Hull, 1937: 118. **Type species**: *Tityusia regulus* Hull, 1937.

Vadonimyia Seguy, 1951: 16. **Type species**: *Vadonimyia discohora* Seguy, 1951.

属征:体中型，头顶三角区黑色，被浅色粉被及毛。颜从触角基部到口缘几乎平直，不凹陷，颜中带黑色或黄褐色。雄性复眼 1 点接触或短距离相接。触角黑色或黑褐色，第 3 节宽大于长，触角芒裸。中胸背板具纵条纹，缺翅后毛簇，小盾片黄褐色或基部黑色，端部黄色；前胸侧板具毛，中胸上前侧片后部、上后侧片前部和下后侧片、下前侧片后部具毛，后胸腹板后部背毛斑、腹毛斑狭地分开。后足基跗节腹面具球状毛。翅膜具微刺，无裸区，透明，r_1 室开放，R_{4+5}脉深深地凹入 r_{4+5}室，r-m 横脉位于 dm 室中部略后，翅痣短，形成痣横脉。腋瓣和平衡棒黄色。腹部具横斑和横带。

分布:古北区，东洋区，非洲区，澳洲区。世界记录 40 余种，中国有 16 种，秦岭地区记录 1 种。

(166) 细条墨管蚜蝇 *Mesembrius gracinterstatus* Huo, Ren *et* Zheng, 2007

Mesembrius gracinterstatus Huo, Ren *et* Zheng, 2007: 307.

鉴别特征:雄性复眼裸，有 1 点接触，头顶黑毛稀疏，密被黄粉。额及颜密被黄粉及黄毛。颜近垂直，两侧向下略加宽，侧面在复眼之下黑色。触角黑褐色，第 3 节长约为高的 1/2；触角芒棕褐色，裸。中胸背板黑色，被黄毛，具 5 条黄色纵条纹。小盾片橘黄色，被同色长毛。侧板黑色，被灰黄色粉及黄白色毛。前足黑色，腿节端部黄色，胫节黄褐色，近端部略暗；中足与前足相似，胫节端部具三角状齿突；后足黑色，膝部黄褐色，胫节略弯曲，侧扁，跗节黑色。翅透明，脉黄褐色，具痣横脉。腹部第2背板黄色，中部具“I”形黑斑，约为背板宽度的1/10，第3背板两侧前角具大型黄斑，两者间隔宽，黑色间隔前端具2个小黄粉斑，后部黑色部分中央具黄粉带纹，第4背板密具黄粉，后缘橘红色，中央具倒“V”形黑斑。雌性腹部第2背板“I”形黑斑后端较宽，中央具黄白色狭带，第3背板近似第2背板，黑色间隔前端具1个小粉斑，后部具较宽的黄白色粉带。

采集记录:1♀，城固小河，2002.Ⅷ.10，霍科科采。

分布:陕西(城固、南郑)。

48. 毛眼管蚜蝇属 *Myathropa* Rondani, 1845

Myathropa Rondani, 1845: 453. **Type species**: *Musca florea* Linnaeus, 1758.

属征:体中型到大型。头前面观椭圆形。额中等程度突起。颜突出，具中带和中突。触角短，第3节长稍大于宽，触角芒裸。复眼被密毛，雄性合眼。胸部背板无明显的纵向条纹，但具明显的横向斑纹，中胸上前侧片前部无直立长毛，下前侧片后部上、下毛斑相连成一体，上后侧片前部具长毛，下后侧片及基侧片无毛。后胸腹板具毛。翅膜整个被微刺，r_1 室开放，R_{4+5}脉弯入 r_5 室，r-m横脉位于中室中部之后。后足腿节和胫节细长，密被长毛，腹部短，黑色，第2、3背板具浅色毛斑。雄性尾器与管蚜蝇 *Eristalis* 相似，第9背板简单，骨化较深，肛尾叶骨化弱，具长毛。侧尾叶被凹陷分成背叶和腹叶。上叶长，对称。

分布:古北区。世界已知3种，中国已知2种，秦岭地区有1种。

(167) 薛氏毛眼管蚜蝇 *Myathropa semenovi* Smirnov, 1925

Myiatropa semenovi Smirnov, 1925: 295.

鉴别特征:复眼被暗褐色毛。头顶黑色，被纯鲜黄色长毛。额黑色，被鲜黄色长毛及粉，向前超过额突端部。颜触角基部之下较深地凹入，中突小而圆；颜被鲜黄色粉，密具鲜黄色长毛，中域、口缘及复眼下方缺长毛，黑色。颊部黑色，被鲜黄色粉及黄白色密而长的毛，后头部被鲜黄色粉及黄白色密而长的毛。触角暗褐色，第3节长略大于宽;触角芒黄褐色，裸。胸部黑色，被鲜黄色长毛。中胸背板前缘、横沟两端及后缘具灰黄色粉带，中部具3条灰黄色纵条纹。小盾片黄色，被鲜黄色长毛。中胸侧板黑色，覆灰色粉，具鲜黄色长毛。足黑色，前足、后足膝部以及中足腿节端部、胫节及跗节大部分黄褐色。翅透明，翅痣黑褐色。腹部被鲜黄色长毛；第2背板后缘具狭黄边，中部具1对三角形黄斑，第3、4背板前缘具灰白色横带，后缘具黄边，中部具亮黑色横纹，第3背板前缘两侧具小黄斑，第3背板后缘、第4背板后半部具黑毛。

采集记录:3♂，凤县，2005.Ⅵ.23，霍科科采；4♂，凤县，2014.Ⅷ.27，霍科科采；1♂，留坝庙台子，2003.Ⅵ.30，霍科科采；1♂，留坝庙台子，2002.Ⅵ.19，霍科科采；1♂，留坝闸口石，2012.Ⅶ.18，霍科科采；1♂，留坝柴关岭，2014.Ⅷ.23，霍科科采；1♂，留坝，2014.Ⅷ.24，霍科科采。

分布:陕西(凤县、留坝)；俄罗斯。

49. 平颜蚜蝇属 *Eumerus* Meigen, 1822

Eumerus Meigen, 1822: 202. **Type species**: *Syrphus tricolor* Fabricius, 1798.

Citibaena Walker, 1856: 124. **Type species**: *Citibaena aurata* Walker, 1856.

Megatrigon Johnson, 1898: 159. **Type species**: *Megatrigon sexfasciatus* Johnson, 1898.

Amphoterus Bezzi, 1915: 116. **Type species**: *Amphoterus cribratus* Bezzi, 1915.

Paragopsis Matsumura *in* Matsumura *et* Adachi, 1916: 250. **Type species**: *Paragopsis griseofasciata* Matsumura, 1916.

Microxylota Jones, 1917: 230. **Type species**: *Microxylota robii* Jones, 1917 [= *Eumerus tuberculatus* Rondani, 1857].

属征:复眼被毛或裸，雄性复眼接眼，有时狭地分开，雌性离眼；颜平直，无中突。触角短而大，第3节圆形或卵形或明显长；触角芒裸。中胸背板近方形，略拱起，背侧翅盾发达，小盾片边缘偶尔具锯齿。中胸上前侧片前部后背部及后部、上后侧片前部具长毛，下前侧片后端背毛片发达，长，腹毛斑小，两者宽地分离。后胸腹板被毛。后足腿节粗。翅 R_{4+5}脉直，有时凹入 r_{4+5}室，M_1 脉在 r_{4+5}室上部明显向外呈角状凸出，外侧常具短脉，r-m横脉斜，与dm室相接于中部之后，dm-cu脉末端距翅缘更远。腹部长大于宽，两侧平行或中部略宽。

分布:全世界各动物地理区均有分布。中国已知26种，秦岭地区记录7种。

分种检索表

1. 腹部黑色，具斜置的白色粉斑 ………………………………………… 2
 腹部黑色，至少第2背板具黄斑 ………………………………………… 5
2. 雄性后足转节具齿突。复眼接缝长约为额长的2倍，腹部第2～4背板具倒“V”形白色粉斑；雄性第4背板后缘黄色，雌性黑色；雄性第4腹板后缘两侧突出，正中凹口中央呈三角状突出 ………………………………………… **齿转平颜蚜蝇 *E. odontotrochantus***
 雄性后中转节无齿突 ………………………………………… 3
3. 触角浅色、橙黄色。腹部与胸部几乎等宽，第2～4背板具倒“V”形排列的白色粉狭条纹，两侧

不达背板侧缘 …… **四国平颜蚜蝇 *E. ehimensis***

触角红褐色、黑褐色至黑色，至多第 3 节基部腹侧略浅 …… 4

4. 中胸背板具 3 条灰白色纵条纹。雄性复眼接缝几乎与额等长，第 4 腹板后缘中央呈三角状增厚，其上被黑色短刺，两侧呈臂状突出，端部呈鸟喙状，被黑褐色毛 …… **三纹平颜蚜蝇 *E. trivittatus***

中胸背板具 2 条灰白条纹。复眼接缝短于额长。前足胫节端部外侧具 2 根黑刺，第 1 ~ 3 跗节端部外侧各具 1 根黑刺毛，内侧具 1 根黄褐色刺毛，第 4 跗节端部外侧具黑刺毛。雄性第 4 背板后缘红褐色，雌性黑色，雄性第 4 腹板后缘直，无长鬃 …… **刺跗平颜蚜蝇 *E. spinimanus***

5. 雄性复眼狭地分开，被黄褐色毛。各足胫节被毛银白色，后足跗节被白粉及雪白色毛。雄性第 4 腹板黑色，后缘中央浅凹，两侧具黑色小齿突，具黑色长鬃。雌性复眼毛稀疏，后足主要被白毛 …… **雪色平颜蚜蝇 *E. niveus***

雄性接眼 …… 6

6. 雄性复眼接缝短于额长。雄性第 4 腹板后缘中央宽而浅地凹入，两侧具黑色齿状突出，后缘具黄褐色长鬃 …… **库峪平颜蚜蝇 *E. kuyuensis***

雄性复眼接缝长约等于额长。雄性第 4 腹板后缘具黑色长鬃，后缘中央具宽凹口，凹口两侧具不对称黑色齿突。雌性前足、中足胫节被白毛，后足被白毛，各跗节背面端部被毛白色；腹部第 2 节斑小 …… **小河平颜蚜蝇 *E. xiaohe***

(168) 四国平颜蚜蝇 *Eumerus ehimensis* Shiraki *et* Edashige, 1953

Eumerus ehimensis Shiraki *et* Edashige, 1953: 112.

鉴别特征：复眼裸。头顶及额黑亮，被浅黄褐色毛，单眼三角被毛黑色；额两侧沿复眼具白色粉斑。颜被灰白色薄粉和较浅黄色毛。触角橘黄色，第 3 节腹缘几乎直，背缘与前缘相连呈弧形，长约为高的 1.50 倍；触角芒暗褐色。中胸背板黑色，具光泽和细小刻点，中央 1 对白色粉纵条纹伸达横沟之后，背板密被浅黄白色毛，侧缘在翅基上方具 1 列黑色短鬃。小盾片具边，锯齿状，黑色，被毛浅黄白色。胸部侧板黑色。前足腿节中部略增粗，黑亮，端部黄褐色，胫节黑色，基部半黄褐色；中足近似前足；后足腿节黑亮，腿节基部和端缘红褐色，中部粗大，腹侧端半部具 2 列黑刺，胫节基部细，暗褐色，端半部明显增粗，黑色。翅略带烟灰色，翅痣黑褐色，具微毛。腹部与胸部几乎等宽，具刻点，黑色至黑褐色。第 2 ~ 4 背板具倒"V"形排列的白色粉狭条纹。背板被毛呈浅黄色，侧缘毛较长，各背板后部在倒"V"形条纹之间被毛呈黑色，第 5 腹板被毛呈黑色。

采集记录：1♀，洋县秧田，2005.Ⅶ.26，张勇采。

分布：陕西（洋县）；日本。

(169) 库峪平颜蚜蝇 *Eumerus kuyuensis* Huo, Ren *et* Zheng, 2007

Eumerus kuyuensis Huo, Ren *et* Zheng, 2007: 319.

鉴别特征:复眼毛黄褐色。额小,被银白色粉及稀疏白毛。颜被银白色粉及稀疏白毛。触角大,橘红色,第3节端部呈亚四边形,触角芒着生于第3节背侧近端部。雌性额中部具1条白粉横带;触角第3节大,圆三角形。中胸背板1对白色粉条纹伸达横沟,小盾片亮蓝黑色,具边,被黄褐色长毛。前足黑色,腿节及基部暗褐色,膝部、胫节黄褐色至黄色;中足似前足;后足黑色,端部黄褐色,端部腹侧具2列黑色刺,胫节顶端被雪白毛,跗节扩宽,向顶端渐细,被白粉及雪白色毛。雌性后足胫节主要被白毛,跗节不扩宽,黄褐色。腹部亮黑色;第2背板具1对近四边形黄白色小侧斑;第3背板前缘中央具狭长的三角状黄褐色斑,后部具1对新月状呈倒"V"形排列的浅黄斑;第4背板后部斑纹近似第3背板;第4腹板后缘中央具宽而浅的凹口,两侧具黑色齿状突出,后缘具黄褐色长鬃。雌性腹部粗,第2节斑小,红黄色,第3、4背板具由白粉及毛组成的呈倒"V"形内端分开的斑。

采集记录:2♂7♀,长安库峪,2002.Ⅵ.12,霍科科采;1♀,长安库峪,2002.Ⅵ.04,霍科科采;1♀,凤县,2005.Ⅵ.13,霍科科采;2♂,留坝,2004.Ⅵ.14,霍科科采;1♀,留坝庙台子,2005.Ⅵ.13,霍科科采;1♀,留坝庙台子,2005.Ⅵ.20,霍科科采;2♂,留坝,2004.Ⅵ.16,霍科科采;4♂4♀,留坝,2004.Ⅵ.19,霍科科采;1♀,留坝紫柏山,2005.Ⅵ.21,霍科科采。

分布:陕西(长安、凤县、留坝)、四川。

(170)雪色平颜蚜蝇 *Eumerus niveus* Huo, Ren *et* Zheng, 2007

Eumerus niveus Huo, Ren *et* Zheng, 2007: 321.

鉴别特征:复眼被黄褐色毛,狭的离眼。额被银白色粉及稀疏白毛。颜黑亮,被黑毛。触角橘黄色,第3节呈亚四边形;触角芒着生于第3节背侧近端部,裸,长于整个触角长度。雌性复眼毛稀疏;头额中部具白色粉组成的横带;触角第3节大,圆三角形。中胸背板被黄褐色毛,翅基上方具1列黑色短鬃,小盾片亮蓝黑色,具边,被银白色长毛。前足黑色,腿节端部、胫节基半部及端部黄褐色至黄色,前足被毛银白色;中足近似前足;后足腿节黑色,端部黄褐色;端部腹侧具2列黑色刺,胫节被毛银白色;跗节扩宽,被白粉及雪白色毛。雌性前足和中足胫节及跗节被白毛,后足主要被白毛,跗节不扩宽。翅具微毛,基部裸。腹部第2背板具1对近三角形黄白色侧斑;第3背板具1对新月状呈倒"V"形排列的浅黄斑,上被白粉及白毛。第4腹板后缘中央浅凹,两侧具黑色小齿突,具黑色长鬃。雌性腹部第2节斑小,红黄色;第3、4背板具由白粉及毛组成的呈倒"V"形内端分开的斑。

采集记录:1♂1♀,长安南五台,2002.Ⅷ.26,霍科科采。

分布:陕西(长安)。

(171)齿转平颜蚜蝇 *Eumerus odontotrochantus* Huo, Ren *et* Zheng, 2007(图255)

Eumerus odontotrochantus Huo, Ren *et* Zheng, 2007: 323.

鉴别特征:复眼近乎裸，接缝约为额长的2倍。额及颜黑色，被白色粉及浅黄白色长毛。触角第3节橘黄色，长略大于高，触角芒着生于第3节背面中部之后。中胸背板黑色，白色粉纵条纹伸达横沟之后，背板密被浅黄白色毛，翅基之间混生黑毛，翅基上方侧缘具1列黑色短鬃。小盾片具边，锯齿状。胸部侧板黑色。前足腿节黑色，基部及端部暗黄褐色，胫节黑色，基部暗黄色，被白毛，第2、3、4跗节背面前缘各具1对黑色长鬃毛；中足近似前足，但腿节端部背面具黑毛；后足转节具1个大齿突，腿节粗大，被浅黄色毛，端部背侧具黑毛，腹侧端半部具2列黑刺，胫节被浅黄色毛，跗节、基跗节明显增粗。雌性后足转节无齿突。翅略带烟灰色，痣黑褐色。腹部第2背板具呈倒"V"形凹沟，沟内具前端分开的白色粉斑纹，倒"V"形凹沟之间三角形区域被黑毛；第3背板近似第2节背板；第4背板向腹面弯曲，被黑色长毛。腹部第4腹板后缘两侧突出，正中形成凹口，腹板后缘被黑色刺毛。雌性腹部第2、3背板凹沟浅，第2~4背板具倒"V"形前端分开的白色粉斑，第4背板呈黑色。

采集记录:1♂，留坝庙台子，2003.Ⅶ.02，霍科科采；1♂，汉中，2005.Ⅴ.18，霍科科采；1♂1♀，洋县九池，2002.Ⅷ.04，霍科科采。

分布:陕西(汉中、留坝、洋县)。

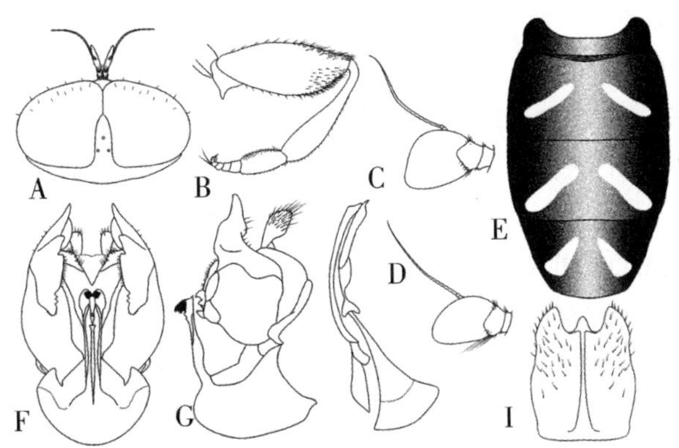

图255 齿转平颜蚜蝇 *Eumerus odontotrochantus* Huo, Ren *et* Zheng

A. 雄性头部背面观(male head, dorsal view); B. 雄性后足(male hind leg); C. 雌性触角(female antenna); D. 雄性触角(male antenna); E. 雄性腹部背面观(male abdomen, dorsal view); F. 雄性尾器腹面观(male terminalia, ventral view); G. 雄性尾器侧面观(male terminalia, lateral view); H. 阳茎(aedeagus); I. 雄性第4腹板(male sternite 4)

(172)刺跗平颜蚜蝇 *Eumerus spinimanus* Huo, Ren *et* Zheng, 2007

Eumerus spinimanus Huo, Ren *et* Zheng, 2007: 325.

鉴别特征:复眼裸。额黑色。颜被浅黄褐色长毛及白色粉。触角黑褐色,第3节下缘直,背缘与前缘呈圆弧形,端部宽圆,触角芒着生于第3节背面中部之后。中胸背板中央有1对白色粉纵条纹,被浅黄白色毛,翅基上方侧缘具1列黑色短鬃。小盾片黑色,边锯齿状。前足腿节黑色,端部暗黄褐色,胫节被白毛,端部外侧具2根黑刺,第1~3跗节外侧端部各具1根黑刺,内侧端部具1根黄褐色刺,第2、3跗节腹面具"T"形黑斑,第4跗节端部外侧具黑色刺毛;中足近似前足,但跗节内侧缺刺,外侧刺黄褐色;后足腿节黑色,腿节端缘红褐色,中部粗大,腹侧端半部具2列黑刺,胫节被浅黄色毛,基跗节明显粗。翅略带烟灰色,翅痣黑褐色。腹部第2背板具"V"形排列的三角状白色粉斑纹,第3、4背板中部具倒"V"形前端分开的白色粉条纹,第4背板后缘红褐色。第4腹板后缘直,无凹口和长鬃毛。雌性腹部第2~4背板具倒"V"形前端分开的较宽的白色粉斑。

采集记录:101♀,长安库峪,2002.Ⅵ.12,霍科科采;1♂,留坝,2004.Ⅵ.14,霍科科采;2♂,留坝庙台子,2005.Ⅵ.12,霍科科采;1♂,留坝,2004.Ⅵ.19,霍科科采。

分布:陕西(长安、留坝)。

(173)三纹平颜蚜蝇 *Eumerus trivittatus* Huo, Ren *et* Zheng, 2007

Eumerus trivittatus Huo, Ren *et* Zheng, 2007: 326.

鉴别特征:复眼裸,接缝长。额黑色,密覆白粉被和毛。颜黑色,密覆白粉被和长毛。触角暗褐色,第3节基部下侧红褐色。肩胛后角红褐色。中胸背板黑色,具细刻点,中央具1条灰白色粉被细纵条,两侧灰白色粉被纵条纹较宽,背板侧缘具断续的灰白色粉被条纹。中胸背板被直立黑毛,翅基上方及翅后胛前角被黑色短鬃。小盾片黑亮,具细刻点,后缘具锯齿状边。前足腿节黑色,基部和端缘暗褐色,跗节被毛呈浅黄白色;中足近似前足,但胫节端缘腹侧具黑刺,第3~4跗节背面端缘具2根黑鬃,第1~4跗节腹面前侧具黑鬃;后足黑色,腿节端部和胫节基部暗红褐色,足毛主要白色,腿节中部增粗,基部腹面具不明显的瘤突,端部腹面具2列黑刺,胫节端部2/3明显增粗,腹面中央具隆脊,基跗节明显增厚。腹部第2~4背板各具1对白色粉被斜带,该带呈"八"字形。第4腹板后缘中央呈三角状增厚,其上被黑色短刺,两侧呈臂状突出,端部呈鸟喙状,被黑褐色毛。

采集记录:4♂,留坝紫柏山,2003.Ⅶ.04,霍科科采;1♂,留坝紫柏山,2005.Ⅵ.21,霍科科采。

分布:陕西(留坝)。

(174)小河平颜蚜蝇 *Eumerus xiaohe* Huo, Ren *et* Zheng, 2007

Eumerus xiaohe Huo, Ren *et* Zheng, 2007: 328.

鉴别特征:复眼被短毛，接缝长。颜密被银白色粉及稀疏白毛。触角大，橘黄色，第3节呈四边形，触角芒着生于第3节背侧近中部。中胸背板前部中央具1对白色粉条纹。小盾片后缘具边，被黄褐色长毛。前足黑色，腿节极基部暗褐色，膝部、胫节黄褐色至黄色，前足被毛黄白色；中足近似前足；后足黑色，腿节基部及端部黄褐色，端部腹侧具2列黑色刺，腿节被黄白色毛，背侧端部被黑色短毛，胫节顶端被白粉及雪白毛。跗节扩宽，被白粉及雪白色毛。雌性后足跗节不扩宽，各跗节背面端部被毛呈白色。腹部第2背板具1对近四边形黄白色大侧斑；第3背板前缘中央具长三角状黄褐色狭斑，后部具1对新月状呈倒"V"形排列的浅黄斑；第4背板后部斑纹近似第3背板，但斑较细。腹部第4腹板黑色，后缘具黑色长鬃，后缘中央具宽凹口，凹口两侧具不对称黑色齿突。雌性腹部较粗，第2节斑小，红黄色，第3、4背板具由白粉及毛组成的呈倒"V"形内端分开的斑。

采集记录:2♂，城固小河，2002.Ⅷ.10，霍科科采；1♀，洋县华阳，2005.Ⅶ.21，张勇采；1♂，洋县秧田，2005.Ⅶ.25，安有为采；1♂，洋县秧田，2005.Ⅶ.25，刘飞飞采。

分布:陕西(城固、洋县)。

50. 齿腿蚜蝇属 *Merodon* Meigen, 1803

Lampetia Meigen, 1800: 34. **Type species**: *Syrphus clavipes* Fabricius, 1781.
Merodon Meigen, 1803: 274. **Type species**: *Syrphus clavipes* Fabricius, 1781.
Exmerodon Becker, 1913: 604. **Type species**: *Exmerodon fulcratus* Becker, 1913.

属征:体小型至大型。复眼被毛，雄性两眼连线中等长；颜在触角下方微凹，无中突，口缘略突出。触角正常大小，第2节较长，第3节卵形；触角芒着生在第3节基部背侧，裸。中胸背板及小盾片无鬃。腹部卵形或长椭圆形。足粗大，雄性后足基节常具突起，后足腿节特化，端部具三角形突起，后足胫节弯曲，有时亦具突起，跗节宽平；雌性足简单。上外缘横脉端部弯曲，明显回转，r-m脉位于中室中部之后。

生物学:本属已知种类幼虫为植食性，主要危害水仙等鳞茎植物。

分布:除新热带区外，其他各区均有分布。秦岭地区仅知2种。

分种检索表

腹部背面具3对红斑 ………………………………………… **红斑齿腿蚜蝇 *M. rufimaculatum***
腹部背面缺红斑，具灰白色粉被条纹……………………………… **黄盾齿腿蚜蝇 *M. scutellaris***

(175) 红斑齿腿蚜蝇 *Merodon rufimaculatum* Huo, Ren *et* Zheng, 2007

Merodon rufimaculatum Huo, Ren *et* Zheng, 2007: 332.

鉴别特征:雄性复眼裸,两眼狭地分离。头顶三角被黑毛。额小,无额突,黑色,被白色粉及毛。颜口上缘略突出,两侧向下微扩宽,颜黑色,被白色粉及毛。触角暗褐色,第3节长略大于其高,下缘直,背缘呈弓形,触角芒黑色,裸。中胸背板黑色,被黄褐色短毛,两侧翅基上方及翅后胛具黑色短刺,翅后胛暗褐色。小盾片黑色,长约为宽的1/2,后缘具边,锯齿状,被白色短毛。侧板同背板。足黑色,前足和中足膝部、各足胫节基半部红褐色,前足、中足跗节基部第1~3跗节红褐色,第4~5跗节黑色,后足跗节背面黑色,基部3节腹面红褐色,各足腿节增粗,后足腿节端部外侧呈片状向下扩大,边缘具黑刺,内侧端部具1列黑刺,后足基跗节增粗。翅略带灰褐色,翅痣暗褐色,R_{4+5}脉向r_5室极浅地凹入,r-m横脉斜,与m_2室相交于中部之后,上部外缘横脉回转,端部呈圆角,尖,腹部黑色,扁,被毛短,第2~4背板各具1对红黄色侧斑。

采集记录:1♂,长安南五台,2002.Ⅳ.20,霍科科采。

分布:陕西(长安)。

(176)黄盾齿腿蚜蝇 *Merodon scutellaris* Shiraki, 1968

Merodon scutellaris Shiraki, 1968: 200.

鉴别特征:雌性复眼被白毛。颜狭,口缘略突出;颜黑色,被灰白色粉和黄褐色毛,额突两侧具三角状黄斑。触角第3节黄色,背缘与腹缘近平行,前缘斜,长约为宽的2倍;触角芒裸。肩胛黄色,被黄毛和灰白色粉。中胸背板具粗刻点和黄毛,两侧翅基上方具黑色短粗毛,翅基之间混生黑毛;背板具5条灰白色粉被条纹,背板在横沟处具横条纹。小盾片长约为宽的1/3,具浅黄色边。后足腿节基部和端部略呈红褐色,腿节端部腹面前侧呈片状突出,具6~7根黑刺,后侧具5~6根黑刺。后足胫节腹面中央具纵脊。翅透明,翅痣暗褐色,具痣横脉。腹部背面中央具线状灰白色纵条纹,后端不达背板后缘,第4背板中条纹远不达背板后缘,第2~4背板各具1对斜置的"八"字形灰白色条纹,第2、3背板条纹位于中后部,第4背板条纹位于前中部。第2背板前半覆灰白色薄粉,尤以两侧前角处最甚,两侧具略斜的灰白色细纵条纹,后端止于其横条纹上,前端伸达背板前缘。

采集记录:1♀,凤县,2003.Ⅵ.27,霍科科采。

分布:陕西(凤县);日本。

51. 短毛蚜蝇属 *Blera* Billberg, 1820

Penthesilea Meigen, 1800: 35. **Type species**: *Musca ruficauda* de Geer, 1776.

Blera Billberg, 1820: 118. **Type species**: *Musca fallax* Linnaeus, 1758.

Cynorhina Williston, 1887: 209, 212. **Type species**: *Milesia analis* Macquart, 1842, as subgenus of *Criorhina*.

属征:体小型至中，黑色，有光泽。复眼裸，雄性两眼短距离相接。头前面观三角形；额突明显，光滑无毛；颜在触角下方凹入，下部凸起，直，中突小。触角短，第3节近椭圆形；背芒基生，裸。胸部、腹部被毛，后胸腹板裸。足简单，后足腿节不膨大。翅 r_1 室开放，r-m 横脉在中室中部之后，R_{4+5}脉直。

生物学:成虫生活在松林中，取食树干汁液。

分布:古北区，新北区。中国已知8种，秦岭地区记录1种。

(177)等斑短毛蚜蝇 *Blera equimacula* Huo, Ren *et* Zheng, 2007

Blera equimacula Huo, Ren *et* Zheng, 2007: 334.

鉴别特征:雄性复眼裸，狭地分离。额背面黑亮，两侧被黄粉，额突明显向前突出，侧面及下侧橘黄色。颜观在额突之下凹入，中突小，颜下部向前向下突出，但不超过额突水平，颜橘黄色，具棕褐色中条纹；两侧复眼下方及颊黑亮。触角黄褐色，第3节椭圆形，触角芒黄褐色，长而裸。中胸背板黑亮，前缘及肩胛被白粉，背板被黄褐色及黑褐色直立长毛；小盾片黑亮，端半部暗黄褐色，被浅色直立长毛。侧板黑亮，裸。足黑色，被黄褐色毛；各足腿节端部红褐色，前足、中足胫节及跗节基部第1~3节橘黄色，后足胫节及跗节基部第1~3节红褐色，胫节近端部具黑环，跗节第4~5节黑色；后足腿节腹侧具黑色短刺毛。翅具微毛，前缘及基部棕褐色。腹部黑亮，第2背板两侧具三角形红褐色斑，两侧被黄白色直立长毛，后部中央具黑褐色毛。第3背板具长方形红褐色斑，背板被黄白色直立长毛，中部毛较短。第4背板近似第3背板，二者红褐色斑几乎等宽，背板后缘具棕黄色长毛。

采集记录:1♂，宁陕火地塘，2003.Ⅶ.05，何娜采。

分布:陕西(宁陕)。

52. 木村蚜蝇属 *Matsumyia* Shiraki, 1949

Matsumyia Shiraki, 1949: 1. **Type species**: *Priomerus jesoensis* Matsumura, 1911.

属征:体大型，粗壮。复眼裸，雄性复眼短距离相接，雌性复眼宽地分离，额两侧密被粉，额突短。颜在复眼下中度向下向前突出，侧面观在额突下深凹，颜中突明显，与向下突出的口上缘平行，颜下部形成锥形。触角短，第3节高大于长，触角芒着生在近基部，裸。胸部短，密被长毛，缺鬃状毛。腹部卵形，密被平伏的毛。足单色，雄性后足腿节强烈增粗，雌性略增粗，下侧具短的粗刺。r-m 横脉斜，位于 dm 室中部之后，R_{4+5}脉直，r_5 室明显具柄。

分布:中国；日本，朝鲜，俄罗斯。世界已知5种，中国已知2种，秦岭地区有1种。

(178)紫柏木村蚜蝇 *Matsumyia zibaiensis* Huo *et* Ren, 2006

Matsumyia zibaiensis Huo *et* Ren, 2006: 65.

鉴别特征:复眼短距离相接。颜在额突下明显凹入，中突圆，中突之下几乎直，颜被黄白色粉，仅两复眼下方黑亮，具稀疏黄毛。雌性颜暗红褐色。触角黄褐色，第3节高大于长；触角芒裸，长。中胸背板前部中央有2条灰黄色粉被纵条纹，背板密被黄白色直立长毛。中胸侧板黑色。前足腿节黑色，明显增粗，胫节及跗节暗褐色；中足近似前足，但腿节后侧具长毛；后足腿节明显增粗，黑色，端部黄褐色，被棕黄色毛，前侧背面具黄白色长毛，腹侧具黑色刺毛；胫节侧扁，内侧端缘具1个顶钝齿突，胫节红褐色到暗褐色，跗节红褐色，第5跗节背面黑色。雌性足红棕色。翅中部具条状黄褐色暗晕。腹部黑色，第2背板两侧前角被黄白色粉及长毛，形似2个侧斑；第3背板具红褐色光泽，被灰黄色粉，中部两侧形成1对方形粉斑；第4背板密被灰黄色粉，两侧形成三角形黑斑，被平伏黄色短毛。雌性腹部黑色，第1背板两侧角红褐色，第4背板被锈红色粉及毛。

采集记录:1♂，留坝紫柏山，2003.Ⅶ.04，霍科科采；1♀，留坝庙台子，1988.Ⅵ.18，霍科科采。

分布:陕西(留坝)。

53. 迷蚜蝇属 *Milesia* Latreille, 1804

Milesia Latreille, 1804: 194. **Type species**: *Syrphus crabroniformis* Fabricius, 1775.

Sphixea Rondani, 1845: 455. **Type species**: *Eristalis fulminans* Fabricius, 1805 [= *Musca semiluctifera* Villers, 1789].

Pogonosyrphus Malloch, 1932: 125. **Type species**: *Pogonosyrphus arnoldi* Malloch, 1923.

属征:体大型，似蜂类。头椭圆形；复眼裸，雄性复眼短距离相接，雌性复眼离眼；额明显突出；侧面观颜部凹陷；触角短，着生在额突上；背芒长，具短微毛。中胸背板粗大，长大于宽；小盾片前缘具边，具缘缨。后足腿节膨大，近端部下侧具1个向后的指突；后足胫节弯曲。翅 r_1 室封闭，具柄，个别种类 r_1 室开放，r-m 横脉斜，在 dm 室端部，R_{4+5}脉直或稍凹入。

生物学:幼虫为腐食性类型。

分布:以东洋区种类最为丰富，古北区和新北区的温带地区、新热带区的北部、非洲区也有分布，澳洲区无记录。中国已知15种，秦岭地区有1种。

(179)锈色迷蚜蝇 *Milesia ferruginosa* Brunetti, 1913

Milesia ferruginosa Brunetti, 1913: 268.
Milesia maolana Yang *et* Cheng, 1993: 327.

鉴别特征:复眼短距离相接。额橘黄色，两侧被白色粉及直立稀疏黄毛。颜黄色，两侧被白色粉及直立黄色稀疏长毛，颜中央橘黄色，两侧在复眼之下橘黄色。雌性头顶、额橘红色，两侧沿复眼被三角状黄色粉斑，颜两侧复眼之下具三角状黑斑。触角红黄色，第3节宽大于长，裸。中胸背板黑色，肩胛、横沟之后侧缘及翅后胛红褐色至红黑色，具1对黄色粉被亚中条纹；背板被直立黑毛，肩胛被毛红褐色。小盾片黑色，被黑色直立长毛；具红黑色边。前足腿节红褐色，胫节黑褐色。中足、后足腿节基部2/3黑色，端部红褐色，胫节及跗节黄色。翅前半部棕褐色，具痣横脉。腹部第2背板基部具1条黄色狭横带，后端具倒"N"形黄色粉被横带；第3背板前缘具黑色横带，其后为1条与黑带等宽的黄色横带，黄带之后为"T"形黑色条纹，后缘具狭黑边；第4背板前缘中央具黑边，中部具两端分开的倒"V"形狭黑条纹，与后部中央黑色纵条纹相连，黑色横纹之前黄色，之后橘红色。

采集记录:1♂，留坝，2004.Ⅵ.13，霍科科采；1♂，留坝，2004.Ⅵ.14，霍科科采；1♀，留坝庙台子，2002.Ⅵ.16，霍科科采；1♀，留坝庙台子，2002.Ⅵ.17，霍科科采；1♀，留坝庙台子，2002.Ⅵ.19，霍科科采；1♂，留坝庙台子，2005.Ⅵ.12，田青采；1♀，留坝庙台子，2005.Ⅵ.16，霍科科采；1♀，留坝庙台子，2005.Ⅵ.24，霍科科采；1♂，留坝，2004.Ⅵ.19，霍科科采；1♂，留坝闸口石，2004.Ⅵ.07，霍科科采；1♂1♀，城固小河，2000.Ⅵ.20，张宏杰采。

分布:陕西(留坝、城固)、四川、贵州、云南;印度。

54. 斑胸蚜蝇属 *Spilomyia* Meigen, 1803

Spilomyia Meigen, 1803: 273. **Type species**: *Musca diophthalma* Linnaeus, 1758.
Mixtemyia Macquart, 1834: 491. **Type species**: *Paragus quadrifasciatus* Say, 1824 [= *Paragus sayi* Goot, 1964].

属征:体大，粗壮，毛少，似胡蜂。头半球形，宽于胸；复眼裸，具不规则的条或带斑，雄性复眼合生，两眼相接，距离较短；颜侧面观直，口上缘微突，具额突。触角短，前伸，第3节圆；背芒基生，裸。中胸背板大，颇拱，黑色，具明显黄斑纹；后胸腹板被毛。腹部长椭圆形，拱起，边明显。足相当粗壮，后足腿节下侧近端部具1个齿突，后足胫节弯曲。翅较狭，前缘褐色，r_1 室开放，R_{4+5}脉直，r-m 横脉斜，位于 dm 中部之后。

分布:古北区，东洋区，新北区。中国已知9种，秦岭地区记录2种。

分种检索表

中胸背板后部具倒“V”形黄斑，小盾片黑色，后缘黄色，雌性额部黑色条纹长，从头顶伸达额突背面……………………………………………………………………………… **连斑斑胸蚜蝇 *S. panfilovi***

中胸背板后部具盾状黄斑，小盾片黄色 …………………………… **楯斑斑胸蚜蝇 *S. scutimaculata***

(180) 连斑斑胸蚜蝇 *Spilomyia panfilovi* Zimina, 1952

Spilomyia panfilovi Zimina, 1952: 329.

鉴别特征:雌性额黄色，中央具前宽后狭的黑色纵条纹，后部与头顶黑色相连，前伸达额突，额突背面黑色，头顶及额被稀疏黑色短毛。颜及颊部黄色，被稀疏黄毛；颜上端被黑毛，黑色中条短。触角前伸，第3节圆，短于第2节长度；触角芒黄色，裸。中胸背板前部具2条灰白色条纹，横沟内端具灰白色斑，肩胛、肩胛内侧、横沟外端具黄斑，后部两侧具“S”形黄色条纹，背板后部中央具倒“V”形黄斑。小盾片黑色，具黄边。中胸侧板黑色，具7个黄斑。前足橘黄色，腿节端部橘红色，胫节端部2/3及第1~4跗节黑褐色；中足近似前足，腿节及胫节端部、跗节橘红色，第1、2跗节端部及第3跗节和第4跗节基部黑褐色；后足橘黄色，腿节端部橘红色，近端部腹侧具1个粗齿，第5跗节橘红色。翅前缘褐色；腹部长椭圆形，具边。第1背板两侧黄色，第2~4背板后缘具黄带，中部具中断的黄带，背板侧缘红褐色，第5背板黑色，后缘红褐色。

采集记录:1♀，长安南五台，2002.Ⅷ.28，霍科科采。

分布:陕西(长安);俄罗斯。

(181) 楯斑斑胸蚜蝇 *Spilomyia scutimaculata* Huo *et* Ren, 2006

Spilomyia scutimaculata Huo *et* Ren, 2006: 118.

鉴别特征:雄性头顶三角被黄毛，黑色，单眼三角之前为黄色。额黄色，中部黑色，两侧覆黄白色粉，前端黑亮。颜及颊黄色，两侧被黄毛，口侧缘裸。颜中条黑色，边缘黑褐色。触角前伸，基部2节红褐色，第3节橘黄色，短于第2节；触角芒橘黄色，裸。肩胛、肩胛内侧、横沟外端具黄斑，后部两侧具黄色条纹，背板后部中央具盾状黄斑。小盾片明显具边，黄色，被黄毛。侧板黑色，被黄毛，具黄斑。前足橘黄色，被黄毛，腿节基部前侧有1片小的黑色短毛；中足近似前足，腿节腹侧具黑色短毛；后足橘黄色，腿节及胫节内侧被黑色短毛，腿节端部后背侧4/5有1个狭长黄色短毛带，腿节近端部外侧下缘具齿。翅前缘棕褐色，翅面具微毛。腹部具边。第2背板橘黄色，前缘中央具三角形狭黑斑，后部中央具三角状黑色短毛斑；第3背板深褐色，前中部具1条横隆脊；第4背板近似第3背板，但隆脊位置靠前；第3、4背板隆脊中部断开，两端终止于背板边缘之内。

采集记录:1♂，眉县红河谷，2002.Ⅸ.02，霍科科采。

分布:陕西(眉县)。

55. 斜环蚜蝇属 *Korinchia* Edwards, 1919

Priomerus Macquart, 1834: 511 (nec Walker, 1833). **Type species**: *Priomerus fasciatus* Macquart, 1834.

Korinchia Edwards, 1919: 39. **Type species**: *Korinchia klossi* Edwards, 1919.

属征:颜裸，雌性在触角下凹入；雄性具弱的中突；颊宽。复眼裸，雄性合眼。触角短，触角芒长于颜宽。中胸背板长大于宽，被短而平伏的毛，侧缘有时具鬃；小盾片具边；中胸上前侧片后部隆起，上后侧片前部具毛或鬃状毛，下前侧片前端具少许毛，后端背毛斑、腹毛斑宽地分开；下后侧片具毛或裸，下侧背片具毛；后胸腹板裸；后足基节桥缺。足简单，后足基节后中端缺毛簇。翅膜具微刺，无裸区；r_1 室封闭，R_{4+5}脉斜向下向外凹入 r_5 室，r_5 室封闭，柄不长于肩横脉，r-m 横脉斜，位于 dm 室中部之后，横脉 M_1 与dm-cu与翅缘平行；腹部狭卵形，黑色，具浅色斑。

分布:东洋区。中国已知8种，秦岭地区记录4种。

分种检索表

1. 头顶被黑毛，中胸背板侧缘、小盾片边缘及腹部背板侧缘和后缘具黄白色鬃毛，腹部狭，黑色，第2背板两侧无斑……………………………………………… **狭腹斜环蚜蝇 *K. angustiabdomena***
   头顶被黄褐色毛，中胸背板仅在翅基上方及翅后胛上具黄白色鬃毛 ………………………… 2
2. 腹部黑色，各节后缘黄色狭，第2背板具1对红黄色侧斑，该斑沿侧缘向下扩展…………… 3
   腹部黄色具黑色横带，足黄色，前足跗节黑褐色 …………………… **红腹斜环蚜蝇 *K. sinensis***
3. 额突背面黑亮，前足胫节及跗节黑色 ……………………………………… **黄缘斜环蚜蝇 *K. nova***
   额突背面黄褐色，前足胫节及第1~4跗节黑色 ………………… **拟黄缘斜环蚜蝇 *K. similinova***

(182) 狭腹斜环蚜蝇 *Korinchia angustiabdomena* (Huo, Ren *et* Zheng, 2007) (图256)

Palumbia angustiabdomena Huo, Ren *et* Zheng, 2007: 340.

鉴别特征:雄性复眼短距离相接。头顶三角黑色，被黑毛。额黑褐色，前端黄褐色，两侧被黄白色粉。颜中突小而圆；颜黄褐色，两侧密被黄白色粉，颜中条裸。触角黄褐色，第3节卵形，触角芒长而裸，黄褐色。中胸背板被黑色平伏短毛，肩胛、背侧片、背板侧缘翅基上方及翅后胛具黄白色鬃。小盾片黑色，后缘具黄白色鬃状毛。中胸上前侧片后端被鬃状毛。足黄色或黄褐色，前足胫节和跗节黑色。足主要被黄色短毛，中足腿节端部腹侧、胫节腹侧及后足转节、腿节腹侧具黑色短刺毛。中足转节背面具1根黑色长刺，胫节端腹缘具黑色刺栉；中足、后足跗节腹面及第3～5跗节端缘具黑刺，后足跗节背面具黑毛。翅膜具微毛。腹部狭椭圆形，黑色，第1～4背板侧缘及第2～4背板后缘具近白色鬃，第5背板及其以后被棕黄色毛。

本种2007年描述时未采到雌性，现将雌性特征补充如下：

雌性头顶及额黑色，被黄毛；额基部及头顶被黑毛；额中部及沿眼缘密覆黄粉被；额突裸，黄褐色。颜凹入，无中突。腹部第1～5背板侧缘及第2～5背板后缘具近白色鬃。其余特点同雄性。

采集记录:2♂4♀，留坝光华山，2006.Ⅶ.14，霍科科采；2♀，留坝营盘，2006.Ⅶ.13，杨静采；3♀，留坝营盘，2007.Ⅶ.26，霍科科采；2♂，留坝闸口石，2011.Ⅶ.20，采集人不详；1♀，留坝闸口石，2012.Ⅶ.13，杨明采；1♀，留坝闸口石，2012.Ⅶ.13，杨盼采；2♀，留坝闸口石，2012.Ⅶ.14，杨明采；2♀，留坝闸口石，2012.Ⅶ.14，杨盼采；2♀，留坝闸口石，2012.Ⅶ.14，王玉艳采；1♀，留坝闸口石，2012.Ⅶ.15，杨盼采；1♂2♀，留坝闸口石，2012.Ⅶ.15，王真采；1♂，留坝闸口石，2012.Ⅶ.15，王亚灵采；2♀，留坝闸口石，2012.Ⅶ.16，王真采；1♀，留坝闸口石，2012.Ⅶ.16，王亚灵采；3♂3♀，留坝闸口石，2012.Ⅶ.13，霍科科采；1♂，留坝闸口石，2012.Ⅶ.14，霍科科采；4♂8♀，留坝闸口石，2012.Ⅶ.17，霍科科采；1♂3♀，留坝闸口石，2012.Ⅶ.18，霍科科采；1♂7♀，留坝闸口石，2012.Ⅶ.19，霍科科采；4♀，留坝闸口石，2012.Ⅶ.20，霍科科采；2♀，留坝闸口石，2013.Ⅶ.15，霍科科采；1♀，留坝闸口石，2013.Ⅶ.16，霍科科采；1♂，留坝闸口石，2013.Ⅶ.17，霍科科采；1♂4♀，留坝柴关岭，2014.Ⅷ.23，霍科科采；1♂5♀，留坝紫柏山，2014.Ⅷ.25，霍科科采；1♂，商南，2002.Ⅶ.17，霍科科采。

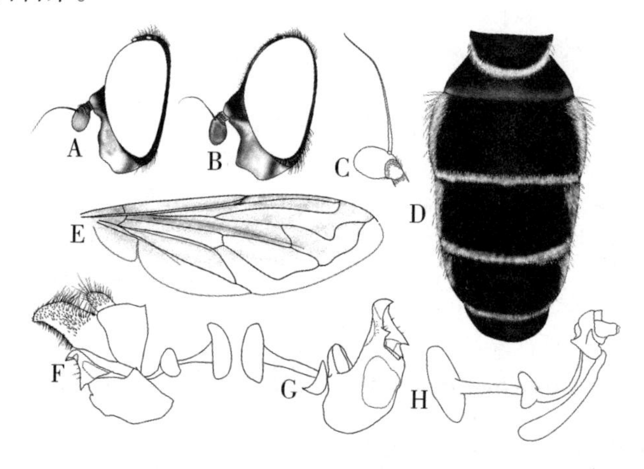

图256 狭腹斜环蚜蝇 *Korinchia angustiabdomena* (Huo, Ren *et* Zheng)

A. 雄性头部侧面观(male head, lateral view)；B. 雌性头部侧面观(female head, lateral view)；C. 触角内侧观(antenna, inside view)；D. 雌性腹部背面观(female abdomen, dorsal view)；E. 翅(wing)；F. 雄性尾器侧面观(male terminalia, lateral view)；G. 第9腹板及附器侧面观(male hypandrium and appendages, lateral view)；H. 阳茎(aedeagus)

分布:陕西(留坝、商南)。

(183)黄缘斜环蚜蝇 *Korinchia nova* Hull, 1937

Korinchia nova Hull, 1937: 175.

鉴别特征:头顶三角黑色,稀疏地被黄褐色毛。额黑褐色,前端黄褐色;基部两侧被黄白色粉。雌性头顶及额黑色,被黄毛;额中部及沿眼缘密覆黄粉被;额突裸,黄褐色。颜黄褐色,两侧密被黄白色粉,中条裸,两侧在复眼下方具暗褐色条纹,裸。触角黄褐色,第3节被黄白色粉,卵形;触角芒长,被微毛。中胸背板具3条黄色粉被横带,前缘横带宽,横沟处横带中央中断,后缘横带略呈弧形;背板被黄毛,两侧翅基上方及翅后胛处被黄鬃。小盾片具边,被黄毛;盾下缨黄色。中胸上前侧片后端、上后侧片前部被黄白色粉及黄褐色毛,下前侧片被黄白色粉。足黄色,前足胫节和跗节黑色。足被黄色短毛,中足腿节端部腹面两侧、胫节腹侧及后足转节、腿节腹侧具黑色短刺毛。中足胫节端缘刺栉褐色,中足跗节端部2节、后足跗节端部4节背面具黑毛。腹部黑色,各背板后缘黄色,第1背板后缘及两侧黄褐色,第2背板具1对黄褐色侧斑,第3、4背板侧缘红褐色。

采集记录:9♂,宝鸡马头滩,2003.Ⅶ.22,霍科科采;4♂,宝鸡马头滩,2003.Ⅶ.23,霍科科采;2♂,留坝紫柏山,2003.Ⅶ.04,霍科科采;3♂1♀,留坝闸口石,2012.Ⅶ.13,霍科科采;2♀,留坝闸口石,2012.Ⅶ.16,霍科科采;1♂,留坝闸口石,2012.Ⅶ.20,陈锐采;1♂6♀,留坝柴关岭,2014.Ⅷ.23,霍科科采;1♂2♀,留坝,2014.Ⅷ.24,霍科科采;7♀,留坝紫柏山,2014.Ⅷ.25,霍科科采;1♀,留坝,2014.Ⅷ.26,霍科科采;2♂,宁陕火地塘,2003.Ⅶ.10,王政采。

分布:陕西(宝鸡、留坝、宁陕)、四川。

(184)拟黄缘斜环蚜蝇 *Korinchia similinova* (Huo, Ren *et* Zheng, 2007)

Palumbia similinova Huo, Ren *et* Zheng, 2007: 343.

鉴别特征:雄性头顶三角黑色,稀疏地被黄褐色毛。额背面黄褐色,基部两侧黑褐色,被黄白色粉。颜黄褐色,两侧密被黄白色粉,颜中条裸,两侧复眼下方裸。触角黄褐色,第3节卵形,触角芒长而裸,黄褐色。肩胛及横沟两端之前具红褐色斑,前缘、横沟处粉带不明显,后缘横带黄色,背板被黄毛,两侧翅基上方及翅后胛处被黄褐色鬃毛。小盾片黄褐色,基部黑色,具边,被黄褐色长毛。中胸上前侧片后端、上后侧片前部被黄白色粉及黄褐色毛,下前侧片被黄白色粉。足黄色或黄褐色,前足胫节和跗节黑色。足主要被黄色短毛,中足腿节端部腹侧、胫节内侧及后足转节、腿节腹侧具黑色短刺毛。腹部棕褐色。第1背板黑褐色,后缘及两侧黄褐色,第2背板具1对黄褐色侧斑,第3背板前缘黄褐色。

采集记录:1♂,眉县红河谷,2002.Ⅸ.02,霍科科采;1♂,洋县华阳,2005.Ⅶ.

22，刘飞飞采；1♂，洋县华阳，2005.Ⅶ.22，安有为采。

分布：陕西（眉县、洋县）。

（185）红腹斜环蚜蝇 *Korinchia sinensis* Curran，1929

Korinchia sinensis Curran，1929：503.

鉴别特征：头顶和额黑褐色，被黄毛，额中部约2/3密覆黄粉，额前端1/3呈亮黄褐色，裸。颜黄色，两侧具黄白色粉被条纹。触角红黄色，第3节圆；触角芒长，裸。中胸背板被黄色短毛；肩胛黄色，具3条黄粉被横带，前缘横带宽，横沟处横带较窄，后缘横带中部向前扩展呈三角形或半圆形斑，背板中部具1对黄粉被纵条，纵条相距很近，背板在肩胛内侧、横沟前缘具黄斑，两侧在翅基部上方及翅后胛黄色，覆黄粉被，被黄色鬃状长毛。小盾片黑褐色，后缘黄色或黄褐色，具边，毛短。侧板黄色，中胸上前侧片后隆起部的前端、下前侧片大部分（后背角除外）、上后侧片后部、下后侧片暗黑褐色。足红黄色，前足跗节黑褐色，端跗节黄色；爪黄色，端部黑色。足被黄毛，后足腿节端腹面具黑鬃。腹部黄褐色，被黄毛，第1背板前缘中部黑褐色，第2~4背板中部具宽的黑色或黑褐色横带或横斑，带前缘中部向前扩展成弧形，有时黑带正中狭窄或中断。

采集记录：4♀，留坝闸口石，2013.Ⅶ.17，霍科科采。

分布：陕西（留坝）、四川。

56. 小瓣蚜蝇属 *Takaomyia* Herve-Bazin，1914

Takaomyia Herve-Bazin，1914：412. **Type species**：*Takaomyia johannis* Herve-Bazin，1914.

Vespiomyia Matsumura，1916：228. **Type species**：*Vespiomyia sexmaculata* Matsumura，1916.

属征：体形似蜂，体密具刻点，毛很短。复眼裸，雄性狭的离眼，上部小眼较下部大。头宽于胸，后头窄，颊宽；额突出；颜凹，无中突，颜下部适当延长。触角短，第3节大，长略大于宽；背芒裸，基生。中胸背板长大于宽，侧背翅盾呈弧形，小盾片缺盾下缘缨，无边；中胸上前侧片后隆起部、上后侧片前部及下前侧片前端具短毛，后端上、下毛斑狭，宽地分离，后端狭地相连；后胸腹板被短毛。后足基节桥缺。足简单，后足腿节细长。翅透明或前半部（伪脉之前）黄褐色，端部具暗褐色斑，翅痣暗褐色；翅膜具微刺；r_1室开放，R_{4+5}脉直，r-m横脉在中室中部；翅瓣狭，约等于sc室的宽度。腋瓣很狭。腹部第2节基部收缩成柄状，第3、4节迅速加宽成卵形；第2~4背板具浅色斑或带。

分布：古北区，东洋区。全世界已知4种，中国记录3种，秦岭地区有1种。本属为陕西省首次记录。

(186)黄带小瓣蚜蝇，新种 *Takaomyia flavofasciata* Huo, sp. nov.（图257）

鉴别特征：雌性体长10mm，翅长10mm。雌性头前面观三角形。复眼裸。头顶和额宽，额基部宽约为头宽的1/5，两侧向前略扩宽，额黑色，光亮，额前部略带褐色，新月片黄色；额中部具黄白色粉横带，并沿复眼向背、腹延伸；头顶及额被黄白色短毛。颜在中部凹入，无中突；黑亮，中部特别是两侧密覆黄白色粉，颜下半部具黄色短毛，沿复眼前缘具1列白毛。颊高，被毛白色。后头密覆黄白色粉被，被毛黄白色，两侧下半部毛近白色。触角黄色，基部2节褐黄色；第3节长略大于高；触角芒裸，黄色，端部褐黄色。胸部黑色，被黄色近平伏的短毛，被毛处具粗刻点。中胸背板无光泽，长大于宽，背面略拱，两侧在翅基上方呈弧形扩展（侧背翅盾 *notopleural wing shield*），背板中央具1条灰白色粉被纵条至横沟之后，沿横沟具灰白色条纹；翅后胛黑褐色。小盾片无边，缺盾下缨。前胸侧板、中胸上前侧片后隆起部、上后侧片前部及下前侧片前端具短毛，后端上、下毛斑狭，宽地分离，后端狭地相连；后胸腹板被短毛。后足基节桥缺。翅前半部（伪脉之前）黄褐色，端部具暗黄褐色斑，翅痣暗黄褐色；翅膜具微刺，仅翅瓣具裸区；r_1室开放，R_{4+5}脉直，r-m横脉在dm中部；翅瓣狭，约等于sc室的宽度。腋瓣很狭，黄白色。足细长，后足腿节不加粗。足黑色，各足腿节极端部、前足胫节基部、中足胫节及跗节浅黄色，后足胫节及基跗节暗黑褐色。足毛短，黄白色。腹部黑色，略具光泽，被毛短，具刻点。第1背板倒梯形，长小于宽，背板基部两侧具较长的白毛；第2背板略长于第3节，基部2/3呈柄状，从此向后渐扩宽，基部宽约等于第1背板基部之宽，背板两侧红褐色，在背板前缘近相连，背板两侧具较长的白毛；第3背板基部狭，端部与胸部最宽之处同，基部具红褐色横带，略小于背板长的1/3或等长，横带后部两侧具黄白色粉斑；第4背板基部具黄色粉被横带，盖住底色，略小于背板长的1/3；第5节背板两侧呈黑褐色；其余背板暗褐色。腹板狭，与背侧之间具宽的膜质区，腹板褐色至黑褐色，被黄色短毛。雄性未知。

采集记录：1♀（正模），陕西留坝，2012.Ⅶ.16，王玉艳采。

讨论：本种与其他种的区别在于本种中胸背板仅中央及横沟具灰白色粉被条纹，腹部第3、4节基部具浅色横带。

新种以腹部具2条浅色横带命名。

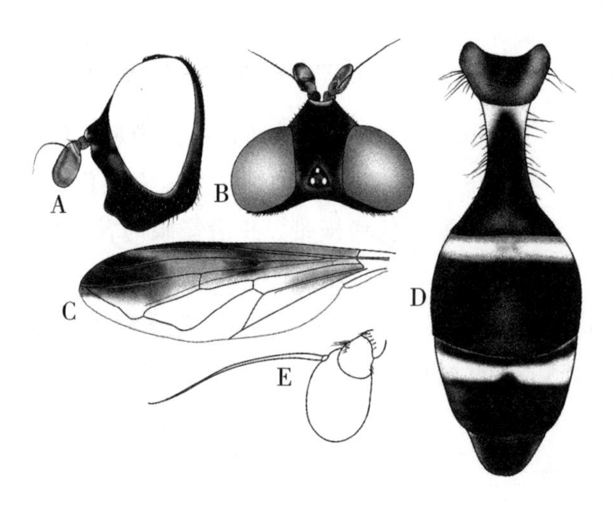

图 257 黄带小瓣蚜蝇，新种 *Takaomyia flavofasciata* Huo, sp. nov.

A. 雌性头部侧面观(female head, lateral view)；B. 雌性头部背面观(female head, dorsal view)；C. 翅 (wing)；D. 雌性腹部背面观(female abdomen, dorsal view)；E. 触角内侧观(antenna, inside view)

57. 拟木蚜蝇属 *Temnostoma* Lepeletier *et* Serville, 1828

Tritonia Meigen, 1800: 33. **Type species**: *Musca vespiformis* Linnaeus, 1758.

Temnostoma Lepeletier *et* Serville, 1828: 518. **Type species**: *Milesia bombylans* Fabricius, 1805, as a subgenus.

Microrhincus Lioy, 1864: 751. **Type species**: *Musca vespiformis* Linnaeus, 1758.

属征: 雌性明显较雄性大。头半圆形，宽于胸；复眼裸，雄性眼短距离相接；颜在触角下凹入，中突有或无；具额突。触角短，第 3 节圆，背芒裸。中胸背板粗壮，略拱起，后胸腹板被毛。腹部长，等于或略宽于胸，常弯曲。足简单，腿节无突起。翅 r_1 室开放，r-m 横脉斜。

生物学: 本属成虫常可在森林边缘的花上成对采集到，白天交尾，外形酷似胡蜂和蜾蠃。幼虫生活在树皮下及腐烂的落叶树木材内。

分布: 古北区，新北区，东洋区。中国记录 10 种，秦岭地区发现 4 种。

分种检索表

1. 腹部背板横带灰白色 ……………………………… **白纹拟木蚜蝇 *T. albostriatum***
   腹部背板横带黄色 ……………………………………………………… 2
2. 腹部背板 3 条横带等宽，不中断 ……………………… **黄色拟木蚜蝇 *T. flavidistriatum***
   腹部背板横带不等宽 ……………………………………………………… 3
3. 腹部背板第 2 条横带狭于第 1、3 条，第 1、2 条横带中部中断 ……………………

……………………………………………………………… 宁陕拟木蚜蝇 *T. ningshanensis*

腹部第 3 横带宽于第 1、2 条 ……………………………… 弓形拟木蚜蝇 *T. arciforma*

(187) 白纹拟木蚜蝇 *Temnostoma albostriatum* Huo, Ren *et* Zheng, 2007

Temnostoma albostriatum Huo, Ren *et* Zheng, 2007: 350.

鉴别特征:雄性复眼狭地分离，头顶三角黑色，被白色粉，被灰白色长毛。额暗褐色，基部及两侧被灰白色粉，前端形成近圆三角状的裸区。颜暗褐色，密被灰白色粉及毛，中部及两侧复眼下方形成宽的纵行裸区。触角黄褐色，第 3 节卵形；触角芒裸，黄褐色。中胸背板黑色，翅后胛暗黄褐色，背板被灰白色毛，肩胛及横沟前缘两端具灰白色粉斑。小盾片黑色，被灰白色长毛。中胸侧板黑色，被灰白色毛。足暗褐色，被灰白色毛，前足腿节端部及胫节的基部，中足腿节端部、胫节及其跗节，后足腿节端部、胫节及其跗节均为黄褐色，中足、后足跗节末端的 1 节呈暗褐色。翅 br 室及其以前呈棕黄色，后部透明。腹部长于头胸部之和，两侧近平行，黑色，被灰白色毛，第 2 ~4 背板前部具等宽的灰白色粉被条纹，第 3 背板条纹前缘中部直，两端斜向后，背板后缘略带暗褐色，第 4 背板条纹前缘中部到达背板前缘，背板后部 1/3 呈暗棕褐色，尾端呈暗棕色。

采集记录:1♂，留坝庙台子，1987.Ⅵ.15，霍科科采。

分布:陕西(留坝)。

(188) 弓形拟木蚜蝇 *Temnostoma arciforma* He *et* Chu, 1995

Temnostoma arciforma He *et* Chu, 1995: 13.

鉴别特征:雄性复眼狭地分开。头顶黑色，三角单眼前覆黄白色粉被，单眼三角及其后部被黄毛。额黑色，两侧密覆黄白色粉被，正中光亮。颜直，无中突，具宽的黄白色粉被侧条，该侧条较黑色中条宽。触角黄色，第 3 节高大于长，端部圆，触角芒裸。中胸背板黑色，肩胛密覆黄粉被，横沟处具黄色粉被横条纹，从背板前缘至后缘具不明显的宽粉被中条，被暗褐色半直立短毛，后部具稀疏褐色长毛。小盾片黑色，被褐色长毛和直立短毛。侧板黑色，上前侧片后部具黄粉被纵条，与背板盾沟处横带相接，被浅色长毛。后胸腹板具毛。足黑色，腿节端部、胫节及中足跗节、后足跗节红褐色，胫节具或多或少的黑环或斑，前足尤为明显；后足跗节端部 2 节有时色暗。翅前半部褐色，后半部透明。腹部黑色，第 2 ~4 背板基部各具 1 条黄粉被横带，前两条横带等宽，第 3 条横带明显宽于前两条，带后缘中央呈波形凸出，各带略呈弓形；腹背板毛淡色，短。雌性第 5 背板无横带。

采集记录:1♂，留坝闸口石，2004.Ⅵ.07，霍科科采；1♂，留坝紫柏山，2005.Ⅵ.21，霍科科采；1♂，留坝闸口石，2012.Ⅵ.13，霍科科采；1♂，留坝闸口石，2013.Ⅵ.

16，霍科科采；1♀，宁陕菜子坪，2003.Ⅵ.28，仝睿采。

分布：陕西（留坝、宁陕）、黑龙江。

(189) 黄色拟木蚜蝇 *Temnostoma flavidistriatum* Huo, Ren *et* Zheng, 2007

Temnostoma flavidistriatum Huo, Ren *et* Zheng, 2007: 352 .

鉴别特征：雄性复眼裸，两眼很狭地分离，头顶三角黑色，被橘黄色毛。后头部黑色，密被橘黄色粉及毛。额橘黄色，被橘黄色粉，前部具狭长三角形裸区。颜橘黄色，在额突之下直，无中突；颜被橘黄色粉及毛。触角橘黄色，第3节卵形，触角芒裸，橘黄色。中胸背板黑亮，翅后胛暗黄褐色，背板被黄褐色毛，肩胛及横沟前缘两端密被橘黄色粉，形成橘黄色斑纹，小盾片黑色，被黄褐色毛。中胸侧板黑色，被黄褐色毛，上前侧片后隆起部有橘黄色粉形成的纵条纹，与背板盾沟前缘的橘黄色斑相连。足橘黄色，被黄毛。翅在Sc与M_{1+2}脉之间暗褐色，翅痣黄褐色。腹部狭，长于头胸部之和，两侧近平行，黑色，被黄褐色毛，第2、4背板前部具橘黄色粉被条纹，第4背板条纹中部近背板的前缘、尾端橘黄色。

采集记录：2♂，留坝紫柏山，2005.Ⅵ.21，霍科科采；1♂，宁陕，2003.Ⅶ.09，徐鲲采。

分布：陕西（留坝、宁陕）。

(190) 宁陕拟木蚜蝇 *Temnostoma ningshanensis* Huo, Ren *et* Zheng, 2007

Temnostoma ningshanensis Huo, Ren *et* Zheng, 2007: 354.

鉴别特征：雄性复眼狭地分离，头顶三角黑色，前部被白色粉，被浅色长毛。额黄褐色，基部及两侧被黄色粉，前端形成近圆形三角状裸区。雌性头顶、额橘黄色，两侧被黄色粉。颜黄褐色，密被黄色粉，中部形成宽的纵行裸区，两侧复眼下方及口前缘中央黑色。触角黄褐色，第3节卵形，触角芒裸，黄褐色。中胸背板黑色，中央具1对不明显灰色粉被条纹，翅后胛暗黄褐色，肩胛及横沟前缘两端密被黄褐色粉，形成斑纹；小盾片黑色，被黄褐色短毛，后缘具1列长毛。中胸侧板黑色，被浅色毛。足黑色，被灰白色毛；前足腿节端部及胫节，中足腿节端部、胫节及其跗节，后足腿节极基部、端部、胫节及其跗节均为红褐色。雌性后足腿节外侧大部分红褐色。翅br室及其以前暗褐色。腹部黑色，被黄褐色毛，第2～4背板前部具灰黄色粉被条纹，第3背板条纹狭于第2、4背板条纹，第2、3背板条纹中部狭地中断。雌性第5背板为红黑色或暗的红褐色。

采集记录：1♀，留坝庙台子，2003.Ⅶ.02，霍科科采；2♂1♀，留坝庙台子，2005.Ⅵ.14，霍科科采；1♂，留坝庙台子，2005.Ⅵ.12，霍科科采；1♂，留坝闸口石，2012.

Ⅶ.13，霍科科采；1♂，宁陕火地塘，2003.Ⅶ.05，郭颖采；1♀，宁陕火地塘；2000.Ⅵ.08，王丽芳采。

分布：陕西（留坝、宁陕）。

58. 粗股蚜蝇属 *Syritta* Lepeletier *et* Serville, 1828

Syritta Lepeletier *et* Serville, 1828: 808. **Type species**: *Musca pipiens* Linnaeus, 1758.

Coprina Zetterstedt, 1837: 35 (nec *Robineau* Desvoidy, 1837). **Type species**: *Musca pipiens* Linnaeus, 1758.

Volvula Gistel, 1848: 35 (new name for *Coprina* Zetterstedt, 1837).

Austrosyritta Marnef, 1967: 268. **Type species**: *Austrosyritta cortesi* Marnef, 1967 [= *Syritta flaviventris* Macquart, 1824].

属征：体较小，黑色，具粉被斑。颜短，无中突，具中脊。触角短，第3节圆，背芒长，裸。复眼大。小盾片无盾下缘缨。后胸腹板被毛。腹部细条状，圆柱形。后足腿节粗大，端部腹面两侧具短刺，后足胫节弯曲。翅 r_1 室开放，R_{4+5} 脉略凹，r-m 横脉在 dm 室中部。

生物学：本属幼虫生活在堆肥、畜粪和腐烂的水果和蔬菜上。

分布：世界广布。中国记载有3种，秦岭地区发现2种。

分种检索表

雄性腹部具3对黄斑；后足腿节黑色，中部具宽度不等或不完整的橘黄色斑或环 …………………………………………………… **黄环粗股蚜蝇 *S. pipiens***

雄性腹部具2条黄色宽横带，雌性具2对黄斑；后足腿节亮黑色，有时末端棕色 …………………………………………………… **东方粗股蚜蝇 *S. orientalis***

(191) 东方粗股蚜蝇 *Syritta orientalis* Macquart, 1842

Syritta orientalis Macquart, 1842: 136.

Senogaster lutescens Doleschall, 1856: 410.

Syritta amboinensis Doleschall, 1858: 97.

Syritta illucida Walker, 1859: 121.

鉴别特征：雄性头顶三角黑亮，前半部密被黄白色粉，被黄毛。额与颜密被银白色粉被，颜棕色，中下部略带暗色。触角橘黄色，第3节长卵形；触角芒裸，黑褐色。中胸背板黑亮，肩胛黄褐色，翅后胛棕褐色，侧缘在横沟之前具黄白色粉被条纹，背板前缘具黄白色粉被横条纹，中部具1对黄白色短纵条，背板后缘具不明显的黄白色粉被横纹；背板被褐色近平伏短毛，两侧缘在翅基上方具短黑鬃。小盾片黑色，具边，后缘具数根略长的鬃状毛。侧板黑色，后胸腹板被短毛。前足、中足大部分黄褐色，腿节基部及胫节端部黑褐色，后足腿节极粗大，亮黑色，有时末端棕色，腹面具锯齿，端部1/3呈脊状，其上锯齿细密，胫节黑棕色，中部具橘黄色环，跗节褐色。翅透明，翅痣淡黄色。腹部第1背板两侧缘黄色，第2背板基部具宽的黄带，占背板长的2/3，前侧角与第1背板相接处具扇状毛簇；第3背板具有与第2背板相似的黄带，第3、4背板后缘具黄边。

采集记录：1♂，长安王曲，2003.Ⅸ.05，霍科科采；1♂，西乡，2002.Ⅷ.15，霍科科采；2♀，西乡南山，2005.Ⅶ.11，霍科科采；1♀，洋县石关乡，2005.Ⅶ.19，张培安采；1♂，白河，2002.Ⅶ.31，霍科科采。

分布：陕西（长安、西乡、洋县、白河）、江苏、安徽、湖北、湖南、福建、台湾、广东、四川、贵州；印度，斯里兰卡。

(192) 黄环粗股蚜蝇 *Syritta pipiens* (Linnaeus, 1758)

Musca pipiens Linnaeus, 1758: 594.

Xylota proxima Say, 1824: 8.

Syritta pipiens var. *obscuripes* Strobl, 1899: 146.

Syritta pipiens var. *albicincta* Abreu, 1924: 125.

Syritta pipiens var. *flavicans* Szilady, 1940: 68.

Syritta pipiens var. *vicina* Szilady, 1940: 67.

Spheginoides tenofemorus Dzhafarova, 1974: 40.

鉴别特征：头顶黑亮，前半部密被黄白色粉，被黄色毛。额与颜密被银白色粉被，颜棕色，中下部略带暗色。触角橘黄色，第3节长卵形，端部圆；触角芒裸，黑褐色。中胸背板黑亮，肩胛黄褐色，翅后胛棕褐色，侧缘在盾沟之前具黄白色粉被条纹，背板前缘具黄白色粉被横条纹，中部具1对黄白色短纵条，背板后缘具不明显的黄白色粉被横纹；背板被褐色近平伏短毛，两侧缘在翅基上方具短黑鬃。小盾片黑色，具边，被褐色短毛，后缘具数根略长的鬃状毛。前足、中足大部分黄褐色，后足腿节极粗大，亮黑色，基部橘黄色斑狭，中部具宽度不等或不完整的斑或环，腹面具锯齿，端部1/3呈脊状，其上锯齿细密，胫节黑棕色，基部淡黄色，中部具橘黄色环。翅痣淡黄色。腹部圆柱状，第2背板具1对黄色大侧斑，侧缘向前延伸与第1背板侧斑相连，前侧角与第1背板相接处具扇状毛簇；第3背板黄斑较小，第4背板基部两侧具1对小型灰色粉斑，后缘橘黄色。

采集记录：1♀，西安，2002.Ⅴ.28，霍科科采；2♂，西安，2002.Ⅳ.14，霍科科采；11♂3♀，西安，2002.Ⅳ.18，霍科科采；4♂，长安库峪，2002.Ⅵ.12，霍科科采；1♂，长安王曲，2003. Ⅸ. 05，霍科科采；1♂，周至楼观台，2002.Ⅴ.30，霍科科采；2♂2♀，眉县红河谷，2002.Ⅷ.29，霍科科采；1♂1♀，眉县红河谷，2002.Ⅷ.30，霍科科

采；2♂，眉县红河谷，2002.Ⅸ.01，霍科科采；2♀，眉县红河谷，2002.Ⅸ.02，霍科科采；2♂，眉县红河谷，2002.Ⅸ.04，霍科科采；1♂1♀，眉县太白山，2002.Ⅶ.18，霍科科采；1♂，留坝庙台子，2003.Ⅵ.26，霍科科采；2♂1♀，留坝庙台子，2003.Ⅵ.30，霍科科采；1♂，留坝庙台子，2005.Ⅵ.11，霍科科采；1♂，留坝闸口石，2012.Ⅶ.12，王亚灵采；1♂，留坝闸口石，2012.Ⅶ.13，强红采；1♂，留坝闸口石，2012.Ⅶ.15，王亚灵采；1♂，留坝闸口石，2012.Ⅶ.16，刘婷采；1♂，留坝闸口石，2012.Ⅶ.16，强红采；1♂，留坝闸口石，2012.Ⅶ.16，杨明采；1♀，留坝闸口石，2012.Ⅶ.12，霍科科采；1♀，留坝闸口石，2012.Ⅶ.16，霍科科采；1♂，留坝闸口石，2013.Ⅶ.18，霍科科采；2♂，留坝闸口石，2013.Ⅶ.15，陈锐采；1♀，留坝柴关岭，2014.Ⅷ.23，霍科科采；2♂1♀，柞水，2002.Ⅶ.13，霍科科采；1♂，商州，2002.Ⅶ.08，霍科科采；3♂，商州黑龙口，2002.Ⅶ.09，霍科科采。

分布：陕西（西安、长安、周至、眉县、留坝、柞水、商州）、黑龙江、河北、山西、甘肃、新疆、福建、云南；尼泊尔，全北区。

59. 瘤木蚜蝇属 *Brachypalpoides* Hippa, 1978

Brachypalpoides Hippa, 1978: 79. **Type species**: *Xylota lenta* Meigen, 1822.

属征：体中等大小；雄性接眼，复眼裸；额突特别大，很突出；颜深凹。中胸背板被毛，后胸腹板发达，被微毛。后足腿节粗大，腹面具瘤状突起或中刺脊。

分布：古北区，新北区，东洋区。中国记载 5 种，秦岭地区有 1 种。

(193) 黑腹瘤木蚜蝇 *Brachypalpoides nigrabdomenis* Huo, Zhang *et* Zheng, 2004（图 258）

Brachypalpoides nigrabdomenis Huo, Zhang *et* Zheng, 2004: 797.

鉴别特征：雄性头顶黑色，被黄色长毛。额黑亮，大部分裸，基部及两侧被白色粉，额突发达。颜黑色，沿眼沟具 1 列白色短毛，颜覆白色粉，复眼前缘下端处具白色短毛。触角第 3 节黄褐色，长略大于其高，触角芒长而裸，基部 2/3 黄褐色，端部黑色。肩胛内侧具白色粉斑，中胸背板中央具 1 对不明显的灰色条纹，背板被黄褐色直立长毛，两侧在翅基上方具黄褐色鬃毛。小盾片被参差不齐的黄褐色长毛，盾下缨长。足黑色，被白毛，跗节背面被暗褐色毛。前足腿节外侧具白色长毛，中足腿节长毛参差不齐，后足腿节被参差不齐的白色长毛，端部背面具黑褐色短毛，腹面外侧从基部到端部、内侧基半部具黑色刺毛，端部腹面内侧、外侧具较粗的黑刺；后足胫节端半部前侧具黑色短毛。翅端部略带黄褐色，翅痣暗褐色。腹部狭于胸，长约为头胸长度之和的 1.50 倍，除第 1 节外，第 2 背板最长，第 4 背板最短。腹部第 2、3 背板中部具倒“T”形暗黑色区，第 4 背板后部被黑色短毛。

采集记录:1♂，宁陕火地塘，2003.Ⅶ.10，娲莹采。

分布:陕西(宁陕)。

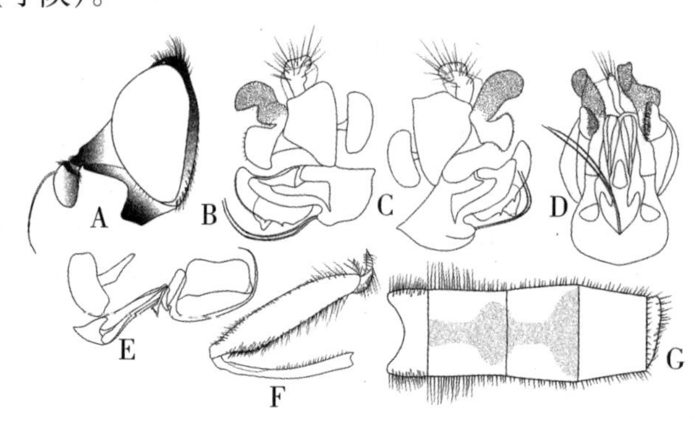

图 258　黑腹瘤木蚜蝇 *Brachypalpoides nigrabdomenis* Huo, Zhang *et* Zheng

A. 雄性头部侧面观(male head, lateral view); B. 雄性尾器左侧面观(male terminalia, left view); C. 雄性尾器右侧面观(male terminalia, right view); D. 雄性尾器腹面观(male terminalia, ventral view); E. 阳茎(aedeagus); F. 雄性后足(male hind leg); G. 雄性腹部背面观(male abdomen, dorsal view)

60. 铜木蚜蝇属 *Chalcosyrphus* Curran, 1925

Planes Rondani, 1863: 9 (nec Bowdich, 1825; Sausure, 1862). **Type species**: *Xylota vagans* Wiedemann, 1830.

Chalcosyrphus Curran, 1925: 122. **Type species**: *Chalcomyia atra* Curran, 1925 [= *Chalcomyia depressus* Shannon, 1925], as a subgenus.

Hardimyia Ferguson, 1926: 533. **Type species**: *Chrysotoxum elongatum* Hardy, 1921.

Xylotodes Shannon, 1926: 9, 22. **Type species**: *Brachypalpus inarmatus* Hunter, 1897.

Xylotomima Shannon, 1926: 15. **Type species**: *Xylota vecors* Osten-Sacken, 1875.

Neplas Porter, 1927: 96 (new name for *Planes* Rondani, 1863).

Spheginoides Szilady, 1939: 138. **Type species**: *Spheginoides obscura* Szilady, 1939.

Cheiroxylota Hull, 1949: 361. **Type species**: *Xylota dimidiata* Brunetti, 1923, as a subgenus.

Dimorphoxylota Hippa, 1978: 114. **Type species**: *Xylota eumera* Loew, 1869.

Neploneura Hippa, 1978: 125. **Type species**: *Neploneura melanocephala* Hippa, 1978.

Syrittoxylota Hippa, 1978: 116. **Type species**: *Xylota annulata* Brunetti, 1913, as a subgenus.

Xylotina Hippa, 1978: 117. **Type species**: *Milesia nemorum* Fabricius, 1805, as a subgenus.

属征:体中型至大型，具金属光泽；颜部凹入；复眼裸，雄眼合生。触角芒裸。小盾片具盾下缘缨。后胸腹板发达，被长毛。后足腿节粗大，端腹面具中刺脊，胫节具不同发达程度的端腹中突。翅端横脉与 R_{4+5}脉相交成直角，r-m 横脉在中室中部或之后。

分布:古北区，新北区，东洋区。中国约有 18 种，秦岭地区记录 4 种。

分种检索表

1. 后足腿节黑色 …… 2
   后足腿节至少基部浅色 …… 3
2. 前足、中足黑色 …… **无斑铜木蚜蝇 *Ch. amaculatus***
   前足、中足基节和转节黑色，其余棕红色 …… **黑龙江铜木蚜蝇 *Ch. amurensis***
3. 后足腿节基半部橘红色 …… **长铜木蚜蝇 *Ch. acoetes***
   后足腿节黄色，仅端部黑色 …… **江氏铜木蚜蝇 *Ch. jiangi***

(194) 长铜木蚜蝇 *Chalcosyrphus acoetes* (Séguy, 1948)

Zelima acoetes Séguy, 1948: 165.

鉴别特征:头顶三角黑色，被毛暗褐色。额黑色，基部及两侧被白色粉。颜覆白色粉；眼眶被白色细毛。触角第3节黑褐色，长约等于其高，触角芒黄褐色。中胸背板黑色，肩胛内侧具白色粉斑；被毛浅黄褐色，短，肩胛被白色短毛，背板后半部散生黑色直立长毛，两侧翅基上方具黑色短刺毛。小盾片黑色，被浅色长毛，盾下缨白色。足黑色，前足、中足膝部略带暗黄褐色，后足腿节基半部橘红色；后足腿节粗大，端半部腹面具中刺脊，胫节端部腹侧具中突；后足被毛黑色，腿节基部外侧及背侧被毛近白色，腹侧全长被黑色波曲长毛，端部腹侧具黑色长刺。翅透明，端半部黄褐色；翅面具微毛，有裸区。腹部长为头、胸部之和的1.50倍，第4背板暗红褐色，最长，第3背板短于第2、4背板；第2背板被白毛，后部中央具三角形黑色短毛区；第3背板被黑色短毛，基部两侧具近方形白色毛斑，第4背板被黑色短毛，后缘具黑色较粗的长毛，基部1/3及侧缘的1/2被白毛。

采集记录:1♂，留坝庙台子，2002.Ⅵ.17，霍科科采；1♀，宁陕旬阳坝，1980.Ⅶ.01，李沂采；1♀，柞水，2002.Ⅶ.13，霍科科采。

分布:陕西(留坝、宁陕、柞水)、河北、江苏、浙江。

(195) 无斑铜木蚜蝇 *Chalcosyrphus amaculatus* Huo, Ren *et* Zheng, 2007

Chalcosyrphus amaculatus Huo, Ren *et* Zheng, 2007: 388.

鉴别特征:雄性头顶三角黑色，被毛浅黄褐色，前单眼之前被白色粉。额黑色，基部及两侧被白色粉，前部黑褐色。颜覆白色粉，眼眶被白色细毛。触角第3节黑褐色，长约等于其高，触角芒长而裸。中胸背板黑色，被浅黄褐色短毛，背板后半部散生直立长毛，两侧翅基上方具黑色短刺毛，翅后胛暗褐色，前缘肩胛内侧具白色粉斑。小盾片黑色，被浅色短毛并散生长毛，盾下缨白色。侧板黑色，被浅黄褐色长细毛。后胸腹板被白色长毛。足黑色，膝部略带暗黄褐色，后足胫节基部1/3黄白色。

前、中足腿节被浅黄褐色毛，后腹侧及胫节后侧被毛长。后足腿节粗大，腹面前侧、后侧具黑色短刺，端部黑刺长，胫节弯曲，腹基1/3形成中脊；后足被毛白色，腿节端部及胫节后侧被毛黑色。翅前部略染黄色，翅具微毛。腹部长为头、胸部之和的1.50倍，黑色，具紫色光泽，第2、3腹节处略收缩。背面中央具半直立的浅黄色短毛，两侧毛较长，基部两侧长毛近白色。

采集记录：1♂，留坝，2004.Ⅵ.19，霍科科采；2♂，留坝，2004.Ⅵ.14，霍科科采；1♂，留坝闸口石，2012.Ⅶ.14，霍科科采。

分布：陕西（留坝）。

（196）黑龙江铜木蚜蝇 *Chalcosyrphus amurensis* (Stackelberg, 1925)

Zelima amurensis Stackelberg, 1925: 285.

鉴别特征：雄性额中部两侧具较大的淡色粉被斑，额毛黑色，较稀，前端裸；颜两侧具淡色粉被宽条。雌性头部亮黑色，头顶较隆起，具较长黑毛。触角棕褐色，第1节近黑色，第3节大，宽略大于长。中胸背板黑色，略带紫铜色光泽，背板前部纵条不明显，肩胛内侧具银白色粉被斑；背板被金色短卧毛；小盾片及侧板全黑色，小盾片具边，被淡色毛。足黑色；前足、中足除基节和转节黑色外，其余各节均为棕红色，被黄毛；后足黑色，腿节中部粗大，两端细狭呈梭子形，端部腹面具不规则的数行短刺，胫节略弯曲，基部腹面侧扁极明显，呈脊状，腹面短毛排列整齐。翅淡棕色，翅痣黑褐色。平衡棒棕红色，端部棕褐色。腹部黑色，后面观第2～4背板前部隐约可见极不明显的青灰色斑，被淡色毛。

采集记录：1♂，留坝闸口石，2013.Ⅶ.16，霍科科采。

分布：陕西（留坝）、黑龙江、吉林、内蒙古、北京、河北、湖南、四川；俄罗斯。

（197）江氏铜木蚜蝇 *Chalcosyrphus jiangi* He *et* Chu, 1997

Chalcosyrphus (*Xylotina*) *jiangi* He *et* Chu, 1997: 104.

鉴别特征：头顶亮黑色，后缘被褐色长毛，单眼三角被黑色短毛，前单眼之前覆白粉。颜黄色，覆白粉，无毛。额亮黑色，后缘及侧缘覆白色粉被。触角黄褐色，第3节卵圆形，长略大于宽，触角芒黄褐色。中胸背板黑色，被黄褐色毛，横沟之前具2条由较长黄毛形成的亚中条纹。肩胛侧各具1个白粉斑。小盾片黑色，被黄褐色毛。侧板及后胸腹板黑色，具黄褐色毛。足黄褐色，后足转节及腿节端部黑褐色，胫节褐色，具黄色宽中环；各足跗节黄色，前足、中足端部2个分跗节及后足第1、5跗节褐色。足毛黄褐色。后足转节具1个明显的圆锥形短距，后足腿节膨大，长约为其宽的3倍，端腹缘中刺脊由许多短刺组成，两侧有长刺数根，腹基1/3具若干短刺组成中刺脊。后足胫节弯曲，端腹面具中突。翅呈淡褐色，翅痣黄褐色，微毛覆盖翅膜的大部分。腹部长约等于中胸背板和小盾片长度之和的1.50倍，第1背板侧缘具黄褐色斑，第2、3背板侧缘各具1个黄褐色亚三角形斑。

采集记录:1♂，宁陕火地塘，2003.Ⅶ.06，张一丹采。

分布:陕西(宁陕)。

61. 木蚜蝇属 *Xylota* Meigen, 1822

Zelima Meigen, 1800: 34. **Type species**: *Musca segnis* Linnaeus, 1758.

Eumeros Meigen, 1803: 273. **Type species**: *Musca segnis* Linnaeus, 1758.

Heliophilus Meigen, 1803: 273. **Type species**: *Musca sylvarum* Linnaeus, 1758.

Xylota Meigen, 1822: 211 (new name for *Heliophilus* Meigen, 1803).

Micraptoma Westwood, 1840: 136. **Type species**: *Musca segnis* Linnaeus, 1758.

Pelia Gistel, 1848: 4 (new name for *Eumenes* Meigen, 1803).

Ameroxylota Hippa, 1978: 75. **Type species**: *Heliophilus flukei* Curran, 1941.

Haploxylota Mutin, 1999: 46. **Type species**: *Xylota sichotana* Mutin, 1985, as a subgenus.

Hovaxylota Keiser, 1971: 279. **Type species**: *Hovaxylota setosa* Keiser, 1971.

Sterphoides Hippa, 1978: 76. **Type species**: *Xylota brachygaster* Williston, 1892.

属征:体小型至中型，细长，黑色，具光泽。颜凹陷；复眼裸，雄性合生。触角芒裸。后胸腹板被微毛。后足腿节粗大，腹面具侧刺脊或具成排的刺；后足转节下侧常具1个刺突；后足胫节弯曲。

分布:古北区，新北区，东洋区，澳洲区。中国共记载32种，秦岭地区有8种。

分种检索表

1. 后足胫节基腹脊无刺 ………………………………………… 2
   后足胫节基腹脊具刺 ………………………………………… 5
2. 腹部亮黑色，第3背板近基部具由黄色平伏密毛组成的毛斑；第4背板密被黄色平伏毛；雄性后足转节刺突很粗短 ………………………… **金毛蚜蝇 *X. sylvarum***
   腹部无明显金黄色毛。腹部全黑色，无淡色斑 ……………………… 3
3. 雄性后足转节具长刺，中胸背板具2对灰色条纹 ……………… **红河木蚜蝇 *X. honghe***
   雄性后足转节具瘤状刺突 ………………………………………… 4
4. 翅痣下具大型云斑 ………………………… **太白山木蚜蝇 *X. taibaishanensis***
   翅透明，无云斑…………………………………… **无斑木蚜蝇 *X. amaculata***
5. 腹部中部不收缩，第2、3背板具红黄色斑 ……………………… **缓木蚜蝇 *X. segnis***
   腹部中部收缩，第2、3背板斑不明显 ……………………………… 6
6. 腹部第2~4背板具橘红色斑 ……………………………… **云南木蚜蝇 *X. fo***
   腹部无斑 ………………………………………………………… 7

7. 转节具细长的刺突 ………………………………………………… 黑腹木蚜蝇 *X. coquilletti*
转节具短刺突 ……………………………………………………… 紫色木蚜蝇 *X. cupripurpura*

(198)无斑木蚜蝇 *Xylota amaculata* Yang *et* Cheng, 1996

Xylota amaculata Yang *et* Cheng, 1996: 211.

鉴别特征：雄性头顶黑色，前单眼之后被浅黄毛，单眼三角位于头顶前部。额黑色，密被白色粉，基部沿复眼被白色短毛。雌性额中部两侧具粉斑。颜密被白色粉。触角黑色，第3节黑褐色，椭圆形，长大于其高；触角芒黑色。中胸背板黑色，肩胛内侧具白色粉斑，背板被黄色直立短毛，两侧缘翅基上方具黑色短刺毛。小盾片黑色，被毛短，后缘毛长，盾下缨长而密。足黑色，被黄褐色短毛。前足和中足腿节顶端、胫节基部约1/3、胫节端部及跗节基部3节黄色，中足跗节基部第1～4节腹面端部具黑刺。后足转节具短刺突，腿节长约为其最宽处的5倍，腹面两侧具黑刺，胫节略弯曲，基部1/3黄褐色，胫节端部的2/3黑褐色。雌性前足、中足腿节后背侧、后足腿节前背侧基部3/4被较长的白毛。翅透明，翅痣黄褐色。腹部第2节长于第3节，第3节略长于第4节。腹部背板被黄色毛，侧缘基部两侧具白色长毛，第2背板中部、第3背板中部及后端、第4背板基部被黑褐色平伏短毛。

采集记录：1♂1♀，留坝闸口石，2004.Ⅵ.07，霍科科采；1♀，留坝闸口石，2013.Ⅶ.15，霍科科采；1♀，留坝闸口石，2013.Ⅶ.16，霍科科采；1♀，留坝，2014.Ⅷ.26，霍科科采；1♀，商州，2002.Ⅶ.09，霍科科采。

分布：陕西（留坝、商州）、吉林。

(199)黑腹木蚜蝇 *Xylota coquilletti* Hervé-Bazin, 1914

Xylota cuprina Coquillett, 1898: 327.
Xylota coquilletti Hervé-Bazin, 1914: 409 (new name for *Xylota cuprina* Coquillett, 1898).
Xylota silvicola Mutin, 1987: 103.

鉴别特征：雄性体黑色，略具古铜色光泽。两眼连线约与头顶三角等长，头顶黑色，被黄色长毛；额及颜密覆黄粉被，额前端棕褐色，裸。触角基部2节黑色，第3节棕色。中胸背板及小盾片黑色，具光泽，肩胛内侧覆黄白色粉被斑；小盾片具边，背板毛金黄色；侧板棕色，毛棕红色。足黑色，前足和中足膝部、胫节基半部或末端、跗节基部1～3节、后足胫节基部1/3均为黄色；足被黄毛，后足腿节前腹面、后腹面具黑色短刺，转节腹面具1个短刺。翅透明，翅痣棕色。腹部长于头、胸之和，狭于胸部，褐色至黑色，有时略带棕色；第1背板铜黑色；第2、3背板两侧各具三角形古铜色或略带绿色侧斑；腹背毛棕黄色，短，腹面毛黄色，直立，稀。雌性额中部覆黄白色粉被斑；转节腹面无短刺。

采集记录:1♀，西安，2002.Ⅳ.14，霍科科采；1♀，长安王曲，2003.Ⅸ.05，霍科科采；1♂，眉县红河谷，2002.Ⅷ.29，霍科科采；1♂，眉县红河谷，2002.Ⅷ.30，霍科科采；1♂1♀，眉县红河谷，2002.Ⅸ.03，霍科科采；1♂，洋县九池，2002.Ⅷ.04，霍科科采。

分布:陕西(西安、长安、眉县、洋县)、黑龙江、台湾、四川;俄罗斯，日本。

(200)紫色木蚜蝇 *Xylota cupripurpura* Huo, Zhang *et* Zheng, 2004

Xylota cupripurpura Huo, Zhang *et* Zheng, 2004: 798.

鉴别特征:雄性头顶黑色，前单眼之后被浅黄色毛。额黑色，密被白色粉，基部被白色短毛。雌性额中部两侧具三角形白粉斑。颜密被白色粉。触角第3节暗褐色，椭圆形;触角芒黑色。中胸背板具紫铜色光泽，肩胛内侧具白色粉斑，背板被黄色直立短毛，后部散生黄色较长的毛，两侧缘翅基上方具黑色短刺毛。小盾片黑色，被毛同背板。足黑色，被黄褐色毛，前足、中足胫节及跗节基部3节黄色，前足基跗节腹面基部、中足跗节基部第1~4节腹面端部具黑刺。后足转节具短的刺突，腿节长约为其最宽处的5倍，腹面外侧端部2/3具稀疏的黑色短刺，端部1/3的腹侧形成内、外刺脊，外侧刺脊强于内侧刺脊；胫节略弯曲，基部1/3黄褐色，胫节端部的2/3黑褐色；跗节基部3节黄褐色。翅痣黄褐色。腹部具铜紫色光泽，第2节略长于第3、4节，第3节略长于第4节。腹部背板被黄色毛，侧缘基部两侧具白色长毛，第2背板中部、第3背板中部及后端、第4背板基部被黑褐色短毛。

采集记录:1♂，长安南五台，2002.Ⅷ.26，霍科科采；1♀，宝鸡马头滩，2003.Ⅶ.23，霍科科采；1♂，眉县红河谷，2002.Ⅸ.01，霍科科采。

分布:陕西(长安、宝鸡、眉县)。

(201)云南木蚜蝇 *Xylota fo* Hull, 1944

Xylota fo Hull, 1944: 45.

鉴别特征:雄性头顶亮蓝黑色，被黄毛，单眼三角着生很前；后头上部亮蓝黑色，中部、下部密覆白色粉被和白毛；额和颜黑色，密覆白粉被。触角第3节红褐色或黄褐色，覆褐色粉被；触角芒较长。中胸背板黑色，略具光泽，密布刻点和黄毛，肩胛内侧具白色粉被斑；小盾片同背板，盾下毛长，密；侧板密覆白粉被和同色毛。足黑褐色，前足、中足胫节及跗节基部3节黄色，胫节中部具不明显暗斑，后足胫节基部黄色，端部2/3及跗节基部3节黄褐色至黑褐色；后足转节刺突细长，后足腿节基部至端部外侧具1排粗大的黑刺，内侧刺密布中部至端部；足毛白色，胫节、跗节黄色。翅透明，翅痣黄褐色。腹部黑色，略具光泽，长于头、胸之和，中部略收缩，第2、3节交界处最狭，密布刻点，被黄毛，基部两侧毛长；腹部黑色；第2~4背板具不明显的红褐色斑。

分布:陕西(秦岭)、吉林、河北、甘肃、江苏、上海、安徽、浙江、江西、福建、四川、云南。

(202)红河木蚜蝇 *Xylota honghe* Huo, Zhang *et* Zheng, 2004

Xylota honghe Huo, Zhang *et* Zheng, 2004: 800.

鉴别特征:雄性头顶黑色，单眼三角位于头顶中部。额黑褐色，基部沿复眼被白色短毛及粉。颜密被白色粉。触角第3节暗褐色，椭圆形，长大于其高；触角芒黑褐色。中胸背板黑色，肩胛内侧具白色粉斑，具1对前部相接的灰色条纹，其外侧各有1条灰色条纹，背板被黄褐色短毛，后部两侧散生黄褐色较长的毛，两侧缘翅基上方具黑色短刺毛。小盾片黑色，被毛同背板，盾下缨长。足黑色，被黄褐色毛，前足、中足胫节基部黄褐色，前足基跗节腹面基部外侧具黑刺，中足基跗节腹面与第2、3分跗节腹面端部具黑刺。后足转节具细长刺突；腿节长约为其最宽处的5倍，腹面外侧和内侧从基部到端部具黑色短刺，端部腹面内侧、外侧形成刺脊；胫节基部腹中脊具黑色短刺，基跗节黑褐色，第2、3分跗节黄褐色。腹部第2、3节相接处最狭，第2节略长于第3、4节，第3节略长于第4背板。腹部背板被黄白色毛，侧缘基部两侧毛长，第2背板中部、第3背板中部及后端、第4背板基部被黑褐色短毛。

采集记录:1♂，眉县红河谷，2002.Ⅸ.03，霍科科采。

分布:陕西(眉县)。

(203)缓木蚜蝇 *Xylota segnis* (Linnaeus, 1758)

Musca segnis Linnaeus, 1758: 595.
Musca maritima Scopoli, 1763: 344.
Musca fucatus Harris, 1780: 83.
Musca contracta Geoffroy *in* Fourcroy, 1785: 491.
Musca melanochrysa Gmelin, 1790: 2879.

鉴别特征:雄性头黑色，颜和额密覆黄白色粉被。触角黑褐色，第3节黄褐色；触角芒黄褐色，长。中胸背板黑色，具金属绿色光泽，肩胛内侧具白色大粉被斑，背板被毛短、密，黄色；侧板毛白色，长；小盾片同背板，后缘毛黄色，长。足黑色；前足、中足胫节黄色，中部具界限不明显的褐色宽环，跗节基部3节黄色，后足胫节基部2/5黄色，跗节中部2节黄色；后足转节具细长的刺突，腿节略粗大，腹面外侧从基部至端部具1排黑刺，端部内侧具1排同样的刺，胫节明显弯曲；足毛白色。翅略带褐色，缘室及翅痣淡褐色。腹部黑色，第2和第3背板大部分橘红色，第2背板中部色暗或具黑色中线；腹部毛黄色，基部两侧毛长，第4背板后缘及腹末毛呈黑色。

分布：陕西（秦岭）、吉林；俄罗斯，欧洲，非洲（北部），北美洲。

（204）金毛木蚜蝇 *Xylota sylvarum*（Linnaeus，1758）

Musca sylvarum Linnaeus，1758：592.

Musca longisco Harris，1780：83.

Syrphus impiger Rossi，1790：289.

鉴别特征：雄性头顶亮蓝黑色，被黄毛；单眼三角着生较前；额和颜黑色，密覆黄粉被，额突前方中央裸；颊裸，亮黑色。雌性头顶和额被黄白色毛，额中部两侧具三角形白粉斑，额基部1/3裸；颜上半部密被白粉被。触角黑色，第3节黑褐色，触角芒长。中胸背板亮黑色，被黄短毛，后部混杂黑毛；小盾片与侧板同背板。后足转节刺突很粗短，腿节略粗大，直，腹侧端半部具两排黑刺。雌性中胸背板前端肩胛内侧具白色粉斑，盾下缘缨完整，白色。足黑色，胫节基半部黄色，端半部褐色或褐黑色，跗节基部3节黄色，后足色暗。翅略带黑色，透明，翅痣黄褐色。雌性翅膜被微刺，bc室、bm室基部和cup室前缘，裸。腹部长于头、胸部之和，暗黑色，基部和端部具光泽；第3背板近基部两侧具由黄色平伏密毛组成的毛斑；第4背板密被黄色平伏毛；腹部基部两侧白毛长，第3背板毛短，黑色。

采集记录：2♂2♀，留坝闸口石，2013.Ⅶ.16，霍科科采；1♀，留坝柴关岭，2014.Ⅷ.23，霍科科采。

分布：陕西（留坝）、黑龙江、吉林；蒙古，俄罗斯，欧洲。

（205）太白山木蚜蝇 *Xylota taibaishanensis* He *et* Chu，1997

Xylota taibaishanensis He *et* Chu，1997：103.

鉴别特征：雌性头顶及额黑色，被黄毛，单眼三角之后毛较长，额中部两侧具白色粉斑。雄性复眼接缝约为额突的1/3。颜密被白色粉。触角第3节黑褐色，椭圆形，长大于其高；触角芒黑色。中胸背板具紫铜色光泽，肩胛内侧具白色粉斑，背板被黄色直立短毛，侧缘毛较长，后部散生黄色较长的毛，两侧缘翅基上方具黑色短刺毛。小盾片黑色，被毛长，盾下缨长而密。侧板黑色，被白毛及粉。足黑色，被白毛，前足、中足胫节基部黄褐色；后足基节、转节被白毛，腿节长约为其最宽处的5倍。腹面外侧端部2/3具稀疏黑色短刺，端部腹侧1/3形成内刺脊、外刺脊；胫节略弯曲，基部1/3橘黄色，胫节端部的2/3黑褐色。翅痣暗褐色，翅痣下方具暗褐色云斑。腹部黑色，具铜紫色光泽，第2节略长于第3、4节。腹部背板主要被黄白色毛，侧缘基部两侧毛长，第2背板中部、第3背板中部及后端、第4背板基部被黑褐色短毛。

采集记录：1♀，眉县太白，2003.Ⅶ.24，霍科科采；1♂，留坝，2004.Ⅵ.19，霍科

科采。

分布:陕西(眉县、留坝)。

62. 黑蚜蝇属 *Cheilosia* Meigen, 1822

Cheilosia Meigen, 1822: 289. **Type species**: *Eristalis scutellatus* Fallén, 1817.

Cartosyrphus Bigot, 1883: 230. **Type species**: *Syrphus paganus* Meigen, 1822.

Stenocheilosia Matsumura *in* Matsumura *et* Adachi, 1916: 242. **Type species**: *Stenocheilosia isshikii* Matsumura, 1916.

Chilomyia Shannon, 1922: 121. **Type species**: *Cheilosia occidentalis* Williston, 1882, as a subgenus.

Chaetochilosia Enderlein *in* Brohmer, Erhmann *et* Ulmer, 1936: 125. **Type species**: *Syrphus canicularis* Panzer, 1801, as a subgenus.

Dasychilosia Enderlein in Brohmer, Erhmann *et* Ulmer, 1936: 125. **Type species**: *Syrphus variabilis* Panzer, 1798, as a subgenus.

Nigrocheilosia Shatalkin, 1975: 901. **Type species**: *Eristalis pubera* Zetterstedt, 1838, as a subgenus.

Conicheila Barkalov, 2002: 231. **Type species**: *Cheilosia conifacies* Stackelberg, 1963, as a subgenus.

Convocheila Barkalov, 2002: 231. **Type species**: *Cheilosia cumanica* Szilady, 1938, as a subgenus.

Eucartosyrphus Barkalov, 2002: 227. **Type species**: *Eristalis longula* Zetterstedt, 1838, as a subgenus

Floccocheila Barkalov, 2002: 228. **Type species**: *Musca illustrata* Harris, 1780, as a subgenus.

Montanocheila Barkalov, 2002: 228. **Type species**: *Eristalis alpina* Zetterstedt, 1838, as a subgenus.

Neocheilosia Barkalov *in* Nartshuk, 1983: 6. **Type species**: *Cheilosia scanica* Ringdahl, 1937, as a subgenus.

Nephocheila Barkalov, 2002: 228. **Type species**: *Nephomyia bombiformis* Matsumura, 1916, as a subgenus.

Nephomyia Matsumura *in* Matsumura *et* Adachi, 1916: 220. **Type species**: *Nephomyia bombiformis* Matsumura, 1916.

Nigrocheilosia Shatalkin, 1975: 901. **Type species**: *Eristalis pubera* Zetterstedt, 1838, as a subgenus.

Pollinocheila Barkalov, 2002: 228. **Type species**: *Cheilosia fasciata* Schiner *et* Egger, 1853, as a subgenus.

Rubrocheila Barkalov, 2002: 232. **Type species**: *Cheilosia egregia* Barkalov *et* Cheng, 1998, as a subgenus.

属征:体小型至大型，金属黑色或灰黑色。头与胸等宽或宽于胸；雄性合眼，雌性离眼，复眼被密毛或裸；雄性额具凹点或三角形的纵槽，雌性额通常具3条纵沟，或触角基部上方明显凹陷。颜在触角基部下方凹陷，黑色或金属绿色，裸或具毛，中突明显，具明显的眼缘。触角第3节卵形，背芒着生在第3节基部，近乎裸。中胸背板近方形，通常背板两侧及小盾片边缘无粗鬃，少数种类具少许粗鬃毛。腹部椭圆形或长卵形。足简单。翅具典型的食蚜蝇脉相，r-m 横脉在 dm 室中部之前，M_1 和 dm-cu 与翅缘平行，r_1 室开放。

生物学：曾报道此类群幼虫有的以真菌为食，有的取食树根或树茎。

分布：主要分布在古北区，其次为新北区和东洋区，新热带区和澳洲区略有分布。中国已知 105 种，秦岭地区记录 25 种。

分种检索表

1. 复眼裸 …… 2
   复眼被毛 …… 16
2. 足全黑色 …… **间黑蚜蝇 *Ch. septima***
   足至少前足、中足胫节基部 1/4 ~ 1/3 黄色或红褐色 …… 3
3. 颜覆密毛 …… **适黑蚜蝇 *Ch. intermedia***
   颜裸 …… 4
4. 触角窝被骨片宽地分开，腿节至少基部黄色。后足跗节第 1 节和第 5 节黑色，第 2 ~ 4 节黄色 …… **维多利亚黑蚜蝇 *Ch. victoria*（pt.）**
   触角窝融合 …… 5
5. 雄性两眼连接 …… 6
   雌性两眼离眼 …… 11
6. 前足、中足第 1 ~ 3 跗节背面亮黄色 …… 7
   跗节背面黑色，或仅中足基跗节淡黄色，或前足、中足第 2 ~ 4 跗节黄色 …… 9
7. 第 3 触角节黑色或褐色 …… **异盾黑蚜蝇 *Ch. scutellata***
   第 3 触角节橙黄色，前部色暗 …… 8
8. 翅前部变暗 …… **牯岭黑蚜蝇 *Ch. kulinensis***
   翅透明，前部不变暗 …… **维多利亚黑蚜蝇 *Ch. victoria***
9. 中胸背板覆褐色粉被；颜中突顶端较窄而尖 …… **尖突黑蚜蝇 *Ch. longula***
   中胸背板无粉被；颜中突顶端宽而圆 …… 10
10. 中胸背板毛黄色或前部具淡色和黑色混合毛，额密覆灰色粉被；腹部第 4 背板具平伏的黑色短毛 …… **卧毛黑蚜蝇 *Ch. aokii***
    中胸背板毛全黑色。触角芒具明显的毛 …… **日本黑蚜蝇 *Ch. josankeiana***
11. 第 3 触角节明显增大 …… 12
    第 3 触角节不增大 …… 14
12. 触角芒明显具毛 …… 13
    触角芒裸。第 3 触角节暗橙黄色 …… **牯岭黑蚜蝇 *Ch. kulinensis***
13. 侧板覆灰色粉被，额前部具三角形灰色粉斑 …… **日本黑蚜蝇 *Ch. josankeiana***
    侧板大部分光亮，额前部具灰色粉被横带 …… **卧毛黑蚜蝇 *Ch. aokii***
14. 腿节黄色或中足腿节具暗斑，肩胛及小盾片黑色 …… **维多利亚黑蚜蝇 *Ch. victoria***
    腿节至少基半部黑色 …… 15
15. 颜中突宽，顶端圆 …… **异盾黑蚜蝇 *Ch. scutellata***

颜中突较狭，顶端尖 ………………………………………………… **尖突黑蚜蝇** ***Ch. longula***

16. 颜至少具少许毛 …………………………………………………………………… 17

颜无明显的毛 …………………………………………………………………………… 26

17. 触角芒羽毛状 ……………………………………………… **台湾黑蚜蝇** ***Ch. formosana***

触角芒非羽毛状，裸或具毛 ………………………………………………………… 18

18. 小盾片后缘无鬃，有时具黄色长毛 ……………………………………………… 19

小盾片后缘至少具短的黑鬃或黑色鬃状毛 ……………………………………… 20

19. 翅中部具黑褐色斑。腹部无黑毛 ………………………… **褐斑黑蚜蝇** ***Ch. motodomariensis***

翅中部无暗斑。复眼、腹部、足等多具白毛……………………… **白毛黑蚜蝇** ***Ch. albopubifera***

20. 雄性两眼连接 …………………………………………………………………… 21

雌性两眼离眼 …………………………………………………………………… 24

21. 前足跗节黄色，端节黑色中突较宽，两侧不压缩，颜向前突出较少，中胸背板覆褐色粉被…
…………………………………………………………………… **条纹黑崎蝇** ***Ch. shanhaica***

前足跗节背面黑色，基跗节略呈黄色 ……………………………………………… 22

22. 中胸背板具等长的黄色毛 ……………………………………… **无锡黑蚜蝇** ***Ch. difficilis***

中胸背板具黑色毛，或黑色和黄色毛混合 ………………………………………… 23

23. 中胸背板具黄色和色黑毛，翅脉 M_1 和 R_{4+5}相交近 90° ………… **白粗毛黑蚜蝇** ***Ch. albohirta***

中胸背板被黑毛，M_{1+2}与 R_{4+5}的内角为锐角 ………………… **巴山黑蚜蝇** ***Ch. bashanensis***

24. 前足跗节背面黑色，中足跗节全黑色 …………………………… **白粗毛黑蚜蝇** ***Ch. albohirta***

前足跗节黄色，端节黑色 …………………………………………………………… 25

25. 胫节全黄色………………………………………………………… **条纹黑蚜蝇** ***Ch. shanhaica***

胫节黄色，具宽黑环。中胸背板光亮，无粉被纵条 ………………… **无锡黑蚜蝇** ***Ch. difficilis***

26. 颜显著向前突出，形成喙，眼覆较长的毛，胫节基部 1/3 黄色；翅基半部淡黄色…………
…………………………………………………………………… **长翅黑蚜蝇** ***Ch. longiptera***

颜向前突出不明显，若明显向前突出，则具明显中突 ………………………………… 27

27. 小盾片后缘无鬃，有时具长毛 ……………………………………………………… 28

小盾片后缘具长的黑色或淡色鬃 …………………………………………………… 34

28. 翅中部具黑褐色斑，有时黑斑近横脉处 …………………………………………… 29

翅中部无黑色斑 …………………………………………………………………… 32

29. 颜明显向前突出 …………………………………………………………………… 30

颜向前突出不明显，或向下突出 …………………………………………………… 31

30. 中胸背板仅具黄毛，体大于 12mm ……………………………… **熊蜂黑蚜蝇** ***Ch. bombiformis***

中胸背板被黄色密长毛，前部及侧缘混生黑色长毛，翅基之间不形成明显黑毛带，腹部被毛污白色到棕褐色 ………………………………………… **陕西黑蚜蝇** ***Ch. shaanxiensis***

31. 额覆密的灰色粉被，中胸背板具长毛 ……………………… **褐斑黑蚜蝇** ***Ch. motodomariensis***

腹部具黑色、白色和棕红色 3 种毛，中胸背板密被黄褐色长毛，两侧混有黑色长毛，黑色长毛在盾沟之后、翅基之间形成明显的带 ……………………………… **三色黑蚜蝇** ***Ch. tricolor***

32. 肩胛黄色或黄褐色；触角芒具明显的毛 …………………………… **蓝泽黑蚜蝇** ***Ch. sini***

肩胛主要黑色 ……………………………………………………………………… 33

33. 眼缘具很长的白色毛…………………………………………… **黄斑黑蚜蝇** ***Ch. distincta***

眼缘毛较短，若毛长，则为黄色或黑色。侧板大部分光亮，无粉被 ……………………

…………………………………………………………………………… 毛眼黑蚜蝇 ***Ch. multa***

34. 腹部黑褐色，第2～4背板基部两侧具灰白色粉斑 ……………… 粉带黑蚜蝇 ***Ch. pollistriata***

腹部黑色，无粉斑 …………………………………………………………………… 35

35. 颜向前向下突出 …………………………………………………………………… 36

颜不向前向下突出 …………………………………………………………………… 37

36. 足黑色，腿节极基部及顶端黄色；胫节黄色，中部具宽的黑环；跗节黄色，端跗节黑色，足毛黄色 ……………………………………………… 秦岭黑蚜蝇 ***Ch. qinlingensis***

足黄色，腿节基半部具宽的黑环；跗节黄色，端跗节黑色，足毛黄色，后足腿节无长毛，腹面端半部和中足跗节腹面具黑色短刺 ……………………… 凤黑蚜蝇 ***Ch. fengensis* nom. nov.**

37. 足主要黄色，仅中足和后足基节，跗节顶端节、后足腿节顶端1/5黑色；前足腿节毛长，白色，中足腿节毛黄色，后足腿节淡色部分毛黄色，暗色部分毛黑色；后足腿节腹侧毛短，黑色 …………………………………………………… 维多利亚黑蚜蝇 ***Ch. victoria***

前足腿节黑色，极端部黄色，胫节基部1/3和顶端亮褐色，其余黑色；后足腿节基部1/3具黄色长毛…………………………………………………… 长翅黑蚜蝇 ***Ch. longiptera***

(206) 白粗毛黑蚜蝇 *Cheilosia albohirta* (Hellén, 1930)

Chilosia albohirta Hellén, 1930: 27.

Cheilosia (*Cheilosia*) *albohirta*: Barkalov & Cheng, 2004: 1.

鉴别特征：复眼被长而密的白毛。额鼓起，中央具纵沟；复眼连角明显大于90°。触角窝分开。颜除中突和口缘外被灰粉和长而密的白毛，中突狭小，眼缘最宽处明显宽于触角第3节宽度的1/2，被灰粉和白色长毛。触角第3节圆，黑色，基部红色或整个红色；触角芒较长，裸。雌性额具2侧纵沟，覆直立白色长毛；触角第3节橙色，前缘黑色；触角芒短，基部1/3明显增宽。肩胛黑色，密覆灰粉。中胸背板密覆灰粉和少量直立的白色和黑色长毛，两侧无鬃，翅基上方具黑色短毛，翅后胛具1～2根黑色长毛。小盾片毛长，黄白色，后缘黑毛长。盾下缘缨长，白色。侧板密被灰粉和白毛，混生黑毛。雌性中胸背板具细刻点，两侧被灰粉狭条纹和直立短黄毛；翅后胛具1～2枚黑毛；小盾片后缘具黑鬃；盾下缘缨较短，白色。中足、后足基节黑色；转节和腿节除顶端外均为黑色，胫节基部1/3和顶端（后足顶端黑色）黄色。翅 M_1 和 R_{4+5} 脉间内角约等于90°。腹部覆较密的灰粉和白色毛和褐色毛，两侧直立毛，中部平伏，第4节末端毛黑色。

采集记录：1♂，汉中天台山，2002.Ⅲ.31，霍科科采；1♂，汉中天台山，2005.Ⅳ.16，霍科科采。

分布：陕西（汉中）、黑龙江、河北；蒙古，俄罗斯。

(207) 白毛黑蚜蝇 *Cheilosia albopubifera* Huo, Ren *et* Zheng, 2007

Cheilosia albopubifera Huo, Ren *et* Zheng, 2007: 237.

鉴别特征:雄性复眼密被白色毛。额中央具纵沟，近复眼具密灰粉和黑毛、浅色毛，两复眼连角约等于90°。触角窝分开。雌性额具2侧纵沟，覆直立白色长毛。触角第3节橙色；触角芒短，基部1/3明显增宽。颜黑色，被细灰粉和白色长毛，中突小，眼缘约与触角第3节等宽，被稀的灰粉和白色短毛。触角第3节圆；触角芒黑褐色，具短毛。中胸背板被直立黄白色毛，前部两侧混生黑毛，小盾片被黄白色长毛，后缘无黑鬃或具2根黑色鬃状长毛，或具黄色鬃状长毛。盾下缘缨黄白色。雌性中胸背板两侧被灰粉和直立黄色短毛；翅后胛具1~2枚黄色毛；小盾片后缘具黄鬃。腿节黑色，顶端狭黄色；前足、中足胫节黄色，端半部具黑环；后足胫节黑色，基部1/3黄色，跗节黑色；腿节长毛为黄色，前足腿节后侧端部具黑色长毛，后足腿节端部后侧具黑色短毛。雌性前足第1~2跗节和中足第1~3跗节褐色。翅 M_1 和 R_{4+5} 脉间内角几乎为90°。腹部密被褐色粉，两侧毛直立，长，白色，中部毛半直立，第3、4背板中央具黑色半直立短毛，第4背板后部具直立黑毛。

采集记录:1♂，长安翠华山，2003.Ⅳ.08，霍科科采；1♀，长安太乙镇，2002.Ⅳ.02，霍科科采；1♀，长安，2002.Ⅴ.25，霍科科采；4♂，汉中天台山，2002.Ⅲ.31，霍科科采；9♂，汉中天台山，2005.Ⅳ.16，霍科科采。

分布:陕西(长安、汉中)。

(208)卧毛黑蚜蝇 *Cheilosia aokii* Shiraki *et* Edashige, 1953

Cheilosia aokii Shiraki *et* Edashige, 1953: 91.

Chilosia plumuliseta Violovitsh, 1956: 468.

鉴别特征:雄性复眼裸。头顶和额平，密覆灰粉和黑色毛，复眼连角小于90°。颜上部黑色，下部褐色，中突宽；眼缘最宽处明显狭于第3触角节的1/2宽，覆灰粉和短白毛。触角第3节卵形，褐色；触角芒长，黑色。雌性颜下部具黄色条纹；额前面1/5具灰粉被横条纹；近复眼具2条沟。肩胛褐色，覆灰粉。中胸背板具刻点，两侧被粉；覆黑色和黄色毛，后半部黑毛比前半部长2倍；两侧具粗黑长鬃；小盾片黑色，后缘具粗长黑鬃；盾下缘缨白色。雌性肩胛被白粉；中胸背板和小盾片具粗刻点，被半卧黑色短毛。足腿节黑色；胫节基部1/3~1/2和顶端黄色，其余黑色；前足、中足跗节褐色或黄色，第5节黑色；后足基跗节和顶端节黑色。翅略褐色；M_1 和 R_{4+5} 脉间的内角为锐角。腹部长，第3节末端最宽，黑色，覆密粉和多数为平卧的黑色短毛，第1~3背板两侧毛直立，白色，第4背板具平伏黑色短毛。雌性腹部闪亮，被平卧黑色毛，第1~2节两侧被一些直立白色毛。

采集记录:4♂6♀，凤县，2005.Ⅶ.23，霍科科采；2♂，留坝闸口石，2004.Ⅵ.07，霍科科采。

分布:陕西(凤县、留坝)、吉林、甘肃；日本。

(209)巴山黑蚜蝇 *Cheilosia bashanensis* Huo, Ren *et* Zheng, 2007

Cheilosia bashanensis Huo, Ren *et* Zheng, 2007: 239.

鉴别特征:雄性复眼密覆黄色长毛。额宽大，覆黑色毛；两复眼连角大于100°；触角窝狭地分开。颜亮黑色，两侧被细灰粉和密的黑色长毛，中突大而隆起；眼缘最宽处狭于第3触角节的1/2，上部黑色，下部褐色，覆灰粉和黑色短毛。触角暗褐色，第3节卵形，端部宽圆；触角芒褐色，基部1/3被毛。肩胛亮黑色。中胸背板亮黑色，中央具2条灰粉条纹，基部相连，横沟之后近两侧各具1个灰粉条纹；背板具细刻点，被直立黑色长毛；侧面无鬃；翅后胛被黑色长毛。小盾片被黑色毛，后缘具黑色细鬃，中央具2根黑色长鬃；盾下缘缨长,密,黄色。足基节、转节和腿节除顶端褐色外其余黑色；胫节黄褐色，端半部具不明显黑色环；前足跗节黑色，中足跗节第1~3节黄色，第4~5节黑色，后足腿节侧部毛稀，暗褐色，腹面具黑色短刺。翅长，M_1 和 R_{4+5}脉间内角呈锐角。腹部第2节后缘处最宽，黑色，密被褐粉，第3背板基部两侧和第4背板闪亮，覆直立、稀少黄色长毛，第4节背板毛为黄色毛和一些黑色长毛。

采集记录:1♂，留坝紫柏山，2003.Ⅶ.04，霍科科采。

分布:陕西(留坝)、四川。

(210)熊蜂黑蚜蝇 *Cheilosia bombiformis* (Matsumura, 1916)

Nephomyia bombiformis Matsumura, 1916: 220.

Cheilosia sachtlebeni Stackelberg, 1963: 513.

Cheilosia (*Nephocheila*) *bombiformis*: Barkalov & Cheng, 2004: 292.

鉴别特征:雄性复眼密被黄色长毛，两眼连角小于90°。头顶平，密被金色长毛。额平，具狭的灰色粉被条纹和黄色毛。雌性眼缘褐色，被灰色粉被和黄色毛；额具3条明显的沟；沿眼缘被大小不同的金色粉被。颜黑色，被灰色粉被，中突小，颜下部长，具条纹。眼缘最宽处约1.60倍于触角第3节宽，密被黄色粉被和较长黄色毛。触角窝分开。触角第3节橙色，圆；触角芒长，黑色。中胸背板具粗刻点，前半部被灰色粉被；密被黄色长毛。小盾片后缘无黑鬃。盾下缘缨黄色。中胸侧板被灰粉被，密被黄色长毛。足基节黑色，转节褐色，腿节黑色，顶端黄色；胫节黄色，中部具狭的黑环；前足跗节黑色，中足基跗节黄色，其他节黑褐色；后足跗节第1~3节背面褐色，第4~5节黑色；后足腿节腹面基半部毛长，黄色，端半部黑色。翅中部具褐色斑，M_1 和 R_{4+5}脉间内角为90°。雌性跗节黄色，顶端黑色；后足腿节黄色；第1~3背板密被黄色直立长毛。

采集记录:1♀，留坝闸口石，2011.Ⅶ.11，采集人不详；1♂，留坝闸口石，2011.Ⅶ.20，采集人不详；1♀，留坝闸口石，2011.Ⅶ.22，采集人不详；2♂，留坝闸口石，2011.Ⅶ.20，采集人不详；4♂1♀，留坝闸口石，2012.Ⅶ.13，霍科科采；3♂，留坝闸口石，2012.Ⅶ.16，霍科科采；1♂，留坝闸口石，2012.Ⅶ.17，霍科科采；1♂，留坝闸口石，2012.Ⅶ.19，霍科科采；8♂9♀，留坝闸口石，2012.Ⅶ.20，霍科科采；10♂2♀，留坝闸口石，2013.Ⅶ.14，霍科科采；15♂4♀，留坝闸口石，2013.Ⅶ.15，霍科科采。

分布：陕西(留坝)、黑龙江、吉林、四川、西藏。

(211) 无锡黑蚜蝇 *Cheilosia difficilis* (Hervé-Bazin, 1929)

Chilosia difficilis Hervé-Bazin, 1929: 97.

Cheilosia (*Cheilosia*) *difficilis*: Barkalov & Cheng, 2004: 296.

鉴别特征：雄性复眼被黄色毛，两眼连角稍大于90°；雌性复眼被淡色短毛。额明显隆起，亮黑色，近复眼被灰色粉被和黑色长毛。雌性额两侧几乎平行，近复眼具灰色粉被斑，或触角基部下面具灰色斑，被短而稀疏的黑色毛或白色毛。颜亮黑色，被淡色粉被，中突和口缘裸，颜下半部被较长的黑色毛。眼缘为褐色，最宽处宽于第3触角节的1/2，略具粉被，被淡色毛。触角窝分开。触角第3节为黄色，略具灰色粉被；触角芒黑色，几乎裸。肩胛为黑色，中胸背板和小盾片被薄的灰色粉被和直立黄色长毛；小盾片后缘具长但微弱的黑鬃；盾下缘缨白色，长而密。雌性肩胛和翅后胛为褐色，被灰色粉被，翅后胛具1根黑色细鬃；小盾片为黑色，后缘鬃为黑色，长而粗。腿节为黑色，末端为黄色；胫节为黄色，端半部为黑色；前足、中足跗节除端节外为黄色，后足跗节为黑色，第1～4节末端为淡色。雌性中足、后足腿节基部1/5黄色。翅略呈褐色，M_{1+2}和R_{4+5}脉间的内角为锐角。

采集记录：1♀，留坝闸口石，2011.Ⅶ.23，采集人不详；1♀，留坝闸口石，2012.Ⅶ.12，王真采；1♀，留坝闸口石，2012.Ⅶ.13，杨盼采；1♀，留坝闸口石，2012.Ⅶ.16，刘婷采；5♀，留坝闸口石，2012.Ⅶ.16，霍科科采；1♀，留坝闸口石，2012.Ⅶ.17，霍科科采；1♀，留坝闸口石，2012.Ⅶ.20，霍科科采。

分布：陕西(留坝)、四川。

(212) 黄斑黑蚜蝇 *Cheilosia distincta* Barkalov *et* Cheng, 1998

Cheilosia distincta Barkalov *et* Cheng, 1998: 313.

鉴别特征：雄性复眼整个密被黄色长毛，其连线约与额等长。头顶平，单眼三角呈等边三角形；颜宽，密被白色短毛；中突狭小，眼缘宽，密被很长的白色毛。额很宽，适当鼓起，近眼缘具粉被和长的黑色和白色毛；新月片褐色。雌性额宽，被直立黄色长毛和一些黑毛。触角窝被新月片的前突分开。触角为黑色，第3节密被灰色粉被；触角芒黑色，近裸。雌性触角褐色或黑色，第3节略长。中胸背板光亮，两侧被黄色毛，后部和小盾片具一些黑色毛；小盾片光亮，边缘具粉被，后缘具黄色长毛，盾下缘缕长而密，黄色。侧板密被粉被和黄色长毛。腿节为黑色，顶端黄色狭；

前足、中足胫节为黄色，顶端1/3变暗；后足胫节基部1/3和顶端2/3变暗；前足和后足跗节为黑色，中足跗节为黄色；足毛长，白色。翅基半部狭，黄色。腹部呈卵形，亮黑色，具直的黄色毛；第3节具1条黑毛带。雌性腹部被白色毛。

采集记录：1♀，留坝闸口石，2012.Ⅶ.12，刘婷采。

分布：陕西(留坝)、山西、四川、云南、西藏。

(213) 凤黑蚜蝇 *Cheilosia fengensis* nom. nov.

Cheilosia flava Huo, Ren *et* Zheng, 2007: 240 (nec Barkolov *et* Cheng, 2004).

鉴别特征：雌性复眼裸。头顶黑色，被黄毛，单眼三角具黄毛。额狭，向前明显扩宽，具刻点，黑色，具3条明显的沟，前面1/3沿复眼具三角形白粉斑，被直立黄色毛。颜较狭，向下加宽，亮黑色，被细灰粉；中突小，狭；眼缘暗褐色，狭，被灰粉和黄毛。触角窝分开。触角第3节为黄色，圆；触角芒为黄褐色，具微毛。中胸背板为黑色，肩胛为黄色，翅后胛具黄褐色缘，两侧前半部被灰粉，肩胛内侧具白粉斑；背板被半平伏黄色短毛，背侧片具1根黑鬃，翅基上方具黑色短鬃毛，翅后胛具1根黑鬃。小盾片黑亮，被黄色半平伏短毛，后缘具8根黑色长鬃，两侧基部具一些黄色长毛，盾下缨长，黄色密。侧板被细灰粉和黄色长毛，上前侧片后背角具1根黑色长鬃。足黄色，腿节基半部具宽黑环；跗节为黄色，端跗节为黑色，足毛黄色，后足腿节腹面端半部和中足跗节腹面具黑色短刺。翅顶略带褐色，M_1和R_{4+5}脉间的内角为直角。腹部为黑色，被黄毛，两侧毛长，直立，中部毛短，半平伏。

采集记录：2♀，凤县，2004.Ⅵ.15，霍科科采。

分布：陕西(凤县)。

(214) 台湾黑蚜蝇 *Cheilosia formosana* (Shiraki, 1930)

Chilosia formosana Shiraki, 1930: 309.

Cheilosia (*Cheilosia*) *formosana*: Barkalov & Cheng, 2004: 301.

鉴别特征：雄性复眼密被褐色毛，夹角略大于90°。额中央具纵沟，雌性额具3条沟，近眼缘具灰色粉被条纹，前面1/3具灰色粉被横条纹。颜中部两侧被黑毛，中突大，圆而突出。眼眶约为触角第3节宽的1/2，被白色短毛。触角褐色，触角芒基部2/3黑色羽毛状。中胸背板被褐色粉被及淡黄色和黑色直立毛，侧缘具黑鬃，中央具2条褐色粉被条纹，沟后部具2条褐色粉被条纹。小盾片被淡黄褐色毛，后缘具黄褐色和少许黑色长毛及4对黑色长鬃，盾下缨淡黄褐色。雌性中胸背板基半部具4条灰色粉被纵条纹，被黄色和黑色直立毛。各足腿节端部为褐色，胫节为黄褐色，端半部具宽黑环，跗节为黑色，中足基跗节为黄褐色。后足腿节腹面前侧具黑色小刺。雌性前足、中足第1~3跗节为黄色。翅顶略呈褐色，具微毛，M_1与R_{4+5}相交呈直角。

腹部黑色，第1、2背板两侧和第3、4背板前2/3被直立黄色长毛，两侧后面被直立黑色长毛；腹部中部被短卧黑毛。

采集记录:1♂，留坝闸口石，2012.Ⅶ.20，霍科科采；1♂，留坝，2014.Ⅷ.24，霍科科采。

分布:陕西(留坝)、甘肃、新疆、台湾、广西、四川、云南、西藏；俄罗斯，日本。

(215)适黑蚜蝇 *Cheilosia intermedia* Barkalov, 1999

Cheilosia intermedia Barkalov, 1999: 74.

鉴别特征:雄性复眼具白色短毛。额具黑色毛，新月片为黑褐色。颜被细灰粉和较密黑毛；中突宽，突出；眼缘最宽处狭于触角第3节宽的1/4。触角为黑色，第3节圆；触角芒具明显毛。雌性颜下半部具白色短毛，中突小；额具2个小灰斑，中沟几乎不明显，侧沟近复眼；新月片为褐色；触角第3节明显扩大，触角芒长，毛明显。中胸背板为褐色，具细刻点，被黑色毛，中部为黄色毛；两侧具长鬃；小盾片后缘具黑鬃，侧板被密灰粉和黑色、白色毛。雌性中胸背板被半卧黄色短毛；小盾片后缘具粗壮的黑鬃；侧板具白色短毛。足大部分为黑色；腿节顶端狭，淡色，胫节基部和顶端为黄色；跗节基部第1~2节顶端狭，黄色。翅透明至微褐色，M_1和R_{4+5}脉间内角为锐角。腹部被褐粉，第1、2节和第3节大部分具淡色毛，第3节顶端和其他节为黑毛，中部毛短平卧，两侧毛长、直立。

采集记录:7♂，宝鸡马头滩，2003.Ⅶ.24，霍科科采；1♀，留坝闸口石，2012.Ⅶ.15，杨盼采；3♀，留坝闸口石，2012.Ⅶ.12，霍科科采；1♂4♀，留坝闸口石，2012.Ⅶ.14，霍科科采；1♀，留坝闸口石，2012.Ⅶ.18，霍科科采；1♀，留坝闸口石，2013.Ⅶ.17，霍科科采。

分布:陕西(宝鸡、留坝)、甘肃、四川。

(216)日本黑蚜蝇 *Cheilosia josankeiana* (Shiraki, 1930)

Chilosia josankeiana Shiraki, 1930: 306.

Chilosia josankeiana var. *nuda* Shiraki, 1930: 308.

Chilosia kunashirica Violovitsh, 1956: 467.

Cheilosia brevipila Shiraki, 1968: 83.

Cheilosia (*Eucartosyrphus*) *josankeiana*: Barkalov & Cheng, 2004: 310.

鉴别特征:雄性复眼裸。额近复眼处被灰粉，中部毛为黑色；复眼连角为锐角；新月片为暗褐色。颜两侧平行，黑色，中突大；眼缘甚狭，被黑色短毛。触角窝相连，触角第3节淡褐色；触角芒黑色，基部1/3具明显黑毛。雌性额具2条侧沟和2个灰粉斑，前面毛白色，后面黑色；颜宽，黄色或下半部具褐色条纹；中突侧扁。肩胛为褐色。中胸背板刻点较粗，被直立黑色短毛，两侧具些许黑鬃，翅后胛鬃较长；小盾片后缘被许多长粗黑鬃；盾下缘缨较稀，长，黄色。雌性肩胛为黄色或淡褐色；中胸背板刻点粗，侧面具狭的灰粉条纹和半卧黑色、黄色短毛。腿节为黑色；胫节大部分为黑色，基部1/3和顶端为黄色；跗节多数为黑色，前足、中足基跗节为黄色，后足基跗节顶端为黄色；后足腿节腹面仅具1排鬃状黑色短毛，无长毛。翅狭长，M_1和R_{4+5}脉间的内角为锐角。腹部为黑色，中部被褐色粉；第1、2背板两侧被直立长白毛；第3、4背板两侧毛短，黑色，直立；其余被黑色短毛。

采集记录:1♂5♀，宝鸡马头滩，2003.Ⅶ.23，霍科科采；1♂8♀，眉县红河谷，2002.Ⅷ.31，霍科科采；3♀，眉县红河谷，2002.Ⅸ.01，霍科科采；1♀，眉县红河谷，2002.Ⅸ.03，霍科科采；1♀，眉县红河谷，2002.Ⅸ.05，霍科科采；1♂，留坝庙台子，2002.Ⅵ.19，霍科科采。

分布:陕西(宝鸡、眉县、留坝)、吉林、甘肃、四川；俄罗斯，日本。

(217)牯岭黑蚜蝇 *Cheilosia kulinensis* (Hervé-Bazin, 1930)

Chilosia kulinensis Hervé-Bazin, 1930: 47.

Cheilosia (*Cheilosia*) *kulinensis*: Barkalov & Cheng, 2004: 313.

鉴别特征:雄性复眼裸。额平，被黑毛；两复眼连角小于90°；新月片为褐色。颜黑色，中突极端部和口缘为褐色；中突甚宽；眼缘狭，密被银白色粉和白色短毛。触角为褐色，第3节橙色，上部暗色；触角芒长，橙色。雌性颜被灰粉，下部褐色；中突明显较狭，黑色，近新月片褐色，近眼缘具闪亮的三角形灰粉斑；毛短，直立和半直立白色；新月片黄色；触角第3节很长，橙色；触角芒长，黑色，裸。肩胛褐色。中胸背板刻点粗，毛短，黄色，两侧具明显黑鬃；翅后胛褐色。小盾片亮黑色，被黄毛，后缘具粗长黑鬃；盾下缘缨黄色。雌性中胸背板被平伏黑色短毛和直立白色毛，两侧无长黑鬃；肩胛黑色，前侧闪亮。腿节主要为黑色，前足腿节顶端和中足、后足端部狭为黄色；胫节为黄色，后足胫节中部1/3为黑色；前足、中足跗节为黄色，顶端节为黑色，后足跗节背面为黑色。翅上半部为褐色，M_1和R_{4+5}脉间的内角明显小于90°。腹部黑色，被褐粉，毛长；腹部两侧毛直立，黄色，中部毛平伏且短，黑色。

采集记录:4♂1♀，汉中天台山，2002.Ⅷ.06，霍科科采。

分布:陕西(汉中)、浙江、江西、四川。

(218)长翅黑蚜蝇 *Cheilosia longiptera* Shiraki, 1968

Cheilosia longiptera Shiraki, 1968: 103.

鉴别特征:复眼密被褐色长毛。头顶闪亮，被色黑色、黄色长毛。额闪亮具黑色毛，两复眼接角为锐角，新月片褐色。触角窝狭地分开。雌性额具2条侧沟，近眼缘被灰粉，前面1/4横凹。颜甚向前突出；中突小，两侧扁；眼缘狭于触角第3节的1/2宽，褐色，密被灰粉和黄色短毛。触角第3节卵形，褐色；触角芒长，黑色，被长毛。肩胛黑色，被灰粉。中胸背板亮黑色，两侧被灰粉，翅后胛黑色或褐色；毛短，半直立，黑色，还具短毛2~3倍长的直立黑毛。小盾片后缘具鬃状长毛；盾下缘缨长，黄色。雌性中胸背板具平卧黑色毛，前半部为直立黑色长毛，两侧为粗壮黑色长鬃；小盾片后缘密被粗壮的黄色长鬃。前足腿节为黑色，极端部为黄色，胫节基部1/3和顶端亮褐色，其余黑色；后足腿节基部1/3有长黄毛。翅褐黄色，M_1 和 R_{4+5} 脉间内角为锐角，雌性翅鲜黄色。腹部两侧毛直立，中部毛平卧，金色，第3背板中部毛短，平卧，黑色。雌性腹部被平卧的黑色短毛；第1、2背板两侧毛半直立，短，黄色。

采集记录：1♂，留坝闸口石，2011.Ⅶ.12，采集人不详；1♂，留坝闸口石，2012.Ⅶ.13，霍科科采。

分布：陕西（留坝）、四川；俄罗斯，朝鲜，日本。

（219）尖突黑蚜蝇 *Cheilosia longula* （Zetlersledt，1938）

Eristalis longula Zetterstedt，1838：613.

Cheilosia nigricornis Macquart，1829：203.

Cheilosia albiseta Meigen，1838：127.

Eristalis geniculata Zetterstedt，1855：4669.

Cheilosia plumulifera Loew，1857：600.

Cheilosia omogensis Shiraki *in* Shiraki *et* Edashige，1953：92.

Cheilosia （*Eucartosyrphus*） *longula*：Barkalov & Cheng，2004：316.

鉴别特征：雄性复眼裸，其连接线长是额长的2倍。头顶闪亮被黑色长毛。后头部在背面极狭，两侧向下扩宽，黑色，被灰白色粉和毛。额略鼓起，闪亮，具黑色毛；眼角小于90°；新月片暗褐色，触角窝联合。颜狭，亮黑色；中突顶端锥形；眼缘狭，最宽处狭于第3触角节的1/2宽，覆灰粉和白色短毛。触角黑色，第3节卵形；触角芒长，被长毛。肩胛为黑色，被褐粉。中胸背板具细刻点，亮黑色，毛稀少，黑色，两侧具长但不很强壮的黑鬃；小盾片后缘具长黑鬃，有时后缘为褐色或黄色；盾下缘缨密，长，黄色。侧板闪亮，黑色，被同色毛。足腿节黑色极端部黄色；胫节多数为黑色，基部1/3和顶端黄色；跗节多数为黑色，基跗节中部呈褐色或黄色；后足腿节腹面无长毛。翅褐色，M_1 和 R_{4+5} 脉间的内角为锐角。平衡棒为黄色，腋瓣白色。腹部黑色，具直立白毛，所有背板中部和第3、4节背板后面毛黑色，后者中部被一些半直立毛。

采集记录：2♂，宝鸡马头滩，2003.Ⅶ.24，霍科科采；2♂，凤县，2003.Ⅵ.28，霍科科采；1♂，眉县太白山，2002.Ⅶ.17，霍科科采；2♂，留坝紫柏山，2003.Ⅶ.04，霍科科采。

分布：陕西（宝鸡、凤县、眉县、留坝）、甘肃、湖北、江西、四川、云南、西藏；古北区。

(220)褐斑黑蚜蝇 *Cheilosia motodomariensis* Matsumura, 1916

Cheilosia motodomariensis Matsumura, 1916: 239.

Chilosia magnifica Hellén, 1930: 29.

Chilosia unicolor Sack, 1941: 189.

Cheilosia portschinskiana Stackelberg, 1960: 441.

Cheilosia subillustrata Stackelberg, 1963: 2.

Cheilosia unicolor Shiraki, 1968: 94 (nec Sack, 1941).

鉴别特征:雄性复眼密被黄色长毛。额密被白粉和黄色毛，两复眼连角为90°，触角窝分开。雌性额具3条沟，中沟较微弱；前半部密被灰粉。颜黑色，密被白粉和同色毛；中突小，顶端无粉；眼缘最宽处约与触角第3节等宽，密被白粉和长毛。触角为黑色，第3节为褐色，被灰粉;触角芒长，褐色，基部1/3被短毛。肩胛黑色。中胸背板前半部和近小盾片密被灰粉，后半部闪亮，密被长毛，该毛在粉被部分黄色，在闪亮部分黑色。雌性中胸背板被黄毛，仅后半部的两侧少量黑毛。足腿节为黑色，胫节大部分为黑色，基部1/3为褐色；跗节为黑色，中足基跗节为褐色；后足腿节毛长，白色。翅中部具明显褐色斑；M_1 和 R_{4+5}脉间内角为90°。腹部第1、2背板两侧密被灰粉，其余节被褐粉；第2~4背板毛密，直立，长，黄色。雌性腹部呈卵形，明显宽于中胸背板，被黄毛，两侧毛直立，中部毛半直立和平卧。

采集记录:1♂，留坝闸口石，2012.Ⅶ.16，霍科科采；1♂，留坝闸口石，2013.Ⅶ.15，霍科科采；1♀，留坝大坝沟，2014.Ⅷ.24，霍科科采。

分布:陕西(留坝)、吉林、辽宁、内蒙古、北京、河北、山西、四川；蒙古，俄罗斯，日本。

(221)毛眼黑蚜蝇 *Cheilosia multa* Barkalov *et* Cheng, 2004

Cheilosia (*Nephocheila*) *multa* Barkalov *et* Cheng, 2004: 322.

鉴别特征:雄性复眼密被黄毛。额略隆起，黑色，无粉被，毛黑色；两复眼连接角小于90°；新月片为褐色或淡褐色；触角窝明显分开。雌性额具深中沟，侧沟近复眼，前面1/3具横沟；近复眼具狭的灰粉条纹，被直立黄毛。颜明显长，中突小，位于颜下部；眼缘狭，狭于触角第2节的宽度，密被灰粉和直立黄长毛。触角第3节长，褐色；触角芒长，黑色，毛明显但不很长。肩胛为亮黑色。中胸背板具细刻点，黑色，具蓝色光泽，被顶端卷曲的直立长而稀的黑色、黄色毛；中胸背板和小盾片无鬃；盾下缘缨长，白色。雌性中胸背板侧面被灰粉和半平伏黄白色毛和黑毛；两侧具鬃状黑毛；小盾片后缘毛卷曲，长，白色。腿节除顶端狭黄色外，其余黑色；胫节黄色，上半部具宽的黑色环；第1~3跗节黄色，第4~5节黑色；腿节毛长，顶端黑色，背面主要白色，被一些黑色毛。翅沿翅脉褐色，M_1 和 R_{4+5}脉间的内角为锐角。腹部短宽，卵形，与胸等宽，具蓝色光泽，被褐粉和直立黄长毛。

采集记录:1♀，宁陕，1500m，1998.Ⅷ.18，采集人不详。

分布:陕西(宁陕)、北京、四川。

(222)粉带黑蚜蝇 *Cheilosia pollistriata* Huo, Ren *et* Zheng, 2007

Cheilosia pollistriata Huo, Ren *et* Zheng, 2007: 246.

鉴别特征:复眼密被棕色长毛。额具细刻点，黑褐色，具3条明显的沟，两侧沿复眼具粉被条纹，被黑色毛，前端具白色短毛。颜向下明显加宽，棕褐色，除中突和口缘外被细灰粉；中突小而圆；眼缘最宽处约等于触角第3节宽度，被灰粉和白毛。触角黑色，第3节高大于长；触角芒暗褐色，毛短。肩胛内侧具粉斑，中胸背板被半平伏黄色短毛，背侧片、翅基上方和翅后胛具黑色长鬃。小盾片被黄色半平伏短毛，后缘具4对黑色长鬃，盾下缨短而稀疏。上前侧片后背角具1根黑色长鬃。足黑褐色，腿节顶端黄色；胫节基部略呈黄褐色；足毛黄色，前足和中足腿节端部后背侧、后足腿节端部前背侧具黑毛。翅 M_1 和 R_{4+5}脉间的内角为直角。腹部第2背板具1对灰白色三角形粉斑，被白色毛，后部中央具半平伏暗色短毛；第3背板近似第2背板，后半部被黑色毛；第4背板后缘具黑边，基部具1对灰白色三角形粉斑，被稀疏黑毛，基部两侧角被白毛，第5背板为黄褐色，被稀疏黑毛。

采集记录:1♀，眉县太白山，2003.Ⅶ.25，霍科科采。

分布:陕西(眉县)。

(223)秦岭黑蚜蝇 *Cheilosia qinlingensis* Huo, Ren *et* Zheng, 2007

Cheilosia qinlingensis Huo, Ren *et* Zheng, 2007: 247.

鉴别特征:复眼上半部被白色短毛，下半部裸。额黑色，具3条明显的沟，前面1/3沿复眼具白粉带，被黄毛。颜向下明显加宽，向前向下突出成短鸟喙状；中突小，狭；眼缘被灰粉和白毛。触角窝狭地分开。触角第3节黄色，圆；触角芒暗褐色，毛很短。中胸背板为黑色，肩胛为黄色，翅后胛具黄褐色缘，两侧前半部被灰粉，肩胛内侧形成明显的白色粉斑；背板具细刻点，被半平伏黄色短毛，背侧片、翅基上方和翅后胛具黑色长鬃和短鬃。小盾片黑亮，被黄色半平伏短毛，后缘具8根黑色长鬃，两侧基部具黄色长毛，盾下缨长，黄色。上前侧片后背角具1根黑色长鬃。足黑色，腿节极基部及顶端黄色；胫节黄色，中部具宽的黑色环；跗节黄色，端跗节黑色；足毛黄色，后足腿节腹面端半部和中足跗节腹面具黑色短刺。翅 M_1 和 R_{4+5}脉间内角为直角。腹部被黄毛，两侧毛长，中部毛短，半平伏。

采集记录:6♀，留坝庙台子，2002.Ⅵ.19，霍科科采。

分布:陕西(留坝)。

(224)异盾黑蚜蝇 *Cheilosia scutellata* (Fallén, 1817)

Eristalis scutellata Fallén, 1817: 55.

Cheilosia (*Eucartosyrphus*) *scutellata*: Barkalov & Cheng, 2004: 342.

鉴别特征:复眼裸。额中央具纵沟，复眼连角小于90°。触角窝明显相连。雌性额具狭的灰粉条纹和2条侧沟，中沟看不见。颜黑色，在触角基部之下和下半部被细粉；中突宽，眼缘狭，密被灰粉和甚短白毛；雌性颜下半部黄色。触角第3节褐色；触角芒长。肩胛黄色，内侧具灰白色粉斑。中胸背板具细刻点，黑色，后部被黄毛和黑毛，两侧和小盾片后缘具许多粗长黑鬃；盾下缘缨长，密黄色；雌性刻点密，被半直立短黄毛；小盾片后半部为黄色。各足腿节为黑色，基部和顶端为黄色；胫节大部分为黄色，中部具黑色或褐色环；前足、中足第1~3跗节黄色，后足跗节背面黑色，第1、2节顶端黄色；后足腿节腹面具黑色短鬃。雌性后足第1~3跗节黄色。M_1 和 R_{4+5}脉间内角为锐角。腹部黑色，被褐色粉，第3~4背板前部具闪亮斑点，被直立黄色、黑色毛，该毛在第1~4背板两侧黄色，其他为黑色。雌性腹部毛白色，两侧毛直立。

采集记录:2♂1♀，户县朱雀森林公园，2002.Ⅷ.25，霍科科采；1♂，凤县，2004.Ⅵ.15，霍科科采；1♂2♀，凤县，2005.Ⅵ.23，霍科科采；1♂1♀，凤县，2014.Ⅷ.27，霍科科采；4♂1♀，眉县太白山，2003.Ⅶ.24，霍科科采；1♂，留坝庙台子，2005.Ⅵ.12，霍科科采；1♀，留坝紫柏山，2003.Ⅶ.04，霍科科采；2♂，留坝闸口石，2012.Ⅶ.16，刘婷采；2♂，留坝闸口石，2012.Ⅶ.13，霍科科采；1♂，留坝闸口石，2012.Ⅶ.17，霍科科采；1♂，留坝闸口石，2012.Ⅶ.18，霍科科采；1♂，留坝闸口石，2012.Ⅶ.19，霍科科采；1♂，留坝闸口石，2012.Ⅶ.20，霍科科采；1♀，留坝闸口石，2012.Ⅶ.20，陈锐采；1♂，留坝闸口石，2013.Ⅶ.14，霍科科采；8♂1♀，留坝闸口石，2013.Ⅶ.17，霍科科采；1♂，留坝，2014.Ⅷ.24，霍科科采；5♂，留坝紫柏山，2014.Ⅷ.25，霍科科采；1♂，留坝，2014.Ⅷ.26，霍科科采；1♀，洋县华阳，2005.Ⅶ.22，安有为采。

分布:陕西(户县、凤县、眉县、留坝、洋县)、黑龙江、北京、内蒙古、四川、重庆；古北区(中带)。

(225)间黑蚜蝇 *Cheilosia septima* Barkalov *et* Cheng, 2004

Cheilosia (*Taeniochilosia*) *septima* Barkalov *et* Cheng, 2004: 344.

鉴别特征:复眼裸。额宽，亮黑色，密被黑褐色长毛；复眼连角明显大于90°；新月片黑褐色。雌性额宽，无粉，中沟深而明显，侧沟近眼缘，毛短，黑色。颜褐色，沿眼缘被细灰粉；中突小；两侧扁；眼缘最宽处宽于触角第3节的1/2，闪亮，黑色，被同色稀疏短毛。触角黑色，第3节前部褐色；触角芒较短，被短毛。雌性触角第3节大，圆。肩胛亮黑色。中胸背板黑色，具细刻点，密被褐色粉和较稀黑色毛，两侧无强壮黑鬃；小盾片后缘被鬃状黑色长毛；盾下缘缨稀，长，黑色。雌性中胸背板亮黑色，被平伏黑色、白色短色，两侧为黑色短鬃；小盾片后缘被短但较强壮的黑鬃，盾下缘缨短，稀。侧板闪亮，被黑毛，上前侧片前部平被褐粉。足黑色，被同色毛。翅褐色，M_1 和 R_{4+5}脉间的内角为锐角。腹部密被褐色粉；第1～3背板两侧和第1～2背板中部被黄色毛，第3～4背板被黑色毛。雌性腹部仅第2背板两侧被直立白色毛。

采集记录：1♀，长安，2002.Ⅴ.25，霍科科采。

分布：陕西（长安）、黑龙江、吉林。

（226）陕西黑蚜蝇 *Cheilosia shaanxiensis* Huo, Ren *et* Zheng, 2007

Cheilosia shaanxiensis Huo, Ren *et* Zheng, 2007: 250.

鉴别特征：复眼背面密被黑褐色长毛，下部被黄褐色长毛。额中央纵沟深，黑色，被黑色长毛，沿眼缘具狭的灰粉条纹；两眼角小于90°；触角窝分开。颜黑亮，额突下方覆灰白色粉，颜向下延长，中突小；眼缘约等于触角第3节宽，密被黄粉和较长黄毛。触角黄褐色，第3节黄色，圆；触角芒长，黄褐色。中胸背板被灰粉和黄色密长毛，前部及侧缘混生黑色长毛。小盾片黑色，被灰粉和黄色长毛。盾下缘缨密，较长，黄色。足基节黑色，转节褐色，腿节黑色，顶端黄色；胫节黄色，中部具黑环；前足跗节黑褐色，端跗节黑色；中足第1～4跗节黄褐色，端跗节黑色；后足基跗节端部、第2～4节黄褐色，基跗节基部和端跗节黑色。足毛黑色，前足腿节基部后侧，中足腿节后侧及后足腿节前侧背面、后侧长毛黄色。翅中部具褐色斑，M_1 和 R_{4+5}脉间内角为90°。腹部第2背板基部及两侧密被近污白色长毛，第2背板后部中央、第3背板、第4背板被棕褐色长毛，第4背板长毛基部暗褐色。

采集记录：15♂，汉中天台山，2002.Ⅲ.31，霍科科采；13♂，汉中天台山，2005.Ⅳ.16，霍科科采。

分布：陕西（汉中）。

（227）条纹黑蚜蝇 *Cheilosia shanhaica* Barkalov *et* Cheng, 2004

Cheilosia (*Cheilosia*) *shanhaica* Barkalov *et* Cheng, 2004: 347.

鉴别特征：复眼密被褐色毛。额近复眼密被细灰粉和直立黑色毛，中央具纵沟，触角窝宽地分开。雌性额近眼缘具灰斑点，仅侧沟可见，前面1/3具横沟，被直立黄色短毛。颜亮黑色，被细粉和密黑毛；中突中等大小；眼缘最宽处约为触角第3节的

1/2 宽，密被粉和稀疏黄毛。触角为褐黄色，第 3 节呈卵圆形，被黄粉；触角芒长，被短毛。雌性触角全黄色。肩胛黑色，被灰粉。中胸背板具灰褐色粉被条纹，密被直立黄毛，两侧混有黑毛，具黑色长鬃。小盾片被黄色、黑色毛，后缘具黑色长鬃；盾下缘缨黄色。各足腿节为黑色，顶端为黄色；胫节基部 1/2 为黄色，顶端 1/4 端部边缘褐色；跗节黄色，顶端节黑色，后足基跗节背面黑色。足毛黄色，中足胫节端缘具黑刺，后足腿节腹面具黑色短刺和黄色毛。雌性各足胫节黄色。翅黄色，M_1 和 R_{4+5}脉间的内角几乎为 90°。腹部两侧闪亮，中部密被褐色粉和黄色毛，其毛在两侧直立，长，中部平伏，短。雌性腹部第 1～3 背板闪亮，具细灰粉斑，被黄色毛。

采集记录：1♂，留坝闸口石，2011.Ⅶ.20，采集人不详；2♂，留坝闸口石，2012.Ⅶ.11，强红采；1♂，留坝闸口石，2012.Ⅶ.13，刘婷采；1♂，留坝闸口石，2012.Ⅶ.13，王真采；1♂，留坝闸口石，2012.Ⅶ.13，王亚灵采；1♂，留坝闸口石，2012.Ⅶ.14，杨明采；4♂2♀，留坝闸口石，2012.Ⅶ.14，王玉艳采；14♂3♀，留坝闸口石，2012.Ⅶ.12，霍科科采；3♂2♀，留坝闸口石，2012.Ⅶ.13，霍科科采；2♂，留坝闸口石，2012.Ⅶ.16，霍科科采；1♂，留坝闸口石，2012.Ⅶ.17，霍科科采；5♂，留坝闸口石，2012.Ⅶ.19，霍科科采；1♂，留坝闸口石，2012.Ⅶ.20，霍科科采；5♂，留坝闸口石，2012.Ⅶ.20，陈锐采；1♂，留坝闸口石，2013.Ⅶ.17，霍科科采。

分布：陕西（留坝）、北京、甘肃、四川。

（228）蓝泽黑蚜蝇 *Cheilosia sini* Barkalov *et* Cheng，1998

Cheilosia sini Barkalov *et* Cheng，1998：315.

鉴别特征：复眼暗褐色，毛短而密。额中央纵沟在前端扩大，黑色，被黑毛；复眼连角略大于 90°；新月片为黄色。雌性额中等宽，前半部粉被处具三角形黄斑、直立黄毛和黑毛，粉被部分有短毛。颜较狭，黑色，被灰粉；中突大而宽；眼缘宽，上、下部具褐色小斑，覆灰粉被和短白毛。触角黄色，第 3 节圆；触角芒具明显长毛。中胸背板和小盾片黑色，有蓝色反射光，被直立密黄毛；中胸背板两侧在前面 1/3 为灰粉；小盾片后缘毛黄色，翅后胛、侧板被灰粉和黄毛。足腿节基部和顶端为黄色，中部为黑色；胫节为黄色，上半部具褐色光滑环；前足跗节基部有 2 节黄色，第 3～5 节黑色；中足跗节除第 5 节外黄色；后足跗节上部黑色，每节顶端黄色；腿节毛长，黄色，仅后足腿节内部毛为黑色短毛。翅微褐色；R_{4+5}和 M_1 脉间内角为 90°。腹部中部被褐色粉，侧缘光亮，覆直立黄毛；侧板被黄粉。雌性腹部中部有些黑毛。

采集记录：2♂，长安南五台，2002.Ⅷ.26，霍科科采；1♀，长安，2002.Ⅳ.20，霍科科采；1♀，留坝庙台子，2004.Ⅵ.26，霍科科采；1♂，宁陕火地塘，2003.Ⅶ.05，胡永采。

分布：陕西（长安、留坝、宁陕）、北京、浙江、湖北、四川、云南。

(229)三色黑蚜蝇 *Cheilosia tricolor* Huo, Ren *et* Zheng, 2007

Cheilosia tricolor Huo, Ren *et* Zheng, 2007: 253.

鉴别特征:复眼密被黄褐色长毛。额黑色，被毛主要黑色，前部两侧具黄褐色毛；额中央具浅纵沟。触角窝分离。颜中突圆而突出，颜黑色，覆灰白色粉，中突端部裸，两侧下半部被黑色长毛；眼眶黑褐色，约等于触角第3节之宽，密被白粉和黄褐色长毛。触角黑色，第3节长大于宽；触角芒长，黑色，裸。中胸背板横沟之前被灰黄白色粉，横沟之后黑亮；背板密被黄褐色长毛，两侧有黑色长毛，横沟之后翅基之间黑色长毛形成横带，翅后胛后半部被毛近白色。小盾片密被黑色长毛，后缘具黄褐色长毛，盾下缨淡黄褐色。侧板具灰白色粉及黄白色长毛和少许黑色长毛，下前侧片后端沿腹中线具黑色长毛。腿节端部、前足和中足胫节基部黄褐色至黑褐色；足毛黑色，前足、中足腿节腹面基部具黑褐色鳞状毛斑，基部后侧有少许黄白色长毛；后足腿节前侧长毛及后侧短毛黄白色，腹面具黑色长毛和短刺状毛。翅脉黄褐色，翅痣淡黄色，中部具黑褐色云斑，M_1 与 R_{4+5}相交呈直角。腹部第1背板、第2背板基部及两侧长毛黄白色，第2背板后半部、第3背板、第4背板被棕红色长毛，第3背板仅两侧被黑色长毛，第4背板两侧被黑毛和黄毛。雌性复眼下角处具橘红色斑；额前半部覆灰白色粉，近中部形成明显的横带，中央纵沟伸达额的前端，侧沟仅基半部明显，伸达额近中部。

采集记录:1♀，眉县太白山，2002.Ⅶ.16，霍科科采；8♂2♀，眉县太白山，2002.Ⅶ.17，霍科科采；1♂1♀，眉县太白山，2003.Ⅶ.24，霍科科采；28♂5♀，眉县太白山，2003.Ⅶ.25，霍科科采。

分布:陕西(眉县)。

(230)维多利亚黑蚜蝇 *Cheilosia victoria* (Hervé-Bazin, 1930)

Chilosia victoria Hervé-Bazin, 1930: 44.

Cheilosia (*Cheilosia*) *victoria*: Barkalov & Cheng, 2004: 355.

鉴别特征:复眼裸，或上部被黄色稀疏短毛。额黑色，中央具纵沟，其前端扩大呈三角状。雌性额近复眼具小灰粉斑。颜中突宽大；颜黑色，额突之下及中突下方两侧具白色粉；眼眶密被白粉和白色短毛，上端在额突下方形成三角状白斑。触角为橙黄色，第3节长大于宽，触角芒为黄色，具微毛。中胸背板密被淡黄色直立毛，前部两侧混生黑毛，背侧片、横沟之后背板侧缘和翅后胛具黑色长鬃。小盾片黑色，被淡黄褐色长毛，后缘具黄褐色长毛和7对黑色长鬃，盾下缨淡黄色。雌性小盾片后缘具长的但不很粗的黑鬃。中胸侧板被淡黄褐色毛和黑色长鬃。足淡黄色，中足、后足基节黑色，后足腿节端部具宽黑环，各足端跗节黑色，后足基跗节背面黑色；足毛主要为淡黄褐色，前足跗节后侧缘具黑色小刺；中足胫节端部具黑色小刺，跗节腹面具黑色小刺列；后足腿节端部混生黑色短毛，腹面端部具黑色小刺，约占腿节长的2/3，不伸达腿节端部，胫节端部2/3混生黑色短毛。雌性后足跗节暗褐色，顶端背面黄色；后足腿节无黑色毛。翅略带浅黄色，具微毛，M_1 与 R_{4+5} 相交呈直角。腹部为黑色，被淡黄褐色长毛，第2、3背板中央具呈三角形分布的黑色短毛。雌性腹部具蓝色光泽，第3、4背板两侧被直立淡黄色毛，中部毛黑色，平卧。

采集记录：1♂，宝鸡马头滩，2003.Ⅶ.22，霍科科采；1♂，留坝闸口石，2012.Ⅶ.14，杨明采；1♂，留坝闸口石，2012.Ⅶ.14，强红采；1♀，留坝闸口石，2012.Ⅶ.16，霍科科采；1♂，留坝闸口石，2012.Ⅶ.18，霍科科采；1♂，留坝闸口石，2012.Ⅶ.20，陈锐采；1♀，留坝闸口石，2012.Ⅶ.21，陈锐采；1♂，留坝闸口石，2013.Ⅶ.15，陈锐采；1♂，留坝柴关岭，2014.Ⅷ.23，霍科科采。

分布：陕西（宝鸡、留坝）、河北、甘肃、江苏、江西、四川。

63. 鬃胸蚜蝇属 *Ferdinandea* Rondani，1844

Ferdinandea Rondani, 1844: 196. **Type species**: *Conops cuprea* Scopoli, 1763.

Chrysoclamis Walker, 1851: 279 (new name for *Ferdinandea* Rondani, 1844).

Chrysoclamys Rondani, 1856: 51 (new name for *Ferdinandea* Rondani, 1844).

属征：头半球形，略宽于胸。复眼被毛，雄性两眼合生。颜黄色，具或无暗色中条纹；中突明显；触角短，第3节长卵形或几乎圆形；背芒，裸。中胸背板近方形，侧缘及背板后部、翅后胛及背侧片具鬃；小盾片呈半透明的蜡状，后缘具鬃，盾下缨长而密。中胸侧板具长毛，上前侧片前部无直立长毛，后背缘具鬃，下前侧片后部上、下毛斑全长宽地分离，上后侧片中部、后部及基侧片无长毛，后胸腹板具毛。足简单。翅 R_{4+5} 脉呈波状，径分脉 Rs 具黑色小刺，径中横脉 r-m 略斜，位于 dm 室中部或中部之后，M_2 脉与翅缘近平行，与 R_{4+5} 相交近直角；r_1 室开放。腹部椭圆形，略长于胸。

分布：古北区，东洋区，新北区。中国共记载有4种，秦岭地区只有1种。

（231）铜鬃胸蚜蝇 *Ferdinandea cuprea* (Scopoli, 1763)（图259）

Conops cupreus Scopoli, 1763: 355.

Musca rutilo Harris, 1780: 80.

Musca nitens Villers, 1789: 549.

Ferdinandea testacicornis Rondani, 1844: 201.

Ferdinandea suzukii Matsumura, 1916: 224.

Dideoides eizoi Azuma, 2001: 460.

Ferdinandea cuprea: Peck, 1988: 122.

鉴别特征:复眼密被黄白色长毛。额橘黄色，被黑毛，基部被黄粉。雌性头顶及额橘黄色，基部色深，额中部具黄粉横带。颜下端宽，中突大而圆；颜橘黄色，裸而亮，两侧被黄色粉和黄毛。触角红黄色，第3节近圆形；触角芒黑色，裸。中胸背板具铜紫色光泽，肩胛侧缘及翅后胛黄褐色，中部及两侧各具1对等宽灰白色纵条纹，其边界不明显；背板中部大部分被黑毛，前缘及两侧被黄毛；沿背板侧缘、翅后胛及近后缘具黑色长鬃。小盾片黄而透亮，被黑毛，基部被黄毛，后缘两侧约具6对黑色长鬃，盾下缨黄色。侧板为黑色，具灰黄色粉被，被黄毛；中胸上前侧片后背缘具3~4根黑色粗鬃。足棕红色或棕黄色；足毛全黄色，或具少许黑色毛。翅具微毛，基部及前缘略带黄色，各翅脉呈黄色，仅端部呈黑褐色；翅中部具暗色纵斑，翅痣黄色。腹部黑绿色，密被直立黄毛；第2背板前缘及第2、3背板后部略呈古铜色，中央向前延伸，使前部黑绿色部分成为1对方形斑。

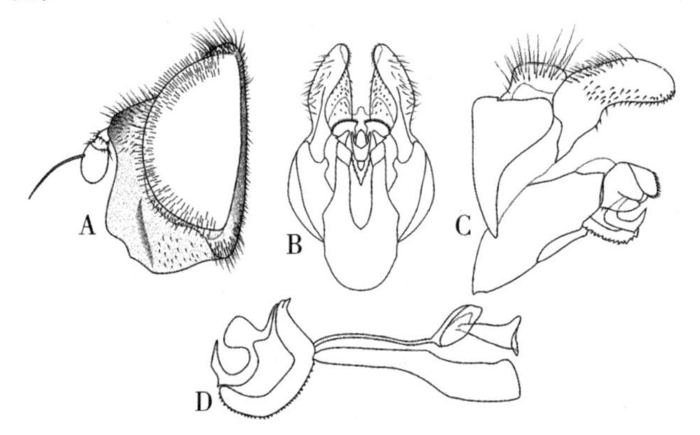

图259 铜鬃胸蚜蝇 *Ferdinandea cuprea* (Scopoli)

A. 雄性头部侧面观(male head, lateral view); B. 雄性尾器腹面观(male terminalia, ventral view); C. 雄性尾器侧面观(male terminalia, lateral view); D. 阳茎(aedeagus)

采集记录:3♂2♀，宝鸡马头滩，2003.Ⅶ.22，霍科科采；2♂，宝鸡马头滩，2003.Ⅶ.23，霍科科采；1♀，凤县，2003.Ⅶ.03，霍科科采；1♂，凤县，2004.Ⅵ.15，霍科科采；1♀，凤县，2005.Ⅵ.23，霍科科采；2♂1♀，眉县红河谷，2002.Ⅷ.29，霍科科采；2♂，眉县红河谷，2002.Ⅸ.03，霍科科采；4♂1♀，眉县红河谷，2002.Ⅸ.04，霍科科采；1♀，眉县太白山，2003.Ⅶ.24，霍科科采；7♂，留坝紫柏山，2003.Ⅶ.04，霍科科采；1♂2♀，留坝闸口石，2011.Ⅶ.20，采集人不详；1♀，留坝闸口石，2012.Ⅶ.14，杨盼采；1♀，留坝闸口石，2012.Ⅶ.14，刘婷采；2♀，留坝闸口石，2012.Ⅶ.18，霍科科采；2♀，留坝闸口石，2013.Ⅶ.15，霍科科采；1♂1♀，留坝闸口石，2013.Ⅶ.16，霍科科采；7♂4♀，留坝柴关岭，2014.Ⅷ.23，霍科科采；1♀，留坝，2014.Ⅷ.24，霍科科采；1♀，汉中天台山，2002.Ⅲ.31，霍科科采；1♀，汉中天台山，2005.Ⅳ.16，霍科科采；1♂，汉中天台山，2005.Ⅶ.09，霍科科采；1♀，宁陕板桥沟，2003.Ⅶ.05，王艺秀采；1♀，宁陕火地塘，2003.Ⅶ.11，骨金妍采；1♀，宁陕火地塘，2003.Ⅶ.11，章蔼然采；1♀，宁陕火地塘，2003.Ⅶ.11，韩彦莉采；1♀，洋县华阳，2005.Ⅶ.21，安有为采；1♂，洋县华阳，2005.Ⅶ.22，张勇采。

分布：陕西(宝鸡、汉中、凤县、眉县、留坝、宁陕、洋县)、吉林、甘肃、浙江、湖南、四川、贵州、云南；俄罗斯，日本，欧洲。

64. 颜突蚜蝇属 *Portevinia* Goffe, 1944

Portevinia Goffe, 1944: 244. **Type species**: *Eristalis maculatus* Fallén, 1817.

属征：体小型，金属黑色或灰黑色。头与胸部等宽或宽于胸。雄性复眼接缝短，雌性两眼分离，复眼裸。颜在触角基部下方凹陷，中突之后垂直向下，整个中下部向前突出。触角第3节卵形，背芒着生在第3节基部，裸。中胸背板近方形，两侧及小盾片边缘具鬃。腹部长卵形。具成对淡色斑。足简单。翅具典型的蚜蝇翅类型，r-m横脉在dm室中部之前，外缘横脉与翅缘平行，r_1室开放。

生物学：幼虫为植食性，取食植物茎干。

分布：古北区。中国已知2种，秦岭地区有1种。

(232) 阿尔泰颜突蚜蝇 *Portevinia altaica* (Stackelberg, 1925)

Chilosia altaica Stackelberg, 1926: 87.
Portevinia altaica: Peck, 1988: 124.

鉴别特征：额黑色，覆灰白色粉，被黑色长毛。颜下部向前并略向下突出，眼眶宽，覆灰白色粉，被黄白色毛；颜黑色，覆灰白色粉，颜中突裸，两侧有黑色裸区。触角短小，第3节橘红色，近半圆形；触角芒长，黑色。中胸背板黑色，基部及横沟之前两侧粉被呈灰白色，中部形成2对灰白色粉被条纹；背板被斜向后伸的黑毛，前缘及肩胛被黄白色毛，侧缘具黑鬃。小盾片黑色，被黑毛，周缘具黑色长鬃，盾下缨黄白色。雌性中胸背板中部具2对灰黄色粉被条纹，背板后缘具灰黄色粉被横带。中胸上前侧板后上缘具黑色长鬃。足黑色，膝部略暗褐色；足被黑色毛，腿节基部混生黄褐色毛，中足腿节基半部具黑色鬃状长毛。翅具微毛，翅痣黄褐色。腹部第1背板两侧被灰白色粉，第2~4背板具灰白色粉斑。背板主要被黑色毛，第1背板两侧角、各灰白色斑的前外角处被褐色毛。雌性腹部第1~5背板具灰黄色侧斑。

采集记录：2♂1♀，凤县紫柏山，2003.Ⅵ.28，霍科科采；14♂2♀，凤县紫柏山，2004.Ⅵ.05，霍科科采；1♂，留坝，2003.Ⅵ.27，霍科科采。

分布：陕西(凤县、留坝)；蒙古，俄罗斯。

65. 鼻颜蚜蝇属 *Rhingia* Scopoli, 1763

Rhingia Scopoli, 1763: 358. **Type species**: *Conops rostrata* Linnaeus, 1758.

Eorhingia Hull, 1949: 341. **Type species**: *Rhingia cuthbertsoni* Curran, 1939, as a subgenus.

属征: 复眼雄性眼合生，雌性分离，复眼裸或被稀疏毛。头略宽于胸；额略宽，颜自触角之下近垂直，下部向前延伸形成长喙状。触角正常大小，第3节长；触角芒裸或具短毛。中胸背板近方形，侧缘具或无黑色鬃；小盾片略粗壮，近半圆形，后缘具黑色鬃或无；侧板具毛，中胸上前侧片前部、上后侧片中部和后部及基侧片无长毛，下前侧片后部上、下毛斑全长宽地分离；后胸腹板具毛。足简单，后足基节后中端角具毛簇，缺后足基节桥。翅正常。r-m 横脉在 m_2 室中部之前。腹部约与胸部等宽，短卵形。

分布: 古北区，东洋区，新北区，新热带区，非洲区。中国已知15种，秦岭地区记录7种。

分种检索表

1. 小盾片红黄色 …… 2
   小盾片黑色 …… 4
2. 喙棕黄色，体较小，中胸背板两侧棕黄色，腹部棕黄色，第2~4背板后缘具狭的黑边 …… **黑缘鼻颜蚜蝇 *Rh. nigrimargina***
   喙黑色 …… 3
3. 体较大，长约12mm，腹部具2对红黄色斑，第2背板红黄色斑大，第3背板斑小 …… **四斑鼻颜蚜蝇 *Rh. binotata***
   体较小，长约9mm，腹部主要橘黄色，第2、3背板后缘黑边。足黄色，基节黑褐色，转节褐色，后足跗节暗褐色 …… **黄足鼻颜蚜蝇 *Rh. xanthopoda***
4. 雄性腹部第2~3背板棕黄色，后缘具狭黑边，雌性第2背板基部具宽黄带，第3、4背板各具1对长方形黄色横斑 …… 5
   雌雄两性腹部第2~4背板各具1对黄色长方形大斑 …… 6
5. 体形较大，9~10mm。雄性腹部基部有2节为黄色，端部红棕色，第1~4背板后缘具极狭的黑边，第2背板中央具黑色细纵条纹；雌性第2背板基部2/3黄色，中央具细纵条纹，第3、4背板具长方形黄色侧斑 …… **楼观鼻颜蚜蝇 *Rh. louguanensis***
   体较小，6~7mm。两性腹部第1节黄色，后缘两侧具小暗斑，雄性第2~3背板红黄色，后缘具黑边；雌性第2背板红黄色，后缘黑色，中央具黑色纵条纹，第3、4背板两侧具长方形红黄色侧斑 …… **短喙鼻颜蚜蝇 *Rh. brachyrrhyncha***
6. 喙明显短于复眼水平直径，复眼雄性被毛，雌性裸；雄性腿节基部黑褐色，前足、中足胫节中部具不明显暗色环，后足胫节中部具黑色环，中足跗节端部2节黑褐色，后足跗节黑色，雌性后足胫节中部具暗褐色环 …… **六斑鼻颜蚜蝇 *Rh. sexmaculata***
   喙略短于复眼的水平直径，复眼裸；雌性基节、转节、腿节基部及胫节中部或多或少黑色，跗节背面为黑色或黑褐色 …… **台湾鼻颜蚜蝇 *Rh. formosana***

(233) 四斑鼻颜蚜蝇 *Rhingia binotata* Brunetti, 1908

Rhingia binotata Brunetti, 1908: 59.
Rhingia binotata quadrinotata Hervé-Bazin, 1914: 151.

鉴别特征:复眼上部被极稀疏黄褐色短毛。额小，黑亮，基部沿复眼覆黄色粉。雌性头顶及额被黄褐色毛，额被黄粉，仅前端裸。颜在触角之下垂直，下部形成长喙，其长度大于复眼水平直径；颜及喙为黑色，喙基部两侧为黄色，眼眶为黄色，被黄色短毛。触角为红褐色，第3节长大于其高；触角芒长，基部被微毛。中胸背板为黑色，两侧为黄色；密被黄粉，盖住底色，中央形成黄粉纵条纹；背板被黄毛。小盾片黄色，被黄毛。足黄色，各足基节、转节及腿节基半部黑色；足被黄毛，前足、中足跗节背面被黑色短毛，外侧具1列黑色小刺，中足跗节腹面具黑色小刺，其胫节端缘具黑刺。翅面被微毛，翅痣暗褐色。腹部黑色，被黄毛，基部和两侧黄毛较长。第1背板为黄色，两侧具不明显褐色斑；第2背板具1对大型黄色横斑，中部不相连；第3背板具1对狭三角状黄色横斑，其外角伸达背板前缘，但不达背板侧缘。

采集记录:2♂2♀，宝鸡马头滩，2003.Ⅶ.23，霍科科采；1♀，留坝闸口石，2012.Ⅶ.12，杨盼采；1♀，留坝闸口石，2012.Ⅶ.13，霍科科采；1♂，留坝闸口石，2012.Ⅶ.17，霍科科采；1♀，留坝闸口石，2012.Ⅶ.17，霍科科采；1♀，留坝闸口石，2012.Ⅶ.19，霍科科采；1♂2♀，留坝闸口石，2013.Ⅶ.14，霍科科采；7♂4♀，留坝闸口石，2013.Ⅶ.15，霍科科采；2♂，留坝闸口石，2013.Ⅶ.18，霍科科采。

分布:陕西(宝鸡、留坝)、吉林、甘肃、浙江、福建、台湾、广东、广西、四川、贵州、云南、西藏;印度，尼泊尔。

(234) 短喙鼻颜蚜蝇 *Rhingia brachyrrhyncha* Huo, Ren *et* Zheng, 2007

Rhingia brachyrrhyncha Huo, Ren *et* Zheng, 2007: 262.

鉴别特征:雄性复眼上半部被暗褐色短毛，雌性裸。额黑色，基部沿复眼覆黄色粉。雌性额中部具黄粉宽横带。颜在触角之下垂直，下部形成长喙，其长度小于复眼直径；颜及喙棕褐色，眼眶棕黄色，被黄色短毛，覆黄粉。触角棕黄色，第3节端部钝圆；触角芒长，明显被毛。中胸背板密被黄粉，中部及两侧形成2对黄粉纵条纹，背板被黄色毛，侧缘及翅基以后具稀疏黑褐色长毛，横沟外端及翅后胛具黑色鬃状长毛。小盾片为黑色，后端为黄褐色；被黑色长毛，后端具黑色鬃状长毛，盾下缨黄色。雌性中胸背板侧缘具黑色鬃状长毛，小盾片周缘具黑色长鬃。足黄色，各足腿节基部2/3黑褐色，前足、中足胫节中部具不明显的暗色环，后足胫节中部具黑色环带，足被黄毛，各足腿节端部、胫节被黑毛。翅面被微毛，翅痣暗褐色。腹部第2~3背板呈红黄色，后缘具黑边，第4背板为暗黄褐色。雌性腹部第2背板呈红黄色，后缘黑色，中央具黑色纵条纹，第3、4背板具长方形红黄色侧斑，内端分开。

采集记录：1♂1♀，户县朱雀森林公园，2002.Ⅷ.25，霍科科采。

分布：陕西(户县)、西藏。

(235) 台湾鼻颜蚜蝇 *Rhingia formosana* Shiraki, 1930

Rhingia formosana Shiraki, 1930: 431.

鉴别特征：头顶及额黑亮，被灰黄色粉，被黑毛，前端裸，额前端中央具纵沟。颜在触角之下垂直，下部形成喙，略小于复眼的水平直径；颜及喙棕褐色，眼眶为黄色，被黄色短毛。触角棕黄色，第3节呈卵形；触角芒长，棕褐色，明显被毛。中胸背板密被黄粉，中部及两侧形成2对黄粉纵条纹，背板主要被黑褐色短毛，侧缘具黄褐色短毛。小盾片黑色，后端黄褐色，被黄色粉，被黑色短毛，周缘黑色长鬃，盾下缨黄色。中胸侧板密被黄粉，被黄色毛。足黄色，前足、中足胫节中部具不明显暗色环，后足胫节中部具黑色环带，足被黄色毛，各足腿节端部、胫节被黑色毛。翅面被微毛，翅痣为暗褐色。腹部为黑色。第1背板为黄色，后缘两侧具暗斑，第2背板基部具红黄色侧斑，约为背板侧缘的2/3，内端分开，第3、4背板两侧具长方形红黄色侧斑，两侧不达背板侧缘，内端分开。

采集记录：1♀，户县朱雀森林公园，2002.Ⅷ.25，霍科科采；1♀，凤县，2014.Ⅷ.27，霍科科采；1♀，留坝闸口石，2013.Ⅶ.14，霍科科采；1♀，留坝闸口石，2013.Ⅶ.18，霍科科采。

分布：陕西(户县、凤县、留坝)、黑龙江、内蒙古、北京、甘肃、新疆、湖北、福建、台湾、四川、云南、西藏。

(236) 楼观鼻颜蚜蝇 *Rhingia louguanensis* Huo, Ren *et* Zheng, 2007

Rhingia louguanensis Huo, Ren *et* Zheng, 2007: 265.

鉴别特征：复眼上半部被暗褐色短毛。额黑色，基部沿复眼覆黄色粉。颜在触角之下垂直，下部形成长喙，其长度略小于复眼直径；颜及喙棕褐色，覆黄粉。雌性额中部具黄粉宽横带；喙与复眼水平直径几乎相等。触角棕黄色，第3节长大于其高；触角芒明显被毛。中胸背板中部及两侧形成2对黄粉纵条纹；背板被黄毛，侧缘具黑褐色毛，横沟外端具黑色鬃状长毛。小盾片黑色，后端黄褐色，被黑色长毛，盾下缨黄色。雌性中胸背板侧缘具黑色鬃状长毛，小盾片周缘具黑色长鬃。足黄色，各足腿节基部2/3黑褐色，雌性腿节黄色；前足、中足胫节中部具暗色环，后足胫节中部具黑色环，足被黄毛，各足腿节端部、胫节被黑毛。翅面被微毛，翅痣暗褐色。腹部基部2节黄色，端部红棕色，第1~4节背板后缘具极狭的黑边，第2背板中央具黑色细纵条纹，第2~3背板侧缘后半部为黑褐色。雌性腹部第1背板为黄色，后缘两侧具暗斑，第2背板为红黄色，端部1/3为黑色，中央具黑色纵条纹，不超过基部黄色横带，第3、4背板两侧具长方形红黄色侧斑，两侧不达背板的侧缘，内端分开。

采集记录：1♂1♀，周至楼观台，2003.Ⅹ.16，霍科科采；1♀，眉县太白山，2003.Ⅶ.24，霍科科采。

分布：陕西（周至、眉县）。

（237）黑缘鼻颜蚜蝇 *Rhingia nigrimargina* Huo，Ren *et* Zheng，2007

Rhingia nigrimargina Huo，Ren *et* Zheng，2007：266.

鉴别特征：复眼裸。额棕黄色，基部沿复眼覆黄色粉。颜在触角之下垂直，下部形成长喙，其长度长于复眼水平直径；颜及喙棕褐色，喙基部两侧具暗褐色斑，眼眶为黄色，被黄色短毛。触角为棕黄色，第3节呈卵形；触角芒棕褐色，明显被毛。中胸背板棕黄色到红黄色，中部前2/3暗褐色；密被黄粉，中部形成1对黄粉宽纵条纹，将中部暗褐色区域分开，形成3条暗褐色条纹；背板被黄色长毛。小盾片黄色，被黄色长毛，后部混生黑色长毛，周缘具间隔均匀的黑色鬃状长毛，盾下缨黄色。中胸侧板棕黄色至红黄色，密被黄粉，尤以翅基下方为甚，被黄毛。足黄色；足被黄毛，各足腿节端部及胫节毛暗褐色。翅面被微毛，翅痣暗褐色。腹部宽卵形，基部2节黄色，端部红棕色，第1~4背板后缘具极狭的黑边；背板被黄毛，第2背板后缘具黑毛，第3背板后缘被黑毛，中央黑毛呈狭条状分布到背板前缘，第4背板后半部被黑毛，中央黑毛呈三角状分布到背板前缘。

采集记录：2♂，留坝紫柏山，2003.Ⅶ.04，霍科科采。

分布：陕西（留坝）。

（238）六斑鼻颜蚜蝇 *Rhingia sexmaculata* Brunetti，1913

Rhingia sexmaculata Brunetti，1913：166.

鉴别特征：雄性复眼上部密被黄褐色短毛，雌性裸。额黑亮，基部沿复眼覆黄色粉。颜在触角之下垂直，下部形成长喙，明显短于复眼水平直径；颜及喙棕褐色，眼眶黄褐色，被黄色短毛，覆黄粉。触角红褐色，第3节卵形，端部钝圆，触角芒长，明显被毛。中胸背板密被黄粉，中部及两侧形成2对黄粉纵条纹，中央具前细后宽的黄粉条纹，均伸达背板后缘；背板被黄毛，侧缘混生黑褐色毛，背侧片及翅后胛处有黑色鬃状长毛。小盾片黑色，后端黄褐色；被黄色和黄褐色至暗褐色毛，周缘具褐色长鬃，盾下缨黄色。足黄色，各足腿节基部黑褐色，前足、中足胫节中部具暗色环，后足胫节中部具黑色环；足被黄色毛。翅被微刺，翅痣暗褐色。雌性前足、中足胫节黄色，后足胫节中部具暗褐色环。腹部第1背板为黄色，两侧及中央具不明显褐色斑；第2～4背板具1对大型黄色横斑，中部不相连，前缘到达背板前部，第3～4节背板黄斑两侧不达背板侧缘。

采集记录：7♂2♀，宝鸡马头滩，2003.Ⅶ.23，霍科科采；1♂，凤县，2014.Ⅷ.14，霍科科采；1♂，留坝闸口石，2012.Ⅶ.14，刘婷采；3♂2♀，留坝闸口石，2013.Ⅶ.15，霍科科采；1♂，留坝闸口石，2013.Ⅶ.16，霍科科采。

分布：陕西（宝鸡、凤县、留坝）、甘肃；印度。

（239）黄足鼻颜蚜蝇 *Rhingia xanthopoda* Huo, Ren *et* Zheng, 2007（图260）

Rhingia xanthopoda Huo, Ren *et* Zheng, 2007: 269.

鉴别特征：雄性复眼上半部白毛稀疏。额黑褐色，前缘褐色，基部沿复眼覆白色粉。颜下部形成长喙，长于复眼水平直径；颜及喙黑色至黑褐色，喙基部两侧基部褐色，眼眶黄白色，被同色短毛和粉。触角为棕黄色，第3节呈卵形，触角芒为棕褐色，明显被毛。中胸背板被黄白粉，肩胛黄白色，两侧在横沟之后橘黄色，背板两侧具粉被宽条纹，中央具1对粉被宽条纹。背板被黄色毛和少许暗褐色长毛。小盾片橘黄色，被黄色长毛，后部混生黑褐色长毛，盾下缨黄色。足黄色，基节为黑褐色，转节为褐色，后足跗节为暗褐色；足被黄毛，各足腿节端部有少许黑色短毛，胫节毛黑色。翅面被微刺，翅痣灰褐色。腹部橘黄色至红黄色，第2、3背板侧缘后部具黑边，后缘两侧具狭的黑斑，中央宽地中断，第4背板后缘略带黑色，尾节黑色。

本种2007年发表时仅有雄性，现补充雌性如下：

雌性复眼裸。头顶及额黑色，覆黄色粉被和毛，额前端亮黑色，新月片褐黄色。后头部密被黄粉，被毛黄色，背面中部沿复眼后缘具1列向前弯曲的黑色长毛。颜黑色，额突之下具褐黄色横斑，其腹缘向下呈三角状延伸至喙基部；颜薄覆黄粉。眼眶为黄褐色，覆黄粉和同色短毛。喙长于复眼水平直径，黑色，两侧下半部褐黄色，覆黄色粉。颊暗黄褐色，具黄色长毛。触角棕黄色，第3节卵形，端部钝圆，触角芒长，棕褐色，明显被毛。中胸背板黑色，亮，被黄白色粉，肩胛黄白色，两侧在盾沟之后呈橘黄色，背板两侧具粉被宽条纹，中央具1对粉被宽条纹，之间夹细条纹，均向后伸达盾片后部。背板被黄毛，侧缘毛较长且粗，翅后胛具少许黑色和黄色长毛。小盾片呈橘黄色，被黄色长毛，后缘混生较粗的黄色和黑色长鬃；盾下缨黄色，长而密。中胸侧板黑色，亮，被黄白粉，尤以翅基下方为甚，被黄毛，下前侧片后部的上、下毛斑全长宽地分开，后胸腹板具黄色长毛。足黄色，基节为黑褐色，转节为褐色，后足跗节为暗褐色；足被黄毛，各足腿节端部有少许黑色短毛，胫节毛黑色，前足、中足跗节背面被黑色短毛，腹面有黑色小刺，后足跗节背面被黑色毛。翅透明，翅面被微刺，外缘横脉与翅缘平行，r-m横脉位于dm基部，r_1室开放，翅痣灰褐色。腹部宽卵形，橘黄色，第2～4背板侧缘及后缘具狭的黑边。第1背板、第2背板基部两侧被黄色长毛，其余部分被黑色短毛，混生少许黄色短毛。

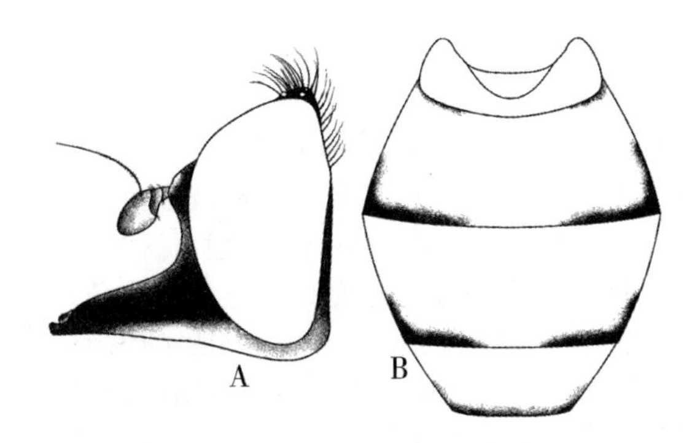

图 260 黄足鼻颜蚜蝇 *Rhingia xanthopoda* Huo, Ren *et* Zheng

A. 雄性头部侧面观(male head, lateral view); B. 雄性腹部背面观(male abdomen, dorsal view)

采集记录: 4♀, 凤县, 2014.Ⅷ.27, 霍科科采; 1♂, 留坝闸口石, 2013.Ⅶ.14, 霍科科采; 1♂, 留坝闸口石, 2013.Ⅶ.18, 霍科科采。

分布: 陕西(凤县、留坝)、甘肃。

66. 缺伪蚜蝇属 *Graptomyza* Wiedemann, 1820

Graptomyza Wiedemann, 1820: 16. **Type species**: *Graptomyza longirostris* Wiedemann, 1820.

Graptomyza Henning, 1832: 332 (nec Wiedemann, 1820). **Type species**: *Graptomyza longicornis* Hennig, 1832.

Baryterocera Walker, 1856: 123. **Type species**: *Baryterocera inclusa* Walker, 1856.

Ptilostylomyia Bigot, 1882: 17. **Type species**: *Graptomyza brevirostris* Wiedemann, 1820.

Protograptomyza Hull, 1949: 351. **Type species**: *Graptomyza doddi* Ferguson, 1926, as a subgenus.

属征: 体小。两性复眼明显分开; 无额突; 颜在触角下直, 下半部明显向前突出成钝或尖的口锥。触角第 3 节延长, 端部圆; 触角芒着生在第 3 节基部, 裸或具细的长毛或短毛。中胸背板侧缘及小盾片边缘明显, 具粗大的鬃; 小盾片中央为盘状凹陷, 其上被毛明显不同于周围; 腹部拱, 侧缘厚而圆。翅宽, 无伪脉, r_1 室开放, R_{4+5} 脉直, M_1 端部直, 或向外弯曲, 与相应脉相交成直角或回走, r-m 横脉位于中室基部 1/3 之前。

分布: 本属主要分布在东南亚, 东洋区, 非洲区, 澳洲区。中国已知 19 种, 秦岭地区有 1 种。

(240) 弦斑缺伪蚜蝇 *Graptomyza semicircularia* Huo, Ren *et* Zheng, 2007

Graptomyza semicircularia Huo, Ren *et* Zheng, 2007: 371.

鉴别特征: 头顶及额黄色, 额中部具近梯形黑斑, 黑斑前端到达新月片, 后端与单眼三角黑色部分相连; 额中央略凹。颜下端向前向下突出, 中突不很明显; 颜黄色，中央具黑褐色中条，两侧具棕褐色侧条纹，颜下部被黄色直立毛，黑褐色中条下端及口缘前部中央被黑色到黑褐色毛。触角为黄色，第3节延长，触角芒被微毛。中胸背板黑亮，肩胛、翅后胛为黄色，横沟前两侧具黄斑，后缘具黄边，肩胛内侧与翅后胛之间有黄色狭纵条相连，不达背板侧缘。背板被金黄色毛，中部有暗色毛形成的纵条纹；背板侧缘及后缘具黑色长鬃。小盾片黑色，盘面短毛灰白色，后缘具黑色毛及长鬃。侧板黑亮，具黄色纵条纹。翅面具微毛和暗褐色斑。腹部椭圆形，背面拱起，第2背板后部具近半月形黑斑，前缘形成不明显的3个拱形峰，背板后缘中央具狭黄边；第3背板前缘中部及背板中部近两侧处具明显黑褐色斑，两侧近侧缘处具黑色纵带；第4背板仅两侧近前角处具三角状黑斑。雌性腹部第3背板具倒“T”形黑色，近侧缘处具较宽的黑色纵条。第4背板侧缘黑色，中部具3条黑色纵条纹。

采集记录：2♂1♀，洋县九池，2002.Ⅷ.04，霍科科采；1♀，商州黑龙口，2002.Ⅶ.09，霍科科采。

分布：陕西（洋县、商州）。

67. 蜂蚜蝇属 *Volucella* Geoffroy, 1762

Volucella Geoffroy, 1762: 540. **Type species**: *Musca bombylans* Linnaeus, 1758.

Apivora Meigen, 1800: 37. **Type species**: *Musca pellucens* Linnaeus, 1758.

Pterocera Meigen, 1803: 275 (nec Lamarck, 1799). **Type species**: *Musca pellucens* Linnaeus, 1758.

Temnocera Lepeletier *et* Serville, 1828: 786. **Type species**: *Temnocere violacea* Lepeletier *et* Serville, 1828.

Cenogaster Dumeril, 1805: 282. **Type species**: *Musca pellucens* Linnaeus, 1758.

属征：外形似蜂。额略突出，颜在触角下方凹入，随后迅速突出成大的中突。触角中等长，第3节延长；触角芒基生，羽状。雄性复眼合生，两眼相接距离长，被毛，雌性复眼分离，裸。中胸背板方形，具长而密的（如熊蜂）或短而密的毛，背板及小盾片边缘常具鬃。中胸上前侧片前低平部具长毛，下后侧片上、下毛斑后端宽地相连，上后侧片前部具长毛，下后侧片具长毛；基侧片后背方具毛，后胸腹板具毛。足简单，后足基节后中端角具毛簇。翅膜具微刺，中部及端部常具暗色斑，径分脉Rs具小刺，r_1室封闭，r-m横脉在dm室中部之前，上外缘横脉急速回转。腹部宽于胸，短卵形，背面平或拱，被毛同胸部。

生物学：本属幼虫为巢穴性，生活在蜂巢内，取食已死或将死的蜂幼虫及蛹，属腐食性类群。

分布：除新热带区和非洲区无分布记录外，其他动物地理大区均有分布。中国大约有30种，秦岭地区记录9种。

分种检索表

1. 小盾片后缘具黑色长鬃。中胸背板黑亮，被白毛，雌性有时具亮侧线，小盾片很大，黄白色；腹部黑亮，具2个大的亮黄色侧斑 ······································ **柔毛蜂蚜蝇 *V. plumatoides***

小盾片后缘具粗大的鬃 …………………………………………………………………………………… 2

2. 腹部宽卵形或末端明显呈尖锥形，黑色，或仅基部具淡色横斑 …………………………… 3
腹部长卵形，红黄色或黄色，具暗色横带或斑，体似胡蜂 ……………………………………… 7

3. 胸部棕黄色或红褐色。翅前半部具宽的褐色纵条；腹部第2背板前缘中央具1对三角形黄斑 ………………………………………………………………………………… **亮丽蜂蚜蝇 *V. nitobei***
胸部黑色，或两侧略带棕色 ………………………………………………………………………… 4

4. 腹部末端明显呈尖锥形，腹部末端被白色长毛，中胸背板黑亮，具宽的橘红色侧缘及后缘斑 ……………………………………………………………………… **红缘蜂蚜蝇 *V. rufimargina***
腹部基部具淡色横斑，呈宽卵形 ……………………………………………………………………… 5

5. 腹部第2背板黑色，基部具1对浅色斑，不超过背板长度2/3 ……… **黑蜂蚜蝇 *V. nigricans***
腹部第2背板几乎全部浅色，至多中部具1条狭而长的黄褐色或暗褐色中条纹 …………… 6

6. 腹部第2背板中央长于第3背板，雄性触角中部略收缩。腹部第3背板浅色，仅后部及两侧黑色，雄性第9背板基部腹侧无指状突起 ……………………………… **紫柏蜂蚜蝇 *V. zibaiensis***
腹部第2背板中央不长于第3背板，侧面观雄性触角近椭圆形。雌性中胸背板后部具三角形黄褐色斑 ……………………………………………… **黄盾蜂蚜蝇 *V. pellucens tabanoides***

7. 雌雄两性均为离眼，复眼密被黑褐色毛；腹部第4背板具狭的黑色中纵条，两侧中部各具短横线 ………………………………………………………………………… **凹角蜂蚜蝇 *V. inanoides***
雄性复眼为接眼，雌性复眼裸，腹部第4背板黄色，无黑斑或带 ………………………………… 8

8. 腹部第3背板黑带宽度超过本节背板的1/2 …………………………… **双带蜂蚜蝇 *V. bivitta***
腹部第3背板黑带宽度不超过本节背板的1/2，胸背板后缘无三角状斑 ……………………… ……………………………………………………………………… **老君山蜂蚜蝇 *V. laojunshanana***

(241) 双带蜂蚜蝇 *Volucella bivitta* Huo, Ren *et* Zheng, 2007

Volucella bivitta Huo, Ren *et* Zheng, 2007: 373.

鉴别特征：雄性复眼被黄色短毛，下半部裸；雌性复眼几乎裸。头顶明显隆起，亮黄色，被黄色长毛。额大而隆起，亮黄色，被黄毛。颜中突大而圆，颜下端向下明显突出成长锥状；颜亮黄色，被黄色短毛，颜中突上缘黄毛较长。触角橘黄色，第3节端部狭，钝圆，触角芒具深色羽毛。中胸背板黑亮，具暗蓝色光泽，两侧缘具黄色宽带，具1对红黄色细条纹，后缘在细条纹之间具三角状红黄斑，背板密被黄毛，侧缘及背板近后缘处具粗大黑色长鬃。小盾片为暗黄色，被黑毛，边缘具粗大黑色长鬃。中胸上前侧片及上后侧片背缘具粗大黑色长鬃。足红褐色，腿节基部带有黑色，足被黑毛。翅基半部及前缘黄色，翅脉黄色，翅痣暗黄色，近翅端处具褐色云斑。腹部长锥形，第2、3背板为黑色，前部具宽黄带，第2、3背板被黄褐色毛，后缘及两侧后部生有黑毛，第2背板两侧前角处具数根黑色和黄色鬃；第4背板及其以后各节为橘红色，被毛同底色，第4背板两侧后角处为黑色。

采集记录：3♀，留坝柴关岭，2014.Ⅷ.23，霍科科采；4♀，留坝，2014.Ⅷ.24，霍科科采；3♂1♀，留坝紫柏山，2014.Ⅷ.25，霍科科采；5♀，留坝，2014.Ⅷ.26，霍科科采；1♂2♀，汉中天台山，2002.Ⅷ.06，霍科科采。

分布：陕西(留坝、汉中)、辽宁、河北、山西、甘肃、四川。

(242)凹角蜂蚜蝇 *Volucella inanoides* Hervé-Bazin, 1923

Volucella inanoides Hervé-Bazin, 1923: 256.

鉴别特征:雌性复眼密被黑褐色毛；头顶和额褐色，被黄色短毛，额两侧具2条纵沟；颜黄色，复眼下方具明显的暗色纵条，颜中突上被黑色短毛，其余为黄毛；触角黄褐色。中胸背板为黑色，肩胛为黄色，盾沟后两侧缘及翅后胛为黄褐色；背板毛为棕色，短，两侧及后缘具黑色长鬃；小盾片为黑褐色，有时盘面具黄褐色大斑。足基节为黑色，腿节为黑褐色，胫节、跗节黄色。翅中部具明显的小暗斑，翅前半部呈黄褐色。腹部第1背板为黑褐色；第2背板为黑色，中部具1对黄色横带，两带中间不相连；第3背板端部1/3黑色，中央向上呈三角形切入前部黄色部分，近后缘具1对不很明显的黄色横带；第4背板具1条狭黑中纵条，近后缘1/3处具1对黑横带，两带不与黑纵条相接，后缘黑色极狭。

采集记录:1♀，周至楼观台，1958.Ⅶ.08，郑哲民采；1♀，留坝庙台子，2005.Ⅵ.20，霍科科采；1♀，留坝闸口石，2004.Ⅵ.07，霍科科采。

分布:陕西(周至、留坝)、湖北、四川。

(243)老君山蜂蚜蝇 *Volucella laojunshanana* Qiao *et* Qin, 2010

Volucella laojunshanana Qiao *et* Qin, 2010: 140.

鉴别特征:雄性复眼被黄毛，后部约1/4几乎裸，雌性复眼裸。雌性头顶和额鼓胀，明显高于复眼背缘，额两侧近平行，前端1/3处略扩宽。颜中突大而突出，超过额突，颜中突之下垂直呈短锥形；颜黄色，两侧下部具黑色条纹；颜被黄毛，短，颜中突上部毛较长，触角为橘黄色，第3节长约为宽的2倍，顶端狭圆；触角芒为黄色，羽毛为黑褐色。肩胛为黄色，被黄毛，内侧覆黄粉。中胸背板两侧具宽的黄色边，中央具黄白色粉被宽条纹；背板被黄毛，横沟之后黑色部分的中央被黑毛；背板近后缘具1列黑色粗大长鬃，侧缘具黑色粗大长鬃。小盾片黄色，被黄毛，后缘具粗大黑色长鬃。上前侧片后隆起部后缘具2根黑色长鬃，上后侧片前部后背缘具黄褐色鬃状长毛。足及足毛黄色，后足基节外侧缘具1列约6根红黄色长鬃，中足胫节端缘腹侧具黑色短粗鬃。翅基部略染黄色，基部翅脉呈黄色，端部呈暗褐色；翅前缘呈黑褐色。腹部背板为黄色，仅第2、3背板后部具1对不明显的暗褐色细狭带。

采集记录:1♀，宁陕大茨沟，2008.Ⅷ.24，徐亚玲采。

分布:陕西(宁陕)、河南。

(244)黑蜂蚜蝇 *Volucella nigricans* Coquillett, 1898

Volucella nigricans Coquillett, 1898: 324.

鉴别特征:雄性复眼短毛为黑褐色，腹端约1/3裸；雌性复眼裸。额为橘黄色，被黄色毛，前端混生少许黑毛。雌性头顶及额基半部为黑色，被黑色和黄色毛，额前半部生有黄毛。颜在中突之下垂直向下，下端不向前向下明显突出成长锥状；颜中突大而圆；颜橘黄色，两侧复眼下方黑褐色，被橘黄色毛；中突背部被橘黄色鬃。触角橘黄色，第3节端部狭；触角芒黄色，羽毛黑色，上侧羽毛明显长于下侧。肩胛黄褐色，被黄褐色毛。中胸背板暗蓝黑色，翅后胛前、后端略呈红褐色；背板密被黑色直立毛，侧缘具粗大的黑色长鬃。小盾片黑色，被黑毛，后缘具黑色粗大长鬃。侧板黑色至黑褐色，中胸上前侧片后背缘具黑色长鬃。足黑色，膝部略呈棕黄色；足毛黑色，各足腿节后腹侧黑毛较长，中足腿节端部后腹侧具黑色短鬃。翅基半部橘黄色，中部具黑褐色云斑，近翅端处具淡黑色云斑。腹部第2背板中央短于第3背板之长；腹部亮，蓝黑色。第2背板基半部具黄白色到红黄色领状斑，领状斑后缘中央凹入。

采集记录：1♂，西安，1999.Ⅷ.08，孙平采；1♀，宝鸡马头滩，2003.Ⅶ.23，霍科科采；1♀，凤县，2003.Ⅵ.27，霍科科采；4♀，凤县，2005.Ⅵ.23，霍科科采；1♂2♀，眉县太白山，2003.Ⅶ.24，霍科科采；1♀，留坝柴关岭，1978.Ⅶ.07，郑哲民采；2♀，留坝柴关岭，2003.Ⅵ.30，霍科科采；1♂1♀，留坝庙台子，2001.Ⅵ.09，采集人不详；1♀，留坝庙台子，2003.Ⅶ.02，采集人不详；2♀，留坝庙台子，2005.Ⅵ.20，霍科科采；1♀，留坝庙台子，2005.Ⅵ.22，肖勇采；1♂，留坝闸口石，2012.Ⅶ.18，霍科科采；1♀，宁陕菜子坪，采集时间、采集人不详。

分布：陕西（西安、宝鸡、凤县、眉县、留坝、宁陕）、浙江、安徽、湖北、湖南、福建、台湾、江西、广西、四川；朝鲜，日本。

（245）亮丽蜂蚜蝇 *Volucella nitobei* Matsumura, 1916

Volucella linearis Walker, 1852: 251.
Volucella nitobei Matsumura, 1916: 210.

鉴别特征：雄性复眼上半部被黄色毛，下半部裸。头顶三角红褐色，被同色毛。额三角小，红褐色，被黄色毛。颜中突大而圆，之下垂直呈短锥形；颜红褐色，两侧复眼下方具较细的黑色条纹；颜被毛黄色，中突背面毛较长。触角为橘黄色，第3节长约2倍于宽，基部宽，端部狭；触角芒羽毛为黑褐色，上侧羽毛较下侧长。肩胛为黄色。中胸背板为红褐色，中央具1对不明显的黑色条纹，两侧在横沟之前和之后具深红褐色的纵斑，背板后缘之前中央具略呈黑色的三角斑；背板被毛红褐色，两侧具黑色粗大长鬃，背板后缘具黑色长细鬃。小盾片红褐色，被毛红褐色，后缘具黑色长鬃。侧板黑褐色，上前侧片后背缘具黑色长鬃。足深黄褐色，足毛暗褐色，中足腿节端部后侧具短黑鬃，后足腿节后腹侧具黑色长毛。翅前半部黄色，后半部透明，前缘具黑褐色宽条纹。腹部宽椭圆形，黑色，具暗蓝色光泽，第2背板基部具1对不明显的浅色斑；背板被黑毛，第1背板、第2背板基部被毛黄褐色。

采集记录：1♂，宁陕小茨沟，2008.Ⅷ.18，褚娇杨采。

分布：陕西（宁陕）、安徽、浙江、福建、四川；日本。

（246）黄盾蜂蚜蝇 *Volucella pellucens tabanoides* Motschulsky, 1859（图261）

Volucella tabanoides Motschulsky, 1859: 504.

Volucella japonica Bigot, 1875: 473.

鉴别特征:雄性复眼密被黑褐色毛，近中部毛稀疏，腹部约1/3裸，雌性复眼裸。头顶为黄褐色，被黑毛。额橘黄色，被黑毛。颜中突之下垂直向下，下端不向前向下明显突出呈长锥状；颜中突大而圆，颜橘黄色，被橘黄色毛。触角为橘黄色，第3节端部狭，钝圆；触角芒羽毛为黑色，上侧羽毛明显长于下侧。肩胛为黄褐色，被黄褐色毛。中胸背板为暗蓝黑色，两侧在横沟之后具暗黄褐色狭边，翅后胛前、后端略呈红褐色；背板密被黑色直立毛，侧缘、背板后缘具粗大黑色长鬃；雌性背板后缘正中具近三角状黄褐色斑。小盾片为暗黄褐色，被黑毛，后缘具黑色粗大长鬃。侧板被黑色毛，中胸上前侧片后背缘具黑色长鬃。足黑色，膝部略呈棕黄色；足毛黑色。翅基半部略染橘黄色，翅脉为橘黄色，端半部透明，翅脉黑褐色，中部具黑褐色云斑，近翅端处具淡黑色云斑。腹部宽卵形，第2背板中央等于第3背板之长；腹部具光泽，蓝黑色，第2背板黄白色到红黄色，基部约3/4被黄白色毛，后部1/4被黑毛，两侧前角处具黑鬃。

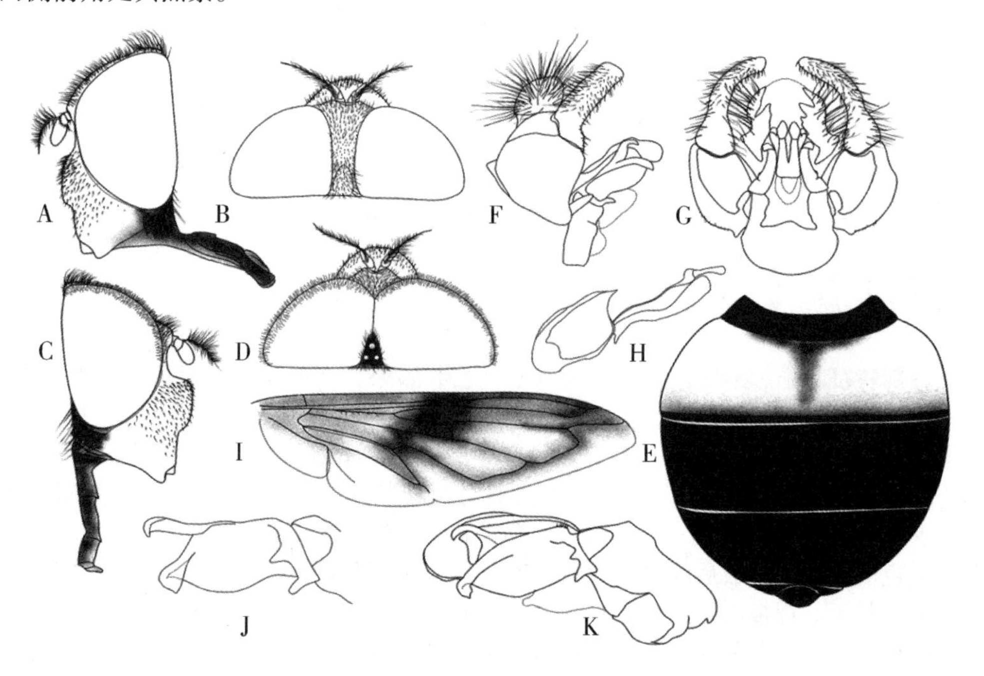

图261 黄盾蜂蚜蝇 *Volucella pellucens tabanoides* Motschulsky

A. 雌性头部侧面观(female head, lateral view)；B. 雌性头部背面观(female head, dorsal view)；C. 雄性头部侧面观(male head, lateral view)；D. 雄性头部背面观(male head, dorsal view)；E. 雄性腹部背面观(male abdomen, dorsal view)；F. 雄性尾器侧面观(male terminalia, lateral view)；G. 雄性尾器腹面观(male terminalia, ventral view)；H. 阳茎(aedeagus)；I. 翅(wing)；J. 上叶(superior lobe)；K. 第9腹板及其附器侧面观(male apicla hypandrium and appendages)

采集记录:6♀，宝鸡马头滩，2003.Ⅶ.23，霍科科采；1♂，凤县，2003.Ⅶ.03，霍科科采；1♂，凤县，2005.Ⅵ.23，霍科科采；2♀，眉县红河谷，2002.Ⅷ.30，霍科科采；1♂2♀，眉县太白山，2003.Ⅶ.25，霍科科采；15♂35♀，眉县太白山，2003.Ⅶ.24，霍科科采；3♂2♀，留坝柴关岭，2003.Ⅶ.04，霍科科采；1♂5♀，留坝庙台子，2003.Ⅵ.30，霍科科采；1♂，留坝，2004.Ⅵ.09，霍科科采；1♀，留坝闸口石，2012.Ⅶ.11，杨明采；1♀，留坝闸口石，2012.Ⅶ.11，王玉艳采；1♂2♀，留坝闸口石，2012.Ⅶ.19，霍科科采；1♀，留坝闸口石，2012.Ⅶ.20，霍科科采；1♂，留坝闸口石，2012.Ⅶ.21，陈锐采；1♂1♀，留坝闸口石，2013.Ⅶ.14，霍科科采；1♀，留坝闸口石，2013.Ⅶ.15，霍科科采；1♀，留坝，2014.Ⅷ.26，霍科科采；1♀，宁陕菜子坪，2002.Ⅵ.29，王静采；1♂，宁陕菜子坪，2003.Ⅶ.02，李南采；1♂，宁陕菜子坪，2003.Ⅶ.04，沈晓东采；1♀，宁陕平和梁，2003.Ⅶ.08，赵星采。

分布:陕西(宝鸡、凤县、眉县、留坝、宁陕)、黑龙江、吉林、辽宁、内蒙古、北京、河北、山西、甘肃、青海、新疆、湖北、四川、云南；蒙古，俄罗斯，朝鲜，日本。

(247)柔毛蜂蚜蝇 *Volucella plumatoides* Hervé-Bazin, 1923

Volucella plumatoides Hervé-Bazin, 1923: 257.

鉴别特征:复眼被黑色长毛。额黑亮，被黑色和白色毛。雌性额两侧具红黄色纵斑，头顶和额密被黄白色长毛，额具3条纵沟。颜中突不明显，颜下端向前向下明显突出呈长锥状；颜黑亮或黑褐色，被白色毛。触角黑褐色，第3节端部狭而圆，触角芒褐色，具黑色羽状毛。中胸背板黑亮，具暗蓝色光泽，背板密被黑色直立长毛，后缘混生白色长毛，翅后胛具褐色长毛。雌性中胸背板两侧及前缘、后缘混黄毛，或背板毛黄色，中部混杂黑毛。小盾片黄白色，被白色长毛，后缘具黑色长鬃。足黑色，被黑色毛。翅痣暗褐色，翅痣下方具暗褐色云斑，翅脉具暗晕。腹部短锥形，第1背板黑色，被污白色毛；第2背板黑亮，具暗蓝色光泽，两侧为三角形白色侧斑，主要被白色长毛，中央暗色部分后半部及背板后缘中央具黑色长毛；第3背板黑亮，两侧具方形浅黄褐色大斑，雌性无斑；被橘黄色长毛，两侧缘前部具白色长毛，前部两侧具黑色长毛；第4背板黑亮，被橘黄色长毛，毛端部略带黄色。

采集记录:1♂，眉县太白山，2002.Ⅶ.17，霍科科采。

分布:陕西(眉县)、河北、青海、新疆、四川、云南、西藏；蒙古，俄罗斯。

(248)红缘蜂蚜蝇 *Volucella rufimargina* Huo, Ren *et* Zheng, 2007

Volucella rufimargina Huo, Ren *et* Zheng, 2007: 381.

鉴别特征:复眼密被黑色毛，下端毛短而稀疏。头顶三角黑色，被橘黄色长毛。额黑亮，被黑色毛，前中部被橘黄色毛。雌性头顶及额被橘红黄色毛。颜在触角下方浅凹，颜中突不明显，颜下端向前向下突出呈长锥状；颜黑亮，被黑色短毛，中部两侧具较长黑色毛。触角短小，第3节端部狭，暗黄褐色；触角芒为黑褐色，上侧羽毛长于下侧。中胸背板黑亮，具暗蓝色光泽，两侧缘为橘红色，后缘中央具三角状橘红色斑，背板密被橘红色直立长毛，侧缘在盾沟之后及翅后胛具橘红色鬃状长毛。背侧片具黑色和橘红色鬃状长毛，小盾片橘红色，被同色长毛。侧板被黑色长毛，足黑色，被黑色毛。翅基半部略染橘黄色，翅脉为橘黄色；端半部透明，翅脉为黑褐色；中部具黑褐色云斑，近翅端处具淡黑色云斑。翅膜具微刺，裸区较广泛。腹部短锥形，黑色，被黑色短毛。第2、3背板两侧略带深褐色，第3背板后缘及第4背板密被白色长毛。雌性腹部第3背板后缘、第4、5背板及其腹部末端被白色长毛。

采集记录:3♂12♀，眉县太白山，2002.Ⅶ.17，霍科科采；11♂7♀，眉县太白山，2003.Ⅶ.24，霍科科采；1♂，眉县太白山，2003.Ⅶ.25，霍科科采。

分布:陕西(眉县)。

(249)紫柏蜂蚜蝇 *Volucella zibaiensis* Huo, Ren *et* Zheng, 2007

Volucella zibaiensis Huo, Ren *et* Zheng, 2007: 382.

鉴别特征:雄性复眼被毛黑褐色，下半部被毛稀疏；雌性复眼裸。额为橘黄色，被黄褐色毛。雌性头顶为红黄色，额大部分为红褐色至黑褐色。颜在中突之下垂直，下端不突出呈长锥状，颜中突大而圆，背面平；颜橘黄色，被橘黄色短毛，颜中突背部具黄色短鬃和毛。触角为橘黄色，第3节弯月状，端部狭而圆；触角芒长，黄色，具黄褐色羽状长毛。肩胛黄褐色，被黑色和黄色长毛。中胸背板具暗蓝黑色，侧缘及横沟暗褐色，背板密被黑褐色直立短毛，侧缘在横沟之后、翅后胛、背板后缘具黑色长鬃，背侧片具黑色长毛和长鬃。小盾片暗褐色，被黑色短毛，后缘具黑色长鬃。侧板被黑色毛，上前侧片后背缘具黑色长鬃。足黑色，被黑色毛。翅基半部略染橘黄色，中部具黑褐色云斑，近翅端处具淡黑色云斑。腹部呈宽卵形，第2背板中央长于第3背板；暗蓝黑色，被黑色短毛。第2、3节背板为橘黄色，第3背板后部及两侧黑色，第3背板黄带后半部被黑色毛。

采集记录:1♂，留坝江口，1997.Ⅵ.23，霍科科采。

分布:陕西(留坝)、河北。

68. 巢穴蚜蝇属 *Microdon* Meigen, 1803

Microdon Meigen, 1803: 275. **Type species**: *Musca mutabilis* Linnaeus, 1758.

Aphritis Latreille, 1804: 193. **Type species**: *Aphritis auropubescens* Latreille, 1805.

Ceratophya Wiedemann, 1824: 14. **Type species**: *Ceratophya notata* Wiedemann, 1824.

Scutelligera Spix, 1824: 124. **Type species**: *Scutelligera amerlandia* Spix, 1824 [=*Musca mutabilis* Linnaeus, 1758].

Parmula Heyden, 1825: 589. **Type species**: *Parmula cocciformis* Heyden, 1825 [= *Musca mutabilis* Linnaeus, 1758].

Chymophila Macquart, 1834: 485. **Type species**: *Chymophila splendens* Macquart, 1834 [= *Microdon fulgens* Wiedemann, 1830].

Dimeraspis Newman, 1838: 372. **Type species**: *Dimeraspis podagra* Newman, 1838 [= *Mulio globosus* Fabricius, 1805].

Colacis Gistel, 1848: 5 (new name for *Microdon* Meigen, 1803).

Mesophila Walker, 1849: 1157. **Type species**: *Ceratophya fuscipennis* Macquart, 1834.

Ubristes Walker, 1852: 217. **Type species**: *Ubristes flavitibia* Walker, 1852.

Rhoga Walker, 1857: 157. **Type species**: *Rhoga lutescens* Walker, 1857.

Omegasyrphus Giglio-Tos, 1891: 4. **Type species**: *Microdon coarctatus* Loew, 1864.

Ceratoconcha Simroth, 1907: 796 (nec Kramberger, 1889). **Type species**: *Ceratoconcha schultzei* Simroth, 1907.

Ptilobactrum Bezzi, 1915: 136. **Type species**: *Ptilobactrum neavei* Bezzi, 1915.

Bardistopus Mann, 1920: 61. **Type species**: *Bardistopus papuanum* Mann, 1920.

Eumicrodon Curran, 1925: 50. **Type species**: *Microdon fulgens* Wiedemann, 1830, as a subgenus.

Serichlamys Curran, 1925: 50. **Type species**: *Aphritis rufipes* Macquart, 1842, as a subgenus.

Parocyptamus Shiraki, 1930: 2. **Type species**: *Parocyptamus sonamii* Shiraki, 1930.

Hypselosyrphus Hull, 1937: 21. **Type species**: *Hypselosyrphus trigonus* Hull, 1937.

Pseudomicrodon Hull, 1937: 24. **Type species**: *Microdon beebei* Curran, 1936.

Oligeriops Hull, 1937: 26. **Type species**: *Microdon chalybeus* Ferguson, 1926.

Stenomicrodon Hull, 1937: 26. **Type species**: *Stenomicrodon purpureus* Hull, 1937.

Papiliomyia Hull, 1937: 27. **Type species**: *Papiliomyia sepulchrasilva* Hull, 1937.

Chrysidimyia Hull, 1937: 116. **Type species**: *Chrysidimyia chrysidimima* Hull, 1937.

Syrphipogon Hull, 1937: 120. **Type species**: *Syrphipogon fucatissimus* Hull, 1937.

Kryptopyga Hull, 1944: 129. **Type species**: *Kryptopyga pendulosa* Hull, 1944.

Archimicrodon Hull, 1945: 75. **Type species**: *Microdon digitator* Hull, 1937, as a subgenus.

Cervicorniphora Hull, 1945: 75. **Type species**: *Microdon alcicornis* Ferguson, 1926, as a subgenus.

Myiacerapis Hull, 1949: 309. **Type species**: *Microdon villosus* Bezzi, 1915, as a subgenus.

Ceratrichomyia Seguy, 1951: 14. **Type species**: *Ceratrichomyia behara* Seguy, 1951.

Indascia Keiser, 1958: 221. **Type species**: *Ascia brachystoma* Wiedemann, 1824.

Carreramyia Doesburg, 1966: 93. **Type species**: *Microdon megacephalus* Shannon, 1925.

Hovamicrodon Keiser, 1971: 248. **Type species**: *Hovamicrodon silvester* Keiser, 1971.

Megodon Keiser, 1971: 252. **Type species**: *Megodon stuckenbergi* Keiser, 1971.

属征:体小型至大型，褐色、黑色或金属色。头平宽，与胸等宽，颜凸，无中突，明显被毛，口缘不突出。复眼裸，两性复眼宽地分离。触角延长前伸，第 1 节与第 3 节长，第 2 节最短；触角芒短，着生于触角第 3 节背侧基部，裸。中胸背板近方形，拱起明显，具密毛。小盾片发达，后缘中部凹，两侧突起，其上具刺或无。腹部呈卵形或椭圆形。足简单，后足腿节略加粗。翅很短，r_1 室开放，R_{4+5}脉具悬脉伸入 r_5 室中部，r-m 横脉位于 dm 室中部，外缘横脉远离翅缘，回转或直角向上。

生物学：幼虫生活在蚂蚁巢穴中，取食将死或已死亡的蚂蚁幼虫。

分布：全世界各大动物地理区均有分布。中国记录约 23 种，秦岭地区发现 6 种。

分种检索表

1. 小盾片缘具齿突 ………………………………………………………………………………… 2
   小盾片后缘弧形，中央凹或无，但不形成齿突 ………………………………………………… 5
2. 小盾片长与宽几相等，后缘齿小，间距离短，腹部长卵形，被毛短，平伏 ……………………
   ……………………………………………………………… **拟二带巢穴蚜蝇 *M. spuribifasciatus***
   小盾片宽约为长的 2 倍，后缘齿位于小盾片后侧两端，间距大，腹部宽卵形 ……………… 3
3. 头顶及额被黑色毛，触角第 3 节腹缘端半部斜向上 ………………… **青铜巢穴蚜蝇 *M. oitanus***
   头顶及额被黄褐色毛，触角第 3 节端部略缩细 ………… **黄毛巢穴蚜蝇 *M. fulvopubescens***
4. 中胸背板被红棕色毛，足红褐色 …………………………………… **平利巢穴蚜绳 *M. pingliensis***
   中胸背板被浅黄色毛，足黑色 ……………………………………………………………………… 5
5. 中胸背板被毛浅黄色，足黑色，端跗节暗褐色 ……………… **黑足巢穴蚜蝇 *M. podomelainum***
   胸部背板被浅黄色毛，横沟之后与翅基之间中部被毛黑色，足主要黑色，前足腿节端部、胫节黑褐色，跗节红褐色，后足基跗节背面黑色……………………… **无刺巢穴蚜蝇 *M. auricomus***

(250)无刺巢穴蚜蝇 *Microdon auricomus* Coquillett，1898

Microdon auricomus Coquillett，1898：320.

Microdon auricomus var. *nigripes* Shiraki，1930：22.

鉴别特征：复眼裸。头顶及额黑色，具刻点，头顶在复眼后缘角处的宽约为头宽的 1/4，两侧斜向前，在单眼三角与额突中间处最狭，约为头顶宽的 1/2，然后逐渐向前扩宽，头顶及额被毛黑色，在额部最狭处具横沟，被毛银灰色，额突小。颜黑色，在触角基部略收缩，两侧近平行；颜被浅棕色毛。触角垂直前伸，3 节长度之比为 1.50∶0.70∶1.50；触角芒暗褐色，不长于第 3 节之长。胸部背板黑色，具暗蓝色光泽，背板被浅黄色毛，横沟之后翅基之间的中部被毛黑色。小盾片黑色，后端中央凹入，两端突出，但不形成齿状，小盾片被浅黄色长毛。中胸侧板具浅黄色长毛，足主要黑色，前足腿节端部、胫节黑褐色，跗节红褐色，后足基跗节背面黑色，足被棕黄色毛，腿节端部、胫节、跗节背面被毛黑色，翅面具微毛，基部具裸区。腹部宽卵形，黑色，第 2 背板不向两侧明显扩大，第 2、3 背板之间不形成明显的收缩，第 5 背板以后呈暗黄色。

采集记录：1♂，长安库峪，2002.Ⅵ.04，霍科科采。

分布：陕西（长安）、辽宁、北京、甘肃、江苏、浙江、湖北、江西、福建、广西、四川、贵州；朝鲜，日本。

(251)黄毛巢穴蚜蝇 *Microdon fulvopubescens* Brunetti, 1923

Microdon fulvopubescens Brunetti, 1923: 313.

鉴别特征:雌性复眼裸。头顶、额黑色，两侧近平行，向前略扩宽，中部之前横沟不明显，被黄褐色直立长毛，横沟之前被毛黑色，横沟之后沿复眼具黑褐色毛。触角突上方具三角裸区。颜两侧近平行，下端略收缩，黑色，略具青铜色光泽，被黄白色毛。触角垂直前伸，黑褐色，第1节略长于端部2节之和，第2节基部细，端部粗，小于第3节长的1/2，被黑色毛，第3节端部略缩细；触角芒棕褐色，短于触角第3节。中胸背板青铜色，被浅黄色长毛。小盾片青铜色，密被黄色毛，宽约为其长的2倍，后角处具小齿突，两齿之间中央略凹。足黑色，各足腿节基部具结节状痕迹，足主要被毛黄色至黄褐色，前足和中足腿节端部、后足腿节的大部分、中足和后足跗节背面具黑色毛。翅脉透明，沿横脉具褐色斑。腹部宽于胸，宽卵形，青铜色，侧缘略加厚，背板被黄色毛，第2、3节背板侧缘具黄白色毛。第3、4背板之间无明显的分界，腹面为青铜色，被浅色毛。

采集记录:1♀，凤县，2005.Ⅳ.13，霍科科采。

分布:陕西(凤县)；斯里兰卡。

(252)青铜巢穴蚜蝇 *Microdon oitanus* Shiraki, 1930

Microdon oitanus Shiraki, 1930: 18.

鉴别特征:雌性复眼裸。头顶、额黑色，两侧近平行，向前略扩宽，中部之前横沟不明显，被黑色直立长毛，横沟处具黄褐色毛。触角突小，上方具三角状裸区。颜两侧近平行，黑色，略具青铜色光泽，被黄色毛。触角垂直前伸，第1节略长于端部2节之和，被黑色毛，第2节基部细，端部粗，约第3节长的1/2，被黑色毛；触角芒棕褐色，短于触角第3节。中胸背板青铜色，被浅黄色长毛。小盾片青铜色，密被黄色毛，其宽约为长的2倍，后角处具小齿突，两齿之间中央略凹。胸部侧板黑亮，略具青铜色光泽，上前侧片后隆起部、下前侧片前端及后端背面、上后侧片等处被黄色长毛，上前侧片后隆起部毛斑中央具裸区。足黑色，各足腿节基部具结节状痕迹，足主要被毛黄色至黄褐色，前足和中足腿节端部、后足腿节的大部分黑毛。翅脉透明，沿横脉具褐色斑。腹部青铜色到黑色，背板被黄色毛，第2、3节背板侧缘具黄白色毛，第3、4背板之间无明显的分界，腹面为青铜色，被浅色毛。

采集记录:1♀，宁陕菜子坪，2004.Ⅵ.24，贺晓静采。

分布:陕西(宁陕)；日本。

(253)平利巢穴蚜蝇 *Microdon pingliensis* Huo, Ren *et* Zheng, 2007

Microdon pingliensis Huo, Ren *et* Zheng, 2007: 401.

鉴别特征:雄性复眼裸。额两侧向前收缩，近中部最狭处约为头顶的1/2，最狭处具横沟，横沟后部淡黄色短毛围绕单眼三角平覆，之前短毛向额突方面平伏；额突小而亮。颜宽约为头宽的2/5，被淡黄色短毛，两侧近垂直，上端弧形内收。触角黑色，第1节略小于端部2节之和，第2节略短于第3节长，第3节较粗，顶端略尖；触角芒短，着生于第3节基部背外侧，约等于第2节长度。胸部背板黑色，平覆红棕色短毛，背板前缘及肩胛处毛较长。小盾片半圆形，宽为长的2倍，黑色，被棕黄色平伏毛。足红褐色，前足、中足腿节内侧基部黑褐色，后足腿节基部及腹侧黑色到黑褐色；后足腿节基部细，中部略增粗，胫节近中部具斜切迹。翅淡黄褐色，具痣横脉。腹部长于头部、胸部长之和，第2背板两侧向外突出，使其明显宽于其后的各节背板，第4背板长，略短于第2、3背板之和，第3、4背板侧缘向下卷；腹部背板为黑色，第5节黄褐色，密具刻点和平伏的棕黄色短毛，第3节两侧前角处被金黄色毛，并沿其侧缘分布，第4节基部具金黄色毛带。

采集记录:1♂，平利，2002.Ⅶ.29，霍科科采。

分布:陕西(平利)、重庆。

(254)黑足巢穴蚜蝇 *Microdon podomelainum* Huo, Ren *et* Zheng, 2007

Microdon podomelainum Huo, Ren *et* Zheng, 2007: 402.

鉴别特征:雌性复眼裸，头顶、额、颜几等宽，约占头宽的1/3，头顶及额黑色，被黑色毛，额中部具横向分布的黄色毛斑，额突小，后头部被浅黄色毛，颜及颊黑色，被灰白色毛，颜垂直。触角垂直前伸，3节长度之比为2.00∶0.80∶1.80；第1节暗褐色，细，被黑褐色毛；第2节被黑色短毛，基部细，黑褐色，端部略粗，黄褐色；第3节黑色，端部略缩狭；触角芒黄褐色，短于第3节之长。中胸背板及小盾片黑色，具光泽，被浅黄色长毛，小盾片后端中央凹入，两侧突出，中胸侧板黑亮，具光泽，上前侧片后隆起部、下前侧片前端及后端背面、上后侧片等具浅黄色长毛。足黑色，仅端跗节暗褐色，足主要被灰白色毛，腿节及跗节背面被毛黑色。翅透明，具痣脉，翅痣棕黄色，翅面具微毛。腹部宽卵形，黑色，边缘略加厚，背面观第2、3背板较窄，第4背板最长，后缘角状凹入，背板覆棕黄色毛，第4背板两侧前部上具黑毛，腹面同背面。

采集记录:1♀，留坝张良庙，2002.Ⅵ.19，霍科科采。

分布:陕西(留坝)。

(255)拟二带巢穴蚜蝇 *Microdon spuribifasciatus* Huo, Ren *et* Zheng, 2007(图262)

Microdon spuribifasciatus Huo, Ren *et* Zheng, 2007: 403.

鉴别特征:雄性复眼裸。头顶、额黑亮，被银白色毛，额两侧向前收缩呈弓形，最狭处为头顶宽的1/2，具横沟，额突裸。雌性额中央不收缩，无浅横沟。颜黑色，具刻点，被银灰色毛。触角垂直平伸，第1节细，短于端部2节之和，第2节基部细，向端部渐粗，略小于第3节长度之半，第3节基部略收缩，近端部较增粗；雌性触角第1、3节几乎等长，第2节约为第3节长度的一半。触角芒黄褐色，裸，短于第3节长。胸部黑色，具刻点和灰黄色短毛，小盾片后端两侧具2个小突起。中胸侧板黑亮，具刻点和银灰色毛。足主要黄褐色，覆银灰色短毛，前足、中足腿节基部及外侧黑色，与黄褐色部分界线不清，后足腿节基部2/3黑色，前足、中足胫节近中部具黑色斑，后足胫节近中部具黑色的刻痕，各腿节近基部有不明显的刻痕。腹部背板黑色，第2背板向两侧扩宽，边缘增厚，第2、3背板相交处的侧缘明显收缩，第4背板与第3背板近等长，第2、3背板后缘具有较长的棕黄色毛，第4背板端部棕黄色长毛形成明显三角形，第3、4背板两侧缘向下卷。

采集记录：1♂，凤县，2003.Ⅵ.28，霍科科采；2♂，凤县，2005.Ⅵ.13，霍科科采；1♂，凤县，2005.Ⅵ.23，霍科科采；4♂1♀，留坝，2004.Ⅵ.14，霍科科采；1♀，留坝庙台子，2002.Ⅵ.17，霍科科采；1♂，留坝庙台子，2002.Ⅵ.19，霍科科采；1♂，留坝庙台子，2005.Ⅵ.12，霍科科采；5♂1♀，留坝庙台子，2005.Ⅵ.12，霍科科采；3♂1♀，留坝庙台子，2005.Ⅵ.14，霍科科采；1♀，留坝庙台子，2005.Ⅵ.22，康小伟采；3♂，留坝，2004.Ⅵ.19，霍科科采；1♂，留坝闸口石，2004.Ⅵ.07，霍科科采；2♂1♀，留坝紫柏山，2005.Ⅵ.21，霍科科采。

分布：陕西（凤县、留坝）。

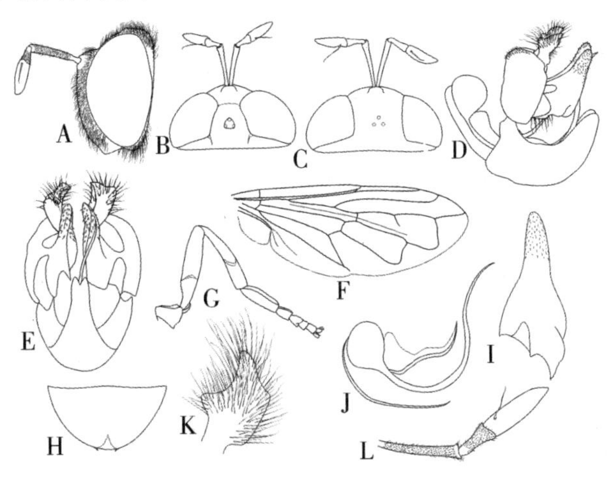

图262　拟二带巢穴蚜蝇 *Microdon spuribifasciatus* Huo, Ren *et* Zheng

A. 雄性头部侧面观（male head, lateral view）；B. 雄性头部背面观（male head, dorsal view）；C. 雌性头部背面观（female head, dorsal view）；D. 雄性尾器侧面观（male terminalia, lateral view）；E. 雄性尾器腹面观（male terminalia, ventral view）；F. 翅（wing）；G. 雄性后足（male hind leg）；H. 小盾片（scutellum）；I. 背针突（surstylus）；J. 阳茎（aedeagus）；K. 上叶（superior lobe）；L. 触角（antenna）

参考文献

Barkalov, A.Ⅴ.1999. New Chinese *Cheilosia* flower flies (Diptera: Syrphidae). *Volucella*, 4: 69-83.

Barkalov, A.Ⅴ.2001. A new species and new homonym in the genus *Cheilosia* (Diptera: Syrphidae) from China. *Zoologicheskii Zhurnal*, 80: 376-378.

Barkalov, A.Ⅴ.and Cheng, X-Y. 1998. New species and new records of hover-flies of the genus *Cheilosia* Mg. from China (Diptera: Syrphidae). *Zoosystematica Rossica*, 7: 313-321.

Barkalov, A.Ⅴ.and Cheng, X-Y. 2004. New taxonomic information on and distribution records for Chinese hover-flies of the genus *Cheilosia* Meigen (Diptera: Syrphidae). *Volucella*, 7: 89-104.

Barkalov, A. Ⅴ. and Cheng, X-Y. 2004. Revision of the genus *Cheilosia* Meigen, 1822 (Diptera: Syrphidae) of China. *Contributions on Entomolgy, International*, 5(4): 267-416.

Barkalov, A.Ⅴ.and Cheng, X-Y. 2011. A review of the Chinese species of the genus *Blera* (Diptera: Syrphidae) with the description of a new species. *Zoosystematica Rossica*, 20(2): 350-355.

Barkalov, A.Ⅴ.and Peck, L.Ⅴ.1994. Two new species *Cheilosia* (Diptera: Syrphidae) from the Tibet. *Zoologicheskii Zhurnal*, 73: 132-135.

Barkalov, A.Ⅴ.and Stahls, G. 1997. Revision of the Palaearctic bare-eyed and black-legged species of the genus *Cheilosia* Meigen (Diptera: Syrphidae). *Acta Zoologica Fennica*, 208:1-74.

Brunetti, E. 1923. Diptera: Pipunculidae: Syrphidae: Conopidae, Oestridae. In: Shipley, A. E. (ed.), *Fauna of British India including Ceylon and Burma*. Vol. 3. Taylor and Francis, London. xii + 424 pp., 6 pls.

Chen, R., An, Y-W., Huo, K-K. and Zhang, H-J. 2008. Preliminary investigation on Syrphidae in Foping Nature Reserve. *Science Journal of Northwest University Online*, 6(4): 0356, 10pp. http://jonline. nwu. edu. cn/wenzhang/208051. pdf. [陈锐，安有为，霍科科，张宏杰. 2008. 佛坪自然保护区蚜蝇科昆虫种类的初步调查. 西北大学学报(自然科学网络版), 6(4):0356, 10.]

Cheng, X-Y. 2003. A revision of the Genus *Milesia* Latreilla (Diptera: Syrphidae) from China. *Entomotaxonomia*, 25(4): 271-280. [成新跃. 2003. 中国迷蚜蝇属的厘定. 昆虫分类学报, 25(4): 271-280.]

Cheng, X-Y. and Huang, Ch-M. 2005. (Diptera: Syrphidae)776-786. In: Yang X-K. (ed.), Insects of Middle-West Qinling Rang and South Mountains of Gansu Province. Science Press, Beijing, 1055pp. [成新跃，黄春梅. 2005. (双翅目:食蚜蝇科)776-786. 见:杨星科. 秦岭西段及甘南地区昆虫. 北京:科学出版社, 1055.]

Cheng, X-Y. and Thomposon, F. C. 2008. A generic conspectus of the Microdontinae (Diptera: Syrphidae) with the description of two new genera from Africa and China. *Zootaxa*, 1879: 21-48.

Cheng, X-Y., Huang, Ch-M., Duan, F. and Li, Y-Z. 1998. Notes on syrphids of the tribe Pipizini and the geographical distribution in China (Dipteram: Syrphidae). *Acta Zootaxonomica Sinica*, 23(4): 414-427. [成新跃，黄春梅，段峰，李亚哲. 1998. 中国缩颜蚜蝇族种类记述及地理分布. 动物分类学报, 23(4): 414-427.]

Chu, X-P. and He, J-L. 1993. Three new species of the genus *Epistrophe* Walker (Diptera: Syrphidae) from China. *Journal of Shanghai Agricultural College*, 11(2): 149-155. [储西平，何继龙. 1993. 中国带食蚜蝇属三新种记述(双翅目: 食蚜蝇科). 上海农学院学报, 11(2): 149-155.]

Curran, C. H. 1928. The Syrphidae of the Malay Peninsula. *Journal of the Federated Malay States Museum*, 14: 141-324.

Doczkal, D. 2003. Description of *Leucozona pruinosa* spec. nov. (Diptera: Syrphidae) from the Himalayas. *Volucella*, 6(2002): 41-43.

Ghorpade, K. D. 1994. Diagnostic keys to new and known genera and species of Indian subcontinent Syrphini (Diptera: Syrphidae). *Colemania* (Insect Biosystematics). 3: 1-15.

He, J-L. 1987. (Diptera: Syrphidae) 185-203. In: Zhang, Sh-M. (ed.), *Agricultural Insect, Spiders, Plant Diseases And Weeds of Xizang, Vol.* 2. Lasha: the Tibet people's Publishing House: 416pp. [何继龙. 1987. (双翅目: 食蚜蝇科) 185-203. 见: 章士美. 西藏农业病虫及杂草. 拉萨: 西藏人民出版社, 416.]

He, J-L. and Chu, X-P. 1992. A new species of the genus *Episyrphus* (Diptera: Syrphidae) from China. *Journal of Shanghai Agricultural College*, 10(1): 93-95. [何继龙，储西平. 1992. 黑带食蚜蝇一新种记述(双翅目: 食蚜蝇科). 上海农学院学报, 10(1): 93-95.]

He, J-L. and Chu, X-P. 1992. Studies of three genera of Xylotini (*sensu* Hippa) from China (Diptera: Syrphidae). *Journal of Shanghai Agricultural College*, 10(1): 1-12. [何继龙，储西平. 1992. 中国木蚜蝇族3个属的研究. 上海农学院学报, 10(1): 1-12.]

He, J-L. and Chu, X-P. 1995. Two new species and a new record of *Temnostoma* from China (Diptera: Syrphidae). *Zoological Research*, 16(1): 11-16. [何继龙，储西平. 1995. 中国拟木蚜蝇属二新种及一新纪录种. 动物学研究, 16(1): 11-16.]

He, J-L. amd Chu, X-P. 1996. Description of a new species of the genus *Syrphus* from China (Diptera: Syrphidae). *Acta Entomologica Sinica*, 39(3): 312-315. [何继龙，储西平. 1996. 中国食蚜蝇属一新种记述(双翅目: 食蚜蝇科). 昆虫学报, 39(3): 312-315.]

He, J-L. and Chu, X-P. 1997. Two new species of Xylotinae from Mt. Taibai, China (Diptera: Syrphidae). *Acta Zootaxonomica Sinica*, 22(1): 103-107. [何继龙，储西平. 1997. 太白山木蚜蝇亚科二新种. 动物分类学报, 22(1): 103-107.]

He, J-L. and Li, Q-X. 1992. Studies on Chinese species of the genus *Sphaerophoria*. *Journal of Shanghai Agricultural College*, 10(1): 13-22. [何继龙，李清西. 1992. 中国细腹蚜蝇属的研究(双翅目: 食蚜蝇科). 上海农学院学报, 10(1): 13-22.]

He, J-L., Li, Q-X. and Sun, X-Q. 1998. A study of Chinese *Eupeodes* with descriptions of two new species from China (Diptera: Syrphidae). *Acta Entomologica Sinica*, 41(3): 291-299. [何继龙，李清西，孙兴全. 1998. 中国优食蚜蝇属的研究及二新种记述. 昆虫学报, 41(3): 291-299.]

Herve-Bazin, J. 1929. Syrphidae de Chine-Description de quatre *Chilosia nouveaux*. *Encyclopedic Entomologique*. (B) II, 5: 93-99.

Hippa, H. 1968. A generic revision of the genus *Syrphus* and allied genera (Diptera: Syrphidae) in the palaearctic region, with descriptions of the male genitalia. *Acta Entomologica Fennica*, 25: 1-94.

Hippa, H. 1968. Classification of the palaearctic species of the genera *Xylota* Meigen and *Xylo-tomima*

Shannon (Diptera: Syrphidae). *Acta Entomologica Fennica*, 34 (4): 179-197.

Hippa, H. 1978. Classification of Xylotini (Diptera: Syrphidae). *Acta Zoologica Fennica*, 156: 1-153.

Hippa, H. 1990. The genus *Milesia* Latreille (Diptera: Syrphidae). *Acta Zoologica Fennica*, 187: 1-226.

Huang, Ch-M. and Cheng, X-Y. 1995. A Study of *Graptomyza* Wiedemann (Diptera: Syrphidae) From China. *Entomotaxonomia*, 17 (Suppl.): 91-99. [黄春梅, 成新跃. 1995. 中国缺伪蚜蝇属的研究. 昆虫分类学报, 17(增刊): 91-99.]

Huang, Ch-M. and Cheng, X-Y. 2012. Fauna Sinica Insecta. Vol. 50 (Diptera: Syrphidae). Beijing: Science Press. 1-852. [黄春梅, 成新跃. 2012. 中国动物志(双翅目: 食蚜蝇科). 北京:科学出版社, 1-852.]

Huo, K-K. and Ren, G-D. 2006. A key to known species of *Matsumyia* Shiraki (Diptera: Syrphidae) from China, with descriptions of two new species. *Zootaxa*, 1374: 61-68.

Huo, K-K. and Ren, G-D. 2006. A new species and a new record species of genus *Spilomyia* (Diptera: Syrphidae) from China. *Entomotaxonomia*, 28(2): 118-122. [霍科科, 任国栋. 2006. 中国斑胸蚜蝇属一新种和一新纪录种记述. 昆虫分类学报, 28(2): 118-122.]

Huo, K-K. and Ren, G-D. 2006. Descriptions of two new species of *Sphegina* (Diptera: Syrphidae) from China. *Acta Zootaxonomica Sinica*, 31(2): 434-437. [霍科科, 任国栋. 2006. 中国棒腹蚜蝇属二新种记述. 动物分类学报, 31(2): 434-437.]

Huo, K-K. and Ren, G-D. 2006. Faunal study on syrphids of the north slope of Taibai, Qinling Mountains of Shaanxi. *Chinese Bulletin of Entomology*, 43(5): 700-705. [霍科科, 任国栋. 2006. 陕西秦岭太白山北坡食蚜蝇科昆虫区系调查. 昆虫知识, 43(5): 700-705.]

Huo, K-K. and Ren, G-D. 2006. Taxonomic studies on Syrphinae from the Museum of Hebei University (Diptera: Syrphidae: Syrphinae). *Acta Zootaxonomica Sinica*, 31(3): 653-666. [霍科科, 任国栋. 2006. 河北大学博物馆馆藏食蚜蝇亚科分类研究(双翅目:食蚜蝇科:食蚜蝇亚科). 动物分类学报, 31(3): 653-666.]

Huo, K-K. and Ren, G-D. 2006. Taxonomic studies on Milesiinae from the Museum of Hebei University (Diptera: Syrphidae: Syrphinae). *Acta Zootaxonomica Sinica*, 31(4): 883-897. [霍科科, 任国栋. 2006. 河北大学博物馆馆藏迷蚜蝇亚科分类研究(双翅目: 食蚜蝇科: 食蚜蝇亚科). 动物分类学报, 31(4): 883-897.]

Huo, K-K. and Ren, G-D. 2007. Two new species of the genus *Melangyna* Verrall (Diptera: Syrphidae) from China, with a key to known species of China. *Acta Zootaxonomica Sinica*, 32 (2): 324-327. [霍科科, 任国栋. 2007. 美蓝蚜蝇属二新种记述(双翅目: 蚜蝇科). 动物分类学报, 32(2): 324-327.]

Huo, K-K. and Shi, F-M. 2010. *Flavizona* Huo, a new genus of Syrphini from China, with a key to genera of Syrphini in China. *Zootaxa*, 2428: 47-54.

Huo, K-K. and Zhang, H-J. 2006. Investigation on Syrphidae of Zibai Mountains, Shaanxi province. *Journal of Shaanxi Normal University* (Natural Science Edition), 34 (Suppl.): 40-44. [霍科科, 张宏杰. 2006. 陕西省紫柏山区食蚜蝇科昆虫的调查. 陕西师范大学学报(自然学科版), 34(增刊):40-44.]

Huo, K-K. and Zheng, Zh-M. 2003. Primary Investigation on Syrphinae (Diptera: Syrphidae) From Qingling-Bashan Mantains (1). *Entomotaxonomia*, 25(4):281-291. [霍科科, 郑哲民. 2003. 秦巴山区食蚜蝇亚科昆虫的初步调查. 昆虫分类学报, 25(4): 281-290.]

Huo, K-K. and Zheng, Zh-M. 2004. Three new species of genus *Chrysotoxum* Meigen from Shaanxi Province (Diptera: Syrphidae: Chrysotoxini). *Acta Zootaxonomica Sinica*, 29 (1): 166-171. [霍科科, 郑哲民. 2004. 陕西省长角蚜蝇属三新种记述. 动物分类学报, 29(1): 166-171.]

Huo, K-K. and Zheng, Zh-M. 2005. A new genus and two new species of Syrphidae from China (Diptera: Syrphidae). *Acta Zootaxonomica Sinica*, 30: 631-635. [霍科科, 郑哲民. 2005. 中国食蚜蝇科一新属二新种记述. 动物分类学报, 30(3): 631-635.]

Huo, K-K., Ren, G-D. and Zheng, Z-M. 2007. *Fauna of Syrphidae from Mt. Qinling-Bashan in China* (*Insecta*: *Diptera*). Chinese Agricultural Science and Technology Press, Beijing. 512pp. [霍科科, 任国栋, 郑哲民. 2007. 秦巴山区蚜蝇科区系分类(昆虫纲:双翅目). 北京:中国农业科学技术出版社, 512.]

Huo, K-K., Zhang, H-J. and Zheng, Zh-M. 2004. Descriptions of three new species of Xylotini from China (Syrphidae: Xylotini). *Acta Zootaxonomica Sinica*, 29 (4): 797-802. [霍科科, 张宏杰, 郑哲民. 2004. 中国木蚜蝇族三新种记述. 动物分类学报, 29(4): 797-802.]

Huo, K-K., Zhang, H-J. and Zheng, Zh-M. 2005. Two new species of *Dasysyrphus* (Diptera: Syrphidae) from China, with a key to species from China. *Acta Zootaxonomica Sinica*, 30(4): 847-851. [霍科科, 张宏杰, 郑哲民. 2005. 中国毛食蚜蝇属研究及二新种记述. 动物分类学报, 30(4): 847-851.]

Huo, K-K., Zheng, Zh-M. and Huang, Y. 2005. Descriptions of two new species of *Paragus* Latreille, 1804 from China (Diptera: Syrphidae). *Journal of Northwest University* (*Natural Science Edition*), 35(2): 187-190. [霍科科, 郑哲民, 黄原. 2005. 中国小蚜蝇属二新种记述. 西北大学学报(自然科学版), 35(2): 187-190.]

Kassebeer, C. F. 1996. Notes on the nomenclature of some Palaearctic species of the genus *Mallota* Meigen 1822. *Studia Dipterologica*, 3(1): 161-164.

Knutson, L. V., Thompson, F. C. and Vockeroth, J. R. 1975. Family Syrphidae. In: Delfinodo and Hardy (ed.), *A Catalog of Diptera of the Oriental Region*, *Vol. 2*. Honolulu: The University Press of Hawaii, 307-374.

Li, Q-X. 1995. Notes on the genus *Mesembrius* Rondani from China with the descriptions of two new species. *Entomotaxonomia*, 17(2): 119-124. [李清西. 1995. 中国墨管蚜蝇属种类及新种记述(双翅目:蚜蝇科). 昆虫分类学报, 17(2): 119-124.]

Li, Q-X. 1999. Descriptions of three new species of the genus *Eristalis* Latreille (Diptera: Syrphidae) from northwest China. *Entomologia Sinica*, 6(3): 209-218. [李清西. 1999. 中国西北管蚜蝇属三新种记述(双翅目:食蚜蝇科). 中国昆虫科学, 6(3): 209-218.]

Li, Zh-H. and Li, Y-Zh. 1990. *The Syrphidae of Gansu Province*. China Prostect Press, Beijing. 1-127. [李兆华, 李亚哲. 1990. 甘肃蚜蝇科图志. 北京: 中国展望出版社, 1-127.]

Matsumura, S. and Adachi, J. 1917. Synopsis of the economic Syrphidae of Japan. (Part 2).

Entomological Magazine, 2(4): 133-156.

Matsumura, S. and Adachi, J. 1917. Synopsis of the economic Syrphidae of Japan. (Part 3). *Entomological Magazine*, 3: 14-46.

Mutin, V. A. 2001. Review of the *Sphegina claviventris* species-group (Diptera: Syrphidae) with description of a new species from Japan. *Far Eastern Entomologist*, 107:1-8.

Mutin, V. A. and Barkalov, A.V. 1999. "Family Syrphidae——Hover Flies," in *A Key to the Insects of the RussianFar East* (Vladivostok), Vol. 6, Part 2, 342-500.

Mutin, V. A. and Gilbert, F. 1999. Phylogeny of the genus *Xylota* Meigen, 1822 (Diptera: Syrphidae) with descriptions of new taxa. *Dipteron*, 2: 45-68.

Nielsen, T. R. 2001. New and little known hoverflies (Diptera: Syrphidae) from Tibet. *Dipteron*, 4: 11-16.

Ohara, K. 1980. The genus *Platycheirus* Lepeletier and Serville, 1818 (Diptera: Syrphidae) of Japan, with description of three new species. *Esakia*, 15: 97-142.

Peck, L. V. 1988. *Syrphidae*. In: Soos A. and Papp L. (eds); Catalogue of palaearctic Diptera 8 (Syrphidae and Conopidae), 11-230. Akad. Kiado, Budapest / Elsevier, Amsterdam.

Sack, P. 1932. Syrphidae. In: (Lindner, E. ed.), *Die Fliegen der Palaearktischen Region*. E. .Schweizerbart'sche Verlagsbuchhandlung, Stuttgart, 427-432pp.

Shannon, R. C. 1926. The chrysotoxine syrphid-flies. *Proceddings of the United States National Museum*. 69 (11): 1-20.

Shiraki, T. 1930. Die Syrphiden des japanischen Kaiserreichs, mit Berucksichtigung benachbarter Gebiete. *Memoirs of the faculty of Science and Agriculture, Taihoku Imperial University*. 1, XX +446 pp.

Shiraki, T. 1968. *Syrphidae (Insecta: Diptera)*. Vol. 2, 243 pp., XL pls.; Vol. 3, 272 pp., XLVII pls. Fauna Japonica. Biogeographical Society of Japan.

Sorokina, V. S. and Cheng, X.-Y. 2007. New species and new distributional records of the genus *Paragus* Latreille (Diptera: Syrphidae) from China. *Volucella*, 8: 1-33.

Thompson, F. C. and Rotheray, G. E. 1998. Family Syrphidae. In: Papp, L. and Darvas, B. (ed.), *Manual of Palaearctic Diptera, Vol.* 3. Science Herald, Budapest, 81-139pp.

Vockeroth, J. R. 1969. A revision of the Genera of the Syrphini (Diptera Syrphidae). *Memoirs of the Entomological Society of Canada*, 62, 1-176.

Wu, Ch-F. 1940. *Catalogus Insectorum Sinensium*, Peiping, 5: 263-331.

Yang, J-K., Cheng, X-Y. and Huang, Ch-M. 1998. Syrphidae. 118-223pp. In: (Xue, W-Q. and Chao, J-M. ed.), *Flies of China*, Volume 1. Liaoning Science and Technology Press, shenyang. 1365pp. 118-223pp. [杨集昆，成新跃，黄春梅. 1998. 食蚜蝇科，118-223. 见：薛万琦，赵建铭. 中国绳类(上册). 沈阳:辽宁科学技术出版社，1365.]

二十四、叶蝇科 Milichiidae

席玉强[1]　杨定[2]

(1. 河南农业大学植物保护学院，郑州 450002；　2. 中国农业大学昆虫系，北京 100193)

鉴别特征：小型，体长 1 ~ 3mm。体色较暗，通常黑色或棕色，少数暗黄色或黄色。2 ~ 3 对眶鬃，2 对额鬃；额通常具 2 排间额鬃。大多数种类触角第 1 鞭节膨大，呈不规则四边形、圆球形、近方形或肾形等，形状各异；触角芒较长，或具明显的绒毛。下颚须膨大，形状多变。翅膜质，无翅斑；前缘脉具 2 个缺刻；R_{4+5}与 M_1平行、会聚或稍会聚。中足胫节前腹侧一般具 1 根粗壮鬃。

生物学：幼虫长圆筒形，稍微或强烈呈"S"形。第 1 ~ 7 腹节腹面较宽且具横向的结节。幼虫一般腐食性，成虫取食花蜜、腐殖质或苔藓，尤其喜欢取食黄色或白色小花的花蜜，部分属种是蜡花属植物的重要传粉昆虫。真叶蝇属 *Phyllomyza*、细叶蝇属 *Leptometopa* 和并脉叶蝇属 *Paramyia* 具有盗寄生性；真叶蝇属 *Phyllomyza* 的部分种类具有适蚁性，即与蚂蚁能够和睦共处，且将卵产于蚂蚁巢穴内。

分布：全世界已知 20 属 453 种，中国已知 11 属 113 种，陕西秦岭地区有 3 属 15 种，包括 8 个新种和 5 个中国新纪录种。研究标本保存在中国农业大学昆虫博物馆（CAU）。

分属检索表

1. 眶板具 2 根眶鬃；唇瓣具 2 根伪气管 ……………………………… **新叶蝇属 *Neophyllomyza***
   眶板具 3 根眶鬃；唇瓣具 4 根伪气管 ……………………………………………………… 2
2. 下颚须较细长；触角芒具明显浓密绒毛且基部较粗…………………… **芒叶蝇属 *Aldrichiomyza***
   下颚须膨大；触角芒细长且基部未明显变粗 ………………………… **真叶蝇属 *Phyllomyza***

1. 真叶蝇属 *Phyllomyza* Fallén, 1810

Phyllomyza Fallén, 1810: 20. **Type species**: *Phyllomyza securicornis* Fallén, 1823.

Hendelimyza Duda, 1935: 25 (nec Frey, 1927). **Type species**: *Neophyllomyza tetragona* Hendel, 1924. as subgenus.

属征：体色深，暗棕色或暗褐色，少数暗黄色。单眼后鬃"十"字形交叉或末端会聚。基腹片较小，无基前桥。C 脉延伸至 M_1脉或稍超过一些。喙较短，一般每个唇瓣具 4 根伪气管。触角接近，未被平板分开；触角第 1 鞭节膨大，触角芒细长，有或无明显的细长毛。3 根眶鬃，3 ~ 6 根间额鬃；新月片具 1 对鬃。下颚须膨大，延长或不延长，具明显的短毛、鬃，或不具。中胸背板具粉被；小盾片较短，宽大于长；小盾端鬃比小盾基鬃长；后上侧片一般具1根鬃，前缘具1排或不规则排列的细毛。

分布：东洋区，古北区，新北区，新热带区。全世界已知97种，中国已知73种，秦岭地区有12种，包括7个新种。

分种检索表

1. 下颚须几乎裸，无明显的毛或鬃 ………………………………………… 2
   下颚须具明显短毛或鬃 ………………………………………… 6
2. r-m 脉与 dm-cu 脉之间的 M_1 脉与 dm-cu 脉等长 ………………………… 3
   r-m 脉与 dm-cu 脉之间的 M_1 脉较 dm-cu 脉长 ………………………… 4
3. 第1鞭节不规则圆形；新月片浅黄棕色 ……………… **日本真叶蝇 *P. japonica***
   第1鞭节不规则马蹄形；新月片浅棕黑色 ………… **钝端真叶蝇，新种 *P. obtusatusa* sp. nov.**
4. 额具6根间额鬃 ……………… **柳须真叶蝇，新种 *P. letophyllusa* sp. nov.**
   额具4根间额鬃 ………………………………………… 5
5. 头部棕色；髭角较尖；平衡棒棒部浅黄色，柄部为黄色 ……………… **褐真叶蝇 *P. donisthorpei***
   头部黑色；髭角较钝，近直角；平衡棒棒部白色，柄部浅灰白色 ……………………………… **兔耳真叶蝇，新种 *P. auriculatusa* sp. nov.**
6. 颊宽仅为复眼高的1/14 ……………… **牛角真叶蝇，新种 *P. cornis* sp. nov.**
   颊相对稍宽，至少为复眼高的1/10 ………………………………………… 7
7. 下颚须直，棍棒状；r-m 与 dm-cu 脉之间的 M_1 脉与 dm-cu 脉等长；尾须腹面具后突 ……………………………… **直须真叶蝇 *P. euthyipalpis***
   下颚须非棍棒状；r-m 脉与 dm-cu 脉之间的 M_1 脉较 dm-cu 脉长；尾须腹面无后突 ………… 8
8. 髭角较尖；颊宽约为复眼高的1/4 ……………… **等长真叶蝇 *P. equitans***
   髭角较钝；颊宽小于复眼高的1/4 ………………………………………… 9
9. 头部浅黄色；复眼高为长的1.20倍；触角芒较长，约为第1鞭节长度的6倍……………………………… **二尖真叶蝇 *P. dicrana***
   头部黑色；复眼高大于长的1.20倍；触角芒长度小于第1鞭节的4倍 ………………… 10
10. 第1鞭节呈不规则矩形；下颚须稍长，约0.40mm ……………………………… **多鬃真叶蝇，新种 *P. multijubatusa* sp. nov.**
    第1鞭节呈不规则圆形；下颚须长约0.30mm ………………………… 11
11. 下颚须长为宽的3倍；中足胫节中部浅棕色，端部浅黄色；腋瓣浅棕色 ……………………………… **短喙真叶蝇，新种 *P. breviproboscis* sp. nov.**
    下颚须长为宽的2.50倍；中足胫节黄色；腋瓣浅黄色 ……………………………… **黑三角真叶蝇，新种 *P. piceusa* sp. nov.**

(1) 兔耳真叶蝇，新种 *Phyllomyza auriculatusa* Xi *et* Yang, sp. nov.（图263）

鉴别特征：雄性体长1.40～1.60mm，翅长1.60～1.80mm。头部为黑色，被灰白粉；眶板为黑色，具微绒毛；单眼三角区浅棕色，无微柔毛；新月片棕黄色，具黑色边缘，带状。复眼后缘逐渐从头部后缘分离；复眼高为长的1.30倍，颊宽约为复眼高的1/7。头部的鬃和毛黑色；单眼三角区有2根单眼鬃和3根短鬃；额的3根眶鬃与2根额鬃着生在浅黑棕色的条带上，眶鬃侧倾，额鬃中倾，4根间额鬃；单眼后鬃呈"十"字形交叉。新月片具2根鬃。髭角近直角；髭粗壮，位于复眼下眼缘水平线。触角为浅黑棕色，具微绒毛；梗节端部和中部具黑毛，端部的毛较长，最长的1根是其他的3.50倍；第1鞭节呈不规则扇形，具短绒毛；触角芒浅暗棕色，具明显的软毛，长为第1鞭节的4倍。喙折叠，浅暗棕色，具黑色的稀疏长毛。下颚须较宽且扁，端部钝，约0.30mm，长为宽的3倍；浅黄棕色，具密的软黑毛。胸部为浅暗棕色，被灰白粉；中胸背板亮黑棕色；小盾片浅黑棕色，具灰色绒毛。胸部的鬃和毛黑色；中胸背板具稀疏的黑色绒毛；1根肩鬃，2根背中鬃，1根前盾鬃，2根背侧鬃，1根缝前盾鬃，1根缝后盾鬃，1根翅上鬃，1根翅后鬃，1根翅内鬃，1根下前侧片鬃（下前侧片前缘具1排毛）；小盾片宽为长的1.40倍，具1对小盾基鬃和1对小盾端鬃，小盾端鬃长为小盾基鬃的3.50倍。足弯曲，基节和腿节浅棕色，前足胫节黄色，中足胫节浅棕色，后足胫节浅暗棕色，端部1/3黄色，跗节黄色。足上的鬃和毛黑色，中足胫节背侧端具1根黑鬃。翅透明，无翅斑；翅脉棕色；Sc脉较粗壮；r-m脉与dm-cu脉之间的M_1脉较dm-cu脉长。腋瓣浅黄色，具浓密的浅棕色微绒毛，边缘具浅棕毛。平衡棒棒部白色，柄部浅灰白色。腹部为浅棕黄色，具灰白粉。腹部的鬃和毛黑色；第2~5背板具长毛，端部的较长；腹板后3/4具稀疏的毛。第1背板中后部插入第2背板的三角形突起较强；第2腹板近马蹄形，端部稍钝圆形，第3~4腹板近正方形，第4腹板较第3腹板面积大，第5腹板水平矩形，较窄，长为宽的2倍。雄性外生殖器的第9背板具10对粗壮的黑鬃，背板上半部圆形；背针突端部分为两部分，上半部膨大，端部钝圆形，下半部端部较尖，下半部比上半部短；尾须拱形且具稀疏的短鬃。

采集记录：1♂（正模），云南德宏盈江铜壁关，2012.Ⅴ.01，李文亮采；1♂（副模），陕西宁陕广货街保护站，2013.Ⅷ.10，席玉强采；1♂，云南德宏盈江昔马，2012.Ⅴ.05，李文亮采；1♀，云南红河绿春黄连山骑马坝，2012.Ⅴ.11，杨定采；1♂，云南保山百花岭，2012.Ⅴ.12，李文亮采；1♂，云南红河绿春骑马坝，2013.Ⅵ.11，杨金英采；1♂，云南保山百花岭，2013.Ⅷ.17，李轩昆采。

分布：陕西（宁陕）、云南。

讨论：该种与隆端真叶蝇 *P. convexusa* 相似，但本种复眼高为长的1.30倍；平衡棒棒部白色，柄部浅灰白色；前足胫节黄色，中足胫节浅棕色，后足胫节浅暗棕色，端部1/3黄色。后者复眼高为长的1.60倍；平衡棒棒部棕黄色，柄部棕色；胫节黄色，后足胫节2/3暗棕色。

种名词源：种名 *auriculatusa* 为拉丁词，意指下颚须形状为兔耳状。

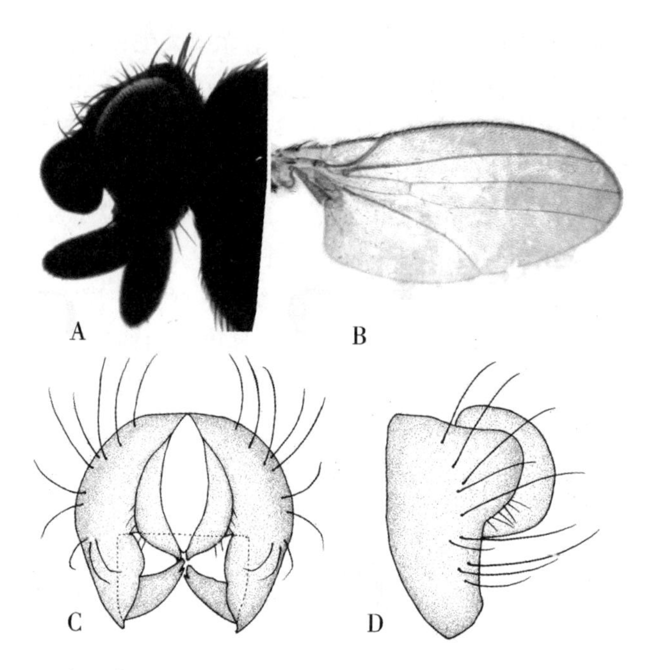

图 263　兔耳真叶蝇，新种 *Phyllomyza auriculatusa* Xi *et* Yang, sp. nov.
A. 头部侧面观（head, lateral view）；B. 翅（wing）；C. 第 9 背板后面观（epandrium, posterior view）；D. 第 9 背板侧面观（epandrium, lateral view）

（2）短喙真叶蝇，新种 *Phyllomyza breviproboscis* Xi *et* Yang, sp. nov.（图 264）

鉴别特征：雄性体长 1.50 ~ 1.80mm，翅长 1.50 ~ 1.80mm。头部为黑色，被灰白粉；眶板为黑色，具微绒毛；单眼三角区亮黑色，无微柔毛；新月片为浅棕色，带状。复眼后缘逐渐从头部后缘分离；复眼高为长的 1.30 倍，颊宽约为复眼高的 1/8。头部的鬃和毛黑色；单眼三角区有 2 根单眼鬃和 3 根短鬃；额的 3 根眶鬃与 2 根额鬃着生在浅暗棕色的条带上，眶鬃侧倾，额鬃中倾，4 根间额鬃；单眼后鬃呈“十”字形交叉。新月片具 2 根鬃。髭角相对较平；髭粗壮，位于复眼下眼缘水平线。触角浅棕色，具微绒毛；梗节端部和中部具黑毛，端部的毛较长，最长的 1 根是其他的 3.50 倍；第 1 鞭节呈不规则圆形，具短绒毛；触角芒为浅黑棕色，具明显的软毛，长为第 1 鞭节的 2.50 倍。喙较短，折叠，具黑色的稀疏长毛。下颚须扁平，端部较窄，长约 0.30mm，长为宽的 3 倍；浅暗棕色，具密的软黑毛，边缘具稀疏短毛。胸部为浅暗棕色，被灰白粉；中胸背板为亮浅棕色；小盾片为浅暗棕色，具灰色绒毛。胸部的鬃和毛为黑色；中胸背板具稀疏的黑色绒毛；1 根肩鬃，2 根背中鬃，1 根前盾鬃，2 根背侧鬃，1 根缝前盾鬃，1 根缝后盾鬃，1 根翅上鬃，1 根翅后鬃，1 根翅内鬃，1 根下前侧片鬃（下前侧片前缘具 1 排毛）；小盾片宽为长的 1.50 倍，具 1 对小盾基鬃和 1 对小盾端鬃，小盾端鬃长为小盾基鬃的 3 倍。足弯曲，基节和腿节为浅暗棕色，前足胫节为黄色，中足胫节为浅棕色且端部和基部浅黄色，后足胫节浅暗棕色且基部和端部为浅黄色，跗节为浅黄色。足上的鬃和毛黑色，中足胫节背侧端具 1 根黑鬃。翅透明，无翅斑；翅脉棕色；Sc 脉较粗壮；r-m 脉与 dm-cu 脉之间的 M_1 脉较 dm-cu 脉长。腋瓣浅棕色，具浓密的棕色微绒毛，边缘具棕色毛。平衡棒棒部为浅黄色，柄部为黄色。腹部为浅暗棕色，具灰白粉。腹部的鬃和毛黑色；第 2 ~5 背板后 3/4 具长毛，端部边缘的毛较长；腹板具稀疏的毛。第 1 背板中后部插入第 2 背板的三角形突起较强；第 2 腹板呈不规则马蹄形，端部较钝，第 3 ~4 腹板水平梯形，第 4 腹板较第 3 腹板宽，第 5 腹板梯形，较窄。雄性外生殖器的第 9 背板具 10 对粗壮的黑鬃；背针突端部分为两部分，上半部极度膨大且端部尖，向上弯，下半部稍膨大，端部较钝，较细且端部尖，比上半部稍长；尾须具稀疏的短鬃。

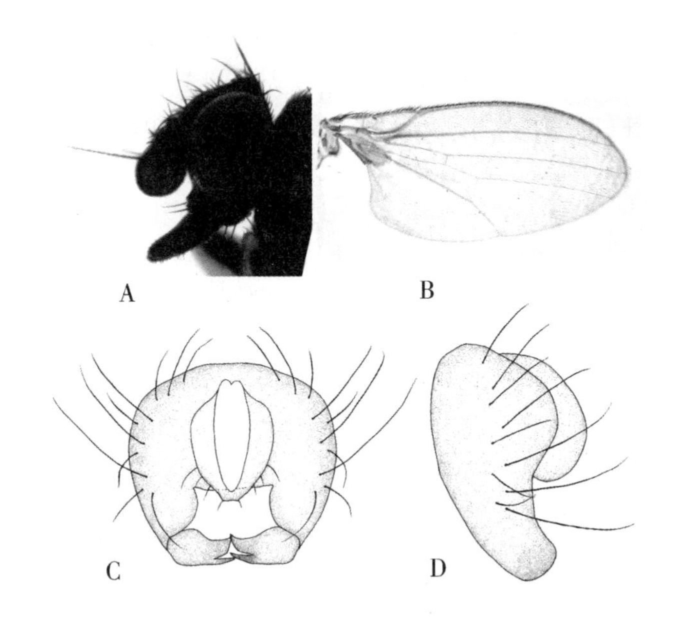

图 264 短喙真叶蝇，新种 *Phyllomyza breviproboscis* Xi *et* Yang, sp. nov.

A. 头部侧面观（head, lateral view）; B. 翅（wing）; C. 第 9 背板后面观（epandrium, posterior view）; D. 第 9 背板侧面观（epandrium, lateral view）

采集记录：1♂（正模），云南保山百花岭，2013. Ⅶ. 17，张韦采；1♂（副模），陕西周至板房子，2013. Ⅷ. 19，李轩昆采；1♂，陕西宁陕火地塘，2013. Ⅷ. 14，席玉强采；2♂，陕西旬阳前坪村，2014. Ⅷ. 03，唐楚飞采；1♂，陕西柞水甘沟服务站，2014. Ⅶ. 28，丁双玫采；1♂，云南德宏盈江那邦，2012. Ⅴ. 02，李文亮采；2♂，云南德宏盈江那邦，2012. Ⅴ. 02，刘源野采；1♂，云南保山大蒿坪，2012. Ⅴ. 11，李文亮采；1♂1♀，云南保山大蒿坪，2012. Ⅴ. 11，刘源野采；5♂，云南保山大蒿坪，2012. Ⅴ. 11，刘源野采；1♂，云南大理宾川鸡足山，2012. Ⅵ. 02，王玉玉采；2♂，云南保山百花岭，2013. Ⅶ. 16，李轩昆采；2♂，云南保山百花岭，2013. Ⅶ. 16，张韦采；4♂，云南保山百花岭，2013. Ⅶ. 17，李轩昆采。

分布：陕西（周至、旬阳、宁陕、柞水）、云南。

讨论:该种与多鬃真叶蝇 *P. multijubatusa* 相似，但本种复眼高为长的 1.30 倍，颊宽约为复眼高的 1/8；前足胫节黄色，中足胫节浅棕色且端部和基部浅黄色，后足胫节浅暗棕色且基部和端部浅黄色。后者复眼高为长的 1.50 倍，颊宽约为复眼高的 1/10；胫节黄色，后足胫节浅暗棕色且端部和基部黄色。

种名词源:种名 *breviproboscis* 为拉丁词，意指喙较短。

(3) 牛角真叶蝇，新种 *Phyllomyza cornis* Xi *et* Yang, sp. nov. (图 265)

鉴别特征:雄性体长 2.00 ~ 2.20m，翅长 1.80 ~ 2.00mm。头部为黑色，被灰白粉；眶板为亮黑色，具微绒毛；单眼三角区暗棕色，无微柔毛；新月片为浅黄棕色，带状。复眼后缘逐渐从头部后缘分离；复眼高为长的 1.30 倍，颊宽约为复眼高的 1/14。头部的鬃和毛黑色；单眼三角区有 2 根长鬃和 3 根短鬃；额的 3 根眶鬃与 2 根额鬃着生在暗棕色的条带上，眶鬃侧倾，额鬃中倾，4 根间额鬃；单眼后鬃呈"十"字形交叉。新月片具 2 根鬃。髭角相对较平，近似直角；髭粗壮，位于复眼下眼缘水平线。触角为浅黑棕色，具微绒毛；柄节具毛，梗节端部和中部具黑毛，端部的毛较长，最长的 1 根是其他的 4 倍；第 1 鞭节呈不规则圆形，具短绒毛；触角芒为黑色，具明显的软毛，长为第 1 鞭节的 4 倍。喙长，膝状弯曲，暗黄色，具黑色的稀疏长毛。下颚须芒果形，端部钝，长为端部宽的 3.50 倍；暗棕色，具密的软黑毛，边缘具稀疏短毛。胸部为暗棕色，被灰白粉；中胸背板为亮黑色；小盾片为黑棕色，具灰色绒

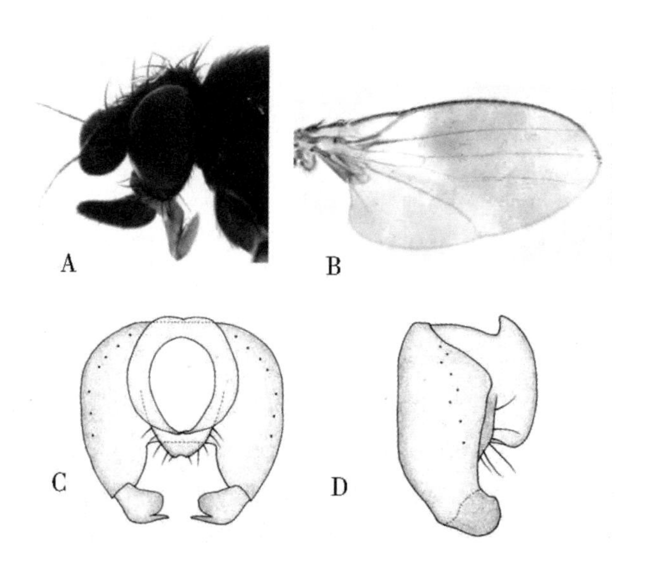

图 265 牛角真叶蝇，新种 *Phyllomyza cornis* Xi *et* Yang, sp. nov.

A. 头部侧面观(head, lateral view)；B. 翅(wing)；C. 第 9 背板后面观(epandrium, posterior view)；D. 第 9 背板侧面观(epandrium, lateral view)

毛。胸部的鬃和毛黑色；中胸背板具稀疏的黑色绒毛；1 根肩鬃，2 根背中鬃，1 根前盾鬃，2 根背侧鬃，1 根缝前盾鬃，1 根盾前鬃，1 根翅上鬃，1 根翅内鬃，1 根翅后鬃，1 根下前侧片鬃(下前侧片前缘具 1 排毛)；小盾片宽为长的 2 倍，具 1 对小盾基鬃和 1 对小盾端鬃，小盾端鬃极为粗壮，长为小盾基鬃的 3 倍。足弯曲，基节和腿节暗棕色，胫节浅黄色，后足胫节为浅暗棕色，跗节为浅黄色。足上的鬃和毛黑色，中足胫节背侧端具 1 根黑鬃。翅透明，无翅斑；翅脉棕色；Sc 脉较粗壮；r-m 脉与dm-cu 脉之间的 M_1 脉较 dm-cu 脉稍长。腋瓣浅黄色，具浓密的浅棕色微绒毛，边缘具棕色毛。平衡棒棒部浅黄色，柄部黄色。腹部为棕色，具灰白粉。腹部的鬃和毛黑色；第 2 ~5 背板后 2/3 部分具长毛，端部毛较其他长；腹板具稀疏的毛。第 1 背板中后部插入第 2 背板的三角形突起较弱；第 2 腹板近似三角形，第 3 ~4 腹板近正方形，第 5 腹板呈矩形，长为宽的 2 倍，比第 4 腹板宽的 1.20 倍长。雄性外生殖器的第 9 背板具 7 对粗壮的黑鬃；背针突端部分为两部分，上半部膨大且端部钝圆形，下半部比上半部长，较细且端部稍尖；尾须具稀疏的短鬃。

采集记录:1♂(正模)，重庆梁平大河坝，2012. Ⅷ. 10，李治非采；1♂(副模)，陕西丹凤庾岭镇街坊村，2014. Ⅷ. 11，唐楚飞采；4♀，云南保山赧亢，2012. Ⅴ. 10，刘源野采；1♂，云南保山大蒿坪，2012. Ⅴ. 11，刘源野采；2♂，江西靖安三爪仑观音岩，2014. Ⅶ. 21，汪凯采；1♂，江西井冈山茨坪三角塘，2014. Ⅶ. 27，刘启飞采。

分布:陕西(丹凤)、江西、重庆、云南。

讨论:该种与弯须真叶蝇 *P. pronusipalpis* 相似，但本种颊宽约为复眼高的 1/14；平衡棒棒节浅黄色；第 3 ~4 腹板近正方形；背针突端部上半部膨大且端部钝圆形。后者颊宽约为复眼高的 1/10；平衡棒棒节土黄色；第 3 ~4 腹板垂直梯形；背针突端部上半部极度膨大，端部边缘平齐。

种名词源:种名 *cornis* 为拉丁词，意指下颚须形状像牛角。

(4)二尖真叶蝇 *Phyllomyza dicrana* Xi *et* Yang, 2015

Phyllomyza dicrana Xi *et* Yang, 2015: 49.

鉴别特征:头部为浅黑黄色，被灰白粉；眶板为亮黑色，具微绒毛；单眼三角区黑色，无微柔毛；新月片为浅黄棕色，带状。复眼高为长的 1.20 倍，颊宽约为复眼高的 1/6。头部的鬃和毛黑色；额具 4 根间额鬃；单眼后鬃呈“十”字形交叉。髭角相对较钝；髭粗壮，位于复眼下眼缘水平线。第 1 鞭节呈不规则梯形，具短绒毛；触角芒为黑色，具明显的软毛，长为第 1 鞭节的 6 倍。下颚须较短，稍微向上略弯，端部钝，长为宽的 2.60 倍；暗黄色，具密的软黑毛，边缘具稀疏毛。1 根肩鬃，2 根背中鬃，2 根前盾鬃，2 根背侧鬃，1 根前侧片鬃，1 根缝前盾鬃，1 根翅上鬃，1 根翅后鬃，1 根翅内鬃，1 根下前侧片鬃(下前侧片前缘具 1 排毛)。r-m 脉与 dm-cu 脉之间

的 M_1 脉较 dm-cu 脉稍长。腋瓣浅黄色，具浓密的棕色微绒毛，边缘具浅黄色毛。腹部第 1 背板中后部插入第 2 背板的三角形突起较强；第 2～3 腹板呈矩形，第 4～5 腹板近正方形。雄性外生殖器的第 9 背板具 7 对粗壮的黑鬃；背针突暗棕色，其两部分较细且短，上半部比下半部稍微长一些；尾须具稀疏的短鬃。

采集记录：1♂，旬阳前坪村，2014.Ⅷ.03，唐楚飞采。

分布：陕西(旬阳)、山西、湖北、台湾、重庆、云南、西藏。

(5) 褐真叶蝇 *Phyllomyza donisthorpei* Schmitz，1923 中国新纪录(图 266)

Phyllomyza donisthorpei Schmitz，1923：47.

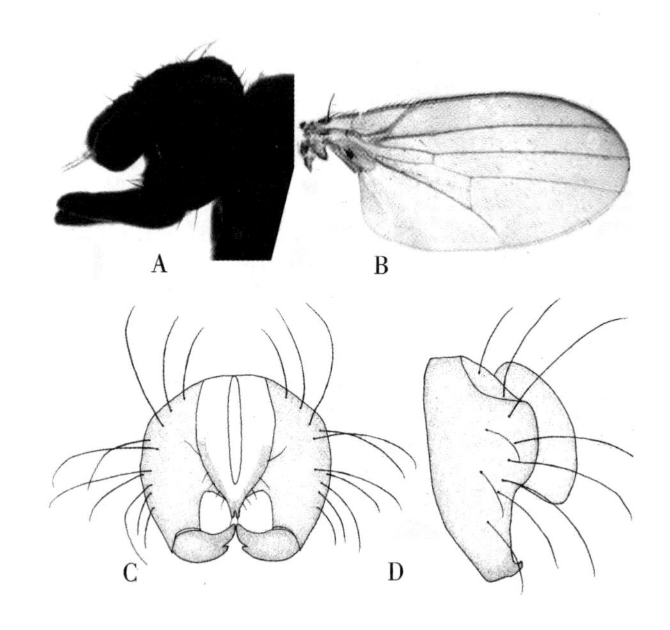

图 266 褐真叶蝇 *Phyllomyza donisthorpei* Schmitz

A. 头部侧面观(head，lateral view)；B. 翅(wing)；C. 第 9 背板后面观(epandrium，posterior view)；D. 第 9 背板侧面观(epandrium，lateral view)

鉴别特征：头部为棕色，被灰白粉；复眼高为长的 1.20 倍，颊宽约为复眼高的1/5。额具 4 根间额鬃；单眼后鬃呈十字形交叉。髭角相对较尖；髭粗壮，位于复眼下眼缘水平线。触角为棕色，具微绒毛；梗节端部和中部具黑毛，端部的毛较长，最长的 1 根是其他的 3 倍；第 1 鞭节呈不规则矩形，具短绒毛；触角芒为黑色，具明显的软毛，长为第 1 鞭节的 3.50 倍。下颚须较长，基部宽，端部稍窄且较钝，约0.50mm，长为宽的 4 倍；浅暗棕色，具密的软黑毛。胸部为棕色，被灰白粉；中胸背板为浅棕色。1 根肩鬃，2 根背中鬃，1 根前盾鬃，2 根背侧鬃，1 根缝前盾鬃，1 根缝后盾鬃，1 根翅上鬃，2 根翅后鬃，1 根下前侧片鬃(下前侧片前缘具 1 排毛)。足弯曲，基节和腿节为棕色，胫节为黄色，后足胫节为浅暗棕色，基部和端部为黄色，跗节浅为黄色。翅透明，r-m 脉与 dm-cu 脉之间的 M_1 脉较 dm-cu 脉稍长。腋瓣为浅黄色，具浓密的浅棕色微绒毛，边缘具黑色细长毛。平衡棒棒部为浅黄色，柄部为黄色。腹部第 2~5 背板具长毛，边缘的毛较长。第 1 背板中后部插入第 2 背板的三角形突起较强；第 2 腹板呈不规则马蹄形，第 3 腹板呈垂直矩形，第 4 和第 5 腹板近正方形，第 4 腹板较第 5 腹板面积大。雄性外生殖器的第 9 背板具 10 对粗壮的黑鬃；背针突端部分为两部分，上半部极度膨大且端部平齐，端被面稍弯曲且呈一定的弧度，下半部稍膨大，端部钝，比上半部短；尾须具稀疏的短鬃，具较短的后突，较短且具 1 对短毛。

采集记录：1♂，宁陕广货街保护站，2013. Ⅷ. 10，席玉强采；1♂，柞水营盘镇，2014. Ⅶ. 31，丁双玫采。

分布：陕西（宁陕、柞水）、台湾、云南；英国。

（6）等长真叶蝇 *Phyllomyza equitans*（Hendel，1919）中国新纪录（图 267）

Neophyllomyza equitans Hendel, 1919: 198.

Phyllomyza（*Neophyllomyza*）*equitans*: Hendel, 1924: 408.

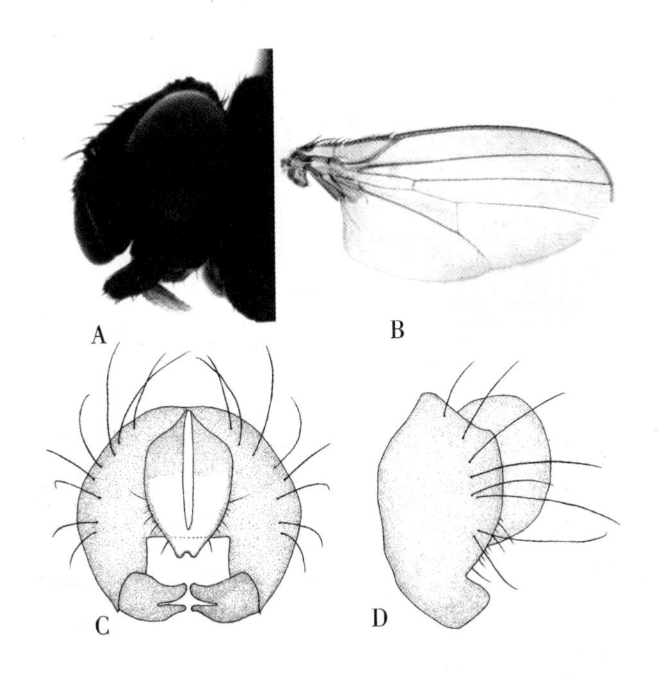

图 267　等长真叶蝇 *Phyllomyza equitans*（Hendel）

A. 头部侧面观（head, lateral view）；B. 翅（wing）；C. 第 9 背板后面观（epandrium, posterior view）；D. 第 9 背板侧面观（epandrium, lateral view）

鉴别特征：头部为黑色，被灰白粉；单眼三角区为浅暗棕色，无微柔毛；新月片为浅暗黄色，带状。复眼高为长的1.30倍，颊宽约为复眼高的1/4。额具4根间额鬃；单眼后鬃呈“十”字形交叉。髭角相对较尖；髭粗壮，位于复眼下眼缘水平线以下。触角为浅暗棕色，具微绒毛；梗节端部和中部具黑毛，端部的毛较长，最长的1根是其他的4倍；第1鞭节呈不规则圆形，具短绒毛；触角芒为浅黑棕色，具明显的软毛，长为第1鞭节的3.50倍。喙短，浅暗黄色，具黑色的稀疏长毛。下颚须较短，长约0.20mm，长为宽的2.50倍；浅棕色，具密的软黑毛，边缘具稀疏短毛。胸部浅暗棕色，被灰白粉；1根肩鬃，2根背中鬃，1根前盾鬃，2根背侧鬃，1根缝前盾鬃，1根缝后盾鬃，1根翅上鬃，2根翅后鬃，1根下前侧片鬃(下前侧片前缘具毛)；小盾片宽为长的1.30倍，具1对小盾基鬃和1对小盾端鬃，小盾端鬃长为小盾基鬃的3.50倍。足弯曲，基节和腿节为棕色，胫节为黄色，后足胫节为棕色且端部为黄色，跗节为浅黄色。翅透明，r-m脉与dm-cu脉之间的M_1脉较dm-cu脉长。腋瓣浅黄色，具浓密的浅棕色微绒毛，边缘具浅棕色毛。平衡棒棒部为浅黄色，柄部为黄色。腹部第2~5背板后3/4具鬃，端部的鬃较长。第1背板中后部插入第2背板的三角形突起较弱；第2腹板呈不规则马蹄形，端部较宽且钝，第3腹板垂直矩形，第4腹板近正方形，第5腹板呈梯形，端部边缘向基部稍微凹陷。雄性外生殖器的第9背板具8对粗壮的黑鬃；背针突端部分为两部分，上半部极度膨大且端部钝圆形，下半部比上半部短，端部较钝；尾须具稀疏的短鬃。

采集记录：1♂，周至厚畛子，2013.Ⅷ.11，李轩昆采。

分布：陕西(周至)、浙江、云南；奥地利，西里西亚。

(7)直须真叶蝇 *Phyllomyza euthyipalpis* Xi *et* Yang, 2013

Phyllomyza euthyipalpis Xi *et* Yang, 2013: 581.

鉴别特征：头部为黑色，被灰白粉；单眼三角区为浅棕色，无微柔毛；新月片为浅棕黑色，带状。复眼高为长的1.50倍，颊宽约为复眼高的1/7。额具4根间额鬃；单眼后鬃呈会聚。新月片具2根鬃。髭角相对较尖；髭粗壮，位于复眼下眼缘水平线以下。触角为浅黑棕色，具微绒毛；梗节端部和中部具黑短毛，端部的毛较长，最长的1根是其他的4倍；第1鞭节呈不规则圆形，具短绒毛；触角芒为黑色，具明显的软毛，长为第1鞭节的3倍。喙短，具黑色的稀疏短毛。下颚须极度延长，端部较钝，长为宽的7倍；暗棕色，具密的软黑毛，边缘具稀疏毛。胸部为浅黄棕色，被灰白粉；1根肩鬃，2根背中鬃，1根前盾鬃，2根背侧鬃，1根缝前盾鬃，1根翅上鬃，1根翅后鬃，1根翅内鬃，1根下前侧片鬃(下前侧片前缘具1排毛)。足弯曲，基节浅棕色，腿节暗棕色，胫节黄色，后足胫节为黄色至暗棕色，跗节为浅黄色。翅透明，r-m脉与dm-cu脉之间的M_1脉与dm-cu脉等长。腋瓣为浅黄色，具浓密的浅棕色微绒毛，边缘具浅棕毛。平衡棒棒部为浅黄白色，柄部为浅黄色。腹部第2~5背板后

3/4 具长毛，端部的较长；腹板呈具稀疏的毛。第 1 背板中后部插入第 2 背板的三角形突起较弱；第 2 腹板马蹄形，第 3 ~ 4 腹板近正方形，第 5 腹板呈矩形，长为宽的 1.50 倍。雄性外生殖器的第 9 背板具 11 对粗壮的黑鬃；背针突端部分为两部分，上半部稍微膨大，下半部不膨大；尾须拱形，具稀疏的短鬃，腹面具较短的后突。

采集记录：2♂，宁陕火地塘，2013. Ⅷ. 15，席玉强采。

分布：陕西(宁陕)、四川、云南。

(8) 日本真叶蝇 *Phyllomyza japonica* Iwasa, 2003 中国新纪录(图 268)

Phyllomyza japonica Iwasa, 2003: 287.

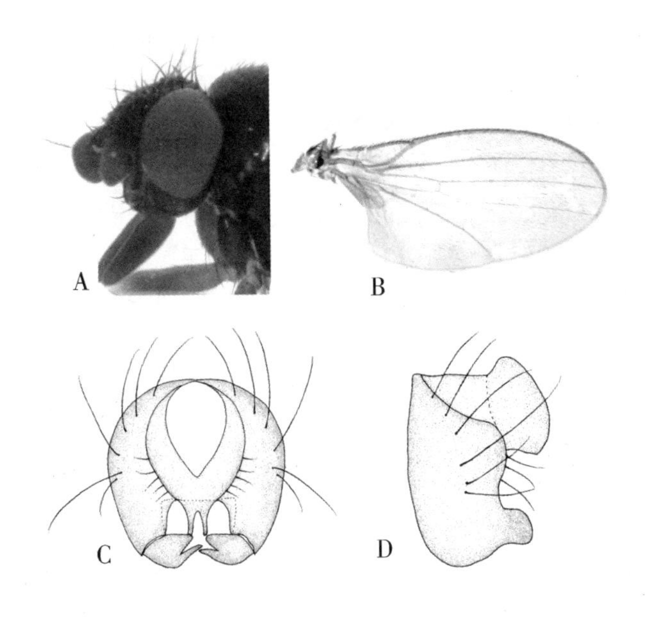

图 268　日本真叶蝇 *Phyllomyza japonica* Iwasa

A. 头部侧面观(head, lateral view); B. 翅(wing); C. 第 9 背板后面观(epandrium, posterior view); D. 第 9 背板侧面观(epandrium, lateral view)

鉴别特征：头部为黑色，被灰白粉；单眼三角区为浅黑色，无微柔毛；新月片为浅黄棕色，带状。复眼高为长的 1.50 倍，颊宽约为复眼高的 1/6。头部的鬃和毛黑色；额具 4 根间额鬃；单眼后鬃呈十字形交叉。髭角呈直角；髭粗壮，位于复眼下眼缘下。触角为黑棕色，具微绒毛；梗节端部和中部具黑毛，端部的毛较长，最长的 1 根是其他的 3 倍；第 1 鞭节呈不规则圆形，具短绒毛；触角芒为黑色，具明显的软毛，长为第 1 鞭节的 3 倍。喙很短，浅暗黄色，具黑色的稀疏长毛。下颚须长玉米状，端部钝，长为宽的 3.50 倍；浅暗棕色，具密的软黑毛。胸部为暗棕色，被灰白粉；1 根肩鬃，2 根背中鬃，2 根背侧鬃，1 根缝前盾鬃，1 根缝后盾鬃，1 根缝前盾片鬃，1 根翅上鬃，1 根翅内鬃，1 根翅后鬃，1 根下前侧片鬃(下前侧片前缘具 1 排毛)。足弯曲，基节和腿节为浅暗棕色，胫节为浅暗棕色，前足胫节为黄色，跗节为浅黄色。翅透明，r-m 脉与 dm-cu 脉之间的 M_1 脉与 dm-cu 脉等长。腋瓣浅黄色，具浓密的浅棕色微绒毛，边缘具黑毛。平衡棒为暗棕色。腹部第 2 ~5 背板后缘具长毛，端部的较长。第 1 背板中后部插入第 2 背板的三角形突起较弱；第 2 腹板近三角形，第 3 ~4 腹板近正方形，第 5 腹板呈矩形，长是宽的 2 倍，比第 4 腹板的 1. 20 倍宽。雄性外生殖器的第 9 背板具 6 对粗壮的黑鬃；背针突端部分为两部分，上半部稍膨大且端部稍钝，下半部细长，端部稍尖，较上半部长；尾须拱形且具稀疏的短鬃，腹侧具后突且较长。

采集记录: 1♂，陕西留坝韦驮沟，2013. Ⅷ. 20，席玉强采；1♂，陕西佛坪龙草坪，2013. Ⅶ. 31，王玉玉采；2♂，陕西宁陕广货街保护站，2013. Ⅷ. 10，席玉强采；2♂，陕西丹凤庾岭镇街坊村，2014. Ⅷ. 11，唐楚飞采；1♂，北京松山，2012. Ⅵ. 26，王亮采；2♂，甘肃天水麦积山，2012. Ⅶ. 15，康泽辉采；3♂，湖北神农架松柏镇，2012. Ⅶ. 23，张婷婷采；3♂，湖北通山九宫山森林公园，2014. Ⅵ. 18，刘晓艳采；1♂，湖北英山吴家山，2014. Ⅵ. 30，常文程采；1♂，江西靖安三爪仑白水洞，2014. Ⅷ. 22，汪凯采；1♂，广西防城港上思十万大山森林公园，2013. Ⅴ. 17，王国全采；4♂，广西百色田林岑王老山达龙坪保护站，2013. Ⅴ. 24，席玉强采；1♂，重庆北碚缙云山，2012. Ⅷ. 04，李治非采；1♂，四川峨眉山净水，2012. Ⅷ. 17，曹泽文采；2♂，云南大理苍山，2012. Ⅵ. 04，康泽辉采；1♂，云南保山百花岭，2013. Ⅶ. 17，李轩昆采。

分布: 陕西（留坝、佛坪、宁陕、丹凤）、北京、甘肃、湖北、江西、广西、重庆、四川、云南；日本。

(9) 柳须真叶蝇，新种 *Phyllomyza letophyllusa* Xi *et* Yang, sp. nov.（图 269）

鉴别特征: 雄性体长 1. 80mm，翅长 1. 80mm。头部为黑色，被灰白粉；眶板为亮黑色，无微绒毛；单眼三角区为浅黑色，无微柔毛；新月片为黄棕色，带状。复眼后缘逐渐从头部后缘分离；复眼高为长的 1. 30 倍，颊宽约为复眼高的 1/6。头部的鬃和毛黑色；单眼三角区有 2 根长鬃和 3 根短鬃；额的 3 根眶鬃与 2 根额鬃着生在浅棕色的条带上，眶鬃侧倾，额鬃中倾，6 根间额鬃；单眼后鬃呈十字形交叉。新月片具 2 根鬃。髭角相对较尖；髭粗壮，位于复眼下眼缘上。触角暗棕色，具微绒毛；梗节近似四边形，端部和中部具黑毛，端部的毛较长，最长的 1 根是其他的 1. 50 倍；第 1 鞭节呈不规则圆形，具短绒毛；触角芒为黑色，具明显的软毛，长为第 1 鞭节的 3 倍。喙短，浅黑色，端部浅黄色，具黑色的稀疏短毛。下颚须呈柳叶形，长为宽的 4 倍；暗棕色，具密的软黑毛。胸部为暗棕色，被灰白粉；中胸背板为亮黑色；小盾片为暗棕色，具灰色绒毛。胸部的鬃和毛黑色；中胸背板具稀疏的黑色绒毛；1 根肩鬃，2 根背中鬃，1 根前侧片鬃，3 根缝前盾片鬃，2 根背侧鬃，1 根翅前鬃，1 根翅上鬃，1 根翅后鬃，1 根下前侧片鬃（下前侧片前缘具 1 排毛）；小盾片宽为长的 2 倍，具 1 对小盾基鬃和 1 对小盾端鬃，小盾端鬃长为小盾基鬃的 3 倍。足弯曲，基节和腿节为暗棕色，胫节为黄色，后足胫节为暗棕色，跗节为浅黄色。足上的鬃和毛黑色，中足胫节背侧端具 1 根黑鬃。翅透明，无翅斑；翅脉棕色；Sc 脉较粗壮；r-m 脉与 dm-cu 脉之间的 M_1 脉较 dm-cu 脉长。腋瓣浅黄色，具浓密的浅棕色微绒毛，边缘具黑毛。平衡棒棒部上半部分为暗棕色，下半部分为白色，柄部为棕色。腹部暗棕色，第 1 背板暗黄色，具灰白粉。腹部的鬃和毛黑色；第 2 ~5 背板后缘具长毛，端部的长；腹板具稀疏的毛。第 1 背板中后部插入第 2 背板的三角形突起较弱；第 2 ~4 腹板近正方形，第 5 腹板梯形。雄性外生殖器的第 9 背板具 6 根粗壮的黑鬃；背针突端部分为两部分，上半部膨大且端部较尖，下半部稍膨大，较细且端部稍尖；尾须具稀疏的短鬃。

采集记录：1♂（正模），北京海淀马连洼中国农业大学西校区，2012. Ⅵ. 15，李轩昆采；1♂（副模），陕西长安库峪，2013. Ⅷ. 31，李轩昆采；5♂，陕西周至楼观台植物园，2013. Ⅶ. 25，闫妍采；1♂，云南保山百花岭，2012. Ⅴ. 12，李文亮采；2♂，云南大理苍山，2012. Ⅵ. 5，王玉玉采；1♂，北京延庆松山，2012. Ⅵ. 27，王宏蕊采；1♂，山西晋城张马村，2012. Ⅶ. 21，张振华采；2♂，广西防城港上思十万大山森林公园，2013. Ⅴ. 17，刘星月采；1♂，江西井冈山茨坪石溪，2014. Ⅶ. 31，汪凯采；4♂，湖北郧西观音镇牛儿山村，2014. Ⅷ. 05，丁双玫采。

分布：陕西（周至）、北京、山西、湖北、江西、广西、云南。

讨论：该种与直角真叶蝇 *P. verticalis* 相似，但本种触角第 1 鞭节呈不规则圆形；单眼三角区浅黑色；额具 6 根间额鬃；平衡棒棒节上半部暗棕色，下半部白色，柄节棕色。后者触角第 1 鞭节呈不规则正方形；单眼三角区暗棕色；额具 4 根间额鬃；平衡棒棒节浅黄白色，柄节浅黄色。

种名词源：种名 *letophyllusa* 为拉丁词，意指下颚须的形状似细长柳叶。

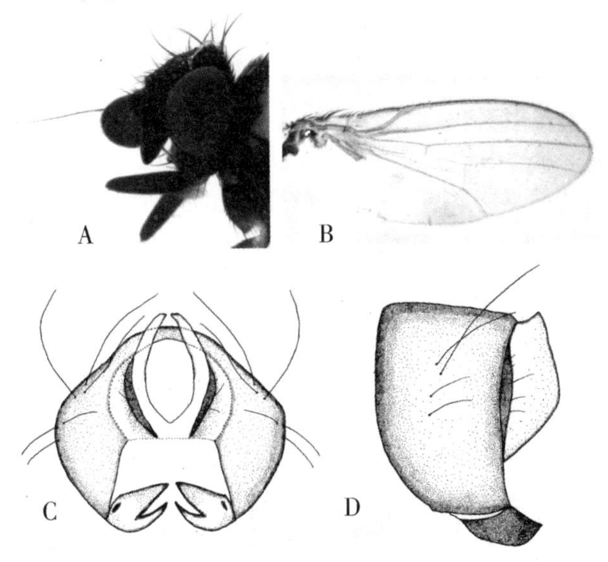

图 269　柳须真叶蝇，新种 *Phyllomyza letophyllusa* Xi *et* Yang, sp. nov.

A. 头部侧面观（head, lateral view）；B. 翅（wing）；C. 第 9 背板后面观（epandrium, posterior view）；D. 第 9 背板侧面观（epandrium, lateral view）

(10)多鬃真叶蝇，新种 *Phyllomyza multijubatusa* Xi *et* Yang，sp. nov.(图 270)

鉴别特征：雄性体长 1.70mm，翅长 1.60mm。头部为黑色，被灰白粉；眶板为浅黑棕色，具微绒毛；单眼三角区为浅暗棕色，无微柔毛；新月片为棕色具黑色边缘，带状。复眼后缘逐渐从头部后缘分离；复眼高为长的 1.50 倍，颊宽约为复眼高的 1/10。头部的鬃和毛黑色；单眼三角区有 2 根长鬃和 3 根短鬃；额的 3 根眶鬃与2 根额鬃着生在棕色的条带上，眶鬃侧倾，额鬃中倾，4 根间额鬃；单眼后鬃呈十字形交叉。新月片具2 根鬃。髭角相对较钝；髭粗壮，位于复眼下眼缘水平线。触角为棕色，具微绒毛；梗节端部和中部具为黑毛，端部的毛较长，最长的1 根是其他的4 倍；第 1 鞭节呈不规则矩形，具短绒毛；触角芒为黑色，具明显的软毛，长为第 1 鞭节的 3.50 倍。喙较短且折叠，浅暗棕色，具黑色的稀疏长毛。下颚须较长，基部较端部稍宽一些，长约为0.40mm，长为宽的 4 倍；浅暗棕色，具密的软黑毛，边缘具稀疏短毛。胸部为棕色，被灰白粉；中胸背板为亮浅棕色；小盾片棕色，具灰色绒毛。胸部的鬃和毛黑色；中胸背板具稀疏的黑色绒毛；1 根肩鬃，2 根背中鬃，1 根前盾鬃，2 根背侧鬃，1 根缝前盾鬃，1 根缝后盾鬃，1 根翅上鬃，2 根翅后鬃，1 根下前侧片鬃(下前侧片前缘具 1 排毛)；小盾片宽为长的 1.50 倍，具 1 对小盾基鬃和 1 对小盾端鬃，小盾端鬃长为小盾基鬃的 4 倍。足弯曲，基节和腿节为浅暗棕色，胫节为黄色，后足胫节为浅暗棕色且端部和基部黄色，跗节为浅黄色。足上的鬃和毛黑色，中足胫节背侧端具 1 根黑鬃。翅透明，无翅斑；翅脉棕色；Sc 脉较粗壮；r-m 脉与 dm-cu 脉之间的 M_1 脉较 dm-cu 脉长。腋瓣浅黄色，具浓密的浅棕色微绒毛，边缘具细长的黑色毛。平衡棒棒部浅黄色，柄部黄色。腹部为棕色，具灰白粉。腹部的鬃和毛黑色；第 2～5 背板具长毛，端部边缘的毛较长；腹板后 3/4 具稀疏的毛。第1 背板中后部插入第 2 背板的三角形突起较强；第 2 腹板呈不规则马蹄形，端部钝圆，第 3 腹板呈垂直矩形，第 4 腹板呈水平矩形，第 5 腹板呈水平梯形，端部边缘较平滑。雄性外生殖器的第 9 背板具 15 对粗壮的黑鬃；背针突端部分为两部分，上半部极度膨大且端部向上略弯，下半部稍膨大，较细且端部尖，比上半部短；尾须具稀疏的短鬃。

采集记录：1♂(正模)，云南保山百花岭，2012. Ⅶ. 16，李轩昆采；1♂(副模)，陕西柞水营盘，2014. Ⅶ. 31，唐楚飞采；2♂，云南德宏盈江铜壁关金竹寨，2012. Ⅴ. 01，李文亮采。

分布：陕西(柞水)、云南。

讨论：该种与短喙真叶蝇 *P. breviproboscis* 相似，但本种复眼高为长的 1.50 倍，颊宽约为复眼高的 1/10；胫节黄色，后足胫节浅暗棕色且端部和基部黄色。后者复眼高为长的1.30 倍，颊宽约为复眼高的 1/8；前足胫节黄色，中足胫节浅棕色且端部和基部浅黄色，后足胫节浅暗棕色且基部和端部浅黄色。

种名词源：种名 *multijubatusa* 为拉丁词，意指雄虫第 9 背板鬃较多。

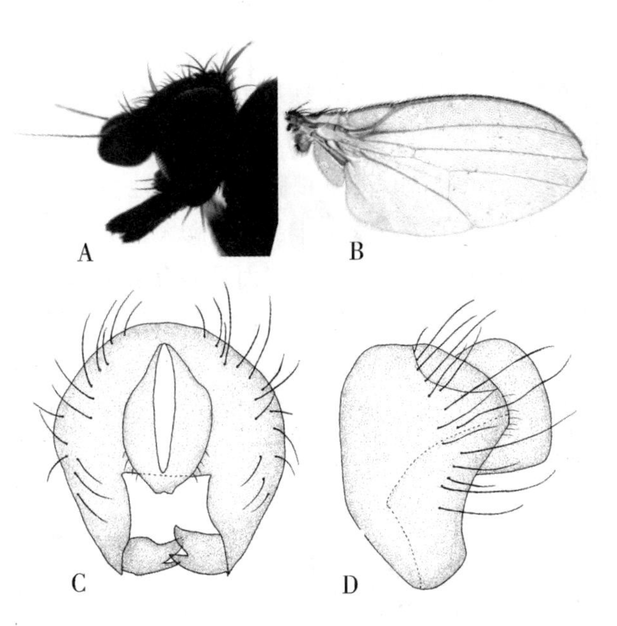

图 270 多鬃真叶蝇，新种 *Phyllomyza multijubatusa* Xi *et* Yang, sp. nov.

A. 头部侧面观(head, lateral view); B. 翅(wing); C. 第9背板后面观(epandrium, posterior view); D. 第9背板侧面观(epandrium, lateral view)

(11)钝端真叶蝇，新种 *Phyllomyza obtusatusa* Xi *et* Yang, sp. nov.(图 271)

鉴别特征:雄性体长 1.80~2.00mm，翅长 1.90~2.10mm。头部为黑色，被灰白粉；眶板为黑色，具微绒毛；单眼三角区为浅棕色，无微柔毛；新月片为浅棕黑色，带状。复眼后缘逐渐从头部后缘分离；复眼高为长的 1.40 倍，颊宽约为复眼高的 1/6。头部的鬃和毛黑色；单眼三角区为有 2 根单眼鬃和 3 根短鬃；额的 3 根眶鬃与 2 根额鬃着生在浅棕色的条带上，眶鬃侧倾，额鬃中倾，4 根间额鬃；单眼后鬃呈"十"字形交叉。新月片具 2 根短鬃。髭角相对较平，近直角；髭粗壮，位于复眼下眼缘下。触角为浅黑棕色，具微绒毛；梗节端部和中部具黑毛，端部的毛较长，最长的 1 根是其他的 3 倍；第 1 鞭节呈不规则马蹄形，具短绒毛；触角芒为黑色，具明显的软毛，长为第 1 鞭节的 2.50 倍。喙短，浅黄色，具黑色的稀疏长毛。下颚须稍弯曲，牛角形且端部钝，长为宽的 4.50 倍；暗棕色，具密的软黑毛。胸部为浅黄棕色，被灰白粉；中胸背板为亮黑色；小盾片为暗棕色，具灰色绒毛。胸部的鬃和毛黑色；中胸背板具稀疏的黑色绒毛；1 根肩鬃，2 根背中鬃，1 根前盾鬃，2 根背侧鬃，1 根缝前盾鬃，1 根翅上鬃，1 根翅内鬃，1 根下前侧片鬃(下前侧片前缘具 6 根毛，排列成 1 排)；小盾片宽为长的 1.50 倍，具 1 对小盾基鬃和 1 对小盾端鬃，小盾端鬃长为小盾基鬃的 3 倍。足弯曲，基节和腿节为暗棕色，胫节为暗棕色，跗节为浅黄色。足上的鬃和毛黑色，中足胫节背侧端具 1 根黑鬃。翅透明，无翅斑；翅脉棕色；Sc 脉较粗壮；r-m 脉与 dm-cu 脉之间的 M_1 脉较 dm-cu 脉长。腋瓣为浅黄色，具浓密的浅棕色微绒毛，边缘具浅棕毛。平衡棒棒部浅黄色，柄部黄色。腹部浅棕黄色，具灰白粉。腹部的鬃和毛黑色；第 2～5 背板后 3/4 具长毛，边缘的毛较长；腹板具稀疏的毛。第 1 背板中后部插入第 2 背板的三角形突起较强；第 2～3 腹板矩形，第 4 腹板近正方形，第 5 腹板呈拱形，端部边缘向基部稍微凹陷。雄性外生殖器的第 9 背板具 6 对粗壮的黑鬃；背针突端部分为两部分，上半部极度膨大且端部稍向上弯曲，下半部比上半部短，端部较钝；尾须具稀疏的短鬃，腹面具后突且短。雌性体长 1.80mm，翅长 1.90mm。与雄性相似，但雌性下颚须稍短。雌性外生殖器第 8 背板较宽，浅棕色具稀疏短毛。第 9 背板呈不规则五边形，基半部呈水平矩形，端半部呈延长三角形；第 9 腹板较窄，近水平矩形，具稀疏短毛。尾须不规则宽椭圆锥形，基部稍宽，端部较窄，具稀疏长毛。

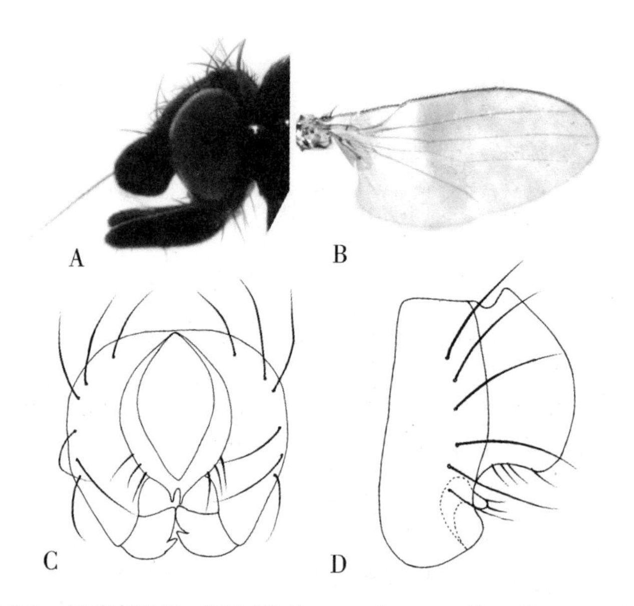

图 271 钝端真叶蝇，新种 *Phyllomyza obtusatusa* Xi *et* Yang, sp. nov.

A. 头部侧面观(head, lateral view)；B. 翅(wing)；C. 第 9 背板后面观(epandrium, posterior view)；D. 第 9 背板侧面观(epandrium, lateral view)

采集记录：1♂(正模)，四川乐山峨眉山，2012. Ⅵ. 10，张晓采；1♂(副模)，陕西周至楼观台植物园，2013. Ⅶ. 25，闫妍采；5♂2♀，陕西留坝江口镇，2013. Ⅷ. 18，席玉强采；3♂，陕西山阳城关镇权垣村，2014. Ⅵ. 27，张蕾采；2♂，湖北通山九宫山自然保护区金家田管理站，2014. Ⅵ. 19，刘晓艳采。

分布：陕西(周至、留坝、山阳)、湖北、四川。

讨论：该种与强须真叶蝇 *P. hadra* 相似，但本种颊宽约为复眼高的 1/6；r-m 脉与 dm-cu 脉之间的 M_1 脉比 dm-cu 脉长，为 dm-cu 脉长的 1.50 倍；平衡棒棒节浅黄色，柄节黄色。后者颊宽约为复眼高的1/10；r-m 脉与 dm-cu 脉之间的 M_1 脉为dm-cu 脉长度的 1.10 倍；平衡棒棒节浅暗灰色，柄节灰色。

种名词源：种名 *obtusatusa* 为拉丁词，意指背针突末端后视较钝。

(12) 黑三角真叶蝇，新种 *Phyllomyza piceusa* Xi *et* Yang, sp. nov. (图 272)

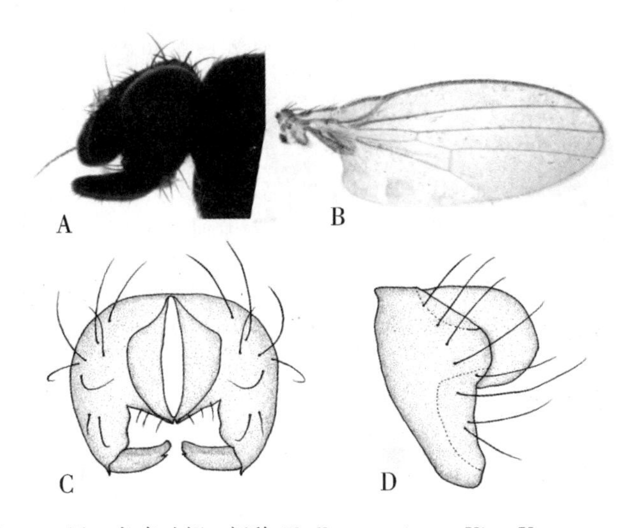

图 272 黑三角真叶蝇，新种 *Phyllomyza piceusa* Xi *et* Yang. sp. nov.

A. 头部侧面观(head, lateral view)；B. 翅(wing)；C. 第 9 背板后面观(epandrium, posterior view)；D. 第 9 背板侧面观(epandrium, lateral view)

鉴别特征：雄性体长 1.60～1.90mm，翅长 1.80～1.90mm。头部为黑色，被灰白粉；眶板为黑色，具微绒毛；单眼三角区为黑色，无微柔毛；新月片为暗棕色具棕色边缘，带状。复眼后缘逐渐从头部后缘分离；复眼高为长的 1.40 倍，颊宽约为复眼高的 1/8。头部的鬃和毛黑色；单眼三角区有 2 根单眼鬃和 3 根短鬃；额的 3 根眶鬃与 2 根额鬃着生在暗棕色的条带上，眶鬃侧倾，额鬃中倾，4 根间额鬃；单眼后鬃呈十字形交叉。新月片具 2 根鬃。髭角相对较钝；髭粗壮，位于复眼下眼缘水平线。触角为浅黑棕色，具微绒毛；梗节端部和中部具黑毛，端部的毛较长，最长的 1 根是其他的 2 倍；第 1 鞭节呈不规则圆形，具短绒毛；触角芒为黑色，具明显的软毛，长为第 1 鞭节的 3 倍。喙短，折叠，浅暗黄色，具黑色的稀疏长毛。下颚须较宽且扁，中部略宽，两端稍窄，约 0.30mm，长为宽的 2.50 倍；暗棕色，具密的软黑毛，边缘具稀疏短毛。胸部为暗棕色，被灰白粉；中胸背板为亮暗棕色；小盾片为暗棕色，具灰色绒毛。胸部的鬃和毛黑色；中胸背板具稀疏的黑色绒毛；1 根肩鬃，2 根背中鬃，1 根前盾鬃，2 根背侧鬃，1 根缝前盾鬃，1 根缝后盾鬃，1 根翅上鬃，1 根翅后鬃，1 根翅内鬃，1 根下前侧片鬃(下前侧片前缘具 7 根毛排成 1 排)；小盾片宽为长的 2 倍，具 1 对小盾基鬃和 1 对小盾端鬃，小盾端鬃长为小盾基鬃的3倍。足弯曲，基节和腿节为浅暗棕色，胫节为黄色，后足胫节为浅暗棕色，端部为暗黄色，跗节为浅黄色。足上的鬃和毛黑色，中足胫节背侧端具1根黑鬃。翅透明，无翅斑；翅脉棕色；Sc脉较粗壮；r-m脉与dm-cu脉之间的M_1脉较dm-cu脉稍长。腋瓣为浅黄色，具浓密的浅棕色微绒毛，边缘具细毛。平衡棒棒部为浅黄白色，柄部为浅黄色。腹部为浅暗棕色，具灰白粉。腹部的鬃和毛黑色；第2~5背板具长毛，端部的较长；腹板后3/4具稀疏的毛。第1背板中后部插入第2背板的三角形突起较强；第2腹板近马蹄形，端部稍尖，第3~4腹板近正方形，第4腹板较第3腹板宽，第5腹板呈水平矩形，端部边缘平滑，向基部稍微凹陷，宽为长的3倍。雄性外生殖器的第9背板具8对粗壮的黑鬃；背针突端部分为两部分，上半部膨大，端部平齐且稍向上弯，下半部短且端部较尖，下半部较上半部短；尾须拱形且具稀疏的短鬃。雌性体长1.60~1.90mm，翅长1.60~2.00mm。与雄性相似。雌性外生殖器的第8背板为暗棕色，稍宽，边缘具稀疏短毛。第9背板呈不规则五边形，基半部近梯形，基部边缘稍窄，端半部近三角形，端部延长，具2根短毛；第9腹板较宽，端部呈钝圆形，具稀疏短毛；近梯形。尾须呈不规则椭圆形，基部宽，钝圆形，端部稍窄，具稀疏长毛。

采集记录:1♂(正模)，云南德宏盈江昔马，2012. Ⅴ.05，李文亮采；8♂10♀(副模)，陕西柞水营盘，2014. Ⅶ.31，丁双玫采；1♂，云南德宏盈江铜壁关金竹寨，2012. Ⅴ.01，李文亮采；1♂，云南德宏盈江铜壁关金竹寨，2012. Ⅴ.02，刘源野采；6♂，云南保山腾冲自治，2012. Ⅴ.07，李文亮采；1♂，云南保山大蒿坪，2012. Ⅴ.11，李文亮采；10♂，云南保山大蒿坪，2012. Ⅴ.11，刘源野采；12♂，云南保山百花岭，2012. Ⅴ.12，李文亮采；1♂，云南保山百花岭，2012. Ⅴ.13，李文亮采；1♂，云南大理苍山，2012. Ⅵ.05，康泽辉采；10♂，重庆梁平大河坝水库，2012. Ⅷ.10，李治非采；3♂，广西防城港上思汪乐保护站，2013. Ⅴ.18，王国全采；1♂，云南保山百花岭，2013. Ⅶ.16，李轩昆采。

分布:陕西(柞水)、广西、重庆、云南。

讨论:该种与单鬃真叶蝇 *P. singularisa* 相似，但本种r-m脉与dm-cu脉之间的M_1脉为dm-cu脉长度的1.20倍；第3~4腹板近正方形。后者r-m脉与dm-cu脉之间的M_1脉比dm-cu脉长，为dm-cu脉长的1.60倍；第3腹板呈垂直矩形，第4腹板呈不规则水平矩形。

种名词源:种名 *piceusa* 为拉丁词，意指单眼三角区黑色。

2. 新叶蝇属 *Neophyllomyza* Melander, 1913

Neophyllomyza Melander, 1913: 243. **Type species**: *Neophyllomyza quadricornis* Melander, 1913.

属征:具2根眶鬃，2根额鬃；额宽大于长，颜隆线明显。喙极长，端部稍尖；唇瓣长为宽的2倍，每个唇瓣具2根拟气管。C脉延伸至M_1脉。下颚须较长，呈棍棒状，端部钝。第1鞭节膨大，形状不同；触角芒较细长，具明显的微绒毛。

分布：世界广布。全世界已知17种，中国已知10种，秦岭地区有2种。

分种检索表

触角第1鞭节呈不规则圆形；颊宽为复眼高的1/11；平衡棒为浅黄色……………………………………………………………… **黄颊新叶蝇，新种 *N. flavescens* sp. nov.**

触角第1鞭节呈不规则扇形；颊宽为复眼高的1/15；平衡棒棒部为浅暗棕色……………………………………………………………… **斜缘新叶蝇 *N. leanderi***

(13)黄颊新叶蝇，新种 *Neophyllomyza flavescens* Xi *et* Yang，sp. nov.(图273)

鉴别特征：雄性体长1.50mm，翅长1.50mm。头部为浅暗棕色，被灰白粉；眶板为暗棕色，具微绒毛；单眼三角区为浅棕色，无微柔毛；新月片小，黄色具棕色边缘，带状。复眼后缘逐渐从头部后缘分离；复眼高为长的1.40倍，颊宽约为复眼高的1/11。头部的鬃和毛黑色；单眼三角区具2根眶鬃和3根短鬃；额的2根眶鬃与2根额鬃着生在黑色的条带上，眶鬃侧倾，额鬃中倾，3根间额鬃；单眼后鬃呈“十”字形交叉。新月片具2根鬃。髭角相对较钝；髭粗壮，位于复眼下眼缘水平线。触角为浅黑棕色，具微绒毛；梗节端部和中部具黑毛，端部的毛较长，最长的1根是其他的2倍；第1鞭节呈不规则圆形，具短绒毛；触角芒为黑棕色，具明显的软毛，长为第1鞭节的2.50倍。喙长，膝状弯曲，浅暗黄色，具黑色的稀疏长毛。下颚须棍棒状，端部钝，长度小于0.20mm，长为宽的1.60倍；浅棕色，具密的软黑毛，边缘具稀疏短毛，端部具长短不齐的黑色鬃。胸部为浅暗棕色，被灰白粉；中胸背板为亮浅黑棕色；小盾片为浅黑棕色，具灰色绒毛。胸部的鬃和毛黑色；中胸背板具稀疏的黑色绒毛；1根肩鬃，2根背中鬃，1根前盾鬃，2根背侧鬃，1根缝前盾鬃，1根翅上鬃，1根翅内鬃，2根翅后鬃，1根翅内鬃，1根下前侧片鬃(下前侧片前缘具1排毛)；小盾片宽为长的2倍，具1对小盾基鬃和1对小盾端鬃，小盾端鬃长为小盾基鬃的2.50倍。足弯曲，基节，腿节和胫节为棕色，跗节为浅暗黄色。足上的鬃和毛黑色，中足胫节背侧端具1根黑鬃，后足第1跗节后腹侧具梳状鬃。翅透明，无翅斑；翅脉棕色；Sc脉较粗壮；r-m脉与dm-cu脉之间的M_1脉较dm-cu脉长。腋瓣为浅黄色，具浓密的浅棕色微绒毛，边缘具浅棕色毛。平衡棒为浅黄色，柄节为黄色。腹部为浅棕黄色，具灰白粉。腹部的鬃和毛黑色；第2～5背板后3/4具长毛，端部边缘的毛较长；腹板具稀疏的毛。第1背板中后部插入第2背板的三角形浅棕色突起较弱；第2腹板呈马蹄形，端部较钝，第3腹板近矩形，第4腹板近正方形，第5腹板呈不规则梯形，端部边缘明显向基部凹陷。雄性外生殖器的第9背板不规则"N"形，具粗壮鬃；背针突延长，端部较尖，边缘具浓密黑色毛；尾须较窄，具较长的粗壮鬃。下生殖板"U"形。端阳茎较粗，被膜质；亚生殖背板骨片发达；阳茎内骨骨化棍棒状。雌性体长1.50mm，翅长1.50mm。与雄性相似。雌性外生殖器的第8背板为暗棕色，边缘具稀疏长毛。第9背板较窄，带状具浅棕色浓密绒毛；第9腹板呈带状，端部边缘较钝，具稀疏短毛。尾须较长，两端稍窄，中间略宽，端部钝圆形，具稀疏长毛。

采集记录:1♂(正模)，西藏墨脱，2013. Ⅸ. 11，姚刚采；1♀(副模)，陕西柞水甘沟服务站，2014. Ⅶ. 26，丁双玫采；1♀，西藏察隅扎拉村，2012. Ⅶ. 07，刘晓艳采；1♀，西藏林芝八一镇嘎定村，2012. Ⅶ. 15，李文亮采；1♀，西藏林芝色季拉山口西，2012. Ⅷ. 12，李文亮采；1♀，西藏林芝，2012. Ⅸ. 12，李文亮采。

分布:陕西(柞水)、西藏。

讨论:该种与钝角新叶蝇 *N. obtusus* 相似，但本种平衡棒浅黄色，柄节黄色；背针突延长，端部较尖；尾须较窄。后者平衡棒棒节棕色，柄节浅棕色；背针突较宽，端部较钝；尾须稍宽。

种名词源:种名 *flavescens* 为拉丁词，意指颊为黄色。

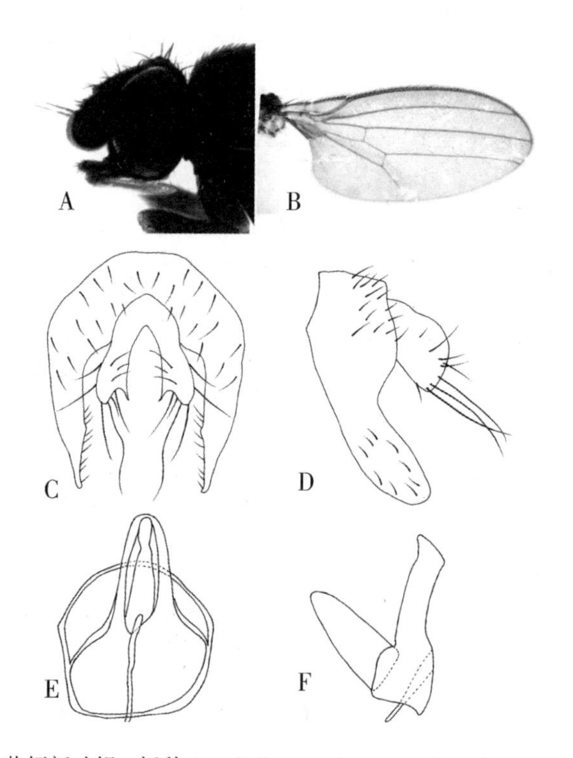

图273 黄颊新叶蝇，新种 *Neophyllomyza flavescens* Xi *et* Yang, sp. nov.

A. 头部侧面观(head, lateral view)；B. 翅(wing)；C. 第9背板后面观(epandrium, posterior view)；D. 第9背板侧面观(epandrium, lateral view)；E. 阳茎复合体腹面观(hypandrium and phallic complex, ventral view)；F. 阳茎复合体侧面观(hypandrium and phallic complex, lateral view)

(14)斜缘新叶蝇 *Neophyllomyza leanderi*（Hendel, 1924）中国新纪录(图 274)

Phyllomyza（*Neophyllomyza*）*leanderi* Hendel, 1924: 406.

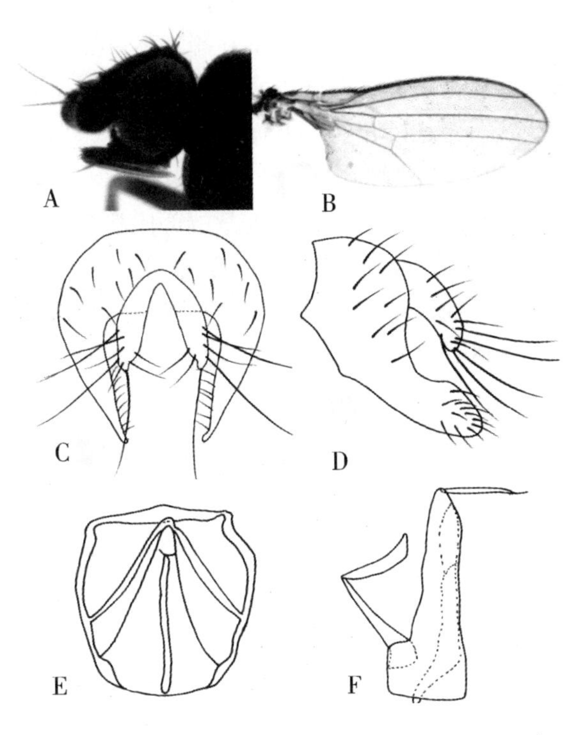

图 274　斜缘新叶蝇 *Neophyllomyza leanderi*（Hendel）

A. 头部侧面观(head, lateral view); B. 翅(wing); C. 第 9 背板后面观(epandrium, posterior view); D. 第 9 背板侧面观(epandrium, lateral view); E. 阳茎复合体腹面观(hypandrium and phallic complex, ventral view); F. 阳茎复合体侧面观(hypandrium and phallic complex, lateral view)

鉴别特征:雄性头部为浅黑棕色，被灰白粉；单眼三角区为浅黑棕色，无微柔毛。复眼后缘逐渐从头部后缘分离；复眼高为长的 1.60 倍，颊宽约为复眼高的 1/15。额具 3 根间额鬃；单眼后鬃会聚。髭角钝圆形；髭粗壮，位于复眼下眼缘水平线。触角为浅暗棕色，具浅棕色微绒毛；第 1 鞭节呈不规则扇形，基部边缘较直，具短绒毛；触角芒为浅暗棕色，具明显的短软毛，长为第 1 鞭节的 3 倍。喙较长，呈膝状弯曲折叠，浅暗棕色，具黑色的稀疏长毛。下颚须棍棒状，基部到端部宽度几乎相同，端部较钝，长约 0.10mm，长为宽的 3 倍；浅暗棕色，具密的软黑毛，边缘具稀疏的鬃。胸部浅暗棕色，被灰白粉；1 根肩鬃，2 根背中鬃，2 根背侧鬃，1 根缝前盾鬃，1 根翅上鬃，1 根翅后鬃，1 根前盾片鬃，1 根下前侧片鬃(下前侧片前缘具 1 排毛)。足弯曲，浅暗棕色，前足浅暗黄色。足上的鬃和毛黑色，中足胫节背侧端具 1 根黑鬃。翅透明，r-m 脉与 dm-cu 脉之间的 M_1 脉较 dm-cu 脉长。腋瓣浅黄色，具浓密的浅棕色微绒毛，边缘具浅棕色毛。平衡棒棒部浅暗棕色，柄部暗棕色。腹板第2~5背板具毛，端部的毛较长；腹板具稀疏的毛。第2腹板近马蹄形，端部较钝，第3腹板呈水平矩形，第4腹板呈水平梯形，端部边缘较基部边缘稍宽，第5腹板呈梯形，端部边缘呈拱形。雄性外生殖器的第9背板呈不规则马蹄形，具粗壮鬃；背针突延长，端部较钝，内侧边缘具浓密黑色毛。下生殖板"U"形。端阳茎长圆锥形，被膜质；下生殖板较窄，带状；亚生殖背板骨片发达；阳茎内骨骨化棍棒状。尾须较窄，具较长的鬃。雌性体长1.00~1.30mm，翅长1.00~1.40mm。雌性外生殖器的第8背板为浅黑色，边缘具稀疏长毛。第9背板呈不规则三角形，端部较钝；第9腹板较窄，近矩形，端部边缘具稀疏短毛。尾须呈不规则细长圆柱形，端部比基部略宽，具稀疏长毛。

采集记录:1♂，柞水营盘，2014. Ⅶ. 30，丁双玫采；1♂1♀，柞水营盘，2014. Ⅶ. 31，丁双玫采；1♀，丹凤蔡川镇蔡川村，2014. Ⅶ. 01，张蕾采。

分布:陕西(柞水、丹凤)、浙江、江西、广西、云南；奥地利。

3. 芒叶蝇属 *Aldrichiomyza* Hendel, 1914

Aldrichiomyza Hendel, 1914: 73. **Type species**: *Aldrichiomyza agromyzina* Hendel, 1911.

Aldrichiomyza agromyzina Hendel, 1911: 35 (nec Vaughan, 1903). **Type species**: *Aldrichiella agromyzina* Hendel, 1911.

属征:头部侧视近正方形。C脉延伸至R_{4+5}脉。喙极长，端部较尖；唇打开时，长至少是宽的2倍。下颚须较长，端部钝。第1鞭节稍延长且粗壮；触角芒较粗壮，基部毛浓密，具浓密的长毛。

分布:东洋区，古北区。全世界已知6种，中国已知2种，秦岭地区有2种，本文记述1种。

(15) 黄腹芒叶蝇 *Aldrichiomyza flaviventris* Iwasa, 1997 中国新纪录(图275)

Aldrichiomyza flaviventris Iwasa, 1997: 826.

鉴别特征:头部为黄色，被灰白粉；单眼三角区为浅暗棕色，无微柔毛；新月片为黄色具浅棕色边缘，带状。复眼后缘逐渐从头部后缘分离；复眼高为长的1.20倍，颊宽约为复眼高的1/4。头部的鬃和毛黑色；额具2根间额鬃；单眼后鬃会聚。触角为浅暗黄色，具微绒毛；第1鞭节呈肾形，具短绒毛。喙较长，膝状折叠，具黑色的稀疏短毛。下颚须较细，端部钝，长约0.20mm，长为宽的3.50倍；浅黄色，具密的短黑毛，边缘具稀疏短毛。胸部呈浅暗黄色，或具黑色条带，或黑色，被灰白粉；中胸背板为亮暗黄色，或具黑色条带，或亮黑色；1根肩鬃，4根背中鬃，2根背侧鬃，

1 根缝前盾鬃，1 根缝后盾鬃，1 根翅上鬃，1 根翅内鬃，2 根下前侧片鬃。足弯曲，基节和腿节黄色，前足胫节为黑色，中足胫节为浅暗棕色，后足胫节为浅黑棕色，跗节为黄色，前足跗节为黑色。翅透明，r-m 脉与 dm-cu 脉之间的 M_1 脉比 dm-cu 脉长。腋瓣浅为黄色。平衡棒棒节为黄色，柄节为黄色。腹部为黄色，或暗黄色，或黑色，具灰白粉。第 2～5 背板具长毛，端部边缘的毛较长；腹板具稀疏的毛。第 2 腹板近马蹄形，第 3 腹板呈垂直矩形，较窄，第 4 腹板呈正方形，边缘较钝，第 5 腹板呈垂直梯形，端部边缘长度为基部边缘的 2.50 倍。雄性外生殖器的第 9 背板呈半圆形，具粗壮的黑鬃；背针突较宽，具黑色端鬃，端部具钉状短粗鬃；下生殖板呈不规则“V”形；端阳茎较小，被膜质；阳茎内骨细长；阳茎内骨骨片较宽；前阳基侧突带状较细；尾须发达，具浓密的黑色粗鬃。雌性体长 1.90～2.30mm，翅长 1.90～2.40mm。与雄性形态相似。雌性外生殖器的第 8 背板为黄色或浅棕色，较细，呈带状，具稀疏短毛；第 9 背板近三角形，边缘较钝；第 9 腹板为黄色或棕色，呈带状中部稍隆起，边缘较平滑且钝。尾须细长，端部稍宽，具稀疏长毛。

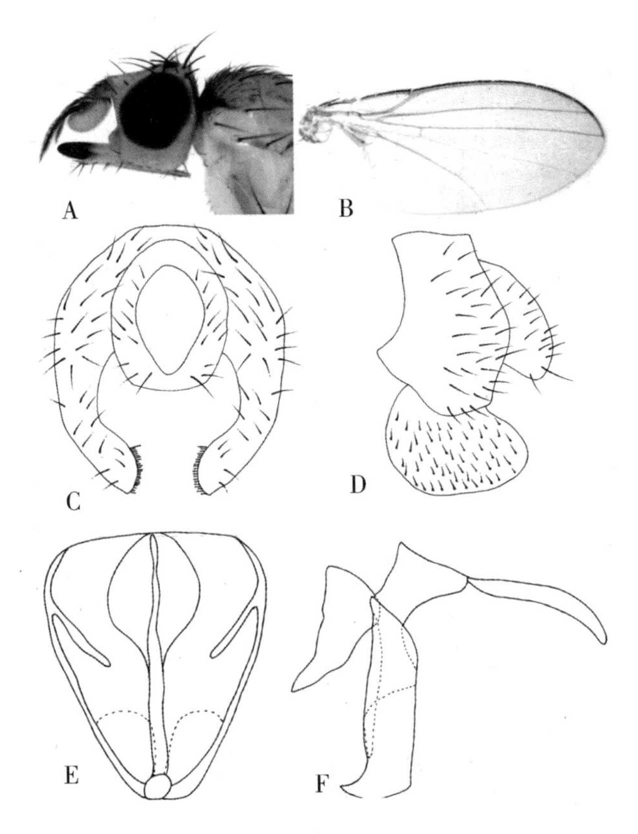

图 275　黄腹芒叶蝇 *Aldrichiomyza flaviventris* Iwasa

A. 头部侧面观(head, lateral view)；B. 翅(wing)；C. 第 9 背板后面观(epandrium, posterior view)；D. 第 9 背板侧面观(epandrium, lateral view)；E. 阳茎复合体腹面观(hypandrium and phallic complex, ventral view)；F. 阳茎复合体侧面观(hypandrium and phallic complex, lateral view)

采集记录:1♂1♀，华县高堂镇东屿村黄边沟，2014. Ⅶ.07，张蕾采；1♂1♀，宁陕广货街保护站，2013. Ⅷ.10，席玉强采；1♂，旬阳清平村，2014. Ⅷ.03，唐楚飞采；3♂3♀，旬阳前坪村，2014. Ⅷ.03，丁双玫采；5♂8♀，旬阳前坪村，2014. Ⅷ.03，唐楚飞采；1♀，柞水凤凰古镇中和村马寺沟口，2014. Ⅵ.25，张蕾采；2♂3♀，柞水凤凰古镇龙田村水利沟，2014. Ⅵ.26，张蕾采；2♂2♀，柞水沙沟林场，2014. Ⅶ.26，丁双玫采；1♂，柞水鸳鸯沟，2014. Ⅶ.27，丁双玫采；2♂1♀，柞水甘沟服务站，2014. Ⅶ.28，丁双玫采；1♂，柞水营盘，2014. Ⅶ.29，唐楚飞采；6♂3♀，柞水营盘筒喙象山，2014. Ⅶ.30，丁双玫采；15♂16♀，柞水营盘筒喙象山，2014. Ⅶ.30，唐楚飞采；1♂，柞水营盘，2014. Ⅶ.31，丁双玫采；4♂5♀，柞水营盘，2014. Ⅶ.31，唐楚飞采；2♂3♀，镇安云盖寺镇，2014. Ⅵ.18，张蕾采；1♂，镇安云盖寺镇黑窑沟林场，2014. Ⅵ.20，张蕾采；1♂62♀，镇安云盖寺镇茨沟村，2014. Ⅵ.21，张蕾采；18♂8♀，山阳城关镇权垣村，2014. Ⅵ.27，张蕾采；4♂1♀，山阳薛家沟王坪村，2014. Ⅵ.28，张蕾采；6♂4♀，山阳城关镇泉源村石灰沟，2014. Ⅵ.29，张蕾采；1♂1♀，丹凤蔡川镇蔡川村，2014. Ⅶ.30，张蕾采；5♀，丹凤蔡川镇蔡川村，2014. Ⅶ.01，张蕾采；1♂3♀，丹凤蔡川镇莽山马扑崖，2014. Ⅶ.02，张蕾采；3♂3♀，丹凤庚岭镇街坊村，2014. Ⅷ.11，唐楚飞采。

分布:陕西(华县、宁陕、旬阳、柞水、镇安、山阳、丹凤)、河北、山东、湖北；日本。

参考文献

Brake, I. 2000. Phylogenetic systematics of the Milichiidae (Diptera: Schizophora). *Entomologica Scandinavica Supplements*, 57: 1-120.

Duda, O. 1935. Beitrag zur Kenntnis der paläarktischen Madizinae. *Natuurhistorisch Maandblad*. 24: 14-16, 24-26, 37-40.

Fallén, C. F. 1820. Oscinides Sveciae. Vol. 2(20). *Litteris Berlingianis*, 10 pp.

Fallén, C. F. 1823. Phytomyzides *et* Ochtidiae Sveciae. *Litteris Berlingianis*, 10 pp.

Frey, R. 1936. Die Dipterenfauna der Kanarischen Inseln und ihre Probleme. *Commentationes biologicae*, 6(1): 1-237.

Hendel, F. 1911. Über von Prof. Aldrich, J. M. Erhaltene und einige andere amerikanische Dipteren. *Wiener entomologische Zeitung*, 30: 19-46.

Hendel, F. 1914. Namensänderung (Dipt.). *Entomologische Mitteilungen*, 3: 73.

Hendel, F. 1919. Neues äber Milichiiden (Dipt.). *Entomologisch Mitteilungen*, 8: 196-220.

Hendel, F. 1924. Neue europäische *Phyllomyza*-Arten (Diptera: Milichiidae). *Deutsche Entomologische Zeitschrift*, 1924: 405-408.

Iwasa, M. 1997. A new species of genus *Aldrichiomyza* Hendel (Diptera: Milichiidae) from Japan. *Japanese Journal of Entomology*, 65: 826-829.

Iwasa, M. 2003. The genus *Phyllomyza* Fallén (Diptera: Milichiidae) from Japan, with descriptions of four new species. *Entomological Science*, 6: 281-288.

Melander, A. J. 1913. A synopsis of the dipterous groups Agromyzidae, Milichiidae, Ochthiphilinae and Geomyzinae. *Journal of the New York Entomological Society*, 21: 219- 273, 283-300.

Schmitz, S. J. 1923. Drei neue europäische *Phyllomyza*-Arten. *Konowia*, 2: 44-47.

Xi, Y-Q. and Yang, D. 2013. Four new species of *Phyllomyza* Fallén from China (Diptera: Milichiidae). *Zootaxa*, 3718(6): 575-582.

Xi, Y-Q. and Yang, D. 2015. The genus *Phyllomyza* Fallén (Diptera: Milichiidae) from China, with descriptions of five new species. *Transactions of the American Entomological Society*, 141: 44-55.

二十五、隐芒蝇科 Cryptochetidae

席玉强[1] 杨定[2]

(1. 河南农业大学植物保护学院，郑州 450002；2. 中国农业大学昆虫系，北京 100193)

鉴别特征:小型，体长 1.50 ~ 5.00mm。体黑色且具金属光泽，部分具蓝或绿色金属光泽，密被黑色短毛，缺少明显的鬃。头部高大于长；复眼发达远离，单眼小，单眼三角区大，其形状不同。触角第 1 鞭节粗大，触角芒缺失，仅在端部具 1 个小刺突或具较短的触角芒。胸部宽大且膨隆，小盾片宽阔。足粗壮且多刺毛。翅膜质，无翅斑；宽大且前缘脉具 3 个缺刻；前缘脉伸达 R_{4+5}或 M_1 末端，亚前缘脉微弱，与 R_1 平行靠近，R_1 中部折成角度再伸至翅缘。腹部短粗，可见 5 节，端部渐尖。

生物学:隐芒蝇为珠蚧科的内寄生性天敌，对吹绵蚧、草履蚧有很好的防治作用。成虫多在山区林间活动，飞行速度较快，喜围绕人飞行，停落在帽檐或手臂上。幼虫在寄主体内发育，一般 4 龄，羽化后从寄主体末端出(羽化后的成虫将寄主体壁咬破 1 个圆洞)。

分布:全世界已知 2 属 41 种，中国已知 1 属 15 种，陕西秦岭地区有 1 属 1 种。研究标本保存在中国农业大学昆虫博物馆(CAU)。

隐芒蝇属 *Cryptochetum* Rondani, 1875

Cryptochetum Rondani, 1875: 172. **Type species**: *Cryptochetum grandicorne* Rondani, 1875.

属征: 小型，体长 1.50 ~ 5.00mm。体黑色，具蓝或绿色金属光泽，密被黑色短毛，缺少明显的鬃。头部高，宽大于长；复眼发达远离，单眼小，单眼三角区大，其形状是鉴别特征之一。触角第 1 鞭节粗大，触角芒缺失，仅在端部具 1 个小刺突。胸部宽大且膨隆，小盾片宽阔。足粗壮且多刺毛。翅膜质，无翅斑；宽大且前缘脉具 3 个缺刻；前缘脉伸达 R_{4+5}或 M_1 末端，亚前缘脉微弱，与 R_1 平行靠近，R_1 中部折成角度再伸至翅缘。腹部短粗，可见 5 节，端部渐尖。

分布: 东洋区，古北区。全世界已知 40 种，中国已知 15 种，秦岭地区有 1 种。

陕西隐芒蝇 *Cryptochetum shaanxiense* Xi *et* Yang, 2015(图 276)

Cryptochetum shaanxiense Xi *et* Yang, 2015: 81.

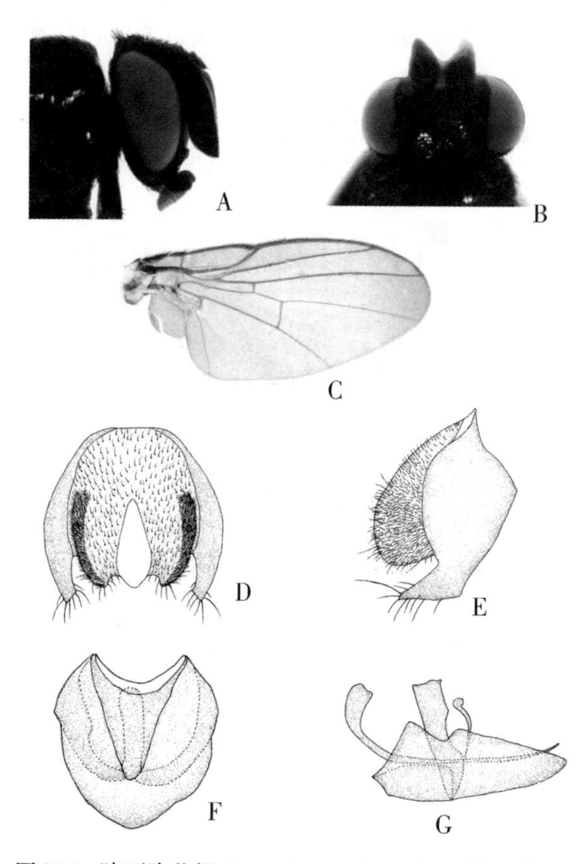

图 276 陕西隐芒蝇 *Cryptochetum shaanxiense* Xi *et* Yang

A. 头部侧面观(head, lateral view); B. 头部背面观(head, dorsal view); C. 翅(wing); D. 第 9 背板后面观(epandrium, posterior view); E. 第 9 背板侧面观(epandrium, lateral view); F. 下生殖板，阳茎，生殖肢，阳基侧突后面观(hypandrium, phallus, gonopod and paramere, posterior view); G. 下生殖板，阳茎，生殖肢，阳基侧突侧面观(hypandrium, phallus, gonopod and paramere, lateral view)

鉴别特征:头部为黑色；单眼三角区亮黑色具金属光泽，端部较尖，近等腰三角形；新月片乌黑色，呈带状且较窄。复眼为浅暗红色，高为长的 2.10 倍，颊宽约为复眼高的1/11。单眼浅为黄红色。第 1 鞭节呈不规则矩形，具短绒毛，前部边缘较直，端部边缘向内倾斜，长约 0.40mm，宽约 0.20mm，端部具 1 个圆锥形小突起。下颚须较短，肾形，端部稍膨大且呈钝圆形；暗棕色，具密的软黑毛，边缘具稀疏毛。胸部为浅黑棕色且具金属光泽。小盾片较大，近三角形，端部较宽且钝圆。翅膜质，无翅斑，长为宽的 2.20 倍；前缘脉伸达 R_{4+5}，止于翅最尖端之前；R_1 稍弯但未形成角度；dm-cu 与 Cu_1 形成的角度约为 80°，dm-cu 与翅缘之间的 Cu_1 为 dm-cu 长度的 3 倍。腋瓣浅棕色，具浓密的浅棕色微绒毛，边缘具浅棕色毛。平衡棒为浅暗棕色。腹部具蓝绿色金属光泽。雄性外生殖器的第9背板两端较窄，中部稍宽；背针突较窄，端部具较长的鬃；尾须较宽且具浓密的短鬃；下生殖板"U"形；生殖肢较大且对称；阳茎稍弯曲，端部膨大。

采集记录：1♂（正模），宁陕火地塘，2013. Ⅷ. 11，席玉强采（CAU）；1♂，华县高塘镇，2014. Ⅶ. 07，张蕾采（CAU）；1♂，柞水营盘镇，2014. Ⅶ. 31，丁双玫采（CAU）；1♂，柞水营盘镇，2014. Ⅶ. 31，唐楚飞采（CAU）；7♂，镇安云盖寺镇，2014. Ⅵ. 27，张蕾（CAU）。

分布：陕西（华县、宁陕、柞水、镇安、山阳）山西、广西、贵州。

参考文献

Xi, Y-Q. and Yang, D. 2015. Three new species of *Cryptochetum* Rondani from China (Diptera: Cryptochetidae). *Transactions of the American Entomological Society*, 2015, 141: 80-89.

Yang, C-K. and Yang, C-Q. 1996. Cryptochetidae. 224-233. In: Xue, W-Q. and Zhao, J-M. *Flies of China*. Liaoning Science and Technology Press, Shenyang. 1-1365. [杨集昆，杨春清. 1996. 隐芒蝇科. 224-233. 见：薛万琦，赵建铭. 中国蝇类. 沈阳：辽宁科学技术出版社，1-1365.]

二十六、甲蝇科 Celyphidae

杨金英[1] 杨定[2]

（1. 山东省金乡县农业局，金乡 272200；2. 中国农业大学昆虫系，北京 100193）

鉴别特征：甲蝇体粗壮，体色多变，体小到中型，体长3～5mm，个别种较大6～8mm。翅清晰，偶有斑点或只在部分区域有阴影。甲蝇是一类特殊的蝇类，与缟蝇科（前缘脉完整，翅有臀脉和臀室，阳茎退化，具3个雌性受精囊等）最接近，但甲蝇的小盾片很发达，卵壳状或球状，腹部极度弯曲，骨化很强。雄外生殖器简单，无真正的阳茎，阳基侧突和背针突的形状是分类的重要特征。

生物学：雌虫产卵于枯黄衰老的豇豆叶片上，每头雌虫可产卵70粒，雌虫将卵一粒一粒产在腐烂的叶片或杂草上，多在叶片边缘着卵。卵乳白色，后期米黄色常呈宽纺锤状或圆柱状，具4条纵向脊，在这些脊之间有横向条纹，绒膜状的脊不明显。幼虫的虫体长圆筒形的，两端尖，主要是腐食性的。幼虫生活在潮湿的环境里，以腐烂的草和枯叶为食（以腐食性为主）。幼虫取食深绿色或腐烂的黄色叶片的上表皮，剩下叶脉。

分布：全世界已知5属90余种，中国已知3属47种，陕西秦岭地区有3属6种。研究标本保存在中国农业大学昆虫博物馆（CAU）。

分属检索表

1. 各足第 1 跗节近基部向外突出成角状 ……………………………… **卵甲蝇属 *Oocelyphus***
   各足第 1 跗节正常，不突出成角 ……………………………………………………………… 2
2. 头顶后缘光滑；小盾片宽而隆突，背面极度弯曲；腹部背板无背侧沟，第 7、8 节愈合，形成腹面有开口的半环 ………………………………………………………… **甲蝇属 *Celyphus***
   头顶后缘具隆脊；小盾片长大于宽且不隆突；腹部第 1 ~ 6 背板均分隔成背片和两侧的侧片 3 部分，背片较宽；第 7、8 节愈合形成闭合的环 ………………… **狭须甲蝇属 *Spaniocelyphus***

1. 甲蝇属 *Celyphus* Dalman, 1818

Celyphus Dalman, 1818: 72. **Type species**: *Celyphus obtectus* Dalman, 1818.

属征: 小盾片非常隆起，而且宽，几乎等于长；头顶后缘光滑无脊。中室和第 2 端室明显分开。雄虫各足基跗节背面常隆起，粗壮，前足基跗节最明显；雌虫基跗节均细，无隆起。腹部第 1、2 节背板愈合，各节背板无背侧沟，故不分为 3 部分；第 7、8 节愈合，形成腹面有开口的半环。

分布: 东洋区，古北区。中国已知 26 种，秦岭地区有 3 种。

分种检索表

1. 阳茎侧突不规则状，侧缘有向内弯曲的侧突，侧突顶端叉状，内侧分支尖，外侧圆钝 ……
   ……………………………………………………………… **奇突甲蝇 *C.*（*C.*）*mirabilis***
   阳茎侧突与上述不同 …………………………………………………………………………… 2
2. 阳茎背面中央具 1 个指状突，突起向背面延伸并接近背针突，突起几乎是背针突长度的 2/3
   ……………………………………………………………… **恼甲蝇 *C.*（*C.*）*difficilis***
   阳茎侧突具 2 个指状突，内侧突细且长，外侧支宽而矮，是内侧支高度的 1/3 ………………
   ……………………………………………………………… **网纹甲蝇 *C.*（*C.*）*reticulatus***

(1) 恼甲蝇 *Celyphus* (*Celyphus*) *difficilis* Malloch, 1927（图 277）

Celyphus (*Celyphus*) *difficilis* Malloch, 1927: 61.

鉴别特征: 头部为浅黄色，有明显的暗褐色颊斑。触角为黄色；触角第 3 节褐色，长是宽的 1.50 倍，顶端尖，短于基部两节的总长。触角芒为褐色，基部 1/2 宽大呈叶状。中胸背板为黄褐色，中间有红褐色条斑；前胸背板为黄色；小盾片为黄褐色。翅上鬃 1 根和翅后鬃 1 根。小盾片表面的褶皱变化较大，表面仅基部 1/3 有褶皱，或仅中线部分较光滑甚至整个表面均粗糙具皱纹，具排列均匀稀疏的黑色毛窝，每 1 个毛窝内着生 1 根微毛。足黄褐色。腹部黄褐色，毛黑色。雄外生殖器背针突细且长，侧视末端尖。阳茎侧突背面中央具指状突，突起向背面延伸并接近背针突，突起几乎是背针突长度的 2/3。

采集记录: 1♂，富平龙草坪，515m，2013. Ⅷ. 31，王玉玉采（CAU）。

分布: 陕西（秦岭、富平）、江西、福建、广东、海南、香港、广西、贵州；越南。

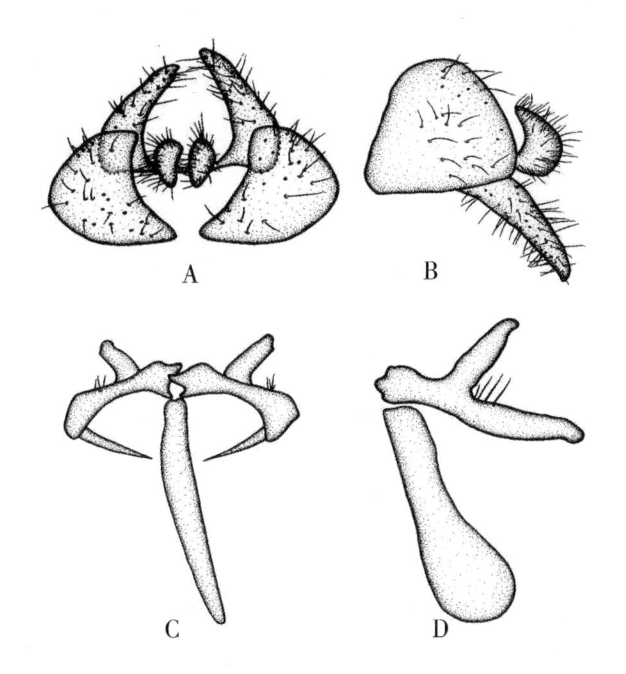

图 277　恼甲蝇 *Celyphus*（*Celyphus*）*difficilis* Malloch

雄性外生殖器（male genitalia）A. 后面观（posterior view）；B. 侧面观（lateral view）；C. 前面观（anterior view）；D. 侧面观（lateral view）

（2）奇突甲蝇 *Celyphus*（*Celyphus*）*mirabilis* Yang *et* Liu, 1998（图 278）

Celyphus（*Celyphus*）*mirabilis* Yang *et* Liu, 1998: 240.

鉴别特征: 头部为褐色。触角为黄褐色；触角第 3 节长小于宽的 1.50 倍，长度短于基部两节的总长；触角芒为褐色基部 4/5 宽大呈叶状。中胸背板为黑褐色；肩胛为橙色；小盾片为褐色。背侧鬃 1 根，翅上鬃 1 根和翅后鬃 1 根。小盾片除中纵区和极端部有大型凹坑，凹坑中央有火山口似毛窝，每 1 毛窝有 1 微毛。足股节为褐色，其余各节为黄褐色。腹部为黑色。雄性生殖器背针突短，长几乎等于宽，端部圆钝。阳茎内突不明显，阳茎侧突不规则状，侧缘有向内弯曲的侧突，侧突顶端叉状，内侧分支尖，外侧圆钝。

采集记录: 1♂，周至板房子，1317m，2013. Ⅷ. 09，李轩昆采；1♂，周至厚畛子，1235m，2013. Ⅷ. 11，李轩昆采；1♂1♀，秦岭，1961. Ⅷ. 07，杨集昆采；1♂，留

坝田坝，964m，2013. Ⅷ. 18，席玉强采；1♂，留坝光华山，1912m，2013. Ⅷ. 20，席玉强采；2♂，宁陕广货街，1200m，2013. Ⅷ. 10，席玉强采。

分布：陕西（周至、宝鸡、留坝、宁陕）、天津。

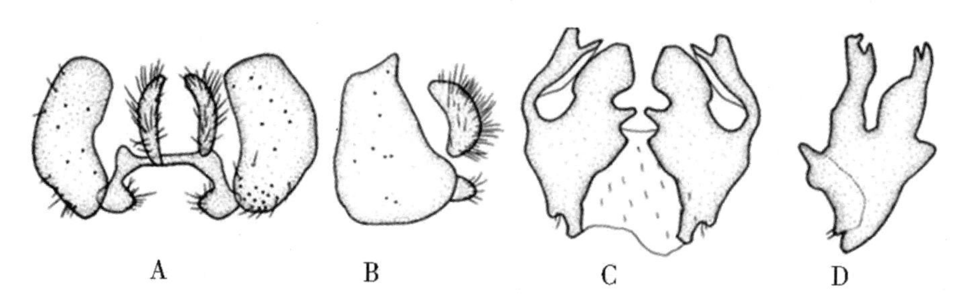

图 278 奇突甲蝇 *Celyphus*（*Celyphus*）*mirabilis* Yang *et* Liu

雄性外生殖器（male genitalia）A. 后面观（posterior view）；B. 侧面观（lateral view）；C. 前面观（anterior view）；D. 侧面观（lateral view）

（3）网纹甲蝇 *Celyphus*（*Celyphus*）*reticulatus* Tenorio，1972（图 279）

Celyphus（*Celyphus*）*reticulatus* Tenorio，1972：404.

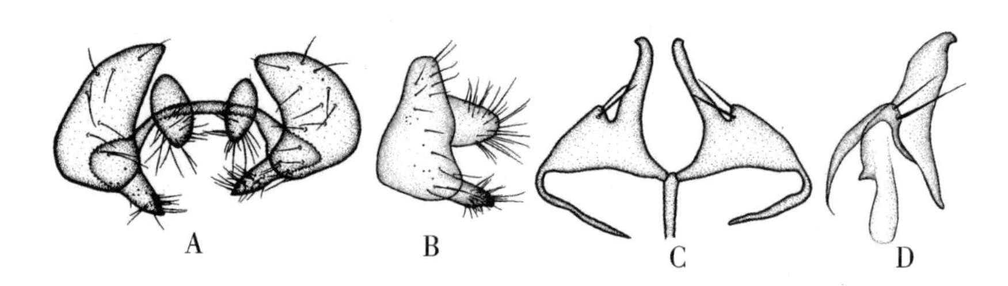

图 279 网纹甲蝇 *Celyphus*（*Celyphus*）*reticulatus* Tenorio

雄性外生殖器（male genitalia）A. 后面观（posterior view）；B. 侧面观（lateral view）；C. 前面观（anterior view）；D. 侧面观（lateral view）

鉴别特征：头部为浅黄色或黄褐色，头顶有紫罗兰色金属反光。触角为黄色；触角第 3 节长大于宽的 2 倍，长度长于基部两节的总长。触角芒为褐色，基部 2/3 宽大呈叶状。中胸背板为黄色或黄褐色；小盾片为黄褐色。背侧鬃 1 根，翅上鬃 1 根和翅后鬃 1 根。小盾片表面有凹坑，中央有火山口，似毛窝，每 1 个毛窝有 1 根微毛，凹坑连接呈网纹状。足为黄色。腹部为黄色或黄褐色，腹末为褐色。雄性生殖器背针突短且直，端部突然变尖。阳茎侧突具 2 个指状突，内侧突细且长，外侧支宽而矮，是内侧支高度的 1/3；侧视内侧支顶端有弯钩。

采集记录：1♂，宁陕火地塘，1376m，2013. Ⅷ. 14，席玉强采。

分布：陕西（宁陕）、浙江、江西、福建、广东、广西、贵州、云南。

2. 卵蝇属 *Oocelyphus* Chen, 1949

Oocelyphus Chen, 1949: 4. **Type species**: *Oocelyphus tarsalis* Chen, 1949.

属征:后头圆形，有隆突但无脊；触角芒扁平，叶状；翅具基横脉，但不完整，中室和后基室分隔；小盾片卵圆形，长明显大于宽；前背侧片鬃和中侧片鬃随短小，但清晰；足的基跗节第1跗节基部外侧加宽，形为角状。

分布:多分布于东洋区。秦岭地区发现1种。

(4) 神农架卵甲蝇 *Oocelyphus shennongjianus* Yang *et* Yang, 2014(图280)

Oocelyphus shennongjianus Yang *et* Yang, 2014: 55.

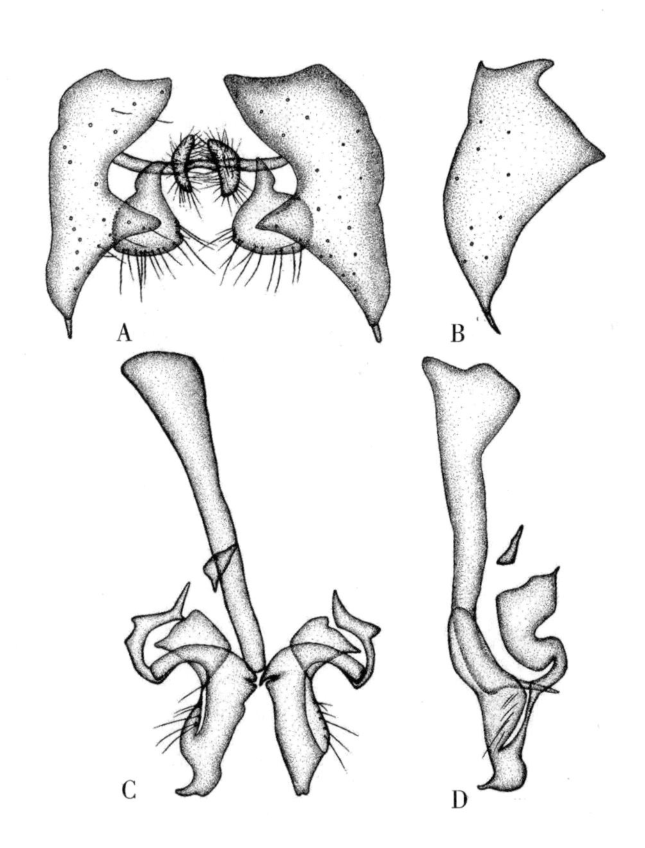

图280　神农架卵甲蝇 *Oocelyphus shennongjianus* Yang *et* Yang

雄性外生殖器(male genitalia) A. 后面观(posterior view); B. 侧面观(lateral view); C. 前面观(anterior view); D. 侧面观(lateral view)

鉴别特征:头部为黄褐色至褐色，有或无颊斑。触角为黄褐色至褐色；触角第

3 节宽扁，长短于宽的 2 倍，长度短于基部两节的总长。触角芒为深褐色，基部 2/3宽大呈叶状，被纤毛。中胸背板为黑色，具蓝绿色金属光泽；小盾片为深红褐色或基半部深褐色，具蓝绿色金属光泽。背侧鬃 2 根，前背侧鬃毛状，翅上鬃 1 根，翅后鬃 1 根。小盾片基部 1/3 坑状凹陷较端部深，具稀疏毛窝，每 1 个毛窝内着生 1 根小毛。足黄为褐色，股节基部为褐色；各足基跗节基部背部隆起呈角状，角上具 2 根刺。腹部为黑色或深褐色，有金属光泽。雄虫第 9 背板呈钳状，包括分离的 2 部分，生殖背板内突瓣状，一周被强鬃。背针突和阳茎侧突均对称的，背针突细锥状，略向内弯曲，阳基侧突基半部宽，侧缘有强鬃，端部分支形成 2 个突起，外侧突向两边弯曲成角，内侧突短且直。阳茎内突较长，前面观几乎是阳基侧突的 2 倍，端部加宽。下生殖板细长，向背面弯曲成 1 对角状物，侧面观曲折弯曲，似弹簧；射精突三角形。

采集记录: 1♂，留坝财神庙，1212m，2013. Ⅷ. 17，席玉强采；1♂，宁陕火地塘，1276m，2013. Ⅷ. 14，席玉强采；1♂，宁陕广货街，1200m，2013. Ⅷ. 10，席玉强采。

分布: 陕西(留坝、宁陕)、湖北。

3. 狭须甲蝇属 *Spaniocelyphus* Hendel, 1914

Spaniocelyphus Hendel, 1914: 92. **Type species**: *Spaniocelyphus scutatus* Wiedemann, 1830.

属征: 小盾片狭长，卵形；头顶后缘由隆脊，后顶鬃退化或无；下颚须柱状；触角芒叶状部至少占芒的 1/2，一般为 3/4；前翅中室和端室明显分开，但其间的横脉有时很弱或不完全；腹部第 1 ~6 节背板被背侧沟划分为 1 个背片和 2 个侧片等 3 部分，第 1、2 背板愈合，但侧片分离。

分布: 东洋区，非洲区。全世界已知 20 余种，中国有 13 种，秦岭地区记录 2 种。

分种检索表

中胸背板为深褐色，小盾片为褐色；阳基侧突侧视顶端尖，背针突中部突然弯曲，顶端圆钝 ……………………………………………… **华毛狭须甲蝇 *S. papposus***

中胸背板为深褐色，盾片为深褐色；阳基侧突侧视顶端圆钝，背针突中部略弯，但顶端尖 ……………………………………………… **中华狭须甲蝇 *S. sinensis***

(5) 华毛狭须甲蝇 *Spaniocelyphus papposus* Tenorio, 1972(图 281)

Spaniocelyphus papposus Tenorio, 1972: 440.

鉴别特征: 头部为褐色或黄褐色。触角为黄褐色；触角为第 3 节长是宽的 2 倍，顶端尖，长度长于基部两节的总长；触角芒为褐色，基部 3/4 宽大呈叶状，被纤毛。胸部中胸背板为深褐色；小盾片为褐色。背侧鬃 1 根，翅上鬃 1 根，翅后鬃 1 根。中胸背板中部有浅的褶皱，具短而密的细毛。小盾片表面布满褶皱，除中纵区和极端部褶皱较浅，有均匀分布的毛窝，每 1 个毛窝有 1 根微毛。足部为褐色，但跗节为黄褐色，中足与后足胫节有 2 个明显的黄褐色环带。足的毛、鬃和距均黑色。腹部为深褐色。雄外生殖器阳基侧突两分支紧挨，向外弯曲，顶端较圆钝，侧视顶端尖。雄外生殖器背针突由中部开始向内弯曲，顶端圆钝，侧视端部较圆钝。

采集记录:1♂，留坝田坝村，964m，2013. Ⅷ. 18，席玉强采(CAU)；1♂，留坝江口，911m，2011. Ⅷ. 18，席玉强采(CAU)；1♂，佛坪城周边，840m，2013. Ⅶ. 29，闫妍采(CAU)。

分布:陕西(留坝、佛坪)、甘肃、江苏、浙江、湖北、江西、福建、重庆、贵州。

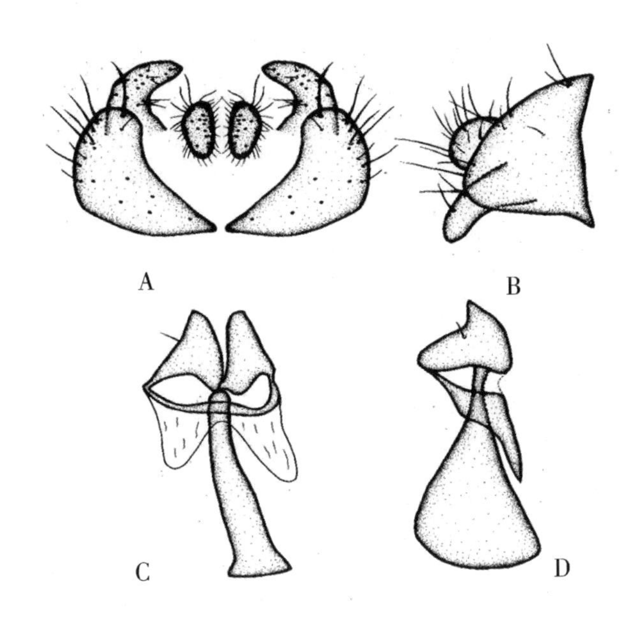

图 281　华毛狭须甲蝇 *Spaniocelyphus papposus* Tenorio

雄性外生殖器(male genitalia) A. 后面观(posterior view)；B. 侧面观(lateral view)；C. 前面观(anterior view)；D. 侧面观(lateral view)

(6) 中华狭须甲蝇 *Spaniocelyphus sinensis* Yang *et* Liu, 1998(图 282)

Spaniocelyphus sinensis Yang *et* Liu, 1998: 249.

鉴别特征:头部为黄褐色或褐色；有或无颊斑。触角为黄褐色；触角第 1 节几乎与第 2 节等长，触角第 3 节长是宽的 2 倍，长度长于基部两节的总长；触角芒为褐色基部 3/4 宽大呈叶状，被纤毛。前胸中胸背板为深褐色，小有蓝绿色金属光泽；盾片为深褐色，有蓝绿色金属光泽。胸部的毛与鬃均为黑色。肩胛与中胸背板被微毛；

背侧鬃 1 根，翅上鬃 1 根。小盾片表面布满褶皱，除极端部褶皱较浅，有均匀分布的毛窝，每 1 个毛窝有 1 根微毛。足股节为深褐色；胫节为褐色，中足与后足胫节有 2 个明显的黄褐色环带；跗节为黄褐色。腹部为黑色。雄外生殖器阳基侧突端部直，腹面观菱角状，侧视顶端圆钝。背针突中部弯曲，顶端尖，侧视端部尖。

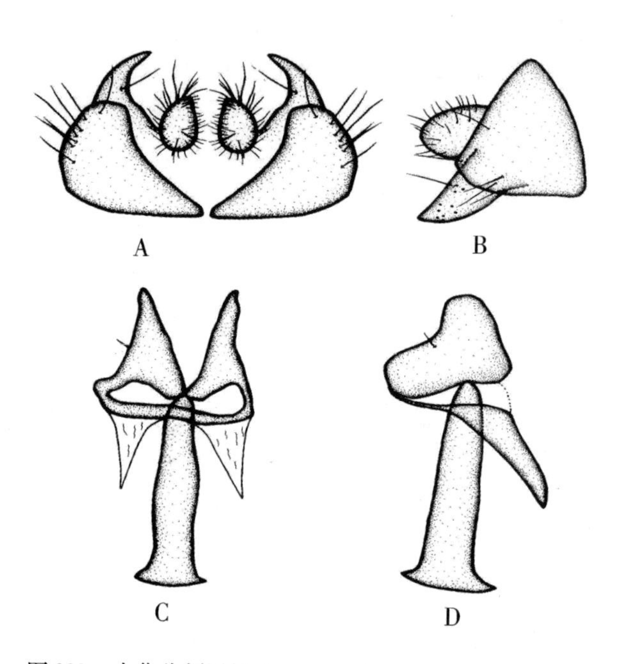

图 282 中华狭须甲蝇 *Spaniocelyphus sinensis* Yang *et* Liu

雄性外生殖器(male genitalia) A. 后面观(posterior view); B. 侧面观(lateral view); C. 前面观(anterior view); D. 侧面观(lateral view)

采集记录:1♂，周至厚畛子，1235m，2013. Ⅷ. 11，王李轩昆采(CAU)；1♂，周至板房子，1317m，2013. Ⅷ. 10，李轩昆采(CAU)；1♂，周至花耳坪，1354m(L)，2013. Ⅷ. 27，席玉强采(CAU)；1♂，眉县蒿平，1177m，2013. Ⅷ. 23，席玉强采(CAU)；1♂，留坝紫柏山，1386m，2013. Ⅷ. 19，席玉强采(CAU)；1♂，留坝财神庙，1212m，2013. Ⅷ. 17，席玉强采(CAU)；1♂，留坝韦驮沟，1359m，2013. Ⅷ. 20，席玉强采(CAU)；2♂，宁陕火地塘，1180m，2013. Ⅷ. 15，席玉强采(CAU)；1♂，宁陕广货街，1200m，2013. Ⅷ. 10，席玉强采(CAU)；1♂，旬阳旬阳坝，1365m，2013. Ⅷ. 13，席玉强(CAU)采。

分布:陕西(周至、眉县、留坝、宁陕、旬阳)、甘肃、浙江、湖北、江西、四川、云南。

参考文献

Chen, S. H. 1949. Records of Chinese Diopsidae and Celyphidae. *Sinensia*, 20: 1-6.

Papp, L. 1984. Family Celyphidae. 217-219 pp. In: Soós, Á and Papp, L. (eds.). Catalogue of Palaearctic Diptera. vol. 9. Akadémiai Kiadó, Budapest.

Papp, L. 1998. Family Celyphidae. 401-407 pp. In: Papp, L. and Darvas, B. (eds.). Contributions to a Manual of Palaearctic Diptera (With Special Reference to Flies of Economic Importance). Vol. 3: Higher Brachycera. Science Herald, Budapest.

Shi, Y. S. 1996. Family Celyphidae. 248-251 pp. In: Xue, W. Q. and Zhao, J. M. (eds.). Flies of China. Liaoning Science and Technology Press, Shenyang. 1365pp. [史永善. 1996. 甲蝇种. 248-251. 见:薛万琦, 赵建名. 中国蝇类. 沈阳:辽宁科学技术出版社, 1-1365.]

Tenorio, J. M. 1972. A revision of the Celyphidae (Diptera) of the Oriental region. *Transactions of the Royal Entomological Society of London*, 4: 359-453.

Yang, J. Y. and Yang, D. 2014. A new species of *Oocelyphus* (Diptera: Celyphidae). *Entomotaxonomia*, 36(1): 55-60.

二十七、缟蝇科 Lauxaniidae

史丽[1] 李文亮[2] 王俊潮[3] 杨定[3]

(1. 内蒙古农业大学, 呼和浩特 010019; 2. 河南科技大学, 洛阳 471023;
3. 中国农业大学昆虫系, 北京 100193)

鉴别特征: 体小至中型, 体长 2.30 ~ 8.50mm, 通常粗壮且体色多变, 从浅黄至黑色。单眼后鬃交叉, 口缘无真正的髭; 足胫节端前背鬃存在(少数种类后足胫节端前背鬃缺); 翅前缘脉完整和臀脉不达翅缘。幼虫圆锥形, 背腹面轻微扁平, 末端具有圆锥形瘤, 分节明显。

生物学: 缟蝇成虫和幼虫主要营腐食性或菌食性生活, 经常在落叶、稻草、腐烂的树桩或鸟巢中活动, 在降解有机质、保护环境、维持生态平衡中起着非常重要的作用; 部分属的成虫可访花, 有助于植物传粉; 对环境变化敏感, 已被欧洲专家用作农田生态系统环境变化评价的指示生物。

分布: 全世界已知 170 余属 2000 余种, 中国已知 34 属 400 余种, 陕西秦岭地区 6 属 7 种。研究标本保存在中国农业大学昆虫博物馆(CAU)。

分属检索表

1. 翅前缘黑色短鬃伸达 R_{4+5} 末端或接近 R_{4+5} 末端; 中足胫节有 2 ~ 3 根端腹鬃(同脉缟蝇亚科) ………… 2
   翅前缘黑色短鬃伸达 R_{2+3} 与 R_{4+5} 末端之间; 中足胫节有 1 根端腹鬃(缟蝇亚科) ………… 3
2. 体大部分灰色或褐色, 头部纵向延长; 额轻微或强烈隆起, 有 1 个黑色天鹅绒方形中斑; 翅纵脉上表面有毛, 但东洋区种类缺 ………… **隆额缟蝇属 *Cestrotus***
   体大部分黄色, 少数黑色或褐色种类, 头部纵向不延长; 额不隆起; 翅纵脉上表面无毛 ………… **同脉缟蝇属 *Homoneura***
3. 中胸背板有 1 根发达的缝后翅内鬃 ………… **黑缟蝇属 *Minettia***

中胸背板无缝后翅内鬃 ……………………………………………………………………………… 4

4. 颜区光亮，明显膨凸，有 1 对黑紫色的圆形斑；单眼三角区有 1 个天鹅绒黑斑；触角第 1 鞭节延长，末端平截 …………………………………………………… **长角缟蝇属 *Pachycerina***

颜区平或微凹；单眼三角区无天鹅绒黑斑；触角第 1 鞭节不延长，若微延长，末端圆形或变窄呈三角形 …………………………………………………………………………………… 5

5. 触角第 1 鞭节微延长，末端圆形或变窄呈三角形；额区有 4 条窄褐色纵带，2 条沿额眶鬃排，2 条位于额区中央，前半部 2 条纵纹几乎平行，后半部 2 条纵纹分离，伸达单眼三角区两侧；中胸背板缝前背中鬃和中鬃均存在；翅大部分褐色，有白色带状纹伸达翅缘 …………………… ………………………………………………………………………… **辐斑缟蝇属 *Noeetomima***

触角第 1 鞭节不延长；额区无上述斑纹，前缘常有短毛；中胸背板缝前背中鬃和中鬃缺；翅淡黄色，无斑或有褐色端斑，但无白色带状纹 ……………………………… **双鬃缟蝇属 *Sapromyza***

1. 隆额缟蝇属 *Cestrotus* Loew, 1862

Cestrotus Loew, 1862: 10. **Type species**: *Cestrotus turritus* Loew, 1862.

Turriger Kertész, 1904: 73. **Type species**: *Turriger frontalis* Kertész, 1904.

属征：体大部分灰色或褐色，头部纵向延长。额轻微或强烈隆起，有装饰斑和粉被(有时缺)，斑宽大于长。前额眶鬃后弯。颜和颊腹向延伸，颜区明显膨凸，复眼下方有 1 根强颊鬃。触角芒羽状或柔毛状。中胸背板有显著的褐色或黑色斑；无缝前背中鬃，缝后背中鬃 3 根。足黄色，有褐环。翅有不规则灰色或褐色斑，部分纵脉有毛(东洋区种类缺)。

分布：东洋区，非洲热带区。全世界已知 26 种，中国记录 9 种，秦岭地区有 1 种。

(1) 钝隆额缟蝇 *Cestrotus obtusus* Shi, Yang *et* Gaimari, 2009(图 283)

Cestrotus obtusus Shi, Yang *et* Gaimari, 2009: 62.

鉴别特征：头部为黄色，有暗斑。颜区黄色，有不规则黑褐斑组成的复杂图案，包括 1 条褐色中纵带与触角下方褐色横斑融合，端半部中央有倒“Ω”形斑，与腹缘横带融合。胸部为黑色，被灰白粉或灰黄粉。中胸背板前缘有 1 对褐色中斑和 1 对波状带，盾缝上有 1 对椭圆形褐斑，盾缝后有 1 对褐色侧斑；后部 1/3 中心有 1 个黑色梯形大斑，前缘分叉。翅 r_{2+3}和 r_{4+5}室的末端有褐色缘斑，r-m 横脉的透明区被“+”斑环绕；雄性外生殖器的背侧突侧面观有 1 个尖的三角形外突，基部有短鬃，端部窄且钝；后面观有 1 个长、粗壮且弯曲的锥形内突，长于外突。阳茎腹面观有 1 对三角形基侧突，端凹较深，末端尖，侧面观端部骤然后弯。

采集记录：3♂，柞水营盘镇，2014. Ⅶ. 31，丁双玫采。

分布：陕西(柞水)、浙江、湖南、重庆、广西。

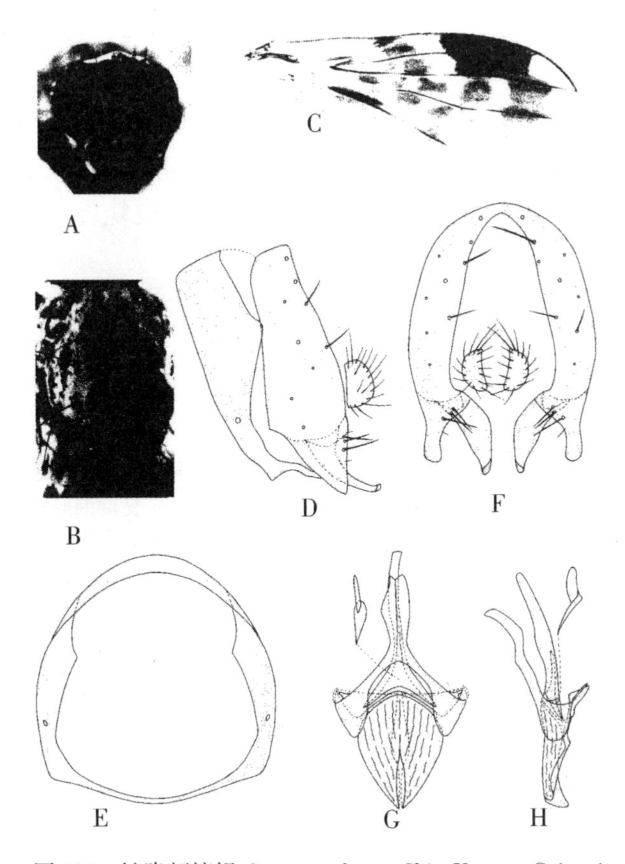

图 283　钝隆额缟蝇 *Cestrotus obtusus* Shi, Yang *et* Gaimari

A. 头部前面观(head, anterior view); B. 胸部背面观(thorax, dorsal view); C. 翅(wing); D. 腹稍前节和第 9 背板侧面观(protandrium and epandrium complex, lateral view); E. 腹稍前节前面观(protandrium, anteior view); F. 第9 背板后面观(epandrium, posterior view); G. 阳茎复合体腹面观(aedeagal complex, ventral view); H. 阳茎复合体侧面观(aedeagal complex, lateral view)

2. 同脉缟蝇属 *Homoneura* van der Wulp, 1891

Homoneura van & dev Wulp, 1891: 213. **Type species**: *Homoneura picea* van der Wulp, 1891.

Cnematomyia Hendel, 1925: 107. **Type species**: *Lauxania quinquevittata* Meijere, 1910.

Drosomyia de Meijere, 1904: 114. **Type species**: *Drosomyia picta* de Meijere, 1904.

属征: 体小至中型, 淡黄色、褐黄色、灰色、黑色。颜区平, 或微凹或微凸, 偶尔在亚触角凹陷的上缘有圆形中脊。额常有 2 条褐色纵带伸达单眼三角区两侧。中胸背板有缝前背中鬃 0 ~ 1 根、缝后背中鬃 2 ~ 3 根、中鬃 2 ~ 12 排(部分种类有成对强中鬃)、翅上鬃 1 ~ 2 根、翅内鬃 0 ~ 1 根、盾前鬃 1 根。中胸上前侧片鬃 1 根, 下前侧片鬃 2 根。小盾片平或微凸, 有小盾基鬃 1 根、小盾端鬃 1 根。大多数种类的前足腿节有 1 排梳状前腹鬃, 极少数种类缺; 前足胫节端前背鬃 1 根、短端腹鬃 1 根。中足腿节有 1 排前鬃，部分种类腹面中部有 1 排强后腹鬃；中足胫节端前背鬃 1 根、端腹鬃 2～3 根，部分种类有 1 排后鬃。后足腿节部分种类有端前前背鬃 1 根，后足胫节有端腹鬃 1 根，大多数种类有 1 根短端前背鬃，极少数种类长，部分种类缺。翅为淡黄色至褐色，翅斑变化较大。腹部为黄色至黑色，光亮或被粉，常具形态各异的斑或带，少数种类无。雄性外生殖器形态各异，阳茎复合体较复杂。雌性外生殖器简单，受精囊 3 个。

分布：世界性分布。全世界已知 700 余种，中国记录 223 种，秦岭地区有 2 种。

分种检索表

颜区无银白粉；触角完全为黄色；触角芒长羽状。翅略微黄色，翅前缘淡褐至深褐色，延伸至 R_{4+5}端部，dm-cu 横脉上有 1 个褐斑 ……………………………… **叉突同脉缟蝇 *H.*（*H.*）*laticosta***
颜区被银白粉；触角第 1 鞭节的端部 1/3～1/2 淡褐色（端缘黑褐色）；触角芒短羽状。翅略透明，无斑 ……………………………………………………… **爪突同脉缟蝇 *H.*（*H.*）*unguiculata***

（2）叉突同脉缟蝇 *Homoneura*（*Homoneura*）*laticosta*（Thomson，1869）（图 284）

Geomyza laticosta Thomson，1869：598.

Sapromyza singaporensis Kertesz，1900：261.

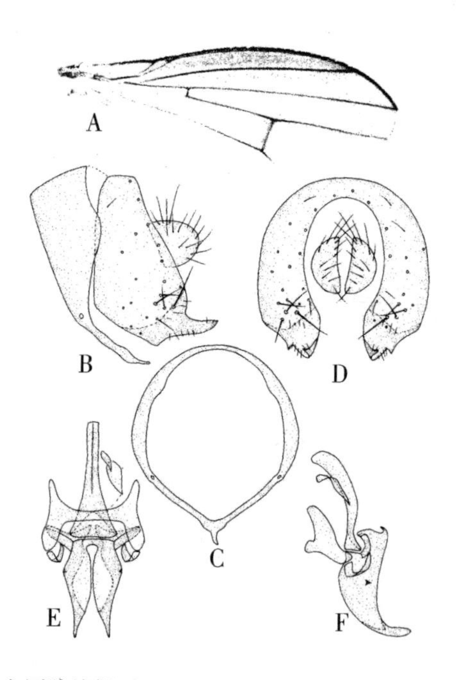

图 284　叉突同脉缟蝇 *Homoneura*（*Homoneura*）*laticosta*（Thomson）

A. 翅（wing）；B. 腹稍前节和第 9 背板侧面观（protandrium and epandrium complex，lateral view）；C. 腹稍前节前面观（protandrium，anteior view）；D. 第 9 背板后面观（epandrium，posterior view）；E. 阳茎复合体腹面观（aedeagal complex，ventral view）；F. 阳茎复合体侧面观（aedeagal complex，lateral view）

鉴别特征:额宽大于长。触角为黄色;触角芒长羽状。须黄色。中鬃6排。翅略微黄色,翅前缘淡褐至深褐色,延伸至 R_{4+5}端部,dm-cu 横脉上有1个褐斑(上述斑纹有时很淡,不明显);亚前缘室为淡褐色。腹部为黄色,被灰白粉。

采集记录:1♀,周至,2014. Ⅷ. 20,李轩昆采。

分布:陕西(周至)、福建、海南;越南,老挝,泰国,菲律宾,马来西亚,新加坡,印度尼西亚,澳大利亚。

(3)爪突同脉缟蝇 *Homoneura* (*Homoneura*) *unguiculata* (Kertész, 1913)(图285)

Lauxania (*Minettia*) *unguiculata* Kertész, 1913: 100.

Homoneura (*Homoneura*) *japonica* Czerny, 1932: 15.

鉴别特征:颜区淡黄色,被银白粉。触角第1鞭节的端部1/3~1/2淡褐色(端缘黑褐色);触角芒短羽状。须黄色。中鬃6排。翅略透明,无斑。腹部黄色,被灰白粉。雄性外生殖器的腹稍前节和第9背板融合,阔,近方形;背侧突呈爪形,具端尖;阳基侧突退化。

采集记录:1♂,周至,2014. Ⅷ. 20,李轩昆采。

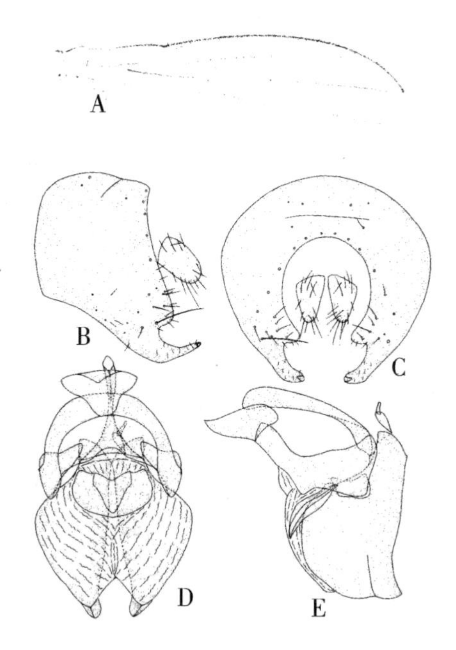

图285　爪突同脉缟蝇 *Homoneura* (*Homoneura*) *unguiculata* (Kertész)

A. 翅(wing); B. 腹稍前节和第9背板侧面观(protandrium and epandrium complex, lateral view); C. 第9背板后面观(epandrium, posterior view); D. 阳茎复合体腹面观(aedeagal complex, ventral view); E. 阳茎复合体侧面观(aedeagal complex, lateral view)

分布:陕西(周至)、福建、台湾、广东、海南；日本，越南，斯里兰卡，马来西亚，印度尼西亚，美国。

3. 黑缟蝇属 *Minettia* Robineau-Desvoidy, 1830

Minettia Robineau-Desvoidy, 1830: 646. **Type species**: *Minettia nemorosa* Robineau-Desvoidy, 1830 [=*Minettia rivosa* (Meigen, 1826)].

Stylocoma Lioy, 1864: 1009. **Type species**: *Sapromyza tulifer* Meigen, 1826.

Euminettia Frey, 1927: 22. **Type species**: *Musca lupulina* Fabricius, 1787.

Prorhaphochaeta Czerny, 1932: 29. Invalid in lack of designation of type species (Code: Article 13/b).

属征: 体为黄色、褐黄色、黑褐色或黑色，小至中型。颜区平或微凹，光亮或被粉，较低缘瘤突有或无；在触角呈基部两侧常有褐斑或缺，少数种类在两触角基部中央有小的浅褐斑。额宽大于长，前缘平或微凹。触角呈椭圆形，触角芒柔毛状至长羽状，少数裸。中胸背板缝前背中鬃0~1根，缝后背中鬃2~3根；中鬃毛状，4~10排，部分种类有1~2根强中鬃位于盾前鬃的前方；缝后翅内鬃1根，发达，位于第3背中鬃和翅上鬃之间的连线上。中足胫节有1~2根端腹鬃；部分种类后足端前背鬃缺。翅透明或基部暗色，少数种类前缘褐色，纵脉端部和后横脉有褐斑。腹部黄色至黑色，常被粉。

分布:世界性分布。全世界记载5亚属161种，中国已知4亚属53种，秦岭地区发现1种。

(4) 长羽瘤黑缟蝇 *Minettia* (*Frendelia*) *longipennis* (Fabricius, 1794)

Musca longipennis Fabricius, 1794: 323.

Sapromyza longipennis Blanchard, 1852: 445.

鉴别特征:中胸小盾片黑色，端部1/3处有1个宽的白粉带。足褐色，跗节为淡黄色。后足腿节有1根弱的端前前背鬃，后足胫节有1根弱端前背鬃。翅基部为淡褐色，r-m横脉在中室中部之前。雄性外生殖器的腹稍前节狭长，呈半环形。第9背板阔。背侧突与第9背板分离，后面观有2个长且分叉的端突，两端突较远离。下生殖板窄，有1个小端凹。阳基侧突腹面观由2对不对称的锥形骨片组成。阳茎有1个梯形背骨片。

采集记录:4♂，周至老县城，1795.90m，2014.Ⅷ.20，卢秀梅采；1♀，周至厚畛子，1278m，2014.Ⅷ.20，李轩昆采；4♀，佛坪大谷坪，1366.20m，2014.Ⅷ.22，卢秀梅采。

分布:陕西(周至、佛坪)、宁夏、浙江、湖北、海南；新北区，古北区。

4. 辐斑缟蝇属 *Noeetomima* Enderlein, 1937

Noeetomima Enderlein, 1937: 73. **Type species**: *Noeetomima radiata* Enderlein, 1937.

属征:头部为黄色，颜区在两触角基部之间有明显的膝状突。额区有4条窄褐色纵带，2条沿额眶鬃排，2条位于额区中央，前半部2条纵纹几乎平行，后半部2条纵纹分离，伸达单眼三角区两侧。中胸背板为褐色，被黄灰粉，大部分鬃和毛基部有小褐斑。背中鬃和中鬃均为盾缝前1对，盾缝后3对。中胸上侧片除1根中胸上侧片鬃外，另有1根弱鬃位于近中部或中部靠下方；中胸下侧片鬃2根。小盾片光亮。前足腿节无梳状前腹鬃，中足腿节端半有1排前腹鬃(至少1根强)。翅 R_{2+3}端部前弯，亚缘室端部阔；M_1 端部明显拱形，r_{4+5}室端前部窄。翅褐色至黑褐色，翅从前缘至后缘有白色的辐射状纵纹。腹部黄褐色至暗褐色，有灰白斑。

分布:古北区，东洋区，澳洲区。全世界记载16种，中国已知10种，秦岭地区有2种，本文记述1种。

(5) 辐斑缟蝇 *Noeetomima radiata* Enderlein, 1937

Noeetomima radiata Enderlein, 1937: 73.

鉴别特征:触角为黄色，芒毛短，褐色，第1鞭节端部变窄且端缘褐色。翅 R_{2+3}和 R_{4+5}之间的褐色区域的基部有1个横向的较长的白色线状纹和1个纵向的短的白色带状纹，上述2个斑呈“T”形排列，但不接触。中胸背板两后侧角黄色，小盾片完全褐色，光亮。腹部第1节完全为褐色；第2节为淡黄色，背板中央有1对黑斑，每个黑斑后缘各有2根缘鬃，侧缘各有1个侧斑；第3节端半部为褐色；第4~6节大部分褐色，端缘色深；第1~6或7节中部有1条黄色线纹。

采集记录:1♀，周至厚畛子，1278m，2014. Ⅶ. 17，李轩昆采。

分布:陕西(周至)、黑龙江；俄罗斯。

5. 长角缟蝇属 *Pachycerina* Macquart, 1835

Pachycerina Macquart, 1835: 511. **Type species**: *Lauxania seticornis* Fallén, 1820.

属征:颜区光亮，阔，明显膨凸，有1对黑紫色的圆形侧斑。单眼三角区有1个天鹅绒黑斑。触角第1鞭节延长，长于柄节和梗节之和，末端平截；触角芒白色或黑色。中胸背板拱形，无缝前背中鬃，缝后背中鬃3根。多数种类前足跗节延长。翅 R_{2+3}直达翅端，不向前弯曲。

分布:古北区，东洋区，非洲热带区。全世界记载19种，中国已知5种，秦岭地区有2种，本文描述1种。

(6)十纹长角缟蝇 *Pachycerina decemlineata* Meijere, 1914

Pachycerina decemlineata Meijere, 1914: 236.

Pachycerina flaviventris Malloch, 1929: 20.

鉴别特征:体为黄色至褐黄色。单眼三角区有1个大的天鹅绒圆形黑斑，黑斑的边界大于单眼三角区；单眼鬃毛状；前额眶鬃内倾，微长于后额眶鬃；额眶鬃基部有褐斑。触角为黄色；触角芒为黑色，浓密短毛状，最长毛短于第1鞭节1/2宽。须为黄色，端部黑色。中胸背板有10条褐色细纹。中鬃4排；1对盾前鬃，微长于第1根背中鬃。中胸上前侧片和下前侧片的上缘各有1条黑褐色窄带，1条白色宽带横穿上前侧片的中部；中胸上前侧片鬃1根、下前侧片鬃1根。小盾片为黄色。足为黄色，前足腿节有1个褐色内端斑，前足胫节和跗节褐色；中足、后足第4~5跗节淡褐色。翅透明，前缘微褐黄色。平衡棒为黄色。腹部为黄色至褐黄色，褐色区域变化较大，有时整腹部背板为黄色，有时为褐色，有时背板中部宽阔褐色区域侧面为黄色。

采集记录:1♀，周至厚畛子，1278m，2014. Ⅶ. 16，李轩昆采；1♀，沙沟村，2014. Ⅶ. 28，丁双枚采。

分布:陕西(周至)、台湾、广东、广西、四川、贵州、云南、西藏；越南，老挝，尼泊尔，菲律宾，马来西亚，印度尼西亚。

6. 双鬃缟蝇属 *Sapromyza* Fallén, 1810

Sapromyza Fallén, 1810: 18. **Type species**: *Musca flava* Linnaenus, 1758 (a misidentification of *Sapromyza obsoleta* Fallén, 1820).

Paralauxania Hendel, 1908: 28. **Type species**: *Sapromyza albiceps* Fallén, 1820, as subgenus.

Nannomyza Frey, 1941: 23 (a name without any description). **Type species**: *Sapromyza basalis* Zetterstedt, 1847.

属征:颜区凹，侧面观不可见，亚触角凹存在，颜区中部上缘在两触角基部之间有微脊。额区阔，宽大于长，前缘微凹，有许多稀疏且不规则的微毛。触角第1鞭节不呈圆形，触角芒短毛状。单眼鬃前伸，适度分歧。前胸腹板和中胸、后胸侧板有毛。缝前背中鬃0~2根，缝后背中鬃2~4根；中鬃2~6排；中胸下前侧片鬃2根。前足腿节无梳状前腹鬃，后足腿节有1根端前前背鬃。中足胫节有1根端腹鬃，端跗节平，端部有显著的感觉毛。后足胫节端前背鬃存在，部分种类缺。雄虫足腿节较粗壮，后足胫节端部腹面下方有浓密黑毛区和1个微弯的端腹鬃；后足基跗节较其他跗节粗壮，腹表面有浓密黑色短硬毛。雌虫后足无上述特征，但胫节端腹鬃平。腹部各节有较强缘鬃，第1、2背板仅两侧有毛。

分布：广布于各大动物地理区。全世界记载5亚属293种，中国已知2亚属16种，秦岭地区至少有4种，本文记述1种。

(7)六斑双鬃缟蝇 *Sapromyza* (*Sapromyza*) *sexpunctata* Meigen, 1826

Sapromyza sexpunctata Meigen, 1826: 262.

鉴别特征：体为黄色。触角芒短于第1鞭节的1/3。中胸背板有背中鬃3对，中鬃4排。腹部仅第4~6节各有1对黑斑(在不同个体中，黑斑的尺寸有变异，偶有第4节黑斑消失)。雄性外生殖器的阳茎侧面观中部阔，两端窄；阳基侧突锥形，短小。雌虫第9节腹板呈倒梯形。

采集记录：6♂6♀，周至厚畛子，1278m，2014.Ⅷ.20，李轩昆采；5♂4♀，周至老县城，1846m，2014.Ⅷ.19，卢秀梅采；5♂5♀，周至太白山，1648m，2014.Ⅷ.17，李轩昆采；5♂5♀，镇安黑窑沟林场，1217m，2014.Ⅵ.20，张磊采。

分布：陕西(周至、镇安)、宁夏；古北区。

参考文献

Shatalkin, A. I. 1992. New lauxaniid flies (Diptera: Lauxaniidae) from the Amur River region and the Far East. *Zoologicheskiy Zhurnal*, 71(9), 79-87. [in Russian English translation in: (1993) *Entomological Review*, 72(1), 150-158.]

Shi, L. and Yang, D. 2009. Notes on species groups of subgenus *Homoneura* from China with descriptions of two new species (Diptera: Lauxaniidaae). *Acta Zootaxonomica Sinica*, 34(3): 462-471.

Shi, L. and Yang, D. 2009. The Genus *Pachycerina* Macquart, 1835 from China (Diptera: Lauxaniidae). *Annuals Zoologici*, 59(4): 503-509.

Shi, L., Yang, D. and Gaimari, S. D. 2009. Species of the genus *Cestrotus* Loew from China (Diptera: Lauxaniidae). *Zootaxa*, 2009: 41-68.

Shi, L., Yang, D. and Gaimari, S. 2012. Notes on seventeen species from China of the genus *Sapromyza* with description of two new species (Diptera: Lauxaniidae). *Acta Zootaxonomica Sinica*, 37(1): 185-198.

Shi, L., Gaimari, S. and Yang, D. 2013. Four new speices of *Noeetomima* Enderlein (Diptera: Lauxaniidae), with a key to world species. *Zootaxa*, 3746(2): 338-356.

Shi, L. and Yang, D. 2014. Supplements to species groups of the subgenus *Homoneura* in China (Diptera: Lauxaniidae: *Homoneura*), with description of twenty new species. *Zootaxa*, 3890(1): 1-117.

Shi, L. and Yang, D. 2014. Three new species of the subgenus *Frendelia* (Diptera: Lauxaniidae: *Minettia*) in Southern China, with a key to known species worldwide. *Florida Entomologist*, 97(4): 1511-1528.

二十八、鼓翅蝇科 Sepsidae

李轩昆 杨定
（中国农业大学昆虫系，北京 100193）

鉴别特征：体小型，腹部有柄，身上的毛和鬃较少，体型似蚂蚁，黑色、褐色或黄色。头部圆形或长卵圆形，双性均离眼。额顶眼窝盘和额色条明显；单眼瘤和额三角不发达。胸部肩胛明显，足细长且有少量刚毛。雄性前足股节常具有特化的体刺、鬃、齿或瘤。翅透明，R 脉基部腹侧被小刚毛，除前缘脉外，其余脉均裸。前缘脉无缺刻。$A_1 + CuA_2$ 脉短，不及翅缘。上腋瓣边缘具长毛；下腋瓣缺失。腹部具光泽或部分具光泽，第 1 至 2 节狭窄并收缩。背片具少数环鬃；至少第 4 和第 5 背片边缘具鬃。雄性第 1 至 3 腹片及雌性第 1 至 5 腹片狭窄。雄性第 4 腹片，或第 5 腹片，常高度进化并膨大，具丛生或刷状鬃。雄性第 9 背板具 1 对背侧突，完全或不完全与第 9 背板愈合，有时不对称；尾须较小，常发育不完全。

生物学：多为腐食性或粪食性。多数富有活力，常常行动迅速，并不停地鼓动双翅，故名"鼓翅蝇"。

分布：世界性分布，目前包括 2 个亚科，即鼓翅蝇亚科 Sepsinae 和穴鼓翅蝇亚科 Orygmatinae。全世界已知 37 属 320 余种，中国记载 13 属 61 种，陕西秦岭地区有 8 属 17种，包括 1 个新种和 1 个中国新纪录。研究标本保存在中国农业大学昆虫标本馆。

分属检索表

1. 胸部和腹部具暗淡的光泽；中足股节背侧中部凹陷 …………………… **箭叶鼓翅蝇属 *Toxopoda***
   胸部和腹部具光泽；中足股节中部不凹陷 …………………………………………………… 2
2. 腹部在第 2 和第 3 背片之间不缢缩 ……………………………… **十鬃鼓翅蝇属 *Decachaetophora***
   腹部在第 2 和第 3 背片之间缢缩 ………………………………………………………………… 3
3. 翅上鬃缺失；上前侧片鬃退化或缺失 …………………………………… **温热鼓翅蝇属 *Themira***
   翅上鬃存在；上前侧片鬃存在 ……………………………………………………………………… 4
4. 额眶鬃发达 …………………………………………………………………… **并股鼓翅蝇属 *Meroplius***
   额眶鬃退化或缺失 ……………………………………………………………………………………… 5
5. 雄虫前足股节无瘤突或凹陷，仅在端半部具 1 列短的前腹侧微刺和 1 列间隔的后腹侧鬃；第 4 腹片高度发达，具 2 对可移动的刷状附肢 ……………………………… **丝状鼓翅蝇 *Nemopoda***
   雄性前足股节不若上述；第 4 腹片正常，不特化 ……………………………………………… 6
6. 两性腹部无明显的鬃；雄性背侧突端部二分叉 …………………… **二叉鼓翅蝇属 *Dicranosepsis***
   雄性和一些雌性腹部具明显的鬃；雄虫背侧突端部不二分叉 ……………………………… 7
7. 前足股节端部腹侧有 1 个具 3 ~ 4 根强刺的大瘤，前侧有 1 个小瘤上具 2 根后腹侧鬃；翅透明，

端部无深色斑；第 9 背板骨化较弱 ………………………………………… **异鼓翅蝇属 *Allosepsis***
前足股节不若上述；翅有时在近端部具深色斑；第 9 背板常强烈骨化 …… **鼓翅蝇属 *Sepsis***

1. 异鼓翅蝇属 *Allosepsis* Ozerov, 1992

Allosepsis Ozerov, 1992: 44. **Type species**: *Sepsis indica* Wiedemann, 1824.

属征:头部呈圆形；颜脊小但明显，颊狭窄。1 根单眼鬃，1 根内顶鬃，1 根外顶鬃，1 根后顶鬃；眶鬃缺失。盾片和小盾片无光泽至被粉被，少数种略具光泽。1 根肩鬃，2 根背侧鬃，1 根背中鬃，1 根翅上鬃，1 根翅后鬃，1 根中侧鬃，1 根小盾端鬃。基节和转节均正常并简单。雄虫前足股节端部1/3 具瘤突，上具4 根刺，瘤前端具1 个小瘤，上具2 根微毛；前足胫节具凹陷及鬃，中后足股节及胫节具鬃，后足胫节无 Y 腺。翅端部无翅斑。第 1 +2 腹板与第 3 腹板之间紧缩。腹部第 1 腹板带状，边缘具鬃；第 2 ~3 腹板延长；第 4 腹板缺失；第 5 腹板小并呈“V”形。第 9 背板小，骨化弱；背针突与第 9 背板愈合，简单。

分布:东洋区，古北区，澳洲区。全世界已知 3 种，中国记录 1 种，秦岭地区有 1 种。

(1) 印度异鼓翅蝇 *Allosepsis indica* (Wiedemann, 1824)(图 286)

Sepsis indica Wiedemann, 1824: 57.
Sepsis decipiens de Meijere, 1906: 177.
Nemopoda fusciventris Brunetti, 1910: 357. Unavailable name; citation of a Bigot MS name, as nomen nudum in synonymy with *Sepsis indica* Wiedemann.
Allosepsis indica: Ozerov, 1992: 44.

鉴别特征:雄性头部大部分为黑色，额为黑褐色具光泽；颜几乎全部为黑褐色；颜眶为黑色至黑褐色；颊黄褐色和后头区黑色，被稀薄的粉被；髭角具3 根适度发达的鬃，中间的鬃更强。胸部大部分为黑褐色，背面为黑色，侧面为黑褐色，除肩胛腹侧、前侧片和前后侧片背侧、上前侧片前侧具黄斑，上后侧片为黄色中部为褐色，后基节为褐色前背侧为黄色。大部分被稀疏粉被，但肩胛、前胸前侧片、前胸后侧片、上前侧片和后基节具光泽；下前侧片和下后侧片被较厚的粉被。翅透明，轻微具淡褐色，端部无暗色翅斑。平衡棒为白色，基部变褐色。足大部分为黄色，除胫节基部为黄褐色，跗节端部为褐色。腹部大部分为黑褐色具光泽，除第 1 +2 节，第 3 及第 5 背片端部，合背片7 +8具黄色斑。雌性与雄性相似，但雌性胸部大部分为黑色，仅肩胛略带黄色；足无特化的瘤与刺；腹部大部分黑色具光泽。

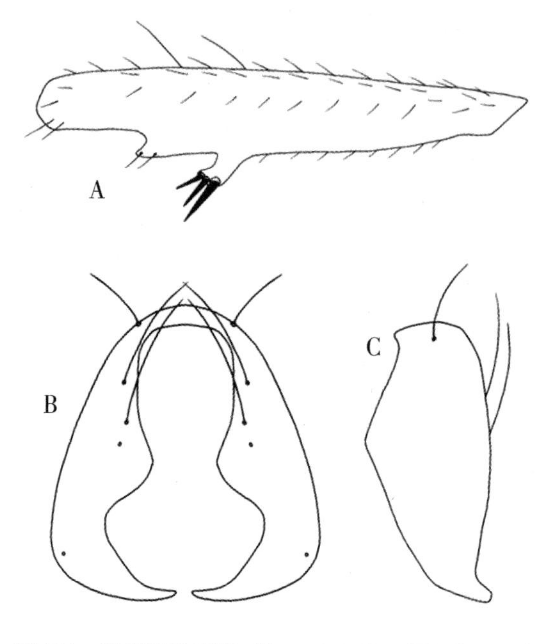

图 286 印度异鼓翅蝇 *Allosepsis indica* (Wiedemann)

A. 前足股节前面观(fore femur, anterior view); B. 第9背板后面观(epandrium, posterior view); C. 第9背板左侧面观(epandrium, left lateral view)

采集记录:9♂10♀, 长安库峪, 897m, 2013. Ⅶ. 31, 李轩昆采; 24♂8♀, 周至老县城, 2057m, 2014. Ⅷ. 20, 李轩昆采; 25♂12♀, 凤县黄牛铺, 2501m, 2013. Ⅷ. 21, 席玉强采; 1♂3♀, 眉县蒿坪保护站, 1177m, 2013. Ⅷ. 23, 席玉强采; 1♂, 留坝光华山, 1912m, 2013. Ⅷ. 20, 席玉强采; 1♂2♀, 华县黄边沟, 1070m, 2014. Ⅶ. 07, 张蕾采; 2♂, 佛坪大古坪, 1366m, 2013. Ⅷ. 22, 卢秀梅采; 36♂25♀, 宁陕火地塘, 1400m, 2013. Ⅶ. 13, 杨定采; 13♂9♀, 柞水牛背梁, 1000m, 2013. Ⅶ. 14, 闫妍采; 2♂4♀, 镇安黑窑沟林场, 1217m, 2014. Ⅵ. 20, 张蕾采; 1♂, 山阳石灰沟, 855m, 2014. Ⅵ. 29, 张蕾采; 1♂, 丹凤马扑崖, 1417m, 2014. Ⅶ. 02, 张蕾采。

分布:陕西(长安、周至、凤县、眉县、留坝、华县、佛坪、宁陕、柞水、镇安、山阳、丹凤)、北京、河北、天津、河南、山西、宁夏、甘肃、湖北、湖南、台湾、海南、广西、云南、西藏; 俄罗斯, 日本, 韩国, 越南, 泰国, 印度, 尼泊尔, 巴布亚新几内亚。

2. 十鬃鼓翅蝇属 *Decachaetophora* Duda, 1926

Decachaetophora Duda, 1926: 27. **Type species**: *Sepsis aeneipes* de Meijere, 1913.

属征:头部圆形。触角芒裸, 具1根单眼鬃、1根内顶鬃、1根较弱的外顶鬃、1根后顶鬃、1根较弱的眶鬃。胸部具光泽, 略有粉被。肩鬃缺失, 具2根背侧鬃、1根背中鬃、1 根翅上鬃、1 根翅后鬃、1 根中侧鬃、1 根小盾端鬃。基节和转节均正常并简单。雌虫、雄虫前足股节具不同的刺和瘤。翅端部无翅斑。腹部具光泽，背片被稀疏的鬃和长毛。第 1 +2 腹板与第 3 腹板之间无紧缩。第 3 腹片近三角形；第 4 腹片呈长卵圆形；第 5 腹片近三角形，密被短鬃，不具特化的可移动的附肢。

分布：古北区，新北区，东洋区。全世界已知 1 种。中国记录 1 种，秦岭地区有 1 种。

(2) 青铜十鬃鼓翅蝇 *Decachaetophora aeneipes* (de Meijere, 1913) (图 287)

Sepsis aeneipes de Meijere, 1913: 119.

鉴别特征：雄性的额为黑色，前缘为黑褐色，具蓝色金属光泽，被稀疏的灰白色粉被；颜为黄褐色，颜眶为深褐色；颊为黄褐色，后缘具浓密的白色粉被；髭角具 2 根适度发达的鬃。胸部完全为黑色；大部分略具光泽，被稀疏的粉被，除前胸腹板背侧，上前侧片，后上侧片前背侧无粉被，具光泽；下前侧片被浓密的白色粉被。翅透明，轻微具淡褐色，在端部无深色点。足大部分为黑色，前足基节为黄色，前足股节两端为褐色，中后足股节基部为黄色，前足胫节和中后足胫节两端为黑褐色。前足股节中部具 1 根弯曲的，1 根直的前腹侧刺和 5 根腹侧刺；前足胫节腹侧中部凹陷，凹陷基端具 3 根短鬃和 5 根长鬃，凹陷中间具 1 个瘤，瘤上具 3 根短刺；后足胫节后背侧近基部具一个 Y 腺，长度超过胫节的一半。腹部黑色具光泽，第 9 背板侧视近卵圆形，具 1 根强的背鬃后缘具稀疏的长毛；背侧突纤细并向前弯曲，长度超过第 9 背板的 1/3。雌性与雄性相似，但雌性前足股节端部 1/3 具 1 根前腹侧和 1 根后腹侧刺。后足胫节无 Y 腺。

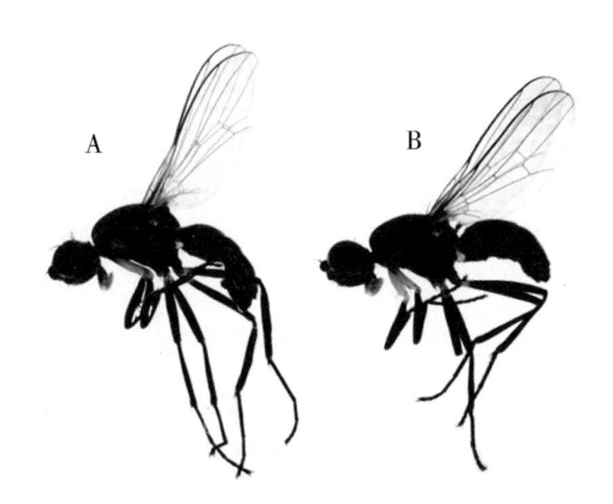

图 287　青铜十鬃鼓翅蝇 *Decachaetophora aeneipes* (de Meijere)

A. 雄性左侧面观(male, left lateral view); B. 雌性左侧面观(female, left lateral view)

采集记录:1♂1♀, 长安库峪, 897m, 2013. Ⅶ.31, 李轩昆采; 16♂14♀, 周至板房子, 1317m, 2013. Ⅷ.09, 李轩昆采; 1♂, 留坝江口镇, 911m, 2013. Ⅷ.18, 席玉强采; 7♂16♀, 佛坪大古坪, 1366m, 2014. Ⅷ.22, 卢秀梅采; 13♂15♀, 宁陕旬阳坝镇, 1365m, 2013. Ⅷ.13, 席玉强采; 9♂42♀, 柞水牛背梁, 1000m, 2013. Ⅶ.14, 王玉玉采; 3♂7♀, 山阳天竺山, 2074m, 2013. Ⅶ.21, 王玉玉采。

分布: 陕西(长安、周至、留坝、佛坪、宁陕、柞水、山阳)、内蒙古、宁夏、甘肃、湖北、台湾、重庆、云南; 蒙古, 俄罗斯, 韩国, 日本, 越南, 印度, 尼泊尔, 斯里兰卡, 阿富汗, 巴基斯坦, 美国。

3. 二叉鼓翅蝇属 *Dicranosepsis* Duda, 1926

Dicranosepsis Duda, 1926: 43. **Type species**: *Sepsis bicolor* Wiedemann, 1830.

属征:头部呈卵圆形, 具1根单眼鬃, 1根内顶鬃, 1根外顶鬃, 1根后顶鬃; 眶鬃缺失; 颊角具1根鬃。胸部大部分具光泽, 被粉被, 具1根肩鬃、2根背侧鬃、2根背中鬃、1根翅上鬃、1根翅后鬃、1根中侧鬃、1根小盾端鬃。基节和转节大部分正常并简单。雄虫前足股节和胫节常具鬃、瘤, 后足胫节有时有Y腺。翅端部大部分无翅斑。腹部第1+2腹板与第3腹板之间不紧缩; 第4腹板呈卵圆形或近三角形, 被稀疏的毛, 无可移动的附肢; 背针突与第9背板愈合, 对称, 端部二分叉。

分布:世界广布。全世界已知40种, 中国记录13种, 秦岭地区有3种。

分种检索表

1. 前足胫节基部具4根腹侧鬃; 中后足基跗节前侧具1列长毛, 端部弯曲 ………………………………………………………… **胫须二叉鼓翅蝇 *D. parva***
   前足胫节基部无腹侧鬃; 中后足基跗节无长毛 ……………………………………… 2
2. 前足股节具1根强的和1根弱的前腹侧鬃; 前足胫节腹侧无凹陷 ………………………………………………………… **单毛二叉鼓翅蝇 *D. unipilosa***
   前足股节无前腹侧鬃; 前足胫节腹侧凹陷 ……………………… **爪哇二叉鼓翅蝇 *D. javanica***

(3) 爪哇二叉鼓翅蝇 *Dicranosepsis javanica* (de Meijere, 1904) (图288)

Sepsis javanica de Meijere, 1904: 107.

鉴别特征:雄性头部大部分为黑色, 额为黑色, 端半部为褐色且具光泽; 颜几乎全部为黄色; 颜眶为黑色至黑褐色; 颊为黄褐色和后头区为黑色被稀薄的粉被; 髭角具3根发达的鬃。胸部大部分为黑褐色; 大部分具光泽, 下前侧片背侧被粉被; 上后侧片和下后侧片被粉被。翅透明, 轻微具淡褐色, 在端部无深色点。足大部分为黄色，跗节端部为褐色；前足股节基部无明显的前腹侧鬃，中部前侧具1个片状的几乎透明的瘤突，上面具1根微刺，后侧具具1组4根微刺，腹侧具1个小瘤，小瘤上具2根鬃，端部具3根腹侧鬃；中足股节具1排前侧鬃，后足股节无明显的鬃或刺；前足胫节具凹痕及瘤突，亚端部具1排6根微刺；后足胫节中部前背侧无Y腺。腹部为黑褐色具光泽；背片被稀疏的鬃，无长毛；第4腹片近三角形并在端部及侧缘稀疏的被7对鬃；第9背板侧视纤细，具1对强的背鬃和3对后鬃；背侧突上侧具微突。雌性与雄性相似，但雌性前足无特化的刺和瘤。

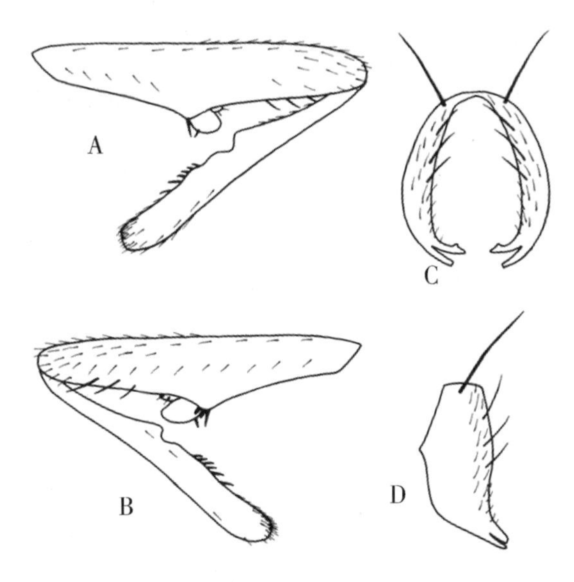

图288 爪哇二叉鼓翅蝇 *Dicranosepsis javanica* (de Meijere)

A. 前足股节和胫节前面观(fore femur and tibia, anterior view); B. 前足股节和胫节后面观(fore femur and tibia, posterior view); C. 第9背板后面观(epandrium, posterior view); D. 第9背板左侧面观(epandrium, left lateral view)

采集记录: 9♂，周至老县城，2057m，2014.Ⅷ.20，李轩昆采；2♂，留坝江口，911m，2013.Ⅷ.18，席玉强采；1♂2♀，佛坪大古坪，1392m，2014.Ⅷ.24，卢秀梅采；1♂，宁陕火地塘，1400m，2013.Ⅶ.13，杨定采；28♂10♀，柞水牛背梁，1000m，2013.Ⅶ.14，王玉玉采。

分布: 陕西(周至、留坝、佛坪、宁陕、柞水)、浙江、台湾、广东；越南，泰国，印度，尼泊尔，巴基斯坦，斯里兰卡，菲律宾，马来西亚，印度尼西亚。

(4)胫须二叉鼓翅蝇 *Dicranosepsis parva* Iwasa, 1984

Dicranosepsis parva Iwasa, 1984: 88.

鉴别特征: 雄性大部分为黑色，额黑色前缘为黄褐色，略具光泽，被稀疏的粉被；颜为黄色，侧颜为深褐色；颊大部分为黄褐色，后半部为黑褐色；髭角具3根发达的鬃。胸部大部分为黑褐色；大部分具光泽，除前胸后侧片腹侧具粉被，下前侧片具粉被，但前腹侧具光泽，具稀薄的粉被，后上侧片、后基节和后胸侧片具粉被。翅透明，轻微具淡褐色，在端部无深色点。足大部分黄色，除后足胫节黑褐色，第2~5跗节为黑褐色。前足转略节突出，端部具细毛；前足股节端部具4根后腹侧鬃，端部1/3具后腹侧小瘤，中部腹侧具大瘤，前腹侧具片状凸起，上面具4根短刺；前足胫节基部具4根腹侧鬃，中部具2个凹陷，端部略膨大并具细毛。中后足基跗节前侧具1列长毛，端部弯曲；后足胫节中部前背侧无Y腺。腹部黑褐色，具光泽；背片被稀疏的鬃，无长毛；第4腹片近三角形具几根稀疏的鬃；第9背板侧视纤细，具1对强的背鬃和3对后鬃；背侧突上侧具微突。雌性未知。

采集记录：3♂，周至老县城，1808m，2013.Ⅶ.12，李轩昆采；1♂，凤县黄牛铺，1501m，2013.Ⅷ.21，席玉强采；1♂，留坝财神庙，1212m，2013.Ⅷ.17，席玉强采；1♂，华县黄边沟，1070m，2014.Ⅶ.07，张蕾采；1♂，旬阳纸坊村，2929m，2014.Ⅷ.02，丁双玫采。

分布：陕西（周至、凤县、华县、留坝、旬阳）、浙江、贵州、云南；越南，泰国，尼泊尔。

（5）单毛二叉鼓翅蝇 *Dicranosepsis unipilosa* (Duda, 1926)（图289）

Sepsis unipilosa Duda, 1926: 48.

鉴别特征：雄性头部大部分为黑色，额为黑色，端半部为褐色，具光泽；颜几乎全部为黄色；颜眶为黑色至黑褐色；颊为黄褐色和后头区黑色被稀薄的粉被；髭角具3根发达的鬃。胸部大部分为黑褐色；大部分具光泽，下前侧片背侧被粉被；上后侧片和下后侧片被粉被。翅透明，轻微具淡褐色，在端部无深色点。足大部分黄色，除第3分跗节端半部，第4~5跗分节为褐色；前足股节基部具2根明显的前腹侧鬃，其中亚基部鬃很长（约为基部鬃长度的3倍），中部具1组5根微刺和1个小瘤，小瘤上具2根鬃，端部具4根腹侧鬃；中足股节具1排前侧鬃，后足股节无明显的鬃或刺；前足胫节具凹痕；中足胫节端部1/3具1根前腹侧鬃；后足胫节中部前背侧具Y腺。腹部黑褐色，具光泽；背片被稀疏的鬃，无长毛；第4腹片近三角形，在端部及侧缘被6对稀疏的鬃；第9背板侧视纤细，具1对强的背鬃和3对后鬃；背侧突上侧具微突。雌性与雄性相似，但雌性前足无特化的刺和瘤。

采集记录：12♂7♀，周至老县城，1808m，2013.Ⅷ.12，李轩昆采；9♂7♀，留坝江口，911m，2013.Ⅷ.18，席玉强采；7♂，佛坪大古坪，1366m，2014.Ⅷ.22，卢秀梅采；15♂，柞水鸳鸯沟，1263m，2014.Ⅶ.27，唐楚飞采。

分布：陕西（周至、留坝、佛坪、柞水）、浙江、台湾、海南；日本，韩国，菲律宾，印度尼西亚。

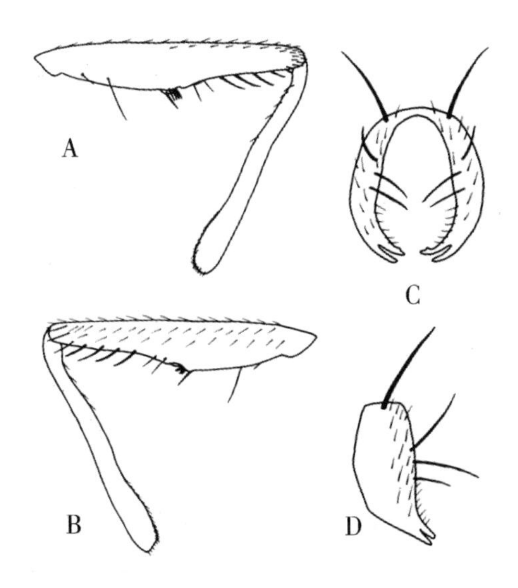

图 289　单毛二叉鼓翅蝇 *Dicranosepsis unipilosa* (Duda)

A. 前足股节和胫节前面观(fore femur and tibia, anterior view); B. 前足股节和胫节后面观(fore femur and tibia, posterior view); C. 第 9 背板后面观(epandrium, posterior view); D. 第 9 背板左侧面观(epandrium, left lateral view)

4. 并股鼓翅蝇属 *Meroplius* Rondani, 1874

Meroplius Rondani, 1874: 175. **Type species**: *Nemopoda stercoraria* Robineau-Desvoidy, 1830.

Parameroplius Duda, 1926: 37. **Type species**: *Sepsis fasciculata* Brunetti, 1910.

Pseudomeroplius Duda, 1926: 25. **Type species**: *Pseudomeroplius acrosticalis* Duda, 1926.

Protomeroplius Ozerov, 1999: 92. **Type species**: *Meroplius trispinifer* Ozerov, 1999.

Xenosepsis Malloch, 1925: 315. **Type species**: *Xenosepsis sydneyensis* Malloch, 1925.

属征: 头部呈圆形, 颜脊不明显, 具 1 根单眼鬃、1 根眶鬃、1 根内顶鬃、1 根弱的外顶鬃和 1 根后顶鬃。胸部具光泽, 具 1 根肩鬃、1 根背侧片鬃、1 根背中鬃、1 根翅上鬃、1 根翅后鬃、1 根强的和 1 根弱的中侧片鬃及 1 根小盾鬃。基节和转节均正常并简单。雄性前足股节中部具 1 根钝刺、1 根尖刺和 1 个瘤突。翅端部不具翅斑。第 1 +2 腹板与第 3 腹板之间不紧缩。第 4 腹板特化较弱, 有时具被长毛的骨片。第 9 背板发达, 与背侧突愈合。

分布: 古北区, 东洋区, 非洲区。全世界已知 25 种, 中国记录 5 种, 秦岭地区有 2 种。

分种检索表

后足胫节 Y 腺长度不足胫节的 1/5; 第 9 背板侧视呈长卵圆形, 背侧突较圆, 位于第 9 背板腹侧 ………………………………………………………………………… **福冈并股鼓翅蝇 *M. fukuharai***

后足胫节 Y 腺，长度超过胫节的 1/3；第 9 背板侧视近长方形，背侧突纤细，几乎与第 9 背板垂直 …………………………………………………………………… 琐细并股鼓翅蝇 *M. minutus*

(6) 福冈并股鼓翅蝇 *Meroplius fukuharai* (Iwasa, 1984)

Xenosepsis fukuharai Iwasa, 1984: 300.

鉴别特征: 雄性额大部分为黑色，前缘为黑褐色，略具光泽，被稀疏的粉被；颜褐色，侧颜为黑褐色；颊大部分为黑色，除髭角处为黄褐色；髭角具 1 根强鬃。胸部大部分为黑色，但肩片腹侧和前胸前侧片褐色，具光泽；大部分无粉被；除下前侧片后背侧具较密的粉被，下背片和后胸背板被稀薄粉被。前足大部分为黄色，前足股节端半部背侧略带褐色；中足大部分为黑褐色，基部 1/4 和端部为黄色，胫节大部分为黑褐色，端半部为褐色；后足股节与中足相似，胫节为黑褐色，仅两端略带黄色。前足基节端部具 1 根前侧鬃；前足股节腹侧端部 1/3 具 1 根较粗的钝刺，中部具 1 个前腹侧瘤，上面具 1 根刺，基部具 1 根较弱的前侧鬃；胫节端部 1/2 加粗，基部 1/4 处具 1 根腹侧鬃及数根短鬃；后足胫节基部外侧具 Y 腺，长度不足胫节的 1/5。腹部黑色具光泽，1 +2 合背片黑褐色；背片被稀疏的鬃和长毛。第 5 腹片特化较弱，无可移动的附肢，但出现 1 对具鬃的小骨片；第 9 背板侧视呈长卵圆形，背侧具 1 根强鬃，具稀疏的毛；背侧突较圆，位于第 9 背板腹侧，端部具小毛。雌性与雄性相似，但雌性前足无特化的刺和瘤，后足胫节无 Y 腺。

采集记录: 2♂，周至老县城，1808m，2013. Ⅷ. 12，李轩昆采；1♂，柞水鸳鸯沟，1263m，2014. Ⅶ. 27，丁双玫采；1♂，山阳石灰沟，855m，2014. Ⅵ. 29，张蕾采。

分布: 陕西(周至、柞水、山阳)、黑龙江、北京、内蒙古、河北、宁夏、甘肃、四川；韩国，日本，欧洲。

(7) 琐细并股鼓翅蝇 *Meroplius minutus* (Wiedemann, 1830)

Sepsis minuta Wiedemann, 1830: 468.

Sepsis lutaria Fallén, 1820: 22. Unavailable name.

Nemopoda stercoraria Robineau-Desvoidy, 1830: 745.

Meroplius nigrilatera Macquart, 1835: 481.

Sepsis rufipes Meigen, 1838: 349.

Nemopoda coeruleifrons Macquart, 1847: 110.

Nemopoda varipes Walker, 1871: 345 (nec Meigen, 1838).

Nemopoda polita Duda, 1926: 96, 98. Unavailable name; citation of a Meigen MS name, in synonymy with *Meroplius stercorarius* (Robineau-Desvoidy).

鉴别特征: 雄性额大部分为黑色，前缘黑为褐色，略具光泽，被稀疏的粉被；颜为黄色，侧颜为黄褐色；颊前半部为黄褐色，后半部为黑色；髭角具1根强鬃。胸部大部分为黑色，但前胸前侧片和前胸后侧片为褐色，略具光泽；大部分被稀疏的粉被；除上前侧片无粉被，下前侧片后背侧具较密的粉被。翅透明，略带浅褐色，在端部无深色点。足大部分为黄色，中足股节端半部为黑褐色，但端部为黄色，胫节基半部为黑褐色；后足股节端半部为黑褐色，胫节为黑褐色但端部为黄褐色。前足基节端部具1根前侧鬃；前足股节端部1/3具1个瘤，瘤上靠端部具1根较粗的钝刺，靠基部具1根较细的刺和1根鬃，基部具1根强的前侧鬃；胫节端部2/3加粗，基部腹侧具1列短鬃；后足基部外侧具Y腺，长度超过胫节的1/3。腹部黑色具光泽，1+2合背片黑褐色，无粉被；背片被稀疏的鬃和长毛；第5腹片特化较弱，无可移动的附肢，但出现1对边缘具鬃的半透明骨片；第9背板侧视近长方形，背侧具1根强鬃，具稀疏的毛；背侧突纤细，几乎与第9背板垂直，端半部向腹侧弯曲。雌性与雄性相似，但雌性前足无特化的刺和瘤。后足胫节无Y腺。

采集记录：27♂3♀，周至板房子，1317m，2013.Ⅷ.10，李轩昆采；1♂，华县黄边沟，1070m，2014.Ⅶ.07，张蕾采；1♂，柞水牛背梁，1000m，2013.Ⅶ.14，王玉玉采；2♂，山阳天竺山，2074m，2013.Ⅶ.21，王玉玉采。

分布：陕西（周至、华县、柞水、山阳）、北京、河北、甘肃、台湾；韩国，日本，越南，尼泊尔，格鲁吉亚，埃及，欧洲，北美洲。

5. 丝状鼓翅蝇属 *Nemopoda* Robineau-Desvoidy, 1830

Nemopoda Robineau-Desvoidy, 1830: 743. **Type species**: *Nemopoda putris* Robineau-Desvoidy, 1830.

Pseudonemopoda Duda, 1926: 30. **Type species**: *Pseudonemopoda speiseri* Duda, 1926.

属征：头部呈圆形，具1根单眼鬃、1根弱的眶鬃（或缺失）、1根内顶鬃、1根弱的外顶鬃（或缺失）、1根后顶鬃。胸部盾片与小盾片无光泽，具1根肩鬃、2背侧片鬃、1根背中鬃、1根翅上鬃、1根翅后鬃、1根中侧片鬃和1根盾鬃。基节和转节均正常并简单。雄性前足股节端部与胫节基部具短鬃，但无瘤突和凹陷。翅端部具明显的大斑或无。第1+2腹板与第3腹板之间紧缩。第4腹板具特化的刺突和短毛刷等结构。第9背板发达，与背侧突愈合。

分布：古北区，东洋区，非洲区。全世界已知5种，中国记录3种，秦岭地区有1种。

（8）亮丝状鼓翅蝇 *Nemopoda pectinulata* Loew, 1873

Nemopoda pectinulata Loew, 1873: 305.

鉴别特征：雄性头部大部分为黑褐色，额为褐色，略具光泽，被稀疏的粉被；颜为深黄色；颊为深黄色；髭角具2根强鬃。胸部背片大部分为黑色，侧片大部分为黄褐色，具黄色斑；大部分无粉被，除下前侧片背侧具较密的粉被，后胸背板被稀薄粉被。翅透明，略带浅褐色，在端部无深色点。除前足为黄色外，足大部分为黄褐色；中后足股节基部及端部具黄色斑，胫节褐色端部黄色。前足股节端半部具1列前腹侧短鬃和1列后腹侧短鬃，中部近基端具4根后腹侧长鬃；前足胫节基半部具1列前腹侧短鬃。腹部大部分黑褐色具光泽，1+2合背片褐色，无粉被；背片被稀疏的鬃和长毛；第4腹片具2个刺状突、1个柄状突、1个大毛刷、1个小毛刷；第9背板侧视较长，背侧具1根强鬃，具稀疏的长毛；背侧突较纤细，端部具小毛。雌性与雄性相似，但雌性前足股节端半部仅具1列腹侧短鬃，前足胫节基部无短鬃。

采集记录：1♂1♀，长安库峪，897m，2013.Ⅶ.31，李轩昆采；1♂1♀，周至铁甲树，1565m，2013.Ⅷ.13，常文程采；1♂，佛坪岳坝，1269m，2014.Ⅷ.27，卢秀梅采；1♂，宁陕火地塘，1505m，2013.Ⅶ.13，杨定采。

分布：陕西（长安、周至、佛坪、宁陕）、山西、甘肃、新疆、台湾、四川、云南；蒙古，日本，哈萨克斯坦，巴基斯坦，格鲁吉亚，印度，尼泊尔，欧洲。

6. 鼓翅蝇属 *Sepsis* Fallén, 1810

Sepsis Fallén, 1810: 17. **Type species**: *Musca cynipsea* Linnaeus, 1758.
Threx Gistel, 1848: 599 (Unjustified substitute name for *Sepsis* Fallén, 1810).
Acrometopia Lioy, 1864: 1088. **Type species**: *Sepsis cornuta* Meigen, 1826.
Beggiatia Lioy, 1864: 1088. **Type species**: *Sepsis barbipes* Meigen, 1826.
Sepsidimorpha Frey, 1908: 578, 584. **Type species**: *Sepsis loewi* Hendel, 1902.
Australosepsis Malloch, 1925: 314. **Type species**: *Australosepsis fulvescens* Malloch, 1925.
Saltelliseps Duda, 1926: 25. **Type species**: *Sepsis niveipennis* Becker, 1903.
Lasionemopoda Duda, 1926: 30. **Type species**: *Sepsis hirsuta* de Meijere, 1906.
Nicarao Silva, 1995: 203. **Type species**: *Nicarao rarus* Silva, 1995.

属征：头部呈圆形，具1根单眼鬃、1根内顶鬃、1根外顶鬃、1根后顶鬃；眶鬃退化或缺失。盾片和小盾片无光泽至被粉被，少数种略具光泽。1根肩鬃，2根背侧鬃，1至2根背中鬃，1根翅上鬃，1根翅后鬃，1根中侧鬃，1根小盾端鬃，有时具1根弱的小盾基鬃。基节和转节均正常并简单。雄虫前足股节与胫节具较强的鬃、刺和瘤的组合，中后足股节及胫节具鬃，后足胫节无Y腺。翅 R_{2+3} 脉端部具1个黑褐色圆形翅斑或无翅斑。第1+2腹板与第3腹板之间紧缩。第3腹片近三角形；第4腹片特化较弱，无可移动的附肢。第9背板小，骨化强烈；背针突与第9背板愈合，复杂或简单。

分布：世界广布。全世界已知86种，中国记录20种，秦岭地区有6种。

分种检索表

1. 翅 R_{2+3} 脉端部无翅斑 ·· 2

翅 R_{2+3}脉端部具 1 个深色的翅斑 …………………………………………………………………… 3

2. 前足股节中部具 1 个明显的腹侧瘤；背侧突长且宽，光裸无毛 …… **喜粪鼓翅蝇 *S. coprophila***

前足股节无明显的腹侧瘤；背侧突端部变细，端部具毛 ……………… **侧突鼓翅蝇 *S. lateralis***

3. 下前侧片背侧被粉被，腹侧无粉被 ………………………………… **胸廓鼓翅蝇 *S. thoracica***

下前侧片全部被粉被 ……………………………………………………………………………… 4

4. 前足股节端部具 1 根前侧鬃；背侧突基部具近直角分叉 …………… **长角鼓翅蝇 *S. bicornuta***

前足股节端部不具前侧鬃；背侧突无分叉 ……………………………………………………… 5

5. 前足股节端部突起上具 2 根弱鬃；背侧突侧视近三角形 …………… **宽钳鼓翅蝇 *S. latiforceps***

前足股节端部突起上具 1 根强鬃；背侧突侧视纤细 ………………… **螯斑鼓翅蝇 *S. punctum***

(9) 长角鼓翅蝇 *Sepsis bicornuta* Ozerov, 1985 中国新纪录(图 290)

Sepsis bicornuta Ozerov, 1985: 841.

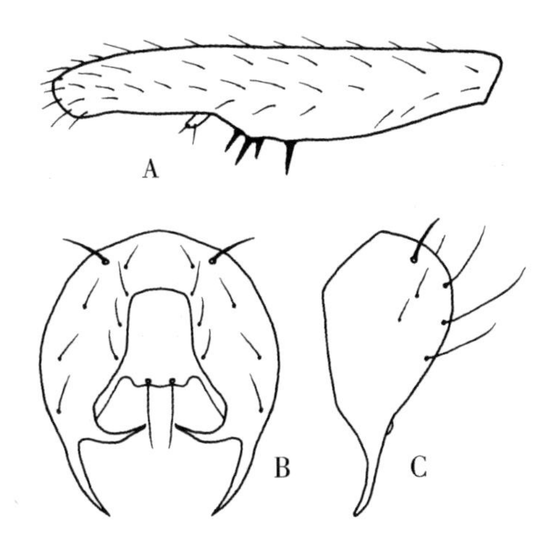

图 290　长角鼓翅蝇 *Sepsis bicornuta* Ozerov

A. 前足股节前面观(fore femur, anterior view); B. 第 9 背板后面观(epandrium, posterior view); C. 第 9 背板左侧面观(epandrium, left lateral view)

鉴别特征: 雄性头部大部分为黑褐色，额为褐色；颜为黄褐色至褐色；颜眶为褐色；颊为黄色；髭角具 3 根强鬃。胸部背面为黑褐色，侧面为褐色；大部分无粉被，除前胸背板后叶、下背片和后胸背板被稀疏粉被，下后侧片和后基节被较密的粉被；1 根背中鬃。翅透明，R_{2+3}端部具 1 个褐色的翅斑；翅脉为深褐色；平衡棒为白色，基部为浅黄色。足大部分为黄色，除前足股节背侧为黄褐色；中后足股节为黄褐色；后足胫节基半部为褐色；第 3 ~ 5 跗节褐色。前足股节基部 1/3 具 1 根极弱的腹侧鬃，中部具 4 根刺，端部 1/3 具 1 个小瘤，上具 2 根短鬃；前足胫节基部具 3 根短鬃，基部 1/3 具 3 根短鬃。腹部大部分为黑褐色具光泽，合背片 1 + 2 褐色；背片被稀疏的鬃，无长毛；第 9 背板为黑褐色；背侧突骨化强烈，侧视较长，约为第 9 背板的 2/3，基部具近直角形分叉，分支均纤细且端部尖锐。雌性与雄性相似，但雌性前足无特化的刺和鬃。

采集记录:10♂4♀,周至板房子,1317m,2013. Ⅷ.10,李轩昆采;1♂2♀,眉县蒿坪保护站,1241m,2013. Ⅷ.24,席玉强采;1♂1♀,留坝田坝村,964m,2013. Ⅷ.18,席玉强采;8♂,华县少华山,600m,2013. Ⅶ.19,王玉玉采;8♂,佛坪大古坪,1366m,2014. Ⅷ.22,卢秀梅采;1♂,宁陕火地塘,1400m,2013. Ⅶ.13,杨定采;2♂,旬阳纸坊村,2014. Ⅷ.02,丁双玫采;1♂,柞水鸳鸯沟,1263m,2014. Ⅶ.27,毛娟采;4♂,山阳天竺山,2074m,2013. Ⅶ.21,闫妍采;4♂,丹凤蔡川村,1200m,2014. Ⅶ.01,张蕾采;6♂1♀,商南金丝大峡谷,1000m,2013. Ⅶ.24,闫妍采;3♂,洛南蚊子沟,1268m,2014. Ⅶ.04,张蕾采。

分布:陕西(周至、眉县、华县、留坝、佛坪、宁陕、旬阳、柞水、山阳、丹凤、商南、洛南)、北京;俄罗斯,韩国,日本。

(10)喜粪鼓翅蝇 *Sepsis coprophila* de Meijere, 1906

Sepsis coprophila de Meijere, 1906: 176.

鉴别特征:雄性额为大部分褐色,前缘具黑褐色斑,后头区为黑色,略具光泽,被稀疏的粉被;颜和侧颜为黑褐色;颊大部分为黄褐色,除髭角处褐色;髭角具2根强鬃。胸部背片大部分为黑色,但侧缘为黄色,侧片为褐色,侧缘具黄色横带,具光泽;除下前侧片后背侧具稀薄的粉被,大部分无粉被;2根背中鬃,1根弱的小盾基鬃。翅透明,略带浅褐色,在端部无深色点。足大部分为黄色,中足胫节基半部为黄褐色,后足胫节为黄褐色,基半部为褐色;第3~5跗节为黑褐色。前足股节端部1/3具1根背侧鬃,端部1/2~1/3之间具5根腹侧刺,端部1/3具2根前腹侧刺;前足胫节基部具1个后腹侧瘤,上面具1列5根短刺,前足胫节基部1/3具1个腹侧瘤,上面具1根短刺。腹部大部分黑褐色具光泽,1+2合背片具黄色斑;背片被稀疏的鬃,略有几根稀疏的长毛;第9背板侧视较长,背侧具1根强鬃,具稀疏的毛;背侧突侧视较长,长度超过第9背板。雌性与雄性相似,但雌性前足无特化的刺和瘤。

采集记录:1♂,柞水水利沟,1026m,2014. Ⅵ.26,张蕾采;1♂,山阳天竺山,2074m,2013. Ⅶ.21,王玉玉采;3♂,丹凤庾岭镇,1215m,2014. Ⅷ.11,唐楚飞采。

分布:陕西(柞水、山阳、丹凤)、甘肃、安徽、台湾、广东、海南;日本,泰国,印度,尼泊尔,孟加拉,斯里兰卡,菲律宾,新加坡,马来西亚,印度尼西亚。

(11)侧突鼓翅蝇 *Sepsis lateralis* Wiedemann, 1830

Sepsis lateralis Wiedemann, 1830: 468.

Sepsis complicata Wiedemann, 1830: 468.

Sepsis inpunctata Macquart, 1839: 118.

Nemopoda algira Macquart, 1843: 389.

Nemopoda lateralis Macquart, 1843: 390 (nec Wiedemann, 1830).

Sepsis immaculata Macquart, 1843: 391.

Sepsis hyalipennis Macquart, 1851: 269.

Sepsis rufa Macquart, 1851: 269.

Meroplius melitensis Rondani. 1874: 176.

Meroplius schembrii Rondani, 1874: 176.

Nemopoda senegalensis Bigot, 1886: 389.

Sepsis fragilis Becker, 1903: 145.

Sepsis astutis Adams, 1905: 174.

Sepsis lutea Duda, 1926: 51.

Sepsis unicoloripes Brunetti, 1929: 27.

Sepsis definita Brunetti, 1929: 29.

Sepsis kwanzaensis Vanschuytbroeck, 1963: 31.

Sepsis bombokaensis Vanschuytbroeck, 1963: 50.

Sepsis migeriensis Vanschuytbroeck, 1963: 71.

Sepsis curiosa Ozerov, 1996: 144 (Substitute name for *Nemopoda lateralis* Macquart, 1843).

鉴别特征:雄性头部大部分为黑褐色，额为黄褐色，后头为黄色，略具光泽，被稀疏的粉被；颜为黄色，侧颜为深褐色；颊大部分为黄褐色，后半部为黄色；髭角具4根强鬃。胸部大部分为黑褐色，除肩片和前胸侧片略带褐色，具光泽；大部分无粉被，除下前侧片具稀薄的粉被。翅透明，略带浅褐色，在端部无深色点。足大部分黑褐色，除前足大部分黄褐色外，前足股节基部为褐色；中后足股节基部和端部为黄色；第1～2跗节为黄褐色。前足股节1/3具2根前腹侧鬃和一些长毛，前足股节中部具1个前腹侧瘤和1个腹侧瘤，腹侧瘤上面具6根短刺，瘤近基部一侧具1根长刺；前足胫节基部1/3具1个后腹侧瘤，上面具1列6根短刺。中后足股节及胫节上具鬃。腹部大部分的黑褐色具光泽；背片被稀疏的鬃，略有几根稀疏的长毛；第9背板侧视较长，背侧无强鬃，具稀疏的毛；背侧突侧视较短且纤细，端部及内侧被小毛。雌性与雄性相似,但雌性前足无特化的刺和瘤。

采集记录:1♂，周至老县城，2057m，2014. Ⅷ. 19，李轩昆采；1♂2♀，留坝田坝村，964m，2013. Ⅷ. 18，席玉强采。

分布：陕西(周至、留坝)、河北、台湾、广东、广西、贵州、云南；日本，越南，泰国，缅甸，印度，尼泊尔，斯里兰卡，菲律宾，马来西亚，巴基斯坦，阿富汗，孟加拉，伊拉克，以色列，欧洲，非洲。

(12)宽钳鼓翅蝇 *Sepsis latiforceps* Duda, 1926(图291)

Sepsis latiforceps Duda, 1926: 56.

鉴别特征:雄性的头部大部分黑色，额黑褐色且具光泽；颜几乎全部为黄色；颜眶为黑色至黑褐色；颊为黄色和后头区为黑色，被稀薄的粉被；髭角具 3 对发达的鬃。胸部大部分为黑色，除肩胛和前胸前侧片黑褐色，前胸后侧片腹侧黄褐色；大部分具光泽，除下前侧片、下背片和后胸背板被粉被。翅透明，轻微具淡褐色，在 R_{2+3} 脉端部具1 个黑褐色圆形翅斑。足大部分为黄色，除中足胫节基部为黄褐色，后足胫节为褐色基半部为黑褐色，第 4 ~5 跗节全部黑色；前足股节腹侧具特化的结构，端半部具 1 个瘤状突，瘤状突上具 2 根微毛；具 5 根强刺，1 根弱刺；中足股节中部具 1 根前侧鬃；后足股节无明显的鬃或刺；前足胫节具凹痕及凸起。腹部大部分黑褐色具光泽，除合背片1 +2具黄褐色斑，第 2 背片至合背片 7 +8 端部及侧缘为黄色；背片被稀疏的鬃，无长毛；第 9 背板为黑褐色，侧视较圆，被稀疏的鬃，内侧具齿。雌性与雄性相似,但雌性前足无特化的刺和瘤。

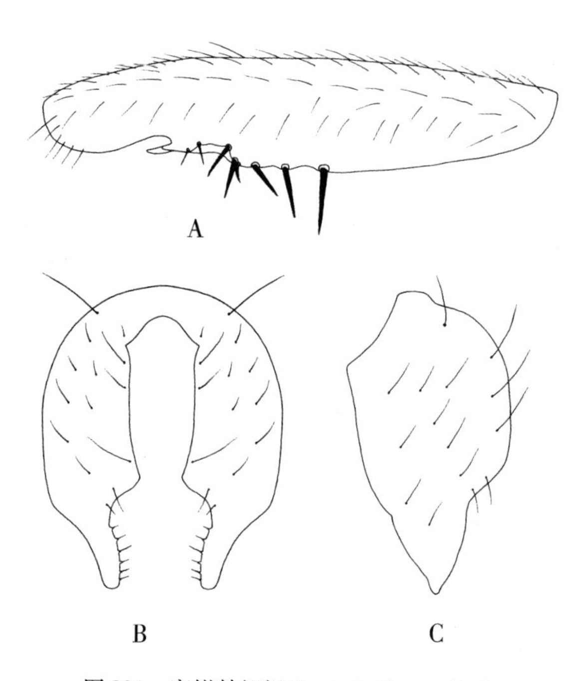

图 291 宽钳鼓翅蝇 *Sepsis latiforceps* Duda

A. 前足股节前面观(fore femur, anterior view)；B. 第 9 背板后面观(epandrium, posterior view)；C. 第 9 背板左侧面观(epandrium, left lateral view)

采集记录:42♂114♀，周至老县城，2057m，2014. Ⅷ. 20，李轩昆采；3♂2♀，凤县黄牛铺，1516m，2013. Ⅷ. 22，席玉强采；48♂6♀，华县少华山，600m，2013. Ⅶ. 19,王玉玉采；3♂3♀，留坝江口镇，911m，2013. Ⅷ. 18，席玉强采；62♂31♀，佛坪大古坪，1366m，2014. Ⅷ. 22，卢秀梅采；5♂5♀，宁陕火地塘，1505m，2013. Ⅶ. 13，杨定采；1♂1♀，旬阳前坪村，621m，2014. Ⅵ. 23，张蕾采；17♂8♀，柞水牛背梁，1000m，2013. Ⅶ. 16，闫妍采；82♂10♀，镇安黑窑沟林场，1217m，2014. Ⅵ. 20，张蕾采；46♂53♀，山阳石灰沟，855m，2014. Ⅶ. 29，张蕾采；48♂18♀，丹凤蔡川村，

1200m, 2014. Ⅶ.01, 张蕾采; 26♂13♀, 商南金丝大峡谷, 1000m, 2013. Ⅶ.24, 王玉玉采; 8♂5♀, 洛南罗家沟, 1214m, 2014. Ⅶ.05, 张蕾采。

分布:陕西(周至、凤县、华县、留坝、佛坪、宁陕、旬阳、柞水、镇安、山阳、丹凤、商南、洛南)、吉林、辽宁、内蒙古、北京、河北、山西、山东、河南、宁夏、甘肃、新疆、安徽、湖北、湖南、福建、台湾、广西; 俄罗斯, 韩国, 日本, 越南, 尼泊尔。

(13)螯斑鼓翅蝇 *Sepsis punctum* (Fabricius, 1794)(图 292)

Musca punctum Fabricius, 1794 : 351.
Musca stigma Panzer, 1798: 21.
Sepsis cornuta Meigen, 1826: 288.
Sepsis ornata Meigen, 1826: 290.
Sepsis pectoralis Macquart, 1835: 478.
Sepsis rufocincta Hoffmeister, 1844: 13.
Sepsis referens Walker, 1849: 999.
Sepsis similis Macquart, 1851: 269.
Nemopoda fulvicoxalis Bigot, 1886: 390.
Sepsis geniculata Bigot, 1892: 278.
Sepsis himalayensis Brunetti, 1910: 345.
Sepsis rufibasis Brunetti, 1910: 348.
Sepsis major Brunetti, 1910: 349.
Sepsis obscuripes Brunetti, 1910: 349.
Sepsis hecate Melander *et* Spuler, 1917: 22.
Sepsis zernyi Duda, 1926: 57, 116.
Sepsis quadrisetosa Duda, 1926: 116.
Sepsis icaria Séguy, 1932: 186.
Sepsis meridionalis Séguy, 1932: 190.

鉴别特征:雄性头部大部分为黑色, 额为黑褐色具光泽; 颜几乎全部为黄色; 颜眶为黑色至黑褐色; 颊为黄色和后头区为黑色, 被稀薄的粉被; 髭角具 4 根发达的鬃。胸部大部分为黑色, 除肩胛为黑褐色, 前胸前侧片和前胸后侧片为黑褐色, 腹侧为黄褐色; 大部分具光泽, 除下前侧片、下后侧片、后基节和下背片被粉被。翅透明, 轻微具淡褐色, 在 R_{2+3}脉端部具 1 个黑褐色圆形翅斑。足大部分为黄色, 除胫节基半部为黄褐色, 跗节端部为褐色; 全部基节和转节正常并简单; 前足股节亚基部具 1 根弱的前腹侧鬃, 中部具 1 列腹侧刺及瘤突, 共 9 根刺及 3 个瘤突; 中足股节中部具 1 根前侧鬃; 后足股节无明显的鬃或刺; 前足胫节具凹痕及凸起, 基部具 1 排微鬃。腹部大部分黑色具光泽, 除第 1 +2 节为黄褐色, 第 3 节基部为黄褐色, 背片端部及侧缘为黄色; 背片被稀疏的鬃, 无长毛; 第 9 背板为黄褐色, 侧视较圆, 被稀疏的鬃, 内侧具齿。雌性与雄性相似, 但雌性前足无特化的刺和瘤。

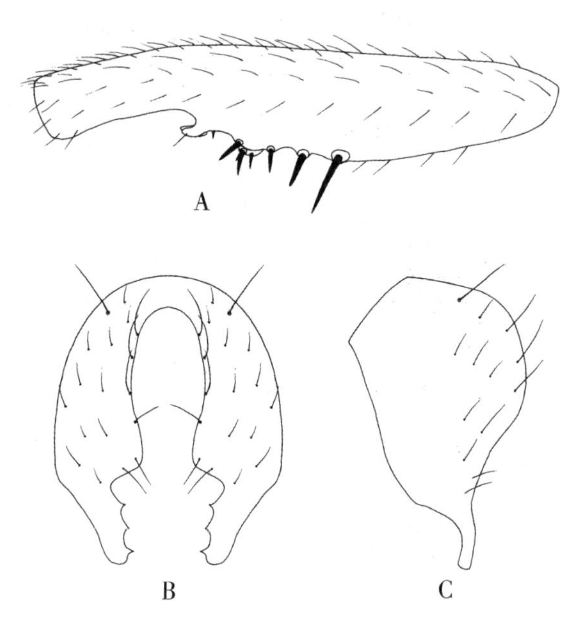

图 292 螯斑鼓翅蝇 *Sepsis punctum* (Fabricius)

A. 前足股节前面观(fore femur, anterior view); B. 第9背板后面观(epandrium, posterior view); C. 第9背板左侧面观(epandrium, left lateral view)

采集记录:4♂, 凤县黄牛铺, 1516m, 2013. Ⅷ. 22, 席玉强采; 1♂, 佛坪大古坪, 1366m, 2014. Ⅷ. 22, 卢秀梅采; 5♂, 宁陕火地塘, 1505m, 2013. Ⅶ. 13, 杨定采; 4♂, 镇安黑窑沟林场, 1217m, 2014. Ⅵ. 20, 张蕾采。

分布:陕西(凤县、佛坪、宁陕、镇安)、黑龙江、北京; 蒙古, 俄罗斯, 越南, 印度, 缅甸, 尼泊尔, 墨西哥, 中亚, 欧洲, 北美洲。

(14) 胸廓鼓翅蝇 *Sepsis thoracica* (Robineau-Desvoidy, 1830)

Micropeza thoracica Robineau-Desvoidy, 1830: 742.
Sepsis tridens Becker, 1903: 145.
Sepsis propinquus Adams, 1905: 175.
Sepsis modesta de Meijere, 1906: 172.
Sepsis consanguinea Villeneuve, 1920: 355.
Sepsis goetghebueri Frey, 1925: 71.
Sepsis quadratipunctata Brunetti, 1929: 29.
Sepsis longisetosa Brunetti, 1929: 30.
Sepsis idmais Séguy, 1932: 187.
Sepsis ino Séguy, 1932: 188.
Sepsis inermis Séguy, 1933: 28.
Sepsis kamahoroensis Vanschuytbroeck, 1963: 58.

鉴别特征:雄性头部大部分为黑色，额为黑褐色，略具光泽，被稀疏的粉被；颜为黄褐色，侧颜为深褐色；颊为黄褐色；髭角具3根强鬃。胸部大部分为黑色，前胸侧片略带黑褐色，具光泽；大部分无粉被，除下前侧片背侧被浓密的粉被，后基节和后胸侧片具稀薄的粉被。翅透明，略带浅褐色，在 R_{2+3}脉端部具1个黑褐色圆形翅斑。足大部分为黑色，除基节为黑褐色，前足股节端部、前足胫节和基跗节为黄褐色；中足跗节1~2为黄褐色；后足股节基部和端部为黄褐色。前足股节端部1/2具5根腹侧短刺和2根腹侧长刺，前足胫节基部1/3具1列5根腹侧短刺。腹部大部分为黑褐色，具光泽，除合背片1+2为褐色；背片被稀疏的鬃，略有几根稀疏的长毛；第9背板侧视较圆，背侧具1根强鬃，具稀疏的毛；背侧突侧视较短且纤细，骨化强烈，端半部弯曲，内侧具细齿。雌性与雄性相似,但雌性前足无特化的刺和瘤。

采集记录:2♂2♀，周至老县城，2057m，2014. Ⅷ. 19，李轩昆采；1♂，凤县黄牛铺，1516m，2013. Ⅷ. 22，席玉强采。

分布:陕西(周至、凤县)、吉林、内蒙古、北京、河北、宁夏、甘肃、新疆、台湾、四川、云南；俄罗斯，日本，美国(夏威夷)，中亚，欧洲，非洲。

7. 温热鼓翅蝇属 *Themira* Robineau-Desvoidy, 1830

Themira Robineau-Desvoidy, 1830: 745. **Type species**: *Themira pilosa* Robineau-Desvoidy, 1830.
Enicopus Walker, 1833: 253 (nec Stephens, 1830). **Type species**: *Sepsis annulipes* Meigen, 1826.
Cheligaster Macquart, 1835: 479. **Type species**: *Musca putris* Linnaeus, 1758.
Enicita Westwood, 1840: 148 (new name for *Enicopus* Walker, 1833).
Halidaya Rondani, 1856: 117. **Type species**: "*Themira setosa* Desv", by original designation.
Enicomira Duda, 1926: 27. **Type species**: *Sepsis minor* Haliday, 1833.
Cheligastrula Strand, 1928: 73 (Unjustified substitute name for *Cheligaster* Macquart, 1835).
Annamira Ozerov, 1999: 195. **Type species**: *Sepsis leachi* Meigen, 1826.
Nadezhdamira Ozerov, 1999: 199. **Type species**: *Sepsis superba* Haliday, 1833.

属征:头圆形，背侧较平；枕骨侧缘具几根短鬃。触角裸，具1根单眼鬃、1根眶鬃、1根后顶鬃和1根内顶鬃，外顶鬃缺失或退化。胸部具0~1根肩鬃，1~2根背侧鬃，1根翅后鬃和1根背中鬃，翅上鬃缺失。基节和转节均正常并简单。翅透明或略具淡褐色，端部无深色斑。第1+2腹板与第3腹板之间无紧缩。第4腹板有时具特化的可移动的附肢或长毛；第5腹板较弱，常具1对强或弱的鬃。第9背板发达，有时与背侧突愈合。

分布:新北区，古北区，东洋区。全世界已知37种。中国记录6种，秦岭地区有2种，包括1个新种。

分种检索表

第4腹片呈矩形，无高度特化的腹板刷结构………………… **秦蜀温热鼓翅蝇 *T. qinshuana* sp. nov.**

第4腹片呈腹甲形，中部具1个瘤状凸起，具两对特化的腹板刷 ………………………………………
……………………………………………………………………… 甘肃温热鼓翅蝇 *T. przewalskii*

(15) 秦蜀温热鼓翅蝇，新种 *Themira qinshuana* sp. nov.（图 293）

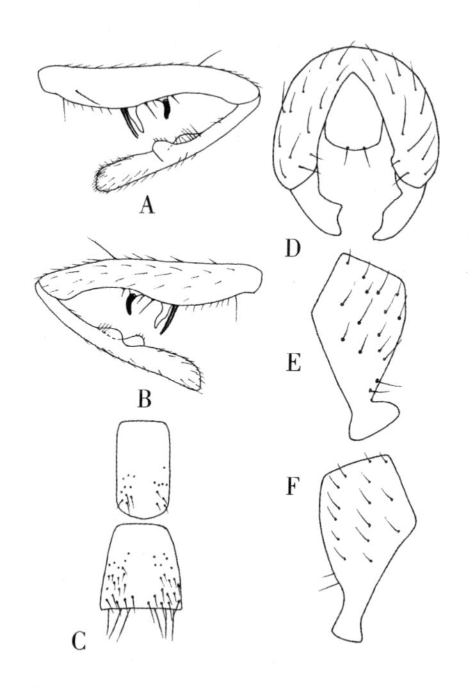

图 293 秦蜀温热鼓翅蝇，新种 *Themira qinshuana* sp. nov.

A. 前足股节和胫节前面观（fore femur and tibia, anterior view）; B. 前足股节和胫节后面观（fore femur and tibia, posterior view）; C. 第4和第5腹片腹面观（sternites 4 and 5, ventral view）; D. 第9背板后面观（epandrium, posterior view）; E. 第9背板左侧面观（epandrium, left lateral view）; F. 第9背板右侧面观（epandrium, right lateral view）

鉴别特征：雄性体长 3.60mm，翅长 2.90mm。头大部分为黑褐色，被稀薄的粉被；额为褐色，无光泽；颜几乎全部为黄褐色；颜眶为黑色至黑褐色；颊为黄褐色，后头区为黑色；触角为黑褐色，被短柔毛；触角芒为黑色，裸；髭角具1对较发达的鬃；颊边缘具1排约10根口缘鬃，靠近颊角的鬃也更发达；具1根单眼鬃、1根弱的眶鬃、1根内顶鬃、1根后顶鬃，外顶鬃缺失。胸部全部为黑色；中胸背板、小盾片和前胸背板后叶被稀疏粉被；肩胛、前胸前侧片和前胸后侧片被稀疏粉被；上前侧片具光泽；下前侧片被浓密的粉被；上后侧片具光泽；后基节被粉被，中部具光泽；下后侧片被粉被；上背片、下背片和中背片被粉被；后胸侧片和后胸下前侧片被粉被；有1根强的肩鬃、2根背侧鬃、1根背中鬃、1根翅后鬃、1根盾鬃，中侧片鬃和翅上鬃缺失。翅透明，具轻微的淡褐色，在端部无深色点；翅脉为深褐色；肩胛和翅后胛基部为褐色；臀脉长度大约为 bm 室宽度的6倍；翅瓣没有明显的后中叶，边缘具微刺；

平衡棒白色，基部为黑褐色，端部略带褐色。足大部分为黑色，前足基节为黄色，全部股节基部为黄色，端部为褐色，前足胫节为黄褐色，中足胫节基部为褐色，端半部为黄褐色，后足胫节为黄褐色，全部基跗节为黑褐色；全部基节和转节正常并简单；前足股节端部 1/3 具 1 根背侧鬃，基部 1/5 具 1 根前侧鬃，腹侧端部至基部依次有 1 根短鬃、1 根黑色的齿、1 根长鬃、1 个浅黄色透明且弯曲的突起、2 根强的长鬃；前足胫节中部靠端部具 1 个前侧凸起，靠基部具 1 个后侧凸起，端部略微膨大；中足股节无明显的鬃或刺；中足胫节无明显的鬃或刺；后足股节基部 1/3 具 1 列 7 根短鬃；后足胫节端部具 4 根背侧长鬃，后足胫节前背侧中部具 1 个长度约为胫节长度 1/3 的像 Y 腺的变黑的斑，周围密布长毛。腹部黑色具光泽，合背片 1 +2 基部具黄褐色侧斑，第 3 ~5 背片端部及外侧为黑褐色，合背片 7 +8 端部黄褐色；合背片 1 +2 至第 5 背片和合背片 7 +8 正常，第 6 背片缺失；背片被稀疏的鬃，无长毛；第 2 腹片呈三角形；第 3 腹片呈长卵圆形；第 4 腹片呈矩形，无高度特化的腹板刷结构；第 5 腹片呈梯形，无 2 根向后伸的短鬃，但两侧端半部具一些短毛；第 9 背板被稀疏的鬃，背侧突两侧不对称，两侧侧视等长，左侧背侧突下端及后端均为弧形，右侧背侧突呈梯形，端部无鬃。雌性未知。

采集记录：1♂（正模），周至老县城，1846m，2014. Ⅷ. 19，卢秀梅采；1♂（副模），四川峨眉山，1200m，2012. Ⅵ. 08，张晓采；1♂，四川峨眉山，1200m，2012. Ⅵ. 08，王俊潮采。

分布：陕西（周至）、四川。

讨论：该种与卷节温热鼓翅蝇 *T. makiharai* Iwasa，1984 近似，但新种前足股节端部 1/3 处具 1 根背侧鬃；后足股节基部 1/3 处具 7 根短鬃，并排成 1 列；后足胫节端部具 4 根背侧长鬃，背侧突形状与卷节温热鼓翅蝇不同。

种名词源：该种种名词源自模式产地陕西、四川两省古地名“秦”和“蜀”。

（16）甘肃温热鼓翅蝇 *Themira przewalskii* Ozerov，1986（图 294）

Themira przewalskii Ozerov，1986：53.

鉴别特征：雄性头大部分为黑色，额为黑色，前半部为黑褐色，具光泽；颜几乎全部为黄褐色；颜眶为黑色至黑褐色；颊为黄褐色，后头区为黑色，被稀薄的粉被。髭角无明显发达的鬃。胸部完全为黑色，具光泽，被稀疏粉被；除上背片、下背片和中背片被浓密粉被。足大部分为黑色，前足股节基部及端部腹侧为黄褐色，中足股节基部为黄色，后足股节基部 1/4 为黄色，前足胫节基半部为黄褐色，中后足胫节基部及端部为黄褐色；前足股节基部具 1 根明显的褐色腹侧鬃，亚基部具 1 根极强的并向前弯曲的前腹侧鬃，中部前侧瘤突具 2 根钝齿；前足胫节弯曲，中部前侧具 1 个叉状凸起，端半部膨大，被许多短鬃；后足胫节前侧中部具 Y 腺，长度约为胫节长度 1/3。翅透明，轻微具淡褐色，在端部无深色点。腹部黑色具光泽，合背片 1 +2 基部具黄褐色侧斑；背片被稀疏的鬃，无长毛；第2腹片呈大的球状凸起；第3腹片长方形，端半部中部具1个小凸起；第4腹片呈腹甲形，中部具1个瘤状凸起，腹板刷向两侧分开；外侧具浓密的长鬃，内侧具浓密的短鬃，长鬃盖住第5背片侧缘并在末端交叉；第9背板被浓密的长鬃；背侧突侧视呈镰刀状，后端被短鬃。雌性与雄性相似，但雌性前足无特化的刺和瘤，且后足胫节无Y腺。

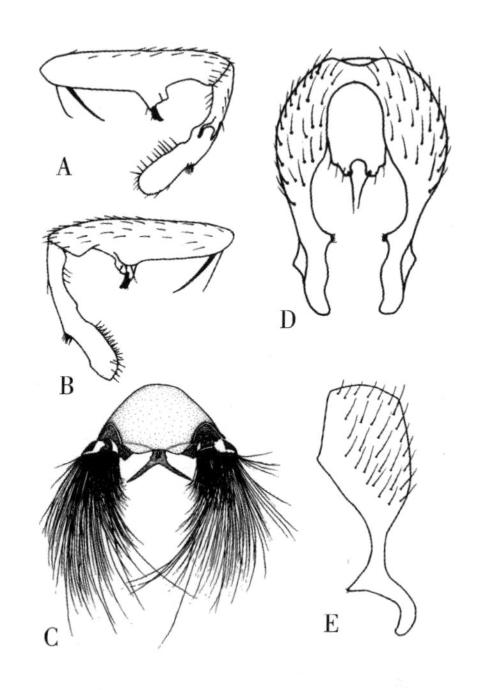

图294 甘肃温热鼓翅蝇 *Themira przewalskii* Ozerov

A. 前足股节和胫节前面观（fore femur and tibia, anterior view）；B. 前足股节和胫节后面观（fore femur and tibia, posterior view）；C. 第4和第5腹片腹面观（sternites 4 and 5, ventral view）；D. 第9背板后面观（epandrium, posterior view）；E. 第9背板左侧面观（epandrium, left lateral view）

采集记录：14♂12♀，长安库峪，897m，2013. Ⅶ. 31，李轩昆采；5♂7♀，周至厚畛子，1235m，2013. Ⅷ. 11，李轩昆采；7♂5♀，凤县黄牛铺，1516m，2013. Ⅷ. 22，席玉强采；1♀，眉县蒿坪，1241m，2013. Ⅷ. 24，席玉强采；2♀，华县少华山，600m，2013. Ⅶ. 19，席玉强采；4♂1♀，留坝光华山，1912m，2013. Ⅷ. 20，席玉强采；2♂6♀，宁陕火地塘，1400m，2013. Ⅶ. 13，杨定采。

分布：陕西（长安、周至、凤县、眉县、华县、留坝、宁陕）、甘肃、湖北、湖南、四川、云南。

8. 箭叶鼓翅蝇属 *Toxopoda* Macquart, 1851

Toxopoda Macquart, 1851: 272. **Type species**: *Toxopoda nitida* Macquart, 1851.

Amydrosoma Becker, 1903: 140. **Type species**: *Amydrosoma discedens* Becker, 1903.

Platychiria Enderlein, 1922: 228 (nec Herrich-Schaeffer, 1853). **Type species**: *Calobata contracta* Walker, 1852.

Platychirella Hedicke, 1923: 72 (unnecessary new name for *Platychiria* Enderlein, 1922).

Podanema Malloch, 1928: 308. **Type species**: *Podanema atrata* Malloch, 1928.

Platytoxopoda Curran, 1929: 9. **Type species**: *Platytoxopoda bequaerti* Curran, 1929.

属征:头部呈椭圆形，背侧较扁平；触角芒裸；头部鬃普遍退化，具1根单眼鬃、1根眶鬃、1根外顶鬃、1根后顶鬃，内顶鬃缺失；髭角具2~3根鬃。身体具暗淡的光泽。肩鬃缺失或退化，具2根背侧鬃、1根背中鬃、1根翅上鬃、1根翅后鬃、1根中侧片鬃和1根盾鬃。基节和转节均正常并简单。中足股节中部背侧凹陷；雄虫前足股节及胫节腹侧具短刺，但无瘤突和凹陷。第1+2腹板与第3腹板之间无紧缩。第4腹板简单，不具特化的可移动的附肢或长毛。雄性背侧突与第9背板愈合。

分布:东洋区，澳洲区，非洲区。世界已知25种，中国已知4种，秦岭地区有1种。该种属首次在古北区记录。

(17)二叉箭叶鼓翅蝇 *Toxopoda bifurcata* Iwasa, 1989

Toxopoda bifurcata Iwasa, 1989: 51.

Toxopoda asymmetrica Ozerov, 1992: 149.

鉴别特征:雄性头部大部分为黑色，具暗淡的光泽，被稀疏的灰白色粉被；颜为黑褐色；颊为黑褐色；髭角具1根较强2根较弱的鬃。胸部完全为黑色，大部分具暗淡的光泽，被稀疏的粉被；下前侧片后侧、后上侧片后腹侧和中足基节被浓密的白色和铁锈色粉被。翅透明无色，在端部无深色点。足大部分为黑色，转节和后足胫节基部为黑褐色；前足股节基部1/3具2根长的、1根短的前腹侧刺和2根长的、3根短的后腹侧刺，端半部具1列短后腹侧鬃；前足胫节腹侧具两列短鬃；后足胫节基部内侧具退化的Y腺，长度不及胫节长的一半。腹部黑色具光泽，第1+2背片和第3背片被白色粉被；背片被稀疏的鬃，无长毛；第5背片特化，在腹部相互重叠；第5腹片不具特化的可移动的附肢；第9背板侧视较长，具稀疏的短毛；背侧突较短，两侧等长但不对称，端部均二分叉。雌性与雄性相似，但雌性前足股节无腹侧刺，后足胫节无Y腺。

采集记录:1♀，周至板房子，1317m，2013. Ⅷ. 09，李轩昆采；1♂，华县东云村，1070m，2014. Ⅶ. 07，张蕾采；2♂，留坝财神庙，1212m，2013. Ⅷ. 17，席玉强采；1♀，宁陕旬阳坝，1365m，2013. Ⅷ. 12，席玉强采；41♂7♀，柞水牛背梁，1000m，2013. Ⅶ. 16，王玉玉采；2♂，柞水筒喙象山，1080m，2014. Ⅶ. 20，丁双玫采；1♂，丹凤庾岭镇，1130m，2014. Ⅷ. 10，丁双玫采。

分布:陕西(周至、华县、留坝、宁陕、柞水、丹凤)、福建；越南，泰国，尼泊尔，巴基斯坦。

参考文献

Adams, C. F. 1905. Diptera africana, I. *The Kansas University Science Bulletin*, 3(6): 149-208.

Bigot, J. M. F. 1886. Diptères nouveaux ou peu connus. 29e partie (suite) XXXVII 2e. Essai d'une classification synoptique du groupe des Tanypezidi (mihi) et description de genres et d'espèces inèdits. *Annales de la Société Entomologique de France*, 6: 369-392.

Brunetti, E. 1910. New Oriental Sepsinae. *Records of the Indian Museum*, 3(1909): 343-372.

Brunetti, E. 1929. New African Diptera. *Annals and Magazine of Natural History*, 10(4): 1-35.

Duda, O. 1926. Monographie der Sepsiden. (Dipt.). II. *Annalen des Naturhistorischen Museums in Wien*, 40: 1-110.

Enderlein, G. 1922. Klassifikation der Micropeziden. *Archiv für Naturgeschichte*, A(88): 140-229.

Fabricius, J. C. 1794. *Entomologia systematica emendate et aucta. Secundum classes, ordines, genera, species adjectis synonymis, locis, observationibus, descriptionibus*. Hafniae [= Copenhagen], 4, 1-472.

Fallén, C. F. 1810. *Specimen entomologicum novam Diptera disponendi methodum exhibens*. Lundae [= Lund], 26.

Fallén, C. F. 1820a. *Ortalides Sveciae*. Lundae [= Lund], 34.

Frey, R. 1908. Über die in Finnland gefundenen Arten des Formenkreises der Gattung Sepsis Fall. (Dipt.). *Deutsche Entomologische Zeitschrift*, 1908: 577-588.

Frey, R. 1925. Zur Systematik der Diptera Haplostomata II. Fam. Sepsidae. *Notulae Entomologicae*, 5: 69-76.

Gistel, J. N. F. X. 1848. Naturgeschichte des Thierreichs, für höhere Schulen. *Stuttgart*, XVI + I-216 pp.

Hennig, W. 1949. 39a. Sepsidae. In: Lindner E. (ed). *Die Fliegen der palaearktischen Region*, 5(1): 1-91.

Hoffmeister, H. 1844. Einige Nachträge zu Meigen's Zweiflüglern. *Jahresbericht über die Tätigkeit des Vereinsfur Naturkunde zu Cassel*, 8: 11-14.

Iwasa, M. 1984a. The Sepsidae from Nepal, with descriptions of eight new species(Diptera). *Kontyü*, 52 (1): 72-93.

Iwasa, M. 1984b. Studies on the Sepsidae from Japan (Diptera) III. On the eleven species of eight genera excluding the genera Sepsis Fallén and Themira R-D., with description of a new species. *Kontyü*, 52 (2): 296-308.

Iwasa, M. 1989. Taxonomic study of the Sepsidae (Diptera) from Pakistan. *Japanese Journal of Sanitary Zoology*, 40: 49-60.

Loew, H. 1873. *Beschreibung europäischer Dipteren. Dritter Band. Systematische Beschreibung der bekannten europäischen zweiflügeligen Insecten, von Johann Wilhelm Meigen.* Halle, 10: 1-320.

Macquart, J. 1835. Histoire naturelle des Insectes. *Diptères*. Paris, 2: iv + 1-703.

Macquart, J. 1839. *Histoire Naturelle des Iles Canaries.* Tome deuxième. Deuxième partie. Contenant la zoologie[Entomologie.]-"1836-1844", Béthune, Paris: 97-119.

Macquart, J. 1843. Diptères exotiques nouveaux ou peu connus. *Memoires de la Société (Royale) des Sciences, de l'Agriculture et des Arts à Lille*, (1842): 162-460.

Macquart, J. 1847. Diptères exotiques nouveaux on peu connus. (Suite de 2e supplément). *Mémoires de la Société (Royale) des Sciences, de l'Agriculture et des Arts à Lille*, (1846): 21-120.

Macquart, J. 1851. Diptères exotiques nouveaux ou peu connus. Suite du 4e supplément publié dans les

Mémoires de 1849. *Mémoires de la Société (Royale) des Sciences, de l'Agriculture et des Arts à Lille*, (1850): 134-282.

Meigen, J. W. 1826. *Systematische Beschreibung der bekannten europäischen zweiflügeligen Insekten*, Hamm., 5, xvii +412.

Meigen, J. W. 1838. *Systematische Beschreibung der bekannten europäischen zweiflügeligen Insekten.* Hamm., 7, xii + 1-434.

Meijere, J. C. H. de. 1904. Neue und bekannte Süd Asiatische Dipteren. Bijdragen tot de Dierkunde, 17-18: 83-118, Taf. 8.

Meijere, J. C. H. de. 1906. Über einige indo-australische Dipteren des Ungarischen National-Museums, bez. Des Naturhistorischen Museums zu Genua. *Annales Historico-Naturales Musei Nationalis Hungarici*, 4: 165-196.

Meijere, J. C. H. de. 1913. H. Sauter's Formosa Ausbeute. Sepsinae. (Dipt.). *Annales Historico-Naturales Musei nationalis hungarici*, 11: 114-124.

Melander, A. L. and Spuler, A. 1917. The Dipterous families Sepsidae and Piophilidae. *Bulletin. State College of Washington. Agricultural Experiment Station. Pullman, Washington*, 143: 1-103.

Ozerov, A. L. 1985. Novye i maloizvestnye vidy murav'evidok (Diptera: Sepsidae) Dal'negovostoka [New and little known species of the Sepsidae (Diptera) from the Far East] *Entomologicheskoe Obozrenie*, 64,(4): 839-844.

Ozerov, A. L. 1986. To the knowledge of Sepsidae (Diptera) of the fauna of the USSR. *Entomologicheskoe Obozrenie*, 65, 639-644.

Ozerov, A. L. 1992a. K taksonomii dvukrylykh semeystva Sepsidae (Diptera) [On the taxonomy of flies of the family Sepsidae (Diptera)] *Byulleten' Moskovskogo obshchestva ispytateley prirody, Otd. Biol.*, 97, 4: 44-47.

Ozerov, A. L. 1992c. Novyy roditri novykh vida murav'evidok (Diptera: Sepsidae) iz V'etnama [New genus and three new species of sepsid flies (Diptera: Sepsidae) from Vietnam] *Zoologicheskiy Zhurnal*, 73, 3: 147-150.

Ozerov, A. L. 1999. A review of the genus Themira Robineau-Desvoidy, 1830 (Diptera: Sepsidae) of the World, with a revision of the North American species. *Russian Entomological Journal*, 7 (3-4): 169-208.

Panzer, G. W. F. 1798. Faunae insectorum germanicae initiae oder Deutschlands Insecten. 60, 24. Nürnberg.

Robineau-Desvoidy, J. B. 1830. Essai sur les Myodaires. *Mémoires présentés par divers Savans à l'Académie Royale des Sciences de l'Institut de France*, 2: 1-813.

Rondani, C. 1856. *Dipterologiae Italicae Prodromus.* 1. Genera italica ordinis Dipterorum ordinatim disposita et distincta et in familias et stirpes aggregata. Parmae [Parma]: 1-226.

Rondani, C. 1874. Species italicae ordinis Dipterorum (Muscaria Rndn.). Stirps XXI. — Tanipezinae Rndn. Collectae et observatae. *Bollettino della Società Entomologica Italiana*, 6: 167-182.

Séguy, E. 1932. Contribution à l'étude des mouches phytophages de l'Europe occidentale. *Encyclopedie Entomologique, Sèrie B. Mémoires et Notes. II. Diptera*, 6: 145-194.

Strand, E. 1928. Miscellanea nomenclatorica zoological et paleontologica. I-II. *Archiv für Naturgeschichte*, 92A(8): 30-75.

Vanschuytbroeck, P. 1963. Sepsinae (Diptera: Tetanoceridea). *Exploration du Parc National Albert.*

Deuxième Série, 13(1): 3-91.

Villeneuve, J. 1920. Diptères inédits. *Bulletin de la Société Entomologique de France*, 1919(1920): 352-355.

Walker, F. 1871. List of Diptera collected in Egypt and Arabia by J. K. Lord Esq., with descriptions of the species new to science. *The Entomologist*, 5: 339-346.

Westwood, J. O. 1840. Synopsis of the genera of British insects. P. 1-158. In: *An introduction to the modern classification of insects; founded on the natural habits and corresponding organization of the different families*. London. 2: xii + 1-587.

Wiedemann, C. R. W. 1824. *Munus rectoris in Academia Christiana Albertina aditurus analecta entomologica ex Museo Regio Havniensi*, Kiliae: 1-60.

Wiedemann, C. R. W. 1830. *Aussereuropäische zweiflügelige Insekten* Hamm, 2: xii + 1-684.

二十九、瘦足蝇科 Micropezidae

李轩昆 杨定

(中国农业大学昆虫系，北京 100193)

鉴别特征：体小至大型，足极长，纤细。翅狭长，有时透明或黄色至褐色，有时具色带或斑。体色变化较大，从黄色、红色至褐色、黑色，有时具杂色带，有时具灰色粉被图案。头部在各属间差异较大，大多呈卵圆形，有的呈锥形或椭球形。中胸或多或少延长，特别是在前部，前足基节与中后足基节距离较远。R_{4+5}脉和M_{1+2}脉在端部靠近，有时汇聚、合并；bm-u 脉通常存在，但有时缺失；A_1+CuA_2 脉常伸达翅缘，但有时不及翅缘。腹部细长，雄虫腹部第 2 或第 4 腹片有时出现特化的突起，第 5 腹片常具特化的钳状生殖叉，用于在交配时抱握雌虫的产卵器。雌虫腹部第 7 节强烈骨化，延长为产卵器。

生物学：多数瘦足蝇成虫取食腐烂的植物组织或粪便(包括猴粪、鸟粪及昆虫粪)，也有的会取食蜜露。有的雌虫在潮湿腐烂的木材中或湿软的泥土中产卵。由于其足极细长而得名。

分类：世界性分布，目前包括 5 个亚科。全世界已知 50 余属 520 余种，中国记载 7 属 16 种，陕西秦岭地区有 1 属 1 种。

秀瘦足蝇属 *Compsobata* Czerny, 1930

Compsobata Czerny, 1930: 5. **Type species**: *Musca cibaria* Linnaeus, 1761.

Trilophyrobata Hennig, 1938: 8. **Type species**: *Trilophyrobata commutata* Czerny, 1930.

属征：体为黑褐色至黑色。头部具 1 根内顶鬃、1 根外顶鬃、1 根弱眶鬃、1 ~ 2 根额鬃。须极弱，长略大于宽。胸部具 2 根背侧鬃、1 根背中鬃、1 根翅上鬃、1 根翅后鬃、1 根小盾端鬃，下前侧片被长毛。足颜色为黄色至黄褐色；中后足股节端部及胫节基部具褐色环；翅浅透明，无翅斑。bm-u 横脉不与 CuA_2横脉相接，而更接近端部，Sc 脉与 R_1 脉距离较近，其末端距离几乎与 r-m 横脉的长度等长；A_1 + CuA_2脉不及翅缘。腹部大部分为褐色；背片暗色并具粉被；第 5 腹片具普通大小的生殖叉，生殖叉明显膨大；第 9 背板具背侧突较小，背侧突具浅裂被毛；射精突袋状，小且弱；阳茎正常，端部膨大呈爪状且分为三叉。

分布：古北区，新北区。全世界已知 27 种，中国记录 2 种，秦岭地区 1 种。

华山秀瘦足蝇 *Compsobata huashanica* Li, Liu *et* Yang, 2012（图 295）

Compsobata huashanica Li, Liu Yang, 2012: 826.

鉴别特征：雄性头部为褐色，除颜和颊为黄色，被灰白粉被；额为黄褐色。头部的毛大部分为白色，但后头区的毛为黑色；鬃为黑色。具 2 根弱额鬃。喙为黄褐色，被黄色毛；须为黄褐色，被黄色毛。胸部为黑褐色，侧片为褐色，被灰白粉被，胸部的毛浅黄色。足大部分为黄褐色，除中足股节端部具 1 个不明显的褐色窄环，后足股节端部具 1 个明显的褐色窄环；中后足胫节基部具 1 个宽的但不明显的褐色环。腹部黑褐色具光泽，被灰白粉被。第 1 至第 2 背片为黑色，第 1 至第 7 背片后侧角为黄褐色，第 5 腹片的生殖叉及第 7 和第 8 背片为黄褐色。生殖叉短而膨大；臂部端部细，生殖叉基部嵌入第 4 节；臂部被浅黄色短毛。第 6 腹片具突起。腹部末节黄褐色，第 9 背板具褐色斑。第 9 背板侧视近正方形；背侧突短且宽，端部具裂口。雌性与雄性相似，但雌性腹部无生殖叉；产卵器为黑褐色，具光泽，被浅黄色短毛。

采集记录：1♂（正模），华阴华山，1957. Ⅵ. 16，采集人不详；4♂1♀（副模），同正模。

分布：陕西（华阴）。

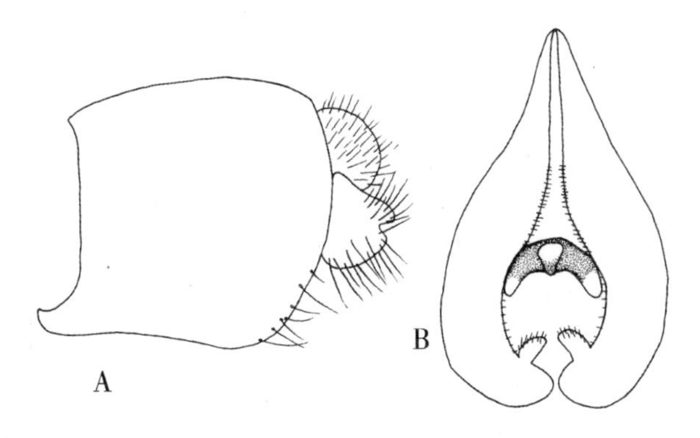

图 295　华山秀瘦足蝇 *Compsobata huashanica* Li, Liu *et* Yang

A. 第 9 背板左侧面观（epandrium, left lateral view）；B. 生殖叉腹面观（genital fork, ventral view）

参考文献

Andersson, H. 1989. Taxonomic notes on Fennoscandian Miropezidae (Diptera). *Notulae Entomologicae*, 69: 153-162.

Li, X-K., Liu, X-Y. and Yang, D. 2012. Species of the genus *Compsobata* Czerny from China (Diptera: Micropezidae). *Acta Zootaxonomica Sinica*, 37(4): 824-828. [李轩昆, 刘星月, 杨定. 2012. 中国秀瘦足蝇属研究(双翅目: 瘦足蝇科). 动物分类学报, 37(4): 824-828.]

Ozerov, A. L. 1990. New data on the fauna and taxonomy of the subfamily Calobatinae (Diptera: Micropezidae). *Zoologicheskii Zhurnal*, 69(7): 154-155.

Soós, A. 1984. Family Micropezidae. 19-24. In: Soós, A. and Papp, L. (eds). *Catalogue of Palaearctic Diptera.* 7. Elesevier Science Publishers & Akademiai Kiado, Amsterdam & Budapest.

三十、小粪蝇科 Sphaeroceridae

苏立新[1] 董慧[2] 杨定[3] 刘广纯[1]

(1. 沈阳大学生命科学与工程学院, 沈阳 110044; 2. 深圳市中国科学院仙湖植物园南亚热带植物多样性重点实验室, 深圳 518004; 3. 中国农业大学昆虫系, 北京 100193)

鉴别特征: 体小型, 粗壮, 为灰色至黑色, 有时头、胸、足为黄色、橙色或红色或者有黄色、橙色或红色的斑纹。头部窄于胸部(无翅及短翅的种类除外), 单眼三角区上方或后方(眼内或眼后鬃)存在额外的短鬃; 复眼后的眼后鬃排成 1 列或多列; 颊常有向上弯的颊鬃和一些位于后部的鬃; 有 1 排口缘鬃。胸部盾片上经常有刚毛, 肩胛发达; 中胸侧板上面至多有小鬃; 腹侧板通常无毛。中足胫节(有时后足胫节)具鬃, 后足第 1 跗节明显加粗, 短而宽。翅型变化较大, 具无翅和短翅型。雄虫腹部在第 5 腹节后不对称。第 5 腹板通常组成生殖器的一部分。雌虫腹部短粗, 或长但腹节相互套叠; 第 1、2 腹板通常愈合。

生物学: 小粪蝇幼虫食性分化明显, 有腐食、尸食、粪食和植食等各种取食类型。一些种类可传播线虫、病原菌, 为传染病的传播媒介, 一些种类为蝇蛆病原, 可致人畜蝇蛆症; 一些种类为重要的法医昆虫, 利用其可进行刑事案件侦破; 一些种类是食用菌栽培业上的重要害虫, 常造成减产。小粪蝇还是自然界物质再循环过程的分解者和加速者。

分布: 世界各大动物地理区均有分布。全世界已知 1600 余种, 中国记载 130 余种, 陕西秦岭地区分布 17 属 34 种, 其中有 2 个新种, 8 个中国新记录。

分亚科和属检索表

1. C 达 M_{1+2}; bm 和 cup 室闭合; M_{1+2} 和 M_{3+4} 均达翅缘。受精囊 2 个。后足胫节具强烈弯曲的腹

端刺。中胸背板被短刺或端钝的小刺。小盾片无端缘鬃，基缘鬃小，或后缘具齿突（**小粪蝇亚科 Sphaerocerinae**）………………………………………………………………………………… 2

C 达或过 R_{4+5}；bm 和 dm 室融合，无 cup 室；M_{1+2}和 M_{3+4}均短，不达翅缘。受精囊 3 个。后足胫节具小的或不明显的腹端鬃。中胸背板被鬃和刚毛。小盾片具端缘鬃和基缘鬃（**沼小粪蝇亚科 Limosininae**）………………………………………………………………………………… 3

2. 小盾片侧齿 2 个。中胸背板鬃退化，但不着生在瘤窝。口上片简单，不隆大 ……………………………………………………………………………… **小粪蝇属 *Sphaerocera***

小盾片后缘齿 6 ~ 10 个。中胸背板鬃钝化，着生在瘤窝。口上片隆大 ……………………………………………………………………………… **栉小粪蝇属 *Ischiolepta***

3. 小盾片端缘鬃之间具至少 1 对小刚毛，心板被密刚毛。臀脉角状弯曲 ……………………………………………………………………………… **角脉小粪蝇属 *Coproica***

小盾片缘鬃之间无小刚毛，心板常裸。臀脉直或波状弯曲 …………………………… 4

4. 中足胫节具明显的亚端腹鬃（有时同具端腹鬃），或无长腹鬃，但 mt_2具 1 根明显腹鬃 …… 5

中足胫节无亚端腹鬃，但常具 1 根端腹鬃（有时雄虫端腹鬃小）；若中足胫节具明显端腹鬃，mt_2具 1 根明显腹鬃 ……………………………………………………………… 8

5. 小盾片缘鬃 3 ~ 4 对，有时心板也被鬃。中足胫节转节具 1 根上倾长鬃 ………………… 6

小盾片缘鬃 2 对，心板裸。中足胫节转节无长鬃或具 1 根短鬃 ……………………… 7

6. 前背中鬃后倾。触角间颜瘤不隆突。雄虫肛门下缘上生殖板分离，尾须与上生殖板相离 ……………………………………………………………………………… **雅小粪蝇属 *Leptocera***

前背中鬃内倾；若前背中鬃下内倾，触角间颜瘤强烈隆大。雄虫肛门下缘上生殖板融合，尾须与上生殖板相连 ……………………………………………… **刺足小粪蝇属 *Rachispoda***

7. 背中鬃 3 根或大于 3 根，至少具 1 对盾沟前背中鬃。Cs_1 通常具长刚毛。雄虫背针突双瓣，复杂，且其后缘或多或少被上生殖板腹侧突或瓣覆盖；基阳体简单 ……………………………………………………………………………… **伪丘小粪蝇属 *Pseudocollinella***

背中鬃（1 ~ 3）均盾沟后。Cs_1 通常具短刚毛。雄虫上生殖板无侧突覆盖背针突；基阳体具后阳基背片 ……………………………………………………………… **欧小粪蝇属 *Opacifrons***

8. 额具 1 列外倾内眶鬃。C 明显过 R_{4+5}，R_{4+5}强烈弯向 C；翅瓣小而狭 ……………………………………………………………………………… **毛眼小粪蝇属 *Trachyopella***

额具内倾内眶鬃，或仅在外眶鬃内缘和下缘具小的外倾刚毛 ………………………… 9

9. R_{2+3}端直角弯向 C，有时具 R_3；cup 室被不完全 CuA_2 部分封闭；翅面被暗斑。足除一些跗节为白色外，其余为暗褐色至褐黑色。胸常被银色色斑 …………… **星小粪蝇属 *Poecilosomella***

R_{2+3}端常不强烈弯向 C；CuA_2 退化；翅面无暗斑。足常暗褐色至褐黑色。胸常无色斑 …… 10

10. 3 ~ 6 对背中鬃，盾沟前背中鬃常短小。第 10 腹板存在 ………… **刺胫小粪蝇属 *Phthitia***

1 ~ 2 对背中鬃，均盾沟后。第 10 腹板通常缺 ……………………………………… 11

11. C 明显过 R_{4+5} ……………………………………………………………………… 12

C 不过或略过 R_{4+5} …………………………………………………………………… 14

12. R_{4+5}强烈弯向 C。背针突简单，单瓣，三角形至矩形，无刺或梳状刺列 ……………………………………………………………………………… **方小粪蝇属 *Pullimosina***

R_{4+5}波状弯曲或略弯向 C。背针突复杂，双瓣，具刺或梳状刺列 ………………………… 13

13. R_{4+5}明显波状弯曲；dm 室后外角圆；翅瓣大而宽。上生殖板具 1 对长背侧鬃；背针突内缘具梳状刺列 ……………………………………………………… **陆小粪蝇属 *Terrilimosina***

R_{4+5}常略弯向 C 或不明显波状弯曲；dm 室后外角常不圆；翅瓣小而狭。上生殖板无长背侧鬃；背针突内缘无梳状刺列 ………………………………………… **索小粪蝇属 *Minilimosina***

14. R_{4+5}直(或端略向后弯向 C)；短翅型中足胫节具中下位前腹鬃 ……………………………… 15

R_{4+5}波状弯曲或端向前弯向 C；短翅型 R_{4+5}直，中足胫节无中下位前腹鬃 ……………… 16

15. 背中鬃 2 根；翅瓣大，端圆。背针突短，宽；阳茎简单；下生殖板突长大。雌虫第 8 腹板后缘至多具 1 个小骨片 …………………………………………………… **刺尾小粪蝇属 *Spelobia*(部分)**

背中鬃 3 根；翅瓣小，端尖。背针突方形；阳茎复杂；下生殖板突短小。雌虫第 8 腹板后缘具更多的小骨片 …………………………………………………………… **双额岩小粪蝇属 *Bifronsina***

16. 中足胫节具中下位前腹鬃。R_{4+5}强烈或略向上弯向 C。雄虫第 5 腹板中后缘梳状刺列 1 个；下生殖板无腹突 ……………………………………………………………………………………… 17

中足胫节无中下位前腹鬃。R_{4+5}波状、略弯或几乎直。雄虫第 5 腹板简单，无中后缘梳状刺列；下生殖板具腹突 ………………………………………………… **腹突小粪蝇属 *Paralimosina***

17. R_{4+5}强烈弯向 C。上生殖板具刺状鬃；背针突具内外双瓣。雌虫第 8 腹板复杂，具后缘突；受精囊呈碟形 ……………………………………………………… **刺沼小粪蝇属 *Spinilimosina***

R_{4+5}端不向上弯向 C。上生殖板具长而细鬃；背针突简单，具粗腹刺 1 个。雌虫第 8 腹板简单；受精囊呈轮胎形 …………………………………………… **刺尾小粪蝇属 *Spelobia*(部分)**

(一)小粪蝇亚科 Sphaerocerinae

鉴别特征：前缘脉达中脉，基室和肘室闭合，CuA_1 达翅缘。中胸背板上的鬃和毛全部退化为短刺或着生在疣瘤上的小刺。小盾片无端缘鬃，基缘鬃退化或小盾片后缘具 1 排短齿。后足胫节无亚端背鬃，无翅型和短翅型的后足胫节具 1 根粗壮而弯曲的端腹刺，且前足和后足第 1 跗节具 1 根钩状短刺；受精囊 2 个。

分类：古北区，东洋区，非洲热带区，新北区，新热带区，澳洲区。全世界记载 9 属 127 种，中国已知 3 属 6 种，陕西秦岭地区分布 2 属 2 种。

1. 栉小粪蝇属 *Ischiolepta* Lioy, 1864

Ischiolepta Lioy, 1864: 1112. **Type species**: *Borborus denticulatus* Meigen, 1830.

属征：体为褐色至黑色，胸部在疣瘤上具短粗鬃。额中条扁平，略凹，表面凹凸不平。触角芒裸。间额三角区多具向上弯的小鬃。内顶鬃内倾，通常短。复眼后鬃列不规则。颊通常裸。唇基大，口上片较发达。中鬃在缝前为 2～4 列，在缝后渐密；背中鬃与中鬃相离。小盾片具 1 排 6～10 根位于边缘的瘤突。后足第 1 跗节明显加粗，后足胫节具 1 根粗壮的端腹距。翅通常透明至半透明。前缘脉达中脉；R_{4+5}和中脉近平行，端部向前缘脉弯曲；CuA_1 通常达翅缘。雄虫前腹部具 4 个明显的背板和较退化的腹板。上生殖板帽状；尾须总与上生殖板分离；背针突比尾须大，形状多样；阳茎复合体的基阳体简单，骨化均一，端阳体在不同种间变化大。

分布：古北区，东洋区，非洲热带区，新北区，新热带区，澳洲区。全世界记载32种，中国已知4种，秦岭地区有1种。

(1) 东洋梯小粪蝇 *Ischiolepta orientalis* (de Meijere, 1908)

Sphaerocera orientalis de Meijere, 1908: 178.

鉴别特征：头部、胸部为褐黑色。腹部除第1～6腹板、尾须内侧中部白色至淡褐色外，其余均为淡褐色至暗褐色。7对间额鬃。触角芒裸。颊分4瓣。1对粗刺状小盾沟前背中鬃，疣瘤大。4个不规则盾沟中鬃列。中鬃列与背中鬃列之间区域裸。中侧片具鬃。腹侧片具1～2对腹侧片鬃和1个侧缘鬃列。小盾片心板具短鬃；8个后缘齿突，其端部向腹部弯曲。后足胫节具1根亚端腹刺。$Cs_2 : Cs_3 = 2.90$。dm室比为0.30。平衡棒棒柄和棒头为白色。雄虫第1+2腹板至第5腹板后缘具1对长鬃。第5腹板宽，中部短。尾须具1对很长的腹鬃，在中部具1对相对长的鬃。背针突狭长，被短刚毛，端部向后弯曲。

采集记录：1♂，佛坪岳坝麻家沟，1051m，2013.Ⅶ.28，蔡云龙采(SYU)。

分布：陕西(佛坪)、河北；日本，越南，印度，斯里兰卡，印度尼西亚，巴基斯坦。

2. 小粪蝇属 *Sphaerocera* Latreille, 1804

Sphaerocera Latreille, 1804: 197. **Type species:** *Sphaerocera curvipes* Latreille, 1804.

属征：口上片简单，不隆大，触角窝浅。中胸上鬃小，无疣瘤或具小的疣瘤；小盾片仅具2个侧缘齿突。R_{4+5}和M_{1+2}往端部去逐渐相近；M_{3+4}达翅缘；臀脉直。后足胫节亚端背鬃缺失。

生物学：幼虫腐生，通常滋生于动物粪便、腐殖质中。

分布：古北区，东洋区，非洲热带区，新北区，新热带区，澳洲区。全世界记载8种，中国已知2种，秦岭地区有1种。

(2) 棒鬃小粪蝇 *Sphaerocera pseudomonilis asiatica* Papp, 1988 中国新纪录

Sphaerocera pseudomonilis asiatica Papp, 1988: 462.

鉴别特征：体色为黑色。前足基节为红褐色，腿节和胫节为黑色，跗节为红黑色；除中足和后足腿节端部1/3、胫节、跗节红黑色外，其余均为红褐色。3对等长间额鬃。触角芒裸。1对短小盾沟前背中鬃。2盾沟中鬃列。2对短小腹侧片鬃。小盾

片心板被刚毛，2 对短而粗缘鬃。后足胫节具 1 根短而粗的腹端鬃。Cs_2∶Cs_3 =2.60。dm 室长宽比为0.40。平衡棒棒柄和棒头为黄白色。雄虫第 5 腹板呈矩形。尾须腹缘棒状。背针突球形，被长鬃；基部棒状。阳茎基侧突几乎与基阳体等长，端半部双瓣，前瓣具 1 根长的和 1 根短的鬃，后瓣侧缘具短鬃，其端部向前弯曲。雌虫第 4、5 腹板后缘分别具 1 对端钝的棒状鬃。

采集记录:2♂2♀，柞水营盘镇黄花岭，1935m，2013. Ⅶ. 14，蔡云龙采(SYU)；1♂，柞水营盘镇西沟，1197m，2013. Ⅶ. 16，蔡云龙采(SYU)。

分布:陕西(柞水)；巴基斯坦。

（二）沼小粪蝇亚科 Limosininae

鉴别特征:前缘脉达或略过 R_{4+5}；中脉短，不达翅缘；基室和端室愈合，无肘室。无翅和短翅型后足胫节端腹鬃小，且不明显，前足第 1 跗节和后足第 1 跗节鬃简单。受精囊 3 个。

分布:古北区，东洋区，非洲热带区，新北区，新热带区，澳洲区。全世界记载 113 属 1260 余种，中国已知 23 属 120 余种，秦岭地区分布 15 属 32 种。

3. 双额岩小粪蝇属 *Bifronsina* Roháček, 1983

Bifronsina Roháček, 1983: 95 (as subgenus of *Spelobia* Spuler, 1924). **Type species**: *Limosina bifrons* Stenhammar, 1855.

Bifronsina: Papp, 2008: 122 .

属征:2 对单眼后鬃。3 对间额鬃。3 对沟后背中鬃；沟前 6 ~ 8 中鬃列；2 对似刚毛腹侧片鬃；2 对小盾片缘鬃。中足胫节具 1 根中下位前腹鬃和 1 根长前端鬃。C 不过 R_{4+5}；R_{4+5}直，或端部略向后弯向前缘脉；dm 室短至中等长；翅瓣小而狭，端尖。雄虫第 5 腹板具中后梳状刺列。上生殖板具 1 对长背侧鬃；尾须具 1 对长鬃；背针突相对长而狭，外缘被刚毛，腹缘具 1 根钝的粗刺。阳茎骨化，复杂；基阳体大，具 1 个短的前背突；阳茎基侧突简单，略弯，端尖，前缘具刚毛。雌虫第 6 ~ 8 背板简单。肛上板呈短三角形，具背鬃。第 6、7 腹板简单；第 8 腹板后缘具 2 个侧片，其后具多个带状小骨片，与第 8 背板后侧部相连。肛下板短而宽。镜状骨片存在。受精囊轮胎状，骨化囊管短。尾须短，具短的波形刚毛。

分布:古北区，东洋区，非洲热带区，新北区，新热带区，澳洲区。全世界记载 5 种，中国已知 1 种，秦岭地区有分布。

（3）双额岩小粪蝇 *Bifronsina bifrons*（Stenhammar, 1855）

Limosina bifrons Stenhammar, 1855: 401.

Bifronsina bifrons: Papp, 2008: 129.

鉴别特征：体色为褐黑色，额具"M"形斑纹，额下半部、颊和颜为淡黄色。足为淡黄色。4 对等长间额鬃。2 对前背中鬃长约是后背中鬃长的 1/3。8 个盾沟前中鬃列。2～3 对腹侧片鬃。中足胫节具 1 根中下位前腹鬃和 1 根端腹鬃。中足基跗节近基 1 根腹鬃略大。Cs_2: Cs_3 = 0.70。dm 室长宽比为 0.60。平衡棒柄、头淡黄色。雄虫第 5 腹板中后缘略突，其端部具 1 梳状刺列。背针突具长鬃，后腹具 1 根粗壮端刺。阳茎基侧突狭长，端半部弧形前弯。雌虫肛上板 3 色，具 1 对长鬃。第 8 腹板 3 色，具 1 对短鬃，其后 2 个小骨片和 4 根短鬃。肛下板 2 色，具 4 对鬃。受精囊呈轮胎形，囊管几乎等长于囊体。

采集记录：1♂，佛坪岳坝麻家沟，1051m，2013. Ⅶ. 28，蔡云龙采（SYU）；1♂，柞水营盘镇西沟，1051m，2013. Ⅶ. 16，蔡云龙采（SYU）。

分布：陕西（佛坪、柞水）、江西、台湾、海南；古北区，东洋区，非洲热带区，新北区，新热带区，澳洲区。

4. 角脉小粪蝇属 *Coproica* Rondani, 1861

Heteroptera Macquart, 1835: 570 (nec Rafinesque, 1814). **Type species**: *Copromyza pusilla* Fallén, 1820.

Coproica Rondani, 1861: 10 (new name for *Heteroptera* Macquart, 1835). **Type species**: *Limosina acutangula* Zetterstedt, 1847, subsequent designation by ICZN, 1996.

属征：4 或 5 对间额鬃。1 对背中鬃，2 或 3 对腹侧片鬃。小盾片具 2 对小盾缘鬃，整个小盾片上密被短鬃，在小盾端鬃之间总有 1 对小鬃。中足胫节中部具 1 根腹鬃，3 根前背鬃（分别位于基部 1/4、1/2 和 3/4），1 根粗壮后背鬃位于基部 3/4。某些种类后足胫节具 1 根亚端背鬃。雄虫上生殖板通常具 1 对明显的长鬃，有些种类的上生殖板明显不对称；下生殖板侧臂与上生殖板的前侧角愈合；阳茎复合体的基阳体短小，端阳体复杂，阳茎复合体内突棒状，前端下弯。雌虫后腹部不套叠，受精囊 3 个。

分布：世界广布。全世界记载 35 种，中国已知 10 种，秦岭地区分布 2 种。

讨论：其小盾片端部小盾缘鬃之间具 1 对小鬃为该属的明显鉴别特征，可与其他属明显区分。

分种检索表

额褐色。中足胫节 2 根后背鬃。雄虫第 5 腹板中后缘膜质区被小刺。背针突后缘具 1 根粗刺 …………………………………………………………………………………… **韩角脉小粪蝇 *C. coreana***

额褐黑色，下缘红褐色。中足胫节 3 根后背鬃。雄虫第 5 腹板膜质区无明显小刺；背针突仅被长鬃和小刺 ……………………………………………………………………… **红额角脉小粪蝇 *C. rufifrons***

(4) 韩角脉小粪蝇 *Coproica coreana* Papp, 1979

Coproica coreana Papp, 1979a: 98.

鉴别特征：头部为黑褐色，颜为浅黄褐色，触角为黑褐色，触角芒毛长于第 1 鞭节毛。有 4 对等长的间额鬃、1 对背中鬃、2 根下前侧片鬃。足为黄褐色；中足胫节具 4 根前背鬃(1 根长鬃位于基部 7/10，2 根短鬃位于 1/5 和 1/2，1 根最短位于基部 3/20)、2 根后背鬃(1 根短鬃位于基部 1/2，1 根长鬃位于基部 7/20)，中足第 1 跗节具 1 根基腹鬃。Cs_2 略短于 Cs_3。雄虫腹部为黑褐色。第 5 腹板长方形，后部具稀疏短鬃，后缘平截，具被毛突。上生殖板前背侧和后腹侧分别具 1 根明显长鬃；背针突前缘圆形，后缘具 1 个发达的后刺，腹端突起具数根强鬃；后阳茎侧突狭长，后缘波曲状末端渐细，亚端部呈指突状。雌虫未知。

采集记录：1♂，佛坪岳坝，1083m，2013. Ⅶ. 27，蔡云龙采(SYU)。

分布：陕西(佛坪)、浙江、台湾、香港；朝鲜，韩国，日本，巴基斯坦。

(5) 红额角脉小粪蝇 *Coproica rufifrons* Hayashi, 1991

Coproica rufifrons Hayashi, 1991: 237.

鉴别特征：头部、胸部为褐黑色，腹部为褐黑色，足为暗褐色至褐黑色，额前缘带为红褐色。头部单眼后鬃小。4 对几乎等长间额鬃。8 盾沟前中鬃列。2 对腹侧片鬃。中足胫节基半部具 2 对前背鬃和后背鬃，端半部具 1 对前背鬃和后背鬃。中足基跗节近基部具 1 对腹鬃，略长而粗。$Cs_2 : Cs_3 = 0.80$。dm 室比为 1.00。平衡棒棒头、棒柄为淡褐色。雄虫第 5 腹板被短刚毛，后缘膜质。上生殖板具 1 个背侧长鬃。尾须具 1 个长鬃。背针突卵圆形，前 3/4 宽，具后腹内突，后 1/4 狭，短棒状。阳茎基侧突长，“S”形弯曲，中部宽。雌虫受精囊管极长。

采集记录：9♂2♀，华县少华山国家森林公园，675.50m，2013. Ⅶ. 19，蔡云龙采(SYU)；1♂，柞水营盘镇大甘沟小甘沟，1299m，2013. Ⅶ. 15，蔡云龙采(SYU)；1♂，商南金丝峡落花谷，708m，2013. Ⅶ. 24，蔡云龙采(SYU)。

分布:陕西(华县、柞水、商南)、辽宁、河北、山西、台湾、香港、云南；古北区，东洋区，非洲热带区，新北区，澳洲区。

生物学:常见于各种动物的粪便上。

5. 雅小粪蝇属 *Leptocera* Olivier, 1813

Leptocera Olivier, 1813: 489. **Type species**: *Leptocera nigra* Olivier, 1813.

Lotomyia Lioy, 1864: 1116. **Type species**: *Limosina arcuata* Macquart, 1835 [= *Leptocera fontinalis* (Fallén, 1826)].

Paracollinella Duda, 1924: 166 [as subgenus of *Limosina* Macquart, 1835]. **Type species**: *Copromyza fontinalis* Fallén, 1826.

Skottsbergia Enderlein, 1938: 650. **Type species**: *Skottsbergia cultellipennis* Enderlein, 1938.

属征:头部为黑色至褐色，有时额、颜、颊呈褐黄色。颜瘤小至中等大小。3 ~4 对间额鬃。胸部和腹部完全为黑色或褐色，侧板略带黄色。小盾片与中胸背板同色，圆角三角形，有时表面为绒状，通常具4 对小盾缘鬃。5 ~6 对背中鬃，缝前背中鬃较短，8 ~10列中鬃，中间 2 列中鬃通常较粗壮。足为黑褐色至烟褐色。中足转节端部具 1 根粗壮的上弯前腹鬃；中足胫节具亚端腹鬃，无前腹鬃；中足基跗节基部具 1 根强壮的腹鬃。有些种类翅退化，前缘脉不超过 R_{4+5}；Cs_2 长于 Cs_3。翅瓣大，端部较窄。腹部宽，背板宽于腹板。雄虫第 5 腹板大，后中部具 1 膜质区域，密被短毛；第 6 ~7 腹板不对称，部分愈合；第 7 腹板与第 8 腹板部分愈合。雄虫外生殖器上生殖板通常为鞍状，腹侧至少具 1 根发达的长鬃；下生殖板三叉状，前臂发达，后臂与上生殖板的前侧角愈合；背针突分成 2 个部分，靠近但完全分离，前面部分包括延伸向前腹面的突起以及狭长的后叶，后部通常具 1 ~3 根粗壮的鬃，基部通过弱骨化区域与上生殖板愈合；尾须形状多样，总与上生殖板分离；阳茎复合体基阳体小，端阳体大，部分为膜质，后阳茎侧突基部宽，端部锥状。雌虫后腹部较短，端部骤然变尖。

分布:古北区，东洋区，非洲热带区，新北区，新热带区，澳洲区。全世界已知 59 余种，中国记录 14 种，秦岭地区分布 3 种。

讨论:该属与刺足小粪蝇属 *Rachispoda* Lioy 较近似，但颜瘤不发达，中胸背板第 1 对背中鬃后向；后者颜瘤明显突出，中胸背板第 1 对背中鬃内向。

分种检索表

1. 中足胫节具 2 根短的、等长的后端鬃，端半部长背鬃前背鬃长。雄虫第 5 腹板无后瓣。背针突前部具长的毛瓣，后部具粗刺和长的后鬃簇。阳茎基侧突后缘角状弯曲 ………………………… …………………………………………………………………… **溪雅小粪蝇 *L. fontinalis***

中足胫节具1根很长和1根短的后端鬃，端半部长背鬃前背鬃短小。雄虫第5腹板具2个后瓣，上被表皮瘤突。背针突无典型的前毛瓣，后部无粗刺和鬃簇。阳茎基侧突直 ………… 2

2. 背针突前部前部色暗，且仅具中等长的鬃。阳茎背骨片呈“S”形 ……… **黑雅小粪蝇 *L. nigra***

背针突前部前瓣色淡，且腹缘具微毛。阳茎背骨片略呈“一”字形 ……………………………………………………………………………………… **刺突雅小粪蝇 *L. salatigae***

(6)溪雅小粪蝇 *Leptocera fontinalis* (Fallén, 1826)

Copromyza fontinalis Fallén, 1826: 16.

Limosina arcuata Macquart, 1835: 572.

鉴别特征:体色为黑褐色。3对间额鬃。胸部为黑色，被褐色粉。4对小盾缘鬃。5(3+2)对背中鬃。9列缝前中鬃，近中央2列中鬃粗壮(2列粗壮中鬃间还有1列正常中鬃)。足黑褐色，中足胫节基部3/5具1根腹鬃，1根亚端腹鬃。中足第1跗节基部1/5具1根较长的前腹鬃。翅为浅褐色，翅脉为褐色；R_{4+5}端半部明显弯向前缘脉；Cs_2: Cs_3 = 1.70；dm-cu: r-m = 1.70。平衡棒为浅褐色，棒部色浅。雄虫第5腹板矩形，后中部具1骨化弱区，密被微毛。背针突分为2部分，前部的前叶两叉状，腹突较宽，密被微毛，前部的后叶腹面具1排短缘鬃，后端着生1根长鬃，背针突的后叶狭长，向腹面延伸，端部具1根短刺。假尾须末端着生1根端刺；阳茎复合体的阳茎内突短，端阳体背面具1狭长被毛骨片，腹面具微毛。雌虫外部形态与雄虫相似。

采集记录:3♂1♀，佛坪凉风垭，2006. Ⅶ.26，朱雅君采(CAU)。

分布:陕西(佛坪)、西藏；俄罗斯，塔吉克斯坦，乌兹别克斯坦，阿富汗，土耳其，古北区，非洲热带区，新北区，新热带区。

(7)黑雅小粪蝇 *Leptocera nigra* Oliver, 1813

Leptocera nigra Olivier, 1813: 489.

Limosina curvinervis Stenhammar, 1855: 406.

Limosina roralis Rondani, 1880: 37.

鉴别特征:体色为褐黑色，额、颜和颊带为红色。头部单眼后鬃小。4对间额鬃。胸部5(2+3)对背中鬃，2对沟前背中鬃略比胸刚毛长且大。8沟前中鬃列。2对腹侧片鬃。小盾片4对缘鬃。中足胫节具2根端后鬃，其中下端后鬃极长，过中足基跗节腹鬃，其长约是上端后鬃长的3.70倍。中足基跗节基部1/4处具1根腹鬃。翅白色，脉褐色。Cs_2: Cs_3 = 1.30。平衡棒棒柄和棒头为黄白色。雄虫第5腹板中后部膜质，两侧具2个突起，其上被短而密的刺。假尾须似“逗号”，基半部宽，端半部狭长，且端尖。背针突双瓣；内瓣具 4 根长鬃；外瓣大，具 1 根前腹粗鬃。阳茎基侧突长而直，基宽，端狭。

采集记录:2♂2♀，周至观台镇秦岭国家森林公园，721m，2013. Ⅶ. 25，蔡云龙采（SYU）；9♂15♀，华县少华山国家森林公园，675.50m，2013. Ⅶ. 19，蔡云龙采（SYU）；1♂，华县少华山国家森林公园，675.50m，2013. Ⅶ. 20，蔡云龙采（SYU）；4♂3♀，佛坪岳坝，1083m，2013. Ⅶ. 27，蔡云龙采（SYU）；16♂9♀，佛坪岳坝麻家沟，1051m，2013. Ⅶ. 28，蔡云龙采（SYU）；3♂2♀，佛坪凉风垭，1575m，2013. Ⅶ. 30，蔡云龙采（SYU）；1♂，佛坪龙草坪，1185m，2013. Ⅶ. 31，蔡云龙采（SYU）；1♂，柞水营盘镇黄花岭，1935m，2013. Ⅶ. 14，蔡云龙采（SYU）；26♂25♀，柞水营盘镇大甘沟小甘沟，1299m，2013. Ⅶ. 15，蔡云龙采（SYU）；46♂55♀，柞水营盘镇西沟，1197m，2013. Ⅶ. 16，蔡云龙采（SYU）；1♂2♀，山阳天竺山国家森林公园，1807m，2013. Ⅶ. 21，蔡云龙采（SYU）；4♂4♀，商南金丝峡，777m，2013. Ⅶ. 23，蔡云龙采（SYU）；3♀，商南金丝峡落花谷，708m，2013. Ⅶ. 24，蔡云龙采（SYU）。

分布:陕西（周至、华县、佛坪、柞水、山阳、商南）、吉林、辽宁、内蒙古、甘肃、山西、云南；古北区，东洋区，非洲热带区。

（8）刺突雅小粪蝇 *Leptocera salatigae*（de Meijere, 1914）

Limosina salatigae de Meijere, 1914: 269.

Leptocera（*Paracollinella*）*parafulva* Duda, 1925: 54.

Limosina（*Paracollinella*）*saegeri* Vanschuytbroeck, 1959: 74.

鉴别特征:体色为褐色至黑褐色，被褐色粉，略带金属光泽。触角芒毛短。4～5 对背中鬃，缝前 1～2 对较短。8～9 列缝前中鬃。中足胫节具 1 根极长端腹鬃（长于胫节粗度）、5 根前背鬃、3 根后背鬃、1 根后鬃、2 根腹鬃。中足基跗节具 1 根强腹鬃。R_{4+5}明显弯向前缘脉；Cs_2 略长于 Cs_3；dm-cu∶r-m＝3。平衡棒为浅灰色或浅黄色。雄虫第 5 腹板近长方形，后缘半透明区域为三角形，具 2 个明显的后缘指突，密被短刺。背针突分为 2 部分，前部的前叶具扁宽的前腹突，后叶端部具 1 根长鬃。后部较小，具 2 个突起，着生 3～4 根毛；假尾须发达，色深于背针突；后阳茎侧突较直，基半部具 1 个侧叶。雌虫外部形态与雄虫相似。受精囊圆柱状，无刺，尾须毛较短。

采集记录:1♀，佛坪大店子，2006. Ⅶ. 25，朱雅君采（CAU）；2♂3♀，佛坪凉风垭，2006. Ⅶ. 26，朱雅君采（CAU）；1♂，佛坪西沟，2006. Ⅶ. 27，朱雅君采（CAU）；1♂，洋县山王庙，2006. Ⅶ. 30，朱雅君采（CAU）。

分布:陕西（佛坪、洋县）、北京、河北、河南、湖南、台湾、四川、云南；日本，非洲热带区，澳洲区。

6. 索小粪蝇属 *Minilimosina* Roháček, 1983

Minilimosina Roháček, 1983b: 27. **Type species**: *Limosina fungicola* Haliday, 1836.

属征:单眼后鬃小或缺; 2 ~5 对间额鬃, 小, 几乎等长。1 ~2 对背中鬃, 短; 4 ~8 沟前中鬃列; 2 对腹侧片鬃; 中侧片和腹侧片常具亮斑; 小盾片具 2 对缘鬃。中足腿节基半部通常具腹鬃列; 中足胫节中下位前腹鬃缺失, 基半部具 1 根前背鬃, 端半部具 1 根前背鬃、1 根背鬃、1 根后背鬃和 1 根腹端鬃。前缘脉明显过 R_{4+5}; Cs_2 长小于 Cs_3; R_{4+5}略弯向前缘脉或略波状; dm 室短至中等长, 后外角不圆钝; 翅瓣小而狭, 端略尖。雄虫第 5 腹板中后缘具梳状刺列或中后突。上生殖板鬃均短; 下生殖板长度短至长。尾须具长鬃。背针突形状多样。基阳体大, 无前、后阳基背片。阳茎简单, 多骨化。阳茎基侧突狭长, 被小刚毛。射精突存在或缺。雌虫第 6 ~7 背板通常中部短, 弱骨化。第 8 背板长, 3 色。肛上板狭长, 具 2 根背鬃。第 8 腹板小或缺。肛下板大而宽。受精囊泡形、圆柱形或卵圆形。镜状骨片有时存在。尾须长, 具波形长刚毛。

分布:古北区, 东洋区, 非洲热带区, 新北区, 新热带区, 澳洲区。全世界已知 73 种, 中国记录 8 种, 秦岭地区分布 3 种。

分种检索表

1. 1 对背中鬃。雄虫第 5 腹板无刺状鬃。背针突具 1 根短粗刺 ………………………………… **菌索小粪蝇 *M.* (*M.*) *fungicola***
   - 2 对背中鬃。雄虫第 5 腹板具刺状鬃。背针突至少具 2 根短粗刺 ………………………………… 2
2. 体亮黑色。雄虫第 5 腹板中后缘具 6 根刺状鬃, 其后具"T"形突, 被 1 梳状刺列。背针突具 2 根短粗刺 ………………………………… **翼索小粪蝇 *M.* (*S.*) *fanta***
   - 体黑色。雄虫第 5 腹板中后缘 2 根刺状鬃, 其后具矩形突, 被短刺。背针突具 5 根短粗刺 ………………………………… **黄腹索小粪蝇 *M.* (*S.*) *luteola***

(9)翼索小粪蝇 *Minilimosina* (*Svarciella*) *fanta* Roháček *et* Marshall, 1988

Minilimosina (*Svarciella*) *fanta* Roháček *et* Marshall, 1988: 249.

鉴别特征:体色为亮黑色, 触角和芒为红褐色, 足除转节、腿节端、胫节基 1/3 和端、跗节为褐色外, 其余均为亮黑色。头部单眼后鬃缺。2 对几乎等长的间额鬃, 均弱。胸部 2 对沟后背中鬃。8 个不规则盾沟前中鬃列。腹侧片鬃均弱, 但后腹侧片鬃略长。小盾片 2 对缘鬃。中足胫节后背鬃列完全, 且鬃短小。翅和脉为褐色。Cs_2: Cs_3 = 0.90。dm 室比为0.50。平衡棒柄白色, 头部为褐黑色。雄虫第 5 腹板短而狭,其长约等于第4腹板，中后缘具粗鬃，其后具“T”形突，突起后缘两侧具棒状突，分别具2刚毛，棒状突间具1个梳齿状刺列。背针突前内瓣狭长，端指状，中内缘具1根粗刺状鬃，后外瓣侧缘具长鬃，内缘具棒状粗刺。阳茎基侧突狭长。阳茎腹骨片环状。

采集记录:1♂，佛坪龙草坪，1185m，2013.Ⅶ.31，蔡云龙采(SYU)；1♂，柞水营盘镇黄花岭，1935m，2013.Ⅶ.14，蔡云龙采(SYU)。

分布:陕西(佛坪、柞水)、云南；尼泊尔。

(10)菌索小粪蝇 *Minilimosina* (*Minilimosina*) *fungicola* (Haliday, 1836)

Limosina fungicola Haliday, 1836: 330.

Limosina exigua Rondani, 1880: 24.

鉴别特征:体色为黑色，包括触角和芒；额具不明显“M”形斑。头部3对几乎等长间额鬃。1对背中鬃。6个规则盾沟前中鬃列。后腹侧片鬃相对强，前腹侧片鬃似刚毛。小盾片具2对缘鬃。中足腿节基半部具5根后腹鬃，端钩状。中足胫节具腹鬃列，中部5根腹鬃明显。翅为褐色，脉为暗褐色，或 Cs_1 和 Cs_2 为黑色。Cs_2: Cs_3 = 0.90。dm室比为0.50。平衡棒棒柄暗褐色，头为黑色。腹部雄虫第5腹板中后缘半圆形突起，上被短毛。背针突矩形，背缘具鬃列，后背鬃明显长，后背内缘具粗的端刺。阳茎基侧突端钩状。

采集记录:6♂，柞水营盘镇黄花岭，1935m，2013.Ⅶ.14，蔡云龙采(SYU)；1♂，山阳天竺国家森林公园，1807m，2013.Ⅶ.21，蔡云龙采(SYU)。

分布:陕西(柞水、山阳)、吉林、宁夏；古北区，新北区。

(11)黄腹索小粪蝇 *Minilimosina* (*Svarciella*) *luteola* Su, 2011

Minilimosina (*Svarciella*) *luteola* Su, 2011: 185.

鉴别特征:体色为黑色，额具不明显“M”形斑。第1~4腹板为淡褐黄色，第5腹板为褐色，第1~5背板为暗褐色，后腹为黑色。头部单眼后鬃小。3对几乎等长间额鬃，似刚毛。2对背中鬃，均短。8盾沟前中鬃列。前腹、后腹侧片鬃均短。中足腿节基1/6部具2根腹鬃。中足胫节端半部具5根腹鬃，其中腹端鬃略长。翅为淡褐色，脉为褐色；Cs_1 端半部、Cs_2 和 Cs_3 基7/8为黑色。Cs_2: Cs_3 = 0.60。dm室比为0.50。平衡棒头和柄为褐黑色至黑色。雄虫第5腹板中后缘具2根粗刺，其后突起上似具4个刚毛列，其端色暗。背针突双瓣；前侧瓣矩形，中部腹内缘具2根短粗刺，后部腹缘具1根短粗刺；后内瓣三角形，后腹端具1根短粗刺。基阳体大，方形。后阳基侧狭长，亚端具小刚毛。雌虫未知。

采集记录:1♂，佛坪岳坝，1083m，2013.Ⅶ.27，蔡云龙采(SYU)；1♂，柞水营

盘镇西沟，1197m，2013.Ⅶ.16，蔡云龙采（SYU）。

分布：陕西（佛坪、柞水）、云南。

7. 欧小粪蝇属 *Opacifrons* Duda, 1918

Opacifrons Duda, 1918: 22. **Type species**: *Limosina coxata* Stenhammar, 1855.

属征：额前缘通常为红褐色，被粉，具"M"形的不反光区域。3～4 对间额鬃，眶鬃发达。眼后鬃缺。2 对粗壮的缝后背中鬃，下前侧片具 1～2 根较短的前背鬃和 1 根粗壮的后背鬃。雄虫中足胫节具 1 排短粗的腹鬃；雌虫中足胫节仅具略长的亚端鬃。中足第 1 跗节具 1 根粗壮的中腹鬃。后足胫节通常具 1 根短粗的端腹鬃，背面通常具 1 根细长鬃。Cs_2：Cs_3 = 0.80～1.10。平衡棒全部为灰白色或棒部略色深。雄虫第 5 腹板后中部在种间变化大。第 6 腹板简单，窄，黑色。雄虫外生殖器上生殖板具等长鬃；背针突小，无大鬃；肛下板宽，中部通常具 1 根粗大的鬃；下生殖板发育完全；阳茎复合体后阳茎侧突变化较大，基部通常具 1 个明显的后叶，端阳体宽，被微毛，背部大部分骨化较弱。雌虫第 7 背板裸，具金属光泽，中部全部或部分裂开。尾须通常裸，背侧凹，端部具 2 根扁鬃。第 8 腹板缺失或退化；肛下板发达。受精囊 3 个，通常为球状，或近球状，表面光滑或具纹理。

分布：古北区，东洋区，非洲热带区，新北区，新热带区，澳洲区。全世界已知 32 种，中国记录 4 种，秦岭地区分布 2 种，其中 1 个新纪录。

讨论：该属世界广布，通常出现在岸边的石滩等潮湿的碎石上。可通过小盾片具 4 对小盾缘鬃、无缝前背中鬃、中足第 1 跗节具 1 根较长的腹鬃、中足胫节无明显的前腹鬃等特征与其他属区分。该属昆虫外形极为近似，很多种类仅在头部和平衡棒颜色、Cs_2 和 Cs_3 的比值等特征上有细微差距，大部分种类只能通过外生殖器特征加以区分。

分种检索表

雄虫第 5 腹板中后缘具 2 个小突。背针突呈矩形，前腹缘具 1 根粗刺 ………………………………………………………………………………… **偏欧小粪蝇 *O. brevisecunda***

雄虫第 5 腹板中后缘具 1 个大突。背针突呈狭三角形，后缘具 1 根粗刺 ……………………………………………………………………………… **螺欧小粪蝇 *O. pseudimpudica***

(12) 偏欧小粪蝇 *Opacifrons brevisecunda* Papp, 1991 中国新纪录

Opacifrons brevisecunda Papp, 1991: 240.

鉴别特征：身体褐黑色。4 对几乎与间额鬃等长，下缘间额鬃外缘具 1 对小刚毛。

复眼高约是颊高的4.30倍。芒毛长约等于芒基横径的3倍。2对沟后背中鬃。8个不规则盾沟前中鬃列。后腹侧片鬃明显长而粗，前腹侧片鬃似小刚毛。小盾片2对缘鬃，长于背中鬃。中足胫节端2/3具腹鬃列。中足基跗节近基1根腹鬃长。翅褐色，脉暗褐色。Cs_2∶Cs_3 = 0.60。dm室比为0.50。平衡棒头白色，柄褐白色。雄虫第5腹板被短而密的刚毛，中后缘具2个色暗的短而粗的刺状突。背针突矩形，被短刚毛和长鬃，前腹缘具1根短粗刺。阳茎基侧突狭长，弯曲。阳茎具1个向背弯曲的端骨片。

采集记录：1♂，商南金丝峡，777m，2013.Ⅶ.23，蔡云龙采（SYU）。

分布：陕西（商南）；越南，印度，斯里兰卡。

（13）螺欧小粪蝇 *Opacifrons pseudimpudica*（Deeming, 1969）

Leptocera（*Opacifrons*）*pseudimpudica* Deeming, 1969: 57.

鉴别特征：头部黑色，具灰色粉。4对间额鬃，第1对短于其他。触角芒长。胸部黑色。中足胫节前弯，端腹具1簇短鬃；中足第1跗节基部2/3具1根腹鬃。翅透明，Cs_2∶Cs_3 =0.90。雄虫第5腹板上无长鬃，后缘具2个骨化较弱的膜质区域，腹板后侧具1个近长方形的骨片，骨片两侧骨化较强，中部为膜质，骨片后侧具1个色深的突起。上生殖板背侧渐窄；背针突后部向腹面延伸，端部钝圆，具1根向内弯的短粗鬃，前缘近矩形，腹缘被长鬃，亚前端部略凹陷；肛下板宽，端部具长鬃，亚端部具1根短粗刺；后阳茎侧突端部1/3处溢缩，向前钩弯。端阳体较长，被微毛。雌虫外部形态同雄虫相似，尾须端部具2个扁鬃。

采集记录：4♂1♀，周至板房子，2006.Ⅶ.20，朱雅君采（CAU）；5♂2♀，华县少华山国家森林公园，675.5m，2013.Ⅶ.19，蔡云龙采（SYU）；1♂，佛坪东河村，2006.Ⅶ.24，朱雅君采（CAU）；10♂8♀，佛坪凉风垭，2006.Ⅶ.26，朱雅君采（CAU）；6♂3♀，佛坪西沟，2006.Ⅶ.27，朱雅君采（CAU）；1♂，佛坪凉风垭，1575m，2013.Ⅶ.30，蔡云龙采（SYU）；10♂33♀，洋县长青杉树坪，2006.Ⅶ.29，朱雅君采（CAU）；1♀，洋县山王庙，2006.Ⅶ.30，朱雅君采（CAU）；7♂9♀，柞水营盘镇黄花岭，1935m，2013.Ⅶ.14，蔡云龙采（SYU）；8♂7♀，柞水营盘镇大甘沟小甘沟，1299m，2013.Ⅶ.15，蔡云龙采（SYU）；3♂2♀，柞水营盘镇西沟，1197m，2013.Ⅶ.16，蔡云龙采（SYU）。

分布：陕西（周至、华县、佛坪、洋县、柞水）、北京、河北、河南、浙江、福建、台湾、广西、四川、贵州、云南；印度，尼泊尔，斯里兰卡。

8. 腹突小粪蝇属 *Paralimosina* Papp, 1973

Paralimosina Papp, 1973: 385. **Type species**: *Paralimosina kaszabi* Papp, 1973.

Hackmaniella Papp, 1979c: 368. **Type species**: *Hackmaniella ceylanica* Papp, 1979.

Nipponsina Papp, 1982: 347. **Type species**: *Leptocera* (*Nipponsina*) *sexsetosa* Papp, 1982.

属征：单眼后鬃小或缺。3～5 对间额鬃。2 对背中鬃，罕 1 对。8～12 沟前中鬃列。1～2 对腹侧片鬃，前腹侧片鬃小或缺如。2 对小盾片缘鬃。中足腿节基半部通常具腹鬃列；中足胫节具中下位前腹鬃或缺失，若缺失，具前腹鬃列，基半部 2 根前背鬃和 1 根后背鬃，端半部具 1 根前鬃、1 根前背鬃或背鬃和 1 根后背鬃，雄虫端腹鬃小。前缘脉不过 R_{4+5}；R_{4+5}波形，端弯向前缘脉或端几乎直；dm 室宽，具 M_{1+2}和 M_{3+4}脉突；翅瓣小而狭，端尖。雄虫第 5 腹板简单或具典型结构。上生殖板具短鬃；下生殖板中等长，常具腹突。尾须具 1 根长鬃。背针突短，双瓣，后瓣上鬃多于前瓣；基阳体小型至大型。阳茎相对长。阳茎基侧突狭，或多或少弯曲，上被小刚毛。射精突通常存在。雌虫第 7 背板向侧缘伸展；第 8 背板分为 2 侧部。第 8 腹板长，相对狭。肛上板短，具或无 2 根背鬃。肛下板长，前缘内凹，或短而简单。镜状骨片存在。受精囊呈泡状，具短或中等长的骨化管。尾须小，狭，具 2 根波状和 1 根短且略弯曲的刚毛。

分布：古北区，东洋区。全世界已知 36 种，中国记录 3 种，秦岭地区分布 3 种，其中 1 个新种，2 个新纪录种。

分种检索表

1. 中足胫节具前腹鬃列。雄虫第 5 腹板具明显中后突。阳茎基侧突基半部三角形 ……………… 2
   中足胫节无前腹鬃列，仅具中下位前腹鬃。雄虫第 5 腹板简单，无明显中后突。阳茎基侧突基半部方形 …………………………………………………… **粳腹突小粪蝇 *P. japonica***
2. 雄虫第 5 腹板中后突半圆形。尾须鳞状鬃短而粗。背针突无前背突，前缘齿状 ……………… …………………………………………………… **高山腹突小粪蝇 *P. altimontana***
   雄虫第 5 腹板中后突长方形。尾须鳞状鬃长而细。背针突具前背突，但裸 ……………………… …………………………………………………… **弯腹突小粪蝇，新种 *P. curvata* sp. nov.**

(14) 高山腹突小粪蝇 *Paralimosina altimontana* (Roháček, 1977) 中国新纪录

Limosina altimontana Roháček, 1977: 411.

鉴别特征：身体黑色；额下缘红褐色，具“M”形斑；颊前半部和颜下缘暗褐色；触角红褐色。足除转节、跗节褐色外，其余均为褐黑色。单眼后鬃小。3 对间额鬃。2 对盾沟后背中鬃，前背中鬃长约是后背中鬃长的 1/3。具 9 列不规则盾沟前中鬃列。后腹侧片鬃明显长而粗，2 根前腹侧片鬃似刚毛。中足胫节端 2/3 具 1 前腹鬃列，止于略长的腹端鬃。翅褐色，脉暗褐色。$Cs_2 : Cs_3 = 1.00$。dm 室比为 0.40。平衡棒棒柄、棒头均为黄白色。雄虫第 5 腹板被短而密的鬃，中后缘半圆形突起。下生殖板腹突相对细长，端 1/3 向后弯曲，端略尖。尾须具 1 对长鬃，腹缘具 2 对大的鳞状鬃。背针突狭长；前

半部色淡，前腹齿突 3 个；后半部色暗，具腹凹，后腹缘和后端具长刚毛和长鬃，且后端圆钝。基阳体狭长，往端部去向前弯曲。阳茎基侧突基 1/3 宽，端 2/3 狭，略波状弯曲，前缘具小刺。

采集记录：1♂，柞水营盘镇黄花岭，1935m，2013. Ⅶ. 14，蔡云龙采（SYU）。

分布：陕西（柞水）；泰国，尼泊尔，巴基斯坦。

（15）粳腹突小粪蝇 *Paralimosina japonica* Hayashi, 1985 中国新纪录

Paralimosina (*Paralimosina*) *japonica* Hayashi, 1985: 329.

鉴别特征：身体亮黑色，额下缘红褐色，具“M”形斑纹，触角和芒褐黑色，足除转节和跗节褐色外，其余均为亮黑色。头部单眼后鬃小。3 对间额鬃。1 对背中鬃，长而粗，短于小盾片缘鬃。具 10 列不规则盾沟前中鬃列。后腹侧片长而粗，前腹侧片鬃似刚毛。翅褐色，脉暗褐色。Cs_2:Cs_3 =1.10。dm 室比为 0.50。平衡棒柄白色，棒头褐色。雄虫第 5 腹板简单，后缘膜质；中后缘略隆起，但不明显。尾须腹缘具成对的、大的鳞状腹鬃。背针突双瓣，中腹缘凹陷；前瓣色淡，前背突指状，被毛；后瓣色暗，被中等长鬃。基阳体腹端尖，略过阳茎。阳茎基侧突基 1/3 宽，端 2/3 狭长，前中具 1 根短刚毛。

采集记录：2♂，柞水营盘镇黄花岭，1935m，2013. Ⅶ. 14，蔡云龙采（SYU）。

分布：陕西（柞水）；日本，尼泊尔，巴基斯坦。

（16）弯腹突小粪蝇，新种 *Paralimosina curvata* Su *et* Liu, sp. nov.（图 296）

鉴别特征：额具“M”形斑。中足胫节具腹鬃列。雄虫第 5 腹板具小的中后突，第 6 腹板中后膜质，被毛。尾须具 1 对长鬃和 2 对鳞状鬃，鳞状鬃相对长。背针突前背突几乎裸。基阳体强烈弯曲。阳茎基侧突直，端靴形，基半部前缘具短刺。雄虫体长 2.50mm，翅长 2.10mm。头褐黑色，额具“M”形斑纹（单眼三角下缘未融合），额下半部、颜和颊均为红褐色；触角和芒褐黑色。足除转节和跗节暗褐色外，其余均为褐黑色。腹褐黑色。平衡棒柄白色，棒头褐色。头部单眼后鬃小。3 对间额鬃，上部 2 对间额鬃长而粗，且几乎等长，下部 1 对间额鬃短而细，其外缘具 2 根小鬃。复眼高约是颊高的 1.50 倍。芒毛长约等于芒基横径的 2.50 倍。1 根长颊鬃，2 根颊刚毛。胸部 1 对背中鬃，长而粗。具 8 列不规则盾沟前中鬃列。后腹侧片长而粗，前腹侧片鬃似刚毛。小盾片具 2 对缘鬃。中足腿节具 1 列后腹刚毛状鬃列。中足胫节端部 2/3 处具 1 列前腹鬃列；基半部具 2～3 根前背鬃、1 根后背鬃；端半部 1 根前背鬃、1 根背鬃、1 根后背鬃。翅褐色，脉暗褐色。Cs_1 具带疏的短鬃列。前缘脉不过 R_{4+5}；Cs_2: Cs_3 =0.90。dm 室比为 0.50。R_{2+3} 呈“S”形弯曲；R_{4+5} 波状弯曲，端直。臀脉长，波状弯曲。翅瓣小而狭，端圆钝。雄虫腹部第 5 腹板被密的短刚毛，后缘膜

质，中后缘略呈长方形隆起。上生殖板被密的短刚毛。亚肛片具 1 对长鬃；腹缘具 2 对相对长而细的鳞状鬃(1 根长，1 根短)，中下缘具 1 对月形结构。背针突双瓣；前瓣宽，色淡，前背突短，略尖；后瓣狭，色暗，端和腹被长鬃，后中被短毛。基阳体狭长，往端去向前弯。阳茎基侧突狭长，直，端靴形，前缘具 4 根刚毛。阳茎端背骨片鞭状。雌虫未知。

采集记录：1♂(正模)，佛坪凉风垭，1575m，2013. Ⅶ. 30，蔡云龙采(SYU)。

分布：陕西(佛坪)。

讨论：在中足胫节腹鬃列、第 5 腹板中后突、第 6 腹板中后被毛的膜质部、尾须长鬃和成对鳞状长鬃、阳茎基侧突形状等特征，该新种与 *Paralimosina confusa* Hayashi, 1994 非常相似，但本新种背针突形状、基阳体强烈弯曲、下生殖板腹突形状、阳茎基侧突直、尾须鳞状鬃长、2 对腹侧片鬃等特征与后者完全不同。

种名词源：新种名意指雄虫基阳体明显弯曲，其腹端强烈前弯。

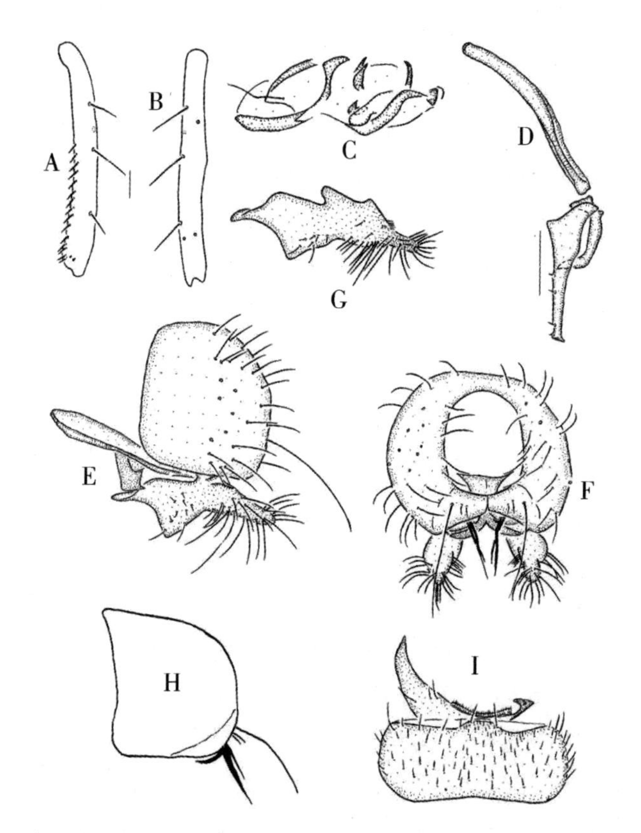

图 296 弯腹突小粪蝇，新种 *Paralimosina curvata* Su *et* Liu, sp. nov. (雄性)

A. 中足胫节前面观(mid tibia, anterior view)；B. 中足胫节背面观(mid tibia, dorsal view)；C, D. 阳茎复合体侧面观(aedeagal complex, lateral view)；E, H. 外生殖器侧面观(genitalia excluding aedeagal complex, lateral view)；F. 外生殖器后面观(genitalia, caudal view)；G. 背针突侧面观(surstylus, lateral view)；I. 第 5、6 腹板(sternites 5 and 6)

9. 刺胫小粪蝇属 *Phthitia* Enderlein, 1938

Phthitia Enderlein, 1938: 650. **Type species**: *Phthitia venosa* Enderlein, 1938.

Pterodrepana Enderlein, 1938: 651. **Type species**: *Pterodrepana selkirki* Enderlein, 1938.

Aubertinia Richards, 1951: 838. **Type species**: *Aubertinia sanctaehelenae* Richards, 1951.

属征:单眼后鬃小或缺。3~4 对间额鬃，最下 1 对间额鬃短。2(罕 3)+3 对背中鬃。6~8 沟前中鬃列。2 对小盾缘鬃。2 对腹侧片鬃，前腹侧片鬃小。雄虫中足腿节基部具腹鬃列；中足胫节具腹短刺列，腹端鬃短。前缘脉不过或略过 R_{4+5}；Cs_1 前缘脉具长具略疏的刚毛；R_{4+5}波形，或略弯向前缘脉，或几乎直；dm 室宽，前外钝角；翅瓣小而狭。雄虫第 5 腹板后缘具被饰。上生殖板具或无背侧长鬃。下生殖板大。尾须大，通常具腹突。背针突复杂，双瓣。基阳体短而粗，腹略突。阳茎膜质。阳茎基侧突狭，端尖，外缘具小刚毛。射精突小或缺。第 10 腹板通常存在。雌虫中足胫节具中下位前腹鬃，腹端鬃长。第 8 背板背中膜质，或分为 2 侧部。第 7 腹板大而长。第 8 腹板小至1~3个小骨片。肛上板短，有时与尾须融合。肛下板短，靴形，或长，具深前凹，或为复杂 3 色。受精囊球形，卵形，圆柱形至梨形，具短骨化囊管。尾须短而粗，有时与肛上板融合，具 1~2 根短刚毛，或短鬃。

分布:古北区，东洋区，非洲热带区，新北区，新热带区，澳洲区。全世界已知 51 种，中国记录 9 种，秦岭地区分布 2 种，其中 1 个为新纪录。

分种检索表

雄虫第 5 腹板中后缘内凹，呈“U”形，后缘骨化，仅具小刚毛。背针突前外瓣后缘具鬃 …………………… **长指刺胫小粪蝇 *P. longidigita***

雄虫第 5 腹板中后缘具小的三角突，具明显的小刺。背针突前外瓣腹端具鬃 …………………… **指鬃刺胫小粪蝇 *P. digiseta***

(17) 指鬃刺胫小粪蝇 *Phthitia digiseta* Marshall, 1992 中国新纪录

Phthitia digiseta Marshall, 1992: 28.

鉴别特征:身体褐黑色，额有“M”形斑，但不明显。单眼后鬃小。间额鬃 4 个。0+3对背中鬃。具 6 列规则盾沟前中鬃列。中足腿节基 1/4 具前腹和后腹鬃列。中足胫节端 1/4 具前腹和后腹鬃列，1 根极长端后鬃，过中足基跗节基 1/6 处腹鬃。翅淡褐色，脉褐色。Cs_2:Cs_3 = 1.10。dm 室比为0.40。平衡棒柄、棒头淡褐色。雄虫第 5 腹板短，其长约是第4 腹板长的1/2；后缘膜质，其中后缘具1 个三角形突起，上被小刺。背针突前内瓣长，端指状；中腹缘有 1 个狭的、端平截的突起，其端具 1 根长

鬃；后外瓣呈宽三角形，色淡，其后腹端有1个内突，内突上还有1个小的突起，其端具2根小鬃。基阳体矩形。雌虫中足腿节无腹鬃列。中足胫节腹端鬃长，无腹鬃列。

采集记录:2♂1♀，柞水营盘镇黄花岭，1935m，2013. Ⅶ. 14，蔡云龙采(SYU)；2♂，柞水营盘镇大甘沟小甘沟，1299m，2013. Ⅶ. 15，蔡云龙采(SYU)。

分布:陕西(柞水)；加拿大。

(18)长指刺胫小粪蝇 *Phthitia longidigita* Su, 2011

Phthitia longidigita Su, 2011: 89, 195.

鉴别特征:身体褐黑色。头部单眼后鬃小。间额鬃4个。背中鬃3个。具8列规则盾沟前中鬃列。后腹侧片鬃明显长而粗，前腹侧片鬃短而细。小盾片缘鬃4个。中足腿节基1/4具前腹和后腹鬃列。中足胫节前腹鬃列完全和端1/4具后腹鬃列，端后鬃1个，长，过中足基跗节基1/6处腹鬃。翅淡褐色，脉褐色。前缘脉不过 R_{4+5}；Cs_2: Cs_3 = 1.20。dm室比为0.50。平衡棒柄白色，棒头暗褐色。雄虫第5腹板后侧部被相对长的刚毛，中后缘色深，骨化，呈"U"形。尾须腹缘鬃长而密。第10腹板呈弯月形，色暗。背针突双瓣；前内瓣长，前外瓣指状，端后缘2/3具4个鬃；后外瓣圆形，后缘具2个长鬃，后内瓣腹缘具1根粗刺。

采集记录:1♂，柞水营盘镇黄花岭，1935m，2013. Ⅶ. 14，蔡云龙采(SYU)。

分布:陕西(柞水)、辽宁。

10. 星小粪蝇属 *Poecilosomella* Duda, 1925

Poecilosomella Duda, 1925: 78. **Type species**: *Copromyza punctipennis* Wiedemann, 1824.

属征:头部黄褐色至黑褐色，通常具银斑。颜具2个褐色侧斑；额眼眶、额中条、中单眼前端的中线，以及鬃基部和单眼三角区后部区域具银粉。触角黄色至黑褐色，触角芒长，触角芒毛中等长度，有些种类极长(为触角芒基部的5倍)。2~5对间额鬃，2对眶鬃，等长或前眶鬃短。胸部经常具白色或黄色的斑点。中胸背板通常具不连续的银斑，肩鬃根部具银斑。2对背中鬃，2根下前侧片鬃。足通常具明显的斑点，有些种类前足跗节为白色。翅具斑点，R_{2+3}端部骤然向前缘脉弯曲，有时具 R_3 支脉，CuA_2 存在但色浅。腹部黑褐色。第5腹板变化多样，内侧通常具发达的膜质结构。雄虫外生殖器上生殖板与尾须愈合，两侧尾须在中部愈合，通常密被柔毛；下生殖板简单；背针突通常分为2叶，具有很多鬃和毛；阳茎复合体基阳体短，端阳体发达，大部分为膜质，其端部通常具1个线状突起。

分布:古北区，东洋区，非洲热带区，新北区，新热带区，澳洲区。全世界已知

63 种，中国记录 23 种，秦岭地区分布 3 种。

分种检索表

1. Cs_2 长至少是 Cs_3 的 1.50 倍。小盾片具大的红褐色斑。雄虫上生殖板具 2 根长鬃 …………………………………………………………………………… **长肋星小粪蝇 *P. longinervis***
   Cs_2 长几乎等于或短于 Cs_3。小盾片无明显色斑。雄虫上生殖板具 1 根长鬃 ……………… 2
2. 雄虫第 5 腹板中后缘具小的半圆形突，端具微毛。阳茎基侧突宽；背针突外瓣具 2 ~ 3 根刺状长鬃；亚肛片无明显腹突 ……………………………………… **双刺星小粪蝇 *P. biseta***
   雄虫第 5 腹板无中后突，中部色暗。阳茎基侧突相对狭；背针突外瓣仅具长鬃和短刚毛；亚肛片具腹突 ……………………………………………………… **尼星小粪蝇 *P. nepalensis***

(19) 双刺星小粪蝇 *Poecilosomella biseta* Dong, Yang *et* Hayashi, 2006

Poecilosomella biseta Dong, Yang *et* Hayashi, 2006: 650.

鉴别特征: 头暗褐色，包括颊、触角和芒，被银色斑。胸黑色，被 3 条银色线。腹黑色。前足基节、转节、腿节、胫节基半部中位至亚端及第 4 ~ 5 跗节黑色，中足胫节端、第 1 ~ 3 跗节褐色，其余均为黑色；后足胫节基半部和端、跗节 3 褐色，其余均为黑色。3 对小单眼后鬃。3 对间额鬃。具 10 列不规则盾沟前中鬃列。中足腿节无腹鬃列。翅褐色，脉褐色，但 Cs_1 基半部、横脉、R_1 基半部和端、Cs_2 基、R_{2+3} 和 R_{4+5} 分叉处、R_{2+3} 端周围均为褐黑色。Cs_2: Cs_3 = 0.90。dm 室比为 1。平衡棒头黑色，柄淡褐色。雄虫第 5 腹板不对称，中后突被小刚毛。背针突双瓣；外瓣腹缘被长鬃，后具内凹；1 根内瓣腹端粗刺，侧缘具 2 或 3 根长而粗刺状鬃。阳茎基侧突大，前缘和侧缘被小刚毛，后缘被小刺。

采集记录: 1♂，华县少华山国家森林公园，675.5m，2013. Ⅶ. 19，蔡云龙采(SYU)；1♂，柞水营盘镇大甘沟小甘沟，1299m，2013. Ⅶ. 15，蔡云龙采(SYU)；2♂ 1♀，柞水营盘镇南坡西沟，1197m，2013. Ⅶ. 16，蔡云龙采(SYU)。

分布: 陕西(华县、柞水)、山西、浙江、江西、广东、贵州。

(20) 长肋星小粪蝇 *Poecilosomella longinervis* (Duda, 1925)

Leptocera (*Poecilosomella*) *longinervis* Duda, 1925: 103.

鉴别特征: 头部黑褐色，具银斑。额浅红褐色，眼眶、额中条、中单眼前端的中线，以及鬃基部和单眼三角区后部区域具银粉。3 对等长间额鬃。胸部黑色。中胸背板具 5 列不连续的银斑，肩鬃根部具银斑。小盾片具 3 列银斑，小盾缘鬃根部具 2 个明显的大黄斑。足黑色，腿节基部、胫节的基部，基部 1/4 至 1/2 和端部 1/8 为黄色。跗节黄色；前足第1跗节基部1/2为浅褐色，全部第4、5跗节为褐黑色；中足第4、5跗节为浅黑色；后足第1、2跗节明显加粗(与胫节等粗)，黑色，第2跗节端部色浅，全部第4、5跗节为浅黑色。中足腿节端半部具1列4根前背鬃，1根短粗的亚端部后背鬃；后足腿节基部具1根长的直立前腹鬃。翅为浅褐色，R_1 基部和亚端部、Cs_2 基部、R_{2+3} 和 R_{4+5} 交叉处、R_{2+3} 端部具黑斑；翅脉为浅黄褐色；R_{2+3} 无支脉；R_{2+3} 呈钝角形弯向前缘脉。平衡棒褐色，基部和棒部前背表面为白色。腹部为黑褐色。第5腹板不对称，后缘略凹，密被细毛。尾须发达，呈叶状，腹端略向内钩弯，且被细毛；背针突近方形，中部腹端具1根粗刺。雌虫外部形态与雄虫相似。

采集记录:1♀，佛坪凉风垭，2006. Ⅶ.26，朱雅君采(CAU)；1♂1♀，柞水营盘镇黄花岭，1935m，2013. Ⅶ.14，蔡云龙采(SYU)。

分布:陕西(佛坪、柞水)、浙江、湖北、福建、台湾、广东、四川、贵州、云南、西藏；缅甸，印度，尼泊尔，巴基斯坦，马来西亚。

讨论:该种翅 Cs_2 明显长于 Cs_3，且小盾缘鬃基部具2个大黄斑，可明显与该属其他种类区分。

(21)尼星小粪蝇 *Poecilosomella nepalensis* (Deeming, 1969)

Leptocera (*Poecilosomella*) *nepalensis* Deeming, 1969: 63.

鉴别特征:头部黑褐色，具银斑，颜具2块黄色侧斑，额前缘浅黄褐色，颊黄褐色。2对粗壮间额鬃，前缘具1对极小的鬃，2对等长强眶鬃。胸部黑色。中胸背板具5列不连续的银斑，肩鬃根部具银斑。小盾片具3列银斑，小盾缘鬃根部具银斑。足黑褐色。胫节的基部和端部黄色；跗节黑褐色；前足第1跗节端部1/2以及第2~3跗节黄色，中足第3~4跗节色略浅，后足第1~2胫节端部1/3以及第3跗节黄色。翅烟褐色，肩横脉、R_1 端部、Cs_2 基部、R_{2+3} 和 R_{4+5} 交叉处、R_{2+3} 和端部具黑斑，r-m 后侧以及 dm-cu 的两端具白斑；翅脉浅黄褐色；R_{2+3} 具支脉；R_{2+3} 呈直角形弯向前缘脉。平衡棒白色，棒部前背表面褐色。腹部黑褐色。第5腹板不对称，后缘具1个扁圆毛状突起。肛下板腹端具1个端部膨大的透明小突起；背针突复杂，背侧具数根后向的长鬃，分为内叶和外叶，内叶向前端钩弯，端部具1个末端膨大的短鬃，外叶分为两叶，前叶端部钝圆，密被细鬃，后叶狭长；后阳茎侧突中部弯曲，端部略窄。雌虫外形特征同雄虫。

采集记录:1♂，佛坪凉风垭，1575m，2013. Ⅶ.30，蔡云龙采(SYU)；1♂，洋县长春杉树坪，2006. Ⅶ.29，朱雅君采(CAU)。

分布:陕西(佛坪、洋县)、广西、四川、云南；印度，尼泊尔，巴基斯坦。

讨论:该种与环胫小粪蝇 *Poecilosomella annulitibia* (Deeming)很相似，但本种中足跗节前鬃更靠近基部粗壮的前背鬃，而后者前鬃位于2根粗壮的前背鬃之间。

11. 伪丘小粪蝇属 *Pseudocollinella* Duda, 1924

Pseudocollinella Duda, 1924: 166. **Type species**: *Limosina septentrionalis* Stenhammar, 1855.

Spinotarsella Richards, 1929: 173. **Type species**: *Limosina humida* Haliday, 1836.

属征:身体褐色至黑色，通常被厚粉。3～4 对间额鬃，后顶鬃缺失，触角芒短。3(1+2)对背中鬃，6 列缝前中鬃，小盾片具 2 对小盾缘鬃。中足胫节具 5 根长背鬃。雄虫中足胫节端部具粗壮的腹鬃；雌虫中足胫节具 1 根中腹鬃，1 根长的亚端腹鬃。中足第 1 跗节基半部具 1 根腹鬃。翅较长，Cs_2 大于或等于 Cs_3 长度。平衡棒灰褐色至奶白色，基部通常色深于棒部。雄虫外生殖器的上生殖板具 1 个侧骨片，盖住背针突的后部；背针突分为 2 叶；端阳体密被毛，端部膜质，通常退化。雌虫第 8 背板背面 2 裂，向腹面延伸。第 8 腹板退化，通常具 4 根鬃，尾须具毛状鬃或 1 根粗壮端鬃。

分布:古北区，东洋区，非洲热带区，新北区，新热带区，澳洲区。全世界已知 22 种，中国仅知 1 种，秦岭地区有分布，为中国新纪录种。

(22)鞍伪丘小粪蝇 *Pseudocollinella jorlii* (Carles-Tolrá, 1990)中国新纪录

Opacifrons jorlii Carles-Tolrá, 1990: 40.

鉴别特征:头部黑褐色，被褐色粉。额前缘略呈红褐色，颜和颊被厚重灰白色粉，与额形成明显对比，颜瘤明显。3 对等长间额鬃。胸部黑色。3(1+2)对背中鬃，5 列缝前中鬃，其中 1 对加粗，1 根下前侧片鬃。足黑褐色，前足基节和转节、中足基节和转节、跗节基部和端部黄色，第 1 跗节黄褐色。翅浅褐色，翅脉褐色，前缘脉颜色较深；$Cs_2 = Cs_3$；dm-cu: r-m = 1.20。平衡棒浅黄褐色。腹部黑褐色。第 5 腹板长方形，被稀疏短鬃。尾须前部的上生殖板向腹面延伸形成 1 个宽大的骨片，端部尖，具数根长鬃；下生殖板短；背针突分为 2 叶，前叶扁平，近三角形，前端渐细，后叶狭长，向腹面延伸，端部着生数根短鬃；端阳体几乎全部为膜质，腹面骨化稍强；后阳茎侧突呈倒“F”形。雌虫外部形态与雄虫近似。

采集记录:1♂，佛坪大店子，2006. Ⅶ. 25，朱雅君采(CAU)；4♀，佛坪凉风垭，2006. Ⅶ. 26，朱雅君采(CAU)；17♂21♀，洋县长青杉树坪，2006. Ⅶ. 29，朱雅君采(CAU)。

分布:陕西(佛坪、洋县)、北京、河北、河南、四川、贵州、云南，欧洲。

讨论:该种与 *Pseudocollinella humida* (Haliday)较近似，但该种中足胫节端部后背鬃短于同一位置的前背鬃，后阳茎侧突呈倒“F”形，而后者中足胫节端部的后背鬃和同一位置的前背鬃等长，后阳茎侧突直。

12．方小粪蝇属 *Pullimosina* Roháček，1983

Pullimosina Roháček，1983b：98．**Type species**：*Limosina heteroneura* Haliday，1836.

属征：3～4 对间额鬃，中部间额鬃长而大。后顶鬃小或缺失。1～2 对背中鬃，6 沟前中鬃列，小盾片具 2 对缘鬃。雄虫中足胫节具 1 根前腹鬃或缺失，基半部具 2 根前背鬃，端半部具 1 根前背鬃、1 根背鬃、1 根后背鬃和 1 根端腹鬃。前缘脉不过 R_{4+5}，R_{4+5}波形，端弯向 C 脉端几乎直。dm 室宽。翅瓣小而狭，端尖。雄虫第 5 腹板形状多变。上生殖板具 1 对长背侧鬃。下生殖板中等长。尾须具长鬃。背针突简单，方形、三角形或椭圆形，外缘具长鬃。基阳体粗，无后阳基背片。阳茎骨化。阳茎基侧突相对短，被小刚毛。射精突小或缺失。雌虫中足胫节具 1 根中下位前腹鬃。第 8 背板 3 色。第 8 腹板宽大，与肛下板之间具 1～2 个骨片。肛上板短，具 2 根背鬃。肛下板短，或多或少呈镰刀形。镜状骨片存在。受精囊轮胎形或圆盘形。尾须相对短，具2～3根长波形刚毛。

分布：古北区，东洋区，非洲热带区，新北区，新热带区，澳洲区。全世界已知 28 种，中国记录 4 种，秦岭地区分布 2 种。

分种检索表

Cs_2 长小于 Cs_3；R_{2+3}略直。雄虫第 5 腹板中后具 3～4 根粗刺，间距约是第 5 腹板后缘宽的 1/6。背针突前侧缘具锥形短突，前背具长突 ………………………………………… **锥方小粪蝇 *P. meta***

Cs_2 长大于 Cs_3；R_{2+3}明显弯向前缘脉。雄虫第 5 腹板中后具 1～2 根粗刺，间距约是第 5 腹板后缘宽的 1/4。背针突侧缘仅具长鬃，前背无长突 ……………………… **叉方小粪蝇 *P. vulgesta***

(23) 锥方小粪蝇 *Pullimosina meta* Su，2011

Pullimosina meta Su，2011：93.

鉴别特征：体色褐黑色，包括触角和芒；足转节、跗节暗褐色外，其余均为褐黑色。头部单眼后鬃小。间额鬃 3 根，中间额鬃长。背中鬃 2 根。中鬃列 8 列。后腹侧片鬃强，前腹侧片鬃弱。中足胫节基半部前背鬃 1 根；端半部前背鬃 1 根，背鬃 1 根，后背鬃 1 根，前背鬃长略大于后背鬃；端腹鬃 1 根，且短小。翅淡褐色，脉褐色。Cs_2∶Cs_3 =0.80。dm 室比为 1.30。平衡棒柄白色，棒头褐色。雄虫第 5 腹板中后部膜质，膜质区后缘一侧具 4 个锥状突，一侧具 3 个锥状突。上生殖板具 1 根长背侧鬃。尾须具 1 根中等长鬃。背针突 3 瓣；侧瓣被密而长的鬃和 1 个前锥形突；前背瓣短，相对细；腹瓣短而粗。阳茎前背被齿突。阳茎基侧突基宽，端狭，端具小刚毛。

采集记录: 1♂，佛坪凉风垭，1575m，2013. Ⅶ.30，蔡云龙采(SYU)。

分布: 陕西(佛坪)、宁夏、江西、云南。

(24)叉方小粪蝇 *Pullimosina vulgesta* Roháček, 2001

Pullimosina moesta: Roháček, 1986: 149 (nec Villeneuve, 1918).

Pullimosina (*Pullimosina*) *vulgesta* Roháček, 2001: 474 (new name for *Pullimosina moesta* Roháček, 1986).

鉴别特征: 头部、胸部和足褐黑色，包括触角和芒；前腹 1+2 合腹板淡黄色，其余为褐黑色，后腹黑色。头部单眼后鬃小。间额鬃 3 根。背中鬃 2 根，盾沟后背中鬃短。中鬃列 6 列。后腹侧片鬃强，前腹侧片鬃弱。翅淡褐色，脉褐色。前缘脉明显过 R_{4+5}；Cs_2: Cs_3 = 1.20。dm 室比为 1.70。平衡棒柄黄白色，头褐黑色。翅瓣狭长。雄虫第 5 腹板中后部膜质，膜质区后缘一侧具 1 个锥状突，一侧具 1~2 个锥状突。背针突侧缘具密而长鬃，具 1 后腹端突。阳茎基侧突基半部宽，端半部狭。阳茎复杂，具 2 个大的端带瘤突骨片，其间具 1 个小的端二叉状骨片。

采集记录: 2♂，华县少华山国家森林公园，1197m，2013. Ⅶ. 19，蔡云龙采(SYU)；1♂1♀，佛坪岳坝麻家沟，1051m，2013. Ⅶ. 28，蔡云龙采(SYU)；5♂2♀，佛坪凉风垭，1575m，2013. Ⅶ. 30，蔡云龙采(SYU)；3♂，柞水营盘镇黄花岭，1935m，2013. Ⅶ. 14，蔡云龙采(SYU)；3♂，柞水营盘镇南坡西沟，1197m，2013. Ⅶ. 16，蔡云龙采(SYU)；1♂，山阳天竺山国家森林公园，1807m，2013. Ⅶ. 21，蔡云龙采(SYU)；1♂，商南金丝峡，777m，2013. Ⅶ. 23，蔡云龙采(SYU)。

分布: 陕西(华县、佛坪、柞水、山阳、商南)、吉林、宁夏、江西、四川、云南；尼泊尔，古北区。

13. 刺足小粪蝇属 *Rachispoda* Lioy, 1864

Rachispoda Lioy, 1864: 1116. **Type species**: *Copromyza limosa* Fallén, 1820.

Collinella Duda, 1918: 13, 27. **Type species**: *Limosina Halidayi* Collin, 1902 [= *Rachispodavaricornis* (Strobl, 1900)].

Collinellula Strand, 1928: 49. **Type species**: *Limosina halidayi* Collin, 1902 [= *Rachispoda varicornis* (Strobl, 1900)].

Colluta Strand, 1932: 120. **Type species**: *Limosina Zernyi* Duda, 1924 [= *Rachispoda acrosticalis* (Becker, 1903)].

Rachispodina Enderlein, 1936: 173. **Type species**: *Borborus fuscipennis* Haliday, 1833.

属征: 头部通常为黑色，被粉。3~5 对间额鬃，2 对眶鬃。颜具 1 个明显的颜瘤。胸部黄褐色至黑色。4~6 对背中鬃(1~3 对位于缝前)，第 1 对背中鬃总是内向，通常交叉；6~12 列缝前中鬃，第 1 根长于其他。小盾片具至少 3 对小盾缘鬃，通常具

1 对长的亚端缘鬃和其他一些额外的鬃。下前侧片具 2 根后背鬃，第 1 根明显退化。中足转节具 2 根亚端腹鬃，第 1 根弱化。中足胫节基部 1/3 具 3 根前背鬃，2 根后背鬃，2 根背鬃，1 根后背鬃，1 根亚端腹鬃；后足胫节具 1 排 4 ~ 7 根前背鬃和 4 ~ 7 根后背鬃。中足第 1 跗节具 1 根中腹鬃。翅透明，有些种类色深。前缘脉终止与近翅端，略超过 R_{4+5}；R_{4+5}明显弯向前缘脉。翅瓣窄。平衡棒黄色或褐色。雄虫第 5 腹板后中部通常具刺或特化的骨片。第 6 + 7 合腹板与第 8 腹板部分接合但未愈合。第 8 腹板与上生殖板部分接合但未愈合。上生殖板具稀疏长鬃，后腹部鬃渐密，上生殖板的侧后腹部同长具 1 个腹叶；下生殖板背视为"Y"状，下生殖板侧臂与上生殖板的前侧角愈合；肛下板较大；尾须与上生殖板后腹部愈合；背针突完全分为前后 2 叶，通常具 1 中叶，着生在后叶的背中部，延伸至前腹部位于前叶和后阳茎侧突之间；阳茎复合体阳茎内突长，棒状；后阳茎侧突长大于宽，弯曲，通常被细毛；端阳体大部分为膜质，前腹端密被小刺；阳茎基骨片小，前端膨大为小的球形。雌虫后腹部短，不套叠。第 8 背板中裂为 1 个侧骨片；第 8 腹板色浅；肛上板通常被毛，具 2 ~ 4 根鬃；肛下板大，具成簇的短粗后侧鬃；尾须扁，宽大于长。受精囊 3 个。

分布：古北区，东洋区，非洲热带区，新北区，新热带区，澳洲区。全世界已知 160 种，中国记录 12 种，秦岭地区分布 3 种，其中 1 个新纪录。

讨论：该属具明显的颜瘤，第 1 对缝前背中鬃粗壮，内向，至少 3 对小盾缘鬃，可与小粪蝇亚科的其他鬃明显区分。该属是小粪蝇亚科中最大的属。刺足小粪蝇科昆虫主要生活在潮湿的富含腐殖质的环境中，如池塘、河边、沼泽和泥炭地。

分种检索表

1. 翅、足具色斑；中足胫节端半部后背鬃短。5 对小盾片缘鬃。雄虫背针突前瓣三角形，后瓣膜质……………………………………………… **斑翅刺足小粪蝇 *R. subtinctipennis***
   翅、足无色斑；中足胫节端半部后背鬃长。4 对小盾片缘鬃。雄虫背针突前瓣长矩形，后瓣明显骨化 ………………………………………………………………… 2
2. 后足转节具腹短刺簇。雄虫第 5 腹板后中凹宽，其两侧具微毛或长鬃。背针突前瓣腹缘无粗刺；假尾须相对大……………………………… **短突刺足小粪蝇 *R. breviprominens***
   后足转节仅具稀疏的刚毛。雄虫第 5 腹板后中凹狭，其两侧具粗刺。背针突前瓣腹缘具 2 根粗刺，其中 1 根内弯；假尾须很小……………………… **凹缘刺足小粪蝇 *R. excavata***

(25) 短突刺足小粪蝇 *Rachispoda breviprominens* Su, 2011

Rachispoda breviprominens Su, 2011: 97.

鉴别特征：体色除足跗节褐黑色外，其余均为黑色。头部单眼后鬃大。4 对间额鬃。触角间颜瘤明显隆起。胸部 5(3 +2) 对背中鬃。8 列规则盾沟前中鬃列。2 对腹侧片鬃。中足基跗节基 1/3 处具 1 根大的腹鬃。后足转节具腹鬃簇。翅淡褐色，脉褐色。Cs_2:Cs_3 = 1.80。dm 室比为 0.30。平衡棒柄、棒头黄白色。雄虫第 5 腹板中后部膜质。上生殖板被长而密鬃。尾须被长而密鬃；尾须黑色，长，腹端向后弯曲。背针突前瓣大，黑色，卵圆形，中背部有 1 个小的三角形突起；后瓣基半部宽，端半部棒状，其端具 1 根小刺和短鬃。阳茎基侧突长，中部宽，呈"S"形弯曲。

采集记录:13♂15♀，周至观台镇秦岭国家森林公园，721m，2013. Ⅶ.25，蔡云龙采(SYU)；19♂18♀，华县少华山国家森林公园，675.50m，2013. Ⅶ.19，蔡云龙采(SYU)；1♂，华县少华山国家森林公园，675.50m，2013. Ⅶ.20，蔡云龙采(SYU)；3♂1♀,佛坪岳坝麻家沟，1051m，2013. Ⅶ.28，蔡云龙采(SYU)；3♂2♀，佛坪凉风垭，1051m，2013. Ⅶ.30，蔡云龙采(SYU)；1♂，柞水营盘镇黄花岭，1935m，2013. Ⅶ.14，蔡云龙采(SYU)；16♂15♀，柞水营盘镇大甘沟小甘沟，1299m，2013. Ⅶ.15，蔡云龙采(SYU)；2♂3♀，柞水营盘镇南坡西沟，1197m，2013. Ⅶ.16，蔡云龙采(SYU)；4♂5♀，山阳县天竺国家森林公园，1807m，2013. Ⅶ.21，蔡云龙采(SYU)。

分布:陕西(周至、华县、佛坪、柞水、山阳)、宁夏。

(26)凹缘刺足小粪蝇 *Rachispoda excavata* (Papp, 1979) 中国新纪录

Leptocera (*Rachispoda*) *excavata* Papp, 1979b: 226.

鉴别特征:头部、胸部黑色，被灰褐色粉。额前缘红褐色，略带金属光泽，具"M"形黑色暗斑，颊黑色，被锈色粉。4 对间额鬃。5(2+3)对背中鬃，8 列缝前中鬃。足黑褐色，跗节色浅。翅烟褐色，翅脉黄褐色，R_{4+5}直，中部略前弯；Cs_2:Cs_3 = 1.20~1.60；dm-cu:r-m = 2.40~2.80。平衡棒浅褐色，棒部色浅。腹部黑褐色，具灰褐色粉。第 5 腹板后部变窄，中部具 1 个明显的深凹，深凹的边缘着生 2 簇 6 根粗鬃，及 1 对膜质的半透明被毛突起。肛下板膜质；背针突复杂，前部延长，长方形，腹缘具 2 根粗鬃，其中 1 根弯向内侧，后部狭长，前缘基部 1/3 具 1 根长鬃，端部着生数根小鬃；后阳茎侧突端部狭长，前缘着生数根鬃。雌虫外部形态与雄虫相似。

采集记录:1♂，佛坪西沟，2006. Ⅶ.27，朱雅君采(CAU)；3♂5♀，洋县长青杉树坪，2006. Ⅶ.29，朱雅君采(CAU)。

分布:陕西(佛坪、洋县)、河北、河南、湖南、福建、广西、四川、云南；俄罗斯。

(27)斑翅刺足小粪蝇 *Rachispoda subtinctipennis* (Brunetti, 1913)

Limosina subtinctipennis Brunetti, 1913: 174.

鉴别特征:头部、胸部为黑色，被灰白粉，额前缘明显为橙色，具"M"形黑色裸区，颜黑褐色，前部为黄色，被灰白色粉；颊褐色，被灰褐色粉，前背侧为黄色，后缘色深。4 对间额鬃。中胸背板具 5 色锈色纵向的条带。3 对小盾缘鬃。5(2+3)对背

中鬃，7～8 列缝前中鬃。足黑褐色，转节，胫节基部和端部，前足第 1 基跗节为黄色，中足和后足跗节黄褐色。翅灰白色，Cs_2 和 R_{2+3}之间、R_{4+5}和亚端部和亚基部以及 dm-cu 脉周围具黑斑；翅脉黄褐色；Cs_2 色深；Cs_2∶Cs_3 = 1.10～1.30；dm-cu∶r-m = 2.00～2.30。平衡棒浅黄色，棒部白色。腹部黑褐色，具灰白色粉。第 5 腹板中后膜质被毛。背针突前部三角形，后部狭长，色淡，端短而细；后阳茎侧突狭长。雌虫外部形态与雄虫相似。

采集记录:1♂1♀，周至板房子，2006. Ⅶ.20，朱雅君采(CAU)；1♀，佛坪西沟，2006. Ⅶ.17，朱雅君采(CAU)；1♂，佛坪大店子，2006. Ⅶ.25，朱雅君采(CAU)；2♂2♀，佛坪凉风垭，2006. Ⅶ.26，朱雅君采(CAU)；1♂，佛坪桦木桥，2006. Ⅶ.27，朱雅君采(CAU)；1♂，佛坪龙草坪，1935m，2013. Ⅶ.31，蔡云龙采(SYU)；16♂19♀，柞水营盘镇南坡西沟，1197m，2013. Ⅶ.16，蔡云龙采(SYU)。

分布:陕西(周至、佛坪、柞水)、北京、河北、河南、湖南、台湾、广西、四川、贵州、云南；日本，越南，印度，尼泊尔，斯里兰卡，菲律宾，印度尼西亚，非洲区，澳洲区。

14. 刺尾小粪蝇属 *Spelobia* Spuler, 1924

Spelobia Spuler, 1924b: 376. **Type species**: *Limosina tenebrarum* Aldrich, 1897.

属征:通常具 2 对单眼后鬃。眶鬃内缘和下缘具毛。3～6 对不等长间额鬃，少有 7 对间额鬃。2 对沟后背中鬃。6～10 列盾沟前中鬃列。2 对腹侧片鬃，前腹侧片鬃小。2 对小盾片缘鬃。中足胫节具 1 根中下位前腹鬃。前缘脉不过 R_{4+5}；R_{4+5}直，端很少弯曲，或略微呈波形。dm 室短至中等长。翅瓣大，略圆。雄虫第 5 腹板具中后梳状刺列。上生殖板具 1 对长背侧鬃和 1 对后腹长鬃。下生殖板粗，中等长。尾须简单，具 1 对长鬃。背针突短而宽，外缘被刚毛，腹缘具 1 根粗刺。阳茎骨化，具亚端背突。基阳体大。阳茎基侧突狭长，呈"S"形，端半部通常具小刚毛。雌虫第 6～7 背板简单。第 8 背板常背中短，骨化弱或分成 2 侧片。肛上板短三角形，具 2 对或多对背鬃。第 6～7 腹板简单。第 8 腹板短而宽，后缘变细，后缘膜质或中后缘突出，具 2 对或多对长鬃。镜状骨片存在。受精囊呈轮胎状。尾须短而粗，被波浪形刚毛。

分布:古北区，东洋区，新北区，新热带区，澳洲区。全世界已知 78 种，中国记录 5 种，秦岭地区分布 3 种。

分种检索表

1. 中足胫节基半部无后背鬃。雄虫第 5 腹板无刺状鬃。阳茎基侧突狭；背针突具短而粗的腹刺，前瓣前端略尖 ………………………………………… **黄唇刺尾小粪蝇 *S. luteilabris***
   中足胫节基半部具后背鬃。雄虫第 5 腹板具刺状鬃。阳茎基侧突宽；背针突具长而细的腹刺，前瓣前端圆钝 ……………………………………………………………………… 2

2. 雄虫第5腹板中后缘具半圆形突起。阳茎基侧突短刺疏 ………… **圆刺尾小粪蝇 *S. circularis***
雄虫第5腹板中后缘平截。阳茎基侧突短刺密 ……………… **长毛刺尾小粪蝇 *S. longisetula***

(28)圆刺尾小粪蝇 *Spelobia circularis* Su et Liu, 2016

Spelobia circularis Su *et* Liu, 2016: 461.

鉴别特征:头部和胸部黑色，触角和触角芒褐黑色；足除后足胫节基1/3至端1/8处黑色外，其余均为褐黑色或褐色；腹除第1+2腹板前半部褐色或淡褐色外，其余均为黑色。头部单眼后鬃小。3对间额鬃。8列盾沟前中鬃列。后腹侧片鬃长约是距翅基间距的1/2，前腹侧片鬃刚毛状。中足胫节基半部具后背鬃。翅和脉褐色。Cs_2：Cs_3 = 1.10；dm室比为0.40。平衡棒柄、棒头淡黄色。R_{2+3}端略弯向前缘脉；R_{4+5}略直。雄虫第5腹板中后缘半圆形隆起，其上具1列梳状刺列，中前缘1/3处略向上隆起，且具2根短粗刺，有时其前缘具2根短而细的小刺。上生殖板具1对长背侧鬃和1对长腹侧鬃。尾须具1对长鬃。背针突双瓣，后瓣大，卵圆形，其腹缘具1细而长的刺，前瓣小，略向下内缘弯曲。基阳体后部圆，前部短棒状。后阳茎侧突宽，往端去狭，且被小刚毛。雌虫未知。

采集记录:4♂，佛坪凉风垭，1575m，2013.Ⅶ.30，蔡云龙采(SYU)；2♂，商洛营盘镇黄花岭，1935m，2013.Ⅶ.14，蔡云龙采(SYU)。

分布:陕西(佛坪、商洛)山西、浙江。

讨论:该种与 *Spelobia* (*S.*) *quinata* Marshall, 1985 相似，但跗节为暗褐色至褐黑色，第5腹板中后缘呈半圆形隆起、基阳体无后阳基背片、后阳茎侧突宽等特征与 *Spelobia* (*S.*) *quinata Marshall*, 1985 相区别。

(29)长毛刺尾小粪蝇 *Spelobia longisetula* Su et Liu, 2016

Spelobia longisetula Su *et* Liu, 2016: 461.

鉴别特征:头部、胸部、腹部和足亮黑色，触角和触角芒褐黑色。3对间额鬃。9列不规则盾沟前中鬃列。后腹侧片鬃长约是距翅基间距的1/2，前腹侧片鬃刚毛状。中足胫节基半部具后背鬃。翅和脉褐色。Cs_2：Cs_3 = 1.30；dm室比为0.40。平衡棒柄和棒头淡黄色。R_{2+3}端弧形弯向前缘脉，R_{4+5}略弯曲。雄虫第5腹板被密而长的刚毛，中部具2根粗刺，中后缘平截，且具1列梳齿状列。上生殖板具长背侧鬃1根，长腹侧鬃1~2根。尾须具长鬃1根。背针突双瓣，后瓣宽，圆形，被长刚毛，其腹缘具1根细长刺，前瓣略狭，腹缘具短刚毛。后阳茎侧突宽，往端去变狭，被密的小刚毛。雌虫未知。

采集记录:1♂，柞水县营盘镇黄花岭，1935m，2013.Ⅶ.14，蔡云龙采(SYU)。

分布:陕西(柞水)、浙江、江西。

讨论:该种与 *Spelobia* (*S.*) *quinata* Marshall, 1985 相似，但跗节为暗褐色至褐黑

色、第5腹板被密的长刚毛、基阳体无后阳基背片、后阳茎侧突宽等特征与 *Spelobia* (*S.*) *quinata* Marshall, 1985 相区别。

(30) 黄唇刺尾小粪蝇 *Spelobia luteilabris* (Rondain, 1880)

Limosina luteilabris Rondani, 1880: 32.

Limosina simplicimana Rondani, 1880: 31.

Leptocera (*Scotophilella*) *carinata* Spuler, 1925b: 153.

鉴别特征: 体色黑色, 额前缘、颜、颊红褐色, 触角和芒黑色; 足褐黑色。3~4对几乎等长的间额鬃, 下间额鬃外缘具1根小刚毛。前背中鬃长约是后背中鬃长的1/2。9列盾沟前中鬃列。后腹侧片鬃长而粗, 前腹侧片鬃短。翅和脉褐色。$Cs_2 : Cs_3 = 1.30$。dm室比0.40。平衡棒柄、棒头白色。雄虫第5腹板中后部色暗, 呈圆形, 前缘和侧缘色暗; 中后缘具3列梳状刺列, 前2列小, 后1列长。上生殖板具长背侧鬃1根, 长腹侧鬃1根。尾须具长鬃1根。背针突双瓣; 后部卵圆形, 其腹缘具1根短而粗刺, 侧缘被长刚毛; 前部狭。阳茎基侧突狭长, 呈"S"形弯曲。

采集记录: 1♂, 柞水营盘镇南坡西沟, 1051m, 2013. Ⅶ. 16, 蔡云龙采(SYU)。

分布: 陕西(柞水)、吉林、辽宁、河北、宁夏; 新西兰, 加拿大, 古北区。

15. 刺沼小粪蝇属 *Spinilimosina* Roháček, 1983

Spinilimosina Roháček, 1983b: 110. **Type species:** *Limosina* (*Scotophilella*) *brevicostata* Duda, 1918.

属征: 后顶鬃发达。4~5对近等长的间额鬃。8~10列中鬃, 2根下前侧片鬃, 第1根较短。小盾片大, 圆角长三角形。中足胫节中部具1根前腹鬃。前缘脉不超过 R_{4+5}; 翅瓣小, 窄。雄虫第5腹板后缘中部具1排浓密粗刺。尾须明显, 具1根鬃。上生殖板具粗的刺状鬃。下生殖板短, 细。背针突复杂, 分为内叶和外叶。端阳体大, 复杂, 具粗壮的背突和密被小刺的端部。雌虫后腹部短, 不套叠, 窄于前腹部。

分布: 古北区, 东洋区, 非洲热带区, 新北区, 新热带区, 澳洲区。全世界已知4种, 中国记录2种, 秦岭地区分布1种。

(31) 短脉刺沼小粪蝇 *Spinilimosina brevicostata* (Duda, 1918)

Limosina (*Scotophilella*) *brevicostata* Duda, 1918: 183.

鉴别特征: 头部褐色, 略带金属光泽。颜在触角间隆起, 黑褐色; 额前缘1/3黄褐色; 颊褐色, 在复眼下具三角形裸区。4对间额鬃。胸部黑褐色, 被灰褐色粉。中胸背板较亮。1(1+0)对背中鬃，8列缝前中鬃。足褐色，基节和跗节色浅。前足基节后侧、腿节和胫节的基部和端部黄色。翅浅白色，近透明；翅脉浅褐色，前缘脉颜色略深；R_{4+5}端部1/3明显弯向前缘脉；$Cs_2 : Cs_3 = 1.10$；dm-cu∶r-m=1.70。平衡棒黄色，棒状色深。腹部黑褐色，被灰褐色粉。第5腹板矩形，后中部骨化较弱，边缘密被1排粗刺。上生殖板后部被稀疏短鬃及5对极粗壮的刺状鬃；背针突复杂，具1个宽大的外叶，前腹边缘密被长鬃，内叶狭长，向腹面延伸，具1根粗壮刺状鬃。后阳茎侧突端部前弯，渐窄，端部前缘具细毛。雌虫外部形态与雄虫相似。

采集记录：1♂，周至板房子，2006.Ⅶ.20，朱雅君采(CAU)；1♂1♀，佛坪西沟，2006.Ⅶ.27，朱雅君采(CAU)；2♂，佛坪岳坝，1083m，2013.Ⅶ.27，蔡云龙采(SYU)；1♂，佛坪岳坝麻家沟，1051m，2013.Ⅶ.28，蔡云龙采(SYU)；1♂，柞水营盘镇黄花岭，1935m，2013.Ⅶ.14，蔡云龙采(SYU)；2♂，柞水营盘镇大甘沟小甘沟，1299m，2013.Ⅶ.15，蔡云龙采(SYU)；3♂，柞水营盘镇南坡西沟，1197m，2013.Ⅶ.16，蔡云龙采(SYU)。

分布：陕西(周至、佛坪、柞水)、台湾、四川、云南；俄罗斯，尼泊尔，斯里兰卡，阿富汗，欧洲，非洲，北美洲。

16. 陆小粪蝇属 *Terrilimosina* Roháček, 1983

Terrilimosina Roháček, 1983b: 21. **Type species**: *Limosina racovitzai* Bezzi, 1911.

属征：后顶鬃缺失。4~5对间额鬃。1~2对沟后背中鬃。8~10列盾沟前中鬃列。2对腹侧片鬃，前腹侧片鬃刚毛状。小盾片具2对长缘鬃。中足胫节基半部1根长前背鬃，其前具1根小前背鬃，端半部1根前背鬃、1根背鬃、1根后背鬃，1根中下位前腹鬃和1根端腹鬃。前缘脉明显过R_{4+5}；R_{4+5}波状，端几乎直；dm室后角圆钝，无M_{3+4}脉突。翅瓣大，端圆。雄虫第5腹板简单或后缘具中突和刺状鬃列。上生殖板具1对长背侧鬃。尾须具1根长鬃。下生殖板短。背针突内缘具1列梳状钝刺列，或腹缘具刺。基阳体小，无后阳基背片。阳茎基侧突和阳茎多变化。射精突缺。雌虫第8背板完全，但因颜色不同分为3部分。第8腹板相对而言不退化。肛上板通常长而狭。肛下板大而宽，宽大于肛上板。受精囊圆锥至圆柱形，背端具内凹。尾须长，具波形长刚毛。

分布：古北区，东洋区，新北区。全世界已知15种，中国记录10种，秦岭地区分布1种。

(32) 类短毛陆小粪蝇 *Terrilimosina parabrevipexa* Su, 2009

Terrilimosina parabrevipexa Su, 2009: 53.

鉴别特征：头部和胸部黑色；前腹褐黑色，后腹黑色；足暗褐色至褐黑色。头部单眼后鬃缺。4 对几乎等长的间额鬃。2 对盾沟后背中鬃。8 列盾沟前中鬃列。后腹侧片鬃强，前腹侧片鬃似刚毛。2 对小盾片缘鬃。翅褐色，脉暗褐色。$Cs_2:Cs_3=1.00$。dm 室比0.30。平衡棒头和柄暗褐色。雄虫第 5 腹板中后突相对大，被小刚毛和短鬃。尾须具 1 根长鬃，腹突小。背针突 3 瓣；侧瓣矩形，被长鬃和小刚毛；前腹瓣短；后腹瓣短，端内缘具梳状刺。基阳体呈大三角形。阳茎基侧突宽，亚端具前凹。

采集记录：1♂，柞水营盘镇黄花岭，1935m，2013. Ⅶ. 14，蔡云龙采(SYU)。

分布：陕西(柞水)、宁夏。

17. 毛眼小粪蝇属 *Trachyopella* Duda, 1918

Trachyopella Duda, 1918: 15, 34. **Type species**: *Limosina melania* Haliday, 1836.

Trachyops Rondani, 1880: 24. **Type species**: *Limosina melania* Haliday, 1836.

Insulomyia Papp, 1972: 109. **Type species**: *Insulomyia microps* Papp, 1972.

Minuscula Roháček *et* Marshall, 1986: 46. **Type species**: *Trachyopella minuscula* Collin, 1956.

属征：单眼后鬃长。内后头鬃小，内外后顶鬃、外后头鬃和单眼鬃长。2～5 对外倾内眶鬃，其中至少 1 根内眶鬃长。3～6 对几乎等长的间额鬃。复眼小，眼面裸，或被毛。芒毛通常长。1 对背中鬃。6～12 列盾沟前中鬃列。2 对小盾缘鬃。2 对腹侧片鬃，前腹侧片鬃小，有时缺失。中足胫节基半部 2 根前背鬃和 1 根后背鬃，端半部 1 根前背鬃、1 根背鬃和 1 根后背鬃，1 根中下位前腹鬃和 1 根腹端鬃，有时前腹鬃和基半部后背鬃缺失；后足胫节通常具 1 根亚端背鬃。前缘脉过 R_{4+5}；1 根前缘脉长基鬃；R_{4+5}或多或少弯向前缘脉。翅瓣小而狭，通常端尖。雄虫第 5 腹板简单。上生殖板鬃毛均短。尾须与上生殖板融合，有时具腹突。下生殖板小，呈"Y"形。背针突形状多样，具 1 根粗刺或 1 列粗刺。基阳体长，有时具后腹突。阳茎通常大部分膜质。阳茎基侧突通常简单，细长，端半部具刚毛。射精突小或缺。雌虫第8 背板背中部短或膜质裂为 2 部分。肛上板具淡色区，2 根小刚毛。第 7 腹板短，椭圆形。第 8 腹板长大于第 7 腹板，宽小于第 7 腹板，具 2 根长刚毛。肛下板形状多样。受精囊 3 个，呈球形或梨形，具内凹。尾须具 2 根波状长鬃和短的弧形弯曲的刚毛状鬃。

分布：古北区，东洋区，非洲热带区，新北区，新热带区，澳洲区。全世界已知 33 种，中国记录 2 种，秦岭地区分布 2 种，其中 1 个新种，1 个新纪录。

分种检索表

中足胫节基半部具后背鬃，中下位无前腹鬃；后足胫节无亚端背鬃。8 列盾沟前中鬃列 ……… ………………………………………………………… **线额岩毛眼小粪蝇 *T.* (*T.*) *lineafrons***

中足胫节基半部无后背鬃，中下位具前腹鬃；后足胫节具亚端背鬃。6 列盾沟前中鬃列 ……… …………………………………………… **单鬃毛眼小粪蝇，新种 *T.* (*T.*) *monoseta* sp. nov.**

(33)线额岩毛眼小粪蝇 *Trachyopella*（*Trachyopella*）*lineafrons*（Spuler，1925）中国新纪录

Leptocera（*Trachyopella*）*lineafrons* Spuler，1925：103.

鉴别特征：雌虫体长 1.60mm，翅长 1.10mm。体色褐黑色至黑色，包括触角和芒。头部单眼后鬃长大于内外后头鬃，但略等于内外顶鬃。4 对几乎等长的间额鬃。2 对外倾的外眶鬃，3 对外倾的内眶鬃，外倾的内眶鬃与外眶鬃长几乎相等。复眼被微毛。1 对背中鬃。8 盾沟前中鬃列。仅似刚毛的后腹侧片鬃存在。中足胫节基半部 1 对前背和后背鬃，中下位前腹鬃缺少。平衡棒柄白色，头暗褐色。雌虫第 7 背板长小于第 6 背板。第 8 背板分为 2 侧部。肛上板三角形，色淡，具 1 对长鬃。第 7 腹板长几乎等于第 6 腹板。第 8 腹板前缘明显色暗，后缘每侧具 3 根长鬃，其中外侧鬃明显长。肛下板大而宽，被微毛，具 2 根后鬃，其长几乎等于第 8 腹板。受精囊似球形，近底部内凹狭长，指状，囊管长短于囊体。尾须端鬃略卷曲。

采集记录：1♀，柞水营盘镇南坡西沟，1051m，2013.Ⅶ.16，蔡云龙采（SYU）。

分布：陕西（柞水）；美国。

(34)单鬃毛眼小粪蝇，新种 *Trachyopella*（*Trachyopella*）*monoseta* Su *et* Liu，sp. nov.（图 297）

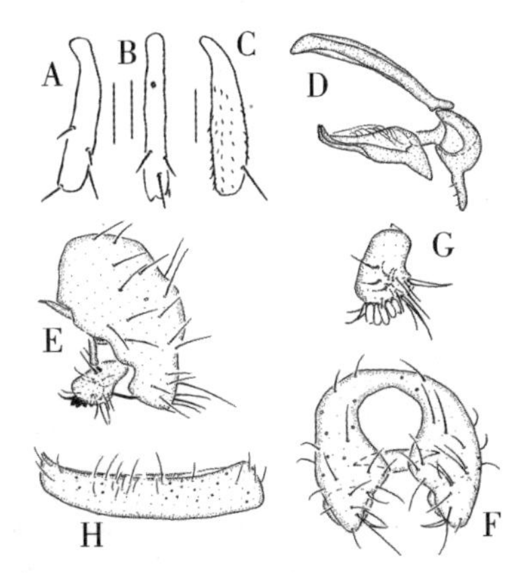

图 297　单鬃毛眼小粪蝇，新种 *Trachyopella*（*Trachyopella*）*monoseta* Su *et* Liu，sp. nov.（雄性）
A. 中足胫节前面观（mid tibia，anterior view）；B. 中足胫节背面观（mid tibia，dorsal view）；C. 后足胫节前面观（hind tibia，anterior view）；D. 阳茎复合体侧面观（aedeagal complex，lateral view）；E. 外生殖器侧面观（genitalia excluding aedeagal complex，lateral view）；F. 外生殖器后面观（genitalia，caudal view）；G. 背针突侧面观（surstylus，lateral view）；H. 第 5 腹板（sternite 5）

鉴别特征：后足胫节具 1 根亚端背鬃。dm 室比为 0.80，Cs_2 长小于 Cs_3。雄虫第 5 腹板短而宽，后缘膜质区域非常小。阳茎基侧突基半部半圆形，端半部指形。背针突后缘具 1 根长的刺状鬃。雄虫体长 1.40mm，翅长 1.00mm。棒头部、胸部、腹部和足褐黑

色至黑色，包括触角和芒。平衡棒柄白色，棒头暗褐色。头部单眼后鬃长大于内外后头鬃，但略短而细于内外顶鬃。4 对几乎等长的间额鬃。2 对外倾的外眶鬃，3 对外倾的内眶鬃。复眼被微毛，其高约是颊高的 1.20 倍。芒毛长约等于芒基横径的 3 倍。1 根小的颊鬃和 1 根颊刚毛。胸部 1 对背中鬃。6 列盾沟前中鬃列。1 对腹侧片鬃，似刚毛。小盾片具2 对缘鬃。中足胫节基半部1 根前背鬃，端半部1 根前背鬃、1 根背鬃和1 根后背鬃，1 根中下位腹鬃和 1 根端腹鬃。后足胫节具 1 根亚端背鬃。翅淡褐色，脉褐色。Cs_2∶Cs_3 =0.60。dm 室比为 0.80。R_{2+3}波状弯曲，端略弯向前缘脉；R_{4+5}弧形弯向前缘脉。M_{3+4}脉头略长于 r-m-dm-cu。臀脉退化。翅瓣小而狭。雄虫腹部第 5 腹板短而狭，简单。上生殖板被短而密的刚毛。尾须大，侧腹缘突出，被短鬃，其中 1 根略长。背针突矩形，腹缘具 5 根短而粗的刺，后缘具 1 根长而粗的刺状鬃，内缘具鬃。基阳体前半部短棒状，后半部球状。阳茎基侧突基半部半圆形，端半部指形，前缘具 3 根刚毛。阳茎具腹骨片，端半部分叉，端部融合，背部膜质。雌虫未知。

采集记录：1♂（正模），柞水营盘镇大甘沟小甘沟，1299m，2013. Ⅶ. 15，蔡云龙采（SYU）；1♂（副模），柞水营盘镇南坡西沟，1051m，2013. Ⅶ. 16，蔡云龙采（SYU）。

分布：陕西（柞水）。

讨论：新种在头部鬃、胸部鬃、翅、足、尾须、背针突等特征方面与 *Trachyopella*（*T.*）*kuntzei*（Duda，1918）相似，但新种可从第 5 腹板无中后膜质凹、阳茎基侧突端半部指形、背针突后缘具 1 根长而粗的刺状鬃等特征与之区别。

种名词源：新种名意指雄虫背针突后缘具 1 根明显长而粗的刺状鬃。

参考文献

Brunetti, E. 1913. XI. Diptera. In Zoological results of the Abor expedition, 1912. *Records of the Indian Museum*, 8: 149-190.

Carles-Tolrá, M. 1990. New species and records of Sphaeroceridae (Diptera) from Spain. *The Entomologist's Monthly Magazine*, 126: 33-46.

Deeming, J. C. 1969. Diptera from Nepal. Sphaeroceridae. *Bulletin of the British Museum (Natural History), Entomology*, 23: 53-74.

Dong, H., Yang, D. and Hayashi, T. 2006. Review of the species of *Poecilosomella* Duda (Diptera: Sphaeroceridae) from continental China. *Annales Zoologici*, 56: 643-655.

Duda, O. 1918. Revision der europöischen Arten der Gattung *Limosina* Macquart (Dipteren). *Abhandlungen der k. k. zoologisch-botanischen Gesellschaft in Wien*, 10(1): 1-240.

Duda, O. 1924. Berichtigungen zur Revision der europöischen Arten der Gattung *Limosina* Macq. (Dipteren), nebst Beschreibung von sechs neuen Arten. *Verhandlungen der zoologisch-botanischen Gesellschaft in Wien*, 73(1923): 163-180.

Duda, O. 1925. Die auereuropischen Arten der Gattung *Leptocera* Olivier - *Limosina* Macquart (Dipteren) mit Bercksichtigung der europischen Arten. *Archiv für Naturgeschichte, Berlin*, Abteilung A, 90(11)(1924): 5-215.

Enderlein, G. 1938. 60. Die Dipterenfauna der Juan-Fernandez-Inseln und der Oster-Insel. In: Skottsberg, C. (ed.): *The natural history of Juan Fernández and Easter Island*, 3 (Zool.), 643-680, Uppsala.

Fallén, C. F. 1826. *Supplementum Dipterorum Sveciae. Consentiente Ampl. Fac. Phil. Lund.* In Lyceo Carolino die. XIII Dec. MDCCCXXVI. [Part 2], 9-16, Berlingiana, Londini Gothorum [=lund].

Haliday, A. H. 1836. British species of the Dipterous tribe Sphaeroceridae. *Entomological Magazine*, 3: 315-336.

Hayashi, T. 1985. Two new species of *Paralimosina* Papp, 1973 (Diptera: Sphaeroceridae) from Japan. *Kontyû*, 53: 329-334.

Hayashi, T. 1991. The genus *Coproica* Rondani from Pakistan (Diptera: Sphaeroceridae). *Japanese Journal of Sanitary Zoology*, 42(3): 235-240.

Hayashi, T. 1994. The genus *Paralimosina* from Nepal and Pakistan, excluding *P. eximia* species-group (Diptera: Sphaeroceridae). *Japanese Journal of Sanitary Zoology*, Supplement, 45: 31-54.

International Commission on Zoological Nomenclature. 1996. Opinion 1839. *Coproica* Rondani, 1861 and Ischiolepta Lioy, 1864 (Insecta: Diptera): conserved by the designation of *Limosina acutangula* Zetterstedt, 1847 as the type species of *Coproica. Bulletin of Zoological Nomenclature*, 53: 136-137.

Jong, H. de. 2000. *The types of Diptera described by J. C. H. de Meijere.* Biodiversity Information Series from the Zoologisch Museum Amsterdam. Vol. 1, viii+271., Backhuys Publishers, Leiden.

Latreille, P. A. 1804. Tableau méthodique des Insectes. *In Société de Naturalistes et d'Agriculteurs. Nouveau dictionnaire d'histoire naturelle, appliqué aux arts, principalement à l'agriculture et à l'économie rurale et domestique.* Vol. 24: (sect. 3): Tableaux méthodiques d'histoire naturelle. 238., Déterville, Paris.

Linnaeus, C. 1767. Systema Naturae. Edition 12, vol. 1, part 2. 533-1327. Laurentii Salvii, Holmiae [= Stockholm].

Lioy, P. 1864. I Ditteri distribuiti secondo un nuovo metodo di classificazione naturale. *Atti dell'Istituto Veneto di Scienze, Lettere ed Arti, Venezia*, Serie III, 9: 1087-1126.

Macquart, J. 1835. *Histoire naturelle des Insectes. Diptères. Collection des suites à Buffon.* Vol. 2, 710., N. E. Roret, Paris.

Marshall, S. A. 1985. A revision of the genus *Spelobia* Spuler (Diptera: Sphaeroceridae) in North America and Mexico. *Transactions of the American Entomological Society*, 111: 1-101.

Marshall, S. A. and Smith, I. P. 1992. A revision of the New World and Pacific *Phthitia* Enderlein (Diptera: Sphaeroceridae: Limosininae), including *Kimosina* Roháček, new synonym and Aubertinia Richards, new synonym. *Memoirs of the Entomological Society of Canada*, 161: 1-83.

Meijere, J. C. H. de. 1908. Studien über südostasiatische Dipteren. II. *Tijdschrift voor Entomologie*, 51: 105-180.

Meijere, J. C. H. de. 1914. Studien über südostasiatische Dipteren. IX. *Tijdschrift voor Entomologie*, 57: 137-275.

Olivier, G. A. 1813. Première mémoire sur quelques Insectes qui attaquent les céréales. *Mémoires de la Société d'Agriculture du Département de Seine-et-Oise*, 16: 477-495.

Papp, L. 1973. Sphaeroceridae (Diptera) from Mongolia. *Acta Zoologica Academiae Scientiarum Hungaricae*, 19: 369-425.

Papp, L. 1979a. A contribution to the knowledge on the species of the genus *Coprocia* Rondani, 1861 (Diptera: Sphaeroceridae). *Opuscula Zoologica Instituti Zoosystematici et Oecologici Universitatis*

Budapestinensis, 16(1-2): 97-105.

Papp, L. 1979b. New species and records of Sphaeroceridae (Diptera) from the USSR. *Annales Historico-Naturales Musei Nationalis Hungarici*, 71: 219-230.

Papp, L. 1979c. On apterous and reduced-winged forms of the family Drosophilidae, Ephydridae and Sphaeroceridae (Diptera). *Acta Zoologica Academiae Scientiarum Hungaricae*, 25: 357-374.

Papp, L. 1984. Family Sphaeroceridae (Borboridae). In: Soós, Á. and Papp, L. (eds): *Catalogue of Palaearctic Diptera*, 10: 68-107. Akadémiai Kiadó, Budapest.

Papp, L. 1988. Sphaerocerinae and Copromyzinae (Sphaeroceridae: Diptera) from the Oriental Region. *Revue Suisse de Zoologie*, 95: 461-469.

Papp, L. 1991a. A review of the Oriental species of *Poecilosomella* Duda (Diptera: Sphaeroceridae). *Acta Zoologica Hungarica*, 37: 101-122.

Papp, L. 1991b. Oriental Limosininae: new species and records (Diptera: Sphaeroceridae). *Acta Zoologica Hungarica*, 37: 225-251.

Papp, L. 2008. New genera of the Old World Limosiniae (Diptera: Sphaeroceridae). *Acta Zoologica Academiae Scientiarum Hungarica*, 54(Suppl. 2): 47-209.

Richards, O. W. 1929. Systematic notes on the Borboridae (Diptera) with description of new species of *Leptocera* (*Limosina*). *The Entomologist's Monthly Magazine*, 65: 171-176.

Richards, O. W. 1951. Brachypterous Sphaeroceridae. *British Museum (Natural History) Ruwenzori Expedition*, 1934—1935, 2(8): 829-851.

Roháček, J. 1977. Revision of the *Limosina fucata* species-group, with descriptions of four new species (Diptera: Sphaeroceridae). *Acta Entomologica Bohemoslovaca*, 74: 398-418.

Roháček, J. 1983a. Oriental species of the *Leptocera* (*Leptocera*) *nigra*-group (Diptera: Sphaeroceridae). *Acta Entomologica Bohemoslovaca*, 80: 37-148.

Roháček, J. 1983b. A monograph and re-lassification of the previous genus *Limosina* Macquart (Diptera: Sphaeroceridae) of Europe. Part 2. *Beiträge zur Entomologie*, *Berlin*, 33: 3-195.

Roháček, J. 2001. The type material of Sphaeroceridae described by J. Villeneuve with lectotype designations and nomenclatural and taxonomic notes (Diptera). *Bulletin de la Société entomologique de France*, 105(5)(2000): 467-478.

Roháček, J. and Marshall, S. A. 1986. *The genus Trachyopella Duda (Diptera: Sphaeroceridae) of the Holarctic Region.* Monografie Ⅲ (1985), 109, Museo Regionale di Scienze Naturali, Torino.

Roháček, J. and Marshall, S. A. 1988. A review of *Minilimosina* (*Svarciella*) Roháček, with descriptions of fourteen new species (Diptera: Sphaeroceridae). *Insecta Mundi*, 2: 241-282.

Rondani, C. 1861. Dipterologiae italicae prodromus. Vol. 4. Species italicae ordinis dipterorum in genera characteribus definita, ordinatim collectae, methodo analitica distinctae, et novis vel minus cognitis descriptis. 174, Parmae [= Parma].

Rondani, C. 1880. Species italicae ordinis dipterorum (Muscaria Rndn.) collectae et observatae. Stirps XXV. Copromyzinae Zett. *Bullettino della Società Entomologica Italiana*, 12: 3-45. [Also published separately: 45, Cenniniana, Firenze].

Spuler, A. 1924a. Species of subgenera *Collinella* and *Leptocera* of North America. *Annals of the Entomological Society of America*, 17: 106-116.

Spuler, A. 1924b. North American genera and subgenera of the dipterous family Borboridae. *Proceedings of the Academy of Natural Sciences of Philadelphia*, 75(1923): 369-378.

Spuler, A. 1925a. Studies in North American Borboridae (Diptera). *The Canadian Entomologist*, 57: 99-104, 116-124.

Spuler, A. 1925b. North American species of the subgenus *Scotophilella* Duda (Diptera: Borboridae). *Journal of the New York Entomological Society*, 33: 70-84, 147-162.

Strand, E. 1928. Miscellanea nomenclatorica zoologica et paleontologica Ⅰ-Ⅱ. *Archiv für Naturgeschichte, Berlin, Abteilung A*, 92(8)(1926): 30-75.

Strand, E. 1932. Nochmals Nomenclatur und Ethik. *Folia Zoologica et Hydrobiologica*, 4(1): 103-133.

Su, L-X. 2011. *Lesser Dung Flies.* Liaoning University Press, Shenyang. 1-229.

Su, L-X. and Liu, G-. 2009. A review of the genus *Terrilimosina* Roháček (Diptera: Sphaeroceridae: Limosininae) from China. *The Pan-Pacific Entomologist*, 85(2): 51-57.

Su, L-X. and Liu, G-. 2016. (Diptera: Sphaeroceridae. 461-?? In: Wu, H. *et al.* (eds.). Fauna of Tianmu Mountain, 7. Zhejiang University press, ??. Hangzhou.

Vanschuytbroeck, P. 1959. Sphaerocerinae, Limosinae, Ceropterinae (Diptera: Ephydroidea). *Parc National de la Garamba, Mission H. de Saeger (1949—1952), Bruxelles*, 17(2): 15-85.

三十一、秆蝇科 Chloropidae

刘晓艳[1]　杨定[2]

(1. 华中农业大学植物科学技术学院, 武汉 430070; 2. 中国农业大学昆虫系, 北京 100193)

鉴别特征: 体小型, 体长 1 ~ 5mm, 黑色或黄色有深色的斑。头部额宽, 额前缘有时隆突, 单眼三角区较大; 颊窄或宽, 髭角钝圆或呈尖角状; 颜平或凹, 有时有明显的颜脊; 复眼大而圆, 裸或被短毛, 长轴倾斜或竖直, 有时水平; 触角柄节最短, 梗节明显, 鞭节发达且形状各异, 触角芒细长或扁宽类似剑状, 多被毛。中胸背板长大于宽; 小盾片短圆至长锥形, 盾鬃有时位于瘤突或指突上。足细长, 有时后足腿节粗大; 中足或后足胫节有时具端距或亚端距, 后足胫节有时有胫节器官(tibial organ)。翅脉退化, 无臀室, 前缘脉有 1 个缺刻, 亚前缘脉端部退化, 肘脉中部略弯折。

生物学: 幼虫圆筒形, 背腹端略微扁平, 前端细, 后端比较宽圆。两端气门式。成虫以取食植物的汁液为食, 多生活在草丛或低矮的植物中, 部分属种访花, 有些成虫在人或动物的眼睛、耳朵和伤口等处活动传播疾病。幼虫食性多样, 大部分种类为植食性, 是重要的农业害虫; 一些种类为腐食性, 以其他昆虫的排泄物或土壤中的腐烂植物为食; 有些种类为寄生性和捕食性, 天敌为昆虫; 还有一些种类以真菌为食。

分类: 世界已知 4 亚科 203 属 2900 余种, 中国已知 57 属约 300 种, 陕西秦岭地区分布 14 属 20 种。研究标本保存在中国农业大学昆虫博物馆(CAU)。

分属检索表

1.　眼眶鬃 3 ~ 4 根, 前伸或侧伸; 外顶鬃长度等于或短于内顶鬃, 且比外顶鬃纤弱; 肩鬃 2 根, 发

达；常有1根下前侧鬃；一些雄虫腹部末端骨片不对称 ……………… **显鬃秆蝇属 *Apotropina***

眼眶鬃一般数目多，很少情况下数目较少，直立或后弯；外顶鬃比内顶鬃长且粗壮（如果内顶鬃比外顶鬃发达，则中侧片被毛）；肩鬃1根；雄虫腹部末端对称 …………………………… 2

2. 前缘脉仅伸达 M_{1+2}末端 …………………………………………………………………… 3

前缘脉仅伸达 R_{4+5}末端（秆蝇亚科）………………………………………………………… 8

3. 单眼鬃前伸且分开（锥秆蝇亚科）……………………………………………………………… 4

单眼鬃竖直、后弯，相交或平行（长缘秆蝇亚科） ……………………………………………… 5

4. 小盾片长大于宽，长锥形；小盾端鬃着生在发达的瘤突上；R_{4+5}的末端部分通常略前弯，M_{1+2}基部略微或明显向前拱弯，且整条脉时常略微波曲；阳茎端短而粗，或略延长，一般不是统一的变宽；后阳茎无骨化的突起 ……………………………………………… **锥秆蝇属 *Rhodesiella***

小盾片宽大于长，短锥形；小盾端鬃着生在小的瘤突上；R_{4+5}的末端部分通常明显前弯，M_{1+2}基部较直；阳茎端极其延长，较细，拱曲，几乎呈等宽的圆筒形；后阳茎通常有骨化的突起 …………………………………………………………………………… **新锥秆蝇属 *Neorhodesiella***

5. 前缘脉第2段长度至少为第3段长度的2.50倍，小盾片中部凸 ……… **长脉秆蝇属 *Dicraeus***

前缘脉第2段长度短于第3段长度的2.50倍，小盾片中部平 ………………………………… 6

6. 小盾端鬃位于瘤突上 ………………………………………………… **瘤秆蝇属 *Elachiptera***

小盾端鬃基部无瘤突 ……………………………………………………………………………… 7

7. 眼眶鬃中的2~3根明显长；触角鞭节近肾形 ……………………… **黑鬃秆蝇属 *Melanochaeta***

眼眶鬃几乎等长；触角鞭节半圆形…………………………………………… **长缘秆蝇属 *Oscinella***

8. 后足腿节粗大；后足胫节明显弯曲 ……………………………………………………………… 9

后足腿节细长；后足胫节不明显弯曲 …………………………………………………………… 10

9. 触角梗节长大于宽，鞭节长明显大于宽；额前缘强烈突出 ………… **宽头秆蝇属 *Platycephala***

触角梗节长短于宽，鞭节长等于或稍大于宽；额前缘稍突出 …………… **麦秆蝇属 *Meromyza***

10. 触角芒呈扁宽剑状 ……………………………………………………………………………… 11

触角芒细长，非剑状 ……………………………………………………………………………… 12

11. 单眼三角区宽大，前端宽圆；2根后眶鬃稍明显，短于外顶鬃；前后阳茎明显分开 ………… ……………………………………………………………………… **平胸秆蝇属 *Mepachymerus***

单眼三角区三角形，端部尖；2根后眶鬃非常明显，长于或等于外顶鬃；前后阳茎不明显 ……………………………………………………………………… **剑芒秆蝇属 *Steleocerellus***

12. 触角鞭节长明显大于宽；触角芒稍加粗；第9背板具肛下骨片 …… **隆盾秆蝇属 *Centorisoma***

触角鞭节长约等于宽；触角芒细；第9背板无肛下骨片 ………………………………………… 13

13. 中足胫节有端距；中胸背板和小盾片表面粗糙 ……………………… **中距秆蝇属 *Cetema***

中足胫节无端距；中胸背板和小盾片表面光滑 ……………………………… **秆蝇属 *Chlorops***

1. 显鬃秆蝇属 *Apotropina* Hendel, 1868

Ectropa Schiner, 1868: 242 (nec Wallengen, 1863). **Type species**: *Ectropa viduata* Schiner, 1868.

Apotropina Hendel, 1907: 98 (new name for *Ectropa* Schiner, 1868).

Lasiopleura Becker, 1910: 130. **Type species**: *Osinis longepilosa* Strobl, 1893.

Parahippelates Becker, 1911: 109. **Type species**: *Osisnis pulchrifrons* de Meijere, 1906.

Pseudohippelates Malloch, 1913: 261. **Type species**: *Hippelatas capax* Coquillett, 1898.

Omochaeta Duda, 1930: 59. **Type species**: *Omochaeta sepecularifrons* Endelein, 1911.

Liomochaeta Duda, 1934: 42. **Type species**: *Oscinis dimorpha* Osten-Sacken, 1882.

Oscinelloides Malloch, 1940: 262, 267. **Type species**: *Oscinella bispinosa* Becker, 1911.

属征：头部侧面观高大于长，近四边形；复眼卵形，裸或被微毛，长轴略倾斜；颊宽多变，通常窄于触角鞭节的宽；髭角钝圆；侧颜线状或不明显；额宽大，前端较窄，宽于复眼，但未明显突出于复眼前；单眼三角区被粉，前端伸达额的中部或靠近额的前缘；颜平或凹，无明显的颜脊，若存在颜脊，仅上半部分明显；触角短，鞭节圆形或正方形；触角芒细长，裸或被长或短的毛；中胸背板凸，被粉；肩胛大，明显；中侧片裸或被毛，胸部鬃长且明显；小盾片短，宽大于长，端部圆，中部凸或平；小盾端鬃较长。足细长，后足胫节有 1 个长或短的端距，有时无端距。

分布：世界广布。全世界已知 80 种，中国已知 6 种，秦岭地区分布 1 种。

(1) 宽颊显鬃秆蝇 *Apotropina uniformis* Yang *et* Yang, 1993（图 298）

Apotropina uniformis Yang *et* Yang, 1993: 35.

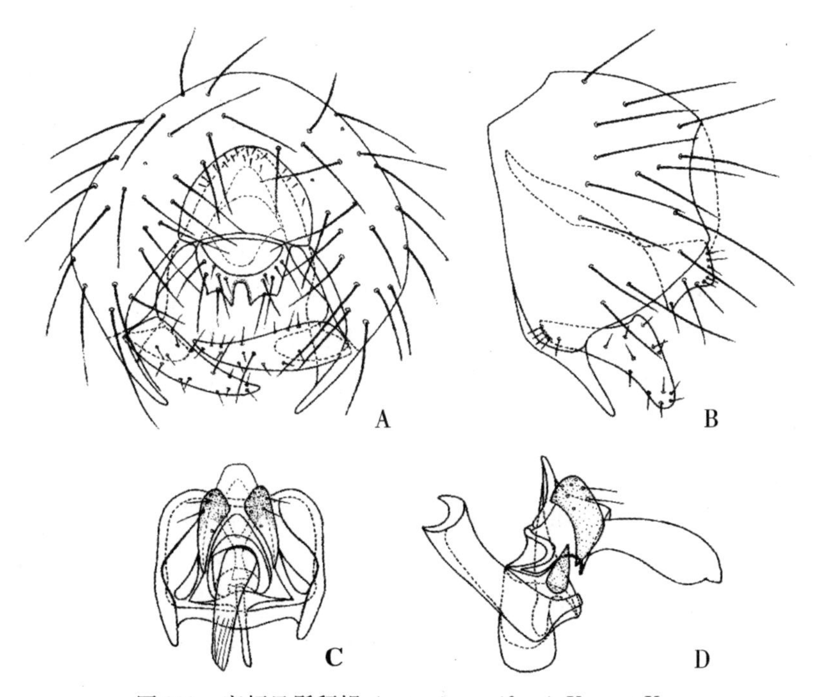

图 298　宽颊显鬃秆蝇 *Apotropina uniformis* Yang *et* Yang

A. 第 9 背板后面观（epandrium, posterior view）；B. 第 9 背板侧面观（epandrium, lateral view）；C. 阳茎复合体腹面观（hypandrium and phallic complex, ventral view）；D. 阳茎复合体侧面观（hypandrium and phallic complex, lateral view）

鉴别特征:雄性体长2.10mm，翅长2.70mm。头部黄色，被灰白粉；后头完全黑褐色；额黑褐色，前端黄色；单眼三角区前端伸达额的7/10；颊宽，为触角鞭节宽的0.50倍；侧颜不明显。头部毛和鬃黑色。触角黄色，鞭节长等于宽，端背面暗褐色；触角芒基节暗褐色，被褐色短毛。喙黄褐色；须黄色。胸部黑褐色，被灰白粉，但腹侧片的前中部被黑色粉。胸部毛和鬃黑色，背侧片沟具白色短毛，中侧片裸；沟后背中鬃3根。小盾片宽为长的1.60倍。足黄色，但前足和中足腿节端部黄褐色，后足腿节端部1/2黑褐色；前足和后足胫节黑褐色，但基部为黑褐色至黄色，前足跗节暗褐色，中后足第1分跗节黄褐色至黄色。足上毛主要为黑色。中足胫节有1个长的黑色端距；后足胫节具1个短的黑色端距。翅淡褐色；R_{4+5}和M_{1+2}端部分开。平衡棒黄色。腹部黑褐色，被灰白色粉；第1+2背片中部褐色；腹面暗黄色。腹部的毛黑色。雌虫与雄虫形态相似。体长2.80mm，翅长3mm。

采集记录:1♂5♀，宁陕火地塘，2013.Ⅷ.13，杨定采。

分布:陕西(宁陕)、宁夏、云南、四川。

2. 锥秆蝇属 *Rhodesiella* Adams, 1905

Macrostyla Lioy, 1864: 1126. **Type species**: *Chlorops plumiger* Meigen, 1846.

Rhodesiella Adams, 1905: 197. **Type species**: *Rhodesiella tarsalis* Adams, 1905.

Meroscinis de Meijere, 1908: 172. **Type species**: *Meroscinis scutellata* de Meijere, 1908.

Aspistyla Duda, 1933: 224. **Type species**: *Chlorops plumiger* Meigen, 1846.

属征:体中型，黑色。头部高大于长；复眼裸，长轴略倾斜；颊很窄，窄于触角鞭节；侧颜不明显，额长大于宽，前缘不明显的突出于复眼前；单眼三角区亮至金绿色，光裸且无毛和粉，伸达额的前缘；颜窄、平或略凹，颜脊不明显，触角鞭节卵圆形，宽大于长；触角芒细长被毛。眶鬃8~10根，较长；单眼鬃较长，前伸且分开；后顶鬃竖直交叉；外顶鬃长于内顶鬃。中胸背板略拱突；小盾片呈锥形，扁平或隆突，小盾端鬃位于短或中长的瘤突上，小盾侧鬃较短；中侧板被毛。后足腿节有时粗大或具小的腹齿突。翅脉M_{1+2}平直或基部向前凸。

分布:古北区，东洋区。世界已知115种，中国已知32种，秦岭地区分布2种。

分种检索表

平衡棒黑色；足腿节黑色，前足胫节褐色，跗节黄色，前足第4~5跗节和中后足端跗节褐色 ………………………………………………………………………… **亮额锥秆蝇 *R. nitidifrons***

平衡棒黄色；足黄色 ……………………………………………… **黄腿锥秆蝇 *R. pallipes***

(2)亮额锥秆蝇 *Rhodesiella nitidifrons* (Becker, 1911)(图 299)

Meroscinis nitidifrons Becker, 1911: 93.

Rhodesiella indica Cherian, 1977: 491.

Rhodesiella nitidifrons: Kanmiya, 1983: 46.

鉴别特征:雄性体长 2.00～2.40mm, 翅长 1.50～1.80mm。头部黑色; 额宽略大于长; 单眼三角区亮黑色, 有蓝色金属光泽, 前端尖。头部的毛和鬃黑色。触角黄褐色, 但鞭节黄色, 其端背缘浅黑色; 触角芒浅黑色。喙和须浅黑色。胸部黑色, 有褐色的毛和黑色的鬃。中胸背板略拱突, 宽略大于长。小盾片短锥形; 有 2 对黑色的鬃位于黑色的瘤突上; 2 个小盾端鬃之间的距离约等于小盾端鬃和亚端鬃基部的距离。足基节和腿节黑色; 前足胫节褐色, 中后足胫节基部 3/4～2/3 黑色, 端部黄色; 跗节黄色, 但前足第 4～5 跗节和中后足端跗节褐色。足毛大部分黑色。后足腿节不加粗, 中部宽约为胫节的 1.50 倍。翅透明, 脉黄色; 前缘脉第 2、3、4 段之比为 4∶6∶3; R_{4+5}和 M_{1+2}近平行; M_{1+2}基部略向前拱弯。平衡棒黄色, 但端部黑色。腹部黑褐色, 毛黑色。雌虫与雄虫形态相似, 体长 2.30～2.60mm, 翅长 1.50～1.90mm。

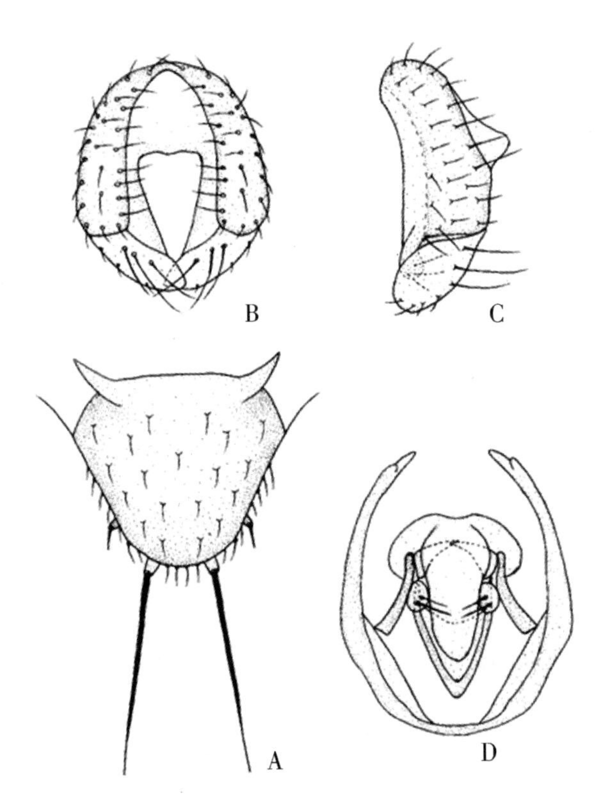

图 299　亮额锥秆蝇 *Rhodesiella nitidifrons* (Becker)

A. 小盾片背面观(scutellum, dorsal view); B. 第 9 背板后面观(epandrium, posterior view); C. 第 9 背板侧面观(epandrium, lateral view); D. 阳茎复合体腹面观(hypandrium and phallic complex, ventral view)

采集记录:5♀，周至牛背梁，2013. Ⅶ. 14，王玉玉采；2♂1♀，宁陕火地塘，2013. Ⅷ. 14，席玉强采。

分布:陕西(周至、宁陕)、台湾、贵州；日本，印度，印度尼西亚。

(3)黄腿锥秆蝇 *Rhodesiella pallipes* (Duda, 1934)

Aspistyla pallipes Duda, 1934: 51.

鉴别特征:雄性体长 1.95mm，翅长 1.75mm。头部黑色，侧视高约为长的 2 倍；额黑色，长等于宽；单眼三角区亮黑色，前端尖。头部的毛和鬃黑色。触角黄色；触角芒黑色。喙和须黑色。胸部黑色，有黄色的毛和黑色的鬃。中胸背板略拱突，宽略大于长。小盾片短锥形；有 2 对黑色的鬃位于黑色的瘤突上；2 根小盾端鬃之间的距离约等于小盾端鬃和亚端鬃基部的距离。足黄色。足毛黄色。后足腿节略加粗，中部宽约为胫节宽的 2 倍。翅透明，长约为宽的 2.40 倍，脉黄褐色；前缘脉第 2、3、4 段之比为 3.00∶3.70∶3.10；R_{4+5}和 M_{1+2}近平行；M_{1+2}基部略向前拱弯。平衡棒黄色。腹部黑色，毛褐色。雌虫与雄虫形态形似，体长 1.70 ~ 2.10mm，翅长 1.60 ~ 2.00mm。

采集记录:3♂6♀，山阳天竺山，2013. Ⅶ. 21，闫妍采。

分布:陕西(山阳)、内蒙古、北京、山东；俄罗斯。

3. 新锥秆蝇属 *Neorhodesiella* Cherian, 2002

Neorhodesiella Cherian, 2002: 241. **Type species**: *Neorhodesiella typical* (Cherian, 1973).

属征:体小型，黑色。小盾片短锥形，宽大于长，中域突起(仅少数种小盾片长等于宽，且中域扁平)；小盾端鬃着生在小的瘤突上；1 根背中鬃比除小盾端鬃以外的其他胸部鬃长且粗壮(如背中鬃比前翅后鬃略短，则小盾片宽明显大于长)；R_{4+5}的末端部分通常明显前弯，M_{1+2}基部直；阳茎端极其延长，较细，拱曲，几乎呈等宽的圆筒形；后阳茎通常有骨化的突起。

分布:古北区，东洋区，非洲热带区。世界已知 20 种，中国记录 5 种，秦岭地区分布 1 种。

(4)费氏新锥秆蝇 *Neorhodesiella fedtshenkoi* (Nartshuk, 1978)(图 300)

Rhodesiella fedtshenkoi Nartshuk, 1978: 83.

Neorhodesiella fedtshenkoi: Cherian, 2002: 242.

鉴别特征:雄性体长 1.80 ~ 2.10mm，翅长 1.80 ~ 1.90mm。头部黑色，侧视高约为长的 1.30 倍；额黑褐色；单眼三角区亮黑色，宽略大于长，前端钝。头部的毛和鬃黑色。触角暗褐色，但鞭节黄色；触角芒浅黑色。喙黑色；须黑褐色。胸部黑色，有暗黄色的毛和黑色的鬃。中胸背板拱突，宽约为长的1.10倍。小盾片短锥形，中域略凸；有2对黑色的鬃位于黑色的小瘤突上；2端鬃基部之间的距离大于端鬃和亚端鬃基部的距离。足基节和腿节黑色，但腿节末端黄色；胫节和跗节黄色，但前足第4~5跗节和中后足端跗节黑褐色。中足胫节有1根黑色的端腹鬃，为基跗节长的0.60倍。后足腿节不加粗，中部宽约为胫节的1.50倍。翅透明，脉浅褐色；前缘脉第2、3、4段之比为8:9:7；R_{4+5}和M_{1+2}中部近平行；M_{1+2}基部较直。平衡棒黄色。腹部黑褐色。腹部毛大部分黑色。雌虫与雄虫形态形似，体长2.00~2.30mm，翅长1.80~1.90mm。

采集记录：9♂5♀，周至太白山，2014.Ⅷ.18，李轩昆采；7♂6♀，周至厚畛子，2014.Ⅷ.16，李轩昆采；30♂21♀，佛坪大古坪，2014.Ⅷ.24，李轩昆采；6♂8♀，宁陕旬阳镇，2013.Ⅷ.13，席玉强采；5♂3♀，宁陕广货街保护区，2013.Ⅷ.10，席玉强采。

分布：陕西（周至、佛坪、宁陕）、北京；俄罗斯，日本。

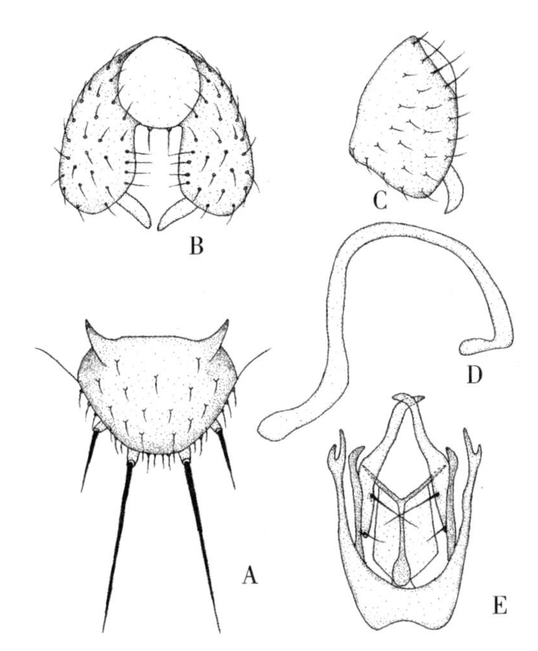

图300 费氏新锥秆蝇 *Neorhodesiella fedtshenkoi* (Nartshuk)

A. 小盾片背面观（scutellum, dorsal view）；B. 第9背板后面观（epandrium, posterior view）；C. 第9背板侧面观（epandrium, lateral view）；D. 阳茎端侧面观（distiphallus, lateral view）；E. 阳茎复合体腹面观（hypandrium and phallic complex, ventral view）

4. 长脉秆蝇属 *Dicraeus* Loew, 1873

Dicraeus Loew, 1873: 51. **Type species**: *Oscinis raptus* Haliday, 1838.

Parastia Pandellé, 1898: 18. **Type species**: *Oscinis raptus* Haliday, 1838.

Oedesiella Becker, 1910: 146. **Type species**: *Oedesiella discolor* Becker, 1910. As subgenus of *Dicraeus*.
Oxyapium Becker, 1912: 250. **Type species**: *Oxyapium longinerve* Becker, 1912. As subgenus of *Dicraeus*.
Dicraeinus Enderlein, 1936: 186. **Type species**: *Eutropha ingratus* Loew, 1866.
Paroedesiella Enderlein, 1936: 187 (unavailable name). **Type species**: *Oscinis styriacus* Strobl, 1898.

属征：体中型，头部高大于长；复眼裸，或被微毛；长轴倾斜或水平；颊宽，宽于或等于触角鞭节；单眼三角区较大，光裸或略被微毛或略带光亮，伸达额的中部；颜略平，颜脊线状；触角短，鞭节卵圆形，宽略大于或明显大于长，光裸或被微毛。中胸背板黄色，具黑色或褐色条纹，或全部或大部分为黑色，带黄色斑；略拱突，光亮或被微毛；小盾片短锥形，中部凸，光滑，略带粉，无瘤突。

分布：除新热带区外，各动物地理区系均有分布，古北区种类最丰富。世界已知63种，中国记录7种，秦岭地区分布1种。

(5)叶穗长脉秆蝇 *Dicraeus phyllostachyus* Kanmiya, 1971（图301）

Dicraeus phyllostachyus Kanmiya, 1971: 166.

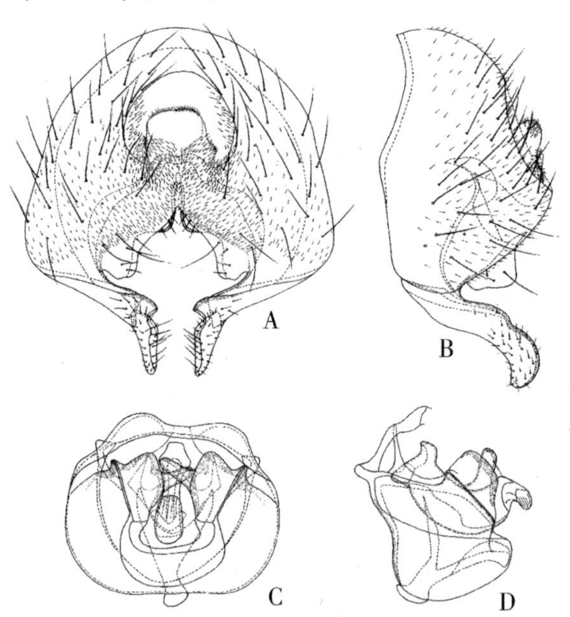

图301 叶穗长脉秆蝇 *Dicraeus phyllostachyus* Kanmiya

A. 第9背板后面观(epandrium, posterior view); B. 第9背板侧面观(epandrium, lateral view); C. 阳茎复合体腹面观(hypandrium and phallic complex, ventral view); D. 阳茎复合体侧面观(hypandrium and phallic complex, lateral view)

鉴别特征：雄虫体长3mm，翅长2.90mm。头部褐色，被粉；额褐色，端部约1/4为黄色，长等于宽；单眼三角区亮褐色，端部约1/4为黄色，光滑，前端尖，伸达额的前缘；单眼瘤褐色；颊黄色，宽约为触角鞭节宽的0.70倍。头部的毛和鬃黑色。

触角黄色；鞭节褐色，基腹面黄褐色，长约等于宽；触角芒细长，褐色，密被褐色短毛。喙黄色；须黄褐色。胸部褐色；肩胛褐色，有1块黑色圆斑；胸侧亮褐色，无粉；除背侧片至翅基部具黄色横斑；腹侧片腹部1/2为黑色；中侧片前腹部，下侧片后腹部黑色。后背片黑色。小盾片短圆锥形。胸部毛和鬃黑色。足黄色，前中后足第4~5分跗节为褐色。足上的毛褐色。翅白色透明；翅脉褐色；前缘脉第2、3、4段之比为3.30∶1.00∶0.50。平衡棒淡黄色。腹部褐色，第1背片黄色，两侧褐色；腹面黄色。腹部的毛褐色。

采集记录:1♂，周至厚畛子，2014.Ⅷ.16，李轩昆采。

分布:陕西(周至)、福建、四川；日本。

5. 瘤秆蝇属 *Elachiptera* Macquart, 1835

Elachiptera Macquart, 1835: 621. **Type species**: *Chlorops brevipennis* Meigen, 1830.

Crassisetavon Roser, 1840: 63. **Type species**: *Oscinis cornuta* Fallén, 1820.

Pachychaeta Loew, 1845: 50. **Type species**: *Oscinis cornuta* Fallén, 1820.

Macrochetum Rondani, 1856: 127. **Type species**: *Oscinis cornuta* Fallén, 1820.

Myrmecomorpha Corti, 1909: 141. **Type species**: *Chlorops brevipennis* Meigen, 1830.

Neoelachiptera Séguy, 1938.: 360. **Type species**: *Neoelachiptera lerouxi* Séguy, 1938.

属征:体小至中型，黄色或黑色。头部高大于长，单眼三角区光滑、接近或伸达额的前缘；颜有或无明显的颜脊；颊较宽、略与触角鞭节等宽；复眼有毛；触角鞭节卵圆形或肾形，触角芒较扁宽且密被毛；小盾片梯形，扁平，有1~3对小盾端鬃位于瘤突上。

分布:除澳洲区外均有分布。世界已知77种，中国记录6种，秦岭地区分布2种。

分种检索表

头部黑色，中胸背板完全黑色……………………………………………… **瘤秆蝇 *E. tuberculifera***

头部黄色，中胸背板黄色，有黑斑………………………………………… **普通瘤秆蝇 *E. sibirica***

(6) 普通瘤秆蝇 *Elachiptera sibirica* (Loew, 1858)

Crassiseta sibirica Loew, 1858: 73.

Elachiptera nigroscutellata Becker, 1911: 99.

Elachiptera sibirica: Duda, 1934: 67.

鉴别特征:雄虫体长1.80~2.00mm，翅长2.00~2.10mm。头部黄色，有灰粉，单眼区浅黑色，后头中部有 1 块大黑斑，延伸至复眼后缘。触角黄色，鞭节背端缘浅黑色，触角芒呈剑形，浅黑色。喙和须黄色。胸部黄色，有灰粉。中胸背板有 3 条黑色或浅黑色纵斑；小盾片黑色，有 3 对黑色的鬃，位于黑色或浅褐色的瘤突上，端鬃的瘤突发达，长明显大于宽。足黄色。翅白色透明，平衡棒黄色。腹部黑色。

采集记录:2♂，周至楼观台植物园，2014. Ⅶ. 26，王玉玉采；1♂2♀，周至楼观台植物园，2014. Ⅶ. 25，闫妍采；2♂5♀，周至牛背梁，2013. Ⅶ. 16，王玉玉采；13♂18♀，华县少华山，2013. Ⅶ. 19，王玉玉采；2♂1♀，留坝江口，2013. Ⅷ. 08，席玉强采；3♂2♀，留坝财神庙，2013. Ⅷ. 17，席玉强采；6♂5♀，佛坪岳坝，2013. Ⅶ. 28，王玉玉采；2♂5♀，宁陕旬阳镇，2013. Ⅷ. 13，席玉强采；1♂，宁陕广货街保护区，2013. Ⅷ. 11，席玉强采；10♂7♀，山阳天竺山，2013. Ⅶ. 21，王玉玉采。

分布:陕西(周至、华县、留坝、佛坪、宁陕、山阳)、北京、福建、台湾、云南；蒙古，日本，欧洲。

(7)瘤秆蝇 *Elachiptera tuberculifera* (Corti, 1908)

Crassiseta tuberculifera Corti, 1909: 132.
Elachlptera tuberculifera: Becker, 1916: 425.

鉴别特征:雄虫体长 1.90 ~ 2.30mm，翅长 2.30 ~ 2.60mm。头部黑色，有灰粉，额黄色；单眼三角区亮黑色，伸达额的前缘；颊黄色，后颊和后头区黑色。触角黄色，鞭节背端部黑色，触角芒呈剑形，黑色。喙和须黄色，被黄色毛。胸部黑色，有灰粉；胸侧黑色，无粉。小盾片黑色，有 3 对黑色的鬃，位于黑色瘤突上，端鬃长等于宽的 2 倍。足黄色。翅白色透明，平衡棒黄色。腹部褐色，第 1 +2 背片黄色，两侧褐色；腹面黄色。

采集记录:4♂2♀，周至老县城，2014. Ⅷ. 19，李轩昆采；1♂，周至太白山，2014. Ⅷ. 18，李轩昆采；2♂，周至厚畛子，2014. Ⅷ. 16，李轩昆采；4♂，周至楼观台植物园，2014. Ⅶ. 26，王玉玉采；2♂，周至牛背梁，2013. Ⅶ. 14，闫妍采；4♂7♀，周至牛背梁，2013. Ⅶ. 16，王玉玉采；1♂2♀，凤县黄牛埔，2013. Ⅷ. 21，席玉强采；2♂2♀，留坝江口，2013. Ⅷ. 08，席玉强采；6♂9♀，华县少华山，2013. Ⅶ. 19，王玉玉采；8♂9♀，留坝财神庙，2013. Ⅷ. 17，席玉强采；5♂1♀，佛坪岳坝，2013. Ⅶ. 28，王玉玉采；6♂4♀，宁陕火地塘，2013. Ⅷ. 14，席玉强采；4♂7♀，宁陕旬阳镇，2013. Ⅷ. 13，席玉强采；4♂3♀，山阳天竺山，2013. Ⅶ. 21，王玉玉采。

分布:陕西(周至、凤县、华县、留坝、佛坪、宁陕、山阳)、北京；蒙古，俄罗斯，日本，哈萨克斯坦，欧洲。

6. 黑鬃秆蝇属 *Melanochaeta* Bezzi, 1906

Pachychoeta Bezzi, 1895: 72 (nec Loew, 1845). **Type species**: *Oscinis capreolus* Haliday, 1838.

Melanochaeta Bezzi, 1906: 50. **Type species**: *Elachiptera aterrima* Strobl, 1880.

Pachychaetina Hendel, 1907: 98 **Type species**: *Oscinis capreolus* Haliday, 1838 (new name for *Pachychaeta* Bezzi, 1895).

Lasiochaeta Corti, 1909: 147. **Type species**: *Elachiptera pubescens* Thalhammer, 1898.

属征:体小型。头部高大于长；单眼三角区光滑或稀被粉；颊略窄于触角鞭节；颜平，颜脊不明显；复眼有稀或密的毛；触角鞭节近肾形，宽大于长；触角芒基节较粗，基部较宽,端部细长；小盾片光滑而端圆，2 对小盾鬃着生在小盾片上，无瘤突或指状突；翅具斑或无斑。

分布:除澳洲区和新热带区外均有分布。世界已知 40 种，中国记录 17 种，秦岭地区分布 2 种。

分种检索表

中胸背板的黑斑两侧无小黑斑，腹部黄色，基部 1/2 背面浅黑色 ………… **李氏黑鬃秆蝇 *M. lii***

中胸背板的黑斑两侧各有 2 个小黑斑，腹部黑色 …………………… **离斑黑鬃秆蝇 *M. separata***

(8)李氏黑鬃秆蝇 *Melanochaeta lii* Yang *et* Yang, 1991(图 302)

Melanochaeta lii Yang *et* Yang, 1991: 477.

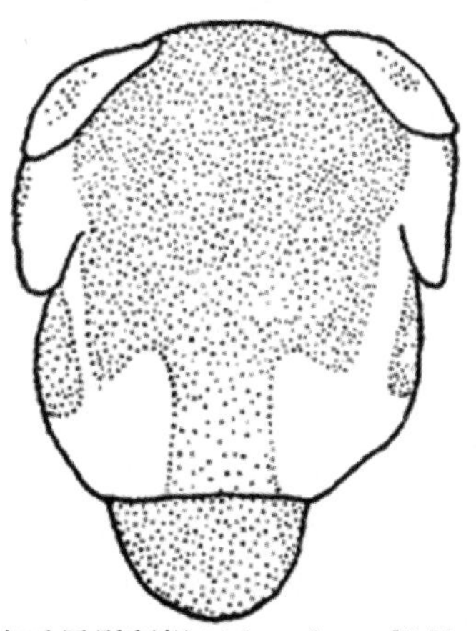

图 302　李氏黑鬃秆蝇 *Melanochaeta lii* Yang *et* Yang
胸部背面观(thorax, dorsalr view)

鉴别特征:雌虫体长 3mm，翅长 2. 50mm。头部黄色；单眼瘤黑色；单眼三角区黑色；后头区黑色。触角黄色，鞭节背面暗黄色；触角芒黄褐色。喙暗黄色。胸部黄色。中胸背板有 1 块宽大的黑斑，翅基部内侧左右各有 1 块小黑斑；胸侧部分黑色。小盾片和后背片黑色。足黄色，但腿节端部和胫节基部具有黑带，基节带有黑色。

翅白色透明。平衡棒黄色。腹部黄色，但基半部背面浅黑色。

采集记录:2♀，周至牛背梁，2014. Ⅶ. 16，王玉玉采；3♀，佛坪大古坪，2014. Ⅷ. 24，李轩昆采。

分布:陕西(周至、佛坪)、云南。

(9)离斑黑鬃秆蝇 *Melanochaeta separata* Yang *et* Yang, 1991(图 303)

Melanochaeta separate Yang *et* Yang, 1991: 478.

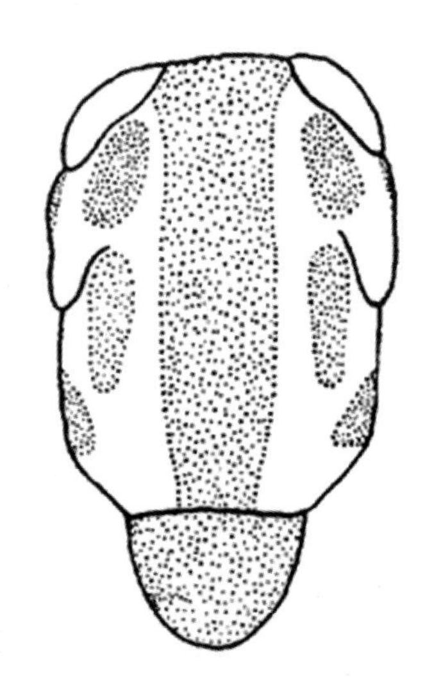

图 303 离斑黑鬃秆蝇 *Melanochaeta separata* Yang *et* Yang
胸部背面观(thorax, dorsalr view)

鉴别特征:雌虫体长 2.00～2.80mm，翅长 2.70～2.80mm。头部黄色；单眼瘤黑色；后头区有黑色斑。触角黄色，鞭节背面暗黄色；触角芒暗黄色。喙暗黄色。胸部黄色，中胸背板中部有 1 块较宽的黑色中纵斑，两侧各有 2 个小黑斑，翅基部内侧还有 1 个小黑斑；胸侧局部区域黑色。小盾片和后背片黑色。足黄色，但腿节端部和后足胫节基部具黑带。翅白色透明。平衡棒黄色。腹部黑色，但腹面大部分为黄色。

采集记录:2♂16♀，周至老县城，2014. Ⅶ. 19，李轩昆采。

分布:陕西(周至)、云南。

7. 长缘秆蝇属 *Oscinella* Becker, 1909

Oscinella Becker, 1909: 120. **Type species**: *Musca frit* Linnaeus, 1758.

Pachychoeta Bezzi, 1895: 72. **Type species**: *Elachiptera aterrima* Strobl, 1880.

Melanochaeta Bezzi, 1906: 34. **Type species**: *Elachiptera aterrima* Strobl, 1880.

Pachychaetina Hendel, 1907: 98. **Type species**: *Oscinis capreolus* Haliday, 1838.

Paroscinella Becker, 1913: 164. **Type species**: *Oscinella acuticornis* Becker, 1912.

Cyclocercula Beschovski, 1978: 25. **Type species**: *Oscinella nartshukiana* Beschovski, 1978.

属征:体小型，黑色。头部高大于长；额稍突出，长约等于宽，单眼三角区光滑或稀被粉；颊略宽于触角鞭节；胸部稍凸，长约等于宽，小盾片光滑而端圆，无瘤突或指状突；足细长，胫节器卵圆形。

分布:世界广布。全世界已知 74 种，中国记录 2 种，秦岭地区分布 1 种。

(10) 小麦秆蝇 *Oscinella pusilla* (Meigen, 1830)

Chlorops pusilla Meigen, 1830: 401.

鉴别特征:雄性体长 1.30～2.00mm，翅长 1.30～1.90mm。头部黑色被灰白粉；颜凹，黑色；单眼三角区亮黑色，光滑；单眼瘤亮黑褐色；颊黑色，几乎与触角鞭节等宽；头部的毛和鬃黑色。触角黑色，无粉，端圆；触角芒黑色，被黑色短毛。喙和须黑色，被黑色毛。胸部黑色，被灰白粉；中胸背板密被黑色短毛，胸侧亮黑色，无粉。小盾片黑色，被灰白粉。胸部鬃和毛黑色。足腿节黑色，但端部有少许黄色；胫节、跗节黄色，但后足胫节中部具 1 条黑色条带，第 3～5 分跗节黑褐色至黑色。足上毛黑色，除跗节被有一些黄褐色毛。后足胫节有长圆形的胫节器。翅透明，翅脉褐色；r-m 位于距中室基部的 2/3 处。平衡棒黄色。腹部黑色，腹面黄色，被灰白粉，毛为黑色。雌虫与雄虫形态相似，体长 2.10～2.70mm，翅长 2.00～2.10mm。

采集记录:31♂22♀，周至老县城，2014. Ⅶ. 19-20，李轩昆采。

分布:陕西(周至)、河北、新疆；阿富汗，土耳其，欧洲。

8. 隆盾秆蝇属 *Centorisoma* Becker, 1910

Centorisoma Becker, 1910: 106. **Type species**: *Centorisoma elegantulum* Becker, 1910.

属征:体和足细长；头宽大于长；颜稍凹，颜脊不明显；颊较窄或稍宽；髭角钝圆；侧颜线状或不明显；额于复眼前没有明显突出；单眼三角区亮黑色，光滑，前端伸达或靠近额的前缘；触角柄节和梗节较短；鞭节长明显大于宽，长约为宽的 1.30～3.00 倍；触角芒稍粗，被稀疏的短毛；中胸背板全黑色或黄色具黑色或浅红色条纹；小盾片中部凸；中胸背板和小盾片表面有明显的小刻点；中胸侧片光滑；中足胫节具 1 个端距，较发达；胫节器小；尾须大，明显骨化；第 9 背板具肛下骨片。

分布:古北区。世界已知 21 种，中国记录 11 种，秦岭地区分布 3 种。

分种检索表

1. 触角鞭节长，端部窄，长约为基部宽的2.00～2.50倍 ……… **陕西隆盾秆蝇 *C. shaanxiensis***
   触角鞭节短，端部正常或稍窄，长约为基部宽的1.50～2.00倍 ……………………………… 2
2. 足完全黄色 ………………………………………………………… **多边隆盾秆蝇 *C. multiformis***
   足黄色，但腿节中部黄褐色，前足跗节和中后足端跗节褐色 ……………………………………
   ………………………………………………………………………… **中凸隆盾秆蝇 *C. mediconvexum***

(11) 中凸隆盾秆蝇 *Centorisoma mediconvexum* Liu *et* Yang, 2014（图304）

Centorisoma mediconvexum Liu *et* Yang, 2014: 105.

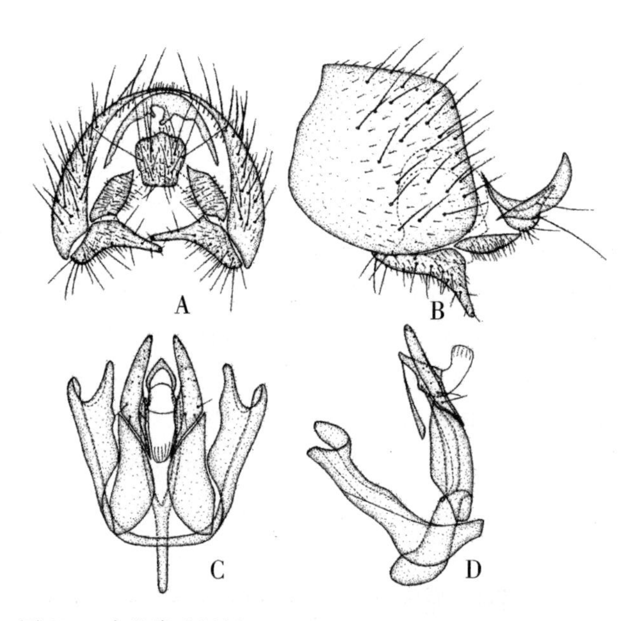

图304 中凸隆盾秆蝇 *Centorisoma mediconvexum* Liu *et* Yang

A. 第9背板后面观（epandrium, posterior view）; B. 第9背板侧面观（epandrium, lateral view）; C. 阳茎复合体腹面观（hypandrium and phallic complex, ventral view）; D. 阳茎复合体侧面观（hypandrium and phallic complex, lateral view）

鉴别特征：雄性体长3.30mm，翅长2.60mm。头部黄色，被灰白粉；额黄褐色，前端1/3黄色，长稍长于宽；单眼三角区亮褐色，光滑，前端尖，伸达额前端的0.90倍；颊后1/2褐色，宽约为触角鞭节宽的0.50倍。头部的毛和鬃黑色。触角黄褐色；鞭节背端部1/2黑色，基腹部1/3黄色，长为基部宽的1.40倍，基部1/3稍凹，端部及基部几乎等宽；触角芒基节淡黄色，其余白色，被白黄色短毛。喙黄色；须褐色。胸部黑色，被灰白粉，具均匀的小颗粒；中胸背板长约为宽的1.20倍；胸侧亮褐色，有光泽；腹侧片腹部2/3黑色；中侧片前腹部和下侧片腹部1/2黑色。小盾片黑短，呈圆锥形；小盾端鬃约为小盾片长的3/4。胸部毛和鬃黑色。足全黄色，前、中、后足腿节中部黄褐色，前足跗节褐色，中后足第5分跗节褐色。足上毛褐色。中足胫节端部具1个黑色的端距。翅白色透明；翅脉褐色；前缘脉第2、3、4段之比为10∶7∶4。平衡棒乳白色。腹部褐色，第1背片基部黄色；腹面黄色。毛黑色。雌虫与雄虫形态相似，体长4.80mm，翅长3.10mm。

采集记录：1♂，周至厚畛子铁甲山庄，2010.Ⅶ.19，张婷婷采。

分布：陕西（周至）、湖北、四川。

(12)多边隆盾秆蝇 *Centorisoma pentagonium* Liu *et* Yang, 2014（图305）

Centorisoma pentagonium Liu *et* Yang, 2014: 110.

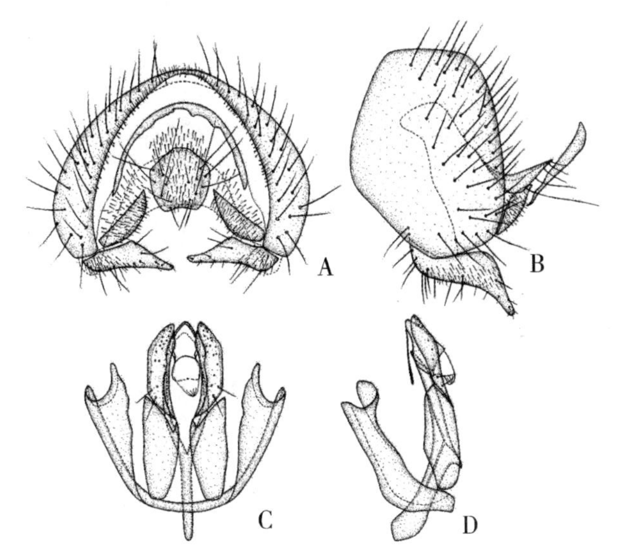

图305　多边隆盾秆蝇 *Centorisoma pentagonium* Liu *et* Yang

A. 第9背板后面观（epandrium, posterior view）; B. 第9背板侧面观（epandrium, lateral view）; C. 阳茎复合体腹面观（hypandrium and phallic complex, ventral view）; D. 阳茎复合体侧面观（hypandrium and phallic complex, lateral view）

鉴别特征：雄性体长3.80mm，翅长2.80mm。头部褐色，被灰白粉；颜稍凹，黄色，颜脊窄；额黄色，长为宽的0.90倍；单眼三角区亮褐色，光滑，前端尖，单眼瘤下方至前端有1块长菱形的黑褐色中斑，伸达额前端的0.90倍；单眼瘤亮褐色；颊前端1/2为黄色，下缘褐色，宽，约为触角鞭节宽的0.50倍。头部的毛和鬃黑色。触角黄褐色，被灰白粉；鞭节基腹面1/3为黄色，长为宽的1.50倍，基部1/2稍凹，端部稍窄，钝圆；触角芒白色，基节淡黄色，被白色短毛。喙和须黄色。胸部褐色，被灰白粉，表面具均匀的小颗粒；胸侧亮褐色，有光泽；中侧片前腹部，腹侧片腹部1/2和下侧片腹部1/2为黑色。小盾片黑褐色，短圆锥形。胸部毛和鬃黑色。足全黄色。足上毛主要黄色。中足胫节端部具1个黑色的端距。翅白色透明；翅脉褐色；前缘脉第2、3、4段之比为10∶7∶4。平衡棒乳白色。腹部第1～3节黄褐色，其余褐色，第1背片基部黄色；腹面黄色。腹部的毛褐色。

采集记录:1♂2♀，周至厚畛子，2014. Ⅷ. 16，李轩昆采。

分布:陕西(周至)、北京、宁夏。

(13)陕西隆盾秆蝇 *Centorisoma shaanxiensis* Liu *et* Yang, 2012(图 306)

Centorisoma shaanxiensis Liu *et* Yang, 2012: 25.

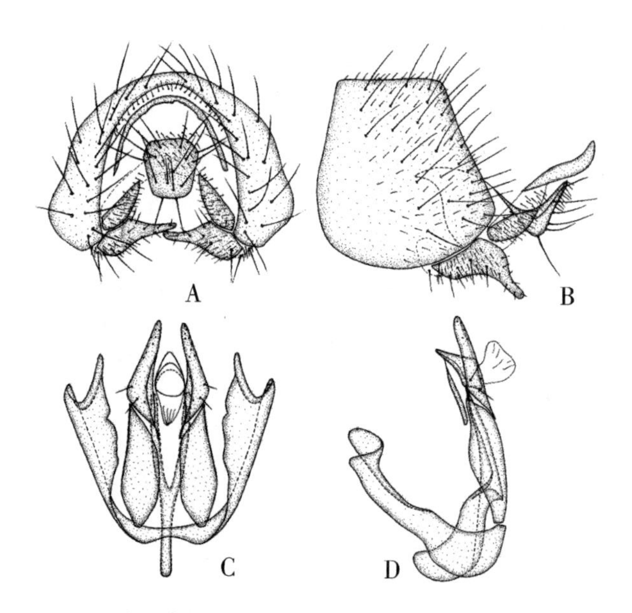

图 306 陕西隆盾秆蝇 *Centorisoma shaanxiensis* Liu *et* Yang

A. 第 9 背板后面观(epandrium, posterior view); B. 第 9 背板侧面观(epandrium, lateral view); C. 阳茎复合体腹面观(hypandrium and phallic complex, ventral view); D. 阳茎复合体侧面观(hypandrium and phallic complex, lateral view)

鉴别特征:雄性体长 2.80 ~ 3.10mm，翅长 2.20 ~ 2.30mm。头部褐色，被灰白粉；额黄褐色，足黄色，端部 1/3 黄色，长为宽的 0.90 倍；单眼三角区亮黑褐色，光滑，前端尖，伸达额前端的 0.90 倍；颊前端 1/2 黄色，腹缘褐色，约为触角鞭节宽的 0.50 倍。头部的毛和鬃黑色。触角黄褐色，被灰白粉；梗节基部褐色；鞭节端部约 2/3 为黑色，长为基部宽的 2.50 倍，为端部宽的 5 倍，基部 1/3 逐渐变窄，端部钝圆；触角芒白色，基节淡黄色，被白色短毛。喙黄色；须褐色。胸部褐色，被灰白粉，表面具均匀的小颗粒；胸侧亮褐色，有光泽；中侧片，翅侧片前腹部，腹侧片腹部2/3 和下侧片腹部 1/2 黑色。小盾片黑褐色，短圆锥形。胸部毛和鬃黑色。足黄色，前足胫节和跗节褐色，胫节基部黄色。足上毛褐色。中足胫节端部具 1 个黑色的端距。翅白色透明，翅脉褐色；前缘脉第 2、3、4 段之比为 10: 7: 4。平衡棒乳白色。腹部褐色，第 1 背片基部黄色；腹面黄色。腹部的毛褐色。雌虫与雄虫形态相似，体长 3mm，翅长 2.30mm。

采集记录:2♂3♀，周至厚畛子，2010. Ⅶ. 16，张婷婷采。

分布:陕西(周至)。

9. 中距秆蝇属 *Cetema* Hendel, 1907

Centor Loew, 1866: 7. **Type species**: *Oscinis cereris* Fallén, 1820.

Cetema Hendel. 1907: 98. **Type species**: *Oscinis cereris* Fallén, 1820.

Centorella Strand, 1928: 48; **Type species**: *Oscinis cereris* Fallén, 1820 (new name for *Centor* Loew, 1866).

属征:体中型，主要黑色。头部高大于长；复眼稀被极短的毛，长轴倾斜；颊稍窄于触角鞭节；额长大于宽，前缘不明显突出；单眼三角区亮黑色，末端近额前缘；颜脊低，不伸达口上片；触角鞭节圆形，触角芒细长被毛。中胸背板和小盾片表面粗糙。小盾片圆形或锥形；中侧片光裸无毛。中足胫节有1个端距。

分布:全北区。世界已知17种，中国记录4种，秦岭地区分布2种。

分种检索表

小盾片完全黑色；腿节和胫节完全黄色 ······································ **中华中距秆蝇 *C. sinensis***

小盾片黑色，中部黄色；腿节暗褐色至黑色且端部黄色，前和后足胫节中部黑色，中足胫节黄褐色 ·· **中黄中距秆蝇 *C. sulcifrons nigritarsis***

(14) 中华中距秆蝇 *Cetema sinensis* Yang et Yang, 1996(图307)

Cetema sinensis Yang *et* Yang, 1996: 550.

鉴别特征:雄性体长3.90~4.10mm，翅长3.40~3.60mm。头部黄色；单眼三角区黑色，伸达额的2/3，后头区黑色；触角浅黄褐色，鞭节黄褐色且背缘浅黑色；触角芒细长，黄褐色；喙和须黄色。胸部黑色；小盾片黑色；胸侧光滑，浅黑色，腹侧片有黄毛；足黄色，但跗节端部褐色；翅白色透明，略有浅灰色，脉浅灰褐色。腹部黑色；雄腹端尾须较短小，背侧突后视基部较粗大、端部明显缩小且内弯，侧视端部明显缩小而弯曲。

采集记录:3♂2♀，周至老县城，2014. Ⅷ. 19，李轩昆采；2♂，周至太白山，2014. Ⅷ. 18，李轩昆采；14♂8♀，佛坪岳坝，2014. Ⅷ. 27，李轩昆采。

分布:陕西(周至、佛坪)、山西、宁夏。

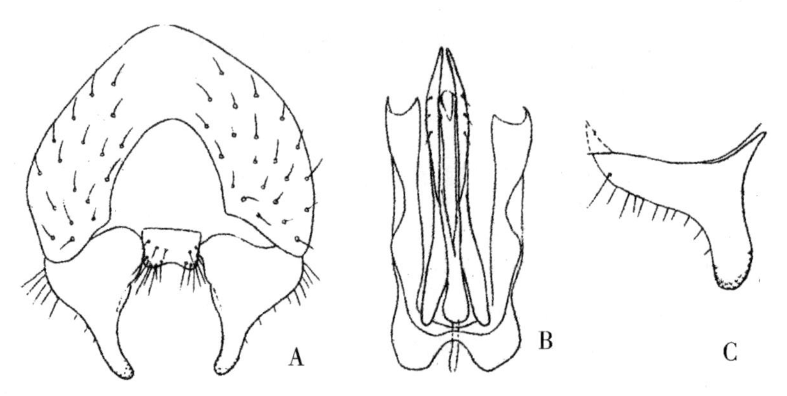

图 307 中华中距秆蝇 *Cetema sinensis* Yang *et* Yang

A. 第 9 背板后面观(epandrium, posterior view); B. 阳茎复合体腹面观(hypandrium and phallic complex, ventral view); C. 背针突侧面观(surstylus, lateral view)

(15)中黄中距秆蝇 *Cetema sulcifrons nigritarsis* Duda, 1933(图 308)

Cetema sulcifrons nigritarsis Duda, 1933: 229.

鉴别特征:雄性体长 4.20 ~4.50mm, 翅长 3.50 ~4.00mm。头部黄色; 单眼三角区黑色, 伸达额的3/4; 后头全黑色; 触角黄色, 鞭节背部浅灰黑色; 触角芒黄色, 端部浅色; 唇基褐色, 喙和须黄色至黄褐色。胸部黑色; 小盾片中部黄色; 足黄色, 但股节暗褐色至黑色且端部黄色, 前后足胫节中部浅黑色至黑色, 中足胫节黄褐色, 跗节褐色。翅白色透明, 略有浅灰色, 脉浅褐色。腹部褐色; 雄腹端尾须近长方形, 被侧突端不明显。

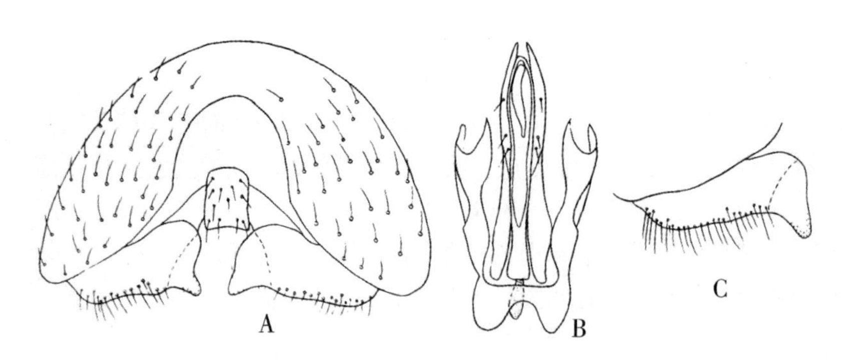

图 308 中黄中距秆蝇 *Cetema sulcifrons nigritarsis* Duda

A. 第 9 背板后面观(epandrium, posterior view); B. 阳茎复合体腹面观(hypandrium and phallic complex, ventral view); C. 背针突侧面观(surstylus, lateral view)

采集记录:2♂, 佛坪岳坝, 2014. Ⅷ. 27, 李轩昆采; 1♂, 佛坪大古坪, 2014. Ⅷ. 24, 李轩昆采。

分布:陕西(佛坪)、宁夏、四川。

10. 秆蝇属 *Chlorops* Meigen, 1803

Chlorops Meigen, 1803: 278. **Type species**: *Musca pumilionis* Bjerkander, 1778.
Oscinis Latreille, 1804: 196. **Type species**: *Musca pumilionis* Bjerkander, 1778.
Cotilea Lioy, 1864: 1123. **Type species**: *Chlorops gracilis* Meigen, 1830.
Anthracophaga Loew, 1866: 15. **Type species**: *Musca strigula* Fabricius, 1794.
Lasiochlorops Duda, 1934: 127. **Type species**: *Chlorops grisescens* Becker, 1916.
Sclerophallus Beschovski, 1978: 400. **Type species**: *Chlorops varsoviensis* Becker, 1910.
Asianochlorops Kanmiya, 1983: 299. **Type species**: *Chlorops lenis* Becker, 1924.

属征:体中型,黄色且有黑斑。头部高大于长;颊窄或宽;额前缘较突出;颜后缩,无明显颜脊。单眼三角区中等大小,伸达额中部或接近额前缘,光滑或稀被粉,无毛和刻纹。复眼稀被毛,长轴倾斜。触角鞭节卵圆形,长宽几乎相等,或长稍大于宽;触角芒细长被毛。盾片拱突,大致光滑,且有3~5条黑斑;小盾片隆突,端圆。

分布:世界广布。全世界已知257种,中国记录43种,秦岭地区分布1种。

(16)稻秆蝇 *Chlorops oryzae* Matsumura, 1915

Chlorops oryzae Matsumura, 1915: 52.
Chlorops kuwanae Aldrich, 1925: 2.

鉴别特征:头部高大于长,几乎与胸部同宽;额,颜和颊灰黄色;额宽为长的1.20倍;颊窄,为触角鞭节高的0.40倍。单眼三角区长为宽的1.30倍,光滑,黑色,前端黄色尖突,伸达额前缘,且有黄色后角。触角柄节、梗节深棕色,鞭节长为宽的1.30倍,黑色,背面平,腹面圆;触角芒白色。须黄色。肩胛黄色;上前侧片有黑斑,下前侧片下部红黄色;后盾片黑色,被灰粉;盾片黄色,具5条黑色条斑,被灰粉,中斑伸达盾片的2/3;小盾片圆,宽为长的1.50倍,黄色。足黄色,第5跗节黑色。

采集记录:2♂1♀,周至太白山,2014.Ⅷ.18,李轩昆采。

分布:陕西(周至)、湖北、福建、台湾、贵州;朝鲜,日本。

11. 平胸秆蝇属 *Mepachymerus* Speiser, 1910

Mepachymerus Speiser, 1910: 197. **Type spceies**: *Mepachymerus baculus* Speiser, 1910.
Steleocerus Becker, 1910: 399. **Type species**: *Steleocerus lepidopus* Becker, 1910.

属征:体大型,细长。头侧视梯形,触角芒剑状,足细长。

分布:古北区，东洋区，非洲热带区。全世界已知13种，中国记录6种，秦岭地区分布1种。

(17)黑腿平胸秆蝇 *Mepachymerus necopinus* Kanmiya, 1983

Mepachymerus sabroskyi Kanmiya, 1977: 50 (nec Kapoor, 1974).

Mepachymerus necopinus Kanmiya, 1983: 215 (new name for *Mepachymerus sabroskyi* Kanmiya, 1977).

鉴别特征:体长4.80~8.00mm，翅长3.80~5.20mm。额、颊和后颊黑褐色，被粉；单眼三角区亮，中部红褐色，前端和单眼瘤周围黑褐色。触角黑褐色至褐色；触角芒浅黑色；须黑褐色，基部黄色。额伸出复眼前部分长为复眼长轴的0.50~0.60倍。触角梗节长，约为触角鞭节长的0.60倍；鞭节宽平；触角芒从背面伸出，逐渐变窄，长约为触角鞭节长的2倍。头部鬃黑色。胸部和小盾片黑褐色，被粉，有褐色短毛；胸侧片黑褐色，被粉，前侧片亮红褐色；腹侧片前部亮；中胸背板长为宽的1.60倍；小盾片圆，宽为长的1.80~2.00倍。足细长，基节和转节黄色；前足全黑色；中后足腿节全黑色，端部黄色；中后足胫节基部暗褐色，端部黄色；中后足第1~3跗节黄色。翅淡黄色，脉褐色。平衡棒黑褐色。腹部长为胸部长的1.50倍，黑褐色，被粉，有黑色的毛。

采集记录:3♂5♀，佛坪岳坝，2014.Ⅷ.27，李轩昆采；4♀，佛坪大古坪，2014.Ⅷ.22，李轩昆采；1♀，宁陕火地塘，2013.Ⅷ.14，席玉强采。

分布:陕西(佛坪、宁陕)、台湾。

12. 麦秆蝇属 *Meromyza* Meigen, 1830

Meromyza Meigen, 1830: 163. **Type spceies**: *Musca saltatrix* Linnaeus, 1761.

属征:体色黄色，有黑斑；中胸背板黄色且有3~5条斑，中斑有时伸达小盾片；后足腿节膨大。

分布:古北区，东洋区，非洲区，澳洲区，其中东洋区最为丰富。世界已知88种，中国记录12种，秦岭地区分布1种。

(18)端尖麦秆蝇 *Meromyza acutata* An *et* Yang, 2005(图309)

Meromyza acutata An *et* Yang, 2005: 77.

鉴别特征:雄性体长3.50mm，翅长约3.10mm。头淡黄色，有灰色粉被；单眼三角区与额同色；单眼瘤黑色。颊宽为触角鞭节宽的1.10倍；额伸出复眼前，复眼前额长约为复眼长轴的0.16倍。头部毛和鬃黑色。触角黄褐色，有灰色粉被；鞭节背面暗褐色，长为宽的1.10倍；触角芒暗褐色，基部黄色。喙淡黄色；须黑色，基部黄色。胸部黄色，胸部前端有灰色粉被。肩胛有小黑斑。中胸背板有3条黑色和褐色的纵斑；中纵斑大部黑色，后部逐渐变为浅褐色，未伸至小盾片；小盾片黄色，有褐色中斑；胸侧片黄色，中侧片有1个黑斑，腹侧片有红褐色斑。胸部毛和鬃黑色。足黄色，有灰色粉被。后足腿节宽为长的0.30倍，为前足腿节宽的2倍。足毛和鬃主要为黑色，后足腿节有些淡黄色长毛。翅白色透明，脉褐色，前缘脉2、3、4段长比为3.00∶2.00∶2.50。平衡棒黄色。腹部黄色，有灰色粉被。第1背板有3条黑色纵斑，第2~4背板各有1个黑色中纵斑。腹部毛主要黑色，腹面有淡黄色毛。

采集记录：1♀，周至厚畛子，2014.Ⅷ.16，李轩昆采。

分布：陕西（周至）、内蒙古。

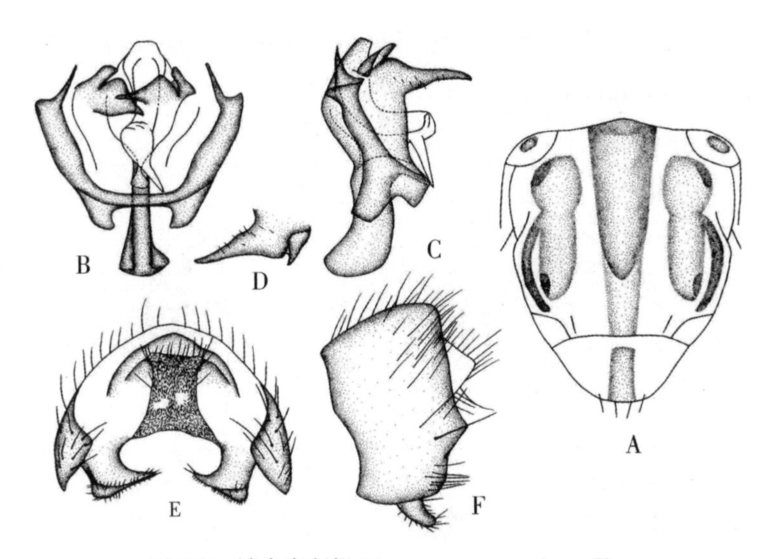

图309　端尖麦秆蝇 *Meromyza acutata* An *et* Yang

A. 胸部背面观（thorax, dorsal view）；B. 阳茎复合体腹面观（hypandrium and phallic complex, ventral view）；C. 阳茎复合体侧面观（hypandrium and phallic complex, lateral view）；D. 阳茎端侧面观（distiphallus, lateral view）；E. 第9背板后面观（epandrium, posterior view）；F. 第9背板侧面观（epandrium, lateral view）

13. 宽头秆蝇属 *Platycephala* Fallén, 1820

Platycephala Fallén, 1820: 2. **Type spceies**: *Platycephala culmorum* Fallén, 1820.

属征：体大型，黄褐色，有暗斑。头部长明显大于高；额前缘非常突出；单眼三角区宽大，伸达额前缘，末端阔圆；触角鞭节长，长明显大于宽；触角芒细长被毛。

后足腿节膨大。

分布：古北区，东洋区。世界已知14种，中国记录7种，秦岭地区分布1种。

（19）中华宽头秆蝇 *Platycephala sinensis* Yang *et* Yang, 1994（图310）

Platycephala sinensis Yang *et* Yang, 1994: 153.

鉴别特征：体长6.20mm，翅长4.20mm。头部暗黄褐色，背腹略扁平，颊很狭窄。头部背有许多短黄毛，无明显的鬃。单眼三角区较狭长，黄褐色，有许多横纹，中部为暗黄色。单眼瘤黑色。触角浅黑色，鞭节近方形；触角芒基节黄色，鞭节白色。口器黄色，须黄色。胸部黄色，背有许多短黄毛。中胸背板黑色，但两侧呈黄色，小盾片背面浅黑色，后背片黑色。中侧片和腹侧片有许多短黄毛，后者的位于黑色的刻点上。足黄色，后足腿节粗大。翅白色透明，脉暗黄色。平衡棒黄色，但端部浅黑色。腹部暗黄褐色，但第1腹节背板黑色，第2腹节背板仅基部为黑色。雄性腹端背侧突端部明显缩小且内弯。

采集记录：1♂，凤县，1980. Ⅴ.06，向龙成、马宁采。

分布：陕西（凤县）。

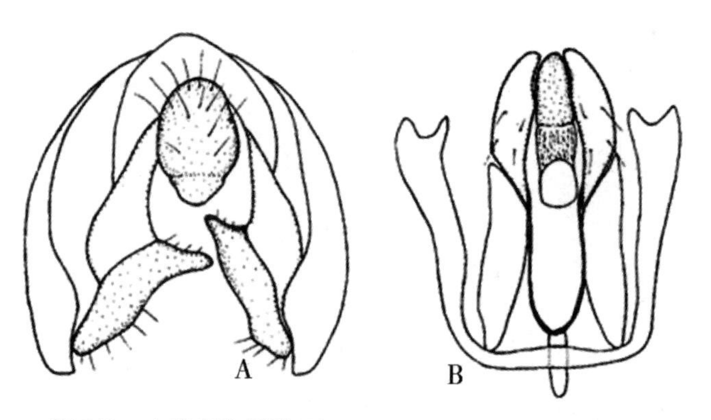

图310 中华宽头秆蝇 *Platycephala sinensis* Yang *et* Yang

A. 第9背板后面观（epandrium, posterior view）; B. 阳茎复合体腹面观（hypandrium and phallic complex, ventral view）

14. 剑芒秆蝇属 *Steleocerellus* Frey, 1961

Steleocerellus Frey, 1961: 35. **Type species**: *Steleocerus tenellus* Becker, 1910.

属征：体小型，黄色，有黑斑。头部高大于长；复眼裸，圆形且长轴倾斜；颊窄于触角鞭节；额前缘稍突出；单眼三角区光滑、无粉被，末端尖或钝，且伸达额前缘；颜凹，颜脊短且不明显；触角鞭节圆形，高大于长；触角芒扁宽近剑形，被短毛；中胸背板长大于宽，黄色且有黑斑；小盾片端圆而隆突；后足胫节具胫节器。

分布：古北区，东洋区，非洲区，新热带区。世界已知17种，中国记录5种，秦岭地区分布1种。

(20)中黄剑芒秆蝇 *Steleocerellus ensifer* (Thomson, 1869)

Cscinis ensifer Thomson, 1869: 605.

Steleocerellus ensifer: Frey, 1923: 73.

鉴别特征：雄性体长2.70~3.20mm，前翅2.20~2.80mm。头部黄色，被灰白粉；额长约等于宽，稍突出于复眼前；单眼三角区黄色，但单眼瘤前后两端褐色，光滑，端部圆，前端伸达额的前缘；颊窄，约为触角鞭节宽的0.35倍。头部的毛和鬃褐色。触角黄色，被灰白粉；鞭节肾形，基背部1/2褐色，长为宽的0.70倍；触角芒扁剑状，褐色，密被毛。喙和须黄色。胸部黄色，被灰白粉；肩胛黄色，有1块褐色圆斑；中胸背板基部1/2褐色，有3条黑色纵斑，3条斑前端愈合，中斑伸达中胸背板长的1/2；胸侧亮黄色，无粉；除背侧片褐色；腹侧片腹部2/3，下侧片后腹部黑色。小盾片褐色，中部1/3黄色，短圆锥形。胸部毛和鬃褐色。足黄色，前足胫节、跗节黄褐色，中后足第5分跗节黄褐色。足上毛黄色。翅白色透明；翅脉褐色；前缘脉第2、3、4段之比为5∶6∶2。平衡棒乳白色，基部黄色。腹部黄褐色；腹面黄色。腹部的毛黑色。雌虫与雄虫形态相似。

采集记录：2♀，周至厚畛子，2014.Ⅷ.16，李轩昆采。

分布：陕西(周至)、浙江、河南、台湾、广东、海南、广西、四川、贵州、云南；俄罗斯，日本，越南，泰国，印度，尼泊尔，斯里兰卡，菲律宾，马来西亚，印度尼西亚。

参考文献

An, S-W. and Yang, D. 2005. Note on the species of the genus *Meromyza* Meigen, 1830 from Inner Mongolia (Diptera: Chloropidae). *Annales Zoologici* (*Warszawa*), 55: 77-82.

Andersson, H. 1977. Taxonomic and phylogenetic studies on Chloropidae (Diptera) with special reference to Old World genera. *Entomologica Scandinavica Supplement*, 8: 1-200.

Kanmiya, K. 1983. A systematic study of the Japanese Chloropidae (Diptera). *Memoirs of the Entomological Society of Washington*, 11: 1-370.

Liu, X-Y. and Yang, D. 2012. The genus *Centorisoma* Becker in China, with a key to world species (Diptera: Chloropidae). *Zootaxa*, 3361: 18-32.

Liu, X-Y. and Yang, D. 2014. Five new species of *Centorisoma* Becker from China, with an updated key to world species (Diptera: Chloropidae). *Zootaxa*, 3821(1): 101-115.

Sabrosky, C. W. 1977. Family Chloropidae. 277-319. In: Delfinado M. D. and Hardy D. E. (eds), *A catalog of Diptera of the Oriental Region. Vol. 3. University Hawaii Press, Honolulu.*

Yang, J-K. and Yang, D. 1994. *New species of the genus* Platycephala (*Diptera*: *Chloropidae*) *from China.* Entomotaxonomia, 16(2): 152-155. [杨集昆, 杨定. 1994. 中国宽头秆蝇属二新种(双翅目: 秆蝇科). 昆虫分类学报, 16(2): 152-155.]

Yang, J-K. and Yang, D. 1998. Chloropidae. 545-573. In: Xue W-Q. and Zhao J-M. (eds), *Flies of China. Vol. 1.* Liaoning Science and Technology Press, Shenyang. 836-1308. [杨集昆, 杨定. 1998. 秆蝇科. 545-573. 见:薛万琦, 赵建铭. 中国蝇类(上册). 沈阳:辽宁科学技术出版社, 836-1308.]

Yang, D. and Yang, J-K., 1991. Eight new species of Melanochaeta from Yunnan, China (Diptera: Chloropidae). *Acta Zootaxonomica sinica*, 16: 476-483. [杨定, 杨集昆. 1991. 黑鬃秆蝇属八新种(双翅目:秆蝇科). 动物分类学报, 16(4): 476-483.]

三十二、潜蝇科 Agromyzidae

陈小琳 王勇

(中国科学院动物研究所动物进化与系统学院重点实验室, 北京 100101)

鉴别特征:体小型, 常为灰黑色。主要分为 2 个亚科, 即潜蝇亚科 *Agromyzinae* 和植潜蝇亚科 *Phytomyzinae*, 其划分亚科的主要依据是成虫的翅脉序和 3 龄幼虫头咽骨构造。潜蝇亚科成虫翅的亚前缘脉全长发达, 其末端在到达前缘脉之前与 R_1 脉合并, 3 龄幼虫的头咽骨一般具 2 个背臂; 植潜蝇亚科成虫翅的亚前缘脉仅基部发达, 端部消失而呈 1 条不甚清晰的褶痕并终止于前缘脉, 3 龄幼虫的头咽骨仅具 1 个背臂。

生物学:幼虫大多具有潜叶习性, 此外少数类群还可潜食根、茎和种子。

分类:全球广布。全世界已知 30 属 2500 余种, 中国已记录 19 属 140 余种, 陕西秦岭地区记录 2 属 2 种。研究标本保存在中国科学院动物研究所。

分属检索表

翅 m-m 横脉存在, 翅中室较小; 小盾片黄色 ································ **斑潜蝇属 *Liriomyza***

翅 m-m 横脉和翅中室缺; 小盾片灰黑色 ································ **彩潜蝇属 *Chromatomyia***

1. 彩潜蝇属 *Chromatomyia* Hardy, 1849

Chromatomyia Hardy, 1849: 390. **Type species**: *Phytomyza obscurella* Fallén, 1823.

属征: 成虫翅长 2.20 ~ 2.60mm, 身体一般为黑色, 中胸背板大多覆灰白粉被, 背中鬃 3 + 1 型, 小盾鬃 2 对, 翅前缘脉终止于 R_{4+5} 脉末端, M_{1+2} 脉较细弱, m-m 横脉和中室常缺。其外部形态特征与植潜蝇属 *Phytomyza* 极相似，曾一度被作为后者的同物异名。但彩潜蝇属老熟幼虫具有留在叶片潜道末端化蛹的独特习性，与后者明显不同，现已被视为一个独立属。

分布：世界性分布。全世界已知 70 余种，中国已记录 4 种，秦岭地区分布 1 种。

（1）豌豆彩潜蝇 *Chromatomyia horticola* Goureau, 1851

Chromatomyia horticola Goureau, 1851: 148.

鉴别特征：体中等大小，翅长 2.20～2.60mm，灰黑色。头部上眶鬃 2 根，新月片不明显。触角黑色，第 3 节圆，触角窝棕褐色至黑色。中胸背板及小盾片灰黑色。翅 m-m 横脉和中室缺，M_{1+2}脉靠近翅尖，前缘脉的第 2 脉段为第 4 脉段长度的 2 倍。

采集记录：6♀8♂，商州刘湾，2000. Ⅵ. 08，任垣采。

生物学：幼虫潜叶，老熟幼虫留在叶片潜道内化蛹；蛹多为白色，圆筒形而宽扁。多食性，寄主植物主要有豆科的菜豆、豌豆，菊科的药用菊、万寿菊、野生菊；十字花科的白菜、油菜、小白菜、萝卜；桑科的地瓜；以及茄科、葫芦科、唇形科、百合科、亚麻科等。

分布：陕西（商州）、内蒙古、北京、山东、河南、甘肃、江苏、上海、浙江、江西、湖南、福建、台湾、西藏；日本，泰国，印度，欧洲，非洲。

2. 斑潜蝇属 *Liriomyza* Mik, 1894

Liriomyza Mik, 1894: 284. **Type species**: *Liriomyza urophorina* Mik, 1894.

属征：体小到中型。额一般为黄色，眶毛后倾，小盾片常为黄色，胸部侧片大部分为黄色。翅前缘脉达 M_{1+2}脉，中室较小，m-m 横脉在大部分种类中存在。雄虫第 9 背板内缘具毛，但不为黑色。

生物学：幼虫多数潜叶，少数潜食种子或蛀茎。部分种类对蔬菜、花卉和禾谷牧草等经济作物构成严重威胁或潜在威胁。

分布：世界广布。世界已知 300 余种，中国已记录 20 余种，秦岭地区分布 1 种。

（2）南美斑潜蝇 *Liriomyza huidobrensis* (Blanchard, 1926)（图 311）

Agromyza huidobrensis Blanchard, 1926: 10.

鉴别特征：翅长 1.70～2.30mm。额黄色，眶部的深色区域至少伸达上眶鬃。中胸背板几乎完全黑色。翅 m-m 横脉存在，中室较大，M_{3+4}脉末段的长度约等于次末段的 2.00 ~2.50 倍。中侧片下部的 2/3 ~3/4 为黑褐或黑色，中侧鬃着生处黑色。老熟幼虫或蛹的后气门具 6 ~9 个椭圆形气门孔。

图 311　南美斑潜蝇 *Liriomyza huidobrensis* (Blanchard)
成虫侧面观(adult, lateral view)

采集记录:18♀28♂，商州刘湾，1999. Ⅳ. 采集时间不详，任垣采。

分布:陕西(商州)、辽宁、北京、河北、山东、甘肃、青海、新疆、福建、四川、贵州、云南；国外广布于南美洲各国及美国，以及非洲的毛里求斯和塞浦路斯等。

经济意义:是原产于美洲的危险性潜叶害虫，于 1993 年至 1994 年在我国大陆被正式发现和报道，之后的短短几年内迅速传播扩散，在诸多省份的主要蔬菜和花卉产区爆发成灾，对豆科、葫芦科、茄科、伞形科和十字花科等蔬菜及菊科、茜草科、桔梗科和旱金莲科等观赏作物的安全生产构成严重威胁，造成惨重的经济损失。

参考文献

Chen, X-L. and Wang, X-J. 2000. List and identification of twenty-three pests of the genus *Liriomyza* Mik (Diptera: Agromyzidae). *Plant Quarantine*, 14(5):266-271; 14(6):329-334. ; 陈小琳，汪兴鉴. 2000. 世界 23 种斑潜蝇害虫名录及分类鉴定. 植物检疫，14(5): 266-271 [14(6): 329-334.]

Papp, L. 1984. Family Agromyzidae. 263-343. In: Soos, A. and Papp, L. (eds.). *Catalogue of Palaearctic Diptera*, *Vol. 9*. Budapest, Hungary.

Spencer, K. 1976. The Agromyzidae (Diptera) of Fennoscandia and Denmark. *Fauna Ent. Scand. Vol. 5*, Part 1: 1-304; Part 2: 305-606.

Spencer, K. 1992. *Host specialization in the world Agromyzidae (Diptera)*. Kluwer Academic Publishers, 1-444.

Wang, X-J. and Chen, X-L. 2001. List of thirteen pests of the genera *Chromatomyia* Hardy, *Phytobia* Lioy and *Tropicomyia* Spencer (Diptera: Agromyzidae) and their identification. *Plant Quarantine*, 15(2): 74-78. [汪兴鉴，陈小琳. 2001. 世界彩潜蝇等三属十三种害虫名录及分类鉴定. 植物检疫，15(2): 74-78.]

三十三、广口蝇科 Platystomatidae

陈小琳 王勇
（中国科学院动物研究所动物进化与系统学院重点实验室，北京 100101）

鉴别特征：体常具金属光泽，颜面及翅一般具斑点及条纹。体型多样，从微小细长到粗大强壮均有。头部不具额鬃，但常具 1 ~ 2 对眶鬃；触角沟较深，一般中间被颜脊所分开。翅前缘脉无裂隙。雄性可见 5 个腹节，雌性可见 6 个腹节。

生物学：成虫一般栖息在较阴湿环境中的植物叶面下或朽木上，幼虫常生活于腐烂果实、菌类或朽木中。

分类：主要分布于旧大陆的热带地区，温带区系相对贫乏。全世界已知 119 属 1200 种。中国已知 18 属 60 种；陕西秦岭地区记录 2 属 3 种，均为陕西新纪录。研究标本保存在中国科学院动物研究所。

分属检索表

体小型；头部颜不具中颜脊，触角第 3 节端尖；翅 r-m 横脉不强烈倾斜 …………………… **带广口蝇属 *Rivellia***

体中型；头部颜具中颜脊，触角第 3 节端圆；翅 r-m 横脉强烈倾斜 …………………… **肘角广口蝇属 *Loxoneura***

1. 肘角广口蝇属 *Loxoneura* Macquart, 1835

Loxoneura Macquart, 1835: 446. **Type species**: *Dictya decora* Fabricius, 1805.

属征：体中等大小且粗壮，体鬃退化。头部橘黄到橘红色，头部仅具 1 对外顶鬃和颊鬃。颜具中颜脊。触角沟深凹；触角明显短于颜，第 3 节端圆，约为第 2 节长的 1.50 ~ 2.00倍，芒短且呈羽状。小盾片肿胀，小盾鬃 3 对。翅透明，具棕黄色斑，r-m 横脉强烈倾斜。前足股节具 1 排黑色后腹刺，中足胫节腹侧具 3 端刺。雌性产卵管基节稍短于或等于第 5 腹板。

分布：东洋区。世界已知 12 种，中国记录 8 种，秦岭地区分布 1 种。

(1) 离带肘角广口蝇 *Loxoneura disjuncta* Wang *et* Chen, 2004（图 312）

Loxoneura disjuncta Wang *et* Chen, 2004: 582.

鉴别特征：该种与 *L. livida* 的一般外部特征相像，尤其是翅斑纹。主要不同之处在于翅中部的棕色横带较窄，其后部宽度远比 dm-cu 横带窄；棕色前缘带在 r_1 室外端明显被一透明带所隔离（在两性中无差异）。

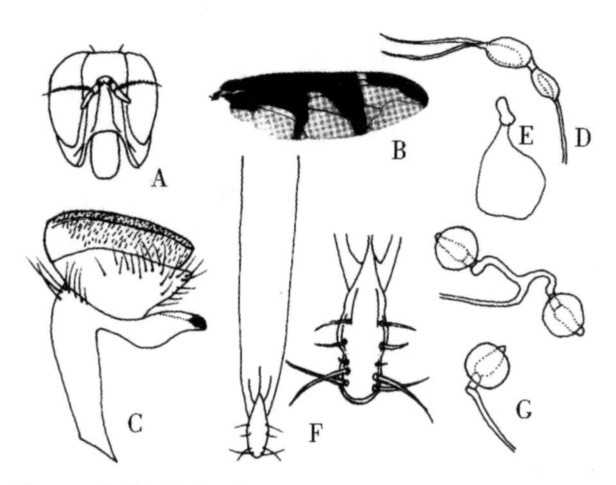

图 312 离带肘角广口蝇 *Loxoneura disjuncta* Wang *et* Chen

A. 头部前面观（head, anterior view）; B. 翅（wing）; C. 雄性第 9 背板侧面观（male epandrium, lateral view）; D. 雄性阳茎端（male distiphallus）; E. 雄性射精管内骨（male ejaculatory apodeme）; F. 雌性针突（female aculeus）; G. 雌性受精囊（female spermathecae）

采集记录：1♀，太白山蒿坪保护站下游沟，1177m，采集时间不详，袁光孝采。

分布：陕西（太白）、河南、四川。

2. 带广口蝇属 *Rivellia* Robineau-Desvoidy, 1830

Rivellia Robineau-Desvoidy, 1830: 720. **Type species**: *Rivellia herbarum* Robineau-Desvoidy, 1830 [= *Musca syngenesiae* Fabricius, 1781].

属征：体常较小、不粗壮，常为棕黄色到黑褐色。头部具内、外顶鬃和上侧额鬃；颜不具中颜脊；触角短于颜，第 3 节端尖，芒短羽状。小盾片肿胀，胸部小盾鬃 2 对。翅透明，一般具棕到黑色条带，r-m 横脉不强烈倾斜。前足股节不具 1 排黑色后腹刺。

分布：全球性分布。世界已知 140 余种；中国记录 15 种；秦岭地区记录 2 种，均为陕西新纪录。

分种检索表

翅基部具"V"形带，且该"V"形带与横跨翅中部的棕色带相连；各带均较宽 ……………………………………………………………………………………………… **连带广口蝇 *R. alini***

翅基部不具“V”形带，翅斑形为具有4条黑褐色细带；各带均较细 ·· 拟黑带广口蝇 ***R. submetallescens***

(2)连带广口蝇 *Rivellia alini* Enderlein, 1937

Rivellia alini Enderlein, 1937: 72.

鉴别特征:该种与 *R. sphenisca* 在体色和翅斑特征上均相像，不同在于本种翅基部的“V”形带与横跨翅中部的棕色带相连接，且翅中带的宽度均匀并较窄。

采集记录:1♀，留坝，1500～1560m，1998.Ⅶ.22，袁德成采；1♀，留坝，1800～1900m，1998.Ⅶ.20，袁德成采；1♀，留坝，1600m，1998.Ⅶ.21，陈军采；2♀，宁陕旬阳坝镇，1352m，2013.Ⅷ.12，袁光孝采；1♀，宁陕广货街保护站，1590m，2013.Ⅷ.10，袁光孝采。

分布:陕西(留坝、宁陕)、黑龙江、内蒙古、北京、河北、湖北、四川；日本。

(3)拟黑带广口蝇 *Rivellia submetallescens* Frey, 1964

Rivellia submetallescens Frey, 1964: 10.

鉴别特征:体小型，黄褐色，腹部黑褐色。翅具4条黑褐色细带，端带沿着翅端部延伸至M脉；中间两带起自翅前缘，分别穿过dm-cu与r-m脉终止于翅中室下缘；基带短，仅达M脉。bc室及r_1室的端部均为黑褐色。

采集记录:1♀，宁陕旬阳坝镇，1485m，2013.Ⅷ.13，袁光孝采.

分布:陕西(宁陕)、云南;缅甸。

参考文献

McAlpine, D. 1973. The Australian Platystomatidae (Diptera: Shizophora) with a revision of five genera. *Australian Museum Memoir*, 15: 1-256.

Soos , A. 1984. Families Platystomatidae, Otitidae and Ulidiidae. 39-66. In: Soos, A. and Papp, L. (eds.). *Catalogue of Palaearctic Diptera*, *Vol. 9*. Budapest, Hungary.

Wang, X-J and Chen, X-L. 2004. A taxonomic revision of the genus *Loxoneura* Macquart from Oriental Region, with description of one new species (Diptera: Platystomatidae). *Acta Entomologica Sinica*, 47(4): 490-498.

Wang, X-J and Chen, X-L. 2004. Descriptions of two new species of the genus *Loxoneura* Macquart (Diptera: Platystomatidae) from China. *Acta Zootaxonomica Sinica*, 29(3): 582-585.

三十四、实蝇科 Tephritidae

陈小琳 王勇
（中国科学院动物研究所动物进化与系统学院重点实验室，北京 100101）

鉴别特征：实蝇成虫体长 2 ~ 25mm。多数种类翅透明，具黄色、褐色或黑色条纹、横带或斑点，或为几种斑纹的组合；少数种类的翅底深色而带有浅色或透明斑纹。实蝇科区别于其他无瓣蝇类的主要形态特征有 3 个方面：①头部无鬃，具侧额鬃。②翅具花斑；亚前缘脉（Sc）端部细弱，末端直立向上，其向上部分模糊不清，并与第 1 径脉（R_1）组成翅痣；前缘脉（C）在肩横脉（h）和亚前缘脉处各有 1 道切痕；第 2、3 合径脉（R_{2+3}）的背面密被细刺状小鬃；后肘室（cup）的后端角一般明显延长成 1 狭长的尖角。③雄性阳茎由细长的、螺旋状卷曲的阳茎基和较为粗大的阳茎端组成；雌性腹部第 7 ~ 9 节形成圆锥形、圆筒形或扁形产卵管。

生物学：其幼虫一般为植食性。

分类：主要分布于世界的热带、亚热带和温带地区。全世界已知 471 属 4257 种。中国已记载 123 属 560 余种；陕西秦岭地区有 14 属 21 种，其中 6 属 7 种为陕西省新纪录。研究标本保存在中国科学院动物研究所。

分亚科检索表

1. 肩板鬃存在；中侧片的后部有 1 条明显、完整的竖缝；上侧额鬃和眼后鬃细，末端尖锐，多为褐色至黑色 …… 2
   肩板鬃缺如；中侧片上的竖缝缺如或退化不明显；上侧额鬃和至少部分眼后鬃宽扁，呈鳞片状，多为白色、乳白色或淡黄色；倘若上述鬃细尖，呈褐色或黑色，则第 2 肘脉（CuA_2）凸出，后肘室（cup）的后端角不向外延伸成 1 个明显的尖角；幼虫在寄主植物的花头中发育或形成虫瘿 …… **花翅实蝇亚科 Tephritinae**
2. 触角芒羽毛形或呈梳状；翅后肘室后端角延长部的端部扭曲；小盾片背面一般隆鼓；雌性仅具 2 个受精囊；幼虫蛀果、潜食花芽或危害竹笋和禾本科的其他植物 …… **小条实蝇亚科 Ceratitidinae**
   触角芒裸或呈短毛型；翅后肘室后端角延长部的端部不扭曲；小盾片背面一般扁平；雌性具 3 个受精囊；幼虫潜叶、潜茎或蛀果，部分类群危害竹笋 …… **实蝇亚科 Trypetinae**

（一）小条实蝇亚科 Ceratitidinae

鉴别特征：头胸部鬃序完全；触角芒羽毛形或呈梳状；翅后肘室后端角延长部的端部扭曲，长度中等；小盾片背面一般隆鼓；雌性仅具 2 个受精囊。幼虫蛀果、潜食花芽或危害竹笋和禾本科的其他植物。

分类:世界记录38属305种，中国已知20属58种，秦岭地区分布1属1种。

1. 中横实蝇属 *Proanoplomus* Shiraki, 1933

Proanoplomus Shiraki, 1933: 127. **Type species**: *Proanopromus japonicus* Shiraki, 1933.
Paranoplomus Shiraki, 1933: 131. **Type species**: *Paranoplomus formosanus* Shiraki, 1933.

属征:下侧额鬃3对，上侧额鬃2对；单眼鬃中度发达，其长度等于或略短于前对下侧额鬃；小盾鬃2对；背中鬃与前翅上鬃位于同一水平。触角第3节端部圆钝或略尖锐；触角芒短羽毛形，其上毛列的长度短于或等于第3节的宽度。后颊强烈肿胀。中胸盾片黑色，光亮，通常覆灰白色或灰黄色粉被纵条，两侧沿横缝后具2个白黄色或黄色斑。小盾片半圆形，轻微或强烈肿胀，背部隆起。翅透明，R_{4+5}脉在dm-cu水平之后密覆细刺；r-m横脉位于翅中室中点之后。腹部黑色，第2和第4背板通常覆灰白粉被。雌性具2个受精囊；产卵管基节较长，其长度具种间差异，约与第3~6背板长度之和或与整个腹部长度相等；针突常宽大，末端钝圆。

分布:古北区，东洋区。世界已知11种，中国已记载7种，秦岭地区记录1种。

(1)台湾中横实蝇 *Proanoplomus formosanus* (Shiraki, 1933)

Paranoplomus formosanus Shinki, 1933: 131.

鉴别特征:本种与黑盾中横实蝇 *P. nigroscutellatus* 相似，二者翅的亚端褐色带与中横带分离，小盾片及足的股节完全黑色；雌性产卵管基节黑色、扁平，与腹部第3~6背板的长度之和相等。两种的主要区别为前者的中胸盾片于缝后两侧具2个椭圆形黄色小斑；而后者的中胸盾片全部黑色。

采集记录:1♂1♀，宁陕旬阳坝镇，1485m，2013.Ⅷ.13，袁光孝采。

分布:陕西(宁陕)、台湾；缅甸，印度尼西亚。

(二)实蝇亚科 Trypetinae

鉴别特征:头部眼后鬃褐色至黑色、细尖；胸部肩板鬃常存在。触角芒裸或呈短毛型。中侧片后部有1条明显的完整的竖缝；小盾片的背面扁平。翅后肘室后端角延长部的端部不扭曲；翅基中室约与基肘室等宽，后肘室的后端角一般长度中等。雌性具3个受精囊。幼虫一般有潜叶、潜茎或蛀果的习性，但刺脉实蝇族Acanthonevrini的一些种类幼期则取食竹笋或在朽木中生活。

分布:世界已记录约161属2007种，中国已记载59属226种，秦岭地区分布8属9种。

分族检索表

1. 小盾鬃 3 对 …… 2
   小盾鬃 1 ~ 2 对；若为 4 ~ 6 对，则胸、腹部密被黑色鬃毛 …… 3
2. 头部具侧后顶鬃 1 对；触角芒裸或呈短毛型；胸部一般有肩鬃 2 ~ 3 根；产卵管基节背端开口于背端部，翻缩膜腹面具鳞片状骨化区；针突向背面强烈弯曲，末端尖锐，无端前刚毛 …… **川实蝇族 Ortalotrypetini**
   头部无侧后顶鬃；触角芒羽毛型；胸部有肩鬃 1 根；产卵管基节开口于后末端；翻缩膜无鳞片状骨化区；针突较宽，不向背面弯曲，末端圆钝，具端前刚毛 …… **刺脉实蝇族 Acanthonevrini**
3. 上侧背片具直立细毛；腹部狭长 …… **狭腹实蝇族 Adramini**
   上侧背片无直立细毛；腹部形状一般正常 …… **实蝇族 Trypetini**

Ⅰ. 刺脉实蝇族 Acanthonevrini

鉴别特征：头部触角芒通常为羽毛型。下侧额鬃 1 ~ 3 对，上侧额鬃 2 对；单眼鬃退化，有时缺如；小盾鬃多为 3 对，中间的 1 对较弱短；背中鬃明显位于前翅上鬃水平之后；上侧背片裸。翅多为褐色，一般在 R_1 脉末端之后具前缘楔形透明斑，翅面另有一些透明斑点；R_{4+5}脉被细刺至 dm-cu 横脉之后；后肘室的后端叶较宽，长度中等。前足股节常具 1 列后腹鬃，有时腹面密被小鬃；中足胫节具 1 ~ 2 根端刺。腹部一般呈长椭圆形。雄性外生殖器的外侧尾叶端部自侧面观近于圆钝；雄性外生殖器具 3 个受精囊；针突宽，末端钝圆，两侧有端前刚毛。

分布：世界已知 76 属 282 种，中国已记载 13 属 29 种，秦岭地区记录 1 属 1 种。

2. 拟刺脉实蝇属 *Orienticaelum* Ito, 1984

Orienticaelum Ito, 1984: 61. **Type species**: *Rioxoptilona femorata* Shiraki, 1933.

属征：本属与刺脉实蝇属 *Acanthonevra* 相似，胸部具小盾鬃 3 对，中间的 1 对相当微弱；翅斑呈典型的刺脉实蝇型。与后者及其他属的区别在于触角芒短毛型；上、下侧额鬃各 2 对；单眼鬃退化；胸部鬃序简化：沟前鬃、翅侧鬃，有时小盾前鬃缺如；翅 R_{4+5}脉被稀疏小鬃至 r-m 横脉之水平，R_{2+3}脉直，后肘室的后端叶很短。

分布：东亚地区。世界已知 3 种，中国记载 2 种，秦岭地区记录 1 种。

(2) 四纹拟刺脉实蝇 *Orienticaelum parvisetalis* (Hering, 1939)

Rioxoptilona parvisetalis Hering, 1939: 144.

鉴别特征：头部具上、下侧额鬃各 2 对，单眼鬃退化，触角芒短毛型。本种的翅斑

特征与日本的 *O. femoratum* 很相似，与后者的区别为：小盾前鬃存在；雌性的 3 个受精囊黑色，近于球形；针突末端圆钝，有 4 对端前刚毛。

采集记录：1♀，留坝石板店庙台子林场石碑，1386m，2013. Ⅷ. 19，袁光孝采。

分布：陕西（留坝）、湖北、福建、广西、四川。

Ⅱ. 狭腹实蝇族 Adramini

鉴别特征：头、胸部鬃序退化；一般无单眼鬃和单眼后鬃，沟前鬃缺如；下侧额鬃 1~3 对，上侧额鬃 1 对；小盾鬃 1 或 2 对；后背侧鬃、翅侧鬃、小盾前鬃及背中鬃较弱短，其中的一些有时也缺如。触角第 3 节末端圆钝，触角芒羽毛型或短毛型；上侧背片常被直立细毛。前足股节有 1 列后腹鬃或各股节腹面均具刺；中足胫节常具端刺 1 根。翅后肘室的后端叶较短。腹部一般细长，呈长椭圆形；雌性有 3 个受精囊。

分布：世界已知 26 属 181 种，中国已记载 8 属 28 种，秦岭地区记录 1 属 1 种。

3. 突眼实蝇属 *Pelmatops* Enderlein, 1912

Pelmatops Enderlein, 1912: 355. **Type species**: *Achias ichneumoneus* Westwood, 1849.

属征：体大型，两性的头部两侧均强烈伸长形成眼柄，复眼位于眼柄顶端，雄性的眼柄一般与腹部等长，而雌性的眼柄则短于腹部。触角比颜短；触角芒羽状。鬃序极为退化，头部仅具 1~2 对顶鬃；胸部具小盾端鬃、肩板鬃和前背侧鬃各 1 对；前翅上鬃、后翅上鬃、翅内鬃、中侧鬃存在；后背侧鬃存在或缺如；上侧背片被直立细毛。翅几乎全透明，亚前缘室浅红褐色；R_{4+5}脉被稀疏小刺至 r-m 横脉后；r-m 横脉明显位于中室的中点之后。足细长，股节腹面无鬃或刺。腹部狭长，第 1~2 背板的两侧缘近于平行。本属与拟突眼实蝇属 *Paeudopelmatops* 很相似，但其头部上侧额鬃和颊鬃均缺如，雄性眼柄相对较长。

分布：东洋区的中印亚区。世界已知 3 种，中国均有记载，秦岭地区记录 1 种。

(3) 福建突眼实蝇 *Pelmatops fukienensis* Zia *et* Chen, 1954（图 313）

Pelmatops fukienensis Zia *et* Chen, 1954: 307.

鉴别特征：头部有 5 条褐色狭带：1 条沿额前缘及眼柄的前背部延伸；1 条位于眼柄后部，自柄基延伸至中部；1 条位于眼柄前腹面；1 条横越颜及侧颜下缘；1 条位于颜的上缘。雄性的眼柄约与腹部等长，雌性则短于腹部。外顶鬃和后背侧鬃均存在。胸、腹部和足除上侧背片黑色外，其余均为黄色。翅绝大部分透明而略带浅黄褐色；亚前缘室红褐色，约为前缘室长度的 3/4。雌性针突宽扁，高度骨化，端部逐渐变窄，两侧各具4个大而宽的锯齿，末端尖锐；受精囊3个，黑色，呈长椭圆形。

采集记录：1♀，宁陕火地塘，1500m，2013. Ⅶ，J. S. Wang 采。

分布：陕西（宁陕）、福建、四川。

图313 福建突眼实蝇 *Pelmatops fukienensis* Zia *et* Chen
成虫背面观（adult, dorsal view）

Ⅲ. 川实蝇族 Ortalotrypetini

鉴别特征：雌性产卵管基节具1个独特的背端开口，翻缩膜的腹侧具1深色鳞片状突起，针突向背面强烈弯曲，3个受精囊近似球形。触角芒短毛型或裸；下侧额鬃3～5对，上侧额鬃2对；单眼鬃粗大或细小；单眼后鬃和侧后顶鬃常存在；胸部鬃序发达、完全，一般肩鬃2～3根（个别仅1根），前翅上鬃2对，翅内后鬃1对，小盾鬃3对（但新川实蝇属 *Neortalotrypeta* 的上、下侧额鬃仅1对，单眼后鬃和翅内后鬃缺如，肩鬃仅1根，前翅上鬃1对，小盾鬃2对）。前足股节具1列后腹鬃；中足胫节有端刺2根。翅 R_{4+5} 脉被刺状小鬃至 r-m 横脉或达 dm-cu 横脉之后；后肘室的后端角宽短。

分布：世界已知4属14种，中国已记录2属12种，秦岭地区分布2属3种。

分属检索表

中胸盾片黑色，具黄色或黄褐色纵条；小盾片完全黑色；翅黑褐色或黑色，沿后缘具透明狭区，另有一些透明斑点散布于翅面 ………………………………………………………… **墨实蝇属 *Cyaforma***

中胸盾片和小盾片全部为黄色或黄褐色；翅透明带有黄色，典型的翅斑常有沿 CuA_1 脉、dm-cu 横脉、M 脉第四脉段及 R_{2+3} 室和 R_{4+5} 室端部伸展的褐色或黑褐色斑带…………………………………………………………………………………………………… **川实蝇属 *Ortalotrypeta***

4. 墨实蝇属 *Cyaforma* Wang, 1989

Cyaforma Wang, 1989: 358. **Type species**: *Cyaforma shenonica* Wang, 1989.

属征:头部具下侧额鬃2~3对，上侧额鬃2对；单眼鬃及侧后顶鬃非常发达，其大小几乎与外顶鬃相仿；单眼后鬃弱短。胸鬃发达，其中小盾鬃3对，端对彼此交叉；肩鬃2~3对；前翅上鬃1~2对，翅内后鬃0~1对；背中鬃靠近前翅上鬃的前对之水平。颜中脊显著，触角沟深而宽。口缘及侧颜的下缘不向前突出。触角较短，约为颜垂直长度的1/2；触角芒短毛型。中胸盾片黑色，具黄色或黄褐色纵条。翅黑褐色或黑色，沿后缘具透明狭区，翅面有一些乳白色透明斑点；R_{4+5}脉密被细刺至dm-cu横脉之后；亚前缘室约为前缘室长的1/2；后肘室的后端角相当短；r-m横脉位于中室的中点之后。前足股节具1列后腹鬃；中足胫节具粗大的端刺2根。雄性外生殖器的内侧尾叶发达，外侧尾叶侧面观端部近于圆形。雌性产卵管基节近似三角形，开口于背末端，其长度接近或等于腹部第5~6背板的长度之和；翻缩膜的腹面有1个大型褐色至黑色鳞片状突起；针突基部加宽并向背面强烈弯曲，端部几乎成三角形，侧缘光滑，末端尖锐；受精囊3个，近乎球形。

分布:东洋区。世界已知3种，中国已记载2种，秦岭地区记录1种。

(4) 神峨墨实蝇 *Cyaforma shenonica* Wang, 1989 陕西新纪录(图314)

Cyaforma shenonica Wang, 1989: 359.

鉴别特征:胸部具肩鬃2对，前翅上鬃1对，翅内后鬃缺如。中胸盾片黑色，亚中部一般有2个黄色纵条；腹侧片黄色，小盾片、亚小盾片和中胸后背片均为黑色。翅绝大部分黑色，仅具1个沿翅后缘的窄透明区和1个位于m室的透明斑点。雌性针突基部极宽大，向背面强烈弯曲，端部几乎成三角形，末端尖锐；受精囊3个，色淡，亚圆形。

采集记录:1♀，宁陕广货街保护站，1590m，2013.Ⅷ.10，袁光孝采。

图314 神峨墨实蝇 *Cyaforma shenonica* Wang
翅(wing)

分布：陕西（宁陕）、湖北、四川。

5. 川实蝇属 *Ortalotrypeta* Hendel, 1927

Ortalotrypeta Hendel, 1927: 55. **Type species**: *Ortalotrypeta idana* Hendel, 1927.

属征：与墨实蝇属 *Cyaforma* 很相似，本属颜脊显著，触角约为颜长的1/2，触角芒短毛型；胸部鬃序发达、完全，具肩鬃1~3根，翅内后鬃0~1根，小盾鬃3对，单眼鬃及侧后顶鬃粗大，背中鬃接近或位于前翅上鬃之水平；翅亚前缘室约为前缘室长的1/2，后肘室的后端角较短，R_{4+5}脉大部分密被细刺，r-m横脉位于中室的中点之后；中足胫节具端刺2根。与后者及其他相关属的区别在于其中胸盾片及小盾片完全黄色；翅透明带有黄色，通常有沿 CuA_1 脉、dm-cu横脉、M脉第四脉段及 r_{2+3} 室和 r_{4+5} 室端部伸展的褐色或黑褐色斑带。

分布：东古北区，东洋区。世界已知9种，中国已记载9种，秦岭地区分布2种。

分种检索表

翅 r_1 室有1条褐色前缘窄带自 R_1 脉末端伸达 r_{2+3} 室端部，并与翅端褐色斑连接；翅不具5个独立褐色斑点 ········· **谢氏川实蝇 *O. ziae***

翅 r_1 室不具1条褐色前缘窄带自 R_1 脉末端伸达 r_{2+3} 室端部，并与翅端褐色斑连接；翅具5个独立褐色斑点 ········· **五斑川实蝇 *O. trypetoides***

（5）五斑川实蝇 *Ortalotrypeta trypetoides* Chen, 1948 陕西新纪录（图315）

Ortalotrypeta trypetoides Chen, 1948: 119.

图315 五斑川实蝇 *Ortalotrypeta trypetoides* Chen
头和胸侧面观（head and thorax, lateral view）

鉴别特征：翅斑独特，底色透明带有黄色，具5个独立的褐色斑点。肩鬃2根，翅内后鬃常缺如。雌性产卵管基节黄褐色，末端黑色，其长度短于腹部第5~6背板的长度之和。

采集记录：1♀，宁陕旬阳坝镇，1485m，2013.Ⅷ.13，袁光孝采。

分布：陕西（宁陕）、四川、云南。

（6）谢氏川实蝇 *Ortalotrypeta ziae* Norrbom，1994 陕西新纪录

Ortalotrypeta ziae Norrbom，1994：9.

鉴别特征：肩鬃3根，翅内后鬃1根。翅的褐色前缘带自R_{2+3}脉末端直达r_1室端部，并与翅端的褐色斑纹相连；CuA_1脉上罩盖褐色条纹，亚前缘室端部有1个褐色斑点。

采集记录：1♂，宝鸡凤县黄牛埔东河桥六组杨庄农家乐，1501m，2013.Ⅷ.21，袁光孝采；2♀，留坝桑园财神庙自然保护站，1212m，2013.Ⅷ.17，袁光孝采；1♀，留坝石板店庙台子林场石碑，1386m，2013.Ⅷ.19，袁光孝采；5♂2♀，宁陕旬阳坝镇，1352-1485m，2013.Ⅷ.12-13，袁光孝采；2♂1♀，宁陕十八尖瀑布，1108m，2013.Ⅷ.15，袁光孝采；2♂，汉中光华山检查站，1912m，2013.Ⅷ.20，袁光孝采。

分布：陕西（宝鸡、留坝、宁陕、汉中）、湖北、台湾。

Ⅳ. 实蝇族 Trypetini

鉴别特征：触角芒短毛型或裸，很少为短羽状；一般下侧额鬃2~3对，少数4~6对，上侧额鬃1~2对；单眼鬃常较发达，有时退化；小盾鬃2对，背中鬃大致与前翅上鬃处于同一水平；上侧背片裸。触角第3节末端圆或呈尖角状。翅后肘室的后端角较短或中度伸长。腹部卵圆形或椭圆形；雌性有3个受精囊；产卵管基节常扁平；针突在实蝇属群（*Trypeta* group）中，宽且背腹扁平，端部三角形，两侧边缘成锯齿状，末端尖锐；而在颊鬃实蝇属群（*Chetostoma* group）中，细长而侧扁。

分布：分为实蝇亚族 Trypetina 和蛀果实蝇亚族 Carpomyina。前者包括50余属，主要分布于古北区和东洋区，多数属的幼虫潜叶或潜茎；后者包括10余属，其多数种类分布于新北区，仅有少数分布于古北区，幼虫大多蛀果。中国实蝇族已记载约35属163种，秦岭地区记录4属4种。

分属检索表

1.　雄性触角梗节的内侧具1个角状突起；雄性具7对或7对以上扁平而粗大的下侧额鬃；雌性具5~6对正常的下侧额鬃 ………………………………………… **偶角实蝇属 *Aischrocrania***

雄性触角的梗节上不具角状突起；雌性具3对正常的下侧额鬃 ………………………………… 2

2. 翅 dm-cu 横脉强烈倾斜，与 CuA_1 脉形成1个明显的锐角 ……………… **斜脉实蝇属 *Anomoia***

翅 dm-cu 横脉不强烈倾斜 ……………………………………………………………………………… 3

3. 翅 r-m 横脉位于或接近中室的中点。翅透明一般有褐色或黑褐色斑点或带纹…… **实蝇属 *Trypeta***

翅 r-m 横脉明显位于中室的中点之后。翅斑纹常为浅黄或黄色，很少为褐色 …… **迈实蝇属 *Myoleja***

6. 偶角实蝇属 *Aischrocrania* Hendel, 1927

Aischrocrania Hendel, 1927: 70. **Type species**: *Aischrocrania aldrichi* Hendel, 1927.

Moritsugia Shiraki, 1933: 243. **Type species**: *Moritsugia quadrimaculata* Shiraki, 1933.

Kwasiparia Kwon, 1985: 73. **Type species**: *Kwasiparia miltipilosa* Kwon, 1985.

属征：头部形状及前足股节呈两性异型。雄性触角梗节有1个独特的角状突起，其上着生粗壮的鬃或刚毛；额两侧隆起，一般具5～11对大而扁平的下侧额鬃；前足股节明显粗大。雌性头部和前足股节形状正常。雌雄两性具上侧额鬃2对，背中鬃位于前翅上鬃之后。翅透明，具褐色斑纹；亚前缘室的长度约为前缘室的1/2；R_{4+5} 脉被细刺至 r-m 横脉。雄性的侧尾叶较长，阳茎端具颗粒状中骨片。产卵管基节等于或长于第6背板。

分布：古北区，东洋区。全世界已知7种，中国已记载3种，秦岭地区记录1种。

(7) 短带偶角实蝇 *Aischrocrania brevimedia* Wang, 1992（图316）

Aischrocrania brevimedia Wang, 1992: 105.

图316 短带偶角实蝇 *Aischrocrania brevimedia* Wang
翅(wing)

鉴别特征：本种的外部形态与 *A. jucunda* 相似，其雄性均具5～7对正常的下侧额鬃；但触角梗节上的角状突起较短，其长度短于触角；翅 r_1 室内的褐色斑不延伸至 R_{4+5} 脉，中横带在翅后缘与亚端带明显分离；腹部绝大部分黄褐色，第5背板两侧有1对黑色斑点。雄性阳茎端具颗粒状中骨片。

采集记录:1♂, 石泉, 1971. Ⅷ. 12, 杨集昆采。

分布:陕西(石泉)。

7. 斜脉实蝇属 *Anomoia* Walker, 1835

Anomoia Walker, 1835: 80. **Type species**: *Trypeta gaedii* Meigen, 1830 [= *Musca permunda* Harris, 1776].

Phagocarpus Rondani, 1870: 19. **Type species**: *Musca permunda* Harris, 1780.

属征:翅 dm-cu 横脉强烈倾斜, 以至于中室的后端角明显成锐角; M 脉的第 3 脉段非常短, 等于或稍长于 r-m 横脉; 基中部常有 1 个黄褐色至深褐色斑纹, 端部有 1 条完整或不完整的"C"形褐色带; 亚前缘室约为前缘室长的 1/2; 后肘室的后端角长度中等; R_{4+5}脉常被细刺至 r-m 横脉。头部具下侧额鬃 3 对, 上侧额鬃 2 对; 单眼鬃弱短, 等于或短于后对上侧额鬃; 背中鬃常靠近后翅上鬃而远离前翅上鬃。雄性的阳茎端具六角网格状背骨片。雌性受精囊 3 个; 产卵管基节狭而短; 针突细长, 侧扁, 腹端常具小锯齿。

分布:古北区, 东洋区, 澳洲区。世界已知 37 种, 中国已记载 18 种, 秦岭地区记录 1 种。

寄主:幼虫生活在茜草科 Rubiaceae、小蘖科 Berberidaceae 和蔷薇科 Rosaceae 植物的果实中。

(8) 蔷薇斜脉实蝇 *Anomoia purmunda* (Harris, 1780) (图 317)

Musca permunda Harris, 1780: 74.

Trypeta antica Wiedemann, 1830: 511.

Trypeta gaedii Meigen, 1830: 382.

Tephritis oxyacanthae Perris, 1876: 211.

鉴别特征:本种的翅斑与 *A. proba* 很相似, 但中胸盾片绝大部分黑色, 密覆白粉被; 亚小盾片、中胸后背片及腹部均黑色而光亮; 产卵管基节约与第 6 背板等长。种内翅斑的变化存在地区性差异, 采自东亚地区的标本常有 1 条不完整的"C" 形褐色带, 该带的前臂和后臂在 r_{4+5}室内或多或少中断; 而欧洲地区的标本, 其"C"形褐色带常完整, 前、后两臂完全相连。体、翅长 4.00 ~ 4.50mm。

采集记录:1♀, 武功, 1962. Ⅷ. 10, 杨集昆采; 1♂, 宁陕广货街保护站, 1590m, 2013. Ⅷ. 10, 袁光孝采。

分布:陕西(武功、宁陕)、甘肃、四川; 俄罗斯, 韩国, 日本, 欧洲。

寄主:在欧洲已记载其幼虫潜居小蘖科的小蘖属 *Berberis* sp. , 蔷薇科的栒子 *Cotoneaster tomentosa*, 山楂属的 *Crataegus laevigata*、*C. monogyna*、*C. oxyacantha*, 火棘属

Pyracantha sp. 和梨属的 *Pyrus baccata* 果实中。

图 317 蔷薇斜脉实蝇 *Anomoia purmunda* (Harris)
成虫侧面观(adult, lateral view)

8. 迈实蝇属 *Myoleja* Rondani, 1856

Myoleja Rondani, 1856: 112. **Type species**: *Tephritis lucida* Fallén, 1826.

属征:体除中胸后背片的两侧黑色外,其余全为黄色或黄褐色。背中鬃位于前翅上鬃与翅内鬃的中间水平。翅斑条带状或古按实蝇型(*Anastrephoides*-like);后肘室的后端角一般中度伸长;r-m 横脉位于中室的中点略后;R_{4+5}脉被细刺至 dm-cu 横脉或仅于基部具细刺 3~4 根。雌性产卵管基节或多或少圆筒状,短于第 5~6 背板长度之和;针突狭长,端部侧扁,腹缘具有 1 列稀疏大锯齿。

分布:古北区,东洋区,澳洲区。全世界已知 7 种,中国已记载 2 种,秦岭地区记录 1 种。

寄主:幼虫在忍冬科 Caprifoliaceae 植物的果实中发育。

(9) 中华迈实蝇 *Myoleja sinensis* (Zia, 1937) (图 318)

Anastrephoides sinensis Zia, 1937: 166.

鉴别特征:翅斑为古按实蝇型(*Anastrephoides*-like),前缘于 R_1 脉末端后仅有 1 个楔形透明斑;r-m 横脉位于中室的中点;R_{4+5}脉被细刺至 dm-cu 横脉之后。雌性产卵管基节的长度几乎与第 5、6 背板的长度之和相等。体、翅长 4.00~5.50mm。

采集记录:5♂2♀,石泉,1971. Ⅶ. 19-Ⅷ. 12,杨集昆采。

分布:陕西(石泉)、吉林、北京;俄罗斯。

寄主:幼虫在忍冬科的金银忍冬 *Lonicera maackii*、长白忍冬 *L. ruprechtiana* 及 *L.*

gibbiflora 的果实中发育。

图 318 中华迈实蝇 *Myoleja sinensis* (Zia)
成虫侧面观(adult, lateral view)

9. 实蝇属 *Trypeta* Meigen, 1803

Trypeta Meigen, 1803: 277. **Type species**: *Musca artemisiae* Fabricius, 1794.

Forellia Robineau-Desvoidy, 1830: 760. **Type species**: *Musca onopordi* Robineau-Desvoidy, 1830 [= *Musca artemisiae* Fabricius, 1794].

Spilographa Loew, 1862: 39. **Type species**: *Trypeta hamifera* Loew, 1846 [= *Trypeta immaculata* (Macquart, 1835)].

属征:头部下侧额鬃 3 对，上侧额鬃 2 对；单眼鬃等于或远短于前面的 1 对上侧额鬃。胸部背中鬃一般约位于前翅上鬃的水平处；翅底色透明，常具褐色到深褐色斑点或条带，r-m 横脉常位于翅中室中点处；后肘室的后端角较短。雌性产卵管基节背腹扁平，稍短于或远短于第 5 ~6 背板长度之和；针突端部渐成针尖状，侧边具锯齿；受精囊圆形、亚圆形或长椭圆形。

生物学:幼虫取食菊科植物的叶。

分布:全北区，东洋区，新热带区。全世界已知45 种，中国已记载21 种，秦岭地区记录1 种。

(10)蒿实蝇 *Trypeta artemisiae* (Fabricius, 1794)

Musca artemisiae Fabricius, 1794: 351.

Tephritis interrupta Fallén, 1814: 163.

Forellia onopordi Robineau-Desvoidy, 1830: 761.

鉴别特征:头部单眼鬃发育良好，等于或长于前面的上侧额鬃。胸部大多黄到红黄色；中胸后背片除中部有1条红黄色纹外其余黑色且光亮；翅具3条黄褐色到褐色带，其中的盘状带不明显且不达翅后缘，亚端部带在r_{4+5}室中常被打断；R_{4+5}脉被刺至dm-cu横脉之水平。腹部全黄到黄褐色；产卵管基节红黄色，约与第5背板等长。体长、翅长为4.50～6.00mm。

采集记录：1♀，石泉，1971.Ⅷ.16，杨集昆采。

分布：陕西（石泉）、黑龙江、甘肃、新疆、四川；蒙古，俄罗斯，韩国，日本，中亚，欧洲。

寄主：幼虫在菊科植物许多种的叶中取食。在欧洲，已知的寄主有*Achillea ptarmica*，*Artemisia dracunculus*，*Eupatorium cannabinum* 和 *Tanacetum vulgare* 等。

（三）花翅实蝇亚科 Tephritinae

鉴别特征：胸部一般不具肩板鬃，背中鬃轻微或明显位于前翅上鬃之前；中侧片顶缝退化或缺如。芒裸或被短毛；眼后鬃、单眼后鬃、外顶鬃及后面的上侧额鬃常加厚，并呈鳞片状，白色或白黄色。翅斑型网状或全透明；cup室约与bm室等宽，常具1个短的后端角，个别端部隆凸或钝。雌性具2个受精囊。

生物学：大部分已知种在菊科植物的花头、花、干及根中形成虫瘿，一些种也在菊科、唇形科和马鞭草科植物的种荚中发育。

分布：全球性分布。中国记载约39属216种，陕西秦岭地区记录5属11种。

分族检索表

1. 头部后面的1对上侧额鬃汇合。中胸盾片常具1个土竖琴状深色斑。翅斑型条带状或几乎完全透明 …………………………………… **花背实蝇族 Terelliini**
   后面的1对上侧额鬃后曲。中胸盾片不具土竖琴状深色斑。翅斑型不如上述 ……………… 2
2. 头部至少一些眼后鬃细黑；翅大部分褐色到深褐色，常具明显的楔形透明斑，个别有许多透明小斑点 …………………………………… **楔实蝇族 Tephrellini**
   头部眼后鬃几乎全为厚鳞片状，白色或白黄色；翅斑型常为网状 …… **花翅实蝇族 Tephritini**

Ⅰ. 楔实蝇族 Tephrellini

鉴别特征：该族与已知花翅实蝇亚科其他族的不同在于其眼后鬃常细而黑；胸部具退化的绒毛被；腹部光亮；翅绝大部分褐到黑色，常在前后缘具大型楔形透明斑，个别在翅面上具许多小的亚透明到透明斑点，后肘室的后端角短尖；产卵管基节端部或多或少窄，端部呈针状。

生物学：生活在爵床科 Acanthaceae、唇形科 Lamiaceae、马鞭草科 Verbenaceae 和菊

科 Asteraceae 植物的花头或种荚中。

分布:广布于旧大陆，大部分的属分布于非洲区。中国已记载6 属25 种，秦岭地区记录1 属1 种。

10. 楔实蝇属 *Sphaeniscus* Becker, 1908

Sphaeniscus Becker, 1908: 138. **Type species**: *Sphaeniscus brevicauda* Becker, 1908 [= *Aciura filiola* Loew, 1869].

Spheniscomyia Bezzi, 1913: 146 (invalid emendation of *Sphaeniscus*).

Pseudopheniscus Hendel, 1913: 82. **Type species**: *Urophora sexmaculata* Macquart, 1843.

属征:上、下侧额鬃均2 对；眼后鬃均细黑；小盾鬃4 根；背中鬃位于前翅上鬃之水平；翅明显深褐色，基部透明，前缘具1 个楔形透明斑，后缘具3 个或更多切迹；R_{4+5}脉基部最多具少量小鬃。产卵管基节约等于或等于腹部第4 ~6 背板长度之和；针突细长，两侧扁平，向端部逐渐变为针尖状。

生物学:幼虫在菊科和唇形科植物的花头中发育。

分布:古北区，东洋区，澳洲区，非洲区。世界已知6 种，中国已记载2 种，秦岭地区记录1 种。

(11) 五楔实蝇 *Sphaeniscus atilius* (Walker, 1849) (图 319)

Trypeta atilius Walker, 1849: 1021.

Trypeta sexincisa Thomson, 1869: 579.

鉴别特征:头部上、下侧额鬃2 对；眼后鬃细黑。胸部小盾鬃4 根；背中鬃位于前翅上鬃之水平。翅基部的透明区延伸至翅前缘室基部的3/5；翅后缘具4 个楔形透明斑。雌性产卵管基节较长，几乎等于或等于腹部第4 ~6 背板长度之和。体、翅长3.20 ~4.50mm。

图 319 五楔实蝇 *Sphaeniscus atilius* (Walker)

翅(wing)

采集记录:2♀，宝鸡黄镇黄林宜封山育林区，1516m，2013. Ⅷ. 22，袁光孝采；10♂7♀，宝鸡太白山蒿坪保护站下游沟，1177m，2013. Ⅷ. 23，袁光孝采；2♂3♀，宝鸡太白山蒿坪保护站下游沟，1241m，2013. Ⅷ. 24，袁光孝采；1♀，留坝石板店庙台子林场石碑，1386m，2013. Ⅷ. 19，袁光孝采；2♂，宁陕牛背梁自然保护区广货街保护站，1258m，2013. Ⅷ. 11，袁光孝采；1♀，宁陕旬阳坝镇，1352m，2013. Ⅷ. 12，袁光孝采；1♂，宁陕火地塘林场，1276m，2013. Ⅷ. 14，袁光孝采。

分布:陕西(宝鸡、太白、留坝、宁陕)、黑龙江、辽宁、山西、山东、上海、江苏、湖北、江西、湖南、福建、台湾、海南、广西、四川；朝鲜，日本，东洋区，澳洲区。

Ⅱ. 花翅实蝇族 Tephritini

鉴别特征:头部的眼后鬃常为鳞片状，白色或白黄色；个别杂有一些短黑鬃。胸部的小盾鬃2或4根；背中鬃常靠近中缝而非前翅上鬃；胸部及腹部密被灰或灰黄粉被，并被有厚的白柔毛。翅斑型网状，偶尔为带状；R_{4+5}脉常裸；后肘室的后端角短而尖。雌性有2个受精囊；针突常窄长，端部渐尖，呈针尖状，边缘光滑。

生物学:大部分种在菊科植物的花头中发育。

分布:亚全球性或全球性分布。中国已记载18属143种，秦岭地区记录3属8种。

分属检索表

1. 头部的下侧额鬃3对 ································ **斑痣实蝇属 *Acinia***
   头部的下侧额鬃1或2对 ································ 2
2. 头部喙短，且不呈膝状，唇瓣肉质，短于头部的1/2长 ································ **花翅实蝇属 *Tephritis***
   头部喙长，且呈膝状，唇瓣至少为头长的1/2 ································ **斑翅实蝇属 *Campiglossa***

11. 斑痣实蝇属 *Acinia* Robineau-Desvoidy, 1830

Acinia Robineau-Desvoidy, 1830: 775. **Type species**: *Acinia jaceae* Robineau-Desvoidy, 1830 [= *Acinia corniculata* (Zetterstedt, 1819)].

属征:头部的下侧额鬃3对，上侧额鬃2对；单眼鬃约与前面的上侧额鬃等长；后面的上侧额鬃、外顶鬃、后顶鬃和眼后鬃均扁平，黄白色；喙短，不呈膝状。中胸背板端部小盾鬃约为基部的3/4～4/5；背中鬃靠近中缝而非前翅上鬃。翅斑型网状，R_{4+5}脉被细刺至少至r-m横脉。雄性第9背板宽；外侧尾叶端部窄，侧面观端圆。雌性产卵管基节扁平，常与腹部第5～6背板的长度和相等。

分布:全北区，新热带区。世界已知14种，中国已记载2种，秦岭地区记录1种。

(12)黑颜斑痣实蝇 *Acinia depuncta* (Hering, 1936)

Icterica depuncta Hering, 1936: 184.

鉴别特征:头部颜的大部分深褐色到黑色。胸部及腹部几乎全为黄色到橘黄色，不具深色斑。翅 r_1 室内的 R_1 脉末端处具 3 个较大和 1 个较小的透明斑点。雄性外侧尾叶端部窄，侧面观端圆。体长、翅长为 3.80 ~ 4.50mm。

观察标本:1♂1♀，石泉，1971. Ⅷ. 22，杨集昆采。

分布:陕西(石泉)、黑龙江。

12. 斑翅实蝇属 *Campiglossa* Rondani, 1870

Campiglossa Rondani, 1870: 49. **Type species**: *Tephritis irrorata* Fallen, 1814.

属征:与花翅实蝇属 *Tephritis* Latreille 很相像，但不同在于本属喙呈膝状，唇瓣较细长。该属大部分种的上、下侧额鬃均为 2 对；背中鬃靠近中缝而非前翅上鬃。翅斑型网状，亚前缘室常具 1 ~ 2 个透明斑点，R_{4+5}脉常裸，后肘室的后端角相当短尖。胸部和腹部常黑色，密被灰粉被及扁平的黄白色或白色柔毛。腹部背板常具深褐色斑点。雄性肛尾叶常发育良好，外侧尾叶宽。雌性具 2 个长椭圆形受精囊；针突端部渐尖，端部急促尖锐或具 1 对亚端部阶梯，不具端前刚毛。

生物学:幼虫生活于菊科不同植物的花头中。

分布:全球性分布。世界已知约 180 种，中国已记录 52 种，秦岭地区分布 6 种。

分种检索表

1. 翅亚前缘室具 2 个透明或亚透明斑点；r_{2+3}和 r_{4+5}室端部的透明斑点非常小 ………………………………………………………………………… **中华斑翅实蝇 *C. sinensis***
   翅亚前缘室仅具 1 个透明斑点或全为褐色到深褐色；r_{2+3}和 r_{4+5}室端部的透明斑点中等或较大 ……………………………………………………………………………………… 2
2. 雄性翅前缘脉边缘明显向前部变尖，且端部极度变窄；br、r_{2+3}、r_{4+5}和 m 室各具 1 或 2 排透明斑；r_1 室 R_1 脉末端处具 5 个或更多透明斑点 ……………………… **拱痣斑翅实蝇 *C. festiva***
   翅特征不如上所述 ……………………………………………………………………… 3
3. 股节全黄色 ……………………………………………………………………………… 4
   股节部分或全为深褐色到黑色 ……………………………………… **越川斑翅实蝇 *C. spenceri***
4. 雌性产卵管基节绝大部分红黄或深红色；翅中室基部 1/4 全褐色；br 室常具 2 个透明斑点；R_{4+5}室具 6 ~ 7 个透明斑点 ……………………………………………… **阿氏斑翅实蝇 *C. aliniana***
   产卵管基节全为黑褐色；翅特征不如上所述 ………………………………………………… 5
5. 翅 r-m 横脉位于翅中室端部的 1/5 ；br 室具 4 个独立透明斑点；翅中室端部不具透明斑点；雌

性产卵管基节稍长于腹部第 6 背板的长度…………………………… **陕西斑翅实蝇 *C. shensiana***
翅 r-m 横脉位于翅中室端部的 1/3；br 室具 2 ~ 3 个透明斑点；翅中室端部具 2 个透明斑点；雌性产卵管基节约与腹部第 4 ~ 6 背板长度之和相等 ……………… **黄足斑翅实蝇 *C. gilversa***

(13) 阿氏斑翅实蝇 *Campiglossa aliniana* (Hering, 1937)

Euaresta aliniana Hering, 1937: 60.

鉴别特征: 翅斑型特征与 *C. japonica* 和黄足斑翅实蝇 *C. gilversa* 很相像，不同在于其产卵管基节绝大部分红黄色，端部，有时基部带有黑色，约与其前面的 3 个腹部体节长度之和相等。体、翅长为 4.00 ~ 5.50mm。

采集记录: 5♂1♀，石泉，1971. Ⅵ. 01，杨集昆采。

分布: 陕西(石泉)、黑龙江、内蒙古、北京、湖北；俄罗斯。

(14) 拱痣斑翅实蝇 *Campiglossa festiva* (Chen, 1938)

Paroxyna festiva Chen, 1938: 114.

鉴别特征: 该种雄性翅前缘脉边缘明显向前变尖，且端部极度变窄；底色褐，r_{2+3}、br、r_{4+5}、dm 和 m 室具 1 或 2 排多个透明斑点；亚前缘室全深色，不具透明斑点，几乎等于或等于前缘室的长度；r_1 室具 5 个或更多透明斑点。

采集记录: 3♂，秦岭，1916. Ⅶ. 28。

分布: 陕西(秦岭)、山西、宁夏、四川。

(15) 黄足斑翅实蝇 *Campiglossa gilversa* (Wang, 1990)

Paroxyna gilversa Wang, 1990: 491.

鉴别特征: 与阿氏斑翅实蝇 *C. aliniana* 相近，与后者的不同在于其产卵管基节全黑褐色，而非绝大部分红黄色。体、翅长 4.00 ~ 4.60mm。

采集记录: 3♀，宁陕旬阳坝镇，1352m，2013. Ⅷ. 12，袁光孝采。

分布: 陕西(宁陕)、四川、湖北。

(16) 陕西斑翅实蝇 *Campiglossa shensiana* (Chen, 1938)

Paroxyna shensiana Chen, 1938: 139.

鉴别特征: 雌性翅斑与劳氏斑翅实蝇 *C. loewiana* 相像，但后面的背侧片鬃黑色；

翅 r-m 横脉位于翅中室端部的 1/5；产卵管基节短于腹部第 5 ~6 背板长度之和。体、翅长 4mm。雄性不详。

采集记录：1♀，秦岭，1916. Ⅷ. 24。

分布：陕西（秦岭）。

(17) 中华斑翅实蝇 *Campiglossa sinensis* Chen, 1938（图 320）

Campiglossa sinensis Chen, 1938: 123.

鉴别特征：翅斑与阿穆尔斑翅实蝇 *C. amurensis* 相像，但 r_{2+3} 及 r_{4+5} 室端部的透明斑点相当小；R_{4+5} 和 M 脉的端部平行。它的一般特征也与痣点斑翅实蝇 *C. grandinata* 和四楔斑翅实蝇 *C. quadriguttata* 相像，但与前者的区别在于本种 cua_1 室中的透明斑点独立，与后者的区别在于亚前缘室具 2 个透明斑点。

采集记录：1♀，太白山蒿坪保护站下游沟，1177m，2013. Ⅷ. 23，袁光孝采；1♀，宁陕旬阳坝镇，1485m，2013. Ⅷ. 13，袁光孝采。

分布：陕西（太白、宁陕）、内蒙古。

图 320 中华斑翅实蝇 *Campiglossa sinensis* Chen

翅（wing）

(18) 越川斑翅实蝇 *Campigolossa spenceri* (Hardy, 1973)

Stylia spenceri Hardy, 1973: 330.

鉴别特征：与南亚斑翅实蝇 *C. iracunda* 相似，不同在于本种翅 r_1 室 R_1 脉末端处具 3 个透明斑点，r_{2+3} 室端部有 3 个小的独立斑点；后背侧鬃白色；股节有宽的黑色；雌性产卵管基节约与腹部第 5 ~6 背板长度之和相等。体、翅长 3 ~4mm。

采集记录：1♀，凤县黄牛埔东河桥六组杨庄农家乐，1501m，2013. Ⅷ. 21，袁光孝采；1♀，宁陕旬阳坝镇，1352m，2013. Ⅷ. 12，袁光孝采。

分布：陕西（凤县、宁陕）、四川、西藏；越南。

13. 花翅实蝇属 *Tephritis* Latreille, 1804

Tephritis Latreille, 1804: 196. **Type species**: *Musca arnicae* Linnaeus, 1758.

属征:头部上、下侧额鬃均为2对，单眼鬃发育良好；后面的1对上侧额鬃、外顶鬃、后顶鬃和眼后鬃均扁平，黄白色；喙短，不呈膝状。翅斑为典型的网状，个别为带状。雌性具2个伸长的或椭圆形受精囊；针突较细长，渐呈针尖状，边缘光滑。其与斑翅实蝇属 *Campiglossa* 很相像，与后者的主要区别在于本种喙短，不呈膝状，唇瓣肉质；亚前缘室常全深色，中部不具1个透明小斑点；腹部背板通常不具成对的棕色到深棕色斑点。

生物学:幼虫在菊科植物的头状花序中生活。

分布:亚世界性分布。世界已记载约150种，中国记录39种，秦岭地区分布1种。

(19) 斑股花翅实蝇 *Tephritis femoralis* Chen, 1938

Tephritis femoralis Chen, 1938: 155.

鉴别特征:与草原花翅实蝇 *T. variata* 相像，但股节有黑色；翅具1条棕色宽带，从亚前缘室出发到达M脉。雌性产卵管基节稍长于腹部第5~6背板长度之和。体、翅长3.50~3.80mm。

采集记录:1♀，宁陕旬阳坝镇，1352m，2013. Ⅷ. 12，袁光孝采。1♀，汉中光华山检查站，1912m，2013. Ⅷ. 20，袁光孝采。

分布:陕西(宁陕、汉中)、内蒙古、山西、甘肃；蒙古。

Ⅲ. 花背实蝇族 Terelliini

鉴别特征:该族与花翅实蝇亚科其他族的区别在于后面的1对上侧额鬃明显汇合；端部的小盾鬃强大，约与基部的1对鬃等大；背中鬃更靠近前翅上鬃而非中缝。中胸盾片具有棕色到黑色的土竖琴状斑；小盾片三角形，盘状区扁平；中侧片常具1条明显腹缝。翅斑常为带状，个别几乎全透明；R_{4+5}脉裸或背部节结处最多具1~3根小鬃。

分布:分布于全北、东洋和澳洲区。世界已知6属，中国有4属13种，秦岭地区记录1属2种。

14. 鬃实蝇属 *Chaetostomella* Hendel, 1927

Chaetostomella Hendel, 1927: 124. **Type species**: *Trypeta onotrophes* Loew, 1846 [= *Chaetostomella cylindrica* (Robineau-Desvoidy, 1830)].

属征:头部的颊具1排强大黑缘鬃；中胸背板仅具1对背中鬃；小盾片常具1端部黑斑点及2基侧黑斑点；翅斑型条带状，基肘室叶较窄尖，常结束于bm-u横脉的水平处。雌性针突长，端部渐呈尖锐的针尖状，常具3对短刚毛。

分布:全北区，东洋区。世界已知13种，中国已记载5种，秦岭地区记录2种。

分种检索表

翅的盘状带及亚端部棕色带在翅前缘彼此明显分离 …… **山牛蒡鬃实蝇 *C. stigmataspis***

翅的所有棕色带在翅前缘联合在一起 …… **连带鬃实蝇 *C. vibrissata***

(20)山牛蒡鬃实蝇 *Chaetostomella stigmataspis* (Wiedemann, 1830)

Trypeta stigmataspis Wiedemann, 1830: 478.

鉴别特征:翅具4条棕色宽带，r-m横脉位于翅中室中部；背中鬃大致位于中缝及前翅上鬃的中间。雌性产卵管基节约与腹部第3~6背板长度之和相等；受精囊长椭圆形；针突端部渐呈尖锐的针尖状，具3对端前短刚毛。体、翅长6~7mm。

采集记录:1♂1♀，秦岭，1939. Ⅶ. 15。

分布:陕西(秦岭)、黑龙江、吉林、河北；俄罗斯，韩国，日本。

寄主:在日本，其幼虫在菊科 *Actium lappa* 和 *Synurus pungens* 植物的头状花序中发育(Ito, 1984)。

(21)连带鬃实蝇 *Chaetostomella vibrissata* (Coquillett, 1898)

Trypetavibrissata Coquillett, 1898: 338.

鉴别特征:翅的4条棕色带在前缘联合在一起，其中盘状带和亚端部带强烈倾斜；r-m横脉位于翅中室中部；基肘室叶约与bm-u横带等长。背中鬃位于中缝及前翅上鬃的中间。产卵管基节红棕色，稍短于或等于腹部第3~6背板长度之和。体、翅长6.00~7.50mm。

采集记录:1♂，宁陕旬阳坝镇，1352m，2013. Ⅷ. 12，袁光孝采。

分布:陕西(宁陕)、黑龙江、江西; 俄罗斯, 朝鲜, 日本。

参考文献

Chen, S-H. 1948. Notes on Chinese Trypetinae. *Sinensia*, 18(1-6): 69-123.

Chen, X-L. and Wang, X-J. 2007. Two new species of the genus *Cornutrypeta* Han *et* Wang (Diptera: Tephritidae) from China. *Entomological News*, 118(5): 497-502.

Chen, X-L. and Wang, X-J. 2008. A review of the Chinese species of *Aischroerania* Hendel (Diptera: Tephritidae). *Pan-Pacific Entomologist*, 84(1): 9-16.

Chen, X-L., Wang X-J. and Zhu, C-D. 2013. New species and records of Trypetinae (Diptera: Tephritidae) from China. *Zootaxa*, 3710(4):333-353.

Enderlein, G. 1912. Zur Kenntnis orientalischer Ortalinen und Loxoneurinen. *Zoologische Jahrbucher Systematik*, 33: 347-362.

Hendel, F. 1927. 49. Trypetidae. In: Lindner, E. (ed.). *Die Fliegen der Palaearktischen Region*, 5: 129-221.

Kapoor, V. 1993. Indian fruit flies (Insecta: Diptera: Tephritidae). 228. Oxford & IBH Publishing Co. Pvt. Ltd., New Delhi.

Shiraki, T. 1933. A systematic study of Trypetidae in the Japanese Empire. *Memoirs of the Faculty of Science and Agriculture Taihoku Imperial University*, 8: 1-509.

Wang, X-J. 1996. The fruit flies (Diptera: Tephritidae) of the East Asian Region. *Acta Zootaxonomia Sinica*, 21(Supplement): 1-338.

Zia, Y. and Chen, S-H. 1938. Trypetidae of North China. *Sinensia*, 9(1-2): 1-180.

Zia, Y. and Chen, S-H. 1954. Notes on Chinese trypetid flies I. *Acta Entomologica Sinica*, 4(3): 299-314.

三十五、水蝇科 Ephydridae

张俊华[1] 王亮[2] 杨定[2]

(1. 中国检验检疫科学研究院, 北京 100176; 2. 中国农业大学昆虫系, 北京 100193)

鉴别特征:体型较小, 体长一般 1~11mm, 也有极少数种类可以达到 16mm。身体多为灰黑色或棕灰色等暗色, 某些种类具金属光泽, 体表所被的微毛颜色及鬃序多种多样。雌虫个体一般比雄虫大。单眼后鬃呈分散状或缺失。大部分种类的颜向前隆起, 口孔大型。触角芒栉状或具短柔毛或裸, 分叉一般只位于背面。其脉序特化, 亚前缘脉(Sc)退化, 不到达前缘脉(C)脉; 前缘脉(C)具两个缺刻, 分别位于肩横脉(h)之后和第 1 纵脉(R_1)的末端前部; 第 1 纵脉(R_1)与前缘脉(C)在翅的中部之前交接; 中室和第 2 基室不被横脉分隔; 缺少臀室; 上前侧片具钝毛; 前足和后足胫节端部前背鬃缺失。

生物学:典型的水生和半水生昆虫。幼虫大部分水生或半水生, 有一些则生活在作物的根部或叶子上, 危害水稻、甘蔗或甜菜等作物。成虫一般生活在沼泽、湿地、水湾、湖泊、河川、沙滩等潮湿的环境。除了栖息在这些一般的环境中外，水蝇有些种类还能栖息在非常特殊的环境中，如能生活在内陆高浓度的盐碱湖中、石油原油池中、高温的硫黄温泉中、蛙和蜘蛛的卵以及人的尸体中。由于水蝇生活环境的多样性，它的取食习性也呈现出多样性。成虫大多数种类为杂食性，以酵母、各种藻类如硅藻、蓝藻、甲藻和其他一些光镜下可见的微生物为食，螳水蝇属 *Ochthera* 为捕食性。幼虫多数种类营腐生生活，也有些种类具有滤食性、植食性、捕食性、寄生性或共生性等其他食性。

分布：全世界已知约 124 属 1833 种，中国已知 57 属 208 种，陕西秦岭地区有 12 属 12 种。研究标本保存在中国农业大学昆虫博物馆（CAU）。

分属检索表

1. 眶鬃全部侧伸 …… 2
　眶鬃前伸或后伸 …… 4
2. 下前侧片鬃发育完好，与上前侧片鬃一样粗壮 …… **沼泽水蝇属 *Limnellia***
　下前侧片鬃发育不好，比上前侧片鬃明显弱小 …… 3
3. 前背侧鬃发育好，几乎与后背侧鬃等长，前足腿节无齿状的后腹鬃 …… **华水蝇属 *Sinops***
　前背侧鬃弱小，小于后背侧鬃，前足腿节具有齿状的后腹鬃 …… **裸颜水蝇属 *Psilephydra***
4. 颜扁平或阔圆；触角第 2 节的背鬃长且明显 …… 5
　颜突出，触角第 2 节的背鬃不明显 …… 7
5. 沟后背中鬃退化 …… **凸额水蝇属 *Psilopa***
　具有沟前和沟后背中鬃 …… 6
6. 单眼鬃较弱，假单眼后鬃粗大；中足胫节无明显的背鬃 …… **毛眼水蝇属 *Hydrellia***
　单眼鬃比假单眼后鬃粗大；中足胫节具有粗大的直立的背鬃 …… **刺角水蝇属 *Notiphila***
7. 颜无隆脊，沟后背中鬃正常 …… 8
　颜通常具有隆脊，沟后背中鬃退化 …… 9
8. 具有盾前中鬃 …… **伊水蝇属 *Ilythea***
　盾前中鬃缺失 …… **喜水蝇属 *Philygria***
9. 触角芒沿背部有几根短毛，都短于触角基节 …… **短毛水蝇属 *Chaetomosillus***
　触角芒栉状，分支色浅 …… 10
10. 颊的后缘与后头成钝角或阔圆，后颊被粗大的黑色鬃 …… **平颜水蝇属 *Athyroglossa***
　颊的后缘与后头成锐角，后颊被细的白毛 …… 11
11. 前足腿节端半部后腹缘具有 1 排明显的短而粗的鬃 …… **寡毛水蝇属 *Ditrichophora***
　前足腿节端半部后腹缘无短粗的鬃 …… **裸背水蝇属 *Gymnoclasiopa***

1. 凸额水蝇属 *Psilopa* Fallén, 1823

Psilopa Fallén, 1823: 6. **Type species**: *Notiphhila nitidula* Fallén, 1813 .

Hygrella Haliday, 1839: 223. **Type species**: *Notiphila nitidula* Fallén, 1813 .

Diasemocera Bezzi, 1895: 137. **Type species**: *Psilopa nigrotaeniata* Bezzi, 1895 [= *Psilopa roederi*

Girschner, 1889].

Domina Hutton, 1901: 90. **Type species**: *Domina metallica* Hutton, 1901.

Discocerinella Mercier, 1927: 123. **Type species**: *Discocerinella omanvillea* Mercier, 1927 [= *Notiphila pulicaria* Haliday, 1839].

属征:颜区光亮。假单眼鬃退化，弱小。触角梗节短，近三角状，具有1背端叶突和明显粗大的背端刺，至少为鞭节的1/2长；鞭节短，最多为宽的2倍。触角芒栉状。具有盾前中鬃；前后背侧鬃距离背侧缝同样远；缝前或缝背中鬃缺失。

分布:世界性分布。全世界已知70种，中国已记录15种，秦岭地区有1种。

(1)磨光凸额水蝇 *Psilopa polita* (Macquart, 1835)(图321, 322)

Hydrellia polita Macquart, 1835: 252.

Notiphila coeruleifonsvon Roser, 1840: 61.

Psilopa tarsella Zetterstedt, 1846: 1934.

鉴别特征:额亮黑色，被稀疏的棕灰色粉，颜为亮的深棕色，仅侧颜被稀疏的棕黄色粉；触角黑色，颜色稍浅。触角芒具7根分支。下颚须黑色。胸部亮黑色，被稀疏的粉。前足亮黑色，中后足基节、腿节和胫节黑色，第1~4跗节黄色，第5跗节棕色。腹部亮黑色。雄虫生殖器上生殖板长几乎等于宽；尾须约为上生殖板长的2/3；背针突发达，细长，端部向内弯曲呈钩状；阳茎侧突的连接桥窄；阳茎内突退化。

采集记录:1♀，周至板房子，2006.Ⅶ.21，朱雅君采；1♀，洋县长青杉树坪，2006.Ⅶ.29，朱雅君采。

分布:陕西(周至、洋县)、黑龙江、辽宁、内蒙古、北京、河北、河南、宁夏、甘肃、新疆、浙江、湖南、福建、广东、海南、广西、四川、贵州、云南；俄罗斯，韩国，日本，欧洲。

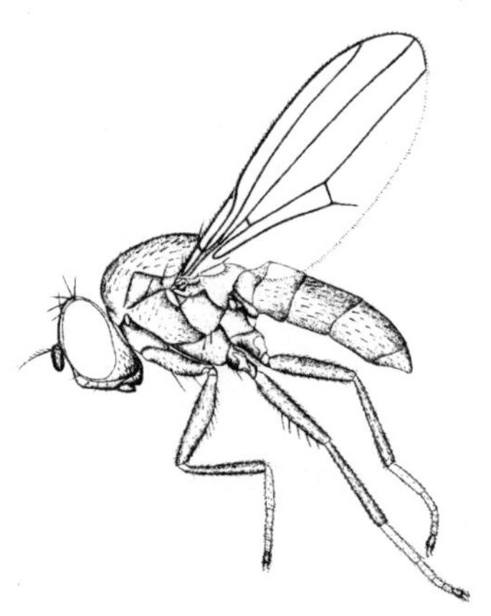

图321 磨光凸额水蝇 *Psilopa polita* (Macquart)

成虫(adult)

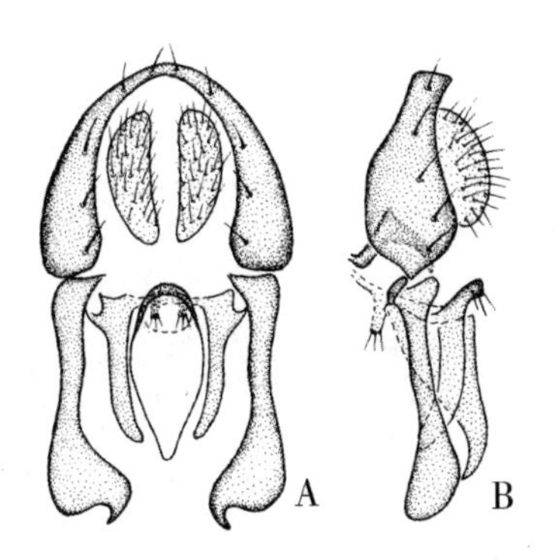

图 322 磨光凸额水蝇 *Psilopa polita* (Macquart)

A. 雄性外生殖器后面观(genitalia, posterior view); B. 雄性外生殖器面观(genitalia, lateral view)

2. 毛眼水蝇属 *Hydrellia* Robineau-Desvoidy, 1830

Hydrellia Robineau-Desvoidy, 1830: 790. **Type species**: *Notiphila communis* Robineau-Desvoidy, 1830 [= *Notiphila griseola* Fallén, 1813].

属征: 复眼具短柔毛。单眼鬃通常较弱, 假单眼后鬃粗大; 2 对眶鬃中等大小。触角上方的新月片发达, 与颜区的颜色一致。具有 2~4 对粗大的背中鬃; 前后背侧鬃到背侧缝的距离相等。中足胫节缺少背鬃。翅无黑斑, 前缘脉到达中脉端部。雄性的外生殖器上生殖板呈"U"形带, 背针突愈合形成肛上板; 阳茎突加长, 基部分支; 阳基内骨宽大, 阳基侧突具 2 小刺; 阳茎较长; 下生殖板圆, 中部具刻线, 大部分被"U"形的第 5 腹板所覆盖。

分布: 世界性分布。全世界已知 213 种, 中国已记录 17 种, 秦岭地区有 1 种。

(2) 小灰毛眼水蝇 *Hydrellia griseola* (Fallén, 1813) (图 323)

Notiphila griseola Fallén, 1813: 250.

Tephritis hordei Oliver, 1813: 485.

Tephritis pallida Oliver, 1813: 488.

Notiphila chrysostoma Meigen, 1830: 67.

Ephydra obscura Meigen, 1830: 115.

Hydrellia communis Robineau-Desvoidy, 1830: 791.

Hydrellia hypoleuca Loew, 1862: 151.

Hydrellia obscuriceps Loew, 1862: 152.

Hydrellia graminis Störmer *et* Kleine, 1911: 702 [lapsus].

Hydrellia scapularis Loew, 1862: 153.

Psilopa incerta Becker, 1924: 91.

Hydrellia chinensis Qu *et* Li, 1983: 9.

Hydrellia sinica Fan *et* Xia, 1983: 7.

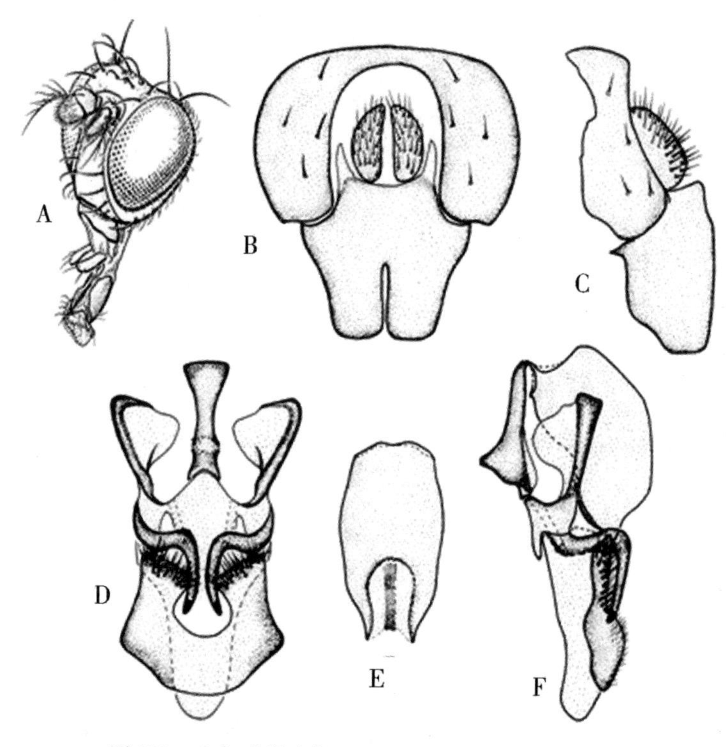

图 323 小灰毛眼水蝇 *Hydrellia griseola* (Fallén)

A. 头部(head); B. 上生殖板、尾须与背针突后面观(epandrium, cerci and surstyli, posterior view); C. 上生殖板、尾须与背针突侧面观(epandrium, cerci and surstyli, lateral view); D. 阳茎内突、阳茎侧突与下生殖板腹面观(phallapodeme, gonite and hypandrium, ventral view); E. 阳茎腹面观(aedeagus, ventral view); F. 外生殖器侧面观(genitalia, lateral view)

鉴别特征:头黑色; 中额被浓密的灰黄色微毛, 侧额被稀疏的灰黄色微毛; 颜被金黄色微毛; 颊被青灰色微毛。触角黑色, 鞭节被浓密的灰黄色微毛。颜每侧具5根细长的毛。下颚须金黄色。中胸背板、背侧板和小盾片被锈色微毛, 仅在肩区被青灰色微毛。侧片被青灰色微毛。足黑色, 仅基跗节深黄色。腹亮黑色, 背板侧缘被稀疏的青灰色微毛, 背面被稀疏的棕黄色微毛。雄虫生殖器上生殖板宽大于长, 两侧臂宽; 尾须短粗; 背针突愈合为一体, 端半部左右分离, 长与宽几乎等长; 阳茎侧突的端突末颜色加深; 阳茎呈囊状, 端部具明显的内凹; 阳茎内突腹面观长杆状, 端部呈不明显的分叉, 侧面观端部具有背突。

采集记录:15♀, 周至野牛河, 2006. Ⅶ. 19, 朱雅君采; 4♂, 佛坪凉风垭, 2006. Ⅶ. 26, 朱雅君采。

分布:陕西(周至、佛坪)、黑龙江、辽宁、内蒙古、北京、河北、河南、宁夏、甘肃、安徽、湖南、台湾、四川、贵州、云南、西藏; 俄罗斯, 日本, 尼泊尔, 菲律宾, 阿富汗, 欧洲, 非洲北部, 北美洲。

3. 刺角水蝇属 *Notiphila* Fallén, 1810

Notiphila Fallén, 1810: 22. **Type species**: *Notiphila cinerea* Fallén, 1813.

属征:前缘脉到达或稍超过 R_{4+5}端部；前缘脉基部在 2 个刻点之间无明显鬃。2 对背中鬃(1∶1)；1 对沟前鬃；2 对背侧鬃都靠近背侧片下缘。中足胫节具 3 ~ 4 根明显的直立背鬃，端部的 1 根有时缺少。触角芒具许多长毛。身体一般淡灰色被粉，通常具黑斑，尤其是腹部。翘水蝇亚属 *Dichaeta* 的种类身体大部分暗棕色，雄性第 4 腹节背板后缘具多根粗大的鬃，第 5 腹节背板向后延伸成 1 个向上翘的突起，其后缘具 2 ~ 3 根粗鬃。

分布:世界性分布。全世界已知 154 种。中国已记录 18 种，秦岭地区有 1 种。

(3) 多斑刺角水蝇 *Notiphila* (*Agrolimna*) *puncta* de Meijere, 1911(图 324)

Notiphila puncta de Meijere, 1911: 391.

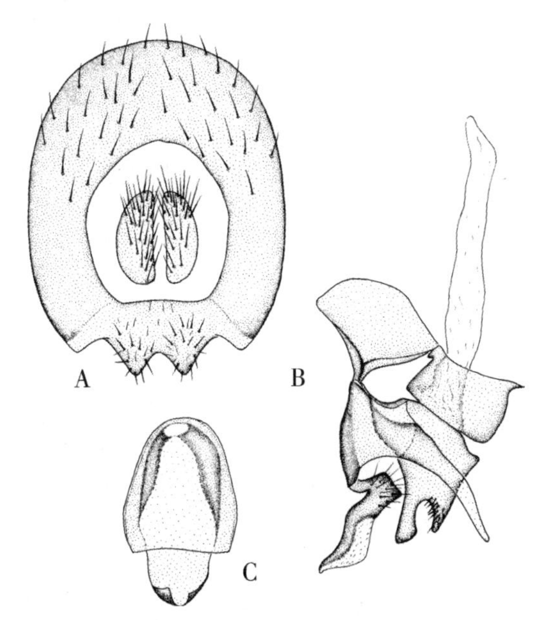

图 324　多斑刺角水蝇 *Notiphila* (*Agrolimna*) *puncta* de Meijere

A. 上生殖板、尾须与背针突后面观(epandrium, cerci and surstyli, posterior view); B. 外生殖器侧面观(genitalia, lateral view); C. 雌虫受精囊(receptacle)

鉴别特征:额被灰黄色的微毛，额每侧具有 2 块绒黑色的斑。颜被灰黄色微毛，具金黄色的中纵带；颊被灰色微毛。触角背面黑色，腹面黄色。下颚须黄色。颊为眼高的 3/14。中胸背板被灰黄色微毛，中鬃、背中鬃及外侧各有棕色的纵带。背侧片背半部棕色，腹半部灰色；侧片灰色，仅上前侧片的背中部具有棕色条带。小盾片灰黄色具有 2

条棕色的纵带。足棕色，仅中后足第 1 ~4 跗节黄色；翅烟灰色，尤其翅脉附近颜色深，呈棕色。腹部棕色，沿每节背板后缘具灰色条带，且背板 3 ~5 节具窄的灰色的中间纵带。雄虫生殖器上生殖板长大于宽，两侧呈平行状；前阳茎侧突端部叉状，具有一些小鬃；阳茎宽大于长，侧面观无明显的腹突；阳茎内突侧面观呈扇形。

采集记录:1♂，周至野牛河，2006. Ⅶ. 19，朱雅君采。

分布:陕西(周至)、台湾、贵州；印度，尼泊尔，斯里兰卡，菲律宾，印度尼西亚(爪哇)。

4. 平颜水蝇属 *Athyroglossa* Loew, 1860

Athyroglossa Loew, 1860:12. **Type species**: *Notiphila glabra* Meigen, 1830.
Parathyroglossa Hendel, 1931: 68. **Type species**: *Athyroglossa ordinata* Becker, 1896.

属征:触角芒栉状；头部的毛序与颜的结构也不同。头部的鬃正常，单眼鬃和眶鬃明显。触角芒栉状。颜通常突出，呈椎状隆线，触角沟中等深陷，腹缘不明显；具淡白色的短柔毛；颜有时具小刻纹，颜的侧面具小沟或小的皱折。颊低，不到眼高的 1/2，通常小于 1/3；颊鬃稀少，多数裸；颊的后缘尖，呈锐角。中胸背板鬃一般退化；背侧鬃 2 根，后背侧鬃高于前背侧鬃；翅后鬃与小盾基部之间无鬃；小盾片被鬃，有的种类小盾缘鬃具鬃瘤。前足跗节基节淡白色到淡黄色；中、后足基跗节通常淡白色。翅透明，R_{2+3}长，前缘脉的第 2 部分至少为第 3 部分的 2 倍长；翅瓣窄，翅瓣鬃与翅瓣等长。

分布:世界性分布。全世界已知 31 种，中国已记录 3 种，秦岭地区有 1 种。

(4) 黄趾平颜水蝇 *Athyroglossa* (*Athyroglossa*) *glabra* (Meigen, 1830) (图 325, 326)

Notiphila glabra Meigen, 1830: 69.
Clasiopa brevipesctinata Becker, 1896: 149.

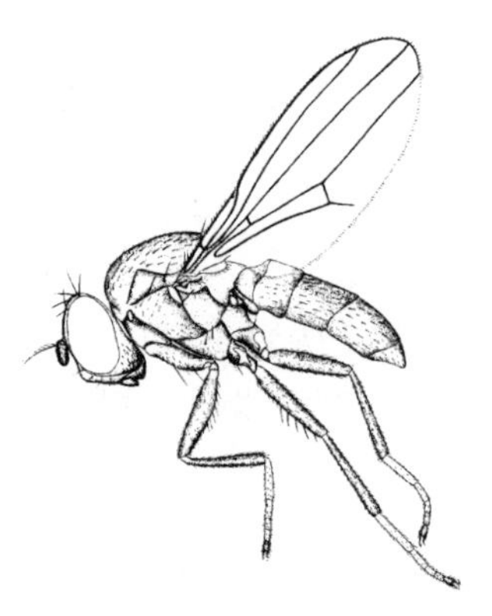

图 325 黄趾平颜水蝇 *Athyroglossa* (*Athyroglossa*) *glabra* (Meigen)
成虫(adult)

鉴别特征:额亮黑色，光滑，仅单眼前的三角区域被有稀的棕色微毛。触角黑色，仅鞭节基部颜色浅，呈淡白色。足黑色，仅前足基跗节和中后足第 1 ~ 3 跗节淡黄色或淡白色。前足腿节具 4 根刺状小鬃。翅透明色。前缘脉比值为 0.25；中脉比值为 0.55。平衡棒黑色。腹部亮黑色。第 1 腹节背面，第 2 节的大部分，第 3 节的前部与中部，第 4 与第 5 节的前缘被短柔毛，其他部分裸。雄性生殖器上生殖板呈倒“U”形；尾须细长，几乎等长于上生殖板的长度；背针突端部无明显的缢缩，基部和端部几乎等宽；阳茎端部两分叉；阳茎侧突短小。

采集记录:3♂4♀，周至楼观台秦岭植物园，2006. Ⅶ. 15，朱雅君采；1♂2♀，周至野牛河，2006. Ⅶ. 19，朱雅君采；3♂5♀，周至板房子，2006. Ⅶ. 21，朱雅君采；2♂3♀，佛坪桦木桥，2006. Ⅶ. 25，朱雅君采；2♂6♀，佛坪凉风垭，2006. Ⅶ. 26，朱雅君采；2♂3♀，洋县长青杉，2006. Ⅶ. 29，朱雅君采.

分布:陕西(周至、佛坪、洋县)、辽宁、内蒙古、北京、河北、河南、宁夏、新疆、四川、贵州、云南；俄罗斯，朝鲜，欧洲，非洲(北部)，北美洲。

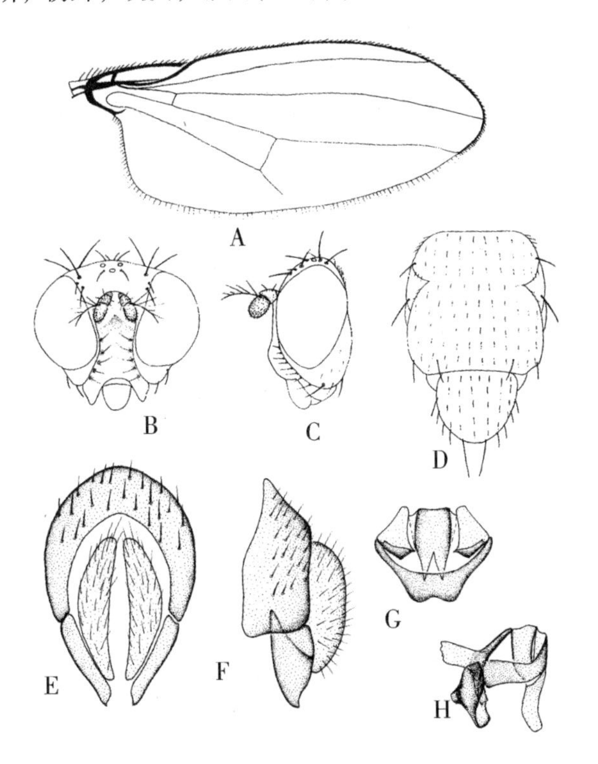

图 326　黄趾平颜水蝇 *Athyroglossa* (*Athyroglossa*) *glabra* (Meigen)

A. 翅(wing)；B. 头部正面观(head, anterior view)；C. 头部侧面观(head, lateral view)；D. 胸部背面观(thorax, dorsal view)E. 上生殖板、尾须与背针突后面观(epandrium, cerci and surstyli, posterior view)；F. 上生殖板、尾须与背针突侧面观(epandrium, cerci and surstyli, lateral view)；G. 外生殖器腹面观(genitalia, ventral view)；H. 外生殖器侧面观(genitalia, lateral view)

5. 短毛水蝇属 *Chaetomosillus* Hendel, 1934

Chaetomosillus Hendel, 1934: 14. **Type species**: *Gymnopa dentifemur* Cresson, 1925.

属征:该属与 *Mosillus* 属相似，但本属可以通过单眼鬃和眶鬃发育好，具有 2 根背侧鬃等特征与 Mosillus 属加以区分。

分布:多区分布。全世界已知 3 种，中国已记录 2 种，秦岭地区有 1 种。

(5) 日本短毛水蝇 *Chaetomosillus japonica* Miyagi, 1977 (图 327)

Chaetomosillus japonica Miyagi, 1977: 28.

鉴别特征:额亮黑色，仅单眼三角区被棕黄色微毛；触角亮黑色，仅鞭节密被灰黄色的微毛；颜亮黑色，中颜具隆起的黑色瘤突，瘤突的两侧各有 1 根短粗的颜鬃，瘤突下方的颜区粗糙，呈微颗粒状。中胸背板亮黑色，被稀疏的棕黄色微毛；上前侧板亮黑色，仅周缘被稀疏的微毛，其他侧板黑色，被密的灰黄色微毛。足黑色，仅第 1～2 跗节黄色。平衡棒黑色。腹部亮黑色，仅第 1 背板和第 5 背板被棕黄色微毛。雄性生殖器上生殖板后面观呈倒"U"形，两侧缘近平行，基半部的外侧缘呈稍弯曲状；尾须细长；背针突端部具密的细小的鬃；阳茎侧面观呈喇叭状，基部向后缘明显弯曲；阳茎内突侧面观中部具宽的背突。

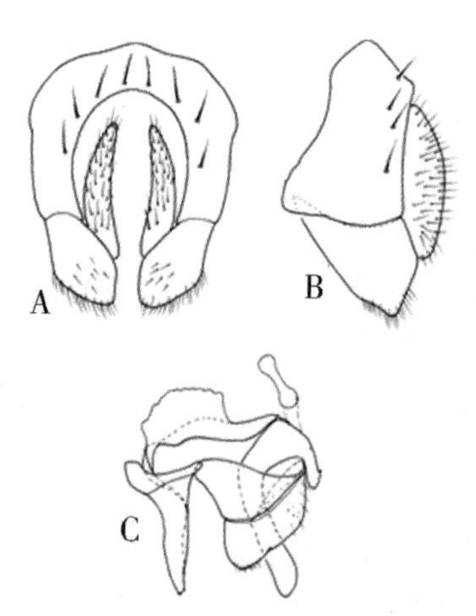

图 327　日本短毛水蝇 *Chaetomosillus japonica* Miyagia

A. 上生殖板、尾须与背针突后面观(epandrium, cerci and surstyli, posterior view); B. 上生殖板、尾须与背针突侧面观(epandrium, cerci and surstyli, lateral view); C. 外生殖器侧面观(genitalia, lateral view)

采集记录:7♂3♀，周至楼观台秦岭植物园，2006. Ⅷ. 15，朱雅君采；1♂，佛坪东河口，2006. Ⅷ. 23，朱雅君采。

分布:陕西(周至、佛坪)、四川、云南；日本。

6. 寡毛水蝇属 *Ditrichophora* Cresson, 1924

Ditrichophora Cresson, 1924: 159. **Type species**: *Ditrichophora exigua* Cresson, 1924.

Strandiscocera Duda, 1942: 15. **Type species**: *Discocerina nigrithorax* Becker, 1926.

属征:颜具2根鬃，背鬃无鬃瘤，颜的侧下方无上倾的鬃；侧颜很窄。背侧板上仅具有2根粗大的背侧鬃外，无小鬃或毛；1根缝前翅上鬃发达，缝后翅上鬃退化或缺失。前足腿节具腹鬃；后足胫节无刺状的前端腹鬃。腹部侧缘无楔形的浅色区。

分布:亚世界性分布。全世界已知39种，中国已记录4种，秦岭地区有1种。

(6)棕色寡毛水蝇 *Ditrichophora fusca* Miyagi, 1977(图328)

Ditrichophora fusca Miyagi, 1977: 18.

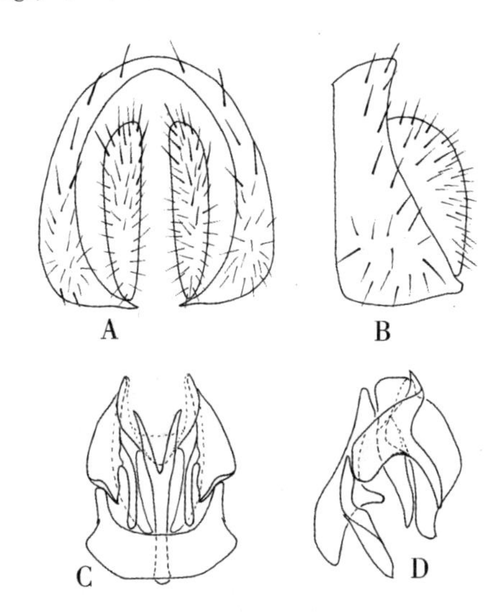

图328　棕色寡毛水蝇 *Ditrichophora fusca* Miyagi

A. 上生殖板、尾须与背针突后面观(epandrium, cerci and surstyli, posterior view)；B. 上生殖板、尾须与背针突侧面观(epandrium, cerci and surstyli, lateral view)；C. 外生殖器腹面观(genitalia, ventral view)；D. 外生殖器侧面观(genitalia, lateral view)

鉴别特征:中额被浓密的锈色微毛，前缘被灰白色微毛；颜黑色被灰白色微毛。触角黑色，仅鞭节被浓密的黄色微毛。中胸背板黑色，被棕黄色微毛；背侧板和上前侧片被金属光泽的灰黄色微毛，其他侧片具金属光泽的灰色微毛。足黑色，第1~3

跗节黄色，第4~5跗节橘黄色。前足腿节端半部具齿状小鬃；中足腿节具5根粗大的后腹鬃。平衡棒黄色。腹部亮黑色，背板第1~4节被浓密的棕黄色微毛，背板第5节被稀疏的棕黄色微毛，每节的侧缘亮黑色，无微毛。

采集记录:40♂24♀，佛坪凉风垭，2006.Ⅶ.26，朱雅君采。

分布:陕西(佛坪)；日本。

7. 裸背水蝇属 *Gymnoclasiopa* Hendel, 1930

Gymnoclasiopa Hendel, 1930: 136 (as a subgenus of *Discocerina*). **Type species**: *Notiphila plumose* Fallén, 1823.

属征:颜具2~3根鬃，背鬃无鬃瘤，颜的侧下方无上倾的鬃；侧颜很窄。背侧板上仅具有2根粗大的背侧鬃，无小鬃或毛；1根缝前翅上鬃发达，缝后翅上鬃缺失。前足腿节没有成排的短而粗的后腹鬃；后足胫节无刺状的前端腹鬃。腹部侧缘无楔形的浅色区。

分布:双区分布。全世界已知25种，中国已记录3种，秦岭地区有1种。

(7) 黑须裸背水蝇 *Gymnoclasiopa nigerrima* (Strobl, 1893) (图329)

Clasiopa nigerrima Strobl, 1893: 254.

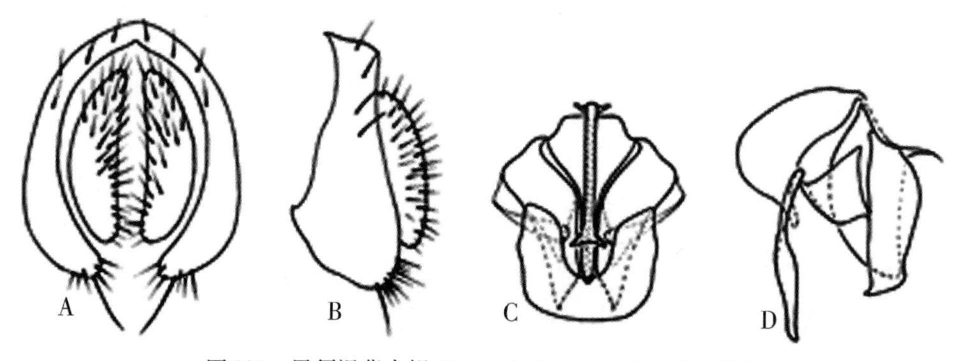

图329 黑须裸背水蝇 *Gymnoclasiopa nigerrima* (Strobl)

A. 上生殖板、尾须与背针突后面观(epandrium, cerci and surstyli, posterior view)；B. 上生殖板、尾须与背针突侧面观(epandrium, cerci and surstyli, lateral view)；C. 外生殖器腹面观(genitalia, ventral view)；D. 外生殖器侧面观(genitalia, lateral view)

鉴别特征:额暗黑色，由后缘向前，棕红色微毛逐渐变为棕黄色微毛；颜被浓密的银白色微毛。触角黑色，仅鞭节的腹缘橘黄色。下颚须黑色。中胸背板前缘被棕红色微毛，向后延伸逐渐变为棕黄色微毛；侧板被青灰色微毛；小盾片被棕黄色微毛。足黑色；仅第1~2跗节黄色。平衡棒黄色。腹部亮黑色，背板第1~4节背部被锈色微毛，侧缘和第5背板光亮无微毛。雄性生殖器上生殖板与背针突完全愈合，愈合体的长稍大于宽，愈合体的端部具1根十分粗大的鬃和几根正常大小的鬃；尾须粗大，端部无簇状的鬃；阳茎内突侧面观背缘圆滑，无棱角。

采集记录：1♂，周至野牛河，2006. Ⅶ. 19，朱雅君采；1♂1♀，佛坪凉风垭，2006. Ⅶ. 26，朱雅君采。

分布：陕西(周至、佛坪)；俄罗斯，奥地利，比利时，意大利，罗马尼亚，瑞典，瑞士。

8. 伊水蝇属 *Ilythea* Haliday, 1837

Ilythea Haliday, 1837: 281. **Type species**: *Ephydra spilota* Curtis, 1832.

属征：体小型，一般体长2.00～2.50mm；体色呈黑色。前缘脉的第2部分至少是第3部分的2倍长；具有1根缝后背中鬃；2根翅上鬃。

分布：亚世界性分布。全世界已知13种，中国已记录2种。秦岭地区有1种。

(8) 日本伊水蝇 *Ilythea japonica* Miyagi, 1977(图330)

Ilythea japonica Miyagi, 1977: 61.

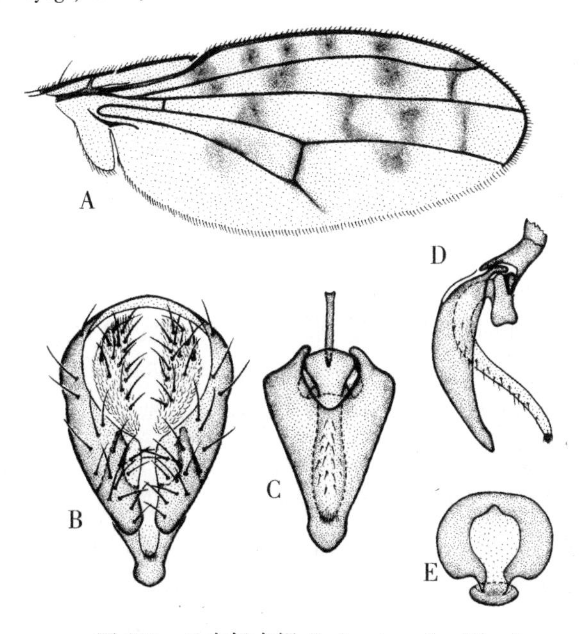

图330 日本伊水蝇 *Ilythea japonica* Miyagi

A. 翅(wing)；B. 外生殖器后面观(genitalia, posterior view)；C. 外生殖器腹面观(genitalia, ventral view)；D. 外生殖器侧面观(genitalia, lateral view)；E. 雌虫受精囊(receptacle)

鉴别特征：额、颜、颊和触角黑色被棕色微毛。中胸背板、小盾片、上前侧片和上后侧片黑色被棕色的微毛；下前侧片和下后侧片被灰色微毛。足黑色被稀疏的灰色微毛，第1~4跗节深黄色，第5跗节棕黄色。前足腿节具有1排细长的后腹鬃，中后足腿节端部具有前腹鬃。翅具有深色斑，前缘脉的第2部分至少是第3部分的3倍长。平衡棒黄色。腹部黑色被稀疏的棕色微毛。雄虫生殖器上生殖板被浓密的小鬃，尾须被稀疏的微毛，下生殖板盾形在端部具有腹凹，阳茎内突腹面观杆状，侧面观基部具有分叉。雌虫受精囊的帽退化，呈圆形骨片的结构，受精囊近圆形，端部无尾状结构。

采集记录：10♂2♀，佛坪董家湾，2006.Ⅶ.25，朱雅君采；50♂52♀，洋县长青杉树坪，2006.Ⅶ.29，朱雅君采。

分布：陕西（佛坪、洋县）、北京、河南、宁夏；日本。

9. 喜水蝇属 *Philygria* Stenhammar, 1844

Philygria Stenhammar, 1844: 35. **Type species**: *Notiphila flavipes* Fallén, 1823.

属征：体小型，一般体长1.00~1.60mm；具有2排颜鬃；具有1根缝前背中鬃；触角芒秃或微毛状。上生殖板退化，有时缺失；尾须有时与下生殖板愈合；上生殖板与背针突愈合，具有1排粗大的毛；阳茎内突侧面观三角形；阳茎呈各样的骨片，经常分为基阳茎、中阳茎和端阳茎。

分布：亚世界性分布。全世界已知35种，中国已记录3种，秦岭地区有1种。

(9) 彩胫喜水蝇 *Philygria femorata* (Stenhammar, 1844)（图331）

Notiphila femorata Stenhammar, 1844: 245.

鉴别特征：额被棕黄色的微毛，仅单眼三角区外侧被灰白色的微毛；颜被灰白色微毛；颊被银白色微毛；触角黑色，仅鞭节腹面黄色。下颚须黑色。颊眼比为0.20~0.24。中胸背板被青灰色微毛，仅沿中鬃及鬃根区域棕黄色；小盾片棕黄色微毛，仅外侧缘灰黄色；背侧片黄灰色微毛；上前侧片及上后侧片的前半缘为棕黄色绒毛，上后侧片的后半缘、下前侧片及下后侧片灰黄色微毛。足黑色，仅后足胫节中部黄色。翅黄色，横脉区域颜色加深。前缘脉比值为1.40~1.50。M脉比值为0.38~0.41。平衡棒浅棕色。腹部亮黑色，背板第1~3节被稀疏的微毛。雄虫生殖器上生殖板具有4根端鬃；阳茎侧突与下生殖板的连接处具有1根鬃；阳茎侧面观基部突起。

采集记录：1♀，周至板房子，2006.Ⅶ.21，朱雅君采；1♀，佛坪董家湾，2006.Ⅶ.25，朱雅君采。

分布：陕西（周至、佛坪）、北京、河南、广西、云南；芬兰，德国，瑞典，瑞士。

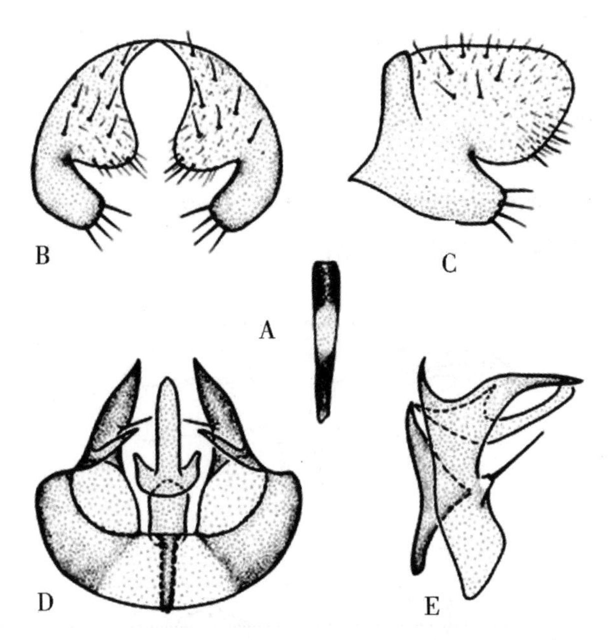

图 331 彩胫喜水蝇 *Philygria femorata* (Stenhammar)

A. 后足胫节(hind tibia); B. 上生殖板、尾须与背针突后面观(epandrium, cerci and surstyli, posterior view); C. 上生殖板、尾须与背针突侧面观(epandrium, cerci and surstyli, lateral view); D. 外生殖器腹面观(genitalia, ventral view); E. 外生殖器侧面观(genitalia, lateral view)

10. 沼泽水蝇属 *Limnellia* Malloch, 1925

Limnellia Malloch, 1925: 331. **Type species**: *Limnellia maculipennis* Malloch, 1925.

Eustigoptera Cresson, 1930: 126. **Type species**: *Notiphila quadrata* Fallén, 1813.

Stictoscatella Collin, 1930: 113. **Type species**: *Notiphila quadrata* Fallén, 1813.

Stranditella Duda, 1942: 30 (as a subgenus of *Lamproscatella*). **Type species**: *Notiphila quadrata* Fallén, 1813.

属征:具1对发达的侧倾的眶鬃; 颊窄; 胸部具有条纹斑; 2根背中鬃(0+2); 翅大多深棕色, 具白色的斑; 背针突发达, 同上生殖板愈合; 阳茎内突退化, 呈"Y"形。

分布:多区分布。全世界已知18种, 中国已记录4种, 秦岭地区有1种。

(10) 绿春沼泽水蝇 *Limnellia lvchunensis* Zhang *et* Yang, 2009(图332)

Limnellia lvchunensis Zhang *et* Yang, 2009: 60.

鉴别特征:额区被棕黄色微毛, 仅侧额被灰黄色微毛; 颜和颊均被灰白色微毛。触角黑色, 仅鞭节腹面黄色。下颚须棕黄色。颊眼比为0.12。胸部亮黑色, 中胸背板具斑点。足黑色。翅 r_1 室内具3个白色的斑。前缘脉的比值为0.23,

中脉的比值为0.80。平衡棒棕黄色。腹部亮黑色，被稀疏的棕黄色微毛。雄性外生上生殖板长与宽几乎相等，后面观背部圆，腹部平截状；背针突近四边形，长宽相同，没有同上生殖板完全愈合；阳茎具细长的突；阳茎内突细长，连在阳茎的后背部。

采集记录：1♂，佛坪凉风垭，2006.Ⅶ.26，朱雅君采。

分布：陕西（佛坪）、河北、贵州、云南。

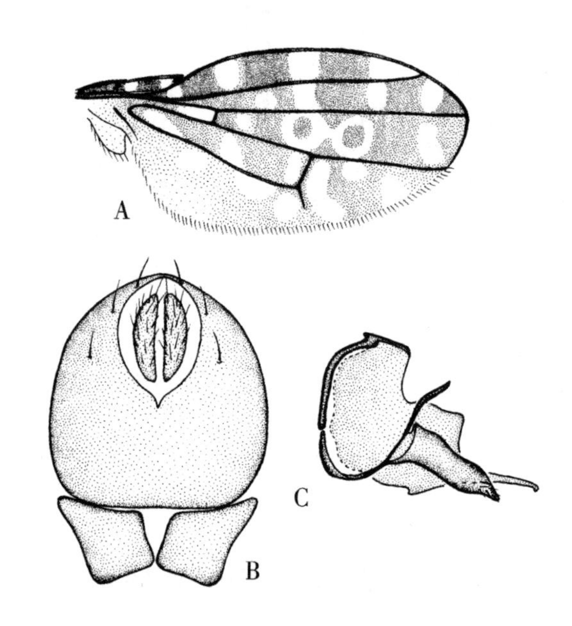

图332 绿春沼泽水蝇 *Limnellia lvchunensis* Zhang *et* Yang

A. 翅（wing）；B. 上生殖板、尾须与背针突后面观（epandrium，cerci and surstyli，posterior view）；C. 外生殖器侧面观（genitalia，lateral view）

11. 裸颜水蝇属 *Psilephydra* Hendel，1914

Psilephydra Hendel，1914. Suppl. Ent. 3：**Type species**：*Psilephydra cyanoprosopa* Hendel，1914.

属征：颜鬃退化，呈毛状；R_{2+3}和R_{4+5}之间的距离几乎等长于R_{4+5}和M之间的距离；上生殖板长等于宽；阳茎侧突后面观可见；左右阳茎侧突相连；阳茎内突细长。

分布：东洋区特有属。全世界已知5种，中国已记录3种，秦岭地区有1种。

(11) 广西裸颜水蝇 *Psilephydra guangxiensis* Zhang *et* Yang，2007（图333）

Psilephydra guangxiensis Zhang *et* Yang，2007：347.

鉴别特征：颜黑色，被浓密的金黄色微毛。颊为眼高的3/5。中胸背板亮黑色、被稀疏的棕色微毛。足黑色；前中足基跗节黄色；后足第 1 ~ 2 跗节黄色，其他跗节棕色。前足腿节具有 6 根齿状的后腹鬃；中足腿节具有 1 排前腹鬃。平衡棒乳白色。翅棕黄色无斑。腹部亮黑色。雄虫生殖器的上生殖板后面观呈倒"U"形；背针突近三角形，在上生殖板的前腹缘处与之愈合；阳茎侧突具 8 ~ 9 根鬃，端部具有中凹，阳茎内突侧面观呈折尺状，后面观呈"Y"形；阳茎的前腹缘形成鼻状的突。

采集记录：2♀，洋县长青山，2006. Ⅶ. 30，朱雅君采。

分布：陕西(洋县)、福建、广东、广西、云南。

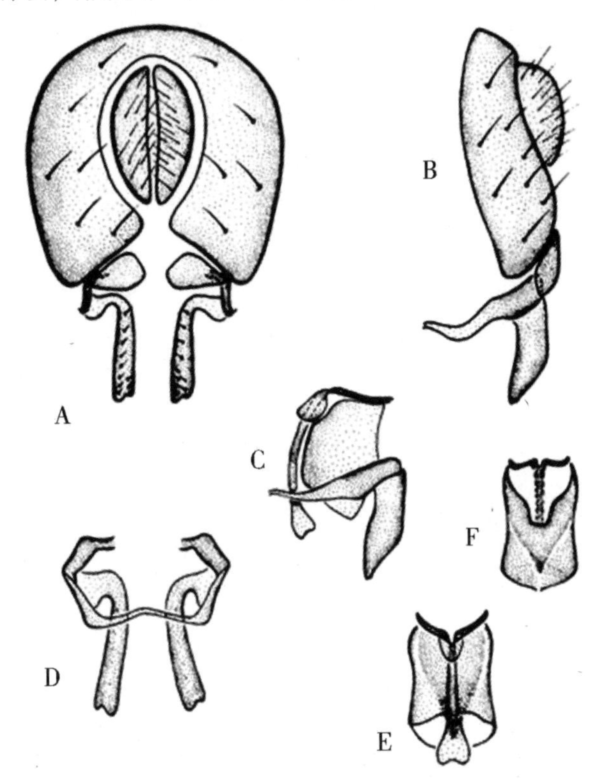

图 333 广西裸颜水蝇 *Psilephydra guangxiensis* Zhang *et* Yang

A. 上生殖板、尾须与背针突后面观(epandrium, cerci and surstyli, posterior view)；B. 上生殖板、尾须与背针突侧面观(epandrium, cerci and surstyli, lateral view)；C. 外生殖器侧面观(genitalia, lateral view)；D. 阳茎侧突与桥腹面观(gonite and gonal arch, ventral view)；E. 阳茎与阳茎内突腹面观(aedeagus and phallapodeme, ventral view)；F. 阳茎与阳茎内突背面观(aedeagus and phallapodeme, dorsal view)

12. 华水蝇属 *Sinops* Zhang, Yang *et* Mathis, 2005

Sinops Zhang, Yang *et* Mathis, 2005: 34. **Type species**: *Sinops sichuanensis* Zhang, Yang *et* Mathis, 2005.

属征：具有发育完好的侧颜鬃；前背侧鬃发育好；R_{2+3} 和 R_{4+5} 之间的距离短于 R_{4+5} 和 M 之间的距离，但是长于 R_{4+5} 和 M 之间距离的一半；上生殖板粗壮，高于宽；

阳茎侧突后面观不可见，且左右分离；阳茎内突粗厚。

分布：古北区，东洋区。全世界已知 4 种，中国仅知 1 种，秦岭地区有 1 种。

(12) 四川华水蝇 *Sinops sichuanensis* Zhang, Yang *et* Mathis, 2005（图 334）

Sinops sichuanensis Zhang, Yang *et* Mathis, 2005: 35.

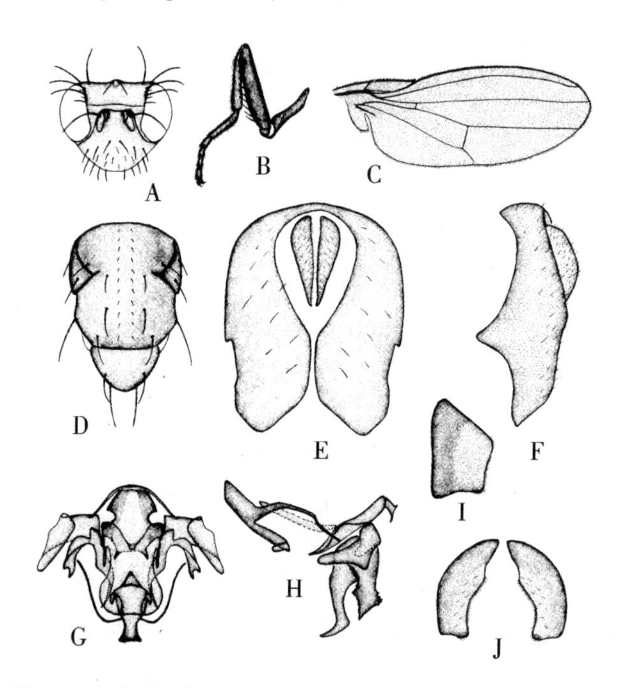

图 334 四川华水蝇 *Sinops sichuanensis* Zhang, Yang *et* Mathis

A. 头部正面观(head, anterior view); B. 前足(fore leg); C. 翅(wing); D. 胸部背面观(thorax, dorsal view); E. 上生殖板与尾须后面观(epandrium and cerci, posterior view); F. 上生殖板与尾须侧面观(epandrium and cerci, lateral view); G. 外生殖器腹面观(genitalia, ventral view); H. 外生殖器侧面观(genitalia, lateral view); I. 雌虫尾须侧面观(cerci, lateral view); J. 雌虫尾须后面观(pregonite, posterior view)

鉴别特征：颜黑色，被蓝绿色微毛。中胸背板亮黑色，被稀疏的灰色微毛。足黑色，被灰色的微毛；跗节棕色。前足腿节具有 1 排后腹鬃，短于腿节宽；中足腿节具有 1 排前腹鬃。平衡棒黄色。翅棕黄色无斑。腹部亮黑色。雄虫生殖器上生殖板大而宽，两侧几乎平行；尾须基部粗端部细长；前背针突端部钩状，后背针突端部具有齿状边缘。

采集记录：2♂2♀，佛坪桦木桥，2006. Ⅶ. 25，朱雅君采；2♂2♀，佛坪西沟，2006. Ⅶ. 27，朱雅君采；2♂3♀，洋县长青山树坪，2006. Ⅶ. 29，朱雅君采。

分布：陕西（佛坪、洋县）、四川。

参考文献

Becker, Th. 1896. Dipterologische Studien IV. Ephydridae. *Berliner Entomologische Zeitschrift*, 41(2): 91-276.

Becker, Th. 1924. H. Sauter's Formosa-Ausbeute: Ephydridae (Diptera). *Entomologische Mitteilungen*, 13: 89-93.

deMeijere, J. C. H. 1911. Studien über südostasiatische Dipteren Ⅵ. *Tijdschrift voor Entomologie*, 54: 258-432.

Fallén, C. F. 1813. Beskrifning öfver några i Sverige funna Vattenflugor(Hydromyzides). *Kongliga Vetenskaps-Academiens Handlingar*, 3(1813): 240-257.

Fan, Z-D., Qi, G-J., Li, M-X., Yang, R-R. and Xia, P. 1983. Two new species of the genus *Hydrellia* on rice, wheat or barley (Diptera: Ephydridae). *Entomotaxonomia*, 5(1): 7-12.

Loew, H. 1862. Monographs of the Diptera of North American. Part 1. *Smithsonian Institution*, *Smithsonian Miscellaneous Collections*, 6(141): 1-221.

Macquart, M. J. 1835. Diptères. In Histoire Naturelle des Insectes. In: Roret, N. E. (ed.). *Collection des suites à Buffon, Formant avec les oeuvres de cet auteur un cours complet d'histoire naturelle.* Tome deuxième. 2: 1-703.

Meigen, J. W. 1830. *Systematische Beschreibung der bekannten europäischen zweiflügeligen Insekten.* 6: 401 + xi.

Miyagi, I. 1977. Ephydridae (Insecta: Diptera). In: *Fauna Japonica.* Keigaku Publishing Company, Limited. 1-113.

Oliver, G. A. 1813. Premiére mémoire sur quelques Insectes qui attaquent les céréales. *Mémoires d'Agriculture, d'Économie Rurale et Domestique, Publiés par la Société d'Agriculture du Départment de la Seine et Oise*, 16: 477-495.

Robineau-Desvoidy, J. B. 1830. Essai sur les Myodaires. *Mémoires Preséntes par divers Savans a l'Académie Royale des Sciences de l'Institut de France, et Imprimés par son Ordre Sciences Mathématiques et Physiques*, 2(2): 1-813.

Roser, C. L. F. von. 1840. Erster Nachtrag zu dem in Jahre 1843 bekannt gemachten verzeichnisse in Württemberg vorkommender zweiflügliger Inseckten. *Correspondenzblatt der königlich Württem bergischen Landwirthschaftlichen Vereins*, new series, 17(1): 49-64.

Stenhammar, C. 1844. Försök till Gruppering och Revision af de Svenska Ephydrinae. *Kongliga Vetenskaps-Akademiens handlingar*, 3(1843): 75-272.

Störmer, K. and Kleine, R. 1911. Die Getreidefliegen, mit besonderer Berücksichtigung iherer wirtschaftlichen Bedeutung und der Abhängigkeit ihres Auftretns von Witterungsverhältnissen. *Fühling's landwirtschaftliche zeitung*, 60: 682-703.

Strobl, P. G. 1893. Neue österreichische Muscidae Acalypterae. Ⅱ. Theil. *Wiener Entomologische Zeitung*, 12(7): 250-256.

Zetterstedt, J. W. 1846. Diptera Scandinaviae. Disposita *et* Descripta. 5: 1739-2162.

Zhang, J-H. and Yang, D. 2007. Species of the genus *Ilythea* from China (Diptera: Ephydridae). *Aquatic Insects*, 29(2): 151-157.

Zhang, J-H. and Yang, D. 2009. Species of the genus *Hyadina* from China (Diptera: Ephydridae).

Zootaxa, 2152: 55-62.

Zhang, J-H., Yang, D. and Mathis, W. N. 2005. A new genus and species of Ephydridae (Diptera) from the Oriental region. *Zootaxa*, 1040: 31-43.

三十六、沼蝇科 Sciomyzidae

李竹[1] 杨定[2]

(1. 北京自然博物馆, 北京 100050; 2. 中国农业大学昆虫系, 北京 100193)

鉴别特征:沼蝇身体纤细, 小到中等大小, 体长 1.80 ~ 12.00mm。体色从黄色到亮黑色, 但多灰色或棕色。触角常前伸, 梗节往往明显比其他蝇类的长; 颜面内凹; 具内、外和后顶鬃各 1 对, 且后顶鬃竖直背分, 而不是相向甚至交叉; 无口鬃。翅常长于腹, 透明或半透明, 部分种类翅面密布黑斑而成为网状; C 脉不断开, 延伸到 M_{1+2}的末端; Sc 脉完整, 终止于 C 脉上。足细长, 胫节末端常有 1 到几根粗鬃。腹部可见 5 节, 尾须发达, 具刚毛。

生物学:成虫陆生, 飞行力不强, 常常头向下成蛙状停息于挺水或嗜湿的草本植物上。成虫喜阴, 英文通称 marsh flies; 幼虫水生, 食物仅限于软体动物, 捕食或拟寄生一些种类的蜗牛或蛞蝓等。幼虫的取食习性很复杂, 最典型的两个类型是水生捕食和陆生拟寄生, 此外, 还有介于这两个极端情况的一系列中间习性。有的幼虫寄生钉螺, 而钉螺是传播人和牲畜的血吸虫病的中间寄主, 所以此科幼虫在人畜血吸虫病的生防上有重要意义。

分类:广布各大动物地理区。全世界已知 61 属 539 种, 中国已知 10 属 23 种, 陕西秦岭地区分布 4 属 5 种。研究标本保存在中国农业大学昆虫博物馆(CAU)。

分属检索表

1. 翅网状, 翅面上有大大小小的黑斑 ………………………………………… 2
   翅半透明, 翅面无任何斑, 至多横脉处烟色 ………………………………… 3
2. 具翅下鬃; 翅侧片有鬃 …………………………………… **缘鬃沼蝇属 *Pherbina***
   无翅下鬃; 翅侧片裸 ……………………………………… **尖角沼蝇属 *Euthycera***
3. 无单眼鬃; 小盾片有 1 对鬃, 梗节杆状 …………………… **长角沼蝇属 *Sepedon***
   有单眼鬃; 小盾片有 2 对鬃, 梗节粗壮, 非杆状 ……………… **基芒沼蝇属 *Tetanocera***

1. 尖角沼蝇属 *Euthycera* Latreille, 1829

Euthycera Latreille, 1829: 529. **Type species**: *Musca chaerophylli* Fabricius, 1798.

属征:中额条条状, 发亮, 新月形斑大部分宽而发亮, 常有 2 根眶鬃。触角梗节与触角鞭节等长或长于鞭节，触角芒具长黑毛或短白毛。胸部背板的鬃完整，但胸侧板裸，无翅下鬃。翅网状，其构造在种间存在差异，有的为不规则的网状，有的在深色的底色下有许多白斑。尾须下的周生殖板不愈合；生殖突对称，下生殖板不对称。

分布：古北区，新北区。全世界已知21种，中国仅知1种，秦岭地区有分布。

(1)斑翅尖角沼蝇 *Euthycera meleagris* Hendel, 1934(图335)

Euthycera meleagris Hendel, 1934: 31.

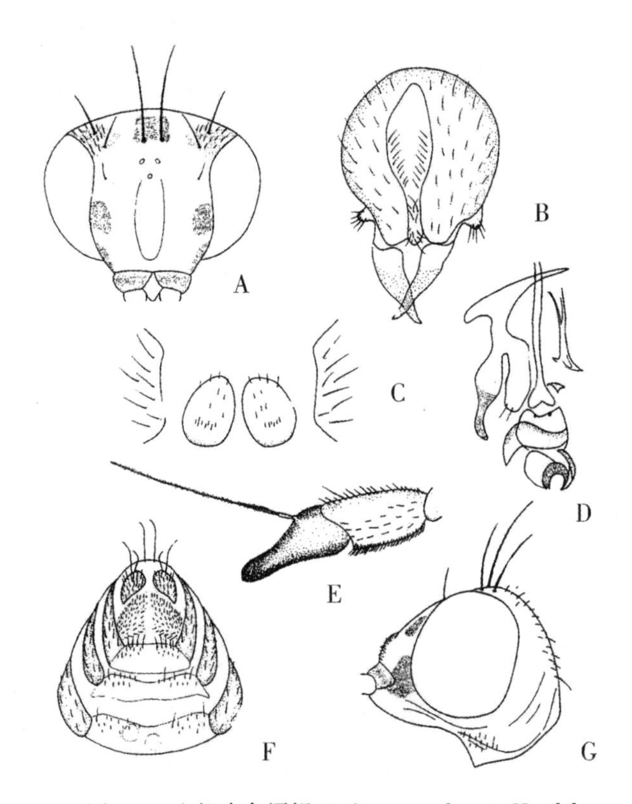

图335　斑翅尖角沼蝇 *Euthycera meleagris* Hendel

A. 头部前面观(head, frontal view); B. 生殖背板(epandrium); C. 雄性第5腹板(sternite5, male); D. 阳茎复合体(aedeagal complex); E. 触角侧面观(antenna, lateral view); F. 雌性腹末腹面观(female terminalia, ventral view); G. 头部侧面观(head, lateral view)

鉴别特征：额区黄色，中额条透明发亮，和单眼三角等宽，不到额前缘。有眶斑和复眼触角斑；单眼三角后的后头区有近三角形绒黑斑；无单眼鬃，眶鬃2对，前眶鬃位于眶斑内。触角梗节和鞭节几乎等长，鞭节从中部开始变细，触角芒上有白色短柔毛。胸侧裸，无鬃，小盾片2对鬃。翅面上有白色圆斑，翅前缘有5~6个近方形的白斑。足黄棕色，但各足跗节上有浓密的黑毛。雄性外生殖器周生殖板在尾须下不愈合，生殖突细长，端部尖；第5腹板为2个椭圆形骨片，下生殖板后突起细长。

采集记录：2♂，周至老县城，1808m，2013. Ⅷ. 02，李轩昆采；1♂1♀，周至太白山，1565m，2013. Ⅷ. 13，李轩昆采；5♂2♀，周至太白山，1565m，2013. Ⅷ. 13，李轩昆采；1♀，眉县太白山蒿平，1177m，2013. Ⅷ. 23，席玉强采。

分布：陕西（周至、眉县）、内蒙古、河北、宁夏、甘肃、浙江、湖北、四川；古北区。

2. 缘鬃沼蝇属 *Pherbina* Robineau-Desvoidy, 1830

Pherbina Robineau-Desvoidy, 1830. Sci. Math. Phys. 2: 687. **Type species**: *Musca reticulata* Fabricius, 1781.

属征：常具2根眶鬃，中额条亮，约占额宽的1/3。后头区中间黑色，有白色粉被。眶斑和复眼-触角斑常存在，触角芒有长到中长的黑毛。背板有棕色的纵条，中胸侧板有毛和1～3根鬃；翅侧片仅1根粗壮的鬃，常有翅下鬃。雄性后足腿节有密而长的腹鬃。翅棕色，网状，后横脉呈"S"形或弓形。

分布：古北区。全世界已知4种，中国仅知1种，秦岭地区有分布。

（2）中芒缘鬃沼蝇 *Pherbina intermedia* Verbeke, 1948（图336）

Pherbina intermedia Verbeke, 1948: 24.

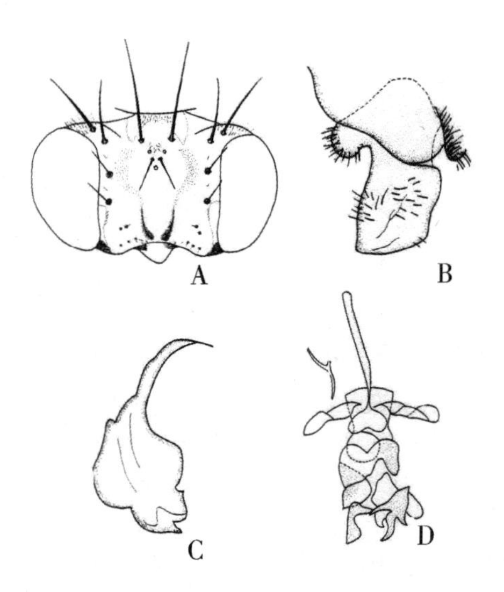

图336 中芒缘鬃沼蝇 *Pherbina intermedia* Verbeke

A. 头部前面观（head, frontal view）；B. 背针突（surstylus）；C. 下生殖板（hypandrium）D. 阳茎复合体（aedeagal complex）

鉴别特征：额区金黄色，中额条透明，宽于单眼三角；单眼鬃1对，眶鬃2对，眶鬃基部有小的圆形黑斑，复眼-触角斑存在。触角梗节稍长于鞭节，鞭节近三角形，芒上有长到中长的羽状黑毛。胸部黄棕色，背板有棕色纵条；胸部有2根翅下鬃，中侧片有3根自上而下排列的中侧鬃，小盾片具2对鬃。足浅黄色，前足腿节背腹全有长鬃；后足腿节腹面有腹鬃(在雌性中退化)，背面近端部有2根粗鬃。翅面有网状斑，后横脉呈弓形，翅前缘有6个黑色圆斑。腹部第4背板和第5背板有粗长的缘鬃。腹部黄棕色，第4和第5腹板有粗长的缘鬃。雄性尾须下的周生殖板不愈合，生殖突前叶小，瘤状，有刚毛；后叶近矩形，外缘有密刚毛。下生殖板基部细长。射精内突短，分叉。

采集记录：1♂，凤县黄牛铺，1516m，2013.Ⅷ.22，席玉强采。

分布：陕西(凤县)、北京、新疆、云南；蒙古，俄罗斯(西伯利亚)，日本。

3. 长角沼蝇属 *Sepedon* Latreille, 1804

Sepedon Latreille, 1804: 305. **Type species**: *Syrphus sphegeus* Fabricius, 1775.

属征：触角细长，梗节延长呈杆状，向前伸出；中额条被额区中央的凹陷所代替。部分鬃退化，无前眶鬃、单眼鬃和翅下鬃。与其他属相比，翅窄。后足腿节无任何背鬃，但有短粗的腹刺。雄性尾须常长而突出，下生殖板对称。生殖突相对短小，端部圆。

分布：世界性分布。全世界已知80种，中国已记录8种，秦岭地区分布2种。

分种检索表

头蓝黑，身体有金属光泽，额区没有黑斑 ………………………………… **铜色长角沼蝇 *S. aenescens***

头棕色，身体没有金属光泽，额区有眶斑和复眼-触角斑………………… **具刺长角沼蝇 *S. spinipes***

(3) 铜色长角沼蝇 *Sepedon aenescens* Wiedemann, 1830(图337)

Sepedon aenescens Wiedemann, 1830: 579.

Sepedon violacea Hendel, 1909: 86.

Sepedon sauteri Hendel, 1911: 270.

Sepedon sinensis Mayer, 1953: 217.

鉴别特征：蓝黑色个体，身体有蓝黑色金属光泽。额区亮黑，只1对眶鬃，无单眼鬃，触角下方有绒黑色的复眼触角斑；无中额条，而是被由单眼三角区向前的1个正中沟所代替。触角梗节延长为杆形，鞭节近三角形，触角芒上密布白色细毛。胸部暗黑色，背板有铜色粉被。有1对小盾鬃，胸侧裸，无任何鬃。各足基节、转节黑色；前足和后足腿节黄色，以下各节黑色；中足腿节及以下黄棕色，后足腿节腹面后半部有两排短粗稀疏的腹鬃。翅基半部烟色透明，端半部色深，翅面无斑。雄性外生殖器第5腹板为2个三角形骨片。尾须端部有瘤状突起。生殖突近椭圆形。下生殖板端部尖。阳茎内突较射精内突小。

采集记录:4♂9♀，周至老县城，1808m，2013. Ⅷ. 02，李轩昆采；1♂，周至老县城，1808m，2013. Ⅷ. 12，张韦采；1♀，留坝桑园乡财神庙，1212m，2013. Ⅷ. 17，席玉强采；1♀，宁陕火地塘，1108m，2013. Ⅷ. 15，席玉强采 1♀，宁陕平河梁，2388m，2013. Ⅷ. 15，席玉强采。

分布:陕西(周至、留坝、宁陕)、黑龙江、内蒙古、北京、天津、宁夏、湖北、湖南、福建、广东、海南、云南、广西、贵州；俄罗斯，朝鲜，日本，阿富汗。

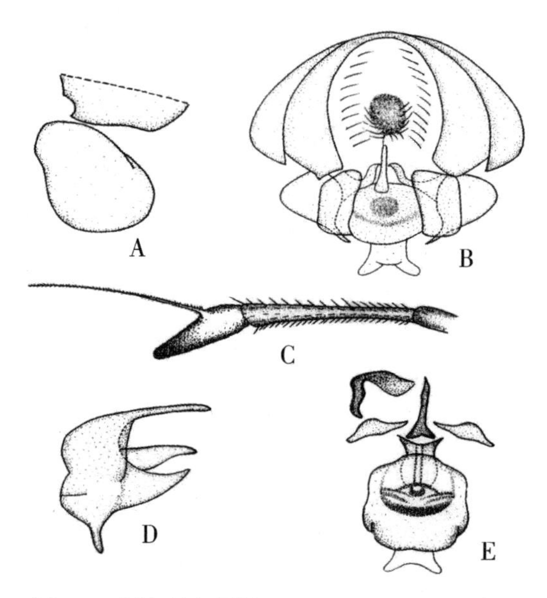

图 337 铜色长角沼蝇 *Sepedon aenescens* Wiedemann

A. 背针突(surstylus)；B. 雄性外生殖器尾面观(male genitalia, caudal view)；C. 触角侧面观(antenna, lateral view)；D. 下生殖板(hypandrium)；E. 阳茎复合体(aedeagal complex)

(4)具刺长角沼蝇 *Sepedon spinipes* (Scopol, 1763)(图 338)

Musca spinipes Scopol, 1763: 342.

Sepedon haeffneri Fallén, 1820: 3.

鉴别特征:雄性额区黄棕色，触角-复眼斑和眶斑均存在；无单眼鬃，只有 1 对眶鬃；无中额条，其位置被 1 个“Y”形正中沟所代替。触角梗节棕色，长杆状；鞭节前 2/3 黑色，近方形。触角芒白色，密布白色短细毛。胸部黄棕色，背板有暗色的纵条纹。侧板裸，无鬃。翅烟色透明，翅面无任何斑，仅在 2 条横脉处有烟晕。足近淡黄色，后足腿节端半部红棕色，腹面有两排短而稀疏的腹鬃。雄性外生殖器的第 5 腹板为两个近方形的骨片，尾须延长，长杆状；生殖突宽，近半圆形；下生殖板对称，两端变细，末端尖，内卷。

采集记录:1♂，周至盐层楼观台，1962. Ⅷ. 13，李法圣采；1♂1♀，周至厚畛子，1235m，2013. Ⅷ. 11，常文程采；4♂4♀，周至老县城，1808m，2013. Ⅷ. 02，李轩昆采；1♂，凤县东峪，1994. Ⅶ. 08，董建臻采；1♀，眉县太白山蒿平，1177m，2013. Ⅷ. 23，席玉强采；1♂，山阳天竺山，2074m，2013. Ⅷ. 21，王玉玉采。

分布:陕西(周至、凤县、眉县、山阳)、北京、河南、新疆、浙江、湖北、湖南、福建、海南、广西、四川、云南；全北区。

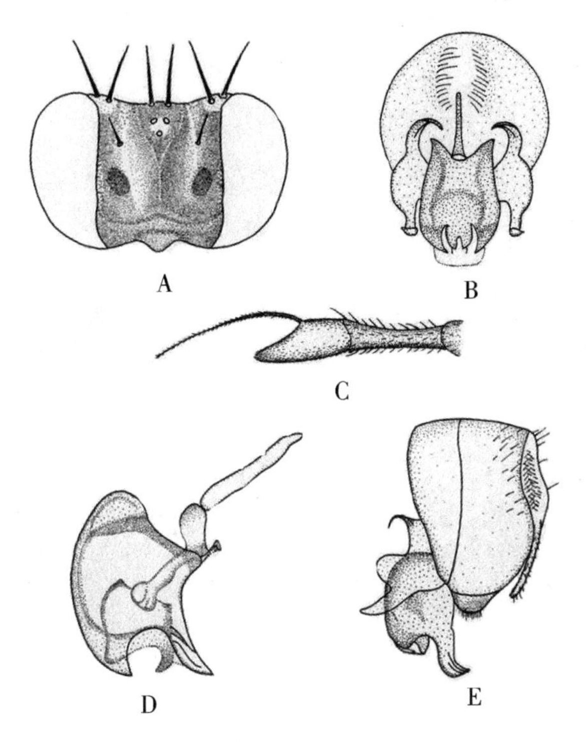

图 338　具刺长角沼蝇 *Sepedon spinipes* (Scopol)

A. 头部前面观(head, frontal view)；B. 雄性外生殖器腹面观(male genitalia, ventral view)；C. 触角侧面观(antenna, lateral view)；D. 阳茎复合体侧面观(aedeagal complex, lateral view)；E. 雄性外生殖器侧面观(male genitalia, lateral view)

4. 基芒沼蝇属 *Tetanocera* Dumeril, 1800

Tetanocera Dumeril, 1800: 439. **Type species**: *Musca elata* Fabricius, 1781.

属征:中额区大多数条状，发亮，有时额区全部发亮。常有 2 根眶鬃。触角梗节常长于鞭节，触角芒大多有羽状黑毛，毛长和触角鞭节等宽。中胸侧板裸，无翅下鬃。雄性中后足腿节腹鬃密而长。许多种类后足胫节有 2 根胫端前鬃。翅无斑。周生殖板在尾须下全部愈合。

分布:古北区，东洋区，新北区，新热带区。全世界已知39 种，中国已记录7 种，秦岭地区分布 1 种。

(5)宽额基芒沼蝇 *Tetanocera latifibula* Frey, 1924(图 339)

Tetanocera latifibula Frey, 1924: 51.

Tetanocera hespera Steyskal, 1959: 71.

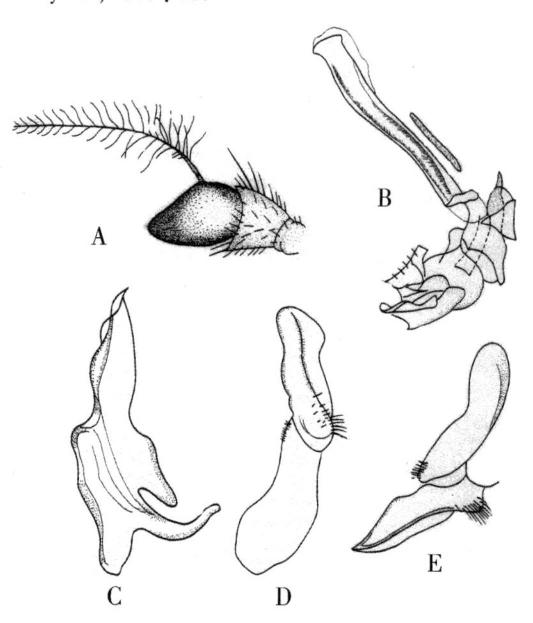

图 339 宽额基芒沼蝇 *Tetanocera latifibula* Frey

A. 触角侧面观(antenna, lateral view); B. 阳茎复合体侧面观(aedeagal complex, lateral view); C. 下生殖板(hypandrium); D. 背针突尾面观(surstylus, caudal view); E. 背针突侧面观(surstylus, lateral view)

鉴别特征:额区宽，暗棕色，无任何黑斑和粉被，有单眼鬃1对，眶鬃2对；中额条狭带状，稍凹陷，边缘色深，伸达额区前缘。触角黄棕色，梗节稍短于鞭节，鞭节近三角形，芒上具长的黑色羽状毛。胸部红棕色，背板有两条暗色条纹，胸部各鬃均发达，侧板裸。翅暗褐色，半透明，翅面无任何斑，但两条横脉处有明显的烟晕。足棕色，中足腿节外侧前端近中部有1根长鬃，后足腿节腹面腹鬃密(雌性中退化)，其中夹杂3~5根长鬃；雄性外生殖器的周生殖板在尾须下全部愈合。生殖突相对短粗，尖部圆形，侧观有1个短尖。下生殖板后突起针状，基部有1个纺锤状突起。阳茎内突长。

采集记录:1♂，凤县黄牛铺，1516m，2013.Ⅷ.22，席玉强采；1♂，凤县黄牛铺，1516m，2013.Ⅷ.22，席玉强采；1♂，眉县太白山蒿平，1177m，2013.Ⅷ.23，席玉强采。

分布:陕西(凤县、眉县)、海南、云南；全北区。

参考文献

Knutson, L. V. 1987. Sciomyzidae. In: McAlpine J. F. (ed.). *Manual of Nearctic Diptera. Vol.* 2. Research Branch, Agriculture Canada Monograph, 28: 927-940.

Knutson, L. V. and Vala, J. C. 2011. *Biology of Snail-killing Sciomyzidae Flies*. Cambridge University Press, Cambridge, 506.

Mayer, H. 1953. Beiträge zur Kenntnis der Sciomyzidae (Diptera: Musc: Acalyptr.). *Annalen des Naturhistorischen Museums in Wien*, 59: 202-219.

Rozkošný, R. 1987. A review of the Palaearctic Sciomyzidae (Diptera). *Folia Facultatis Scientiarum Naturalium Universitatis Purkynianae Brunensis. Biologia*, 86: 100 pp.

Scopoli, J. A. 1763. *Entomologia carniolica exhibens insecta carnioliae indigene et distributa in ordines, genera, species, varietates methodo Linnaeana*, Vindobonae, 421.

Verbeke, J. 1948. Contribution à l'étude des Sciomyzidae de Belgique (Diptera). *Bulletin du Museum Royal d'Histoire Naturelle de Belgique*, 24(3): 1-31.

三十七、茎蝇科 Psilidae

丁双玫　王心丽　杨定

(中国农业大学昆虫系，北京 100193)

鉴别特征：体多为小型。头部及体光滑少鬃，因而有"裸蝇"之称。头部离眼式，单眼三角一般较大，前方延伸至额中部甚至直达前缘。无口鬃。翅前缘脉在第1径脉内侧有1个缺刻，在亚前缘脉终止的顶端与前缘脉的缺刻处中间形成1条小的透明带，并由此向翅后缘延伸1条淡痕，翅可沿此痕折屈。M_{1+2}脉平直或下弯。

生物学：幼虫长筒形，几乎光裸无毛，均为植食性，寄生于茎秆或者根中，个别种寄生于树皮中，危害多种植物的茎、干、根等，并常造成虫瘿，可能成为农、林、果、蔬及花卉等的潜在害虫。成虫多出现温度较低且植物密度较低的区域。

分类：全世界已知10属200多种，中国已知5属50种，陕西秦岭地区有2属3种。研究标本保存在中国农业大学昆虫博物馆(CAU)。

分属检索表

颊高不超过眼高的1/3；翅脉肘室明显短于基第四室；有1对后顶鬃 ………… **绒茎蝇属 *Chyliza***

颊高大于眼高的1/3；肘室与基第4室约等长；有2～3对后顶鬃 ……… **顶茎蝇属 *Chamaepsila***

1. 顶茎蝇属 *Chamaepsila* Hendel, 1917

Chamaepsila Hendel, 1917: 37. **Type species**: *Chamaepsila rosae* Fabricius, 1794.

属征：复眼较圆，颊高大于眼高的1/3。触角第3节短，其长不超过宽的3倍。后顶鬃2～3对(个别种为1对)，1～2对上眶鬃。1对背侧片鬃，1对翅上鬃，1对翅后鬃，1～4对背中鬃，1对小盾鬃(在 *Tetrapsila* 亚属中为2对以上)。

分布:古北区，新北区，东洋区也有少量的分布，非洲区目前仅报道过1种。中国已知18种，秦岭地区有2种。

分种检索表

体长7.50mm；毛序黑色；触角第2节褐色，第3节黄色 ……………… **秦岭顶茎蝇 *C. qinlingana***

体长4.00～4.50mm；毛序黄色；触角3节均为红黄色 ………………… **华山顶茎蝇 *C. huashana***

(1)秦岭顶茎蝇 *Chamaepsila* (s. str.) *qinlingana* Wang *et* Yang, 1989

Chamaepsila (s. str.) *qinlingana* Wang *et* Yang, 1989: 176.

鉴别特征:体长7.50mm。头部橙红色，单眼三角黑色。头顶鬃2对，有后顶鬃，上颚眶鬃2对，单眼鬃1对。触角第2节褐色，第3节黄色。下颚须基部1/3黄色，端部2/3黑色。胸部棕红色，无斑纹。足橙黄色。翅透明，微黄色。平衡棒橙黄色。腹部褐红色，比胸部颜色偏暗，长筒形。

采集记录:1♂，秦岭，1962.Ⅷ.05，杨集昆采。

分布:陕西(凤县)。

(2)华山顶茎蝇 *Chamaepsila* (s. str.) *huashana* Wang *et* Yang, 1989

Chamaepsila (s. str.) *huashana* Wang *et* Yang, 1989: 175.

鉴别特征:体长4.00～4.50mm。头部橙黄色至浅褐色，后头及头顶深褐色；头顶鬃2对，有后顶鬃，上额眶鬃2对；单眼鬃1对，个别雌性标本为3根。触角橙黄色，第3节的前缘常呈黑色，触角芒的长度超过第3触角节的2倍。下颚须棕色。胸部深褐色，有的个体颜色偏浅；背中鬃1对，小盾片鬃1对，侧板光滑无大鬃。足浅黄色。翅无色透明。平衡棒浅黄色至红棕色。腹部颜色与胸部相近，腹端的颜色渐深。

采集记录:3♂3♀，华阴华山，1962.Ⅷ.21，杨集昆采。

分布:陕西(华阴)。

2. 绒茎蝇属 *Chyliza* Fallén, 1820

Chyliza Fallén, 1820: 6. **Type species:** *Chyliza leptogaster* (Panzer, 1798).

属征:复眼长圆形，颊很窄，颊高低于眼高的1/3。颜面略隆起。下颚须宽扁。

肘室明显短于基第4室。1对后顶鬃，2~3对顶鬃，1~2对上眶鬃。1对背侧片鬃，1对翅上鬃，1对背中鬃，2~3对小盾鬃(少数种仅1对)。

分布:东洋区，新北区，新热带区，古北区及非洲区也有分布。中国已知13种，秦岭地区有1种。

(3)中国绒茎蝇 *Chyliza sinensis* Wang *et* Yang, 1996

Chyliza sinensis Wang *et* Yang, 1996: 438.

鉴别特征:体长5.50~6.50mm。头部红黄色，额后半部为黑色，黑色有时扩展到额的2/3，近眼缘处色更深；后头区黑色，雄颜面大部分无斑，少数有黑色的中斑，雌大部分颜面有黑色的中斑，少数无斑，其斑的形状常有变化。1对后顶鬃。3对顶鬃，2对上眶鬃。触角基部两节黑色，第3节黄色，触角芒黄色，羽状。下颚须黑色。胸部亮黑色，有时肩片和腹侧片上缘色略浅，褐色至红黄色；小盾片红黄色。1对背中鬃，1对小盾前鬃，3对小盾鬃。足黄色。翅透明，微黄，顶角有淡褐色雾斑。平衡棒黄色。腹部亮黑色。

采集记录:1♀，甘泉清泉沟，1971.Ⅶ.27，杨集昆采；1♀，杨凌，1960.Ⅷ.10，李法圣采。

分布:陕西(秦岭、杨凌、甘泉)、内蒙古、北京、山西、安徽、浙江、海南、广西、贵州、云南。

参考文献

Wang, X-L. and Yang, J-K. 1996. Psilidae. 424-456. In: Xue, W-Q. and Zhao, J-M. (eds), *Flies of China. Volume 1*. Liaoning Science and Technology Press, Shenyang. 1365. [王心丽，杨集昆. 1996. 茎蝇科. 424-456. 见:薛万琦，赵建铭. 中国蝇类. 上册. 沈阳:辽宁科学技术出版社，1365.]

Wang, X-L. and Yang, J-K. 1989. Two new Psilidae species from Shaanxi province (Diptera: Psilidae). *Entomotaxonomia*, 11(1-2): 175-176. [王心丽，杨集昆. 1989. 陕西省的茎蝇科二新种(双翅目: 茎蝇科). 昆虫分类学报，11(1-2): 175-176.]

三十八、蜣蝇科 Pyrgotidae

王丽华　丁双玫　杨定
(中国农业大学昆虫系，北京 100193)

鉴别特征:头部大，在触角的上方或多或少突出，单眼一般消失；颜凹陷，中央常具颜脊；颊、喙及下颚须都发达。额鬃常缺如。触角第2节缺背裂(角蜣蝇属 *Epicerella* 除外)，第3节大于第2节，较小的稀有。沟前鬃有时消失，背中鬃退化，有时完全消失，肩鬃、背侧片鬃、翅上鬃、前小盾鬃、中胸侧片鬃、翅侧片鬃及腹侧片鬃一般均发达。前胸侧板被浓密柔毛。中足基节外侧缺尖突起，爪间突简单。翅长，脉序似斑蝇科，亚前缘脉末端游离或终止于前缘脉，第1径脉全部具小毛，第5径室开放，肘臀横脉向内弯曲，与臀脉成尖角形；下腋瓣小形。腹部基部狭窄，雄呈棍棒状。雌产卵管基部很长，常长于腹部，几丁质圆筒形，略成弓状，基部粗而末端尖。

生物学：本科外形与眼蝇相似，但翅形与果蝇近似。幼虫寄生金龟子昆虫类，成蝇在傍晚活动，喜灯光，常以灯诱采集到的。

分布：东洋区，古北区，大洋区。全世界已知370种，中国已记录9属37种，陕西秦岭地区地区有1新种。模式标本保存在中国农业大学昆虫博物馆(CAU)。

真蜣蝇属 *Eupyrgota* Coquillett, 1898

Eupyrgota Coquillett, 1898: 337. **Type species**: *Eupyrgota luteola* Coquillett, 1898.

属征：触角窝或多或少被颜脊所分隔。触角芒由2节组成。胸部背面肩鬃和沟前鬃缺；小盾片具缘鬃4根。股节下方至少端半部具2行刺。前缘脉延伸至中部；R_{4+5}径脉上无小毛，r-m横脉位于翅的中部或超过中部，m-u横脉不倾斜。腹部基部延长。

分布：亚洲东部。中国已知9种，秦岭地区有1种。

棕额真蜣蝇，新种 *Eupyrgota frons* Wang, Ding *et* Yang, sp. nov.（图340）

鉴别特征：体长14mm。头部浅棕黄色，额浅棕黄色，背面观额宽略长于复眼，头顶凹陷，颊具1块深棕色斑；颊高为复眼高的2/9，侧颜宽为复眼高的1/9。头上鬃毛红棕色，上眶鬃1对，单眼鬃1对，单眼后鬃1对，内顶鬃1对。触角浅棕黄色，柄节、梗节、鞭节长比为1.00∶1.70∶1.70；触角芒线状，2节。中胸背板有4条黄色带状斑，盾沟及小盾沟两侧不规则地显示棕色，上侧片前缘具1条窄窄的深棕色线。小盾片深黄色。肩鬃1对，背侧鬃1对，翅上鬃2对，翅后鬃1对，背中鬃1对，小盾前鬃1对，上侧片鬃1根，翅侧片鬃1根，腹侧片鬃1根；小盾鬃6根。足浅黄色无斑，中足股节裸区缺失。翅浅棕黄色，半透明，翅脉棕黄色，R_{4+5}具赘脉。腹部第1腹板与第2腹板愈合，第1+2合腹板长，略长于后面4节总长。产卵器与腹板颜色相同，端部白色膜伸长，弯曲呈倒钩状，端刺不可见。

采集记录：1♀(正模)，辽宁新宾陡岭林场，2009.Ⅶ.22，盛茂领灯诱；1♀(副模)，陕西周至厚畛子，2009.Ⅵ.02，盛茂领采；9♀，陕西周至厚畛子，2009.Ⅵ.09，盛茂领采；1♀，陕西商州，2009.Ⅵ.26，盛茂领采；1♀，辽宁新宾陡岭林场，2009.Ⅶ.08，盛茂领灯诱；1♀，四川峨眉山零公里，2010.Ⅶ.05，王俊潮灯诱；2♀，云南绿春黄连山垭口保护站，2011.Ⅴ.07，王丽华灯诱。

分布:陕西(周至、商州)、辽宁、四川、云南。

讨论:新种额全部浅棕色，第1腹板长，略长于后面4节总长，端部白色膜伸长，弯曲呈倒钩状，与产卵器近等长，端刺不可见，以上特征可区别本属已知种类。

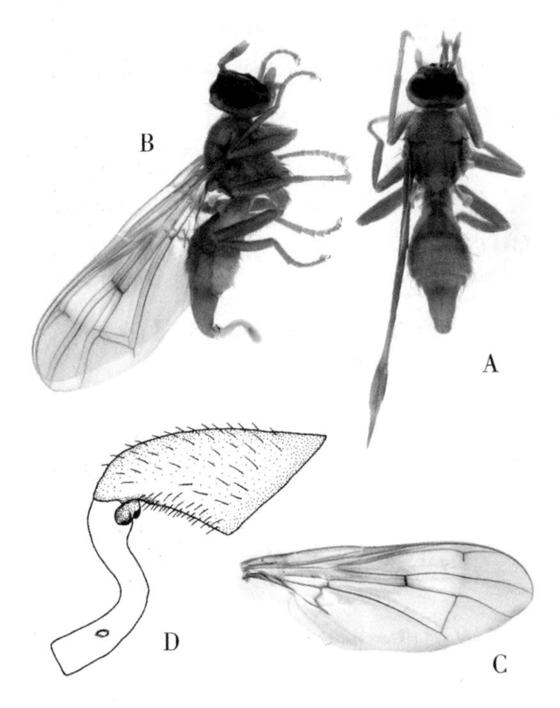

图340　棕额真蜣蝇，新种 *Eupyrgota frons* Wang, Ding *et* Yang, sp. nov.(雌性)
A. 整体背面观(habitus, dorsal view); B. 整体侧面观(habitus, lateral view); C. 翅(wing); D. 产卵器侧面观(ovipositor, lateral view)

参考文献

Shi, Y-S. 1996. Pyrgotidae. 575-593. In: Xue, W-Q. and Zhao, J-M. (eds), *Flies of China. Volume 1*. Liaoning Science and Technology Press, Shenyang. 1365. [史永善. 1996. 蜣蝇科. 575-593. 见: 薛万琦, 赵建铭. 中国蝇类. 上册. 沈阳:辽宁科学技术出版社, 1365.]

三十九、眼蝇科 Conopidae

丁双玫　杨定
(中国农业大学昆虫系, 北京 100193)

鉴别特征:体小至中型(2.50~20.00mm)，个别种较大，黑褐色或黄褐色，裸或被稀疏短毛，形似蜂类。头宽大于胸宽，额很宽。单眼或有或无。侧顶片、新月片通常存在，新月片常形成肿胀的额泡。额囊缝缺如。触角 3 节，第 3 节较长，无纵缝，第 3 节背侧、亚背侧或端部具节芒或端芒。中颜板凹陷，具纵沟；口孔大，长条形。中胸盾沟不完整，肩后鬃与翅内鬃缺如，翅后胛不发达，下腋瓣退化，仅残存 1 条膜状的褶。翅透明或暗色，Sc、R_1、R_{2+3}脉均与前缘脉接近，r_5室多封闭，常具柄，有时端部开放，但开口狭窄；具伪脉。第 2 基室(B)短于第 1 基室；臀室较长且封闭。腹部长筒型，基部多收缩呈胡蜂型，亦有普通的广腰型。雄蝇尾器向腹部弯曲，雌蝇尾器呈钳状，第 5 腹板铲状翘起。卵长筒型，具卵孔，有钩或丝附着于寄主。

生物学：雌蝇直接将卵产于正在飞翔中的寄主昆虫体表，幼蛆孵化后从腹侧节间膜钻入寄主腹部。幼虫白色，卵型或梨型，体节明显，腹部末端 1 节具 1 对后气门，着生于 1 大型凹下的气门板上。口器退化。幼蛆在寄主腹内发育 3 个龄期，充满整个腹部，老熟后从寄主体内钻出，化为围蛹。

分类：全世界已知 25 属 600 多种，中国已知 15 属 69 种，秦岭地区有 1 属 1 种。研究标本保存在中国农业大学昆虫博物馆(CAU)。

微蜂眼蝇属 *Thecophora* Rondani, 1845

Thecophora Rondani, 1845: 15. **Type species**: *Myopa atra* Fabricius, 1775.

属征：体细长，黑褐色或灰色。额相当宽，为复眼宽的 3/4。具单眼或单眼区。触角芒状短于头，较细；触角芒位于触角第 3 节背面。颊宽略小于复眼直径，并多覆粉被。喙短于头部。胸暗褐色，覆灰色粉被；背侧片中部略有凹陷。翅 Sc 脉在端部与 R_1 脉接近未形成 Sc-R_1 横脉。腹部棒槌形，基部较细。

分布：世界广布。中国已知 7 种，秦岭地区有 1 种。

暗昏微蜂眼蝇 *Thecophora obscuripes* (Chen, 1939)

Occemyia obscuripes Chen, 1939: 222.

鉴别特征：头呈矩形，复眼间颜黑色，触角基部橘红色，毛与鬃稀疏。颊浅黄色，具光泽，较宽，达复眼最大直径的一半以上。喙长为头部长度的 2 倍，除端部浅褐色外，其余均为黑色。触角基部两节黄褐色，第 3 节橘红色，但端腹部黑灰色，与第 2 节等长。胸部覆银灰色粉末，小盾片具密鬃。足多黑褐色，但有时泛紫光，转节与胫节的基部黄色，跗节浅黄色。腹部圆筒状，表面覆薄粉，基部黑色略泛红，有金属光泽。翅透明，但基部为淡黄色。

采集记录：1♂1♀，周至厚畛子，1278m，2014. Ⅷ. 16，李轩昆采。

分布：陕西(周至)、江苏。

参考文献

Chen, S-H. 1939. Etude sur les Dipteres Conopides de la Chine. *Notes d'Entomologie Chinoise*, 6(10): 161-231.

Qiao, Y. and Zhao, J-M. 1996. Conopidae. 596-621. In: Xue, W-Q. and Zhao, J-M. (eds), *Flies of China. Volume 1*. Liaoning Science and Technology Press, Shenyang. 1365. [乔阳，赵建铭. 1996. 眼蝇科. 596-621. 见:薛万琦，赵建铭. 中国蝇类. 上册. 沈阳:辽宁科学技术出版社，1365.]

四十、花蝇科 Anthomyiidae

于腾 杜晶 薛万琦
（沈阳师范大学昆虫研究所，沈阳 110034）

鉴别特征:中小型蝇类，体灰黑色，很少有浅色。雄额狭，雌额宽，少有见两性额都狭或都宽。间额鬃常存在。上眶鬃有或无，如有则往往与下眶鬃排成一列。背中鬃2+3。前胸基腹片和下侧片通常裸。前胸侧片中央凹陷具毛仅见于个别属。背侧片有时具毛。小盾端腹面一般具直立纤毛。A_1+CuA_2合脉除个别属外均达翅缘。腹部第1、2两节的背板愈合为第1、2合背板，接合缝消失。雄性第6背板常隐匿于第5背板之下，通常无鬃。肛尾叶一般不分成左右两叶，常短于侧尾叶。第5腹板侧叶除极个别类群退化外明显发达。雌性第6背板通常在两侧具第6、7两对气门。

生物学:花蝇科成虫大多在野外、园林和农田里活动，或者在花上、树下、草丛、灌木丛中活动，也有进入人家和畜舍附近的。幼虫有的寄生在活的植物上，以植物幼嫩部分或茎、叶、花蕾、地下鲜茎和根、嫩果、初萌种子为食。

分布:全世界已知1200余种，中国已记录628种，陕西秦岭地区分布8属12种。研究标本保存在沈阳师范大学昆虫研究所。

分属检索表

1. 额宽大于或仅稍小于头宽的1/3，第5腹板无长密毛；间额鬃无 ……… **毛眼花蝇属 *Alliopsis***
   非上述特征 …… 2
2. 前胸侧板中央凹陷，具纤毛 …… **花蝇属 *Anthomyia***
   前胸侧板中央凹陷裸 …… 3
3. 下腋瓣大于上腋瓣 …… 4
   下腋瓣等于或小于上腋瓣 …… 6
4. 侧尾叶端部分叉 …… **邻种蝇属 *Paregle***
   侧尾叶端部不分叉 …… 5
5. C脉腹面有毛 …… **隰蝇属 *Hydrophoria***

C 脉腹面无毛 ………………………………………………………………… 地种蝇属 ***Delia***
6. 后胫具端位后腹鬃 ……………………………………………………… 植种蝇属 ***Botanophila***
后胫无端位后腹鬃 ………………………………………………………………… 14
7. 肛尾叶末端分叉或具明显下垂的突起 ……………………………………… 柳花蝇属 ***Egle***
肛尾叶末端不分叉也无下垂的突起，背侧片裸 ……………………………… 粪种蝇属 ***Adia***

1. 花蝇属 *Anthomyia* Meigen, 1803

Anthomyia Meigen, 1803: 281. **Type species**: *Musca pluvialis* Linnaeus, 1758.

属征：眼裸；雄性额狭，雌性额宽；两性均有间额鬃；触角芒具毳毛、短纤毛或呈羽状。胸部盾片淡灰色，具圆形、卵形的绒黑色斑纹，一般沟前 2 块，沟后 3 块，有时斑纹消失或互相连接，有些种类形成横带或宽纵条；小盾片两侧常有 1 对黑色纵条，有时小盾片基部或两侧黑色，端部具淡灰色粉被斑；前胸侧板中央凹陷，具纤毛，前胸基腹片、上后侧片及后基节片均无毛；下前侧片鬃 2 + 2。腹部第 3、4、5 背板前缘各有倒“山”字形黑斑，斑的尖端不达后缘；雄性肛尾叶宽大，略近三角形，侧尾叶狭长；前、后阳基侧突均发达。

分布：古北区，东洋区，非洲区，新北区，澳洲区。秦岭地区记录 1 种。

(1) 横带花蝇 *Anthomyia illocata* Walker, 1857

Anthomyia illocata Walker, 1857: 129.

鉴别特征：体长 4 ~ 6mm。两侧额密接，间额消失；整个头部密覆灰白色粉被，仅下侧颜具暗色斑。中鬃 2 行；小盾片基部暗色。腹密覆淡色粉被，正中及前缘均暗色，前缘两侧的暗色斑略呈三角形；露尾节黑色；前阳基侧突近于四边形，前后缘近平行，而端部较斜；后阳基侧突前缘中央有 1 个透明的叶状突，钩形的端部几乎超过全长的2/5；阳基后突腹面观铲形，骨化部较大；阳茎无茎基后突；侧尾叶亚基部后方具 1 个斜位的半圆形片状突，侧面观特别明显；后内方端部 1/4 处有 1 个齿状突，突下具 2 根鬃，亚端部内方有一深的剜入；末端圆钝，不扭曲；第 5 腹板侧叶后内缘的片突眉月形。雌性额宽约等于一眼宽或稍狭，间额前半部黑色，上眶鬃 3 根，间额鬃发达。产卵器瘦长，第 6、7 背板宽，缘鬃发达，第 6 腹节气门紧位于第 6 背板边缘上，而第 7 腹节气门位于这背板的侧后部；第 6、7 腹板均狭长，各具 3 对鬃；第 8 腹节的背板和腹板都为成对的骨化带，后缘骨片最强，背板有多数缘鬃，腹板仅 2 对缘鬃；肛上板宽短而肛下板狭长；受精囊近于圆形而末端稍平。

分布：全国各地（除黑龙江、宁夏、青海、新疆、江西、西藏不详外）广布；朝鲜，日本，泰国，印度，尼泊尔，斯里兰卡，菲律宾，印度尼西亚，澳洲区。

2. 柳花蝇属 *Egle* Robineau-Desvoidy, 1830

Egle Robineau-Desvoidy, 1830: 584. **Type species**: *Egle parva* Robineau-Desvoidy, 1830.

属征：雄性额狭，雌性额宽，两性都有间额鬃，触角短，第 3 节长约等于或稍长于第 2 节长，或等于本身宽，第 3 节末端圆并常略扩大，颜短，口上片前突，口前缘常超过额前缘；前缘脉下面裸，后胫无端位后腹鬃，体小型。

分布：古北区，新北区。秦岭地区发现 1 种。

(2) 方头柳花蝇 *Egle parva* Robineau-Desvoidy, 1830

Egle parva Ronineau-Desvoidy, 1830: 590.

鉴别特征：口前缘突出于额前缘，后股后腹面或前腹面均无超过后股横胫的长鬃，第 5 腹板侧叶内缘无赘叶，无长鬃，仅有短细毛，侧叶腹面观狭窄，为两侧叶内缘间距的 1/3，肛尾叶后面观下垂的端突较短，末端宽不及基部高，侧尾叶侧面观前、后缘近乎直。

分布：陕西（秦岭）、辽宁、甘肃、山西；俄罗斯，日本，欧洲。

3. 粪种蝇属 *Adia* Robineau-Desvoidy, 1830

Adia Robineau-Desvoidy, 1830: 558. **Type species**: *Adia oralis* Robineau-Desvoidy, 1830 [= *Musca cinerella* Fallén, 1825].

属征：眼裸，雄性额狭，雌性额宽，间额鬃雄性缺如，触角黑，芒至多具中等长毳毛，上倾口缘鬃 1 行，口缘多少突出于额前缘，喙不特别细长或粗短，前颏具粉被，胸部黑色，粉被灰至灰黄，斑、条常不显，翅前鬃短于后背侧片鬃，腹侧片鬃 1 +2 或 2 +2，有时雌中 1 +1，背侧片裸，C 脉下面无毛。后胫前腹鬃 1，后背鬃常为 2。尾叶瘦长。肛尾叶长三角形，末端具 1 对鬃。

分布：古北区，新北区，东洋区北缘。秦岭地区发现 1 种。

(3) 粪种蝇 *Adia cinerella* (Fallén, 1825)

Musca cinerella Fallén, 1825: 77.

鉴别特征：体长 3.50 ~ 5.50mm。第 5 腹板侧叶内缘端部具面积或大或小的毛簇，肛尾叶稍短些，末端叶较钝圆，后面观长是基部宽的 3 倍，侧尾叶后面观略向外撇，近端部外缘陡然向内转折，端部突然变细，端部无刺，第 5 腹板侧叶末端不弯向腹方，内缘成簇的毛少，仅约为 5 个。

采集记录：1♂，周至厚畛子，2500～3000m，1999. Ⅵ. 22，采集人不详；1♂，秦岭山梁及北坡，2050m，1998. Ⅶ. 30，采集人不详。

分布：中国广布；俄罗斯，亚洲，欧洲，非洲（北部），北美洲。

4. 隰蝇属 *Hydrophoria* Robineau-Desvoidy, 1830

Hydrophoria Robineau-Desvoidy, 1830: 503. **Type species**: *Hydrophoria littoralis* Robineau-Desvoidy, 1830 [= *Musca lancifer* Harris, 1780].

属征：眼裸；雄性额狭；雌性两眼远离间额鬃；下眶鬃间有时有毛；触角芒具毳毛到长羽状；背中鬃 2 + 3，翅前鬃短细或长大，下前侧片鬃（1～2）+ 2，背侧片与下后侧片裸或具毛。前缘脉腹面具毛；下腋瓣显然比上腋瓣突出，如两者等长则中鬃缺如。足黑色或部分黄色；雄性前跗粗短或正常；中跗细长或正常；后胫前鬃 3～4 根，长且大，或为 1 列短鬃，或为 1 列由数个长短鬃交替的鬃列。腹长卵形或长圆锥形。

分布：主要分布于全北区，仅少数分布于东洋区和新热带区。秦岭地区发现 3 种。

分种检索表

1. 后胫有后腹鬃 …… 乡隰蝇 ***H. ruralis***
 后胫无后腹鬃 …… 2
2. 前缘基鳞黑 …… 山隰蝇 ***H. montana***
 前缘基鳞黄 …… 绯胫隰蝇 ***H. rufitibia***

（4）山隰蝇 *Hydrophoria montana* Suwa, 1970

Hydrophoria montana Suwa, 1970: 248.

鉴别特征：体长 7.50mm。间额消失，芒羽状，翅前鬃短，至多为后背侧片鬃长的 2/3，翅侧片裸，背侧片裸，前缘基鳞黑色，中股无前腹鬃，中胫无前腹鬃，后胫无后腹鬃。

采集记录：36♂2♀，镇安云盖寺黑窑沟林场，1217m，2014. Ⅵ. 20，于腾采；27♂1♀，镇安云盖寺茨沟村，1100m，2014. Ⅵ. 21，于腾采；3♂，镇安云盖寺茨沟村，1100m，2014. Ⅵ. 21，张佳庆采。

分布：陕西（镇安）、黑龙江、辽宁、台湾、四川；朝鲜，日本。

(5)绯胫隰蝇 *Hydrophoria rufitibia* Stein, 1907

Hydrophoria rufitibia Stein, 1907: 350.

鉴别特征:体长6mm。下眶鬃7~8根，芒羽状，最长芒毛至多略大于触角第3节宽，侧颜较狭，至多为触角第3节宽的1.20倍，中喙前颏长至多为高的4.50倍，背侧片裸，翅侧片裸，翅前鬃短小，至多为后背侧片鬃长的2/3，翅无斑，前缘基鳞黄色，中胫无前腹鬃，后胫无后腹鬃，腹部第6背板裸。

分布:陕西(秦岭)、辽宁、山西、甘肃、青海。

(6)乡隰蝇 *Hydrophoria ruralis* (Meigen, 1826)

Anthomyia ruralis Meigen, 1826: 101.

Hydrophoria ruralis: Stein, 1918: 178.

鉴别特征:体长5.00~6.50mm。侧颜为触角第3节宽的2/3，芒羽状，翅前鬃短，至多为后背侧片鬃长的2/3，翅侧片裸，背侧片裸，中股无前腹鬃，腹部第6背板裸。

采集记录:2♂19♀，镇安云盖寺黑窑沟林场，1217m，2014.Ⅵ.20，于腾采；3♂7♀，镇安云盖寺茨沟村，1100m，2014.Ⅵ.21，于腾采。

分布:陕西(镇安)、黑龙江、吉林、辽宁、内蒙古、山西、上海、江苏、安徽、浙江、福建、四川、贵州、云南；俄罗斯，朝鲜，日本，欧洲，北美洲，南美洲。

5. 植种蝇属 *Botanophila* Lioy, 1864

Botanophila Lioy, 1864: 990. **Type species**: *Anthomyia varicolor* Meigen, 1826.

属征:通常体型中小，体色长黑。雄性额狭，雌性额宽，具间额鬃，雄性上眶鬃常无，触角黑，芒具毳毛，仅少数裸或呈羽状，口前缘一般不突出于额前缘，中喙较短或瘦长，前颏常有粉被，后头背去具毛。前中鬃毛状或发达，腹侧片鬃常呈1+2；肩后鬃1+0，翅前鬃存在或发达。C脉下面多数裸。足常黑，个别黄，后胫端位后腹鬃通常缺如，少数有。腹部第6背板裸，少数侧叶瘦长，个别不发达；肛尾叶形式多样，端部变化复杂，大多数具2或3个分叉，或具杆状延长的端突；前阳基侧突退化，阳体短小。

分布:主要分布于古北区和新北区。秦岭地区记录2种。

分种检索表

足全黑，口上片突出，触角第3节长为宽的2倍 ………………………… **圆门植种蝇 *B. rotundivalva***
足股节和胫节黄色，口上片不突出，触角第3节长为宽的1.50倍 ……………………………………………………………………………………………… **瘦林植种蝇 *B. angustisilva***

(7)圆门植种蝇 *Botanophila rotundivalva* (Ringdahl, 1937)

Hylemyia (*Pegohylemyia*) *rotundivalva* Ringdahl, 1937: 18.
Botanophila rotundivalva: Xue & Zhang, 2005: 791.

鉴别特征:复眼裸，额宽为前单眼宽的1.50倍，侧额、侧颜具灰色粉被，侧颜稍宽于触角宽，触角黑色，第3节长为宽的2倍，芒短纤毛状，最长芒毛长不超过芒基宽，口上片突出。前中鬃毛列2行，背中鬃2+3，翅前鬃与后背侧片鬃等长或略短，背侧片裸。前缘基鳞暗褐，腋瓣浅黄，下腋瓣不突出于上腋瓣，平衡棒黄。前胫具1根前背鬃，中位后鬃1根，中股基半部具前腹后腹鬃列，中胫具1根前背鬃，2根后背鬃，2根后腹鬃，后胫前腹鬃3根，前背鬃4~5根，后背鬃5~6根。腹部各背板中央具黑条，第6背板裸，第5腹板具较直侧叶。

采集记录:1♂，留坝大洪渠，2500m，1998.Ⅶ.20，采集人不详。

分布：陕西(留坝)。

(8)瘦林植种蝇 *Botanophila angustisilva* Xue *et* Yang, 2002

Botanophila angustisilva Xue *et* Yang, 2002: 73.

鉴别特征:体长8.50~9.00mm。复眼裸，额约为前单眼宽的1.50倍，侧颜宽为触角宽，触角黑色，触角第3节长约为宽的1.50倍。芒短毳毛状，芒毛长为芒基宽的2倍，口上片不突出，颊高约为眼高的1/5。中鬃(1~2)+(2~3)，背中鬃2+3，翅前鬃长于后背侧片鬃，背侧片裸，腹侧片鬃1+2。前缘基鳞黄色，腋瓣淡黄色，下腋瓣略突出于上腋瓣，平衡棒黄。足股节和胫节黄色，前胫具1~2根前背鬃和1根后腹鬃，中股基半部具1列后腹鬃，中胫具1根前背鬃，2根后背鬃和2根后腹鬃，后股各具1列完整的前腹鬃和后腹鬃，后胫具2~3根前腹鬃，4根前背鬃，3根后背鬃，中部具3~4根后腹鬃。腹部各背板中部具1条暗褐色纵条，第6背板裸，第5背板侧叶侧面基半部具4~5根长大的鬃毛，第1腹板具毛。

采集记录:1♂，周至厚畛子，2500~4000m，1999.Ⅵ.21，姚建采。

分布:陕西(周至)、甘肃。

6. 邻种蝇属 *Paregle* Schnabl, 1911

Paregle Schnabl, 1911: 62. **Type species**: *Musca radicum* (nec Linnaeus, 1758) [*Musca audacula* Harris, 1780].

属征: 雄性下眶鬃明显多于雌性。雄性上倾口缘鬃呈多行排列，显然多于雌性。胸背小毛雄性亦较雌性多而细长。两性中鬃列间距均有许多小毛。小盾下面有毛。无前中侧片鬃。前缘基鳞褐或暗色。中胫后背鬃2列，后胫有多数或成行的前背鬃；后背鬃3列，前腹鬃1个以上。腹略扁平，肛尾叶亚三角形，末端不分叉。前阳基侧突长形，仅稍大于后阳基侧突。侧阳体明显发达；端阳体较枝细长，末端有小齿，与端片骨化部明显分离，以薄膜相连。

分布:古北区，新北区，澳洲区。秦岭地区记录1种。

(9)密胡邻种蝇 *Paregle densibarbata* Fan, 1981

Paregle densibarbata Fan, 1981: 233.

鉴别特征:额狭，仅及前单眼宽的1/3，上倾口缘鬃5行，共40余个，鬃列超过最上方前倾口缘鬃水平，无触角间楔。

分布:陕西(秦岭)、青海、河南、四川、云南、西藏。

7. 地种蝇属 *Delia* Robineau-Desvoidy, 1830

Delia Robineau-Desvoidy, 1830: 571. **Type species**: *Delia floricola* Robineau-Desvoidy, 1830.

属征:眼大多裸；雄性额狭，一般狭于触角第3节宽，雌性额宽；两性均具间额鬃，但在雄性中一般极短细；触角芒裸或具毳毛；侧面观口器窝前缘不突出；背侧片除鬃外仅少数种类有毛，翅前鬃通常短或缺如，下前侧片鬃1+2；翅前缘脉下面仅少数种类有小刚毛；足大多黑色，前胫前背鬃0~1根，1~2根中位后鬃或后腹鬃，并有1根或强或弱的端位后腹鬃；中胫后背鬃1根；后股后腹鬃列缺如；后胫后背鬃一般3根。腹部多数种类狭而扁平；雄性第5腹板长形，但装备多样；雄性肛尾板单纯且显然短于侧尾叶，侧尾叶或狭长或稍宽，末端不分叉；阳茎瘦长，在多数种类中端部具侧阳体。

分布:主要分布于全北区，仅有个别种类为世界性种而分布到热带地区、东洋区及澳洲区。秦岭地区记录2种。

分种检索表

翅前鬃缺如或呈毛状 ………………………………………………………… **长板地种蝇 *D. dolichosternita***
翅前鬃存在，且不呈毛状 ………………………………………………………… **灰地种蝇 *D. platrua***

(10) 长板地种蝇 *Delia dolichosternita* Cao, Liu *et* Xue, 1985

Delia dolichosternita Cao, Liu *et* Xue, 1985: 292.

鉴别特征:体长 5.50～6.00mm。颊高约为眼高的 1/3，上倾口缘鬃 2 行，前颏和唇瓣的全长约为前胫长的 3/5，C 脉下面裸，中足第 1 分跗节在背面具超过节粗的长鬃状毛，第 5 腹板侧叶端部具 1 根长大的刺状鬃，近基部有向内的角状突出，缨毛分布均匀。

采集记录:2♂，太白山，1982. Ⅷ. 11，曹如峰采。

分布:陕西(太白)。

(11) 灰地种蝇 *Delia platrua* (Meigen, 1826)

Anthomyia platrua Meigen, 1826: 171.

鉴别特征:两眼相接近；额狭于前单眼宽，触角黑色，芒具短毳毛。中鬃 2 行，盾沟前第 2 对和小盾沟前最后 1 对较长大；翅前鬃短，等于或稍长于后背侧片鬃长的一半；小盾片下面有纤毛。翅第 1、2 合中脉末端直。后股端部一半长度内具前腹鬃列，端部 1/3 长度内具后腹鬃列 5～6 根；后胫前腹鬃 2～4 根。腹瘦狭，各背板前缘有狭的暗带。雌性体长 4～6mm。额远离。中胫前背鬃 1 根，后背鬃 2 根，后腹鬃 2 根；后胫前腹鬃 2 根(少数为 3 根)，前背鬃 5 根，后背鬃 3 根。腹部长卵形；各背板上具略明显的长形的黑色倒三角正中斑；各背板宽阔，而正中缘不骨化或骨化不全；缘鬃 1 列，第 6 背板前狭后宽；第 6、7 腹板狭长；第 8 腹板为 1 对短的骨片；肛上板小，半圆形；肛下板大，略呈心脏形，端部有 2 对长的和若干段的缘毛。

采集记录:1♂，周至厚畛子，2500～3000m，1999. Ⅶ. 22，采集人不详；2♂，周至厚畛子，1350m，1999. Ⅶ. 25，采集人不详；4♂，周至厚畛子，1320m，1999. Ⅶ. 23，采集人不详；2♂，宁陕火地塘，1580m，1998. Ⅶ. 15，采集人不详；1♂，宁陕平和梁，2020m，1998. Ⅶ. 29，采集人不详；1♂，宁陕火地沟，1580～2000m，1998. Ⅶ. 18，采集人不详；1♂，镇安云盖寺镇茨沟村，1100m，2014. Ⅵ. 21，于腾采。

分布:中国广布；朝鲜，日本，美国，欧洲，非洲。

8. 毛眼花蝇属 *Alliopsis* Schnabl *et* Dziedzicki, 1911

Alliopsis Schnabl *et* Dziedzicki, 1911: 92. **Type species**: *Aricia glacialis* Zetterstedt, 1845.

属征:雄性腹部倾向于扁平，背面观较宽或呈卵形，腹板常较宽，第5腹板往往横阔；侧叶具粉被，多鬃毛，尤其是端部有强大鬃。

分布:古北区，新北区，东洋区北缘。秦岭地区记录1种。

(12)拟林毛眼花蝇 *Alliopsis silvatica* (Suwa, 1974)

Paraprosalpia silvatica Suwa, 1974: 62.

鉴别特征:体长6~9mm。外方肩后鬃无，C脉下面几乎全长有毛，前胫前背鬃2根，后股后腹鬃短于后股粗，后胫后背鬃3根，爪的屈度小于90°，第5腹板末端略带半月形，侧叶仅如基部长的2倍，侧尾叶末端的爪很小。

采集记录:1♂，留坝大洪渠，2500m，1998. Ⅶ.20，采集人不详。

分布:陕西(留坝)、吉林、辽宁、甘肃；日本。

参考文献

Fallén, C. F. 1825. *Monographia Muscidum Sveciae. Part 8*, Lundae: 73-80.

Fan, Z-D. 1992. *Key to the common flies of China*, *second edition.* Science Press, Beijing. 1-992. [范滋德. 1992. 中国常见蝇类检索表，第2版. 北京:北京科学出版社，1-992.]

Fan, Z-D. *et al.* 1981. On some new species of Anthomyiidae from China (Diptera). Contributions from Shanghai Institute of Entomology, 2: 221-239. [范滋德，等. 1981. 中国花蝇科新种志(双翅目). 昆虫学研究集刊，第二集，221-239.]

Fan, Z-D. *et al.* 1988. *Economic insect fauna of China. Fasc. 37.* (*Diptera*: *Anthomyiidae*) Science Press, Beijing. 1-396. [范滋德，等. 1988. 中国经济昆虫志，第三十七册. (双翅目:花蝇科)北京：科学出版社，396.]

Lioy, P. 1864. I ditteri distribuiti secundo unnuovo metodo di classificazione naturale. *Atti del Reale Istituto Veneto di Scienze*, *Lettere ed Arti*, 3(9): 989-1027.

Meigen, J. W. 1803. Versuch einer neuen Gattungs-Eintheilung der europäischen zweiflügligen Insekten. *Magazin für Insektenkunde*, 2: 81-259.

Meigen, J. W. 1826. *Systematische Beschreibung der bekannten europäischen zweiflügeligen Insekten*, 5: 1-412.

Robineau-Desvoidy, J. B. 1830. Essai sur les myodaires. *Mémoires Présentés par divers Savants al*

Académie Royale des Sciences de Instituut de France, 2(2): 1-813.

Schnabl, J. 1911. Dipterologische Sammelreise nach Korsika (Diptera). Ausgeführt im Mai und Juni 1907 von Th. Becker, A. Kuntze, J. Schnabl und E. Villeneuve. Anthomyidae. *Deutsche Entomologische Zeitschrift*, 1911: 62-100.

Schnabl, J. and Dziedzicki, H. 1911. Die Anthomyiiden. *Nova acta Abhandlungen der Kaiserlichen Leopoldinisch-arolinischen Deutschen Akademie der Naturforscher*, 95(2): 53-358.

Stein, P. 1907. Zur Kenntnis der Dipteren von Central-Asien. Ⅱ. Cyclorrhapha Schizophora Schizometopa. Die von Roborowsky und Kozlov in der Mongolei und Tibet gesammelten Anthomyiiden. *Annuaire du Musée Zoologique de 1. Académie Impériale des Sciences de St.-Pétersbourg.*, 12: 318-372.

Suwa, M. 1970. On Japanese species of the genus *Hydrophoria* Robineau-Desvoidy, with description of a new species (Diptera: Anthomyiidae). *Kontyû*, 38: 246-251.

Suwa, M. 1974. Anthomyiidae of Japan (Diptera). *Insecta Matsumurana*, new series 4: 61-73.

Fan, Z-D. 1998. Anthomyiidae. 634-772. In: Xue, W-Q. and Zhao J-M. (eds.) *Flies of China, volume 1*. Liaoning Science and Technology Press, Shenyang. 1365. [范滋德. 1998. 花蝇科. 634-772. 见:薛万琦, 赵建铭. 中国蝇类. 上册. 沈阳:辽宁科学技术出版社, 1365.]

Xue, W-Q. and Yang, M. 2002. Four new species and two new record species of the genus *Botanophila* (Diptera: Anthomyiidae) from China. *Acta Entomologica Sinica*, 9(2): 73-79. [薛万琦, 杨明. 2002. 中国植种蝇属(双翅目:花蝇科)4新种和2新纪录. 昆虫学报, 9(2): 73-79.]

Xue, W-Q. and Zhang, X-Z. 2005. Diptera: Anthomyiidae, Fanniidae, Muscidae and Calliphoridae. 787-833. In: Yang, X-K. (ed.) *Insect Fauna of Middle-West Qinling Rang and South Mountains of Gansu Province*. Science Press, Beijing. 1-1055. [薛万琦, 张学忠. 2005. 双翅目:花蝇科, 厕蝇科, 蝇科, 丽蝇科. 787-833. 见:杨星科. 秦岭西段及甘南地区昆虫. 北京:科学出版社, 1-1055.]

四十一、厕蝇科 Fanniidae

于腾　薛万琦

(沈阳师范大学昆虫研究所, 沈阳 110034)

鉴别特征:翅的 A_1+CuA_2 脉很短, A_2 脉常向前弯曲到 A_1+CuA_2 脉末端之外, 或两者末端延长线在翅缘内相交; 后胫通常在中位或亚中位具1根长大的背鬃; 雄性中足常具翅、鬃、簇、瘤、短的栉状刚毛列, 细毛群等, 至少胫节腹面具细毛等; 腹部背腹扁平, 背面观卵形或长卵形(仅 *Coelomyia* 亚属呈纺锤状), 背板常具暗黑色正中条、倒"T"形斑或斑点; 雌性侧额宽阔, 内缘稍向内突, 前方的上眶鬃通常向外倾, 无间额交叉鬃。卵为长卵形, 具1对侧背突缘或翼, 表面光滑, 在两翼(突缘)之间有纵棱纹。幼虫外形及其特化, 背腹扁平, 带褐色, 每1体节上具有一些突起, 这些突起呈羽状分支, 软毛状或是单纯的, 表皮厚而粗糙, 具明显雕刻或纹饰; 前气门指状突3~12个, 较短, 后气门位于背侧, 着生在短的气门柄上, 口器无附口骨。

生物学:幼虫滋生在人或动物的粪便中、腐殖物或正在腐败的动物质中，也滋生在尸体中及发酵的或渍制的食物中，还生活在蜂类的巢穴或鸟巢中，也有寄生在昆虫或软体动物体内的。成蝇常飞入家屋，为疾病的媒介者。雄性常在适宜季节于树荫下绕树干、有些种可离地五六米成群回飞；雌性不与雄性一起回飞，可在附近随伴回飞。

分类:本科全世界已知275种，中国已知84种，陕西秦岭地区已知1属3种。研究标本保存在沈阳师范大学昆虫研究所。

厕蝇属 *Fannia* Robineau-Desvoidy, 1830

Fannia Robineau-Desvoidy, 1830: 567. **Type species**: *Fannia saltatrix* Robineau-Desvoidy, 1830.

属征:眼无毛，少数具短纤毛；雄性两眼接近，雌性眼间距多变化；侧额宽阔，有直立的鬃，侧颜裸，发亮或被有粉被和生小毛，触角芒裸或具短毳毛，或不很明显。背中鬃2+3，中鬃细毛状，呈略明显而整齐的2行；腹侧片鬃1+2。翅 R_{4+5}脉和M脉并行或稍微靠近，A_1+CuA_2 脉短，而 A_2 很长，显然的弯曲到 A_1+CuA_2 脉末端之外，前缘刺缺如。体躯灰色或黑色种，腹部略有光泽，基部有时带黄色。足细长，中足基节具刺、纤毛或缨毛等，因种类而异。

分布:世界广布。秦岭地区记录3种。

分种检索表

1. 中足基节下缘具钩状弯曲的刺状鬃 …………………… **瘤胫厕蝇 *F. scalaris***
　中足基节下缘和外方均无钩状弯曲的刺状鬃 …………………… 2
2. 腹部背板两侧无黄色部分 …………………… **元厕蝇 *F. prisca***
　腹部背板两侧部分呈黄色 …………………… **夏厕蝇 *F. canicularis***

(1)夏厕蝇 *Fannia canicularis* (Linnaeus, 1761)

Musca canicularis Linnaeus, 1761: 454.
Fannia canicularis: Miller, 1910: 233.

鉴别特征:复眼裸。胸部有3条明显的棕色纵条；前胸前侧片中央凹陷裸。翅前鬃存在。中足胫节腹面的小毛很短，最长的毛约为胫节最宽处的1/3，具1根后背鬃；后足基节后内缘具毛，胫节无栉状的前背鬃，无后背鬃；后胫前腹鬃2根。腹板第1、2合背板、第3、4各背板具倒“T”形暗色斑，其两侧部分呈黄色。

采集记录:1♂，周至厚畛子，1320m，1999.Ⅵ.23，采集人不详。

分布:陕西(周至)、黑龙江、吉林、辽宁、内蒙古、河北、山西、山东、河南、甘肃、青海、新疆、江苏、西藏；蒙古，俄罗斯，朝鲜，日本，全北区，欧洲区，非洲区，新热带区。

(2)元厕蝇 *Fannia prisca* Stein, 1918

Fannia prisca Stein, 1918: 154.

鉴别特征:额宽约等于触角第3节宽。前胸前侧片中央凹陷，裸；翅前鬃存在。中足第1分跗节基部腹面无齿状刺，胫节具1个后背鬃；后足基节后内缘具毛，胫节无栉状前背鬃，无后背鬃，前腹鬃2个；股节前腹面中部无刺状鬃。腹部灰色，有正中暗色纵条。

采集记录:2♀，镇安云盖寺，850m，2014.Ⅶ.18，于腾采。

分布:陕西(镇安)、甘肃；蒙古，朝鲜，日本，东洋区，澳洲区。

(3)瘤胫厕蝇 *Fannia scalaris* (Fabricius, 1794)

Musca scalaris Fabricius, 1794: 332.

Fannia scalaris: Hennig, 1955: 81.

鉴别特征:间额狭于一侧额的宽度；侧颜无鬃。中股腹面中部具钝头的刺状鬃簇；中足基节具3根钩状刺，中胫腹面具1个瘤状突起。

采集记录:1♂，宁陕火地沟，1580～2000m，1998.Ⅶ.18，采集人不详。

分布:世界各地广布。

参考文献

Fabricius, J. C. 1794. *Entomologia systematica emendate et aucta. Secundum classes, ordines genera, species, adjectis synonimis, locis observationibus, descriptionibus.* 4: 1-472.

Robineau-Desvoidy, J. B. 1830. Essai sur les myodaires. *Mémoires Présentés par divers Savants al Académie Royale des Sciences de Instituut de France*, 2(2): 1-813.

Stein, P. 1918. Zur weitern Kenntnis aussereuropaeischer Anthomyiden. *Annalen Historico-Naturales Musei Nationalis Hungarici*, 16: 147-244.

Xue , W-Q. and Zhang, X-Z. 2005. Diptera: Anthomyiidae, Fannidae, Muscidae and Calliphoridae. 787-833. In: Yang, X-K. (ed.), *Insect Fauna of Middle-West Qinling Rang and South Mountains of Gansu Province.* Science Press, Beijing. 1-1055. [薛万琦，张学忠. 2005. 双翅目:花蝇科，厕蝇科，蝇科，丽蝇科. 787-833. 见:杨星科. 秦岭西段及甘南地区昆虫. 北京:科学出版社，1-1055.]

四十二、蝇科 Muscidae

于腾　薛万琦
（沈阳师范大学昆虫研究所，沈阳 110034）

鉴别特征：成蝇体长为 2～10mm，胸部的后小盾片不突出，下侧片无鬃，有少数种具极细的短毛；A_1+CuA_2 脉不达至翅缘，A_2 脉的延长线同 A_1+CuA_2 脉延长线的交点在翅缘的外方；后胫亚基中位无真正的背鬃，有时有刚毛状鬃也偏于后背方，后足第 1 跗节无基腹鬃；雌性后腹部各节均无气门，只有毛脉蝇亚科的毛脉蝇属 *Achanthiptera* 保留有第 6 气门。卵呈长卵形，背侧有孵化褶，该褶有时形成 1 对凸缘、翼或向前伸延成两个呼吸角。幼虫为蛆状，水生型，高度特化，表皮一般具骨化棘、雕刻和疣突，前气门指状突最多可达 14 个，体后有后气门，气门板上有气门裂、环和钮，无气门杆；口器多变，但口钩腹面无齿，适于粪食、腐食、植食和肉食，蛆为围蛹，在第 2 腹节上有 1 个呼吸角。

生物学：蝇科的常见种常出入人、畜居处，为主要住区性蝇类。一般滋生在人畜粪便、垃圾和家畜饲料中，或者腐败动物质、植物质中，也有的种类其幼虫危害植物。成蝇杂食性，也有的舔食家畜血，也有的专性吸血，亦有的成蝇生活在山林之间。

分类：全世界已知 4200 余种，中国已记录 1000 余种，陕西秦岭地区分布 26 属 74 种，包括 1 个新种。研究标本保存在沈阳师范大学昆虫研究所。

分属检索表

1. 翅侧片具细毛 …… 2
   翅侧片裸 …… 13
2. 侧颜具纤毛，仅有一般纤毛，后背中鬃至少为 2 根 …… **溜蝇属 *Lispe***
   侧颜裸 …… 3
3. 下腋瓣末端宽大 …… 4
   下腋瓣呈舌片状 …… 8
4. 小盾缘鬃 5～8 对，大型蝇类 …… **墨蝇属 *Mesembrina***
   小盾缘鬃至多 3～4 对 …… 5
5. 中胫中部具长大后腹鬃；腹部无明显斑条和闪光斑 …… 6
   中胫无后腹鬃；腹部具明显斑条和闪光斑 …… 7
6. R_{4+5}脉腹面基部具刚毛，腋瓣上肋裸 …… **毛蝇属 *Dasyphora***
   R_{4+5}脉腹面基部裸，腋瓣上肋具毛 …… **翠蝇属 *Neomyia***
7. 后胫端部 1/3 无长大的后背鬃，M 脉端段成角形弯曲 …… **家蝇属 *Musca***
   M 脉端段成弧形弯曲 …… **莫蝇属 *Morellia***

8. 后气门沿下缘有明显的刚毛列 …………………………………… **重毫蝇属** ***Dichaetomyia***
后气门沿下缘无刚毛列 …………………………………………………………………… 9
9. 喙不能收入口窝，圆棒状 ………………………………………………………………… 10
喙短，如长则侧扁 ………………………………………………………………………… 12
10. 下颚须至多为中喙长的 2/5，棒状；腹侧片鬃 0 ~ 1 根 ……………… **螫蝇属** ***Stomoxys***
下颚须至少为中喙长的 3/5，端部侧扁 …………………………………………………… 11
11. 触角芒仅上侧具毛，背侧片无小毛 ……………………………………… **角蝇属** ***Haematobia***
触角芒仅上、下侧均具毛，背侧片有小毛 ……………………………… **血喙蝇属** ***Haematobosca***
12. 后胫后背鬃在端部 1/3 处的 1 根明显长大；体毛细而密 ……………… **直脉蝇属** ***Polietes***
后胫后背鬃几乎等大；体毛不特别密 ……………………………………… **胡蝇属** ***Drymeia***
13. 腹侧片鬃着生点不形成等腰三角形 ……………………………………………………… 14
腹侧片鬃距前、后腹侧片间距略相等 ……………………………………………………… 26
14. 下侧片具明显散生的鬃，翅上鬃 1 根 ……………………………… **客夜蝇属** ***Xenotachina***
下侧片无鬃 ………………………………………………………………………………… 15
15. 后足基节后表面具明显刚毛；后胫具后背鬃 ………………………… **毛基蝇属** ***Thricops***
后足基节后表面裸 ………………………………………………………………………… 16
16. 后胫在中部近端部之间无 1 根长大的后背鬃 ………………………………………… 17
后胫在中部近端部之间有 1 根长大的后背鬃 ………………………………………… 21
17. M 脉端段显著向前呈弧形弯曲 ………………………………………………………… 18
M 脉基本直 ……………………………………………………………………………… 19
18. 胫脉结节和 R_{4+5} 脉基部上、下面均无毛，前胸基腹片裸 …………… **腐蝇属** ***Muscina***
胫脉结节和 R_{4+5} 脉基部上、下面具刚毛，前胸基腹片具毛 …………… **妙蝇属** ***Myospila***
19. 雄性前股端部腹面有齿或特殊形状的鬃 ……………………………… **齿股蝇属** ***Hydrotaea***
雄性前股端部腹面无齿或特殊形状的鬃 ………………………………………………… 20
20. 亚前缘脉中部较直，不强烈弯曲；前胸基腹片裸 ………………… **巨黑蝇属** ***Megophyra***
亚前缘脉中部呈弓把形弯曲；后胫后背鬃长大 ……………………… **棘蝇属** ***Phaonia***
21. 前腹侧片鬃缺如，后胫无端位前背鬃 …………………………… **纹蝇属** ***Graphomya*** **（部分）**
前腹侧片鬃存在 …………………………………………………………………………… 22
22. 后胫端位前背鬃长于该节横径 ………………………………………………………… 23
后胫端位除背鬃外无或有 1 短小的前背鬃 …………………………………………… 24
23. 径脉结节背腹面均裸 ………………………………………………… **阳蝇属** ***Helina***
径脉结节和 R_{4+5} 脉基部至少在腹面具刚毛；干径脉腹面裸 …………… **圆蝇属** ***Mydaea***
24. M 脉末端明显向前弯曲 ………………………………………………………………… 25
M 脉末端明显直 ……………………………………………………… **池蝇属** ***Limnophora***
25. 前腹侧片鬃缺如；径脉结节具毛 ………………………………… **纹蝇属** ***Graphomya*** **（部分）**
前腹侧片鬃存在；径脉结节裸 ……………………………………… **裸池蝇属** ***Brontaea***
26. 后胫前背鬃 2 根 ……………………………………………………… **池秽蝇属** ***Limnospila***
后胫前背鬃 0 ~ 1 根，前背中鬃很小 ……………………………… **芒蝇属** ***Atherigona***

1. 芒蝇属 *Atherigona* Rondani, 1856

Orthostylum Macquart, 1851: 245. **Type species**: *Orthostylum rufipes* Macquart, 1851 [viz. *Coenosia pulla* Wiedemann, 1830].

Atherigona Rondani, 1856: 97. **Type species**: *Anthomyia varia* Meigen, 1862.

属征: 体小型，常带黄色，头侧面观近长方形；复眼裸，长卵形，眼间距宽；无间额交叉鬃，上眶鬃2根，前方1根短，下眶鬃超过3根；触角长大，触角基部位于复眼上缘水平。前背中鬃短小，稍长于体毛，下前侧片鬃着生点为等腰三角形。雄性腹部近圆筒形，露尾节小，常有尾节突起和三叶状突。

分布: 非洲区，东洋区，古北区，澳洲区，新北区，新热带区。秦岭地区发现1种。

(1) 高粱芒蝇 *Atherigona soccata* Rondani, 1871

Atherigona soccata Rondani, 1871: 322.

鉴别特征: 触角第2节仅末端带黄色，至多内侧黄色，触角芒第2小节长大于粗，下颚须大部黑色而端部带黄色。前股全黄色，前胫大部分黄色，仅端部发暗。腹部第5背板无暗斑，尾节突起有2个短棒形分支，末端较平，三叶状突暗褐色，全部骨化，肩状突平滑，正中突在侧面观时其中部呈肘状弯曲。

采集记录: 1♀，宁陕火地塘，1580m，1998. Ⅶ. 27，采集人不详。

分布: 陕西(宁陕)、湖南、广东、广西、四川、贵州、云南；泰国，缅甸，印度，巴基斯坦，伊拉克，以色列，意大利，土耳其，摩洛哥，埃及，尼日利亚。

2. 胡蝇属 *Drymeia* Meigen, 1826

Drymeia Meigen, 1826. Syst. Beschr. 5: 204. **Type species**: *Drymeia obscura* Meigen, 1826 (viz. *Musca hamata* Fallén, 1823).

属征: 中喙多数细长，有的唇瓣呈狭长的游离状，常向后方伸延为钩状；颊前部常膨胀，具多数上倾鬃，侧颜常较宽，至少等于触角宽；触角芒常为短纤毛状，下眶鬃较密长，翅侧片多数裸，极少数具毛；体较黑，少数种具扁形鬃。翅基多数为淡褐色，亚前缘脉总是较直，M脉直，除前缘脉具刚毛外，其余各脉均裸，平衡棒色暗。足黑，跗节常有变形，后胫中部常具有2~3根以上长大的后背鬃，其长度超过后横胫的1.50倍以上，后足基节后表面无毛。

分布:古北区,新北区。秦岭地区仅知1种。

(2)蟹爪胡蝇 *Drymeia grapsopoda* (Xue *et* Cao, 1989)

Pogonomyia grapsopoda Xue *et* Cao, 1989: 171.

鉴别特征:复眼裸,额宽为前单眼宽的2倍,下眶鬃密,无上眶鬃,侧颜为触角的1.50倍,口上片突出,触角黑,第3节与第2节等长,芒具毳毛,最长芒毛等于芒基粗。中鬃0+1,背中鬃2(3)~4根,翅前鬃长于后背侧片鬃的1.50倍;背侧片和后气门前肋具小毛。翅带淡褐色,半透明,dm-cu横脉直,平衡棒全黑。足全黑色,前足第1分跗节端腹突明显,中胫无前背鬃,后胫无前腹鬃,中后足第1分跗节基部腹面各有1个刺状鬃。腹部各背板中部具大三角形暗斑,第1腹板裸,第5腹板侧叶短。

采集记录:1♂,太白山,1982.Ⅷ.11,采集人不详。

分布:陕西(太白)、四川。

3. 齿股蝇属 *Hydrotaea* Robineau-Desvoidy, 1830

Hydrotaea Robineau-Desvoidy, 1830: 509. **Type species**: *Musca meteorica* Linnaeus, 1758.

属征:中型或小型蝇类,亮黑色、灰黑色或棕黑色种。雄性眼接近,雌性眼远离,具交叉的间额鬃1对,常有1对发达的前倾上眶鬃;部分种单眼三角向前伸展为发达的额三角;新月片银白色或银灰色,触角芒裸或具毳毛。中鬃如发达则为2行,背中鬃2+4(个别种为2+3);翅前鬃细小或缺如;下前侧片鬃通常为1+1。前胸基腹片、前胸前侧片中央凹陷、下后侧片上无毛,部分种可有或长或短的暗色毳毛;无前缘刺,Sc脉较直,M脉直。雄性前足具腹面有齿的股节和腹面具缺刻的胫节,但部分种前胸基腹片具毛的亮黑色种无此特征;在中足与后足上常有特征性的装备,但后者基节后表面裸。腹部具灰色粉被和暗色中位纵斑,粉被种粉被缺如,个别种类腹部部分呈黄色;尾节不是很突出。

分布:古北区,新北区。秦岭地区记录6种。

分种检索表

1. 前胸基腹片、前胸侧板中央凹陷和后气门前肋均裸 ······ 2
   前胸基腹片、前胸侧板中央凹陷和后气门前肋均具毛 ······ 4
2. 复眼密生长纤毛 ······ **曲脉齿股蝇 *H.* (s. str.) *cyrtoneurina***
   复眼无明显纤毛 ······ 3

3. 中足第 1 分跗节腹面亚基部有 1 簇不是很长的小缨毛，胸腹无粉被 ……………………………………………………………………………………… **夏氏齿股蝇 *H.*（s. str.）*hsiai***
   中足第 1 分跗节腹面无小缨毛，胸腹略具粉被 ……………… **常齿股蝇 *H.*（s. str.）*dentipes***
4. 侧面观眼后缘凹入 ……………………………………………… **厚环齿股蝇 *H.*（*O.*）*spinigera***
   侧面观眼后缘凹不入 ……………………………………………………………………………… 7
5. 后足胫节强烈弯曲，足各分跗节正常，前颊长约为高的 2.50 倍弱 ……………………………………………………………………………………… **银眉齿股蝇 *H.*（*O.*）*ignava***
   后足胫节正常，足各分跗节端部有很明显的黄白色部分前，颊长不及高的 2 倍 ……………………………………………………………………………… **斑蹠齿股蝇 *H.*（*O.*）*chalcogaster***

(3) 斑蹠齿股蝇 *Hydrotaea*（*Ophyra*）*chalcogaster*（Wiedemann, 1824）

Anthomyia chalcogaster Wiedemann, 1824: 52.
Ophyra chalcogaster: Stein, 1910: 555.

鉴别特征：眼很大，裸，额等于或狭于前单眼宽，触角暗色，第 2 节末端及第 3 节基部稍带棕色，长为第 2 节长的 2.10 倍，芒具毳毛，芒基黄，前颊长不及高的 2 倍。中鬃 2(3) +1，背中鬃 2 +4，翅内鬃 0 +2，腹侧片鬃 1 +1，前胸基腹片、下侧片具毛。前缘基鳞带褐色，下腋瓣淡黄或黄色，平衡棒暗褐色。足黑色，唯有各分跗节端部有很明显的黄白色部分。前胫无后鬃，中股有 1 列后鬃。腹部有不明显暗中条。雌性额宽约为头宽的 0.26 倍，额三角前伸至稍逾间额一半长，两侧缘直、间额鬃位于稍逾额三角长的一半处的两侧缘上；间额钝褐，两侧较直。前足跗节各分跗节末端呈黄白色，宽不及雄性，前腹部背板无正中条。

采集记录：1♂，旬阳白柳镇刘家厂村，439m，2014. Ⅵ.22，于腾采；2♂1♀，旬阳白柳镇前坪村，621m，2014. Ⅵ. 23，于腾采；4♀，镇安云盖寺镇黑窑沟林场，1217m，2014. Ⅵ.20，于腾采。

分布：陕西（旬阳、镇安）、辽宁、河北、山东、甘肃、河南、江苏、安徽、浙江、湖北、江西、湖南、福建、台湾、广东、广西、四川、贵州、云南；蒙古，俄罗斯，朝鲜，日本，东洋区，非洲区，澳洲区，新北区，新热带区。

(4) 曲脉齿股蝇 *Hydrotaea*（s. str.）*cyrtoneurina*（Zetterstedt, 1845）

Aricia cyrtoneurina Zetterstedt, 1845: 1486.
Hydrotaea silvicla: Loew, 1857: 106.

鉴别特征：眼生纤毛，中胫无前背鬃，后胫后面无鬃簇，触角第 3 节长为宽的 2 倍，侧颜中部宽度约为触角第 3 节宽的 2/3，眼纤毛长度约为触角第 3 节宽的 1/2。

采集记录：1♂，镇安云盖寺镇黑窑沟，1217m，2014. Ⅵ.20，于腾采。

分布：陕西（镇安）、辽宁、甘肃、河南、青海；朝鲜，蒙古，土耳其，印度，智利，欧洲。

(5)常齿股蝇 *Hydrotaea* (s. str.) *dentipes* (Fabricius, 1805)

Musca dentipes Fabricius, 1805: 303.

Hydrotaea dentipes: Bouché, 1834: 84.

鉴别特征:眼裸，额最狭处略大于后单眼外缘间距；间额最狭处约为银灰色一侧额宽的2倍；触角黑，第3节长约为宽的2倍，触角芒具短毳毛。前盾片具2对黑条；背中鬃2+4，翅内鬃0+3；背侧片有小毛。腋瓣浅黄白色，边黄色，平衡棒黑棕色，棒基和棒杆暗红棕色。足黑色，前股近端部腹面具内外2齿，内齿低而平，末端圆钝；外齿末端尖，并弯向内方；后胫前腹鬃2~4根。腹部长圆筒形，具灰白色和灰黄色浓粉被；各背板具正中细黑条，有闪光侧斑；第1腹板裸。雌性额宽约为1眼宽；有1根前倾和2根后倾上眶鬃；前胫亚中位有1根前背鬃；中胫有1根前背鬃和2根后鬃；后胫前腹鬃2~3根，前背鬃1根和1根长大的后背鬃；翅前鬃长大，略与后背侧片鬃等大。腹宽卵形，末端狭，具灰白粉被和细正中黑条，闪光变色斑明显。

分布:陕西(秦岭)、黑龙江、吉林、辽宁、内蒙古、河北、山西、山东、宁夏、甘肃、青海、新疆、江西、西藏；蒙古，俄罗斯，朝鲜，日本，阿富汗，土耳其，葡萄牙，欧洲，非洲(北部)，东洋区，新北区。

(6)夏氏齿股蝇 *Hydrotaea* (s. str.) *hsiai* Fan, 1965

Hydrotaea hsiai Fan, 1965: 87.

鉴别特征:眼裸，额略狭于触角第3节宽，触角黑色，第3节约为第2节的2倍长，触角芒几乎裸，仅在基部上侧略具微毛。腋瓣白色，平衡棒黑色。前股腹面有2齿，内齿巨大钝平，外齿小而较尖，中胫具2根后背鬃，中足第1分跗节腹面亚基部具1簇不是很长的小缨毛，后股端部1/2有前腹鬃列，无后腹鬃，后胫前腹鬃2~3，近端位背鬃1根，前背鬃1根短小，后背鬃1根，位于端部1/3处，腹部长卵圆形。

分布:陕西(秦岭)、青海；蒙古。

(7)银眉齿股蝇 *Hydrotaea* (*Ophyra*) *ignava* (Harris, 1780)

Musca ignava Harris, 1780: 154.

Anthomyia leucostoma Wiedemann, 1824: 82.

Ophyra leucostoma: Bezzi, 1990: 62.

鉴别特征:眼极大，裸，后缘中段稍微凹入，额宽约为前单眼宽，触角第2节褐色，第3节底色棕色带灰鬃粉被，其长度为第2节的2倍多，芒具短毳毛，芒基带棕色；前颊长约为高的2.50倍弱。背中鬃2+4，翅内鬃0+2，背侧片有小毛，前胸基腹片和背侧片具毛。前缘基鳞带褐色，平衡棒褐色。足黑色，后胫端部2/3长度内具较长大的前腹鬃列及前腹和后腹面具大量密长毛。腹亮黑稍带青色光泽，缘鬃弱，腹板暗棕，除第1腹板外具鬃和毛。雌性额宽为头宽的0.28倍，间额两侧缘极轻微膨出，头顶、侧额、侧颜上部及额三角亮黑，后者决不达额前缘、两侧缘直；新月片银白色，额极狭。腋瓣淡棕色，下腋瓣棕色具棕缨缘。后胫前腹鬃一般为2个，可多至5个。

分布：陕西（秦岭）、黑龙江、吉林、辽宁、内蒙古、河北、山东、河南、甘肃、新疆、江苏、安徽、浙江、湖北、江西、福建、云南；蒙古，俄罗斯，朝鲜，日本，伊朗，以色列，土耳其，欧洲，非洲（北部），东洋区，新热带区。

（8）厚环齿股蝇 *Hydrotaea*（*Ophyra*）*spinigera*（Stein，1910）

Ophyra spinigera Stein，1910：555.

鉴别特征：复眼侧面观后缘明显凹入，额狭于触角第3节宽，侧额均无粉被，呈亮黑色。前中鬃不发达，后背中鬃前方的2～3个不发达，仅后方的1～2个较发达，前中鬃列与前背鬃列之间有1条缺纤毛的纵条，下腋瓣黄色。后股近基部的腹面具有1～2个钝头的短鬃，后胫前后腹面只有少数毛。

分布：陕西（秦岭）、黑龙江、吉林、辽宁、河北、山西、山东、甘肃、河南、江苏、湖北、台湾、广东、广西、四川、贵州、云南；俄罗斯，朝鲜，日本，东洋区，澳洲区。

4．巨黑蝇属 *Megophyra* Emden，1965

Megophyra Emden，1965：289. **Type species：***Megophyra penicillata* Emden，1965.

属征：体细长，黑灰色。眼裸，眼亚合生，雌眼离生无间额鬃，有1对前倾的上眶鬃，芒具有短纤毛，中鬃（0～1）+1，背中鬃2+（3～4），后翅内鬃1～2根，翅前鬃很小或缺如，少数很长大，腹侧片鬃1+2，前胸基腹片、前胸侧板中央凹陷、翅侧片、背侧片及下侧片均裸，足大多数黄色，少数黑色，雄前股端部腹面无齿或粗鬃，后胫端部1/3有1个强大的后背鬃，亚前缘脉中部直，不呈弓把形弯曲。

分布：中国；日本，缅甸，印度。秦岭地区记录1种。

（9）多鬃巨黑蝇 *Megophyra multisetosa* Shinonaga，1970

Megophyra multisetosa Shinonaga，1970：238.

鉴别特征：体长9～12mm。前方的翅内鬃位于第1后背中鬃的后方；翅前鬃略与后背侧片鬃等长。腋瓣白色，平衡棒端部黑色。足全黑色，至多膝部红棕色；前胫基部无长鬃，中股近端无毛簇，后股腹面具1列长缨毛状的前腹鬃，后胫前腹鬃4~5根。第1腹板有毛。雌性额稍大于1眼宽，间额暗红棕色，外顶鬃发达。前胫腹面无细密的毛，具1根中位前背鬃；后腹前腹鬃粗壮，后腹面裸，无长缨毛；腹部末端尖，正中暗条不明显。

分布:陕西(太白)、辽宁、四川；朝鲜，日本。

5. 毛基蝇属 *Thricops* Rondani, 1856

Thricops Rondani, 1856: 96. **Type species**: *Anthomyza hirtula* Zetterstedt, 1838 (misidentification of *Trichopticus culminum* Pokorny, 1898).

属征:触角芒羽状，短纤毛状或者毳毛状，前行基腹片、翅侧片和下侧片裸。下腋瓣舌状，M脉直，A_1+CuA_2脉末端不钝。后足基节后面总是具毛，后胫具后背鬃。

分布:全北区。秦岭地区记录1种。

(10) 绯瓣毛基蝇 *Thricops rufisquamus* (Schnabl, 1915)

Mydaria rufisquamus Schnabl, 1915: 45.

鉴别特征:体大。胸略发亮，小盾侧面在缘鬃水平以下具许多黑毛，腋瓣棕黄色。翅基和平衡棒棕色。足细长，后胫前腹和后腹面具长鬃毛列。腹部具蓝灰色粉被，各背板正中具黑条。

分布:陕西(太白)、吉林、青海；俄罗斯，日本，欧洲。

6. 池秽蝇属 *Limnospila* Schnabl, 1902

Limnospila Schnabl, 1902: 111. **Type species**: *Aricia albifrons* Zetterstedt, 1849.

属征:额很宽，额长大于宽，内顶鬃粗大，具1~2对后倾上眶鬃，下眶鬃3~4对，下方的上眶鬃和上方的下眶鬃间距大；触角芒短羽状或短纤毛状，背中鬃2+3，前背中鬃均粗壮，腹侧片鬃呈三角形排列，小盾基鬃和端鬃均发达。前缘刺缺如或不明显，前缘脉有时终止于R_{4+5}脉附近。中胫后鬃2(1)根，无其他鬃；后胫前背鬃2根，腹部第3、4背板具成对侧斑，体小，黑色。

分布:古北区，新北区。秦岭地区记录1种。

(11)白额池秽蝇 *Limnospila*(s. str.)*albifrons*(Zetterstedt, 1849)

Aricia albifrons Zetterstedt, 1849: 3301.

鉴别特征:间额具白色粉被，银白色额三角达额前缘，上眶鬃1对，芒短纤毛状。前缘脉终止于M脉末端。前胫无中位后鬃。

分布:陕西(秦岭)、黑龙江、内蒙古、甘肃、新疆、西藏；亚洲，欧洲，北美洲。

7. 纹蝇属 *Graphomya* Robineau-Desvoidy, 1830

Graphomya Robineau-Desvoidy, 1830: 403. **Type species**: *Musca maculata* Scopoli, 1763.

属征:体中等，黑色或棕黄色，胸和腹部具略固定的斑纹。复眼具毛，眼后缘内陷，侧面观复眼肾形；颊狭；雌性间额宽，无交叉鬃，额三角达额前缘；触角芒长羽状。上后侧片裸，后基节片在后气门前下方有纤毛；背中鬃2+3根，翅内鬃0+1根。下腋瓣内方具小叶；M脉末端呈弧形或近角形弯曲。后胫前背鬃1(2)根，前腹鬃1(2)根，近端位背鬃1根，无后背鬃。雄性肛尾叶具近三角形端突，左右两叶接合缝短，阳基后突宽而末端圆，阳体基部宽大，端部直而长。

分布:古北区，新北区，非洲区，东洋区，新热带区。秦岭地区记录2种。

分种检索表

胫节棕色，其余各节黑色，额鬃列周围仅有少数毛，中胸背板的白色纵条和黑色侧条在盾沟上的宽度约等宽，第1、2合背板大部分为茶褐色 ………………………………………… **绯胫纹蝇 *G. rufitibia***

足通常全黑，额鬃列周围密生簇毛，中胸背板的白条在盾沟上的宽度显然较黑色侧条狭，第1、2合背板大部呈棕黑色 ……………………………………………………………… **斑纹蝇 *G. maculate***

(12)斑纹蝇 *Graphomya maculata*(Scopoli, 1763)

Musca maculata Scopoli, 1763: 326.

Graphomya maculata: Robineau-Desvoidy, 1830: 403.

鉴别特征:体表粉被白色，雄性复眼不合生，额鬃列周围密生簇毛。盾沟前具3条黑色纵条，中胸背板的白条在盾沟上的宽度显然较黑色侧条狭。足通常全黑色。第1、2合背板大部呈棕黑色第3背板除正中斑外，两侧中部尚具有明晰的或不明晰的斑。雌性前顶鬃1对，侧额在中部的宽度为间额宽的1/3~1/2，触角间楔宽度约比触角第2节的1/2为宽，盾沟前具4条黑色纵条。

采集记录:1♀，宁陕火地塘鸦雀沟，1600~1700m，1998.Ⅶ.06，采集人不详；

3♀，镇安云盖寺镇黑窑沟林场，1217m，2014. Ⅵ.20，于腾采。

分布：陕西(宁陕、镇安)、内蒙古、甘肃、新疆；古北区。

(13)绯胫纹蝇 *Graphomya rufitibia* Stein, 1918

Graphomya rufitibia Stein, 1918: 147.

鉴别特征：体长6.50～8.00mm。下眶鬃附近具少数毛。盾片的淡色条和黑色侧条在盾沟附近的宽度略等宽。足胫节棕色，其他各节黑色。第1、2合背板大部为褐色。雌性前顶鬃1对，触角间楔常狭于触角第2节宽的1/2。盾沟前具4黑色纵条。

采集记录：1♂，留坝庙台子，1470m，1999. Ⅶ.01，采集人不详。

分布：陕西(留坝)、吉林、辽宁、河北、山西、甘肃、山东、河南、浙江、湖北、江西、湖南、福建、台湾、广东、海南、广西、云南；朝鲜，日本，缅甸，斯里兰卡，巴基斯坦，印度尼西亚，澳洲区。

8. 池蝇属 *Limnophora* Robineau-Desvoidy, 1830

Limnophora Robineau-Desvoidy, 1830: 517. **Type species**: *Limnophora palusstria* Robineau-Desvoidy, 1830 [= *Anthomyia maculosa* Meigen, 1826].

属征：成蝇喙较细长，唇瓣小；前胸基腹片两侧总是具小毛，上后侧片、后基节片均裸。翅的径脉结节背腹面均有2～3根小刚毛，少数种 R_{4+5} 脉上也有毛。后胫除正常的背鬃之外无近端位前背鬃，或至多具1个长度不超过后胫横径的小前背鬃。腹部第3、4背板分别具1对近三角形的黑褐色斑；体中小型。

分布：世界广布(新西兰除外)。秦岭地区记录9种。

分种检索表

1. 第1腹板裸 ········ 2
   第1腹板具小毛 ········ 三角池蝇 *L. triangular*
2. 背中鬃2+3根 ········ 3
   背中鬃2+4根 ········ 7
3. 额宽至少为头宽的1/4，具明显1～2对上眶鬃 ········ 4
   额宽至多为头宽的1/7，上眶鬃细小 ········ 5
4. 上眶鬃1对，中胫后鬃2根 ········ 粉额池蝇 *L. pollinifrons*
   上眶鬃2对，中胫后鬃1根 ········ 银池蝇 *L. argentata*
5. 额至多为触角宽的2倍 ········ 6
   额宽小于或等于触角宽 ········ 净池蝇 *L. purgata*

6. 第5腹板侧面观末端尖；肛尾叶游离部宽，约为基部宽的2/3 … **小隐斑池蝇 *L. minutifallax***
   第5腹板侧面观末近方形；肛尾叶游离部狭，约为基部宽的1/3 ……………………………………………………………………………………………… **北方池蝇 *L. septentrionalis***
7. 后盾片前半部具棕黑色横带 ……………………………………… **喜马池蝇 *L. himalayensis***
   后盾片前半部无棕黑色横带 ……………………………………………………………………… 8
8. R_{4+5}脉背面从基部到r-m横脉3/5处具小刚毛列，后股具完整而长的前腹鬃列和后腹鬃列 ……………………………………………………………………………… **鬃脉池蝇 *L. setinerva***
   R_{4+5}脉无刚毛列，后股无后腹鬃列，前腹鬃列分布于端半部 …… **肖锐池蝇 *L. subscrupulosa***

(14)银池蝇 *Limnophora argentata* Emden, 1965

Limnophora argentata Emden, 1965: 598.

鉴别特征:额宽约等于头宽的2/5，上眶鬃2对，间额褐色，具银白色粉被，侧额、侧颜具白色粉被，一侧颜约等于触角第3节宽的1/2，背中鬃2+3根，中胫1(2)根后鬃，侧面观侧尾叶端部呈乳突状膨大。

分布:陕西(秦岭)、山西、甘肃、四川、贵州；缅甸。

(15)喜马池蝇 *Limnophora himalayensis* Brunetti, 1907

Limnophora himalayensis Brunetti, 1907: 382.

鉴别特征:额宽约等于头宽的1/10，侧额宽于间额，触角芒羽状，芒毛长约等于触角第3节宽，上眶鬃1~2对，细小前倾，侧颜宽约为触角宽的2/3。前盾片具2个相邻的大黑褐色斑，后盾片前半部具棕黑色横带，前中鬃4列，短小，背中鬃2+4。中股基部2/5具2~4根后腹鬃，中胫后鬃2根。后面观肛尾叶游离部宽大，侧面观侧尾叶端部呈乳突状膨大。

采集记录:1♂，周至厚畛子，1320m，1999.Ⅵ.23，采集人不详；1♂，宁陕十八丈，1150m，1998.Ⅵ.17，采详人不详。

分布:陕西(周至、宁陕)、甘肃、湖南、四川、贵州、云南；缅甸，印度，尼泊尔，斯里兰卡。

(16)粉额池蝇 *Limnophora pollinifrons* Stein, 1916

Limnophora pollinifrons Stein, 1916: 107.

鉴别特征:上眶鬃1对，侧颜约等于触角宽，间额、侧额和侧颜均具银色粉被。背中鬃2+3根，小盾背面中部粉被灰色。平衡棒全黄色。前足跗节暗黑色，中胫后鬃

2 根。第 1 腹板裸。

采集记录:1♂, 周至厚畛子, 1320m, 1999. Ⅵ. 23, 采集人不详。

分布:陕西(周至)、黑龙江、辽宁; 俄罗斯, 日本, 塔吉克斯坦, 土耳其, 摩洛哥, 欧洲。

(17) 净池蝇 *Limnophora purgata* Xue, 1992

Limnophora purgata Xue, 1992: 362.

鉴别特征:额小于或等于触角宽。背中鬃 2 + 3 根, 中胸盾片正中条达小盾沟, 小盾端半部色淡, 具灰色粉被。中胫后鬃 1 根。腹部第 5 背板的淡褐色斑明显 2 块, 第 5 腹板侧叶较宽大, 肛尾叶基部两侧不具丘状隆起, 末端不明显变窄, 第 1 腹板裸,

采集记录:1♂, 周至厚畛子, 1350m, 1999. Ⅵ. 22, 采集人不详; 1♂, 留坝红崖沟, 1500 ~ 1650m, 1998. Ⅶ. 22, 采集人不详。

分布:陕西(周至、留坝)、辽宁、甘肃。

(18) 北方池蝇 *Limnophora septentrionalis* Xue, 1984

Limnophora septentrionalis Xue, 1984: 382.

鉴别特征:侧额灰色, 前中鬃 4 列, 背中鬃 2 + 3 根, 盾沟前具较明显的 3 条黑褐色斑。中股基部无后腹鬃, 第 5 背板具 1 对棕色斑, 第 5 腹板侧面观末近方形; 肛尾叶游离部狭, 约为基部宽的 1/3, 第 1 腹板裸。

采集记录:1♂, 周至厚畛子, 1350m, 1999. Ⅵ. 23, 采集人不详。

分布:陕西(周至)、黑龙江、吉林、辽宁、河北、山西。

(19) 鬃脉池蝇 *Limnophora setinerva* Schnabl, 1911

Limnophora setinerva Schnabl, 1911: 279.

鉴别特征:额宽为头宽的 1/8 ~ 1/7, 间额黑色, 约为一侧额宽的 3 倍, 侧颜银色, 约为触角第 3 节宽的 1/2; 触角芒短毳毛状。中鬃 2 列, 背中鬃 2 + 4 根。R_{4+5}脉上的小刚毛从径脉结节及其附近向外延伸达第 1 脉段的 3/5 处。后股具完整而长的前腹和后腹鬃列。肛尾叶后面观末端具双突起, 呈钳状分开, 侧尾叶侧面观呈舌形。

采集记录:1♀, 周至厚畛子, 1350m, 1999. Ⅵ. 22, 采集人不详; 1♀, 1999. Ⅵ. 23, 采集人不详; 1♀, 1999. Ⅵ. 25, 采集人不详; 1♂, 留坝闸口石, 1800 ~ 1900m, 1998. Ⅶ. 20, 采集人不详。

分布:陕西(周至、留坝)、吉林、辽宁、河北、河南、甘肃、湖北、湖南、广东、广西、四

川、贵州、云南；日本，以色列，土耳其，西班牙，法国，希腊，葡萄牙，埃及。

(20)三角池蝇 *Limnophora triangular* (Fallén, 1825)

Musca triangular Fallén, 1825: 74.

鉴别特征:第1腹板具小毛，背中鬃2+3根，上眶鬃2根较弱，前中鬃2对，小盾基部褐色，端部灰色，腹侧片鬃1+2根。

采集记录:1♀，周至厚畛子，1350m，1999. Ⅵ. 23，采集人不详；1♀，宁陕火地塘鸦雀沟，1600~1700m，1998. Ⅶ. 28，采集人不详。

分布:陕西(周至、宁陕)、辽宁、河北、山西、甘肃；俄罗斯，日本，塔吉克斯坦，爱沙尼亚，欧洲。

(21)肖锐池蝇 *Limnophora subscrupulosa* Zhang *et* Xue, 1990

Limnophora subscrupulosa Zhang *et* Xue, 1990: 15.

鉴别特征:额宽约于间额等宽，侧额具银白色粉被，盾片具浅灰色粉被，背中鬃2+4根，翅前鬃1对，毛状，腹侧片鬃1+2根，中胫后鬃2根，前中鬃2列，翅前鬃毛状，第5背板后半部中央具三角形棕斑，第1腹板裸，侧尾叶侧面观基半部较宽，往端部去变狭。

采集记录:1♂，留坝闸口石，1800~1900m，1998. Ⅶ. 20，采集人不详。

分布:陕西(留坝)、吉林。

(22)小隐斑池蝇 *Limnophora minutifallax* Lin *et* Xue, 1986

Limnophora minutifallax Lin *et* Xue, 1986: 419.

鉴别特征:间额为一侧额宽的1.00~1.50倍，侧额灰色。前中鬃4列；盾沟前淡色粉被条略窄。前胫端位后腹鬃明显，中股基部无后腹鬃，中胫后鬃2根。腹部第4背板的黑斑长度略超过该背板长的1/2，较小不呈长方形向后侧方扩展；第5背板具1对棕色斑，第5腹板侧面观末端尖；肛尾叶游离部宽，其余为基部宽的2/3；侧尾叶内侧分支，小且无毛。

采集记录:1♂，周至厚畛子，1320m，1999. Ⅵ. 23，采集人不详；1♂，留坝韦驮沟，1600m，1998. Ⅶ. 21，采集人不详；1♂，宁陕火地沟，1500~2000m，1998. Ⅶ. 18，采集人不详。

分布:陕西(周至、留坝、宁陕)、甘肃、浙江、湖南、广东、贵州、云南。

9. 溜蝇属 *Lispe* Latreille, 1796

Lispe Latreille, 1796: 169. **Type species**: *Musca tentaculata* de Geer, 1776.

属征:体中等大小或近于小型。两性眼都远离;间额无交叉鬃,颜垂直并呈方形,侧颜仅具若干纤毛,在眼的前下角无独立的刚毛,通常具1~2对强大的鬃;下颚须突出,端部呈匙形扩大;触角第3节卵形或圆筒形,触角芒羽状,上侧的纤毛常较长;背中鬃2+3根或2+4根,有时仅后方的鬃发达;下前侧片鬃1+1根或1+2根;下腋瓣突出;前股通常有1行完整的后腹鬃;腹部略扁;雄性第5腹板很少突出,露尾节不是很发达;肛尾叶或变为近乎四角形的骨板,或长而末端变尖细。

分布:世界广布。秦岭地区记录3种。

分种检索表

1. 前足第1分跗节外侧有1个长指状突,末端钝平 …………………… **吸溜蝇 *L. consanguinea***
   前足第1分跗节外侧无长指状突 ……………………………………………………………… 2
2. 后胫有前腹鬃 ……………………………………………………………… **肖溜蝇 *L. assimilis***
   后胫无前腹鬃 ……………………………………………………………… **天目溜蝇 *L. quaerens***

(23) 肖溜蝇 *Lispe assimilis* Wiedemann, 1824

Lispe assimilis Wiedemann, 1824: 51.

鉴别特征:中足股节基半部呈纺锤形变粗,腹面具1列密长鬃状毛,毛向端部去变短,中胫无前背鬃和前腹鬃,后足胫节有1个前腹鬃。腹部具浓的浅蓝色、白灰色粉被,具很扩延的斑纹,在第3、4背板各有2个很大的为1块狭的正中条分开的斑,第5背板具1块大的黑色梯形正中斑,第9背板黑色,具浅灰色粉被正中斑。

采集记录:1♀,佛坪,870~1000m,1998.Ⅶ.25,采集人不详。

分布:陕西(佛坪)、台湾、广东;日本,泰国,缅甸,印度,尼泊尔,斯里兰卡,菲律宾,印度尼西亚,斐济,巴基斯坦,萨摩亚,法国,意大利,保加利亚,美国。

(24) 天目溜蝇 *Lispe quaerens* Villeneuve, 1936

Lispe quaerens Villeneuve, 1936: 157.

鉴别特征:体长4.50~6.00mm。下颚须棕黑色。后股无完整的前、后腹鬃列。腹部具灰白色浓粉被,第3、4、5背板有成对的暗棕色角形斑;第9背板全具灰色浓粉被。雌性后股端半部具有4～5个弱的前腹鬃；缝前有强大的背中鬃和肩后鬃。腹大部具黄灰色亮粉被，具分开的亮棕色斑，后腹部全具灰粉被。

采集记录：3♂5♀，镇安云盖寺镇黑窑沟林场，1217m，2014. Ⅵ. 20，于腾采；1♂，镇安云盖寺镇茨沟村，1100m，2014. Ⅵ. 21，于腾采。

分布：陕西（镇安）、吉林、辽宁、甘肃、浙江；亚洲中部和西部。

（25）吸溜蝇 *Lispe consanguinea* Loew，1858

Lispe consanguinea Loew，1858：8.

鉴别特征：侧颜在眼缘前下面无1个强鬃，前足第1分跗节外侧无长指状突，中后足胫节全部或大部分呈黄棕色，后足第1分跗节直而细长，匀称而不肥大，腹面中央不凹，无黑色的刷状毛。

分布：陕西（秦岭）、黑龙江、吉林、辽宁、内蒙古、河北、山西、山东、甘肃；日本，伊朗，土耳其，欧洲，非洲（北部）。

10. 客夜蝇属 *Xenotachina* Malloch，1921

Xenotachina Malloch，1921：420. **Type species**：*Xenotachina pallid* Malloch，1921.

属征：眼裸，或有疏短微毛，雄性额宽通常约为前单眼宽的1.50倍至后单眼外缘间距的1.50倍，单眼鬃短弱，约于单眼三角等长，仅在少数种中较长大。前胸基腹片裸，中鬃0+1根，前中毛列1～2行，极少超过2行，背中鬃2+3根，翅内鬃0+1根，翅上鬃1根，腹侧片鬃1+2根，部分种类下方1个几乎与前后2个等距，在少数种中位1+1，后气门有小刚毛，下侧片有鬃，前缘脉延伸至M脉末端，肘臀合脉常不达于翅缘，很少是极接近翅缘的。雄性第3背板极少有中心鬃，雄性两肛尾叶直至端部都愈合或链接，无分叉，阳茎很短，雌性第9背板分离。

分布：东洋区及古北区东部，已知最北达于中国吉林省。秦岭地区记录1种。

（26）烟股客夜蝇 *Xenotachina fumifemoralis* Fan，1992

Xenotachina fumifemoralis Fan，1992：229.

鉴别特征：体长6mm。侧颜几乎为触角第3节宽的0.80倍，肩胛黄色，颊高为眼高的0.20倍，肘臀合脉离翅缘间距约为脉长的0.23倍；股节端部无前腹栉，前股大部黑色，前胫无端位后腹鬃。

分布：陕西（秦岭）。

11. 毛蝇属 *Dasyphora* Robineau-Desvoidy, 1830

Dasyphora Robineau-Desvoidy, 1830: 409. **Type species**: *Musca agilis* Meigen, 1826.

属征:大中型,体具青灰色或绿色金属光泽,有颇为发达的淡色粉被,胸背上有4条暗色纵条。眼具淡色长毛,触角芒长羽状。腋瓣上肋无刚毛。下侧片在气门前方和后下角各有成群的纤毛,翅上鬃2根,腹侧片鬃1+3根。R_1 脉上面有短的刚毛,M脉末端缓缓地呈弧形弯曲。前胫有1个后鬃和粗壮的前背鬃。雄性肛尾叶宽,延端部的边缘具1对直的短小的正中内叶,外叶呈宽大的半圆形。

分布:主要分布在古北区,个别种类有较广的分布区域。秦岭地区记录2种。

分种检索表

腹部第3背板缘鬃的长度几乎等于第4背板的长度,盾片前方的暗色纵条的宽度等于或狭于它们之间淡色粉被纵条的宽度 ······ **白纹毛蝇 *D. albofasciata***

腹部第3背板最长缘鬃仅为第4背板长的3/4,盾片前方的暗色纵条为中央淡色纵条的1/2~2/3宽 ······ **四鬃毛蝇 *D. quadrisetosa***

(27) 白纹毛蝇 *Dasyphora albofasciata* (Macquart, 1839)

Lucilia albofasciata Macquart, 1839: 114.

鉴别特征:前中鬃2~3对,盾片前方的暗色纵条的宽度等于或狭于它们之间淡色粉被纵条的宽度。后足第1分跗节基部正常,虽有长纤毛,但绝不呈结节状。腹部第3背板缘鬃的长度几乎等于第4背板的长度。

采集记录:1♀,佛坪凉风垭,1900~2100m,1998.Ⅶ.24,采集人不详。

分布:陕西(佛坪)、内蒙古、北京、甘肃、新疆、西藏;俄罗斯,土耳其,中亚,欧洲。

(28) 四鬃毛蝇 *Dasyphora quadrisetosa* Zimin, 1951

Dasyphora quadrisetosa Zimin, 1951: 191.

鉴别特征:复眼密生淡色纤毛,触角第3节长为第2节的2.50倍,间额和侧额上半部棕色。肩鬃3根,翅内鬃0+2根,前中鬃2~3对,盾片前方的暗色纵条为中央淡色纵条的1/2~2/3宽,前气门黄橙色。后足第1分跗节基部正常,虽有长纤毛,但绝不呈结节状。腹部橄榄青色,第3背板最长缘鬃仅为第4背板长的3/4。

采集记录: 1♂1♀，秦岭山梁及北坡，2050m，1998. Ⅶ. 30，采集人不详；3♂4♀，留坝闸口石，1800～1900m，1998. Ⅶ. 20，采集不详；1♂，1♀，留坝大洪渠，2500m，1998. Ⅶ. 20，采集人不详；2♀，佛坪凉风垭，1900～2100m，1998. Ⅶ. 24，采集人不详；1♂2♀，镇安云盖寺镇黑窑沟林场，1217m，2014. Ⅵ. 20，于腾采。

分布: 陕西(太白、留坝、佛坪、镇安)、辽宁、宁夏、甘肃、湖北、四川。

12. 墨蝇属 *Mesembrina* Meigen, 1826

Mesembrina Meigen, 1826: 10. **Type species:** *Musca meridian* Linnaeus, 1758.

属征: 通常为大型外观亮黑似蜂的蝇类。眼裸或具微毛；触角芒长羽状，雄性额较眼狭，雌性额狭于或宽于眼宽。侧额鬃不发达。胸密布直立的深色或淡色毛，前胸基腹片、下侧片、后胸侧板、腋瓣上肋都无毛，除小盾缘鬃发达外，胸部背板各鬃均较弱；小盾片沿边缘有10～16个鬃，腹侧片鬃0+1根，1+(1～3)根，M脉端段总是弧形弯曲。足长，某些种类在中足胫节内面有发达的纤毛、鬃和小刺。不少种类的雌性第5背板在基部一半具有密而短的毛形成的斑；阳基后突长，末端弯曲，骨化的阳基短，约为膜质阳茎的1/5～1/4长，阳茎末端有多数长而细的淡色棘。

分布: 古北区，东洋区北缘，北美洲，南美洲。秦岭地区记录1种。

(29) 毛斑亮墨蝇 *Mesembrina resplendens ciliimaculata* Fan *et* Zheng, 1992

Mesembrina resplendens ciliimaculata Fan *et* Zheng, 1992: 265.

鉴别特征: 前盾片正中淡色粉被条几乎达于盾沟，且宽度大体与其外方的黑色纵条等宽。雌性腹部第5背板近基部的1对纤毛斑显著。

采集记录: 1♀，周至厚畛子，2500～4000m，1999. Ⅵ. 21，采集人不详；1♀，周至厚畛子，1500～3000m，1999. Ⅵ. 23，采集人不详；1♀，周至厚畛子，1350m，1999. Ⅵ. 24，采集人不详；1♀，佛坪凉风垭，1900～2100m，1998. Ⅶ. 24，采集人不详；1♀，佛坪凉风垭，1750～2150m，1999. Ⅵ. 28，采集人不详。

分布: 陕西(周至、佛坪)、黑龙江、吉林、辽宁、四川、云南、西藏；日本。

13. 直脉蝇属 *Polietes* Rondani, 1866

Polietes Rondani, 1866: 71. **Type species:** *Musca lardaria* Fabricius, 1781.

属征: 体躯中型大小，黑色，具灰白色粉被。眼具毛，雄性眼相接，雌性眼远离，间额鬃1对，根发达，间额约为一侧额的4倍宽，触角中等长，触角芒长羽状，喙短状，唇瓣大。中胸盾片具4条黑色纵条或2条宽的黑色纵条。前胸基腹片具毛或裸，前胸侧板中央凹陷无毛，翅侧片具毛，后气门的长显然大于其高，后气门前肋有时具少数毛，有时裸，后胸侧板在后下角具纤毛，中鬃发达，为完整的2行，背中鬃3+4根，翅前鬃长大，腹侧片鬃1+(1~3)根有时在后方尚有若干不规则的长刚毛，前中侧片鬃不存在。翅前缘刺不发达，Sc脉呈弓把形，R_1脉无小刚毛，R_{4+5}脉基部背腹两面的小刚毛具有或缺如，M脉末段直，与R_{4+5}脉相背离，因此r_{4+5}室开口较宽。下腋瓣内侧无小叶。雌虫和雄虫中足胫节端部1/3处有1个前背鬃，有由数个强大的鬃组成的后鬃列；后胫端部1/3处有1个长大的后背鬃，有完整的前背鬃列，前腹鬃4~6个。腹部具可变色的不规则的粉被斑，第1腹节具毛，个别种裸。

分布:全北区。秦岭地区记录1种。

(30)峨眉直脉蝇 *Polietes fuscisquamosus* Emden, 1965

Polietes fuscisquamosus Emden, 1965: 149.

鉴别特征:胸背白色正中粉被条不达于小盾沟，上、下腋瓣均呈暗棕色。M脉第2段长为第3段的0.71~0.86倍，dm-cu横脉位于前缘脉第3段中央的后方。前胫有后鬃及后腹鬃。雌性后盾片略见4个黑条。

采集记录:2♂，留坝韦驮沟，1600m，1998.Ⅶ.21；1♂，留坝红崖沟，1500~1650m，1998.Ⅶ.22。

分布:陕西(留坝)、四川；印度。

14. 莫蝇属 *Morellia* Robineau-Desvoidy, 1830

Morellia Robineau-Desvoidy, 1830: 405. **Type species**: *Morellia agilis* Robineau-Desvoidy, 1830 [= *Musca hortorum* Fallén, 1817].

属征:体型中等大小，呈黑色，有轻微的青色闪光和发达的淡色粉被；两性外顶鬃呈细鬃状；雄眼下方具纤毛，雌性眼无纤毛；间额在后部具单行鬃列；触角芒长羽状。M脉在端段缓缓呈弧形弯曲，R_1脉裸，R_{4+5}脉上面具刚毛或纤毛，毛列不超过r-m横脉。前胸基腹片宽，裸或具毛，前胸前侧片中央凹陷裸；腋瓣上肋裸。雄性足有略发达的呈小刺状的、鬃状的或长的鬃状纤毛或毛组成的附加装备。

分布:古北区，非洲区，东洋区，澳洲区，较少见于新北区。秦岭地区记录1种。

(31)园莫蝇 *Morellia hortensia* Wiedemann, 1824

Morellia hortensia Wiedemann, 1824: 49.

鉴别特征:体长5.50~8.00mm。眼具稀疏的微毛，额宽大于触角第3节宽；侧颜狭于触角宽，具银灰色粉被；触角第3节具灰色粉被，其长度为第2节的2.50倍。盾片具银灰色粉被且有2条宽的暗纵条达于小盾沟，中鬃(4~5)+2根，背中鬃3+(4~5)根，翅内鬃0+1根；前胸基腹片、下后侧片具毛；后基节片近后足基节处具毛，后气门红棕色。翅膜均具微毛；上、下腋瓣黄白色，平衡棒黄色。腹板色暗有银灰色粉斑，且有3条略明显的暗色纵条。雌性额在头顶为头宽的0.30倍，在前方1/4稍狭，稍宽于0.25倍；间额均匀地向前变狭，在中段有1侧额的2倍；侧额上半在内倾下眶鬃列的外方有1~2个前倾上眶鬃和1行前倾小刚毛；侧额前方2/5及颜面覆有银色粉被；额上部暗色，前面观可见前单眼前方有1块横的金灰粉被点斑。胸粉被密，下后侧片有时有毛，下腋瓣较白。

分布：陕西(秦岭)、黑龙江、吉林、辽宁、内蒙古、山西、山东、河南、甘肃、江苏、浙江、湖北、台湾、广东、广西、贵州、云南；俄罗斯，朝鲜，日本，印度，斯里兰卡，马来西亚，新加坡，印度尼西亚，澳大利亚，欧洲。

15. 家蝇属 *Musca* Linnaeus, 1758

Musca Linnaeus, 1758: 589. **Type species**: *Musca domestica* Linnaeus, 1758.

属征：中型蝇种，较少是小型的。眼裸，具纤毛或微毛；触角芒长羽状；胸背具淡色粉被夹着4条黑色纵条，后者有时合并为2条宽纵条，或粉被不显，胸背几乎全黑；前胸基腹片有毛，翅后坡无毛；中鬃0+1根，背中鬃(0~2)+(1、2或4以上)根；后背中鬃常有4个以上的鬃位，后方的几个较发达，下前侧片鬃1+2根；后基节片多数无毛，少数种类具小刚毛或纤毛；腋瓣上肋刚毛具有或缺如。R_1脉上面后缘常有1至数根刚毛，除R_{4+5}脉的下面具小刚毛外，其他各纵脉都无毛；M脉呈角形弯曲。腹部带黄色、橙色等颜色，在基部两侧具黑色或棕色的条或带和或深或淡的粉被斑，雌性有较多的粉被，偏于灰色。

分布：世界广布。秦岭地区记录10种。

分种检索表

1. 腋瓣上肋前后刚毛簇全缺；通常R_{4+5}脉越过r-m横脉无小刚毛，一般仅存于基部 ………… 2
   腋瓣上肋具有前刚毛簇；如缺如则R_{4+5}脉下面越过r-m横脉有小刚毛，并几乎接近于翅尖 ………… 6
2. 下侧片在后气门前下方有毛 ………… 3
   下侧片在后气门前下方裸 ………… 4
3. 前胸侧板中央凹陷具纤毛 ………… **家蝇 *M. domestica***
   前胸侧板中央凹陷裸 ………… **毛堤家蝇 *M.* (*L.*) *pilifacies***
4. 前气门黄白色 ………… 5
   前气门为棕色、黑色等暗色 ………… **骚家蝇 *M.* (*P.*) *tempestiva***

5. 腹部几乎全部橙黄色，无明确正中暗色纵条…………………………… **黄腹家蝇** ***M.*（*P.*）*ventrasa***
   腹部具明确正中暗色纵条 ……………………………………………… **中亚家蝇** ***M. vitripennis***
6. 腋瓣上肋后刚毛簇缺如 ……………………………………………… **黑边家蝇** ***M.*（*E.*）*hervei***
   腋瓣上肋后刚毛簇具有 ……………………………………………………………………………… 7
7. 第1、2合背板大部或全部呈暗色 ……………………………………………………………… 8
   第1、2合背板大部黄色……………………………………… **突额家蝇** ***M.*（*V.*）*convexifrons***
8. 触角第3节长为第2节的2.50倍左右，第1、2合背板背方大部或全部都呈黑棕色 ………… 9
   触角第3节长超过第2节的3倍长，第1、2合背板两侧或多或少有明显的黄色，即使全部暗色，但总可见狭的黄色斑 ………………………………………… **北栖家蝇** ***M.*（*V.*）*bezzii***
9. 第5背板的正中暗色条不显著 ……………………………………… **孕幼家蝇** ***M.*（*V.*）*larvipara***
   第5背板的暗色条显著……………………………………………………… **市蝇** ***M.*（*L.*）*sorbens***

(32) 黑边家蝇 *Musca*（*Eumusca*）*hervei* Villeneuve, 1922

Musca hervei Villeneuve, 1922: 335.

鉴别特征：体长5.00~7.50mm。复眼具微毛；额宽约等于前单眼宽；触角第3节暗灰色，第2节黑色，前者约为后者长的2.50倍。中胸背板具2对黑色纵条，末端终止于后盾片的中部；中鬃0+1根，背中鬃2+4根，翅内鬃0+1根；腋瓣上肋前刚毛簇存在，后刚毛簇缺如；前胸前侧片中央凹陷裸；中胸气门黄，后气门缘毛棕色，其后缘嵌生黑色鬃；后基节片裸。前缘基鳞黄色，腋瓣黄色，下腋瓣上面无毛；平衡棒黄色。足黑色；后股前腹面和前背面各具1行发达的鬃。腹部第1、2合背板上面黑色，在两侧上面有明显的圆形的银灰色粉被闪斑；第3背板暗色正中条的宽度约为近中的方形银黄粉被斑宽的1/2，亚侧条棕黄色；各腹板及邻接腹板的背板边缘都呈黑色。雌性额宽稍大于一眼宽，间额约为一侧额宽的1.30倍，外顶鬃与内顶鬃同样发达，下眶鬃8~10根，侧额上方约有3个上眶鬃、疏具2~3行小刚毛，侧颜约与侧额等宽。中胸背板上的中间1对暗色纵条达小盾沟。腹底色较暗。

采集记录：2♀，留坝闸口石，1800~1900m，1998.Ⅶ.20，采集人不详；1♀，留坝庙台子，1350m，1998.Ⅶ.21，采集人不详；1♀，留坝红崖沟，1500~1650m，1998.Ⅶ.22，采集人不详；2♂，镇安云盖寺镇黑窑沟林场，1217m，2014.Ⅵ.20，于腾采。

分布：陕西（留坝、镇安）、吉林、辽宁、河北、山东、河南、甘肃、江苏、安徽、浙江、湖北、江西、湖南、福建、云南、西藏；朝鲜，日本，缅甸，印度，尼泊尔，斯里兰卡。

(33) 毛堤家蝇 *Musca*（*Lissosterna*）*pilifacies* Emden, 1965

Musca pilifacies Emden, 1965: 58.

鉴别特征：复眼密生淡色纤毛，毛长约等于侧颜宽，侧颜无毛，前缘基鳞黑色，腋瓣棕色，上腋瓣为棕色缘，胸背几乎全黑色，腹部第1、2合背板黑色，第3、4背板各有1条宽的正中条，前缘有狭黑带，后缘有宽黑带，其余部分由于粉被而呈银白色，两侧略带黄色，第5背板有3条黑色纵条，各背板全宽且黑色，背板侧缘黑色。雌性复眼上的毛明显，长约为侧额宽的1/2，胸背有4条宽的黑色纵条，间额密生毛。

采集记录:1♂，周至厚畛子，1350m，1999. Ⅵ. 24，采集人不详；1♀，秦岭山梁及北坡，2050m，1998. Ⅶ. 30，采集人不详；1♀，留坝红崖沟，1500~1650m，1998. Ⅶ. 22，采集人不详；1♀，佛坪凉风垭，1900~2100m，1998. Ⅶ. 24，采集人不详；1♂1♀，宁陕平和子梁，2020m，1998. Ⅶ. 29，采集人不详。

分布:陕西(周至、太白、留坝、佛坪、宁陕)、甘肃、湖北、台湾、广东、四川；泰国，缅甸。

(34)市蝇 *Musca* (*Lissosterna*) *sorbens* Wiedemann, 1830

Musca sorbens Wiedemann, 1830: 418.

鉴别特征:体长4~7mm。额大于或略小于触角第3节宽，即使很狭，两侧额亦不相接着。中胸后盾片分4纵条合并为2条宽的黑色纵条；并达于小盾沟。前股后腹鬃列疏，约12个。腹部第1、2合背板黑色，第3背板具黑色正中条，其中段宽约为这一节长的1/2，其旁为近中淡黄色粉被斑，斑外侧隔着狭的可变色的黄色亚侧纵条；第4背板除正中黑色条较狭，后缘常有暗色缘带；第5背板中央有宽的黄灰色的粉被斑，其外缘以狭长的可变色的暗色亚侧纵条与背面呈三角形的粉被侧斑相隔。各腹板大多呈黄色。雌性腹部一般底色棕黑色，具淡黄色的粉被，第1、2合背板全黑色，第3背板具暗色正中条，其两侧具宽度比正中条宽的近中粉被斑，后者的外方为亚侧暗色条，宽度略狭于正中条，界限有时不整齐，且有时可变色，致使与侧粉被斑难以区别；第4背板斑纹似第3背板，但暗色纵条较狭；第5背板大部分为粉被所覆，仅在正中线两旁有1对可变色的暗色纵斑，各腹板大多呈灰色。

分布:陕西(长安)、辽宁、内蒙古、河北、山东、河南、甘肃、新疆、江苏、安徽、浙江、湖北、湖南、福建、台湾、广东、海南、广西、四川、云南；古北区，东洋区，非洲区。

(35)家蝇 *Musca domestica* Linnaeus, 1758

Musca domestica Linnaeus, 1758: 596.

鉴别特征:前胸侧板中央凹陷具纤毛，第1腹板具纤毛，喙齿不是特别强大，齿末端不尖，呈细锯齿状，额宽长大于触角第3节宽，后阳基侧突很微小，阳基后突末端变尖狭或圆形，第5腹板后侧突细小，所有各鬃位的后背中鬃都发达，额宽为眼宽的1/4~2/5，侧额在中部为间额条的1/8~1/6。雌性额在上方的侧额极狭，侧额向头顶去显然变狭，胸部背面有明显的4条黑色纵条。

分布：陕西（广布）、辽宁、河北、山东、河南、甘肃、江苏、安徽、浙江、湖北、江西、湖南、福建、台湾、广东、海南、广西、四川、云南、西藏；朝鲜，日本，越南，泰国，缅甸，印度，尼泊尔，斯里兰卡，菲律宾，马来西亚，印度尼西亚，埃塞俄比亚，新几内亚岛，古北区南部。

（36）骚家蝇 *Musca*（*Plaxemya*）*tempestiva* Fallén, 1816

Musca tempestiva Fallén, 1816: 254.

鉴别特征：额宽略小于触角第3节宽，侧颜宽约为触角第3节宽的1.30～1.50倍，下颚须黑色。胸背除肩板和背侧片具淡色粉被，以及有时沿小盾沟处有狭小的粉被斑外，几乎全部呈带有青铜光泽的暗色，下侧片在后气门前的前下方无毛，腋瓣上肋前、后刚毛簇全缺，下腋瓣白色。前足胫节无后背鬃，中胫无前腹鬃。腹部第4背板后缘无缘带，第5背板无黑色正中条。雌性胸背灰色粉被不很明显，尤其是后盾片。翅M脉末段通常心角极和缓，以后一段较直，dm-cu横脉通常亦较直。腹部除第1、2合背板略暗外，亦呈灰色，斑纹不显。

分布：陕西（秦岭）、吉林、辽宁、内蒙古、河北、山东、河南、山西、宁夏、甘肃、青海、新疆、江苏、湖北、四川；俄罗斯，朝鲜，日本，印度，欧洲，东洋区，非洲区。

（37）黄腹家蝇 *Musca*（*Plaxemya*）*ventrasa* Wiedemann, 1830

Musca ventrosa Wiedemann, 1830: 656.

鉴别特征：体长4～7mm。复眼裸，额狭；间额在额的最狭段呈1条线；额宽等于或宽于前单眼的横径；触角第3节灰棕色，第2节棕色，前者约为后者长的3倍。胸背具2对暗纵条，中间1对短；小盾片端部黑色，沿小盾沟后缘也呈黑色；背中鬃2+5根，翅内鬃0+1根；腋瓣上肋前、后刚毛簇全缺，前胸前侧片中央凹陷裸；中胸气门黄色，后气门缘毛棕色，其后缘嵌生2～3个黑鬃，后基节片裸。翅膜面全覆微毛，前缘基鳞黄，亚前缘骨片黄，前缘脉第3段略短于第5段，翅除前缘脉外其余各脉均无毛；腋瓣黄，下腋瓣上无毛，平衡棒黄。腹部大部呈黄色。雌性额宽约等于一眼宽，间额约为一侧额宽的4倍，下眶鬃9个，上眶鬃呈整齐的1行，约11个，侧颜比侧额宽。产卵器的第6背板两细长骨片几乎趋向于并和，第8背板狭长的主片不与缘片分离，肛上板小。

采集记录：2♀，周至厚畛子，1350m，1998.Ⅶ.08，采集人不详。

分布：陕西（周至）、河北、河南、江苏、浙江、湖北、湖南、福建、台湾、广东、广西、四川、云南；日本，泰国，缅甸，印度，尼泊尔，斯里兰卡，菲律宾，马来西亚，印度尼西亚，澳洲区，新热带区。

(38)北栖家蝇 *Musca* (*Viviparomusca*) *bezzii* Patton *et* Cragg, 1913

Musca bezzii Patton *et* Cragg, 1913: 13.

鉴别特征:体长9.00~9.50mm。眼具疏短微毛，额约与前单眼等宽；触角黑，第3节暗，上覆有棕色粉被，长约为第2节的3倍。中胸背板具2对明显黑纵条，均达小盾沟；小盾片正中有1条较宽的暗纵条，背中鬃2+(4~5)根；腋瓣上肋前、后刚毛簇存在；前胸前侧片中央凹陷裸；中胸气门白，后气门棕色。前缘基鳞黄，干径脉上面后侧具6~7个小刚毛；R_{4+5}脉的小刚毛超过r-m横脉，但不达心角的垂线处；腋瓣淡棕色；下腋瓣上面无毛，平衡棒黄。腹部底色黄棕色，第1、2合背板前方大部呈黑色，仅后侧缘及下侧缘黄色；第3背板黑色正中条中段宽约为其本身长之半，并在前缘后两侧扩展而呈“T”形，在近中条两侧有似三角形的粉被形成的亮斑；第3、4两腹板黄色。雌性上眶鬃3~4个，下眶鬃1行超过10个，两侧上另有不完整的自上而下的1~3行毛，分布整个侧额。腹部沿第3、4两背板后缘的黑色狭缘带从背方延伸到腹方；第5腹板后缘无后延部；产卵器较宽短，适于产幼虫。

采集记录:1♀，留坝大洪渠，2500m，1998.Ⅶ.20，采集人不详；1♀，旬阳白柳镇前坪村，621m，2014.Ⅵ.23，于腾采；1♀，镇安云盖寺镇，850m，2014.Ⅵ.18，于腾采。

分布:陕西(留坝、旬阳、镇安)、黑龙江、吉林、辽宁、河北、山东、河南、甘肃、江苏、浙江、湖北、湖南、台湾、广东、海南、广西、四川、云南；俄罗斯，朝鲜，日本，缅甸，印度，尼泊尔，马来西亚，古北区东部。

(39)突额家蝇 *Musca* (*Viviparomusca*) *convexifrons* Thomson, 1869

Musca convexifrons Thomson, 1869: 547.

鉴别特征:侧颜裸，中胸背板中央的1对黑纵条不达于小盾沟，下腋瓣上面裸，腋瓣上肋后具刚毛簇，腹部第1、2合背板的正中黑纵条在后缘显然膨大。

分布:陕西(长安)、山东、江苏、浙江、湖北、湖南、福建、台湾、广东、海南、广西、四川、云南；日本，缅甸，印度，尼泊尔，斯里兰卡，菲律宾，马来西亚，印度尼西亚。

(40)孕幼家蝇 *Musca* (*Viviparomusca*) *larvipara* Portschinsky, 1910

Musca larvipara Portschinsky, 1910: 13.

鉴别特征:触角第3节长为第2节的2.50倍左右，R_{4+5}脉的下面小刚毛列通常仅分布在第1段的基部一半的距离之内，胸部第1、2合背板大部或全部都呈黑棕色，第5背板的正中暗色条不显著。

采集记录:1♀，留坝红崖沟，1500~1650m，1998.Ⅶ.22，采集人不详。

分布:陕西(留坝)、内蒙古、宁夏、甘肃;蒙古,俄罗斯,欧洲(中部和南部),非洲(北部)。

(41)中亚家蝇 *Musca vitripennis* Meigen, 1826

Musca vitripennis Meigen, 1826: 73.

鉴别特征:眼具淡色毛,前背中鬃2个,中胸背板亮黑色,无纵条。第1至第5腹板黄色。雌性胸背有4条暗色纵条,但不达于小盾沟,有时合并成2条。腹部基部铜黑色,端部有淡青色粉被,第5背板特别长,几乎为第4背板长的2倍。

采集记录:1♀,留坝红崖沟,1500~1650m,1998.Ⅶ.22,采集人不详。

分布:陕西(留坝)、山西、宁夏、甘肃、新疆;蒙古,中亚,欧洲。

16. 翠蝇属 *Neomyia* Walker, 1859

Neomyia Walker, 1859: 138(as subgenus of *Musca* Linnaeus, 1858). **Type species**: *Musca* (*Neomyia*) *gavisa* Walker, 1859.

属征:体绿色或紫绿色,头短,侧额上部具明显金属光泽。后翅内鬃至多为1个,小盾缘鬃3对,上后侧片具毛,前胸基腹片和腋瓣上肋具毛。R_1 脉裸,亚前缘骨片具纤毛,M脉末端角形至弧形弯曲。雄性基阳体短,阳茎大,具多数宽大刺状齿,肛尾叶基部宽,侧尾叶后缘常具缺刻。

分布:古北区,东洋区,非洲区,在北美洲和南美洲也有发现。秦岭地区记录2种。

分种检索表

中鬃1+1根,腹侧片鬃1+2根……………………………… **蓝翠蝇 *N. timorensis***

中鬃0+1根,腹侧片鬃1+0根 ……………………………… **紫翠蝇 *N. gavisa***

(42)紫翠蝇 *Neomyia gavisa* (Walker, 1859)

Musca (*Neomyia*) *gavisa* Walker, 1859: 138.

鉴别特征:头亮黑色,眼裸;额宽为前单眼宽的1.30倍,侧颜宽约为触角第3节宽的0.70倍,中部有狭长银白粉被斑,长为宽的3.60倍。中鬃0+1根,背中鬃0+1根,翅内鬃0+1根;翅前鬃约为后背侧片鬃长的3/4;下前侧片鬃0+1根;前胸基腹片有毛,前、后气门分别为棕黑色及暗棕色。腋瓣及缨缘暗棕色,两腋瓣联合处呈淡灰褐色覆同色绒毛;平衡棒浓黄色。足黑色;中股基部3/5有细鬃列;后股前腹鬃列完整；后胫具1列栉状的前背毛列。腹无粉被；第1腹板有毛，第2腹板舌形。雌性体长8~9mm。头亮黑色，微带紫色光泽；两侧缘略平行，间额钝黑色，约为一侧额宽的0.64倍，眼裸；额宽为头宽的0.29倍，前端外侧有银白点斑，无间额鬃；侧颜与触角第3节等宽，颊高为眼高的0.33倍；下颚须黑色扁平。前盾片前缘有棕色粉被；前、后气门全黑色。

采集记录：2♀，留坝闸口石，1800~1900m，1998.Ⅶ.20，采集人不详；2♂，佛坪凉风垭，1750~2150m，1999.Ⅵ.28，采集人不详；1♂，宁陕火地塘，1580m，1998.Ⅷ.20，采集人不详；1♂，1580~1650m，1999.Ⅵ.28，采集人不详；1♂4♀，旬阳白柳镇刘家厂村，439m，2014.Ⅵ.22，于腾采；3♀，镇安云盖寺镇黑窑沟林场，1217m，2014.Ⅵ.20，于腾采；1♀，镇安云盖寺镇，850m，2014.Ⅵ.18，于腾采。

分布：陕西（留坝、佛坪、宁陕、旬阳、镇安）、河南、甘肃、江苏、安徽、浙江、湖北、江西、湖南、福建、台湾、广西、四川、云南；缅甸，印度，尼泊尔，斯里兰卡，印度尼西亚，巴基斯坦。

（43）蓝翠蝇 *Neomyia timorensis*（**Robineau-Desvoidy, 1830**）

Neomyia timorensis Robineau-Desvoidy, 1830: 23.

鉴别特征：体长5.50~9.00mm。眼有疏短微毛；额极狭，仅为单眼宽的1/4；触角第2节棕色，第3节灰棕色，第2节末端和第3节基部橙色；第3节长为宽的4.80倍；芒长羽状，最长羽状毛合宽稍小于触角第3节宽。胸深青绿色，前盾除沟前鬃附近的肩后区明显有亮紫色闪光外，都呈略钝的青铜色，有1对铜褐色亚中条，两条之间较绿，后盾片铜褐色的亚中条延伸至后盾中央，还有1对侧背中条，在这两条之间色较钝；小盾有紫色闪光。中鬃0+1根，背中鬃2+4根；下前侧片鬃1+0根；中胸气门灰褐色，后气门黑褐色。前缘基鳞黑色，翅膜全被微刚毛；腋瓣及缨缘棕色，上、下腋瓣联合处及缨缘白色，后者有时带黄色；平衡棒黄色。后股前腹鬃列完整。腹部与胸部同色，背面观无斑，除色较深暗的第1、2合背板淡色粉被稍显及各背板前缘有极弱粉被外，均呈深青绿色。雌性体长6.50~9.00mm。间额黑色，有时前方棕红色有灰粉被，侧额亮黑色，大部带铜色，上半及头顶则有紫蓝色闪光或带青绿色反光；间额宽为一侧额宽的2.50~3.60倍；侧颜约与触角第3节等宽或稍狭；触角第2节暗棕色，第3节灰棕色，基部橙色；第3节长为宽的3.40倍；最长芒毛略等于触角第3节长；下颚须暗棕色，棍棒状侧扁，长约为宽的3.60倍。胸部通常具1个短的后背中鬃。腋瓣淡棕色。

采集记录：1♀，周至厚畛子，1350m，1999.Ⅵ.22，采集人不详；3♀，留坝闸口石，1800~1900m，1998.Ⅶ.20，采集人不详；1♂，留坝韦驮沟，1600m，1998.Ⅶ.21，采集人不详；2♂6♀，留坝庙台子，1350m，1998.Ⅶ.21，采集人不详；2♀，留坝闸口石，1800~1900m，1998.Ⅶ.20，采集人不详；1♀，佛坪，950m，1998.Ⅶ.25，采

集人不详；1♂5♀，佛坪窖沟，870～1000m，1998. Ⅶ.25，采集人不详；1♀，宁陕火地塘，1580m，1998. Ⅷ.17，采集人不详；1♀，1998. Ⅷ.27，采集人不详；1♂，宁陕火地沟，1580～2000m，1998. Ⅶ.18，采集人不详；2♀，宁陕火地塘鸦雀沟，1600～1700m，1998. Ⅶ.28，采集人不详；1♀，宁陕旬阳坝，1350m，1998. Ⅶ.29，采集人不详；1♂，旬阳白柳镇前坪村，621m，2014. Ⅵ.23，于腾采；1♂，镇安云盖寺镇，850m，2014. Ⅵ.18，于腾采。

分布：陕西（周至、留坝、佛坪、宁陕、旬阳、镇安）、辽宁、内蒙古、河北、山东、河南、宁夏、甘肃、江苏、安徽、浙江、湖北、湖南、福建、台湾、广东、广西、四川；日本，越南，泰国，缅甸，印度，尼泊尔，斯里兰卡，孟加拉国，菲律宾，马来西亚，印度尼西亚。

17. 圆蝇属 *Mydaea* Robineau-Desvoidy, 1830

Mydaea Robineau-Desvoidy, 1830: 486. **Type species**: *Mydaea scutellaris* Robineau-Desvoidy, 1830.

属征：复眼多数裸，少数具纤毛，雄性额多数狭，很少具上眶鬃，无间额鬃交叉鬃。触角芒多数羽状或短羽状，少数具毳毛，口前缘常不突出，翅前鬃常短于第2背侧片鬃长，背侧片常具小刚毛，少数裸。前中鬃常呈体毛状，后背中鬃多数4根，少数3根，前胸基腹片总是裸，后气门前肋和下侧片在后足基节上方多数无毛，亚前缘脉总是呈弓把形弯曲，R_1 脉裸，径脉结节背面和腹面总是同时具小刚毛，有时在 R_{4+5}脉基部腹面有刚毛列，M脉多数较直横脉附近无暗晕，中股常有1明显的近端位前鬃，中胫常无前背鬃和后腹鬃，后胫的亚中位处和近端位之间绝无明显的后背鬃，很少在基部和亚中位之间有1～2根短的后背鬃，前背鬃2根以上，很少为1根，在近端位背鬃附近的前背鬃长度常超过该节横径，腹部背面常具正中条和闪光斑，少数具成对固定的点斑。

分布：全北区，东洋区，新热带区，非洲区。秦岭地区记录2种。

分种检索表

后背中鬃3根……………………………………………………………… 双圆蝇 *M. bideserta*

后背中鬃4根 ……………………………………………………… 鬃股圆蝇 *M. setifemur setifemur*

(44) 双圆蝇 *Mydaea bideserta* Xue *et* Wang, 1992

Mydaea bideserta Xue *et* Wang, 1992: 340.

鉴别特征：额宽略小于后单眼外缘间距，最长芒毛略小于触角宽。后背中鬃3，腹侧片鬃1+2，足除跗节外全黄，后股具完整的前腹鬃列，后腹面具长的缨毛，腹面具一些略短的缨毛。腹部具暗色的正中狭条，无明显闪光斑。

采集记录:1♂，宁陕火地塘鸦雀沟，1580m，1998.Ⅶ.27，采集人不详。

分布:陕西(宁陕)、甘肃、湖北。

(45)鬃股圆蝇 *Mydaea setifemur setifemur* Ringdahl, 1924

Mydaea setifemur setifemur Ringdahl, 1924: 42.

鉴别特征:下眶鬃4~5对，仅在额前部。翅前鬃为后背侧片鬃长的1.50倍，小盾前中鬃1对。后股端半部前腹鬃长大，基半部短小，后腹鬃列在端半部长大，约等于最长前腹鬃长的2/3。

分布:陕西(秦岭)、吉林、辽宁、内蒙古、甘肃；蒙古，俄罗斯，日本，欧洲。

18. 妙蝇属 *Myospila* Rondani, 1856

Myospila Rondani, 1856: 91. **Type species:** *Musca meditabunda* Fabricius, 1781.

属征:喙短，唇瓣发达。上后侧片裸，下前侧片鬃1+2根或2+2根。后胫无明显后背鬃，后足基节后腹表面无毛。径脉结节背、腹面均具毛；M脉在紧末端或多或少向前弯曲，r_{4+5}室开口处长度至少为r-m横脉长的2倍；亚前缘脉呈弓把形弯曲。

分布:非洲区，东洋区，古北区和南美洲有少数种类。秦岭地区记录1种。

(46)束带妙蝇 *Myospila tenax* (Stein, 1918)

Mydaea tenax Stein, 1918: 172.

鉴别特征:小盾全程褐色，下缘裸，下腋瓣端缘极圆，内缘从基部起即同小盾侧缘背离，前胸基腹片具毛。前缘基鳞褐色。除前胫呈黄褐色外，各足其余部分全呈棕色至暗棕色。第3、4背板各有1对很不明显的长形闪光黑褐色亚中点斑。

采集记录:1♀，秦岭山梁及北坡，2050m，1998.Ⅶ.30，采集人不详。

分布:陕西(太白)、甘肃、湖南、台湾、广东、贵州、云南；缅甸，印度。

19. 裸池蝇属 *Brontaea* Kowarz, 1873

Brontaea Kowarz, 1873: 461. **Type species:** *Anthomyia polystigma* Meigen, 1826.

属征: 复眼大。前胸基腹片无毛。r_{4+5}室在端部变狭，R_{4+5}脉基部及径脉结节的背腹两面均裸。第1腹板较宽大，边缘总是具刚毛。

分布：世界广布。秦岭地区记录1种。

(47)升斑裸池蝇 *Brontaea ascendens* (Stein, 1915)

Limnophora ascendens Stein, 1915: 32.

鉴别特征：体长4.00～4.50mm。侧颜上部无粉被呈亮黑色；M脉末端稍向前弯曲；足全黑色；中胫后鬃1个；前中鬃列间距小于它与前背中鬃列间距；背中鬃2+4根；腹部正中淡色条狭，第4背板具1对大型三角斑，第5背板具1对狭条；前方3个腹节的底色呈淡棕色半透明状。

分布：陕西(太白)、河南、江苏、上海、浙江、江西、湖南、福建、台湾、广东、海南、四川、贵州、云南；日本，泰国，缅甸，印度，斯里兰卡，印度尼西亚。

20. 重毫蝇属 *Dichaetomyia* Malloch, 1921

Dichaetomyia Malloch, 1921: 163. **Type species**: *Dichaetomyia polita* Malloch, 1921 [= *Dichaetomyia emdeni* Pont, 1921].

属征：躯体部分或大部分呈棕黄色，中小型蝇类。复眼裸，极少有长纤毛，少数种小眼面扩大；额狭，一般不超过触角宽，间额在中部常消失；下眶鬃常发布在额下半部，最下方1对常特别粗壮，上眶鬃1～2对，细小；触角常带黄色，至少在基部呈红棕色；芒长羽状；雌性也无间额交叉鬃。中鬃0+1根，背中鬃(1～2)+(2～4)根，无缝前翅内鬃，背侧片常具小毛，翅后坡下部常具短纤毛；小盾片短，有的在小盾腹侧缘具直立的细纤毛或黑刚毛；下前侧片鬃1+2根；上背侧片具短毛或裸，后气门下缘总是具1列黑刚毛。翅略带淡棕色，R_1脉裸，径脉结节和R_{4+5}脉基部腹面常具刚毛，M脉直或在末端稍向前弯曲；下腋瓣不具小叶。前胫少数种有中位后鬃；中胫后鬃2～3根；后胫无距，有的种在股节具特殊鬃或栉；腹板背板常有斑块或透明区，腹末端常发亮。

分布：东洋区，古北区，非洲区，澳洲区。秦岭地区记录2种。

分种检索表

小盾沿下侧缘有倒伏状的黑色小刚毛 …………………………………………… **铜腹重毫蝇 *D. bibax***

小盾下侧缘无倒伏状的黑色小刚毛 …………………………………………… **淡角重毫蝇 *D. pallicornis***

(48)淡角重毫蝇 *Dichaetomyia pallicornis* (Stein, 1905)

Mydaea pallicornis Stein, 1905: 14.

鉴别特征:下颚须黑。小盾下侧缘无倒伏状的黑色小刚毛,下面也无直立淡色毛,后背中鬃3个鬃位,腹侧片鬃1+2根。翅无前缘刺。前股无前腹栉,中、后股节黄,胫节全黄,前胫无中位后鬃。腹基部总是黄色透明的,尾节不显。

采集记录:1♂,旬阳白柳镇刘家厂村,439m,2014.Ⅵ.22,于腾采;1♀,镇安云盖寺镇黑窑沟林场,1217m,2014.Ⅵ.20,于腾采。

分布:陕西(旬阳、镇安)、台湾、四川;日本,缅甸,泰国,马来西亚,印度尼西亚。

(49)铜腹重毫蝇 *Dichaetomyia bibax* (Wiedemann, 1830)

Anthomyia bibax Wiedemann, 1830: 431.

形态特征:体长5~8mm。体暗黑,具橄榄色金属光泽。触角第2节红棕色,第3节除基部带红色外大部黑褐色;颊高为眼高的1/7。下颚须、腹部侧板大部、翅下大结节均呈褐色;M脉末端明显向前弧形弯曲,因此前缘脉第6段显然短于第5段;小盾腹侧缘具淡色细纤毛(有时仅有几根);后背中鬃3根,有时股节也变黄,前胫无中位后鬃,极少为1根。腹通常全呈黑褐色略带青铜金属光泽。

采集记录:1♂,周至厚畛子,1350m,1999.Ⅵ.21。

分布:陕西(周至)、吉林、辽宁、内蒙古、河北、山西、河南、浙江、湖北、台湾、广东、广西、四川、贵州、云南、西藏;日本,泰国,缅甸,印度,菲律宾,马来西亚,印度尼西亚。

21. 阳蝇属 *Helina* Robineau-Desvoidy, 1830

Helina Robineau-Desvoidy, 1830: 493. **Type species**: *Helina euphemioidea* Robineau-Desvoidy, 1830 [= *Anthomyia pertusa* Mengen, 1826].

属征:雄性额多数狭,无间额交叉鬃;口缘侧面通常不突出于额前缘之前。除少数种外无前中鬃;亚前缘脉通常呈弓把形弯曲,R_1 脉和 R_{4+5} 脉背面裸,少数种 R_{4+5} 脉腹面具小毛,M脉直与 R_{4+5} 脉背离。中股明显具1个近端位前鬃,中股多数无前背鬃和后腹鬃,后胫亚中位与近端位之间无单个强大的后背鬃,在背鬃附近的近端位前背鬃的长度常超过该胫节横胫。腹部第3、4背板常具成对的斑。

分布:世界广布。秦岭地区记录7种。

分种检索表

1. 腹部带有透明黄色 …… 大黄阳蝇 *H. capaciflava*
   腹部黑色 …… 2
2. 后股大部分黄色 …… 斑胫阳蝇 *H. maculitibia*
   后股大部分黑色 …… 3
3. 后股至少在后腹面具密长的缨毛或完整的鬃毛列 …… 4
   后股后腹面无上述密长的缨毛和完整的鬃毛列 …… 6
4. 侧颜为触角第3节宽的1.50倍 …… 5
   侧颜宽等于触角第3节宽 …… 建昌阳蝇 *H. jianchangensis*
5. 复眼裸 …… 太白山阳蝇 *H. taibaishanensis*
   复眼具疏微毛 …… 亚棕翅阳蝇 *H. sublaxifrons*
6. 后足胫节黄 …… 四点阳蝇 *H. quadrum*
   后足胫节全黑 …… 圆板阳蝇 *H. ampyxocerca*

(50)大黄阳蝇 *Helina capaciflava* Xue, Wang *et* Ni, 1989

Helina capaciflava Xue, Wang *et* Ni, 1989: 541.

鉴别特征:复眼裸，额为触角的2.00~2.50倍宽，侧额等于或宽于触角宽，触角黄色，第3节端部2/3灰褐色，芒羽状，最长芒毛等于触角宽，颊高为眼高的1/5强，下颚须黄色。胸带棕褐色，背中鬃2+3根，小盾片除基部侧缘外呈黄色，腋瓣淡黄色。前缘基鳞黄色，平衡棒淡黄色。足除跗节黑色其余均黄色，前胫无中位后鬃，中股基半部具4根后腹鬃，中胫后鬃2根，后股前腹鬃在端部3根发达，近中部2根刚毛状后腹鬃，后胫前腹鬃1~2根，前背鬃2~3根。腹部底色黄，第3背板具1对大形肾状褐色斑，第4背板后半部具1对小的暗褐色斑，第2至第4腹板后缘各具1对长鬃。

采集记录:1♂(正模)，太白，1000m，1989.Ⅵ.08，采集人不详。

分布:陕西(太白)。

(51)建昌阳蝇 *Helina jianchangensis* Ma, 1981

Helina jianchangensis Ma, 1981: 303.

鉴别特征:眼几乎裸，仅具极短而稀疏的微毛，额宽稍大于上方两单眼外缘间距，侧颜略宽于触角第3节，触角黑色，第3节长为宽的3倍弱，芒长羽状。胸部具灰黄色浓粉被和4条黑纵条，中鬃0+1根，背中鬃2+4根，翅前鬃很短而弱，不及后背侧片鬃长的1/3；腹侧片鬃2+2根；背侧片、前胸基腹片和下侧片均裸；小盾边缘和下面裸。腋瓣黄色，平衡棒黄。足各足股节除膝部外全黑，各足胫节黄乃至棕色，跗节全黑色，前足胫节无中位后鬃，中足胫节无前背鬃，后足节的前腹面、腹面和后腹面具完整的密长毛列。腹第3、4背板上各有1对暗色点斑，有时全然无斑；在第1、2合背板和第3背板的上方1/3处有1条极细的棕色正中条；后腹部较灰暗。

分布：陕西（秦岭）、辽宁、山西、甘肃。

(52) 斑胫阳蝇 *Helina maculitibia* Xue *et* Cao, 1996

Helina maculitibia Xue *et* Cao, 1996: 1149.

鉴别特征：复眼具零星短纤毛，实际裸，额宽约为前单眼横径的1.50~2.00倍，触角黑色，第3节长为宽的2.50倍，芒短羽状，最长芒毛约为触角宽的3/5长，下颚须黑色。胸具棕褐色粉被，盾片上的暗纵条略明显，中鬃0+1根，背中鬃2+4根，翅前鬃强大，长于后背侧片鬃。前缘基鳞棕色，腋瓣和平衡棒黄棕色。足前股黑色，前胫带棕色，中后股端部和中后胫基部黑，其余黄色，跗节黑色；前胫无中位后鬃；中股后腹鬃列完整，中胫后鬃3根，后胫具2~3列前腹鬃，前背鬃2根。腹部具黄色粉被，第3、4背板具暗黑色斑。

采集记录：5♂，太白山，1982. Ⅷ. 11，曹如峰采。

分布：陕西（太白）。

(53) 四点阳蝇 *Helina quadrum* (Fabricius, 1805)

Musca quadrum Fabricius, 1805: 297.

鉴别特征：额狭于后单眼外缘间距，触角芒上侧毛稍比下侧毛长，最长芒毛为触角宽的1.50倍。盾片粉被灰白色，在小盾前常有正中棕色的短条，小盾端部下面裸，翅前鬃长大，后背中鬃4根，后背侧片鬃附近无小毛。横脉无暗晕，径脉结节裸，腋瓣白色，稍带淡黄色。后股后腹面无密长的缨毛或鬃列，后胫在前腹和后腹面无密长毛，近基部具1根后背鬃。腹部第4背板常呈痕迹状，肛尾叶侧面观略呈角形。

采集记录：4♂，宁陕火地塘，1580m，1998. Ⅶ. 26，采集人不详。

分布：陕西（宁陕）、黑龙江、辽宁、河北、山西；日本，欧洲，非洲（北部）。

(54) 太白山阳蝇 *Helina taibaishanensis* Xue *et* Cao, 1996

Helina taibaishanensis Xue *et* Cao, 1996: 1163.

鉴别特征：雄性复眼裸，额宽为前单眼横胫的2倍，间额黑色，最狭处约为前单眼宽，侧颜和颊具银灰色粉被，侧颜约为触角宽的1.50倍；触角黑色，第3节长为宽的3倍，芒羽状，最长芒毛约为触角宽的1.50倍。胸部具灰黄色粉被，背中鬃2+4

根，翅前鬃约为后背侧片鬃长的1/2，腹侧片鬃2+2(3)根。翅淡棕色，前缘基鳞棕色，腋瓣黄色，平衡棒棕黄色。足仅后胫带褐色，其余均黑色，中股基半部具发达的后腹鬃列，中胫后鬃3根，后股前腹鬃列强大，后胫前腹鬃2根，前背鬃3根。腹部第3、4背板两侧分别具1对小的暗斑。

采集记录:1♂，太白山，1980. Ⅷ. 24，曹如峰采。

分布: 陕西(太白)。

(55)圆板阳蝇 *Helina ampyxocerca* Xue, 2001

Helina ampyxocerca Xue, 2001: 134.

鉴别特征:复眼具稀疏的中等长纤毛，额宽为前单眼宽的1.50倍，触角黑色，第3节长为宽的3.50倍，芒长羽状，最长芒毛为触角第3节宽的1.50倍，颊高为眼高的1/5。盾片具灰黄色薄粉被和4个黑条，背中鬃2+4根，翅前鬃长于后背侧片鬃，背侧片、小盾下面和侧缘均裸，前胸基腹片、下侧片和后气门前肋均裸。前缘基鳞黄色，径脉结节裸，腋瓣黄色，平衡棒黄色。足全黑色，前胫中位后鬃1根，中胫后鬃3根，后股端半部具前腹鬃列，后胫前腹鬃4~5根。腹部黑色，除第5背板具1对明显的小型侧斑外，其余背板无明显斑条。肛尾叶端部具较明显的2对端突。

采集记录:3♂，宁陕平和梁子，2020m，1998. Ⅶ. 29，陈军采。

分布: 陕西(宁陕)。

(56)亚棕翅阳蝇 *Helina sublaxifrons* Xue *et* Cao, 1986

Helina sublaxifrons Xue *et* Cao, 1986: 1.

鉴别特征:眼具疏微毛，额宽为前单眼宽的2.50倍，侧颜为触角第3节宽的1.50倍。后背中鬃4根，腹侧片鬃1+2根，背侧片具毛，下侧片裸，小盾下面裸。径脉结节裸，平衡棒黄色。足黑色，前胫无后鬃，后股无后腹鬃，后胫后腹鬃2根，并在后腹面有1列长毛。腹底色黑，第3、4背板各有1对暗棕色点斑，并有1条不明显的正中线。

分布:陕西(太白)。

22. 棘蝇属 *Phaonia* Robineau-Desvoidy, 1830

Phaonia Robineau-Desvoidy, 1830: 482. **Type species:** *Phaonia viarum* Robineau-Desvoidy, 1830.

属征:眼裸或多毛；雄性眼大多合生或两眼接近，雌性眼离生；触角芒长羽状或具短毛，很少裸；在雌性中仅有2个后倾上眶鬃无前倾鬃，极少有间额鬃；颊无明显的上倾鬃。盾片底色黑色、灰色或棕色，纵条存在或缺如；前中鬃存在或缺如；后背中鬃3～4根；下前侧片鬃1+2根（极少为1+3根）；翅前鬃常存在；前胸前侧片中央凹陷及上后侧片裸，前胸基腹片在很少数种类中两侧具细长刚毛。翅亚前缘脉弓把形弯曲，R_1 及 R_{4+5}脉裸；M脉直；下腋瓣舌形、无小叶。足中股有1个近端位前鬃，中胫无前腹鬃或前背鬃；后胫在端部和中部之间有1个强大的后背鬃，极少在基部还有1～2个附加的后背鬃。

分布：世界广布，以古北区和新北区种类最多。秦岭地区记录12种。

分种检索表

1. 腹部具有黄色部分 …… **棕腹棘蝇 *P. brunneiabdomina***
   腹部无黄色部分 …… 2
2. 中胫具2列后鬃 …… **亚黑基棘蝇 *P. subnigribasalis***
   中胫具1列后鬃 …… 3
3. 小盾片具黄色部分 ……
   小盾片全黑色 …… 5
4. 后背中鬃3根 …… **鹦歌棘蝇 *P. yinggeensis***
   后背中鬃4根 …… **中华游荡棘蝇 *P. sinierrans***
5. 前中鬃发达 …… 6
   前中鬃缺如 …… 8
6. 背侧片具毛 …… **斑脉棘蝇 *P. punctinerva***
   背侧片裸 …… 7
7. 足黑，仅胫节黄色 …… **狸棘蝇 *P. vulpinus***
   足除跗节褐色外，其余全黄色 …… **黄活棘蝇 *P. flavivida***
8. 后背中鬃3根 …… 9
   后背中鬃4根 …… **陕西棘蝇 *P. shaanxiensis***
9. 翅前鬃缺如或毛状 …… **西安棘蝇 *P. xianensis***
   翅前鬃发达，至少等于后背侧片鬃长 …… 10
10. 背侧片有小刚毛 …… **拟秘棘蝇 *P. submystica***
    背侧片裸 …… 11
11. 前胫有中位后鬃 …… **黑锥棘蝇，新种 *P. nigribitrigona* sp. nov.**
    前胫无中位后鬃 …… **叉角棘蝇 *P. dismagnicornis***

（57）棕腹棘蝇 *Phaonia brunneiabdomina* Xue *et* Cao，1989

Phaonia brunneiabdomina Xue *et* Cao，1989：163.

鉴别特征：体长5.50～6.50mm。眼几乎裸，具稀疏短纤毛；额最狭处等于或稍大于前单眼宽，触角基部两节和第3节基部红棕色，第3节为第2节长的2.30倍，芒短羽状，最长的芒毛为触角宽的1/2，口上片突出于额前缘。盾片具灰白粉被和宽的四黑条，小盾片黑，端部暗棕色或全黑，中鬃0+1根，背中鬃2+3根，翅前鬃约为后背侧片鬃长的2倍以上，腹侧片鬃1+2根，背侧片具小刚毛，前胸基腹片、下侧片和后气门前肋均裸，前气门黄色，后气门红棕色。前缘基鳞黄色，腋瓣和平衡棒黄色。足除跗节暗色外，全呈棕黄色，前胫具1个中位后鬃，中股基半部有1列后腹鬃；中胫后鬃2个，后股前腹鬃列完整，中部有1~2个后腹鬃，后胫前腹鬃2个，前背鬃1个，后背鬃1个。第1、2合背板和第3、4背板前方两侧黄色透明，以后各背板暗棕乃至黑棕色，第5背板后缘带黄色。

采集记录：3♂，太白山草皮沟，1980.Ⅵ.19，曹如峰采。

分布：陕西(太白)。

(58)黄活棘蝇 *Phaonia flavivida* Xue *et* Cao, 1989

Phaonia flavivida Xue *et* Cao, 1989: 165.

鉴别特征：体长6.60mm。眼疏生短纤毛，额约等于前单眼宽，触角黑色，第3节长约为第2节长的3倍；芒长羽状，最长芒毛等于或大于触角第3节宽；口上片不突出。盾片具4条黑条，小盾片不变异色，前中鬃1对，背中鬃2+3根，翅前鬃长于后背侧片鬃长的2倍，前胸基腹片、背侧片、下侧片和后气门前肋均裸。前缘基鳞黄色，腋瓣浅黄色，平衡棒全黄色。足除跗节褐色外，其余均为黄色，各股节背面末端具1小块褐色斑，前胫中位后鬃1个，中股后腹鬃列完整，中胫后鬃2个，后股前背、前腹鬃列完整，后腹鬃列中部较粗大。腹部卵形，具灰色粉被，各背板的黑正中条不是很清楚，两侧具变色斑。

采集记录：1♂，太白山，1982.Ⅵ.25，曹如峰采。

分布：陕西(太白)。

(59)叉角棘蝇 *Phaonia dismagnicornis* Xue *et* Cao, 1989

Phaonia dismagnicornis Xue *et* Cao, 1989: 164.

鉴别特征：体长5mm。眼密生棕色长纤毛，额最狭处约等于前单眼宽，触角暗，第2节带褐色，芒短羽状，最长芒毛约为触角第3节宽的3/5；口上片不突出。胸暗黑色，盾片具4个黑条，小盾片不变异色，中鬃0+1根，背中鬃2+3根，翅前鬃长于后背侧片鬃长的2倍，腹侧片鬃1+2根，前胸基腹片、背侧片、下侧片和后气门前肋均裸。前缘基鳞褐色，腋瓣棕黄色，平衡棒黄色。足暗褐色，前胫无中位后鬃，中股有完整长毛状的后腹鬃列，中胫后鬃2个，后股前腹鬃列完整，基半部有长毛状后腹鬃列。腹部近卵形，具浓密灰色粉被，各背板有不同宽度的斑条。

采集记录：1♂，太白山，1982. Ⅵ.25，曹如峰采。

分布：陕西（太白）。

（60）黑锥棘蝇，新种 *Phaonia nigribitrigona* Xue，sp. nov.（图341）

鉴别特征：雄性体长约为5.40～5.60mm。复眼上部和侧面纤毛较密长，长度约等于前单眼横径的2倍；额宽约等于前单眼宽，侧额邻接，下眶鬃完整，9～10对，上半部4～5对短小，小眼面不明显扩大，无上眶鬃，侧额、侧颜和颊具少数灰色粉被，侧颜中部至多为触角第3节宽的1/3～1/2；触角黑色，第3节长为宽的2.50倍，触角芒长羽状，最长芒毛约为触角第3节宽的1.20倍；口上片不突出，髭角稍位于额角之后；颊高约为复眼高的1/6，约等于触角第3节宽的1.50倍，颊前缘具1列上倾鬃，颊毛和下后头毛全黑；喙短，唇瓣大，前颏具灰色粉被，长为高的2.50倍，下颚须黑褐色，瘦长，略长于前颏。胸黑色，发亮，具少数灰色粉被；盾片黑条不很明显；小盾全黑色；中鬃0+1根，背中鬃2+3根，翅内鬃0+2根，翅前鬃稍长于前背侧片鬃，背侧片、小盾侧缘和下面、前胸基腹片、后基节片及下后侧片均裸；气门暗褐色；腹侧片鬃1+2根。翅略透明，翅脉褐色，前缘基鳞黑色，前缘刺短与r-m横脉，径脉结节背腹面均裸，R_{4+5}脉和M脉直，两者较平行，r-m和dm-cu横脉附近无暗晕，腋瓣淡黄色，平衡棒基部棕黄色，端半部黑褐色。各足胫节棕黄色，其余全黑色；前胫端半部后鬃2个，无前背鬃，中股后腹面具细长毛列，往端部去变短，中胫后鬃3个，无前背鬃；后股前腹鬃列仅在端部5根粗大，无明显后腹鬃，后胫前腹鬃2个，前背鬃2个，后背鬃1个，无端位后腹鬃；各足爪约等于爪垫长，约等于第5分跗节长的4/5。腹部黑色，略具少数灰色粉被，发亮，背面观呈卵锥状，第3、4背板正中具不明显的暗黑色三角斑，无闪光斑，第4和第5背板后缘鬃列完整，第3背板后缘鬃列在中部变细弱，第3背板后缘鬃的侧方的鬃和第4背板后缘鬃均长大，分别等于各背板长的1.50倍，第5背板后缘鬃约等于背板长。第1腹板裸，第2～4腹板各具1对端鬃。雌性未知。

采集记录：1♂（正模），陕西镇安云盖寺黑窑沟，1217m，2014. Ⅵ.20，于腾采。

分布：陕西（镇安）。

讨论：本种隶属于锥棘蝇种团 *Phaonia bitrigona*-group 的锥棘蝇亚种团 *Phaonia bitrigona*-subgroup，近似于锥棘蝇，但新种复眼上部和侧面纤毛较密长，长度约等于前单眼横径的2倍，额宽约等于前单眼宽（不是2倍），侧额、侧颜和颊黑色（不是红棕色），侧颜较狭，至多为触角第3节宽的1/3～1/2（不是2/3），下颚须全黑（不是基部暗棕色），前缘基鳞黑色（不是黄色），雄性肛尾叶外侧突明显长于内侧突等不同。

种名词源：该新种近似于锥棘蝇，但前缘基鳞黑色据此命名。

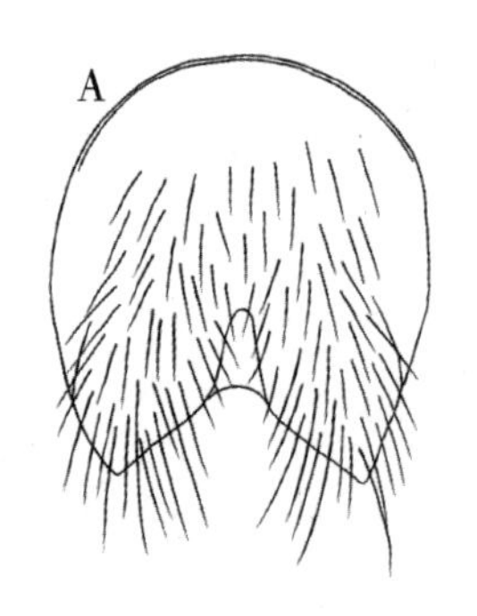

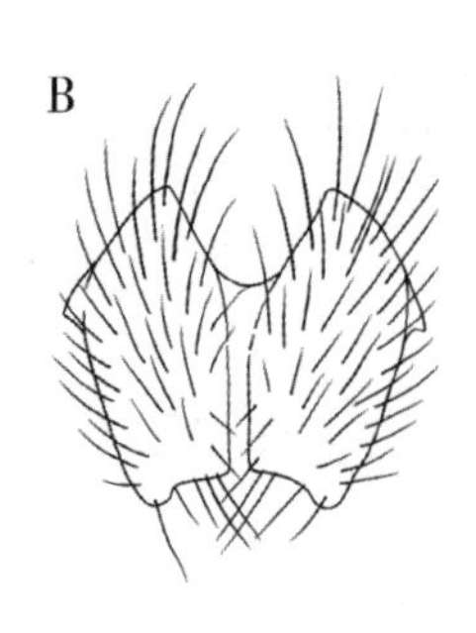

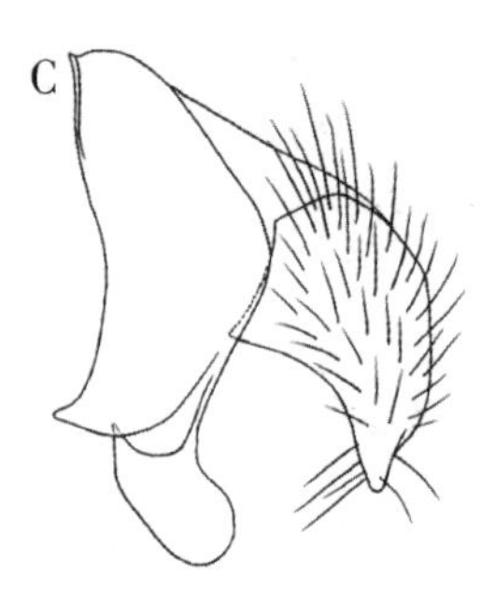

图 341 黑锥棘蝇，新种 *Phaonia nigribitrigona* Xue, sp. nov.

A. 第 5 腹板背面观(sternite 5, dorsal view)；B. 雄性肛尾叶后面观(cerci, posterior view)；C. 雄性尾器侧面观(male terminalia, lateral view)

(61)陕西棘蝇 *Phaonia shaanxiensis* Xue *et* Cao, 1989

Phaonia shaanxiensis Xue *et* Cao, 1989: 166.

鉴别特征:体长 7mm。眼密生浅黄色长纤毛，额最狭处约等于前单眼宽，触角黑，第3节为第2节长的2倍，芒长羽状，最长芒毛超过触角第3节宽1.50倍；口上片稍突出额前缘。胸盾片具条4条黑条，小盾片全黑色，具灰色粉被，中鬃0+1根，背中鬃2+4根，翅前鬃长于后背侧片鬃长的2倍，背侧片具小毛，前胸基腹片、下侧片和后气门前肋均裸，前、后气门深棕色。前缘基鳞黑棕色，腋瓣浅黄，平衡棒黄棕色。足股和胫节全黄，跗节黑色，前胫无中位后鬃，前跗无长感觉毛，中股基半部具后腹鬃列，中胫后鬃3根，后股有完整的前腹鬃列和后腹鬃列。腹部黑色，具青灰色粉被，各背板具正中黑条；后缘缺粉被，形成黑色带，从而背板呈倒"T"字形，无变色斑。

采集记录:1♂，太白山，1982. Ⅷ. 16，曹如峰采。

分布:陕西(太白)。

(62)中华游荡棘蝇 *Phaonia sinierrans* Xue *et* Cao, 1989

Phaonia sinierrans Xue *et* Cao, 1989: 167.

鉴别特征:体长7.80~8.50mm。眼密生浅色长纤毛，额等于或稍大于前单眼宽，触角褐色，芒长羽状，最长芒毛约为触角第3节宽的1.50倍；口上片不突出。胸盾片具4条黑条，小盾片大部棕色，中鬃0+1根，背中鬃2+4根，翅前鬃为后背侧片鬃长的2.50倍，背侧片和后气门前肋有小毛，前、后气门黄色。前缘基鳞黄色，腋瓣和平衡棒黄色。足除跗节褐色外其余全为棕黄色，前胫无中位后鬃，中股后腹鬃列完整，中胫后鬃3根，后股前腹鬃列在端部1/3处粗大，基部2/3和整个腹面和后腹面具长缨毛。腹部卵形，略具浓的浅灰色粉被，各背板具正中黑条，两侧具大块闪光斑。

采集记录:4♂，太白山，1982. Ⅷ. 16，曹如峰采。

分布:陕西(太白)。

(63)拟秘棘蝇 *Phaonia submystica* Xue *et* Cao, 1989

Phaonia submystica Xue *et* Cao, 1989: 168.

鉴别特征:复眼具略疏的中等长的纤毛，额宽约等于触角宽，触角黑，芒长羽状，最长的芒毛长为触角宽的2倍，口上片不突出。盾片具4条黑条，小盾不变异色。中鬃0+1根，背中鬃2+3根，翅前鬃约等于后背侧片鬃长的2倍，背侧片具小刚毛，前胸基腹片、下侧片和后气门前肋均裸。前缘基鳞黄棕色，平衡棒淡黄色，腋瓣黄色。各足股节和胫节黄色；前足胫节中位后鬃1根，中足胫节后鬃3根，后足股节端半部前腹鬃列明显。腹部卵形，各背板正中暗黑色条不明显，两侧具不显著的变色斑，第5腹板具较多短刚毛，雄性肛尾叶端部的内侧突短小。

采集记录:2♂，太白山，1982. Ⅵ. 25，曹如峰采。

分布:陕西(太白)。

(64)亚黑基棘蝇 *Phaonia subnigribasalis* Xue *et* Zhang, 2005

Phaonia subnigribasalis Xue *et* Zhang, 2005: 817.

鉴别特征:复眼具略疏而长的纤毛，额宽为单眼宽的2倍，触角第3节长为宽的2.50倍，触角芒长羽状，最长芒毛为触角第3节宽的2倍。胸底色黑色，盾片具条3黑条，无前中鬃，背中鬃2+4根，翅前鬃为后背侧片鬃长的2.50倍，背侧片、后气门前肋具小毛，小盾不变异色，前后气门棕色。平衡棒橙色。足前胫中位后鬃1，中股前腹鬃列呈细毛状，中胫后鬃2列，后腹鬃2~3个，后股前腹鬃列疏而短，在基部呈断头状，后足爪和爪垫显著小于前足爪和爪垫。腹部黑色，具浓密灰色粉被。

采集记录:1♂，留坝大洪渠，2500m，1998. Ⅵ. 20，姚建采。

分布:陕西(留坝)。

(65)狸棘蝇 *Phaonia vulpinus* Wu, Fang *et* Fan, 1988

Phaonia vulpinus Wu, Fang *et* Fan, 1988: 290.

鉴别特征:头部黑色，具灰色粉被；眼覆密纤毛，额狭，宽为单眼的1.30倍，口上片不突出。胸黑具疏灰色粉被，中鬃1+1(2)根，背中鬃2+3根，翅前鬃长大，前胸基腹片、背侧片、和下侧片裸，小盾全黑色。腋瓣淡黄色，平衡棒暗棕色。足黑色，仅胫节黄色，前胫有2个后鬃，中股腹面有长鬃，中胫有4个后鬃，后股有完整的细长的前腹鬃列和后腹鬃列及亚基部有一些长毛，后胫前腹鬃2个，前背鬃2~3个，后背鬃1个。腹部有1条狭的暗色正中条。

采集记录:1♂，秦岭，1980.Ⅴ.18，徐友祥采。

分布:陕西(秦岭)。

(66)西安棘蝇 *Phaonia xianensis* Xue *et* Cao, 1989

Phaonia xianensis Xue *et* Cao, 1989: 170.

鉴别特征:体长5~6mm。复眼具疏而长的淡色纤毛，额约等于前单眼宽，触角暗黑色，芒毳毛状，最长的芒毛不超过芒基宽；口上片不突出。盾片具4条黑条，小盾不变异色；中鬃0+1根，背中鬃2+4根，翅前鬃缺如或呈体毛状；背侧片，前胸基腹片，下侧片和后气门前肋均裸。前缘基鳞浅褐色，腋瓣黄色，平衡棒浅黄色。足全黑色；前足胫节中位后鬃1~2根，中足股节后腹鬃列完整，中足胫节后鬃3~5根，后足股节端部1/4具3根前腹鬃，具2列不整齐的短后腹鬃。腹部各背板具正中黑条，两侧具褐色粉被，往外侧去粉被为棕色。

采集记录:2♂，太白山，1998.Ⅷ.04，曹如峰采。

分布:陕西(太白)。

(67)鹦歌棘蝇 *Phaonia yinggeensis* Xue, Wang *et* Ni, 1989

Phaonia yinggeensis Xue, Wang *et* Ni, 1989: 548.

鉴别特征:眼具长纤毛，额宽为触角第3节宽的1.50~2.00倍，触角黑棕色，第3节长为第2节的3.50倍，芒长羽状，最长芒毛长约等于触角第3节宽的2倍，口上片不突出。盾片黑色，具灰色粉被和4条黑条，小盾片端部和侧缘橙色，中鬃0+1根，背中鬃2+3根，翅前鬃为后背侧片鬃长的2倍，背侧片具毛，前胸基腹片，下侧片和后气门前肋均裸。前缘基鳞橙色，腋瓣和平衡棒浅黄色。足橙黄色，基节和跗节暗棕色乃至黑色，前胫无中位后鬃，中胫具2根(另有1~3根短的)后鬃。腹部黑色，具灰黄色粉被，第2背板至第5背板具黑正中条，具银色闪光斑。

采集记录:2♂，太白山，1989.Ⅵ.08，倪永田采。

分布:陕西(太白)。

(68)斑脉棘蝇 *Phaonia punctinerva* Xue *et* Cao, 1988

Phaonia punctinerva Xue *et* Cao, 1988: 94.

鉴别特征:眼部密生浅棕色长纤毛，额宽狭于前单眼宽，触角黑褐色，第3节长为第2

节的3.50倍，最长芒毛约等于触角第3节宽，口上片不突出。胸部黑色，具蓝灰色粉被和4条黑条，小盾片不变异色，中鬃2+3根，背中鬃2+4根，翅前鬃为后背侧片鬃长的1.50倍，前气门棕褐色，后气门褐色。背侧片和下侧片具毛。前缘基鳞黑褐色，腋瓣边缘浅棕色，平衡棒黄色。足均为暗褐色，前胫无中位后鬃，中股基半部有长大的后腹鬃列，中胫具3根后鬃；后股前腹鬃列完整，基半部有1列略短的后腹鬃。腹近圆形，具蓝灰色浓粉被，各背板两侧有变色斑，正中具黑色条；第1腹板裸。

采集记录：1♂，太白山，1982.Ⅵ.25，曹如峰采。

分布：陕西（太白）。

23. 腐蝇属 *Muscina* Robineau-Desvoidy, 1830

Muscina Robineau-Desvoidy, 1830: 406. **Type species**: *Musca stabulans* Fallén, 1817.

属征：复眼裸；雌性具1对间额交叉鬃；触角芒长羽状；盾片具4条黑条，小盾端带棕色；前胸基腹片、上后侧片、后基节片和下后侧片均裸，下侧背片具长毳毛，后胸侧板下方具毛。M脉末端略向前方呈弧形弯曲，R_{4+5}脉基部无毛；下腋瓣具小叶或呈舌形。后胫具后背鬃。腹部常具闪光斑。

分布：古北区，新北区。秦岭地区记录3种。

分种检索表

1. 下腋瓣具小叶 ………………………………………………………………… 2
   下腋瓣不具小叶 ……………………………………………… 厩腐蝇 *M. stabulans*
2. 中胸盾片有浓的灰色粉被，前盾纵条明晰，腋瓣白色或黄橙色，上腋瓣缘缨褐色，额宽小于触角第3节宽 ……………………………………… 牧场腐蝇 *M. pascuorum*
   中胸盾片具浓的淡青灰色粉被，没有纵条，腋瓣暗棕色，上、下腋瓣缘缨褐色，额宽明显大于触角第3节宽 ……………………………………… 日本腐蝇 *M. japonica*

(69) 日本腐蝇 *Muscina japonica* Shinonaga, 1974

Muscina japonica Shinonaga, 1974: 118.

鉴别特征：额较宽，大于触角第3节宽。中胸盾片具有浓的淡青灰色粉被，没有纵条。腋瓣暗棕色，上、下腋瓣缘缨褐色，下腋瓣具小叶。腹部具有淡青色粉被，无粉被闪斑，仅第3、4背板前缘具很狭的正中纵纹，两侧有时具红棕色痕迹状的斑。

采集记录：1♂2♀，旬阳白柳镇刘家厂村，439m，2014.Ⅵ.22，于腾采；1♀，镇安云盖寺镇，850m，2014.Ⅵ.18，于腾采；2♀，镇安云盖寺镇黑窑沟林场，1217m，2014.Ⅵ.20，于腾采。

分布:陕西(旬阳、镇安)、吉林、辽宁、河北、山西; 日本。

(70)牧场腐蝇 *Muscina pascuorum* (Meigen, 1826)

Musca pascuorum Meigen, 1826: 47.
Muscina pascuorum:Snyder, 1955: 74.

鉴别特征:体长8.50~11.00mm。额极狭,明显小于触角第3节宽,新月片稍带金色;触角暗褐色,第2节端部稍带红棕色、第3节最基部带红色;第3节为第2节长的2倍强;胸底色黑带青铜色,盾片具2对黑色纵条,向后去渐宽而粉被渐弱;小盾末端带棕黄色;中鬃3+4根,背中鬃3+4根,翅内鬃0+2根,下前侧片鬃1+2根;前、后气门均褐色。前缘基鳞黑色;腋瓣淡棕色,缘缨褐色,内缘具小叶,后缘呈宽阔的圆形;平衡棒黑色。足前股后腹鬃列发达;后股近前腹鬃列发达。腹短卵形,呈棋盘状斑的灰色粉被明显,而通常在腹部两侧略现暗红半透明色调;第3、4两背板各具自前缘向后伸的细狭的黑色正中纵斑。雌性额宽约为头宽的1/3;间额在额中部约为1侧额的3.50倍宽,具略超过后半的额三角很狭亦不膨隆;后倾上眶鬃2根;侧颜微宽于侧额、裸;颊高约为眼高的0.23倍。后中鬃常为小盾前1对较发达。腹粉被略浓于雄性,两侧不现棕色调。

采集记录:1♀,旬阳白柳镇刘家厂村,439m,2014.Ⅵ.22,于腾采;1♂2♀,镇安云盖寺镇黑窑沟林场,1217m,2014.Ⅵ.20,于腾采。

分布: 陕西(旬阳、镇安)、黑龙江、吉林、辽宁、内蒙古、河北、山东、甘肃、新疆、江苏、浙江、云南; 蒙古,俄罗斯,朝鲜,日本,西亚,南亚(北部),欧洲,非洲(北部),北美洲。

(71)厩腐蝇 *Muscina stabulans* (Fallén, 1823)

Musca stabulans Fallén, 1823: 252.

鉴别特征:雄性额较宽,约等于触角第3节宽的2倍,间额约为侧额宽的2倍,下颚须橙色。下腋瓣不具小叶,胫节黄色,翅肩鳞和前缘基鳞黄色。股节至少端部1/4~1/3呈黄棕色。

采集记录:1♂,周至厚畛子,1350m,1999.Ⅵ.22,采集人不详。

分布: 世界各地均有分布。

24. 角蝇属 *Haematobia* Le Peleter *et* Servolle, 1828

Haematobia Le Peleter *et* Servolle, 1828: 499 (as subgenus of *Stomoxys* Geoffroy, 1762). **Type species**: *Conops irritans* Linnaeus, 1758; validated by I. C. Z. N., Opinion 1008, 1974.

属征:眼后缘在下半部稍凹入;下颚须长,末端同喙末端几乎相齐,下颚须端部扩展呈侧扁的半管状；后头上部平，下部非常凸出，触角芒上侧具纤毛。前胸基腹片、前胸前侧片中央凹陷及后基节片无毛；无前中侧片鬃。腹部具长的暗色正中条；雄性第5腹板侧叶长，肛尾叶具明显的内角，阳体无阳基后突。

分布:古北区，非洲区，新北区，东洋区。秦岭地区记录1种。

(72)东方角蝇 *Haematobia exigua* de Meijere, 1903

MZ)]]*Haematobia exigua* de Meijere, 1903: 17.

鉴别特征:体长3.00～4.50mm。眼裸，较大；额宽大于头宽的1/8；间额棕色，为一侧额的2/3宽；触角大部或基部两节及第3节基部黄色，第3节约为第2节长的2倍。胸背粉被灰黄色，具窄的暗纵条，下前侧片鬃1+1。翅淡棕黄色，M脉略呈弧形弯曲，下腋瓣黄白色，具淡黄色、白色或淡棕色缘，平衡棒黄色。足大部全黄色；后足分跗节呈扁平状，第1、2分跗节末端向后背方呈角状扩大，第2、3分跗节的中段的后列毛显然长于节宽。腹部略黄，呈三角形的狭长卵形，略扁；粉被灰黄色，具较窄的暗色正中纵条，不呈倒三角形，且纵贯第1至第5各背板，有时在第5背板的纵条不显。雌性体长2.50～4.00mm。额宽为头宽的1/4强至1/3，下眶鬃常为6，前倾上眶鬃3，触角第3节为第2节长的1.30倍。

分布:中国；俄罗斯，印度(北部)，尼泊尔，土耳其，欧洲。

25. 血喙蝇属 *Haematobosca* Bezzi, 1907

Haematobosca Bezzi, 1907: 414. **Type species**: *Haematobia atripalpis* Bezzi, 1895.

属征:眼后缘稍微凹入；雄额约为一眼宽的1/6～1/4，雌额略等于1眼宽；间额等于1侧额宽；触角芒羽状，上侧和下侧均具毛，下侧毛仅1～3根；下颚须侧扁，其末端与喙的末端几乎相齐；前胸基腹片具毛，雄性前胸前侧片中央凹陷有时具毛；前中侧片鬃1根，后基节片在后气门的前下方和下后侧片具毛，背侧片具小毛，下前侧片鬃1+1根。R_1脉裸，r_{4+5}室开口小，稍短于r-m横脉长；腹部第3、4背板具成对侧斑和正中条；雄肛尾叶左右愈合，但愈合段很短。

分布:古北区，东洋区。秦岭地区记录1种。

(73)刺血喙蝇 *Haematobosca* (*Bdellolarynx*) *sanguinolenta* (Austen, 1909)

Bdellolarynx sanguinolenta Austen, 1909: 290.

鉴别特征:体长5～6mm。眼裸，额为头宽的0.12倍，间额黑，约与一侧额等宽；

触角黑，第3节长为第2节的3倍弱，芒黑。胸底色深灰，中胸背板斑纹明显，由黑色的1对细的亚中条和1对侧条组成。R_1 脉裸，r_{4+5}脉上面在近基部有很少几个小刚毛，下面有2个较大些的小刚毛；r_{4+5}室宽约为开口处宽的2倍；腋瓣带点淡灰黄色，平衡棒黄色。股节黑而末端带棕色，中股尤其如此；胫节基部1/3棕色；前股后背鬃列基半较短，后腹鬃列疏而长；中股有2个刺状近端位后鬃。腹部与胸部同色，第3至第5背板可见狭的亮黑前缘带，第3、4背板各有1条暗色狭正中条及1对亚三角形暗斑，第4背板上的条和斑较短小。雌性额宽为头宽的0.39倍，间额两侧中部呈弧形增宽，中段宽为一侧额的2.70倍左右，前后端则略狭于2倍；各胫节全带棕色。

采集记录:1♀，宁陕旬阳坝，1350m，1998.Ⅶ.29，采集人不详。

分布:陕西(宁陕)、吉林、辽宁、内蒙古、河北、山西、山东、宁夏、甘肃、河南、江苏、上海、浙江、湖北、湖南、福建、台湾、广东、海南、广西、四川、贵州、云南；朝鲜，日本，越南，老挝，泰国，柬埔寨，缅甸，印度，尼泊尔，斯里兰卡，菲律宾，马来西亚，印度尼西亚，马里亚纳群岛。

26. 螫蝇属 *Stomoxys* Geoffroy, 1762

Stomoxys Geoffroy, 1762: 499. **Type species**: *Conops calcitrans* Linnaeus, 1758.

属征:体型中等大小。眼相当高，无毛，后缘凹陷；颊很低；后头在下部稍微呈圆形，口前缘很高的向上升至眼下缘的水平，触角芒仅上侧具长纤毛；喙细而长，自口器窝很远的向前突出；下颚须圆柱形，其长几乎仅为中喙长的1/3。胸部盾片具暗色纵条或斑；前胸基腹片很前的向前扩展，两侧具刚毛；前胸侧板中央凹陷具纤毛，前鬃侧片鬃1根，下侧片在后气门的前方有纤毛群并在前上角的后气门前肋上具多数纤毛；后气门很小，圆三角形。中鬃0+1根，前背中鬃1根，后背中鬃小，翅内鬃0+1根，翅前鬃缺如，翅上鬃1根，背侧片鬃2根，腹侧片鬃0+1根，小盾:端鬃1根，基鬃1根，前基鬃1(4)根，心鬃1~2对。小盾侧缘基部下面无纤毛。翅M脉末段呈轻微的弧形弯曲，R_{4+5}脉在翅的两面在基段的1/3~1/2或在这基段的整个长度内都具小刚毛。在雄性中，足有时具鬃或毛形成的装备；足鬃不很发达。腹部具点斑或带斑。雄性阳体无阳基后突，基阳体短，阳体端部具横的骨化的叶，在末端具小齿；前、后阳基侧突都很发达，前阳基侧突宽钝，后阳基侧突尖而呈镰形；第5腹板在后缘有1对后侧突；肛尾叶横阔，在端方游离缘有3个圆形的突起，其正中1个为左右两端内突愈合而成；雄性第6背板及第7、8合腹节短，不对称，如家蝇属；第6、7两腹节的气门都存在。

分布:世界性分布，多数在非洲区和东洋区。秦岭地区记录1种。

(74)厩螫蝇 *Stomoxys calcitrans* (Linnaeus, 1758)

Conops calcitrans Linnaeus, 1758: 604.

鉴别特征:额宽为头宽的1/4,间额正中有淡棕色粉被纵条,呈倒三角形,触角棕红色,第3节具粉被,长度约为第2节的3倍;下颚须黄色。胸背具灰黄带橄榄色粉被,盾片具2对暗色纵条,后背中鬃仅2个较大,背侧片具小毛,前气门棕黄,后气门棕黑。翅肩鳞黑,前缘基鳞棕黄以致黄色,R_{4+5}脉下面的小毛仅见于基部,不超过r-m横脉,腋瓣淡黄色,平衡棒黄。前股后背、后腹鬃列长大;中股前腹、后腹鬃列,仅基半部长大;后股仅前背鬃列长;后胫有1列短的前背鬃。腹具灰黄色粉被及带纹。第3、4两背板正中上缘和两侧下缘各具1个不相连的暗斑。雌性体长6.00~7.50mm。额宽为头宽的1/2弱,间额宽为一侧额宽的4倍以上,间额上方有1~2对小鬃,下眶鬃8~12对,侧额上部另有下倾鬃状毛不整齐的2行(6~7个),其中2个较大;侧颜裸,与触角第3节几乎等宽,前缘基鳞黄,腋瓣白,平衡棒黄;腹部斑纹较雄性明显。

采集记录:1♀,留坝闸口石,1800~1900m,1998.Ⅶ.20,采集人不详;1♀,佛坪,870~1000m,1998.Ⅶ.25,采集不详;1♀,宁陕火地塘,1580m,1998.Ⅷ.15,采集人不详。

分布:世界性分布(除两极和高寒地区外)。

参考文献

Austen, E. E. 1909. New genera and species of blood-sucking Muscidae from the Ethiopian and Oriental Regions, in the British Museum (Natural History). *Annals and Magazine of Natural History*, (8)3: 285-299.

Bezzi, M. 1907. Die Gattungen der blutsaugenden Musciden. *Zeitschrift für Systematische Hymenopterologie und Dipterologie* 7: 413-416.

Bouché, P. F. 1834. *Naturgeschichte der Insekten, besonders in Hinsicht ihrer ersten Zustände als Larven und Puppen.* Erste Lieferung. Nicolai, Berlin. 1-216.

Emden, F. I. Van. 1965. *The Fauna of India and the Adjacent Countries, Diptera VII, Muscidae.* Baptist Mission Press, India. 1-647.

Fallén, C. F. 1825. *Monographia Muscidum Sveciae. Part 8*, Lundae: 7-80.

Fan, Z-D. 1992. *Key to the common flies of China, second edition.* Science Press, Beijing. 1-992. [范滋德. 1992. 中国常见蝇类检索表, 第2版. 北京:科学出版社, 1-992.]

Fan, Z-D. *et al.* 2008. *Fauna Sinica Insecta vol. 49. Diptera Muscidae (I).* Science Press, Beijing. 1-1186. [范滋德, 等. 2008. 中国动物志 昆虫纲 第四十九卷 双翅目 蝇科(一). 北京:科学出版社, 1-1186.]

Geoffroy, E. L. 1762. *Histoire abrégée des insects qui se trouvent aux environs de Paris; dans laquelle ces animaux sont ranges suivant un ordre méthodique*, 2: 1-690.

Harris, M. 1776-1780. *An Exposition of English insects, with curious observations and remarks, wherein each insect is particularly described; its parts and properties considered; the different sexs distinguished, and the natural history faithfully related. The whole illustrated with copper plates, drawn, engraved, and coloured, by the author.* London: 9-166.

Kowarz, F. 1873. Beitrag zur Dipteren-Fauna Ungarns. *Verhandlungen der Zoologisch-Botanischen Gesellschaft in Wien*, 23: 453-464.

Latreille, P. A. 1796. Précis des caractéres génériques des insectes, disposes dans un ordre naturel, 1-201.

Lin, J-Y. and Xue, W-Q. 1986. A new species of the genus *Limnophora* from Guangdong, China (Diptera: Muscidae). *Acta Zootaxonomica Sinica*, 11(4): 419-421. [林家耀, 薛万琦. 1986. 广东省池蝇属一新种(双翅目:蝇科). 动物分类学报, 11(4): 419-421.]

Linnaeus, C. 1758. *Systema Naturae per regna tria naturae, secundum classes, ordines. genera, species, cum caracteribus, differentiis, synonymis, locis. Ed. 10.* Holmiae: 1: 1-824.

Loew, H. 1858. Zehn neue Diptern. *Wiener Entomologische Mschr*, 2: 7-15.

Ma, Z-Y. 1981. Descriptions of five new species of Muscidae from Liaoning, China (Dipera: Muscidae). *Acta Zootaxonomica Sinica*, 6(3): 300-307. [马忠余. 1981. 辽宁蝇科五新种记述(双翅目:蝇科). 动物分类学报, 6(3): 300-307.]

Ma, Z-Y., Xue, W-Q. and Feng, Y. 2002. *Fauna Sinica Insecta. Volume* 26. *Diptera: Muscidae II, Phaoniinae* Ⅰ. Science Press, Beijing. 1-421. [马忠余, 薛万琦, 冯炎. 2002. 中国动物志 昆虫纲 第二十六卷 双翅目 蝇科(二) 棘蝇亚科(一). 北京:科学出版社, 1-421.]

Macquart, J. 1839. 13. *Diptères.* In: Webb, P. B. and Berthelot, S. (eds.). Histoire Naturelle des les Canaries, 2(2): 97-119.

Malloch, J. R. 1921*a*. Exotic Muscaridae (Diptera). - I. *Annals and Magazine of Natural History*, (9) 7: 161-173.

Malloch, J. R. 1921b. Exotic Muscaridae (Diptera). - Ⅱ. *Annals and Magazine of Natural History*, (9)7: 420-431.

Meigen, J. W. 1824. *Systematische Beschreibung der bekannten europäischen zweiflügeligen Insekten*, 4: 1-428.

Meigen, J. W. 1826. *Systematische Beschreibung der bekannten europäischen zweiflügeligen Insekten*, 5: 1-412.

Patton, W. S. and Cragg, F. W. 1913. On certain haematophagous species of the genus *Musca*, with descriptions of two new species. *Indian Journal of Medical Research*, 1: 11-25.

Pont, A. C. 1986. Family Muscidae. In: Soós, Á. and Papp, L. (eds.). *Catalogue of Palaearctic Diptera. Volume 11. Scathophagidae-Hypodermatidae.* Akadémiai Kiadó, Budapest, 57-215.

Portschinsky, J. A. 1910. Researchers biologiques sur le *Stomoxys calcitrans* L. et biologie compare des mouches coprophagues. *Trudy Byuro Entomology*, 8(8): 1-63.

Ringdahl, O. 1924. Översikt av de hittills I vårt land funna arterna tillhörande släktena Mydaea R-D. och Helina R-D. (Muscidae). *Entomologisk Tidskrift*, 45: 39-48.

Robineau-Desvoidy, J-B. 1830. Essai sur les myodaires. *Mémoires Présentés par divers Savants al Académie Royale des Sciences de Instituut de France*, 2(2): 1-813.

Rondani, C. 1856. *Dipterologiae Italicae prodromus. Vol. 1.* Genera Italica ordinis Dipterorum ordinatim disposita et distincta et in familias et stirpes aggregata. A. Stoschi, Parmae. 1-226.

Rondani, C. 1866. Anthomyinae Italicae, collectae distinctae et in ordinem dispositae. *Atti della Societá Veneto-Trentina di Scienza Naturali e del Museo Civico di Storia Naturale di Milan*, 9: 193-231.

Schnabl, J. 1902. *Limnospila*, nov. gen. Anthomyidarum. *Wiener Entomologische Zeitung*, 21: 111-114.

Schnabl, J. 1911. Dipterologische Sammelreise nach Korsika. (Diptera). Ausgeführt im Mai und Juni 1907 von Th. Becker, A. Kuntze, J. Schnabl und E. villeneuve. Anthomyidae. *Deutsche Entomologische Zeitschrift*, 1911: 62-100.

Scopoli, I. A. 1763. *Entomologia carniolica exhibens insceta carnioliae indigena et distribute in ordines, genera, species, varietates, method Linnaeana.* Vindobonae: 1-420.

Stein, P. 1910. Indo-australische Anthomyiden des Budapester Museums. Gesammelt von L. Biró. *Annalen Historico-Naturales Musei Nationalis Hungarici*, 8: 70-545.

Stein, P. 1915. H. Sauters Formosa-Ausbeute. Anthomyidae(Dipt.) *Supplementa Entomologica*, 4: 13-56.

Stein, P. 1916. Die Anthomyiden Europas. Tabellen zur Bestimmung der Gattungen und aller mir bekannten Arten, nebst mehr oder weniger ausführlichen Beschreibungen. *Wiegmanns Archiv für Naturgeschichte*, 81A(10): 1-224.

Stein, P. 1918. Zur weitern Kenntnis aussereuropaeischer Anthomyiden. *Annalen Historico-Naturales Musei Nationalis Hungarici*, 16: 147-244.

Thomson, C. G. 1869. 6. Diptera. Species nova descripsit. In: *K. svenska Vetensk Akad. K. svenska fregatten Eugenies resa omkring jorden*, 2(1): 443-614.

Villeneuve, J. 1922. Descriptions d'espèces nouvelles du genre *Musca*. *Annls Science of natural Zoologicae*, 5: 335-336.

Villeneuve, J. 1936. Myodaires supérieurs peu connus ou inédits de la Palestine et de l'Anatolie. *Konowia*, 15: 155-158.

Walker, F. 1859. Catalogue of the Dipterous insects collected at Makessar in Celebes by Mr. Wallace, A-R. with descriptions of new species. *Journal and Proceedings of the Linnean Society of London. Zoology*, 4: 97-144.

Wiedmann, C. R. W. 1819. Beschreibung neuer Zweiflügler aus Ostindien und Afrika. *Zoologisches Magazin*, 1(3): 1-39.

Wiedmann, C. R. W. 1824. *Munus rectoris in Academia Christiana Albertina aditurus analecta entomologica ex Museo Regio Havniensi maxime congesta profert iconibusque illustrat.* Kiliae: 1-60.

Wiedmann, C. R. W. 1830. *Aussereuropäische zweiflügelige Insekten*, 2: 1-684.

Wu, Y-Q., Fang, J-M. and Fan, Z-D. 1988. Six new species of Phaoniinae(Diptera: Muscidae), Shaanxi Province, China. *Negative*, 9(5): 349-350. [吴元钦, 方建明, 范滋德. 1988. 陕西省棘蝇亚科六新种(双翅目:蝇科). 第四军医大学学报, 9(5): 349-350.]

Xue, W-Q. 1984. Descriptions of some new Limnophora from China (Diptera: Muscidae). *Acta Zootaxonomica Sinica*, 9(4): 378-386. [薛万琦. 1984. 池蝇属三新种一新亚种及二中国新纪录种(双翅目:蝇科). 动物分类学报, 9(4): 378-386.]

Xue, W-Q. 2001. Four new species of the Genus *Helina* R-D. (Diptera: Muscidae). *Entomotaxonomia*, 23(2): 131-136. [薛万琦. 2001. 中国阳蝇属四新种(双翅目:蝇科). 昆虫分类学报, 23

(2): 131-136.]

Xue, W-Q. and Zhang, X-Z. 2005. Diptera: Anthomyiidae, Fannidae, Muscidae and Calliphoridae. 787-833. In: Yang, X-K. (ed.) *Insect Fauna of Middle-West Qinling Rang and South Mountains of Gansu Province*. Science Press, Beijing. 1-1055. [薛万琦, 张学忠. 2005. 双翅目:花蝇科, 厕蝇科, 蝇科, 丽蝇科. 787-833. 见:杨星科. 秦岭西段及甘南地区昆虫. 北京:科学出版社, 1-1055.]

Xue, W-Q. , Wang, M-F. and Ni, Y-S. 1989. Descriptions of three new species of Muscidae in China (Diptera: Muscidae). *Memorias do Instituto Oswaldo Cruz, Rio die Janeiro*, 84(4): 547-550.

Xue, W-Q. and Cao, R-F. 1988. A new species of the genus Phaonia from Shanxi, China (Diptera: Muscidae). *Acta Entomologica Sinica*, 31(1): 94-95. [薛万琦, 曹如峰. 1988. 陕西省棘蝇属一新种(双翅目:蝇科). 昆虫学报, 31(1): 94-95.]

Xue, W-Q. and Cao, R-F. 1989. Studies on Calypteratae Flies from Shaanxi, China (I). Descriptions of eight new species and a new record from the Taibai Mountain. *Entomotaxonomia*, 9(1-2): 163-174. [薛万琦, 曹如峰. 1989. 陕西省有瓣蝇类的研究(一), 太白山棘蝇亚科八新种及一新纪录(双翅目:蝇科). 昆虫分类学报, 9(1-2): 163-174.]

Zetterstedt, J. W. 1845. *Diptera Scandinaciae disposita et descripta*. Tomus quartus. *Officina Lundbergiana, Lundae*. 1281-1738.

Zhang, C-T. , Xue, W-Q. and Mu, G-S. 1990. Studies on the genus of *Limnophora* R-D. of China (Diptera: Muscidae). *Proceedings of the Second International Congress of Dipterology held in Bratislava*, 1-17.

Zimin, L. S. 1951. Family Muscidae, true flies (tribes Muscini, Stomoxydini). *Fauna SSSR. (N. S.)*, 45: 1-286.

四十三、丽蝇科 Calliphoridae

于腾 薛万琦

(沈阳师范大学昆虫研究所, 沈阳 110034)

鉴别特征:中大型种, 体多呈青、绿或黄褐等色, 并常具金属光泽。雄性眼一般互相靠近, 雌性眼远离; 口器发达, 舐吸式; 触角芒一般长羽状, 少数长栉状。胸部通常无暗色纵条, 或有也不甚明显; 胸部侧面观, 外方的 1 个肩后鬃的位置比沟前鬃低, 二者的连线略与背侧片的背缘平行; 前胸基腹片及前胸前侧片中央凹陷具毛(少数例外), 下侧片在后气门的前下方有呈曲尺形或弧形排列的成行的鬃, 上后侧片具鬃或毛。翅 *M* 脉总是向前做急剧的角形弯曲。

生物学:成虫多喜室外访花, 传播花粉, 许多种类为住宅区传病和蛆症病原蝇类。其幼虫食性广泛, 大多为尸食性或粪食性, 亦有捕食性或寄生性的, 可在医药和养殖业中利用。有些尸食性幼虫的种类, 还可提供疑难案件的侦破数据, 充实法医昆虫学。有些种类繁殖势能大、周期短, 是重要的实验昆虫。

分类:世界已知 1000 余种, 中国记录 150 多种, 陕西秦岭地区已知 10 属 26 种, 其研究标本保存在沈阳师范大学昆虫研究所。

分属检索表

1. 翅的干径脉背面裸 …… 2
   翅的干径脉背面后方有小刚毛列 …… 9
2. 前胸侧板中央凹陷有毛 …… 3
   前胸侧板中央凹陷裸 …… **粉蝇属 *Pollenia***
3. 腋瓣上肋前后瓣旁簇存在；下腋瓣背面裸 …… **绿蝇属 *Lucilia***
   腋瓣上肋至少无后瓣旁簇 …… 4
4. 下腋瓣背面具毛 …… 5
   下腋瓣上面裸；前翅内鬃存在；复眼具毛 …… **裸变丽蝇属 *Gymnadichosia***
5. 下腋瓣上面的纤毛分布很广 …… 6
   下腋瓣上面的纤毛分布较疏或较少 …… 8
6. 前翅内鬃 1 个 …… **丽蝇属 *Calliphora***
   前翅内鬃缺如 …… 7
7. 肩后鬃 2 个 …… **叉丽蝇属 *Triceratopyga***
   肩后鬃 3 个 …… **阿丽蝇属 *Aldrichina***
8. 前翅内鬃存在 …… **陪丽蝇属 *Bellardia***
   前翅内鬃缺如 …… **拟粉蝇属 *Polleniopsis***
9. 翅下大结节及下腋瓣上面均有毛 …… **金蝇属 *Chrysomya***
   翅下大结节无毛，下腋瓣上面通常裸 …… **原丽蝇属 *Protocalliphora***

1. 阿丽蝇属 *Aldrichina* Rohdendorf, 1931

Aldrichina Rohdendorf, 1931: 177. **Type species**: *Calliphora grahami* Aldrich, 1930.

属征: 中型种。体呈藏青或暗蓝色。雄性额宽，颊毛黑色；中鬃及背中鬃均为 3+3 个，下前侧片鬃 2+1 个。雄露尾节特别巨大；雌性第 6 背板骨化部分呈蝶形。

分布: 东洋区，古北区。秦岭地区记录 1 种。

(1) 巨尾阿丽蝇 *Aldrichina grahami* (Aldrich, 1980)

Calliphora grahami Aldrich, 1930: 1.
Aldrichiella grahami: Rohdendorf, 1931: 177.

鉴别特征: 体长 8～11mm。复眼裸；间额大于或等于一侧额宽的 2 倍；触角芒羽状，头部除后头中下部散生淡黄色毛外，所有的鬃和毛都是黑色的。中胸盾片前中央有 3 条特征性的黑色纵条；中胸气门深橙黄色或暗棕色；翅内鬃 0+1 个，肩后鬃 3 个。翅透明；下腋瓣淡黄褐色，有淡黄白色边，上面大部疏生棕色长纤毛。足黑色或棕黑色。腹板一般呈暗绿青色，有灰白色粉被；雄性生殖腹节外露，平时向前反折在腹下，形成黑色球形巨大的膨腹端，第2至4各腹板短而阔，像百叶窗那样叠着。雌性间额约为一侧额的2.50倍。第5腹板大，宽度常超过第6背板上第6气门之间的距离，状如倒置的梨形，后侧缘附近的刚毛粗短而强大，后缘无长刚毛；第6背板骨化部分呈"W"形或蝶形，后缘及侧缘常不骨化，因此两对气门常不和骨化部分相接；第6背板前方的节间膜上常有分布不规则的骨化点，第7背板的左右两骨化部分远离，并列成倒"人"字形；第8背板骨化极弱，第6腹板锚形；第7腹板在后侧部不骨化，骨化部呈楔形；受精囊稍长。

采集记录：1♂，留坝闸口石，1800～1900m，1998.Ⅶ.20，采集人不详；2♀，留坝大洪渠，2500m，1998.Ⅶ.20，采集人不详；1♀，留坝庙台子，1350m，1998.Ⅶ，采集人不详；3♀，佛坪凉风垭，1900～2100m，1998.Ⅶ.24，采集人不详；1♂，宁陕火地塘，1580m，1998.Ⅶ.27，采集人不详；1♀，宁陕和平梁，2020m，1998.Ⅶ.29，采集人不详；2♀，宁陕火地沟，1580～2000m，1998.Ⅷ.18，采集人不详；2♂，镇安云盖寺镇黑窑沟林场，1217m，2014.Ⅵ.20，于腾采。

分布：中国广布；俄罗斯，朝鲜，日本，印度，巴基斯坦，美国。

2. 陪丽蝇属 *Bellardia* Robineau-Desvoidy, 1863

Bellardia Robineau-Desvoidy, 1863: 548. **Type species**: *Bellardia vernails* Robineau-Desvoidy, 1863.

属征：体金属青黑色，有灰白粉被和腹部闪光斑或显或不很明显；体长4～11mm。眼裸或仅具疏微毛；雄性眼多合生，雌性眼离生，雄前额宽为侧面观眼长的1/4～1/2，颊高为眼高的1/4～1/2，间额红棕至黑色，有纵皱，侧额及侧颜有黑色小毛群及白色粉被。下眶部及颊隆面为红棕至黑色，有白色至淡黄粉被，颊有密的暗色毛。触角第3节为第2节长的1.50～3.00倍，芒基2/3有羽状毛，下颚须黄至暗棕，下眶鬃约9～12，雌性下眶鬃约10个，上眶鬃后倾1个，前倾2个。胸金属青黑色，粉被灰白，仅见部分不明显纵条；气门灰棕至黑棕色，腋瓣上肋前簇存在，中鬃(1～3)+(2～3)根，背中鬃(2～3)+3根，翅内鬃(0～1)+2根，肩鬃2～5根，肩后鬃2～3根，小盾缘鬃2～5根，心鬃1～2根，腹侧片鬃(1～3)+1根。翅透明，翅基及前缘大多淡棕，脉棕至暗棕，前缘基鳞棕至黑色，M脉末段总是呈钝角形弯曲，下腋瓣上面具毛(个别缺如)，平衡棒黄棕。足黑。腹部金属青黑至橄榄绿色，粉被因种而异，从高度发亮至棋盘状斑明显的都有，大多有正中条，背板有缘鬃，末2节有心鬃。雄虫尾器侧尾叶和肛尾叶形式多样，侧面观大多位于同一平面上，阳茎以侧阳体强大为特征，向前指的端钩突出于阳茎的中段，中条则常被一薄膜相联系，侧阳体基部前突1对，指状而长，其末端可能相互呈杆状愈合，不成对的下阳体中部联系颇宽松，联系部由无色的几丁质膜或则外观明显的有色素的几丁质，下阳体扩展成的侧翼上有微棘，部分也覆盖着侧阳体的基部呈指状延长的前突，端阳体相当短。雌虫产卵器短，部分骨片不发达，适于产幼虫。

分布:全北区，东洋区，澳洲区。秦岭地区记录3种。

分种检索表

1. 腹部第5腹板侧叶后内角略呈方形增厚或突出 ……………… **拟新月陪丽蝇 *B. menechmoides***
   腹部第5腹板侧叶后内角正常 …………………………………………………………… 2
2. 腋瓣黄色，下阳体中条直 ……………………………………… **新月陪丽蝇 *B. menechma***
   腋瓣白色，下阳体中条弯曲 …………………………………… **西安陪丽蝇 *B. xianensis***

(2)新月陪丽蝇 *Bellardia menechma* (Séguy, 1934)

Polleniopsis menechma Séguy, 1934: 10.

Bellaradia menechma: Fan *et al.*, 1992: 439.

鉴别特征:体长6~8mm。额略狭于单眼三角宽，额间棕，最狭处呈1条线，侧额及侧颜具银灰色粉被，触角棕红色，第3节约为第2节的2.50倍长，芒基部1/3增粗，暗棕色，长羽状；颊高约为眼高的1/3，下颚须橙色，前颏长约为高的3倍。中鬃2+3根，背中鬃3+3根，翅内鬃1+2根，肩后鬃2+1根，前胸基腹片、前胸侧板中央凹陷均具毛，腹侧片鬃2+1根。前缘基鳞黄色，翅脉黄色，腋瓣黄色，下腋瓣裸，平衡棒黄。腹部铁灰色具银白粉被，正中有1条暗色纵条，第3、4背板具暗色后缘带。雌性额宽约为头宽的1/3，间额约为侧额的2倍宽，下眶鬃5个，前倾上眶鬃2个。腹第1、2合背板黑，第3背板后缘带约占该节长的4/5。

采集记录:1♂，留坝庙台子，1350m，1998. Ⅶ. 19，采集人不详。

分布:陕西(留坝)、辽宁、河北、山东、河南、甘肃、江苏、上海、浙江、湖南、四川、贵州、云南；朝鲜，日本。

(3)拟新月陪丽蝇 *Bellardia menechmoides* Chen, 1979

Polleniopsis menechma Séguy: Kurahashi, 1964: 484(nec Séguy, 1934).

Bellardia menechmoides Chen, 1979: 389(new name for *Polleniopsis menechma* Séguy: Kurahashi, 1964).

鉴别特征:体长4.50~7.00mm。额略狭于后单眼外缘间距，间额棕至黑，下侧颜带棕色；颊高约为眼高的1/5；触角第2节棕色；第3节褐色，长为第2节的2倍强，芒长羽状；下颚须黄。前盾有黑色亚中纵条，前中鬃2根，背中鬃2+3根，翅内鬃1+2根，肩后鬃1+1根，肩鬃3根，腹侧片鬃(1~2)+1根。翅带淡棕色；前缘基鳞红棕，M脉末端角后段长约为角前段的1.30倍；腋瓣带棕色，平衡棒棕色，头较暗。足黑。腹灰褐有金属光泽，粉被灰色略呈棋盘状斑。各腹板均被黑毛。

分布:陕西(秦岭)、辽宁、河北、山东、甘肃、江苏、上海、浙江、湖北、四川、贵州、云南;朝鲜,日本。

(4)西安陪丽蝇 *Bellardia xianensis* Wu, Chen *et* Fan, 1991

Bellardia xianensis Wu, Chen *et* Fan, 1991: 307.

鉴别特征:体长6.30mm。眼裸,额宽约为眼宽的1/5;间额暗棕色,触角仅第2节与第3节交接处为红棕色,第3节约为第2节的2倍长;芒长羽状,最长的毛稍长于触角第3节宽度;髭角与下颚须为橙色。前胸基腹片和前胸侧板中央凹陷具小毛,中鬃2+3,背中鬃3+3,翅内鬃1+2,肩后鬃2+1,背侧片有小毛,小盾缘鬃4根,心鬃1对;前气门棕黄色,腹侧片鬃2+1根。翅淡棕色、透明,翅肩鳞棕色,前缘基鳞黄色,翅脉棕色;前缘刺明显;dm-cu横脉略呈"S"形弯曲 r_{4+5}室开口约为r-m横脉长的1/2;腋瓣白色,下腋瓣裸,平衡棒黄色。足前胫前背鬃3根,后腹鬃1根;中胫前背鬃2根,后背鬃1根,后鬃2根,腹鬃1根;后胫前腹鬃1根、前背鬃2~3根,后背鬃2根。腹部卵圆形、黑色具淡色粉被,背方具1条较细的暗色正中条;侧尾叶明显长于肛尾叶、后面观向内弯曲;肛尾叶后缘较直,端部略向前尖削,侧阳体前突较短,约为垂直段长的1/2。

采集记录:1♂(正模),西安,1978.Ⅶ.10,采集人不详.

分布:陕西(西安)。

3. 丽蝇属 *Calliphora* Robineau-Desvoidy, 1830

Calliphora Robineau-Desvoidy, 1830: 433. **Type species**: *Musca vomitoria* Linnaeus, 1758.

属征:体一般大型。眼裸;中颜脊不发达;触角芒长羽状。胸部黑色,腹部青蓝,少数体带紫棕色,略具粉被,毛黑色;前胸前侧片中央凹陷及前胸基腹片具毛。中鬃2+3个,背中鬃3+3根,肩后鬃3根,翅内鬃1+(2~3)根,下前侧片鬃2+1根;一般上肋前瓣旁簇存在,后瓣旁簇缺如;翅M脉端段呈角形,R_{4+5}脉基部结节有小鬃,下腋瓣上面具长而直立的纤毛。足棕色至黑色,粗壮。腹部短卵形,通常仅第4背板缘鬃和第5背板上的鬃较强大;雄性肛尾叶与侧尾叶都很发达,几乎等长;侧阳体骨化强,端部细长。

分布:古北区,新北区,东洋区,非洲区,澳洲区。秦岭地区记录3种。

分种检索表

1. 颊前方大部分呈红色,前缘基鳞大部带黄褐色 …………………… **红头丽蝇 *C.* (s. str.) *vicina***
   颊棕黑色至黑色,前缘基鳞黑色 …………………………………………………………………… 2

2. r-m 横脉上无暗晕 …………………………………………… 宽丽蝇 *C.*（s. str.）*nigribarbis*
r-m 横脉上具暗晕 …………………………………………… 反吐丽蝇 *C.*（s. str.）*vomitoria*

(5) 宽丽蝇 *Calliphora*（s. str.）*nigribarbis* Vollenhoven, 1863

Calliphora nigribarbis Vollenhoven, 1863: 17.

鉴别特征:体长9~13mm。眼有疏短微毛，额宽为前单眼的1.20~1.70倍；头前面粉被银白，侧颜下部、下侧颜及额前方转为带金色或棕色，下侧颜底色红棕，触角第2节仅最末端带红色；第3节暗褐，基部1/8~1/6带橙或红色，长大于宽的3倍，又为第2节长的3.70~3.80倍；芒羽状，芒基0.30~0.40增粗，最长芒毛为触角第3节的1.60倍；下颚须黄。翅内鬃1+2根；肩鬃4根；中胸气门呈较鲜明的橙色，后胸气门深褐。r-m横脉无暗晕，亚前缘骨片橙色；腋瓣棕色，上腋瓣及两瓣交接处外侧缘缨黑褐，下腋瓣上面有黑立毛，边缘及缘缨白色或部分污白；平衡棒头黄色，杆黄褐。足中股基半有前腹及后腹鬃列；后股前腹鬃列完整。第1、2合背板亮黑，其余各背板暗青色有时带紫色光泽，有可变色的灰白粉被，向后缘去渐薄。雌性额宽约为头宽的0.41倍，间额后半黑褐至黑色，前端棕红色，内、外顶鬃均发达，上眶鬃后倾1个、前倾2个，下眶鬃10~11个，上伸至前单眼前缘1条线，这鬃列外侧有小毛约3列，向下去连到侧颜上部约4~5列，头前面粉被为微带黄色的银色，侧颜上部有可变色黑斑，侧颜宽为触角第3节宽的1.50倍，颊高约为眼高的0.40倍；触角第3节长约小于宽的3倍，又大于第2节的4倍。第3背板无中缘鬃，第5腹板带长圆形，第6腹板侧缘亦直，两侧缘大部分平行而不呈弧形；第6背板宽约为长的2倍，后侧角约为120°；受精囊短，柠檬形。

分布:陕西(秦岭)、黑龙江、吉林、辽宁、内蒙古、河北、台湾、广东、四川、云南；俄罗斯，朝鲜，日本。

(6) 红头丽蝇 *Calliphora*（s. str.）*vicina* Robineau-Desvoidy, 1830

Musca carnivora Fabricius, 1794: 313.
Calliphora vicina Robineau-Desvoidy, 1830: 435.

鉴别特征:体长10.20mm，眼裸，颊呈橙色或红棕色，覆有金色粉被，颊毛黑色。触角第2节为第3节的4.50~5.00倍，芒长羽状。胸粉被强，前盾在前中鬃列与前背中鬃列间有很狭的黑纵条；中胸气门带黄橙色调；翅内鬃1+3个，翅前鬃1个，翅上鬃3个，肩鬃4个，肩后鬃3个，小盾缘鬃4对。翅在r-m横脉处无暗晕，前缘基鳞黄至褐色；上腋瓣淡褐，下腋瓣褐色，上面有多数黑色立纤毛，平衡棒棕色。腹部第2至第4各腹板在中基部轮廓近于方形，第9腹板后臂向内弯曲，侧尾叶略呈板状，侧面观端部圆钝宽肥；肛尾叶瘦长，末端钝，端部1/2相互分离；下阳体端部突出，前阳基侧突前缘比反吐丽蝇稍凹入，通常有刚毛4~5个。雌性体长10.70mm。

第5腹板卵形，大型刚毛略稀；第6背板较反吐丽蝇为狭，后侧角约120°；第7背板正中后方骨化，侧缘的前段略向内收敛；第8腹板细长，骨化部分呈倒棍棒状，后端弧形；受精囊一般呈卵形略带柠檬形，末端稍尖。

分布:陕西(秦岭)、黑龙江、吉林、辽宁、内蒙古、河北、山西、山东、河南、宁夏、甘肃、青海、新疆、江苏、湖北、江西、湖南、四川、云南、西藏；蒙古，俄罗斯，朝鲜，日本，印度，尼泊尔，巴基斯坦，沙特阿拉伯，澳大利亚，新西兰，欧洲，非洲北部，北美洲。

(7)反吐丽蝇 *Calliphora* (s. str.) *vomitoria* (Linnaeus, 1758)

Musca vomitoria Linnaeus, 1758: 595.

Calliphora vomitoria: Robineau-Desvoidy, 1830: 435.

鉴别特征:体长9~13mm。侧额约为额宽的1/2；间额在最狭处仅留1条缝；触角第3长约为第2节的3.60~4.00倍；触角芒的裸端约占芒长的2/7；颊深灰黑色，有粉被，生黑色毛。前盾片有暗纵条，中央2条较宽；小盾片后端有时微带棕色；中胸气门灰棕色或黄褐色；翅内鬃1+2个。翅基和翅前缘有很淡的暗色。腹部呈绿青、深青或深蓝等色，第5腹节背板无缝合痕，第3、4两腹板的基本轮廓是圆形的；第9背板侧面观时前腹角略向下方突出，第9腹板后臂互相背离；侧尾叶细长，末端向前钩曲；肛尾叶细长而末端尖直，端部1/2相互分离；强阳基侧突在侧面观时前缘中部凹入部较浅而平，一般生5个刚毛。雌性体长12.20mm左右。第5腹板卵形；第6背板阔，后侧角140°左右；第7背板正中后方骨化部相连；第7腹板末端稍平，受精囊具偏位的乳头状顶端；第3、4两腹板呈略带长方形的长圆形。

采集记录:2♀，留坝大洪渠，2500m，1998.Ⅶ.20，采集人不详；1♂，留坝红崖沟，1500~1650m，1998.Ⅷ.13，采集人不详；1♂，佛坪凉风垭，1900~2100m，1998.Ⅶ.24，采集人不详。

分布:中国广布(除海南外)；蒙古，俄罗斯，朝鲜，日本，印度，尼泊尔，菲律宾，阿富汗，西班牙，欧洲全境，新北区。

4. 金蝇属 *Chrysomya* Robineau-Desvoidy, 1830

Chrysomya Robineau-Desvoidy, 1830: 444. **Type species**: *Chrysomya regalis* Robineau-Desvoidy, 1830 [= *Musca marginalis* Wiedemann, 1830].

属征:中到大型，体粗短肥大，常呈绿、蓝、紫等金属色；头部比胸部宽，雄性眼合生以至离生，额大多很狭；有时复眼上半部的小眼面显然增大；雄外顶鬃缺如；中颜板狭长，中等陷入；口上片稍突出，触角芒长羽状；前胸基腹片、前胸前侧片中央凹陷、下侧背片和翅后坡均具毛；小盾片侧缘下面具毛，中鬃0+(1~2)个，后背中鬃大多仅后方的几个发达，下前侧片鬃 1 +1 个。各背板常具明显的暗后缘带；有些种类雄性阳体特别长大；雌性受精囊梨形或茄形，无皱襞。

分布：东洋区，非洲区，澳洲区及古北区东部的南缘。秦岭地区记录 3 种。

分种检索表

1. 侧颜毛黑色，颊毛至少前半是黑色的，第 5 背板腹面毛黑色，中鬃 0 +2 个 …………………… 2
   侧颜及颊杏黄以至橙色，均生黄毛，第 5 背板腹面毛至少大部分黄色，中鬃 0 +1 个…………………………………………………………………………………… **大头金蝇 *C. megacephala***
2. 腋瓣白色或污白色，当翅收合时上腋瓣外方白色，上面具褐毛 ………… **广额金蝇 *C. phaonis***
   腋瓣暗棕色，当翅收合时上腋瓣外方褐色，上面有褐至黑色纤毛 ……… **肥躯金蝇 *C. pinguis***

(8) 大头金蝇 *Chrysomya megacephala* (Fabricius, 1794)

Musca megacephala Fabricius, 1794: 317.

Chrysomya megacephala: Patton, 1922: 556.

鉴别特征：体长 10mm。两复眼密接，复眼上半 2/3 有大的小眼面；触角橘黄，第 3 节长超过第 2 节长的 3 倍以上；芒毛黑；颜、侧颜及颊杏黄以至橙色，均生黄毛；下颚须橘黄，喙红棕至黑色。胸前盾片覆有薄而明显的灰白色粉被；中鬃 0 +1 个，其后中鬃旁常具 1 个赘鬃，背中鬃 2 +5 个，后 2 个稍长大些；前、后气门大形，呈暗棕色。翅透明，长毛棕色，腋瓣带棕色，具暗棕至棕黑色缘；缘缨除上、下腋瓣交接处呈白色外，大部呈灰色至黑色；平衡棒暗棕或棕色。足棕或棕黑色，前胫有不明显的 3 ~4 个前背鬃。腹部蓝绿色，铜色光泽明显，除第 5 背板外各背板后缘具紫黑色后缘带；第 1 腹板上大都具黄毛；肛尾叶及侧尾叶均宽短；阳体细长，下阳体呈半球形。雌性体长 9 ~10mm。在额部的眼前缘稍微向内凹入，在额中段的间额宽常为一侧额的 2 倍或超过 2 倍；下前侧片及第 2 腹板上以单色毛占多数；上眶鬃 3 根。受精囊略呈球形，尖端有 1 个小乳头状突起。

采集记录：2♂1♀，佛坪，950m，1998. Ⅶ. 23，采集人不详；1♂，宁陕火地塘鸦雀沟，1600 ~1700m，1998. Ⅶ. 28，采集人不详。

分布：全国各地均有分布(除新疆、青海、西藏外)；俄罗斯，朝鲜，日本，越南，马来西亚，印度尼西亚，斐济，阿富汗，伊朗，毛里求斯，西班牙。

(9) 广额金蝇 *Chrysomya phaonis* Séguy, 1928

Chrysomya phaonis Séguy, 1928: 154.

鉴别特征：体长约 10mm。额约为 1 个复眼宽的 2/3 ~4/5；间额红棕色，中段颇宽，上具多行黑毛，侧额色暗，上覆有薄的银黄色粉被，侧颜黄棕，侧颜上部具许多黑毛，下部裸，前面观其宽约触角第3节宽的2倍；颊毛前部黑，后部黄，触角棕黄，第2节及第3节基部黄棕，第3节端部及背面色暗，第3节近第2节长的3.50倍，芒棕色。胸部金属绿色，中鬃0+2根，背中鬃2+5根，后背中鬃仅后方3对长大；翅内鬃0+2根；前、后气门大，前气门暗带黄色，后气门棕。腋瓣白色或污白色，当翅收合时上腋瓣外方白色，上腋瓣上面有褐毛；平衡棒黄棕。足胫节棕黑，前足胫节有5个短小的前背鬃。腹部呈金属绿色带铜色光泽，缘鬃发达，第1腹板毛黄，第9背板大，肛尾叶长大，侧尾叶小。雌性体长10mm左右。额宽约为头宽的1/3，间额棕黑，其宽度为一侧额宽的2倍，前倾上眶鬃1个，且细弱，颊有薄的灰色粉被，受精囊长茄子形。

分布：陕西（秦岭）、内蒙古、北京、天津、河北、山西、河南、甘肃、青海、江西、四川、贵州、云南、西藏；印度（北部），阿富汗。

（10）肥躯金蝇 *Chrysomya pinguis*（Walker，1858）

Lucilia pinguis Walker，1858：213.

Chrysomya pinguis：Aubertin，1932：28.

鉴别特征：体长8mm。侧颜及颊大部黑，仅触角、口上片、下侧颜及颊前少部分到口上片呈棕黄或红棕色；侧颜毛黑色，颊毛至少前半是黑色的；触角第3节为第2节长的4倍以上；颊后部及下后头毛黄。胸部金属绿色有蓝色光泽，上覆有灰色粉被；中鬃0+2个，背中鬃2+（4～5）个，且后方3个发达些，翅内鬃0+2个；前、后气门暗棕色。上、下腋瓣暗棕色，当翅收合时上腋瓣外方褐色稍淡色，上面有褐色至黑色纤毛，平衡棒棕至棕黄色。足胫节红棕色。腹部呈短卵形，各背板具暗紫黑色缘带，第5背板腹面毛黑。雌性体长9mm。额宽略小于头宽的1/3，间额黑具众多黑毛，其宽为一侧额2倍宽，侧额、侧颜上部具黑色纤毛。

采集记录：1♂，留坝庙台子，1350m，1998.Ⅶ.21，采集人不详；3♂，宁陕火地塘鸦雀沟，1600～1700m，1998.Ⅶ.28，采集人不详；5♀，镇安云盖寺镇，850m，2014.Ⅵ.18，于腾采；1♂，镇安云盖寺镇黑窑沟林场，1217m，2014.Ⅵ.20，于腾采。

分布：陕西（留坝、宁陕、镇安）、辽宁、内蒙古、河北、山西、山东、河南、宁夏、甘肃、江苏、安徽、浙江、湖北、江西、湖南、福建、台湾、广东、海南、广西、四川、贵州、云南、西藏；朝鲜，日本，越南，印度，斯里兰卡，菲律宾，马来西亚，印度尼西亚。

5. 裸变丽蝇属 *Gymnadichosia* Villeneuve，1927

Gymnadichosia Villeneuve，1927：388. **Type species**：*Gymnadichosia pusilla* Villeneuve，1927.

属征：眼几乎裸，雄性两眼很接近，颊高为眼高的1/4，侧颜上部有细毛，触角大部橙色，仅第3节末端较暗，第3节长为第2节长的3倍，基部2/3有羽状毛，中鬃2+3个，背中鬃3+3个，翅内鬃1+2个，肩后鬃3个，腹侧片鬃2+1个，小盾端鬃、心鬃各1对，侧缘鬃3~5对，前胸侧板中央凹陷及前胸基腹片均有毛，腋瓣上肋前簇存在，翅后坡有毛，r_{4+5}室开口极狭，前缘基鳞黄，翅肩鳞红棕，下腋瓣上面裸，小盾末端、足大部、腹部分呈黄色，第2至4各腹板及第5腹板长形，基部常比侧叶长，无正中突。肛尾叶基部宽，明显向后突出，末端瘦；侧尾叶末端圆钝，基阳体瘦长弯曲，侧阳体基部前突中等宽，但不很长，仅为侧阳体端部长的1/3，侧阳体端部分裂，呈圆弧形弯曲，末端无钩突，下阳体相当骨化，前缘呈锯齿状，端阳体约于下阳体等长，前、后阳基侧突瘦长。雌性产卵器瘦长。

分布：东洋区及亚洲东部。秦岭地区记录1种。

(11)黄足裸变丽蝇 *Gymnadichosia pusilla* Villeneuve, 1927

Gymnadichosia pusilla Villeneuve, 1927: 388.

鉴别特征：额在最狭处仅为单眼三角的1/2宽，下侧颜棕色，侧颜与触角第3节等宽，触角第3节基部与第2节橘红色，余为棕黑色，第3节约为第2节长的2倍，触角芒黑色，长羽状，下颚须橘红色。胸黑，粉被灰白，小盾端部沿边缘黄色。前缘基鳞淡黄色，腋瓣淡黄色，平衡棒橘红色。足除各跗节黑色外，其余均为淡黄色。腹第1、2背板两侧棕黄色有黑色正中条，第3背板大部分棕黄色，具黑色宽正中条和狭后缘带，第4背板大部分黑色，沿前缘两侧有棕黄色缘带，第5背板全黑色。

采集记录：2♂，镇安云盖寺镇黑窑沟林场，1217m，2014. Ⅵ. 20，于腾采。

分布：陕西(镇安)、辽宁、江苏、湖北、湖南、福建、台湾、四川、云南、西藏；俄罗斯，日本，缅甸。

6. 绿蝇属 *Lucilia* Robineau-Desvoidy, 1830

Lucilia Robineau-Desvoidy, 1830: 452. **Type species:** *Musca Caesar* Linnaeus, 1758.

属征：体一般中型；多呈带青、铜、紫、黄等的金属绿色。复眼无毛；侧额和侧颜覆有银白色或淡金黄色粉被；触角芒为长羽状；颊高约为眼高的1/3。中鬃(2~3)+(2~3)根，背中鬃3+3根，翅内鬃1+(2~3)根，肩鬃3~4根，肩后鬃2~3根，翅上鬃3~4根；翅多为透明。足棕色至黑色；中胫前背鬃1~2根。

分布：世界广布。秦岭地区分布10种。

分种检索表

1. 腹部第3背板有1对中缘鬃……………………………………………… **蟾蜍绿蝇 *L.* (*B.*) *bufonivora***

腹部第 3 背板无中缘鬃 …………………………………………………………………… 2

2. 如在第 2 对后背中鬃之间引 1 条横线，那么前方的 1 对后中鬃的着生位置常位于这 1 条横线上或后方，前腹部各背板有明显的暗色后缘带，前胸侧板中央凹陷具极细微的纤毛 ……… 3

如在第 2 对后背中鬃之间引 1 条横线，那么前方的 1 对后中鬃的着生位置常位于这 1 条横线的前方，前腹部各背板通常无明显的暗色后缘带，少数种类有时仅在两侧的沿后缘稍暗 … 7

3. 2 个后中鬃和后方的 2 个后背中鬃的位置都显然偏在盾片的沟后部分的后方 2/5 范围内，而后背中鬃的第 2 个鬃至第 1 个鬃之间的距离约为第 2 个鬃至第 3 个鬃之间距离的 2 倍，翅内鬃 1 +2 个，下侧片在呈曲尺形排列的鬃列的前下方还有密的黑色细长毛群，体大型，体色深青色，腋瓣棕色，上腋瓣边缘全褐，或略呈淡色，后胫后背鬃 1(或 0)个，雄性眼合生，额仅如 1 条线，间额消失段约占额全长的 2/3，触角第 3 节约为第 2 节长的 3 倍长。体长 10.00 ~ 14.50mm …………………………………………………………………… **中华绿蝇 *L. sinonsis***

不如上述 …………………………………………………………………… 4

4. 触角长，第 3 节长约为第 2 节长的 4 倍以上 …………………………………… 5

触角较短，第 3 节长约为第 2 节的 3.50 倍 …………………………………… 6

5. 上腋瓣白色，边缘亦呈淡色，间额消失段约占额全长的 1/4，侧阳体端突不超过下阳体的前缘 …………………………………………………………………… **南岭绿蝇 *L.* (*L.*) *bazini***

上腋瓣棕色，边缘呈暗棕色，间额消失段约占额全长的 1/3，侧阳体端突超过下阳体的前缘 …………………………………………………………………… **海南绿蝇 *L. hainanensis***

6. 上腋瓣外侧缘缨毛白色，侧阳体端突长而向前方弯曲 …… **沈阳绿蝇 *L.* (*L.*) *shenyangensis***

上腋瓣外缘缨毛稍带灰色，侧阳体端突很短，几乎是直的 …… **巴浦绿蝇 *L.* (*L.*) *papuensis***

7. 触角特别长，几乎达于口上片处，亚前缘骨片棕黄色，间额在最狭处一般消失，侧尾叶前后缘几乎平行，末端宽而圆钝 …………………………………………………………………… 8

触角不特别长，亚前缘骨片较暗，间额在最狭处不消失或不完全消失，侧尾叶狭而渐细削，末端细或分叉 …………………………………………………………………… 9

8. 体色青紫色，上腋瓣外缘呈淡棕色 …………………………… **紫绿蝇 *L.* (*C.*) *porphyrina***

体色绿，上腋瓣外缘呈白色 ……………… **崂山壶绿蝇 *L.* (*C.*) *ampullaceal laoshanensis***

9. 第 9 背板很大，亮绿色，侧尾叶末端分叉 ……………… **叉叶绿蝇 *L.* (s. str.) *caesar***

第 9 背板较小，黑色，侧尾叶末端细，向前方弯曲 ……………… **亮绿蝇 *L.* (s. str.) *illustuis***

(12)南岭绿蝇 *Lucilia* (*Luciliella*) *bazini* Séguy, 1934

Lucilia bazini Séguy, 1934: 15.

Luciliella bazini bazini: Fan, 1965: 176.

鉴别特征:体长 8 ~ 10mm。额宽等于或略狭于触角第 3 节宽度，间额消失段约为额全长的 1/4；触角棕色，第 3 节基部发红，第 3 节为第 2 节长的 4 倍以上，芒红棕色长羽状。胸部呈金属绿色带蓝色并有铜色反光，中鬃 2 +2 个，如在第 2 对后背中鬃之间引 1 条横线，那么前方的 1 对后中鬃的着生位置常位于这 1 条横线上或后方；翅内鬃1 +3个，腹侧片鬃 2 +1 个，前、后气门棕黑色。翅透明，前缘基鳞黑，亚前缘骨片棕具小毛，至少上腋瓣是白色的，其边缘亦呈淡色，至多在上腋瓣外侧部分毛呈灰色，下腋瓣淡棕色，平衡棒棕色，端部色淡。后足胫节约有1列短小前背鬃。腹部色同胸部，前腹部各背板有明显的暗色后缘带，第3背板无中缘鬃，第4、5两背板缘鬃发达，腹板黑，毛亦黑；侧阳体端突长，明显的向前方弯曲，但端突不超过下阳体的前缘。雌性体长8～11mm。额宽约为1个复眼宽的2/3，间额暗棕，两侧略平行，前倾上眶鬃3个；腹部第3、4两背板后缘带宽。

采集记录：1♂，留坝红崖沟，1500～1650m，1998.Ⅷ.22，采集人不详；1♂1♀，留坝庙台子，1470m，1999.Ⅶ.01，采集人不详；1♂，佛坪凉风垭，1900～2100m，1998.Ⅶ.24，采集人不详；1♀，宁陕火地塘鸦雀沟，1600～1700m，1998.Ⅶ.28，采集人不详。

分布：陕西（留坝、佛坪、宁陕）、甘肃、江苏、浙江、江西、福建、台湾、海南、四川、贵州；俄罗斯，日本。

（13）蟾蜍绿蝇 *Lucilia*（*Bufolucilia*）*bufonivora* Moniez, 1914

Lucilia bufonivora Moniez, 1914: 25.

Bufolucilia bufonivora: Townsend, 1919: 541.

鉴别特征：体长6.00～8.50mm。额宽为头宽的0.13倍弱，触角第2节黑色，第3节褐色，两者相接处带红色，第3节长为宽的3倍，又为第2节长的2.80倍，芒毛最长为触角第3节宽的1.50倍。胸部亮绿，中鬃2+2个，前中鬃的列间距微狭于它与前背中鬃的列间距；翅内鬃1+2个，腹侧片鬃2+1个。翅前缘基鳞黑，亚前缘骨片棕黄，上腋瓣及缘缨白色，下腋瓣及缘缨污白，沿内缘带绿色。平衡棒端黄至淡棕，杆黄棕至棕色。足前股后鬃列有鬃15个；中股基半有前腹及后腹鬃列；后股前腹鬃列完整。腹部金属绿色，稍带黄铜光泽，第3背板基部中央有小三角形可变色暗斑及1对中缘鬃，无明显的暗色缘。第9背板侧腹缘仅呈平滑的弧形，其中央近前半端无向下凸出部分。雌性产卵器略宽短，颇具特征性，第6背板的长宽比约为3∶8，第6、7两腹节气门相互远离，分别极接近第6背板的前、后缘；肛尾叶几乎和第8背板等长，背面观末端不圆钝而变尖，全形略呈长菱形。

分布：陕西（秦岭）、黑龙江、吉林、辽宁、内蒙古、河北、山西、山东、甘肃、新疆、江苏、湖南、四川；俄罗斯，日本，欧洲，非洲北部。

（14）叉叶绿蝇 *Lucilia*（s. str.）*caesar*（Linnaeus, 1758）

Masca caesar Linnaeus, 1758: 595.

Lucilia caesar: Robineau-Desvoidy, 1830: 452.

鉴别特征：体长7～10mm。额稍狭，间额在最狭处不完全消失，触角黑，仅第2节端部发红，第3节有灰粉被，后者为前者长的4倍左右，芒暗棕色。胸部呈金属绿蓝色，有铜色光泽；中鬃2+2个，如在第2对后背中鬃之间引1条横线，那么前方的1对后中鬃的着生位置位于这1条横线的前方；翅内鬃1+2个，腋瓣上肋仅后刚毛簇具有，前、后气门暗棕。前缘基鳞黑，亚前缘骨片较暗，黑毛不很明晰；上腋瓣黄白色，缘缨毛黄，下腋瓣淡棕色，缨毛亦黄；平衡棒黄棕色。腹部色如同胸部，前腹部各背板无明显的暗色后缘带，第3背板中缘鬃缺如，仅有弱的缘鬃，第4、5背板缘鬃均发达，第9背板很大，呈亮绿色。侧尾叶狭而渐细削，末端分叉。雌性体长10mm左右。额宽稍窄于1个复眼的宽度，间额黑，侧额鬃2，侧颜比侧额为宽，第6背板略向背部驼起，后缘尽在两角及正中有缘鬃；第8腹板后端匙形，长于第8背板。

采集记录：1♀，留坝闸口石，1800~1900m，1998.Ⅶ.20，采集人不详；1♂，留坝韦驮沟，1600m，1998.Ⅶ.02，采集人不详；1♀，宁陕火地塘，1580m，1998.Ⅷ.27，采集人不详。

分布：陕西（留坝、宁陕）、黑龙江、吉林、辽宁、内蒙古、河北、山西、山东、甘肃、青海、新疆、江苏、四川、贵州、云南；俄罗斯，朝鲜，日本，摩洛哥，古北区全境。

（15）亮绿蝇 *Lucilia*（s. str.）*illustuis*（Meigen, 1826）

Musca illustris Meigen, 1826: 54.

Lucilia illustuis: Collin, 1926: 258.

鉴别特征：体长5~9mm。额宽约与两后单眼外缘间距等宽，间额暗红棕色，最窄处不宽于前单眼横径；触角黑色，第3节具灰粉被，其长度为第2节3倍长些，芒红棕色。胸部呈金属绿色带蓝色有铜色光泽，中鬃2+2个，如在第2对后背中鬃之间引1条横线，那么前方的1对后中鬃的着生位置位于这1条横线的前方；翅内鬃通常0+2个，有时1+3个；腋瓣上肋前后刚毛簇存在，前、后气门暗棕色。前缘基鳞黑，亚前缘骨片红棕，有短小毛，上腋瓣黄白色，下腋瓣淡棕色但缘缨毛黄，平衡棒大部分红棕色。后足胫节有1列短小前背鬃列。腹部颜色如同胸部，第3背板无强大中缘鬃，第4、5背板缘鬃发达，第5背板上缘鬃较多，各腹板毛均黑，第9背板较小，呈黑色，侧尾叶末端细，向前方弯曲不分叉。雌性体长5~10mm。额宽稍宽于1个复眼的宽度，间额黑，两侧略平行；下腋瓣黄白；侧颜比侧额宽；第6背板不驼起，整个后缘都有缘鬃；第8腹板与第8背板几乎等长。

采集记录：3♂，留坝韦驮沟，1600m，1998.Ⅶ.21，采集人不详；1♂，宁陕火地塘，1580m，1998.Ⅷ.27，采集人不详。

分布：陕西（留坝、宁陕）、黑龙江、吉林、辽宁、内蒙古、河北、山西、河南、甘肃、青海、新疆、江苏、浙江、湖北、江西、湖南、四川、贵州；俄罗斯，朝鲜，日本，缅甸，印度，德国，澳大利亚（东部），新西兰，格陵兰岛。

(16)巴浦绿蝇 *Lucilia* (*Luciliella*) *papuensis* Macquart, 1842

Lucilia papuensis Macquart, 1842: 298.

鉴别特征:体长6~8mm。额宽略与触角第3节等宽，或稍狭于单眼三角后缘宽；间额暗棕；触角黑色，第3节棕灰色。胸部金属绿色带蓝或紫色，有铜色反光；中鬃2+2个，翅内鬃1+(2~3)个，前、后气门棕黑色。前缘基鳞黑，亚前缘骨片具毛，上腋瓣棕带黄，外侧缨毛稍带灰色或棕色，下腋瓣棕色，缨毛亦呈棕色，平衡棒棕黄至红棕，端部色较淡。前足胫节具1列很短小的前背鬃；后足胫节具1列短小前背鬃。腹部颜色如同胸部，第3、4两背板后缘带明显，第3背板中缘鬃缺如，其余缘鬃弱，后两可见节背板缘鬃发达，各腹板均具黑毛，侧阳体端突很短，几乎是直的，末端与下阳体远离。雌性体长6~8mm。额宽为1复眼宽的2/3，前倾上眶鬃2个，第6背板宽大。

采集记录:1♂，旬阳白柳镇刘家厂村，439m，2014.Ⅵ.22，于腾采。

分布:陕西(旬阳)、河北、河南、甘肃、江苏、安徽、浙江、湖北、江西、福建、台湾、广西、四川、贵州、云南；朝鲜，日本，老挝，泰国，印度，斯里兰卡，菲律宾，马来西亚，印度尼西亚，巴布亚新几内亚，非洲，澳洲区。

(17)紫绿蝇 *Lucilia* (*Caesariceps*) *porphyrina* (Walker, 1856)

Musca porphyrina Walker, 1856: 24.

Lucilia porphyrina: Aubertin, 1933: 408.

Caesariceps porphyrina: Fan, 1965: 178.

鉴别特征:体长5~10mm。额约与前单眼等宽，间额下方暗棕色，呈三角形状；触角暗棕色，第2节端部色发红，第3节基半发红且具灰粉被，第3节长约为第2节的4倍，芒暗棕色。胸部呈金属绿或带蓝色、紫等色，中鬃2+(2~3)个，如在第2后背中鬃之间引1条横线，那么前方的1对后中鬃的着生位置位于这1条横线的前方；翅内鬃1+2个。前缘基鳞暗棕，亚前缘骨片棕黄色，上生黑色小刚毛，明晰可见；腋瓣淡棕色以至棕色，至少上腋瓣外缘呈淡棕色，平衡棒棕至红棕，端部色淡。足胫节暗棕，前足股节稍微带绿色，前足胫节有1列短的前背鬃；后足胫节有1列短前背鬃。腹部呈金属绿色，带蓝色、紫色，第3至5背板缘鬃发达，第2至5腹板毛黑。肛尾叶前后缘几乎平行，末端宽而圆钝，具长柔毛，阳体侧面观下阳体腹突狭，约与端阳体等宽并具尖的端部。雌性体长5~11mm。额宽稍窄于1复眼宽，间额暗棕往前方去发红，上眶鬃3个。

采集记录:1♂，周至厚畛子，1350m，1999.Ⅵ.25，采集人不详；1♀，秦岭山梁及北坡，2050m，1998.Ⅶ.30，采集人不详；1♂，留坝庙台子，1350m，1998.Ⅶ.21，采集人不详；1♀，佛坪凉风垭，1750~2150m，1998.Ⅶ.28，采集人不详；1♀，宁陕火地塘，1580m，1998.Ⅶ.26，采集人不详；1♂，1998.Ⅶ.27，采集地点、采集人不

详；1♀，宁陕火地塘鸦雀沟，1600～1700m，1998. Ⅶ. 28，采集人不详；1♂，镇安云盖寺镇，850m，2014. Ⅵ. 18，于腾采；1♂，镇安云盖寺镇黑窑沟林场，1217m，2014. Ⅵ. 20，于腾采。

分布：陕西（周至、太白、留坝、佛坪、宁陕、镇安）、山东、河南、甘肃、江苏、浙江、湖北、江西、湖南、福建、台湾、广东、海南、广西、四川、贵州、云南、西藏；朝鲜，日本，印度，菲律宾，马来西亚，印度尼西亚，澳洲区。

（18）沈阳绿蝇 *Lucilia*（*Luciliella*）*shenyangensis* Fan, 1965

Luciliella bazina shenyangensis Fan, 1965: 176.

鉴别特征：体长7.00～10.50mm。额宽为前单眼宽的1.00～1.50倍；间额棕至深褐，最狭处如线；触角第2节黑，第3节褐，第2节最末端及第3节基部带红色，第3节长为本身宽的4倍弱，又为第2节长的3倍左右。胸背金属绿色，带黄铜或红铜光泽。中鬃2＋2个，前中鬃列间距稍狭于它与前背中鬃列间距，翅内鬃1＋3个。前缘基鳞黑，亚前缘骨片褐色、末端暗，有不太长密的黑或褐小刚毛；上腋瓣白，缘缨亦白或污白，外侧缘缨白色，下腋瓣故纸色，边缘及缘缨白色，内侧缘带暗色；平衡棒黄色。足前股后腹鬃列约16个，前胫有1列短前背鬃；中股基半有前腹及后腹鬃列；后股前腹鬃列完整。腹部与胸部同色，第3背板前半稍露楔形正中斑，第3、4背板两侧略见狭的暗青色后缘带及缘鬃，第3背板缘鬃较弱；各腹板黑均具黑毛，后腹部黑色带绿色及铜色光泽。雌性额宽为头宽的0.27～0.30倍，间额黑，前方带褐色，宽为一侧额的1.80～2.40倍，内、外顶鬃均发达，侧后顶鬃1个，上眶鬃后倾1个，前倾2～3个，下眶鬃9个，侧颜宽为触角第3节宽的1.40～1.80倍，颊高为眼高的0.29～0.31；触角第3节为第2节长的3.20～3.50倍。腹部第3、4背板深青色后缘带较雄性明显。

采集记录：1♂，留坝闸口石，1800～1900m，1998. Ⅶ. 20，采集人不详。

分布：陕西（留坝）、黑龙江、辽宁、河北、山东、河南、宁夏、甘肃、云南、西藏；俄罗斯，朝鲜。

（19）中华绿蝇 *Lucilia sinonsis* Aubertin, 1983

Lucilia sinonsis Aubertin, 1983: 407.

鉴别特征：额仅如1线，间额黑，消失段约占额全长的2/3，触角暗色，第3节基部稍带红色，长约为第2节的3倍。平衡棒黄色。胸具亮金属深绿色带青色或紫色光泽；后中鬃2个，2个后中鬃和后方2个后背中鬃的位置都显然偏在后盾片后方2/5范围内，而后背中鬃的第2个鬃至第1个鬃之间的距离约为第2个鬃至第3个鬃之间距离的2倍；翅内鬃1+2个。前缘基鳞黑，亚前缘骨片黄，有黑色小刚毛；下腋瓣棕色，上腋瓣边缘全褐，或略呈淡色。腹色似胸部，各背板有明显的暗色后缘带。下阳体侧面观宽阔，中条上端向前极弯曲，腹突长，其上缘外翻部分宽而明显。雌性额宽约占头宽的1/5。产卵器第6背板长约为宽的1/2；第7背板正中后方骨化，第8背板正中全不骨化，分为1对倒梯形狭长骨片。受精囊莲苞形。

采集记录：1♂，留坝韦驮沟，1600m，1998. Ⅶ. 21，采集人不详；1♂，佛坪，900m，1998. Ⅶ. 27，采集人不详；1♂，佛坪凉风垭，1900～2100m，1998. Ⅶ. 24，采集人不详；3♂，宁陕火地塘，1580m，1998. Ⅶ. 27，采集人不详；1♂，宁陕火地塘鸦雀沟，1600～1700m，1998. Ⅶ. 28，采集人不详。

分布：陕西(留坝、佛坪、宁陕)、甘肃、浙江、湖北、台湾、四川、云南。

(20)海南绿蝇 *Lucilia hainanensis* Fan, 1965

Lucilia bazini hainanensis Fan, 1965: 176.
Lucilia hainanensis: Ye, Ni & Fan, 1982: 417.

鉴别特征：额宽为前单眼的1.50倍，间额褐色，在最狭处如线；触角第2节及第3节大部暗色，第2节前方末端及第3节基部带橙色，第3节长为宽的5倍，又为第2节长的4倍。胸部金属绿色，通常前盾前部略带铜色，后盾及小盾带青绿色，带青紫色者亦甚常见，中鬃2+2个；中胸气门黑，后胸气门暗褐。前缘基鳞黑，亚前缘骨片有刚毛4～6个；腋瓣棕色，上腋瓣缘缨及外侧毛黑褐，外侧基部污白，其余大部分暗褐；下腋瓣缘缨棕色。平衡棒全黄。足前胫前背鬃1列7～8个；中股前腹鬃1列，位于基部大半；后股前腹鬃列完整。第3、4背板金属绿色，中心带铜色，带有青紫黑后缘带，第5背板青绿色；第3背板前缘有1小的楔形暗色正中斑并稍凹；下阳体前缘弯入深，腹突瘦长略向上弯，腹突外翻的上缘狭长。雌性额宽为头宽的0.25倍，间额黑，为一侧额宽的2.30倍，外顶鬃发达，侧后顶鬃1个，上眶鬃后倾1个、前倾2个，下眶鬃8个，侧额宽为触角第3节宽的1.25倍；颊高高于眼高的0.28；触角第3节长为第2节的4倍；后胫前背短鬃列有鬃25个。

采集记录：10♂，留坝红崖沟，1500～1650m，1998. Ⅶ. 22，采集人不详；10♂2♀，留坝韦驮沟，1600m，1998. Ⅶ. 21，采集人不详；3♂，留坝庙台子，1470m，1999. Ⅶ. 01，采集人不详；2♂，1350m，1998. Ⅶ. 28，采集地点、采集人不详；4♂，留坝闸口石，1800～1900m，1998. Ⅶ. 20，采集人不详；1♂，留坝大洪渠，2500m，1998. Ⅶ. 20，采集地点、采集人不详；1♀，佛坪，950m，1998. Ⅶ. 25，采集人不详；2♂，宁陕旬阳坝，1350m，1998. Ⅶ. 29，采集地点、采集人不详；1♀，宁陕火地塘，1580m，1998. Ⅷ. 27，采集人不详；1♀，1998. Ⅷ. 27，采集地点、采集人不详；3♂，宁陕火地塘鸦雀沟，1600～1700m，1998. Ⅶ. 28，采集人不详。

分布：陕西(留坝、佛坪、宁陕)、甘肃、海南。

(21)崂山壶绿蝇 *Lucilia* (*Caesariceps*) *ampullaceal laoshanensis* Quo, 1952

Lucilia laoshanensis Quo, 1952: 116.

鉴别特征:额宽约等于前单眼宽，间额褐至黑，最狭段消失或如线；触角瘦长，基部两节黑，第3节带红棕，第2节末端几第3节基部红色，第3节长为宽的4.70倍，又为第2节长的4.70倍，芒长约与第3节等长，黄棕色，芒毛黑，最长为触角第3节宽的2倍，裸端占芒长的3/7。胸部金属绿色，盾片中心带黄铜或红铜光泽，中鬃2+2个，前中鬃第2对间距为第1对间距的1.50倍，翅内鬃1+2个。前缘基鳞黑，亚前缘骨片大部橙色，上腋瓣及缘缨白，其外侧毛白至污白，下腋瓣及缘缨污白。平衡棒黄。足有时胫节带棕色，中股基半有前腹鬃列及后腹鬃列；后股前腹鬃列完整。腹短卵形，金属绿色，第3背板前缘正中有1块可变色楔形暗斑，其中部及第4背板前部带黄铜光泽；第5背板带亮青色；第9背板侧缘有长缨毛，毛长超过侧尾叶长。雌性额宽为头宽的0.30~0.33倍，间额黑，宽为一侧额的2.00~2.40倍或2.70倍弱，侧后顶鬃1个，有时一侧为2个，具2个前倾、1个后倾上眶鬃。下眶鬃7~8个，侧颜同侧额等宽或稍宽，头前面粉被银白，头顶暗黑。

采集记录:1♂，镇安云盖寺镇黑窑沟林场，1217m，2014. Ⅵ. 20，于腾采。

分布:陕西(镇安)、黑龙江、吉林、辽宁、内蒙古、山东、甘肃；朝鲜。

7. 粉蝇属 *Pollenia* Robineau-Desvoidy, 1830

Pollenia Robineau-Desvoidy, 1830: 412. **Type species**: *Musca rudis* Fabricius, 1794.

属征:雄性眼相接或略接近，前内侧小眼面略大；触角短，芒长羽状，但下侧的纤毛较短；头侧面观额长约等于颜高；颜略陷入，颜脊狭而锐；口上片长而狭，与体轴纵垂直；侧颜宽而具毛。胸部具易脱落的锦毛被，前胸基腹片和前胸前侧片中央凹陷裸；中鬃2+3个，后背中鬃3个，下前侧片鬃1+1个。翅前缘骨片常具小刚毛，M脉端段呈角形弯曲，下腋瓣上面裸。足黑。腹部卵形；雄性第5腹板侧叶长而大，侧阳体的端突细长，末端一般尖；端阳体末端钝平而略扩大。

分布:古北区，新北区。秦岭地区记录1种。

(22)陕西粉蝇 *Pollenia shanxiensis* Fan *et* Wu, 1997

Pollenia shanxiensis Fan *et* Wu, 1997: 418.

鉴别特征:雄性眼有极疏短微毛，眼前上方小眼面较大；间额棕色；触角大部分橙色，第2节基部和第3节前缘带褐色，第3节长为宽的2.50倍，芒棕色，最长分支毛稍长于触角第3节宽。胸部黑色，肩胛及前盾前沿可见黑色的细亚中条和不大的肩后斑；胸有疏落黄色锦毛；背中鬃2+3个，翅内鬃1+2个；中、后胸气门均黄。翅前缘及各翅脉有暗晕；前缘基鳞黑，亚前缘骨片黄，有黄色小刚毛；径脉结节上下面都有毛，下面毛列稍伸向 R_{4+5}脉；腋瓣及平衡棒黄，下腋瓣稍带棕黄。足中股仅后腹面基半有鬃列；后股前腹鬃列几乎完整，仅基部呈长毛状。腹部各背板都有不很清晰的棋盘状淡灰黄粉被斑和轮廓不清的黑正中条，仅第1腹板有黄毛。雌性眼几乎裸，额宽为头宽的0.37倍，间额后部黑褐，前部暗棕，宽为一侧额的2.50倍强；头顶黑，内外顶鬃均发达；侧颜宽为触角第3节的2倍，表面有搓板状横皱，下侧颜宽大，红棕色；颊底色黑；新月片棕黄，中颜脊锐狭；触角大部橙色，第2节基部棕色及第3节前缘暗色，第3节长为宽的2.20倍，又为第2节长的1.80倍强，芒长羽状；髭角1线头长约为额角1线头长的0.90倍；前足跗节的分跗节略增宽；腹长卵形，底色黑，有亮古铜色光泽，粉被极薄。

采集记录：1♂，周至厚畛子，1350m，1999. Ⅵ. 22，采集人不详；3♂，宁陕火地塘，1580m，1998. Ⅷ. 17，采集人不详。

分布：陕西（周至、宁陕）、甘肃。

8. 拟粉蝇属 *Polleniopsis* Townsend, 1917

Polleniopsis Townsend, 1917: 201. **Type species**: *Polleniopsis pilosa* Townsend, 1917.

属征：体底色黑，有时呈暗青、绿、橄榄等金属色，有时则带些黄色；雄性眼合生或亚合生，眼裸或具疏微毛；大多数种的中颜脊发达或略发达。前中鬃0～1个，前背中鬃2个；前翅内鬃通常缺如，后翅内鬃2个，外方肩后鬃缺如；下腋瓣上面具毛。雄性后腹部中等发达，第5腹板及尾叶都较单纯，仅侧尾叶亚基部有1个细缢，中段稍膨大，末端圆钝，很少是尖削的；侧阳体基段在后面愈合（个别分离），端突通常退化而瘦直；下阳体在中部向两侧扩展成侧翼，端阳体不十分细长；雌产卵器属蛆蝇型，子宫膣道直，有1对孵育囊。

分布：东洋区及古北区南缘，澳洲区。秦岭地区记录2种。

分种检索表

眼具疏短微毛，中鬃1+2根，腹侧片鬃1+1根 ……………………… **蒙古拟粉蝇 *P. mongolica***

眼裸，中鬃0+1根，腹侧片鬃2+1根 ……………………………………… **赵氏拟粉蝇 *P. zhaoi***

(23) 蒙古拟粉蝇 *Polleniopsis mongolica* Séguy, 1928

Polleniopsis mongolica Séguy, 1928: 119.

鉴别特征：体长7.50～8.00mm。眼具疏短微毛，间额红棕；触角橙红，第3节长约为宽的3倍强，又为第2节长的2.50倍弱，芒长羽状；下颚须黄，中喙较短。胸后盾有1对侧背中条；中鬃1+2个；翅前鬃约与后背侧片鬃等长，翅上鬃、翅后鬃各2个，小盾鬃1+3个；背侧片有小毛；翅侧片毛黑，后气门前肋有黑毛，无后气门前裂，腹侧片鬃1+1个；前气门黄褐，后气门黑褐。翅梢带黄色，翅基黄，翅肩鳞黄，前缘基鳞黄，腋瓣白、污白至淡黄，上、下腋瓣交接处毛黄褐至褐色，下腋瓣上面基半部中心有黑纤毛。足各股末端带点黄色。腹有时第4背板后侧缘及第5背板带黄色，有1条不相连的细的黑色正中线，第2腹板鼓形，第3、4腹板圆形。雌性上眶鬃后倾1个、前倾2个，其中前方1个长达于最前1个下眶鬃着生点水平，下眶鬃3~4；间额红棕，约为一侧额的2倍，侧颜宽约为触角第3节宽的2.70倍；颊高约为眼高的0.47倍。

分布：陕西（秦岭）、吉林、辽宁、内蒙古、河北、山西、山东、河南、甘肃、青海、江苏、湖北、四川；蒙古，日本。

（24）赵氏拟粉蝇 *Polleniopsis zhaoi* Xue *et* Zhang, 2005

Polleniopsis zhaoi Xue *et* Zhang, 2005: 822.

鉴别特征：体长7mm。复眼裸，额为前单眼宽的1.50~2.00倍，间额在最狭处消失，颜中部为触角宽的1.50倍，触角棕黄色，第3节端部暗褐色，第3节长为宽的3倍，芒长羽状；颊部粉被灰色，浓密，下颚须黄色。前盾片具4条黑条，后盾片具3条黑条，正中条亦呈线状狭，达小盾沟，中鬃0+1个，翅前鬃长于后背侧片鬃，背侧片、小盾侧面和基半部腹面、前胸基腹片、前胸侧板中央凹陷和后气门前肋均具黑毛；腹侧片鬃2+1个。翅透明，前缘基鳞黄色；腋瓣棕色，下腋瓣具毛，平衡棒黄色。足后股基半部具疏长的前腹鬃列，基半部具4根长大后腹鬃。腹部黑色，卵形，具浓密的灰色粉被，第3至5背板两侧具大块变色斑，后缘鬃列完整；第1腹板具毛，第2至4腹板宽稍大于长。雌性额约为头宽的1/3，间额为侧额宽的3倍；下眶鬃6个，上眶鬃1个，前倾，侧颜约为触角宽的2倍；前胫前背鬃4个；其他外形特征同雄性。

采集记录：1♂，宁陕火地塘，1580m，1998.Ⅶ.27，张学忠采；1♂1♀，袁德成采，采集地点、采集时间不详。

分布：陕西（宁陕）。

9. 原丽蝇属 *Protocalliphora* Hough, 1899

Protocalliphora Hough, 1899: 66. **Type species**: *Musca azurea* Fallén, 1817.

属征：头不向前方延长，侧面观髭角水平的长度不超过额角水平的头的长度。颊高约等于眼高的2/5~1/2。雄性两眼一般略相互接近，有时很宽的离生，在雌性中则离生，额宽一般小于1个眼宽。颜狭，略凹陷，侧面观时其长度常只及额长的1/2左右，侧颜宽，在上部多纤毛并常有不同程度的横的皱襞，下侧颜常无毛。口上片狭，宽度约为颜宽的1/2，髭一般位于口上片之上。触角短，第3节的长常为第2节长的1~2倍之间。触角芒略短，基部一半粗壮，羽状毛达于端部，芒上、下侧均具长纤毛。中喙的长略等于口盘的长，前颏长约为其本身高的2倍。下颚须略短，末端略变粗。胸前气门暗色，中胸盾片沟后部分扁平，至多稍稍突起，在盾片的后方与小盾片之间，形成1个边缘界限明显的陷入。后小盾片中央扁平。中鬃为发达的两行，后背中鬃3个，前翅内鬃存在，腹侧片鬃2+1个，翅后坡具少数短线毛或无毛，腋瓣上肋前、后刚毛簇均缺如。在翅收合时，上腋瓣上面无纤毛。前缘基鳞暗色。腹露尾节稍小，肛尾叶游离的端部向末端尖削，后表面上的小毛一般在端部略缺。下阳体腹突骨化，其末端膜质，不扩展，一般无小棘，或仅在基部具少数小棘。侧尾叶末端圆钝，无尖端。

分布：全北区。秦岭地区记录1种。

(25)青原丽蝇 *Protocalliphora azurea* (Fallén, 1816)

Musca azurea Fallén, 1816: 245.

Protocalliphora azurea azurea: Zumpt, 1956: 95.

鉴别特征：体长9~12mm。额宽约等于或大于单眼三角，侧额不及前单眼宽，间额暗棕色，侧额具银白色粉被，侧颜具3~4行黑色小毛，触角暗仅第3节基部红色，芒长羽状，触角第3节约为第2节长的1.50倍，侧颜宽约为触角第3节宽的2倍，下侧颜带红棕色，颊亮黑，眼高约为颊高的4倍。胸背具3条较宽的黑色纵条，金属青色具淡色粉被；背中鬃2+3个，前气门暗棕色。翅肩鳞黑，前缘基鳞棕黄，下腋瓣裸，不具小叶，呈污白色。腹部绿带金属光泽，第3、4背板正中有1条暗色细的纵条。雌性间额约为一侧额宽的3倍，额宽占头宽的1/3，侧颜约为触角第3节宽的2倍。

分布：陕西(秦岭)、黑龙江、吉林、辽宁、内蒙古、河北、山东、河南、宁夏、甘肃、青海、新疆、江苏、浙江、四川、贵州、云南；蒙古，俄罗斯，朝鲜，日本，土耳其，欧洲，非洲北部。

10. 叉丽蝇属 *Triceratopyga* Rohdendorf, 1931

Triceratopyga Rohdendorf, 1931: 175. **Type species**: *Triceratopyga calliphoroides* Rohdendorf, 1931.

属征：中型种。体呈藏青色至蓝绿色；雄额略宽；触角芒长羽状，端部2/5裸，触角第3节长为第2节的5~6倍。中鬃2+3个，背中鬃3+3个，翅内鬃0+2个，下前侧片鬃2+1个，小盾片与胸部同色。下腋瓣上面有黑色长纤毛；M脉端段呈角形弯曲。腹部短卵形；雄性第7、8合背板正中有1个叉形突起，第9背板小；肛尾叶比侧尾叶短小，第5腹板基部极短；雌腹部第5、6背板各有1个纵缝痕。

分布：亚洲东部温带地区。秦岭地区记录1种。

(26)叉丽蝇 *Triceratopyga calliphoroides* Rohdendorf, 1931

Triceratopyga calliphoroides Rohdendorf, 1931: 175.

鉴别特征：体长6.00~9.50mm。眼裸；间额一半黑色，侧额、侧颜均呈浅黄灰色；后头有短淡黄色毛；触角第3节为第2节的5.50倍，触角芒裸端占全长的2/5~3/7；下颚须橙色。盾沟前暗纵条明显。下腋瓣白色，边亦白色，上面疏生黑色长而直立的纤毛，上腋瓣暗白色具褐色缨毛。腹部除第1、2合背板外均具薄的白色粉被；各背板的后缘和正中纵条无粉被。第5腹板基部短，侧面观时末端呈切截状，它的前方有数个短刺；肛尾叶短小，呈板状而端尖，系杆之间的膜骨化，与系杆形成1个中部向内方弯入的梯形骨化；第9腹板长而直，并有1个背翼，后臂左右相愈合；阳基内骨较短，阳基后突稍大；侧阳体末端尖，略弯曲；下阳体末端圆钝。射精囊小骨小。雌性体长7.00~11.50mm；胸部背板较雄性更倾向于绿色。第5腹板形状多样，但一般后端较平直，不向后渐尖；第6背板正中常有1个缝或痕，后侧角约为120°，第6节的气门周围通常不骨化，第7背板正中的后部骨化，第8背板正中不骨化，第6腹板骨化部分斧形。受精囊较小，端部有1个钝尖头。

采集记录：2♀，留坝大洪渠，2500m，1998.Ⅶ.20，采集人不详；1♀，镇安云盖寺镇黑窑沟林场，1217m，2014.Ⅵ.20，于腾采。

分布：陕西(留坝、镇安)、黑龙江、吉林、辽宁、内蒙古、河北、山东、河南、甘肃、青海、江苏、安徽、浙江、福建、四川、云南；俄罗斯，朝鲜，日本。

参考文献

Aldrich, J. M. 1930. New two-winged flies of the family Calliphoridae from China. *Proceedings of the United States National Museum*, 78(1): 1-5.

Aubertin, D. 1932. Notes on the Oriental species of the genus *Chrysomyia*. *Annals and Magazine of Natural History*, (10)9: 26-30.

Aubertin, D. 1933. Revision of the genus *Lucilia* R-D. *Journal of the Linnean Dociety of London. Zoology*, 38(260): 389-436.

Chen, Z-Z. 1979. On five new species of the genus *Bellardia* R-D. (Diptera: Calliphoridae). *Acta Zootaxonnmica Sinica*, 4(4): 385-391. [陈之梓. 1979. 陪丽蝇属五新种(双翅目:蝇科). 动物分类学报, 4(4): 385-391.]

Fan, Z-D. 1992. *Key to the common flies of China*, *second edition*. Science Press, Beijing. 1-992. [范滋

德.1992. 中国常见蝇类检索表，第2版. 北京:北京科学出版社，1-992.]

Fan, Z-D. *et al.* 1997. *Fauna Sinica Insecta. Vol. 6. Diptera: Calliphoridae.* Science Press, Beijing. 1-707.[范滋德,等. 1997. 中国动物志 昆虫纲 第六卷 双翅目: 丽蝇科. 北京:科学出版社, 1-707.]

Fabricius, J. C. 1794. *Entomologia systematica emendate et aucta. Secundum classes, ordines, genera, species, adjectis synonimis, locis observationibus, descriptionibus.* 4: 1-472.

Hough, G. de N. 1899. Some North American genera of the dipterous group, Calliphorinae Girschner. *Entomological News*, 10: 62-66.

Linnaeus, C. 1758. *Systema Naturae per regna tria naturae, secundum classes, ordines. genera, species, cum caracteribus, differentiis, synonymis, locis. Ed. 10.* Holmiae: 1: 1-824.

Macquart, J. 1842. Diptères exotiaues nouveaux ou peu connus. Tome deuxième. *Mémoires de la Société Royale des Sciences, de* l'Agriculture *et des Arts á Lille*, 1841(1): 65-200.

Meigen, J. W. 1826. *Systematische Beschreibung der bekannten europäischen zweiflügeligen Insekten*, 5: 1-412.

Robineau-Desvoidy, J. B. 1830. Essai sur les myodaires. *Mémoires Présentés par divers Savants al Académie Royale des Sciences de Instituut de France*, 2(2): 1-813.

Robineau-Desvoidy, J. B. 1863. *Histoire naturelle des diptères des envions de Paris. Oeuvre posthume du Dr Robineau-Desvoidy. Puvliée par les soins de sa famille, sous la direction de M. H. Monceaux.* 3: 1-920.

Rohdendorf, B. 1931. Calliphorinen Studien IV. (Diptera). Eine neue Callipgorinengattung aus Ostsibirien. *Zoologischer Anzeiger*, 95(5/8): 175-177.

Séguy, E. 1928. Etudes sur les mouches parasites. I. Conopides, Oestrides *et* Calliphorines de L'Europe occidentale. *Encyclopédie Entomologique*, (A)9: 1-240.

Townsend, C. H. T. 1917. Indian flies of the subfamily Rhiniinae. *Record of the Indian Museum*, 13: 185-202.

Townsend, C. H. T. 1919. New genera and species of muscoid flies. *Proceeding of the United States National Museum*, 56: 92-541.

Walker, F. 1856. Catalogue of the dipterous insects collected in Singapore and Malacca by Mr. A. R. Wallance, with descriptions of new species. *Journal and Proceedings of the Linnean Society of London. Zoology*, 1: 4-39.

Walker, F. 1858. Characters of undescribed Diptera in the collection of W. W. Saunders, Esq., F. R. S. *Transactions of the Entomological Society of London*, 4: 190-235.

Wu, Y-., Chen, Z-Z. and Fan, Z-D. 1991. A new species of the genus *Bellardia* R-D. (Diptera: Calliphoridae) from Shaanxi, China. *Entomotaxonomia*, 13(4): 307-309.[吴元钦，陈子梓，范滋德. 1991. 陕西省陪丽蝇属一新种(双翅目:丽蝇科). 昆虫分类学报，13(4): 307-309.]

Xue, W-Q. and Zhang, X-Z. 2005. Diptera: Anthomyiidae, Fannidae, Muscidae and Calliphoridae. 787-833. In: Yang, X-K. (ed.), *Insect Fauna of Middle-West Qinling Rang and South Mountains of Gansu Province.* Science Press, Beijing. 1-1055.[薛万琦，张学忠. 2005. 双翅目:花蝇科，厕蝇科，蝇科，丽蝇科. 787-833. 见:杨星科. 秦岭西段及甘南地区昆虫. 北京:科学出版社，1-1055.]

Zumpt, F. 1956. Calliphorinae. In: Lindner, E. (ed.). *Die Fligen der Palaearktischen Region. E. Schweizerbarysche*, 64i: 1-140.

四十四、鼻蝇科 Rhiniidae

于腾 薛万琦
(沈阳师范大学昆虫研究所，沈阳 110034)

鉴别特征:后眶无纤毛列，后头上半有半圆形裸露区，无毛亦无粉被。后背中鬃有4~5个鬃位，前胸侧板中央凹陷裸，无后气门前肋，后气门前后两厣掩盖着气门，后小盾片不突出。干径脉背面后方有小刚毛列。

生物学:成蝇具访花习性，常在森林中的花丛上发现，初夏、秋季见在树下小范围回飞，亦被打开的蚁巢所吸引，在附近亦能看到其幼虫。一些幼虫在猪体外吸食猪血，对仔猪尤甚，甚至导致死亡；一些幼虫以蝗虫为敌，蝇蛆多夜间活动。

分类:中国已知12属96种，陕西秦岭地区已知3属5种。研究标本保存在沈阳师范大学昆虫研究所。

分属检索表

1. 触角芒栉状，仅上侧有毛 ······ 2
   触角芒羽状，沟前鬃外方有1根肩后鬃 ······ **弧彩蝇属 *Strongyloneura***
2. 后足胫节无1行明显前背鬃 ······ **依蝇属 *Idiella***
   后足胫节有1行差不多等长的前背鬃 ······ **口鼻蝇属 *Stomorhina***

1. 依蝇属 *Idiella* Brauer *et* Bergenstamm, 1889

Idiella Brauer *et* Bergenstamm, 1889: 154. **Type species**: *Idia mandarina* Wiedemann, 1830.

属征:中大型种。体狭长，两侧略平行；头宽略大于头高；雌性具3个前倾的侧额鬃；触角间具颜脊，触角芒长栉状；颜面中等陷入，口上片呈半圆筒形向上突起。胸部青铜绿色，侧板、肩胛及前胸基腹片均具黄毛；前胸前侧片中央凹陷裸，后背中鬃2根，后中侧片鬃2个，下前侧片鬃1+1个。翅M脉呈“V”形裂缝，侧叶除后端外方有突出的部分外，内方尚有突出部分。雄性阳体大，结构略复杂。

分布:东洋区，非洲区，澳洲区。秦岭地区记录1种。

(1)三色依蝇 *Idiella tripartite* (Bigot, 1874)

Idia tripartita Bigot, 1874: 236.

Idiella tripartita: Peris, 1952: 51.

鉴别特征:体长7~8mm。额宽约与触角第3节等宽或稍宽；侧颜下半部呈红棕色且裸，颊前半部呈黑色带有金属色，颊后半部及下后头具黄色粉被；颊高约为眼高的1/2；触角黑，第3节长为第2节的2.50倍；触角芒长羽状。胸部暗绿色带金属光泽，中鬃0+1个，翅内鬃0+(1~2)个；中胸气门黄白色，后气门暗棕色。翅透明稍微暗，翅端部具暗晕，径脉结节背、腹面具毛；M脉缓弧形弯曲，r_{4+5}室不具柄；翅肩鳞黑，前缘基鳞黄色，上、下腋瓣黄，平衡棒亦黄。前足基节色淡，中、后足基节暗棕色，股节黑稍带绿色反光，胫节黄色，跗节除端部外亦为黄色。腹前半部黄，后半部暗，在第4背板的暗色形成1个“山”字形斑。雌性体长8~9mm。额宽为一眼宽之半，间额暗棕，侧额具生毛点。

采集记录:1♂，佛坪凉风垭，1900~2100m，1998.Ⅶ.24，采集人不详。

分布:陕西(佛坪)、辽宁、内蒙古、河北、山东、宁夏、甘肃、青海、江苏、安徽、浙江、湖北、江西、湖南、福建、四川、云南、西藏；缅甸，印度，尼泊尔，斯里兰卡，菲律宾。

2. 口鼻蝇属 *Stomorhina* Rondani, 1861

Idia Meigen, 1826: ?? (nec Wiedemann, 1820). **Type species**: *Idia fasciata* Meigen, 1826.

Stomorhina Rondani, 1861: 9 (new name for *Idia* Meigen, 1820).

属征: 中型种。体较粗胖，常呈青绿色。眼裸；侧颜具生毛点，触角芒栉状，触角间楔较发达，口上片突出，颊前部光滑无粉被。胸部暗青灰色或青黑色，具生毛点；中胸气门鬃缺如；后中侧片鬃2~5个，侧片部分或全部具粉被，具生毛点或缺如。翅r_{4+5}室开放或闭合或具柄。足后胫有1行约等长的前背鬃。腹部有黄色斑，并具生毛点或全部呈黄色或绝大部分呈黄色。雄性第5腹板侧叶端部无小齿，肛尾叶不愈合，也不呈钳状，阳体球形。

分布: 东洋区，非洲区，澳洲区，古北区南缘和新北区的局部地区。秦岭地区记录3种。

分种检索表

1. 腹部不与胸部同色亦不全部呈暗黑色 …………………………………………… 2
   腹部、胸部及小盾片暗黑，且腹部有紫铜色光泽 …………………… **黑咀口鼻蝇 *S. melastoma***

2. 腹部无生毛点，第1、2合背板无正中条，中侧片前部和腹侧片前部光滑……… **异色口鼻蝇 *S. discolor***
腹部具生毛点，第1、2合背板具正中条，中侧片前部和腹侧片前部不光滑，具弱的灰色粉被……………………………………………………………………………………………… **不显口鼻蝇 *S. obsolete***

(2)异色口鼻蝇 *Stomorhina discolor* (Fabricius, 1794)

Musca discolor Fabricius, 1794: 320.
Stomorhina discolor: Wu, 1940: 375.

鉴别特征:体长6.50mm。眼合生，触角黄棕色，触角芒长栉状，其基部1/3黄色，端部2/3黑色，中喙光滑且长，呈棕黑色稍带金属光泽。胸部黑色，有蓝绿色金属光泽；中胸背板可见3条暗纵条，中鬃0+1个，背中鬃0+1个，后中侧片鬃列不完整，侧板有明显的生毛点及黄毛，但在中侧片前下部与腹侧片前部光滑，前胸基腹片具黄毛。翅肩鳞棕色，前缘基鳞棕黄色，上、下腋瓣及平衡棒黄或黄白色。前足基节棕黄而其余基节及各转节棕色，各股节光滑棕黑稍带金属反光，但后足股节基部有黄色环，各胫节黄，但端部暗，跗节同上；前足股节具后背、后腹鬃列，前足胫节有1列前背鬃；中足股节有1列后腹鬃，后足股节前背鬃列存在，后足胫节有1列短而密集的前背鬃。腹部无粉被及生毛点，第3背板具很狭的褐色正中条和狭的褐色的前、后缘带，第4背板除前侧角具黄斑外，其余为棕黑色，第5背板棕黑色并带有青黑色金属光泽。雌性体长7mm。眼离生，侧额具生毛点，侧额及侧颜交界处具银灰色粉斑，下眶鬃8对，中股无明显鬃列，中胫有1个前腹鬃，后股仅有1~2个短的后腹鬃，后胫前腹鬃2个。腹部上具生毛点的白色粉被侧斑，但第2腹板无黑鬃。

采集记录:1♀，留坝庙台子，1470m，1999.Ⅶ.01，采集人不详；1♀，留坝红崖沟，1500~1650m，1998.Ⅶ.22，采集人不详；1♀，秦岭山梁及北坡，2050m，1998.Ⅶ.30，采集人不详；5♀，佛坪凉风垭，1900~2100m，1998.Ⅶ.24，采集人不详；1♀，宁陕旬阳坝，1350m，1998.Ⅶ.29，采集人不详；1♀，宁陕火地塘，1580m，1998.Ⅷ.17，采集人不详；1♀，宁陕平和梁，2020m，1998.Ⅶ.29，采集人不详。

分布:陕西(留坝、太白、佛坪、宁陕)、甘肃、浙江、福建、台湾、海南、广西、云南、西藏；越南，泰国，印度，斯里兰卡，菲律宾，马来西亚，印度尼西亚，巴基斯坦，巴布西几内亚，澳大利亚，所罗门群岛，斐济群岛，马克萨斯群岛。

(3)黑咀口鼻蝇 *Stomorhina melastoma* (Wiedemann, 1830)

Idia melastoma Wiedemann, 1830: 193.
Stomorhina melanostoma: Senior-White, Aubertin & Smart, 1940: 202.

鉴别特征:头黑，两眼距离极近，侧额具厚的黄色粉被，侧颜具银黄色粉被，触角淡棕色，下后头具粉被，颊前部亮黑，后下部附有厚金黄粉被，与前者间有界限分明的斜线。胸部呈橄榄绿色，不呈明显金属色，有时同小盾片暗黑具生毛点和黄色粉被，后中侧片鬃仅剩上方的 2 个，中侧片上无生毛点且具密而长软的金黄色毛。翅前缘黄色，近基部和端部有些烟褐色，有时翅端具暗色晕，下腋瓣不具小叶。各足股节黑具紫色光泽，前足股节尤其明显，各足胫节和跗节黄色，末端色暗。腹部暗黑，有紫铜色光泽，腹面具生毛点，腹部仅在第 1、2 合背板基部及侧缘、第 2 腹板上具黄毛，第 4 背板具发达的缘鬃。

采集记录:2♀，镇安云盖寺镇，850m，2014. Ⅵ. 18，于腾采；3♀，镇安云盖寺镇黑窑沟林场，1217m，2014. Ⅵ. 20，于腾采。

分布:陕西(镇安)、云南；印度，印度尼西亚，澳大利亚。

(4) 不显口鼻蝇 *Stomorhina obsolete* (Wiedemann, 1830)

Idia absoleta Wiedemann, 1830: 355.

Stomorhina obsolete: Zumpt, 1956: 122.

鉴别特征:体长 5 ~ 7mm。额宽显狭于前单眼宽，侧额、侧颜有金黄色粉被，触角被颜脊分开，第 3 节长约为第 2 节长的 2 倍。胸部呈暗绿色，除有金黄色粉被外，尚有生毛点，前胸基腹片具黄毛，前胸侧板中央凹陷裸，中侧片、腹侧片及翅侧片具黄毛，中侧片前部有光滑斑，下侧片无黄毛，中鬃0 + 1 个，背中鬃 0 + 1 个，翅内鬃 0 + 1 个，前气门黄白色，后气门暗棕色。翅端具晕，径脉结节仅背面具小毛，前缘基鳞及翅肩鳞均暗，上下腋瓣及平衡棒黄。前足基节黄，其余基节黑，前足股节后面暗绿色明显，各具 1 列后背鬃及后腹鬃；后足股节具 1 列前背鬃，后足胫节有 1 列短的前背鬃。腹部黑色具黄斑，第 1、2 合背板有 1 对黄斑且延伸到侧腹面，第 3 和第 4 背板黄色，具正中暗条及后缘带，具生毛点，第 5 背板全黑，腹板前方黄色，后方暗，第 1 腹板及第 2 腹板前半部具黄毛。雌性体长 5 ~ 7mm。额宽稍窄于 1 眼宽，间额黑，约与一侧额等宽，后者及侧颜具生毛点，腹部比雄性暗。

采集记录:2♂，留坝红崖沟，1500 ~ 1650m，1998. Ⅶ. 22，采集人不详；1♂1♀，留坝大洪渠，2500m，1998. Ⅶ. 20，采集人不详；3♂2♀，留坝闸口石，1800 ~ 1900m，1998. Ⅶ. 20，采集人不详；1♂，留坝韦驮沟，1600m，1998. Ⅶ. 21，采集人不详；1♂，留坝庙台子，1350m，1998. Ⅶ. 21，采集人不详，采集人不详；10♂7♀，佛坪凉风垭，1900 ~ 2100m，1998. Ⅶ. 24，采集人不详；1♂，宁陕平和梁，2020m，1998. Ⅶ. 29，采集人不详；3♂1♀，宁陕火地沟，1500 ~ 2000m，1998. Ⅷ. 18，采集人不详。

分布:陕西(留坝、佛坪、宁陕)、山东、宁夏、甘肃、江苏、安徽、浙江、湖北、江西、湖南、福建、台湾、广东、广西、四川、贵州；俄罗斯，日本，密克罗尼西亚。

3. 弧彩蝇属 *Strongyloneura* Bigot, 1886

Strongyloneura Bigot, 1886: 14. **Type species**: *Strongyloneura prasina* Bigot, 1886.

属征:眼裸，雄性额亚合生或至多为一眼宽的1/6，间额通常消失，侧额发达，粉被金黄，侧颜无毛，或仅有少数淡色小毛，无颜脊，口前缘向前突不十分强烈，颊粉被金黄，毛黄白色，眼下缘有1暗斑，中喙粗壮，触角第3节亮黄，芒羽状。胸金绿色，带虹彩光泽，中鬃(2~3)+(4~5)个，背中鬃(2~3)+4个，翅内鬃1+4个，肩鬃3个，肩后鬃3~4个，腹侧片鬃1+1个，前胸基腹片无毛，前胸侧板中央凹陷、翅后坡、腋瓣上肋、听膜窝均裸，背侧片及其他侧片均具黄白色毛，中侧片上方通常无黑刚毛，前气门鬃存在。翅 r_{4+5}室开放，M脉端段向前呈弧形弯曲，下腋瓣无小叶。腹金属绿色，各背板正中常有相连接的宽的紫色斑，具铜色光泽，第5腹板侧叶横宽，侧叶内缘亚基部常有成对突起，或生密的刚毛斑，或在内缘基部有成对的小突，或者两者兼而有之，第3或4腹板有时有1块正中刷毛斑，第9背板特别发达，背面向背前方呈圆形拱起，明显外露，肛尾叶基部通常较宽，相互并合，末端两分叉，分叉较瘦，侧尾叶有时呈弧形抱合，仅个别的种的侧尾叶很短。雌性尾器第6背板、腹板都很宽，两者几乎等宽，其他两背板亦宽、骨化弱，肛上板宽。

分布:东亚。秦岭地区记录1种。

(5)钳尾弧彩蝇 *Strongyloneura senomera* (Séguy, 1949)

Apollenia senomera Séguy, 1949: 124.

Strongyloneura senomera: Peris, 1952: 187.

鉴别特征:体长约9mm。额色暗棕；前倾的单眼鬃十分发达；颊有1块暗色方形斑位于复眼的下方，约为眼高的1/4；触角第2节黄到暗棕色，第3节橘黄，长约为前者的2倍；芒暗棕色。盾片、小盾片黄绿色，具金黄色虹彩；中鬃3+(4~5)个，背中鬃3+4个，背侧片鬃2个；前、后气门黄棕色。前缘基鳞黑，R_{4+5}脉结节上下面均有几个小刚毛，上下腋瓣黄白色，平衡棒淡棕色。前股后面带绿色，中、后股亦微带绿色；胫节黄，跗节基部棕色，端部暗色；前股后背面和后腹面各有1列长鬃；中股中位前鬃1个；中胫有前背鬃、后背鬃各1个，后腹鬃2个。腹部呈金属绿色、带有彩虹光泽，第2至5背板带铜色；侧腹面绿色有银色粉被；第4腹板中部有1个短黑毛丛，第5腹板大形；第7、8合腹节铜色，侧面绿色；第9背板紫绿色。雌性体长约10mm。额宽约为眼宽的2/3，间额红棕至暗棕，狭于一侧额，后者具2个前倾、1个后倾上眶鬃，外顶鬃发达；产卵器各背板宽阔，第6腹板比第6背板稍狭，前缘呈稍凹弧形，几乎是平直的。

分布:陕西(秦岭); 朝鲜, 日本。

参考文献

Bigot, J. M. F. 1874. Dipteres nouveaux ou peu connus. 3 partie. IV. Genres Rutilia *et* Formosia. *Annales de la Société Entomologique de France*, (5)4: 67-451.

Bigot, J. M. F. 1886. D'un nouveau genre de dipteres. *Bulletin de la Société Entomologique de France*, (6)6: 1-48.

Brauer, F. and Bergenstamm, J. E. 1889. Die Zweiflügler des Kaiserlichen Museums zu Wien. IV. Vorarbeiten zu einer Monographie der Muscaria Schizometopa. Pars 1. Denkschriften der Kaiserlichen Akademie der Wissenschaften. *Wien. Mathematisch-Naturwissenschaftliche Klasse*, 56: 69-180.

Fabricius, J. C. 1794. *Entomologia systematica emendate et aucta. Secundum classes, ordines, genera, species, adjectis synonimis, locis observationibus, descriptionibus*. 4: 1-472.

Fan, Z-D. 1992. *Key to the common flies of China, second edition.* Science Press, Beijing. 1-992. [范滋德. 1992. 中国常见蝇类检索表, 第 2 版. 北京:北京科学出版社, 1-992.]

Fan, Z-D. *et al*. 1997. *Fauna Sinica Insecta Vol. 6. Diptera: Calliphoridae.* Science Press, Beijing. 1-707. [范滋德, 等. 1997. 中国动物志 昆虫纲 第六卷 双翅目: 丽蝇科, 北京:科学出版社, 1-707.]

Rondani, C. 1861. *Dipterologiae Italicae prodromus. Vol. 4*. Species Italicae ordinis Dipterorum in genera characteribus definita, ordinatim collectae, method analatica distinctae, et novis vel minus cognitis descriptis. Pars tertia. Muscidae Tachininarum complementum. A. Stocche, Parmae, 1-174.

Séguy, E. 1949. Les Calliphorides Thelychaetiformes du Museum de paris. *Revista Brasileira de Biologia. Rio de Janeiro*, 9(2): 115-142.

Senior-White, R. A., Aubertin, D. and Smart, J. 1940. Diptera. Family Calliphoridae. In: Sewell, R. B. S. (ed.). *The fauna of British India, including the remainder of the Oriental Region*, 6: 1-288.

Wiedmann, C. R. W. 1830. *Ausser europäische zweiflügelige Insekten*, 2: 1-684.

Xue, W-Q. and Zhang, X-Z. 2005. Diptera: Anthomyiidae, Fannidae, Muscidae and Calliphoridae. 787-833. In: Yang, X-K. (ed.). *Insect Fauna of Middle-West Qinling Rang and South Mountains of Gansu Province.* Science Press, Beijing. 1-1055. [薛万琦, 张学忠. 2005. 双翅目:花蝇科, 厕蝇科, 蝇科, 丽蝇科. 787-833. 见:杨星科. 秦岭西段及甘南地区昆虫. 北京:科学出版社, 1-1055.]

Zumpt, F. 1956. *Calliphorinae. Die Fliegen der Palaearktisvhen Region.* E. Schweizerbartsche, Stuttgart, 64i: 1-140.

四十五、麻蝇科 Sarcophagidae

于腾 薛万琦

(沈阳师范大学昆虫研究所, 沈阳 110034)

鉴别特征:下侧片在后气门下方具鬃列; 后小盾片不明显, 腹部至少基部 2 节腹板外露，外侧肩后鬃的位置较沟前鬃为高或在同一水平上，下腋瓣宽阔，其内缘向内凹入，与小盾片镶贴，后气门前、后厣部发达，呈扇形，将气门掩盖。M 脉常呈角形弯曲，通常有赘脉；体躯底色黑，一般具明显的灰白色粉被，雄性腹部呈长卵形或近圆筒形。

生物学：麻蝇科的常见种类是住区蝇类，出入人家，但比较喜室外性。幼虫孳生于干或稀的人粪中、动物尸体中和酱、腌制的咸菜中等。在山林地区除了粪生种类之外，还有寄生于昆虫体的。多数种的卵在雌体内孵化，幼虫自由生活或寄生于昆虫体内，少数寄生于脊椎动物。成蝇大多杂食，但很喜欢到尸体上或人粪上。在田野间，成蝇往往在植物上采集。污蝇属是家畜等哺乳动物的专性创伤性寄生蝇类，也有偶然寄生于人体的。另一大群是生活在蜂巢中的种类，即所谓蜂麻蝇这一类。大多成蝇喜食花蜜，幼虫在蜂巢中生活，与人关系较小。

分类：全世界已知 108 属 2510 种，我国已知 327 种，陕西秦岭地区已知 17 属 28 种。研究标本保存在沈阳师范大学昆虫研究所。

分属检索表

1. 后腹部第 6 背板完全缺如 ······ 2
   后腹部第 6 背板很发达 ······ 3
2. 后足基节后表面裸 ······ **短野蝇属 *Brachicoma***
   后足基节后表面有小刚毛 ······ 6
3. 腹部卵圆形或长卵形，口下缘长，如略缩短，则额呈圆形，且侧颜裸 ······ 4
   腹部延长，末端尖，口下缘短小；侧颜具鬃或被毛，额显著向前突出呈角锥状 ······ 5
4. 额略向前突出，呈角形有时圆形，下倾上眶鬃 1 ~ 5 对，一般 2 对；基阳体具阳基后突，有时缺如 ······ **突额蜂麻蝇属 *Metopia***
   额窄，不向前突出，具多数下倾上眶鬃；基阳体无阳基后突 ······ **摩蜂麻蝇属 *Amobia***
5. 爪长，体鬃较长，腹部筒形 ······ **赛蜂麻蝇属 *Senotainia***
   爪短，体鬃短，腹部长卵形 ······ **蜂麻蝇属 *Miltogramma***
6. 基阳体与阳茎几乎完全愈合，下眶鬃列前段走向在雄性中稍稍向外，雌性中几乎完全直，单眼鬃强大 ······ **拉麻蝇属 *Ravinia***
   基阳体与阳茎有明显分界，下眶鬃列前段走向明显朝外背离，如果不是这样则单眼鬃缺如或呈毛状 ······ 7
7. 后背中鬃 3 个 ······ 8
   后背中鬃 4 个以上 ······ 10
8. 颊高超过眼高的 2/5 ······ 9
   颊高不超过眼高的 1/3 ······ **亚麻蝇属 *Parasarcophaga*（部分）**
9. 第 5 腹板极少刺，第 9 背板侧面观呈方形，肛尾叶侧面前缘末端凹入，具明显的爪 ······ **库麻蝇属 *Kozlovea***
   第 5 腹板侧叶内缘具多而密的长刺，长刺的后腹面有成群的短刺形成的刺斑，肛尾叶末端略尖，不具爪 ······ **黑麻蝇属 *Helicophagalla***

10. 后背中鬃 4 个(4 个鬃位，都很发达) …… 11
后背中鬃 5～6 个(5～6 个鬃位)，愈向前方鬃愈矮小，相互间距离也愈近 …… 18
11. 前胸侧板中央凹陷具纤毛 …… 12
前胸侧板中央凹陷无纤毛 …… 14
12. 触角很长，大多第 3 节约为第 2 节的 3～4 倍长 …… **球麻蝇属 *Phallosphaera*(部分)**
触角第 3 节长度达不到第 2 节的 3 倍长 …… 13
13. 前缘脉第 3 段显然比第 5 段长，前缘刺不发达，无前中鬃，第 3 背板具 1 对中缘鬃 …… **克麻蝇属 *Kramerea***
前缘脉第 3 段至多约于第 5 段等长，前缘刺长，前中鬃发达，第 3 背板常有 1 对中缘鬃 …… **刺麻蝇属 *Sinonipponia*(部分)**
14. 触角第 3 节为第 2 节 3 倍长以上 …… **球麻蝇属 *Phallosphaera*(部分)**
触角第 3 节为第 2 节 2.50 倍长以下 …… 15
15. 前缘脉第 3 段与第 5 段等长，或者前者较短，4 个后背中鬃的前方 2 个显然比后方的 2 个短 …… 16
前缘脉第 3 段显然比第 5 段长(1.50～2.00 倍)，4 个后背中鬃长度大体相等 …… **亚麻蝇属 *Parasarcophaga*(部分)**
16. 腹部第 3 背板中缘鬃发达，前中鬃有长大的两行(3 对以上) …… 17
腹部第 3 背板无中缘鬃，如有 1 对不发达的倒伏的中缘鬃，则前中鬃至多仅有近盾沟处的 1 对 …… **钳麻蝇属 *Bellieriomima***
17. 前缘刺发达 …… **刺麻蝇属 *Sinonipponia*(部分)**
前缘刺不发达，几乎仅等于前缘脉横径 …… **何麻蝇属 *Hoa***
18. 前胸侧板中央凹陷有纤毛，但很少，1～2 根 …… 19
前胸侧板中央凹陷无纤毛 …… 20
19. 后足胫节无长缨毛 …… **别麻蝇属 *Boettcherisca***
后足胫节具长缨毛 …… **亚麻蝇属 *Parasarcophaga*(部分)**
20. 无中鬃 …… **粪麻蝇属 *Bercaea***
有中鬃，至少小盾前 1 对中鬃存在 …… 21
21. 阳茎侧阳体端部无中央突 …… **叉麻蝇属 *Robineauella***
阳茎侧阳体端部具中央突 …… **亚麻蝇属 *Parasarcophaga*(部分)**

1. 摩蜂麻蝇属 *Amobia* Robineau-Desvoidy, 1830

Amobia Robineau-Desvoidy, 1830: 36. **Type species**: *Tachina signata* Meigen, 1824 [= *Amobia conica* Robineau-Desvoidy, 1830].

属征: 下眶鬃 1 行，强大，达于触角基部附近，但不折向外方，雌虫和雄虫额均较窄，均具 1 行细小的下倾上眶鬃，颊高为眼高的 1/10，侧颜略和颊等宽，触角芒长而裸，胸部背面具 3 条明显而宽的纵条，中鬃(2～3)+3 个，背中鬃 2+(3～4)个，(有时退化为中鬃 0+1，背中鬃 1+2)个，腹侧片鬃 2 个。前缘刺不发达，r_{4+5}室开放；R_1 脉裸，R_{4+5}脉基部裸或具 2～3 个小鬃腹部卵形。前足爪和爪垫长。各背板沿后缘具黑斑，尾器大，基阳体无阳基后突。

分布:全北区，热带非洲区，新热带区。秦岭地区记录 1 种。

(1)长突摩蜂麻蝇 *Amobia oculata* (Zetterstedt, 1844)

Tachina oculata Zetterstedt, 1844: 1212.

Pachyophthalmus distorta Allén, 1926: 15.

鉴别特征:体长 5.00 ~ 6.50mm。翅前缘基鳞黑色或黑褐色，腹部第 3、4 背板的黑斑大，由后缘直通前缘，远远大于粉被间隔。前阳基侧突特长而细，端部尖，阳茎较细，光滑无棘。

采集记录:2♂1♀，佛坪东河台，1300 ~ 1512m，1973. Ⅷ. 09-10，采集人不详。

分布:陕西(佛坪)、台湾、四川；蒙古，俄罗斯，朝鲜，日本，阿尔及利亚，美国，欧洲北部。

2. 赛蜂麻蝇属 *Senotainia* Macquart, 1846

Senotainia Macquart, 1846: 295. **Type species**: *Senoyainia rubriventris* Macquart, 1846.

属征:中等大小的种，较少为小形，体长 3.50 ~ 10.00mm。体色深暗，具长鬃；上眶鬃(后倾) + (1 ~ 2)个(前倾)，有时其中前倾的退化；下眶鬃大形，左右相互交叉；颜高等于或小于口孔长度；触角第 3 节通常为第 2 节长的 2 ~ 3 倍，也有小于 2 倍的，芒裸；颊较高。r_{4+5}室开放；爪和爪垫长，约于第 5 分跗节等长；腹部略呈圆筒形，常有带或斑，有时在雌性中斑纹强烈退化。

分布:古北区，东洋区，非洲热带区。秦岭地区记录 1 种。

(2)西伯利亚赛蜂麻蝇 *Senotainia* (*Sphixapata*) *sibirica* Rohdendorf, 1935

Senotainia (*Sphixapata*) *sibirica* Rohdendorf, 1935: 80.

鉴别特征:体长 5.00 ~ 7.50mm。间额两侧缘平行，覆浓厚的灰黄色或金黄色粉被，侧额及侧颜覆灰黄或暗灰色粉被，触角较长，第 3 节至少为第 2 节长的 2 倍，第 2 节黑色，末端带黄边，触角芒基部 1/3 加粗，髭显著位于复眼下缘之上。腹部覆黄灰色粉被，仅第 3 背板具不明显的近于消失的黑斑，中央斑长，侧斑较小，近圆形，第 4 背板在变换光源角度的情况下可发现黑斑消失的痕迹。

采集记录:1♂，凤县红岭林场，1580m，1973. Ⅶ. 21，采集人不详；6♂，留坝庙台子，1350m，1988. Ⅶ. 19，采集人不详；1♀，佛坪东河台，1512m，1973. Ⅷ. 09，采

集人不详。

分布:陕西(凤县、留坝、佛坪)、黑龙江、内蒙古、广西、四川、云南;俄罗斯,亚洲中部,欧洲,非洲北部。

3. 蜂麻蝇属 *Miltogramma* Meigen, 1803

Miltogramma Meigen, 1803: 280. **Type species**: *Miltogramma punctatum* Meigen, 1824.

属征:体大型或中型,体长 6 ~ 11mm。体色灰。额常较眼为宽,侧面观呈角形。前倾上眶鬃1 ~2 个,较少为4 个。r_{4+5}室很宽的开放,有时闭合。前足跗节常有长刚毛。阳基后突长,钩状。

分布:古北区。秦岭地区记录1 种。

(3)西班牙长鞘蜂麻蝇 *Miltogramma* (*Cylindrothecum*) *iberica* Villeneuve, 1912

Miltogramma (*Cylindrothecum*) *iberica* Villeneuve, 1912: 508.

鉴别特征:体大型,5 ~11mm。触角第3 节除端半部黑色外,其余部分红黄色。前缘基鳞黑褐或黑色,有时为红褐色,下腋瓣至少在边缘附近覆稀薄的黄褐色粉被,M 脉心角至 dm-cu 横脉的距离大于或至少等于由心角至翅后缘之间的距离。侧尾叶后臂较宽大,后阳基侧突细长略弯曲,基阳体很长,而且细,无阳基后突,筒形,外生殖器大而宽。

采集记录:1♂,长安南五台,1973. Ⅷ. 19,采集人不详;1♂,凤县红岭林场,1580m,1973. Ⅶ. 21,采集人不详;11♂,佛坪,900 ~1512m,1973. Ⅷ. 05-10,采集人不详;2♂,佛坪,950m,1988. Ⅶ. 23,采集人不详;1♂,宁陕鸡窝子,1800m,1973. Ⅷ. 16,采集人不详;1♂,宁陕旬阳坝,1350m,采集人不详,1988. Ⅶ. 29,采集人不详。

分布:陕西(长安、凤县、佛坪、宁陕)、辽宁、河北、山东、甘肃、江苏、浙江、福建、广东、四川、云南、西藏;俄罗斯,朝鲜,日本,西班牙,阿尔及利亚。

4. 突额蜂麻蝇属 *Metopia* Meigen, 1803

Metopia Meigen, 1803: 280. **Type species**: *Musca leucocephala* Rossi, 1790.

属征:体躯中等大小(较少是小的)的暗色蝇类。雌虫和雄虫通常在体色上可明显的区别,较少略相似(*Opheliella* 亚属)。额在头顶部等于一眼宽,较少是较宽或较狭。眼内缘向下方逐渐地背离,主要为 *Metopia* (s. str.)亚属的雄性,或平行(雌性)，或则颜面在触角基部的水平也显然比额为狭，主要为 *Opheliella* 亚属。间额向前端变窄，有时很明显的几乎变得完全消失主要为 *Metopia*（s. str.）亚属的雄性。额鬃很大，尤其在额的前部和后部，在中部则较弱，有时呈纤毛状或则甚至完全缺如，主要为 *Metopia*（s. str.）亚属的雄性。侧额鬃大形，2~4对，有时为2行并部分向后弯曲。新月片上常有1对小毛，颜等于头宽的2/5~1/2，中颜板很狭和高，向下方去仅不显著地变狭。触角很长，第3节的长为第2节的4~7倍，触角芒长而细，其第2小节短，第3小节在基部一半或稍膨大，无毛，有时在高倍镜下可见微毫毛。颊高等于眼高的1/12~1/6。侧颜在触角基部的水平上很宽，较少时不太宽的(*Opheliella* 亚属)，向下方去明显地收缩，侧颜有1行大形而长的靠近颜堤的侧颜鬃。颜堤裸，仅在髭角之上有为数不多的短鬃。口缘和颊有细长刚毛。喙短而细，前颜长为其本身高的3~4倍。下颚须中等长。胸部鬃很发达，背中鬃2+3个，长大，中鬃较柔弱而短，沟前为1~3对，沟后为1~3对，在 *Opheliella* 亚属中可见到较长的中鬃，被侧片鬃2个，之外在背侧片上还有2~4个短毛，前胸侧板中央凹陷处裸，中侧片上方有密而粗的鬃；腹侧片鬃1+1个，腹侧片适当的发达。前足基节的端部向后远超过腹侧片前缘的中央。翅上鬃、翅后鬃和3对小盾缘鬃长大。足中等长，无任何特别长的部分。雌虫和雄虫爪短，雄性前足跗节常具长的刚毛和纤毛，或具短的分跗节。翅总是无斑纹，无色。R_1 脉裸。M 脉末段钝角形弯曲，较少几乎是直的。M 脉第3段长等于第2段长的1/3~1/2，C 脉第5段为第3段的1.18~2.33倍。翅的后半无脉，宽阔，约等于 r_{4+5} 室的最大宽度。M 脉末段的前屈部分斜位，dm-cu 横脉有时几乎与之并行，较少略垂直的(某些 *Opheliella* 亚属的种类)。前缘刺不明显。*Opheliella* 亚属和 *Metopia*（s. str.）亚属的雌性腹部为长卵形，*Metopia*（s. str.）亚属的雄性在端部明显的呈锥形。第2、3背板具完整的鬃列。雄露尾节不大，较少是中等大的。

分布：全北区。秦岭地区记录1种。

(4)白头突额蜂麻蝇 *Metopia argyrocephala* Meigen, 1824

Metopia argyrocephala Meigen, 1824: 372, 230.

鉴别特征：体长4~7mm。侧额前半部闪烁发亮的银白色部分和后半部暗色不发亮的部分之间有明晰的分界，下颚须全黑。前缘基鳞淡黄色，M 脉末段的角前段显著小于由心角至翅后缘之间的距离，R_{4+5} 脉基段背面的小鬃不越过 r-m 横脉。前足跗节全黑，第1分跗节的长度不超过其余分跗节长度之和，且第1至4分跗节无长缨毛，腹部第4背板后缘不具完整的1行缘鬃，仅具1对中缘鬃和数根侧缘鬃，中缘鬃和侧缘鬃之间不连续。

采集记录：2♂，留坝红崖沟，1500~1650m，1998. Ⅶ. 22，采集人不详。

分布：陕西(留坝)、黑龙江、内蒙古、北京、河北、河南、甘肃、青海、新疆、上海、浙江、福建、台湾、四川、云南、西藏；俄罗斯，朝鲜，日本，阿富汗，伊朗，伊拉克，欧洲，北美洲。

5. 短野蝇属 *Brachicoma* Rondani, 1856

Brachicoma Rondani, 1856: 69. **Type species**: *Tachina nitidula* Rondani, 1856.

属征: 中等大小或大型蝇类，体长5～14mm。体暗色，雄性额宽通常不狭于一眼宽，雌性额更宽，触角第3节长约为第2节长的2倍左右，芒裸或者有短毳毛，基半左右增粗；侧颜显然宽于触角第3节宽，被较多鬃状毛；口窝孔长约3倍于其宽，头长的髭角1线大于额角1线；下颚须黑色细长，常超过触角长。中鬃(0～2) +1个，后背中鬃3个。r_{4+5}室开放，M脉末段心角呈直角或小于直角，它与dm-cu横脉接近而与翅缘较远。中胫无后腹鬃，前足爪及爪垫常大于第5分跗节。腹部几乎全黑，或具发达的淡色粉被而背板可见黑色缘带及黑色正中条；雄性尾节常呈亮黑，肛尾叶长三角形，基半有粉被，端半细而亮黑，侧尾叶常呈宽短有钝突的片状，或呈瘦角状，阳茎骨化强，亮黑，侧阳体侧面观有时呈别针头状，或者前后缘几乎平行。

分布: 全北区。秦岭地区记录1种。

(5) 寂短野蝇 *Brachicoma devia* Fallén, 1820

Brachicoma devia Fallén, 1820: 6.

鉴别特征: 体长8～9mm。前颏较短，其长度远远小于眼高，与复眼横径的长度相近，下颚须筒形。前缘刺不发达，R_{4+5}脉上面小刚毛列占第1脉段的基部的3/5。后胫背端鬃3个。腹第3、4两背板具"山"字形黑斑。肛尾叶较短而宽，侧尾叶略似1个刚分叉的鹿角。雌性前足跗节细长，第4、5两分跗节等长，爪及爪垫短。

采集记录: 3♂2♀，凤县红岭林场，1580m，1973. Ⅶ. 21，采集人不详；1♂，留坝闸口石，1800～1900m，1998. Ⅶ. 20，采集人不详；5♂1♀，佛坪东河台，1300～1512m，1973. Ⅷ. 09～11，采集人不详；2♂，宁陕鸡窝子，1800m，1973. Ⅷ. 16，采集人不详。

分布: 陕西(凤县、留坝、佛坪、宁陕)、黑龙江、辽宁、内蒙古、甘肃、新疆、四川、云南、西藏；蒙古，俄罗斯，日本，吉尔吉斯斯坦，欧洲，北美洲。

6. 拉麻蝇属 *Ravinia* Robineau-Desvoidy, 1863

Ravinia Robineau-Desvoidy, 1863: 434. **Type species**: *Musca striata* Fabricius, 1794.

属征: 下眶鬃列的前段走向在雄性中仅稍微向外，而在雌性中则差不多是完全直的，不向外；前中鬃2～0个，雄性小盾端鬃退化。雄性尾器肛尾叶构造正常，后面观端部仅相互稍微分开，阳茎通常侧阳体不划分出基部和端部，侧阳体基部腹突尖细而单纯，翕突发达，转位至侧阳体基部腹突的段侧；外观不见插器，第5腹板后方正中陷入深，无窗，侧叶的长度常超过该腹板基部的长度，沿侧叶的内缘有短鬃呈刷状排列，在这内缘的后端常向后或略向内方突出。雌性尾器第6背板完整，第8背板发达。

分布:新北区，古北区，新热带区。秦岭地区记录1种。

(6)红尾拉麻蝇 *Ravinia pernix*（Harris, 1780）

Musca pernix Harris, 1780: 84.

Musca striata Fabricius, 1794: 315.

鉴别特征:体长6~9mm。额鬃列并行，其前段只稍向外，小盾端鬃退化，中胫无腹鬃；肛尾叶直，向末端去渐尖，前阳基侧突缓缓地弯曲，后阳基侧突略直而末端具急激弯曲的钩，前缘近端部略呈锯齿状，阳体粗壮，基阳体长，后上端突出；侧阳体端部腹突尖细，翕突1对，骨化而大形，侧面观呈三角形，具短柄；侧阳体端部与基部无明确界限。雌性体粉被黄灰色，腹部具棋盘状斑。第6背板完整，缘鬃列疏而强大，第7背板略骨化，第8背板发达，为1对大的像叶片状亮红骨片，第9背板有2对内倾的鬃，肛尾叶多毛，第2至5腹板一般都有1对长大的缘鬃，第6、7两腹板缘鬃常在2对以上，第7腹板很大，中央部内陷，第9背板横阔，子宫骨片略呈三角形。

采集记录:5♂2♀，长安翠华山，1973. Ⅷ. 21，采集人不详；1♂，留坝庙台子，1300m，1973. Ⅶ. 27，采集人不详；2♂，佛坪东河台，1512m，1973. Ⅷ. 09，采集人不详；1♀，宁陕火地塘，1580m，1998. Ⅶ. 27，采集人不详。

分布:陕西(长安、留坝、佛坪、宁陕)、黑龙江、吉林、辽宁、内蒙古、北京、天津、河北、山西、山东、河南、宁夏、甘肃、青海、新疆、江苏、湖北、湖南、四川、云南、西藏；蒙古，俄罗斯，朝鲜，日本，印度，尼泊尔，阿富汗，巴基斯坦，伊朗，也门，沙特阿拉伯，伊拉克，叙利亚，黎巴嫩，巴勒斯坦，非洲北部，欧洲。

7. 库麻蝇属 *Kozlovea* Rohdendorf, 1937

Kozlovea Rohdendorf, 1937: 300. **Type species**: *Kozlovea tshernovi* Rohdendorf, 1937.

属征:雄性额宽为眼宽的0.50~1.50倍，雌性额与眼等宽；颊高超过眼高的2/5，颊被黑毛，后头被白毛，颜堤鬃达颜堤中部；前颏较细长，为本身高的2.50~6.00倍；中鬃0+1个，背中鬃3+3个，腹侧片鬃2+1个。股节的栉发达，各足股节腹面具细长而密的黑毛。腹部第7、8合背板具1行短粗缘鬃；第5腹板宽，侧叶内缘具圆形或指形的突起，侧叶内缘亚中部被密刺；肛尾叶内缘突出，末端爪状，侧插器 1 对，漏斗状。雌性腹部第 6 背板为完整型或中断型。

分布：古北区，东洋区。秦岭地区记录 1 种。

(7) 复斗库麻蝇 *Kozlovea tshernovi* Rohdennorf, 1937

Kozlovea tshernovi Rohdennorf, 1937: 300.

鉴别特征：前颏细长，长为高的 6 倍。第 5 腹板侧叶内缘的刺稀疏，侧阳体端部侧突较短。

采集记录：1♀，宁陕火地塘，1580m，1999. Ⅶ. 24，采集地点，采集人不详；6♂，1999. Ⅶ. 25，采集地点、采集人不详。

分布：陕西(宁陕)；蒙古。

8. 黑麻蝇属 *Helicophagalla* Enderlein, 1928

Helicophagalla Enderlein, 1928: 38. **Type species**: *Sarcophaga noverca* Rondani, 1860.

属征：额宽为眼宽的 2/5 ~ 4/5，在雌性中额宽，将近头宽的 1/3。眼内缘肯明显的向两侧方背离。侧颜相当宽(很少是很宽的)，在触角基部水平为眼长的 1/4 ~ 2/3；侧颜向下去稍为收缩。颊高等于眼高的 2/5 ~ 1/2。口前缘明显的向前突出；头下缘直，很弱的凸出，常是凹形的。触角中等长，第 3 节为第 2 节长的 1.50 ~ 2.00 倍。头长大，头后表面很强的凸出。中鬃通常仅有小盾前的 1 对；较少有很发达的前中鬃。后背中鬃 3 个，等距排列。R_1 脉几乎总是裸的。r_{4+5} 室很宽的开放。足股节近端部栉常不显而细，常呈鬃状。肛尾叶边缘总是平的。直而均匀地延长并向末端变尖，其端部不很向两侧方背离。第 7、8 合腹节总是很大形，比第 9 背板长 1.20 ~ 2.00 倍；第 9 背板总是长的，很少略呈方形。雌性第 6 背板很深的裂为两片边缘弧形的骨板。基阳体比阳茎略短，侧阳体通常长，基部很厚实，侧插器短，不弯曲；通常耳状突很发达。所有的种类体色都略相似。腹部黑色，覆有黄色或白色的粉被，形成典型的棋盘状斑，很少有略明确的斑；雄性第 7、8 合腹节黑色、发亮。足、下颚须和触角黑色。翅透明。

分布：古北区，北美区，东洋区。秦岭地区记录 1 种。

(8) 黑尾黑麻蝇 *Helicophagalla melanura* (Meigen, 1826)

Sacrophaga melanura Meigen, 1826: 23.

鉴别特征：体长 2 ~ 12mm。侧颜宽约为眼长的 1/3。第 2 对前中鬃的长度不达盾沟。第7、8合腹节具缘鬃，第5腹板侧叶基部内缘腹面上的刺斑较大，近似椭圆形，前阳基侧突瘦长，较后阳基侧突为短，膜状突前缘波曲很甚，末端形成1个小爪尖。雌性第6背板两侧骨片的上半缘鬃疏，缘鬃长度较第5背板的正中缘鬃短。

采集记录：7♂5♀，凤县红岭林场，1338～1800m，1973.Ⅶ.21-25，采集人不详；1♀，留坝庙台子，1300m，1973.Ⅶ.27，采集人不详；2♂，1998.Ⅶ.19，采集人不详；6♂2♀，留坝闸口石，1800～1900m，1998.Ⅶ.20，采集人不详；3♂，留坝东河台，1440～1512m，1973.Ⅷ.09-11，采集地点、采集人不详；1♂2♀，佛坪，900m，1973.Ⅷ.05，采集人不详；950m，2♂，1998.Ⅶ.23，采集地点、采集人不详；1♀，佛坪龙草坪，1010m，1973.Ⅷ.07，采集人不详；1♂，宁陕鸡窝子，1800m，1973.Ⅷ.16，采集人不详；1♂，火地塘鸦雀沟，1600～1700m，1998.Ⅶ.28，采集人不详。

分布：陕西（凤县、留坝、佛坪、宁陕）、黑龙江、吉林、辽宁、内蒙古、北京、天津、河北、山东、河南、山西、宁夏、甘肃、青海、新疆、江苏、上海、安徽、浙江、湖北、江西、湖南、福建、台湾、广东、海南、广西、四川、贵州、云南、西藏；蒙古，俄罗斯，朝鲜，日本，印度，马来西亚，阿富汗，伊朗，伊拉克，土耳其，巴勒斯坦，叙利亚，埃及，摩洛哥，阿尔及利亚，突尼斯，毛里塔尼亚，北美洲，中亚，欧洲，加那利群岛，克什米尔地区。

9. 球麻蝇属 *Phallosphaera* Rohdendorf, 1938

Phallosphaera Rohdendorf, 1938: 107. **Type species**: *Phallosphaera konakovi* Rohdendorf, 1938.

属征：头宽，高度略小于宽度。触角长，末端达于眼下缘的水平以下，第3节长约为第2节长的3～4倍，甚至5倍，芒具长纤毛。雄性额狭，约为一眼宽的1/2，侧颜在触角基部水平上等于眼长的1/2，向下去几乎不收缩，具多数短纤毛。颊高约为眼高的1/3，口前缘适当的凸出。前颏长为高的3～4倍。下颚须略细长。前中鬃常存在，后中鬃常为小盾前的1对；后背中鬃4个。腹侧片鬃1+1+1个，前方的2个靠近。r_{4+5}室宽阔的开放。股节具栉，不典型，由颇细的鬃组成。腹部第7、8合腹节沿后缘无鬃，显较第9背板为宽，明显的膨隆。前阳基侧突末端常分叉，后阳基侧突在基部半段上具鬃，端部有时具齿状的侧突起。阳茎结构特殊，暗而不透明，整个如1团块；侧阳体端部界限分明，中央突骨化弱，侧突骨化强，或则特大，向前方卷曲成圆锥形，锥顶指向后方两侧。膜状突1对，常为膜质的片，且呈翼状向两侧伸展，侧阳体基部腹突小，仅为很不显著的小骨片。侧插器特别发达，端部巨大，主要为膜质，表面被小棘，状极不规则，卷曲如木耳状，芯部骨化。中插器不成对，隐于侧插器之间。肛尾叶颇短，后面观开叉约占下方的2/5，至多直至中部，端部外侧具棘，在近端部的后缘常有1撮毛，末端具爪。侧尾叶通常长形。第5腹板正中后方有1个单一的突立的特征性突起。腹第3背板有时具中缘鬃。

分布：古北区，东洋区。秦岭地区记录1种。

(9)东北球麻蝇 *Phallosphaera* (s. str.) *konakovi* Rohdendorf, 1938

Phallosphaera (s. str.) *konakovi* Rohdendorf, 1938: 107.

鉴别特征:体长12.50mm。触角长约为颜高的4/5，第3节约为第2节长的3倍。前胸侧板中央凹陷具纤毛(有时裸)。翅透明。第3背板有1对中缘鬃，第5腹板后缘中央的正中突扁而中央略凹入。侧面观肛尾叶后缘毛与近端部的直立鬃簇之间不间断，末端的爪位于中部，近端部的前、后缘都呈弧形，角度都很大。前阳基侧突末端有裂隙，后阳基侧突末端有小分叉，侧阳体端部中央突不明显的突出。

分布:陕西(秦岭、子午岭、黄龙山、南泥湾)、黑龙江、吉林、辽宁、四川；俄罗斯，日本。

10. 克麻蝇属 *Kramerea* Rohdendorf, 1937

Kramerea Rohdendorf, 1937: 274. **Type species**: *Sarcophaga schuetzei* Kramer, 1909.

属征:触角长，第3节为第2节长的2.50~3.00倍，额颇狭，等于眼宽的1/3~2/5。髭仅稍高于口前缘；侧颜颇宽，大于眼长的2/5，具多数毛，下部排列成2、3行垂直的列，上部几乎在所有的宽度内都被有多数的毛，最长侧颜毛等于侧颜宽。颊高几乎为眼高的2/5，适当的向后方膨隆。口前缘不很向前突出。触角芒着生不特别长的毛。喙中等长，前颏长为高的4~5倍。前胸侧板中央凹陷被有颇密的黑色纤毛。前中鬃盾沟前的1对常存在，后中鬃1对，颇柔弱。

分布:古北区。秦岭地区记录1种。

(10)舞毒蛾克麻蝇 *Kramerea schuetzei* (Kramer, 1909)

Sarcophaga schuetzei Kramer, 1909: 14.

鉴别特征:体长11~12mm。额宽为眼宽的1/2，颊高为眼高的2/5，颜堤毛列占颜堤高的4/5。雌性中股器存在于中段。第6背板完整。

采集记录:1♂，留坝庙台子，1300m，1973.Ⅶ.27，采集人不详。

分布:陕西(留坝)、黑龙江、吉林、辽宁、内蒙古、北京、山西、河南、甘肃；蒙古，俄罗斯，朝鲜，日本，波兰，德国，捷克，斯洛伐克，匈牙利，保加利亚。

11. 刺麻蝇属 *Sinonipponia* Rohdendorf, 1959

Sinonipponia Rohdendorf, 1959: 795. **Type species**: *Sarcophaga erecta* Ho, 1934.

属征:前中鬃4个(少数5个)，后背中鬃4个(少数3个)，前胸侧板中央凹陷具少数纤毛，这在某些雄性和雌性个体中略不明显，雄性小盾片具1对侧端鬃。第3背板具1对中缘鬃(少数缺如)。颊高为眼高的2/5~1/4，后胫常具疏的长纤毛。前缘刺发达。肛尾叶末端具尖爪，前阳基侧突具刃状的前缘，略直，基阳体短，阳体宛如指尖作撮合状的手。膜状突尖瘦，成对，侧阳体基部腹突骨化而狭长，分叉或不分叉。侧阳体端部的近基部大而向末端急收得尖小，且向前屈，具尖细的或卵形片状的侧突，中央突尖而直，在它的近末端处有1对逆生的小刺。前阳基侧突部分增宽，末端常钝。

分布：亚洲东部及南部。秦岭地区记录1种。

(11)立刺麻蝇 *Sinonipponia hervebazini* (Séguy, 1934)

Sarcophaga hervebazini Séguy, 1934: 26, 27.

鉴别特征：体长6.50~8.50mm。阳体膜状突骨化弱，侧阳体基部腹突侧面观宽而末端两分叉；侧阳体端部侧突略呈匙形。雌性第6背板中断，中股无中股器。

采集记录：11♂，旬阳白柳镇前坪村，621m，2014. Ⅵ. 23，于腾采。

分布：陕西(旬阳)、辽宁、河南、甘肃、江苏、上海、浙江、湖北、江西、四川、贵州、云南；朝鲜，俄罗斯，日本。

12. 何麻蝇属 *Hoa* Rohdendorf, 1937

Hoa Rohdendorf, 1937: 291. **Type species:** *Sarcophaga flexuosa* Ho, 1934.

属征：雄性触角相当长，第3节长为第2节的2倍。额宽约为眼高的3/5。前胸侧板中央凹陷裸，前中鬃发达。后背中鬃4个。前缘刺不发达，R_1脉裸，R_{4+5}脉第1段上的小刚毛越过中部。足部的栉不发达。胸部第3背板有1对中缘鬃。阳茎有厚实的侧阳体基部，缺腹突，侧阳体端部大形，具很发达的长的在末端扩展并具齿的侧突。中央突长而向背方卷曲。侧插器细长。膜状突短状为1对不大的疣。肛尾叶常形。雌性第6背板完整。

分布：中国。秦岭地区记录1种。

(12)卷阳何麻蝇 *Hoa flexuosa* (Ho, 1934)

Sarcophaga flexuosa Ho, 1934: 25.

鉴别特征：体长6~9mm。触角长，第3节为第2节的2倍长，前后鬃3行，颊高为眼高的1/4。前缘刺不发达，脉上的小刚毛着生在生毛段的基部1/2~3/5之内。

中股无栉；后胫无缨毛，前腹鬃1个；后足转节腹面有不很密的长鬃。阳体膜状突1对，简单；侧阳体端部的长度几为基部的2倍，侧突长，末端扩大并两分叉，分叉的尖端都向下。前阳基侧突呈半爿管状。

采集记录：长安终南山。

分布：陕西（长安）、辽宁、北京、河北、山东、河南、江苏、上海。

13. 钳麻蝇属 *Bellieriomima* Rohdendorf, 1937

Bellieriomima Rohdendorf, 1937:134. **Type species:** *Sarcophaga subulata* Pandellé, 1896.

属征：膜状突1对，侧插器不是特别粗壮，端部广被微棘，或者侧插器近端部无刺状小分支，腹突亦不明显分叉；膜状突下垂，几乎与侧阳体基部等长，侧阳体端部向前伸展，侧面观与成对下垂的膜状突靠拢，侧插器细小，不太外露，中插器小。

分布：古北区，东洋区。秦岭地区记录1种。

(13) 微刺钳麻蝇 *Bellieriomima diminuta* (Thomas, 1949)

Sarcophaga diminuta Thomas, 1949: 170.

Pierretia (*Bellieriomima*) *diminuta*: Xue & Chao, 1998: 1630.

鉴别特征：体长3.50～8.00mm。外顶鬃不发达，颊部在前半部具黑色，后半部具白毛，触角第3节通常为第2节的3倍长，至少大于2倍。R_1脉裸，前缘刺发达。后胫无缨毛。第3、4腹板上的毛短，第3背板中缘鬃缺如或不发达。肛尾叶基部宽，端部渐瘦而向前弯，末端具1小爪，阳茎短，侧阳体端部中央突的两侧有1对刺。

分布：陕西（秦岭）、河北、甘肃、重庆。

14. 别麻蝇属 *Boettcherisca* Rohdendorf, 1937

Boettcherisca Rohdendorf, 1937: 270. **Type species:** *Myophora peregrine* Robineau-Desvoidy, 1830.

属征：雄性额很狭，为头宽的0.16～0.18倍。触角细，第3节约为第2节的2.50倍。髭稍高于口前缘，侧颜狭，侧面观为眼长的1/3，向下去稍稍收缩，侧颜有几行柔弱的、较侧颜为短的、垂直的鬃列，颊约为眼高的1/4～1/3，口前缘显然突出。触角芒上下侧具细长纤毛。喙适当的短，前颏长为高的3倍。前胸侧板中央凹陷具不特别密的黑色纤毛，后背中鬃5个鬃位，前方3个短，后方2个长大，中鬃仅小盾前的1对。翅R_1脉裸，r_{4+5}室相当开放。股节栉很发达。第7、8合腹节短，长比本身高为短。肛尾叶后面观开裂约占本身长的2/5，分支部几乎平行；侧尾叶呈钝圆三角形，基阳体短于阳茎，但较粗；侧阳体基部腹突通常呈弯叶状，末端有 2 个尖端，个别细；侧阳体端部特殊，侧突细枝状或叶状，膜状突 1 对，很宽但不很长，覆有多数小棘，后方有无棘区；前阳基侧突末端形态及后缘轮廓因种而异，后阳基侧突前缘近端部有 1 或 2 个小刚毛。第 5 腹板具很发达的刺。第 9 背板黑褐以致红黄色。

分布：古北区，东洋区，大洋洲区。秦岭地区记录 2 种。

分种检索表

颊部后方 1/3 ~ 1/2 具白毛，后股腹面具末端卷曲的缨毛…………………… **棕尾别麻蝇 *B. peregrine***

颊部全为黑毛，或仅靠颊后头沟处有很少几根白毛，后股腹面无缨毛 ………………………………………………………………………………………… **台湾别麻蝇 *B. formosensis***

(14) 棕尾别麻蝇 *Boettcherisca peregrine* (Robineau-Desvoidy, 1830)

Myophora peregrine Robineau-Desvoidy, 1830: 356.

鉴别特征：体长 6 ~ 9mm。颊部后方 1/3 ~ 1/2 具白毛。后股腹面具末端卷曲的缨毛，毛长略超过节粗的 1/2。前阳基侧突显然长于后阳基侧突；肛尾叶端部外侧具不很密的刺状短鬃，末端爪短小，前阳基侧突瘦长，末端扁薄，膜状突前缘圆弧形，侧阳体基部腹突略呈半月形，末端有 2 个尖端指向上前方；侧阳体端部侧突叶状，末端有 1 个缺刻。雌性中股器存在于节中段，长约为节长的 1/4，第 6 背板完整，正中缺缘鬃，第 7 背板为 1 个前缘略卷边的铲形骨片，第 7 背板后缘呈“V”形凹入。

采集记录：1♂，留坝庙台子，1300m，1973. Ⅵ. 27，采集人不详；11♂，佛坪，900 ~ 1512m，1973. Ⅷ. 05-10，采集人不详；1♂，佛坪凉风垭，1750 ~ 2150m，1999. Ⅵ. 28，采集人不详。

分布：陕西(留坝、佛坪)、黑龙江、吉林、辽宁、内蒙古、北京、河北、山西、河南、宁夏、甘肃、江苏、上海、安徽、浙江、湖北、江西、湖南、福建、台湾、广东、海南、广西、四川、贵州、云南、西藏；朝鲜，日本，泰国，印度，尼泊尔，斯里兰卡，菲律宾，马来西亚，印度尼西亚，澳大利亚，萨摩亚，斐济群岛，夏威夷群岛，伊里安岛，塞舌尔群岛。

(15) 台湾别麻蝇 *Boettcherisca formosensis* Kirner *et* Lopes, 1961

Boettcherisca formosensis Kirner *et* Lopes, 1961: 65.

鉴别特征：体长 11 ~ 14mm。颊部全为黑毛，或仅靠颊后头沟处有很少几根白毛。后股腹面无缨毛。前、后阳基侧突几乎等长，前阳基侧突在近端部前缘波曲，膜状突无棘部分明显前突，侧阳体端部大于侧阳体基部腹突，侧阳体端部侧突前缘剜入形成两个尖端。雌性第 6 背板分离型。

采集记录:1♂1♀，宁陕火地塘，1580m，1999. Ⅶ.24，采集人不详；6♂，旬阳白柳镇刘家厂村，439m，2014. Ⅵ.22，于腾采。

分布:陕西(宁陕、旬阳)、辽宁、台湾、四川。

15. 粪麻蝇属 *Bercaea* Robineau-Desvoidy, 1863

Bercaea Robineau-Desvoidy, 1863: 549. *Musca haemorrhoidalis* Fallén, 1817.

属征:雄性额宽等于1个单眼宽的2/5～3/5，侧颜在触角第2节水平上约为眼长的1/2，触角中等长，芒长羽状，颊高约为眼高的1/2。前胸侧板中央凹陷裸，中鬃缺如，后背中鬃5个。基阳体很短，几乎呈方形，仅为阳茎长的1/7～1/5，侧插器有内、外两枝；第5腹板侧叶短，后内方有1对密生鬃状长毛的突出部；侧阳体很大而宽，端部很短，具细小的突起，膜状突大多为1对很长大的前伸突出物。

分布:全北区，热带区，东洋区。秦岭地区记录1种。

(16)红尾粪麻蝇 *Bercaea africa* (Wiedemann, 1824)

Musca africa Wiedemann, 1824: 49.

Sarcophaga cruentata Meigen, 1826: 28.

鉴别特征:体长7～14mm。眼后鬃2行，颊前方1/2长度内毛黑色，后方其余部分毛淡色，颊高约为眼高的1/2，间额和侧颜都约为一侧额的2倍宽。肛尾叶从后面观分支部长而左右远离，跨度很大，第7、8合腹节缘鬃发达，节长度等于第9背板，后者亮红色，背面正中有1个微凹。雌性中股器直达节基部，腹末端红色，第6背板背面观呈分离的2个对角，第8背板为1对远离的近似圆形的棕色骨片。

采集记录:2♂，长安翠华山，1973. Ⅷ.21，采集人不详；1♂，长安五台山，1973. Ⅷ.19，采集人不详；1♂，凤县红岭林场，1580m，1973. Ⅶ.21，采集人不详；2♂，秦岭垭口，2050m，1998. Ⅶ.30；1♂，留坝庙台子，1350m，1998. Ⅶ.19，采集人不详；8♂1♀，佛坪，900～1512m，1973. Ⅷ.05-10，采集人不详；1♂，宁陕鸡窝子，1800m，1973. Ⅷ.16，采集人不详；1♂1♀，宁陕火地塘，1580m，1998. Ⅶ.26-29，采集人不详；1♀，旬阳白柳镇刘家厂村，439m，2014. Ⅵ.22，于腾采。

分布:陕西(长安、凤县、留坝、佛坪、宁陕、旬阳)、黑龙江、吉林、辽宁、内蒙古、北京、河北、山西、山东、河南、宁夏、甘肃、青海、新疆、四川、云南、西藏；蒙古，俄罗斯，朝鲜，日本，印度，尼泊尔，埃及，以色列，黎巴嫩，叙利亚，土耳其，伊拉克，沙特阿拉伯，也门，伊朗，阿富汗，美国(夏威夷)，欧洲，北美洲，南美洲。

16. 叉麻蝇属 *Robineauella* Enderlein, 1928

Robineauella Enderlein, 1928: 23. **Type species**: *Sarcophaga scoparia* Pandellé, 1896.

属征:体色黑灰,大型蝇种,在麻蝇亚科中,体型最大的长达19mm,一般也在15mm左右。雄性额宽约为1个复眼宽的1/3~2/5,侧颜宽约为1个复眼宽的3/5~4/5,颊宽,约为眼高的1/3~1/2。触角第3节长度约为第2节的2~3倍,触角芒长,沿基部的3/5段长羽状。前胸腹板有少量的毛,前胸侧板凹陷处裸,偶尔有个别种的个别个体有几根黑色纤毛。中鬃0+1个,背中鬃(5~6)+(5~6)个,仅最后2~3根粗壮。翅 R_1 脉裸,后足股节和胫节的腹面均有长缨毛。腹部第3背板无中缘鬃,第5腹板"V"形或"U"形,有些种在侧叶基部内侧鬃毛的里面有1对小的指状突,第7、8合腹节无后缘鬃或仅有弱的后缘鬃,第9腹节和肛尾叶黑色,侧阳体端部侧突发达,骨化强,一般呈叉形,无中央突。膜状突1~2对,腹突发达。雌性的腹部第6背板均为分离型,两爿骨片呈略带三角形的半圆形,它与第6、7腹板构成圆锥状,几乎完全凸出在腹部末端。

分布:古北区,东洋区,新北区。秦岭地区记录1种。

(17)黄山叉麻蝇 *Robineauella* (s. str.) *huangshanensis* (Fan, 1964)

Parasarcophaga huangshanensis Fan, 1964: 312.

鉴别特征:体长12~13mm。触角较长,第3节为第2节长的2.50倍或更长。第5腹板在侧叶内缘基部无指状突起,基部特别宽,两侧叶的基部远离,呈"U"形,窗呈半圆形,侧面观肛尾叶很宽,长为亚端部宽的10倍左右,端半部的宽度仅略狭于基半部,末端弯曲处有纤毛群,后缘微曲,后阳基侧突长为宽(中段)的2倍,侧阳体端部侧突亚基部外侧有骨化刺,下缘有时有数目不等的棘状小突起。

采集记录:1♂,留坝红崖沟,1500~1650m,1988.Ⅶ.22,采集人不详;1♂,佛坪龙草坪,1010m,1973.Ⅷ.07,采集人不详;2♂,宁陕火地塘,1350~1580m,1998.Ⅶ.27-29,采集人不详。

分布:陕西(留坝、佛坪、宁陕)、甘肃、安徽、浙江、四川。

17. 亚麻蝇属 *Parasarcophaga* Johnston *et* Tiegs, 1921

Parasarcophaga Johnston *et* Tiegs, 1921: 86. **Type species**: *Parasarcophaga omega* Johnston *et* Tiegs, 1921.

属征:我国麻蝇族中最大的属。前胸侧板中央凹陷多数是裸的,后背中鬃5~6个,往前方去渐短小，很少是3或4个鬃位。足的栉常典型。腹部第3背板无中缘鬃，雄性第4腹板无稠密的刚毛，第5腹板长，窗大，具中脊，侧叶长，后端圆，内侧多刺；肛尾叶约在端半部裂开；基阳体等于或短于阳茎的长度，侧阳体端部界限明显，中央突小，侧突长，阳茎膜状突1(2)对，侧插器细长略弯。雌性第6背板为中断型，也有完整型和分离型。

分布：古北区，东洋区，非洲区，大洋洲，新北区。秦岭地区记录11种。

分种检索表

1. 眼后鬃1行，且颊部毛全白或前方的黑色毛部分不及颊长的1/3 ………… 2
   眼后鬃2行 ………… 4
2. 第7、8合腹节有发达的缘鬃列 ………… **肥须亚麻蝇 *P.*（*J.*）*crassipalpis***
   第7、8合腹节无缘鬃 ………… 3
3. 后胫前腹面无长缨毛，肛尾叶侧面观后缘有1个钝角形的向后突起，侧阳体端部分支向前不超过基部腹突 ………… **黄须亚麻蝇 *P.*（s. str.）*misera***
   后胫前腹面具长缨毛，肛尾叶侧面观后缘波曲，无钝角形突起，侧阳体端部分支向前超过基部腹突 ………… **褐须亚麻蝇 *P.*（s. str.）*taenionota***
4. 颊部或在近颊后头沟处具白色毛 ………… 5
   颊毛全黑 ………… 6
5. 眼后鬃2行 ………… **白头亚麻蝇 *P.*（s. str）*albiceps***
   眼后鬃3行以上 ………… **巨耳亚麻蝇 *P.*（s. str.）*macroauriculata***
6. 前缘脉第3段与第5段等长 ………… 7
   前缘脉第3段显然比第5段长 ………… 8
7. 腹部第3至第5各背板的近中部前缘的暗色斑和同一节两侧的后缘暗色斑相互通连 ………… **拟对岛亚麻蝇 *P.*（*K.*）*kanoi***
   腹部第3至第5各背板的近中部前缘的暗色斑和同一节两侧的后缘暗色斑不相通连 ………… **多突亚麻蝇 *P.*（*P.*）*polystylata***
8. 侧阳体端部侧突不分叉 ………… **野亚麻蝇 *P.*（*P.*）*similes***
   侧阳体端部侧突分叉 ………… 9
9. 肛尾叶侧面观端部变宽，端部的前后缘都呈圆形 ………… **贪食亚麻蝇 *P.*（*L.*）*harpax***
   肛尾叶侧面观端部变狭，端部的前后缘不圆 ………… 10
10. 前阳基侧突前缘甚为波曲 ………… **波突亚麻蝇 *P.*（*L.*）*jaroschevskyi***
    前阳基侧突中段反曲，末端很强的急剧钩曲 ………… **急钩亚麻蝇 *P.*（*L.*）*portschinskyi***

（18）肥须亚麻蝇 *Parasarcophaga*（*Jantia*）*crassipalpis*（Macquart, 1839）

Sarcophaga crassipalpis Macquart, 1839: 99.

鉴别特征：体长10～17mm。眼后鬃1行，颊部除接近眼下缘处有少数黑毛外，几乎全被白色毛，下颚须黑色或灰黑色。第7、8合腹节有发达的缘鬃列，第7、8合腹节及第9背板红色，肛尾叶宽，后缘端部呈斜截状；末端尖爪略向前曲，阳茎膜状突有1对不大的半球状突起，侧阳体端部无中央突，侧突表面略呈“S”形弯曲，末端略呈匙形扩大。雌性下颚须特别粗壮，末端肥大如短棒状。中股器达于股节基部。尾器红色，第6背板完整，但在正中具1个褶痕，有不很强大的缘鬃列和密而细的复行的缘毛；第7腹板有1对强大的鬃，第8腹板中央膜质，两侧有1对相当大的骨片，第9腹板也局部骨化，子宫骨片呈矮的鼓凳形。

采集记录:2♀，佛坪，900m，1973. Ⅷ. 05 ~ 13，采集人不详。

分布:陕西(佛坪)、黑龙江、吉林、辽宁、内蒙古、北京、河北、山东、河南、宁夏、甘肃、青海、新疆、江苏、湖北、四川、西藏；蒙古，俄罗斯，朝鲜，日本，地中海地区，欧洲，非洲南部，大洋洲部分地区，北美洲，南美洲部分地区。

(19)拟对岛亚麻蝇 *Parasarcophaga* (*Kanoisca*) *kanoi* (Park, 1962)

Sarcophaga kanoi Park, 1962: 6.

鉴别特征:体长7.50 ~ 13.00mm。眼后鬃在2行以上，颊毛全黑。前缘脉第3段与第5段等长。后胫有长缨毛。腹部第3至第5各背板的近中部前缘的暗色斑和同一节两侧的后缘暗色斑相互通连，第5腹板基部呈屋脊状，肛尾叶略直，仅末端稍向前弯，阳茎膜状突2对，外侧1对膜质，内方1对略骨化，侧阳体基部腹突短小，侧阳体基部骨化不很强，长度几乎与侧阳体基部相等，中央突板状，末端较平，它正中有1个小尖突，侧突长而下屈，它的基部向外侧扩展成板状。雌性第6背板中断，左右两股爿在背方正中以狭缝相接，第7背板为1个骨化片和1条狭骨化带，第8背板为1条狭长的带，第9背板为大的底宽的三角形骨片，第7腹板长而后缘凹入很浅。

采集记录:1♂，长安南五山，1973. Ⅷ. 19，采集人不详；2♂，凤县红岭林场，1380 ~ 1580m，1973. Ⅶ. 22-25，采集人不详；4♂，留坝庙台子，1300m，1973. Ⅶ. 27，采集人不详；1♂，1350m，1998. Ⅶ. 21，采集人不详；1♂，留坝韦驮沟，1600m，1998. Ⅶ. 21，采集人不详；1♂，留坝闸口石，1800 ~ 1900m，1998. Ⅶ. 20，采集人不详；2♂，佛坪龙草坪，1010m，1973. Ⅷ. 08，采集人不详；9♂，旬阳白柳镇前坪村，621m，2014. Ⅵ. 23，于腾采。

分布: 陕西(长安、凤县、留坝、佛坪、旬阳)、黑龙江、吉林、辽宁、河北、山东、河南、宁夏、甘肃、江苏、浙江、湖北、江西、四川；俄罗斯，朝鲜。

(20)多突亚麻蝇 *Parasarcophaga* (*Pandelleisca*) *polystylata* (Ho, 1934)

Sarcophaga polystylata Ho, 1934: 21.

鉴别特征:体长7.00 ~ 12.50mm。眼后鬃2行以上，颊毛全黑，间额为一侧额的2倍宽。前缘脉第3段与第5段等长。中足股节后腹面缨毛的长度略等于这一股节的最大横径，后胫有长缨毛。腹部第3至第5各背板的近中部前缘的暗色斑和同一节两侧的后缘暗色斑不相通连，第5腹板基部呈屋脊状，阳茎膜状突基部宽度小于前阳基侧突中段的宽度，它分支的末端特别纤细，1个分支短，出自中部外侧，另1个较长的位于端部，末端向上弯曲，此外，在正中尚有1个不成对的小的刺状突，侧阳体端部侧突显比中央突为长，且愈向端部去愈纤细，中央突除有尖而狭长的正中小突外，还有三角形的侧小突，侧插器亦细长而略尖，因此在阳茎的前方有多数末端尖的突出物，后足转节近基部超过1/2的长度内有短鬃斑，紧接着向端部去靠前方为细长刚毛，靠后方则裸，近基部后腹面有1簇细长毛。雌性第6背板完整型，第7腹板后缘凹入很深。

采集记录:1♀，长安南五台，1973. Ⅷ. 19，采集人不详；2♂1♀，凤县红岭林场，1580m，1973. Ⅶ. 22，采集人不详；1♀，留坝庙台子，1300m，1973. Ⅶ. 27，采集人不详；1♀，佛坪龙草坪，1010m，1973. Ⅷ. 08，采集人不详。

分布:陕西(长安、凤县、留坝、佛坪)、黑龙江、吉林、辽宁、北京、河北、山东、河南、江苏、浙江、广西、四川；俄罗斯(远东)，朝鲜，日本。

(21)野亚麻蝇 *Parasarcophaga* (*Pandelleisca*) *similes* (Meade, 1876)

Sarcophaga similes Meade, 1876: 261.

鉴别特征:体长9~13mm。眼后鬃2行以上，颊毛全黑。前缘脉第3段显然比第5段为长。后足转节整个腹面被有中等长度的鬃(鬃的长度约为这1转节横径的1/3以上)和刚毛，其中在近端部的较长，后腹面基部一半有长刚毛群，后足胫节于长缨毛。第5腹板基部呈屋脊状，肛尾叶端部略向前弯曲，同时均匀的变细，形成1个尖的末端，前阳基侧突缓缓地弯曲，末端不呈钩状，阳茎膜状突2对，都狭，尖而单纯，侧阳体端部中央突的长度明显比侧突为短，侧阳体端部侧突很细而末端下屈，粗细均匀。雌性第6背板分离，两骨片间距约为第7背板长的2倍，第8背板后缘波曲，第6腹板有4个缘鬃，第7腹板后缘的宽约为前缘宽的2/3，后缘正中凹入很深，第8腹板中部有1个纵的果核状突。

采集记录:1♀，佛坪，900m，1973. Ⅷ. 05，采集人不详；5♂，旬阳白柳镇前坪村，621m，2014. Ⅵ. 22，于腾采。

分布:陕西(佛坪、旬阳)、黑龙江、吉林、辽宁、内蒙古、河北、山西、山东、河南、宁夏、甘肃、江苏、浙江、湖北、江西、福建、广东、广西、四川、贵州、云南；俄罗斯，朝鲜，日本，东南亚，欧洲。

(22)贪食亚麻蝇 *Parasarcophaga* (*Liosarcophaga*) *harpax* (Pandellé, 1896)

Sarcophaga harpax Pandellé, 1896: 189.

鉴别特征:颊毛全黑，眼后鬃2行以上。前缘脉第3段显然比第5段为长。后胫有长缨毛。第5腹板基部呈屋脊状，肛尾叶侧面观端部变宽，端部前后缘都呈圆形，然后急剧收缩成1个短爪，前阳基侧突长，而在端部1/3处呈钝角形折曲，末端钩曲，侧阳体端部侧突长而略直且分叉，上小分支斜指上方。阳茎膜状突上、下缘总是不平行，且相当狭窄，端部常变尖。

采集记录:1♂，旬阳白柳镇刘家厂村，439m，2014. Ⅵ. 22，于腾采。

分布:陕西(旬阳)、吉林、辽宁、山东、宁夏、甘肃、新疆；俄罗斯，朝鲜，日本，欧洲，北美洲。

(23)波突亚麻蝇 *Parasarcophaga* (*Liosarcophaga*) *jaroschevskyi* Rohdendorf, 1937

Parasarcophaga (*Liosarcophaga*) *jaroschevskyi* Rohdendorf, 1937: 231.

鉴别特征:体长12.50~15.00mm。颊毛全黑，眼后鬃在2行以上。前缘脉第3段显然比第5段长。后胫有长缨毛。第5腹板基部呈屋脊状，肛尾叶末端急剧收缩，形成1个短而明显的爪，前阳基侧突前缘甚为波曲，后阳基侧突宽，阳茎膜状突三角形，不再分为2叶，侧阳体基部腹突极宽，侧阳体端部侧突分叉，弧形，略向下弯曲，下方小分支约为上方小分支的1/3长。

采集记录:2♂，长安南五台山，1973. Ⅷ. 19，采集人不详；2♂，凤县红岭林场，1580~1800m，1973. Ⅶ. 21-23，采集人不详；1♂，留坝庙台子，1300m，1973. Ⅶ. 27，采集人不详。

分布:陕西(长安、凤县、留坝)、黑龙江、吉林、辽宁、河北、山东、河南、宁夏、西藏；俄罗斯。

(24)急钩亚麻蝇 *Parasarcophaga* (*Liosarcophaga*) *portschinskyi* Rohdendorf, 1937

Parasarcophaga (*Liosarcophaga*) *portschinskyi* Rohdendorf, 1937: 226.

鉴别特征:体长8~15mm。眼后鬃2行以上，颊毛全黑。前缘脉第3段显然比第5段长。后胫有长缨毛。第5腹板基部呈屋脊状，前阳基侧突中段反曲，末端很强地急剧钩曲，肛尾叶端部急变狭，但末端爪稍细而略显，阳茎膜状突上方的膜片宽而不很长，前缘有细突，但常向侧方平展，因此不很明显，下方骨化部分狭长而末端尖，侧阳体端部侧突分叉，呈很轻微的“S”形弯曲，下方小分支约为下方小分支的1/3长，中央突很短，不及侧突长的1/3，基部腹突长，显然超过端部侧突的长度，第9背板通常呈红色以至黑褐色，第5腹板侧叶端部仅有一般的不长的细毛。雌性第6背板后缘呈红褐色，中断型，骨片发达，左右两爿骨片间仅留1条窄缝，第7、8背板甚发达。

分布：陕西(秦岭)、黑龙江、吉林、辽宁、内蒙古、北京、河北、山西、山东、河南、宁夏、甘肃、青海、新疆、四川；蒙古，乌克兰。

(25)白头亚麻蝇 *Parasarcophaga* (s. str.) *albiceps*(Meigen, 1826)

Sarcophaga albiceps Meigen, 1826: 22.

Parasarcophaga (s. str.) *albiceps*: Rohdendorf, 1937: 199.

鉴别特征:体长7~16mm。眼后鬃2行,颊部白色毛约占后方的2/3。中股后腹面的缨毛长度显然超过这1股节的最大横径,中胫无长毛。第9背板黑色,尾器肛尾叶侧面观后缘呈钝角形,形成斜截状的端部,前阳基侧突长而末端圆钝,花朵状的阳茎膜状突大型,上、下枝都很发达,侧阳体端部分支长,向前超过了侧阳体基部腹突。雌性第2腹板有2对鬃。尾器第6背板骨化部很宽的中断,背方正中无缘鬃,第8背板呈狭长的带形,不中断,它与肛尾叶之间无对鬃,第6、7两腹板各有6个缘鬃,第8腹板在中部有稍骨化的边缘,子宫骨片分为左右两部,中股器位于端部的1/2处,达到股节中部。

采集记录:1♀,凤县红岭林场,1380m,1973.Ⅶ.25,采集人不详;2♂4♀,留坝庙台子,1300m,1973.Ⅶ.27,采集人不详;2♂,1350m,1998.Ⅶ.19,采集人不详;7♂3♀,佛坪,900m,1973.Ⅷ.05,采集人不详;17♂16♀,佛坪龙草坪,1010m,1973.Ⅷ.07-08,采集人不详;2♂,佛坪东河台,1440~1512m,1973.Ⅷ.09~11,采集人不详;2♂,佛坪,870~1000m,1998.Ⅶ.25,采集人不详;13♂,旬阳白柳镇前坪村,621m,2014.Ⅵ.23,于腾采。

分布:陕西(凤县、留坝、佛坪、旬阳)、黑龙江、吉林、辽宁、内蒙古、北京、河北、山西、山东、河南、宁夏、甘肃、江苏、浙江、湖北、江西、福建、台湾、广东、广西、四川、云南、西藏;俄罗斯,朝鲜,日本,越南,缅甸,印度,斯里兰卡,菲律宾,印度尼西亚,巴基斯坦,巴布亚新几内亚,澳大利亚,欧洲,所罗门群岛。

(26)巨耳亚麻蝇 *Parasarcophaga* (s. str.) *macroauriculata* (Ho, 1932)

Sarcophaga macroauriculata Ho, 1932: 347.

鉴别特征:体长8.50~14.00mm。眼后鬃3行以上,颊部白色毛的部分约占颊表面长的1/2~2/3,颊高等于或大于眼高的1/2。后足转节腹面粉被弱,而在中部有相当密的长毛被,毛被约占这1节长的3/5,多数毛的长度几与这节横径等长。肛尾叶前缘(侧尾叶的下方)有1块具短刺的巨大的突出部分,前阳基侧突不比后阳基侧突为长,花朵状的阳茎膜状突不大,侧阳体基部后侧有1对明显的耳状突,侧阳体端部的分支长度超过了侧阳体基部腹突。雌性第6背板暗黑色。中断型,两骨片分离略远,中断部骨化程度弱后缘鬃只分布与两侧,每侧在10根以上,第8背板宽而短,为1个完整的骨片,第7腹板后缘中部稍凹陷,它的鬃后方有1个长条状骨板,第8腹板膜质,后缘中央有小毛区,子宫骨片基部骨化部分近似三角形,完整不分为两片。

采集记录:1♂，长安南五台，1973. Ⅷ. 19，采集人不详；3♂，留坝红崖沟，1500～1650m，1998. Ⅶ. 22，采集人不详；1♂，佛坪，900m，1973. Ⅷ. 05，采集人不详；6♂，佛坪龙草坪，1010m，1973. Ⅷ. 08，采集人不详；1♂，宁陕火地塘，1600～1700m，1998. Ⅶ. 28，采集人不详；1♂，旬阳白柳镇刘家厂村，439m，2014. Ⅵ. 22，于腾采。

分布:陕西(长安、留坝、佛坪、宁陕、旬阳)、黑龙江、吉林、辽宁、北京、河北、河南、宁夏、甘肃、浙江、江西、福建、广西、四川、云南、西藏；俄罗斯，朝鲜。

(27)黄须亚麻蝇 *Parasarcophaga* (s. str.) *misera* (Walker, 1849)

Sarcophaga misera Walker, 1849: 829.

鉴别特征:体长8.50～13.00mm。眼后鬃1行，下颚须大部黄色，或端部呈很明显的黄色。后胫仅在后腹面具长缨毛。第5腹板侧叶间相距宽，其内缘毛很短小。肛尾叶侧面观后缘有1个钝角形的向后突起，花朵状的膜状突上部长大，侧阳体端部分支短，向前不超过基部腹突，第9背板黑色，第7、8腹节无缘鬃。雌性第2腹板通常有2对强大的缘鬃，第6背板中断，第8背板和肛尾叶之间有1对大型的鬃，第7腹板常有6个鬃，第8腹板中部骨化，中股器占端部1/2的长度。

分布:陕西(秦岭)、吉林、辽宁、河北、甘肃、江苏、安徽、浙江、湖北、江西、福建、台湾、广东、广西、四川、云南；朝鲜，日本，缅甸，印度，斯里兰卡，菲律宾，澳洲区。

(28)褐须亚麻蝇 *Parasarcophaga* (s. str.) *taenionota* (Wiedemann, 1819)

Musca taenionota Wiedemann, 1819: 1.

Sarcophaga sericea Walker, 1853: 326.

鉴别特征:体长8～13mm。眼后鬃1行，下颚须仅端部黄色或者仅在端部有黄色粉被。后足胫节前腹面和后腹面都有长缨毛。第5腹板侧叶较接近，其内缘鬃毛较长大，第7、8合腹节无中缘鬃，第9背板黑色。肛尾叶后缘波曲，但无钝角形突起，花朵状的膜状突的上部短，侧阳体端部分支长，向前超过基部腹突。雌性第2腹板通常有1对强大的缘鬃，其余的较短小，第6背板亦中断，但在第8背板和肛尾叶之间无鬃；第7腹板有2～4个鬃，第8腹板全部膜质，中股器占端部1/2长度。

采集记录:3♂，佛坪，900m，1973. Ⅷ. 05，采集人不详。

分布:陕西(佛坪)、吉林、辽宁、内蒙古、河北、山东、河南、甘肃、江苏、浙江、湖北、江西、福建、台湾、广东、广西、四川、云南；俄罗斯，朝鲜，缅甸，印度，斯里兰卡，菲律宾，马来西亚，印度尼西亚，巴布亚新几内亚，澳大利亚。

参考文献

Allen, H. W. 1926. North American species of two-winged flies belonging to the tribe Miltogrammini. *Proceedings of the United States National Museum.* Washington, 68(9): 1-106.

Enderlein, G. 1928. Klassifikation der Sarcophagiden. Sarcophagiden-Studien I. *Archiv für klassifikatorische und phylogenetische Entomologie. Vienna*, 1: 129-130.

Fabricius, J. C. 1794. *Entomologia Systematica emendate et aucta. Vol. 4.* Hafniae. 1-472.

Fallén, K. F. 1820. *Monographia muscidum Sveciae.* Berling, Lundae. 1-40.

Fan, Z-D. 1964. Descriptions of some new Sarcophagini from China (Diptera: Sarcophagodae). *Acta Zootaxonomica Sinica*, 1(2): 305-319. [范滋德. 1964. 中国麻蝇族新属新种志(双翅目:麻蝇科). 动物分类学报, 1(2): 305-319.]

Fan, Z-D. 1992. *Key to the common flies of China, second edition.* Science Press, Beijing. 1-992. [范滋德. 1992. 中国常见蝇类检索表, 第2版. 北京:北京科学出版社, 1-992.]

Harris, M. 1776-1780. *An Exposition of English insects, with curious observations and remarks, wherein each insect is particularly described; its parts and properties considered; the different sexs distinguished, and the natural history faithfully related. The whole illustrated with copper plates, drawn, engraved, and coloured, by the author.* London: 9-166.

Hori, K. 1954. Morphological studies of muscoid flies of medical importance in Japan. IV. Descriptions of three new species of the genus *Sarcophaga* (Diptera: Sarcophagidae) from Japan. *Japanese Journal of Saintary Zoology.* Tokyo, 4: 296-299.

Johnston, T. H. and Tiegs, C. W. 1921. New and little-known sarcophagid flies from south-eastern Queensand. *Proceedings of the Royal Society of Queensand.* Brisbane, 33: 46-90.

Kirner, S. H., Lopes, H. de Souza. 1961. A new species of Boettcherisca Rohdendorf, 1937 from Formosa (Diptera: Sarcophagidae). *Memorias do Instituto Oswaldo Cruz.* Rio de Janeiro, 59: 65-67.

Kramer, H. 1908. Sarcophaga-Arten der Oberlausitz. *Entomologisches Wochenblatt.* Stutthart, 25: 152-153.

Kramer, H. 1909. Nonnenparasiten aus der Gattung Sarcophaga. *Entomologist.* Rundschau, 26: 83.

Loew, H. 1861. Blaesoxipha grylloctona, nov. genus et species. *Wiener Entomologische Zeitung. Vienna*, 5: 384-387.

Macquart, J. 1839. Diptères. 99-119. In: Webb, P-B. and Berthelot, S. (eds.). Histoire Naturelle des Iles Canaries. Animaux articules recueillis aux Iles Canaries. Tome Deuxième. Deuxième partie. Contenant la Zoologie. Paris; 119.

Macquart, J. 1846. Diptères exotiques nouveaux ou peu connus. Supplement. *Mémoires de la Société Royale des Sciences, de l Agriculture et des Arts á Lille.* Lille, 1844: 133-364.

Macquart, J. 1851. Diptèrers exotiques nouveaux ou peu connus. Suite de 4. Supplément publié dans les Mémoires de 1849. *Mémoires de la Société Royale des Sciences, de l Agriculture et des Arts á Lille.* Lille, 1850: 134-294.

Meade, R. H. 1876. Monograph upon the British species of Sarcophaga or flesh-flies. *Entomologist's Monthly Magazine*, London. 12: 216-220, 260-268.

Meigen, J. W. 1803. Versuch einer neuen Gattungs-Eintheilung der europäischen zweiflügeligen Inseken. Magazin für Insektenkunde, 2: 259-281.

Meigen, J. W. 1824. *Systematische Beschreibung der bekannten europüischen zweiflügeligen Insekten.* Hamm, 1-428.

Meigen, J. W. 1826. *Systematische Beschreibung der bekannten europäischen zweiflügeligen Insekten.* Hamm, 5: 1-412.

Park, S. H. 1962. Descriptions of two new species of sarcophagid flies (Diptera: Sarcophagidae) from Korea. *Japanese Journal of Saintary Zoology*. Tokyo, 13: 6-10.

Pandellé, L. 1896. Études sur les muscides de France. II. Partie. *Revue d Entomologie.* Caen, 15: 1-230.

Robineau-Desvoidy, J. B. 1830. Essai sur les myodaires. *Mémoires Présentés par divers Savants al Académie Royale des Sciences de Instituut de France.* Pairs, 2(2): 1-813.

Robineau-Desvoidy, J. B. 1863. *Histoire naturelle des diptères des envions de Paris. Oeuvre posthume du Dr Robineau-Desvoidy. Puvliée par les soins de sa famille, sous la direction de M. H. Monceaux.* 3: 1-920.

Rohdendorf, B. 1935. Sarcophagiae. In: Linder, E. (ed.). *Die Fliegen paläearktischen Region*, 11: 49-128.

Rondani, C. 1856. *Dipteroligiae italicae prodromus. I. Genera italica ordinis Dipterorum ordinatim disposita et distincta et in familas et stripes aggregata.* Parmae, 1-226.

Séguy, E. 1934. Diptères de Chine de la collection de M-J. Hervé-Bazin. *Encyclopédie Entomologique.* Paris, 7: 1-28.

Séguy, E. 1941. Études sur les mouches parasites. 2. Calliphorides, calliphorines, sarcophagines et rhinophorides de l'Europe occidentale et méridionale. *Encyclopédie Entomologique*, 21: 1-436.

Senior-White, R. A. 1924. Arevision of the sub-family Sarcophaginae in the Oriental Region. *Record of the Indian Museum*, Calcutta. 26: 193-283.

Thomas Pape. 1996. *Catalogue of the Sarcophagidae of the world (Insecta: Diptera). Memoirs on Entomology, International Vol. 8*, 1996. Associated Publishers. 1-558.

Townsend, C. H. T. 1908. The taxonomy of the muscoidean flies, including descriptions of new genera and species. *Smithsonian Miscellaneous Collections.* Washington, 51: 1-138.

Villers, C. J. de. 1849. *List of the specimens of dipterous insects in the collection of the British Museum. Part 4.* British Museum, London, 689-1172.

Villers, C. J. de. 1853. Diptera. Part 4. 253-414. In: *Insecta Saundersiana: or Characters of undescribed insects in the collection of William Wilson Saunders, Esq. F. R. S. , F. L. S. and c. Vol. 1. Van Voorst.* London, 474.

Wiedmann, C. R. W. 1819. Beschreibung neuer Zweiflügler aus Ostindien und Africa. *Zoologisches Magazin.* Kiel, 1(3): 1-39.

Wiedmann, C. R. W. 1824. *Munus rectoris in Academia Christiana Albertina aditurus analecta entomologica ex Museo Regio Havniensi maxime congesta profert iconibusque illustrat*, Kiliae. 1-60.

Ye, Z-M. 1980. Descriptions of three new species of the tribe Sarcophagini from Northren Sichuan, China (Diptera: Sarcophagidae). *Entomotaxonomia*, 11(4): 285-290. [叶宗茂. 1980. 四川北部马蝇科三新种. 昆虫分类学报, 11(4): 285-290.]

Ye, Z-M. , Ni, T. and Liu, Z-J. 1981. Descriptions of a new genus and two new species of the tribe Sarcophagini (Diptera: Sarcophagidae). *Zoological Research*, 2(3): 229-234. [叶宗茂, 倪涛, 刘增

加. 1981. 麻蝇族一新属二新种记述(双翅目:麻蝇科). 动物学研究, 2(3): 229-234.]

Zetterstedt, J. W. 1844. *Diptera Scandinaviae disposita et descripta*. Officina Lundbergiana, Lundae. 3: 895-1280.

Zhang, X-Z. 2005. Sarcophagidae. 836-849. In: Yang, X-K. (ed.) *Insect Fauna of Middle-West Qinling Rang and South Mountains of Gansu Province*. Science Press, Beijing. 1-1055. [张学忠. 2005. 麻蝇科. 836-849. 见:杨星科. 秦岭西段及甘南地区昆虫. 北京:科学出版社, 1-1055.]

四十六、寄蝇科 Tachinidae

张春田[1] 梁厚灿[1] 王强[2] 侯鹏[3] 赵喆[4]

(1. 沈阳师范大学生命科学学院, 沈阳 110034; 2. 上海出入境检验检疫局, 上海 200135; 3. 中国农业大学昆虫系, 北京 100193; 4. 中国科学院动物研究所, 北京 100101)

鉴别特征:寄蝇科(Tachinidae = Tachinariae Robineau-Desvoidy, 1830)隶属于昆虫纲,双翅目。小型至中型(成虫体长 2~20mm),体毛多,头具额囊缝,触角 3 节,第 2 节具裂缝,胸部下侧片鬃 1 列,后小盾片发达,下腋瓣发达,区别于双翅目中其他类群。

生物学:成虫主要舐吸植物的花蜜外,蚜虫、介壳虫或植物茎、叶所分泌的含糖物质都是它们喜爱的食物。寄蝇幼虫专门寄生在昆虫纲或其他节肢动物幼虫和成虫体内,以鳞翅目、鞘翅目和直翅目昆虫为主,少数寄生于蜈蚣。由于幼虫羽化时杀死寄主,寄蝇又是农林牧果业控制害虫的重要天敌和维护和自然生态系统稳定的调节者。

分类:全世界已描述寄蝇种类约 9500 种,中国目前记录已达 1200 余种。赵建铭等(2005)在《秦岭西段及甘南地区昆虫》中报告了寄蝇科 5 亚科(现在订正为 4 亚科)37 属 73 种,奠定了系统研究秦岭寄蝇科的基础。O'Hara 等(2009)在《中国寄蝇科注释名录》(英文)中记录了我国寄蝇科 4 亚科 257 属 1109 种,其中分布陕西的寄蝇有 111 种,产自秦岭地区的种类占绝大多数。

沈阳师范大学寄蝇研究组成员张春田、赵喆、王诗迪、王强、侯鹏、崔乐、梁厚灿等于 2010 年 7 月、2012 年 6~7 月、2013 年 7 月、2014 年 8 月分别赴陕西秦岭山区对寄蝇科进行了系统(O'Hara, 2016)调查和采集[王明福教授早在 1989 年 6 月就对陕西太白山脉进行了有瓣蝇类调查采集。我们在整理鉴定以上寄蝇科标本同时,参考赵建铭等(2005)工作,结合第一作者对国内外其他研究单位(中国科学院动物研究所国家动物博物馆、中国农业大学、中科院上海昆虫博物馆等)秦岭寄蝇科调查采集的鉴定研究成果。我们遵循最新分类成果,记述陕西秦岭寄蝇科昆虫 4 亚科 21 族 83 属 164 种,其中 1 个中国新纪录属,9 个中国新纪录种,78 个陕西新纪录种; * 标注]。分别编制了分亚科、分族和分属、分种检索表,并对重要的种类做了较详尽的外部形态特征记述，给出 9 种寄蝇的鉴别特征图 43 幅，2 种寄蝇彩色生态照片。研究标本分别保存在沈阳师范大学昆虫标本馆(SYNU)和中国科学院动物研究所国家动物博物馆(IZCAS)。

分亚科检索表

1. 前胸腹板具毛或鬃，头部具向后弯曲的内侧额鬃，后足胫节末端无后腹鬃 …………………… 2
   前胸腹板裸，头部无向后弯曲的内侧额鬃，一般仅具 1 根向外侧弯曲的前顶鬃，后足胫节末端具 1 根发育程度不等的后腹鬃 …………………………………………………………………… 4
2. 体具绿色或蓝绿色金属光泽 ……………………… **寄蝇亚科 Tachininae**(埃内寄蝇族 Ernestini)
   体不具金属光泽 …………………………………………………………………………………… 3
3. 端横脉异常倾斜，赘脉特长，R_{4+5}脉大部分具小鬃，雌虫和雄虫额均很宽并具 1 行粗大的前倾外侧额鬃，小盾片背面具 1 对或更多直立的鬃，翅侧片鬃细小或缺失 …………………………………………………………………………… **长足寄蝇亚科 Dexiinae**(蜗寄蝇族 Voriini)
   翅脉不如前述，雄性额总是窄于雌性，仅雌性额具外侧额鬃，小盾片背面中部无直立的鬃，翅侧片鬃粗大 ……………………………………………………… **追寄蝇亚科 Exoristinae**
4. 复眼被毛 ……………………………………………………………… **寄蝇亚科 Tachininae**
   复眼裸或近于裸，若有毛，则毛很稀疏且短小 ………………………………………………… 5
5. 沟前鬃和全部翅内鬃同时缺失，腹部背面无鬃，仅具短小的毛 …………………………………………………………………… **突颜寄蝇亚科 Phasiinae**(突颜寄蝇族 Phasiini)
   沟前鬃存在，至少有 1 根翅内鬃，腹部具明显的鬃 ………………………………………… 6
6. 同时具备以下特征:头部为离眼型，侧颜裸，复眼的小眼面小而一致，触角长，与颊等高或略长于后者，触角芒裸，翅上鬃 1 个，翅内鬃 1 个，翅侧片鬃缺失或很小，小盾片具 2 对缘鬃 ……………………………………………………………………… **突颜寄蝇亚科 Phasiinae**
   不同时具备上述特征 …………………………………………………………………………… 7
7. 颊高大于或等于后梗节或整个触角长度，触角基部位于或低于复眼中部水平，额纵列下降侧颜仅达新月片水平，侧颜裸，触角芒羽状，翅侧片鬃存在，小盾片具 3 对缘鬃，下腋瓣宽，具突出的内侧后角，紧贴小盾片，前足基节前内侧面裸，腹部第 2 背板基部中央凹陷达后缘，其他背板无心鬃 ……………………………… **长足寄蝇亚科 Dexiinae**(长足寄蝇族 Dexiini)
   不同时具备上述特征 …………………………………………………………………………… 8
8. 侧颜裸，无外侧额鬃，一般具向外弯曲的前顶鬃，触角芒裸，沟前翅内鬃缺失，沟后翅内鬃 1 个或 2 个，翅侧片鬃细小或缺失，前足胫节无前背鬃列，前足基节内侧前表面裸，雄性前足跗节不加宽，腹部第 2 背板中央凹陷达后缘，各背板无心鬃，雌性后腹部具向后弯曲的端钩，有时具平的尾叶 ……………………………………………………… **突颜寄蝇亚科 Phasiinae**
   不同时具备上述特征 ……………………………………………………… **寄蝇亚科 Tachininae**

(一)长足寄蝇亚科 Dexiinae

鉴别特征:一般前胸基腹片裸，足长；腹部雄性外生殖器端阳体板状细长，和基阳体通过铰链相连，可活动区别于其他亚科寄蝇。本亚科幼虫寄生于鞘翅目幼虫或鳞翅目幼虫或成虫。

分类:中国已知9族39属125种, 陕西秦岭地区分布4族15属27种。

分族分属检索表

1. 中胸2个后足基节间的膜质部分完全骨化, 翅后胛具2根前鬃, 小盾片具2对缘鬃, 无端鬃; 下腋瓣外缘具长毛; 前足基节内侧面多具倒伏的鬃毛; 腹部细长, 通常圆筒形, 第1+2合背板中央凹陷细长, 达后缘, 其长近似于中间背板长; 头部侧面观近半圆形, 颜脊不发达, 侧颜裸; 颊高等于或小于眼高1/10; 触角芒羽状或短毛状(**多利寄蝇族 Doleschallini**) …………………… **刺须寄蝇属 *Torocca***
   中胸2后足基节之间和腹部基节部分或者完全膜质化; 前足基节内侧面无倒伏的鬃毛; 小盾片通常具3对或者更多对缘鬃; 第1+2合背板长度明显比中间背板短 …………………… 2
2. 触角明显长于颊高; 颊高多小于眼高的1/4 …………………… 3
   触角短于或至多等于颊高; 颊高多大于眼高的1/3; 雄性无前倾的眶鬃, 侧颜多为裸(**长足寄蝇族 Dexiini**) …………………… 9
3. 中颜脊高且宽大可见; 侧颜裸; 中喙长为宽的7倍以上; 胸部背板无前中鬃; 翅 R_{4+5} 脉基部裸; 后足胫节端部具3背鬃; 腹部第1+2合背板中央凹陷不达后缘; 第3、4背板无成对中心鬃; 腹板外露(**拟寄蝇族 Imitomyiini**) …………………… **月寄蝇属 *Riedelia***
   雄性有时具前倾的眶鬃, 侧颜具毛或鬃; 中喙一般长为宽的5倍以下; 胸部背板有前中鬃; 翅 R_{4+5} 脉基部有毛(**蜗寄蝇族 Voriini**) …………………… 4
4. 胸部后气门前后厣大小相等; 中喙细长, 至少为头高的1.50倍 …………………… **长喙寄蝇属 *Prosena***
   胸部后气门前后厣大小不相等, 后厣大, 近圆形; 中喙一般短于头高 …………………… 5
5. 翅前缘脉梗节腹面具小毛, 肩鬃2~3根 …………………… 6
   翅前缘脉梗节腹面裸, 如有毛, 则肩鬃4~5根 …………………… 7
6. 中颜脊高且窄; 中喙长至少为宽的3倍; 下颚须细长; 翅前鬃明显短于背侧片鬃; 前胸前侧片通常裸, 少数有毛; 腹部第1+2合背板中央凹陷达到后缘, 各背板具1~2对中心鬃 …………………… **长足寄蝇属 *Dexia***
   颜脊不发达; 中喙短, 长多为宽的2倍; 下颚须膨大; 翅前鬃明显等于或长于背侧片鬃; 腹部第1+2合背板中央凹陷不达后缘; 各背板无中心鬃 …………………… **特西寄蝇属 *Trixa***
7. 前胸前侧片裸; 腹部第3、4背板具成对中心鬃 …………………… **依寄蝇属 *Estheria***
   前胸前侧片有毛, 如无毛, 则腹部第3、4背板无成对中心鬃 …………………… 8
8. 雄性额一般较宽, 约0.20倍于头宽; 中颜脊通常不发达, 少数发达; 前足跗节短于或约等于头高; 雄性后足胫节具1列密梳状等长的前背鬃; 腹部第3、4背板无成对中心鬃 …………………… **蓖寄蝇属 *Billaea***
   雄性额一般较窄, 小于头宽0.15倍; 中颜脊通常高且宽; 前足跗节长于头高; 雄性后足胫节具1列不规则排列的前背鬃; 腹部第1+2合背板中央凹陷达或不达后缘, 各背板无或有中心鬃 …………………… **迪内寄蝇属 *Dinera***
9. 触角芒短毛状或羽状 …………………… 10
   触角芒裸, 至少到端部2/3加粗; 中喙长为宽的2倍; 翅侧片鬃短小; 翅dm-cu横脉特别倾斜; R_{4+5} 脉至少到r-m横脉一半处具小鬃毛; 3个盾后翅内鬃; 雄性侧额至少具2个前倾额鬃, 侧

颜具1个前倾鬃 …………………………………………………………… **蜗寄蝇属 *Voria***

10. 前足基节前内表面裸；R_1 和 R_{4+5} 脉背面均裸 …………………………………………… 11

前足基节前内表面具密而倒伏的鬃毛；中胸2个后足基节间膜质化；R_1 和 R_{4+5} 脉背面均具小鬃毛 …………………………………………………………… **柔寄蝇属 *Thelaira***

11. 复眼具密毛；雄性额窄，无额鬃；侧颜裸；后头多具白毛；中喙长为宽的5倍以上；小盾端鬃缺或毛状；前缘基鳞黑，翅肩鳞黄；腹部和足均黄色，第1+2合背板中央凹陷达后缘，无中缘鬃 …………………………………………………………… **邻寄蝇属 *Dexiomimops***

复眼裸，若复眼具毛，则侧颜大部具毛 …………………………………………… 12

12. 触角短于颊高；髭位于下颜缘上方；后头多具白毛；第3、4背板具成对的暗斑 ……………… …………………………………………………………… **喙寄蝇属 *Stomina***

触角长于颊高；髭多位于下颜缘水平；腹部各背板无成对的暗色斑 …………………… 13

13. 侧颜裸，至多上部具毛；中胸两后足基节间区完全骨化；小盾缘鬃2对；足和腹部多黄色 …………………………………………………………… **瘦寄蝇属 *Leptothelaira***

侧颜大部具毛；中胸两后足基节间区完全膜质化；小盾缘鬃3对或更多；足和腹部多暗色 …………………………………………………………… **驼寄蝇属 *Phyllomya***

Ⅰ. 长足寄蝇族 Dexiini

鉴别特征：头通常具突出的中颜脊，颊宽一般大于触角长度，触角芒通常羽状，少数短毛状或裸，触角基部位于复眼中部或以下；前胸基腹片裸；足通常长。

分布：中国有8属56种，陕西秦岭地区发现6属15种。

1. 蓖寄蝇属 *Billaea* Robineau-Desvoidy, 1830

Billaea Robineau-Desvoidy, 1830: 328. **Type species**: *Billaea grisea* Robineau-Desvoidy, 1830 [= *Dexia pectinata* Meigen, 1826].

Omalostoma Rondani, 1862: 56, 58 (also spelled *Homalostoma*, unjustified emendation). **Type species**: *Omalostoma fortis* Rondani, 1862.

Sirostoma Rondani, 1862: 53, 55. **Type species**: *Dexia triangulifera* Zetterstedt, 1844.

Gymnodexia Brauer *et* Bergenstamm, 1891: 60. **Type species**: *Dexia triangulifera* Zetterstedt, 1844.

属征：雄性额一般为头宽的3/25～23/100；侧额具密的小毛；中颜脊通常不发达，少数发达；触角后梗节为梗节长的1.50～4.50倍；前胸前侧片具毛；后背中鬃4个；翅前缘脉第2节腹面裸；r_{4+5}室窄的开放，弯曲处具1个短的赘脉；雄性前足跗节长约等于头高，中足胫节具2～3根前背鬃，后足胫节通常具1列密梳状等长的前背鬃；腹部第1+2合背板中央凹陷伸达后缘；第3、4背板无成对中心鬃；前阳基侧突长而向后弯曲，端阳体长，板状。

生物学:幼虫多寄生于居于腐烂树木鞘翅目幼虫体内，如金龟子科 Scarabaeidae、天牛科 Cerambycidae、花金龟科 Cetoniidae、锹甲科 Lucanidae 和一些象甲总科 Curculionidea、吉丁甲科 Buprestidae。

分布:世界性分布。全世界已知70多种，中国已记录14种，秦岭地区有2种。

(1)阿氏蓖寄蝇 *Billaea atkinsoni* (Baranov, 1934)

Gymnodexia atkinsoni Baranov, 1934: 49.

Billaea atkinsoni: Sabrosky & Crosskey, 1969: 45.

鉴别特征:触角后梗节端半部黑色，其余部分红黄色；单眼鬃一般较小；髭通常长于触角；前足胫节具1个后鬃；腹部第3、4背板各具1对三角形黑褐色斑。

采集记录:5♂，太白山，1989. Ⅵ. 09-16，王明福采(SYNU)。

分布:陕西(太白)、山西、福建、台湾、西藏；缅甸，印度。

(2)中华蓖寄蝇 *Billaea chinensis* Zhang *et* Shima, 2015

Billaea chinensis Zhang *et* Shima, 2015: 8.

鉴别特征:单眼鬃较强，髭较短，位于颜下缘上方，触角芒羽状，前足胫节有1个后鬃，雄性前足爪和爪垫均短于第5分跗节；腹部两侧红黄色到棕色，第3、4背板背面分别具1对大的三角形黑斑。

采集记录:2♂1♀，周至板房子西南水磨坪，1500～1700m，1997. Ⅶ. 06-07，岛洪采；1♂，凤县红岭林场，1600～1800m，1973. Ⅶ. 23，张学忠采(IZCAS)；1♂，秦岭太白山，1989. Ⅵ. 09-16，王明福采(SYNU)；18♂，太白山，1989. Ⅵ. 09-16，王明福采；3♂，留坝匝口石张良庙，2012. Ⅶ. 18-24，张春田、侯鹏采；1♂，佛坪，2000～2100m，1997. Ⅵ. 24，岛洪采；17♂，佛坪碗口上，1400～1500m，1997. Ⅵ. 25，岛洪采；39♂，佛坪东河台北5km，1659～1680m，1997. Ⅵ. 26，岛洪采；8♂，佛坪东河台西北3km，1500m，1997. Ⅶ. 01-02，岛洪、长谷西采；1♂，佛坪姚沟，1998. Ⅶ. 25，陈军采(IZCAS)；11♂，汉中犁坪，1500m，2012. Ⅶ. 16，侯鹏采；1♂，柞水营盘林场，1750m，1997. Ⅵ. 21，岛洪采(BLKU)；3♂，山阳天柱山，1800m，2013. Ⅶ. 21，王强采(SYNU)。

分布:陕西(周至、凤县、太白、留坝、佛坪、汉中、柞水、山阳)、山西、四川、云南、西藏；越南。

2. 长足寄蝇属 *Dexia* Meigen, 1826

Dexia Meigen, 1826: 33. **Type species**: *Musca rustica* Fabricius, 1775, by designation under the

Plenary Powers of ICZN (1988: 74).

Dexilla Westwood, 1840: 140. **Type species**: *Musca rustica* Fabricius, 1775.

Phasiodexia Townsend, 1925: 250. **Type species**: *Plasiodexia flavida* Townsend, 1925.

Dexillina Kolomiets, 1970: 57 (as subgenus of *Dexia* Meigen, 1826). **Type species**: *Dexia* (*Dexillosa*) *amurensis* Kolomiets, 1970 [= *Dexia fulvifera* Röder, 1893].

属征:头淡黄色，复眼裸；颜脊发达，明显高而窄，侧颜宽，颊宽大于触角长；触角芒长羽状；前胸前侧片通常裸；足长，中足胫节通常具1(雄性)或2(雌性)根前背鬃；翅前缘脉第2脉段腹面具毛；腹部通常淡黄色，第1+2合背板中央凹陷伸达后缘，第3~5背板几乎总是具中心鬃；雄性外生殖器前阳基侧突短而后弯；端阳体长，骨化的基部长于膜质的端部。

生物学:主要寄生在生活于土壤中的鞘翅目金龟子科幼虫体内。

分布:古北区，东洋区，非洲热带区。全世界约有50种，北美仅1种且是从韩国引入的，中国有15种，秦岭地区发现6种。

分种检索表

1. 股节深棕色至黑色 …… 2
   股节黄色至红棕色，如果变暗则下腋瓣具长缘毛 …… 4
2. 腹侧片鬃2根，下腋瓣缘毛长, …… **广长足寄蝇 *D. fulvifera***
   腹侧片鬃3根，下腋瓣外缘毛短 …… 3
3. 触角除后梗节基部1/2~1/3红黄色外均黑色；翅上鬃3根 …… **赵氏长足寄蝇 *D. chaoi***
   后梗节红黄色，梗节红棕色；翅上鬃2根 …… **中华长足寄蝇 *D. chinensis***
4. 腹侧片鬃2个，下腋瓣外缘毛长；腹部至少第3背板前1/4、第4背板前1/2被浓厚的黄色粉被，翅肩鳞红色至棕色 …… **腹长足寄蝇 *D. ventralis***
   腹侧片鬃3个；下腋瓣外缘毛短 …… 5
5. 沟前背中鬃2个，胸部4个黑色纵条，在后盾片前半部内侧黑纵条愈合，腹部第1+2合背板无中缘鬃，各背板几乎无粉被，第3背板具1块大三角形黑斑，第4、5背板各具1条黑色中条和2块棕色侧斑 …… **黄长足寄蝇 *D. flavida***
   沟前背中鬃3个，胸部4块黑色纵条不愈合；腹部第1+2合背板具2根中缘鬃，第4、5背板完全具灰白色粉被 …… **弯叶长足寄蝇 *D. tenuiforceps***

(3)赵氏长足寄蝇 *Dexia chaoi* Zhang *et* Shima, 2010

Dexia chaoi Zhang *et* Shima, 2010: 21.

鉴别特征:体长12.60~15.00mm；额长为头宽的1/8~1/6；除后梗节基部1/3~1/2红黄色外，触角棕黑色；小盾片背面具1块反向三角形黑斑；腹部第1+2合背板无中缘鬃。

采集记录:5♂，甘泉清泉沟，1971. Ⅶ.30-Ⅷ.22，杨集昆采(CAU)。

分布:陕西(甘泉)、青海、四川、云南、西藏。

(4)中华长足寄蝇 *Dexia chinensis* Zhang *et* Chen, 2010

Dexia chinensis Zhang *et* Chen, 2010: 24.

鉴别特征:触角红黄色；前颏长为宽的3~4倍；腹侧片鬃3个；足黑色；腹部第1+2合背板无或具中缘鬃。

采集记录:1♂，长安南五台，1953. Ⅷ(IZCAS)。

分布:陕西(长安)、北京、河北、宁夏、贵州。

(5)黄长足寄蝇 *Dexia flavida* (Townsend, 1925)

Phasiodexia flavida Townsend, 1925: 251.

Phasiodexia formosana Townsend, 1927: 284.

Dexia flavida: Crosskey, 1976: 179.

鉴别特征:中胸背板后盾片前2/5两侧的暗色黑条合并形成矩形暗黑色带；腹部背板几乎无粉被，第3背板无中心鬃，第5背板中央具稀疏的毛。

采集记录: 1♂，太白山蒿坪，980m，1992. Ⅸ.01，崔永胜采(SYNU)。

分布:陕西(太白山)、安徽、浙江、江西、福建、台湾、海南、四川、贵州、云南、西藏；越南，缅甸，印度，尼泊尔，马来西亚，印度尼西亚。

(6)广长足寄蝇 *Dexia fulvifera* von Röder, 1893

Dexia fulvifera von Röder, 1893: 235.

Calotheresia formosensis Townsend, 1927: 284.

鉴别特征:体长12.00~15.00mm；前颏长为宽的3~4倍；腹侧片鬃2个；翅基部明显黄色，前部和中部棕色；前缘刺等于或长于r-m横脉；足股节黑色；雄腹部第1+2合背板具1对中缘鬃。

采集记录:2♀，秦岭田峪-祁县-甘谷，1951. Ⅷ.18-Ⅸ.26，周尧采(IZCAS)；2♂，长安终南山，800~900m，2012. Ⅶ.05，王强采；3♀，周至铁甲树，1993m，2014. Ⅷ.18，梁厚灿采(SYNU)；1♂，留坝闸口石，1700m，2012. Ⅶ.19，侯鹏采。

分布:陕西(西安、周至、留坝)、辽宁、山西、甘肃、安徽、浙江、福建、台湾、广东、海南、香港、广西、四川、云南、西藏；俄罗斯，日本，老挝，缅甸，印度，尼泊尔，巴基斯坦，菲律宾，马来西亚，印度尼西亚，斯里兰卡。

(7)弯叶长足寄蝇 *Dexia tenuiforceps* Zhang *et* Shima, 2010

Dexia tenuiforceps Zhang *et* Shima, 2010: 66.

鉴别特征:体长 10 ~ 15mm; 前颏长为宽的 5 ~ 6 倍; 腹侧片鬃 3 个; 翅肩鳞通常黑色, 仅其基部红棕色; 足红黄色; 雄腹部第 1 + 2 合背板具 1 对中缘鬃; 雄性尾器侧尾叶窄而弯曲。

采集记录:2♂2♀, 佛坪岳坝, 1344 ~ 1791m, 2014. Ⅷ. 25-27, 梁厚灿采; 1♂1♀, 佛坪大古平, 1270 ~ 1575m, 2014. Ⅷ. 23-24, 梁厚灿采(SYNU)。

分布:陕西(佛坪)、浙江、福建、台湾、四川、云南; 尼泊尔。

(8)腹长足寄蝇 *Dexia ventralis* Aldrich, 1925

Dexia ventralis Aldrich, 1925: 33.

鉴别特征:体长 8.80 ~ 10.00mm; 中颜脊发达, 胸部背板具 4 条黑色纵条; 背中鬃 3 + 3 个; 腹侧片鬃 2 个; 翅肩鳞红黄色至暗棕色; 下腋瓣外缘具长缘毛; 足红黄色; 腹部背板前1/3 ~ 2/3具灰白色粉被。

采集记录:1♂, 太白山, 1989. Ⅵ. 12, 王明福采; 18♂, 华县少华山, 675m, 2013. Ⅶ. 19-20, 王强采; 1♀, 傲平, 845m, 2013. Ⅶ. 30, 王强采(SYNU)。

分布:陕西(太白、华县、傲平)、吉林、辽宁、内蒙古、河北、山西、宁夏、甘肃、青海、浙江、福建、广东、贵州、四川; 蒙古, 俄罗斯, 韩国, 美国(新泽西州)。

3. 迪内寄蝇属 *Dinera* Robineau-Desvoidy, 1830

Dinera Robineau-Desvoidy, 1830: 307. **Type species**: *Dinera grisea* Robineau-Desvoidy, 1830 [= *Musca carinifrons* Fallén, 1817].

属征:雄性额一般较窄; 侧额几乎裸, 具稀疏小毛; 中颜脊通常发达; 前胸前侧片具毛; 后背中鬃 3 或 4 个; 翅前缘脉第 2 节腹面裸; r_{4+5}室窄的开放。足长, 雄性前足跗节明显长于头高; 后足胫节通常具 1 列不规则的前背鬃; 腹部第 1 + 2 合背板中央凹陷不或伸达后缘; 至少第 5 背板具成对中心鬃; 前阳基侧突长而向后弯曲, 端阳体长, 板状。

生物学:幼虫寄生在土壤中或腐烂树木中鞘翅目昆虫幼虫体内, 如金龟子科 Scarabaeidae、锹甲科 Lucanidae、拟步甲科 Tenebrionidae 和步甲科 Carabidae 幼虫体内。

分布:古北区, 东洋区, 非洲热带区, 新北区。世界已知 22 种, 中国有 13 种, 秦岭地区发现 3 种。

分种检索表

1. 腹部第 1 +2 合背板中央凹陷伸达后缘或至少近后方中缘鬃基部；背中鬃 3 +4 个；雄性腹部两侧红黄色；触角淡红黄色，下颚须淡黄色…………………………… **米兰迪内寄蝇 *D. miranda***
   腹部第 1 +2 合背板中央凹陷仅伸达基半部，至多伸达后部 2/3 ……………………………… 2
2. 背中鬃 2 +3 个；雄性额宽为下颚须端部宽的 1.50 ~2.00 倍，雄性间额在最窄处形成线状，雌性间额在中部约等于侧额宽；腹部具均匀而密的淡黄灰色粉被 ……… **薛氏迪内寄蝇 *D. xuei***
   背中鬃 3 +3 个；雄性额宽在最窄处稍宽于后梗节；间额至少在中部与侧额等宽；体具灰白色粉被；胸部背板具 3 个宽的黑色纵条；腹部各背板具暗褐色中央纵条，各背板后侧部黑色；雄性额宽约为头宽的 1/11 ~1/9 ……………………………………… **暗迪内寄蝇 *D. fuscata***

(9) 暗迪内寄蝇 *Dinera fuscata* Zhang *et* Shima, 2006

Dinera fuscata Zhang *et* Shima, 2006: 25.

鉴别特征:体长 5.50 ~8.80mm。体细长，雄性额窄；背中鬃通常 3 +3 个，翅无前缘刺；腹部第 1 +2 合背板具 2 个强的中缘鬃，中央凹陷仅伸达基半部；第 3、4 背板各具成对中心鬃。

采集记录:1♂，佛坪大甸子，1850 ~2000m，1997. Ⅷ. 08，岛洪采(BLKU)；7♂，柞水营盘林场，1850m，1997. Ⅶ. 10，岛洪采；1♂，山阳苍龙山，718m，2013. Ⅶ. 23，王强采(SYNU)。

分布:陕西(佛坪、柞水、山阳)、吉林、辽宁、河北、山西、宁夏、浙江、四川；日本。

(10) 米兰迪内寄蝇 *Dinera miranda* (Mesnil, 1963)

Phorostoma miranda Mesnil, 1963: 54.

鉴别特征:体长 8.80 ~10.00mm。触角红黄色；胸部背中鬃 3 +4 个，翅前缘刺缺；腹部两侧红黄色，第 1 +2 合背板具 2 个中缘鬃，中央凹陷伸达后缘。

采集记录:1♀，佛坪大古平，1270m，2014. Ⅷ. 23，梁厚灿采；1♀，佛坪岳坝，1344m，2014. Ⅷ. 26，梁厚灿采(SYNU)；1♂，山阳天竺山，1807m，2013. Ⅶ. 21，王强采。

分布:陕西(佛坪、山阳)、辽宁；俄罗斯(远东南部)。

(11) 薛氏迪内寄蝇 *Dinera xuei* Zhang *et* Shima, 2006(图 342)

Dinera xuei Zhang *et* Shima, 2006: 54.

鉴别特征:体小，细长，体长 6.00 ~8.80mm，淡黄色；胸部背中鬃 2 +3 个，翅具前缘刺；雌性、雄性腹部第 1 +2 合背板均具 2 根强的中缘鬃，中央凹陷仅达基半部。

采集记录:3♂5♀，留坝大红渠，2500m，1998. Ⅶ. 20，姚建、陈军采(IZCAS)；

3♂，佛坪凉风垭，1740～2150m，1999. Ⅵ.28，张彦周、何涛采。

分布：陕西（留坝、佛坪）、内蒙古、山西、宁夏、甘肃、四川；中亚。

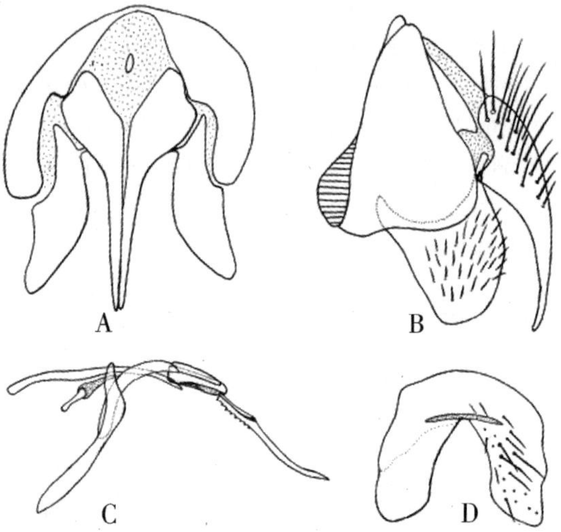

图 342 薛氏迪内寄蝇 *Dinera xuei* Zhang *et* Shima（仿 Zhang *et* Shima，2006：56）
第 9 背板、肛尾叶和侧尾叶（epandrium，cerci and surstyli） A. 后面观（posterior view）；B. 侧面观（lateral view）；C. 阳体（phallus）；D. 第 5 腹板（sternite 5）

4. 依寄蝇属 *Estheria* Robineau-Desvoidy，1830

Estheria Robineau-Desvoidy，1830：305. **Type species**：*Estheria imperatoriae* Robineau-Desvoidy，1830［=*Dexia cristata* Meigen，1826］.

属征：雄性额宽窄于头宽 1/7，侧额具密的黑色毛，侧颜多为裸；中颜脊窄而低，但明显；有时颜的下部具乳突状突起，颊高多大于眼高的 1/3；雄性外顶鬃毛状，髭通常位于下颜缘之上；触角通常短于或至多等于颊高，后梗节长约为宽的 1.50～3.00 倍，触角芒羽状或短毛状；前胸前侧片通常裸，肩胛具 2～5 根鬃；胸部后气门后厣毛近圆形；下腋瓣外缘通常具长缘毛；翅前缘脉第 2 节腹面通常裸，有时具毛；腹部黑色，具灰色或淡黄色粉被，第 1+2 合背板中央凹陷不达或伸达后缘，无中缘鬃；雄性第 3、4 背板均具心鬃。

分布：古北区，东洋区，新北区。秦岭地区发现 1 种。

(12) 大依寄蝇 *Estheria magna*（Baranov，1935）

Myiostoma magna Baranov，1935：557.

鉴别特征：雄性额宽约为头宽 1/15，侧颜为触角后梗节宽的 3～4 倍，颊宽大，约为复眼高的11/25；翅后胛和小盾片端部红黄色；背中鬃3+4个，腹侧片鬃3个；雄性腹部第3背板具1对大的暗棕色斑，雌性无。

采集记录:1♂，长安南五台，1973.Ⅷ.19，张学忠采(IZCAS)；1♀，长安南五台，1600m，2012.Ⅵ.28，崔乐采(SYNU)；1♂，秦岭天台山，1999.Ⅸ.03，王明福采；2♂，佛坪东河台，1300～1440m，1973.Ⅷ.10-11，采集人不详；1♂，宁陕鸡窝子，1800m，1973.Ⅷ.16，采集人不详。

分布:陕西(长安、秦岭、佛坪、宁陕)、内蒙古、青海、安徽、福建、台湾、四川、云南、西藏；日本。

5. 长喙寄蝇属 *Prosena* Lepeletier *et* Serville, 1828

Prosena Lepeletier *et* Serville, 1828: 499, 500. **Type species**: *Stomoxys siberita* Fabricius, 1775.

属征:前颏细长，至少为头高的1.50倍；后头在眼后鬃下方无黑色毛；触角短于或至多等于颊高；触角芒羽状或短羽状；胸部后气门前后厣大小相等；前中鬃1对，翅侧片鬃毛状；翅肩鳞红黄色。

分布:除南美洲外，亚世界性分布。中国仅知1种。秦岭地区发现1种。

寄主:寄生于鞘翅目金龟科幼虫体内。

(13)金龟长喙寄蝇 *Prosena siberita* (Fabricius, 1775)

Stomoxys siberita Fabricius, 1775: 798 (also spelled *sibirita*, *sybarita*, unjustified emendations).

鉴别特征:侧颜裸；胸部侧板均具浅白色毛；翅M脉在弯曲处无赘脉。

采集记录:60♂12♀，留坝闸口石-紫柏山，1600～1700m，2012.Ⅶ.18-20，张春田、侯鹏采；2♀，佛坪岳坝，1344m，2014.Ⅷ.26，梁厚灿采(SYNU)；1♂，山阳天竺山，1807m，2013.Ⅶ.21，王强采。

分布:陕西(留坝、佛坪、山阳)，中国广布；蒙古，俄罗斯，日本，缅甸，印度，尼泊尔，菲律宾，马来西亚，印度尼西亚，斯里兰卡，澳大利亚，莫桑比克，美国(引入)，中亚，欧洲。

寄主:铜绿金龟幼虫和华北大黑鳃金龟幼虫。

6. 特西寄蝇属 *Trixa* Meigen, 1824

Trixa Meigen, 1824: 222. **Type species**: *Trixa dorsalis* Meigen, 1824 [= *Musca conspersa* Harris, 1776].

Murana Meigen, 1824: 223. **Type species**: *Trixa alpina* Meigen, 1824.

Crameria Robineau-Desvoidy, 1830: 59 (nec Hubner, 1819). **Type species**: *Crameria oestroidea*

Robineau-Desvoidy, 1830.

Dexiotrix Villeneuve, 1936: 330. **Type species**: *Dexiotrix longipennis* Villeneuve, 1936.

Trixella Mesnil, 1980: 8. **Type species**: *Dexiotrix pubiseta* Mesnil, 1967.

属征:中颜板宽大而平，颜脊不发达；侧颜为触角后梗节宽的1~2倍；触角后梗节长为宽的1.00~2.50倍；触角芒裸或短毛状或羽状；前颏短而粗，长为宽的1.00~2.50倍；下颚须膨大，长于或等于触角；前胸前侧片裸；翅前缘刺缺或短于r-m横脉之半；翅前缘脉第2节腹面具小毛；足遗跗节红黄色；腹部第1+2合背板中央凹陷不伸达后缘；各背板无中心鬃；雄性前阳基侧突短，侧尾叶端半部钝圆。

分布:全北区，东洋区北端。秦岭地区发现2种。

分种检索表

触角芒羽状，芒毛总长约为后梗节宽的2倍；后梗节长为宽的1.50~2.50倍，为梗节长的2.50~3.00倍；中足胫节前背鬃1个；腹部红黄色 …………………………… **长翅特西寄蝇 *T. longipennis***

触角芒毛为短毛状，芒毛长至多为芒基宽；后梗节长为梗节长的3倍；背中鬃3-4+3-5；足黑，胫节中部红棕色；腹部红黄色，胸和腹部从前面观具银白色粉被 ……………………………………………………………………………………………… **透特西寄蝇 *T. pellucens***

(14)长翅特西寄蝇 *Trixa longipennis* (Villeneuve, 1936)

Dexiotrix longipennis Villeneuve, 1936: 330.

Trixa longipennis: Zhang & Shima, 2005: 66.

鉴别特征:体细长，体长8.30~13.20mm，触角芒羽状，背中鬃3+3个，胸部具淡黄色粉被，腹部红黄色，背面具1个黑色中央纵条，第1+2合背板具2个或无中缘鬃。

采集记录:20♂1♀，长安终南山，800~900m，2012.Ⅶ.05，王强采；2♂，宝鸡太白山，1100~1500m，2012.Ⅶ.11-12，王强采；5♂5♀，周至老县城，1885~2057m，2014.Ⅷ.19-20，梁厚灿采；3♀，周至太白山铁甲树，1993m，2014.Ⅷ.18，梁厚灿采(SYNU)；13♂，秦岭昌坎红崖沟，1500~1650m，1998.Ⅶ.22，张学忠、王书永、陈军采；4♂1♀，佛坪凉风垭，1900~2100m，1998.Ⅶ.24，陈军、姚建采；1♂，宁陕火地塘，1380m，1998.Ⅶ.27，张学忠、姚建采(IZCAS)；4♂，宁陕牛背梁，1197m，2013.Ⅶ.16，王强采；8♂1♀，柞水营盘，1299m，2013.Ⅶ.15，王强采；1♀，商南金丝峡，777m，2013.Ⅶ.23，王强采。

分布：陕西(西安、宝鸡、周至、佛坪、宁陕、柞水、商南)、山西、河南、台湾、四川。

(15)透特西寄蝇 *Trixa pellucens* (Mesnil, 1967)

Dexiotrix pellucens Mesnil, 1967: 53.
Trixa pellucens: Zhang & Shima, 2005: 63.

鉴别特征:体长14.00~15.60mm，触角除后梗节基部红黄色外均黑色；后梗节为梗节长的2.30~3.00倍，背中鬃3+3-5个，腹侧片鬃3个；翅肩鳞黑褐色，前缘基鳞淡棕色，足黑色，前胫中部淡棕；腹部第2~4背板均具密的银白色粉被。

采集记录:1♂，周至老县城，2057m，2014.Ⅷ.19，梁厚灿采(SYNU)。

分布:陕西(周至)、四川、云南。

Ⅱ. 多利寄蝇族 Doleschallini

分布:本族小，中国仅1属1种，秦岭地区也有分布。

7. 刺须寄蝇属 *Torocca* Walker, 1859

Torocca Walker, 1859: 131. **Type species**: *Torocca abdominalis* Walker, 1859.
Toroca: *in* Brauer & Bergenstamm, 1893: 150 (incorrect subsequent spelling).

属征:头部侧面观近半圆形，颜脊不发达，侧颜裸；颊高等于或小于眼高的1/10；触角芒羽状或短毛状；小盾片具2对缘鬃，无端鬃；下腋瓣外缘具长毛；前足基节内侧面多具倒伏的鬃毛；后足后基节区骨化；腹部细长，通常圆筒形，第1+2合背板具中缘鬃，中央凹陷不达后缘，第3、4背板均具中心鬃。

分布:中国；日本，东南亚。秦岭地区发现1种。

(16)亮胸刺须寄蝇 *Torocca munda* (Walker, 1856)

Dexia munda Walker, 1856: 126.
Torocca munda: Crosskey, 1976: 192.

鉴别特征:翅R_1脉裸，M脉在弯曲处具1条赘脉，其长约与r-m横脉等长；前足胫节近端前背鬃明显短于近端背鬃；中足胫节具1个短前背鬃。

采集记录:1♂，华县少华山，675m，2013.Ⅶ.19-20，王强采(SYNU)。

分布:陕西(华县)、浙江、湖南、福建、云南；日本，越南，泰国，印度，印度尼西亚，马来西亚。

寄主:扶桑四点野螟。

Ⅲ. 拟寄蝇族 Imitomyiini

8. 月寄蝇属 *Riedelia* Mesnil, 1942

Riedelia Mesnil, 1942: 290. **Type species**: *Riedelia bicolor* Mesnil, 1942.

属征:中颜脊高且宽大可见; 侧颜裸; 触角长于颊高; 触角芒羽状; 前颏长为宽的7倍以上; 胸部背板无前中鬃; 翅 R_{4+5}脉基部裸; 后足胫节端部具3个背鬃; 腹部第1+2合背板中央凹陷不达后缘; 第3、4背板无成对中心鬃; 腹板外露。

分布:中国仅知1属1种, 为陕西新纪录。

(17)双色月寄蝇 *Riedelia bicolor* Mesnil, 1942

Riedelia bicolor Mesnil, 1942: 291.

鉴别特征:中颜脊高且宽大; 前颏较长; 触角芒羽状; 腹部第1+2合背板中央凹陷不达后缘, 腹板外露。

采集记录:1♂, 山阳苍龙山, 718m, 2013. Ⅶ. 23, 王强采(SYNU)。

分布: 陕西(山阳)、黑龙江、河北、山西、上海、浙江、四川、贵州、云南; 俄罗斯(远东南部), 日本。

Ⅳ. 蜗寄蝇族 Voriini

鉴别特征:本族属和种类均多, 外形特征变化大。一般雄性额窄, 或与复眼等宽, 雌雄两性均具外侧额鬃2~4根, 最前方的1根下降至侧颜达1/2水平, 外顶鬃粗大, 单眼鬃向外侧方或后方伸展, 后头覆淡白色粉被, 中部被淡白色毛, 下颚须发达, 端部膨大; 肩鬃4根, 后方3根基鬃排列呈1条直线, 腹侧片鬃2~3根, 小盾侧鬃缺失; R_{4+5}脉基部至径中横脉的脉段上被小鬃, dm-cu脉非常倾斜, 位于肘脉基部1/3或1/2的部位, 中脉心角处具1个长赘脉; 翅肩鳞黑色, 前缘基鳞黑色或红黄色。前足胫节被2行鬃状黑色毛, 前足胫节具1行前背鬃, 后鬃2根; 中足胫节具前背鬃1行, 后鬃2根, 腹鬃1根; 后足胫节具排列不整齐的前背鬃1行, 其中有2~3根粗长黑鬃, 后鬃2~3根, 腹鬃2~5根, 具1根短小的后腹端刺; 腹部圆筒形, 雄性尾器、阳茎呈特长的带形。

分布:中国有23属73种, 秦岭地区发现6属10种。

寄主:主要寄生在鳞翅目幼虫体内。

9. 邻寄蝇属 *Dexiomimops* Townsend, 1926

Dexiomimops Townsend, 1926: 21. **Type species**: *Dexiomimops longipes* Townsend, 1926.

属征:雄性额窄,约为具密长毛复眼宽的1/10;单眼鬃毛状或缺;触角芒羽状;前颏长至少为宽的5倍;小盾端鬃缺或毛状;翅肩鳞黑色,前缘基鳞黄色,M脉弯曲处无赘脉;足长,雄性后足股节具3~4根长鬃;腹部第3、4背板各具1对中心鬃。

分布:古北区东部,东洋区。秦岭地区发现1种。

(18)白邻寄蝇 *Dexiomimops pallipes* Mesnil, 1957(图343)

Dexiomimops pallipes Mesnil, 1957: 68.

鉴别特征:雄性胸和腹部背面大部分具淡棕色粉被,仅在前胸和腹部第3、4背板前缘具淡白色粉被;梗节多暗棕色;下颚须红黄色;股节红棕色,端部变暗棕色;前足胫节长于头高。

采集记录:1♂,佛坪岳坝,1791m,2014.Ⅷ.27,梁厚灿采(SYNU)。

分布:陕西(佛坪)、北京;缅甸,马来西亚。

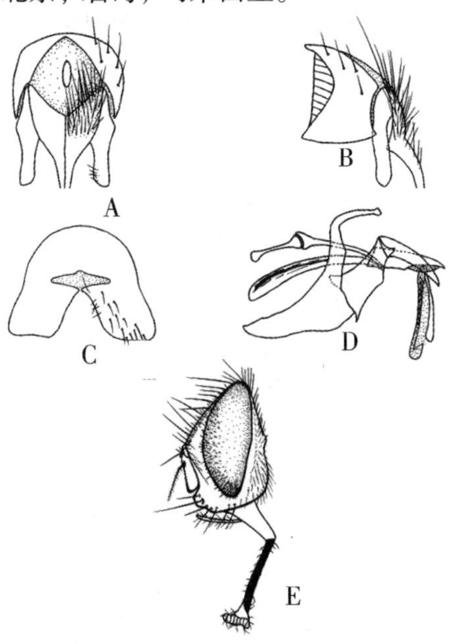

图343 白邻寄蝇 *Dexiomimops pallipes* Mesnil

第9背板、肛尾叶和侧尾叶(epandrium, cerci and surstyli) A. 后面观(posterior view); B. 侧面观(laterl view); C. 第5腹板(sternite 5); D. 阳体(phallus); E. 头(head)

10. 瘦寄蝇属 *Leptothelaira* Mesnil *et* Shima, 1977

Leptothelaira Mesnil *et* Shima, 1979: 477. **Type species**: *Leptothelaira longicaudata* Mesnil *et* Shima, 1979.

属征:侧颜裸；触角明显长于颊高；肩鬃呈三角形排列；中胸两后足基节间区骨质；胸部仅具1~2对盾后翅内鬃；小盾缘鬃2对；翅、足和腹部多黄色，腹部第1+2合背板中央凹陷不达后缘，具2个中缘鬃；第3、4背板各具成对中心鬃。

分布:古北区，东洋区。秦岭地区发现2种。

分种检索表

雄性腹部第4背板后1/2和整个第5背板棕黑色，单眼鬃较强；翅M脉从dm-cu横脉到弯曲处距离约为弯曲处到翅缘距离的1.40倍；端阳体长约等于基阳体 … **南方瘦寄蝇 *L. meridionalis***

雄性腹部第4背板后1/4和整个第5背板棕黑色；单眼鬃较弱，短于内顶鬃；翅M脉从dm-cu横脉到弯曲处距离约为弯曲处到翅缘距离的2.20倍；端阳体明显长于基阳体 ………………………………………………………………………………………………… **长茎瘦寄蝇 *L. longipennis***

(19) 长茎瘦寄蝇 *Leptothelaira longipennis* Zhang, Wang *et* Liu, 2006 (图344)

Leptothelaira longipennis Zhang, Wang *et* Liu, 2006: 430.

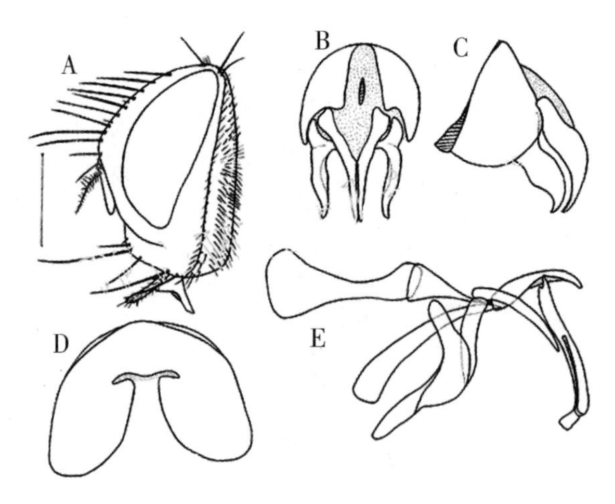

图344 长茎瘦寄蝇 *Leptothelaira longipennis* Zhang, Wang *et* Liu (仿张春田等, 2006: 432)

A. 头(head); B, C, D, E. 第9背板、肛尾叶和侧尾叶(epandrium, cerci and surstyli); B. 后面观(posterior view); C. 侧面观(lareral view); D. 第5腹板(sternite 5); E. 阳体(phallus)

鉴别特征:雄性腹部第 4 背板后 1/4 和整个第 5 背板棕黑色，单眼鬃较弱。

采集记录:22♂1♀，周至太白山铁甲树，1993m，2014. Ⅷ. 18，梁厚灿采；6♂，周至老县城，2057m，2014. Ⅷ. 19，梁厚灿采；1♂，太白山中山寺，1430m，1956. Ⅶ. 23，周尧采［IOZ(E)1912205］；2♂1♀，佛坪大古平，1575m，2014. Ⅷ. 24，梁厚灿采；6♂3♀，佛坪岳坝，1413 ~ 1791m，2014. Ⅷ. 25-27，梁厚灿采(SYNU)；1♂，柞水营盘，1299m，2013. Ⅶ. 15，王强采。

分布: 陕西(周至、太白、佛坪、柞水)、山西、宁夏。

(20) 南方瘦寄蝇 *Leptothelaira meridionalis* Mesnil *et* Shima, 1979

Leptothelaira meridionalis Mesnil *et* Shima, 1979: 480.

鉴别特征:雄性腹部第 4 背板后 1/2 和整个第 5 背板棕黑色，单眼鬃较强。

采集记录:1♀，周至厚畛子镇黑河森林公园，1278m，2014. Ⅷ. 16，梁厚灿采(SYNU)。

分布:陕西(周至)、宁夏、台湾；日本。

11. 驼寄蝇属 *Phyllomya* Robineau-Desvoidy, 1830

Phyllomya Robineau-Desvoidy, 1830: 213 (also subsequently spelled *Phyllomyia*, unjustified emendation). **Type species**: *Musca volvulus* Fabricius, 1794.

Metopomintho Townsend, 1927: 283. **Type species**: *Metopomintho sauteri* Townsend, 1927.

属征:侧颜大部分具毛；复眼裸；后头毛多淡色；触角长于颊高；触角芒羽状或短羽状；肩鬃通常排列成三角形；前足基节大部分裸；前胸基腹片裸；中胸两后足基节间区完全膜质化；小盾端鬃交叉，小盾亚端鬃至少达小盾端鬃端部，小盾缘鬃 3 对或更多；足和腹部多暗色；腹部第 2 合背板中央凹陷不达后缘；后翅内鬃 3 根。

分布:古北区，东洋区，非洲热带区，新北区。秦岭地区发现 1 种。

(21) 环形驼寄蝇 *Phyllomya annularis* (Villeneuve, 1937)(图 345)

Macquartia annularis Villeneuve, 1937: 9.

Phyllomya annularis: Crosskey, 1976: 271.

鉴别特征:复眼具密毛，雌性复眼近裸；雄性额窄，间额线状；侧颜大部具密而长的毛；背中鬃 2 + 3 根，腹部第 1 + 2 合背板具强的成对心鬃，第 3、4 背板各具 1 列心鬃。

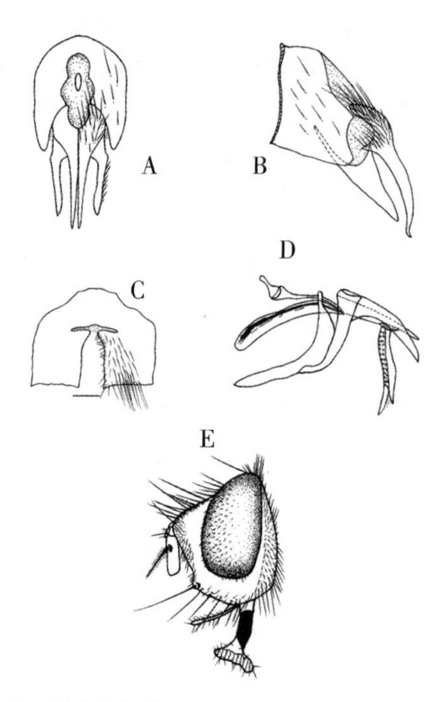

图 345 环形驼寄蝇 *Phyllomya annularis* (Villeneuve)

第 9 背板、肛尾叶和侧尾叶(epandrium, cerci and surstyli) A. 后面观(posterior view); B. 侧面观(laterd view); C. 第 5 腹板(sternite 5); D. 阳体(phallus); E. 头(head)

采集记录:1♀, 周至厚畛子镇黑河森林公园, 1278m, 2014. Ⅷ. 16, 梁厚灿采(SYNU); 1♀, 佛坪大古平, 1575m, 2014. Ⅷ. 24, 梁厚灿采(SYNU); 1♀, 佛坪岳坝, 1791m, 2014. Ⅷ. 27, 梁厚灿采(SYNU)。

分布:陕西(周至、佛坪)、内蒙古、山西、宁夏、四川、云南、西藏。

12. 喙寄蝇属 *Stomina* Robineau-Desvoidy, 1830

Stomina Robineau-Desvoidy, 1830: 411. **Type species**: *Stomina rubricornis* Robineau-Desvoidy, 1830 [= *Musca tachinoides* Fallén, 1817].

属征:复眼裸; 雄性额至多为头宽的 0.20 倍; 下侧颜突出; 侧颜具毛, 后头多具白色毛; 额鬃至少伸达梗节中部水平, 至远位于颜下缘之上; 触角短于颊高; 触角芒羽状, 髭远位于下颜缘上方; 小盾具交叉的端鬃; 腹部具成对暗斑; 第 3、4 背板均具成对的暗斑。

分布:古北区, 非洲区。秦岭地区发现 1 种。

(22)加利喙寄蝇 *Stomina tachinoides* (Fallén, 1817)

Musca tachinoides Fallén, 1817: 244.

鉴别特征:雄性额宽至多为复眼宽的1/5；颊膨大；颜下缘向前突出,侧面观可见，侧颜具毛；上后头无黑毛；沟后翅有2根内鬃；小盾具交叉端鬃；腹部第1+2合背板达后缘。

采集记录:1♀，留坝庙台子，1350m，1998.Ⅶ.19，采集人不详。

分布:陕西(留坝)、山西、甘肃；蒙古，俄罗斯，欧洲，中东地区。

13. 柔寄蝇属 *Thelaira* Robineau-Desvoidy, 1830

Thelaira Robineau-Desvoidy, 1830: 214 (as *Thelairia* invarious works, incorrect subsequent spelling). **Type species**: *Thelaira abdominalis* Robineau-Desvoidy, 1830 [= *Musca solivagus* Harris, 1780].

属征:触角芒羽状；侧面观半圆形；侧颜裸；颊高等于或小于复眼高的1/8；触角长于颊高；髭位于颜下缘水平；中胸两后足基节间骨质化；小盾缘鬃3对；翅 R_1 和 R_{4+5}脉背面均具小鬃毛；M脉弯曲处无赘脉；下腋瓣侧缘无长毛；足和腹部多黄色，前足基节前内表面具密而倒伏的鬃毛；前足胫节近端前背鬃明显长于近端背鬃；中足胫节具2个或以上前背鬃；腹部第1+2合背板中央凹陷不达后缘，具2个中缘鬃；第3、4背板各具成对中心鬃。

分布:世界性分布。秦岭地区发现4种。

分种检索表

1. 中足胫节具1~2根前背鬃，如具2根，则前足1根明显短小 ………………………………… 2
   中足胫节具3根以上前背鬃，如具3根，则至少2根长且大 ………………………………… 3
2. 小盾片黑色或端部黄色；腹部第2~4背板两侧黄色，背板中央黑色纵条宽超过背板宽的1/3；足胫节中部污黄色或暗黄色 ……………………………………………… **暗黑柔寄蝇 *T. nigripes***
   雄性腹部黄色，第2~4背板中央黑色纵条宽明显窄于背板宽1/3；足胫节明显红黄色………
   ……………………………………………………………………………… **巨形柔寄蝇 *T. macropus***
3. 雄性腹部红黄色，具1个黑色中央纵条，第3、4背板基部具粉被，第5背板黑色；雌性腹部黑色，仅第3、4背板基部具粉被，有时无粉被 ……………………………… **撒柔寄蝇 *T. solivaga***
   雄性腹部黑色，无黑色中央纵条；第2~4背板两侧黄斑较小，具黄褐色粉被 ………………
   ……………………………………………………………………………… **白带柔寄蝇 *T. leucozona***

(23)白带柔寄蝇 *Thelaira leucozona* (**Panzer, 1806**)

Musca leucozona Panzer, 1806: 19 (and colored figure on unnumbered facing plate).

鉴别特征:雄性腹部黑色，第3、4背板前半部具白色粉被带。

采集记录:1♀，汉中黎坪，1500m，2012. Ⅶ. 16，张春田采；1♀，宁陕火地塘，1400～1720m，2012. Ⅶ. 11-12，张春田采；2♀，山阳苍龙山-商南金丝峡，718～777m，2013. Ⅶ. 23，王强采(SYNU)。

分布:陕西(汉中、宁陕、山阳、商南)、黑龙江、山西、宁夏、新疆、福建、广东、西藏；俄罗斯(西)，日本，欧洲。

(24)巨形柔寄蝇 *Thelaira macropus* (**Wiedemann, 1830**)

Dexia macropus Wiedemann, 1830: 375.

Thelaira macropus: Crosskey, 1966: 663.

鉴别特征:雄性腹部第2～4背板中央黑色纵条宽明显窄于背板宽的1/3，足胫节红黄色。

采集记录:2♂，蓝田，1951. Ⅵ. 04-26，周尧采，IOZ(E)1912203、1912206；1♂，周至厚畛子镇黑河森林公园，1278m，2014. Ⅷ. 16，梁厚灿采(SYNU)；3♂，留坝紫柏山，1625～1800m，2012. Ⅶ. 12-18，张春田、侯鹏采；12♂，留坝张良庙，1200～1300m，2012. Ⅶ. 22-24，张春田、侯鹏采；4♂，佛坪，845m，2013. Ⅶ. 30，王强采；1♂，佛坪岳坝，1083m，2013. Ⅶ. 27，王强采；1♂，宁陕牛背梁，1197m，2013. Ⅶ. 16，王强采；4♂，柞水营盘，1299m，2013. Ⅶ. 15，王强采；9♂，山阳天竺山，1807m，2013. Ⅶ. 21，王强采；12♂，山阳苍龙山-商南金丝峡，718～777m，2013. Ⅶ. 23，王强采。

分布:中国广布；泰国，缅甸，印度，马来西亚，印度尼西亚，斯里兰卡，巴布亚新几内亚。

(25)暗黑柔寄蝇 *Thelaira nigripes* (**Fabricius, 1794**)

Musca nigripes Fabricius, 1794: 319.

Thelaira nigripes: Crosskey, 1976: 192.

鉴别特征:中足胫节具1～2个前背鬃；腹部第2～4背板两侧黄色，背板中央黑色纵条宽度超过背板宽1/3；足胫节中部污黄色。

采集记录:24♂，长安南五台，800m，2012. Ⅵ. 27-30，王强、崔乐采；60♂，长安

终南山，800～900m，2012. Ⅶ. 05-06，王强采；1♀，周至老县城，2057m，2014. Ⅷ. 19，梁厚灿采（SYNU）；2♂，宝鸡太白山，1200～1500m，2012. Ⅶ. 12，侯鹏采；22♂，眉县太白山，1600m，2012. Ⅶ. 03，王强、崔乐采；2♀，留坝张良庙，1300m，2012. Ⅶ. 22，侯鹏采；10♂2♀，留坝闸口石，1600～1700m，2012. Ⅶ. 18-20，张春田、侯鹏采；1♂1♀，佛坪大古平，1366m，2014. Ⅷ. 22，梁厚灿采；1♀，佛坪岳坝，1344m，2014. Ⅷ. 26，梁厚灿采；1♀，南郑黎坪，1500m，2012. Ⅶ. 16，张春田采；1♂，柞水营盘，1299m，2013. Ⅶ. 15，王强采；5♂，山阳苍龙山，718m，2013. Ⅶ. 23，王强采；1♂，商南金丝峡，777m，2013. Ⅶ. 23，王强采。

分布：陕西（长安、周至、宝鸡、眉县、留坝、佛坪、柞水、南郑、山阳、商南），中国广布；俄罗斯，日本，欧洲。

寄主：白肾锦夜蛾，甘蓝褐蛾，亚麻灯蛾，黄腹灯蛾，栎颤天社蛾，树莓枯叶蛾。

（26）撒柔寄蝇 *Thelaira solivaga*（Harris, 1780）

Musca solivagus Harris, 1780: 85.

Thelaira solivaga: Townsend, 1916: 9.

鉴别特征：中足胫节具3根以上前背鬃；雄性腹部红黄色，具1个黑色中央纵条，第3、4背板基部具粉被。

采集记录：1♀，周至太白山铁甲树，1993m，2014. Ⅷ. 18，梁厚灿采；3♀，佛坪大古平，1366m，2014. Ⅷ. 22，梁厚灿采；4♀，佛坪岳坝，1791m，2014. Ⅷ. 27，梁厚灿采（SYNU）；1♂，柞水营盘，1299m，2013. Ⅶ. 15，王强采；1♀，山阳苍龙山，718m，2013. Ⅶ. 23，王强采。

分布：陕西（周至、佛坪、柞水、山阳）、黑龙江、吉林、辽宁、山西、宁夏、浙江、福建、四川、云南、西藏；欧洲。

14. 蜗寄蝇属 *Voria* Robineau-Desvoidy, 1830

Voria Robineau-Desvoidy, 1830: 195. **Type species**: *Voria latifrons* Robineau-Desvoidy, 1830 [= *Tachina ruralis* Fallén, 1810].

属征：触角芒裸，至少到端部2/3加粗；中喙长为宽的2倍；翅侧片鬃短小；翅dm-cu横脉特别倾斜；R_{4+5}脉至少到r-m横脉一半处具小鬃毛；具3根盾后翅内鬃；雄性侧额至少具2根前倾额鬃，侧颜具1～3根前倾鬃。

分布：世界性分布。秦岭地区发现1种。

(27)茹蜗寄蝇 *Voria ruralis*(Fallén, 1810)

Tachina ruralis Fallén, 1810: 265.

Voria edentata Baranov, 1932: 83.

Voria ruralis: Crosskey, 1973: 163.

鉴别特征:雄性前足爪长, 几乎与第4、5分跗节之和相等; 侧颜具1根前倾鬃。

采集记录:1♀, 宝鸡天台山, 1999. Ⅸ. 03, 王明福采; 4♂1♀, 宝鸡太白山, 600~2800m, 2010. Ⅶ. 17-19, 王诗迪、赵喆采; 2♂1♀, 宝鸡太白山, 1200~1500m, 2012. Ⅶ. 12-13, 侯鹏采; 5♂1♀, 华县少华山, 675m, 2013. Ⅶ. 19-20, 王强采; 7♂5♀, 留坝闸口石, 1600~1700m, 2012. Ⅶ. 18-20, 张春田、侯鹏采; 3♂5♀, 留坝张良庙, 1300m, 2012. Ⅶ. 23, 张春田、侯鹏采; 1♂, 佛坪岳坝, 1791m, 2014. Ⅶ. 27, 梁厚灿采; 3♂, 佛坪大古平, 1571m, 2014. Ⅷ. 24, 梁厚灿采(SYNU); 3♀, 宁陕火地塘, 1400-1720m, 2012. Ⅶ. 11-12, 张春田采; 3♀, 南郑黎坪, 1280~1600m, 2012. Ⅶ. 15-16, 张春田采; 3♂4♀, 柞水营盘, 1299m, 2013. Ⅶ. 15, 王强采; 1♀, 山阳天竺山, 2013. Ⅶ. 21, 王强采; 3♂1♀, 商南金丝峡, 777m, 2013. Ⅶ. 23. 王强采。

分布:陕西(宝鸡、华县、留坝、佛坪、宁陕、南郑、柞水、山阳、商南)、黑龙江、吉林、辽宁、内蒙古、北京、天津、河北、山西、河南、甘肃、新疆、台湾、四川、云南、西藏; 蒙古, 俄罗斯, 日本, 尼泊尔, 印度, 巴基斯坦, 也门, 澳大利亚, 巴布亚新几内亚, 中亚, 欧洲, 中东, 北美洲, 南美洲。

寄主:大西洋赤蛱蝶, 丫纹夜蛾, 金翅夜蛾, 紫金翅夜蛾, 甜菜夜蛾, 粘虫, 豹灯蛾, 舞毒蛾, 银纹夜蛾。

(二)追寄蝇亚科 Exoristinae

鉴别特征:追寄蝇亚科昆虫通常前胸基腹片两侧有毛, 外部形态变化大, 进化速度快; 是寄蝇科中种类和数量最大的类群; 其幼虫主要寄生于鳞翅目幼虫。

分类:中国已知6族139属577种, 陕西秦岭地区分布6族45属89种。

分族分属检索表

1. 翅前鬃小于第1根沟后翅内鬃,显著小于第1根沟后背中鬃 ······ 2
   翅前鬃显著大于第1根沟后翅内鬃,长于第1根沟后背中鬃 ······ 4
2. 中脉心角为弧角,后方无赘脉或褶痕,各翅上鬃之间无填充的小鬃,雄性肛尾叶沿背中线纵裂为左右两瓣(**卷蛾寄蝇族 Blondeliini**) ······ 7
   中脉心角为夹角,后方具赘脉或褶痕,如偶有心角圆滑,则下腋瓣外侧弯向下方,小盾亚端鬃平行排列或略作分类排列 ······ 3
3. 下腋瓣正常,外侧不向下方弯曲,中脉心角至少具1条暗色赘脉或褶痕,痕迹向翅后缘延伸(**追

寄蝇族 Exoristini） …………………………………………………………………… 22

腋瓣外侧急剧向下弯曲，中脉心角不具赘脉或褶痕，复眼被毛，毛长而密，后背鬃4个（拱瓣寄蝇族 Ethillini） …………………………………………………………………… 23

4. 单眼鬃向后方伸展，雌性、雄性额均十分宽，复眼裸，背中鬃3+4根，小盾片端部具1对翘起的短刺（膝芒寄蝇族 Goniini） …………………………………………………… 24

单眼鬃向前伸展或缺失，雄性额一般窄于雌性额宽，雌性具2根前倾的额鬃 …………… 5

5. 颊高小于后梗节宽；中脉心角至dM-Cu脉的距离等于心角至翅后缘距离 ……………… 6

颊高至少与后梗节等宽；中脉心角至dM-Cu脉的距离不等于心角至翅后缘距离，盾后翅内鬃3根，若为2根，则前一根距盾缝距离大于前后两根间距；腹部腹板完全或大部分隐藏在各背板腹面端部相汇合处（膝芒寄蝇族 Goniini） …………………………………… 24

6. 同时具备以下特征：后气门前肋（下后侧片）2/3或以上被毛；肩鬃5根，其中3根排成三角形；复眼被密而长的毛，触角芒梗节短（温寄蝇族 Winthemiini） ……………………… 37

后气门前肋裸，有时在前端仅具1～3根毛（埃里寄蝇族 Eryciini） ………………… 38

7. 触角芒筒形，至少基部1/2加粗，侧颜被毛或鬃 ……………… 毛颜寄蝇属 Admontia

触角芒细长，仅基部1/5～2/5呈纺锤状加粗 ……………………………………… 8

8. 前胸侧板被毛 …………………………………………………………………… 9

前胸侧板裸 …………………………………………………………………… 12

9. 肩鬃的中基鬃显著前移，3根基鬃排成三角形，髭位于口缘同一水平，触角芒基半部被毛，后头伸展部局限于颊的下缘 …………………………………… 纤寄蝇属 *Prodegeeria*

3根基鬃排成1条直线 …………………………………………………………… 10

10. 单眼鬃毛状，颊高小于复眼高的1/10；腹侧片鬃2根，肘脉末段小于中肘横脉的1/2，足细长，中足胫节无腹鬃；雄性第5背板后为方锥形，具短尾 ………………… 柄尾寄蝇属 *Urodexia*

单眼鬃发达，颊高至少为复眼高的1/5 ………………………………………… 11

11. 腹部背板有中心鬃 ……………………………………………… 美根寄蝇属 *Meigenia*

腹部背板无中心鬃 ……………………………………………… 卡里寄蝇属 *Kallisomyia*

12. 肩鬃3根，排成三角形 ……………………………………………………… 13

肩鬃3根，排1条直线 ……………………………………………………… 15

13. 中胫节具腹鬃 …………………………………………………………… 14

中胫节无腹鬃 ……………………………………………… 三角寄蝇属 *Trigonospila*

14. 小盾端鬃缺如，腹侧片鬃3根 ………………………………… 单寄蝇属 *Opsomeigenia*

小盾端鬃短小呈毛状，腹侧片鬃2+1根 ……………………… 利索寄蝇属 *Lixophaga*

15. 中足胫节无腹鬃；肩鬃2根，腹部背板无中心鬃 ……………… 尾寄蝇属 *Uromedina*

中足胫节具1根腹鬃 ……………………………………………………… 16

16. 肘脉末段长约为中肘横脉长的1/2，第3根翅上鬃细小，略大于翅前鬃；复眼裸，雄性额窄，具外侧额鬃，单眼鬃毛状；小盾端鬃缺，侧鬃1对，第5腹板通常具1对弯曲的鬃簇 …………………………………………………………………… 麦寄蝇属 *Medina*

肘脉末段大于或略小于中肘横脉，第3根翅上鬃较粗大，至少与翅前鬃同等大小 ……… 17

17. 中足胫节具1根前背鬃，腹部第1+2合背板中央凹陷不达后缘 …………………… 18

中足胫节具前背鬃2～4根，腹部第3、4背板具中心鬃 …………………………… 20

18. 复眼裸；盾后背中鬃3根，肩鬃3根，单眼鬃中等大小，后头伸展部中等大小，约占颊的1/3，腹侧片鬃2根，小盾端鬃缺，腹部第2背板中央凹陷不达后缘，雌第3、4背板腹缘通常具小刺

…………………………………………………………………………………… 髭寄蝇属 *Vibrissina*

复眼被毛 …………………………………………………………………………………… 19

19. 盾后背中鬃 4 根,肩鬃 4 根 ……………………………………………… 刺腹寄蝇属 *Compsilura*

盾后背中鬃 3 + 3 根,肩鬃 4 根 …………………………………… 拟腹寄蝇属 *Compsiluroides*

20. 肩鬃 4 根,3 根基鬃排列于 1 条直线上,腹部第 2 背板中央凹陷达后缘,雌性第 3、4 背板腹缘通常具小刺,第 7 腹板特化形成钩状产卵器;肘脉末段大于中肘横脉;复眼裸 ……………………

…………………………………………………………………………………… 卷蛾寄蝇属 *Blondelia*

肩鬃 3 根,排成三角形,腹部第 2 背板中央凹陷不达后缘,雌性第 7 腹板不特化形成钩状产卵器 …………………………………………………………………………………… 21

21. 眼后鬃下方具 1 ~ 3 行黑毛 ……………………………………………… 奥斯寄蝇属 *Oswaldia*

眼后鬃下方无黑毛 …………………………………………………………… 赘诺寄蝇属 *Drinomyia*

22. 后头上半部在眼后鬃后方无黑毛;单眼鬃发达,头部每侧具内侧额鬃 2 根 ……………………

…………………………………………………………………………………… 追寄蝇属 *Exorista*

后头上半部在眼后鬃后方或多或少具 1 列完整黑毛;单眼鬃位于前单眼两侧或前方 …………

…………………………………………………………………………………… 盆地寄蝇属 *Bessa*

23. 内侧额鬃与额鬃连续排列 ……………………………………………… 裸板寄蝇属 *Phorocerosoma*

内侧额鬃发达,与额鬃之间有一明显的间隔 ………………………… 侧盾寄蝇属 *Paratryphera*

24. 复眼裸 …………………………………………………………………………………… 28

复眼具毛 …………………………………………………………………………………… 25

25. 颜堤鬃上升达颜堤中部或更高;腹部亮黑,具蓝色,如具粉被也很弱 ………… 栉寄蝇属 Pales

腹部非亮黑,不具蓝色 ……………………………………………………………………… 26

26. 肩鬃 3 ~ 4 根,3 根基鬃排列于 1 条直线上 ………………………………………………… 27

肩鬃 4 根,3 根排成三角形 ………………………………………… 撵寄蝇属 *Myxexoristops*

27. 前胸基腹片具毛 ……………………………………………………… 丝寄蝇属 *Sericozenillia*

前胸基腹片不具毛 …………………………………………………… 塔卡寄蝇属 *Takanomyia*

28. 单眼鬃缺失 …………………………………………………………………………………… 29

单眼鬃明显 …………………………………………………………………………………… 30

29. 腹侧片鬃 2 根 ……………………………………………………………… 小寄蝇属 *Carceliella*

腹侧片鬃 3 根 ……………………………………………………………… 睫寄蝇属 *Blepharella*

30. 单眼鬃向前方伸展 ………………………………………………………………………… 31

单眼鬃向后方伸展;R_{4+5}基部 1/3 ~ 1/2 具小鬃,有时小鬃达 R-M,如仅基部结节上具数根小鬃,则翅肩鳞和前缘基鳞黄色;上后头通常在眼后鬃列下方具黑毛,腹部第 1 + 2 合背板通常无中缘鬃,第 5 背板仅在后方 1/3 ~ 2/5 具 1 行缘鬃;仅有少数几根颜堤鬃集中于髭上方

…………………………………………………………………………………… 膝芒寄蝇属 *Gonia*

31. 后头在眼后鬃后方具 2 行黑色小鬃 ………………………………………… 宽寄蝇属 *Eurysthaea*

后头在眼后鬃后方无黑色小鬃 ……………………………………………………………… 32

32. 后头仅在顶鬃后方具 3 ~ 4 根黑毛 ………………………………………… 娇寄蝇属 *Hebia*

顶鬃后方无黑毛 ……………………………………………………………………………… 33

33. 后足胫节具 1 列梳状前背鬃 …………………………………………… 饰腹寄蝇属 *Blepharipa*

后足胫节无梳状前背鬃 ……………………………………………………………………… 34

34. 肩鬃 4 ~ 5 根,3 根基鬃排列于 1 条直线上 ………………………………………………… 35

肩鬃不在 1 条直线上 ………………………………………………………………………… 36

35. 腹部第 3、4 节背板具中心鬃…………………………………… 宽额寄蝇属 *Frontina*

腹部第 3、4 节背板不具中心鬃 ……………………………………… 柯罗寄蝇属 *Crosskeya*

36. 触角后梗节长是梗节的 6～8 倍 …………………………………… 长芒寄蝇属 *Dolichocolon*

触角后梗节长是梗节的 5 倍 …………………………………………………… 幽寄蝇属 *Eumea*

37. 中足胫节具 3～5 根前背鬃，后足胫节具 1 列梳状前背鬃，中间具 1 根大的长鬃，是其他前背鬃长的 2 倍，或者后胫前背鬃列不规则；腹部背板毛直立，第 5 背板黑色，近似锥形，其长度为其最大宽度的 1.50～2.00 倍；腹侧片鬃一般为 3 根 ………………………… 锥腹寄蝇属 *Smidtia*

中足胫节具 1～2 根前背鬃，后足胫节具 1 列等长的梳状前背鬃；腹部背板毛通常倒伏状，很少直立，第 5 背板呈梯形，其长度为其宽度的 2.50～3.00 倍；腹侧片鬃一般为 2 根，少数 3 根 …………………………………………………………………………… 温寄蝇属 *Winthemia*

38. 复眼裸或被短毛 ………………………………………………………………………… 39

复眼具密而长的毛 ……………………………………………………………………… 40

39. 腹部无中心鬃 ……………………………………………………… 异丛寄蝇属 *Isosturmia*

腹部具中心鬃 ……………………………………………………………… 赘寄蝇属 *Drino*

40. 后头在眼后鬃后方具 1 行黑色小鬃 ……………………………………………………… 41

后头在眼后鬃后方无黑色小鬃 …………………………………………………………… 42

41. 肩鬃 3～5 根，3 根基鬃排列为三角形…………………………………… 菲寄蝇属 *Phebellia*

肩鬃 3 根，3 根基鬃排列为直线 ……………………………………………… 怯寄蝇属 *Phryxe*

42. 触角后梗节背面明显拱起呈弧形 …………………………………… 毛虫寄蝇属 *Epicampocera*

触角后梗节背面不明显拱起 ……………………………………………………………… 43

43. 颜堤至多 1/3 具鬃；后梗节长为梗节的 2～3 倍，触角芒基部 2/5 以内变粗；中足胫节具 2 根前背鬃 ……………………………………………………………… 皮寄蝇属 *Sisyropa*

颜堤通常 1/2～2/3 具鬃 ……………………………………………………………………… 44

44. 后足基节后面具毛；中足胫节具 1 根腹鬃；肩鬃 3 根，中间 1 根或多或少前移 ………………………………………………………………………………… 狭颊寄蝇属 *Carcelia*

后足基节后面裸 ………………………………………………………………………………… 45

45. 后足胫节具前背鬃梳 ………………………………………………… 似颊寄蝇属 *Carcelina*

后足胫节无前背鬃梳 ……………………………………………… 裸基寄蝇属 *Senometopia*

V. 卷蛾寄蝇族 Blondeliini

鉴别特征：该族翅前鬃很小，有时缺失或呈毛状，小盾片的亚端鬃分叉排列，小盾端鬃细小或缺失，中脉心角为弧角或钝角，无赘脉或褶痕，下腋瓣外缘不向下弯曲。本族包括类群复杂多样，可能是多源属的异质集合体，生物学和形态学的特征是多样的，有的为大卵生型寄蝇，有的为卵蛆型寄蝇，也有的为蛆型寄蝇。

分布：除新西兰未发现外，世界各地均有分布。中国有 95 种，秦岭地区发现 16 属 26 种，包括 1 个中国新纪录，15 个陕西新纪录。

寄主：它们的寄主也比较复杂，有鳞翅目和膜翅目叶蜂幼虫及鞘翅目成虫。

15. 毛颜寄蝇属 *Admontia* Brauer *et* Bergenstamm, 1889

Admontia Brauer *et* Bergenstamm, 1889: 104 [also 1890: 36]. **Type species**: *Admontia podomyia* Brauer et Bergenstamm, 1889.

Trichopareia Brauer *et* Bergenstamm, 1889. 103 [also 1890: 35] (also subsequently spelled *Trichoparia*, unjustified emendation). **Type species**: *Tachina seria* Meigen, 1824.

属征: 额较复眼略宽, 颜高显著大于额长, 雌性、雄性头部各具 2 根外侧额鬃, 侧颜被毛或鬃, 颜堤鬃占颜堤高度的 1/2 ~2/3, 颊特宽, 触角长, 触角芒基部 1/2 ~2/3 加粗, 触角芒第 2 节延长。中鬃 2 +3 根, 第 3 根翅上鬃短而细, 第 2 背板基部中央凹陷不达后缘, 第 3 和第 4 背板各具 1 对中心鬃; 后足胫节末端具 3 根背端鬃。雌性前足跗节加厚。

分布: 古北区。秦岭地区发现 1 种。

(28) 斑瓣毛颜寄蝇 *Admontia maculisquama* (Zetterstedt, 1859)

Tachina maculisquama Zetterstedt, 1859: 6088.

鉴别特征: 肩鬃 3 根, 胸部背板具 4 条暗纵条, 中足胫节具 2 ~3 根前背鬃, 侧颜宽约为后梗节宽的 1/4 ~3/5, 腹部第 3 背板具 2 根心鬃, 小盾无端鬃, 后足胫节端位后背鬃为前背鬃的 1/3 ~5/6, 腋瓣淡黄色, 体具黄灰色粉被, 背板粉被均匀。

采集记录: 1♀, 柞水营盘, 1299m, 2013. Ⅶ. 14, 王强采(SYNU)。

分布: 陕西(柞水)、四川; 欧洲。

16. 卷蛾寄蝇属 *Blondelia* Robineau-Desvoidy, 1830

Blondelia Robineau-Desvoidy, 1830: 122. **Type species**: *Blondelia nitida* Robineau-Desvoidy, 1830 [= *Tachina nigripes* Fallén, 1810].

Schaumia Robineau-Desvoidy, 1863: 43. **Type species**: *Tachina inclusa* Hartig, 1838.

Spinolia Robineau-Desvoidy, 1863: 41 (nec Dahlbom, 1854). **Type species**: *Tachina inclusa* Hartig, 1838.

属征: 雌性腹部第 3、4 背板侧缘在腹面呈龙骨状突起, 沿腹中线两侧具刺, 腹部末端具产卵管。颜堤鬃的分布仅占颜堤基部的 1/3 ~1/2, 复眼裸; 中胫具 2 ~3 根前背鬃, 腹侧片在中足基部前方有 1 行细毛, 有时整个腹侧片被细毛, 中鬃 3 +3 根, 背中鬃 3 +3 根, 腹侧片鬃 2 +1 根, 翅内鬃 1 +3 根, 肩鬃 4 根, 3 根基鬃排列于一条直线上, 肘脉末端的长度大于或等于中肘横脉, 腹部第 2 背板基部中央凹陷达后缘, 第

3 ~ 5背板具中心鬃。

分布:古北区，东洋区。秦岭地区发现1种。

(29)黑须卷蛾寄蝇 *Blondelia nigripes* (Fallén, 1810)

Tachina nigripes Fallén, 1810: 270.

鉴别特征:雄性额宽为复眼宽的1/2；侧额被黑毛，和额鬃一起下降至侧颜；侧颜宽度与触角3节等宽；触角黑色，后梗节基部红色，其长度为梗节的2倍；额鬃3 ~ 4根下降侧颜，最前1根超过触角梗节末端水平；单眼鬃发达，向前方伸展；后头上方在眼后鬃后方具1行黑色毛；前颏长为直径的1.60倍。胸部具4个黑纵条，中间2个在盾沟后方愈合。小盾片全黑色，具1对心鬃、4对缘鬃，小盾端鬃细小，毛状。翅淡黄褐色透明，翅肩鳞、前缘基鳞黑色，前缘刺明显，R_{4+5}脉基部具3 ~ 4根小鬃，占据基部脉段的1/5，前缘脉第2段腹面裸；r_5室闭合或微开放；下腋瓣白色，具淡黄色边缘。足全黑色，前足胫节具后鬃2根，爪与第5分跗节等长；中足胫节具2 ~ 3根前背鬃；后足胫节具1行长短不一的前背鬃。腹部黑色，背面具1个黑纵条，第3 ~ 5背板基半部覆闪变性灰白色粉被，端半部黑色，两侧具不明显的红黄色斑，第5背板具2行心鬃。雌性额宽为复眼宽的2/3，每侧具外侧额鬃2根，后梗节长为梗节的1.60倍，前足跗节不加宽。

采集记录:18♂5♀，留坝闸口石，1600 ~ 1700m，2012. Ⅶ. 18-20，张春田、侯鹏采(SYNU)；1♀，南郑黎坪，1500m，2012. Ⅶ. 16，侯鹏采。

分布:陕西(留坝、南郑)、黑龙江、吉林、辽宁、内蒙古、北京、河北、山西、宁夏、甘肃、青海，新疆、四川、云南、西藏；蒙古，俄罗斯，朝鲜，韩国，日本，中亚，中东，外高加索，欧洲。

17. 刺腹寄蝇属 *Compsilura* Bouché, 1834

Compsilura Bouché, 1834: 58. **Type species**: *Tachina concinnata* Meigen, 1824.

Doria Meigen, 1838: 263. **Type species**: *Tachina concinnata* Meigen, 1824.

属征:复眼被淡黄色密长毛，颜堤鬃粗大，上升达颜堤上方1/3或1/4的部位，单眼鬃退化或呈毛状，后头伸展部发达，占满整个颊部，后头上方在眼后鬃后方有1行黑毛。肩鬃4根，其中3根基鬃排成1条直线；第3根翅上鬃较粗大，至少与翅前鬃同等大小，背鬃3 + 3根；背中鬃3 + 4根，腹侧片鬃3根；中足胫节具背鬃1根。前缘脉第2段腹面裸。腹部腹面基部被黄色毛，第1 + 2合背板中央凹陷不达后缘，第3 ~ 5背板具中心鬃。雌性第3、4背板两侧缘在腹面形成龙骨状突起，在突起上各具成行粗刺，中腹部末端突起和第7腹板特化形成钩状产卵管。

分布:除中南美洲外亚世界性分布。秦岭地区发现 1 种。

寄主:国外文献记载的寄主很广泛，计有 104 种,杏凤蝶、粉蝶、蛱蝶、喙蝶、弄蝶、天蛾、舟蛾、毒蛾、天幕毛虫、枯叶蝶、松毛虫、蚕蛾、苔蛾、夜蛾、尺蛾、灯蛾、白蛾、巢蛾、叶蜂、锯蜂。中国已知寄主有柳叶蜂、棕尾毒蛾、落叶松毛虫、竹小斑蛾。

(30)康刺腹寄蝇 *Compsilura concinnata* (Meigen, 1824)(图 346)

Tachina concinnata Meigen, 1824: 412.

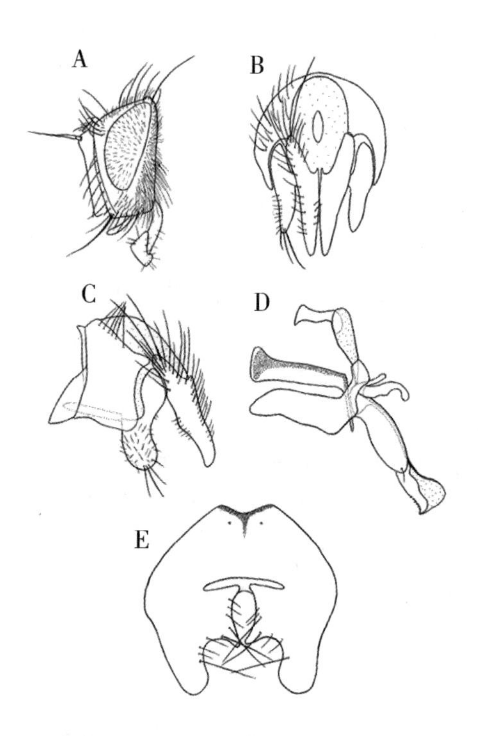

图 346　康刺腹寄蝇 *Compsilura concinnata* (Meigen)

A. 头(head); 第 9 背板、肛尾叶和侧尾叶(epandrium、cerci and surstyli); B. 后面观(postertor view); C. 侧面观(lateral view); D. 阳体(phallus); E. 第 5 腹板(sternite 5)

鉴别特征:体中型，额宽为复眼宽的 5/7; 侧额被黑色毛，伴随额鬃下降侧颜达同一水平; 侧颜宽度和后梗节相等; 触角黑色，后梗节基部红棕色，其长度为梗节的 4 倍; 触角芒基部 1/3 加粗，额鬃 3 ~4 根下降侧颜最前方的 1 根超过触角梗节末端的水平，无外侧额鬃，外顶鬃毛状与眼后鬃无区别; 后头上方在眼后鬃后方大部分被淡黄色毛; 下颚须淡黄色，颏长为直径的 2 倍。胸部黑色。覆灰白色粉被，背面具 4 个黑色纵条，中间 2 个在盾沟后方愈合; 翅内鬃 1 +3 个; 小盾片全黑色，具 1 对心鬃、4 对缘鬃，小盾端鬃向后上方交叉伸展。翅淡黄褐色透明，翅肩鳞和前缘基鳞黑色，前缘刺不明显，R_{4+5}脉基部具3～4根小鬃，占基部脉段长度的1/5；前缘脉第2段与第4段等长，r_5室开放。足除跗节黑色外其余各部棕褐色；前足胫节后鬃2个，爪与第5分跗节等长；中足胫节前背鬃1个；后足胫节具1行长短不整齐的前背鬃。腹部腹面基部被黄色毛，背面具1个黑色纵条。

采集记录：1♂，华县少华山，675m，2013.Ⅶ.19-20，王强采；1♂，佛坪县岳坝，1791m，2014.Ⅷ.27，梁厚灿采（SYNU）。

分布：中国广布；俄罗斯，日本，泰国，印度，尼泊尔，菲律宾，马来西亚，印度尼西亚，澳大利亚，巴布亚新几内亚，中亚，中东，欧洲，非洲热带区，北美洲（引入）。

18. 拟腹寄蝇属 *Compsiluroides* Mesnil, 1953

Compsiluroides Mesnil, 1953: 105. **Type species**: *Compsiluroides communis* Mesnil, 1953.

属征：复眼被毛，单眼鬃缺如或呈毛状，背中鬃3+3根，腹侧片鬃3根；前胫节后腹鬃2根，中胫节具1根腹鬃；前胸侧片裸，颜堤鬃上升达颜堤基部1/2左右，小盾侧鬃发达，腹部第2背板基部凹陷不达后缘，髭位于口缘略上方，侧颜全部裸。腹部无中心鬃。

分布：古北区，东洋区。秦岭地区发现2种。

（31）普通拟腹寄蝇 *Compsiluroides communis* Mesnil, 1953

Compsiluroides communis Mesnil, 1953: 105.

鉴别特征：体中小型，黑色，覆灰白色粉被；间额、触角、足黑色；翅间鳞、前缘基鳞黑褐色。额宽为复眼宽的3/5，颊高为复眼高的1/4，额鬃每侧7根，有2～3根下降侧颜不及触角梗节末端水平；后梗节为梗节长的3.70倍，其宽度与侧颜中部相等，口缘向前方突出，髭位于口上片的上方，颜堤鬃上升达颜堤上方的1/3。中胸盾片在沟前具4个黑纵条，中间两条狭窄，在盾沟后纵条愈合在一起，中鬃3+3根，翅内鬃1+3根，肩胛3根基鬃排列成三角形；小盾侧鬃每侧1根；中脉心角至中肘横脉的距离为心角至翅缘后缘距离的2.50倍；前足爪及爪垫的长度为其第4、5分跗节长之和；中胫节前背鬃1个。腹部圆筒形，亮黑色，第3～5背板基部1/3～2/3覆灰白色粉被，第2、3背板各具中缘鬃1对。

采集记录：1♂，宝鸡太白山，1200～1500m，2012.Ⅶ.17，侯鹏采；27♂4♀，留坝闸口石，1600～1700m，2012.Ⅶ.18-20，张春田、侯鹏采（SYNU）；8♂3♀，宁陕火地塘，1400～1720m，2012.Ⅶ.11-12，张春田采。

分布：陕西(宝鸡、留坝、宁陕)、黑龙江、广东、海南、香港、广西、四川、贵州、云南、西藏；缅甸。

(32)黄须拟腹寄蝇 *Compsiluroides flavipalpis* Mesnil, 1957

Compsiluroides flavipalpis Mesnil, 1957: 22.

鉴别特征：雄性体中型，头胸覆污黄色和淡黄色粉被，间额黄褐色；触角、翅间鳞、前缘基鳞、足黑色；侧额外缘2/3黑色，其内缘、侧颜、下侧颜、颊为闪变性的黄色；下颚须、口上片、喙、唇瓣黄色。额宽为复眼宽的4/5，颊高为复眼高的1/4；外顶鬃与眼后鬃无明显区别，额鬃有2~3根下降侧颜达触角梗节末端水平；后梗节长为梗节的3.50~4.00倍，其宽度略窄于侧颜中部宽度。口缘不向前突出或略翘起，髭位于口缘上方，颜堤上升达颜堤上方的1/3，后头在眼后鬃后方具黑色小鬃。中胸盾沟前具4个黑色纵条，沟后中间的两条愈合，中鬃3+3根，翅内鬃1+3根，肩鬃3根基鬃排列为三角形；小盾端鬃缺如或毛状，侧鬃1根；翅中脉心角至翅后缘的距离为心角至中肘横脉距离的1/2；前足爪及爪垫长为第4、5分跗节之和；中胫节前背鬃1根；后胫节背端鬃2根，腹部第2背板基部凹陷不达后缘，第2、3背板各具中缘鬃1对。

采集记录：2♂，长安南五台，1600m，2012.Ⅵ.18，王强采；6♂，留坝闸口石，1600~1700m，2012.Ⅶ.18-20，张春田、侯鹏采；2♀，佛坪大古平，1575m，2014.Ⅷ.24，梁厚灿采；2♂，佛坪岳坝，1791m，2014.Ⅷ.27，梁厚灿采(SYNU)；4♂，宁陕火地塘，1400~1720m，2012.Ⅶ.11-12，张春田采。

分布：陕西(长安、留坝、佛坪、宁陕)、广东、贵州、四川、云南；俄罗斯，日本。

19. 赘诺寄蝇属 *Drinomyia* Mesnil, 1962

Drinomyia Mesnil, 1962: 759. **Type species**: *Oswaldia bicoloripes* Mesnil, 1957 [= *Vibrissina hokkaidensis* Baranov, 1935].

属征：本属与奥斯渥寄蝇属 *Oswaldia* 很相似，但本属后头平，在眼后鬃后方无黑毛，单眼鬃发达，几乎着生于前单眼两侧，几乎为额长的1/3，颊几乎无后头伸展部，颊高为复眼高的1/8，跗节细长。长于胫节，眼后鬃直，间额略小于侧额的宽度，侧额几乎裸，触角芒基部1/6加粗，颜堤仅占颜堤基部的1/4，沟前背中鬃2个，第3根毛状，前气门鬃很小，腹侧片鬃2个，足跗节细长，长于胫节。雄性前足爪短，腹部第5背板长于第4背板。

分布：古北区。秦岭地区发现1种。

(33) 北海道赘诺寄蝇 *Drinomyia hokkaidensis* (Baranov, 1935)

Vibrissina hokkaidensis Baranov, 1935: 554.

Oswaldia bicoloripes Mesnil, 1957: 23.

鉴别特征: 雄性体中小型，黑色，覆黄色和灰白色粉被；间额、翅肩鳞、前缘基鳞黑色；触角黑色，梗节端部与后梗节基部内侧黄色；下额须、足胫节黄色；复眼裸，额宽为复眼宽的7/10；后梗节为梗节长的2.50～3.00倍，颜堤鬃分布于颜堤基部的1/5；后头拱起，在眼后鬃后方无黑毛，颊高为复眼高的1/6。中胸盾片具4个黑纵条，中间两条狭窄，其间距为其自身宽的4～5倍；小盾片黄色，端鬃毛状或缺如，侧鬃每侧1根发达。腹部第2背板基部凹陷达后缘，具2根中缘鬃，第3背板中央具三角形黑斑，中缘鬃1对，第3、4背板各具中心鬃1对，第5背板具排列不规则的心鬃和缘鬃2～4行，末端黄色。雌性额与复眼约等宽，具外侧额鬃2根，足腿节、胫节黄色。腹部第2背板后缘侧、腹面及第3背板和第4背板侧面、腹面具红色、黄色兼灰白色粉被。

采集记录: 3♂，长安终南山，800～900m，2012. Ⅶ. 05-06，王强、崔乐采；1♂1♀，宝鸡太白山，600～2800m，2010. Ⅶ. 17-19，王诗迪、赵喆采；2♂1♀，宝鸡太白山，1200～1500m，2012. Ⅶ. 12，侯鹏采；1♂，华县少华山，675m，2013. Ⅶ. 19-20，王强采(SYNU)；1♂，南郑黎坪，1500m，2012. Ⅶ. 15，侯鹏采。

分布: 陕西(西安、宝鸡、华县、南郑)、辽宁、内蒙古、北京、天津、河北、山西、贵州、西藏；俄罗斯，朝鲜，韩国，日本。

20. 卡里寄蝇属 *Kallisomyia* Borisova, 1964 中国新纪录

Kallisomyia Borisova, 1964: 782. **Type species**: *Kallisomyia stackelbergi* Borisova, 1964: 783.

属征: 雄性额宽至少为复眼宽1.50倍，复眼具长毛，颊高约为复眼高的1/2，颜堤基部1/2以下具鬃，触角、下颚须、小盾片、前缘基鳞和足完全或大部分黄色。后梗节约为梗节长度的5倍，触角芒裸。第1根后翅上鬃短于背侧片鬃，小盾片无交叉端鬃。前胸基腹片有毛，前缘刺若存在，明显短于r-m横脉。腹部第1+2合背板中央凹陷不达后缘，中足胫节前背鬃1根，腹部背板无心鬃。

分布: 古北区。秦岭地区发现1种。

(34) 塔氏卡里寄蝇 *Kallisomyia stackelbergi* Borisova, 1964 中国新纪录

Kallisomyia stackelbergi Borisova, 1964: 783.

鉴别特征: 额宽，触角、下颚须、小盾片、前缘基鳞和足完全或大部分黄色。

采集记录:1♀，周至厚畛子镇黑河森林公园，1278m，2014. Ⅶ. 16，梁厚灿采(SYNU)。

分布:陕西(周至)、辽宁；俄罗斯。

21. 利索寄蝇属 *Lixophaga* Townsend, 1908

Lixophaga Townsend, 1908: 86. **Type species**: *Lixophaga parva* Townsend, 1908.

属征: 复眼裸，侧颜裸，下颚须短，黄色；额宽，颜堤鬃细小，仅在鬃基部上方具数根。后梗节长于梗节长的3倍，触角芒基部1/3加粗。单眼鬃发达，向前方伸展。肩鬃3~4根，3根基鬃排列成三角形。中鬃3+3根，背中鬃2~3+3根；第2根翅上鬃大于翅前鬃，而显著小于第1根翅上鬃。前胸侧板裸，腹侧片鬃2+1根；小盾片鬃小于基鬃，端鬃短小呈毛状。翅肩鬃、前缘基鳞黑色，前缘刺短而明显，R_5室开放，R_{4+5}脉基部背面具2~3根小鬃。前胫节后鬃1根；中胫节前背鬃1根，后背鬃2根，腹鬃1根。腹部长卵圆形，第2背板基部凹陷不达后缘。

分布:除热带非洲区外亚世界性分布。秦岭地区发现2种。

(35) 伪利索寄蝇 *Lixophaga fallax* Mesnil, 1963

Lixophaga fallax Mesnil, 1963: 32.

鉴别特征:背中鬃3+3根，腹部第3、4背板各具中心鬃1对，侧心鬃每侧1~2根，第5背板具心鬃、缘鬃各1行。

采集记录:1♀，周至太白山铁甲树，1993m，2014. Ⅷ. 18，梁厚灿采；1♂1♀，佛坪大古平，1366m，2014. Ⅷ. 22，梁厚灿采(SYNU)；1♂，宁陕火地塘，1400~1720m，2012. Ⅶ. 11-12，张春田采；1♀，南郑黎坪，1280~1600m，2012. Ⅶ. 15-16，张春田采；1♀，山阳苍龙山，718m，2013. Ⅶ. 23，王强采。

分布:陕西(周至、佛坪、宁陕、南郑、山阳)、吉林、辽宁、山西、河南、湖南、广东、广西、四川；日本。

(36) 宽颊利索寄蝇 *Lixophaga latigena* Shima, 1979

Lixophaga latigena Shima, 1979: 308.

鉴别特征:雄性体小型，头黑色，颊略呈褐色；颜堤、口上片红黄色；后梗节为梗节长的5倍；背中鬃2+3根；第3背板基部1/2~1/3、第4背板基部1/3~1/2、第5背板基部1/2~3/5覆灰白色粉被，第3、4背板背面具狭窄的黑色纵条；第3背板具侧心鬃2~3根，侧缘鬃2根，中心鬃4根且细小，中缘鬃2根且粗大；第4背板具侧心鬃3~4根，中心鬃2~3根，缘鬃1行；第5背板具粗大的心鬃和缘鬃各1行。雌性额宽为复眼宽的3/10，侧额为后梗节宽的2倍，外顶鬃发达，单眼鬃略小于内侧额鬃，外侧额鬃每侧2根，前方1根较粗大，后梗节为梗节长的4.20倍，后梗节长为其宽的4倍，前足爪及爪垫短于第5分跗节。

采集记录:1♀，佛坪大古平，1575m，2014.Ⅷ.24，梁厚灿采(SYNU)。

分布:陕西(佛坪)、辽宁、安徽、广西、云南、西藏；日本。

22. 麦寄蝇属 *Medina* Robineau-Desvoidy, 1830

Medina Robineau-Desvoidy, 1830: 138. **Type species**: *Medina cylindrica* Robineau-Desvoidy, 1830 [= *Tachina collaris* Fallén, 1820].

Degeeria Meigen, 1838: 249. **Type species**: *Tachina collaris* Fallén, 1820.

Coxendix Gistel, 1848: ix. unnecessery nomen novum for *Degeeria* Meigen, 1838.

Molliopsis Townsend, 1933: 470. **Type species**: *Mollia malayana* Townsend, 1926.

属征：体较细长，复眼裸，具长足，额窄；雌雄两性均具外侧额鬃；单眼鬃细小，毛状；间额宽于侧额；前胸侧片裸，中胸4~5个黑纵条愈合，仅在沟前呈4~5个齿斑，小盾侧鬃1对，无小盾端鬃；肘脉末段长约为中肘横脉长的1/2。腹部第1+2合背板基部中央凹陷达后缘，第3~5背板具中心鬃；第5腹板通常具1对弯曲的鬃簇。

分布:古北区，东洋区。秦岭地区发现3种。

分种检索表

1. 前足胫节后鬃1个；颜堤鬃分布在颜堤基半部 ………………………………………… 2
   前足胫节后鬃2个；腹部第5腹板有鬃簇，其长度短于第5背板长的1/3；下腋瓣暗棕色；腹侧片鬃3个 ………………………………………… **离麦寄蝇 *M. separata***
2. 额宽约为复眼宽的0.35~0.50(雄性)或0.60(雌性)；腹侧片鬃2个；平衡棒黄色，下腋瓣白色；腹部第5腹板无鬃簇 ………………………………………… **白瓣麦寄蝇 *M. collaris***
   额宽约为复眼宽的0.25~0.33(雄性)或0.50~0.60(雌性)；下腋瓣暗黄褐色 ………………………………………… **褐瓣麦寄蝇 *M. fuscisquama***

(37) 白瓣麦寄蝇 *Medina collaris* (Fallén, 1820)

Tachina collaris Fallén, 1820: 15.

鉴别特征:雄性头黑色，覆灰白色粉被，额宽为复眼宽的1/3；下腋瓣白色；腹部长圆筒形，黑色，两侧具淡黄色斑，背面具1个黑色纵条，第3~5背板基半部两侧覆灰白色粉被，端半部黑色，第3~4背板各具2对中心鬃，第5背板具2行心鬃。雌性额宽为复眼宽的1/2，外侧额鬃2根，下颚须棕褐色；足棕褐色，前足跗节不加宽，爪长约为第5分跗节的1/2；腹部椭圆形，第3、4背板各具1根中心鬃。

采集记录:1♀，佛坪大古平，1575m，2014. Ⅷ. 24，梁厚灿采(SYNU)。

分布:陕西(佛坪)、辽宁、北京、河北、山西、宁夏、江苏、浙江、湖南、广东、海南、香港、广西、重庆、四川、贵州、云南、西藏；蒙古，俄罗斯，日本，欧洲。

(38)褐瓣麦寄蝇 *Medina fuscisquama* Mesnil, 1953

Medina fuscisquama Mesnil, 1953: 105.

鉴别特征:间额、翅间鳞、前缘基鳞、足黑色；触角、下额须、下腋瓣暗黄色。额宽为复眼宽的1/4(雄性)或1/2~3/5(雌性)；颜堤鬃分布于颜堤基部1/2以下或达1/2以上；前足爪长于其第5分跗节，前胫节后鬃1根，中胫节前背鬃2根，后背鬃1根，腹部长筒形、黑色，第2背板基部中央凹陷达后缘，第3~5背板基部1/3~1/2覆灰白色兼灰黄色粉被，向两侧逐渐加宽；第3、4背板各具2对中心鬃，第5背板具心鬃和缘鬃4行。雌性额与复眼等宽，间额两侧缘几乎平行，为侧额宽的1.20倍，具2对外侧额鬃，前足跗节不加宽。

采集记录:8♂，宝鸡太白山，600~2800m，2010. Ⅶ. 17-19，王诗迪、赵喆采；7♂，华县少华山，675m，2013. Ⅶ. 19-20，王强采；2♂，佛坪大古平，1366~1575m，2014. Ⅷ. 22-24，梁厚灿采(SYNU)；1♂，宁陕牛背梁，1197m，2013. Ⅶ. 16，王强采；1♂，山阳天竺山，1807m，2013. Ⅶ. 21，王强采；1♂，山阳苍龙山，718m，2013. Ⅶ. 23，王强采。

分布:陕西(宝鸡、华县、佛坪、宁陕、山阳)、辽宁、内蒙古、北京、河北、山西、宁夏、湖北、湖南、广东、广西、四川、贵州、云南、西藏；缅甸，尼泊尔。

(39)离麦寄蝇 *Medina separata* (Meigen, 1824)

Tachina separata Meigen, 1824: 406.

鉴别特征:雄性前足胫节后鬃2根；第5腹板竖鬃毛长度是其长度的1/3。

采集记录:1♀，周至王家河，700~800m，2012. Ⅶ. 20-21，赵喆采(SYNU)；1♀，宝鸡太白山，600~2800m，2010. Ⅶ. 17-19，王诗迪采。

分布:陕西(周至、宝鸡)、山西；俄罗斯，日本，欧洲。

23. 美根寄蝇属 *Meigenia* Robineau-Desvoidy, 1830

Meigenia Robineau-Desvoidy, 1830: 198. **Type species**: *Meigenia cylindrica* Robineau-Desvoidy, 1830 [= *Tachina cylindrica* Robineau-Desvoidy, 1830].

属征: 侧颜裸或在额鬃下方被稀疏毛，单眼鬃发达，颊高至少为复眼高的 1/5；前胸侧板被毛，后头在眼后鬃后方被黑毛，触角芒基部 1/4 ~ 1/3 加粗，髭位于口缘上方，肩胛 3 根基鬃排列成 1 条直线。腹侧片鬃 4 根，少数为 3 根，小盾端鬃向后方伸展，R_{4+5}脉基部具 1 ~ 3 根小鬃，肘脉末段大于中肘横脉长的 1/2，中足胫节具前背鬃 1 ~ 2 根，腹部第 2 背板基部中央凹陷伸达后缘，第 3 ~ 5 背板具中心鬃。

分布: 中国；俄罗斯，欧洲。秦岭地区发现 3 种。

分种检索表

1. 侧颜显著宽于触角后梗节；雄性额宽约为复眼宽的 1/2 ~ 3/5；中足胫节前背鬃 2 根；腹部第 3、4 背板两侧各具 1 个清晰或模糊的三角形黑斑…………………… **大型美根寄蝇 *M. majuscula***
   侧颜等于或略宽于触角后梗节；雄性额宽约为复眼宽的 1/4 ~ 2/5；腹部第 3、4 背板各具 1 个宽大的“山”形黑斑 …………………………………………………………………………………… 2
2. 雄性第 5 背板腹面两侧无密毛斑；腋瓣淡黄褐色；腹部粉被浓厚，第 3、4 背板中部后方各具明显齿形黑斑……………………………………………………………… **三齿美根寄蝇 *M. tridentata***
   雄性胸部具 3 个宽大的黑色纵条；背中央两侧各具 1 个狭窄灰白色粉条；第 5 背板腹面两侧各具 1 个密毛斑；小盾片基部 2/3 黑色，端部 1/3 两侧灰白色粉被；腋瓣黑褐色或黄褐色；腹部粉被浓厚，第 3、4 背板中部后方形成“M”形黑斑 ………………… **丝绒美根寄蝇 *M. velutina***

(40) 大型美根寄蝇 *Meigenia majuscula* (Rondani, 1859)

Spylosia majuscula Rondani, 1859: 112.

鉴别特征: 侧颜显著宽于后梗节，由后梗节末端至口缘的距离至少与梗节等长，颜堤鬃 3 ~ 4 根，紧位于髭的上方。触角全部黑色，后梗节长为梗节的 2 ~ 3 倍；触角芒黑色，基部 1/4 加粗；腹部黑色，覆浓厚而均匀的灰白色粉被，背面具 1 个黑色纵条，第 2 ~ 4 背板两侧具不明显的红黄色斑；第 3、4 背板各具两个近于椭圆形的黑斑，两黑斑距离较大，各具 1 ~ 2 对中心鬃；第 5 背板具 1 行心鬃。

采集记录: 1♂，宁陕牛背梁，1197m，2013. Ⅶ. 16，王强采(SYNU)。

分布: 陕西(宁陕)、黑龙江、吉林、辽宁、北京、河北、天津、内蒙古、山西、宁夏、青海、新疆、河南、山东、浙江、湖北、湖南、福建、台湾、广西、四川、贵州、云南；蒙古，俄罗斯，越南，欧洲，非洲北部。

(41)三齿美根寄蝇 *Meigenia tridentata* Mesnil, 1961

Meigenia tridentata Mesnil, 1961: 703.

鉴别特征:复眼具长毛。胸部黑色，覆灰白色粉被，背面具5个黑色纵条，中间3个在盾沟后方愈合，中鬃3+3根，背中鬃2+3根，腹侧片鬃4根，小盾片全部黑色，具1对心鬃，4对缘鬃。翅淡褐色，透明。足黑色，前足胫节前背鬃1根，后足胫节具1行长短不一的前背鬃。腹部黑色，两侧具不明显的红黄色斑，各背板仅基半部覆浓厚的灰白色粉被，端半部黑色，沿背中线具1个黑纵条，第3、4背板沿背中线两侧的黑斑较大，三角形，内侧互相愈合，各具2对中心鬃，第5背板具心鬃和缘鬃各1行。雌性额宽为复眼宽的7/8，具外侧额鬃2根。

采集记录:4♂，宝鸡太白山，600~2800m，2010.Ⅶ.17-19，王诗迪、赵喆采；1♀，留坝张良庙，1200~1300m，2012.Ⅶ.22-24，张春田采；1♂，佛坪县岳坝，1791m，2014.Ⅷ.27，梁厚灿采(SYNU)。

分布:陕西(宝鸡、留坝、佛坪)、黑龙江、吉林、辽宁、北京、山西、宁夏、浙江、湖北、湖南、广西、四川、贵州、云南、西藏；俄罗斯。

(42)丝绒美根寄蝇 *Meigenia velutina* Mesnil, 1952

Meigenia velutina Mesnil, 1952: 156.

鉴别特征:雄性复眼被浓密长毛；额宽为复眼宽的3/10；侧颜与后梗节等宽，颜堤鬃5~7根，紧位于髭的上方；后梗节长为梗节的2.70倍；后头上方在眼后鬃后方被2行黑毛，其余为淡黄色毛；颏长为直径的2倍。胸部黑色，覆褐色粉被，背面具3个宽阔的黑色纵条，肩鬃3根，排成1条直线；背中鬃3+3(4)根，翅内鬃1+3根；小盾片具心鬃1对、缘鬃4对；其中小盾端鬃向后上方伸展。下腋瓣暗褐色，具淡黄色边缘。前足胫节后鬃2个，爪与第5分跗节等长；腹部黑色，背面具1个黑色纵条，第3~5背板两侧具不明显的红黄色花斑，各背板基部1/2覆较浓厚黄灰色粉被，端半部黑色，第3、4背板沿中线两侧的黑斑较大，三角形，内侧互相愈合，各具1对中心鬃，第5背板具1行心鬃，腹面两侧各具1个圆形密毛区。雌性额宽为复眼宽的5/7，具2根外侧额鬃，下颚须端半部加粗，黄色，基半部黑，前足跗节不加宽，爪小。腹部两侧无红黄色斑。

采集记录:1♂，长安南五台，1600m，2012.Ⅵ.18，王强采(SYNU)。

分布:陕西(长安)、黑龙江、吉林、辽宁、北京、山西、山东、江苏、上海、安徽、浙江、江西，湖南、福建、台湾、广东、海南、香港、广西、重庆、四川、贵州、云南、西藏；俄罗斯，日本，缅甸，尼泊尔。

24. 单寄蝇属 *Opsomeigenia* Townsend, 1919

Opsomeigenia Townsend, 1919: 577. **Type species**: *Hypostena pusilla* Coquillett, 1895.

属征: 雄性有2~3根内侧额鬃; 单眼鬃发达, 向前方伸展, 位于前后单眼之间; 复眼裸; 后头拱起, 在眼后鬃的后方具黑色毛; 侧颜裸; 颜堤鬃不超过颜堤下方的1/3; 髭与口缘几乎处于同一水平; 触角位于复眼中部水平, 触角芒具短柔毛, 仅基部1/4加粗。胸部前胸腹板被毛或裸, 前胸侧板裸, 肩鬃3根排成三角形或轻度弧形; 背中鬃2+3根, 翅内鬃1+3根, 第1根翅上鬃发达, 第2根翅上鬃短小, 长度不超过前者1/2; 小盾端鬃缺如, 侧鬃短小于亚端鬃; r_5室开放。腹部第2背板基部凹陷不达后缘, 具中缘鬃1对, 第3背板具中心鬃1对; 第4背板中心鬃1~2对; 形成不规则的1横行, 中缘鬃1对; 雌性尾器简单, 无刺器或具1个小的刺器, 并隐藏于背板之间。

分布: 东洋区, 新北区。秦岭地区发现1种。

(43) 东方单寄蝇 *Opsomeigenia orientalis* Yang, 1989

Opsomeigenia orientalis Yang, 1989: 465.

鉴别特征: 复眼裸, 头顶为头宽的0.20~0.23倍; 后头拱起。侧颜裸, 与后梗节等宽; 触角后梗节长为梗节的4倍, 触角芒基部1/4加粗。颊高为复眼高的3/10; 颏长为其直径的1/5。3根肩鬃排列成三角形, 腹侧片鬃3个, 前胸腹板被毛。前足胫节后背鬃2根, 后鬃1根; 中胫节前背鬃1根, 后背鬃2~3根, 腹鬃1根; 后胫节腹鬃2根; 前缘刺发达, 长于r-m脉。腹部第3~5背板中心鬃的前方通常具1对附加的小鬃。

采集记录: 1♂, 宁陕牛背梁, 1197m, 2013. Ⅶ. 16, 王强采(SYNU)。

分布: 陕西(宁陕), 广西。

25. 奥斯寄蝇属 *Oswaldia* Robineau-Desvoidy, 1863

Oswaldia Robineau-Desvoidy, 1863: 840. **Type species**: *Oswaldia muscaria* Robineau-Desvoidy, 1863 [= *Tachina muscaria* Fallén, 1810].

Dexodes Brauer *et* Bergenstamm, 1889: 87, 128 [also 1890: 19, 60]. **Type species**: *Tachina spectabilis* Meigen, 1824.

Eudexodes Townsend, 1908: 103. **Type species**: *Dexodes eggeri* Brauer *et* Bergenstamm, 1889.

属征：体中型，细长、筒形；复眼、侧颜均裸，单眼鬃发达，具2根内侧额鬃和2根外侧额鬃，后头向后方拱起，眼后鬃下方具1~3行黑色毛；肩鬃3根排成三角形，肩后鬃1根，有时在肩后鬃前后有1根小鬃，小盾端鬃无或毛状；前足胫节具2根后鬃，中足胫节具2~4根前背鬃，1根腹鬃；翅肩鳞和前缘基鳞黑色，前缘刺短，前缘脉第2段腹面裸；腹部第1+2合背板基部中央凹陷不达后缘，第3、4背板各具1~2对中心鬃。

分布：除热带非洲区和澳洲区外广泛分布。秦岭地区发现2种。

(44)筒腹奥斯寄蝇 *Oswaldia eggeri* (Brauer *et* Bergenstamm, 1889)

Dexodes eggeri Brauer *et* Bergenstamm, 1889: 128, 169 [also 1890: 60, 101].

鉴别特征：触角后梗节长为梗节长的4.50~5.00倍。中鬃3+3根，背中鬃3+3根。

采集记录：3♀，周至太白山铁甲树，1993m，2014. Ⅷ. 18，梁厚灿采；1♀，宝鸡太白山，600~2800m，2010. Ⅶ. 17-19，王诗迪采；4♂，宝鸡太白山，1200~1500m，2012. Ⅶ. 12，侯鹏采；1♀，眉县太白山，1600m，2012. Ⅶ. 03，崔乐采；1♀，佛坪大古平，1575m，2014. Ⅷ. 23，梁厚灿采；1♀，佛坪岳坝，1344m，2014. Ⅷ. 26，梁厚灿采(SYNU)；1♀，宁陕火地塘，1400~1720m，2012. Ⅶ. 11-12，张春田采。

分布：陕西(周至、宝鸡、眉县、佛坪、宁陕)、黑龙江、辽宁、山西、河南、宁夏、新疆、浙江、四川、云南、西藏；俄罗斯，日本，欧洲。

(45)短爪奥斯寄蝇 *Oswaldia issikii* (Baranov, 1935)

Arrhinomyia issikii Baranov, 1935: 557.

Oswaldia micronychia Mesnil, 1957: 22.

鉴别特征：腹部圆筒形，黑色光亮，仅基部覆较稀薄的灰白色粉被，第2背板基部凹陷不达后缘；沿背中线具1个黑色纵条；第3、4背板各具1对中心鬃，第5背板具2行心鬃；第5腹板内缘端部的突起较发达。

采集记录：1♀，周至太白山铁甲树，1993m，2014. Ⅷ. 18，梁厚灿采(SYNU)。

分布：陕西(周至)、辽宁、台湾、重庆、四川、贵州、云南、西藏；俄罗斯，日本。

26. 纤寄蝇属 *Prodegeeria* Brauer *et* Bergenstamm, 1895

Prodegeeria Brauer *et* Bergenstamm, 1895: 81 [also 1895: 617]. **Type species**: *Prodegeeria javana* Brauer *et* Bergenstamm, 1895.

Euthelairosoma Townsend, 1926: 32. **Type species**: *Euthelairosoma chaetopygiale* Townsend, 1926.

Hemidegeeria Villeneuve, 1929: 66. **Type species**: *Hemidegeeria bicinecta* Villeneuve, 1929 [= *Euthelairosoma chaetopygiale* Townsend, 1926].

Promedina Mesnil, 1957: 26. **Type species**: *Promedina japonica* Mesnil, 1957.

属征：体形细长，触角芒基半部被毛，基部1/5略加粗，下颚须黄色，颊大部为下侧颜所占据，髭位于口缘同一水平，后头伸展部局限于颊的下缘；触角芒基半部被毛；前胸侧板被毛，肩鬃的中基鬃显著前移，3根基鬃排成三角形；小盾片下方大部分被毛；肘脉末段显著短于中肘横脉；足细长；腹部第3～5背板具中心鬃，雄性第5背板两侧腹面被倒伏密毛，呈刷状。

分布：除新热带区外亚世界性分布。秦岭地区发现2种。

(46) 鬃尾纤寄蝇 *Prodegeeria chaetopygialis* (Townsend, 1926)

Euthelairosoma chaetopygiale Townsend, 1926: 33 (as *chaetopygidiale* in Mesnil 1962a: 712, and as *chetopygidiale* in Chao & Shi, 1982b: 263 and Wang & Yuan *et al*. 1992: 97, incorrect subsequent spellings).

Hemidegeeria bicincta villeneuve, 1929: 67.

鉴别特征：背中鬃2+3个，腹侧片鬃2个，小盾端鬃呈毛状。前缘脉第2段腹面裸；中胫节无腹鬃，具1根前背鬃。腹部第2背板基部凹陷不达后缘，第3背板具中心鬃和中缘鬃各1对，第4背板具1对中心鬃和1行缘鬃，第5背板具2行心鬃和1行缘鬃，两侧腹面具毛刷。

采集记录：1♂，留坝闸口石紫柏山，1600m，2012.Ⅶ.18，侯鹏采；1♀，南郑黎坪，1500m，2012.Ⅶ.15，侯鹏采(SYNU)。

分布：陕西(留坝、南郑)、山东、江苏、上海、安徽、浙江、江西、福建、台湾、广东、海南、广西、重庆、四川、贵州、云南、西藏；泰国，印度尼西亚，马来西亚，美拉尼西亚。

(47) 日本纤寄蝇 *Prodegeeria japonica* (Mesnil, 1957)

Promedina japonica Mesnil, 1957: 26.

鉴别特征：小盾端鬃缺失。腹部被毛，呈倒伏状排列，第1+2合背板凹陷不达后缘，具1对中缘鬃，1根侧缘鬃；第3背板具中心鬃1对，中缘鬃2根，侧缘鬃1根，无心鬃；第4背板具中心鬃1对，缘鬃1排，无侧心鬃；腹面两侧无密毛斑；第5背板具缘鬃1排及不规则的中心鬃，腹面两侧具长而密的密毛斑。

采集记录：3♀，佛坪大古平，1575m，2014.Ⅷ.24，梁厚灿采(SYNU)；2♂2♀，

宁陕火地塘，1400～1720m，2012. Ⅶ. 11-12，张春田采；1♂，柞水营盘，1299m，2013. Ⅶ. 15，王强采；1♂，山阳天竺山，1807m，2013. Ⅶ. 21，王强采；1♂，商南金丝峡，2013. Ⅶ. 23，王强采。

分布：陕西（佛坪、宁陕、柞水、山阳、商南）、吉林、辽宁、北京、浙江、湖南、广东、四川、云南；俄罗斯，韩国，日本。

27. 三角寄蝇属 *Trigonospila* Pokorny, 1886

Trigonospila Pokorny, 1886: 191. **Type species**: *Trigonospila picta* Pokorny, 1886 [= *Tachina ludio* Zetterstedt, 1849].

Succingulum Pandellé, 1894: 52. **Type species**: *Succingulum transvittatum* Pandellé, 1896.

Gymnamedoria Townsend, 1927: 283. **Type species**: *Gymnamedoria medinoides* Townsend, 1927 [= *Succingulum transvittatum* Pandellé, 1896].

属征：体分为 5 个明显的黑色横带，即盾缝后部、小盾片前部或大部、腹部第 1 + 2 合背板、第 3 背板和第 4 背板后半部。复眼和颜堤裸，侧颜裸，腹向强烈变窄，颊较窄，由复眼下缘至口缘之间的距离显著小于眼高的 1/2；雄性内顶鬃近于平行排列；触角芒羽状，加粗部分小于基部 1/2。中胸背板和腹部均具明显的黑色和黄色斑，肩鬃 3 根，排成三角形，前胸侧板和腹板均裸，背中鬃 2 + 3 根；r_5 室开放；前足胫节具 1 根后鬃；中足胫节无腹鬃，具前背鬃。腹部第 1 + 2 合背板中央凹陷不达后缘，达于中缘鬃基部，第 3、4 背板具中心鬃。

分布：世界性分布。秦岭地区发现 2 种。

(48) 芦地三角寄蝇 *Trigonospila ludio* (Zetterstedt, 1849)

Tachina ludio Zetterstedt, 1849: 3233.

鉴别特征：腹部第 2 背板长，基部仅有很小部分凹陷，前侧片鬃和前气门鬃正常，几乎等长或略短，前缘脉第 2～3 段腹面具毛，中胸背片沟前中部的 1 条黑纵条后端具 3 齿，两侧的黑纵条呈方形的斑，前胫节有 2 根后鬃，沟前翅内鬃缺。

采集记录：11♂，周至太白山铁甲树，1879m，2014. Ⅷ. 17，梁厚灿采；1♂，周至老县城，1885m，2014. Ⅷ. 20，梁厚灿采；24♂1♀，佛坪大古平，1575m，2014. Ⅷ. 24，梁厚灿采；4♂，佛坪岳坝，1413～1791m，2014. Ⅷ. 25-27，梁厚灿采（SYNU）；2♂，南郑黎坪，1280～1600m，2012. Ⅶ. 15-16，张春田采。

分布：陕西（周至、佛坪、南郑）、辽宁、山西、湖南、广西、四川、贵州、云南、西藏；俄罗斯，日本，缅甸，印度，欧洲。

(49)横带三角寄蝇 *Trigonospila transvittata* (Pandellé, 1896)

Succingulum transvittatum Pandellé, 1896: 148.

Gymnamedoria medinoides Townsend, 1927: 283.

鉴别特征:腹部第2背板短，其凹陷达中缘鬃基部，前侧片鬃小，前气门鬃大，前缘脉第2～3段腹面裸，中胸背片沟前中部的黑纵条末端2/5～3/5分3支，前胫节1根后鬃，沟前翅内鬃存在。

采集记录:1♂，周至老县城，1885m，2014. Ⅷ. 20，梁厚灿采(SYNU)。

分布:陕西(周至)、浙江、湖南、福建、台湾、广东、海南、广西、四川、贵州、云南；日本，泰国，印度，马来西亚，印度尼西亚，欧洲。

28. 柄尾寄蝇属 *Urodexia* Osten Sacken, 1882

Urodexia Osten Sacken, 1882: 11. **Type species**: *Urodexia penicillum* Osten Sacken, 1882.

Oxydexiops Townsend, 1927: 289. **Type species**: *Oxydexiops uramyoides* Townsend, 1927.

属征: 额较窄，均具2对外侧额鬃，复眼、颜堤裸，单眼鬃毛状，颊高小于复眼高的1/10；肩胛的3根基鬃排列成1条直线，前胸侧板被毛，背中鬃3+3个，腹侧片鬃2个；足细长，前足胫节具1根后鬃，中足胫节无腹鬃；r_5室开放，肘脉末段小于中肘横脉的1/2；雄性腹部第5背板后方突出呈锥形或长尾，柄状。

分布:古北区，东洋区。秦岭地区发现1种。

(50)簇毛柄尾寄蝇 *Urodexia penicillum* Osten Sacken, 1882

Urodexia penicillum Osten Sacken, 1882: 14.

鉴别特征:侧额、侧颜、中颜板和后头覆银白色粉被；额宽为复眼宽的1/4；下颚须黄色。胸部中鬃3+3根，翅内鬃1+3根，小盾缘鬃3对。腹部第2、3背板大部分红黄色，仅在基部(有时也包括中央)有黑斑，第3、4背板基部3/5、第5背板基部1/2覆银白色粉被，第4、5背板端部具黑色横带，第2～4背板各具1对中缘鬃，第3、4背板各具1对中缘鬃。

采集记录:1♂，佛坪大古平，1575m，2014. Ⅷ. 24，梁厚灿采(SYNU)。

分布:陕西(佛坪)、浙江、湖南、福建、台湾、广东、广西、四川、贵州、云南；日本，泰国，印度，斯里兰卡，马来西亚，印度尼西亚。

29. 尾寄蝇属 *Uromedina* Townsend, 1926

Uromedina Townsend, 1926: 18. **Type species**: *Uromedina caudata* Townsend, 1926.

Arrhinodexia Townsend, 1927: 282. **Type species**: *Arrhinodexia atrata* Townsend, 1927.

属征: 体细长, 黑色或红黄色; 复眼裸或被毛, 触角基部通常达眼高中部水平, 单眼鬃细小, 毛状; 前胸基腹片裸, 肩鬃 2 根, 背中鬃 2 + 3 根, 腹侧片鬃 3 根; 一些种足很长, 前足胫节具 1 根后鬃, 中足胫节具 0 ~ 1 根前背鬃, 如腹鬃缺, 则前胸侧板被毛, 腹部背板无中心鬃。

分布: 东洋区。秦岭地区发现 1 种。

(51) 暗尾寄蝇 *Uromedina atrata* (Townsend, 1927)

Arrhinodexia atrata Townsend, 1927.

鉴别特征: 腹部第 2 背板无中心鬃, 腹部无延长尾部, 翅没有 1 列长毛在前缘脉基部。

采集记录: 1♂, 周至老县城, 2057m, 2014. Ⅷ. 20, 梁厚灿采; 1♂, 佛坪岳坝, 1791m, 2014. Ⅷ. 27, 梁厚灿采(SYNU)。

分布: 陕西(周至、佛坪)、台湾、广东、海南; 俄罗斯, 日本, 泰国, 缅甸, 尼泊尔, 马来西亚, 巴布亚新几内亚。

30. 髭寄蝇属 *Vibrissina* Rondani, 1861

Vibrissina Rondani, 1861: 35. **Type species**: *Tachina turrita* Meigen, 1824, by fixation of O'Hara & Wood (2004: 109) under Article 70. 3. 2 of ICZN (1999), misidentified as *Frontina demissa* Meigen, 1838 in the original designation by Rondani (1861).

Microvibrissina Villeneuve, 1911: 82. **Type species**: *Latreillia debilitata* Pandellé, 1896.

属征: 复眼裸, 颜堤鬃上升达颜堤上方 1/3 部位, 单眼鬃发达, 后头伸展部中等大小, 约占颊的 1/3; 肩鬃 3 根, 中鬃 3 + 3 根, 背中鬃 3 + 3 根, 小盾端鬃缺, 腹侧片鬃 2 根; 前缘刺明显, 前缘脉第 2 段腹面被毛; 中足胫节具 1 根前背鬃; 腹部第 1 + 2 合背板中央凹陷不充分达到后缘, 第 3、4 背板各具 1 对中心鬃。雌性腹部第 3、4 背板侧缘在腹面形成龙骨突, 沿腹中线具 2 行长刺, 腹部末端具钩状产卵管。

分布: 除热带非洲区和澳洲区外广泛分布。秦岭地区发现 2 种。

(52)狭额髭寄蝇 *Vibrissina angustifrons* Shima, 1983

Vibrissina angustifrons Shima, 1983: 642.

鉴别特征:头顶大约是头宽的1/4; 侧颜中部大约是后梗节宽的1/2～3/5; 颊大约是眼高的0.26倍, 腹部第3～5背板前部狭窄部分具薄的发白的粉被; 翅前缘脉第2节腹面裸。

采集记录:1♂, 宁陕火地塘, 1400～1720m, 2012. Ⅶ. 11-12, 张春田采(SYNU)。

分布:陕西(宁陕)、台湾; 日本。

(53)长角髭寄蝇 *Vibrissina turrita* (Meigen, 1824)

Tachina turrita Meigen, 1824: 401.

鉴别特征:额宽为复眼宽的2/3, 无外侧额鬃, 触角基部两节灰褐色, 后梗节黑色, 基部红褐色, 其长度为梗节的6.50倍; 触角芒黑色, 基部1/3加粗, 外侧额鬃缺失, 外顶鬃毛状, 勉强可和眼后鬃区别; 爪与第5分跗节等长。

采集记录:1♀, 周至太白山铁甲树, 1879m, 2014. Ⅷ. 17, 梁厚灿采; 1♀, 留坝闸口石, 1600～1700m, 2012. Ⅶ. 18-20, 张春田采; 1♂, 华县少华山, 675m, 2013. Ⅶ. 19-20, 王强采; 1♂, 佛坪县大古平, 1366m, 2014. Ⅷ. 22, 梁厚灿采(SYNU)。

分布:中国广布; 俄罗斯, 朝鲜, 韩国, 日本, 欧洲。

Ⅵ. 埃里寄蝇族 Eryciini

分布:本族秦岭地区共计9属34种, 包括3个中国新纪录, 21个陕西新纪录。

31. 狭颊寄蝇属 *Carcelia* Robineau-Desvoidy, 1830

Carcelia Robineau-Desvoidy, 1830: 176 (as *Carcellia* in Stackelberg 1943: 163, incorrect subsequent spelling). **Type species**: *Carcelia bombylans* Robineau-Desvoidy, 1830.

Chetoliga Rondani, 1856: 66 (spelled *Chetolyga* or *Chaetolyga*, unjustified emendations). **Type species**: *Carcelia bombylans* Robineau-Desvoidy, 1830.

Carceliopsis Townsend, 1927: 66. **Type species**: *Carceliopsis sumatrensis* Townsend, 1927.

Asiocarcelia Baranov, 1934: 407. **Type species**: *Carcelia caudata* Baranov, 1931.

Calocarcelia Townsend, 1927: 266. **Type species**: *Calocarcelia fasciata* Townsend, 1927 [= *Musca* *cingulata* Fabricius, 1805].

Myxocarcelia Baranov, 1934: 398. **Type species**: *Carcelia hirsuta* Baranov, 1931.

Cargilla Richter, 1980: 522 (as subgenus of *Carcelia* Robineau-Desvoidy, 1830). **Type species**: *Carcelia* (*Cargilla*) *transbaicalica* Richter, 1980.

Euryclea Robineau-Desvoidy, 1863: 290. **Type species**: *Euryclea tibialis* Robineau-Desvoidy, 1863.

Isocarceliopsis Baranov, 1934: 406. **Type species**: *Isocarceliopsis hemimacquartioides* Baranov, 1934.

属征：复眼被密而长的毛，侧颜裸，颊窄于触角基部至复眼的距离，远远窄于前额，如少数颊与前额等宽；内侧额鬃2~3根，正常大小，位于额的中部，无前顶鬃，单眼鬃发达，位于前单眼后方；后头上方在眼后鬃后方无黑毛；后梗节长于梗节，触角芒裸，梗节不延长，其基部加粗不超过全长的1/2。前胸腹板被毛，翅前鬃大于第1根沟后翅内鬃及沟后背中鬃，前胸侧片裸，肩鬃3~4根，中间1根或多或少前移，腹侧片鬃2个；翅薄而透明，翅肩鳞黑色，前缘刺退化，前缘脉第2脉段腹面裸，长于第4脉段，r_{4+5}脉仅在基部具数根小鬃，中脉心角无赘脉，r_{4+5}室在翅缘或大或小开放；中足胫节具1个腹鬃，后足基节后面具鬃毛，后足胫节具前背鬃梳。

分布：世界性分布。秦岭地区发现7种。

分种检索表

1. 中足胫节无腹鬃；小盾片和胫节均黄色；单眼鬃粗大；触角后梗节宽大，其长至少为梗节的4倍，其宽至少为侧颜宽的5~8倍；腹部第4、5背板腹面无密毛斑 ………………………… **屋久狭颊寄蝇 *C. yakushimana***
   中足胫节具腹鬃 …………………………………………………… 2
2. 前缘基鳞黑色 …………………………………………………… 3
   前缘基鳞黄色；中足胫节具1个前背鬃；单眼鬃存在 ………………… 4
3. 单眼鬃缺，如有，则毛状；触角后梗节不及口缘水平 ……………… **黑尾狭颊寄蝇 *C. caudata***
   单眼鬃发达；触角后梗节伸达口缘水平 ……………………………… **多毛狭颊寄蝇 *C. hirsuta***
4. 雄性前足爪和爪垫短于第5分跗节；头部侧面观半球形，下颚须较粗，棒形 ……………… 5
   雄性前足爪和爪垫长于第5分跗节；下颚须正常 ………………………… 6
5. 下颚须端部几乎与侧颜上方宽度相等；肩胛和胫节黄色；腹部粉被灰黄色(雄性)或灰色(雌性) ………………………… **短爪狭颊寄蝇 *C. sumatrana***
   下颚须端部显著宽于侧颜下端，而窄于上端；肩胛黑色，胫节污黄色或红黑色；腹部粉被灰色 ………………………… **星毛虫狭颊寄蝇 *C. illiberisi***
6. 胫节污黄色或黑褐色；触角、肩胛均黑色，后梗节为梗节长的3.50倍；体具灰白色粉被 ………………………… **黑角狭颊寄蝇 *C. nigrantennata***
   胫节明黄色；肩胛至少部分黄色；侧颜窄于下颚须基部宽；前后单眼间距离约为两后单眼间距离的2倍 ………………………… **灰腹狭颊寄蝇 *C. rasa***

(54)黑尾狭颊寄蝇 *Carcelia caudata* Baranov, 1931

Carcelia caudata Baranov, 1931: 41.

Carcelia frontalis Baranov, 1931: 43.

鉴别特征:黑色，全身覆灰白色粉被，间额两侧缘前宽后窄，中部的宽度窄于侧额；额约等于其复眼宽的1/2，侧颜中部窄于后梗节宽，颜堤鬃少于颜堤基部1/3；外顶鬃退化，额鬃3根；后梗节为触角梗节长度的2.50倍，下颚须黄色；胸部背中鬃3+4根，翅内鬃1+3根；下腋瓣向上拱起；前足爪发达，其长度约为其第4、5分跗节长度之和，前足胫节具2根后鬃；第3背板具2~4根中缘鬃，第3、4背板无中心鬃，第5背板具密集的鬃状毛，形成鬃刷状，覆棕黑色粉被。

采集记录:1♂，眉县太白山，1600m，2012. Ⅶ. 03，崔乐采(SYNU)。

分布: 陕西(眉县)、北京、山东、江苏、上海、安徽、浙江、江西、湖南、福建、台湾、广东、海南、广西、贵州、云南；日本，印度，斯里兰卡，马来西亚，印度尼西亚。

(55)多毛狭颊寄蝇 *Carcelia hirsuta* Baranov, 1931

Carcelia hirsuta Baranov, 1931: 38.

鉴别特征:单眼鬃着生于前单眼后方两侧，后梗节至少为梗节长的4倍；小盾片黄色；腹部第3、4背板中央各具数根粗大竖立的鬃状毛；雄性第4、5背板腹面两侧无密毛斑，肛尾叶和侧尾叶均呈弓状向前弯曲，侧尾叶略长于肛尾叶。

采集记录:6♂，长安终南山，800~900m，2012. Ⅶ. 05，王强、崔乐采；3♂，长安南五台，800~1300m，2012. Ⅵ. 26-28，王强采；2♂，华县少华山，675m，2013. Ⅶ. 19-20，王强采；1♀5♂，留坝闸口石，1600~1700m，2012. Ⅶ. 18-20，张春田采；佛坪大古平，1270m，2014. Ⅷ. 23，梁厚灿采(SYNU)。

分布: 陕西(长安、华县、留坝、佛坪)、浙江、湖南、福建、台湾、广东、海南、广西、四川、贵州、云南。

(56)星毛虫狭颊寄蝇 *Carcelia illiberisi* Chao *et* Liang, 2002

Carcelia (*Carcelia*) *illiberisi* Chao *et* Liang, 2002: 840.

鉴别特征:下颚须显著宽于侧颜下端而窄于其上端；胫节污黄色或红黑色，肩胛黑色，腹部粉被灰色；第5背板褐色绒毛层较稀薄，由背中央至后缘明亮，鬃和毛较稀疏，毛细小。

采集记录:1♂，长安终南山，800～900m，2012. Ⅶ. 06，崔乐采；2♂，山阳天竺山，1807m，2012. Ⅶ. 21，王强采(SYNU)。

分布: 陕西(长安、山阳)、山西。

(57)黑角狭颊寄蝇 *Carcelia nigrantennata* Chao *et* Liang, 1986

Carcelia (*Carcelia*) *nigrantennata* Chao *et* Liang, 1986: 141.

鉴别特征:触角全部黑色；前单眼与后单眼之间的距离较小，不超过后单眼之间距离的1.50倍；雄性肛尾叶明显向腹面弯曲。

采集记录:1♂，长安终南山，800～900m，2012. Ⅶ. 06，王强采；1♂，山阳天竺山，1807m，2013. Ⅶ. 21，王强采(SYNU)。

分布: 陕西(长安、山阳)、浙江、江西、广东、广西、四川、贵州、云南。

(58)灰腹狭颊寄蝇 *Carcelia rasa* (Macquart, 1849)

Exorista rasa Macquart, 1849: 368.

Carcelia amphion Robineau-Desvoidy, 1863: 237.

鉴别特征:黑色，全身覆灰白色粉被，下颚须黄色；额宽度为复眼宽的1/2，间额宽窄于侧额，侧颜中部宽约为后梗节宽的1/2，颜堤鬃分布于基部1/3以下；外侧额鬃缺失，外顶鬃退化，额鬃4根，后梗节为触角梗节长的2倍；胸部背中鬃3+4根，翅内鬃1+3根，肩鬃3根排成弧形；翅透明，中脉心角钝圆，心角至翅后缘的距离等于心角至dm-cu脉的距离；前足爪发达，长于其第5分跗节，前足胫节具2根前鬃，中足胫节具1根前背鬃，无腹鬃；腹部第3、4背板无中心鬃，第3背板具2根短中缘鬃，其长度不及第4背板长度的1/2，第5背板具密集粗长的鬃状毛。

采集记录:65♂，长安南五台，800～1600m，2012. Ⅵ. 28-30，王强、崔乐采；60♂，长安终南山，800～900m，2012. Ⅶ. 05-06，王强、崔乐采；1♀，周至老城，1885m，2014. Ⅷ. 20，梁厚灿采；3♂，华县少华山，675m，2013. Ⅶ. 19-20，王强采；5♂，宝鸡太白山，600～2800m，2010. Ⅶ. 17-19，王诗迪、赵喆采；14♂，宝鸡太白山，1200～1500m，2012. Ⅶ. 12，侯鹏采；37♂，眉县太白山，1600m，2013. Ⅶ. 03，王强、崔乐采；1♂，留坝紫柏山，1625～1800m，2012. Ⅶ. 12-15，张春田采；4♂，留坝闸口石，1600～1700m，2012. Ⅶ. 18-20，张春田、侯鹏采；7♂，佛坪岳坝，1344m，2014. Ⅷ. 26，梁厚灿采；11♂1♀，佛坪大古平，1270～1366m，2014. Ⅷ. 22-23，梁厚灿采；1♀，佛坪岳坝，1344m，2014. Ⅷ. 26，梁厚灿采(SYNU)；1♀，南郑黎坪，1500m，2012. Ⅶ. 15，侯鹏采；11♂，柞水营盘，1299m，2013. Ⅶ. 15，王强采；3♂，山阳天竺山，1807m，2013. Ⅶ. 21，王强采；1♂2♀，山阳苍龙山，718m，2013. Ⅶ.

21，王强采；1♂1♀，商南金丝峡，777m，2013. Ⅶ. 19-20，王强采。

分布：陕西（长安、周至、华县、宝鸡、眉县、留坝、佛坪、南郑、柞水、山阳、商南）、黑龙江、吉林、辽宁、北京、河北、山西、上海、江苏、安徽、浙江、江西、湖南、福建、广东、海南、广西、四川、贵州、云南；俄罗斯，日本，欧洲，中东地区。

（59）短爪狭颊寄蝇 *Carcelia sumatrana* Townsend，1927

Carcelia sumatrana Townsend，1927：65.

鉴别特征：体中型，黄黑色，额及腹部覆灰黄色粉被，被黑毛。间额、触角、足跗节和腿节、翅肩鳞黑色；下颚须、前缘基鳞、小盾片、肩胛、翅后胛、断片侧缘及后缘、足胫节黄色。盾片背面具5个黑纵条，腹部中部具明显的黑纵线，沿第3、4背板后缘具黑色横带纹，腹部两侧具明显的黄色大斑。下腋瓣黄色。

采集记录：1♂，留坝，1600m，1998. Ⅶ. 21，采集人不详。

分布：中国广布；俄罗斯，日本，马来西亚，印度尼西亚，斯里兰卡。

（60）屋久狭颊寄蝇 *Carcelia yakushimana*（Shima，1968）

Calocarcelia yakushimana Shima，1968：516.

Carcelia brevicaudata Chao *et.* Zhou，1992：1183.

鉴别特征：小盾片黄色。单眼鬃粗大，与额鬃大小相似；后梗节宽大，其长度至少为梗节长的4倍，其宽度至少为侧颜最窄处的5～8倍；腹部第4/5背板无密毛斑；胫节黄色。

采集记录：3♂，长安终南山，800～900m，2012. Ⅶ. 06，王强、崔乐采；1♂，商南金丝峡，777m，2012. Ⅶ. 23，王强采（SYNU）。

分布：陕西（长安、商南）、湖南、广东、贵州、云南；日本。

32. 似颊寄蝇属 *Carcelina* Mesnil，1944

Carcelina Mesnil，1944：10（as subgenus of *Carcelia* Robineau-Desvoidy，1830）. **Type species：** *Carcelia nigrapex* Mesnil，1944.

属征：复眼被密而长的毛，侧颜裸，颊窄于触角基部至复眼的距离，远远窄于前额，如少数颊与前额等宽；内侧额鬃2～3根，正常大小，位于额的中部，无前顶鬃，单眼鬃发达，位于前单眼后方；后头上方在眼后鬃后方无黑色毛；后梗节长于梗节，触角芒裸，梗节不延长，其基部加粗不超过全长的1/2。前胸腹板被毛，翅前鬃大于第1根沟后翅内鬃及沟后背中鬃，肩鬃3根，中间1根或多或少前移，腹侧片鬃2根；翅薄透明，翅肩鳞黑色，前缘刺退化，前缘脉第2脉段腹面裸，长于第4脉段，R_{4+5}脉仅在基部具数根小鬃，中脉心角无赘脉，r_{4+5}室在翅缘或大或小开放；中足胫节具1根腹鬃，后足基节后面裸，后足胫节具前背鬃梳。腹部第1+2合背板具2根中缘鬃。

分布：古北区。秦岭地区发现3种。

(61)巨似颊寄蝇 *Carcelina nigrapex* (Mesnil, 1944)

Carcelia (*Carcelina*) *nigrapex* Mesnil, 1944: 29.

鉴别特征：中足胫节具2~3根前背鬃，中胸背片两侧及后缘、整个小盾片及腹部两侧、翅脉和翅基均为黄色，头、胸背面覆金黄色粉被，胸部两侧及腹部覆灰黄色或灰白色粉被；中颜及侧颜淡黄色，覆灰白色粉被；后梗节和梗节交界部分红色。

采集记录：1♂，留坝闸口石，1800~1900m，1998.Ⅶ.20，采集人不详。

分布：陕西(留坝)、河南、浙江、江西、广东、广西。

(62)黄足似颊寄蝇 *Carcelina pallidipes* (Uéda, 1960)

Carcelia pallidipes Uéda, 1960: 112.

鉴别特征：翅侧片、腹侧片局部被黄色毛，足全部或至少胫节和跗节黄色，梗节及前缘基鳞黄色，中足胫节具1根前背鬃；头、胸、腹背面覆浓厚的金黄色粉被。

采集记录：1♂，佛坪龙草坪，1010m，1973.Ⅷ.07，采集人不详。

分布：陕西(佛坪)、黑龙江、吉林、辽宁、北京、山西、浙江、福建、四川；日本。

(63)上房山似颊寄蝇 *Carcelina shangfangshanica* (Chao *et* Liang)

Carcelia (*Senometopia*) *shangfangshanica* Chao *et* Liang, 2002: 835.

Carcelina shangfangshanica: O'hara *et al.*, 2009: 65.

鉴别特征：颜堤正常，不向前突出，后梗节约为梗节长的3倍。肛尾叶长于侧尾叶，指形。

采集记录：1♂，长安南五台，800m，2012.Ⅵ.30，王强采；1♂，眉县太白山，1600m，2012.Ⅶ.03，崔乐采(SYNU)。

分布：陕西(长安、眉县)，北京。

33. 赘寄蝇属 *Drino* Robineau-Desvoidy, 1863

Drino Robineau-Desvoidy, 1863: 250. **Type species**: *Drino volucris* Robineau-Desvoidy, 1863 [= *Tachina lota* Meigen, 1824].

Sturmiodoria Townsend, 1928: 391. **Type species**: *Sturmiodoria facialis* Townsend, 1928.

Palexorista Townsend, 1921: 134. **Type species**: *Tachina succini* Giebel, 1862.

Zygobothria Mik, 1891: 193. **Type species**: *Sturmia atropivora* Robineau-Desvoidy, 1830.

属征: 复眼裸或被短毛, 颊特别窄, 窄于前额; 2~4 根后倾额鬃, 最上方 1 根明显长于毛状单眼鬃, 颜堤鬃集中分布于颜堤下方, 不超过颜堤下方的 2/3。小盾片大部分红黄色, 至少端部红黄色, 肩胛 3 根基鬃排列成 1 条直线, 小盾侧鬃每侧 1~2 根, 小盾端鬃交叉平行, 腹侧片鬃 4 根; R_{4+5}基部仅具 1 根鬃, 为 r-m 横脉长的 1~3 倍; 下腋瓣内缘凹入, 与小盾片粘贴; 中足胫节具 1 根前背鬃, 腹部第 1+2 合背板基部凹陷达后缘, 第 3、4 背板无中心鬃, 至多第 4 背板具弱的中心鬃, 雄性腹部第 4、5 背板腹面常具倒伏毛组成的毛斑。

分布: 世界性分布。秦岭地区发现 7 种。

分种检索表

1. 单眼鬃发达, 大小与额鬃相似, 与前单眼位于 1 条直线上; 头、胸、腹背面粉被黄色; 鬃特长, 小盾亚端鬃伸达腹部第 4 背板基部 1/3 ………………………………… **长鬃赘寄蝇 *D. longiseta***

   单眼鬃细小, 或毛状或缺 ……………………………………………………………………………… 2

2. 侧颜裸 ……………………………………………………………………………………………………… 3

   侧颜仅在上半部具毛 ……………………………………………………………………………………… 5

3. 雄性腹部第 4、5 背板腹面无密的毛斑; 雄性额为复眼宽的 0.50~0.60 倍; 间额在单眼三角前约为侧额宽的 1/2, 侧颜大于或等于触角后梗节宽; 头、胸背面具灰白色粉被, 中足胫节具 1 根前背鬃; 腹部第 4、5 背板基部 4/5 和 3/5 具粉被 ……………………………………………………………………………………………………… **狭带赘寄蝇 *D. angustivitta***

   雄性腹部第 4、5 背板腹面具细小而密的毛斑 ……………………………………………………… 4

4. 单眼鬃缺; 雄性额约为复眼宽的 0.68 倍; 侧颜最窄处小于触角后梗节宽 …………………………………………………………………………………………… **狭颜赘寄蝇 *D. facialis***

   单眼鬃细小毛状; 雄性额约为复眼宽的 0.85 倍; 侧颜最窄处略宽于触角后梗节 …………………………………………………………………………………………… **邻颜赘寄蝇 *D. parafacialis***

5. 雄性肛尾叶短而宽, 近于长方形, 末端具细毛, 无钝刺; 雄性额约为复眼宽的 0.64 倍; 侧颜约与触角后梗节等宽 ……………………………………………… **海南赘寄蝇 *D. hainanica***

   雄性肛尾叶较窄或呈指形, 末端具钝刺; 触角黑色; 足黑色 ………………………………… 6

6. 后头在眼后鬃下方具 1 列黑毛; 雄性额约为复眼宽的 0.70 倍; …………………………………………………………………………………………… **拟平庸赘寄蝇 *D. inconspicuoides***

后头在眼后鬃下方无黑毛列；侧颜为触角后梗节宽的0.50～1.00倍 ……………………………
……………………………………………………………………… **平庸赘寄蝇 *D. inconspicua***

(64)狭带赘寄蝇 *Drino angustivitta* Liang *et* Chao, 1998

Drino angustivitta Liang *et* Chao , 1998: 1830.

鉴别特征:体长8～11mm，黑色，覆灰白色粉被。足、后梗节、小盾片基部、肩胛黑色；下颚须、触角梗节、口上片、前缘基鳞黄色。中胸盾片具5个黑色纵条，腹部背面具黑色纵条，第3、4背板后缘具黑色横条，下腋瓣白色。

采集记录:1♂，宝鸡太白山，600～2800m，2010. Ⅶ. 17-19，赵喆采；1♂，山阳苍龙山，718m，2013. Ⅶ. 23，王强采(SYNU)。

分布: 陕西(宝鸡、山阳)、内蒙古、北京、天津、河北、山西、山东、河南、宁夏、江苏、上海、安徽、浙江、湖北、江西、湖南、福建、台湾、广东、海南、重庆、四川、贵州、云南、西藏；泰国，印度，斯里兰卡，马来西亚，菲律宾，印度尼西亚，刚果。

(65)狭颜赘寄蝇 *Drino facialis* (Townsend, 1928)

Sturmiodoria facialis Townsend, 1928: 392.

Sturmia (*Sturmia*) *latistylata* Baranov, 1932: 79.

鉴别特征:单眼鬃缺如，侧颜下方最窄处的宽度小于后梗节的宽度，侧额毛和单眼三角毛短，雄性额较窄，为复眼宽的17/25，侧尾叶后缘略向后方拱起，末端钝，毛特短。

采集记录:1♂，宝鸡太白山，600～2800m，2010. Ⅶ. 17-19，赵喆采(SYNU)。

分布: 陕西(宝鸡)、内蒙古、北京、天津、河北、山西、山东、河南、宁夏、江苏、上海、安徽、浙江、湖北、江西、湖南、福建、台湾、广东、海南、重庆、四川、贵州、云南、西藏；泰国，印度，斯里兰卡，菲律宾，马来西亚，印度尼西亚(苏拉威西岛)，刚果。

(66)海南赘寄蝇 *Drino hainanica* Liang *et* Chao, 1998

Drino hunanensis Chao *et* Liang, 1993: 627. [nomen nudum].

Drino hainanica Liang *et* Chao, 1998: 1840.

鉴别特征:体长10mm，黑色，覆灰白色粉被。前缘基鳞、足、触角、肩胛、间额黑色；下颚须和小盾片端部、口上片黄色；中胸盾片具5个黑纵条，第3、4背板后缘具黑色黑纵条，下腋瓣白色，腹部两侧无明显的黄色斑。

分布: 陕西(秦岭)、广东、海南。

(67)平庸赘寄蝇 *Drino inconspicua* (Meigen, 1830)

Tachina inconspicua Meigen, 1830: 369.

鉴别特征:体黑色，覆灰黄色粉被，复眼裸，额宽为复眼宽的2/3(雄性)或与复眼等宽(雌性)，侧额下方2/3裸，宽于后梗节，内侧额鬃2根，额鬃2行，靠近额鬃的1行发达，有3~4根下降至侧颜达触角梗节末端水平，侧额被毛，随额鬃下降至侧颜达同一水平，间额黑色，单眼鬃毛状；后梗节的长度为梗节长的2倍。中胸盾片具5个黑色纵条；中足胫节前背鬃1根。腹部第3~5背板基半部覆灰黄色粉被，端半部亮黑色，雄性第4背板两侧腹面各具1个圆形密毛区。

采集记录:1♀，宝鸡太白山，600~2800m，2010. Ⅶ. 17-19，赵喆采；1♂，佛坪大古平，1366m，2014. Ⅷ. 22，梁厚灿采(SYNU)；1♂，山阳苍龙山，718m，2013. Ⅶ. 23，王强采。

分布:陕西(宝鸡、佛坪、山阳)、黑龙江、吉林、辽宁、内蒙古、北京、天津、河北、山西、山东、河南、江苏、上海、安徽、浙江、湖北、江西、湖南、福建、台湾、广东、海南、广西、重庆、四川、贵州、云南、西藏；俄罗斯，中亚，欧洲。

寄主:在我国寄生粘虫、松毛虫和茶尺蠖等害虫幼虫，在国外寄生叶蜂、棉铃虫、夜蛾、毒蛾等幼虫。

(68)拟平庸赘寄蝇 *Drino inconspicuoides* (Baranov, 1932)

Sturmia (*Zygobothria*) *inconspicuoides* Baranov, 1932: 80.

鉴别特征:复眼裸，额宽为复眼宽的7/10，头部被灰黄色粉被，侧颜上半部具毛，中颜被灰色粉被，触角黑色，下颚须至少基半部暗褐色；单眼鬃毛状，后头上方在眼后鬃后方具1列黑色毛；胫节暗褐色，中足胫节前背鬃1根；雄性腹板第4背板腹面的密毛斑中小型，约占每侧的1/3~2/5。

采集记录:1♀，佛坪，845m，2013. Ⅶ. 30，王强采(SYNU)；1♀，宁陕牛背梁，1200m，2013. Ⅶ. 16，王强采。

分布:陕西(佛坪、宁陕)、黑龙江、湖南、台湾、广东、海南、云南；日本。

(69)长鬃赘寄蝇 *Drino longiseta* Chao *et* Liang, 1998

Drino longiseta Chao *et* Liang, 1998: 1849.

鉴别特征:体长8mm，黑色，覆浓厚的黄色粉被。触角、足、下颚须、翅间鳞、前缘基鳞、肩胛、间额黑色；口上片、小盾片端部黄色。中胸背板具5个黑色纵条，中间1

条在盾沟前消失，腹部第3、4背板后缘具黑色横带纹，腹中部具明显的黑色纵线。下腋瓣白色。

采集记录：1♀，宁陕牛背梁，1200m，2013.Ⅶ.16，王强采(SYNU)。

分布：陕西(宁陕)、山西、云南。

(70)邻颜赘寄蝇 *Drino parafacialis* Chao *et* Liang, 1998

Drino parafacialis Chao *et* Liang, 1998: 1852.

鉴别特征：体黑色，被黑色毛，覆灰黄色至灰白色粉被。触角、足、翅前缘基鳞、肩胛及小盾片大部黑色；下颚须、口上片黄色。胸部盾片具5个黑纵条，中间1条在盾沟前消失，腹部背面具明显的黑纵线，第3、4背板后缘具狭窄的黑色横带纹，下腋瓣白色。腹部两侧具黄色斑。

采集记录：1♂1♀，宝鸡太白山，600~2800m，2010.Ⅶ.17-19，赵喆采(SYNU)。

分布：陕西(宝鸡)、辽宁、浙江、四川。

34. 毛虫寄蝇属 *Epicampocera* Macquart, 1849

Epicampocera Macquart, 1849: 414. **Type species**: *Tachina succincta* Meigen, 1824.

属征：复眼被毛，两性额窄与复眼，后梗节背面明显拱起呈弧形，特别宽阔，为侧颜宽的2.50倍，头部每侧具后顶鬃1根；腹侧片鬃4根；径脉基部具小鬃4~6根。

分布：古北区。秦岭地区发现1种。

(71)缢蛹毛虫寄蝇 *Epicampocera succincta* (Meigen, 1824)

Tachina succincta Meigen, 1824: 335.

Epicampocera succincta: Macquart, 1849: 414.

鉴别特征：侧颜被毛，内侧额鬃2根，单眼鬃粗大；触角黑色，后梗节特宽阔，前角长弧形，为梗节长的3.50倍，为侧颜宽的2.50倍，下颚须黑色，端部膨大，颏短粗；后头上半部在眼后鬃的后方具1行黑色小鬃。胸部背面具4个窄黑色纵条，肩鬃4根，后方3根排列成1条直线，背中鬃3+4根，翅内鬃1+3根，腹侧片鬃4根；小盾端鬃粗大，向后方交叉排列，小盾侧鬃2根；足黑色，后足胫节前背鬃梳1行，其中有3根粗大的鬃。腹部背面具窄黑纵条，第5背板黑色光亮。

采集记录：1♂，宁陕牛背梁，1197m，2013.Ⅶ.16，王强采(SYNU)。

分布：陕西（宁陕）、黑龙江、吉林、辽宁、河北、宁夏、湖南、四川；俄罗斯，日本，欧洲。

35. 异丛寄蝇属 *Isosturmia* Townsend, 1927

Isosturmia Townsend, 1927: 67. **Type species**: *Isosturmia inversa* Townsend, 1927.

Zygocarcelia Townsend, 1927: 64. **Type species**: *Zygocarcelia cruciata* Townsend, 1927.

属征：复眼大，裸或具短毛，颊高为复眼高的 1/10 ~ 1/8，侧颜和颜堤裸，后头平，单眼鬃细小毛状或缺失，雄性内侧额鬃 2 ~ 3 根，第 1 根较大，无外侧额鬃，雌性具 2 根外侧额鬃，髭位于口上至前缘水平，触角芒裸。前胸腹板较小，中鬃 3 + 3 根，背中鬃 3 + 4 根，翅内鬃 1 + 3 根，小盾侧鬃每侧 2 根，小盾端鬃交叉向后平伸，腹侧片鬃 4 个；翅肩鳞、前缘基鳞黑色，前缘脉第 2 段腹面裸，下腋瓣大，内缘向内凹陷，紧贴小盾片，外缘向下弯曲；小盾片至少端部红黄色，端鬃通常直立；前足胫节具 2 根后鬃。腹部无中心鬃；雄性第 4 背板（有时包括第 5 背板）腹面或侧面具 1 对倒伏密毛斑。肛尾叶端部分裂，侧尾叶端部有时具密毛。

分布：古北区，东洋区，澳洲区。秦岭地区发现 2 种。

（72）叉异丛寄蝇 *Isosturmia cruciata* (Townsend, 1927)

Zygocarcelia cruciata Townsend, 1927: 64.

鉴别特征：复眼裸，内顶鬃相互交叉，小盾端鬃后端翘起，腹侧片鬃一般 2 根或 1 + 2根（雄性）或 4 根（雌性），两亚端鬃之间的距离小于亚端鬃至基鬃之间的距离；雌性前足跗节不显著加宽，第 5 分跗节长于第 4 分跗节，腹部覆黄白色粉被，两侧具宽大的红褐色斑，雄性第 4 背板腹面密毛斑近似于长方形。

采集记录：1♂，留坝闸口石，1700m，2012. Ⅶ. 19，侯鹏采；1♀，佛坪岳坝，1344m，2014. Ⅷ. 26，梁厚灿采（SYNU）。

分布：陕西（留坝、佛坪）、湖南；马来西亚，印度尼西亚。

（73）毛异丛寄蝇 *Isosturmia pilosa* Shima, 1987 中国新纪录

Isosturmia pilosa Shima, 1987: 227.

鉴别特征：复眼具明显的短毛；颊是眼高的 7/50 ~ 4/25；雄性胸部第 2 和第 3 背板具长的发达的中缘鬃，第 2 背板上的鬃大约是第 3 背板上的 3/4，第 3 背板上的大约是第 4 背板上的4/5；腹部背面具浓密粉被，第 3 背板前 2/3 被淡白色粉被，第 4 背

板前4/5和第5背板前1/3被白色粉被。

采集记录:1♀, 佛坪岳坝, 1791m, 2014. Ⅷ. 27, 梁厚灿采(SYNU)。

分布: 陕西(佛坪); 日本。

36. 菲寄蝇属 *Phebellia* Robineau-Desvoidy, 1846

Phebellia Robineau-Desvoidy, 1846: 37. **Type species**: *Phebellia aestivalis* Robineau-Desvoidy, 1846 [= *Tachina villica* Zetterstedt, 1838].

属征: 体中型至大型, 复眼被毛, 雄性额宽小于复眼宽, 颊高约为触角基部着生处侧颜的宽或比其更宽, 颜堤鬃占颜堤1/4~1/3长度, 内侧额鬃每侧2根, 后头拱起, 在眼后鬃后方具1行黑色小鬃; 触角芒在基部1/2以下变粗, 下颚须较长, 长于触角第1节, 口上片不明显突出, 颏短于复眼纵轴长的1/2; 第1根翅上鬃长于背侧片鬃和盾后第1根翅内鬃, 肩鬃3~5根, 3根强的基鬃排成三角形; 小盾侧鬃长近似于亚端鬃长; 腹侧片鬃3~4根, 下后侧片至多在前半部具3~4根小毛, 小盾侧鬃长为亚端鬃长的0.90~1.10倍; 前缘脉第2段腹面下方裸, 中肘横脉位于 r_5 室端部1/4~1/3部位; 中足胫节前背鬃2~3根, 后足胫节背端鬃2根。

分布: 古北区, 东洋区, 新北区。秦岭地区发现5种。

分种检索表

1. 背中鬃3+3根; 腹侧片鬃3根; 上后头具1~2列黑毛; 下颚须暗棕色 ………………………… **裸脉菲寄蝇 *P. nudicosta***
   背中鬃3+4根 ………………………… 2
2. 下颚须完全黑色 ………………………… 3
   下颚须至少端部棕黄色; 雄额宽窄于头宽1/3; M脉从dm-cu横脉到弯曲处脉段是从M脉弯曲处到翅缘间距离的1.50倍; 雄前足爪和爪垫长于第5分跗节; 腹部具均匀的淡黄白色粉被, 第3背板中央纵条明显 ………………………… **简菲寄蝇 *P. stulta***
3. 上后头在眼后鬃下方具1列黑毛 ………………………… 4
   上后头在眼后鬃下方无黑毛; 额宽比头宽长头宽的0.22(雄性)或0.30(雌性)倍; 触角后梗节约为梗节长的3(雄性)或2.50(雌性)倍; 单眼鬃位于前后单眼之间 ………………………… **艾格菲寄蝇 *P. agnatella***
4. 额宽小于头宽的0.22(雄性)或0.29(雌性)倍; 触角后梗节约为梗节长的2(雄性)或1.50(雌性)倍 ………………………… **黑须菲寄蝇 *P. nigripalpis***
   触角后梗节约为梗节长的2.80(雄性); 单眼鬃与前单眼位于1条直线上; 体具均匀而厚的黄褐色粉被 ………………………… **金粉菲寄蝇 *P. fulvipollinis***

(74)艾格菲寄蝇 *Phebellia agnatella* Mesnil, 1955

Phebellia (*Phebellia*) *agnatella* Mesnil, 1955: 458.

鉴别特征:体灰黑色，头部覆灰白色粉被，后头在眼后鬃后方无黑色小鬃，眼后鬃细长，腹部第5背板具心鬃，中足胫节前背鬃2~3根。

采集记录:1♂，留坝闸口石，1600~1700m，2012. Ⅶ. 18-20，张春田采(SYNU)。

分布:陕西(留坝)、辽宁、河北、山西、江苏、上海、云南；日本。

(75)金粉菲寄蝇 *Phebellia fulvipollinis* Chao *et* Chen, 2007

Phebellia fulvipollinis Chao *et* Chen, 2007: 936 (also as *flavipollinis*, incorrect original spelling).

Huebneria nigripalpis Chao *et al.*, 1998: 1861 (nec Robineau-Desvoidy, 1848). Misidentification.

鉴别特征:下颚须黑色，肩鬃5根，后梗节为梗节长的3倍，腹部第3背板两侧具隐蔽的红黄色花斑，第5背板末端尖，呈圆锥形。

采集记录:1♀，南郑黎坪，1500m，2012. Ⅶ. 15，侯鹏采(SYNU)。

分布:陕西(南郑)、吉林、辽宁、北京、山西、宁夏、西藏。

(76)黑须菲寄蝇 *Phebellia nigripalpis* (Robineau-Desvoidy, 1847) 中国新纪录

Huebneria nigripalpis Robineau-Desvoidy, 1847: 612.

Exorista agnate Rondani, 1859: 144.

Parexorista setosa Brauer *et* Bergenstamm, 1891: 325.

鉴别特征:下颚须黑，胸部具2~3个黑纵条，小盾端鬃与小盾侧鬃形成至少45°的角，腹部背板前1/2~3/4具黄灰色或灰色粉被。

采集记录:1♀，佛坪大古平，1575m，2014. Ⅷ. 24，梁厚灿采；4♀，佛坪岳坝，1344~1791m，2014. Ⅷ. 25-27，梁厚灿采(SYNU)。

分布:陕西(佛坪)；俄罗斯，日本，欧洲。

(77)裸脉菲寄蝇 *Phebellia nudicosta* Shima, 1981 中国新纪录

Phebellia nudicosta Shima, 1981: 60.

鉴别特征:腹侧片鬃3根；后头上部具1~2排黑色鬃；下颚须深棕色；胫节黑色；腹部每个背板中间都具有1对心鬃；腹部第3背板前2/3和第4背板前3/4具灰白色粉被，第5背板亮黑色。

采集记录:1♀，宝鸡太白山，1200～1500m，2012. Ⅶ. 12，侯鹏采(SYNU)。

分布：陕西(宝鸡)；日本。

(78)简菲寄蝇 *Phebellia stulta* (Zetterstedt, 1844)

Tachina stulta Zetterstedt, 1844: 1109.

Exorista quadriseta Villeneuve, 1910: 305.

鉴别特征:M_1 脉从心横脉到其弯曲处的距离是从弯曲处到翅缘距离的 1.50 倍；腹部覆均匀的淡黄白色粉被；第 3 背板有明显的黑色纵条。

采集记录:1♂，宝鸡太白山，1200～1500m，2012. Ⅶ. 12，侯鹏采(SYNU)。

分布：陕西(宝鸡)、宁夏；俄罗斯，日本，欧洲。

37. 怯寄蝇属 *Phryxe* Robineau-Desvoidy, 1830

Phryxe Robineau-Desvoidy, 1830: 158. **Type species**: *Phryxe athaliae* Robineau-Desvoidy, 1830 [= *Tachina vulgaris* Fallén, 1810].

Blepharidea Rondani, 1856: 67. **Type species**: *Tachina vulgaris* Fallén, 1810.

Eurigastrina Lioy, 1864: 1343. **Type species**: *Tachina vulgaris* Fallén, 1810.

Blepharidopsis Brauer *et* Bergenstamm, 1891: 25. **Type species**: *Tachina nemea* Meigen, 1824.

属征:复眼被淡色密毛，内测额鬃每侧 2 根，侧颜裸，颊宽与着生触角基部水平处的侧颜等宽，后头拱起，黑色，在眼后鬃后方具 1 行黑色小鬃，小盾端鬃竖立交叉排列，第 3 翅上鬃大于翅前鬃，R_{4+5}脉基部具 2 根小鬃，中脉心角至中肘横脉的距离小于心角至翅缘的距离，端横脉直，雌性、雄性额均宽于复眼，中胫节前背鬃 3 根，后胫节背端鬃 2 根，颜堤鬃细小，上升不及颜堤高度的 1/2。

分布：除澳洲区外亚世界性分布。秦岭地区发现 3 种。

分种检索表

1. 额鬃下降至侧颜达触角芒基部水平；颜堤鬃长为触角后梗节宽的 1.50～2.50 倍 ………………………………………… **狮头怯寄蝇 *P. nemea***
   额鬃下降至侧颜远远低于触角芒基部水平；颜堤鬃窄于触角后梗节宽；翅前缘脉第 4 +5 脉段长是第 6 脉段的 1.10～1.60 倍 ………………………………………… 2
2. 腹部第 3、4、5 背板后缘黑色，粉被分别占其前部的 1/4～1/3、1/3～3/5、1/2；翅前缘脉第 2 段腹面具小鬃；肘脉末段大于 dm-cu 横脉 ………………………… **赫氏怯寄蝇 *P. heraclei***
   腹部第 3、4、5 背板粉被分别占其全部，前部 2/3～5/6，前 3/5；翅前缘脉第 2 段腹面裸；肘脉末段小于或等于 dm-cu 横脉 ………………………… **普通怯寄蝇 *P. vulgaris***

(79)赫氏怯寄蝇 *Phryxe heraclei* (Meigen, 1824)

Tachina heraclei Meigen, 1824: 339.

鉴别特征:肘脉末端大于中肘横脉，前缘脉第2段腹面具小鬃，额高为眼高的1/3，侧颜窄于后梗节，额鬃下降至侧颜达颜堤中部以下水平。

采集记录:1♀，留坝闸口石，1700m，2012. Ⅶ. 19，侯鹏采(SYNU)。

分布:陕西(留坝)、宁夏、四川、贵州、云南、西藏；蒙古，俄罗斯，日本，欧洲。

寄主:松线小卷蛾,牧草枯叶蛾。

(80)狮头怯寄蝇 *Phryxe nemea* (Meigen, 1824)

Tachina nemea Meigen, 1824: 340.

鉴别特征:额鬃下降至侧颜达触角芒基部水平。颜堤鬃仅占颜堤基部1/4~1/3部位，体表覆灰黄色粉被，雄性爪长大于第5分跗节长。腹部粉被较稀薄，背板后部具较宽的黑色横带，第3、4背板中部毛翘起，前胸腹板具毛，侧颜显著窄于后梗节。

采集记录:1♀，周至太白山铁甲树，1993m，2014. Ⅷ. 18，梁厚灿采(SYNU)；2♀，留坝闸口石，1600~1700m，2012. Ⅶ. 18-20，张春田、侯鹏采。

分布:陕西(周至、留坝)、辽宁、宁夏、青海、四川；俄罗斯，日本，欧洲。

寄主:尺蠖，夜蛾，天目毛虫，菜粉蝶，赤蛱蝶。

(81)普通怯寄蝇 *Phryxe vulgaris* (Fallén, 1810)

Tachina vulgaris Fallén, 1810: 282.

鉴别特征:腹部粉被较浓厚，仅背板后缘显现狭窄的亮黑色，雄性额宽约为复眼宽的1.20~1.30倍，侧尾叶较短，长为宽的2.50倍。

采集记录:1♀，凤县红岭林场，1380m，1973. Ⅶ. 25，采集人不详。

分布:陕西(凤县)、黑龙江、吉林、辽宁、内蒙古、北京、天津、河北、山西、河南、宁夏、青海、新疆、上海、湖北、广东、重庆、云南，西藏；蒙古，俄罗斯，日本，中亚，中东地区，欧洲，北美洲。

寄主:醋栗尺蠖，金夜蛾，黄地老虎，山楂粉蝶，翅斑蛱蝶，豹灯蛾，牧草枯叶蛾，欧洲松毛虫，松叶峰，松天蛾，苹果巢蛾，苹小卷蛾，棕尾毒蛾，舞毒蛾，菜粉蝶，天幕毛虫，红棕灰夜蛾，三带尺蛾。

38. 裸基寄蝇属 *Senometopia* Macquart, 1834

Senometopia Macquart, 1834: 296 (also subsequently spelled *Stenometopia*, unjustified emendation).

Type species: *Carcelia aurifrons* Robineau-Desvoidy, 1830 [= *Tachina excisa* Fallén, 1820].

Eucarcelia Baranov, 1934: 393. **Type species**: *Tachina excisa* Fallén, 1820.

属征: 近似狭颊寄蝇属 *Carcelia*, 复眼被毛, 侧颜裸, 颊高侧面观窄于侧颜在触角着生部的宽度, 上后头在眼后鬃列下方无黑毛; 单眼鬃发达, 触角第 1 节长于触角第 2 节, 触角芒裸, 触角第 2 节不延长, 其基部加粗不超过全长的 1/2; 前胸腹板被毛, 肩鬃 3 ~ 4 根, 3 根基鬃或多或少呈直线排列, 翅前鬃大于第 1 根沟后翅内鬃及沟后背中鬃, 前胸侧板裸, 下后侧片至多前半部具 3 ~ 4 根小毛, 腹侧片鬃 2 根; 翅前缘刺退化, 前缘脉第 2 段腹面裸, r_{4+5}室在翅缘开放, 心角无赘脉, 前缘脉第 2 段长于第 4 段, 无前顶鬃; 中足胫节具 1 根腹鬃或无, 后足基节后面裸。

分布: 除新北区和新热带区外, 东半球均有分布。秦岭地区发现 5 种。

分种检索表

1. 足黑色; 触角前 2 节和前缘基鳞均黑色或褐色 …… 2
   足除跗节外全部黄色; 触角前 2 节和前缘基鳞均黄色; 雄性额宽略大于复眼宽 1/2; 前足爪长于第 5 分跗节 …… **东方裸基寄蝇 *S. orientalis***
2. 胫节黄色, 前后两端或基部腹面 1/3 有黑斑; 小盾片黄色, 基部黑色; 腹部粉被金黄或灰黄色 …… **齿肛裸基寄蝇 *S. dentata***
   胫节全部红黑色或暗褐色; 小盾片端半部黄色, 基半部暗黄或暗黑色 …… 4
3. 腹部背板粉被稀薄而不均匀, 第 3 ~ 5 背板具宽的亮黑色后缘横带和中央黑纵条, 约占各背板两侧的 1/3 ~ 1/4; 雄性第 9 背板细长, 长至少为宽的 2 倍 …… **长生节裸基寄蝇 *S. longiepandriuma***
   腹部背板粉被浓厚而均匀, 第 3 ~ 5 背板无亮黑色后缘横带, 仅第 3 背板中央具黑纵条或暗斑; 胫节中部黄色或红黄, 前足胫节具 1 根后鬃; 小盾片黄色 …… 4
4. 体较小, 长 8mm 以下; 腹部毛稀疏而粗壮, 在第 4 背板上约 6 行 …… **紊裸基寄蝇 *S. confundens***
   体粗大, 长 8mm 以上; 腹部毛较细而密, 在第 4 背板上约 8 行 …… **隔离裸基寄蝇 *S. excisa***

(82) 紊裸基寄蝇 *Senometopia confundens* (Rondani, 1859)

Exorista confundens Rondani, 1859: 138.

Exorista leucophaea Chao *et* Liang, 1984: 97. Misidentification.

鉴别特征: 体型较小(一般 8mm 以下), 侧颜较宽, 下方最窄处的宽度显著大于下颚须基部的宽度；粉被青灰色或黄灰色。腹部毛较稀而粗壮，在第4背板上约6行。

分布：陕西(秦岭)、黑龙江、吉林、内蒙古、北京、山西、甘肃、浙江、湖南、海南、四川；蒙古，俄罗斯，日本，欧洲。

(83)齿肛裸基寄蝇 *Senometopia dentata* (Chao *et* Liang, 2002)

Carcelia (*Senometopia*) *dentata* Chao *et* Liang, 2002: 827.

鉴别特征：覆黄色至金黄色粉被。间额、翅肩鳞、触角、新月片黑色；下颚须、前缘基鳞、小盾片、口上片、侧颜黄色；胫节黄色，腹面两端具黑斑。中胸盾片具5个黑色纵条，腹部背面中央具黑色纵条；腹部被粉被，第3、4背板后缘或有或无亮黑色横带；下腋瓣白色，平衡棒黄褐色，腹部两侧无黄色斑。

采集记录：16♂1♀，长安终南山，800~900m，2012.Ⅶ.05，崔乐采；28♂，长安南五台，1300m，2012.Ⅵ.26-30，王强、崔乐采；7♂，华县少华山，675m，2013.Ⅶ.19-20，王强采；41♂2♀，宝鸡太白山，600~2800m，2010.Ⅶ.17-19，王诗迪、赵喆采；27♂，宝鸡太白山，1200~1500m，2012.Ⅶ.12，侯鹏采；8♂，眉县太白山，1600m，2012.Ⅶ.03，崔乐、王强采；23♂1♀，留坝闸口石，1600~1700m，2012.Ⅶ.18-20，张春田、侯鹏采；4♂，留坝张良庙，1300m，2012.Ⅶ.22-24，张春田采；1♀，留坝闸口石紫柏山，1600m，2012.Ⅶ.18，侯鹏采；3♂，佛坪大古平，1270m，2014.Ⅷ.23，梁厚灿采；1♂，佛平岳坝，1344m，2014.Ⅷ.26，梁厚灿采(SYNU)；1♂，佛坪，845m，2013.Ⅶ.30，王强采；5♂，宁陕牛背梁，1197m，2013.Ⅶ.16，王强采；2♂，南郑黎坪，1500m，2012.Ⅶ.16，侯鹏采；33♂，商南金丝峡，777m，2013.Ⅶ.23，王强采。

分布：陕西(长安、华县、宝鸡、眉县、留坝、佛坪、宁陕、南郑、商南)、辽宁、北京、宁夏、甘肃、湖南、海南、四川。

(84)隔离裸基寄蝇 *Senometopia excisa* (Fallén, 1820)

Tachina excisa Fallén, 1820: 32.

鉴别特征：间额、触角、中颜板、翅肩鳞、前缘基鳞、足跗节及腿节黑色；侧颜、口上片、下颚须、小盾片黄色；下腋瓣淡黄色，足胫节黄两端腹面暗黑。盾片背面具5个黑纵条，腹背中部具黑纵线，沿第3、4背板后缘黑横带纹不明显。

采集记录：1♀，长安终南山，800~900m，2012.Ⅶ.05，崔乐采(SYNU)。

分布：中国广布；俄罗斯，日本，印度，斯里兰卡，欧洲。

寄主：三带尺蛾，棉铃虫，柳毒蛾，舟蛾，天蛾幼虫。

(85)长生节裸基寄蝇 *Senometopia longiepandriuma* (Chao *et* Liang, 2002)

Carcelia (*Senometopia*) *longiepandriuma* Chao *et* Liang, 2002: 828.

鉴别特征:体表粉被黄灰色，前胫具1根后鬃。雄性第9背板细长，长至少为其宽的2倍，尾叶细长，肛尾叶较直，腹面基部1/3具棱，端部细，末端尖，侧尾叶侧扁，向前弯曲呈镰刀形，约与肛尾叶等长，末端圆钝。

采集记录:21♂3♀，长安终南山，800~900m，2012.Ⅶ.05-06，王强、崔乐采；8♂1♀，长安南五台，800m，2012.Ⅵ.28，王强、崔乐采；5♂，华县少华山，675m，2013.Ⅶ.19-20，王强采；15♂，宝鸡太白山，600~2800m，2010.Ⅶ.17-19，王诗迪、赵喆采；68♂，宝鸡太白山，1200~1500m，2012.Ⅶ.12，侯鹏采；15♂1♀，眉县太白山，1600m，2012.Ⅶ.3，王强、崔乐采；3♂，佛坪大古平，1366m，2014.Ⅷ.22，梁厚灿采(SYNU)；3♂，宁陕牛背梁，1197m，2013.Ⅶ.16，王强采；1♂，山阳天竺山，1807m，2012.Ⅶ.21，王强采；4♂，柞水营盘，1299m，2013.Ⅶ.15，王强采；12♂1♀，商南金丝峡，777m，2013.Ⅶ.19-20，王强采。

分布:陕西(长安、华县、宝鸡、眉县、佛坪、宁陕、山阳、柞水、商南)、浙江、湖南、广西、云南。

(86)东方裸基寄蝇 *Senometopia orientalis* (Shima, 1968)

Eucarcelia orientalis Shima, 1968: 521.

鉴别特征:间额、后梗节、翅肩鳞黑色；口上片、中颜板、下颚须、触角梗节、前缘基鳞、足黄色；小盾片端部黄色，基部黑色，下腋瓣白色。盾片背面具5个黑色纵条，腹背中部具明显的黑色纵线，沿第3、4背板后缘具黑色横带纹。

采集记录:1♂，长安终南山，800~900m，2012.Ⅶ.05，王强采(SYNU)。

分布:陕西(长安)、北京、山西、江苏、浙江、江西、福建、广西、四川、贵州、云南；日本。

39. 皮寄蝇属 *Sisyropa* Brauer *et* Bergenstamm, 1889

Sisyropa Brauer *et* Bergenstamm, 1889: 163 [also 1890: 95]. **Type species**: *Tachina thermophila* Wiedemann, 1830.

Stylurodoria Townsend, 1933: 476. **Type species**: *Stylurodoria stylata* Townsend, 1933.

属征:复眼被毛，侧颜宽是后梗节的1/2~1/3，具1个向下弯曲的上眶鬃，内侧额鬃每侧1根，颜堤鬃仅分布于颜堤下方1/3，后头上方在眼后鬃后方无黑毛；后梗节长为梗节的2~3倍，触角芒基部2/5以下加粗，小盾端鬃交叉向上方伸展，小盾侧鬃每侧2根，下颚须黄色，前缘脉第2脉段常具前倾的短毛；中足胫节具2根前背鬃；腹部第1+2合背板基部凹陷达后缘，第3、4背板无中心鬃，至多第4背板具弱的中心鬃。

分布：东洋区，古北区，澳洲区。秦岭地区发现1种。

(87)台湾皮寄蝇 *Sisyropa formosa* Mesnil, 1944

Sisyropa formosa Mesnil, 1944: 14.

鉴别特征：侧颜与后梗节等宽，单眼鬃细小、毛状，后梗节约为梗节长的2.50~3.00倍，触角芒与梗节长宽相等，额宽约为复眼宽的3/5，间额略宽于侧额，有2根额鬃下降至侧颜，第1根达触角梗节末端水平，侧额毛细，随额鬃下降至侧颜达同一水平，腹部毛倒伏。

采集记录：1♀，山阳苍龙山，718m，2013.Ⅶ.23，王强采(SYNU)。

分布：陕西(山阳)、江西、湖南、台湾、贵州；印度，斯里兰卡。

Ⅶ. 拱瓣寄蝇族 Ethillini

40. 侧盾寄蝇属 *Paratryphera* Brauer *et* Bergenstamm, 1891

Paratryphera Brauer *et* Bergenstamm, 1891: 24 [also 1892: 328]. **Type species**: *Paratryphera handlirschii* Brauer *et* Bergenstamm, 1891 [= *Chetina palpalis* Rondani, 1859].

属征：内侧额鬃发达，与额鬃之间有1个明显的间隔，下腋瓣向背面拱起中圆顶形，翅前鬃略小于第1根翅内鬃，小盾侧鬃缺如，小盾心鬃或有或无，个体之间不很稳定，额鬃下降至侧颜达触角梗节末端之水平。

分布：古北区，东洋区，热带非洲区。秦岭地区发现1种。

(88)双鬃侧盾寄蝇 *Paratryphera bisetosa* (Brauer *et* Bergenstamm, 1891)

Parexorista bisetosa Brauer *et* Bergenstamm, 1891: 17 [also 1892: 321].

鉴别特征：前缘脉第3段为第2段长的2.00~2.50倍，前足胫节具1根后鬃，下颚须黄色或棕黄色，较短粗,棒状。后梗节为梗节的3倍。腹部毛较短，小盾心鬃或有或无。

采集记录：1♂，长安南五台，1600m，2012.Ⅵ.28，王强采；2♂，长安终南山，

800～900m，2012. Ⅶ. 05-06，王强、崔乐采；1♂，宝鸡太白山，1200m，2012. Ⅶ. 13，侯鹏采；1♂，留坝闸口石紫柏山，1600m，2012. Ⅶ. 18，侯鹏采；1♀，佛坪大古平，1270m，2014. Ⅷ. 23，梁厚灿采(SYNU)；2♂，南郑黎坪，1280～1600m，2012. Ⅶ. 15-16，张春田、侯鹏采；1♂，商南金丝峡，777m，2013. Ⅶ. 23，王强采。

分布：陕西(长安、宝鸡、留坝、佛坪、南郑、商南)、黑龙江、吉林、辽宁、内蒙古、北京、天津、河北、山西、宁夏、广东、广西、重庆、四川、贵州、云南、西藏；俄罗斯，日本，欧洲。

41. 裸板寄蝇属 *Phorocerosoma* Townsend, 1927

Phorocerosoma Townsend, 1927: 61. **Type species**: *Phorocerosoma forte* Townsend, 1927 [= *Masicera vicaria* Walker, 1856].

属征：复眼被密毛，额鬃排列较紧密，前方仅有2根下降至侧颜不及触角梗节末端之水平，后方有4～5根向后方弯曲，与内侧额鬃混为一体；单眼鬃明显，与内侧额鬃大小相似；触角较长，后梗节为梗节长的2～3倍；髭位于口缘水平，颜堤鬃分布不超过颜堤下方的1/3，后头在眼后鬃后方无黑毛，颊大部分为下侧颜所占据，后头伸展部很小；喙粗短，唇瓣很大，下颚须黑色。小盾片有心鬃，下腋瓣外侧显著拱起；中足胫节前背鬃2根，后足胫节具1行长短不整齐的前背鬃。腹部第1～2背板和第3背板无中缘鬃，第5背板梯形，后缘切截状；雌性腹部腹面末端开口很大，第6、7腹板特宽，第6腹板呈短梯形，第7腹板后缘中部凹陷，呈元宝形。卵呈椭圆球形，腹面平。

分布：除新北区和新热带区外，东半球均有分布。秦岭地区发现1种。

(89) 簇缨裸板寄蝇 *Phorocerosoma vicaria* (Walker, 1856)

Masicera vicaria Walker, 1856: 20.

Phorocerosoma forte Townsend, 1927: 61.

鉴别特征：上方额鬃和单眼鬃细小，不及后梗节的长度，腹侧片鬃2个；腹部第2、3背板各具1对中缘鬃。

采集记录：1♂，宁陕牛背梁，1197m，2013. Ⅶ. 16，王强采；1♀，商南金丝峡，777m，2013. Ⅶ. 23，王强采(SYNU)。

分布：陕西(宁陕、商南)、黑龙江、辽宁、山东、江苏、上海、安徽、浙江、湖北、江西、湖南、福建、台湾、海南、广西、四川、贵州、云南；俄罗斯，日本，泰国，新加坡，印度尼西亚，马来西亚半岛。

Ⅷ. 追寄蝇族 Exoristini

42. 盆地寄蝇属 *Bessa* Robineau-Desvoidy, 1863

Bessa Robineau-Desvoidy, 1863: 164. **Type species**: *Bessa secutrix* Robineau-Desvoidy, 1863 [= *Tachina selecta* Meigen, 1824].

属征: 体中小型，复眼具很短的毛，似乎裸，后头平，在眼后鬃后方具1个完整列黑毛，单眼鬃略弯曲，着生于前单眼两侧或前方；触角芒延长，梗节长度为其直径的3~5倍；第1根翅上鬃短于背侧片鬃或盾后第1根翅内鬃，小盾端鬃缺，小盾心鬃细小或缺失；M脉在弯曲处具1个小的赘脉或折痕，中肘横脉与径中横脉和中脉心角的距离相等；前足胫节具1根后鬃，中足胫节具2根前背鬃；腹部第1+2合背板中央凹陷伸达后缘。

分布: 除新热带区外亚世界性分布。秦岭地区发现1种。

(90) 选择盆地寄蝇 *Bessa parallela* (Meigen, 1824)

Tachina parallela Meigen, 1824: 377.

Atylomyia chinensis Zhang *et* Ge, 2007: 587.

鉴别特征: 小盾端鬃缺如或毛状，小盾片背中央的毛半竖立排列；下颚须黑色。

采集记录: 1♂，南郑黎坪，1500m，2012. Ⅶ. 16，侯鹏采(SYNU)。

分布: 陕西(南郑)、黑龙江、吉林、辽宁、内蒙古、北京、河北、山西、宁夏、浙江、湖北、湖南、福建、广西、四川、云南、西藏；蒙古，俄罗斯，日本，欧洲。

43. 追寄蝇属 *Exorista* Meigen, 1803

Exorista Meigen, 1803: 280. **Type species**: *Musca larvarum* Linnaeus, 1758 (*as larvarum* Fabricius).

Adenia Robineau-Desvoidy, 1863: 1041. **Type species**: *Tachina grisea* Robineau-Desvoidy, 1830 [= *Tachina rustica* Fallén, 1810].

Staegeria Robineau-Desvoidy, 1863: 972 (nec Rondani, 1856). **Type species**: *Tachina pratensis* Robineau-Desvoidy, 1830.

Chaetotachina Brauer *et* Bergenstamm, 1889: 98 [also 1890: 30]. **Type species**: *Tachina rustica* Fallén, 1810.

Eutachina Brauer *et* Bergenstamm, 1889: 98 [also 1890: 30]. **Type species**: *Musca larvarum*

Linnaeus, 1758.

Podotachina Brauer *et* Bergenstamm, 1891: 46 [also 1892: 350]. **Type species**: *Tachina sorbillans* Wiedemann, 1830.

Ptilotachina Brauer *et* Bergenstamm, 1891: 46 [also 1892: 350]. **Type species**: *Exorista florentina* Herting, 1975.

Scotiella Mesnil, 1940: 39 (as subgenus of *Exorista* Meigen, 1803) (nec Delo, 1935). **Type species**: *Exorista* (*Scotiella*) *bisetosa* Mesnil, 1940.

Spixomyia Crosskey, 1967: 28 (new name for *Scotiella* Mesnil, 1940).

属征:复眼裸，额宽相当于复眼宽的1/2~3/4，侧颜裸，不窄于触角第1节的宽度，颊宽为复眼纵轴的1/6~1/3，几乎全部为后头伸展区占据，被黑毛或白毛；额鬃下降至侧颜水平，具2根向后方弯曲的内侧额鬃，单眼鬃发达，向前方伸展，外顶鬃缺失或不发达，具2根单眼后鬃，每侧各具1根后顶鬃，后头上方在眼后鬃后方无黑毛，髭位于口缘上方水平，颜堤鬃的分布不超过基部的1/2；触角第1节长为触角第2节的1~4倍，触角芒至多在基部3/5变粗；第1根翅上鬃短于背侧片鬃和盾后第1根翅内鬃，前胸腹板两侧被毛，中鬃3+3根，翅内鬃1+3根，翅上鬃3根，翅 r_{4+5} 室开放，中脉心角直角或钝角，后方具1个暗色的褶痕，翅肩鳞和前缘基鳞黑色；足发达，雄性前爪及爪垫延长；腹部第1+2合背板中央凹陷达后缘。

分布: 除新热带区外，近世界性分布。秦岭地区发现3种。

分种检索表

1. 口缘与中颜板处于同一水平，不明显向前突出或略向前倾斜；侧颜宽于触角后梗节 ……… 2
   口缘显著向前突出；复眼裸；侧额粉被金黄色，其上毛短而稀疏；颜堤鬃不达第1根额鬃下降处水平；前缘刺发达；雄性肛尾叶背面具黑毛；腹部各背板粉被有1条暗色背中线 …………………………………………………………………… **日本追寄蝇 *E. japonica***
2. 复眼具密毛；额鬃下降至侧颜中部水平，雄性后足胫节具1列紧密整齐的前背鬃，中间具1~2根粗大的强鬃 ……………………………………… **坎坦追寄蝇 *E. cantans***
   复眼裸，额鬃下降不达侧颜中部水平；雄性肛尾叶长三角形，窄而直 ……………………………………………………………… **透翅追寄蝇 *E. hyalipennis***

(91)坎坦追寄蝇 *Exorista cantans* Mesnil, 1960

Exorista (*Scotiella*) *cantans* Mesnil, 1960: 574.

鉴别特征:体中型，黑色，覆黄白色粉被，后头被灰白色毛，全身被黑色毛。触角、前缘脉基鳞、小盾片黑色；下颚须黄色。胸部盾沟前有4条黑色纵条、沟后有5条黑色纵条，腹部具明显的黑色纵条。第3、4背板后缘具黑横带纹。中脉心角至中轴横脉的距离与至翅后缘的距离大致相等；雄性肛尾叶背面的毛竖立。

采集记录:1♂, 山阳天竺山, 1807m, 2013. Ⅶ. 21, 王强采(SYNU)。
分布: 陕西(山阳)、辽宁、北京、福建、广东; 日本。

(92)日本追寄蝇 *Exorista japonica* (Townsend, 1909)(图 347)

Tachina japonica Townsend, 1909: 247.
Eutachina tenuiforceps Baranov, 1932: 87.

鉴别特征:复眼裸, 后梗节长为梗节长度的2.50~3.00倍, 侧额及侧颜覆浓厚的金黄色粉被, 侧额被稀疏黑色短毛, 颊被细长黑毛, 单眼鬃排列于前后单眼之间, 大小与额鬃相似, 额鬃下降至侧颜中部的略上方, 下颚须黄色, 与后梗节大致等长, 向背面弯曲, 端部不加粗, 被较密的黑色毛。

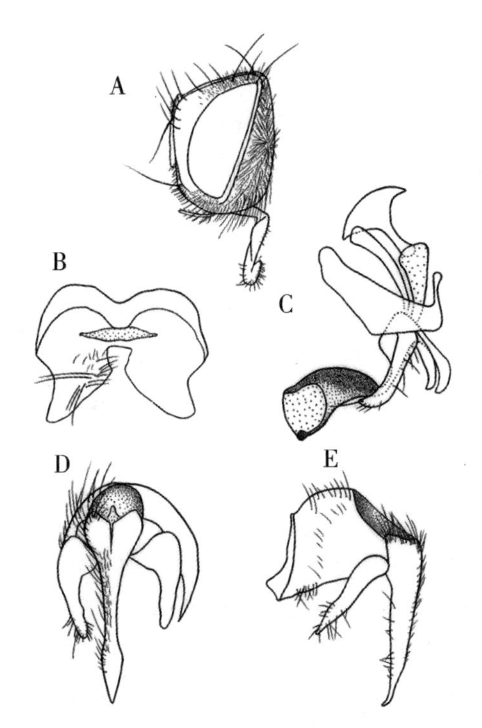

图 347 日本追寄蝇 *Exorista japonica* (Townsend)
A. 头(head); B. 第5腹板(sternite 5); C. 阳体(phallus); 第9背板、肛尾叶和侧尾叶(epandrium, cerci and surstyli); D. 后面观(posterior view); E. 侧面观(lateral view)

采集记录:1♂, 长安南五台, 800m, 2012. Ⅵ. 30, 崔乐采; 1♀, 长安南五台, 1300m, 2012. Ⅵ. 26, 王强采; 6♂1♀, 周至王家河, 700~800m, 2010. Ⅶ. 20-21, 王诗迪、赵喆采; 4♂1♀, 华县少华山, 675m, 2013. Ⅶ. 19-20, 王强采; 5♂1♀, 眉县太白山, 1600m, 2012. Ⅶ. 03, 崔乐、王强采; 1♂, 佛坪大古平, 1366m, 2014. Ⅷ. 22, 梁厚灿采(SYNU); 1♂, 山阳苍龙山, 718m, 2013. Ⅶ. 23, 王强采; 1♀, 商南金丝峡,

777m, 2013. Ⅶ. 23, 王强采。

分布: 陕西(长安、周至、华县、眉县、佛坪、山阳、商南)、黑龙江、吉林、辽宁、北京、天津、河北、内蒙古、山西、山东、河南、宁夏、甘肃、新疆、上海、江苏、安徽、浙江、江西、湖北、湖南、福建、台湾、广东、海南、香港、广西、重庆、四川、贵州、云南、西藏; 日本, 越南, 泰国, 印度, 尼泊尔, 菲律宾, 马来西亚, 印度尼西亚。

寄主: 小蓑蛾, 稻苞虫, 棉铃虫, 粘虫, 松毛虫, 玉米螟, 毒蛾, 舟娥, 舞毒蛾, 美国白蛾等。

(93) 透翅追寄蝇 *Exorista hyalipennis* (Baranov, 1932)

Eutachina hyalipennis Baranov, 1932: 88.

鉴别特征: 侧颜宽度为后梗节宽的 1.50 倍, 雌性腹部第 3、4 背板总是具粗大的中心鬃, 雄性或有或无, 有时仅第 4 背板具 1 根中心鬃, 雄性肛尾叶长三角形, 较窄而直, 背面的毛较短。

采集记录: 2♀, 佛坪, 1512m, 1973. Ⅷ. 10, 采集人不详。

分布: 中国广布; 俄罗斯, 日本, 越南, 泰国。

Ⅸ. 膝芒寄蝇族 Goniini

44. 睫寄蝇属 *Blepharella* Macquart, 1851

Blepharella Macquart, 1851: 176. **Type species:** *Blepharella lateralis* Macquart, 1851.

属征: 体中型至大型。复眼裸, 颊高约为复眼高的 1/5; 颜堤鬃粗大, 直立, 上升达颜堤长度的 1/2, 后头在眼后鬃后方无黑色小鬃, 后梗节为梗节长的 2~3 倍; 盾后第 1 根翅上鬃长于背侧片鬃和盾后第 1 根翅内鬃, 小盾片完全黑色, 腹侧片鬃 3 根; 中脉心角至中肘横脉的距离大于中脉心角至翅缘鬃的距离, 中胫节前背鬃 2 根, 腹部第 1+2 合背板中央凹陷伸达后缘, 腹部第 3、4 背板无中心鬃, 第 5 背板具中心鬃。

分布: 东洋区。秦岭地区发现 1 种。

(94) 侧睫寄蝇 *Blepharella lateralis* Macquart, 1851

Blepharella lateralis Macquart, 1851: 177.

鉴别特征: 雄性颊高约为复眼高的 1/5, 上方后倾额鬃 2~3 根; 单眼鬃缺或弱;

小盾端鬃或多或少直立，交叉排列，小盾侧鬃每侧 2 根；M 脉在 dm-cu 横脉与弯曲处脉段的距离短于弯曲处至 M 脉末段脉段。

采集记录：1♂，留坝张良庙，1200～1300m，2012. Ⅶ. 22-24，张春田采（SYNU）。

分布：陕西（留坝）、山西、山东、江苏、安徽、浙江、江西、福建、台湾、广东、海南、香港、广西、重庆、四川、贵州、云南、西藏；越南，泰国，印度，尼泊尔，马来西亚，菲律宾，印度尼西亚，斯里兰卡，澳大利亚，巴布亚新几内亚。

45. 饰腹寄蝇属 *Blepharipa* Rondani, 1856

Blepharipa Rondani, 1856: 71. **Type species**: *Erycia ciliata* Macquart, 1834 [= *Tachina pratensis* Meigen, 1824].

Ugimyia Rondani, 1870: 137. **Type species**: *Ugimyia sericariae* Rondani, 1870.

Crossocosmia Mik, 1890: 313. **Type species**: *Ugimyia sericariae* Rondani, 1870.

Sumatrosturmia Townsend, 1927: 70. **Type species**: *Sumatrosturmia orbitalis* Townsend, 1927.

Hertingia Mesnil, 1957: 13 (as subgenus of *Crossocosmia* Mik, 1890). **Type species**: *Blepharipoda schineri* Mesnil, 1939.

属征：复眼裸；侧颜裸，内侧额鬃每侧 1 根，后倾，颜堤鬃上升不达颜堤的一半，髭远远位于口缘上方，其间距约与触角梗节的长度相等；下颚须至少端部淡黄色；腹侧片鬃 3 根，少数为 4 根，小盾片三角形，两亚端鬃排列距离靠近，小盾侧鬃每侧 1～3 根；两小盾亚端鬃之间的距离较近，等于或小于同侧亚端鬃与基鬃之间的距离；翅 r_{4+5}室开放，R_{4+5}脉基部具几根小毛；中足胫节具 1～2 根前背鬃，后足胫节具 1 列梳状等长的前背鬃；腹部第 1+2 合背板中央凹陷达后缘，第 5 背板长约为其第 4 背板的 1/2～2/3。

分布：除非洲区外亚世界性分布。秦岭地区发现 2 种。

（95）毛鬃饰腹寄蝇 *Blepharipa chaetoparafacialis* Chao, 1982

Blepharipa chaetoparafacialis Chao, 1982: 270.

鉴别特征：额宽为复眼宽的 4/7，侧颜上方在额鬃下方被毛，头部覆浓厚的金黄色粉被，后头被黄毛，翅基和上、下腋瓣黄色，小盾片黄色，有时基部有 1 个黑缘，雄性前足爪长，后气门前肋前半部被毛。

分布：陕西（周至、镇安）、河北、甘肃、新疆、浙江、湖北、湖南、福建、海南、四川、贵州、云南、西藏。

寄主：栎掌舟蛾，桑拿舟站蛾，马尾松毛虫。

(96)蚕饰腹寄蝇 *Blepharipa zebina* (Walker, 1849)

Tachina zebina Walker, 1849: 772.

鉴别特征:额宽为复眼宽的1/3~2/5;额鬃较短,下降至侧颜达梗节触角末端水平;触角第1、2节黄色,后梗节黑色,后梗节长是梗节长的2.50倍;颊密被黑色短毛,下颚须端部1/3黄褐色,基部2/3黑褐色;小盾侧鬃每侧变化在2~4根,下腋瓣杏黄色,内缘凹陷。

采集记录:6♂,周至老县城,2057m,2014.Ⅷ.19,梁厚灿采;4♂,周至太白山铁甲树,1993m,2014.Ⅷ.18,梁厚灿采;1♀,华县少华山,675m,2013.Ⅶ.19-20,王强采;4♂5♀,宝鸡太白山,600~2800m,2010.Ⅶ.17-19,王诗迪、赵喆采;2♀,佛坪岳坝,1083m,2013.Ⅶ.27,王强采;2♂2♀,佛坪大古平,1270~1366m,2014.Ⅷ.22-23,梁厚灿采(SYNU);4♂,佛坪岳坝,1791m,2014.Ⅷ.27,梁厚灿采;1♀,宁陕牛背梁,1299m,2013.Ⅶ.16,王强采;2♂,山阳天竺山,1807m,2013.Ⅶ.21-22,王强采;2♂1♀,山阳苍龙山-天龙山,718m,2013.Ⅶ.23,王强采;1♀,柞水营盘,1299m,2013.Ⅶ.15,王强采;1♀,商南金丝峡,777m,2013.Ⅶ.23,王强采。

分布:中国广布;俄罗斯,泰国,缅甸,印度,尼泊尔,斯里兰卡。

寄主:家蚕,二点螟茶蚕,咖啡透翅蛾,橘黄凤蝶,落叶松毛虫,赤松毛虫,马尾松毛虫,思茅松毛虫,柞蚕,蝙蝠蛾,榆蛰蛾,茸毛毒蛾。

46. 小寄蝇属 *Carceliella* Baranov, 1934

Carceliella Baranov, 1934: 398. **Type species**: *Carcelia octava* Baranov, 1931.

Microcarcelia Baranov, 1934: 400. **Type species**: *Carcelia septima* Baranov, 1931.

属征:复眼裸,侧颜裸,颊窄于触角基部至复眼的距离,远远窄于前额,如少数颊与前额等宽;内侧额鬃2~3根,正常大小,位于额的中部,无前顶鬃,位于前单眼后方,单眼鬃缺失,后头上方在眼后鬃后方无黑色毛;后梗节长于梗节,触角芒裸;肩鬃4根,3根基鬃排列为1条直线,腹侧片鬃2根,小盾片黑色;中足胫节无腹鬃,后足基节后面具毛;腹部第1+2合背板中央凹陷达后缘。

分布:古北区,东洋区。秦岭地区发现1种。

(97)奥克颊寄蝇 *Carceliella octava* (Baranov, 1931)

Carcelia octava Baranov, 1931: 35.

Carcelia septima Baranov, 1931: 35.

Eucarcelia nudicauda Mesnil, 1967: 37.

Carcelia (*Senometopia*) *maculata* Chao *et* Liang, 1986: 123.

Carcelia (*Carceliella*) *pilosa* Chao *et* Liang, 1986: 126.

Carcelia villimacula Chao *et* Liang, 1998: 1810.

鉴别特征:体黑色，全身覆金黄色粉被。间额棕红色，触角大部分、前缘脉基鳞、翅肩鳞黑色；下颚须、口上片、中颜板、侧颜黄色；足棕黑色，下腋瓣淡黄色，全身被黑色毛。盾片背面具5个黑纵条，腹背中部具明显黑纵线，沿第3、4背板后缘黑横带纹不明显。

采集记录:6♂，长安南五台，800m，2012.Ⅵ.30，崔乐、王强采；7♂，长安终南山，800～900m，2012.Ⅶ.05，王强、崔乐采；2♂，华县少华山，675m，2013.Ⅶ.19-20，王强采(SYNU)；2♂，宝鸡太白山，600～2800m，2010.Ⅶ.17-19，王诗迪、赵喆采；1♂，眉县太白山，1600m，2012.Ⅶ.03，崔乐采。

分布:陕西(长安、华县、宝鸡、眉县)、吉林、北京、河北、安徽、浙江、湖南、福建、台湾、广东、海南、四川；日本。

47. 柯罗寄蝇属 *Crosskeya* Shima *et* Chao, 1988

Crosskeya Shima *et* Chao, 1988: 348. **Type species**: *Crosskeya gigas* Shima *et* Chao, 1988.

属征:复眼裸，额宽约为头宽的1/3，颜堤突出，基部3/5～4/5具向下弯曲的颜堤鬃，雄性具前倾额鬃，单眼鬃毛状或缺；内顶鬃平行排列，外顶鬃发达，单眼鬃毛状，内顶鬃2根，髭位于中颜下缘水平，后头上方在眼后鬃后方无黑毛列；触角芒1/3～1/2加粗；触角第2节和小盾片大部红黄色。前胸侧板裸，前胸腹板被毛，肩鬃4～5根，3根基鬃排成1条直线，背中鬃3+4根，翅内鬃1+3根，腹侧片鬃3根，小盾端鬃细，交叉、翘起，小盾侧鬃1～3根；前缘脉第2段腹面裸，中脉心角至中肘横脉的距离小于心角至脉端的距离；前足胫节具2根后鬃，中足胫节具2到多根前背鬃。腹部第1+2合背板具中缘鬃，第3、4背板无心鬃，至多第4背板具弱的中心鬃。

分布:东洋区，澳洲区。秦岭地区发现2种。

(98)巨柯罗寄蝇 *Crosskeya gigas* Shima *et* Chao, 1988

Crosskeya gigas Shima *et* Chao, 1988: 349.

鉴别特征:小盾侧鬃2～3根，在单眼三角前间额为侧额宽的1/2。

采集记录:1♀，佛坪岳坝，1791m，2014.Ⅷ.27，梁厚灿采(SYNU)。

分布:陕西(佛坪)、安徽、福建。

(99)长角柯罗寄蝇 *Crosskeya longicornis* Shima *et* Chao, 1988 中国新纪录

Crosskeya longicornis Shima *et* Chao, 1988: 354.

鉴别特征:头上部眼后鬃前无黑鬃。雄性具前倾上眶鬃。梗节和小盾片呈完全的或显著的红色或黄色。

采集记录:1♂, 山阳苍龙山, 718m, 2013. Ⅶ.23, 王强采(SYNU)。

分布: 陕西(山阳); 泰国。

48. 长芒寄蝇属 *Dolichocolon* Brauer *et* Bergenstamm, 1889

Dolichocolon Brauer *et* Bergenstamm, 1889: 100 [also 1890: 32]. **Type species**: *Dolichocolon paradoxum* Brauer *et* Bergenstamm, 1889.

属征:体灰黑色; 复眼裸, 单眼鬃明显, 头部上方的 3 ~ 4 根额鬃短而小, 并在其外面另有 1 行更细小的额鬃, 颜堤鬃发达, 上升达颜堤上方的 1/4, 触角芒梗节延长, 后梗节长, 为梗节的 6 ~ 8 倍, 端部接近髭的水平; 腹侧片鬃 3 根, 小盾侧鬃缺如。

分布: 除新北区和非洲区外, 东半球均有分布。秦岭地区发现 1 种。

(100)粘虫长芒寄蝇 *Dolichocolon klapperichi* Mesnil, 1967

Dolichocolon klapperichi Mesnil, 1967: 43.

鉴别特征:区别于奇长芒寄蝇, 梗节更短; 它长度仅仅是后梗节的 1/2 ~ 2/5; 触角芒第 3 节更宽更长, 巨大; 腹部具发白的淡黄色粉被, 黑褐色斑点, 每个背板侧面横带占后面一半。

采集记录:1♂, 留坝庙台子, 1300m, 1873. Ⅶ.27, 采集人不详。

分布: 陕西(留坝)、吉林、辽宁、山西、宁夏、甘肃、福建、广东、海南、广西、四川、云南; 巴布亚新几内亚。

寄主:粘虫。

49. 幽寄蝇属 *Eumea* Robineau-Desvoidy, 1863

Eumea Robineau-Desvoidy, 1863: 302. **Type species**: *Eumea locuples* Robineau-Desvoidy, 1863 [= *Tachina linearicornis* Zetterstedt, 1844].

Epimasicera Townsend, 1912: 51. **Type species**: *Tachina westermanni* Zetterstedt, 1844 [= *Tachina linearicornis* Zetterstedt, 1844].

属征:侧颜不强烈变窄；前盾片具4个黑色纵条，具4根盾后背中鬃；前缘基脉第4段是第6段的2倍；腹部第3/4背板各具2对中心鬃，1对靠前。

分布:古北区，东洋区，新北区。秦岭地区发现1种。

(101)窄角幽寄蝇 *Eumea linearicornis* (Zetterstedt, 1844)

Tachina linearicornis Zetterstedt, 1844: 1118.

Tachina westermanni Zetterstedt, 1844: 1120.

鉴别特征:颜高显著大于额长(雄性)或二者等长(雌性)，侧额毛稀疏，最多有2~3根随额鬃下降至侧颜，前额和侧额覆黄灰色或金黄色粉被，触角粗大，后梗节基部向前突出，长度为梗节的5倍(雄性)或3~4倍(雌性)。

采集记录:1♀，宝鸡太白山，1200~1500m，2012.Ⅶ.12，侯鹏采(SYNU)。

分布:陕西(宝鸡)、辽宁、山西、宁夏、云南；俄罗斯，日本，欧洲。

50. 宽寄蝇属 *Eurysthaea* Robineau-Desvoidy, 1863

Eurysthaea Robineau-Desvoidy, 1863: 603. **Type species**: *Erythrocera scutellaris* Robineau-Desvoidy, 1849.

Discochaeta Brauer et Bergenstamm, 1889: 104 [also 1890: 36]. **Type species**: *Tachina muscaria* Fallén, 1810 [= *Erythrocera scutellaris* Robineau-Desvoidy, 1849].

属征:体小型；复眼裸，额宽于复眼，内侧额鬃每侧2根，触角全部红黄色，触角芒3/4加粗，后头扁平，在眼后鬃后方具2行黑毛；腹侧片鬃3根；后胫节末端具3根背中鬃；r_5室开放，R_{4+5}脉基部具4~5根小鬃；腹部各背板基部具灰白色粉被，背面黑色纵条不明显。

分布:除新北区和新热带区外，东半球均有分布。秦岭地区发现1种。

(102)小盾宽寄蝇 *Eurysthaea scutellaris* (Robineau-Desvoidy, 1849)

Erythrocera scutellaris Robineau-Desvoidy, 1849: 438.

鉴别特征:臀脉略弯曲，近端部逐渐消失，不达后缘，腹部暗黑色，各背板基部各具1条白色粉带。

采集记录:1♀，宝鸡太白山，600~2800m，2010.Ⅶ.17-19，王诗迪采(SYNU)。

分布:陕西(宝鸡)、黑龙江、上海；蒙古，俄罗斯，日本，欧洲。

51. 宽额寄蝇属 *Frontina* Meigen, 1838

Frontina Meigen, 1838: 247. **Type species**: *Tachina laeta* Meigen, 1824.

属征:体大型，淡黄色种类；复眼裸；颊、胸部侧板及腹面、腹部腹面基部以及腿节均被白色或黄色毛；雌雄两性额均宽于复眼，额宽为复眼宽的1.40~2.50倍，如为1.20倍，则腹部具心鬃；后头伸区发达，颊明显宽于着生触角部位的侧颜宽度，间额两侧缘平行，后头扁平，内侧额鬃每侧2根，在眼后鬃后方无黑色小鬃，颜堤鬃粗大，上升达颜堤长度的1/2以上，颜堤高为额长的1.50倍；触角特长，后梗节为梗节长的10倍以上，触角芒长，一半以上甚至全部加粗；肩鬃4根，3根基鬃排成1条直线，小盾端鬃毛状；腹部第1+2合背板基部凹陷达后缘，具中缘鬃，第3、4背板各具2~3对中心鬃。

分布: 古北区，东洋区。秦岭地区发现1种。

(103) 闪斑宽额寄蝇 *Frontina adusta* (Walker, 1853)

Tachina adusta Walker, 1853: 292.

Frontina varicolor Villeneuve, 1937: 2.

鉴别特征:体粗壮，杏黄色种类，额与复眼等宽(雄性)或额是复眼宽的1.50倍(雌性)；胸部背面具4个黑色纵条，两小盾亚端鬃间距离为亚端鬃至同侧基鬃距离的2倍；R_{4+5}脉基部具4~5根小鬃，中脉心角钝；腹部卵圆形，背板两侧腹面具竖立黑色粗鬃，第4背板后半部具1个三角形墨黑色大斑，第5背板墨黑色，但两侧各具1个三角形黄白色粉斑。

采集记录:1♀，柞水营盘，1299m，2013.Ⅶ.15，王强采(SYNU)。

分布: 陕西(柞水)、山西、湖北、四川、云南；印度。

52. 膝芒寄蝇属 *Gonia* Meigen, 1803

Gonia Meigen, 1803: 280. **Type species**: *Gonia bimaculata* Wiedemann, 1819.

Reaumuria Robineau-Desvoidy, 1830: 79. **Type species**: *Musca capitata* de Geer, 1776.

Pissemya Robineau-Desvoidy, 1851: 318. **Type species**: *Gonia atra* Meigen, 1826.

Turanogonia Rohdendorf, 1924: 228. **Type species**: *Turanogonia smimovi* Rohdendorf, 1924 [= *Gonia chinensis* Wiedemann, 1824].

Asiogonia Rohdendorf, 1928: 98. **Type species**: *Asiogonia asiatica* Rohdendorf, 1928.

Chrysocerogonia Rohdendorf, 1928: 98 (as subgenus of *Salmacia* Meigen, 1800). **Type species**: *Salmacia* (*Chrysocerogonia*) *ussuriensis* Rohdendorf, 1928.

Eremogonia Rohdendorf, 1928: 98 (as subgenus of *Salmacia* Meigen, 1800). **Type species**: *Salmacia* (*Eremogonia*) *desertorum* Rohdendorf, 1928.

属征:复眼裸，额特宽，呈蜡状透明，在额鬃列外具1~2列后倾或侧倾的鬃，侧颜很宽，大部分具黑色鬃或毛，单眼鬃后倾，上后头通常在眼后鬃列下方具黑毛；触角芒呈膝状弯曲，从基半部到端部变粗，前颏长为其直径的3~12倍；肩鬃3根排列成1条直线，前胸腹板两侧被毛，第1根翅上鬃长于背侧片鬃和盾后第1根翅内鬃，背侧片鬃3个，胸部背面被黑色或黄色毛，小盾端鬃缺失，但在小盾片末端背面具翘起的端刺；翅肩鳞和前缘基鳞黄色，r_{4+5}室远离翅顶开放，r_{4+5}基部1/3~1/2具小鬃，有时达r-m，如仅基部结节上具数根小鬃，则翅肩鳞和前缘基鳞黄色；M脉在r-m横脉与dm-cu横脉间的长度大于M脉在dm-cu横脉与中脉心角之间的长度；下腋瓣内缘向内凹陷，与小盾片相贴，足黑色或大部黑色；腹部第1+2合背板中央凹陷达后缘，通常无中缘鬃，第5背板仅在后方1/3~2/5具1行缘鬃。

分布:世界性分布。秦岭地区发现2种。

(104)中华膝芒寄蝇 *Gonia chinensis* Wiedemann, 1824

Gonia chinensis Wiedemann, 1824: 47.

Turanogonia smirnovi Rohdendorf, 1924: 228.

Salmacia (*Turanogonia*) *pruinosa* Villeneuve, 1933: 198.

鉴别特征:腹部覆黄灰色粉被，腹侧片鬃4根；翅肩鳞和前缘基鳞淡黄色，R_{4+5}脉基部具4~5根小鬃；背面具黑线条。

采集记录:1♂，佛坪大古平，1366m，2014.Ⅷ.22，梁厚灿采(SYNU)。

分布:中国广布；韩国，日本，越南，印度，尼泊尔，菲律宾，马来西亚，巴基斯坦，中亚地区。

寄主:小地老虎，粘虫。

(105)黄毛膝芒寄蝇 *Gonia klapperichi* (Mesnil, 1956)

Turanogonia klapperichi Mesnil, 1956: 532.

鉴别特征:腹侧片鬃3个，中胸背板背面被黄色毛，腹部第3~5背板仅基部1/3覆粉被，腿节黄色(前股和中股端部前表面具黑斑)。

采集记录:1♀，留坝闸口石，1800~1900m，1998.Ⅷ.20，采集人不详。

分布:陕西(留坝)、辽宁、青海、新疆、浙江、福建、广东、广西、四川、贵州、云南；缅甸，印度。

53. 娇寄蝇属 *Hebia* Robineau-Desvoidy, 1830

Hebia Robineau-Desvoidy, 1830: 98. **Type species**: *Hebia flavipes* Robineau-Desvoidy, 1830.

属征:体色至少有部分为黄色。雄性头部两侧各具2根外侧额鬃，后头黄色，仅在顶鬃后方具3~4根黑毛，间额宽于侧颜，单眼鬃正常大小，颜堤鬃上升超过颜堤之半，侧颜在额鬃下方被小毛；前胸腹板平而宽，其宽度大于长度，小盾端鬃细；翅具发育完全的翅脉，前缘脉腹面末端无毛，其第2段大于第3段的1/2，中脉心角为弧形钝角，端横脉近于直线，中足胫节具1根前背鬃，腹板第3~5背板具中心鬃。

分布：古北区。秦岭地区发现1种。

(106)黄娇寄蝇 *Hebia flavipes* Robineau-Desvoidy, 1830

Hebia flavipes Robineau-Desvoidy, 1830: 98.

鉴别特征:足黄，雄性基节和梗节及雌性触角黄色，小盾端鬃缺如，触角芒中部变粗，体长4~6mm。

采集记录:1♂，山阳苍龙山，718m，2013.Ⅶ.23，王强采(SYNU)。

分布：陕西(山阳)、辽宁、河北、宁夏；俄罗斯，日本，匈牙利，奥地利，法国，英国，瑞典。

54. 撵寄蝇属 *Myxexoristops* Townsend, 1911

Myxexoristops Townsend, 1911: 155, 170. **Type species**: *Myxexorista pexops* Brauer *et* Bergenstamm, 1891 [= *Phryxe blondeli* Robineau-Desvoidy, 1830].

属征：复眼被毛，额窄于(雄性)或等于(雌性)复眼的宽度，内侧额鬃每侧2根，颜堤鬃占鬃堤长度的1/3~1/2，下颚须短于后梗节的长度，后头拱起，在眼后鬃的后方具1~2行黑色小鬃；肩鬃4根，3根基鬃排列成三角形，腹侧片鬃3个，小盾侧鬃1根，较基鬃短小，中胫节前背鬃1~2根，后胫节仅具2根背端鬃；腹部第5背板侧扁，呈圆锥形，翅中肘横脉位于r_5室端部1/3部位。

分布：古北区，东洋区，新北区。秦岭地区发现2种。

(107)比撵寄蝇 *Myxexoristops abietis* Herting, 1964 中国新纪录

Myxexoristops abietis Herting, 1964: 61.

鉴别特征:雄性额宽至多约为复眼宽的0.85倍，后梗节长是梗节的3~4倍，后

梗节也是侧颜宽的 1.50 ~2.80 倍，胸部具淡黄色或淡灰色粉被，小盾端部黄色或者红黄色，腹板第 3 背板仅 2/3 具粉被，胫节黑色或暗棕色，中足胫节具 1 根前背鬃，很少有 2 根。

采集记录:1♀，宁陕火地塘，1400 ~1720m，2012. Ⅶ. 11-12，张春田采(SYNU)。

分布: 陕西(宁陕)；德国，奥地利，瑞典。

(108)双色撵寄蝇 *Myxexoristops bicolor* (Villeneuve, 1908)

Exorista bicolor Villeneuve, 1908.

鉴别特征:额长显著小于颜高，触角特长且宽，遮盖整个中颜板，后梗节宽度为侧颜宽的 3 倍，其长度为梗节的 5 ~6 倍，下颚须黄色，筒形，为后梗节长的 2/5，跗节长于胫节。

采集记录:1♂，宝鸡太白山，1200 ~1500m，2012. Ⅶ. 15，侯鹏采(SYNU)。

分布: 陕西(宝鸡)、北京、云南；俄罗斯，欧洲。

55. 栉寄蝇属 *Pales* Robineau-Desvoidy, 1830

Pales Robineau-Desvoidy, 1830: 154. **Type species**: *Pales florea* Robineau-Desvoidy, 1830 [= *Tachina pavida* Meigen, 1824].

属征:复眼被密的淡黄色长毛，内侧额鬃每侧 1 根，后倾，颜堤鬃上升达颜堤中部或更高；小盾片心鬃 1 对，颜堤鬃上升达颜堤上方 1/3 部位，腹侧片鬃 3 根；腹部亮黑，具蓝色，如具粉被也很弱。

分布: 除新北区和新热带区外，东半球均有分布。秦岭地区发现 2 种。

(109)炭黑栉寄蝇 *Pales carbonata* Mesnil, 1970

Pales carbonata Mesnil, 1970: 89.

鉴别特征:额宽为复眼宽的 2/5 ~3/5，侧颜裸，宽为后梗节的 1.50 倍；后梗节为梗节长的 2.50 倍；胸部光亮黑色，无粉被，心角至中肘横脉的距离为心角至翅后缘距离的 2 倍，第 3 背板无中心鬃。

采集记录:1♂，周至太白山铁甲树，1993m，2014. Ⅷ. 18，梁厚灿采；2♂，周至老县城，2057m，2014. Ⅷ. 19，梁厚灿采；1♂，华县少华山，675m，2013. Ⅶ. 19-20，王强采；2♂，佛坪大古平，1366m，2014. Ⅷ. 22，梁厚灿采；3♂，佛坪岳坝，1791m，2014. Ⅷ. 27，梁厚灿采(SYNU)；2♂，宁陕牛背梁，1197m，2013. Ⅶ. 16，王强采；

2♂，柞水营盘，1299m，2013. Ⅶ. 15，王强采；2♂，商南金丝峡，777m，2013. Ⅶ. 23，王强采。

分布：陕西(周至、华县、佛坪、宁陕、柞水、商南)、辽宁、北京、山东、宁夏、青海、新疆、江苏、上海、安徽、浙江、江西，福建、台湾、广东、四川、西藏；日本。

寄主：核桃缀叶丛螟。

(110)蓝黑栉寄蝇 *Pales pavida* (Meigen, 1824)

Tachina pavida Meigen, 1824: 398.

鉴别特征：额宽为复眼宽的2/3，侧额与间额等宽，后梗节为梗节长的4.50倍，后梗节宽于侧颜的宽度；心角至翅后缘的距离小于心角至中肘横脉的距离；腹部黑色，覆闪变性灰白粉被，第1+2合背板、第3背板各具中缘鬃1对。

采集记录：1♀，周至王家河，700~800m，2010. Ⅶ. 20-21，王诗迪采；1♂，周至老县城，2057m，2014. Ⅷ. 19，梁厚灿采；1♂2♀，华县少华山，675m，2013. Ⅶ. 19-20，王强采；1♂1♀，宝鸡太白山，600~2800m，2010. Ⅶ. 17-19，赵喆采；2♀，佛坪大古平，1270~1366m，2014. Ⅷ. 22-23，梁厚灿采；1♀，佛坪岳坝，1791m，2014. Ⅷ. 27，梁厚灿采(SYNU)；1♂，柞水营盘，1299m，2013. Ⅶ. 15，王强采。

分布：中国广布；蒙古，俄罗斯，日本，中亚地区，中东地区，欧洲。

寄主：家蚕，黄地老虎，粘虫，松毛虫，枯叶蛾，草地螟，舞毒蛾，天幕毛虫，毒蛾，夜蛾，卷叶蛾，螟蛾，刺蛾。

56. 丝寄蝇属 *Sericozenillia* Mesnil, 1957

Sericozenillia Mesnil, 1957: 18. **Type species**: *Zenillia* (*Sericozenillia*) *albipila* Mesnil, 1957.

属征：复眼具毛，侧颜在最窄处至多与后梗节同宽，前胸基腹片具毛，腹侧片鬃3根，腹部基部腹面与胸部侧面具淡色白毛，腹部第1+2合背板达后缘，肩胛3根基鬃成1条直线，还有1根在中间基鬃的前面。

分布：古北区。秦岭地区发现1种。

(111)白毛丝寄蝇 *Sericozenillia albipila* (Mesnil, 1957)

Zenillia (*Sericozenillia*) *albipila* Mesnil, 1957: 18.

鉴别特征：触角和触角芒暗棕色，下颚须红黄色。胸部黑色，具灰色粉被；小盾片基部黑色，端半部红黄色，具少量灰色粉被。

采集记录:1♀，周至太白山铁甲树，1993m，2014. Ⅷ. 18，梁厚灿采；1♀，佛坪大古平，1366 ~ 1575m，2014. Ⅷ. 22-24，梁厚灿采；2♀，佛坪岳坝，1791m，2014. Ⅷ. 27，梁厚灿采(SYNU)。

分布: 陕西(周至、佛坪)、辽宁；日本。

57. 塔卡寄蝇属 *Takanomyia* Mesnil, 1957

Takanomyia Mesnil, 1957: 10. **Type species**: *Takanomyia scutellata* Mesnil, 1957.

Isopexopsis Sun *et* Chao, 1994: 482. **Type species**: *Isopexopsis parafascialis* Sun *et* Chao, 1994.

属征:复眼被毛，后梗节长不及梗节的5倍，颜堤鬃上升达颜堤上方1/3，肩胛具3 ~ 4根鬃，3根基鬃排列于1条直线；小盾片无端鬃，但具2根端刺；后足胫节具2根背端鬃。

分布: 古北区，东洋区。秦岭地区发现1种。

(112) 高木塔卡寄蝇 *Takanomyia takagii* Shima, 1988

Takanomyia takagii Shima, 1988: 31.

鉴别特征:复眼具密长毛，头具密集淡黄色粉被；雄性无外顶鬃；雄性额宽约为头宽的0.30倍，后梗节长约为梗节长的5.00 ~ 5.50倍(雌性约4倍)；翅几乎半透明；胫节暗棕色或黑色；雄性腹部第3、4背板具强的不规则的中心鬃，肛尾叶细长，端部明显向背部弯曲，侧尾叶细长，具长毛。

分布: 陕西(秦岭)；尼泊尔。

X. 温寄蝇族 Winthemiini

58. 锥腹寄蝇属 *Smidtia* Robineau-Desvoidy, 1830

Smidtia Robineau-Desvoidy, 1830: 183. **Type species**: *Smidtia vernalis* Robineau-Desvoidy, 1830 [= *Tachina conspersa* Meigen, 1824].

Timavia Robineau-Desvoidy, 1863: 257. **Type species**: *Smidtia flavipalpis* Robineau-Desvoidy, 1848 [= *Tachina amoena* Meigen, 1824].

Omotoma Lioy, 1864: 1338. **Type species**: *Tachina amoena* Meigen, 1824.

属征:复眼被密毛，侧颜窄于后梗节，侧颜上半部或全部具毛，后头向后拱起，在眼后鬃下方具1~2行黑毛；触角芒细长，基部2/5~1/2加粗；腹侧片鬃一般为3根，小盾侧鬃每侧各1根；中足胫节具3~5根前背鬃，后足胫节具1列梳状前背鬃，中间具1根长大鬃，是其他前背鬃长的2倍，或者后胫前背鬃列不规则；腹部背板毛直立，第3、4背板无中心鬃，沿背中线两侧无三角形斑；第5背板黑色，近似锥形，其长度为其最大宽度的1.50~2.00倍。

分布：除新北区和澳洲区外，其他动物地理区均有分布。秦岭地区发现1种。

(113) 松毛虫锥腹寄蝇 *Smidtia amoena* (Meigen, 1824)

Tachina amoena Meigen, 1824: 264.

鉴别特征：侧颜被密毛，向下达上方第1根颜堤鬃的水平(雄性)或占颜堤上方3/5的部位；雄性额较窄，约为复眼宽的1/4；雄性尾叶较短而宽，肛尾叶呈狭长的三角形。

分布：陕西(秦岭)、黑龙江、吉林、辽宁、山西、山东、安徽、浙江、湖北、湖南、广西；俄罗斯，日本，欧洲，中亚地区。

寄主：舞毒蛾，夜蛾，天幕毛虫，松毛虫等。

59. 温寄蝇属 *Winthemia* Robineau-Desvoidy, 1830

Winthemia Robineau-Desvoidy, 1830: 173 (as *Winthemya* in Robineau-Desvoidy 1863a: 206, as *Winthemyia* in Pantel 1910: 34, 102, etc. and villeneuve 1910b: 305, incorrect subsequent spellings). **Type species**: *Musca quadripustulata* Fabricius, 1794.

Crossotocnema Bigot, 1885: 201. **Type species**: *Crossotocnema javana* Bigot, 1885.

Catanemorilla Villeneuve, 1910: 87. **Type species**: *Catanemorilla pilosa* Villeneuve, 1910.

Pseudokea Townsend, 1928: 393. **Type species**: *Pseudokea neowinthemioides* Townsend, 1928.

属征：复眼被密而长的毛，侧颜被毛，颊高小于触角宽，单眼鬃向前伸展或缺失，后头上方在眼后鬃后方无黑毛；触角芒梗节短；肩鬃5根，最强的3根排列为三角形，第1根翅上鬃长于背侧片鬃和盾后第1根翅内鬃，前胸腹板两侧被毛，下后侧片大部被毛，胸部和腹部的鬃与毛较粗，后背中鬃4根，腹侧片鬃通常2个，少数3个，后气门前肋(下后侧片)2/3或以上被毛；中脉心角至dm-cu脉的距离等于心角至翅后缘距离；中足胫节前背鬃1~2根，后足具1列等长的梳状前背鬃；腹部背板毛通常倒伏状，很少直立，第3、4背板无中心鬃，第5背板梯形，其长度为其宽度的2.50~3.00倍，或多或少后端红色。

分布：世界广布。秦岭地区发现3种。

分种检索表

1. 雄性腹部第4、5背板腹面具大而密的毛斑；雄性额宽为复眼宽的1/2；侧颜宽为触角后梗节宽的0.50~1.00倍；胸部背板具5个纵条；腹部底色黑红褐色，两侧具红黄色斑；腹侧片鬃2根 ………………………………………………………… **狭肛温寄蝇 *W. angusta***
   雄性腹部第4、5背板腹面无密毛斑；腹部各背板粉被浓厚而均匀……………………………… 2
2. 胸部、背部全黑色，仅沿肩胛至翅后胛具1个灰褐色粉条；触角后梗节为梗节长2.30倍 ………………………………………………………… **华丽温寄蝇 *W. speciosa***
   胸部背板具5个明显的黑纵条；触角后梗节为梗节长的2倍 ……… **灿烂温寄蝇 *W. venusta***

(114) 狭肛温寄蝇 ***Winthemia angusta* Shima, Chao *et* Zhang, 1992**

Winthemia angusta Shima, Chao *et* Zhang, 1992: 219.

鉴别特征:额宽约为复眼宽的0.50倍，侧颜窄于后梗节；雄性肛尾叶狭长，其宽度显著小于侧尾叶的宽度。

采集记录:1♂，宝鸡太白山，1200~1500m，2012. Ⅶ. 12，侯鹏采(SYNU)。

分布: 陕西(宝鸡)、辽宁、北京、山西、山东、云南；日本。

寄主:天蛾。

(115) 华丽温寄蝇 ***Winthemia speciosa* (Egger, 1861)**

Nemorea speciosa Egger, 1861: 209.

鉴别特征:胸部背面全黑色，仅沿肩胛至翅后胛1条线具1个灰褐色粉条，后梗节长约为梗节的2.30倍；腹部背面的粉被浓厚而均匀，黄色或灰白色，无镶嵌闪变的光斑。

采集记录:1♂，留坝庙台子，1350m，1998. Ⅶ. 21，采集人不详。

分布: 陕西(留坝)、浙江、四川；蒙古，俄罗斯，日本，欧洲。

(116) 灿烂温寄蝇 ***Winthemia venusta* (Meigen, 1824)**

Tachina venusta Meigen, 1824: 327.

鉴别特征:后梗节长为梗节的2倍，中胸背板具5条明显的黑纵条。

采集记录:9♂，长安终南山，800~900m，2012. Ⅶ. 05-06，王强采；10♂，长安南五台，800m，2012. Ⅵ. 30，王强、崔乐采；3♂，华县少华山，675m，2013. Ⅶ. 19-20，王强采；21♂，宝鸡太白山，600~2800m，2010. Ⅶ. 17-19，王诗迪、赵喆采；12♂

1♀，宝鸡太白山，1200～1500m，2012.Ⅶ.12，侯鹏采；15♂，眉县太白山，1600m，2012.Ⅶ.03，王强、崔乐采；1♂，留坝闸口石紫柏山，1600m，2012.Ⅶ.18，侯鹏采；1♀，宁陕牛背梁，1197m，2013.Ⅶ.16，王强采(SYNU)；1♂，南郑黎坪，1500m，2012.Ⅶ.16，侯鹏采；29♂，山阳天竺山，1807m，2013.Ⅶ.21，王强采；19♂，商南金丝峡，777m，2013.Ⅶ.23，王强采。

分布：中国广布；俄罗斯，日本，欧洲。

寄主：夜蛾，天蚕蛾，尺蠖，落叶松毛虫。

（三）突颜寄蝇亚科 Phasiinae

鉴别特征：颜突出，前胸基腹片裸，形态多样；幼虫寄生于半翅目昆虫幼虫体内。

分类：中国已知5族19属85种，陕西秦岭地区分布4族7属10种。

分族分属检索表

1. 小盾亚端鬃缺失。复眼裸，额窄，无外侧额鬃，后头至少下半部被淡黄色毛；胸部第3根翅上鬃缺失，翅内鬃0或1根；下腋瓣三角形，内缘与小盾片相接；前胫无前背鬃；腹部腹板外露，第1+2合背板中央凹陷不达后缘(**突颜寄蝇族 Phasiini**) ………… 5

   小盾亚端鬃粗大，显著大于小盾端鬃 ………… 2

2. 胸部后气门黄白色，很大，其宽度至少为平衡棒端部宽的2倍；侧颜裸，髭位于向前突出的口缘上方；至少在胸和腹部的腹面被黄白色毛，翅侧片鬃缺或毛状，翅内鬃0+2根，小盾端鬃发达，交叉排列，小盾侧鬃无；后胫具1根退化的后腹鬃；雄性腹部第6+7合背板背面观不可见；腹部腹板为背板覆盖(**俏饰寄蝇族 Parerigonini**) ………… **俏饰寄蝇属 *Parerigone***

   胸部后气门正常大小 ………… 3

3. 胸部后足基节间后腹面闭合，完全骨化；翅半透明，r_{4+5}室开放或闭合，具1个柄脉，至多为M脉弯曲部长的1/6；下颚须发达，中喙短，长约为其直径的2倍；后胫后腹鬃存在；腹部腹板被背板遮盖，隐藏于背板缝之间；第3、4背板均无心鬃；雌性、雄外生殖器侧面观可见(**筒腹寄蝇族 Cylindromyiini**) ………… 4

   胸部后足基节间后腹面不闭合，膜质；翅面带有程度不同的黑色；小盾端鬃发达且交叉排列，腹部腹板一般不被背板遮盖；第3、4背板均具心鬃；雌性、雄外生殖器侧面观一般不可见(**贺寄蝇族 Hermyini**) ………… **贺寄蝇属 *Hermya***

4. 下鄂须缺无 ………… **筒腹寄蝇属 *Cylindromyia***

   下鄂须发达 ………… **罗佛寄蝇属 *Lophosia***

5. 小盾片具亚端鬓 ………… **腹寄蝇属 *Gymnosoma***

   小盾片无亚端鬓 ………… 6

6. 小盾具端鬓和基鬓 ………… **异颜寄蝇属 *Ectophasia***

   小盾片仅具2对缘鬓 ………… **突颜寄蝇属 *Phasia***

Ⅺ. 筒腹寄蝇族 Cylindromyiini

鉴别特征:颜脊缺失,如中颜板中部略有隆起,也不形成尖楞,雌雄两性额均较宽,均常具外侧额鬃,下颚须存在或缺失;沟后翅内鬃1或2根,具翅前鬃和2根翅上鬃,二者存一或二者均存,少数二者缺失,小盾片具2 ~3对缘鬃;下腋瓣后缘为圆形,一般长大于宽,r_{4+5}室开放或闭合,具1柄脉,其长至多为M脉弯曲部长的3/4;第1+2合背板中央凹陷不达后缘;雌性、雄性外生殖器突出,侧面观可见。

分布:中国有5属40种,秦岭地区发现2属3种,包括2个陕西新纪录。

60. 筒腹寄蝇属 *Cylindromyia* Meigen, 1803

Cylindromyia Meigen, 1803: 279 (as *Cylindromya* in various works, incorrect subsequent spelling). **Type species**: *Musca brassicaria* Fabricius, 1775.

Ocyptera Latreille, 1804: 195. **Type species**: *Musca brassicaria* Fabricius, 1775.

Elaphroptera Gistel, 1848: x (nec Guérin-Méneville, 1838) (unnecessary nomen novum *for* *Ocyptera* Latreille, 1804).

Gerocyptera Townsend, 1916: 178. **Type species**: *Trichoprosopa marginalis* Walker, 1860.

Neocyptera Townsend, 1916: 32. **Type species**: *Ocyptera dosiades* Walker, 1849 [= *Ocyptera interrupta* Meigen, 1824].

Malayocyptera Townsend, 1926: 31. **Type species**: *Malayocyptera munita* Townsend, 1926.

Vespocyptera Townsend, 1927: 279. **Type species**: *Vespocyptera petiolata* Townsend, 1927.

Calocyptera Herting, 1983: 35, 39 (*as* subgenus of *Cylindromyia* Meigen, 1803). **Type species**: *Ocyptera intermedia* Meigen, 1824.

属征: 下颚须缺,前胸侧板裸或被毛,后足胫节后腹鬃存在或缺如;$2r_5$室具柄,R_{4+5}脉基部腹面具细毛,最大长度不超过r-m横脉的长度。

分布: 世界性分布,秦岭地区发现2种。

(117) 棕头筒腹寄蝇 *Cylindromyia brassicaria* (Fabricius, 1775)

Musca brassicaria Fabricius, 1775: 778.

鉴别特征:侧额外半部裸或几乎裸,触角后梗节长是梗节长的1.80倍以上,外顶鬃存在但短于后单眼鬃,小盾片具基鬃,盾前背中鬃具4列或多列小毛,翅前缘基鳞黑色或棕色,前胸前侧片裸,后翅内鬃存在,雄性腹部第4背板具4根缘鬃,腹部第1、2合背板具毛,后部裸,后足具短毛,后足胫节无后腹鬃。

采集记录:7♂1♀，华县少华山，675m，2013. Ⅶ. 19-20，王强采；商南金丝峡，777m，2013. Ⅶ. 23，王强采(SYNU)。

分布: 陕西(华县、商南)、黑龙江、吉林、内蒙古、北京、山西、宁夏、甘肃、新疆、江苏、浙江、云南、西藏；蒙古，俄罗斯，日本，欧洲，中亚地区，中东地区，非洲北部。

(118)暗翅筒腹寄蝇 *Cylindromyia umbripennis* (van der Wulp, 1881)

Ocyptera umbripennis van der Wulp, 1881: 35.

Ocyptera ambulatoria Villeneuve, 1944: 144.

鉴别特征:触角约为颜高的7/10~9/10，后梗节长是宽的1/4，髭强，至少为颜长的1/2，小盾无基鬃，翅M脉弯曲处钝圆，无赘脉，R_{4+5}脉柄脉约为M脉弯曲处脉段长的1/5~1/2，腹侧片鬃2根，腹部第5背板通常具粉被，后足胫节具1~2根后腹鬃。

采集记录:1♂，华县少华山，675m，2013. Ⅶ. 19-20，王强采(SYNU)；1♂，留坝张良庙，1200~1300m，2012. Ⅶ. 22-24，张春田采。

分布: 陕西(华县、留坝)、宁夏、江苏、上海、安徽、浙江、福建、台湾、广东、广西、四川、云南；俄罗斯，朝鲜，韩国，日本，斯里兰卡，菲律宾，马来西亚，印度尼西亚。

61. 罗佛寄蝇属 *Lophosia* Meigen, 1824

Lophosia Meigen, 1824: 216. **Type species**: *Lophosia fasciata* Meigen, 1824.

Duvaucelia Robineau-Desvoidy, 1830: 227 (nec Risso, 1826). **Type species**: *Duvaucelia bicinecta* Robineau-Desvoidy, 1830.

Curtocera Macquart, 1835: 182 (new name for *Duvaucelia* Robineau-Desvoidy, 1830).

Paralophosia Brauer et Bergenstamm, 1889: 164 (also 1890: 96). **Type species**: *Ocyptera imbuta* Wiedemann, 1819.

Xenolophosia Villeneuve, 1926: 273. **Type species**: *Xenolophosia hamulata* Villeneuve, 1926.

Perilophosia Villeneuve, 1927: 221. **Type species**: *Perilophosia ocypterina* Villeneuve, 1927.

Formosolophosia Townsend, 1927: 280. **Type species**: *Formosolophosia hemydooides* Townsend, 1927 [=*Xenolophosia hamulata* Villeneuve, 1926].

Stylogynemyia Townsend, 1927: 280. **Type species**: *Stylogynemyia cylindrica* Townsend, 1927 [=*Xenolophosia hamulata* Villeneuve, 1926].

Lophosiodes Townsend, 1927: 285. **Type species**: *Lophosiodes scutellatus* Townsend, 1927 [=*Xenolophosia perpendicularis* Villeneuve, 1927].

Eupalpocyptera Townsend, 1927: 286. **Type species**: *Eupalpocyptera angusticauda* Townsend, 1927.

Palpocyptera Townsend, 1927: 283. **Type species**: *Palpocyptera pulchra* Townsend, 1927.

Lophosiocyptera Townsend, 1927: 59. **Type species**: *Lophosiocyptera lophosioides* Townsend, 1927.

属征:复眼裸，头部有或无外侧额鬃，髭位于口缘水平，交叉发达；前顶鬃向外侧或后侧伸展；后梗节膨大，触角芒常基部加粗；下颚须发达，前侧片裸，肩鬃2~3根，肩后鬃长,1根，中鬃多变化，前背中鬃1~3根，后背中鬃2~4根；翅内鬃1~2根，翅上鬃1~2根，腹侧片鬃0~3根，小盾缘鬃2~3对(基鬃有时退化或缺失)；中胸后足基节后腹面骨化；r_5室端部开放或闭合，如闭合则常有小柄；中脉心角无赘脉。腹部各背板无中心鬃；雄性第5腹板后缘两侧常形成铗，铗常细长向下弯曲，有时直伸或呈叶形；雌性腹部末端常形成钩状弯曲。

生物学:国外记载寄生于麦蟠若虫体内。

分布：古北区，东洋区。秦岭地区发现1种。

(119)狭尾罗佛寄蝇 *Lophosia angusticauda* (Townsend, 1927)

Eupalpocyptera angusticauda Townsend, 1927: 286.

鉴别特征:雄性额宽为复眼宽的3/5~7/10；后梗节不特别加宽，长为梗节长的3倍；r_5室端部开放；中脉心角无赘脉；腹部第3、4背板腹面前缘和侧缘间各有1个三角形的裸区，覆灰白色粉被。雌性第5腹板后缘有1列浓密的毛列，铗叶形略向下弯曲。

采集记录:1♂，华县少华山，675m，2013. Ⅶ. 19-20，王强采；1♂，宁陕牛脊梁，1197m，2013. Ⅶ. 16，王强采；2♂1♀，山阳苍龙山，718m，2013. Ⅶ. 23，王强采(SYNU)。

分布：陕西(华县、宁陕、山阳)、江苏、浙江、台湾、四川、贵州、云南；泰国。

Ⅻ. 贺寄蝇族 Hermyini

62. 贺寄蝇属 *Hermya* Robineau-Desvoidy, 1830

Hermya Robineau-Desvoidy, 1830: 226 (also subsequently spelled *Hermyia*, unjustified emendation). **Type species**: *Hermya afra* Robineau-Desvoidy, 1830 [= *Ocyptera diabolus* Wiedemann, 1819].

Orectocera van der Wulp, 1881: 39. **Type species**: *Tachina beelzebul* Wiedemann, 1830.

属征:头长圆形，复眼裸；侧颜与触角约等宽；后头拱起；颜堤下方1/2~2/3具毛状鬃；单眼鬃前倾；触角细长，后梗节长至少为梗节的6倍，且常在中位或正中位,狭窄；触角芒细长，仅在基部加粗；髭小型或中型，位于口缘水平；下颚须存在。胸部黑色，小盾端鬃强大，交叉，后胸足基节后腹面膜质，腹侧片鬃2~3根；翅完全具暗色，下腋瓣发达，边缘色泽较深；足黑色或部分黄色，后足胫节无后腹端鬃；腹部细长筒形，有时在基部有明显“细腰”，第 1 +2 合背板无中缘鬃，第 3、4 背板各有 1 对发达的中心鬃。

分布：古北区，东洋区，非洲区。秦岭地区发现 1 种。

(120) 比贺寄蝇 *Hermya beelzebul* (Wiedemann, 1830)

Tachina beelzebul Wiedemann, 1830: 301.

Tachina imbrasus Walker, 1849: 781.

鉴别特征：头圆形，侧颜、中颜板及颊覆金黄色(雄性)或灰白色(雌性)粉被，触角细长，后梗节长为梗节长的 4.50 ~7.00 倍，且常在中位或亚中位，狭窄，触角芒细长，仅在基部加粗。胸部黑色；翅深色或无色透明，r_5室开放或闭合；下腋瓣边缘黑色，有时不完整；足黑色或部分黄色，中足胫节有(雄性)或无(雌性)腹鬃。

采集记录：1♂1♀，华县少华山，675m，2013. Ⅶ. 19-20，王强采；2♂，佛坪，845m，2013. Ⅶ. 30，王强采(SYNU)；1♂4♀，宁陕牛脊梁，1197m，2013. Ⅶ. 16，王强采；1♂，柞水营盘，1299m，2013. Ⅶ. 15，王强采；2♂，山阳苍龙山，718m，2013. Ⅶ. 23，王强采；2♂，商南金丝峡，777m，2013. Ⅶ. 23，王强采。

分布：中国广布；日本，越南，泰国，缅甸，印度，尼泊尔，斯里兰卡，马来西亚，菲律宾，印度尼西亚。

寄主：在草丛和菜地中的蝽类若虫体内寄生。

XIII. 俏饰寄蝇族 Parerigonini

63. 俏饰寄蝇属 *Parerigone* Brauer, 1898

Parerigone Brauer, 1898: 540. **Type species**: *Parerigone aurea* Brauer, 1898.

Parerigonesis Chao *et* Sun, 1990: 236. **Type species**: *Parerigonesis huangshanensis* Chao *et* Sun, 1990.

属征：复眼具密长毛；颜下缘强烈向前突出；触角短，触角芒裸或短毛状肩鬃 3 根呈三角形排列，后胸气门大，大于平衡棒的端部；前胸基腹片和前胸前侧片裸；背中鬃 3 +3 根；后翅内鬃 2 根，间距明显宽；后翅上鬃 3 根；腹侧片鬃 3 根；小盾片具 3 ~6 对缘鬃；M 脉弯曲处呈钝角；前足胫节后鬃 2 根，端位腹鬃 1 根；爪和爪垫长，几乎等于第 4 和第 5 分跗节之和；腹部第 1 +2 合背板中央凹陷，不伸达后缘；具 2 根强的中缘鬃和 1 对侧缘鬃；第 3、4 背板各具 2 根中心鬃和 4 ~8 根中缘鬃。

分布：古北区，东洋区。秦岭地区发现 1 种。

(121)黄金俏饰寄蝇 *Parerigone aurea* Brauer, 1898(图 348)

Parerigone aurea Brauer, 1898: 540.

鉴别特征:体中等大，具浓厚的金黄色或淡黄色粉被。头顶大约是头高的 1/5；颊大约是眼高的 2/5；侧颜在中间部略窄于后梗节宽，后面的大约同梗节的 2.50 倍一样长；触角芒第 2 节长大约是宽的 2 倍；下颚须红黄色。上侧背片裸；胸部毛淡黄色或淡黄白色；3 根后背中鬃；盾片具 4 对缘鬃；前缘基鳞深褐色；足黑色，胫节红棕色；中胫节具 2 根前背鬃和 1 根腹鬃；后胫节具 2 根前背鬃。腹部侧面具淡黄色毛。

采集记录:6♂1♀，长安五台，1300～1600m，2012. Ⅵ. 26-28，崔乐、王强采(SYMU)。

分布: 陕西(长安)、黑龙江、辽宁、宁夏、四川；俄罗斯(远东南部)。

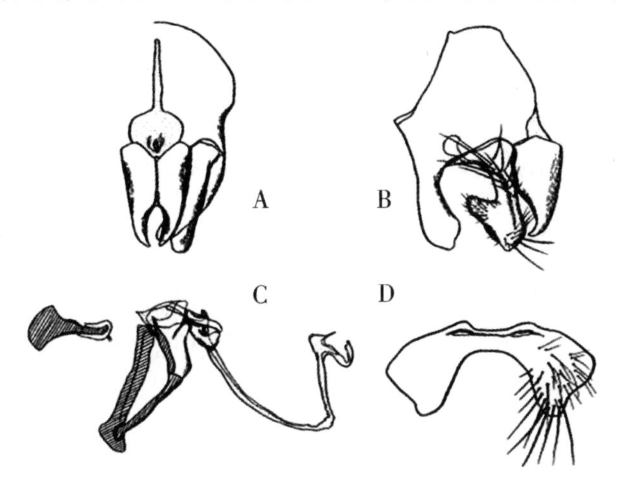

图 348　黄金俏饰寄蝇 *Parerigone aurea* Brauer (仿 Shima, 2011)

第 9 背板、肛尾叶和侧尾叶(epandrium, cerci and surstyli) A. 后面观(posterior view); B. 侧面观(lateral view); C. 阳体(phallus); D. 第 5 腹板(sternite 5)

XIV. 突颜寄蝇族 Phasiini

64. 异颜寄蝇属 *Ectophasia* Townsend, 1912

Ectophasia Townsend, 1912: 46. **Type species**: *Syrphus crassipennis* Fabricius, 1794.

属征: 额前宽后窄，背面观呈“八”字形，最窄处其宽度小于触角的长度；颊宽约与后梗节长度相等，复眼下缘与口缘处于同一水平或在口缘水平的上方；中胸背板背面覆浓厚黄褐色粉被或具狭窄而模糊的条纹，小盾片仅具端鬃和基鬃；下腋瓣为一般正常类型，翅面为单一褐色或黑褐色。$2r_5$室开放，中脉心角为锐角，粉被短而宽，两侧向外凸出，中间背板的宽度远远大于其长度的2倍，有时整个腹部近圆形。

分布：古北区，东洋区。秦岭地区发现2种。

(122)宽翅异颜寄蝇 *Ectophasia crassipennis* (Fabricius, 1794)

Syrphus crassipennis Fabricius, 1794: 284.

鉴别特征：翅短而宽，其宽度略小于其长度的1/2，上腋瓣黑色，下腋瓣黑褐色；触角基部两节黄色，后梗节黑色。

采集记录：17♂30♀，华县少华山，675m，2013.Ⅶ.19-20，王强采；1♂，柞水营盘，1299m，2013.Ⅶ.15，王强采；1♀，山阳天竺山，1807m，2013.Ⅶ.21，王强采(SYNU)。

分布：陕西(华县、柞水、山阳)、辽宁、西藏；俄罗斯，日本，欧洲。

(123)圆腹异颜寄蝇 *Ectophasia rotundiventris* (Loew, 1858)

Phasia rotundiventris Loew, 1858: 109.

Ectophasia sinensis Villeneuve, 1933: 198.

鉴别特征：额最窄处其宽度小于触角的长度，复眼下缘与口缘处于同一水平或在此水平上方；触角全部黑褐色；中胸背板覆浓厚的黄褐色粉被或具狭窄而模糊的条纹；翅较狭长，其宽略小于长的1/3；腋瓣黄白色到污黄色；腹部近圆形。

采集记录：2♀，华县少华山，675m，2013.Ⅶ.19-20，王强采；1♂，佛坪，845m，2013.Ⅶ.30，王强采(SYNU)；6♂4♀，宁陕牛背梁，1197m，2013.Ⅶ.16，王强采；1♀，柞水营盘，1299m，2013.Ⅶ.15，王强采；1♂1♀，山阳天竺山，1807m，2013.Ⅶ.21，王强采；1♂，商南金丝峡，777m，2013.Ⅶ.23，王强采。

分布：陕西(华县、佛坪、宁陕、柞水、山阳、商南)、辽宁、台湾、四川；俄罗斯，日本。

65. 腹寄蝇属 *Gymnosoma* Meigen, 1803

Gymnosoma Meigen, 1803: 278. **Type species**: *Musca rotundata* Linnaeus, 1758 (as *rotundata* Fabricius).

属征：雌性、雄性额都很宽，至少为复眼宽的2/3，触角长，几乎达口上片前缘，第1节显著向前突出，小盾片多皱，短而宽，两小盾亚端鬃之间的距离大于同侧亚端鬃和基鬃之间的距离；翅中室闭合，具短柄，其长度与径中横脉相等，柄端向前与前缘脉愈合；股节端半部的前腹面具黑色梳状短刺列(有时仅在后足股节上)。腹部亮黄色到亮红色，具黑斑，雄性黑斑为小圆斑，雌性黑斑较大、不规则、愈合成1条宽阔的窄中央纵条，各背板相互愈合，彼此间的界限完全消失，整个腹部呈球形。

分布：除澳洲区外亚世界性分布。秦岭地区发现2种。

(124)荒腹寄蝇 *Gymnosoma desertorum* (Rohdendorf, 1947)

Rhodogyne desertorum Rohdendorf, 1947: 84.

鉴别特征：小盾片全长具正中粉被条，中胸背片后半部具粉条，侧额仅具个别单一的鬃状长毛，额鬃排列较稀而短。

采集记录：3♂，周至王家河，700～800m，2012. Ⅶ. 20-21，王诗迪、赵喆采；10♂，华县少华山，675m，2013. Ⅶ. 19-20，王强采(SYNU)。

分布：陕西(周至、华县)、内蒙古、新疆；蒙古，俄罗斯，哈萨克斯坦，巴基斯坦，中亚地区，中东地区，欧洲。

(125)圆腹寄蝇 *Gymnosoma rotundatum* (Linnaeus, 1758)

Musca rotundata Linnaeus, 1758: 596.

鉴别特征：雄性体长5～8mm，前胸背板大部具粉被，具明显的4分粉色条纹，内侧粉被条宽于外侧，胸部小盾片端部具粉被斑；腹部第5、6背板侧方的毛是第5背板长的1/5～1/4，肛尾叶指状，细长。前足、中足股节具前腹端刺。雌性胸部背板的毛长约为粉被斑宽的1～2倍，腹部第5、6背板侧方的毛是第5背板长的1/4。侧额上部1/2～3/4完全黑。肛尾叶成2片，肛尾叶端部略尖。

采集记录：4♂6♀，华县少华山，675m，2013. Ⅶ. 19-20，王强采；1♂，山阳苍龙山，718m，2013. Ⅶ. 23，王强采(SYNU)。

分布：陕西(华县、山阳)、北京、河北、甘肃、台湾、广东、四川、云南、西藏；俄罗斯，日本，欧洲。

寄主：半翅目蝽科幼虫。

66. 突颜寄蝇属 *Phasia* Latreille, 1804

Phasia Latreille, 1804: 195. **Type species**: *Conops subcoleoptratus* Linnaeus, 1767.

Alophora Robineau-Desvoidy, 1830: 293. **Type species**: *Syrphus hemipterus* Fabricius, 1794.

Alophorella Townsend, 1912: 45. **Type species**: *Thereva obesa* Fabricius, 1798.

Alophorophasia Townsend, 1927: 287. **Type species**: *Alophorophasia alata* Townsend, 1927.
Akosempomyia Villeneuve, 1932: 243. **Type species**: *Akosempomyia caudata* Villeneuve, 1932.
Kosempomyia Villeneuve, 1932: 243. **Type species**: *Kosempomyia tibialis* Villeneuve, 1932.
Brumptallophora Dupuis, 1949: 544 (as subgenus of *Alophora* Robineau-Desvoidy, 1830). **Type species**: *Alophora aurigera* Egger, 1860.
Stackelbergella Draber-mońko, 1965: 180 (as subgenus of *Alophora* Robineau-Desvoidy, 1830). **Type species**: *Alophora* (*Stackelbergella*) *rohdendorfi* Draber-mońko, 1965.
Barbella Draber-mońko, 1965: 184 (as subgenus of *Alophora* Robineau-Desvoidy, 1830). **Type species**: *Alophora barbifrons* Girschner, 1887.

属征: 复眼裸，额宽小于复眼宽的1/4，侧颜裸，至多上半部具毛，颜下缘强烈超前突出，髭在颜下缘之上，后头毛大多数淡色；盾后翅内鬃1根或无，小盾仅具2对缘鬃；翅r_{4+5}室具柄脉，R_{4+5}脉柄脉与r_{4+5}室成1条直线，直线长至少是M脉弯曲处的1/5，下腋瓣与小盾片不分离；雌性第7腹板非常发达，腹部背板的盾缝明显，第1+2合背中央凹陷不达后缘。

分布: 世界性分布。秦岭地区发现1种。

(126) 半球突颜寄蝇种团 *Phasia hemiptera*-group sp.

鉴别特征: 雄性复眼背方小眼大于腹方小眼，雄性额宽于单眼三角，胸部侧板具密黄毛，上腋瓣棕黑色，下腋瓣淡白色，R_{4+5}和M脉呈锐角相愈合。

采集记录: 1♂，华县少华山，675m，2013. Ⅶ. 19-20，王强采(SYNU)。

分布: 陕西(华县)、黑龙江、北京；俄罗斯，日本，欧洲。

(四) 寄蝇亚科 Tachininae

鉴别特征: 头部具向后弯曲的内侧额鬃，复眼具毛；前胸腹板具毛或鬃，后足胫节末端无后腹鬃；体具绿色或蓝绿色金属光泽。

分类: 中国已知17族67属330种，陕西秦岭地区分布7族17属38种。

分族分属检索表

1. 后足基节后背面被细毛(**寄蝇族 Tachinini**) ······ 7
   后足基节后背面裸 ······ 2
2. 下腋瓣背面大部或至少在靠近外缘部分具毛(**毛瓣寄蝇族 Nemoraeini**) ······ **毛瓣寄蝇属 *Nemoraea***
   下腋瓣背面裸或靠近外缘的背面不具毛 ······ 3
3. 复眼被密长毛，无前倾额鬃，单眼鬃发达、前倾，颜下缘不突出，后头被黑毛；翅前缘脉腹面梗节具毛；翅侧片鬃发达，3根肩鬃排成直线，前背片总是具微毛或下腋瓣下方具1撮毛，小盾端鬃发达，交叉，小盾侧鬃缺失；小盾、足和腹部均黑色；后胫近端位前腹鬃明显长于近端后腹鬃；腹部各背板具中心鬃(**叶甲寄蝇族 Macquartiini**) ……………… **叶甲寄蝇属 *Macquartia***

复眼裸；不同时具备其他以上特征 ………………………………………………………… 4

4. 雌性、雄性额均较宽，均具外侧额鬃，侧颜无强鬃，后头大部具白毛；小盾端鬃缺或毛状，前缘脉第2段腹面具毛，R_{4+5}基部的小鬃几乎达径中横脉或更远，翅侧片鬃较小，后足胫节具3根背端鬃，腹部第2背板中央凹陷不达后缘，体较小，至多6mm(**长唇寄蝇族 Siphonini**) …… 9

不同时具备以上特征 ………………………………………………………………………… 5

5. 肩鬃2或3根，小盾片具2或3对缘鬃，复眼一般裸，有时被毛，沟后背中鬃3根，沟前翅内鬃缺失(**莱寄蝇族 Leskiini**) ……………………………………………………………… 6

肩鬃4或5根，小盾片具4对以上的缘鬃，复眼被毛，沟后背中鬃3或4根(**埃内寄蝇族 Ernestiini**) ……………………………………………………………………………… 12

6. 前足基节的前内侧完全或大部分具倒伏的鬃状毛(**宽颜寄蝇族 Megaprosopini**) ……………… ……………………………………………………………………… **颊寄蝇属 *Dexiosoma***

前足基节的前内侧无倒伏的鬃状毛(**莱寄蝇族 Leskiini**) ………………………………… 14

7. 侧颜除被毛外，还具1~2根粗大的侧颜鬃，单眼鬃缺失，前胸侧板裸，前缘基鳞黄，腹部第2背板一般无中心鬃……………………………………………………… **长须寄蝇属 *Peleteria***

侧颜被毛，无侧颜鬃，单眼鬃存在 ……………………………………………………… 8

8. 跗节黄色，至少后足跗节局部黄色，下颚须细，筒形；若跗节全部黑色，则腋瓣黑色，小盾片背面具多数排列不规则的鬃，腹部黑色，光亮 ……………………………… **寄蝇属 *Tachina***

跗节全部黑色，下颚须棒状，中室开放或闭合于翅缘；腋瓣色淡，小盾片很少具侧鬃 ……… ……………………………………………………………………………… **密寄蝇属 *Mikia***

9. 前胸气门亚鬃2根，等长，1根向上，1根向下伸展，单眼三角不被毛，具2对单眼后鬃，有时第1对退化，翅臀脉直达后缘，R_{4+5}脉基部小鬃远远超过r-m横脉 …… **等鬃寄蝇属 *Peribaea***

前胸气门亚鬃1根，如有2根，则很短小，均向上伸展 ……………………………………… 10

10. 背中鬃3+4根…………………………………………………… **昆寄蝇属 *Entomophaga***

背中鬃3+2根………………………………………………………………………………… 11

11. 前下方的1根腹侧片鬃短小，显著小于前上方的1根，臀脉不达翅后缘，唇瓣正常………… …………………………………………………………………… **毛脉寄蝇属 *Geromya***

前下方的1根腹侧片鬃大于前上方的1根，臀脉直达后缘，唇瓣细长 ……………………… ……………………………………………………………………… **长唇寄蝇属 *Siphona***

12. 口缘扁平，侧面观不突出……………………………………… **透翅寄蝇属 *Hyalurgus***

口缘突出 ……………………………………………………………………………………… 13

13. 颚须发达 ……………………………………………………… **广颜寄蝇属 *Eurithia***

下颚须退化 …………………………………………………… **短须寄蝇属 *Linnaemya***

14. 复眼被密毛 ………………………………………………………………………………… 15

复眼裸 ………………………………………………………………………………………… 16

15. 肩鬃排列为三角形 ……………………………………………… **阿特寄蝇属 *Atylostoma***

肩鬃排列为直线 ……………………………………………………… **比西寄蝇属 *Bithia***

16. 肩鬃2~3根，排列成1条直线 ……………………………………… **谐寄蝇属 *Cavillatrix***

肩鬃4~5根，若为3根，则排列成三角形……………………… **拟解寄蝇属 *Demoticoides***

XV. 埃内寄蝇族 Ernestiini

鉴别特征:复眼被密毛，额部一般具前顶鬃1~2根；下颜缘突出，侧面观可见；触角芒裸，第1节长至多为其直径的2倍，梗节长至多为其直径宽的5倍；肩鬃的3根基鬃排列成三角形；翅侧片鬃2 ~3根，前缘脉第2脉段腹面裸；后足胫节近端前腹鬃和近端后端鬃几乎等长，腹部第3、4背板均具中心鬃。

分布:中国已知11属106种，秦岭地区发现3属8种，包括2个陕西新纪录。

67. 广颜寄蝇属 *Eurithia* Robineau-Desvoidy, 1844

Erigone Robineau-Desvoidy, 1830: 65 (nec Audoui, 1826). **Type species**: *Erigone anthophila* Robineau-Desvoidy, 1830.

Eurithia Robineau-Desvoidy, 1844: 24 (also subsequently spelled *Eurythia*, unjustified emendation). **Type species**: *Erigone puparum* Robineau-Desvoidy, 1830 [=*Tachina caesia* Fallén, 1810].

Varichaeta Speiser, 1903: 69 (new name for *Erigone* Robineau-Desvoidy, 1830).

属征: 复眼密被长毛，雄性额宽为复眼宽的1/4 ~5/4，口上片显著向前方突出；内顶鬃强大，两侧无外侧额鬃和前顶鬃，雌性后方外侧额鬃前倾；触角芒基部1/2 ~2/3加粗；梗节长至多为其直径宽的1.50倍，内顶鬃向后伸展，交叉排列；后头拱起，上方具1 ~3行黑毛，唇瓣长为宽的1.30 ~2.00倍；下颚须长。胸部前盾片常具4个暗色纵条，翅侧片鬃2根，大小与后腹侧片鬃相似；小盾端鬃交叉排列，小盾亚端鬃之间距离较远；翅前缘刺缺或短于r-m横脉长，M脉心角为直角或略呈锐角，赘脉很短或无；腋瓣下方的下侧背片具1撮短毛。腹部第1+2合背板中央凹陷，伸达后缘，雄性背板被长毛，雌性背板具粗鬃。

分布: 古北区，东洋区。秦岭地区发现1种。

(127)采花广颜寄蝇 *Eurithia anthophila* (Robineau-Desvoidy, 1830)

Erigone anthophila Robineau-Desvoidy, 1830: 66.

鉴别特征:雄性额宽为复眼宽度的2/3，间额深红色，间额宽为侧额宽的1.50 ~2.00倍；额鬃前方4 ~5根下降至侧颜，达触角梗节末端水平，侧额被毛；侧颜裸，其宽度略大于后梗节的宽度；触角后梗节长为梗节的1.50 ~2.00倍，后梗节宽为长的1/2；颏细长，其长为自身直径的5.00 ~6.50倍；后头在眼后鬃后方具1行粗壮的小黑鬃。胸部背中鬃3+3根，翅内鬃0+3根，腹侧片鬃3根；翅肩鳞和前缘基鳞黑色；中脉心角至翅缘的直线距离为心角至中肘横脉距离的 1.60～2.00 倍；前足爪与第 4、5 分跗节长度的总和相等；小盾片基部 1/2 黑色，端部 1/2 淡黄色，小盾端鬃细小交叉，向后方伸展。腹部第 4 背板端部 1/2 和第 5 背板全部亮黑色，第 3、4 背板基部 1/2 覆浓厚的灰色粉带；第 3 背板具 2 对中心鬃；第 4 背板具 1 对中心鬃；第 5 背板具心鬃和缘鬃各 1 行。肛尾叶基半部具较低的龙骨突，后阳基侧突似"T"形。

采集记录：2♀，周至老县城，2057m，2014.Ⅷ.19，梁厚灿采(SYNU)；1♂，留坝闸口石，1600～1700m，2012.Ⅶ.18-20，张春田采。

分布：陕西(周至、留坝)、黑龙江、吉林、辽宁、内蒙古、北京、天津、山西、新疆、浙江、湖北、湖南、海南、重庆、四川、贵州、云南、西藏；蒙古，俄罗斯，日本，欧洲。

寄主：天社蛾，夜蛾等。

68. 透翅寄蝇属 *Hyalurgus* Brauer *et* Bergenstamm, 1893

Hyalurgus Brauer *et* Bergenstamm, 1893: 7, 48 [also 1894: 95, 136]. **Type species**: *Tachina crucigera* Zetterstedt, 1838 [= Tachina lucida Meigen, 1824].

Microerigone Zimin, 1960: 741 (nec Dahl, 1928). **Type species**: *Microerigone sima* Zimin, 1960.

属征：雄性复眼被黄色毛，侧颜至少与后梗节宽度相等，颊宽为复眼长径的 2/5～3/4；头部具向后伸展的内顶鬃，眼后鬃细长，向前弯曲，后头上方具 2～3 行排列不规则的黑色毛，单眼鬃大小与额鬃相似，向前伸展，侧额被黑色毛，下降至侧颜低于最前方的 1 根额鬃，髭着生于口缘；后梗节长度为梗节的 1.20～2.50 倍；触角芒裸，不长于后梗节，基部 1/2 加粗，触角芒梗节长度大致相等；颏的长度为复眼横径的1/2～2/3。前胸腹板裸，前侧片、后气门前肋以及腋瓣下方的下侧背片裸，背中鬃 3+3 根，肩鬃4～5 根，3 根基鬃呈三角形排列。前缘刺短，中脉心角距翅后缘的距离明显小于其至中肘横脉的距离；前足爪长于第 5 分跗节，后胫节具长短不等的前背鬃 1 行。腹板第 3、4 背板具中心鬃和侧心鬃，第 5 背板具 1～2 行排列不规则的中心鬃和 1 行缘鬃，第 6 背板裸。雌性头部两侧各具 2 根外侧额鬃，前足爪短。

分布：古北区，东洋区，新北区。秦岭地区发现 2 种。

(128) 横带透翅寄蝇 *Hyalurgus cinctus* Villeneuve, 1937

Hyalurgus cinctus Villeneuve, 1937: 9.

鉴别特征：雄性额宽为复眼宽的 1/8～1/6，前足爪为第 5 分跗节长度的 1.50 倍，肛尾叶在中部呈弧形向后弯曲；小盾片端部 2/3 黄，基部 1/3 黑。

采集记录：1♀，宝鸡太白山，600～2800m，2010.Ⅶ.17-19，王诗迪采；3♂2♀，留坝闸口石，1600～1700m，2012.Ⅶ.18-19，侯鹏采(SYNU)。

分布： 陕西（宝鸡、留坝）、吉林、山西、宁夏、甘肃、青海、四川、云南。

（129）黄腿透翅寄蝇 *Hyalurgus flavipes* Chao *et* Shi, 1980

Hyalurgus flavipes Chao *et* Shi, 1980: 316.

鉴别特征：腹部第2背板中央凹陷不达后缘，有时具2根中缘鬃；下颚须和前缘基鳞黄色。腹部黄色，沿背中鬃有1条黑色纵条，有时无；小盾片端部3/4黄色，基部1/4黑色，有时全部黄色，下腋瓣黄褐色。中足、后足腿节和胫节黄色，雌性足全部黄色。

采集记录：1♀，留坝闸口石紫柏山，1600m，2012.Ⅶ.18，侯鹏采（SYNU）。

分布： 陕西（留坝）、辽宁、山西、宁夏、云南。

69. 短须寄蝇属 *Linnaemya* Robineau-Desvoidy, 1830

Linnaemya Robineau-Desvoidy, 1830: 52 (also subsequently spelled *Linnaemyia*, *Linnemya*, unjustified emendations). **Type species**: *Linnaemya silvestris* Robineau-Desvoidy, 1830 [= *Tachina Vulpina* Fallén, 1810].

Bonellia Robineau-Desvoidy, 1830: 56 (nec Rolando, 1822). **Type species**: *Bonellia tessellans* Robineau-Desvoidy, 1830.

Micropalpis Macquart, 1834: 316. **Type species**: *Tachina vulpina* Fallén, 1810.

Ophina Robineau-Desvoidy, 1863: 298. **Type species**: *Ophina fulvipes* Robineau-Desvoidy, 1863.

Bonellimyia Townsend, 1919: 177 (new name for *Bonellia* Robineau-Desvoidy, 1830).

Palpina Malloch, 1927: 423. **Type species**: *Palpina scutellaris* Malloch, 1927.

Eugymnochaetopsis Townsend, 1927: 287. **Type species**: *Eugymnochaetopsis lateralis* Townsend, 1927.

Hemilinnaemyia Villeneuve, 1932: 269. **Type species**: *Hemilinnaemyia decorata* Villeneuve, 1932 [= *Eugymnochaetopsis lateralis* Townsend, 1927].

Eurysurstyla Chao *et* Shi, 1980: 264 (as subgenus of *Linnaemya* Robineau-Desvoidy, 1830). **Type species**: *Linnaemya* (*Eurysurstyla*) *linguicerca* Chao *et* Shi, 1980.

属征：复眼被淡色密长毛，颊高明显短于复眼高的1/2，颜下缘突出可见；上后头一般无黑毛，少数具1列；下颚须退化，短于后梗节；后者至少为梗节长的1.50倍，触角芒第1节至多为其直径宽的2倍，梗节至多为其直径宽的5倍；中喙短。肩鬃的3根基鬃呈三角形排列，侧小盾鬃发达，腹侧片鬃常为3根；翅前缘基鳞红黄色，r_5室在翅缘通常开放，无柄脉，中脉心角具赘脉，至少为r-m横脉长；后足胫节具端位后腹鬃，其长约等于端位前腹鬃；腹部第1+2合背板无中缘鬃。

分布： 世界性分布。秦岭地区发现5种。

分种检索表

1. 小盾侧鬃每侧1根；下颚须长为宽的3~12倍 ………………………………………… 2
   小盾侧鬃每侧2根；足黑色；腹部底色为黑色 ………………………………………… 3
2. R_{4+5}脉上小鬃仅占基部脉段的1/4，中脉心角至翅后缘距离大于心角至中肘横脉距离；前足基节前面、各足转节、后足内侧基部和腹部腹面基部具金黄色毛；下颚须黄色；头部、胸部具金黄色粉被 ………………………………………… **黄粉短须寄蝇 *L. paralongipalpis***
   R_{4+5}脉上小鬃占基部脉段的1/2，中脉心角至翅后缘距离是心角至中肘横脉距离的2倍；股节黑色；腹部两侧具黄色斑 ………………………………………… **黄角短须寄蝇 *L. ruficornis***
3. 径脉主干与肩脉相对处具1簇小鬃；雄性头部两侧各具2根外侧额鬃，前足爪短于第5分跗节；腹部第5背板具多数竖立钉状鬃 ………………………… **毛径短须寄蝇 *L. microchaetopsis***
   径脉主干裸；雄性头部两侧无外侧额鬃；腹部第5背板无竖立钉状鬃 ………………………… 4
4. 腹部第1腹板具棕黄色毛，第3、4背板无侧心鬃 ………………………… **峨眉短须寄蝇 *L. omega***
   口缘显著前突出；前颏长为宽的4~6倍；腹部第1腹板具黑毛，第3、4背板或第4背板具侧心鬃 ………………………………………… **钩肛短须寄蝇 *L. picta***

(130) 毛径短须寄蝇 *Linnaemya microchaetopsis* Shima, 1986

Linnaemyia microchaeta of authors, not Zimin, 1954. Misidentification.

Linnaemya microchaetopsis Shima, 1986: 35.

鉴别特征:雄性头部两侧各具2根外侧额鬃，径脉主干在与肩脉相对之处具1撮小鬃；前足爪短于第5分跗节；腹部第5背板上除一般粗大的长鬃外，通常被多数竖立的钉状鬃。

采集记录:1♂，佛坪龙草坪，1010m，1973.Ⅷ.07，采集人不详。

分布：中国广布；俄罗斯，朝鲜，韩国，日本，中亚。

(131) 峨眉短须寄蝇 *Linnaemya omega* Zimin, 1954

Linnaemyia omega Zimin, 1954: 280.

鉴别特征:雄性额宽相当于复眼宽度的4/5；侧颜裸，较后梗节窄0.40倍；眼后鬃细长，略小于外顶鬃，单眼鬃大小与额鬃相似，在眼后鬃后方，复眼上缘附近有1簇黑毛；触角后梗节宽相当于其长度的1/2；前颏长为其直径的4倍；下颚须与触角梗节等长。胸部被黑色毛；沟前翅内鬃缺失，腹侧片鬃3个小盾片具5对缘鬃；R_{4+5}脉具小鬃，占基部脉段长度的1/3~1/2；腿节黑色，前足爪较第5分跗节略长。腹部黑褐色，第2~4背板两侧具红黄色花斑，整个腹部被浓厚的闪变性灰白色粉被及倒伏状的黑色毛；第1腹板被棕黑色毛。雌性体色较暗，腹部两侧无花斑；前足跗节加宽；第4分跗节长与宽大致相等，第6+7合背板沿背中线纵裂为二。

采集记录：1♂，宝鸡太白山，1200~1500m，2012. Ⅶ. 12，侯鹏采；1♀，佛坪大古平，1270m，2014. Ⅷ. 23，梁厚灿采（SYNU）。

分布：中国广布；俄罗斯。

寄主：杨毒蛾。

（132）黄粉短须寄蝇 *Linnaemya paralongipalpis* Chao, 1962

Linnaemyia paralongipalpis Chao, 1962: 88 (also as paralonipalpis, incorrect original spelling).

鉴别特征：前足基节前面，各足转节，后足内侧基部和腹部腹面基部被金黄色毛；下颚须黄色，胸部、头部覆金黄色粉被；雄性肛尾叶长三角形，末端向前弯曲呈钩状，侧尾叶基部加宽，末端外侧各具两个小齿。

采集记录：1♂，留坝闸口石，1600~1700m，2012. Ⅶ. 18-20，张春田采；1♀，佛坪大古平，1270m，2014. Ⅶ. 23，梁厚灿采（SYNU）；1♀，宁陕火地塘，1400~1720m，2012. Ⅶ. 11-12，张春田采。

分布：陕西（留坝、佛坪、宁陕）、甘肃、湖北、湖南、四川、云南；俄罗斯。

（133）钩肛短须寄蝇 *Linnaemya picta* (Meigen, 1824)

Tachina picta Meigen, 1824: 261.

Linnemya retroflexa Pandellé, 1895: 350.

鉴别特征：雄性外顶鬃不明显，亦无外侧额鬃，后头上方1/2眼后鬃后方无粗壮的黑鬃，有时具细小的毛，间额后端窄于前端或前后等宽，口缘显著向前突出，由髭基至口缘的距离大于上唇基部的宽度；触角第2节内侧后半部无棱状长形疣状感觉突起，前颏长为宽的4~5倍。胸部被黑色毛，小盾侧鬃每侧2根；径脉主干裸；足黑色，前足爪至少与第5分跗节等长；腹部底色黑，被黑色毛，第1腹板被黑色毛，第3、4背板或仅第4背板具心鬃，第5背板上无钉状鬃。雄性侧尾叶不覆盖整个肛尾叶后方，第7、8合背板的长度大于第9背板的长度，被鬃毛。

采集记录：1♂2♀，佛坪凉风垭，1900~2100m，1998. Ⅶ. 24，采集人不详。

分布：中国广布；俄罗斯，日本，泰国，印度，尼泊尔，欧洲，

寄主：八字地老虎。

(134)黄角短须寄蝇 *Linnaemya ruficornis* Chao, 1962

Linnaemyia ruficornis Chao, 1962: 89.

鉴别特征:下颚须较长，其长度为宽度的3~12倍；R_1脉裸，R_{4+5}脉上的小鬃仅占基部脉段的1/2，中脉心角至翅后缘的距离超过心角至中肘横脉距离的2倍，赘脉的长度显著大于心角至中肘横脉的距离，腹部两侧具黄斑；腿节黑色。

采集记录:1♂，南郑黎坪，1500m，2012.Ⅶ.16，侯鹏采(SYNU)。

分布:陕西(南郑)、黑龙江、辽宁、山西、宁夏、安徽、四川。

XVI. 莱寄蝇族 Leskiini

70. 阿特寄蝇属 *Atylostoma* Brauer *et* Bergenstamm, 1889

Atylostoma Brauer *et* Bergenstamm, 1889: 138 [also 1890: 70]. **Type species**: *Leskia tricolor* Mik, 1883.

Chaetomyiobia Brauer *et* Bergenstamm, 1895: 81 [also 1895: 617]. **Type species**: *Chaetomyiobia javana* Brauer *et* Bergenstamm, 1895.

属征:复眼裸，侧颜裸，颊高为复眼高的1/10或更少，颜堤鬃分布于基半部或更少，单眼鬃毛状或缺；触角长于颊高，触角芒至多在基半部变粗，前颏长为其直径的3~12倍；最强大3根肩鬃排成三角形，前胸基腹片裸，翅前鬃和第3根翅上鬃小，翅侧片鬃小，侧小盾鬃缺或短于亚小盾鬃，亚小盾鬃至少后伸达端小盾鬃端部水平；翅前缘脉梗节腹面裸，R_{4+5}脉在至r-m横脉脉段上具小鬃毛；前足胫节近端前背鬃明显短于近端背鬃，后足胫节近端后腹鬃明显短于近端前腹鬃；腹部第1+2背板基部中央凹陷不伸达后缘。

分布:古北区，东洋区。秦岭地区发现2种。

(135)爪哇阿特寄蝇 *Atylostoma javanum* (**Brauer** ***et*** **Bergenstamm, 1895**)

Chaetomyiobia javana Brauer *et* Bergenstamm, 1895: 81 [also 1895: 617].

鉴别特征:额宽为复眼宽的1/2以下，颜侧面观通常可见，颊高为复眼高的1/10；触角芒至多在基半部变粗；腹侧片鬃3根，侧小盾鬃缺或短于亚小盾鬃，亚小盾鬃至少后伸达端小盾鬃端部水平；前足胫节近端前背鬃明显短于近端背鬃。

采集记录:6♂3♀，留坝闸口石，1600~1700m，2012.Ⅶ.18-20，张春田、侯鹏采；

5♂，留坝张良庙，1200～1300m，2012. Ⅶ. 22-24，张春田、侯鹏采(SYNU)；2♀，汉中南郑黎坪，1280～1600m，2012. Ⅶ. 15-16，张春田采。

分布：陕西(留坝、南郑)、广东、西藏；缅甸，印度，菲律宾，印度尼西亚。

(136)十和田阿特寄蝇 *Atylostoma towadensis* (Matsumura, 1916)

Anisia towadensis Matsumura, 1916: 398.

鉴别特征：雄性额宽为复眼宽的1/2以上，颜下缘突出，通常可见，侧颜侧面观为后梗节宽的1/3～1/2，颊高为复眼高1/10；腹侧片鬃3或4根，小盾亚端鬃之间的距离约与小盾基鬃与亚端鬃间距离相等，小盾具1根短小侧鬃；前足爪长为第5分跗节长的1.50倍，前足胫节近端前背鬃明显短于近端背鬃；腹部背板侧面和下部黄色。

采集记录：5♂，周至太白山铁甲树，1993m，2014. Ⅷ. 18，梁厚灿采；2♀，宝鸡太白山，1200～1500m，2012. Ⅶ. 12，侯鹏采；3♂5♀，留坝闸口石，1600～1700m，2012. Ⅶ. 18-20，张春田、侯鹏采；1♀，佛坪大古平，1575m，2014. Ⅷ. 24，梁厚灿采；1♂1♀，佛坪岳坝，1413m，2014. Ⅷ. 25，梁厚灿采(SYNU)；4♀，宁陕火地塘，1400～1720m，2012. Ⅶ. 11-12，张春田采。

分布：陕西(周至、宝鸡、留坝、佛坪、宁陕)、辽宁、宁夏、福建、云南；俄罗斯，日本，泰国，印度尼西亚。

71. 比西寄蝇属 *Bithia* Robineau-Desvoidy, 1863

Bithia Robineau-Desvoidy, 1863: 770. **Type species**: *Tachina spreta* Meigen, 1824.

Rhinotachina Brauer *et* Bergenstamm, 1889: 135 [also 1890: 67]. **Type species**: *Tachina sybarita* Meigen, 1838 [= *Tachina demotica* Egger, 1861].

属征：复眼裸，口缘向前突出，鼻状；后头向后方拱起，在眼后鬃后方具多数黑毛，额鬃下降至侧颜达触角梗节末端水平，侧颜裸，侧额被稀疏的毛，颜堤仅基部1/4～1/5具数根鬃，口孔腹面观长为宽的2～3倍，喙较长，约为复眼纵轴长的3/4；触角芒细，向下伸展，最多基部2/5加粗，梗节长不大于宽。背中鬃3+3根，翅内鬃0+3根，翅前鬃细，第3根翅上鬃较长，肩鬃3根，排成直线，小盾端鬃毛状或缺如，腹侧片鬃3个；中足胫节具2根前背鬃。腹部第3、4背板各具1对中心鬃。

分布：古北区。秦岭地区发现1种。

(137)德比西寄蝇 *Bithia demotica* (Egger, 1861)

Tachina demotica Egger, 1861: 211.

鉴别特征:雄性额宽约为复眼宽的3/4, 无外侧额鬃; 喙长显著短于头高, 单眼鬃向前伸展; 翅前缘背面裸, R_{4+5}脉基部具数根小鬃, 雌性触角第1、2节和下颚须黄色。

采集记录:1♂, 商南金丝峡, 777m, 2013. Ⅶ.23, 王强采(SYNU)。

分布: 陕西(商南)、新疆; 俄罗斯, 欧洲。

72. 谐寄蝇属 *Cavillatrix* Richter, 1986

Cavillatrix Richter, 1986: 98. **Type species**: *Cavillatrix calliphorina* Richter, 1986.

属征:触角芒长羽状, 触角梗节背面具1根长鬃, 中颜下部(口缘)强烈向前突出, 前胸腹板被毛。

分布: 古北区, 东洋区, 澳洲区。秦岭地区发现1种。

(138)卢谐寄蝇 *Cavillatrix luteipes* Shima *et* Chao, 1992

Cavillatrix luteipes Shima *et* Chao, 1992: 642.

鉴别特征:雄性额非常窄, 大约和前单眼最窄处等宽; 雄性足除了跗节外均黄色; 腹部具薄的淡白色粉被, 在第3、4背板前部狭窄处和第5背板前1/3~1/2处。

采集记录:1♂, 长安终南山, 800~900m, 2012. Ⅶ.05, 崔乐采; 2♂, 长安南五台, 800m, 2012. Ⅵ.27, 王强采(SYNU)。

分布: 陕西(长安)、四川、云南。

73. 拟解寄蝇属 *Demoticoides* Mesnil, 1953

Demoticoides Mesnil, 1953: 150. **Type species**: *Demoticoides pallidus* Mesnil, 1953.

属征: 复眼具密长毛; 雄性额约为复眼宽的1/2; 单眼鬃发达, 前颏长至少为宽的5倍; 胸部的后翅内鬃有3根, 小盾端鬃交叉; 翅肩鳞红黄色, 前缘基鳞黑色; 足黄色, 后足股节无长鬃; 腹部多数红黄色, 第1+2合背板中央凹陷达后缘, 无中缘鬃, 第3、4背板无中心鬃。雌性后头毛多是白色, 下颚须至少端部黄色, 触角芒羽状或短毛状, 肩胛具4~5根鬃, 如果为3根则排列成三角形, 腹部红黄色, 腹侧片鬃3

根，M 脉弯曲处无赘脉，足黄色，产卵器无刺。

分布：古北区，东洋区，澳洲区。秦岭地区发现 1 种。

(139) 白拟解寄蝇 *Demoticoides pallidus* Mesnil, 1953

Demoticoides pallidus Mesnil, 1953: 150.

鉴别特征：喙长短于头高，髭在颜下缘之上，单眼鬃发达，触角芒裸，前胸基腹片裸，后足胫节近端后腹鬃明显短于近端前腹鬃，前足胫节近端前背鬃明显短于近端位背鬃。

采集记录：1♂，佛坪岳坝，1344m，2014. Ⅷ. 23，梁厚灿采(SYNU)。

分布：陕西(佛坪)、辽宁；俄罗斯，日本，印度，马来西亚，印度尼西亚，澳大利亚，美拉尼西亚。

XVII. 叶甲寄蝇族 Macquartiini

74. 叶甲寄蝇属 *Macquartia* Robineau-Desvoidy, 1830

Macquartia Robineau-Desvoidy, 1830: 204. **Type species:** *Macquartia rubripes* Robineau- Desvoidy, 1830 [= *Tachina dispar* Fallén, 1820].

Proteremoplax Enderlein, 1936: 240. **Type species:** *Tachina chalconota* Meigen, 1824.

Hesionella Mesnil, 1972: 1093 (nec Hartman, 1939) (sa subgenus of *Macquartia* Robineau-Desvoidy, 1830). **Type species:** *Tachina tessellum* Meigen, 1824.

属征：体亮黑，具或无灰白色粉被；额高小于额长，额鬃每侧 1 行，最前方 1 根下降侧颜不及触角梗节末端水平，下颚须黄色或黑色；胸部背中鬃 3 + 3(4)根，翅内鬃 0 + 3 根；R_{4+5}脉基部具 1 根或数根小鬃，小盾端鬃小于小盾亚端鬃；腹部第 4 背板具心鬃；肛尾叶长而尖，侧尾叶短。

分布：除新热带区和澳洲区外亚世界性分布。秦岭地区发现 2 种。

(140) 格叶甲寄蝇 *Macquartia grisea* (Fallén, 1810) 中国新纪录

Tachina grisea Fallén, 1810: 269.

鉴别特征：侧颜仅上半部具毛，胸部腋瓣与小盾片分离，腹侧片鬃 3 根，腹部具

灰色或灰白色粉被，无成对黑色的斑，第 1 +2 合背板中央凹陷不达后缘，具中缘鬃，后背中鬃 3 根，第 3 背板具心鬃和 1 列缘鬃，中足胫节具 1 根前背鬃。

采集记录:1♂，柞水营盘，1299m，2012. Ⅵ. 15，王强采(SYNU)。

分布：陕西(柞水)；欧洲。

(141)毛肛叶甲寄蝇 *Macquartia pubiceps* (Zetterstedt, 1845)

Musca pubiceps Zetterstedt, 1845: 1333.

鉴别特征:侧颜裸，触角芒被纤毛，腹侧片鬃 2 根，腹部第 2 背板基部凹陷直达后缘，无中缘鬃。

采集记录:1♂，长安南五台，1600m，2012. Ⅵ. 28，王强采(SYNU)。

分布：陕西(长安)、辽宁、河北、宁夏、广东；俄罗斯，日本，欧洲。

XⅧ. 宽颜寄蝇族 Megaprosopini

75. 颊寄蝇属 *Dexiosoma* Rondani, 1856

Dexiosoma Rondani, 1856: 85. **Type species**: *Musca canina* Fabricius, 1781.

属征：头非半圆球形，侧颜黄色有毛，髭远在下颜缘之上，亚颜鬃交叉髭状，颊高是眼高的一半以上，触角芒羽状，肩鬃 2 ~3 根，盾前中鬃缺，第 1 根盾后翅上鬃缺，M 脉弯曲处具长的延长脉，至少是弯曲处 2 倍长，腹侧片鬃 3 根，中胸前盾片具 4 个黑色纵条，胸部背板具 3 根后背中鬃，腹部第 1 +2 合背板无中缘鬃，中央凹陷达后缘，第 3、4 背板无中心鬃，足黄色，前足基节的前内侧完全或大部分具倒伏的鬃状毛。

分布：古北区，东洋区。秦岭地区发现 1 种。

(142)灰颊寄蝇 *Dexiosoma caninum* (Fabricius, 1781)

Musca canina Fabricius, 1781: 440.

鉴别特征:额宽为头宽的 0. 18 ~0. 20 倍，触角红黄色，前气门红黄色，第 3 背板具棕色中斑，第 4 背板深棕色在前 1/4 ~2/5 处。

采集记录:3♀，周至太白山铁甲树，1879m，2014. Ⅷ. 17，梁厚灿采；1♀，佛坪岳坝，1413m，2014. Ⅷ. 25，梁厚灿采；4♀，佛坪大古平，1270 ~1575m，2014. Ⅷ. 23-

24，梁厚灿采(SYNU)；1♂，宁陕火地塘，1400～1720m，2012.Ⅶ.11-12，张春田采。

分布：陕西(周至、佛坪、宁陕)、吉林、辽宁、宁夏；俄罗斯，日本，欧洲。

XIX. 毛瓣寄蝇族 Nemoraeini

76. 毛瓣寄蝇属 *Nemoraea* Robineau-Desvoidy, 1830

Nemoraea Robineau-Desvoidy, 1830: 71 (also subsequently spelled *Nemorea*, unjustified emendation; as *Nemoroea in* Macquart 1851: 155 [also 1851: 182], incorrect subsequent spelling). **Type species**: *Nemoraea bombylans* Robineau-Desvoidy, 1830 [= *Tachina pellucida* Meigen, 1824].

Hypotachina Brauer *et* Bergenstamm, 1891: 47 [also 1892: 351]. **Type species**: *Hypotachina disparata* Brauer *et* Bergenstamm, 1891.

Dexiomima Brauer *et* Bergenstamm, 1895: 79 [also 1895: 615]. **Type species**: *Dexiomima javana* Brauer *et* Bergenstamm, 1895.

Protonemoraea Baranov, 1935: 556. **Type species**: *Protonemoraea japanica* Baranov, 1935.

Echinemoraea Mesnil, 1971: 987. **Type species**: *Nemoraea echinata* Mesnil, 1953.

属征：复眼被密毛，侧额宽约为复眼宽的1/2，其中后头伸展区占2/3，侧颜裸，至多具细毛，颜堤至多在基部1/2具鬃；雌性具2～4根外侧额鬃，1根前顶鬃和1根外顶鬃；触角芒至多在基部2/5变粗，触角芒第1、2节长均不及其直径；胸部具4个黑色纵条，前胸基腹片裸，整个下腋瓣背面或外侧面被长毛；前足基节前内面具密的倒伏鬃毛，后足胫节近端后腹鬃明显短于近端前腹鬃；腹部显著宽于胸部，第1+2合背板凹陷达后缘，无中缘鬃，第3、4背板无中心鬃，第5背板后方1/3处具2行排列不规则的中心鬃。

分布：除新热带区和新北区外，东半球均有分布。秦岭地区发现6种。

分种检索表

1. 下腋瓣整个背面具毛；背中鬃3+4根；后头在眼后鬃下方无黑色毛；前缘脉第2段腹面裸……………………………………………………………… 2

   下腋瓣仅在外缘背面具毛；背中鬃3+3根；后头在眼后鬃下方具黑色毛；前缘脉第2段腹面具毛 ……………………………………………………………… 4

2. 髭与口缘大致位于同一水平，有单眼鬃；间额具黑色毛；腹部第3背板具2根中缘鬃……… 3

   髭位于口缘上方，其间距约为后梗节宽；无单眼鬃；间额具黄白色毛；下腋瓣具黄色毛，有时内侧夹有少量黑色毛；腹部第3背板具4～8根中缘鬃 …… **双色毛瓣寄蝇 *N. angustecarinata***

3. 雄性额宽为复眼宽的1/3～1/4；翅半透明；腹部具灰白色粉被，第3、4背板基半部浓厚 ……………………………………………………………… **透翅毛瓣寄蝇 *N. pellucida***

雄性额宽为复眼宽的 1/3 ~ 1/2；翅基部黄色，翅脉暗褐色；腹部第 3、4 背板基部 1/3 具稀薄灰白色粉被 ………………………………………………………… **萨毛瓣寄蝇 *N. sapporensis***

4\. 腹部第 3、4 背板各具 2 对中心鬃，腹部红黄色，沿背中线具 1 个黑色纵条；腹侧片鬃 3 或 2 根；全身具黑色毛；小盾片和胫节均红黄色，股节黑色；触角除后梗节端部 3/5 ~ 2/3 黑褐色外，均红黄色，有时触角均红黄色 ………………………………………… **条胸毛瓣寄蝇 *N. fasciata***

腹部第 3、4 背板各无中心鬃；腹侧片鬃 2 个；胸部腹侧片、腹部腹面基部具白色毛 ………………………………………………………………………………… **爪哇毛瓣寄蝇 *N. javana***

裂毛瓣寄蝇 *Nemoraea bipartita* Malloch, 1935 未包括在检索表中。

(143) 双色毛瓣寄蝇 *Nemoraea angustecarinata* (Macquart, 1848)

Rutilia angustecarinata Macquart, 1848: 211 [also 1848a: 51].

Nemoroea bicolor Macquart, 1851: 155 [also 1851: 182].

Nemoraea tropidobothra Brauer *et* Bergenstamm, 1891: 57 [also 1892: 361].

鉴别特征: 髭显著位于口缘上方，其间的距离约为后梗节的宽度，无单眼鬃，间额被黄白色毛；胸部暗黑色，整个背面覆黄灰色粉被，下腋瓣被黄色毛，有时沿着内侧中部具少量的黑色毛；腹部第 3 背板具 4 ~ 8 根中缘鬃，第 4 背板具侧心鬃，翅具鲜艳色泽，基部 1/3 杏黄色，端部 2/3 黑褐色。

采集记录: 4♂1♀，留坝红崖沟，1300 ~ 1650m，1998. Ⅶ. 22，采集人不详；1♂1♀，留坝韦驮沟，1600m，1998. Ⅶ. 21，采集人不详.

分布: 陕西(留坝)、四川；印度尼西亚。

(144) 裂毛瓣寄蝇 *Nemoraea bipartita* Malloch, 1935

Nemoraea bipartita Malloch, 1935: 150.

鉴别特征: 体小而不强壮，额具黑色毛，翅基部红黄色，腹部背板黑色，第 1 + 2 合背板具 2 根中缘鬃，腹部第 3、4 背板至少有 2 对心鬃。

采集记录: 1♂，周至老县城，2057m，2014. Ⅷ. 19，梁厚灿采(SYNU)。

分布: 陕西(周至)、四川。

(145) 条胸毛瓣寄蝇 *Nemoraea fasciata* (Chao *et* Shi, 1985)

Hypotachina fasciata Chao *et* Shi, 1985: 165.

鉴别特征: 侧颜宽显著大于后梗节宽，后头在眼后鬃后方具黑色毛；触角至少基部 2 节黄色，后梗节基部 1/3 ~ 2/5 红黄色，端部黑褐色，有时整个触角红黄色；下颚须宽，背面被刺状毛；背中鬃 3 + 3 根，翅内鬃 0 + 3 根；小盾片全部红黄色，小盾侧鬃 2 ~

3 根；翅基、翅瓣和腋瓣金黄色或灰黄色，下腋瓣仅在外缘被毛，前缘脉第 2 段腹面被毛；腿节黑色，胫节全部红黄色；腹部红黄色，沿背中线具 1 个黑色纵条，第 3、4 背板各具 2 对中心鬃。

采集记录:1♂1♀，佛坪岳坝，1791m，2014. Ⅷ. 27，梁厚灿采(SYNU)。

分布: 陕西(佛坪)、江苏、安徽、浙江、江西、福建、广东、四川、云南、西藏。

(146) 爪哇毛瓣寄蝇 *Nemoraea javana* (Brauer *et* Bergenstamm, 1895)

Dexiomima javana Brauer *et* Bergenstamm, 1895: 79 [also 1895: 615].

鉴别特征:触角全黑色，下颚须端半部黄色，基半部黑褐色；胸部腹侧片、腹部腹面基部被白色毛，腹侧片鬃 2 个，小盾端鬃发达，交叉平伸排列，小盾侧鬃 1，两小盾亚端鬃之间的距离约为亚端鬃至基鬃之间距离的 2 倍；翅前缘淡黄色，翅肩鳞和前缘基鳞黑色，腿节黑色；腹部各背板无中心鬃。

采集记录:1♂，周至老县城，2057m，2014. Ⅷ. 19，梁厚灿采；1♀，佛坪大古平，1366m，2014. Ⅷ. 22，梁厚灿采(SYNU).

分布: 陕西(周至、佛坪)、浙江、湖南、四川、贵州；印度尼西亚。

(147) 透翅毛瓣寄蝇 *Nemoraea pellucida* (Meigen, 1824)

Tachina pellucida Meigen, 1824: 254.

鉴别特征:雄性额宽约为复眼宽的 1/3，髭与口缘大致处于同一水平，有单眼鬃，间额被黑色毛；整个腹部覆灰白色粉被，第 3、4 背板基部 1/2 较浓厚，肛尾叶后叶长方形，长为宽的 5 ~ 6 倍，末端略膨大，末端毛的长度略小于后叶的长度，翅透明。

采集记录:1♂，宝鸡太白山，1200 ~ 1500m，2012. Ⅶ. 12，侯鹏采；1♂，留坝紫柏山，1625 ~ 1800m，2012. Ⅶ. 12-15，张春田采；2♂，留坝闸口石，1700m，2012. Ⅶ. 19，侯鹏采；1♂，留坝张良庙，1300m，2012. Ⅶ. 22，侯鹏采；7♂，佛坪岳坝，1791m，2014. Ⅷ. 27，梁厚灿采(SYNU)；1♀，宁陕火地塘，1400 ~ 1720m，2012. Ⅶ. 11-12，张春田采。

分布: 陕西(宝鸡、留坝、佛坪、宁陕)、黑龙江、辽宁、北京、山西、宁夏、甘肃、广西、四川、云南、西藏。

寄主:苹蚁舟蛾，金星尺蠖，桦尺蠖，丁香尺蠖，梨赤纹毒蛾。

(148) 萨毛瓣寄蝇 *Nemoraea sapporensis* Kocha, 1969

Nemoraea sapporensis Kocha, 1969: 352.

鉴别特征:头部覆金黄色粉被，雄性额宽约为复眼宽的 1/2，间额与侧额等宽，侧颜约为触角第3节宽的1.70倍；触角红黄色，后梗节约为梗节长的2.50倍，其端部3/5略带黑色，后头毛淡黄色，下颚须黄色；胸部覆灰黄色粉被，小盾片黄色，背中鬃3+4根，翅内鬃1+3根；翅透明，基部杏黄色，翅脉黄褐色，翅肩鳞黑色，前缘基鳞黄色，下腋瓣背面全部被毛；腹部光亮，各背板基部具稀薄的灰白色粉被，第3背板具2根中缘鬃，第4背板具侧心鬃。

采集记录:1♀，佛坪大古平，1366m，2014.Ⅷ.22，梁厚灿采；2♀，佛坪岳坝，1791m，2014.Ⅷ.27，梁厚灿采(SYNU)。

分布：陕西(佛坪)、黑龙江、辽宁、北京、河北、山西、河南、宁夏、浙江、湖北、湖南、福建、广东、四川、云南、西藏；俄罗斯，日本。

寄主:苹蚁舟蛾，天蚕蛾，柞蚕。

XX. 长唇寄蝇族 Siphonini

77. 毛脉寄蝇属 *Ceromya* Robineau-Desvoidy, 1830

Ceromya Robineau-Desvoidy, 1830: 86 (also subsequently spelled *Ceromyia*, unjustified emendation).

Type species: *Ceromya testacea* Robineau-Desvoidy, 1830 [= *Tachina bicolor* Meigen, 1824].

属征:后头上方大部分被白色毛；下前侧片鬃上倾，盾后翅内鬃3根，中侧片前上部具1根鬃，腹侧片后下缘在中足基节前方无1列毛，下腹侧片鬃显著小于前腹侧片鬃，前胸气门前鬃与前胸气门亚鬃大小相似；两小盾亚端鬃之间的距离与每侧亚端鬃和基鬃之间的距离相等；前缘基鳞黄色，R_1及R_{4+5}脉全部或部分脉段被毛，CuA_1脉不伸达翅缘；足多黄色。

分布：世界性分布。秦岭地区发现1种。

(149)和毛脉寄蝇 *Ceromya cothurnate* Tachi *et* Shima, 2000 中国新纪录

Ceromya cothurnate Tachi *et* Shima, 2000: 145.

鉴别特征:背中鬃3+3根，胸部侧板黄色，背部灰色；R_{4+5}脉背侧的基部到端位中肘横脉水平或超过横脉具毛，腹部黄色或呈褐色。

采集记录:1♀，周至铁甲树，1993m，2014.Ⅷ.18，梁厚灿采(SYNU)。

分布：陕西(周至)；日本。

78. 昆寄蝇属 *Entomophaga* Lioy, 1864

Entomophaga Lioy, 1864: 1332. **Type species**: *Tachina exoleta* Meigen, 1824.

属征: 触角芒第1节长是宽的1.50~4.00倍, 前足胫节近端位前背鬃近似等于或长于背鬃, 中足胫节具1根前背鬃, 翅臀脉不达翅缘。

分布: 古北区。秦岭地区发现1种。

(150) 暗棒昆寄蝇 *Entomophaga nigrohalterata* (Villeneuve, 1921) 中国新纪录

Actia nigrohalterata Villeneuve, 1921: 45.

Actia articulata Stein, 1924: 131.

鉴别特征:体长4.50mm; 额约为头宽的9/20, 侧额具鬃, 侧颜裸, 窄于梗节宽, 颊约为复眼高的1/4(雄性)或1/5(雌性); 触角芒第1节长约为宽的4倍; 3+4根背中鬃, 在前足到中足基节下前侧片没有1列鬃。

采集记录:1♀, 长安南五台, 1300m, 2012. Ⅵ. 26, 崔乐采(SYNU)。

分布: 陕西(长安); 日本, 匈牙利, 德国, 丹麦, 瑞典, 英国。

79. 等鬃寄蝇属 *Peribaea* Robineau-Desvoidy, 1863

Herbstia Robineau-Desvoidy, 1851: 184 (nec Edwards, 1834). **Type species**: *Herbstia tibialis* Robineau-Desvoidy, 1851.

Peribaea Robineau-Desvoidy, 1863: 720. **Type species**: *Peribaea apicalis* Robineau-Desvoidy, 1863 [= *Herbstia tibialis* Robineau-Desvoidy, 1851].

Strobliomyia Townsend, 1926: 31. **Type species**: *Tryptocera fissicornis* Strobl, 1910.

属征:复眼裸, 后头向内凹入, 颊仅包括下侧颜, 无后头伸展区; 前胸气门亚鬃2根, 等长, 1根向上方伸展, 1根向下方伸展; 背中鬃3+4根, R_1脉末端1/3也常被小鬃, R_{4+5}脉小鬃的分布远远超过r-m脉, CuA_1脉直达后缘; 前足胫节近端前背鬃明显短于近端背鬃, 中足胫节具1根前背鬃; 腹部第1+2合背板中央凹陷不达后缘, 各背板无中心鬃。

分布: 除新热带区和新北区外, 东半球也有分布。秦岭地区发现1种。

(151)黄胫等鬃寄蝇 *Peribaea tibialis* (Robineau-Desvoidy, 1851)

Herbstia tibialis Robineau-Desvoidy, 1851: 185.

鉴别特征:单眼鬃粗大，约与触角等长；内顶鬃的长度约与复眼纵轴相等；翅前鬃发达，其长度大于径中横脉的长度；两小盾亚端鬃的距离为亚端鬃至同侧基鬃距离的2倍；翅 R_1 脉背面和腹面仅在端部1/3被小鬃，肘脉末段的长度约为中肘横脉长度的2.50~3.00倍。腹部黑色，覆稀薄的灰白色粉被，粉被在第3、4背板基部2/3和第5背板1/4处较浓厚；各背板的缘鬃与其相应的背板等长。

采集记录:2♀，周至王家河，700~800m，2010.Ⅶ.20-21，赵喆采(SYNU)；1♀，宝鸡太白山，600~2800m，2010.Ⅶ.17-19，王诗迪采。

分布:陕西(周至、宝鸡)、黑龙江、北京、山西、浙江、湖南、福建、台湾、广东、海南、香港、四川、贵州、云南；蒙古，俄罗斯，朝鲜，韩国，日本，刚果，肯尼亚，缅甸，中东地区，欧洲，南非，中亚地区。

80. 长唇寄蝇属 *Siphona* Meigen, 1803

Siphona Meigen, 1803: 281. **Type species**: *Musca geniculata* de Geer, 1776.

Aphantorhaphopsis Townsend, 1926: 34. **Type species**: *Aphantorhaphopsis orientalis* Townsend, 1926.

Asiphona Mesnil, 1954: 9 (as subgenus of *Siphona* Meigen, 1803). **Type species**: *Thryptocera selecta* Pandellé, 1894.

属征:额与复眼大致等宽，雌性和雄性头部两侧均具2根外侧额鬃；口器特化，唇瓣约与前颏等长、细，静止时互相折叠，取食时伸展，伸展时其长度至少为复眼纵轴的2倍，前颏长至少为其直径的8倍；前侧片鬃不向前腹面弯曲，下腹侧片鬃至少与前上方的1根等长；CuA_1 脉伸达翅缘；前足胫节近端前背鬃明显短于近端背鬃，中足胫节具1根前背鬃；腹部第1+2合背板中央凹陷不达后缘，各背板无中心鬃。

分布:世界性分布。秦岭地区发现1种。

(152)袍长唇寄蝇 *Siphona pauciseta* Rondani, 1865

Siphona pauciseta Rondani, 1865: 193 [also 1865: 21].

Siphona delicatula Mesnil, 1960: 190.

鉴别特征:雄性颜高为额长的1.30~1.50倍，雌性颜高为额长的1.10~1.20倍；雄性触角后梗节长为梗节的4倍，梗节红棕色，雄性梗节与触角芒等长，雌性梗节短些，触角芒仅在1/5~2/5处变粗；下颚须端部均具小毛；前胸基腹片具1根毛或两侧具小毛，盾后背中鬃4根，两小盾亚端鬃之间的距离小于同侧亚端鬃与基鬃之间的距离的间距；翅肩鳞棕色或红色，前缘基鳞黄色；翅前缘鬃小于 r-m 脉；腹部第 1 +2 合背板无中缘鬃。

采集记录:1♀，宝鸡太白山，600 ~2800m，2010. Ⅶ. 17-19，赵喆采(SYNU)。

分布：陕西(宝鸡)、广东、西藏；蒙古，俄罗斯，日本，欧洲。

XXI．寄蝇族 Tachinini

81．密寄蝇属 *Mikia* Kowarz，1885

Mikia Kowarz，1885：51. **Type species**：*Fabricia magnifica* Mik，1884 [= *Tachina tepens* Walker，1849].

Anaeudora Townsend，1933：468. **Type species**：*Anaeudora aureocephala* Townsend，1933.

Tamanukia Baranov，1935：551. **Type species**：*Tamanukia japanica* Baranov，1935.

属征:体大型；复眼裸，头覆金黄色粉被，侧颜被淡黄色毛，其大于后梗节宽；颊和后头被淡黄色毛，后头伸展区特别发达，颊宽大于复眼短轴，颜堤扁宽；触角黄色，后梗节短于梗节，下颚须粗大，棒状，颏较细，不长于或略长于复眼短轴。翅内鬃 1 +2 根，腹侧片鬃 3 根；翅基部 1/3 黄白色，端部 2/3 黑色，常具 1 条黑色横带，中脉心角具极短赘脉或具赘痕，前缘刺退化，r_5室开放；腹部第 1 +2 合背板中央凹陷达后缘，无中缘鬃，第 3、4 背板无中心鬃。

分布：古北区，东洋区。秦岭地区发现 3 种。

(153)毛缘密寄蝇 *Mikia apicalis* (Matsumura，1916)

Bombyliomyia apicalis Matsumura，1916：389.

Echinomyia (*Larvaevora*) *rubrapex* Villeneuve，1932：268.

Anaeudora aureocephala Townsend，1933：468.

Mikia nigribasicosta Chao *et* Zhou ，1998：1991.

鉴别特征:复眼裸，头覆金黄色粉被，雄性具前倾外侧额鬃，侧颜被淡黄色毛，其宽度宽于后梗节，颊和后头膨大，被淡黄色毛，髭位于颜下缘之上；触角黄色，后梗节短于梗节，触角芒第 1 节长至多等于其宽；下颚须粗大，棒状，前颏较短，长至多为其宽的 4 倍。背中鬃 3 +3 根，中鬃 3 +3 根，翅内鬃 1 +2 根，腹侧片鬃 3 根，小盾至少具 4 对缘鬃；前缘基鳞黄色，前缘刺退化，翅基部 1/3 黄白色，端部 2/3 黑色，常具 1 条黑色横带，前缘脉第 2 脉段腹面全部被毛，R_{4+5}脉基部脉段 2/5 具小鬃，中脉心角具极短的赘脉或具赘痕，r_5室开放；后足胫节具 3 根等长的端位背鬃；腹部第 1 +2 合背板中央凹陷达后缘，具 1 对中缘鬃，第 3、4 背板无中心鬃，雄性腹部第 4、5

背板腹面被密毛。

采集记录: 2♀，留坝张良庙，1300m，2012. Ⅶ. 23，侯鹏采(SYNU)。

分布: 陕西(留坝)、吉林、浙江、江西、湖南、福建、台湾、海南、广西、四川、贵州、云南；印度，印度尼西亚。

(154) 日本密寄蝇 *Mikia japanica* (Baranov, 1935)

Tamanukia japanica Baranov, 1935: 551.

鉴别特征: 复眼被稀疏短毛；腹侧片鬃2根；翅面全部灰褐色透明，无任何斑点，前缘脉第2段腹面裸；雄性腹部第2背板具1对中缘鬃，第4、5背板腹面无密毛。

分布: 陕西(秦岭)、吉林、辽宁、河北、安徽、福建、台湾、广西、四川、云南；俄罗斯，日本。

(155) 棘须密寄蝇 *Mikia patellipalpis* (Mesnil, 1953)

Anaeudora patellipalpis Mesnil, 1953: 157.

鉴别特征: 体大型；头覆金黄色粉被，侧颜宽于后梗节；颊宽大于复眼短轴，后头伸展区特别发达；触角黄色，下颚须粗大，棒状，颏较细，不长于或略长于复眼短轴；翅基部1/3黄白色，端部2/3黑色，常具1条黑色横带，翅面沿前缘由r-m横脉至R_{4+5}脉末端黑色，中脉心角具极短的赘脉或具赘痕，前缘刺退化，r_5室开放；雄性腹部第4、5背板腹面被密毛。

分布: 陕西(秦岭)、甘肃、安徽、浙江、湖南、福建、海南、广西、四川、贵州、云南；俄罗斯，泰国，缅甸，马来西亚。

82. 长须寄蝇属 *Peleteria* Robineau-Desvoidy, 1830

Peleteria Robineau-Desvoidy, 1830: 39 (also subsequently spelled *Peletieria*, unjustified emendation). **Type species**: *Peleteria abdominalis* Robineau-Desvoidy, 1830.

Cuphocera Macquart, 1845: 267 (also spelled *Cyphocera*). **Type species**: *Micropalpus ruficornis* Macquart, 1835.

Sphyricera Lioy, 1864: 1336. **Type species**: *Echinomyia sphyricera* Macquart, 1835.

Chaetopeleteria Mik, 1894: 100. **Type species**: *Echinomyia popelli* Portschinsky, 1882.

Popelia Bezzi, 1894: 256 (as subgenus). **Type species**: *Echinomyia popelli* Portschinsky, 1882.

Paracuphocera Zimin, 1935: 607 (as subgenus *Peleteria* Robineau-Desvoidy, 1830). **Type species**: *Echinomyia ferina* Zetterstedt, 1844.

属征: 颊高至少为复眼高的1/3；侧颜全长被毛，下部1/3具2～4根前倾鬃，雌性、雄性均具外侧额鬃；单眼鬃缺失；喙常细长；前胸侧板和前胸腹板裸，翅前鬃长于背侧片鬃和背中鬃，小盾片具多根钉状心鬃；前缘刺不发达，R_{4+5}脉基部具数根小鬃，中脉心角呈直角或小于直角，无赘脉；后足基节间后腹面膜质，后足胫节具3根端刺；腹部第1+2合背板中央凹陷伸达或几乎达后缘；肛尾叶总是很短的；侧尾叶端部细长、尖锐、急剧弯曲。

分布：除澳洲区外几乎世界性分布。秦岭地区发现1种。

(156)伊娃长须寄蝇 *Peleteria iavana* (Wiedemann, 1819)

Musca varia Fabricius, 1794: 327 (nec Gmelin, 1790).

Tachina iavana Wiedemann, 1819: 24.

鉴别特征：侧颜显著窄于后梗节的宽度或二者大致等宽，腹部腹面基部被淡黄色毛，雄性肛尾叶横宽，长马蹄形；雌性腹部第7腹板显著短于第6腹板，第8腹板被短毛。

采集记录：1♀，长安南五台，800m，2012. Ⅵ. 27，崔乐采；1♂1♀，周至老县城，2014. Ⅷ. 19，梁厚灿采；13♀，留坝闸口石，1600m，2012. Ⅶ. 18-20，侯鹏采；1♂24♀，留坝张良庙，1200～1300m，2012. Ⅶ. 22-24，张春田、侯鹏采；1♀，佛坪大古平，1270m，2014. Ⅷ. 23，梁厚灿采(SYNU)。

分布：中国广布；俄罗斯，朝鲜，韩国，日本，哈萨克斯坦，泰国，缅甸，印度，尼泊尔，斯里兰卡，菲律宾，马来西亚，印度尼西亚，美拉尼西亚，巴布亚新几内亚，澳大利亚，欧洲，非洲。

寄主：粘虫，油松毛虫，小地老虎。

83. 寄蝇属 *Tachina* Meigen, 1803

Larvaevora Meigen, 1800: 38. Name suppressed by ICZN (1963: 339).

Echinodes Meigen, 1800: 38. Name suppressed by ICZN (1963: 339).

Tachina Meigen, 1803: 280. **Type species**: *Musca grossa* Linnaeus, 1758.

Echinomya Latreille, 1805: 377 (also spelled *Echinomyia*, unjustified emendation). **Type species**: *Musca grossa* Linnaeus, 1758.

Fabricia Latreille, 1829: 510 (nec de Blainville, 1828). **Type species**: *Tachina ferox* Panzer, 1809.

Fabricia Robineau-Desvoidy, 1830: 42 (nec de Blainville, 1828; nec Latreille, 1829). **Type species**: *Tachina ferox* Panzer, 1809.

Servillia Robineau-Desvoidy, 1830: 49. **Type species**: *Tachina ursina* Meigen, 1824.

Pelus Gistel, 1848: 10 (unnecessary new name for *Tachina* Meigen, 1803).

Periechusa Gistel, 1848: 11 (unnecessary new name for *Servillia* Robineau-Desvoidy, 1830).

Pareudora Wachtl, 1894: 141. **Type species**: *Tachina praeceps* Meigen, 1824.

Nowickia Wachtl, 1894: 142 (as subgenus). **Type species**: *Echinomya regalis* Rondani, 1859 [= *Tachina marklini* Zetterstedt, 1838].

Eupeleteria Townsend, 1908: 111. **Type species**: *Musca fera* Linnaeus, 1761.

Rohdendorfiola Zimin, 1935: 588. **Type species**: *Rohdendorfiola nigrovillosa* Zimin, 1935.

Gigliomyia Zimin, 1935: 592 (as subgenus of *Fabriciella* Bezzi, 1906). **Type species**: *Fabriciella* (*Gigliomyia*) *proxima* Zimin, 1935 [= *Echinomya strobelii* Rondani, 1865].

Parasmirnoviola Chao, 1962: 45 (as subgenus of *Servillia* Robineau-Desvoidy, 1830). **Type species**: *Servillia* (*Parasmirnoviola*) *nigrocastanea* Chao, 1962 [= *Echinomyia punctocincta* villeneuve, 1936].

属征：本属种类体色、毛的长短、毛的疏密、腹部第1+2合背板中缘鬃的数目变化均很大，但主要特征一致。复眼裸，口缘显著向前突出，侧颜被毛，颊高至少为复眼高的1/3，单眼鬃发达，髭明显位于颜下缘上方，后头毛或鬃毛为白色、黄色、红色或淡棕色；触角梗节一般长于后梗节(仅个别种类外)，后梗节宽，呈铲形，触角芒裸，第1、2节延长，第1节长至多为其直径的3倍，侧额与眼后鬃之间具短毛，下颚须细长，呈筒形，前颏多短，长至多为其直径的4~12倍；前胸基腹片裸，最强3根肩鬃三角形排列，前胸前侧片具毛，翅内鬃1+2(3)根；翅端部灰色或暗黑色，基部黄色，前缘基鳞黄色，中脉心角具1个褶痕，r_{4+5}室开放或闭合，但闭合柄脉短；足大部分黄色或黑色，跗节黄色或黑色，雌雄两性前足跗节加宽，前足基节前内侧裸，后足基节间后侧区膜质，后足基节后背面具1根至多根小鬃毛；第1+2合背板中央凹陷达后缘，腹部各背板无中心鬃；肛尾叶为单一的，背腹有弯曲的"S"形骨片。

分布：除热带非洲区和澳洲区外，广泛分布。秦岭地区发现8种。

分种检索表

1. 腹部第1+2合背板通常无或具1对中缘鬃，有时具3~4根中缘鬃；腹部背面黑纵条在每1个背板后缘变窄，常呈三角形，有时无 ………… **怒寄蝇 *T. nupta***
   腹部第1+2合背板通常具4~8根中缘鬃 ………… 2
2. 腹部在第3、4背板两侧具侧心鬃；单眼鬃毛状，梗节亮黑；腹部鬃粗短，钉状，第4背板下方具1~2列前缘鬃 ………… **明寄蝇 *T. sobria***
   腹部背面具粉被，在第3、4背板两侧无侧心鬃，第2~4腹板具鬃 ………… 3
3. 腹部在第3到第5背板基部形成清晰的粉被带，宽度约为背板长度的1/3~3/5 ………… 4
   腹部粉被均匀地覆盖在第3到第5背板上，形成粉斑 ………… 7
4. 腹部第2腹板通常具2根粗大的鬃 ………… 5
   腹部第2腹板通常具3根以上粗大的鬃 ………… 6
5. 雄性侧额具浓密粗大的黑色毛，随额鬃下降至侧颜超过最前方1根额鬃；雄性后梗节约与侧颜等宽 ………… **陈氏寄蝇 *T. cheni***
   雄性侧额具稀疏而短的黑色毛，随额鬃下降至侧颜不超过最前方1根额鬃；雄性后梗节明显宽于侧颜 ………… **小寄蝇 *T. iota***

6. 腹部腹面具单一的浅色毛，两侧具黄色花斑；雄性后梗节宽于侧颜；全身具黄白色或黄色茸毛 ……………………………………………………………………… **什塔寄蝇 *T. stackelbergi***
   腹部腹面具黑色毛，或至少各背板后半部有黑色毛，腹部两侧具棕红色花斑（雄性），或第3到第5背板前缘具棕红色环带（雌性）；雄性后梗节窄于侧颜 …………… **火红寄蝇 *T. ardens***
7. 后背中鬃3对；腹部第2至第4背板两侧具黄白色粉被，被黄白色茸毛，形成鲜艳的粉斑，背板其他部分具黑色毛；雄性后梗节窄于侧颜 ……………………… **艳斑寄蝇 *T. lateromaculata***
   后背中鬃4对；腹部第2到第4背板腹面具单一的浅色茸毛；雄性额宽于复眼的1/2 ……… ……………………………………………………………………… **赵氏寄蝇 *T. chaoi***

(157) 火红寄蝇 *Tachina ardens* (Zimin, 1929) (图349)

Servillia ardens Zimin, 1929: 219.

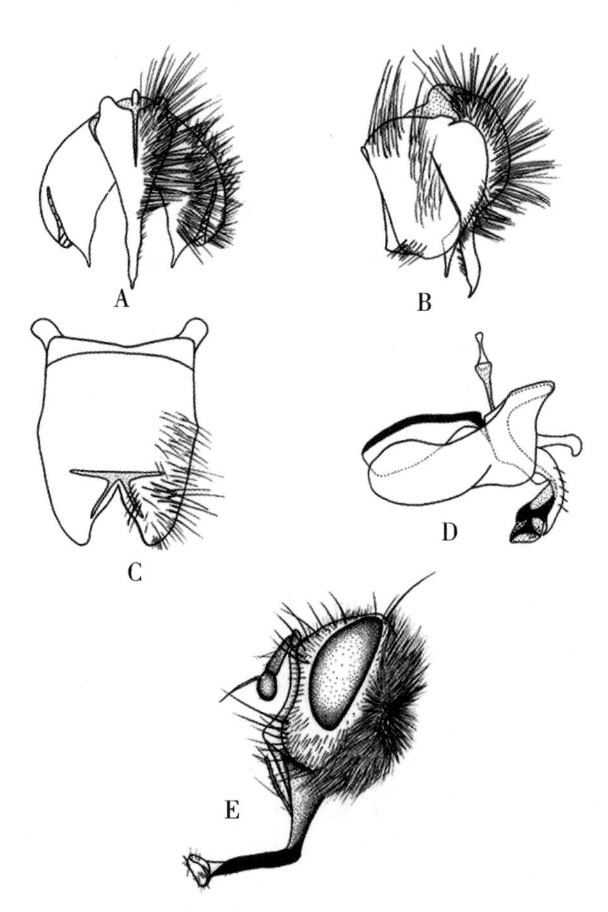

图349 火红寄蝇 *Tachina ardens* (Zimin)

第9背板、肛尾叶和侧尾叶（epandrium, cerci and surstyli） A. 后面观（posterior）；B. 侧面观（lateral view）；C. 第5腹板（sternite 5）；D. 阳体（phallus）；E. 头（head）

鉴别特征：腋瓣上肋裸；腹部两侧具清晰的棕红色花斑（雄性）或沿第3～5背板

前缘具棕红色环带(雌性)；头部及腹部的粉被金黄色；腹部粉带中部窄，向两侧显著加宽；腹部两侧及后端的茸毛棕红色。雄性胸部背面覆浓厚的黄褐色粉被及单一的棕黄色短毛，或腹极稀薄的黄褐色粉被及黑色毛，仅沿前后缘混有少量棕黄色毛。

采集记录：2♂2♀，佛坪，1300m，1973. Ⅷ. 10，采集人不详。

分布：中国广布；俄罗斯，缅甸，中东地区。

(158)赵氏寄蝇 *Tachina chaoi* Mesnil, 1966(图 350)

Tachina chaoi Mesnil, 1966: 910.

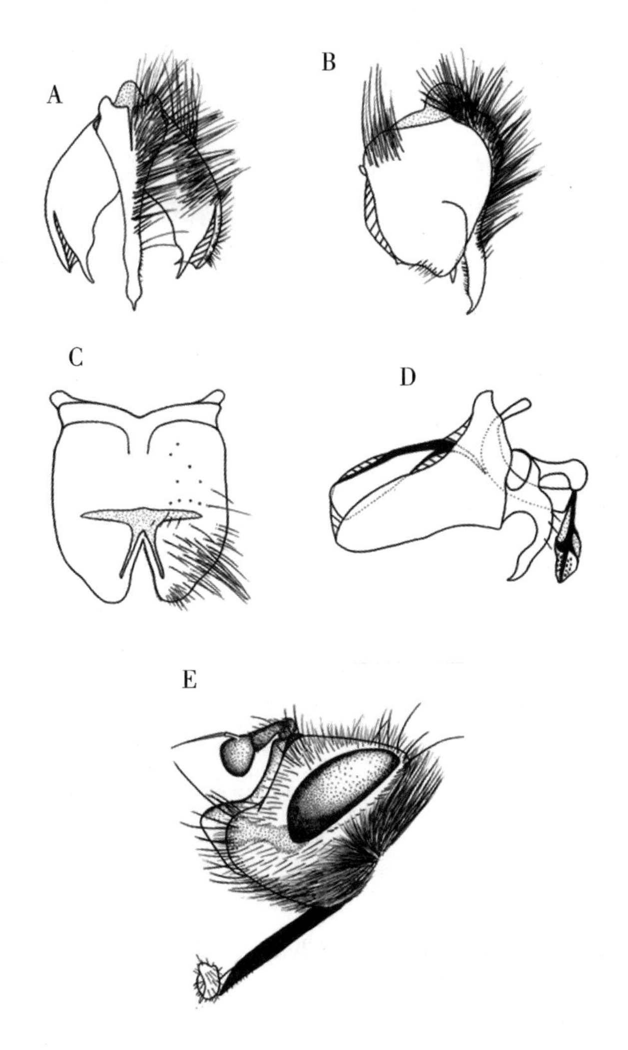

图 350　赵氏寄蝇 *Tachina chaoi* Mesnil

第 9 背板、肛尾叶和侧尾叶(epandrium, cerci and surstyli) A. 后面观(posterior view)；B. 侧面观(lateral vien)；C. 第 5腹板(sternite 5)；D. 阳体(phallus)；E. 头(head)

鉴别特征:雄性额较复眼窄1/3，侧颜灰色，与后梗节大致等宽，额鬃下降至侧颜排成2～3对；胸部覆黄色粉被和淡黄色茸毛，中鬃3+3根，翅脉黄褐色，前缘脉第4段远远大于第6段；后足腿节被黑色毛。雌性额与复眼大致等宽，前足跗节加宽的程度很小或不加宽。

采集记录:2♂，宁陕火地塘，1600～1700m，1998.Ⅶ.28，采集人不详；2♂2♀，宁陕火地塘，15800～2000m，1998.Ⅷ.18，采集人不详。

分布:中国广布；蒙古，俄罗斯，日本。

(159)陈氏寄蝇 *Tachina cheni* (Chao, 1987)

Servillia cheni Chao, 1987: 10.

Servillia linabdomenalis Chao, 1987: 1264.

鉴别特征:雄性侧额被浓密粗大的黑色毛，随额鬃下降至侧颜超过最前方的1根额鬃，雄性后梗节的宽度与侧颜大致相等；翅前缘基鳞红黄色或暗黄色；腹部第2腹板具2根粗大的鬃。雄性肛尾叶端部侧扁。

采集记录:1♂，留坝闸口石，1600～1700m，2012.Ⅶ.18-20，张春田采(SYNU)。

分布:陕西(留坝)、辽宁、北京、河北、山西、河南、甘肃、广东、四川、云南。

(160)小寄蝇 *Tachina iota* (Chao *et* Arnaud, 1993)

Servillia minuta Chao, 1962: 56 (nec Fallén, 1810).

Tachina iota Chao *et* Arnaud, 1993: 48 (new name for *Servillia minuta* Chao, 1962).

鉴别特征:侧颜较后梗节窄4/5，侧额上的黑色毛较稀疏且短，下降至侧颜不超过最前方的1根额鬃，小盾片每侧各具3根缘鬃，腹部黑色，两侧无明显花斑，第2腹板具2根粗大的鬃。

采集记录:1♂，留坝闸口石，1700m，2012.Ⅶ.19，侯鹏采(SYNU)。

分布:陕西(留坝)、辽宁、内蒙古、北京、河南、宁夏、甘肃、青海、湖北、四川；日本。

(161)艳斑寄蝇 *Tachina lateromaculata* (Chao, 1962)

Servillia lateromaculata Chao, 1962: 59.

鉴别特征:雄性侧颜是后梗节宽的2.60倍，前上角呈弧形，粉被集中分布在第2～4背板两侧，黄白色，形成鲜艳的花斑，粉被所占的部分被黄白色茸毛，背板的其他部分被黑色鬃状毛(有时第4背板背中央被棕红色毛)，整个第5背板被棕红色毛。

雌性额大致与复眼等宽。前足跗节加宽，第 4 分跗节的宽度较其长度长 1/5。

采集记录：10♂，留坝红崖沟，1300～1650m，1998. Ⅶ.23，采集人不详；5♂，佛坪凉风垭，1500～2100m，1998. Ⅶ.24，采集人不详；4♂2♀，宁陕火地塘，1600～1700m，1998. Ⅶ.28，采集人不详.

分布：陕西（留坝、佛坪、宁陕）、辽宁、山西、甘肃、江苏、浙江、湖北、江西、湖南、福建、四川、贵州、云南；越南，中东地区。

（162）怒寄蝇 *Tachina nupta*（Rondani，1859）

Echinomya nupta Rondani，1859：55.

Echinomyia micado Kirby，1884：459.

Echinomyia trigonata Villeneuve，1936：3.

鉴别特征：额与复眼等宽，侧额具 1～2 根外侧额鬃，前足爪及爪垫略长或等于第 5 分跗节长；腹部背面具黑色中央纵条，在各背板后端变窄，有时无黑色条。

采集记录：2♂，留坝张良庙，1200～1300m，2012. Ⅶ.22-24，张春田、侯鹏采（SYNU）。

分布：中国广布；蒙古，俄罗斯，朝鲜，韩国，日本，中亚地区，欧洲。

寄主：麦穗夜蛾和松毛虫幼虫体内。

（163）明寄蝇 *Tachina sobria* Walker，1853

Tachina sobria Walker，1853：272.

Servillia planiforceps Chao，1962：53.

Tachina kunmingensis Chao *et* Arnaud，1993：49.

鉴别特征：单眼鬃细而短，毛状；腿节除顶端为棕黄色外，全部黑色；腹部的鬃短而粗，钉状；第 4 背板下方在缘鬃前面有 1～2 行前缘鬃，由背板两侧直达背板内缘；雄性肛尾叶端半部扁平，呈带状。

分布：陕西（秦岭）、甘肃、新疆、湖南、福建、广东、海南、香港、广西、重庆、四川、贵州、云南、西藏；缅甸，马来西亚，印度尼西亚，印度，巴基斯坦。

（164）什塔寄蝇 *Tachina stackelbergi*（Zimin，1929）

Servillia stackelbergi Zimin，1929：216.

鉴别特征：雄性额宽略大于复眼宽，侧颜被黑色毛，前方带黄色毛，颊被黑色毛，下方带黄色毛；后梗节长宽相等，近于圆形，其宽度与侧颜相等，其长度略小于梗节；中颜板、口上片、侧颜淡黄色，触角基部两节红黄色，后梗节黑色，宽于侧额，下颚须淡黄色；胸部黑色，两侧缘和小盾片红黄色；腹部红黄色，沿背中线具黑色纵条，黑色纵条变化较大；背中鬃4+4根，翅内鬃1+3根，腹侧片鬃3根；足基节、转节和腿节黑色，腿节末端及胫节黄色，前足爪略长于第5分跗节。腹部第1+2合背板具2根中缘鬃，第3背板具2~4根中缘鬃，第5背板具1行细小缘鬃和2行排列不整齐的粗大心鬃。

采集记录：6♂2♀，凤县红岭林场，1580~1800m，1973.Ⅶ.21-23，采集人不详；2♂2♀，佛坪东河台，1513m，1973.Ⅷ.09，采集人不详.

分布：陕西(凤县、佛坪)、黑龙江、吉林、辽宁、内蒙古、北京、河北、山西、甘肃、青海、新疆、浙江、湖北、湖南、福建、广东、广西、四川、贵州、云南、西藏；日本，俄罗斯。

寄主：西伯利亚松毛虫，赤松毛虫，油松毛虫。

图351　金龟长喙寄蝇 *Prosena siberita* 访花取食生态 陕西留坝匝口石

图352　膝芒寄蝇族雌体访花生态 陕西留坝

参考文献

Andersen, S. 1996. The Siphonini (Diptera: Tachinidae) of Europe. *Fauna Entomologica Scandinavica*, 33: 1-146.

Baranov, N. 1931. Studien an pathogenen und parasitischen Insekten Ⅲ. Beitrag zur Kenntnis der Raupenfliegengattung *Carcelia* R. D. *Arbeiten aus der Parasitologischen Abteilung Institut für Hygiene und Schule für Volksgesundheit in Zagreb*, 3: 1-45.

Baranov, N. 1932. Neue orientalische Tachinidae. *Encyclopédie Entomologique*. Série B. Mémoires et Notes. II. Diptera, 6: 83-93.

Baranov, N. 1934. Übersicht der orientalischen Gattungen und Arten des Carcelia-Komplexes (Diptera: Tachinidae). *Transactions of the Royal Entomological Society of London*, 82: 387-408.

Baranov, N. 1935. Neue palätische und orientalische Raupenfliegen (Diptera: Tachinidae). *Veterinarski Arhiv*, 5: 550-560.

Bergströ, C. 2008. The identity of *Myxexoristops arctica* (Zetterstedt), with notes on some other Myxexoristops (Diptera: Tachinidae). *Stuttgarter Beiträ zur Naturkunde A*, N. Ser. 1: 435-444.

Borisova-Zinovjeva, K. B. 1964. Parasites of imagines of lamellicorn beetles-tachinids of the genus *Urophyllina Vi*lleneuve and of allied genera (Dipter: Larvaevoridae) in the fauna of the Far East. *Entomologicheskoe Obozrenie*, 43: 768-788. [In Russian.]

Bouché, P. F. 1834. *Naturgeschichte der Insekten, besonders in Hinsicht ihrer ersten Zustäde als Larven und Puppen.* Erste Lieferung. Berlin. 216 + 10pls.

Brauer, F. and Bergenstamm, J. E. von 1889. *Die Zweiflügler des Kaiserlichen Museums zu Wien.* Ⅳ. Vorarbeiten zu einer Monographie der Muscaria schizometopa (exclusive Anthomyidae). Pars 1. Denkschriften der Kaiserlichen Akademie der Wissenschaften. Wien. Mathematisch-Naturwissenschaftliche Classe, 56 (1): 69-180 + 11pls.

Brauer, F. and Bergenstamm, J. E. von 1891. *Die Zweiflügler des Kaiserlichen Museums zu Wien.* Ⅴ. Vorarbeiten zu einer Monographie der Muscaria schizometopa (exclusive Anthomyidae). Pars 2. F. Tempsky, Wien, 142.

Brauer, F. and Bergenstamm, J. E. von 1893. *Die Zweiflügler des Kaiserlichen Museums zu Wien.* Ⅵ. Vorarbeiten zu einer Monographie der Muscaria schizometopa (exclusive Anthomyidae). Pars 3. F. Tempsky, Wien, 152.

Brauer, F. and Bergenstamm, J. E. von 1895. *Die Zweiflügler des Kaiserlichen Museums zu Wien.* Ⅷ. Vorarbeiten zu einer Monographie der Muscaria schizometopa (exclusive Anthomyidae). Pars 4. F. Tempsky, Wien, 88.

Chao, C-M. 1962a. [Notes on the Chinese Larvaevoridae (Tachinidae). I. Genus *Linnaemyia* R-D.] *Acta Entomologica Sinica*, 11: 83-98. [赵建铭. 1962a. 中国寄蝇科研究(一). 短须寄蝇属. 昆虫学报, 11: 83-498.]

Chao, C-M. 1962b. [Notes on the Chinese Larvaevoridae (Tachinidae). Ⅱ. *Servillia* R-D.] *Acta Entomologica Sinica*, 11 (Suppl.): 45-65. [赵建铭. 1962b. 中国寄蝇科研究(二). 寄蝇属. 昆虫学报, 11 卷(增刊), 45-65.]

Chao, C-M. and Arnaud, P. H. Jr. 1993. Name changes in the genus *Tachina* of the eastern Palearctic and Oriental Regions (Diptera: Tachinidae). *Proceedings of the Entomological Society of Washington*, 95:48-51.

Chao, C-M. *et al.* 1998. Tachinidae. 1661-2206. In: Xue W-Q. and Chao C-M. (eds.), *Flies of China. Vol. 2.* Liaoning Science and Technology Press, Shenyang. 1366-2425. [赵建铭, 等. 1998. 寄蝇科, 1661-2206. 见: 薛万琦, 赵建铭. 中国蝇类 下册. 沈阳:辽宁科学技术出版社, 1366-2425.]

Chao, C-M. and Chen, X-L. 2007. A taxonomic study on the genus *Phebellia* Robineau-Desvoidy (Diptera: Tachinidae) from China. *Acta Entomologica Sinica*, 50: 933-940. [中国菲寄蝇属分类研究. 动物分类学报, 50: 993-940.]

Chao, C-M., Liang E-Y., Shi Y-S. and Zhou S-Q., 2001. *Insecta. Diptera: Tachinidae (I)*, Science Press Beijing. Vol. 23: 305 + 11pls. [赵建铭, 梁恩义, 史永善, 周士秀. 2001. 中国动物志:昆虫纲第 23 卷, 双翅目寄蝇科(一). 北京:科学出版社, 305 + 11 彩版.]

Chao, C-M. and Liang, E-Y. 1986. A study of the Chinese *Carcelia* R-D. (Diptera: Tachinidae). *Sinozoologia*, 4: 115-148. [赵建铭, 梁恩义. 1986. 中国狭颊寄蝇属研究. 动物学集刊, 4: 115-148.]

Chao, C-M. and Liang, E-Y. 2002. Review of the Chinese *Carcelia* Robineau-Desvoidy (Diptera: Tachinidae). *Acta taxonomica sinica*, 27 (4): 807-848. [赵建铭, 梁恩义. 2002. 中国寄蝇科狭颊寄蝇属研究. 动物分类学报, 27 (4): 807-848.]

Chao, C-M. and Liang, E-Y. 2002. A study on the Chinese genus *Smidtia* Robineau-Desvoidy (Diptera: Tachinidae). *Acta taxonomica sinica*, 28 (1): 152-158. [赵建铭, 梁恩义. 2002. 中国锥腹寄蝇属研究(双翅目: 寄蝇科). 动物分类学报, 28 (1): 152-158.]

Chao, C-M., Liang, E-Y. and Zhou, S-X., 2005. Diptera: Tachinidae, 850-872. In: Yang, X-K. (ed.), *Insect fauna of middle-west Qinling Range and south mountains of Gansu Province*. Science Press, Beijing. ix + 1055. [赵建铭, 梁恩义, 周士秀. 2005. 双翅目:寄蝇科. 850-872. 杨星科. 秦岭西段及甘南地区昆虫, 北京:科学出版社, ix + 1-1055.]

Chao, C-M. and Shi, Y-S. 1980. Notes on Chinese Tachinidae: genus *Linnaemya* R-D. Ⅱ. *Acta Zootaxonomica Sinica*, 5: 264-272. [赵建铭, 史永善. 1980. 中国寄蝇科研究. 短须寄蝇属(二). 动物分类学报, 5: 264-272.]

Chao, C-M. and Shi, Y-S. 1982. Diptera: Tachinidae-Tachininae, 235-281. In: The Scientifi Expedition Team of Chinese Academy of Sciences to the Qinghai-Xizang Plateau (eds.), *Insects of Xizang. Vol. 2.* Science Press, Beijing. 508. [赵建铭, 史永善. 1982. 双翅目:寄蝇科. 850-872. 中科院青藏高原科学考察队. 西藏昆虫, 第 2 卷. 北京:科学出版社, 508.]

Chao, C-M. and Shi, Y-S. 1985a. Study on the subtribe Nemoraeina from China (Diptera: Tachinidae). *Sinozoologia*, 3: 163-167. [赵建铭, 史永善. 1985a. 中国毛瓣寄蝇亚族研究. 动物学集刊, 3: 163-167.]

Chao, C-M. and Shi, Y-S. 1985b. Notes on the genus *Thelaira* Robineau-Desvoidy from China (Diptera: Tachinidae). *Sinozoologia*, 3: 169-174. [赵建铭, 史永善. 1985b. 中国毛瓣柔毛寄蝇属研究. 动物学集刊, 3: 169-174.]

Chao, C-M. and Zhou, S-X. 1987. Notes on Chinese Tachinidae: genus *Servillia* R. D. Ⅱ. *Entomotaxonomia*, 9: 1-15. [赵建铭, 周仕秀. 2002. 中国寄蝇科寄蝇属研究(二). 昆虫分类学报, 9: 1-15.]

Crosskey, R. W. 1976. *A taxonomic conspectus of the Tachinidae (Diptera) of the Oriental Region.* Bulletin of the British Museum Natural History, 26: 1-357.

Egger, J. 1861. Dipterologische Beitrӓe. Fortsetzung der Beschreibung neuer Dipteren. *Verhandlungen der Kaiserlich-Köiglichen Zoologisch-Botanischen Gesellschaft in Wien*, 11 (Abhandlungen): 209-216.

Fabricius, J. C. 1775. *Systema entomologiae, sistens insectorum classes, ordines, genera, species, adiectis synonymis, locis, descriptionibus, observationibus.* Kortii, Flensbvrgi et Lipsiae [= Flensburg and Leipzig]. [30] + 832.

Fabricius, J. C. 1794. *Entomologia systematica emendata et aucta. Secundum classes, ordines, genera, species adjectis synonimis, locis, observationibus, descriptionibus.* Tom. Ⅳ. C. G. Proft, Fil. *et* Soc., Hafniae[= Copenhagen]. [6] + 472 + [5].

Fabricius, J. C. 1781. *Species insectorum exhibentes eorum differentias specificas, synonyma auctorum, loca natalia, metamorphosin adiectis observationibus, descriptionibus.* Tom. Ⅱ. C. E. Bohnii, Hambvrgi et Kilonii[= Hamburg and Kiel]. 517.

Fallén, C. F. 1810. Försök att bestämma de i Sverige funne flugarter, som kunna föras till slägtet *Tachina. Kongliga vetenskaps Academiens Nya Handlingar*, Ser. 2, 31: 253-287.

Fallén, C. F. 1817. Beskrifning öfver de i Sverige funna fluge arter, som kunna föras till slägtet *Musca*. Första afdelningen. *Kongliga Vetenskaps Academiens Nya Handlingar*, Ser. 3, 1816: 226-254.

Fallén, C. F. 1820. *Monographia Muscidum Sveciae.* [Part 2.] [Cont.] Berlingianis, Lundae [= Lund]. 13-24.

Gistel, J. 1848. *Naturgeschichte des Thierreichs. Für höhere Schulen.* R. Hoffmann, Stuttgart. xvi + 216 + [4] + 32pls.

Herting, B. 1964. Beiträge zur Kenntnis der europäischen Raupenfliegen (Diptera: Tachinidae). Ⅷ. Entomophaga, 9: 59-65.

Herting, B. and Dely-Draskovits, 1993. Á. Family Tachinidae, 118-458. In: Soós, Á. and Papp, L. (eds.), *Catalogue of Palaearctic Diptera Volume 13. Anthomyiidae-Tachinidae.* Hungarian Natural History Museum, Budapest. 1-624.

Kocha, T. 1969. On the Japanese species of the genus *Nemoraea* Robineau-Desvoidy, with descriptions of two new species (Diptera: Tachinidae). *Kontyû*, 37: 344-354.

Kowarz, F. 1885. Mikia nov. gen. dipterorum. *Wiener Entomologische Zeitung*, 4: 51-52.

Latreille, P. A. 1804. Tableau méthodique des insectes, 129-200. In: *Société de Naturalistes et d'Agriculteurs, Nouveau dictionnaire d'histoire naturelle, appliquée aux arts, principalement à l'agriculture et à l'économie rurale et domestique.* Tome XXIV ; Section 3]: Tableaux méthodiques d'histoire naturelle. Déterville, Paris. 84 + 4 + 85 + 238 + 18 + 34.

Latreille, P. A., Lepeletier, A. L. M., Serville, J. G. A. and Guérin-Méneville, F. E. 1828. Entomologie, ou histoire naturelle des crustacés, des arachnides et des insectes [pt. 2(= Insectes i. e., Arthropoda. pt. 7)], 345-833(= livr. 100). In: *Société de Gens de Lettres, de Savans et d'Artistes, Encyclopédie méthodique. Histoire naturelle.* Tome dixième. Agasse, Paris.

Lee, H. S. and H. Y., Han. 2010. A systematic revision of the genus Gonia Meigen (Diptera: Tachinidae) in Korea. *Animal Cells and Systems*, 14:3, 175-195.

Linnaeus, C. 1758. *Systema naturae per regna tria naturae, secundum classes, ordines, genera, species, cum characteribus, differentiis, synonymis, locis.* Tomus I. Editio decima, reformata. Laurentii Salvii, Holmiae [= Stockholm]. [4] + 823 + [1(Emendanda)].

Lioy, P. 1864. I ditteri distribuiti secondo un nuovo metodo di classificazione naturale. [Cont.] *Atti dell'I. R. Istituto Veneto di Scienze, Lettere ed Arti*, Ser. 3, 9: 1311-1352.

Loew, H. 1858. Beschreibung einiger japanischer Diptern. *Wiener Entomologische Monatschrift*, 2: 100-112.

Macquart, J. 1834. *Insectes diptères du nord de la France. Athéricères: créophiles, oestrides, myopaires, conopsaires, scénopiniens, céphalopsides. Vol.* 5. L. Danel, Lille. 232 + 6pls.

Macquart, J. 1845. Nouvelles observations sur les insectes diptères de la tribu des tachinaires. *Annales de la Société Entomologique de France*, Sér. 2, 3: 237-296 + 4-6pls.

Macquart, J. 1848. Diptères exotiques nouveaux ou peu connus. Suite de 2. me supplément [= 3. e supplément]. *Mémoires de la Société Royale des Sciences, de l'Agriculture et des Arts de Lille*, 1847 (2): 161-237 + 7 pls.

Macquart, J. 1849. Nouvelles observations sur les diptères d'Europe de la tribu des tachinaires. (Suite.) *Annales de la Société Entomologique de France*, Sér. 2, 7: 353-418 + 10-12pls.

Macquart, J. 1851. Diptères exotiques nouveaux ou peu connus. Suite du 4. e supplément publié dans les Mémoires de 1849. *Mémoires de la Société Royale des Sciences, de l'Agriculture et des Arts de Lille*, 1850, 134-294 + 15-28pls.

Malloch, J. R. 1935. New species of Diptera from China. *Peking Natural History Bulletin*, 9: 147-150.

Matsumura, S. 1916. *Thousand insects of Japan. Additamenta. Vol. 2.* Keisei-sha, Tokyo. 185-474 + [4] + 16-25pls. [In Japanese with English descriptions.]

McAlpine, J. F. 1989. Phylogeny and classification of the Muscomorpha. In: *Manual of Nearctic Diptera*, ed. J. F., McAlpine, B. V., Peterson, G. E., Shewell, H. J., Teskey, J. R., Vockeroth, and D. M., Wood, 3: 1397-518. *Agric. Can. Monogr.* 32. 1333-581.

Meigen, J. W. 1803. Versuch einer neuen GattungsEintheilung der europäischen zweiflügligen Insekten. *Magazin für Insektenkunde*, 2: 259-281.

Meigen, J. W. 1824. *Systematische Beschreibung der bekannten europäischen zweiflügeligen Insekten.* Vierter Theil. Schulz-Wundermann, Hamm. xii + 428 + 33-41pls.

Meigen, J. W. 1830. *Systematische Beschreibung der bekannten europäischen zweiflügeligen Insekten.* Sechster Theil. Schulz, Hamm. xi + 401 + 55-66pls.

Meigen, J. W. 1838. *Systematische Beschreibung der bekannten europäischen zweiflügeligen Insekten.* Siebenter Theil oder Supplement band. Schulz, Hamm. xii + 434 + 67-74pls.

Mesnil, L. P. 64g. 1944-1975. Larvaevorinae (Tachininae). *Die Fliegen der Palaearktischen Region*, 10 (Lieferung 312): 1-1435 + 1-9pls.

Mesnil, L. P. 1942. Deux nouveaux Larvaevoridae du Mandchoukouo. *Arbeiten über morphologische und taxonomische Entomologie aus Berlin-Dahlem*, 9: 288-292.

Mesnil, L. P. 1952. Notes détachées sur quelques tachinaires paléarctiques. *Bulletin et Annales de la Société Entomologique de Belgique*, 88: 149-158.

Mesnil, L. P. 1953. Nouveaux tachinaires d'Orient. (1re partie). *Bulletin et Annales de la Société Entomologique de Belgique*, 89: 85-114.

Mesnil, L. P. 1957. Nouveaux tachinaires d'Orient (deuxième série). *Mémoires de la Société Royale d'Entomologie de Belgique*, 28: 1-80.

Mesnil, L. P. 1963. Nouveaux tachinaires de la Region Palearctique principalement de l'URSS et du Japan. *Bulletin de l'Institut Royal des Sciences Naturelles de Belgique*, 39(24): 1-56.

Mesnil, L. P. 1967. Tachinaires paléarctiques inédits (Diptera). *Mushi*, 41: 37-57.

Mesnil, L. P. 1980. 64f. Dexiinae. *Die Fliegen der Palaearktischen Region*, 9 (Lieferung 323): 1-52.

Mesnil, L. P. and Shima, H. 1979. New tribe, genera and species of Japanese and Oriental Tachinidae (Diptera), with note on synonymy. *Kontyû*, 476-486.

O'Hara, J. E. 2008. Tachinid flies (Diptera: Tachinidae). 3675-3686. In: Capinera, J. L., ed., *Encyclopedia of Entomology*. Second Edition. Vol. 4, S-Z. Springer, Dordrecht. lxiii + 3225-4346.

O'Hara, J. E., H. Shima and Zhang, C-T. 2009. *Annotated Catalogue of the Tachinidae (Insecta: Diptera) of China*. Zootaxa, 2190: 1-236.

O'Hara, J. E. 2016. World genera of the Tachinidae (Diptera) and their regional occurrence. Version 9. 0. PDF document, 93 pp. Available from: http://www.nadsdiptera.org/Tach/WorldTachs/Genera/Gentach_ver9.pdf

Osten Sacken, C. R. 1882. Enumeration of the Diptera of the Malay Archipelago collected by Prof. Odoardo Beccari etc. Supplement. *Annali del Museo Civico di Storia Naturale di Genova*, 18: 10-20;

Pandellé, L. 1896. Etudes sur les muscides de France. IIe partie. (Suite.) *Revue d'Entomologie*, 15, 1-230.

Pokorny, E. 1886. Vier neue österreichische Dipteren. Wiener Entomologische Zeitung, 5: 191-196.

Richter, V. A. 1986. On the fauna of tachinids (Diptera: Tachinidae) of the Far East. *Trudy Zoologicheskogo Instituta AN SSSR* [*Proceedings of the Zoological Institute of the USSR Academy of Sciences, Leningrad*], 146: 87-116. [In Russian.]

Robineau-Desvoidy, J. B. 1830. Essai sur les myodaires. Mémoires présentés par divers Savans a l'Académie Royale des Sciences de l'Institut de France. Sciences Mathématiques *et* Physiques, Sér. 2, 2: 1-813.

Robineau-Desvoidy, J. B. 1844. Études sur les myodaires des environs de Paris. *Annales de la Société Entomologique de France*, Sér. 2, 2: 5-38.

Robineau-Desvoidy, J. B. 1846. Myodaires des environs de Paris. (Suite.) *Annales de la Société Entomologique de France*, Sér. 2, 4: 17-38.

Robineau-Desvoidy, J. B. 1863a. Histoire naturelle des diptères des environs de Paris. Tome premier. V. Masson et fils, Paris, F. Wagner, Leipzig, Williams and Norgate, London. xvi + 1143.

Robineau-Desvoidy, J. B. 1863b. Histoire naturelle des diptères des environs de Paris. Tome second. Victor Masson et fils, Paris, Franz Wagner, Leipzig, Williams and Norgate, London. 920.

Rohdendorf, B. B. 1947. [A short guide for determining the dipterous parasites of the noxious little turtle and other pentatomid bugs], 75-88. In: Fedotov, D. M. (ed.), [*Vrednaya cherepashka*]. Part 2. Moscow-Leningrad. 270. [In Russian.]

Rondani, C. 1845. Descrizione di due generi nuovi di insetti ditteri. Memoria duodecima per servire alla ditterologia italiana. *Nuovi Annali delle Scienze Naturali e Rendiconto dei Lavori dell'Accademia delle Scienze dell'Istituto e della Società Agragria di Bologna*, Ser. 2, 3: 25-36 + 1 pl.

Rondani, C. 1856. *Dipterologiae Italicae prodromus*. Vol. 1. Genera Italica ordinis Dipterorum ordinatim disposita et distincta et in familias et stirpes aggregata. A. Stocchi [as "Stoccih"], Parmae [= Parma]. 226 + [2].

Rondani, C. 1859. *Dipterologiae Italicae prodromus*. Vol. 3. Species Italicae ordinis Dipterorum in genera characteribus definita, ordinatim collectae, methodo analitica distinctae, *et* novis vel minus cognitis descriptis. Pars secunda. Muscidae. Siphoninae *et* (partim) Tachininae. A. Stocchi, Parmae [= Parma]. 243 + [1] + 1 pl.

Rondani, C. 1861. *Dipterologiae Italicae prodromus.* Vol. 4. Species Italicae ordinis Dipterorum in genera characteribus definita, ordinatim collectae, methodo analatica distinctae et novis vel minus cognitis descriptis. Pars tertia. Muscidae. Tachininarum complementum. A. Stocchi, Parmae [= Parma]. 174.

Rondani, C. 1862. *Dipterologiae Italicae prodromus.* Vol. 5. Species Italicae ordinis Dipterorum in genera characteribus definita, ordinatim collectae, methodo analitica distinctae et novis vel minus cognitis descriptis. Pars quarta. Muscidae. Phasiinae—Dexinae—Muscinae—Stomoxidinae. A. Stocchi, Parmae [= Parma]. 239.

Shima, H. 1968. Study on the Japanese *Calocarcelia* Townsend and *Eucarcelia* Baranov (Diptera: Tachinidae). *Journal of the Faculty of Agriculture*, *Kyushu University*, 14: 507-533.

Shima, H. 1979. Study on the tribe Blondeliini from Japan (Diptera: Tachinidae). Ⅱ. Revision of the genera *Trigonospila* Pokorny and *Lixophaga* Townsend from Japan. *Kontyû*, 47: 298-311.

Shima, H. 1981. A study of the genus *Phebellia* Robineau-Desvoidy from Japan (Diptera: Tachinidae). I. Descriptions of new species. *Bulletin of the Kitakyushu Museum of Natural History*, 3: 53-57.

Shima, H. 1982. A study of the genus *Phebellia* Robineau-Desvoidy from Japan (Diptera: Tachinidae). Ⅱ. Redescriptions and species-grouping. *Bulletin of the Kitakyushu Museum of Natural History*, 4: 57-75.

Shima, H. 1983. Study on the tribe Blondeliini from Japan (Diptera: Tachinidae). Ⅳ. A Revision of the genus *Vibrissina* Rondani. *Kontyû*, 51: 635-646.

Shima, H. 1985. Study on the Tribe Blondeliini from Japan (Diptera: Tachinidae). Ⅵ. A Revision of Genus *Uromedina* Townsend. *Kontyu*, Tokyo, 53(1): 97-111.

Shima, H. 1986. A systematic study of the genus *Linnaemya* Robineau-Desvoidy from Japan and the Oriental Region (Diptera: Tachinidae). *Sieboldia*, 5, 1-96.

Shima, H. 1987a. A revision of the genus *Isosturmia* Townsend (Diptera: Tachinidae). *Bulletin of the Kitakyushu Museum of Natural History*, 6: 213-237.

Shima H. 1987b. A revision of the genus *Dexiomimops* Townsend (Diptera: Tachinidae). *Sieboldia*, Supplement: 83-96.

Shima, H. 1988. A new genus and six species of the tribe Goniini (Diptera: Tachinidae) from China, Thailand and New Guinea. *Systematic Entomology*, 13: 347-359.

Shima, H. 1988. Some remarkable new species of Tachinidae (Diptera) from Japan and the Indo-Australian Region. *Bulletin of the Kitakyushu Museum of Natural History*, 8: 1-37.

Shima, H. 1996a. A systematic study of the tribe Winthemiini from Japan (Diptera: Tachinidae). *Beiträge zur Entomologie*, 46: 169-235.

Shima, H. 1996b. A systematic study of the genus *Cavillatrix* Richter (Diptera: Tachinidae). *Bulletin of the Graduate School of Social and Cultural Studies*, *Kyushu University*, 2: 133-148.

Shima, H. 2011. Notes on Parerigone with a description of a new species from Nepal (Diptera: Tachinidae). *Canadian Etomologist*, 143: 674-687.

Shima, H. and Chao, C-M. 1988. A new genus and six new species of the tribe Goniini (Diptera: Tachinidae) from China, Thailand and New Guinea. *Systematic Entomology*, 13: 347-359.

Shima, H. and Chao, C-M. 1992. New species of Tachinidae (Diptera) from Yunnan Province, China. Japanese Journal of Entomology, 60: 633-645.

Shima, H., Chao, C-M. and Zhang, W-X. 1992. The genus *Winthemia* (Diptera: Tachinidae) from Yunnan Province, China. *Japanese Journal of Entomology*, 60: 207-228.

Speiser, P. 1903. Eine neue Dipterengattung mit rudimentären Flügeln, und andere dipterologische Bemerkungen. *Berliner Entomologische Zeitschrift*, 48: 65-72.

Stireman, J. O., O'Hara, J. E. and Wood, D. M. 2006. Tachinidae: evolution, behavior, and ecology. *Annual Review of Entomology*, 51: 525-555.

Sun, X-K. and Marshall, S. A. 1995. Two new species of *Cylindromyia* Meigen (Diptera: Tachinidae), with a review of the eastern Palaearctic species of the genus. *Studia Dipterologica*, 2: 189-202.

Sun, X-K., and Marshall, S. A. 2003. *Systematics of Phasia Latreille (Diptera: Tachinidae)*. Zootaxa, 276: 1-320.

Tachi, T. 2013. Systematic study of the genera Phryno *Robineau-Desvoidy* and Botria Rondani in the PalearcticRegion, with discussions of their phylogenetic positions. *Zootaxa*, 3609: 361-391.

Tachi, T. and Shima, H. 2000. Taxonomic study of the genus *Ceromya Robineau-Desvoidy* of Japan (Diptera: Tachinidae). *Beiträge zur Entomologie*, 50: 129-150.

Tschorsnig, H. P. and Herting, B. 1994. *Die Raupenfliegen (Diptera: Tachinidae) Mitteleuropas: Bestimmungstabellenund Angaben zur Verbreitung und Ökologie der einzelnen Arten.* Stuttgarter Beiträge zur Naturkunde Serie A (Biologie), 506: 1-170.

Tschorsnig, H. P. and Richter V. A. 1998. Tachinidae, 691-827. In: Papp, L. and Darvas, B. (eds.), *Contributions to a Manual of Palaearctic Diptera (with special reference to flies of economicimportance)*. *Volume 3*. Higher Brachycera. Science Herald, Budapest. 1-880.

Townsend, C. H. T. 1909. Descriptions of some new Tachinidae. *Annals of the Entomological Society of America*, 2: 243-250.

Townsend, C. H. T. 1912. A readjustment of muscoid names. *Proceedings of the Entomological Society of Washington*, 14: 45-53.

Townsend, C. H. T. 1919. New genera and species of muscoid flies. *Proceedings of the United States National Museum*, 56 (No. 2301): 541-592.

Townsend, C. H. T. 1925. Fauna sumatrensis. (Beitrag Nr. 8). Calirrhoinae (Diptera: Muscoidea). *Entomologische Mitteilungen*, 14: 250-251.

Townsend, C. H. T. 1926. Fauna sumatrensis. (Beitrag Nr. 25). Diptera Muscoidea Ⅱ. *Supplementa Entomologica*, 14: 14-42.

Townsend, C. H. T. 1927a. New muscoid flies in the collection of the Deutsches Entomologisches Institut in Berlin. *Entomologische Mitteilungen*, 16: 277-287.

Townsend, C. H. T. 1927b. Fauna sumatrensis. (Beitrag Nr. 50). Diptera Muscoidea Ⅲ. *Supplementa Entomologica*, 16: 56-76.

Uéda, S. 1960. A new species of the genus *Carcelia* from Japan (Diptera: Larvaevoridae). *Insecta Matsumurana*, 23: 112-114.

Villeneuve, J. 1921. Descriptions d'espèces nouvelles du genre Actia Rob. Desv. *Annales de la Société Entomologique de Belgique*, 61: 45-47.

Villeneuve, J. 1936. Description de deux myodaires supérieurs (Diptera: Trixiini ou Dexiinae). *Bulletin de la Société Royale Entomologique d'Égypte*, 20: 329-331.

Villeneuve, J. 1937. Myodaires supérieurs de Chine. *Bulletin du Musée Royal d'Histoire naturelle de Belgique*, 13(34): 1-16.

Walker, F. 1849. *List of the specimens of dipterous insects in the collection of the British Museum.* Part 4. London. 689-1172.

Walker, F. 1853. Diptera. Part 4, 253-414 + pls. vii-viii. In: Saunders, W. W. (ed.), *Insecta Saundersiana: or characters of undescribed insects in the collection of William Wilson Saunders, Esq., F. R. S., F. L. S., &c. Vol. 1. Van Voorst*, London. 474. +8 pls.

Wang, Q., Zhang, C-T and Wang, X-H. 2015. Review of the genus *Parerigone* Brauer (Diptera: Tachinidae) with five new species from China. *Zootaxa*, 3919(3): 457-578.

Wiedemann, C. R. W. 1819. Beschreibung neuer Zweiflügler aus Ostindien und Afrika. *Zoologisches Magazin*, 1(3): 1-39.

Wiedemann, C. R. W. 1824. *Munus rectoris in Academia Christiana Albertina aditurus analecta entomologica ex Museo Regio Havniensi.* Kiliae [=Kiel]. 60 +1 pl.

Wiedemann, C. R. W. 1830. *Aussereuropäische zweiflügelige Insekten.* Als Fortsetzung des Meigenschen Werkes. Zweiter Theil. Schulz, Hamm. xii +684 +5 pls.

Wulp, F. M. van der 1881. Negende afdeeling. Diptera. 60. +3 pls. In: *Midden-Sumatra. Reizen en onderzoekingen der Sumatra-Expeditie, uitgerust door het Aardrijkskundig Genootschap, 1877-1879, beschreven door de leden der expeditie, onder toezicht Van Prof. P. J. Veth.* Vierde deel. Natuurlijke historie. Eerste gedeelte. Fauna. Laatste helft. E. J. Brill, Leiden.

Zetterstedt, J. W. 1844. *Diptera Scandinaviae. Disposita et descripta.* Tomus tertius. Officina Lundbergiana, Lundae [=Lund]. 895-1280.

Zetterstedt, J. W. 1845. *Diptera Scandinaviae. Disposita et descripta.* Tomus quartus. Officina Lundbergiana, Lundae [=Lund]. 1281-1738.

Zetterstedt, J. W. 1859. *Diptera Scandinaviae. Disposita et descripta.* Tomus tridecimus seu Supplementum quartum, continens addenda, corrigenda and emendanda tomis duodecim prioribus, una cum conspectu omnium generum. Officina Lundbergiana, Lundae[=Lund]. xvi +4943-6190.

Zhang, C-T. and Shima, H. 2005. A revision of the genus *Trixa* (Diptera: Tachinidae). *Insect Science*, 12(1): 57-71.

Zhang, C-T., Shima, H., Wang, Q. and Tschorsnig H-P, 2015. A review of the genus *Billaea* Robineau-Desvoidy of the Eastern Palearctic and Oriental Regions (Diptera: Tachinidae). Zootaxa, 3949 (1): 001-040.

Zhang, C-T., Shima, H., 2006. *A systematic study of the genus Dinera Robineau-Desvoidy from the Palaearctic and Oriental regions (Diptera: Tachinidae). Zootaxa*, 1243: 1-60.

Zhang, C-T., Shima, H., Chen, X-L. 2010. *A review of the genus Dexia Meigen in the Palearctic and Oriental Regions (Diptera: Tachinidae). Zootaxa*, 2705: 1-81.

Zhang, C-T., Wang, M-F. and Liu, J-Y., 2006. A new species and a new record of the genus *Leptothelaira from China (Diptera: Tachinidae). Acta taxonomica sinica*, 31(2): 99-102. [张春田, 王明福, 刘家宇. 2006. 中国瘦寄蝇属一新种和一新纪录. 动物分类学报, 31(2):99-102.]

Zimin, L. S. 1929. Kurze Uebersicht der palaearktischen Arten der Gattung *Servillia* R-D. (Diptera).

Ⅱ. *Russkoe Entomologicheskoe Obozrenie* [also as *Revue Russe d'Entomologie*], 23: 210-224.

Zimin, L. S. 1935. Le système de la tribu Tachinini (Diptera: Larvivoridae). *Trudy Zoologicheskogo Instituta Akademii Nauk SSSR*, 2, 509-636 + 11 pls. [In Russian with French summary.]

Zimin, L. S. 1954. [Species of the genus *Linnaemyia* Rob-Desv. (Diptera: Larvaevoridae) in the fauna of the USSR.] *Trudy Zoologicheskogo Instituta Akademii Nauk SSSR*, 15: 258-282. [In Russian].

中名索引

(按首字音序排列,右边的号码为该条目在正文的页码)

C

D

E

F

G

J

K

L

M

N

R

S

W

X

Y

Z

学名索引

(按首字母顺序排列，右边的号码为该条目在正文的页码)

A

B

C

G

H

I

J

K

M

N

O

P

Q

R

T

U

V

W

X

Y

Z

Etymology: The specific name was given by the type locality.

2. ***Simulium* (*Simulium*) *longplatum* Chen *et* Xiu, sp. nov. (Fig. 130)**

Female: Bod length about 2.50mm. Wing length about 2.10mm.

Head: narrower than thorax frons black, shiny and with several short black hairs; frontal ratio 7.0:5.5:6.6; frons-head ratio 7.0:27.7. Clypenws brownish black, whitish grey dusted and with scanty short hairs. Antenna composed of 2 +9 segment, brownish yellow with scape and pedicel yellow. Maxillary palp with 5 segments in proportion of 3rd to 5th segments 5.1:5.0:10.3. 3rd segment with elliptical sensory vesicle about 1/3 length of respective segment. Maxilla with 13 inner teeth and 15 outer ones. Cibarium armed with a group of about 10 minute denticles.

Thorax: Scutum brownish black, shiny, obocured by a grayish dust especially on anterior, and covered uniformly with fine whitish yellow pubescence and also upstanding long dark hairs on prescutellar region. Legs. Almost yellow except distal 1/4 of hind femur, distal 1/3 of fore tibia and distal 1/6 of hind tibia, and distal 1/5 of mid basitarsus, distal 1/4 of hind basitarsus and distal 1/2 of 2nd tarsomene, which are brownish black and the remaining part yellow. Fore bacitarsus about 6 times as long as wide. Hind basitarsus nearly parallel-side, about 5.50 times as long as its greates wideth. Calcipala and pedisulcas well developed. Each claw with small sub-basal tooth. Wing. Costa with spinules and brown hairs; subcosta hairy; basal portion of radius bare. Hair tuft at base of stem vein brown.

Abdomen: Basal scale brownish yellow with fringe of brown hairs. Terga brownish black except tergum 2 dull yellow, and with black black hairs. Grenitalia. Sternite 8 bare medially, and with about 20 long brown hairs on each side. Anterior gonaphyses of tongue-shape, with several short setae and numerous microsetae on either side, their inne margins nearly parallel and slightly separated from each other. Genital fork with slender sclerotized sten, arms each with sclerotized ridge but lacking distinct projection directed forwards. Spermathesa almost globular in shape. Paraproct and circus moderate in size.

Male: Slightly wider than thorax. Upper-eye consisting of 13 horizontal columus and 15 ventical rows of large facets Clypeus black, grey-dusted and with sparse black short hairs. Antenna consisting of 2 +9 segments, brownish except scape yellow. 1st flagellomere somewhat elongate, about 1.70 times as long as the following one. Maxillary palp composed of 5 segments in proportion of 3rd to 5th segments 1.4:5.1:8.2, with small sensory vesicle, which about 0.50 length of 3rd segment.

Thorox: Nearly as in female except all tibiae brownish black each with large yellowish patch medially on outer surface, the hind basitarsus slightly inflated, W : L = 4 : 2, and the basal 1/2 of subcosta of wing bare.

Abdomen: Nearly as in female. Grenitalia. Coxite longer than wide. style in ventral view nearly 2.50 times as long as its greatest width near basal 1/3, becoming narrow gradually from basal 1/ towards distal, flattened ventradorsally towards apex and with an apical spine. Ventral plate Y-shaped, plate body long plate-form with toothed apically in ventral view; dentate lateral margins converging apically in lateral view; basal arms slightly diverged from each other and nearly straight, directed forwards. Paramere large, each with about 10 strong hooks. Median sclerite plate-shape, nearly parallel-side and with straight end.

Pupa: Body length about 2.60mm.

Head and thorax: Integament yellow, densely covered with minute tubercles all over. Head trichomes 3 pairs and thoracic trichomes 6 pairs, all simple. Gill with 8 filaments in pairs arising near base, each shortly stalked except upper 2nd middle pair sessile, arising directly from the half way of primary stalk of uppermost pair; all filaments subequal in thickness and in length and about 1/2 length than pupal body.

Abdomen: Tergum 2 with 5 short and 1 long simple setae on each side; tegra 3 and 4 each with 4 booked spines on each side; tergum 8 with spine-combs on each side; tergum 9 with pair terminal hooks. Sternum 5 with pairs of closed together bifid hooks on each side; sterna 6 and 7 each with pair of inner bifid and outer single hooks widely separated from each other. Cocoon. Boot-shaped , well woven, with a pretty open lattice pattern near its opening with several large interspaces formed of strong loop-like strands on either side near anterior and its collar.

Mature larva: Body length about 5mm. Cephalic apotome with indistinct of faint, positive head spots. Antenna composed of 3 segments in proportion of 4.7 : 6.1 : 3.6; the 2nd segments with a secondary annulation. Cephalic fan each with about 32 main rays. Mandibulal serratior composed of large and small teeth but lacking supernumerary serration, moderately developed. Hypostopium with rour of 9 apical teeth, of which medial and corner teeth moderately developed; lateral serration present on apical 1/2; hypostomal setae 5 in mumber diverging posteriorly from lateral margin on each side. Postgenal cleft deep, subspear-shaped, pointed anteriorly and constricted at base, about 5-6 times as long as postgenal bridge. Thoracic and abdominal integument bare. Rectal gill lobes compound, each with 7-10 secondary lobules. Anal sclerite X-shaped, anterior arms about 0.50 as long as posterior ones. Ventral papillae absent.

Type materials: Holotype ♀, reared from pupa, slide-mounted together with its associated pupal skin, was collected in fast-flowing stream from Qinling, Shaanxi province, 107°45′E, 33°47′N, H 1779m and 108°45′E, 45°22′N, H 1277m 2008 by Xiujiangfan. Paratype 3♂, 4 pupae, 2 larvae, on the same day as holotype; 2♀, 2♂, 4 pupae and 5 larvae, Xichagou , Xi'an, Shaanxi. July. 2006. by WangYan.

Distribution: Shaanxi Province, China.

Remarks: This new species seems to fall into the *malyschevi* group as defined by Takaok and Davies (1996) by the characters of adult genitalia and pupa. It's allied to *S. bidentatem* Shirak; and *S.* (*S.*) *tanne* Xue from China. The new species, however, can be readily separated from above two species by the arms of female gentital fork lacking sclerotized projection directed forwards. The shape of male genitelion; the color of legs, the branching method of the pupal gill filaments and the some characters of larva.

Empididae

Wang Ning[1], Xiao Wenmin[2], Ding Shuangmei[2] and Yang Ding[2]

(1. Institute of Grassland Research, Chinese Academy of Agricultural Sciences, Hohhot 010010;

2. Department of Entomology, China Agricultural University, Beijing 100193)

11 genera and 37 species of dance flies are reported from Qinling Moutains, Shaanxi. Six species are described as new to science. The specimens are deposited in the Entomological Museum of China Agricultural University (CAU), Beijing.

1. *Empis* (*Coptophlebia*) *dorsalis* Wang, Xiao, Ding *et* Yang, sp. nov. (Fig. 227)

This new species is similar to *Empis* (*Coptophlebia*) *zhangae* Yang, Wang, Zhu *et* Zhang, but may be separated from the latter by the hind femur with a row of antero-ventral bristles and epandrial lamella with the acute dorso-apical corner.

Holotype♂, Shaanxi, Zhouzi, Banfangzi, 1317m, 2013. Ⅷ. 09, Li Xuankun. Paratype 1♂, Shaanxi, Liuba, Caishengmiao, 1212m, 2013. Ⅷ. 17, Xi Yuqiang.

Etymology: The specific name refers to the hind femur with a row of long antero-dorsal bristles.

2. *Empis* (*Coptophlebia*) *flaviseta* Wang, Xiao, Ding *et* Yang, sp. nov. (Fig. 228)

This new species is somewhat similar to *Empis* (*Coptophlebia*) *zhangae* Yang, Wang, Zhu *et* Zhang, but may be separated from the latter by the hairs and bristles on the head and thorax mostly or nearly entirely brownish yellow, acr absent and scutellum with two pairs of bristles.

Holotype♂, Shaanxi, Liuba, Guanghuashan, 1912m, 2013. Ⅷ. 20, Xi Yuqiang. Paratypes 1♀, same as holotype; 1♂, Shaanxi, Fengxian, Huangniupu, 1501m, 2013. Ⅷ. 21, Xi Yuqiang; 4♂2♀, Shaanxi, Zhouzi, Laoxiancheng, 1896m, 2015. Ⅶ. 31, Hou Peng; 1♂, Shaanxi, Zhouzhi, Dudumen, 1740m, 2015. Ⅷ. 01, Hou Peng.

Etymology: The specific name refers to the brownish yellow hairs and bristles on the head and thorax.

3. *Empis* (*Coptophlebia*) *latitarsalis* Wang, Xiao, Ding *et* Yang, sp. nov. (Fig. 229)

This new species is similar to *Empis* (*Coptophlebia*) *separata* sp. nov., but may be separated from the latter by the absence of acr and fore tarsomeres 1-4 strongly thickened.

Holotype♂, Shaanxi, Changan, Kuyu, 897m, 2013. Ⅶ. 31, Li Xuankun. Paratype 1♂, Shaanxi, Ningshan, Guanghejie, 1200m, 2013. Ⅷ. 10, Xi Yuqiang; 5♂, Shaanxi, Zhouzhi, Houzhenzi, 1545m, 2015. Ⅷ. 03, Ma Xingkun; 1♂, Shaanxi, Zhouzhi, Houzhenzi, 1545m, 2015. Ⅷ. 02, Li Xuankun; 1♂, Shaanxi, Zhouzhi, Dudumen, 1740m, 2015. Ⅷ. 01, Hou Peng.

Etymology: The specific name refers to the fore tarsus strongly thickened.

filaments, arranged in pairs, longer than pupal baby; common basal stout stalk divided into 2 primary stalks divided again into 2 secondary slender fiaments; all filaments subequal in length and thickness except outer filament of dorsal pair slightly longer and thicker than 3 other filaments; all filaments with numerous transverse ridges and covered densely minute tubercles.

Abdomen: Terga 1 and 2 weakly tuberculate; tergum 2 with 6 single setae on each side, 1 of them much longer than others; targa 3 and 4 each with 4 hooked spines directed forwards along posterior margin; terga 5-8 each with spine-combs and also comb-like groups of minute spines laterated on each side; tergum 9 with pair of cone-shaped terminal hooks. Sternum 4 with a spinous hair on each side; Sternum 5 with pair of bifid books which situated close together each other submedially; sterna 6 and 7 each with a pair of bifid hooks widely spaced on each side; sterna 4-8 each with comb-like groups of minute spines on each side. Cocoon. Wall-pocket-shaped, tightly woven, extending forming wide flange, bearing thick anterior margin and with medium anterodorsal projection.

Mature larva: Length about 5mm; yellow with sepin-colored spots on posterion abdominal segment dorsally. Cephalic apdome with faint positive head spoots. Each cephalic fan with about 40 main rays. Antenna longer than stem of cephalic fan, composed of 3 segments and apical sensillum in proportion of 6. 3: 7. 5: 4. 2. Mandible with a large mandibular serration and a few veny minute supernumerary serrations. Hypostomial teeth 9 in number, of which median and corner teeth prominent; lateral margins smooth except near apex serrated; hypostomial setae 4-5 in row lying parallel to lateral margins on each side. Postgenal cleft small, about 0. 80 times as long as postgenal bridge, rounded anteriorly. Thoracic and abdominal integuments bare. Rectal gill lobes compound, each with 4-6 finger-like secondary lobules. Anal sclerite X-formed with anterion short arms about 0. 80 times as long as posterior ones; ring of minute spines round rectal papilla. Accessory sclerite marked. Posterior circlet with 82 rows of 11-14 hooklets per row. Ventral paplliae well developed.

Type materials: Holotype♂, reared from pupa, slide-mounted with pupal skin and cocoon; collected from a rivulet of Qinling, Shaanxi Province, altitude 1400m, N 33°20?, E 108°02?, 9. Aug. 2008 by Xiujiangfan. Paratypes: 1♂, 2 pupae and 2 larvae, slide-mounted, same day as holotype.

Distributionn: Shaanxi Province, China.

Remarks: According to the male ventral plate lamellate, lacking a median keel; style with a inwardly-twisted apex; medium sclerite inverted-Y shaped; paramere with a single hook and pupal gill with 4 slender filaments, this new species is assigned to the vernum-group as defined by Crosskey and Davies (1972). Among this group, the present new species is distinctive in having the accessory sclerite on the larval abdomen and the pupal cocoon with an anterdorsal projection, which has been reported only in 3 named species, S. (*N.*) *yushangense* Takacka, 1979 from Taiwan. S. (*N.*) *caudisclerum* Takaika *et* Davies 1995 from Malaysia. S. (*N.*) *zhangjiajiense* Chen, Zhang and Bi, 2004 from Hunan Province, China. The new species, however, is easily distinguished from S. (*N.*) *yushangense* by the pupal filaments of equal length, and from the S. (*N.*) *caudiaclerum* by the dark coloration of male legs, and separated from the letter species by the shape of male ventral plate and median sclerite and the dark coloration of male legs; and in number of hypostomial setae, rectal gill lobules and posterion circlet rows in the larva.

English Summary

Simuliidae

Xiu Jiangfan[1], Hou Xiaohui[2], Chen Hanbin[1]

(1. Guizhou Medical University, Guiyang 550004; 2. Zunyi Medical College, Zunyi 563000)

One genus and 14 species including two new species of Simuliidae are reported from Qinling Moutains, Shaanxi.

1. *Simulium* (*Nevermannia*) *qinlingense* Xiu *et* Chen, sp. nov. (**Fig. 129**)

Female: Unknown.

Male: Body length about 3.20mm. Wing length about 2.30mm.

Head: Slightly wider than thorox. Upper eye consisting of larger facets in 17 vertical columns and 17 horizontal rows. Clypeus black, grey-dusted, covered with several brown long hairs. Antenna composed of 2 +9 segments. 1st flagellomere somewhat elongate, about 1.40 times as long as the following one. Maxillary palp black with 5 segments, proportiongal lengths of 3rd to 5th segments 5.3∶4.9∶10.6; sensory vesicle small about 0.21 as long as 3rd segment.

Thorax: Scutum brownish black, grey pruinose, densely covered with recumbent yellow hairs. Postscutellum black and bare. Pleural membrane and katepisternum bare. Legs. All coxae brown; all trochanters medium brown; All femora light brown except mid an hind femora with distal 1/4 dark trown; all tibiae medium brown; all tarsi dark brown except hind basitarsus medium brown; fore basitarsus cylindrical, about 9 times as long as wide; hind basitarsus enlarged, broad distally, about 3.30 times as long as wide. Wing. Costa with spinules as well as hairs; subcosta bare; basal section of radieus fully haired. Hair tuft at base of costa and at stem vien brown.

Abdomen: Basal scale brownish, fringe with brownish yellow long hairs. Genitalia. Coxite rectangular in shape, nearly as long as its greatest width and a little shorter than style. Style boot-shaped, twisted inwards and with stronger apical spine. Ventral plate lamellate; in ventral view transverse, slightly tapered postriorly, about 0.52 times as long as wide; posterior margin nearly straight and proximal margin with a median shallow depression directed backwards; and with minute setae medially on posterior 1/2 of ventral surface; basal arms well sclerotized and somewhat convering. Parameres each with a large hook. Median sclerite plate shaped with bifid tip. Dorsal plate about 1.30 times as long as wide, rounded posteriorly.

Pupa: Length about 3mm.

Head and thorax: Integument pale yellow sparsely covered with small tubercles. Head trichomes 4 pairs of long and simple; thoracic with 6 pairs of long simple trichomes. Gill with 4 slender thead-like

4. ***Empis*** **(*Coptophlebia*) *longa* Wang, Xiao, Ding *et* Yang, sp. nov. (Fig. 230)**

This new species can be easily separated from other known species by the antenna logner than head.

Holotype♂, Shaanxi, Zhouzi, Banfangzi, 1317m, 2013. Ⅷ. 09, Chang Wencheng. Paratypes 3♂ 4♀, same data as holotype.

Etymology: The specific name refers to the rather long antenna.

5. ***Empis*** **(*Coptophlebia*) *separata* Wang, Xiao, Ding *et* Yang, sp. nov. (Fig. 231)**

This new species is similar to *Empis* (*Coptophlebia*) *latitarsalis* sp. nov., but can be separated from the latter by the presence of acr and only fore tarsomere 1 distinctly thickened.

Holotype♂, Shaanxi, Ningshan, Guanghejie, 1590m, 2013. Ⅷ. 10, Xi Yuqiang. Paratypes 1♂, Shaanxi, Liuba, Guanghuashan, 1912m, 2013. Ⅷ. 20, Xi Yuqiang; 5♂ 2♀, Shaanxi, Changan, Taibaishan, 1565m, 2013. Ⅷ. 13, Li Xuankun; 25♂ 32♀, Shaanxi, Zhouzhi, Houzhenzi, 1545m, 2015. Ⅷ. 03, Ma Xingkun; 60♂ 47♀, Shaanxi, Zhouzhi, Houzhenzi, 1545m, 2015. Ⅷ. 02, Li Xuankun; 29♂ 16♀, Shaanxi, Zhouzhi, Dudumen, 1740m, 2015. Ⅷ. 01, Hou Peng; 13♂ 6♀, Shaanxi, Zhouzhi, Taibaishan, 1711m, 2015. Ⅶ. 30, Li Xuankun.

Etymology: The specific name refers to the male eyes separated.

6. ***Rhamphomyia*** **(*Pararhamphomyia*) *digitata* Wang, Xiao, Ding *et* Yang, sp. nov. (Fig. 232)**

This new species is similar to *Rhamphomyia* (*Pararhamphomyia*) *tachulanensis* Saigusa, but can be separated from the latter by the epandrial lamella obtuse apically.

Holotype♂, Shaanxi, Ningshan, Guanghejie, 1200m, 2013. Ⅷ. 10, Xi Yuqiang.

Etymology: The specific name refers to the digitiform process of the cercus.

Pipunculidae

Huo Shan[1] and Yang Ding[2]

(1. Forest Protection Station, Tongzhou District, Beijing 101100;

2. Department of Entomology, China Agricultural University, Beijing 100193)

Two genera and 10 species of Pipunculidae are reported from Qinling Mountains, Shaanxi. Two species are described as new to science. The types are deposited in the Entomological Museum of China Agricultural University (CAU), Beijing.

1. ***Cephalops fortis*** **sp. nov. (Fig. 239)**

This new species is somewhat similar to *C. xanthocnemis* (Perkins, 1905), but may be separated from the latter by the surstylus asymmetrical and the end of phallus hooked.

Holotype♂, Shaanxi, Foping, Dadianzi, 2006. Ⅶ. 25, Zhu Yajun.

3. ***Phyllomyza cornis* Xi *et* Yang, sp. nov.** (**Fig. 265**)

This new species is somewhat similar to *Phyllomyza pronusipalpis*, but may be separated from the latter by the gena approximately one-tenth of eye height; knob of halter yellow; S3-S4 vertical trapezoid; surstylus with upper blade of bifurcated tip extremely swollen and blunted at margin.

Holotype ♂, Chongqing, Liangping, Daheba, 2012. Ⅷ. 10, Li Zhifei. Paratypes ♂, Shaanxi, Danfeng, Yuling, 2014. Ⅷ. 11, Tang Chufei; 4 ♀, Yunnan, Baoshan, Nankang, 2012. Ⅴ. 10, Liu Yuanye; 1 ♂, Yunnan, Baoshan, Dahaoping, 2012. Ⅴ. 11, Liu Yuanye; 2 ♂, Jiangxi, Jingan, Sanzhualun, 2014. Ⅶ. 21, Wang Kai; 1♂, Jiangxi, Jinggangshan, Ciping, 2014. Ⅶ. 27, Liu Qifei.

4. ***Phyllomyza letophyllusa* Xi *et* Yang, sp. nov.** (**Fig. 269**)

This new species is somewhat similar to *Phyllomyza verticalis*, but may be separated from the latter by the first flagellomere irregularly square; ocellar triangle darkish brown; 4 interfrontal setae; knob of halter yellowish white, stalk yellowish.

Holotype♂, Beijing, Haidian, Malianwa, 2012. Ⅵ. 15, Li Xuankun. Paratypes 1 ♂, Shaanxi, Changan, Kuyu, 2013. Ⅶ. 31, Li Xuankun; 5 ♂, Shaanxi, Zhouzhi, Louguantai, 2013. Ⅶ. 25, Yan Yan; 1♂, Yunnan, Baoshan, Baihualing, 2012. Ⅴ. 12, Li Wenliang; 2♂, Yunnan, Dali, Cangshan, 2012. Ⅵ. 05, Wang Yuyu; 1 ♂, Beijing, Yanqing, Songshan, 2012. Ⅵ. 27, Wang Hongrui; 1 ♂, Shanxi, Jicheng, Zhangmacun, 2012. Ⅶ. 21, Zhang Zhenhua; 2♂, Guangxi, Shangsi, Shiwandashan, 2013. Ⅴ. 17, Liu Xingyue; 1♂, Jiangxi, Jinggangshan, Ciping, 2014. Ⅶ. 31, Wang Kai; 4♂, Hubei, Yunxi, Guanyinzhen, 2014. Ⅷ. 05, Ding Shuangmei.

5. ***Phyllomyza multijubatusa* Xi *et* Yang, sp. nov.** (**Fig. 270**)

This new species is somewhat similar to *Phyllomyza multijubatusa*, but may be separated from the latter by the eye 1.30 times as high as long, gena approximately one-eighth of eye height; fore tibia yellow, mid tibia brownish and yellowish both ends, hind tibia brownish and yellowish both ends.

Holotype♂, Yunnan, Baoshan, Baihualing, 2012. Ⅶ. 16, Li Xuankun. Paratypes ♂, Shaanxi, Zhashui, Yingpan, 2014. Ⅶ. 31, Tang Chufei; 2♂, Yunnan, Yingjiang, Tongbiguan, 2012. Ⅴ. 01, Li Wenliang.

6. ***Phyllomyza obtusatusa* Xi *et* Yang, sp. nov.** (**Fig. 271**)

This new species is somewhat similar to *Phyllomyza multijubatusa*, but may be separated from the gena approximately one-tenth of eye height; M1 between r-m and dm-cu 1.1 times longer than dm-cu; knob of halter gray.

Holotype♂, Sichuan, Leshan, Emeishan, 2012. Ⅵ. 10, Zhang Xiao. Paratypes ♂, Shaanxi, Zhouzhi, Louguantai, 2013. Ⅶ. 25, Yan Yan; 5♂2♀, Shaanxi, Liuba, Jiangkou, 2013. Ⅷ. 18, Xi Yuqiang; 3♂, Shaanxi, Shanyang, Chengguan, 2014. Ⅵ. 27, Zhang Lei; 2♂, Hubei, Tongzhou, Jiugongshan, 2014. Ⅵ. 19, Liu Xiaoyan.

7. ***Phyllomyza piceusa* Xi *et* Yang, sp. nov.** (**Fig. 272**)

This new species is somewhat similar to *Phyllomyza singularisa*, but may be separated from the M1 between r-m and dm-cu 1.6 times longer than dm-cu; S3 vertical rectangule, S4 irregularly rectangular.

Holotype♂, Yunnan, Yingjiang, Xima, 2012. Ⅴ.05, Li Wenliang. Paratypes 8♂10♀, Shaanxi, Zhashui, Yingpan, 2014. Ⅶ.31, Ding Shuangmei; 1♂, Yunnan, Yingjiang, Tongbiguan, 2012. Ⅴ.01, Li Wenliang; 1♂, Yunnan, Yingjiang, Tongbiguan, 2012. Ⅴ. 02, Liu Yuanye; 6♂, Yunnan, Tengchong, Zizhi, 2012. Ⅴ.07, Li Wenliang; 1♂, Yunnan, Baoshan, Dahaoping, 2012. Ⅴ. 11, Li Wenliang; 10♂, Yunnan, Baoshan, Dahaoping, 2012. Ⅴ. 11, Liu Yuanye; 12♂, Yunnan, Baoshan, Baihualing, 2012. Ⅴ.12, Li Wenliang; 1♂, Yunnan, Baoshan, Baihualing, 2012. Ⅴ.13, Li Wenliang; 1♂, Yunnan, Dali, Cangshan, 2012. Ⅵ. 05, Kang Zehui; 10♂, Chongqing, Liangping, Dahebai, 2012. Ⅷ.10, Li Zhifei; 3♂, Guangxi, Shangsi, Wanglebaohuzhan, 2013. Ⅴ.18, Wang Guoquan; 1♂, Yunnan, Baoshan, Baihualing, 2013. Ⅶ.16, Li Xuankun.

8. *Neophyllomyza flavescens* Xi *et* Yang, sp. nov. (Fig. 273)

This new species is somewhat similar to *Neophyllomyza obtusus*, but may be separated from the knob of halter brown, stalk brownish; surstylus slightly wide and the apical blunted, cercus slightly wide.

Holotype♂, Tibet, Beibeng, 2013. Ⅸ.11, Yaogang. Paratype 1♀, Shaanxi, Zhashui, Gan goufuwuzhan, 2014. Ⅶ.26, Ding Shuangmei; 1♀, Tibet, Chayu, Zhalacun, 2012. Ⅶ.07, Liu Xiaoyan; 1♀, Tibet, Linzhi, Bayizhen, 2012. Ⅶ. 15, Li Wenliang; 1♀, Tibet, Linzhi, Sejilashan, 2012. Ⅷ. 12, Li Wenliang; 1♀, Tibet, Linzhi, 2012. Ⅸ.12, Li Wenliang.

Sepsidae

Li Xuankun and Yang Ding

(Department of Entomology, China Agricultural University, Beijing 100193)

Eight genera and 17 species including 1 new sepcies of Sepsidae are reported from Qinling Moutains, Shaanxi. The specimens are deposited in the Entomological Museum of China Agricultural University (CAU), Beijing.

***Themira qinshuana* sp. nov. (Fig. 293)**

This new species is somewhat similar to *T. makiharai* Iwasa, 1984, but could be separated from the latter by the fore femur with 1 dorsal seta at apical 1/3, hind femur with 7 short ventral setae at basal 1/3, hind tibia with 4 long dorsal setae at apex, and epandrium different from the latter in shape.

Holotype♂, Shaanxi, Zhouzhi, Laoxiancheng, 1846m, 2014. Ⅷ. 19, Lu Xiumei. Paratype, Sichuan, 1♂, Emei Mt., 1200m, 2012. Ⅵ. 08, Zhang Xiao; 1♂, Emei Mt., 1200m, 2012. Ⅵ. 08, Wang Junchao.

Sphaeroceridae

Su Lixin[1], Dong Hui[2], Yang Ding[3] and Liu Guangchun[1]

(1. College of Life Science and Bioengineering, Shenyang University, Shenyang 110044; 2. Key Laboratory of Southern Subtropical Plant Diversity, Fairylake Botanical Garden, Shenzhen&Chinese Academy of Sciences, Shenzhen, Guangdong 518004; 3. Department of Entomology, China Agricultural University, Beijing 100193)

17 genera and 34 species of Sphaeroceridae are reported from Qinling Moutains, Shaanxi. Two species are described as new to science. Eight species are recorded in China for the first time. The examined specimens are deposited in the Entomological Museum of China Agricultural University (CAU), Beijing and the Museum of Shenyang University (SYU), Shenyang.

1. *Paralimosina curvata* Su *et* Liu, sp. nov. (Fig. 296)

This new species is very similar to *Paralimosina confusa* Hayashi, 1994, but may be separated from the latter by the strongly curved distal part of basiphallus, very straight postgonite and narrow anterior part of surstylus.

Holotype♂, Shaanxi, Foping, Liangfengya, 1570m, 2013. Ⅶ. 30, Cai Yunlong.

2. *Trachyopella* (*Trachyopella*) *monoseta* Su *et* Liu, sp. nov. (Fig. 297)

This new species is somewhat similar to *Trachyopella* (*T.*) *kuntzei* (Duda, 1918), but may be separated from the latter by the small and not concave membranous posteromedial part of sternite 5, finger-like distal part of postgonite and surstylus with a long spine-like seta on the posterior margin.

Holotype♂, Shaanxi, Zhashui, Yingpan, 1299m, 2013. Ⅶ. 15, Cai Yunlong. Paratype 1♂, Shaanxi, Zhashui, Yingpan, 1051m, 2013. Ⅶ. 16, Cai Yunlong.

Pyrgotidae

Wang Lihua, Ding Shuangmei and Yang Ding

(Department of Entomology, China Agricultural University, Beijing 100093)

One genus and one species of Pyrgotidae are reported from Qinling Moutains, Shaanxi. The specimens are deposited in the Entomological Museum of China Agricultural University (CAU), Beijing.

Milichiidae

Xi Yuqiang[1] and Yang Ding[2]

(1. College of Plant Protection, Henan Agricultural University, Zhengzhou 450002;

2. Department of Entomology, China Agricultural University, Beijing 100193)

Three genera and 15 species of Milichiidae are reported from Qinling Moutains, Shaanxi. Eight species are described as new to science, and five species are newly recorded from China. The types are deposited in the Entomological Museum of China Agricultural University (CAU), Beijing.

1. *Phyllomyza auriculatusa* Xi *et* Yang, sp. nov. (Fig. 263)

This new species is somewhat similar to *Phyllomyza convexusa*, but may be separated from the latter by the eye 1.6 times as high as long; knob of halter brownish yellow and stalk brown; hind tibia darkish brown at apical 2/3.

Holotype♂, Yunnan, Yingjiang, Tongbiguan, 2012. Ⅴ. 01, Li Wenliang. Paratypes 1♂, Shaanxi, Ningshan, Guanghuojie, 2013. Ⅷ. 10, Xi Yuqiang; 1♂, Yunnan, Dehong, Ruili, 2012. Ⅳ. 30, Li Wenliang; 1♂, Yunnan, Lvchun, Qimaba, 2012. Ⅴ. 11, Yang Ding; 1♂, Yunnan, Baoshan, Baihualing, 2012. Ⅴ. 02, Li Wenliang; 1♂, Yunnan, Lvchun, Qimaba, 2013. Ⅵ. 11, Yang Jinying; 1♂, Yunnan, Baoshan, Baihualing, 2013. Ⅶ. 17, Li Xuankun.

2. *Phyllomyza breviproboscis* Xi *et* Yang, sp. nov. (Fig. 264)

This new species is somewhat similar to *Phyllomyza multijubatusa*, but may be separated from the latter by the eye 1.5 times as high as long, gena approximately one-tenth of eye height; hind tibia brownish and yellow at both ends.

Holotype♂, Yunnan, Baoshan, Baihuangling, 2013. Ⅶ. 17, Zhang Wei. Paratypes 1♂, Shaanxi, Zhouzhi, Banfangzi, 2013. Ⅷ. 19, Li Xuankun; 1♂, Shaanxi, Ningshan, Huoditang, 2013. Ⅷ. 14, Xi Yuqiang; 2♂, Shaanxi, Xunyang, Qianpingcun, 2014. Ⅷ. 03, Tang Chufei; 1♂, Shaanxi, Zhashui, Gangoufuwuzhan, 2014. Ⅶ. 28, Ding Shuangmei; 1♂, Yunnan, Yingjiang, Nabang, 2012. Ⅴ. 02, Li Wenliang; 2♂, Yunnan, Yingjiang, Nabang, 2012. Ⅴ. 02, Liu Yuanye; 1♂, Yunnan, Baoshan, Dahaoping, 2012. Ⅴ. 11, Li Wenliang; 1♂1♀, Yunnan, Baoshan, Dahaoping, 2012. Ⅴ. 11, Liu Yuanye; 5♂, Yunnan, Baoshan, Dahaoping, 2012. Ⅴ. 11, Liu Yuanye; 1♂, Yunnan, Dali, Binchuan, 2012. Ⅵ. 02, Wang Yuyu; 2♂, Yunnan, Baoshan, Baihualing, 2013. Ⅶ. 16, Li Xuankun; 2♂, Yunnan, Baoshan, Baihuangling, 2013. Ⅶ. 16, Zhang Wei; 4♂, Yunnan, Baoshan, Baihualing, 2013. Ⅶ. 17, Li Xuankun.

2. *Cephalops spirellus* sp. nov. (Fig. 241)

This new species is somewhat similar to *C. varius* (Cresson, 1911), but may be separated from the atter by the femora yellow and the distiphallus long and highly curled.

Holotype ♂, Shaanxi, Foping, Changjiaoba, 2006. Ⅶ. 24, Zhu Yajun.

Syrphidae

Huo KeKe[1], Zhang KuiYan[2]

(1. School of Biological Sciences and Engineering, Shaanxi University of Technology, Hanzhong 723000; 2. Institute of Zoology, Chinese Academy of Sciences, Beijing 100101)

Sixty-eight genera and 255 species of Syrphidae are reported from Qinling Moutains, Shaanxi. Two species are decribed as new to science. Three genera, i. e. *Megasyrphus*, *Takaomyia* and *Eristalodes*, are firstly recorded from Shaanxi. The male of *Dasysyrphus angustatantennus* and the females of *Chrysotoxum zibaiensis*, *Pipiza hongheensis*, *Korinchia angustiabdomena*, and *Rhingia xanthopoda* are discovered and described. The replacement name is introduced for homonyms: *Cheilosia fengensis* nom. n. (= *Cheilosia flava* Huo, Ren and Zheng, 2007, primary homonym of *Cheilosia flava* Barkolov and Cheng, 2004). The specimens are deposited in the School of Biological Sciences and Engineering, Shaanxi University of Technology, Shaanxi.

1. *Chrysotoxum luohensis* Huo, sp. nov. (Fig. 247)

The new species is similar to *Chrysotoxum tuberculatum* Shannon, 1926 in apppearace. Both species share the anepimeron yellow pilose, posterolateral corner of tergites projecting and hind tarsi black. The new species may be distinguished from the latter by the hind trochanter absent of tubercle. The new species is also allied to *Chrysotoxum cautum* (Harris, 1776). Both species have the third antennal segment almost equil to the basal segments combined together, but the new species is easily differentiated from the latter by eyes densely white pilose, scutellum long yellow pilose, posterolateral corners of tergites protruding, anter- and mesofemurs basally and metafemurs ventrally black, and hind tarsi black.

Holotype♂, 2008. Ⅸ. 17, Tong village, Ganquan city, Shaanxi, collercted by Li Wenbing. Paratypes 1♂, similar data as holotype; 1♂, 2014. Ⅷ. 24, Liuba, Shaanxi, collected by Huo KeKe.

2. *Takaomyia flavofasciata* Huo, sp. nov. (Fig. 257)

The new species is distinguished from the other species of the genus by the mesonotum with pollinose bands medially and along the transverse suture, and tergites 3-4 basally with light pollinose bands.

Holotype ♀, 2012. Ⅶ. 16, Liuba, Shaanxi, collected by Wang Yuyan.

Eupyrgota frons **Wang, Ding *et* Yang, sp. nov. (Fig. 340)**

This new species is easily separated from other known species of the genus by the following characters: frons entirely brown; 1st sternite longer than total length of other four sternites; membranous tube extended and bent in barbed shape, which is nearly as long as ovipositor and its apical thorn is invisible.

Holotype♀, Liaoning, Xinbing, Douling forestry centre, 2009. Ⅶ. 22, Sheng Maoling. Paratypes 1♀, Shaanxi, Zhouzhi, Houzhenzi, 2009. Ⅵ. 02, Sheng Maoling; 9♀, Shaanxi, Zhouzhi, Houzhenzi, 2009. Ⅵ. 09, Sheng Maoling; 1♀, Shaanxi, Shangzhou, 2009. Ⅵ. 26, Sheng Maoling; 1♀, Liaoning, Xinbing, Douling forestry centre, 2009. Ⅶ. 08, Sheng Maoling; 1♀, Sichuan, Mount Emei, Linggongli, 2010. Ⅶ. 05, Wang Junchao; 2♀, Yunnan, Lvchun, Huanglianshanyakou Protection station, 2011. Ⅴ. 07, Wang Lihua.

Muscidae

Yu Teng and Xue Wanqi

(Institute of Entomology, Shenyang Normal University, Shenyang 110034)

26 genera and 74 species of Fanniidae are reported from Qinling Moutains, Shaanxi. Examined specimens are deposited in the Institute of Entomology, Shenyang Normal University, Shenyang.

Phaonia nigribitrigona **Xue, sp. nov. (Fig. 341)**

This new species belongs to *Phaonia bitrigona*-subgroup of *Phaonia bitrigona*-group. It is somewhat similar to *Phaonia bitrigona* Xue, 1984, but may be separated from the latter by the frontal eye and lateral eye with dense and long ciliae, about twice as long as diameter of anterior ocellus, frons about as wide as anterior ocellus (not twice), fronto-orbital plate, parafacial and gena black (not red-brownish), parafacial narrower, at most 1/3-1/2 width of postpedicel (not 2/3), palpus black entirely (not basal palpus dark-brownish), basicosta black (not yellow), outer process of male cerci distinctly longer than inner process.

Holotype♂, Shaanxi, Yungaisi, Heiyaogou, 1217m, 2013. Ⅶ. 06, Yu Teng.